KU-525-393

LANGENSCHEIDT'S
POCKET
DICTIONARIES

# LANGENSCHEIDT'S POCKET POLISH DICTIONARY

## ENGLISH-POLISH
## POLISH-ENGLISH

BY

TADEUSZ GRZEBIENIOWSKI

LANGENSCHEIDT

# CONTENTS



## ENGLISH-POLISH PART



## POLISH-ENGLISH PART

# PREFACE

This "Pocket Polish Dictionary" is a revised and enlarged version of the "Concise English-Polish and Polish-English Dictionary", first published 1958.

The dictionary is meant to be used in all walks of life and at school. In its two parts it contains more than 50,000 vocabulary entries and phrases.

In addition to the vocabulary this dictionary contains a list of irregular English verbs and lists of geographical names, proper names, famous names and well-known characters in literature, abbreviations, weights and measures (American and British).

In order to help the learner to use a word in a sentence particular attention has been drawn to syntactic information within the entry in the dictionary.

## ADVICE TO THE USER

### 1. Headwords

The headwords are printed in bold faced type in strictly alphabetical order. They are labelled by pertinent abbreviations indicating their grammatical categories to which they belong. Some other symbols denote the respective branches of learning or the special walks of life.

In case an English word is invariable in form irrespective of its grammatical category e.g. **love** (as a noun) = m i ł o ś ć and **love** (as a verb) = k o c h a ć its Polish equivalents are arranged, within the same entry, according to the grammatical order, e.g.:

If the English headword is followed by several Polish equivalents it is the basic meaning or etymologically the earliest one that comes first. E.g.:

If the basic meaning of an English headword has become obsolete, its Polish equivalent comes last. E.g.:

## WSKAZÓWKI DLA KORZYSTAJĄCYCH ZE SŁOWNIKA

### 1. Hasła

Wyrazy hasłowe podano pismem półgrubym w ścisłym porządku alfabetycznym. Opatrzono je odpowiednimi skrótami sygnalizującymi ich przynależność do poszczególnych części mowy lub do specjalnych dziedzin życia.

Jeżeli wyraz hasłowy występuje w charakterze różnych części mowy identycznych pod względem formy (jak np. **the love i to love**), podano go w jednym artykule hasłowym z polskimi odpowiednikami uszeregowanymi według ustalonej w gramatyce kolejności, np.:

**hand** [hænd] *s* r ę k a, d ł o ń...; *vt* (*także* ~ in) w r ę c z y ć...

Jeżeli wyraz hasłowy ma kilka odpowiedników polskich, na pierwszym miejscu podano znaczenie bliższe lub pierwotne, a potem, kolejno, znaczenie dalsze lub pochodne, np.:

**gath·er** [ˈgæðə(r)] *vt vi* z b i e r a ć (s i ę); w n i o s k o w a ć; (*o rzece*) w z b i e r a ć; (*o wrzodzie*) n a b i e r a ć; n a r a s t a ć

Gdy wyraz hasłowy jest rzadko używany w swym pierwotnym znaczeniu podstawowym, pierwszeństwo w kolejności polskich odpowiedników przyznano znaczeniom późniejszym, pochodnym, nowożytnym, np.:

**dis·com·fit** [dɪˈskʌmfɪt] *vt* z m i e s z a ć; u d a r e m n i ć; † p o b i ć

Homonyms are grouped under separate entries and marked with successive Arabic ciphers, e.g.:

Homonimy podano w osobnych hasłach oznaczonych kolejnymi cyframi arabskimi, np.:

**grave 1.** [greɪv] *s* grób
**grave 2.** [greɪv] *adj* poważny, ważny

Since the present dictionary is concise considerable amount of words has been left out. Many English derivatives and compounds which follow a clear pattern of derivation and combination have not been included. For this reason e.g. the noun **disappointment** has been left out as it is derived from the verb **to disappoint**; owing to the information about the grammatical function of the suffix -ment (see p. 9) the reader will not fail to make out the meaning of the substantival derivative if he knows the meaning of the basic form. Another example: two words **moon** księżyc and **light** światło make up a uniform compound **moonlight** światło księżyca. Still some compounds had to be included because of difference in meaning or pronunciation, e.g.:

Ze względu na zwięzłość słownika pominięto poważną ilość wyrazów złożonych i pochodnych, łatwych do zrozumienia na podstawie pewnego ustalonego schematu. Poznawszy typ wyrazu i jego części składowe można łatwo odgadnąć znaczenie formy złożonej, np. wyraz **moonlight** składa się z części **moon** = księżyc i **light** = światło. Znalazłszy znaczenie tych oddzielnych wyrazów tworzymy całość znaczeniową „światło księżyca". Podobnie jak rzeczownik **disappointment** rozczarowanie jest wynikiem połączenia czasownika **to disappoint** rozczarować z przyrostkiem -ment.

W słowniku zamieszczono jednak wyrazy złożone, odrębne pod względem wymowy albo znaczenia, np.:

**half·pen·ny** [ˈheɪpnɪ] *s* (*pl* **halfpence** [ˈheɪpəns]) pół pensa

while the two separate components of the above word are pronounced **half** [haf] and **penny** [ˈpenɪ], **pence** [pens].

które wymawia się inaczej niż oddzielne części składowe **half** [haf] i **penny** [ˈpenɪ], **pence** [pens]

If the headword within the same entry belongs to diverse grammatical categories, they are marked off by means of a semicolon, and labelled by a pertinent grammatical abbreviation, e.g.:

Jeżeli wyraz hasłowy pełni różne funkcje gramatyczne, oddzielono je średnikiem oraz oznaczono odpowiednim kwalifikatorem gramatycznym, np.:

**af·ter·noon** [ˈaftəˈnun] *s* popołudnie; *adj attr* popołudniowy...

**stand** [stænd] ... *vt* s t a ć; s t a w i a ć s i ę; ... *vt* s t a w i a ć; w y t r z y m y w a ć...; *s* m i e j s c e, s t a n o w i s k o...

With reference to prefixes and suffixes as elements of the English vocabulary and word-formation, they ought to be given in a very rough outline:

W odniesieniu do przedrostków i przyrostków należy ogólnikowo zwrócić uwagę na ich rolę w zakresie słownictwa i słowotwórstwa angielskiego:

**in- un-** are prefixed to some words, especially to adjectives to express negation. E.g.:

**in-** i **un-** zmieniają wyraz, nadając mu charakter przeczący, np.:

**com·pre·hen·si·ble** ... z r o z u m i a ł y ...
**in·com·pre·hen·si·ble** ... n i e z r o z u m i a ł y ...
**be·com·ing** ... s t o s o w n y ...
**un·be·com·ing** ... n i e s t o s o w n y ...

The prefix **un-** precede some words to express reversal or deprivation. E.g.:

Przedrostek **un-** oznacza również odwrócenie lub pozbawienie, np.:

**bind** ... w i ą z a ć ...
**unbind** ... r o z w i ą z a ć ...
**mask** ... m a s k o w a ć ...
**unmask** ... d e m a s k o w a ć

**re-** is employed in the sense of "again" or "back". E.g.:

**re-** nadaje wyrazowi sens, jaki można wyrazić słowami „znowu", „z powrotem", np.:

**re·pay** ... s p ł a c i ć ⟨z w r ó c i ć⟩ p i e n i ą d z e ...
**re·ar·range** ... n a n o w o u p o r z ą d k o w a ć, p r z e g r u p o w a ć ...

**post-** is prefixed to some words to express time or order of succession in the sense of "after", "afterwards", "subsequently". E.g.:

**post-** nadaje wyrazowi sens następstwa w czasie lub kolejności, np.:

**post-grad·u·ate** ... *s* s t u d e n t k o n t y n u u j ą c y n a u k ę p o u z y s k a n i u s t o p n i a u n i w e r s y t e c k i e g o. ...
**post-war** ... p o w o j e n n y

**pre-** relates to time or order of succession in the sense of "before", "previous to", "earlier than". The

**pre-** nadaje wyrazowi sens, jaki można wyrazić słowami: „uprzednio", „wcześniej". Wyrazy z przed-

prefix **pre-**, and **post-** are usually hyphened. E.g.:

rostkiem **pre-** i **post-** pisze się zwykle z łącznikiem, np.:

**pre-war** ... przedwojenny
**prefabricate** ... prefabrykować

Some adverbs or prepositions, like **under** and **over**, are sometimes used as quasiprefixes. E.g.

Role przedrostków mogą pełnić przyimki lub przysłówki, np. **over-**, **under-**:

**o·ver·eat ... oneself** przejeść się
**un·der·feed** ... niedostatecznie (się) odżywiać

So, owing to the information about the grammatical function of the above prefixes, the reader will not fail to make out the meaning of the derivatives if he knows the meaning of the basic forms.

The suffixes are lexical elements which form some parts of speech from other parts of speech. E.g. the suffix **-able**, added to verbs, forms new adjectives: **love** kochać + **-able** results in **lovable** dający się kochać, miły. Another example: **bear** nosić, znosić + **-able** = **bearable** znośny.

The list of suffixes given below, duly tabulated, shows clearly how new words are formed by means of some suffixes.

Tego rodzaju wyrazy pochodne należy więc rozumieć w oparciu o ich formy podstawowe i szukać w odpowiednim miejscu słownika.

Przyrostki powodują zazwyczaj przejście danego wyrazu do innej kategorii gramatycznej. Np. przyrostek **-able** dodany do czasownika, tworzy nowy przymiotnik: **love** kochać + **-able** daje w rezultacie przymiotnik **lovable** dający się kochać, miły. Inny przykład: **bear** nosić, znosić + **-able** = **bearable** znośny.

Niżej podajemy tablicę najważniejszych przyrostków wraz z przykładami ilustrującymi:

| Przyrostek | Wyraz pierwotny | Wyraz pochodny |
|---|---|---|
| *-able* | love kochać | lov*able* godny miłości, miły |
| *-ful* | power potęga | power*ful* potężny |
| *-hood* | false fałszywy | false*hood* fałszywość |
| *-ible* | digest trawić | digest*ible* strawny |
| *-ish* | child dziecko | child*ish* dziecinny |
| *-less* | hope nadzieja | hope*less* beznadziejny |
| *-ment* | disappoint rozczarować | disappoint*ment* rozczarowanie |
| *-ness* | clever zręczny, zdolny | clever*ness* zręczność, zdolność |
| *-ship* | oomrade kolega | comrade*ship* koleżeństwo |

Owing to the above key the reader will be able to make out the meaning of a new word, not included in the present dictionary.

Dzięki powyższym przykładom czytelnik będzie mógł bez trudności zrozumieć znaczenie nowego wyrazu, który nie został zamieszczony w niniejszym słowniku.

### Nouns

Many English nouns denoting persons have been rendered in Polish as masculine only, e.g. **teacher** n a u c z y c i e l; the feminine equivalent n a u c z y c i e l k a is not given.

Regular plurals have not, as a matter of course, been included. It is only the irregular plural forms that have been inserted, as well as those that might seem questionable (given in round brackets). E.g.:

### Hasła rzeczownikowe

Znaczna część rzeczowników angielskich ma jednakową formę dla rodzaju męskiego i żeńskiego, np. **teacher** n a u c z y c i e l, n a u c z y c i e l k a. Dla uproszczenia polskie odpowiedniki podano tylko w formie rodzaju męskiego.

Tylko regularne formy liczby mnogiej zostały pominięte. Formy nieregularne, lub nasuwające wątpliwości, podano w nawiasach okrągłych, np.:

**goose** [gus] *s* (*pl* **geese** [gis]) g ę ś
**a·nal·y·sis** [əˋnæləsɪs] *s* (*pl* **analyses** [əˋnæləsiz]) a n a l i z a; ...

### Adjectives

The degrees of comparison have been duly entered within the respective irregular adjectives.

Adjectives used only as attributes or as predicatives are provided with the labels *attr* and *praed* respectively.

### Hasła przymiotnikowe

Przy przymiotnikach stopniowanych nieregularnie podano formy stopnia wyższego i najwyższego.

Przymiotniki, które można użyć tylko przydawkowo lub tylko orzecznikowo oznaczone są odpowiednio skrótami *attr* i *praed*.

### Verbs

The basic forms of the regular verbs, ending in **-ed, -ed, (-d, -d)**, are omitted. As far as the irregular verbs are concerned, three successive main forms have been singled out: infinitive, past tense (preterite) and past participle. The asterisk*, placed before the entry, refers to the list of irregular verbs, e.g.:

### Hasła czasownikowe

Pominięto podstawowe formy gramatyczne czasowników, które tworzą się regularnie przez dodanie końcówki **-ed** lub **-d**. Nieregularne formy czasowników podano bezpośrednio po transkrypcji wyrazu hasłowego; na pierwszym miejscu podano formę czasu przeszłego, na drugim — imiesłów czasu przeszłego. Ponadto opatrzono całe hasło gwiazdką, odsyłającą do spisu czasowników z odmianą nieregularną, np.:

***see 1.** [si], **saw** [sɔ], **seen** [sin]
*vt vi* w i d z i e ć

The syntactic function of the verb in a sentence, as exemplified in the present dictionary, is given within round brackets immediately after its Polish equivalent, e.g.:

Różnice w składni czasowników zaznaczamy przy pomocy odpowiednich zaimków i przyimków, w nawiasach okrągłych, tuż po polskim odpowiedniku, np.:

**agree** [əˋgri] *vi* z g a d z a ć s i ę (**to sth** n a c o ś); u k ł a d a ć s i ę, u m a w i a ć s i ę, p o r o z u m i e w a ć s i ę (**on, upon sth** w s p r a w i e c z e g o ś) ...
**re·act** [riˋækt] *vi* r e a g o w a ć
**de·pend** [dɪˋpend] *vi* z a l e ż e ć (**on sb, sth** o d k o g o ś, c z e g o ś), ...

If the English verb is transitive while its Polish equivalent is intransitive, or vice versa, then grammatical information is a necessity. E.g.:

Przykłady użycia związków składniowych stosuje się zarówno w przypadku, gdy czasownik angielski jest przechodni, a jego polski odpowiednik nieprzechodni, jak i odwrotnie. Np.:

**ap·proach** [əˋprəutʃ] *vt* z b l i ż a ć s i ę, p o d c h o d z i ć (**sb, sth** d o k o g o ś, d o c z e g o ś); ...
**so·lic·it** [səˋlɪsɪt] *vt* u b i e g a ć s i ę (**sth** o c o ś), u s i l n i e p r o s i ć (**sb for sth, sth from sb** k o g o ś o c o ś)

## 2. Phonetic Transcription

The successive headwords are followed by the phonetic script, each particular English word being transcribed and placed within square brackets. The symbols used here are those of the International Phonetic Association, based on the recent editions of British dictionaries (*A Concise Pronouncing Dictionary of British and American English* by J. Windsor Lewis and *Oxford Advanced Learner's Dictionary of Current English* by A.S. Hornby).

## 2. Transkrypcja

Przy każdym wyrazie hasłowm podano w nawiasie kwadratowym jego transkrypcję fonetyczną. Zastosowano symbole ogólnie przyjętej transkrypcji międzynarodowej, w oparciu o najnowsze wydania słowników brytyjskich (J. Windsor Lewis *A Concise Pronouncing Dictionary of British and American English* i A.S. Hornby *Oxford Advanced Learner's Dictionary of Current English*).

## Phonetic transcription

## Transkrypcja fonetyczna

| znak graficzny dźwięku | zbliżony polski odpowiednik | przykład użycia i wymowa |
|---|---|---|
| **samogłoski** | | |
| i | i | eat [it] |
| ɪ | y | sit [sɪt] |
| e | e | bed [bed] |
| æ | a/e | bad [bæd] |
| ɑ | a (*długie*) | half [hɑf] |
| o | o (*krótkie*) | not [not] |
| ɔ | o (*długie*) | law [lɔ] |
| ʊ | u (*krótkie*) | put [pʊt] |
| u | u (*długie*) | food [fud] |
| ʌ | a (*krótkie*) | luck [lʌk] |
| ɜ | e (*długie*) | first [fɜst] |
| ə | e (*zanikowe*) | ago [ə`gəʊ] |
| **dwugłoski** | | |
| eɪ | ei (*łączne*) | late [leɪt] |
| əʊ | eu (*łączne*) | stone [stəʊn] |
| ɑɪ | ai (*łączne*) | nice [nɑɪs] |
| ɑʊ | au (*łączne*) | loud [lɑʊd] |
| ɔɪ | oi (*łączne*) | point [pɔɪnt] |
| ɪə | ie (*łączne*) | fear [fɪə(r)] |
| eə | e[a] | hair [heə(r)] |
| ʊə | u[e] | your [jʊə(r)] |
| **niektóre spółgłoski** | | |
| tʃ | cz | chin [tʃɪn] |
| dʒ | dż | just [dʒʌst] |
| v | w | voice [vɔɪs] |
| θ | — | thing [θɪŋ] |
| ð | — | then [ðen] |
| ʃ | sz | sharp [ʃɑp] |
| ʒ | ż | vision [`vɪʒn] |
| m̩ | m (*sylabotwórcze*) | government [`gʌvm̩ənt] |
| n̩ | n (*sylabotwórcze*) | happening [`hæpn̩ɪŋ] |
| l̩ | l (*sylabotwórcze*) | settling [`setl̩ɪŋ] |
| r̩ | r (*sylabotwórcze*) | measuring [`meʒr̩ɪŋ] |
| ŋ | n (*nosowe*) | sing [sɪŋ] |
| w | ł | wet [wet] |
| (r) | r | *bryt.* wymawia się, gdy następujące słowo zaczyna się od samogłoski; *am.* wymawia się zawsze |

## 3. Spelling

The spelling used throughout the present Dictionary is that of Great Britain and most English-speaking countries except America. Some slight modifications noticeable in the American spelling are as follows:

## 3. Pisownia

W słowniku niniejszym zastosowano przyjętą powszechnie w Wielkiej Brytanii i w innych krajach mówiących po angielsku, z wyjątkiem Ameryki, pisownię brytyjską. Najważniejsze odchylenia pisowni amerykańskiej od brytyjskiej przedstawiają się następująco:

| Końcówki brytyjskie British endings | Końcówki amerykańskie American endings |
|---|---|
| *-our* | *-or* |
| fav*our*, hon*our* | fav*or*, hon*or* |
| *-or*, | *-er* |
| conquer*or*, carburett*or* | conquer*er*, carburett*er* |
| *-re* | *-er* |
| cent*re*, theat*re* | cent*er*, theat*er* |
| *-ce* | *-se* |
| preten*ce*, licen*ce* | preten*se*, licen*se* |

Double consonants in final unstressed syllables are reduced in America to single ones:

W nieakcentowanej zgłosce końcowej podwójna spółgłoska przed -ed i -ing ulega redukcji do pojedynczej:

| Pisownia brytyjska British | Pisownia amerykańska American |
|---|---|
| trave*l* | trave*l* |
| trave*ll*ed | trave*l*ed |
| trave*ll*ing | trave*l*ing |

But if the last syllable is short and stressed, the final consonant must be doubled both in Britain and in America:

Natomiast końcowa spółgłoska krótkiej, akcentowanej sylaby musi ulec podwojeniu zarówno w pisowni brytyjskiej, jak i amerykańskiej:

fit, fitted, fitting
drop, dropped, dropping
repel, repelled, repelling

Some slight variants found both in Britain and in America, e.g. cosy or cozy, gipsy or gypsy are, as a rule, provided with the explanatory sign (=).

Pewne oboczne formy ortograficzne, spotykane zarówno w pisowni brytyjskiej, jak i amerykańskiej, takie jak np. cosy albo cozy, gipsy albo gypsy itd., oznaczone są znakiem równości (=).

## ABBREVIATIONS

## SKRÓTY

| | | |
|---|---|---|
| *adj* | — przymiotnik | adjective |
| *adv* | — przysłówek | adverb |
| *am.* | — amerykański | American |
| *anat.* | — anatomia | anatomy |
| *arch.* | — architektura | architecture |
| *astr.* | — astronomia | astronomy |
| *attr* | — przydawka, przydawkowy | attribute, attributive |
| *bank.* | — bankowość | banking |
| *biol.* | — biologia | biology |
| *bot.* | — botanika | botany |
| *bryt.* | — brytyjski | British |
| *chem.* | — chemia | chemistry |
| *comp* | — stopień wyższy | comparative (degree) |
| *conj* | — spójnik | conjunction |
| *dent.* | — dentystyka | dentistry |
| *dial.* | — dialekt | dialect |
| *dod.* | — znaczenie dodatnie | positive (meaning) |
| *dosł.* | — dosłownie | literally |
| *druk.* | — drukarstwo | printing |
| *elektr.* | — elektryczność | electricity |
| *f* | — (rodzaj) żeński | feminine (gender) |
| *filat.* | — filatelistyka | philately |
| *film* | — film | film |
| *filoz.* | — filozofia | philosophy |
| *fin.* | — finansowość | finances |
| *fiz.* | — fizyka | physics |
| *fot.* | — fotografia | photography |
| *fut* | — czas przyszły | future tense |
| *genit* | — dopełniacz | genitive |
| *geogr.* | — geografia | geography |
| *geol.* | — geologia | geology |
| *górn.* | — górnictwo | mining |
| *gram.* | — gramatyka | grammar |
| *handl.* | — handlowy | commercial (term) |
| *hist.* | — historia | history |
| *imp* | — forma nieosobowa | impersonal form |
| *inf* | — bezokolicznik | infinitive |
| *int* | — wykrzyknik | interjection |
| *interrog* | — pytajnik, pytający | interrogation, interrogative |
| *kin.* | — kinematografia | cinematography |

| | | |
|---|---|---|
| *kolej.* | — kolejnictwo | railway system |
| *lit.* | — literatura, wyraz literacki | literature, literary expression |
| *lotn.* | — lotnictwo | aviation |
| *łac.* | — wyraz łaciński | Latin word |
| *m* | — (rodzaj) męski | neuter (gender) |
| *mal.* | — malarstwo | painting |
| *mat.* | — matematyka | mathematics |
| *med.* | — medycyna | medicine |
| *miner.* | — mineralogia | mineralogy |
| *mors.* | — morski | marine (term) |
| *muz.* | — muzyka | music |
| *n* | — (rodzaj) nijaki | neuter (gender) |
| *neg.* | — forma przecząca | negative form |
| *nieodm.* | — wyraz nieodmienny | indeclinable (unconjugated) word |
| *num* | — liczebnik | numeral |
| *p* | — czas przeszły | past tense, preterite |
| *part.* | — partykuła | particle |
| *pieszcz.* | — pieszczotliwy | term of endearment |
| *pl* | — liczba mnoga | plural |
| *poet.* | — wyraz poetycki | word used in poetry |
| *polit.* | — polityka | politics, policy |
| *por.* | — porównaj | compare |
| *pot.* | — wyraz potoczny | colloquialism |
| *pp* | — imiesłów czasu przeszłego | past participle |
| *p praes* | — imiesłów czasu teraźniejszego | present participle |
| *praed* | — orzecznik, orzecznikowy | predicative |
| *praef* | — przedrostek | prefix |
| *praep* | — przyimek | preposition |
| *praes* | — czas teraźniejszy | present tense |
| *prawn.* | — termin prawniczy | law term |
| *pron* | — zaimek | pronoun |
| *przen.* | — przenośnie | metaphorically |
| *reg.* | — regularny | regular |
| *rel.* | — religia | religion |
| *rów.* | — również | also |
| *s* | — rzeczownik | substantive |
| sb, sb's | — ktoś, kogoś | somebody, somebody's |
| *sing* | — liczba pojedyncza | singular |
| *skr.* | — skrót | abbreviation |
| *s pl* | — rzeczownik w liczbie mnogiej | noun plural |
| *sport* | — sport | sport, sports |
| sth | — coś | something |
| *suf* | — przyrostek | suffix |
| *sup* | — stopień najwyższy | superlative (degree) |
| *szk.* | — (wyraz) szkolny | school (word) |
| *teatr* | — teatr | theatre |
| *techn.* | — technika | technics |
| *uj.* | — ujemny | pejorative |

| | | |
|---|---|---|
| *uż.* | — używany | used |
| *v* | — czasownik | verb |
| *v aux* | — czasownik posiłkowy | auxiliary verb |
| *vi* | — czasownik nieprzechodni | intransitive verb |
| *v imp* | — czasownik nieosobowy | impersonal verb |
| *vr* | — czasownik zwrotny | reflexive verb |
| *vt* | — czasownik przechodni | transitive verb |
| *wojsk.* | — termin wojskowy | military term |
| *wyj.* | — wyjątek | exception |
| *zam.* | — zamiast | instead of |
| *zbior.* | — wyraz zbiorowy | collective word |
| *zdrob.* | — wyraz zdrobniały | diminutive word |
| *znacz.* | — znaczenie | meaning |
| *zob.* | — zobacz | see |
| *zool.* | — zoologia | zoology |
| *zw.* | — zwykle | usually |

## THE ENGLISH ALPHABET
## ALFABET ANGIELSKI

| | |
|---|---|
| a [eɪ] | n [en] |
| b [bi] | o [əu] |
| c [si] | p [pi] |
| d [di] | q [kju] |
| e [i] | r [ɑ(r)] |
| f [ef] | s [es] |
| g [dʒi] | t [ti] |
| h [eɪtʃ] | u [ju] |
| i [ɑɪ] | v [vi] |
| j [dʒeɪ] | w [ˋdʌbḷju] |
| k [keɪ] | x [eks] |
| l [el] | y [waɪ] |
| m [em] | z [zed, *am.* zi] |

## EXPLANATORY SIGNS

## ZNAKI OBJAŚNIAJĄCE

ˋ The grave stress mark denotes that the following syllable bears the primary stress.

Pochylony w lewo znak akcentu (w formie transkrybowanej wyrazu hasłowego) poprzedza główną akcentowaną sylabę.

ˊ The acute stress mark denotes that the following syllable bears a secondary stress, weaker than the primary.

Pochylony w prawo znak akcentu wskazuje na to, że następująca po nim sylaba posiada akcent poboczny, słabszy od głównego.

· The dot is a sign of syllable separation. Thus it shows how to divide the word.

Kropka objaśnia zasady dzielenia wyrazów zgodnie z przepisami ortografii angielskiej.

* The asterisk, placed before the verb, refers to the list of irregular verbs (p. 419).

Gwiazdka przy czasownikach nieregularnych odsyła do tabeli czasowników z odmianą nieregularną (str. 419).

[ ] Square brackets enclose the phonetic transcription of the headword.

W nawiasach kwadratowych umieszczono transkrypcję fonetyczną wyrazów hasłowych.

( ) Round brackets enclose the explanatory informations, irregular forms of the headwords, words and letters which can be omitted.

W nawiasach okrągłych umieszczono objaśnienia, nieregularne formy wyrazu hasłowego, wyrazy i litery, które mogą być opuszczone.

⟨ ⟩ Angular brackets enclose words and parts of the expressions which are interchangeable.

W nawiasach trójkątnych umieszczono wymienne wyrazy lub człony związków frazeologicznych.

= Equation sign refers the reader to the entry containing the desired equivalents.

Znak równania odsyła użytkownika do hasła, w którym znajdzie potrzebne mu odpowiedniki.

| | | |
|---|---|---|
| † | Archaism. | Krzyżykiem oznaczono wyrazy przestarzałe. |
| ~ | The tilde replaces the headword. | Tylda zastępuje w zwrotach hasło. |
| 1., 2. ... | The Arabic ciphers denote the sequence of headwords having the same spelling, but differing in etymology and meaning. | Cyfry arabskie po hasłach objaśniają odrębność znaczenia i pochodzenia wyrazów o tej samej pisowni, podanych jako osobne hasła. |
| ; | The semicolon is used to denote a distinct shade of difference in the meaning of two or more equivalents of the headword and to separate particular items of grammatical information and grammatical categories. | Średnik oddziela odpowiedniki o całkowicie różnych znaczeniach, związki frazeologiczne oraz objaśnienia i kategorie gramatyczne. |
| , | The comma is used to separate equivalents close in meaning. | Przecinek oddziela odpowiedniki bliskie pod względem znaczeniowym. |

# ENGLISH - POLISH

# a

**A, a 1.** [eɪ] pierwsza litera alfabetu angielskiego

**a 2.** [ə, eɪ] *przedimek* ⟨*rodzajnik*⟩ *nieokreślony* (*przed spółgłoską*)

**a·back** [əˋbæk] *adv* wstecz, do tyłu, z tyłu, na uboczu; **taken ~** zaskoczony

**ab·a·cus** [ˋæbəkəs] *s* (*pl* **abaci** [ˋæbəsaɪ] *lub* **abacuses** [ˋæbəkəsɪz]) liczydło

**a·ban·don 1.** [əˋbændən] *vt* opuścić, zaniechać; zrezygnować; *vr* **~ oneself to sth** oddać się, poddać się (jakiemuś uczuciu)

**a·ban·don 2.** [əˋbændən] *s* żywiołowość

**a·ban·don·ment** [əˋbændənmənt] *s* opuszczenie, porzucenie; zaniedbanie; rezygnacja

**a·bash** [əˋbæʃ] *vt* zawstydzić, zmieszać

**a·bate** [əˋbeɪt] *vt* opuścić, obniżyć; zmniejszyć; *vi* opaść; osłabnąć; zmniejszyć się

**ab·ba·cy** [ˋæbəsɪ] *s* opactwo, godność opata

**ab·bess** [ˋæbes] *s* przełożona klasztoru, ksieni

**ab·bey** [ˋæbɪ] *s* opactwo (klasztor lub kościół przyklasztorny)

**ab·bot** [ˋæbət] *s* opat

**ab·bre·vi·ate** [əˋbrivɪeɪt] *vt* skracać

**ab·bre·vi·a·tion** [əˊbrivɪˋeɪʃən] *s* skrót, skrócenie

**ABC** [ˊeɪ bi ˋsi] *s* alfabet; podstawy wiedzy, nauki

**ab·di·cate** [ˋæbdɪkeɪt] *vt* rezygnować (**the office** z urzędu); abdykować (**the throne** z tronu)

**ab·di·ca·tion** [ˊæbdɪˋkeɪʃn] *s* zrzeczenie się, abdykacja (**of the throne, office** z tronu, urzędu)

**ab·do·men** [ˋæbdəmən] *s* brzuch

**ab·duct** [æbˋdʌkt] *vt* uprowadzić, porwać

**ab·duc·tion** [æbˋdʌkʃn] *s* uprowadzenie, porwanie

**ab·er·ra·tion** [ˊæbəˋreɪʃn] *s* zboczenie (z właściwej drogi), odchylenie; aberracja, odchylenie od stanu normalnego

**a·bet** [əˋbet] *vt* podjudzać, podżegać, współdziałać (w przestępstwie)

**a·bey·ance** [əˋbeɪəns] *s* stan zawieszenia, niepewności

**ab·hor** [əbˋhɔ(r)] *vt* czuć wstręt, żywić nienawiść (**sb, sth** do kogoś, do czegoś)

***a·bide** [əˋbaɪd], **a·bode, a·bode** [əˋbəud] *vt* wytrzymywać, znosić; oczekiwać; *vi* pozostawać, przebywać; **~ by sth** dotrzymywać czegoś, trzymać się czegoś

**a·bid·ing** [əˋbaɪdɪŋ] *adj* trwały, stały

**a·bil·i·ty** [əˋbɪlətɪ] *s* zdolność; *pl* **abilities** talent, uzdolnienie; **to the best of my ~** ⟨**abilities**⟩ jak potrafię najlepiej, w granicach moich możliwości

**ab·ject** [ˋæbdʒekt] *adj* podły, nikczemny, godny pogardy; nędzny; nieszczęsny

**ab·jure** [əbˋdʒuə(r)] *vt* wyrzec się (**sth** czegoś)

**a·blaze** [əˋbleɪz] *adv adj praed* w płomieniach; płonący

**a·ble** [ˈeɪbl] *adj* zdolny, zręczny, nadający się; **to be ~** móc, być w stanie, potrafić
**a·ble-bod·ied** [ˈeɪblˈbodɪd] *adj* silny, zdrowy
**ab·nor·mal** [əbˈnɔml] *adj* anormalny, nieprawidłowy
**a·board** [əˈbɔd] *adv i praep* na statku, na pokładzie, na pokład; *am. także* w wozie, w pociągu, do pociągu
**a·bode** 1. *zob.* **abide**
**a·bode** 2. [əˈbəud] *s* miejsce pobytu, siedziba; **to take up one's ~** zamieszkać
**a·bol·ish** [əˈbolɪʃ] *vt* znieść, usunąć, skasować, obalić
**ab·o·li·tion** [ˈæbəˈlɪʃn] *s* zniesienie, usunięcie, obalenie; *am.* zniesienie niewolnictwa
**A-bomb** [ˈeɪ bom] *s* (**= atomic bomb**) bomba atomowa
**a·bom·i·na·ble** [əˈbomɪnəbl] *adj* wstrętny, obrzydliwy
**a·bom·i·nate** [əˈbomɪneɪt] *vt* czuć wstręt (**sth** do czegoś), brzydzić się (**sth** czymś)
**a·bom·i·na·tion** [əˈbomɪˈneɪʃn] *s* wstręt, obrzydzenie, odraza; przedmiot wstrętu
**ab·o·rig·i·nal** [ˈæbəˈrɪdʒnl] *adj* pierwotny, początkowy; *s* pierwotny mieszkaniec
**ab·o·rig·i·nes** [ˈæbəˈrɪdʒɪniz] *s pl* tubylcy, pierwotni mieszkańcy
**a·bor·tion** [əˈbɔʃn] *s* poronienie; *przen.* nieudane dzieło
**a·bor·tive** [əˈbɔtɪv] *adj* poroniony; nieudany
**a·bound** [əˈbaund] *vi* obfitować (**in, with sth** w coś); **he ~s in courage** jest pełen odwagi
**about** [əˈbaut] *adv* dookoła, wokół, tu i tam; mniej więcej, około; **to be ~ to do sth** mieć (zamiar) coś zrobić, zabierać się do zrobienia czegoś; *praep* przy, dookoła; odnośnie do, w sprawie; **I have no money ~ me** nie mam przy sobie pieniędzy; **what ~ leaving?** a może byśmy wyszli?
**a·bove** [əˈbʌv] *adv* w górze, powyżej; *praep* nad, ponad; *adj attr* powyższy, wyżej wymieniony
**a·breast** [əˈbrest] *adv* w jednym rzędzie, obok, ramię przy ramieniu; **to keep ~ of** dotrzymywać kroku, stać na poziomie
**a·bridge** [əˈbrɪdʒ] *vt* skrócić, streścić
**a·broad** [əˈbrɔd] *adv* za granicą, za granicę; na zewnątrz, poza dom(em), szeroko i daleko; **there is a rumour ~** rozchodzi się pogłoska
**ab·rupt** [əˈbrʌpt] *adj* oderwany; nagły, niespodziewany; (*o wzniesieniu*) stromy; szorstki (np. ton), opryskliwy
**ab·scess** [ˈæbses] *s* (*pl* **~es** [ˈæbsesɪz]) wrzód
**ab·sence** [ˈæbsns] *s* nieobecność, brak; **~ of mind** roztargnienie
**ab·sent** [ˈæbsnt] *adj* nieobecny, brakujący; *vr* **~** [əbˈsent] **oneself** być nieobecnym; **~ oneself from school** być nieobecnym w szkole
**ab·sent·ee** [ˈæbsnˈti] *s* osoba nieobecna; osoba mieszkająca poza domem ⟨krajem⟩
**ab·sent-mind·ed** [ˈæbsntˈmaɪndɪd] *adj* roztargniony
**ab·so·lute** [ˈæbsəlut] *adj* absolutny, bezwarunkowy, bezwzględny; nieograniczony; stanowczy; *s* absolut
**ab·so·lute·ly** [ˈæbsəlutlɪ] *adv* absolutnie, bezwarunkowo, bezwzględnie; stanowczo; *int* na pewno!, oczywiście!
**ab·so·lu·tion** [ˈæbsəˈluʃn] *s rel.* rozgrzeszenie; darowanie winy
**ab·so·lut·ism** [ˈæbsəˈlutɪzm] *s* absolutyzm
**ab·solve** [əbˈzolv] *vt* zwolnić (**sb from sth** kogoś od czegoś), darować (**sb from sth** komuś coś); rozgrzeszyć
**ab·sorb** [əbˈsɔb] *vt* absorbować, wsysać, pochłaniać; **he is ~ed in tennis** pochłania go tenis
**ab·sorp·tion** [əbˈsɔpʃn] *s* wchłonięcie; zaabsorbowanie (**in sth** czymś)

**ab·stain** [əb`steɪn] *vi* powstrzymywać się (**from sth** od czegoś)
**ab·stain·er** [əb`steɪnə(r)] *s* abstynent
**ab·sti·nence** [`æbstɪnəns] *s* wstrzemięźliwość, trzeźwość
**ab·stract** [`æbstrækt] *adj* abstrakcyjny, oderwany; niejasny, mętny; *s* wyciąg, skrót; *vt* [əb`strækt] odrywać, odciągać, odejmować
**ab·strac·tion** [əb`strækʃn] *s* abstrakcja, abstrahowanie, oddzielenie; roztargnienie
**ab·surd** [əb`sɜd] *adj* niedorzeczny, absurdalny, głupi; wzbudzający śmiech
**ab·sur·di·ty** [əb`sɜdətɪ] *s* niedorzeczność
**a·bun·dance** [ə`bʌndəns] *s* obfitość
**a·bun·dant** [ə`bʌndənt] *adj* obfity
**a·buse** [ə`bjus] *s* nadużycie; obraza, zniesławienie; *vt* [ə`bjuz] nadużywać; obrażać, zniesławiać
**a·bu·sive** [ə`bjusɪv] *adj* obrażający, obraźliwy, obelżywy
**a·bys·mal** [ə`bɪzml] *adj* bezdenny
**a·byss** [ə`bɪs] *s* przepaść, otchłań
**a·ca·cia** [ə`keɪʃə] *s* akacja
**ac·a·dem·ic** [ˌækə`demɪk] *adj* akademicki; teoretyczny; *s* akademik, uczony
**a·ca·de·mi·cian** [əˌkædə`mɪʃn] *s* członek akademii
**a·cad·e·my** [ə`kædəmɪ] *s* akademia, zakład naukowy, uczelnia
**ac·cede** [ək`sid] *vi* przystąpić, dołączyć się; zgodzić się, przystać (**to sth** na coś); wstąpić (**to the throne** na tron); objąć (**to a post** stanowisko)
**ac·cel·er·ate** [ək`seləreɪt] *vt vi* przyspieszyć
**ac·cel·er·a·tor** [ək`seləreɪtə(r)] *s* akcelerator, przyspieszacz
**ac·cent** [`æksnt] *s* akcent, przycisk; sposób wymawiania; *vt* [æk`sent] akcentować, kłaść nacisk, podkreślać
**ac·cen·tu·ate** [ək`sentʃueɪt] *vt* akcentować, podkreślać, uwypuklać
**ac·cept** [ək`sept] *vt vi* przyjmować, zgadzać się; akceptować (np. weksel)
**ac·cept·a·ble** [ək`septəbl] *adj* do przyjęcia; znośny, zadowalający; pożądany
**ac·cept·ance** [ək`septəns] *s* (chętne) przyjęcie; zgoda (**of sth** na coś), uznanie; *handl.* akcept
**ac·cess** [`ækses] *s* dostęp, dojście, dojazd; **easy of ~** łatwo dostępny; **~ to power** dojście do władzy; *attr* dojazdowy; **good ~ roads** dobre drogi dojazdowe
**ac·ces·si·ble** [ək`sesəbl] *adj* dostępny; przystępny
**ac·ces·sion** [æk`seʃn] *s* przystąpienie; zgoda (**to sth** na coś); dojście (**to power** do władzy); objęcie (**to the throne** tronu, **to an office** urzędu)
**ac·ces·so·ry** [ək`sesərɪ] *adj praed* dodatkowy; *s* wspólnik przestępstwa; *pl* **accessories** akcesoria, dodatki, wyposażenie
**ac·ci·dent** [`æksɪdnt] *s* wypadek, nieszczęśliwy wypadek; przypadek, traf; **by ~** przypadkowo; **to meet with an ~** ulec wypadkowi
**ac·ci·den·tal** [ˌæksɪ`dentl] *adj* przypadkowy; nieistotny; **~ death** śmierć na skutek nieszczęśliwego wypadku
**ac·claim** [ə`kleɪm] *vt* aklamować, przyjmować z uznaniem; oklaskiwać
**ac·cla·ma·tion** [ˌæklə`meɪʃn] *s* aklamacja, poklask; **to carry by ~** uchwalać przez aklamację
**ac·cli·mate** [ə`klaɪmeɪt] *am.* = **acclimatize**
**ac·cli·ma·tion** [ˌæklaɪ`meɪʃn] *am.* = **acclimatization**
**ac·cli·ma·ti·za·tion** [əˌklaɪmətaɪ`zeɪʃn] *s* aklimatyzacja
**ac·cli·ma·tize** [ə`klaɪmətaɪz] *vt vi* aklimatyzować (się)
**ac·com·mo·date** [ə`komədeɪt] *vt* dostosować; zaopatrzyć (**with sth** w coś); ulokować, zakwaterować
**ac·com·mo·dat·ing** [ə`komədeɪtɪŋ] *adj* zgodny, kompromisowy; uprzejmy, usłużny

**ac·com·mo·da·tion** [ə'komə'deɪʃn] *s* dostosowanie; zaopatrzenie; wygoda; kwatera, pomieszczenie, nocleg

**ac·com·pa·ni·ment** [ə'kʌmpnɪmənt] *s* okoliczność towarzysząca, dodatek; *muz.* akompaniament

**ac·com·pa·ny** [ə'kʌmpnɪ] *vt* towarzyszyć; wtórować; *muz.* akompaniować

**ac·com·plice** [ə'kʌmplɪs] *s* wspólnik (przestępstwa), współwinny

**ac·com·plish** [ə'kʌmplɪʃ] *vt* wykończyć, wykonać, spełnić

**ac·com·plished** [ə'kʌmplɪʃt] *adj* skończony, doskonały; dobrze wychowany ⟨ułożony⟩, wykształcony

**ac·com·plish·ment** [ə'kʌmplɪʃmənt] *s* wykonanie, wykończenie; majstersztyk; *pl* **~s** wykształcenie; walory towarzyskie, polor

**ac·cord** [ə'kɔd] *s* zgoda, harmonia; *muz.* akord; **with one ~** jednomyślnie, jednogłośnie; **in ~ with...** zgodnie z...; **of one's own ~** dobrowolnie, samorzutnie; *vt* uzgodnić (**to sth** z czymś); dać, przyznać, użyczyć; przyzwolić; *vi* harmonizować; zgadzać się (**with sth** z czymś)

**ac·cord·ance** [ə'kɔdns] *s* zgodność, zgoda; **in ~ with sth** zgodnie z czymś, stosownie do czegoś

**ac·cord·ing** [ə'kɔdɪŋ] *praep w zwrocie*: **~ to** według, zgodnie z; *conj w zwrocie*: **~ as** według tego ⟨w miarę⟩, jak

**ac·cord·ing·ly** [ə'kɔdɪŋlɪ] *adv* zgodnie z tym, stosownie do tego; odpowiednio; zatem

**ac·cor·di·on** [ə'kɔdɪən] *s muz.* akordeon, harmonia (instrument)

**ac·cost** [ə'kost] *vt* zwrócić się, zbliżyć się (**sb** do kogoś), zagadnąć

**ac·count** [ə'kaunt] *s* rachunek, konto; obliczenie; sprawozdanie, relacja; *pl* **~s** księgi (rachunkowe); księgowość; porachunki; **balance of ~s** zamknięcie rachunków handlowych, bilans handlowy; **current ~** rachunek bieżący; **to keep ~s** prowadzić książki handlowe; **to leave out of ~** nie uwzględniać, nie brać pod uwagę; **to make ~ of sth** przywiązywać wagę do czegoś; **to take into ~** brać pod uwagę, uwzględniać; **to turn to ~** obrócić na korzyść; **to give ~ of** zrelacjonować, wyjaśnić; **of great ~** wiele znaczący; **of no ~** bez znaczenia; **on all ~s** pod każdym względem; **on ~ of** na rachunek; ze względu na, z powodu; **on no ~** za żadną cenę, w żadnym wypadku; *vt* obliczać; **he ~s himself clever** on uważa się za zdolnego; *vi* zdawać sprawę (**on sth** z czegoś); wytłumaczyć (**for sth** coś); odpowiadać (**for sth** za coś); wyliczać się (**for sth** z czegoś)

**ac·count·a·ble** [ə'kauntəbl] *adj* odpowiedzialny (**to sb** przed kimś, **for sth** za coś); (*o fakcie*) dający się wytłumaczyć

**ac·count·an·cy** [ə'kauntənsɪ] *s* księgowość, rachunkowość

**ac·count·ant** [ə'kauntənt] *s* księgowy, prowadzący rachunki, rachmistrz

**ac·cre·dit** [ə'kredɪt] *vt* upełnomocnić, akredytować; przypisać (**sb with sth** komuś coś)

**ac·crue** [ə'kru] *vi* (*o dochodach*) narastać; płynąć (**from sth** z czegoś)

**ac·cu·mu·late** [ə'kjumjuleɪt] *vt* gromadzić, akumulować; *vi* gromadzić się, narastać

**ac·cu·mu·la·tion** [ə'kjumju'leɪʃn] *s* nagromadzenie, akumulacja; **primary ⟨primitive⟩ ~** akumulacja pierwotna

**ac·cu·ra·cy** ['ækjərəsɪ] *s* dokładność, ścisłość; punktualność

**ac·cu·rate** ['ækjərət] *adj* dokładny, ścisły; punktualny

**ac·cu·sa·tion** ['ækju'zeɪʃn] *s* oskarżenie, skarga; **to bring an ~** wystąpić z oskarżeniem

**ac·cu·sa·tive** [ə'kjuzətɪv] *s gram.* biernik

**ac·cuse** [ə'kjuz] *vt* oskarżać (**sb of sth** kogoś o coś), winić

**ac·cus·tom** [əˋkʌstəm] *vt* przyzwyczajać; **to become ⟨to get⟩ ~ed** przyzwyczajać się

**ace** [eɪs] *s* (*w kartach i przen.*) as; **within an ~ of** o włos od

**ache** [eɪk] *s* (ciągły) ból; *vi* boleć

**a·chieve** [əˋtʃiv] *vt* osiągnąć (z trudem), zdobyć, dokonać

**a·chieve·ment** [əˋtʃivmənt] *s* osiągnięcie, dokonanie; zdobycz; **this is impossible of ~** tego się nie da osiągnąć

**a·cid** [ˋæsɪd] *s* kwas; *adj* kwaśny, kwasowy; ostry (w smaku); żrący; *przen.* zgryźliwy; **the ~ test** próba na kwasowość; *przen.* próba ogniowa

**ac·knowl·edge** [əkˋnolɪdʒ] *vt* uznawać, przyznawać; potwierdzać; wyrażać podziękowanie (**sth** za coś)

**ac·knowl·edg·ment** [əkˋnolɪdʒmənt] *s* uznanie, przyznanie; potwierdzenie; podziękowanie; **in ~ of** w dowód uznania ⟨wdzięczności⟩

**a·corn** [ˋeɪkɔn] *s* żołądź

**a·cous·tic** [əˋkustɪk] *adj* akustyczny

**a·cous·tics** [əˋkustɪks] *s* akustyka

**ac·quaint** [əˋkweɪnt] *vt* zaznajomić; donieść (**sb with sth** komuś o czymś); **to ~ oneself, to get ⟨become⟩ ~ed** zaznajomić się (**with sb, sth** z kimś, z czymś); poznać (**with sb, sth** kogoś, coś)

**ac·quaint·ance** [əˋkweɪntəns] *s* znajomość; znajomy (człowiek); **to make the ~** poznać, poznać się, zaznajomić się (**with sb, sth** z kimś, czymś); **I made his ~, I made ~ with him** zawarłem z nim znajomość

**ac·qui·esce** [ˈækwiˋes] *vi* pogodzić się (**in sth** z czymś), przystać (**in sth** na coś)

**ac·qui·es·cence** [ˈækwɪˋesns] *s* zgoda, przyzwolenie

**ac·quire** [əˋkwaɪə(r)] *vt* nabywać, osiągać, zdobywać; przyswajać sobie

**ac·quire·ment** [əˋkwaɪəmənt] *s* nabycie, osiągnięcie; sprawność (nabyta); *pl* **~s** nabyte rzeczy, nabyta wiedza, umiejętność

**ac·qui·si·tion** [ˈækwɪˋzɪʃn] *s* nabycie; zdobywanie; nabytek, dorobek

**ac·qui·si·tive** [əˋkwɪzətɪv] *adj* żądny zysku, zachłanny

**ac·quit** [əˋkwɪt] *vt* uwolnić, zwolnić; spłacić, uiścić; uniewinnić (**of a crime** od zbrodni); *vr* **~ oneself** wywiązać się (**of sth** z czegoś)

**ac·qui·tal** [əˋkwɪtl] *s* zwolnienie; uniewinnienie

**a·cre** [ˋeɪkə(r)] *s* akr (miara powierzchni); † pole, rola; **God's ~** cmentarz

**ac·rid** [ˋækrɪd] *adj* ostry, żrący; cierpki; gryzący; *przen.* zjadliwy

**ac·ri·mo·ny** [ˋækrɪmənɪ] *s* zjadliwość, szorstkość (słów, postępowania); *przen.* gorycz

**ac·ro·bat** [ˋækrəbæt] *s* akrobata

**ac·ro·bat·ic** [ˈækrəˋbætɪk] *adj* akrobatyczny

**ac·ro·bat·ics** [ˈækrəˋbætɪks] *s* akrobatyka

**a·cross** [əˋkros] *praep* przez, w poprzek, po; **to come ~ sth** natknąć się na coś, trafić na coś przypadkiem; *adv* na krzyż; wszerz, na szerokość; po drugiej stronie; na przełaj; **with arms ~** ze skrzyżowanymi ramionami

**act** [ækt] *s* czyn; uczynek; czynność; akt; ustawa; dokument; *teatr* akt; **in the ~ of** w trakcie; *vi* działać, czynić, postępować, zachowywać się; występować, grać (na scenie); **to ~ upon sth** kierować się czymś, postępować według czegoś; *vt* odgrywać, grać (rolę); udawać

**action** [ˋækʃn] *s* akcja; działanie; czyn; ruch; sprawa (sądowa); *wojsk.* bitwa; **to take ⟨to bring⟩ an ~** wytoczyć sprawę (**against sb** komuś)

**ac·tive** [ˋæktɪv] *adj* aktywny, czynny, żywy; realny, rzeczywisty

**ac·tiv·i·ty** [æk`tɪvətɪ] *s* czynność, działalność, aktywność; *pl* **activities** zajęcie, praca, sfera działalności
**ac·tor** [`æktə(r)] *s* aktor
**ac·tress** [`æktrɪs] *s* aktorka
**ac·tu·al** [`æktʃuəl] *adj* rzeczywisty, faktyczny; bieżący
**ac·tu·al·ize** [`æktʃuəlaɪz] *vt* wprowadzać w czyn, realizować, przedstawiać realistycznie
**ac·tu·ate** [`æktʃueɪt] *vt* wprawiać w ruch; podniecać, ożywiać; wpływać (**sth** na coś)
**ac·u·men** [ə`kjumən] *s* bystrość (umysłu)
**a·cute** [ə`kjut] *adj* ostry; bystry; przenikliwy; dotkliwy
**ad** [æd] *s pot.* = **advertisement**
**ad·age** [`ædɪdʒ] *s* przysłowie, powiedzenie
**ad·a·mant** [`ædəmənt] *s* coś twardego (np. kamień); *adj praed* niewzruszony
**ad·a·man·tine** [ˌædə`mæntaɪn] *adj* twardy, nieugięty
**a·dapt** [ə`dæpt] *vt* dostosować, przystosować, adaptować; przerobić
**add** [æd] *vt vi* dodawać; dołączać; powiększać; wzbogacać (**to sth** coś); **to ~ up** dodawać, sumować
**ad·der** [`ædə(r)] *s* żmija
**ad·dict** [ə`dɪkt] *vr* **~ oneself** oddawać się (**to sth** czemuś), uprawiać (**to sth** coś); *vt* **to be ~ed to sth** uprawiać ⟨robić⟩ coś nałogowo; *s* [`ædɪkt] nałogowiec; **drug ~** narkoman
**ad·dic·tion** [ə`dɪkʃn] *s* nałóg
**ad·di·tion** [ə`dɪʃn] *s* dodatek; dodawanie; **in ~** dodatkowo, również, ponadto
**ad·di·tion·al** [ə`dɪʃnl] *adj* dodatkowy, dalszy
**ad·dress** [ə`dres] *s* adres; przemówienie; odezwa; *vt* zwracać się
**ad·dres·see** [ˌædre`si] *s* adresat
**ad·duce** [ə`djus] *vt* przytaczać, cytować
**ad·e·quate** [`ædɪkwət] *adj* odpowiedni, stosowny, trafny
**ad·here** [əd`hɪə(r)] *vi* przylegać; trzymać się, dotrzymywać (**to sth** czegoś), usilnie popierać (**to sb, sth** kogoś, coś)
**ad·her·ent** [əd`hɪərnt] *s* zwolennik, stronnik; *adj* lgnący; przynależny
**ad·he·sion** [əd`hiʒn] *s* przyleganie; przynależność; poparcie
**ad·he·sive** [əd`hisɪv] *adj* przylegający, przyczepny; **~ tape** przylepiec
**ad·ja·cent** [ə`dʒeɪsnt] *adj* przyległy, sąsiedni
**ad·jec·tive** [`ædʒɪktɪv] *s gram.* przymiotnik
**ad·join** [ə`dʒɔɪn] *vt* przyłączyć, dołączyć; *vi* przylegać
**ad·journ** [ə`dʒ3n] *vt* odroczyć; zawiesić; *vi pot.* przenieść się (na inne miejsce)
**ad·judge** [ə`dʒʌdʒ] *vt* zasądzić; przyznać
**ad·just** [ə`dʒʌst] *vt* uporządkować, uzgodnić, dostosować; załatwić (spór)
**ad·min·is·ter** [əd`mɪnɪstə(r)] *vt* administrować, zarządzać; sprawować; wymierzać (sprawiedliwość); podawać (lekarstwo)
**ad·min·is·tra·tion** [ədˌmɪnɪ`streɪʃn] *s* administracja, zarząd; wymiar (sprawiedliwości); podawanie (lekarstwa); *am.* rząd
**ad·mi·ra·ble** [`ædmrəbl] *adj* godny podziwu, wspaniały
**ad·mi·ral** [`ædmr̩l] *s* admirał
**ad·mi·ral·ty** [`ædmr̩ltɪ] *s* admiralicja (ministerstwo marynarki); gmach admiralicji
**ad·mi·ra·tion** [ˌædmə`reɪʃn] *s* podziw; przedmiot podziwu
**ad·mire** [əd`maɪə(r)] *vt* podziwiać
**ad·mis·si·ble** [əd`mɪsəbl] *adj* dopuszczalny
**ad·mis·sion** [əd`mɪʃn] *adj* dopuszczanie; wstęp, dostęp; przyznanie; **~ free** wstęp wolny
**ad·mit** [əd`mɪt] *vt vi* dopuścić, przyjąć; przyznać (się); zezwolić (**of sth** na coś)
**ad·mit·tance** [əd`mɪtns] *s* dopusz-

czenie; dostęp; przyjęcie; **no ~** wstęp wzbroniony

**ad·mon·ish** [əd`monɪʃ] *vt* upominać; ostrzegać (**against, of sth** przed czymś)

**ad·mo·ni·tion** ['ædmə`nɪʃn] *s* upomnienie; ostrzeżenie

**a·do** [ə`du] *s* hałas, wrzawa; rwetes; kłopot

**ad·o·les·cence** ['ædə`lesns] *s* młodość, wiek dojrzewania

**ad·o·les·cent** ['ædə`lesnt] *s* młodzieniec, dziewczyna; *adj* młodzieńczy

**a·dopt** [ə`dopt] *vt* adoptować; przysposabiać; przyswajać (sobie), przyjmować

**a·dop·tion** [ə`dopʃn] *s* adopcja

**a·dop·tive** [ə`doptɪv] *adj* przybrany; łatwo przyjmujący

**a·dor·a·ble** [ə`dɔrəbl] *adj* godny uwielbienia

**a·dor·a·tion** ['ædə`reɪʃn] *s* adoracja, uwielbienie

**a·dore** [ə`dɔ(r)] *vt* uwielbiać, czcić; *pot.* bardzo lubić

**a·dorn** [ə`dɔn] *vt* zdobić, upiększać; być ozdobą (**sth** czegoś)

**a·drift** [ə`drɪft] *adv* na falach, na fale; *przen.* **to turn ~** rzucić na los szczęścia, wyrzucić na bruk

**a·dult** [`ædʌlt] *adj* dorosły, dojrzały, pełnoletni; *s* dojrzały ⟨dorosły⟩ człowiek

**a·dul·ter·ate** [ə`dʌltəreɪt] *vt* podrabiać, fałszować (*zw.* napoje, żywność)

**a·dul·ter·y** [ə`dʌltərɪ] *s* cudzołóstwo

**ad·vance** [əd`vans] *vt* posuwać naprzód; poprawiać, udoskonalać; płacić z góry; pożyczać; przedstawiać, zgłaszać (np. wniosek); podwyższać (np. cenę); *vi* posuwać się naprzód, robić postępy; (*o cenach*) iść w górę; *s* postęp, posuwanie się naprzód; udoskonalenie; awans; wniosek; zaliczka, pożyczka; podwyższenie (np. ceny); *pl* **~s** uprzejmości, zaloty; **in ~** z góry; na przedzie; **to be in ~** wyprzedzać (**of sb, sth** kogoś, coś), przekraczać; *adj attr* przedni, okazowy

**ad·vanced** [əd`vanst] *zob.* **advance** *v; adj* wysunięty naprzód; zaawansowany; postępowy; **~ in years** podeszły wiekiem

**ad·vance·ment** [əd`vansmənt] *s* posunięcie naprzód, postęp; zaliczka; awans

**ad·van·tage** [əd`vantɪdʒ] *s* korzyść, pożytek; przewaga; **to have an ~** górować (**over sb** nad kimś); **to take ~** wykorzystać (**of sth** coś); nadużyć, wykorzystać (**of sb** kogoś); **to turn to ~** obrócić na korzyść; **to ~** korzystnie; **to the best ~** najkorzystniej

**ad·ven·ture** [əd`ventʃə(r)] *s* przygoda; ryzyko; *vt* ryzykować (**sth** coś); narażać (**sb** kogoś); *vi* ryzykować, odważyć się (**upon sth** na coś)

**ad·ven·tur·er** [əd`ventʃərə(r)] *s* poszukiwacz przygód; ryzykant

**ad·verb** [`ædvɜb] *s gram.* przysłówek

**ad·ver·sa·ry** [`ædvəsərɪ] *s* przeciwnik

**ad·verse** [`ædvɜs] *adj* przeciwny, wrogi, nie sprzyjający

**ad·ver·si·ty** [əd`vɜsətɪ] *s* zły los, nieszczęście, bieda

**ad·ver·tise** [`ædvətaɪz] *vt* zawiadamiać, ogłaszać; reklamować, anonsować; *vi* poszukiwać za pomocą ogłoszenia (**for sb, sth** kogoś, czegoś)

**ad·ver·tise·ment** [əd`vɜtɪsmənt] *s* ogłoszenie, reklama

**advice** [əd`vaɪs] *s* rada; *am. handl.* zawiadomienie, nota; **a piece of ~** rada; **to take sb's ~** posłuchać czyjejś rady

**ad·vis·a·ble** [əd`vaɪzəbl] *adj* godny polecenia, wskazany, pożyteczny, rozsądny

**ad·vise** [əd`vaɪz] *vt* radzić (**sb** komuś); *handl.* zawiadamiać

**ad·vis·er** [əd`vaɪzə(r)] *s* radca, doradca

**ad·vo·cate** [`ædvəkət] *s* adwokat, obrońca; *vt* [`ædvəkeɪt] podtrzymywać, bronić, występować w obronie (sth czegoś), przemawiać (sth za czymś)

**aer·ate** [`eəreɪt] *vt* przewietrzyć

**aer·i·al** [`eərɪəl] *s* antena; *adj* powietrzny; napowietrzny; *przen.* nierzeczywisty, bezcielesny

**aer·o·drome** [`eərədrəum] *s* lotnisko

**aer·o·naut** [`eərənɔt] *s* aeronauta

**aer·o·plane** [`eərəpleɪn] *s* samolot

**aes·thete** [`isθit] *s* esteta

**aes·thet·ic** [ˈis`θetɪk] *adj* estetyczny

**aes·thet·ics** [ˈis`θetɪks] *s* estetyka

**a·far** [ə`fɑ(r)] *adv w zwrotach:* **~ off** w oddali; **from ~** z dala

**af·fa·bil·i·ty** [ˈæfə`bɪlətɪ] *s* uprzejmość

**af·fa·ble** [`æfəbl] *adj* uprzejmy

**af·fair** [ə`feə(r)] *s* sprawa, interes; miłostka; *pl* **~s** sprawy (np. państwowe)

**af·fect 1.** [ə`fekt] *vt* wzruszyć; dotknąć; oddziaływać, wpływać (**sb, sth** na kogoś, na coś); **to ~ one's health** odbić się na czyimś zdrowiu

**af·fect 2.** [ə`fekt] *vt* udawać (**sb, sth** kogoś, coś), pozować (**sb** na kogoś); przybierać pozory ⟨cechy⟩ (**sth** czegoś)

**af·fec·ta·tion** [ˈæfek`teɪʃn] *s* afektacja, poza, udawanie

**af·fect·ed** [ə`fektɪd] *zob.* **affect 1., 2.**; *adj* afektowany; usposobiony; dotknięty

**af·fec·tion** [ə`fekʃn] *s* przywiązanie, uczucie, sentyment, miłość

**af·fi·da·vit** [ˈæfɪ`deɪvɪt] *s* pisemna deklaracja pod przysięgą

**af·fil·i·ate** [ə`fɪlɪeɪt] *vt* przyjąć na członka; łączyć, przyłączyć; **~d society** filia

**af·fin·i·ty** [ə`fɪnətɪ] *s* pokrewieństwo, powinowactwo; sympatia

**af·firm** [ə`f3m] *vt vi* potwierdzać, zapewniać; twierdzić

**af·fir·ma·tion** [ˈæfə`meɪʃn] *s* twierdzenie, zapewnienie

**af·fir·ma·tive** [ə`f3mətɪv] *adj* twierdzący, pozytywny

**af·fix** [ə`fɪks] *vt* przytwierdzić, przyczepić, przybić; dołączyć

**af·flict** [ə`flɪkt] *vt* gnębić, dręczyć; dotknąć (chorobą); **~ed with sth** chory na coś

**af·flic·tion** [ə`flɪkʃn] *s* przygnębienie; nieszczęście; cierpienie; choroba

**af·flu·ence** [`æfluəns] *s* obfitość, bogactwo; zgromadzenie; natłok

**af·flu·ent** [`æfluənt] *adj* dostatni; zasobny (**in sth** w coś); *s* dopływ (rzeki)

**af·ford** [ə`fɔd] *vt* dostarczyć, użyczyć, dać; zdobyć się, pozwolić sobie (**sth** na coś); **I can ~ it** stać mnie na to

**af·front** [ə`frʌnt] *vt* obrażać; *s* obraza, afront

**a·field** [ə`fild] *adv* w pole, w polu; daleko

**a·flame** [ə`fleɪm] *adv adj praed* w płomieniach; płonący; *przen.* w podnieceniu

**a·float** [ə`fləut] *adv adj praed* na falach, na wodzie; w powietrzu; płynący; unoszący się; *przen.* w obiegu

**a·foot** [ə`fut] *adv adj praed* pieszo, na nogach

**a·fore·said** [ə`fɔ sed] *adj* wyżej wspomniany

**a·fraid** [ə`freɪd] *adj praed* przestraszony; **to be ~ of sth** bać się czegoś; **I'm ~ I can't do it** przykro mi, ale nie mogę tego zrobić

**a·fresh** [ə`freʃ] *adv* na nowo

**af·ter** [`ɑftə(r)] *praep* po; za; według; o; **~ all** mimo wszystko, a jednak; *adv* potem, następnie; w tyle; z tyłu; *conj* kiedy, skoro, po tym, jak; *adj attr* następny, późniejszy; tylny

**af·ter·math** [`ɑftəmæθ] *s* pokłosie; *przen.* żniwo, następstwa

**af·ter·noon** [`ɑftə`nun] *s* popołudnie; *adj attr* popołudniowy; **~ tea** podwieczorek

**af·ter·thought** [`ɑftəθɔt] *s* refleksja

**af·ter·ward(s)** [`ɑftəwəd(z)] *adv* następnie, później

**a·gain** [ə`gen] *adv* znowu, jeszcze raz; prócz tego, również; z drugiej strony; ~ **and** ~ raz po raz; **never** ~ nigdy więcej; **as much** ~ drugie tyle

**a·gainst** [ə`genst] *praep* przeciw; wbrew; o; na

**a·gate** [`ægət] *s* agat

**age** [eɪdʒ] *s* wiek; epoka, czasy; **what is your** ~? ile masz lat? **to come of** ~ osiągnąć pełnoletność; **of** ~ pełnoletni; **under** ~ niepełnoletni; *vi* starzeć się; *vt* postarzać; **~d seventy years** w wieku lat siedemdziesięciu

**aged** [`eɪdʒɪd] *adj* stary, sędziwy

**age·long** [`eɪdʒloŋ] *adj* odwieczny; długotrwały

**a·gen·cy** [`eɪdʒənsɪ] *s* działanie, środek działania, siła działająca; agencja; **by ⟨through⟩ the** ~ **of sb, sth** za pośrednictwem kogoś, czegoś

**a·gen·da** [ə`dʒendə] *s pl* plan zajęć, terminarz; porządek dnia

**a·gent** [`eɪdʒənt] *s* agent, pośrednik; siła działająca, czynnik

**ag·gra·vate** [`ægrəveɪt] *vt* obciążyć, utrudnić, pogorszyć; rozdrażnić

**ag·gra·va·tion** [ˏægrə`veɪʃn] *s* obciążenie, utrudnienie, pogorszenie; rozdrażnienie, gniew

**ag·gre·gate** [`ægrɪgeɪt] *vt vi* gromadzić (się), łączyć, tworzyć całość; wynosić, liczyć w sumie; *s* [`ægrɪgət] agregat; masa; całość, łączna liczba; *adj* łączny, zbiorowy

**ag·gres·sion** [ə`greʃn] *s* napaść, agresja

**ag·gres·sive** [ə`gresɪv] *adj* napastliwy, agresywny, zaczepny

**ag·gres·sor** [ə`gresə(r)] *s* napastnik, agresor

**ag·grieve** [ə`griv] *vt* zmartwić, przygnębić; skrzywdzić

**a·ghast** [ə`gast] *adj praed* przerażony, oszołomiony, osłupiały

**a·gi·le** [`ædʒaɪl] *adj* zwinny, ruchliwy, obrotny

**ag·i·tate** [`ædʒɪteɪt] *vt* poruszać, niepokoić, podniecać, podburzać; denerwować, roztrząsać, dyskutować (gwałtownie); *vi* agitować

**ag·i·ta·tion** [ˏædʒɪ`teɪʃn] *s* poruszenie; podniecenie; roztrząsanie, dyskusja (gwałtowna); agitacja

**ago** [ə`gəʊ] *adv*: **long** ~ dawno temu; **two years** ~ dwa lata temu

**ag·o·nize** [`ægənaɪz] *vt* męczyć, dręczyć; *vi* przeżywać śmiertelne męki, wić się w bólach

**a·go·ny** [`ægənɪ] *s* gwałtowny ból, cierpienie; udręka, męczarnia; rozpaczliwa walka; agonia; ~ **column** lista ofiar (ogłoszona w prasie)

**a·gra·ri·an** [ə`greərɪən] *adj* agrarny, rolny

**a·gree** [ə`gri] *vi* zgadzać się (**to sth** na coś); układać się, umawiać się, porozumiewać się (**on, upon sth** w sprawie czegoś); odpowiadać (**with sth** czemuś); służyć; **this food does not** ~ **with me** to jedzenie mi nie służy; *vt* uzgadniać, ustalać, umawiać; **on the ~d day** w umówionym dniu; **~d!** zgoda!

**a·gree·a·ble** [ə`griəbl] *adj* przyjemny, miły; zgodny (**to sth** z czymś)

**a·gree·ment** [ə`grimənt] *s* zgoda; umowa, układ; **in** ~ **with...** zgodnie z...

**ag·ri·cul·tu·ral** [ˏægrɪ`kʌltʃərl] *adj* rolniczy, rolny

**ag·ri·cul·ture** [`ægrɪkʌltʃə(r)] *s* rolnictwo

**ag·ro·no·mic** [ˏægrə`nomɪk] *adj* agronomiczny

**ag·ro·no·my** [ə`gronəmɪ] *s* agronomia

**a·ground** [ə`graʊnd] *adv* na mieliźnie, na mieliznę; **to run ⟨to go⟩** ~ osiąść na mieliźnie

**a·gue** [`eɪgju] *s* febra, dreszcze

**a·head** [ə`hed] *adv* przed siebie, naprzód; na przedzie; dalej; **to be ⟨to get⟩** ~ **of sb** wyprzedzać kogoś; **the task** ~ **of us** zadanie, które nas czeka; **to go** ~ robić postępy; kontynuować

**aid** [eɪd] *s* pomoc; pomocnik; zasiłek; **teaching ~s** pomoce naukowe; **first** ~ pierwsza pomoc;

~ **station** punkt pomocy lekarskiej; *vt* pomagać (**sb** komuś)
**aide-de-camp** [ˈeɪd də ˋkõ] *s* adiutant
**ail** [eɪl] *vt* boleć, dolegać; **what ~s him?** co mu jest?; *vi* cierpieć, chorować
**aileron** [ˋeɪlərɒn] *s lotn.* lotka
**ail·ment** [ˋeɪlmənt] *s* niedomaganie, dolegliwość, choroba
**aim** [eɪm] *vi* celować, mierzyć; mieć na celu; dążyć (**at sth** do czegoś); *vt* mierzyć, rzucać; kierować (uwagę); *s* cel, zamiar; **to take ~** celować (**at sth** do czegoś)
**ain't** [eɪnt] *pot.* = **am not, is not, are not** *zob.* **be**
**air 1.** [eə(r)] *s* powietrze; **by ~** drogą powietrzną; **on the ~** nadany przez radio; **to take the ~** przejść się; **~ force** siły lotnicze; **~ ministry** ministerstwo lotnictwa; *vt* wietrzyć; suszyć (na wietrze)
**air 2.** [eə(r)] *s* aria, pieśń
**air 3.** [eə(r)] *s* wygląd, mina; zachowanie; *zw. pl* **~s** poza; **to give oneself ~s** pozować; pysznić się
**air-con·di·tion·ing** [ˈeəkənˋdɪʃnɪŋ] *s* klimatyzacja
**air·craft** [ˋeəkrɑft] *s* samolot; *zbior.* lotnictwo
**air·craft-car·ri·er** [ˋeəkrɑft kærɪə(r)] *s* lotniskowiec
**air·drome** [ˋeədrəum] *s am.* = **aerodrome**
**air·i·ly** [ˋeərəlɪ] *adv* impertynencko; lekko, beztrosko
**air-lift** [ˋeəlɪft] *s* transport powietrzny
**air-line** [ˋeəlɑɪn] *s* linia lotnicza
**air-lin·er** [ˋeəlɑɪnə(r)] *s* regularnie kursujący samolot komunikacyjny
**air-mail** [ˋeəmeɪl] *s* poczta lotnicza
**air-man** [ˋeəmən] *s* lotnik
**air·plane** [ˋeəpleɪn] *s am.* = **aeroplane**
**air·port** [ˋeəpɔt] *s* lotnisko
**air·proof** [ˋeəpruf] *adj* hermetyczny, szczelny
**air-raid** [ˋeəreɪd] *s* nalot lotniczy
**air-route** [ˋeərut] *s* linia lotnicza
**air·screw** [ˋeəskru] *s* śmigło
**air·shel·ter** [ˋeəʃeltə(r)] *s* schron przeciwlotniczy
**air·ship** [ˋeəʃɪp] *s* statek powietrzny
**air-tight** [ˋeətɑɪt] *adj* szczelny, hermetyczny
**air·way** [ˋeəweɪ] *s* linia lotnicza; *górn.* wentyl
**air·wor·thy** [ˋeəwɜðɪ] *adj (o samolocie)* zdolny do latania
**air·y** [ˋeərɪ] *adj* przewiewny, lekki; *(o człowieku)* próżny, beztroski
**a·jar** [əˋdʒɑ(r)] *adj praed (o drzwiach, bramie)* półotwarty
**a·kin** [əˋkɪn] *adj praed* krewny; podobny
**a·lac·ri·ty** [əˋlækrətɪ] *s* żwawość, gotowość
**a·larm** [əˋlɑm] *s* alarm; strach, popłoch, oszołomienie; **to take ~** ulec panice; *vt* alarmować, niepokoić
**a·larm-clock** [əˋlɑmklɒk] *s* budzik
**a·las** [əˋlæs] *int* niestety!
**al·bum** [ˋælbəm] *s* album
**al·bu·men** [ˋælbjumen] *s biol. chem.* białko
**al·che·my** [ˋælkəmɪ] *s* alchemia
**al·co·hol** [ˋælkəhɒl] *s* alkohol, napój alkoholowy
**al·co·hol·ic** [ˈælkəˋhɒlɪk] *adj* alkoholowy; *s* alkoholik
**al·der·man** [ˋɔldəmən] *s* radny miejski
**ale** [eɪl] *s* jasne piwo
**a·lert** [əˋlɜt] *adj* czujny; żwawy; *s zw. lotn.* alarm; pogotowie; **on the ~** na straży, w pogotowiu
**al·ge·bra** [ˋældʒɪbrə] *s* algebra
**a·li·as** [ˋeɪlɪəs] *adv* inaczej; *s* przybrane nazwisko
**al·i·bi** [ˋælɪbɑɪ] *s* alibi
**al·ien** [ˋeɪlɪən] *adj* obcy; cudzoziemski; *s* cudzoziemiec
**al·ien·ate** [ˋeɪlɪəneɪt] *vt* przenieść

(majątek na kogoś); odstręczyć, zrazić; oderwać

**al·ien·a·tion** [ˈeɪlɪəˋneɪʃn] *s* alienacja; wyobcowanie

**a·light** [əˋlaɪt] *vi* schodzić, zstępować; spadać; wysiadać; (*o samolocie, ptaku*) lądować z powietrza

**a·lign** [əˋlaɪn] *vt* ustawiać w rząd, szeregować; *vi wojsk*. równać

**a·like** [əˋlaɪk] *adj praed* podobny, jednakowy; *adv* podobnie, jednakowo; zarówno

**a·li·men·ta·ry** [ˈælɪˋmentrɪ] *adj* odżywczy; spożywczy; żywiący, utrzymujący; **the ~ canal** przewód pokarmowy

**a·li·mo·ny** [ˋælɪmənɪ] *s* alimenty

**a·live** [əˋlaɪv] *adj praed* żywy; żwawy; pełen życia; **to be ~ to sth** być wrażliwym na coś ⟨świadomym czegoś⟩

**al·ka·li** [ˋælkəlaɪ] *s chem.* zasada; *pl* **~s** alkalia

**al·ka·line** [ˋælkəlaɪn] *adj chem.* alkaliczny

**all** [ɔl] *adj i pron* wszystek, cały, całkowity, każdy, wszelki; **after ~** mimo wszystko; ostatecznie; **~ but** prawie że, nieomal; **~ in ~** całkowicie, razem wziąwszy; **~ of us my** wszyscy; **at ~** w ogóle; **before ~** przede wszystkim; **for ~ that** mimo wszystko; **in ~** w całości, ogółem; **most of ~** najbardziej, przede wszystkim; **not at ~** wcale nie, nie ma za co (dziękować); **once for ~** raz na zawsze; *s* wszystko, całość; *adv* całkowicie, w pełni; **~ right** wszystko w porządku, dobrze; **~ the same** wszystko jedno; mimo wszystko; **~ the better** tym lepiej; **~ over** wszędzie, na całej przestrzeni; **it is ~ over with him** koniec z nim; **~ told** w sumie, wszystko razem

**al·lay** [əˋleɪ] *vt* uśmierzyć, uspokoić, złagodzić, osłabić

**al·lege** [əˋledʒ] *vt* twierdzić (bez dowodów; przytaczać, powoływać się (**sth** na coś)

**al·leged** [əˋledʒd] *adj* rzekomy, domniemany

**al·le·giance** [əˋlidʒəns] *s* wierność, lojalność; *hist.* poddaństwo

**al·le·gor·i·cal** [ˈælɪˋgorɪkl] *adj* alegoryczny

**al·le·go·ry** [ˋælɪgərɪ] *s* alegoria

**al·ler·gy** [ˋælədʒɪ] *s* alergia (**to sth** na coś)

**al·le·vi·ate** [əˋlivɪeɪt] *vt* ulżyć, złagodzić; zaspokoić

**al·ley** [ˋælɪ] *s* aleja; uliczka; przejście; **blind ~** ślepy zaułek

**al·li·ance** [əˋlaɪəns] *s* przymierze; związek; pokrewieństwo

**al·lied** [ˋælaɪd] *adj* sprzymierzony; pokrewny, bliski

**al·li·ga·tor** [ˋælɪgeɪtə(r)] *s* aligator

**al·lit·er·a·tion** [əˈlɪtəˋreɪʃn] *s* aliteracja

**al·lo·cate** [ˋæləkeɪt] *vt* przydzielić; wyznaczyć

**al·lot** [əˋlot] *vt* przydzielić, przyznać; wyznaczyć; rozdzielić; rozparcelować

**al·lot·ment** [əˋlotmənt] *s* przydział; cząstka; kawałek gruntu, działka

**al·low** [əˋlaʊ] *vt* pozwalać; przyznawać; przeznaczać, uznawać; *vi* **~ of sth** dopuszczać do czegoś, zgadzać się na coś; **~ for sth** brać coś pod uwagę

**al·low·ance** [əˋlaʊəns] *s* przydział, racja; (przyznany) fundusz, dotacja; renta; bonifikata; kieszonkowe; tolerowanie, pozwolenie; **family ~** dodatek rodzinny; **to make ~s for sth** brać coś pod uwagę

**al·loy** [əˋlɔɪ] *vt* mieszać (metale); *s* [ˋælɔɪ] stop; próba (np. złota)

**al·lude** [əˋlud] *vi* robić aluzję (**to sth** do czegoś)

**al·lure** [əˋljuə(r)] *vt* nęcić, uwodzić

**al·lu·sion** [əˋluʒn] *s* aluzja, przytyk

**al·ly** [əˋlaɪ] *vt* połączyć, sprzymierzyć; skoligacić; *vi* połączyć się, być sprzymierzonym; *s* [ˋælaɪ] sprzymierzeniec

**al·ma·nac** [ˋɔlmənæk] *s* almanach, kalendarz

**al·might·y** [ɔlˈmaɪtɪ] *adj* wszechpotężny, wszechmocny
**al·mond** [ˈamənd] *s* migdał
**al·most** [ˈɔlməust] *adv* prawie
**alms** [amz] *s sing i pl* jałmużna
**a·loft** [əˈloft] *adv* w górę, w górze
**a·lone** [əˈləun] *adj praed* sam, sam jeden; **to let sb, sth ~** pozostawić kogoś, coś w spokoju; *adv* tylko, jedynie; **let ~** zwłaszcza, a co dopiero
**a·long** [əˈloŋ] *praep* wzdłuż; **all ~** na całą długość, przez cały czas; **~ the street** ulicą; **~ with** razem, wspólnie, wraz z; *adv* naprzód, dalej; **come ~!** chodź tu!; **to take ~** zabrać
**a·long·side** [əˈloŋˈsaɪd] *adv* w jednym rzędzie, obok; *praep* wzdłuż, obok, przy
**a·loof** [əˈluf] *adv* z dala; na uboczu
**a·loud** [əˈlaud] *adv* głośno, na głos
**al·pha·bet** [ˈælfəbət] *s* alfabet
**al·pha·bet·i·cal** [ˈælfəˈbetɪkl] *adj* alfabetyczny
**al·pine** [ˈælpaɪn] *adj* alpejski; górski
**al·pi·nist** [ˈælpɪnɪst] *s* alpinista
**al·read·y** [ˈɔlˈredɪ] *adv* już; poprzednio
**al·so** [ˈɔlsəu] *adv* także, również
**al·tar** [ˈɔltə(r)] *s* ołtarz
**al·ter** [ˈɔltə(r)] *vt vi* zmieniać (się)
**al·ter·a·tion** [ˈɔltəˈreɪʃn] *s* zmiana
**al·ter·nate 1.** [ɔlˈtɜnət] *adj* co drugi, kolejny, odbywający się na zmianę
**al·ter·nate 2.** [ˈɔltəneɪt] *vt* zmieniać kolejno, robić coś na zmianę; *vi* następować kolejno, zmieniać się
**al·ter·na·tive** [ɔlˈtɜnətɪv] *s* alternatywa; *adj* alternatywny
**al·though** [ɔlˈðəu] *conj* chociaż, mimo że
**al·ti·tude** [ˈæltɪtjud] *s* wysokość
**al·to** [ˈæltəu] *s muz.* alt
**al·to·geth·er** [ˈɔltəˈgeðə(r)] *adv* całkowicie, w pełni; ogółem
**al·tru·ism** [ˈæltruɪzm] *s* altruizm
**al·um** [ˈæləm] *s* ałun
**al·um·nus** [əˈlʌmnəs] *s* (*pl* **alumni** [əˈlʌmnaɪ]) wychowanek, absolwent
**al·ways** [ˈɔlwɪz] *adv* zawsze, ciągle
**am** *zob.* **be**
**a·mal·ga·mate** [əˈmælgəmeɪt] *vt vi* łączyć (się), jednoczyć (się)
**a·mass** [əˈmæs] *vt* zbierać, gromadzić
**am·a·teur** [ˈæmətə(r)] *s* amator
**a·maze** [əˈmeɪz] *vt* zdumieć
**a·maze·ment** [əˈmeɪzmənt] *s* zdumienie
**amaz·ing** [əˈmeɪzɪŋ] *ppraes i adj* zdumiewający
**am·bas·sa·dor** [æmˈbæsədə(r)] *s* ambasador; minister pełnomocny; poseł (**to France** we Francji; **in Paris** w Paryżu)
**am·ber** [ˈæmbə(r)] *s* bursztyn
**am·bi·gu·i·ty** [ˈæmbɪˈgjuətɪ] *s* dwuznaczność, dwuznacznik, niejasność
**am·big·u·ous** [æmˈbɪgjuəs] *adj* dwuznaczny, niejasny
**am·bi·tion** [æmˈbɪʃn] *s* ambicja
**am·bi·tious** [æmˈbɪʃəs] *adj* ambitny
**am·bu·lance** [ˈæmbjuləns] *s* karetka pogotowia; szpital polowy
**am·bush** [ˈæmbuʃ] *s* zasadzka; *vt* napadać z zasadzki; robić zasadzkę, czyhać (**sb** na kogoś)
**a·mel·io·rate** [əˈmilɪəreɪt] *vt vi* poprawiać (się), polepszać (się)
**a·men** [ˈaˈmen] *nieodm.* amen
**a·me·na·bi·li·ty** [əminəˈbɪlətɪ] *s* odpowiedzialność sądowa; uległość, powolność
**a·me·na·ble** [əˈminəbl] *adj* odpowiedzialny (wobec prawa); uległy, powolny; dostępny
**a·mend** [əˈmend] *vt* poprawiać, usprawniać, wnosić poprawki; *vi* poprawiać się; *s pl* **~s** zadośćuczynienie, kompensata; **to make ~s for sth** zrekompensować coś; naprawić coś (np. krzywdę)
**a·mend·ment** [əˈmendmənt] *s* poprawa, naprawa; *prawn.* poprawka, nowela

**A·mer·i·can** [ə`merɪkən] *s* Amerykanin; *adj* amerykański

**a·mi·a·bi·li·ty** [ˈeɪmɪə`bɪlətɪ] *s* uprzejmość, miłe obejście

**a·mi·a·ble** [`eɪmɪəbl] *adj* miły, uprzejmy

**a·mi·ca·ble** [`æmɪkəbl] *adj* przyjacielski; polubowny

**a·mid** [ə`mɪd], **a·midst** [ə`mɪdst] *praep* pomiędzy, pośród

**a·miss** [ə`mɪs] *adv* fałszywie, błędnie, nieodpowiednio; **to come ~** przybyć nie w porę; **sth is ~ with him** z nim jest coś nie w porządku; **to take ~** brać za złe

**am·i·ty** [`æmətɪ] *s* przyjaźń; **a treaty of ~** układ o przyjaźni

**am·mo·nia** [ə`məunɪə] *s* amoniak

**am·mu·ni·tion** [ˈæmjuˈnɪʃn] *s* amunicja

**am·nes·ty** [`æmnəstɪ] *s* amnestia; *vt* udzielić amnestii

**a·moe·ba** [ə`mibə] *s zool.* ameba

**a·mok** [ə`mok] *adv* = **amuck**

**a·mong** [ə`mʌŋ], **a·mongst** [ə`mʌŋst] *praep* między, wśród

**am·o·rous** [`æmərəs] *adj* zakochany; *pot.* kochliwy

**a·mor·phous** [ə`mɔfəs] *adj* bezpostaciowy, bezkształtny

**a·mount** [ə`maunt] *vi* stanowić (sumę), wynosić; równać się (**to sth** czemuś); **the bill ~s to £100** rachunek wynosi 100 funtów; **this ~s to nothing** nic z tego nie wychodzi; *s* suma, ilość; wartość, znaczenie, wynik

**am·phib·ian** [æm`fɪbɪən] *s* zwierzę ziemnowodne; *lotn. wojsk.* amfibia

**am·phi·the·a·tre** [`æmfɪθɪətə(r)] *s* amfiteatr

**am·ple** [`æmpl] *adj* obszerny, obfity; wystarczający, dostatni; rozłożysty

**am·pli·fy** [`æmplɪfaɪ] *vt* rozszerzać, powiększać; *elektr.* wzmacniać; *vi* rozwodzić się (**on sth** nad czymś)

**am·pli·tude** [`æmplɪtjud] *s* zasięg; obfitość; *fiz.* amplituda

**am·pu·tate** [`æmpjuteɪt] *vt* amputować

**a·muck** [ə`mʌk] *adv* w szale; **to run ~** wpaść w szał

**a·muse** [ə`mjuz] *vt* zabawiać

**a·muse·ment** [ə`mjuzmənt] *s* rozrywka, zabawa

**an** [ən, æn] *przedimek ⟨rodzajnik⟩ nieokreślony (przed samogłoską); zob.* **a**

**a·nach·ro·nic** [ˈænə`kronɪk], **a·nach·ro·nis·tic** [əˈnækrə`nɪstɪk] *adj* anachroniczny

**a·nach·ro·nism** [ə`nækrənɪzm] *s* anachronizm

**a·nae·mi·a, a·ne·mi·a** [ə`nimɪə] *s* anemia, niedokrwistość

**an·aes·the·sia** [ˈænɪs`θizɪə] *s* anestezja, znieczulenie

**an·aes·thet·ic** [ˈænɪs`θetɪk] *adj* znieczulający; *s* środek znieczulający

**a·nal·o·gous** [ə`næləgəs] *adj* analogiczny

**a·nal·o·gy** [ə`nælədʒɪ] *s* analogia

**an·a·lyse** [`ænəlaɪz] *vt* analizować

**a·nal·y·sis** [ə`næləsɪs] *s* (*pl* **analyses** [ə`næləsiz]) analiza; *gram.* rozbiór

**an·a·lyze** [`ænəlaɪz] *vt am.* = **analyse**

**a·narch·ic(al)** [æ`nakɪk(l)] *adj* anarchiczny

**an·ar·chy** [`ænəkɪ] *s* anarchia

**a·nath·e·ma** [ə`næθəmə] *s* klątwa

**an·a·tom·ic(al)** [ˈænə`tomɪk(l)] *adj* anatomiczny

**a·nat·o·my** [ə`nætəmɪ] *s* anatomia

**an·ces·tor** [`ænsɪstə(r)] *s* przodek, antenat

**an·ces·tral** [æn`sestrl] *adj* dziedziczny, rodowy

**an·ces·try** [`ænsɪstrɪ] *s zbior.* przodkowie; ród

**an·chor** [`æŋkə(r)] *s* kotwica; *vt* zakotwiczyć; *vi* stać na kotwicy

**an·chor·age** [`æŋkərɪdʒ] *s* miejsce zakotwiczenia; kotwiczne (opłata)

**an·chor·ite** [`æŋkəraɪt] *s* pustelnik

**an·cient** [`eɪnʃnt] *adj* dawny, stary, starożytny; wiekowy

**and** [ænd, ənd, ən] *conj* i, a; z;

**for hours ~ hours** całymi godzinami; **better ~ better** coraz lepiej
**an·ec·dote** [ˋænɪkdəut] *s* anegdota
**a·new** [əˋnju] *adv* na nowo, powtórnie; inaczej
**an·gel** [ˋeɪndʒl] *s* anioł
**an·gel·ic** [ænˋdʒelɪk] *adj* anielski
**an·ger** [ˋæŋgə(r)] *s* gniew; *vt* gniewać, złościć
**an·gi·na** [ænˋdʒaɪnə] *s* angina
**an·gle 1.** [ˋæŋgl] *s* kąt; *przen.* punkt widzenia
**an·gle 2.** [ˋæŋgl] *vi* łowić ryby na wędkę
**an·gler** [ˋæŋglə(r)] *s* wędkarz
**An·gli·can** [ˋæŋglɪkən] *adj* anglikański; *s* anglikanin
**An·glo-Sax·on** [ˌæŋgləu ˋsæksn] *s* Anglosas; *adj* anglosaski
**an·gry** [ˋæŋgrɪ] *adj* zagniewany; gniewny; **to be ~ with sb** ⟨**at sth**⟩ gniewać się na kogoś ⟨na coś⟩; **to get ~** rozgniewać się
**an·guish** [ˋæŋgwɪʃ] *s* lęk, męka, ból
**an·gu·lar** [ˋæŋgjulə(r)] *adj* kątowy; narożny; kanciasty; kościsty
**an·i·line** [ˋænɪlin] *s chem.* anilina
**an·i·mal** [ˋænəml] *s* zwierzę, stworzenie; *adj* zwierzęcy; zmysłowy
**an·i·mate** [ˋænɪmeɪt] *vt* ożywiać; pobudzać; *adj* [ˋænɪmət] ożywiony, żywy, żwawy
**an·i·ma·tion** [ˌænɪˋmeɪʃn] *s* ożywienie
**an·i·mos·i·ty** [ˌænɪˋmosətɪ] *s* animozja, niechęć, uraza
**ani·seed** [ˋænɪsid] *s* anyżek
**an·kle** [ˋæŋkl] *s* kostka (u nogi)
**an·nal·ist** [ˋænəlɪst] *s* kronikarz
**an·nals** [ˋænlz] *s pl* rocznik, kronika
**an·nex** [ˋænəks] *s* (*także* **annexe**) aneks, dodatek; przybudówka; *vt* [əˋneks] dołączyć, przyłączyć; anektować
**an·nex·a·tion** [ˌænekˋseɪʃn] *s* przyłączenie; aneksja
**an·ni·hi·late** [əˋnaɪəleɪt] *vt* niszczyć, unicestwiać
**an·ni·ver·sa·ry** [ˌænɪˋvɜsrɪ] *s* rocznica
**Anno Dom·ini** [ˌænəu ˋdomɪnaɪ] roku pańskiego; naszej ery
**an·no·tate** [ˋænəteɪt] *vt* objaśniać, komentować
**an·no·ta·tion** [ˌænəˋteɪʃn] *s* adnotacja, uwaga, komentarz
**an·nounce** [əˋnauns] *vt* zapowiadać, ogłaszać, zawiadamiać
**an·nounce·ment** [əˋnaunsmənt] *s* zawiadomienie, zapowiedź, ogłoszenie, komunikat
**an·noun·cer** [əˋnaunsə(r)] *s* konferansjer; **radio ~** spiker
**an·noy** [əˋnɔɪ] *vt* dokuczać, niepokoić, drażnić
**an·noy·ance** [əˋnɔɪəns] *s* utrapienie, udręka; dokuczanie, złośliwość; **to subject sb to ~** dokuczać komuś
**an·noyed** [əˋnɔɪd] *zob.* **annoy**; *adj* zagniewany, rozdrażniony; **to be ~ with sb** gniewać się na kogoś; **to get ~ at sth** zmartwić, zirytować się czymś
**an·nu·al** [ˋænjuəl] *adj* roczny, coroczny; *s* rocznik
**an·nu·i·ty** [əˋnjuətɪ] *s* roczna suma; renta; **life ~** renta dożywotnia
**an·nul** [əˋnʌl] *vt* anulować, unieważniać
**an·nun·ci·a·tion** [əˌnʌnsɪˋeɪʃn] *s* oznajmienie; *rel.* zwiastowanie
**a·nom·a·lous** [əˋnomələs] *adj* nienormalny, anormalny, nieprawidłowy
**a·nom·a·ly** [əˋnɔməlɪ] *s* anomalia
**a·non·y·mous** [əˋnonɪməs] *adj* anonimowy; **~ letter** anonim
**an·oth·er** [əˋnʌðə(r)] *adj i pron* inny, drugi, jeszcze jeden; **in ~ way** inaczej; **~ two hours** jeszcze dwie godziny
**an·swer** [ˋansə(r)] *s* odpowiedź (**to sth** na coś); rozwiązanie; *vt* odpowiadać (**sth** na coś); spełniać, zaspokajać (życzenie); służyć (celowi); *vi* być odpowiedzialnym (**for sth to sb** za coś przed kimś); odpowiadać (**to sth** na coś)
**an·swer·a·ble** [ˋansərəbl] *adj* odpo-

wiedzialny (**for sth to sb** za coś przed kimś)
**ant** [ænt] *s* mrówka
**a'nt** [ɑnt] = **am not, are not**; *zob.* **be**
**an·tag·o·nism** [æn`tægənɪzm] *s* antagonizm
**an·tag·o·nize** ['æn`tægənaɪz] *vt* sprzeciwiać się, przeciwdziałać; wzbudzać wrogość
**ant·arc·tic** ['æn`tɑktɪk] *adj* antarktyczny; *s* **the Antarctic** Anktarktyda
**ant-eat·er** [`ænt itə(r)] *s zool.* mrówkojad
**an·te·ce·dent** ['æntɪ`sidnt] *adj* poprzedzający (**to sth** coś), poprzedni; *s* poprzedzająca okoliczność; *gram.* poprzednik
**an·te-cham·ber** [`æntɪ tʃeɪmbə(r)] *s* przedpokój; poczekalnia
**an·te·date** ['æntɪ`deɪt] *vt* antydatować
**an·te·lope** [`æntɪləup] *s* antylopa
**an·ten·na** [æn`tenə] *s* (*pl* **antennae** [æn`teni]) antena; *zool.* czułek
**an·te·ri·or** [æn`tɪərɪə(r)] *adj* poprzedzający (**to sth** coś); wcześniejszy (**to sth** od czegoś), poprzedni
**an·te·room** [`æntɪ rum] *s* przedpokój; poczekalnia
**an·them** [`ænθəm] *s* hymn
**anthill** [`ænthɪl] *s* mrowisko
**an·thol·o·gy** ['æn`θolədʒɪ] *s* antologia
**an·thro·pol·o·gy** ['ænθrə`polədʒɪ] *s* antropologia
**an·ti-air·craft** ['æntɪ `eəkraft] *adj attr* przeciwlotniczy; *s* artyleria przeciwlotnicza, działo przeciwlotnicze
**an·tibi·o·tic** ['æntɪbaɪ`otɪk] *s* antybiotyk
**anti·body** [`æntɪbodɪ] *s* przeciwciało
**an·tic** [`æntɪk] *s zw. pl* **~s** błazenada
**an·ti·ci·pate** ['æn`tɪsɪpeɪt] *vt* antycypować, uprzedzać; przewidywać; przyspieszać
**an·ti·ci·pat·ed** [æn`tɪsɪpeɪtɪd] *zob.* **anticipate**; *adj* przedterminowy; *handl.* wykupiony przed terminem
**an·ti·ci·pa·tion** [æn'tɪsɪ`peɪʃn] *s* uprzedzanie, przewidywanie; przyspieszenie; zapłata z góry, zaliczka; **in ~** z góry; *handl.* przedterminowo
**an·ti·dote** [`æntɪdəut] *s* antidotum, odtrutka
**an·tip·a·thy** [æn`tɪpəθɪ] *s* antypatia
**an·ti·qua·ry** [`æntɪkwərɪ] *s* antykwariusz, zbieracz antyków
**an·ti·quat·ed** [`æntɪkweɪtɪd] *adj* przestarzały
**an·tique** ['æn`tik] *adj* starożytny, antyczny; staroświecki; *s* sztuka starożytna; antyk
**an·tiq·ui·ty** [æn`tɪkwətɪ] *s* starożytność; antyk
**an·ti-Sem·ite** ['ænti `simaɪt] *s* antysemita
**an·tith·e·sis** [æn`tɪθəsɪs] *s* antyteza
**ant·ler** [`æntlə(r)] *s* róg (np. jelenia)
**an·vil** [`ænvɪl] *s* kowadło
**anx·i·e·ty** [æŋg`zaɪətɪ] *s* niepokój, trwoga (**for, about sth** o coś); troska; dążenie, pożądanie
**anx·ious** [`æŋkʃəs] *adj* niespokojny, pełen troski (**for, about sth** o coś); pożądający, pragnący (**for, about sth** czegoś)
**an·y** [`enɪ] *pron* jaki, jakiś, jakikolwiek; wszelki; każdy; którykolwiek; **not ~** żaden; *adv* nieco, trochę, jeszcze; **~ farther** trochę dalej; **not ~ farther** ani trochę dalej; **it is not ~ good** to się na nic nie przyda
**an·y·bod·y** [`enɪbodɪ] *pron* ktokolwiek, ktoś; każdy
**an·y·how** [`enɪhau] *adv* jakkolwiek, w jakikolwiek sposób; byle jak· w każdym razie; **not ... ~** w żaden sposób
**an·y·one** [`enɪwʌn] *pron* = **anybody**
**an·y·thing** [`enɪθɪŋ] *pron* cokolwiek, coś; wszystko; *z przeczeniem:* nic
**an·y·way** [`enɪweɪ] *adv* = **anyhow**
**an·y·where** [`enɪweə(r)] *adv* gdzie-

kolwiek, gdzieś; wszędzie; *z przeczeniem*: nigdzie

**a·part** [ə`pat] *adv* oddzielnie, na boku, na bok; osobno; w odległości; **~ from** pomijając, abstrahując, niezależnie od, oprócz; **to get ~** oddzielić; **to set ~** odłożyć; **to take ~** rozkładać, rozbierać na części

**a·part·heid** [ə`patheɪt] *s* segregacja rasowa (w Afryce), apartheid

**a·part·ment** [ə`patmənt] *s* pokój, mieszkanie; *am.* **~ house** dom mieszkalny (czynszowy), kamienica

**ap·a·thet·ic** [ˈæpəˋθetɪk] *adj* apatyczny, obojętny

**ap·a·thy** [`æpəθɪ] *s* apatia, obojętność

**ape** [eɪp] *s* małpa (człekokształtna); *vt* małpować

**ap·er·ture** [`æpətʃə(r)] *s* otwór, szczelina

**a·pex** [`eɪpeks] *s* (*pl* **~es** [`eɪpeksɪz] *lub* **apices** [`eɪpɪsiz]) szczyt, punkt szczytowy

**a·piece** [ə`pis] *adv* za sztukę; na każdego, na głowę

**a·pol·o·gize** [ə`polədʒaɪz] *vi* usprawiedliwiać się **(to sb for sth** przed kimś z czegoś), przepraszać

**a·pol·o·gy** [ə`polədʒɪ] *s* usprawiedliwienie, przeproszenie; obrona

**ap·o·plex·y** [`æpəpleksɪ] *s* apopleksja

**a·pos·tle** [ə`posl] *s* apostoł; wyznawca

**a·pos·tro·phe** [ə`postrəfɪ] *s* apostrof; apostrofa, zwrot

**ap·pal** [ə`pɔl] *vt* trwożyć, przerażać

**ap·pa·ra·tus** [ˈæpəˋreɪtəs] *s* (*pl* **~** *lub* **~es** [ˈæpəˋreɪtəsɪz]) aparat, przyrząd, urządzenie; (*w organizmie*) narząd

**ap·par·ent** [ə`pærnt] *adj* widoczny, oczywisty; pozorny

**ap·pa·ri·tion** [ˈæpəˋrɪʃn] *s* pojawienie się (widma, upiora itp.)

**ap·peal** [ə`pil] *vi* apelować, zwracać się, wzywać, usilnie prosić **(to sb for sth** kogoś o coś); nęcić, pociągać; oddziaływać **(to sb** na kogoś); *s* apel, wezwanie; odwołanie, apelacja; zainteresowanie, pociąg; **popular ~** popularność; **sex ~** atrakcyjność, powab (płci); **an ~ to a higher court** apelacja do sądu wyższej instancji; **an ~ from a decision** odwołanie od (czyjejś) decyzji; **to make an ~ for help** prosić ⟨błagać⟩ o pomoc

**ap·pear** [ə`pɪə(r)] *vi* zjawiać się, pokazywać się; występować; wydawać się, zdawać się; okazywać się

**ap·pear·ance** [ə`pɪərns] *s* wygląd zewnętrzny; zjawienie się; wystąpienie; pozór; **at first ~** na pierwszy rzut oka; **to keep up ~s** zachowywać pozory

**ap·pease** [ə`piz] *vt* uspokoić, uśmierzyć, złagodzić; uciszyć; zaspokoić

**ap·pease·ment** [ə`pizmənt] *s* uspokojenie, uśmierzenie, złagodzenie; **policy of ~** polityka łagodzenia (sporów międzynarodowych)

**ap·pel·la·tion** [ˈæpəˋleɪʃn] *s* nazwa, termin

**ap·pend** [ə`pend] *vt* dołączyć, dodać

**ap·pen·dage** [ə`pendɪdʒ] *s* dodatek, uzupełnienie

**ap·pen·di·ci·tis** [əˈpendəˋsaɪtɪs] *s* *med.* zapalenie wyrostka robaczkowego

**ap·pen·dix** [ə`pendɪks] *s* (*pl* **~es** [ə`pendɪksɪz] *lub* **appendices** [ə`pendɪsiz]) dodatek, uzupełnienie; *anat.* wyrostek robaczkowy

**ap·per·tain** [ˈæpəˋteɪn] *vi* należeć, odnosić się

**ap·pe·tite** [`æpətaɪt] *s* apetyt **(for sth** na coś)

**ap·pe·tiz·er** [`æpətaɪzə(r)] *s* zakąska, małe danie

**ap·pe·tiz·ing** [`æpətaɪzɪŋ] *adj* apetyczny

**ap·plaud** [ə`plɔd] *vt* oklaskiwać; przyklasnąć; *vi* klaskać

**ap·plause** [əˈplɔz] *s* aplauz, oklaski; pochwała

**ap·ple** [ˈæpl] *s* jabłko; **~ of the eye** źrenica; *przen.* oczko w głowie

**ap·pli·ance** [əˈplaɪəns] *s* zastosowanie, użycie; narzędzie, instrument; *pl* **~s** przybory

**ap·pli·ca·ble** [ˈæplɪkəbl] *adj* dający się zastosować, stosowny

**ap·pli·cant** [ˈæplɪkənt] *s* petent; kandydat

**ap·pli·ca·tion** [ˈæpliˈkeɪʃn] *s* aplikacja; podanie; zastosowanie, użycie; uwaga; pilność; **~ form** formularz (podaniowy)

**ap·ply** [əˈplaɪ] *vt* stosować, używać; poświęcać (uwagę, trud); *vi* zwracać się (**to sb for sth** do kogoś o coś), starać się (**for sth** o coś); dać się zastosować, odnosić się; oddawać się (**to sth** czemuś); *vr* **~ oneself** przykładać się (**to sth** do czegoś)

**ap·point** [əˈpɔɪnt] *vt* wyznaczać; mianować; określać; zarządzić; umawiać

**ap·point·ment** [əˈpɔɪntmənt] *s* wyznaczenie; nominacja; określenie; zarządzenie; stanowisko, posada; umowa; umówione spotkanie; **to keep an ~** przyjść na spotkanie; **to make an ~** umówić się na spotkanie

**ap·po·site** [ˈæpəzɪt] *adj* stosowny, trafny

**ap·po·si·tion** [ˈæpəˈzɪʃn] *s* przyłożenie, zastosowanie; *gram.* dopowiedzenie

**ap·praise** [əˈpreɪz] *vt* szacować, cenić

**ap·pre·ci·a·ble** [əˈpriʃəbl] *adj* godny zauważenia, znaczny

**ap·pre·ci·ate** [əˈpriʃɪeɪt] *vt* ocenić, oszacować; uznawać, wysoko sobie cenić; dziękować, być wdzięcznym (**sth** za coś); *am.* podnieść wartość; *vi* zyskiwać na wartości

**ap·pre·ci·a·tion** [əˈpriʃɪˈeɪʃn] *s* ocena; uznanie; wdzięczność, podziękowanie; *am.* podwyższenie ⟨wzrost⟩ ceny

**ap·pre·hend** [ˈæprɪˈhend] *vt* rozumieć, pojmować; obawiać się; chwycić, pojmać

**ap·pre·hen·sion** [ˈæprɪˈhenʃn] *s* pojętność, rozumienie; obawa; ujęcie, pojmanie; **beyond ~** nie do pojęcia

**ap·pre·hen·sive** [ˈæprɪˈhensɪv] *adj* pojętny, bystry, rozumiejący (**of sth** coś); bojaźliwy, niespokojny (**for sb, of sth** o kogoś, o coś)

**ap·pren·tice** [əˈprentɪs] *s* uczeń, terminator, nowicjusz; *vt* oddać do terminu, na naukę

**ap·pren·tice·ship** [əˈprentɪsʃɪp] *s* terminowanie, nauka (rzemiosła), praktyka (w zawodzie)

**ap·proach** [əˈprəutʃ] *vt* zbliżać się, podchodzić (**sb, sth** do kogoś, do czegoś); zagadnąć (**sb** kogoś); *vi* zbliżać się, nadchodzić, być bliskim; *s* zbliżenie, podejście; dostęp, wejście, wjazd; **easy of ~** łatwo dostępny

**ap·pro·ba·tion** [ˈæprəˈbeɪʃn] *s* aprobata, uznanie

**ap·pro·pri·ate** [əˈprəuprɪət] *adj* odpowiedni, stosowny; *vt* [əˈprəuprɪeɪt] przywłaszczać sobie; przypisywać sobie; użyć, przeznaczyć (**to sth** na coś); wyasygnować

**ap·pro·pri·a·te·ness** [əˈprəuprɪətnɪs] *s* stosowność, odpowiedniość; **with ~** stosownie, trafnie, właściwie

**ap·pro·pri·a·tion** [əˈprəuprɪˈeɪʃn] *s* przywłaszczenie; asygnowanie (*zw.* kredytów)

**ap·prov·al** [əˈpruvl] *s* uznanie, aprobata; *handl.* **on ~** na próbę

**ap·prove** [əˈpruv] *vt vi* aprobować, uznawać (**sth, of sth** coś)

**ap·prox·i·mate** [əˈproksɪmeɪt] *vi* zbliżać (się), podchodzić (**to sb, sth** do kogoś, do czegoś); *vt* zbliżać; *adj* [əˈproksɪmət] przybliżony

**ap·pur·ten·ance** [əˈpɜtɪnəns] *s* przynależność; *pl* **~s** akcesoria

**a·pri·cot** [ˈeɪprɪkot] *s* morela

**A·pril** [ˈeɪprl] *s* kwiecień

**a·pron** [ˈeɪprən] *s* fartuch; płyta lotniskowa

**apt** [æpt] *adj* odpowiedni; skłonny; zdolny; nadający się (**for sth** do czegoś)

**ap·ti·tude** [ˈæptɪtjud] *s* stosowność; skłonność; zdolność

**a·qua·ri·um** [əˈkweərɪəm] *s* akwarium

**aq·uat·ic** [əˈkwætɪk] *adj* (*o zwierzętach, roślinach, sportach*) wodny

**Ar·ab** [ˈærəb] *s* Arab; (*koń*) arab

**A·ra·bian** [əˈreɪbɪən] *adj* arabski; *s* Arab

**A·ra·bic** [ˈærəbɪk] *adj* arabski; *s* język arabski

**a·ra·ble** [ˈærəbl] *adj* orny

**ar·bi·ter** [ˈabɪtə(r)] *s* arbiter, rozjemca

**ar·bi·tral** [ˈabɪtrəl] *adj* polubowny

**ar·bi·tra·ry** [ˈabɪtrərɪ] *adj* arbitralny; dowolny, samowolny

**ar·bi·trate** [ˈabɪtreɪt] *vi* być sędzią polubownym; *vt* załatwić polubownie, rozstrzygnąć

**ar·bi·tra·tion** [ˌabɪˈtreɪʃn] *s* arbitraż, postępowanie rozjemcze

**arc** [ak] *s mat.* łuk; ~ **light** światło łukowe

**arch 1.** [atʃ] *s arch.* łuk, sklepienie; *vt vi* wyginać (się) w łuk; nadawać ⟨przybierać⟩ formę łuku

**arch 2.** [atʃ] *adj* wisusowski, łobuzerski

**arch 3.** [atʃ] *praef* arcy-; archi-

**ar·chae·ol·o·gy** [ˌakɪˈolədʒɪ] *s* archeologia

**ar·cha·ic** [ˌaˈkeɪɪk] *adj* archaiczny

**ar·cha·ism** [ˌaˈkeɪɪzm] *s* archaizm

**ar·chan·gel** [ˌakˈeɪndʒl] *s* archanioł

**arch·bish·op** [ˌatʃˈbɪʃəp] *s* arcybiskup

**arch·duke** [ˌatʃˈdjuk] *s* arcyksiążę

**arch·er** [ˈatʃə(r)] *s* łucznik

**arch·er·y** [ˈatʃərɪ] *s* łucznictwo

**ar·chi·pel·a·go** [ˌakiˈpeləgəu] *s* archipelag

**ar·chi·tect** [ˈakɪtekt] *s* architekt

**ar·chi·tec·ture** [ˈakɪtektʃə(r)] *s* architektura

**ar·chives** [ˈakaɪvz] *s pl* archiwum

**arc·tic** [ˈaktɪk] *adj* arktyczny; *s* **the Arctic** Arktyka

**ar·dent** [ˈadnt] *adj* płonący, gorący; zapalony, żarliwy

**ar·dour** [ˈadə(r)] *s* żar; żarliwość, zapał

**ar·du·ous** [ˈadjuəs] *adj* męczący, trudny; (*o skale itp.*) stromy

**are** [a(r)] *zob.* **be**

**a·re·a** [ˈeərɪə] *s* przestrzeń, powierzchnia, płaszczyzna, plac; zakres; okolica; strefa

**a·re·na** [əˈrinə] *s* arena

**aren't** [ant] = **are not**; *zob.* **be**

**ar·gen·tine** [ˈadʒəntaɪn] *adj* srebrny, srebrzysty

**Ar·gen·tin·e·an** [ˌadʒənˈtɪnɪən] *adj* argentyński; *s* Argentyńczyk

**ar·gue** [ˈagju] *vt* roztrząsać; uzasadniać, argumentować; wnioskować; wmawiać (**sb into sth** komuś coś), przekonywać (**sb into sth** kogoś o czymś); perswadować (**sb out of sth** komuś coś); *vi* argumentować (**for sth** za czymś, **against sth** przeciw czemuś); sprzeczać się (**about, for sth** o coś)

**ar·gu·ment** [ˈagjumənt] *s* argument, dowód; dyskusja, sprzeczka; teza

**aria** [ˈarɪə] *s muz.* aria

**ar·id** [ˈærɪd] *adj* suchy, jałowy

**a·right** [əˈraɪt] *adv* słusznie, prawidłowo, dobrze

***a·rise** [əˈraɪz], **arose** [əˈrəuz], **arisen** [əˈrɪzn] *vi* wstawać, powstawać; ukazywać się, wyłaniać się; wynikać

**ar·is·toc·ra·cy** [ˌærɪˈstokrəsɪ] *s* arystokracja

**ar·is·to·crat** [ˈærɪstəkræt] *s* arystokrata

**a·rith·me·tic** [əˈrɪθmətɪk] *s* arytmetyka

**ark** [ak] *s* arka

**arm 1.** [am] *s* ramię; ręka; poręcz krzesła, oparcie; konar; ~ **of the sea** odnoga morska; **~-in-~** ramię w ramię, pod rękę

**arm 2.** [am] *s* (*zw. pl* **~s**) broń; **in ~s** pod bronią; **to bear ~s** odbywać służbę wojskową; **a call**

to **~s** powołanie do służby wojskowej; *vt vi* zbroić (się)

**ar·ma·ment** [ˋaməmənt] *s* uzbrojenie, zbrojenie; *pl* **~s** zbrojenia; **~ race** wyścig zbrojeń

**arm·chair** [ˋamtʃeə(r)] *s* fotel

**arm·ful** [ˋamful] *s* naręcze

**ar·mi·stice** [ˋamɪstɪs] *s* zawieszenie broni, rozejm

**ar·mour** [ˋamə(r)] *s* zbroja, pancerz; *vt* opancerzyć

**ar·mour·ed** [ˋaməd] *adj* pancerny; zbrojony (np. beton)

**ar·mour·y** [ˋamərɪ] *s* magazyn broni, arsenał; *am.* fabryka broni

**arms** [amz] *s pl* herb

**ar·my** [ˋamɪ] *s* wojsko; **the ~** armia; **join the ~** pójść do wojska

**a·ro·ma** [əˋrəumə] *s* aromat

**ar·o·mat·ic** [ˊærəuˋmætɪk] *adj* aromatyczny

**a·rose** *zob.* **arise**

**a·round** [əˋraund] *adv i praep* naokoło, dookoła; na wszystkie strony; *am.* tu i tam

**a·rouse** [əˋrauz] *vt* wzbudzać, podniecać, aktywizować; budzić (ze snu)

**ar·raign** [əˋreɪn] *vt* pozwać do sądu, oskarżyć

**ar·range** [əˋreɪndʒ] *vt* urządzać, porządkować, układać; umawiać, ustalać; załatwiać, łagodzić (np. spór); *vi* układać się, umawiać się

**ar·range·ment** [əˋreɪndʒmənt] *s* urządzenie; układ, umowa; uporządkowanie; *zw. pl* **~s** plany, przygotowania

**ar·ray** [əˋreɪ] *vt* stroić; ustawiać w szeregi (bojowe); *s* strój; szyk bojowy; procesja

**ar·rears** [əˋrɪəz] *s pl* zaległości; długi

**ar·rest** [əˋrest] *vt* aresztować; zatrzymywać; przykuwać (uwagę); *s* areszt, zatrzymanie; zahamowanie, wstrzymanie

**ar·ri·val** [əˋraɪvl] *s* przybycie, dojście (at, in sth do czegoś); przybysz; rzecz, która nadeszła

**ar·rive** [əˋraɪv] *vi* przybyć, dojść (**at, in sth** do czegoś); osiągnąć (**at sth** coś)

**ar·ro·gance** [ˋærəgəns] *s* arogancja

**ar·ro·gant** [ˋærəgənt] *adj* arogancki

**ar·row** [ˋærəu] *s* strzała, strzałka

**ar·se·nic** [ˋasnɪk] *s chem.* arsen; arszenik

**ar·son** [ˋasn] *s* podpalenie (akt zbrodniczy)

**art** [at] *s* sztuka; zręczność; chytrość; *pl* **~s** nauki humanistyczne

**ar·te·ry** [ˋatərɪ] *s anat.* arteria

**art·ful** [ˋatfl] *adj* pomysłowy; zręczny; chytry

**ar·thrit·ic** [aˋθrɪtɪk] *adj* artretyczny

**ar·thri·tis** [aˋθraɪtɪs] *s* artretyzm

**ar·ti·cle** [ˋatɪkl] *s* artykuł; rozdział, punkt; paragraf; przedmiot; *gram.* rodzajnik, przedimek

**ar·tic·u·late** [aˋtɪkjuleɪt] *vt vi* artykułować, (wyraźnie) wymawiać; *adj* [aˋtɪkjulət] artykułowany; jasno wyrażony ⟨wyrażający się⟩

**ar·tic·u·la·tion** [aˊtɪkjuˋleɪʃn] *s* artykulacja, wymawianie

**ar·ti·fice** [ˋatɪfɪs] *s* sztuka, sztuczka; zręczność; chytrość; pomysł, podstęp

**ar·ti·fi·cial** [ˊatɪˋfɪʃl] *adj* sztuczny

**ar·til·ler·y** [aˋtɪlərɪ] *s* artyleria

**ar·ti·san** [ˊatɪˋzæn] *s* rzemieślnik

**ar·tist** [ˋatɪst] *s* artysta

**ar·tis·tic** [aˋtɪstɪk] *adj* artystyczny

**art·less** [ˋatləs] *adj* prosty, niewyszukany; naturalny; niedoświadczony

**Ar·y·an** [ˋeərɪən] *adj* aryjski; *s* Aryjczyk

**as** [æz, əz] *adv* jak; jako; za; *conj* ponieważ, skoro; jak; jako; kiedy, (podczas) gdy; chociaż; w miarę, jak; **as ... as** tak ... jak, równie ... jak; **as far as** aż do, o ile; **as for** co się tyczy; co do; **as if, as though** jak gdyby: **as it is** faktycznie, rzeczywiście; **as it were** że tak powiem; **as a rule** z reguły, zasadniczo; **as much** ⟨**many**⟩ **as** aż tyle; **as soon as** skoro tylko; **as to** co się tyczy, odnośnie do; **as well** również;

także; as well as równie dobrze, jak również; as yet jak dotąd; so ... as tak ... jak (*zw. w przeczeniu* not so ... as nie tak ... jak); so as (*przed inf*) tak, ażeby ⟨że⟩; be so good as to tell me bądź łaskaw powiedzieć mi

**as·cend** [əˈsend] *vi* wznosić się, iść w górę; wspinać się; *vt* wstąpić (the throne na tron)

**as·cend·an·cy** [əˈsendənsɪ] *s* przewaga; władza

**as·cend·ant** [əˈsendənt] *s*: to be in the ~ mieć przewagę, górować

**as·cen·sion** [əˈsenʃn] *s* unoszenie się ku górze; wstąpienie (to the throne na tron); *rel.* the Ascension Wniebowstąpienie

**as·cent** [əˈsent] *s* wznoszenie (się); wchodzenie (na górę), wspinanie się (na szczyt)

**as·cer·tain** [ˈæsəˈteɪn] *vt* ustalić, stwierdzić

**as·cet·ic** [əˈsetɪk] *adj* ascetyczny; *s* asceta

**as·cribe** [əˈskraɪb] *vt* przypisywać

**a·sep·tic** [æˈseptɪk] *adj* aseptyczny; *s* środek aseptyczny

**ash** 1. [æʃ] *s* (*zw. pl* ~es [ˈæʃɪz]) popiół

**ash** 2. [æʃ] *s* jesion

**a·shamed** [əˈʃeɪmd] *adj praed* zawstydzony; to be ~ wstydzić się (of sth czegoś, for sth z powodu czegoś)

**ash-bin** [ˈæʃ bɪn], **ash-can** [ˈæʃ kæn] *s am.* skrzynia ⟨wiadro⟩ na popiół ⟨na śmieci⟩

**ash·en** 1. [ˈæʃn] *adj* jesionowy

**ash·en** 2. [ˈæʃn] *adj* popielaty

**a·shore** [əˈʃɔ(r)] *adv* na brzeg, na brzegu, na ląd, na lądzie; to run ⟨to be driven⟩ ~ osiąść na mieliźnie

**ash-tray** [ˈæʃ treɪ] *s* popielniczka

**A·si·at·ic** [ˈeɪʃɪˈætɪk] *adj* azjatycki; *s* Azjata

**a·side** [əˈsaɪd] *adj* na bok, na boku; to put ~ odkładać

**ask** [ask] *vt* pytać, prosić, upraszać (sb kogoś, sth o coś); żądać (sth czegoś); to ~ a question zadać pytanie; *vi* prosić (for sth o coś), pytać (for sb, sth o kogoś, o coś); pytać, dowiadywać się (about ⟨after⟩ sb, sth o kogoś, o coś); to ~ to dinner prosić na obiad; *pot.* to ~ for trouble szukać kłopotu

**a·skance** [əˈskæns] *adv* ukosem, na ukos; w bok; to look ~ spoglądać podejrzliwie

**askew** [əˈskju] *adv* krzywo

**a·slant** [əˈslant] *adv* skośnie, na ukos

**a·sleep** [əˈslip] *adj praed i adv* śpiący, pogrążony we śnie; (*o nogach*) zdrętwiały; to be ~ spać; to fall ~ zasnąć

**as·par·a·gus** [əˈspærəgəs] *s* szparag

**as·pect** [ˈæspekt] *s* aspekt; wygląd; widok; zapatrywanie; wzgląd; *gram.* strona; postać (czasownika)

**as·pen** [ˈæspən] *s bot.* osika

**as·phalt** [ˈæsfælt] *s* asfalt

**as·pir·ant** [ˈæspɪrənt] *s* aspirant, kandydat

**aspi·ra·tion** [ˈæspəˈreɪʃn] *s* aspiracja, dążenie (after, for sth do czegoś)

**a·spire** [əˈspaɪə(r)] *vi* aspirować, dążyć (after, at, to sth do czegoś)

**as·pi·rin** [ˈæsprɪn] *s* aspiryna

**ass** [æs] *s* osioł

**as·sail** [əˈseɪl] *vt* napadać, atakować

**as·sail·ant** [əˈseɪlənt] *s* napastnik

**as·sas·sin** [əˈsæsɪn] *s* morderca, skrytobójca

**as·sas·si·nate** [əˈsæsɪneɪt] *vt* mordować (skrytobójczo)

**as·sault** [əˈsɔlt] *s* napad, atak; pobicie; *vt* napaść (nagle), zaatakować; pobić

**as·say** [əˈseɪ] *s* badanie, próba (np. metali); *vt* badać, robić próbę

**as·sem·ble** [əˈsembl] *vt* gromadzić, zbierać; składać, montować; *vi* gromadzić się, zbierać się

**as·sem·bly** [ə`semblı] *s* zebranie, zgromadzenie; zbiórka; montaż
**as·sent** [ə`sent] *vi* zgadzać się, przyzwalać (to sth na coś); *s* zgoda, przyzwolenie
**as·sert** [ə`s3t] *vt* potwierdzać; bronić (np. sprawy); twierdzić; *vr* ~ oneself bronić swych praw; żądać zbyt wiele; wywyższać się
**as·ser·tion** [ə`s3ʃn] *s* twierdzenie (stanowcze); obrona (swych praw)
**as·sess** [ə`ses] *vt* szacować, taksować; nakładać (np. podatek)
**as·sess·ment** [ə`sesmənt] *s* oszacowanie; opodatkowanie; podatek, danina
**as·sess·or** [ə`sesə(r)] *s* asesor; urzędnik podatkowy
**as·set** [`æset] *s* rzecz wartościowa, zabezpieczenie; *pl* **~s** aktywa; własność
**as·sid·u·ous** [ə`sıdjuəs] *adj* wytrwały, pilny, pieczołowity
**as·sign** [ə`saın] *vt* wyznaczać; ustalać, określać; przydzielać, przypisywać
**as·sig·na·tion** [ˌæsıg`neıʃn] *s* wyznaczenie; ustalenie; przydział, asygnacja
**as·sim·i·late** [ə`sıməleıt] *vt vi* asymilować (się), upodabniać (się)
**as·sist** [ə`sıst] *vt* asystować; pomagać; *vi* być obecnym
**as·sist·ance** [ə`sıstəns] *s* asysta; pomoc, poparcie; obecność
**as·sist·ant** [ə`sıstənt] *s* pomocnik, asystent; ~ **master** nauczyciel szkoły średniej; ~ **manager** wicedyrektor; ~ **professor** docent; **shop** ~ ekspedient; *adj* pomocniczy
**as·siz·es** [ə`saızız] *s pl* okresowa sesja sądu
**as·so·ci·ate** [ə`səuʃıeıt] *vt* łączyć, wiązać, kojarzyć; *vi* obcować, współdziałać, łączyć się; *s* [ə`səuʃıət] towarzysz, współuczestnik; *adj* związany; dołączony
**as·so·ci·a·tion** [əˌsəuʃı`eıʃn] *s* stowarzyszenie, zrzeszenie; skojarzenie; obcowanie; *sport* ~ **football** gra w okrągłą piłkę nożną (w odróżnieniu od rugby)
**as·sort·ment** [ə`sɔtmənt] *s* asortyment, dobór
**as·sume** [ə`sjum] *vt* przyjmować; brać na siebie; obejmować (np. urząd); przybierać; przypuszczać, zakładać; udawać
**as·sump·tion** [ə`sʌmpʃn] *s* przyjęcie; objęcie; przypuszczenie, założenie; udawanie; zarozumialstwo; *rel.* Wniebowzięcie
**as·sur·ance** [ə`ʃuərns] *s* zapewnienie; pewność (siebie); *bryt.* ubezpieczenie
**as·sure** [ə`ʃuə(r)] *vt* zapewniać; *bryt.* ubezpieczać; **to rest ~d** być spokojnym
**as·ter·isk** [`æstərısk] *s druk.* gwiazdka, odsyłacz
**a·stern** [ə`st3n] *adv* w tyle okrętu
**asth·ma** [`æsmə] *s* astma
**a·ston·ish** [ə`stonıʃ] *vt* zdziwić, zdumieć
**a·stound** [ə`staund] *vt* zdumiewać
**a·stray** [ə`streı] *adj praed adv dosł. i przen.* zabłąkany; **to go ~** zabłąkać się; **to lead ~** wywieść na manowce
**as·trol·o·gy** [ə`strolədʒı] *s* astrologia
**as·tro·naut** [`æstrənɔt] *s* astronauta
**as·tron·o·my** [ə`stronəmı] *s* astronomia
**as·tute** [ə`stjut] *adj* chytry; bystry
**a·sun·der** [ə`sʌndə(r)] *adv* oddzielnie; w kawałkach; na kawałki; w różne strony
**a·sy·lum** [ə`saıləm] *s* azyl; przytułek; † (*także*: **lunatic ~**) zakład dla obłąkanych
**at** [æt, ət] *praep na oznaczenie miejsca*: przy, u, na, w; **at school** w szkole; **at sea** na morzu; *na oznaczenie czasu*: w, o, na; **at nine o'clock** o godzinie dziewiątej; *na oznaczenie sposobu, celu, stanu, ceny*: na, za, z, po, w; **at once** natychmiast; **at last** w końcu; nareszcie; **at least** przynajmniej

**ate** *zob.* **eat**
**atel·ier** [æ`telıeı] *s* atelier
**a·the·ism** [`eıθıızm] *s* ateizm
**a·the·ist** [`eıθııst] *s* ateista
**a·the·is·tic** [/eıθı`ıstık] *adj* ateistyczny
**ath·lete** [`æθlit] *s* zapaśnik, sportowiec
**ath·let·ic** [æθ`letık] *adj* sportowy; wysportowany; mocny, silny
**ath·let·ics** [æθ`letıks] *s* sport; atletyka
**At·lan·tic** [ət`læntık] *adj* atlantycki; *s* Atlantyk
**at·las** [`ætləs] *s* atlas
**at·mos·phere** [`ætməsfıə(r)] *s fiz. i przen.* atmosfera
**at·mos·pher·ic** [/ætməs`ferık] *adj* atmosferyczny
**at·om** [`ætəm] *s* atom; *przen.* odrobina
**a·tom·ic** [ə`tomık] *adj* atomowy
**a·tone** [ə`təʊn] *vi* odpokutować; rekompensować (**for sth** coś), zadośćuczynić
**a·tro·cious** [ə`trəʊʃəs] *adj* okrutny; okropny
**a·troc·i·ty** [ə`trosətı] *s* okrucieństwo; okropność
**at·tach** [ə`tætʃ] *vt* przywiązać, przymocować; dołączać; przydzielać; *prawn.* zająć (np. własność); *vi* być przywiązanym ⟨dołączonym⟩
**at·tach·ment** [ə`tætʃmənt] *s* przywiązanie, więź (uczuciowa); dodatek, załącznik
**at·tack** [ə`tæk] *vt* atakować; *s* atak
**at·tain** [ə`teın] *vt vi* osiągnąć, zdobyć, dojść (**sth, to sth, at sth** do czegoś)
**at·tain·ment** [ə`teınmənt] *s* osiągnięcie; zdobycie; *pl* **~s** wiadomości, sprawność, zdolności
**at·tempt** [ə`tempt] *vt* próbować, usiłować; *s* próba, usiłowanie
**at·tend** [ə`tend] *vt* towarzyszyć (**sb** komuś); uczęszczać (**school** do szkoły, **lectures** na wykłady); służyć pomocą (**sb** komuś); pielęgnować; leczyć; obsługiwać; być obecnym (**a meeting** na zebraniu); *vi* usługiwać (**on, upon, to sb** komuś), obsługiwać (**to sb, sth** kogoś, coś); uważać (**to sth** na coś), pilnować (**to sth** czegoś); przykładać się (**to sth** do czegoś)
**at·tend·ance** [ə`tendəns] *s* uwaga, baczenie; obsługa; pomoc, opieka; obecność, frekwencja; towarzyszenie
**at·tend·ant** [ə`tendənt] *adj* towarzyszący; *s* towarzysz; osoba obsługująca; pomocnik, asystent; sługa
**at·ten·tion** [ə`tenʃn] *s* uwaga; opieka; grzeczność; *pl* **~s** atencja; **to pay ~** zwracać uwagę (**to sth** na coś); **to call sb's ~** zwrócić czyjąś uwagę (**to sth** na coś); **~!** baczność!; uwaga!
**at·ten·tive** [ə`tentıv] *adj* uważny; troskliwy; uprzejmy
**at·ten·u·ate** [ə`tenjueıt] *vt* łagodzić; pomniejszać, osłabiać
**at·test** [ə`test] *vt* stwierdzać, zaświadczać; zaprzysięgać; *vi* świadczyć (**to sth** o czymś)
**at·tes·ta·tion** [/ætes`teıʃn] *s* zaświadczenie; świadectwo; zaprzysiężenie
**at·tic** [`ætık] *s* poddasze, mansarda
**at·tire** [ə`taıə(r)] *vt* ubierać; zdobić; *s* ubiór, strój; ozdoba
**at·ti·tude** [`ætıtjud] *s* postawa, stanowisko, stosunek
**at·tor·ney** [ə`tɜnı] *s* obrońca, adwokat, rzecznik, pełnomocnik; **letter ⟨power⟩ of ~** pełnomocnictwo; **Attorney General** prokurator królewski
**at·tract** [ə`trækt] *vt* przyciągać, pociągać
**at·trac·tion** [ə`trækʃn] *s* atrakcja; pociąg; atrakcyjność; przyciąganie
**at·tract·ive** [ə`træktıv] *adj* atrakcyjny, pociągający; przyciągający
**at·trib·ute** [ə`trıbjut] *vt* przypisy-

wać; *s* [ˋætrɪbjut] atrybut, właściwość; *gram.* przydawka
**at·tri·tion** [əˋtrɪʃn] *s* tarcie; zużycie; zdarcie
**at·tune** [əˋtjun] *vt* stroić, dostroić; zharmonizować (**to sth** z czymś)
**au·burn** [ˋɔbən] *adj* kasztanowaty
**auc·tion** [ˋɔkʃn] *s* aukcja, licytacja; *vt* sprzedawać na licytacji
**auc·tion·eer** [ˈɔkʃəˋnɪə(r)] *s* licytator; *vi* prowadzić licytację
**au·da·cious** [ɔˋdeɪʃəs] *adj* śmiały, zuchwały
**au·dac·i·ty** [ɔˋdæsətɪ] *s* śmiałość, zuchwalstwo
**au·di·ble** [ˋɔdəbl] *adj* słyszalny
**au·di·ence** [ˋɔdɪəns] *s* publiczność, słuchacze; audiencja
**au·dit** [ˋɔdɪt] *s* kontrola rachunków; *vt* kontrolować rachunki
**aug·ment** [ɔgˋment] *vt vi* powiększać (się)
**aug·men·ta·tion** [ˈɔgmenˋteɪʃn] *s* powiększenie, wzrost
**Au·gust 1.** [ˋɔgəst] *s* sierpień
**au·gust 2.** [ɔˋgʌst] *adj* dostojny, majestatyczny
**aunt** [ɑnt] *s* ciotka
**aunt·ie** [ˋɑntɪ] *s* ciocia
**aus·pi·ces** [ˋɔspɪsɪz] *s pl* piecza, patronat; **under the ~ of** pod auspicjami
**aus·pi·cious** [ɔˋspɪʃəs] *adj* dobrze wróżący, pomyślny
**aus·tere** [ɔˋstɪə(r)] *adj* surowy, srogi; prosty; szorstki
**aus·ter·i·ty** [ɔˋsterətɪ] *s* surowość, prostota; szorstkość
**Aus·tra·lian** [ɔˋstreɪlɪən] *adj* australijski; *s* Australijczyk
**Aus·tri·an** [ˋɔstrɪən] *adj* austriacki; *s* Austriak
**au·then·tic** [ɔˋθentɪk] *adj* autentyczny
**au·then·ti·cate** [ɔˋθentɪkeɪt] *vt* poświadczać, nadawać ważność
**au·then·ti·ci·ty** [ˈɔθenˋtɪsətɪ] *s* autentyczność
**au·thor** [ˋɔθə(r)] *s* autor
**au·thor·i·ty** [ɔˋθorətɪ] *s* autorytet, władza; upoważnienie; wiarygodne świadectwo; źródło; *pl* **authorities** władze
**au·thor·i·za·tion** [ˈɔθəraɪˋzeɪʃn] *s* autoryzacja, upoważnienie
**au·thor·ize** [ˋɔθəraɪz] *vt* autoryzować, upoważniać
**au·thor·ship** [ˋɔθəʃɪp] *s* autorstwo
**au·to** [ˋɔtəʊ] *s am. pot.* auto, samochód
**au·to·bi·og·ra·phy** [ˈɔtəbaɪˋogrəfɪ] *s* autobiografia
**au·toc·ra·cy** [ɔˋtokrəsɪ] *s* samowładztwo, autokracja
**au·to·gi·ro** [ˈɔtəʊˋdʒaɪərəʊ] *s* = **autogyro**
**au·to·graph** [ˋɔtəgrɑf] *s* autograf
**au·to·gy·ro** [ˈɔtəʊˋdʒaɪərəʊ] *s* autożyro
**au·to·mat** [ˋɔtəmæt] *s am.* bar samoobsługowy
**au·to·mat·ic** [ˈɔtəˋmætɪk] *adj* automatyczny, mechaniczny
**au·to·ma·tion** [ˈɔtəˋmeɪʃn] *s* automatyzacja
**au·tom·a·ton** [ˈɔˋtomətən] *s* (*pl* **automata** [ˈɔˋtomətə]) automat
**au·to·mo·bile** [ˋɔtəməbil] *s am.* samochód
**au·ton·o·mous** [ɔˋtonəməs] *adj* autonomiczny
**au·ton·o·my** [ɔˋtonəmɪ] *s* autonomia
**au·tumn** [ˋɔtəm] *s* jesień; *adj attr* jesienny
**au·tum·nal** [ɔˋtʌmnl] *adj* jesienny
**aux·il·ia·ry** [ɔgˋzɪlɪərɪ] *adj* pomocniczy; **~ verb** czasownik posiłkowy
**a·vail** [əˋveɪl] *vt* przynosić korzyść, pomagać; *vi* przedstawiać wartość, mieć znaczenie; *vr* **~ oneself** korzystać (**of sth** z czegoś); *s* korzyść, pożytek; **of no ~** bezużyteczny; **without ~** bez korzyści, bez powodzenia
**a·vail·a·ble** [əˋveɪləbl] *adj* do wykorzystania, dostępny, osiągalny
**av·a·lanche** [ˋævəlɑnʃ] *s dosł. i przen.* lawina
**av·a·rice** [ˋævərɪs] *s* skąpstwo
**av·a·ri·cious** [ˈævəˋrɪʃəs] *adj* skąpy

**a·venge** [əˋvendʒ] *vt* pomścić

**av·e·nue** [ˋævənju] *s* aleja, szeroka ulica

**av·er·age** [ˋævərɪdʒ] *s mat.* przeciętna; przeciętność; **on** ⟨**at**⟩ **an ~** przeciętnie; *adj* przeciętny; *vt* wynosić przeciętnie; znajdować przeciętną

**a·verse** [əˋv3s] *adj* przeciwny; **to be ~ to sth** czuć niechęć ⟨odrazę⟩ do czegoś

**a·ver·sion** [əˋv3ʃn] *s* odraza, niechęć

**a·vert** [əˋv3t] *vt* odwrócić; zapobiec (**sth** czemuś)

**a·vi·a·tion** [ˏeɪvɪˋeɪʃn] *s* lotnictwo

**a·vi·a·tor** [ˋeɪvɪeɪtə(r)] *s* lotnik

**av·id** [ˋævɪd] *adj* chciwy (**for, of sth** czegoś)

**a·void** [əˋvɔɪd] *vt* unikać

**a·void·ance** [əˋvɔɪdəns] *s* unikanie, uchylanie się

**av·oir·du·pois** [ˏævədəˋpɔɪz] *s* angielski układ jednostek wagi

**a·vow** [əˋvaʊ] *vt* otwarcie przyznawać (się), wyznawać

**a·vow·al** [əˋvaʊəl] *s* przyznanie się (**of sth** do czegoś), wyznanie (winy)

**a·wait** [əˋweɪt] *vt* oczekiwać, czekać

***a·wake 1.** [əˋweɪk], **awoke, awoke** [əˋwəʊk] *vt dosł. i przen.* budzić; *vi* budzić się; uświadomić sobie (**to sth** coś)

**a·wake 2.** [əˋweɪk] *adj praed* czuwający, obudzony; świadomy (**to sth** czegoś)

**a·wak·en** [əˋweɪkən] = **awake 1.**

**a·ward** [əˋwɔd] *vt* przyznawać, przysądzać; *s* przyznana nagroda; wyrok (w wyniku arbitrażu)

**a·ware** [əˋweə(r)] *adj praed* świadomy, poinformowany; **to be ~** uświadamiać sobie (**of sth** coś)

**a·way** [əˋweɪ] *adv* hen, na uboczu; poza (domem); *am.* **right ~** natychmiast; **far and ~** o wiele, znacznie; **to make** ⟨**to do**⟩ **~** pozbyć się (**with sth** czegoś); **two miles ~** o dwie mile; **~ with it!** precz z tym!

**awe** [ɔ] *s* strach, trwoga; *vt* napawać trwogą

**aw·ful** [ˋɔfl] *adj* straszny, okropny

**a·while** [əˋwaɪl] *adj* krótko, chwilowo

**awk·ward** [ˋɔkwəd] *adj* niezgrabny; niezdarny; zażenowany; niewygodny; przykry; kłopotliwy

**awl** [ɔl] *s* szydło

**awn·ing** [ˋɔnɪŋ] *s* dach płócienny, markiza

**a·woke** *zob.* **awake 1.**

**a·wry** [əˋraɪ] *adj praed* przekręcony, przekrzywiony, opaczny; *adv* krzywo, na opak

**ax, axe** [æks] *s* siekiera

**ax·is** [ˋæksɪs] *s* (*pl* **axes** [ˋæksiz]) *mat. polit.* oś

**ax·le** [ˋæksl] *s* oś (np. u wozu)

**ay, aye** [aɪ] *int* tak!; *s* głos „za"; **the ~s have it** większość głosów jest za (wnioskiem)

**az·ure** [ˋæʒə(r)] *s* lazur; *adj* błękitny, lazurowy

# b

**bab·ble** [ˋbæbl] *vt vi* paplać, gadać; *s* paplanina, gadanie

**babe** [beɪb] *s* dzieciątko, niemowlę

**ba·by** [ˋbeɪbɪ] *s* niemowlę, dzidzia

**ba·by·hood** [ˋbeɪbɪhud] *s* niemowlęctwo

**ba·by-sit·ter** [ˋbeɪbɪ sɪtə(r)] *s* osoba wynajmowana na kilka godzin do opieki nad dzieckiem

**bach·e·lor** [`bætʃələ(r)] *s* posiadacz pierwszego stopnia uniwersyteckiego; kawaler, nieżonaty

**ba·cil·lus** [bə`sɪləs] *s* (*pl* **bacilli** [bə`sɪlaɪ]) bakcyl

**back** [bæk] *s* tył, odwrotna strona; plecy; grzbiet; *sport* obrońca; **at the ~** z tyłu; **to be on one's ~** chorować obłożnie; **to put one's ~ into sth** ciężko nad czymś pracować; *adj* tylny; zaległy; odwrotny; powrotny; *adv* w tyle, z tyłu; z powrotem; do tyłu; **to go ~ on one's word** cofnąć słowo, obietnicę; *vt* popierać; cofać (np. auto); (*w grze*) stawiać (**sth** na coś); *fin.* indosować; **~ up** stawiać (w grze); popierać (**sb** kogoś); *vi* cofać się, iść do tyłu; **~ out** wycofać się, wykręcić się (**of sth** z czegoś)

**back-bench** [`bækbentʃ] *s* ława w Izbie Gmin dla mniej wybitnych członków partii rządzącej

**back·bite** [`bækbaɪt] *vt* oczerniać, obmawiać

**back·bone** [`bækbəun] *s* kręgosłup

**back·door** [bæk `dɔ(r)] *s* tylne drzwi; tajne wyjście; *adj attr* tajemniczy, skryty; zakulisowy

**back·ground** [`bækgraund] *s* dalszy plan; tło (*także* polityczne, społeczne); pochodzenie, przeszłość

**back·hand** [`bækhænd] *s sport* (*w tenisie*) bekhend

**back·ing** [`bækɪŋ] *s* poparcie; podpora; *handl.* pokrycie (w złocie)

**back·pay·ment** [`bækpeɪmənt] *s* wypłata zaległości

**back·slide** [ˈbæk`slaɪd] *vi* sprzeniewierzyć się (zasadzie), zgrzeszyć (ponownie)

**back·stairs** [ˈbæk`steəz] *s pl* tylne schody; tajne schody; *adj attr* skryty, podstępny

**back·ward** [`bækwəd] *adj* tylny, położony w tyle; zacofany; opieszały; **~(s)** *adv* w tył, ku tyłowi, z powrotem, wstecz

**back·woods** [`bækwudz] *s pl* dziewicze lasy, ostępy

**ba·con** [`beɪkən] *s* boczek, słonina, bekon

**bac·te·ri·um** [bæk`tɪərɪəm] *s* (*pl* **bacteria** [bæk`tɪərɪə]) bakteria; zarazek

**bad** [bæd] *adj* (*comp* **worse** [wɜs], *sup* **worst** [wɜst]) zły, w złym stanie; niezdrowy; bezwartościowy; przykry; lichy; dokuczliwy; (*o dziecku*) niegrzeczny; **a ~ headache** silny ból głowy; **a ~ need** gwałtowna potrzeba; **to be ~ at sth** nie umieć czegoś, nie orientować się w czymś; **to be taken ~** zachorować; **to go ~** zepsuć się

**bade** *zob.* **bid**

**badge** [bædʒ] *s* oznaka, odznaka; symbol

**badg·er** [`bædʒə(r)] *s* borsuk

**badg·er·dog** [`bædʒədog] *s* jamnik

**bad·ly** [`bædlɪ] *adv* źle; bardzo; need gwałtowna potrzeba; **to be ~ off** być biednym; **to need ~** gwałtownie potrzebować

**baf·fle** [`bæfl] *vt* udaremniać, krzyżować (plany); łudzić; wprawiać w zakłopotanie

**bag** [bæg] *s* worek; torba (papierowa); torebka (damska); *vt* włożyć do worka, zapakować; *pot.* buchnąć, zwędzić; *vi* wydymać się; (*o ubraniu*) wisieć jak worek

**bag·ful** [`bægfl] *s* pełny worek (czegoś)

**bag·gage** [`bægɪdʒ] *s* bagaż

**bag·pipes** [`bægpaɪps] *s pl* •*muz.* dudy

**bail** [beɪl] *s* kaucja, poręka; poręczyciel; zakładnik; **to go ⟨to stand⟩ ~** ręczyć (**for sth** za coś); **on ~** za kaucją; *vt* **~ sb (out)** zwolnić za kaucją, uzyskać zwolnienie za kaucją

**bail·iff** [`beɪlɪf] *s* funkcjonariusz sądowy podległy szeryfowi; komornik; administrator majątku ziemskiego

**bait** [beɪt] *s* przynęta, pokusa; popas; *vt* nęcić; łapać na przynętę; drażnić, szczuć; karmić i poić (konie); *vi* popasać

**baize** [beɪz] *s* sukno
**bake** [beɪk] *vt vi* piec (się); wypalać (się)
**ba·ker** [`beɪkə(r)] *s* piekarz; **~'s dozen** trzynaście; **to give a ~'s dozen** dać dodatkowo, dołożyć
**ba·ke·ry** [`beɪkərɪ] *s* piekarnia
**bal·ance** [`bæləns] *s* waga; równowaga; saldo; bilans; **~ of payments ⟨accounts⟩** bilans płatniczy; **~ of trade** bilans handlowy; **to strike a ~** zestawić bilans; *vt* ważyć; równoważyć; bilansować, wyprowadzać saldo; *vi* zachowywać równowagę; balansować; ważyć się; wahać się
**bal·co·ny** [`bælkənɪ] *s* balkon
**bald** [bɔld] *adj* łysy; *przen.* jawny, jasny, prosty; jałowy; istny, wierutny (np. kłamstwo, bzdura)
**bald-head** [`bɔldhed] *s* (człowiek) łysy; *pot.* łysek
**bald·ly** [`bɔldlɪ] *adv* prosto z mostu, otwarcie
**bale 1.** [beɪl] *s* bela (sukna, papieru)
**bale 2.** [beɪl] *s* nieszczęście, zguba
**bale·ful** [`beɪlfl] *adj* nieszczęsny, zgubny
**balk 1.** [bɔk] *s* belka; przeszkoda; niepowodzenie; *vt* zatrzymać; udaremnić; pominąć, zlekceważyć; *vi* (*o koniu*) opierać się (przed przeszkodą)
**ball 1.** [bɔl] *s* piłka; kula, kulka; kłębek; **~ of the eye** gałka oczna
**ball 2.** [bɔl] *s* bal
**bal·lad** [`bæləd] *s* ballada
**bal·last** [`bæləst] *s* balast; równowaga psychiczna; *vt* obciążyć balastem; doprowadzać do równowagi
**ball-bear·ing** [ˈbɔl`beərɪŋ] *s techn.* łożysko kulkowe
**bal·let** [`bæleɪ] *s* balet
**bal·loon** [bə`lun] *s* balon; *vi* nadymać się jak balon
**bal·lot** [`bælət] *s* kartka do głosowania; tajne głosowanie; *vi* tajnie głosować
**bal·lot-box** [`bælətbɒks] *s* urna wyborcza
**ball-(point-)pen** [ˈbɔl(pɔɪnt) `pen] *s* długopis
**balm** [bɑm] *s* balsam; środek łagodzący; *przen.* pociecha
**balm·y** [`bɑmɪ] *adj* balsamiczny; łagodzący
**bal·us·trade** [ˈbælə`streɪd] *s* balustrada
**bam·boo** [ˈbæm`bu] *s* bambus
**bam·boozle** [bæm`buzl] *vt* okpić, *pot.* nabrać
**ban** [bæn] *vt* publicznie zakazać, zabronić; przekląć, rzucić klątwę; *s* publiczny zakaz, potępienie (przez opinię publiczną); klątwa; banicja
**ba·nal** [bə`nɑl] *adj* banalny
**ba·nal·ity** [bə`nælətɪ] *s* banał
**ba·na·na** [bə`nɑnə] *s* banan
**band 1.** [bænd] *s* wstążka, taśma; opaska; pasmo; *vt* obwiązywać (wstążką, taśmą)
**band 2.** [bænd] *s* grupa, gromada; banda; orkiestra; *vt vi* grupować (się), zrzeszać (się)
**band·age** [`bændɪdʒ] *s* bandaż; *vt* bandażować
**ban·dit** [`bændɪt] *s* bandyta
**band·mas·ter** [`bænd mɑstə(r)] *s* kapelmistrz
**bands·man** [`bændzmən] *s* muzyk
**ban·dy 1.** [`bændɪ] *vt* przerzucać, odrzucać; wymieniać (słowa, ciosy)
**ban·dy 2.** [`bændɪ] *adj* (*o nogach*) krzywy
**bane** [beɪn] *s* jad, trucizna; zguba
**bang** [bæŋ] *s* głośne uderzenie; trzask; huk; *vt* zatrzasnąć; *vi* trzasnąć; huknąć; *adv* gwałtownie; z hukiem; *pot.* w sam raz, właśnie; *int* **~!** bęc!
**ban·ish** [`bænɪʃ] *vt* skazać na banicję, wygnać, wydalić, usunąć; pozbyć się (strachu)
**ban·ish·ment** [`bænɪʃmənt] *s* wygnanie, banicja
**ban·jo** [ˈbæn`dʒəʊ] *s muz.* banjo
**bank 1.** [bæŋk] *s* wał, nasyp; brzeg; ławica piaszczysta; zaspa śnieżna

**bank** 2. [bæŋk] *s* bank; *adj attr* bankowy; *vt* składać w banku; *vi* trzymać pieniądze w banku

**bank·er** [`bæŋkə(r)] *s* bankier

**bank-hol·i·day** [ˈbæŋk `holədɪ] *s* jeden z czterech dni w roku dodatkowo wolnych od pracy (poza niedzielami i świętami)

**bank·ing** [`bæŋkɪŋ] *s* bankowość

**bank-note** [`bæŋknəut] *s* banknot

**bank·rupt** [`bæŋkrʌpt] *s* bankrut; *adj* zbankrutowany

**bank·rupt·cy** [`bæŋkrəptsɪ] *s* bankructwo

**ban·ner** [`bænə(r)] *s* sztandar, chorągiew, transparent

**banns** [bænz] *s pl* zapowiedzi (przedślubne)

**ban·quet** [`bæŋkwɪt] *s* bankiet

**ban·ter** [`bæntə(r)] *vt* drażnić, nabierać, żartować sobie (**sb** z kogoś); *vi* przekomarzać się; *s* żarty, przekomarzanie

**bap·tism** [`bæptɪzm] *s* chrzest

**bap·tize** [bæp`taɪz] *vt* chrzcić

**bar** [bɑ(r)] *s* belka, sztaba, pręt, listwa; bariera; rogatka; zapora, przeszkoda; rygiel, zasuwa; *muz.* takt; trybunał sądowy; ława oskarżonych; adwokatura, palestra; bufet z wyszynkiem, bar; *pl* ~**s** krata; *vt* zagradzać, odgradzać, przeszkadzać, hamować; ryglować; wykluczać; *praep pot.* oprócz, z wyjątkiem

**bar·ba·ri·an** [bɑ`beərɪən] *adj* barbarzyński; *s* barbarzyńca

**bar·bar·i·ty** [bɑ`bærətɪ] *s* barbarzyństwo

**bar·ba·rous** [`bɑbərəs] *adj* barbarzyński

**bar·be·cue** [`bɑbɪkju] *s* rożen

**barbed** [bɑbd] *adj* (*o drucie*) kolczasty

**bar·ber** [`bɑbə(r)] *s* fryzjer

**bare** [beə(r)] *adj* goły, nagi, obnażony; otwarty, jasny; jedyny; pozbawiony (**of sth** czegoś); **to lay** ~ odsłonić; *vt* obnażać, odsłaniać

**bare·foot** [`beəfut] *adj* bosy; *adv* boso

**bare·foot·ed** [ˈbeə`futɪd] *adj* bosy

**bare·head·ed** [ˈbeə`hedɪd] *adj* z odkrytą ⟨gołą⟩ głową

**bare·ly** [`beəlɪ] *adv* ledwo, tylko

**bar·gain** [`bɑgɪn] *s* interes, transakcja; okazyjne kupno; **into the** ~ na dodatek; **to strike a** ~ ubić interes, dobić targu; *vi* robić interesy; targować się; umawiać się; spodziewać się (**for sth** czegoś)

**barge** [bɑdʒ] *s* barka

**bark** 1. [bɑk] *s* kora; *vt* odzierać z kory

**bark** 2. [bɑk] *vi* szczekać; *s* szczekanie

**bar·ley** [`bɑlɪ] *s* jęczmień

**bar·maid** [`bɑmeɪd] *s* bufetowa, barmanka

**bar·man** [`bɑmən] *s* bufetowy, barman

**barn** [bɑn] *s* stodoła

**ba·rom·e·ter** [bə`romɪtə(r)] *s* barometr

**bar·on** [`bærən] *s* baron

**bar·on·et** [`bærənɪt] *s* baronet

**bar·rack** [`bærək] *s* (*zw. pl* ~**s**) barak(i), koszary

**bar·rage** [`bærɑʒ] *s* zapora, grobla; *wojsk.* ogień zaporowy

**bar·rel** [`bærl] *s* beczułka; rura; lufa; *techn.* cylinder, walec

**bar·ren** [`bærən] *adj* jałowy, suchy; bezużyteczny

**bar·ri·cade** [`bærəkəɪd] *s* barykada; *vt* [ˈbærə`kəɪd] barykadować

**bar·ri·er** [`bærɪə(r)] *s* bariera, zapora; przeszkoda

**bar·ring** [`bɑrɪŋ] *praep pot.* oprócz, wyjąwszy

**bar·ris·ter** [`bærɪstə(r)] *s* adwokat

**bar·row** 1. [`bærəu] *s* taczki

**bar·row** 2. [`bærəu] *s* kopiec, kurhan

**bar·ter** [`bɑtə(r)] *s* handel wymienny; *vt vi* wymieniać towary, handlować

**base** 1. [beɪs] *s* baza, podstawa; *chem.* zasada; *vt* opierać, gruntować, bazować

**base** 2. [beɪs] *adj* podły; niski

**base·ball** [ˈbeɪsbɔl] *s sport* baseball

**base·less** [ˈbeɪslɪs] *adj* bezpodstawny

**base·ment** [ˈbeɪsmənt] *s* fundament; suterena

**bash·ful** [ˈbæʃfl] *adj* bojaźliwy, wstydliwy, nieśmiały

**ba·sic** [ˈbeɪsɪk] *adj* podstawowy, zasadniczy; ~ **English** uproszczony język angielski do użytku międzynarodowego

**ba·sin** [ˈbeɪsn] *s* miska, miednica; basen; rezerwuar

**ba·sis** [ˈbeɪsɪs] *s* (*pl* **bases** [ˈbeɪsiz]) baza, podstawa; zasada; podłoże

**bask** [bɑsk] *vi* wygrzewać się (na słońcu)

**bas·ket** [ˈbɑskɪt] *s* kosz

**bas·ket-ball** [ˈbɑskɪt bɔl] *s* koszykówka

**bas·ket-work** [ˈbɑskɪt wɜk] *s* plecionka

**bass** [beɪs] *s muz.* bas

**bas·soon** [bəˈsun] *s muz.* fagot

**bas·tard** [ˈbæstəd] *s* bastard, dziecko nieślubne, bękart

**bat 1.** [bæt] *s zool.* nietoperz

**bat 2.** [bæt] *s* kij (w krykiecie)

**batch** [bætʃ] *s* wypiek (chleba); partia, paczka, grupa

**bath** [bɑθ] *s* (*pl* **~s** [bɑðz]) kąpiel (w łazience); wanna, łazienka; *pl* **~s** łaźnia

**bathe** [beɪð] *vt vi* kąpać (się); *s* kąpiel (morska, rzeczna)

**bath·room** [ˈbɑθrum] *s* łazienka

**bath·tub** [ˈbɑθtʌb] *s* wanna

**bat·on** [ˈbætõ] *s* batuta, pałeczka; buława

**bat·ter** [ˈbætə(r)] *vi* gwałtownie stukać, walić (at sth w coś); *vt* druzgotać, tłuc

**bat·te·ry** [ˈbætrɪ] *s* bateria; akumulator; pobicie; uderzenie

**bat·tle** [ˈbætl] *s* bitwa; *vi* walczyć

**bat·tle-field** [ˈbætl fild] *s* pole bitwy

**bat·tle·ship** [ˈbætl ʃɪp] *s* okręt wojenny (ciężko uzbrojony)

**bat·tue** [bæˈtju] *s* nagonka (myśliwska)

**bawl** [bɔl] *vi vt* wykrzykiwać, wrzeszczeć; *s* wrzask

**bay 1.** [beɪ] *s bot.* wawrzyn, laur

**bay 2.** [beɪ] *s* zatoka

**bay 3.** [beɪ] *s* wnęka; wykusz

**bay 4.** [beɪ] *s* ujadanie; wycie; osaczenie; **to be ‹stand› at ~** być przypartym do muru ‹osaczonym›; **to bring to ~** zapędzić w kozi róg; przycisnąć (kogoś) do muru; **to keep at ~** trzymać w szachu; *vi* wyć, ujadać

**bay 5.** [beɪ] *adj* (*o koniu*) gniady

**bay·o·net** [ˈbeɪənɪt] *s* bagnet

**ba·zaar** [bəˈzɑ(r)] *s* wschodni targ; bazar; wenta dobroczynna

***be** [bi], **am** [æm, əm], **is** [ɪz], **are** [ɑ(r)], **was** [woz], **were** [wɜ(r)], **been** [bin] *v aux* być; *w połączeniu z pp tworzy stronę bierną*: **it is done** to jest zrobione; *w połączeniu z ppraes tworzy Continuous Form*: **I am reading** czytam; *w połączeniu z inf oznacza powinność*: **I am to tell you** powinienem ‹mam› ci powiedzieć; *w połączeniu z przysłówkiem* **there** = być, znajdować się: **there are people in the street** na ulicy są ludzie; *w połączeniu z niektórymi przymiotnikami oznacza odpowiednią czynność*: **to be late** spóźnić się; *vi* być, istnieć; pozostawać, trwać; mieć się, czuć się; kosztować; (*o pogłosce*) krążyć; (*o chorobie*) panować; **how are you?** jak się masz?; **I am better** czuję się lepiej; **how much is this?** ile to kosztuje?; **be about** być czynnym; być w ruchu; być zajętym; **be off** odchodzić, odjeżdżać; **be over** minąć

**beach** [bitʃ] *s* brzeg (płaski), plaża

**bea·con** [ˈbikən] *s* sygnał ogniowy ‹świetlny›; latarnia morska; boja; znak drogowy; sygnał radiowy

**bead** [bid] *s* paciorek, koralik; kropla (np. potu); *pl* **~s** różaniec

**beak** [bik] *s* dziób (ptaka)

**beak·er** [ˋbikə(r)] *s* plastykowy kubek; *chem.* zlewka

**beam 1.** [bım] *s* promień; radosny uśmiech; *techn.* (*radio*) fala kierunkowa, zasięg; *vi* promieniować, świecić; radośnie się uśmiechać

**beam 2.** [bim] *s* belka

**beam·ing** [ˋbimıŋ] *adj* promienny, lśniący; radosny

**beam·y** [ˋbimı] *adj* promienny; (*o statku*) masywny, szeroki

**bean** [bin] *s* (*zw. pl* **~s**) fasola; **broad ~s** bób

**bear 1.** [beə(r)] *s* niedźwiedź

***bear 2.** [beə(r)], **bore** [bɔ(r)], **borne** [bɔn] *vt* nosić; znosić; (*zw. pp* **born** [bɔn]) rodzić; unieść, utrzymać (ciężar); przynosić, dawać (owoce, procent); być opatrzonym (podpisem, pieczątką); **to be born** urodzić się; *vi* ciążyć, uciskać; mieć znaczenie; odnosić się (**on sth** do czegoś); **~ down** przezwyciężyć, pokonać; **~ out** potwierdzać; **~ through** przeprowadzić; **~ up** podpierać; wytrzymać, trzymać się; **~ with** znosić cierpliwie, godzić się (z czymś); **to ~ company** dotrzymywać towarzystwa; **to ~ resemblance** wykazywać podobieństwo; **to ~ witness** świadczyć; **to ~ in mind** mieć na myśli; **to bring to ~** spowodować działanie, użyć, zastosować; *vr* **~ oneself** zachowywać się

**bear·able** [ˋbeərəbl] *adj* znośny

**beard** [bıəd] *s* broda; zarost

**bear·er** [ˋbeərə(r)] *s* posiadacz (np. paszportu); okaziciel (np. czeku)

**bear·ing** [ˋbeərıŋ] *s* wytrzymałość; postawa, zachowanie, postępowanie; aspekt (sprawy); kierunek; godło; *techn.* łożysko; *pl* **~s** położenie geograficzne; szerokość geograficzna

**beast** [bist] *s* zwierzę, bydlę, bestia

**beast·ly** [ˋbistlı] *adj* zwierzęcy; brutalny; wstrętny; *adv* brutalnie; *pot.* wściekle

***beat** [bit], **beat** [bit], **beaten** [ˋbitn] *vt* bić, uderzać, stukać; tłuc; kuć, obrabiać (metal); pobić (wroga, rekord); wybijać (takt); *vi* (*o sercu, wietrze*) walić, łomotać, tłuc się; (*o pulsie*) bić; (*o burzy*) szaleć; walić (**at sth** w coś); **~ away** odpędzić; **~ back** odbić; odeprzeć (atak); **~ down** złożyć (zboże); (*o słońcu*) prażyć; **~ off** odbić; odpędzić; **~ out** wybić, wyrąbać, wymłócić, wydeptać; **~ up** ubić; **to ~ the retreat** trąbić na odwrót; **to ~ the streets** chodzić po ulicach; *s* uderzenie, bicie; chód (zegara); obchód, rewir (policjanta); *muz.* takt, wybijanie taktu

**beat·en** [ˋbitn] *zob.* **beat**; *adj* wybity; wymęczony; zużyty; oklepany, powszechnie znany; *techn.* obrobiony; (*o szlaku*) utarty

**be·at·i·fy** [bıˋætıfaı] *vt* uczynić szczęśliwym; beatyfikować

**beat·ing** [ˋbitıŋ] *s* bicie, *pot.* lanie

**beau·ti·ful** [ˋbjutəfl] *adj* piękny

**beau·ti·fy** [ˋbjutəfaı] *vt* upiększyć

**beau·ty** [ˋbjutı] *s* piękność; piękno

**bea·ver** [ˋbivə(r)] *s* bóbr

**be·came** *zob.* **become**

**be·cause** [bıˋkoz] *conj* ponieważ; *praep* **~ of** z powodu

**beck·on** [ˋbekən] *vt vi* skinąć (**sb, to sb** na kogoś); wabić, nęcić; *s* skinienie

***be·come** [bıˋkʌm], **be·came** [bıˋkeım], **be·come** [bıˋkʌm] *vi* zostać (czymś), stać się; **what has ~ of him?** co się z nim stało?; *vt* wypadać, licować; być do twarzy, pasować; **it does not ~ you to do this** nie wypada ci tego robić

**be·com·ing** [bıˋkʌmıŋ] *zob.* **become**; *adj* stosowny, właściwy; twarzowy (np. strój)

**bed** [bed] *s* łóżko; grzęda; warstwa; *techn.* łożysko; **to make the ~** posłać łóżko; *vt* kłaść do łóżka; układać, składać; osadzać

**bed·clothes** [`bedkləuðz] *s pl* pościel
**bed·lam** [`bedləm] *s* wrzawa, zamieszanie, *pot.* dom wariatów
**bed·rid·den** [`bedrɪdn] *adj* złożony chorobą
**bed·room** [`bedrum] *s* sypialnia
**bed·side** [`bedsaɪd] *s w zwrocie*: at sb's ~ przy łóżku chorego
**bed·spread** [`bedspred] *s* kapa (na łóżko)
**bed·stead** [`bedsted] *s* łóżko (bez materaca i pościeli)
**bed·time** [`bedtaɪm] *s* pora snu
**bee** [bi] *s* pszczoła; *przen.* **to have a ~ in one's bonnet** mieć bzika
**beech** [bitʃ] *s* buk
**beef** [bif] *s* wołowina
**beef·eat·er** [`bif itə(r)] *s* strażnik zamku londyńskiego
**beef·steak** [`bifsteɪk] *s* befsztyk
**beef·tea** [`bif ti] *s* bulion wołowy
**bee·hive** [`bihaɪv] *s* ul
**been** *zob.* **be**
**beer** [bɪə(r)] *s* piwo
**beet** [bit] *s* burak
**beet·le** [`bitl] *s* chrząszcz, żuk
**beet·root** [`bit-rut] *s* burak ćwikłowy
***be·fall** [bɪ`fɔl], **be·fell** [bɪ`fel], **be·fall·en** [bɪ`fɔlən] *vt vi* wydarzyć się, zdarzyć się (**sb** komuś)
**be·fit** [bɪ`fɪt] *vt* pasować, być odpowiednim
**be·fore** [bɪ`fɔ(r)] *praep* przed; **~ long** wkrótce; **~ now** już przedtem; *adv* z przodu; przedtem, dawniej; *conj* zanim
**be·fore·hand** [bɪ`fɔhænd] *adv* z góry, naprzód; **to be ~ with sb** wyprzedzać kogoś; **to be ~ with sth** załatwić coś przed terminem
**beg** [beg] *vt vi* prosić (**sth of ⟨from⟩ sb** kogoś o coś); żebrać; **to ~ leave (to do sth)** prosić o pozwolenie (zrobienia czegoś); **I ~ your pardon** przepraszam; **I ~ to inform you** pozwalam sobie pana poinformować
**be·gan** *zob.* **begin**
***be·get** [bɪ`get], **begot** [bɪ`gɔt], **begotten** [bɪ`gɔtn] *vt* płodzić, tworzyć
**beg·gar** [`begə(r)] *s* żebrak
**beg·gar·ly** [`begəlɪ] *adj* żebraczy, dziadowski
***be·gin** [bɪ`gɪn], **began** [bɪ`gæn], **begun** [bɪ`gʌn] *vt vi* zaczynać (się); **to ~ with** na początek, przede wszystkim
**be·gin·ner** [bɪ`gɪnə(r)] *s* początkujący, nowicjusz
**be·gin·ning** [bɪ`gɪnɪŋ] *s* początek
**be·gone** [bɪ`gɔn] *int* precz!, wynoś się!
**be·got, be·got·ten** *zob.* **beget**
**be·grudge** [bɪ`grʌdʒ] *vt* zazdrościć; skąpić (**sb sth** komuś czegoś)
**be·guile** [bɪ`gaɪl] *vt* oszukiwać, mamić; skracać ⟨przyjemnie spędzać⟩ czas; zabawiać (kogoś)
**be·gun** *zob.* **begin**
**be·half** [bɪ`haf] *s* korzyść, sprawa; **in ⟨on⟩ sb's ~** na czyjąś korzyść, w czyjejś sprawie; **on ~ of sb** w czyimś imieniu
**be·have** [bɪ`heɪv] *vi* zachowywać (się), postępować (**towards sb** w stosunku do kogoś); dobrze się zachowywać; *vr* **~ oneself** dobrze się zachowywać
**be·hav·iour** [bɪ`heɪvɪə(r)] *s* zachowanie, postępowanie
**be·head** [bɪ`hed] *vt* pozbawić głowy, ściąć głowę (**sb** komuś)
**be·held** *zob.* **behold**
**be·hind** [bɪ`haɪnd] *praep* za, poza; **~ time** z opóźnieniem; **~ the times** zacofany, przestarzały; *adv* z tyłu, do tyłu, wstecz; **to be ~** zalegać, być opóźnionym; **to leave ~** zostawić za sobą
**be·hind·hand** [bɪ`haɪndhænd] *adv* w tyle, z opóźnieniem; *adj* opóźniony, zaległy
***be·hold** [bɪ`həuld], **beheld, beheld** [bɪ`held] *vt* spostrzegać, oglądać
**be·hold·er** [bɪ`həuldə(r)] *s* widz
**be·hove** [bɪ`həuv], *am.* **be·hoove** [bɪ`huv] *vt imp* wypadać, być właściwym, koniecznym; **it ~s you (to do sth)** wypada ci (coś zrobić); trzeba (abyś coś zrobił)

**beige** [beɪʒ] *s* beż; *adj* beżowy
**be·ing** [ˋbiɪŋ] *s* istnienie, istota
**be·lat·ed** [bɪˋleɪtɪd] *adj* opóźniony
**belch** [beltʃ] *vt* wypluwać, gwałtownie wyrzucać; *vi* wybuchać, zionąć; czkać; *s* wybuch
**bel·fry** [ˋbelfrɪ] *s* dzwonnica
**Bel·gian** [ˋbeldʒən] *adj* belgijski; *s* Belg
**be·lief** [bɪˋlif] *s* wiara; przekonanie, zdanie (na jakiś temat)
**be·lieve** [bɪˋliv] *vt vi* wierzyć (**sb** komuś, **sth** czemuś, **in sth** w coś); myśleć, sądzić; **to make ~** udawać; pozorować
**be·lit·tle** [bɪˋlɪtl] *vt* pomniejszać
**bell** [bel] *s* dzwon, dzwonek
**belles-let·tres** [ˈbel ˋletr] *s* beletrystyka
**bel·li·cose** [ˋbelɪkəus] *adj* wojowniczy
**bel·lig·er·ent** [bəˋlidʒərənt] *adj* prowadzący wojnę; *s* państwo prowadzące ⟨strona prowadząca⟩ wojnę
**bel·low** [ˋbeləu] *vi* ryczeć
**bel·ly** [ˋbelɪ] *s* brzuch
**be·long** [bɪˋlɔŋ] *vi* należeć; tyczyć się; być rodem, pochodzić (**to a place** z danej miejscowości)
**be·long·ings** [bɪˋlɔŋɪŋz] *s pl* rzeczy; dobytek, własność
**be·lov·ed** [bɪˋlʌvɪd] *adj* umiłowany, ukochany
**be·low** [bɪˋləu] *praep* pod; *adv* niżej, poniżej
**belt** [belt] *s* pasek; pas; strefa; *vt* opasać, przymocować pasem
**be·moan** [bɪˋməun] *vt* opłakiwać
**bench** [bentʃ] *s* ława, ławka; sąd, trybunał
***bend** [bend], **bent, bent** [bent] *vt vi* zginać (się), uginać (się), pochylać (się), skręcać; *s* zgięcie; kolanko; zagłębienie; zakręt (drogi)
**be·neath** [bɪˋniθ] *praep* pod, poniżej; *adv* niżej, w dole, na dół
**ben·e·dic·tion** [ˈbenɪˋdɪkʃn] *s* błogosławieństwo
**ben·e·fac·tor** [ˋbenɪfæktə(r)] *s* dobroczyńca
**be·nef·i·cent** [bɪˋnefɪsnt] *adj* dobroczynny
**ben·e·fi·cial** [ˈbenɪˋfɪʃl] *adj* pożyteczny, korzystny
**ben·e·fit** [ˋbenɪfɪt] *s* dobrodziejstwo; korzyść; benefis; zasiłek (dla bezrobotnych itp.); *vt* przynosić korzyść, pomagać; *vi* ciągnąć korzyść, korzystać (**by** ⟨**from**⟩ **sth** z czegoś)
**be·nev·o·lence** [bɪˋnevələns] *s* życzliwość, dobroczynność
**be·nev·o·lent** [bɪˋnevələnt] *adj* życzliwy, dobroczynny
**bent 1.** *zob.* **bend**
**bent 2.** [bent] *s* wygięcie, nagięcie; skłonność, zamiłowanie (**for sth** do czegoś); napięcie łuku; wielki wysiłek; *adj* zgięty, wygięty; skłonny, zdecydowany (**on sth** na coś)
**be·numb** [bɪˋnʌm] *vt* spowodować odrętwienie; oszołomić; sparaliżować; **~ed by cold** zdrętwiały z zimna
**ben·zene** [ˋbenzin] *s chem.* benzen
**ben·zine** [ˋbenzin] *s* benzyna
**be·queath** [bɪˋkwið] *vt* zapisać w testamencie, przekazać
**be·quest** [bɪˋkwest] *s* zapis (w testamencie); spuścizna
***be·reave** [bɪˋriv], **bereft** [bɪˋreft], **bereaved** [bɪˋrivd] *vt* pozbawić (**of sth** czegoś); osierocić, osamotnić
**be·ret** [ˋbereɪ] *s* beret
**ber·ry** [ˋberɪ] *s* jagoda
**berth** [bɜθ] *s* łóżko (w wagonie), koja (na statku); miejsce zakotwiczenia statku; *przen.* **to give a wide ~** trzymać się z dala
***be·seech** [bɪˋsitʃ], **besought, besought** [bɪˋsɔt] *vt* błagać, zaklinać
***be·set, beset, beset** [bɪˋset] *vt* oblegać, otoczyć, osaczyć; napastować
**be·set·ting** [bɪˋsetɪŋ] *zob.* **beset**; *adj* dręczący; nałogowy
**be·side** [bɪˋsaɪd] *praep* obok; poza, oprócz; w porównaniu z

**be·sides** [bɪˋsaɪdz] *adv* oprócz tego, poza tym; *praep* oprócz, poza

**be·siege** [bɪˋsidʒ] *vt* oblegać; nagabywać

**be·smear** [bɪˋsmɪə(r)] *vt* zasmarować, zababrać

**be·sought** *zob.* **beseech**

***be·speak** [bɪˋspik], **bespoke** [bɪˋspəuk], **bespoken** [bɪˋspəukn] *vt* świadczyć (**sth** o czymś)

**be·spoke** [bɪˋspəuk] *zob.* **bespeak**; *adj* zrobiony ⟨robiący⟩ na zamówienie

**best** [best] *adj* (*sup od* **good**) najlepszy; ~ **man** drużba; *adv* (*sup od* **well**) najlepiej; *s* najlepsza rzecz; to, co najlepsze; **to make the ~ of sth** wyciągać z czegoś wszelkie możliwe korzyści; **at ~** w najlepszym razie; **to do the ~ one can** zrobić, co tylko można; **to the ~ of my power ⟨my ability⟩** najlepiej jak mogę ⟨jak potrafię⟩

**bes·tial** [ˋbestɪəl] *adj* zwierzęcy

**be·stir** [bɪˋstɜ(r)] *vt* ruszać, wprawiać w ruch; *vr* ~ **oneself** zwijać się, krzątać się

**be·stow** [bɪˋstəu] *vt* nadać; użyczyć; okazać (**sth upon sb** komuś coś)

**best-sell·er** [ˈbest ˋselə(r)] *s* bestseller

***bet, bet, bet** [bet] *vt* zakładać się; **I ~ you a pound** zakładam się z tobą o funta; *vi* stawiać (**on, upon sth** na coś); *s* zakład; **to make ⟨to hold⟩ a ~** zakładać się; **you ~!** no chyba!

**be·to·ken** [bɪˋtəukən] *vt* oznaczać, zapowiadać, wskazywać

**be·tray** [bɪˋtreɪ] *vt* zdradzać; oszukiwać; ujawniać

**be·tray·al** [bɪˋtreɪəl] *s* zdrada

**be·troth** [bɪˋtrəuð] *vt* zaręczyć; *zw. w stronie biernej*: **to be ~ed** być zaręczonym (**to sb** z kimś)

**be·troth·al** [bɪˋtrəuðəl] *s* zaręczyny

**bet·ter** [ˋbetə(r)] *adj* (*comp od* **good**) lepszy; (*comp od* **well**) zdrowszy, będący w lepszym stanie; *adv* (*comp od* **well**) lepiej; **to be ~** czuć się lepiej, być zdrowszym; **to be ~ off** być w lepszej sytuacji materialnej; **~ and ~** coraz lepiej; **all the ~** tym lepiej; **you had ~ go** lepiej byś poszedł sobie; *s* lepsza rzecz, korzyść; przewaga; **for the ~** na lepsze; **to get the ~ of sb** wziąć górę nad kimś; **his ~** lepszy od niego (mądrzejszy, mocniejszy itp.); *vt* poprawić, ulepszyć

**be·tween** [bɪˋtwin] *praep* między; *adv* pośrodku, w środek

**bev·el** [ˋbevl] *s* skos, kant; *adj* skośny; *vt* ścinać skośnie

**bev·er·age** [ˋbevr̩ɪdʒ] *s* napój

**bev·y** [ˋbevɪ] *s* stado (ptaków); gromoda, grono (osób)

**be·wail** [bɪˋweɪl] *vt* opłakiwać

**be·ware** [bɪˋweə(r)] *vi* (*tylko w inf i imp*) strzec się, mieć się na baczności (**of sth** przed czymś)

**be·wil·der** [bɪˋwɪldə(r)] *vt* wprawić w zakłopotanie, zmieszać, zbić z tropu

**be·witch** [bɪˋwɪtʃ] *vt* zaczarować

**be·yond** [bɪˋjond] *praep* za, poza, po tamtej stronie; nad, ponad; **~ measure** nad miarę; **~ belief** nie do uwierzenia; **~ hope** bez nadziei, beznadziejny; *adv* dalej, hen, tam daleko

**bi·as** [ˋbaɪəs] *s* ukos; skłonność, zamiłowanie; kierunek, pochylenie; uprzedzenie; *vt* ściąć ukośnie; skłonić, nachylić; wywrzeć ujemny wpływ; uprzedzić, źle usposobić

**Bi·ble** [ˋbaɪbl] *s* Biblia

**bib·li·cal** [ˋbɪblɪkl] *adj* biblijny

**bib·li·og·ra·phy** [ˈbɪblɪˋogrəfɪ] *s* bibliografia

**bick·er** [ˋbɪkə(r)] *vi* sprzeczać się (**about sth** o coś)

**bi·cy·cle** [ˋbaɪsəkl] *s* rower; *vi* jeździć rowerem

***bid** [bɪd], **bade** [beɪd], **bidden** [ˋbɪdn], *lub* **bid, bid** [bɪd] *vt* kazać; wzywać; proponować; życzyć; licytować; podać cenę; **he bade me come** kazał mi przyjść; **to ~ sb good-bye** żegnać się z kimś; to ~ welcome witać; to ~ joy życzyć szczęścia; *vi* oferować cenę (na licytacji); ~ up podbić cenę; zapowiadać; to ~ fair dobrze się zapowiadać, zanosić; *s* oferta, cena oferowana na licytacji; (*w kartach*) zapowiedź; licytacja; no ~ (*w kartach*) pas; to make a ~ zabiegać (for sth o coś)

**bid·der** [ˈbɪdə(r)] *s* podający cenę na licytacji; the highest ~ oferujący najwyższą cenę

**bid·ding** [ˈbɪdɪŋ] *zob.* bid; *s* rozkaz; zaproszenie; licytacja (w kartach)

**bier** [bɪə(r)] *s* mary, karawan

**big** [bɪg] *adj* duży, gruby, obszerny; ważny; ~ with consequences brzemienny w następstwa ⟨w skutki⟩

**big·a·my** [ˈbɪgəmɪ] *s* bigamia

**bike** [baɪk] *s pot.* rower

**bi·lat·er·al** [baɪˈlætrl] *adj* dwustronny

**bile** [baɪl] *s* żółć; *przen.* gorycz; zgryźliwość

**bil·ious** [ˈbɪlɪəs] *adj* żółciowy; zgryźliwy

**bill 1.** [bɪl] *s* dziób

**bill 2.** [bɪl] *s* projekt ustawy; rachunek; poświadczenie, kwit; przekaz; afisz; program; *am.* banknot; (*także* ~ of exchange) trata, weksel; lista; deklaracja; ~ of fare jadłospis; *vt* rozklejać afisze; ogłaszać

**bil·let** [ˈbɪlɪt] *s* kwatera; nakaz kwaterunkowy; *vt* zakwaterować

**bil·liards** [ˈbɪlɪədz] *s pl* bilard

**bil·lion** [ˈbɪlɪən] *s bryt.* bilion; *am.* miliard

**bil·low** [ˈbɪləu] *s* duża fala, bałwan; *vi* falować, (*o falach*) piętrzyć się

**bi-month·ly** [ˈbaɪˈmʌnθlɪ] *adj* dwumiesięczny; dwutygodniowy; *adv* co dwa miesiące; co dwa tygodnie; *s* dwumiesięcznik; dwutygodnik

**bin** [bɪn] *s* skrzynia, paka

***bind** [baɪnd], **bound, bound** [baund] *vt* wiązać, przywiązywać; oprawiać (książki); (*zw.* ~ up) bandażować; (*zw.* ~ over) zobowiązać do stawiennictwa w sądzie; *vi* (*o cemencie*) wiązać się, (*o śniegu*) lepić się; *vr* ~ oneself zobowiązać się

**bind·er** [ˈbaɪndə(r)] *s* wiązanie, opaska; snopowiązałka

**bind·ing** [ˈbaɪndɪŋ] *s* wiązanie; opatrunek; oprawa (książki)

**bi·og·ra·phy** [baɪˈogrəfɪ] *s* biografia

**bi·ol·o·gy** [baɪˈolədʒɪ] *s* biologia

**bi·ped** [ˈbaɪ-ped] *s* dwunożne stworzenie

**birch** [bɜtʃ] *s* brzoza

**bird** [bɜd] *s* ptak; ~'s-eye view widok z lotu ptaka

**birth** [bɜθ] *s* urodzenie, narodziny, rozwiązanie; pochodzenie; to give ~ urodzić, stworzyć; by ~ z urodzenia, z pochodzenia

**birth-con·trol** [ˈbɜθ kəntrəul] *s* regulacja urodzeń

**birth·day** [ˈbɜθdeɪ] *s* narodziny, urodziny; rocznica urodzin

**birth-rate** [ˈbɜθ reɪt] *s* liczba urodzeń, przyrost naturalny

**bis·cuit** [ˈbɪskɪt] *s* biskwit, herbatnik

**bish·op** [ˈbɪʃəp] *s* biskup; laufer, goniec (w szachach)

**bit 1.** *zob.* bite

**bit 2.** [bɪt] *s* kąsek; kawałek; odrobina; a ~ nieco, trochę; ~ by ~ po trochu, stopniowo; a good ~ sporo; not a ~ ani trochę; a ~ at a time stopniowo

**bit 3.** [bɪt] *s* wędzidło; ostrze (narzędzia)

**bitch** [bɪtʃ] *s* suka

***bite** [baɪt], **bit** [bɪt], **bitten** [ˈbɪtn] *lub* **bit** *vt vi* gryźć, kąsać, dziobać; szczypać; docinać; (*o bólu*) piec; *s* ukąszenie; kęs; *pot.* zakąska

**bit·ter** [ˈbɪtə(r)] *adj* gorzki; zawzięty; (*o mrozie*) przenikliwy

**bi·tu·men** [ˈbɪtʃumən] *s chem.* bitum

**bi·week·ly** [ˈbaɪˈwiklɪ] *adj* dwutygodniowy; *s* dwutygodnik

**bi·zarre** [bɪˋzɑ(r)] *adj* dziwaczny

**blab** [blæb] *vt vi* paplać, gadać

**black** [blæk] *adj* czarny; ponury; czarnoskóry; a ~ eye podbite oko; *s* czerń; czarny kolor; *przen.* Murzyn; *vt* czernić; ~ out zaciemnić; zamazać

**black·ber·ry** [ˋblækbərɪ] *s bot.* jeżyna

**black·board** [ˋblækbɔd] *s* tablica (szkolna)

**black·en** [ˋblækən] *vt* czernić; oczerniać; *vi* czernieć

**black·guard** [ˋblægɑd] *s* łajdak; *adj attr* łajdacki, podły

**black·head** [ˋblækhed] *s* wągier (na skórze)

**black·ing** [ˋblækɪŋ] *s* czarna pasta (do butów)

**black·leg** [ˋblækleg] *s* łamistrajk; *am.* szuler, oszust

**black·mail** [ˋblækmeɪl] *s* szantaż; *vt* szantażować

**black-out** [ˋblækaut] *s* zaciemnienie, zgaszenie świateł

**black·smith** [ˋblæksmɪθ] *s* kowal

**blad·der** [ˋblædə(r)] *s* pęcherz

**blade** [bleɪd] *s* ostrze; miecz; liść, źdźbło; płaska część (np. wiosła)

**blame** [bleɪm] *vt* ganić, łajać; *s* nagana; wina

**blame·less** [ˋbleɪmləs] *adj* nienaganny

**blanch** [blɑntʃ] *vt* bielić; *vi* blednąć

**bland** [blænd] *adj* miły, łagodny; schlebiający

**bland·ish** [ˋblændɪʃ] *vt* schlebiać, pieścić

**blank** [blæŋk] *adj* pusty, nie zapisany; biały, blady; ślepy (nabój); biały (wiersz); (*o twarzy*) bez wyrazu, obojętny, bezmyślny; zaskoczony, zmieszany; *s* puste ⟨nie zapisane⟩ miejsce; pustka, próżnia

**blank·et** [ˋblæŋkɪt] *s* koc (wełniany), derka; pokrycie

**blare** [bleə(r)] *vt vi* huczeć, trąbić; wrzasnąć; *s* huk, trąbienie

**blas·pheme** [blæsˋfim] *vt vi* bluźnić

**blast** [blɑst] *s* silny podmuch wiatru, prąd powietrza; zadęcie (na trąbie); wybuch; nagła choroba, zaraza; *vt* wysadzić w powietrze; zniszczyć, zgubić

**blast-fur·nace** [ˋblɑst fɜnɪs] *s* piec hutniczy

**bla·tant** [ˋbleɪtnt] *adj* krzykliwy; rażący

**blaze 1.** [bleɪz] *vi* płonąć; świecić; ~ up buchnąć płomieniem; *s* płomień, błysk, wybuch; blask

**blaze 2.** [bleɪz] *vt* rozgłaszać

**blaz·er** [ˋbleɪzə(r)] *s* blezer; kurtka

**bleach** [blitʃ] *vt* bielić, pozbawić koloru; ufarbować (włosy); *vi* bieleć

**bleak** [blik] *adj* ponury, pustynny, smutny

**bleat** [blit] *vi vt* (*o owcy, kozie*) beczeć; *przen.* bąkać, mamrotać

***bleed** [blid], **bled, bled** [bled] *vi dosł. i przen.* krwawić; *vt* puszczać krew

**blem·ish** [ˋblemɪʃ] *vt* splamić; zniekształcić; skazić; *s* plama, skaza, błąd

***blend** [blend], **blent, blent** [blent] *vt vi* mieszać (się), łączyć (się), zlewać (się); *s* mieszanina, mieszanka

**bless** [bles] *vt* błogosławić

**bless·ing** [ˋblesɪŋ] *s* błogosławieństwo; dobrodziejstwo

**blew** *zob.* **blow**

**blight** [blaɪt] *vt* niszczyć, tłumić, udaremniać; *s* śnieć (na zbożu); zaraza; zniszczenie

**blind** [blaɪnd] *adj* ślepy; *vt* oślepić; *s* zasłona (okienna)

**blind·fold** [ˋblaɪndfəuld] *adj i adv* z zawiązanymi oczami; *vt* zawiązać oczy

**blink** [blɪŋk] *vi vt* mrugać; mrużyć; przymykać oczy (sth na coś); *s* mruganie; mrużenie (oczu)

**bliss** [blɪs] *s* radość, błogość, błogostan

**blis·ter** [ˋblɪstə(r)] *s* pęcherzyk

**blithe** [blaɪð] *adj poet.* radosny, wesoły
**blitz** [blɪts] *s* błyskawiczna wojna; nalot; *vt* niszczyć błyskawiczną wojną; dokonać nalotu
**bliz·zard** [ˈblɪzəd] *s* burza śnieżna
**bloat** [bləut] *vt vi* nadymać (się), nabrzmiewać
**blob** [blob] *s* kropelka (np. farby); plamka
**bloc** [blok] *s polit.* blok
**block** [blok] *s* blok, kloc; duży budynek, grupa domów; przeszkoda, zapora; *druk.* ~ **letters** wersaliki
**block·ade** [bloˈkeɪd] *s* blokada
**block·head** [ˈblokhed] *s* bałwan, tuman
**blond** [blond] *adj (o włosach)* jasny; *s* blondyn
**blonde** [blond] *s* blondynka
**blood** [blʌd] *s* krew; natura; pokrewieństwo; pochodzenie
**blood·hound** [ˈblʌdhaund] *s* pies gończy, ogar
**blood·shed** [ˈblʌdʃed] *s* przelew krwi
**bloodshot** [ˈblʌdʃot] *adj (o oczach)* nabiegły krwią
**blood-sucker** [ˈblʌd sʌkə(r)] *s dosł. i przen.* pijawka
**blood·thirst·y** [ˈblʌd θɜstɪ] *adj* żądny krwi
**blood-ves·sel** [ˈblʌd vesl] *s* naczynie krwionośne
**blood·y** [ˈblʌdɪ] *adj* krwawy; *wulg.* przeklęty, cholerny
**bloom** [blum] *vi* kwitnąć; *s* kwiecie, kwiat
**bloom·er** [ˈblumə(r)] *s pot.* gafa
**bloom·ing** [ˈblumɪŋ] *adj* kwitnący; *wulg.* przeklęty, cholerny
**blos·som** [ˈblosəm] *s* kwiecie, kwiat; *vi* kwitnąć
**blot** [blot] *s* plama, skaza; *vt* plamić; ~ **out** wykreślić, usunąć, zatrzeć
**blotch** [blotʃ] *s* plama, skaza; krosta, wrzód
**blot·ting-pad** [ˈblotɪŋ pæd] *s* bibularz
**blot·ting-pa·per** [ˈblotɪŋ peɪpə(r)] *s* bibuła
**blouse** [blauz] *s* bluza, bluzka
**blow 1.** [bləu] *s* uderzenie, cios; **at a** ~ za jednym uderzeniem, naraz; **to strike a** ~ zadać cios
***blow 2.** [bləu], **blew** [blu], **blown** [bləun] *vi* dąć, wiać; *vt* nadmuchać; rozwiewać; ~ **out** zgasić; ~ **over** przeminąć, pójść w zapomnienie; ~ **up** wysadzić w powietrze
***blow 3.** [bləu], **blew** [blu], **blown** [bləun] *vi* kwitnąć
**blown** *zob.* **blow 2. i 3.**
**bludg·eon** [ˈblʌdʒən] *s* pałka
**blue** [blu] *adj* błękitny; *pot.* przygnębiony, smutny; **true** ~ wierny swym zasadom; **once in a** ~ **moon** rzadko, od święta; *s* błękit; błękitna farba
**blue-jacket** [ˈbludʒækɪt] *s* marynarz (floty wojennej)
**blue·print** [ˈblu-prɪnt] *s druk.* światłodruk
**bluff 1.** [blʌf] *s* stromy brzeg, stroma skała; *adj* stromy; szorstki, obcesowy
**bluff 2.** [blʌf] *s* oszustwo, nabieranie, zastraszenie,. blaga, blef; *vt vi* blagować, zastraszać, blefować
**blu·ish** [ˈbluɪʃ] *adj* niebieskawy
**blun·der** [ˈblʌndə(r)] *s* błąd; *vi* popełnić błąd ⟨gafę⟩
**blunt** [blʌnt] *adj* tępy, stępiony; ciężko myślący; nieokrzesany; prosty, niewymuszony; *vt* stępić
**blur** [blɜ(r)] *s* plama; niejasność; *vt* splamić, zamazać, zamącić, zatrzeć
**blurb** [blɜb] *s* notka na obwolucie (książki)
**blurt** [blɜt] *vt (zw.* ~ **out)** wygadać, zdradzić (sekret)
**blush** [blʌʃ] *vi* rumienić się; *s* rumieniec
**blus·ter** [ˈblʌstə(r)] *vi* rozbijać się, szaleć, huczeć; *s* hałaśliwość, huk, wrzask
**boar** [bɔ(r)] *s* dzik; knur
**board** [bɔd] *s* deska; utrzymanie, wyżywienie; ciało obradujące;

władza naczelna, rada, komisja; tablica do naklejania ogłoszeń; karton, tektura; pokład; burta; *pl* **~s deski sceniczne; ~ of trade** ministerstwo handlu; *vt* szalować, okładać deskami; stołować; wchodzić na pokład statku, do pociągu, tramwaju itp; *vi* stołować się

**board·er** [`bɔdə(r)] *s* pensjonariusz

**board·ing-house** [`bɔdɪŋ haus] *s* pensjonat

**board·ing-school** [`bɔdɪŋ skul] *s* szkoła z internatem

**boast** [bəust] *s* samochwalstwo; *vt vi* wychwalać się, przechwalać się; chwalić się, szczycić się (**sth, of sth, about sth** czymś)

**boat** [bəut] *s* łódź, statek; **by ~** łodzią, statkiem; *vi* płynąć łodzią

**boat-race** [`bəutreɪs] *s* wyścigi wioślarskie, regaty

**boat·swain** [`bəusn] *s mors.* bosman

**boat-train** [`bəuttreɪn] *s* pociąg mający połączenie ze statkiem

**bob 1.** [bob] *s* wisiorek; krótko strzyżone włosy kobiece; drganie; podskok; *vi* kiwać się; drgać; podskakiwać; *vt* krótko strzyc

**bob 2.** [bob] *s* (*pl* **~**) *pot.* szyling

**bob·bin** [`bobɪn] *s* szpulka

**bob·by** [`bobɪ] *s pot.* policjant

**bob·sleigh** [`bobsleɪ] *s sport* bobslej

**bode 1.** *zob.* **bide**

**bode 2.** [bəud] *vt* wróżyć, zapowiadać

**bod·ice** [`bodɪs] *s* stanik (sukni)

**bod·ily** [`bodḷɪ] *adj* cielesny, fizyczny; *adv* fizycznie; osobiście; gremialnie; w całości

**bod·y** [`bodɪ] *s* ciało; oddział, grupa ludzi; ogół, zasadnicza część; *mot.* karoseria

**bod·y-guard** [`bodɪ gad] *s* straż przyboczna

**bog** [bog] *s* bagno

**bog·ey, bo·gy** [`bəugɪ] *s* szatan, straszydło, strach

**bo·gus** [`bəugəs] *adj* fałszywy, oszukańczy

**boil** [bɔɪl] *vi* gotować się, wrzeć, kipieć; *vt* gotować; **~ing point** temperatura wrzenia

**boil·er** [`bɔɪlə(r)] *s* kocioł

**bois·ter·ous** [`bɔɪstərəs] *adj* hałaśliwy, burzliwy

**bold** [bəuld] *adj* śmiały, zuchwały; wyraźny, rzucający się w oczy; **to make ~** ośmielić się

**Bol·she·vik** [`bolʃəvɪk] *s* bolszewik; *adj* bolszewicki

**bol·ster** [`bəulstə(r)] *s* podgłówek

**bolt 1.** [bəult] *s* zasuwa, rygiel; *vt* zamknąć na zasuwę, zaryglować

**bolt 2.** [bəult] *s* piorun; grom; nagły skok, wypad; ucieczka; *vi* gwałtownie rzucić się, skoczyć

**bolt 3.** [bəult] *vt* pytlować

**bolt·er** [`bəultə(r)] *s* pytel, sito

**bomb** [bom] *s* bomba; *vt* obrzucić bombami

**bom·bard** [bom`bad] *vt* bombardować

**bom·bast** [`bombæst] *s* napuszony styl

**bomb·er** [`bomə(r)] *s* bombowiec; bombardier

**bomb·shell** [`bomʃel] *s* bomba; *przen.* rewelacja, niespodziewana wiadomość

**bon·bon** [`bonbon] *s* cukierek

**bond** [bond] *s* więź; zobowiązanie; obligacja

**bond·age** [`bondɪdʒ] *s* niewolnictwo

**bond·hold·er** [`bond həuldə(r)] *s* posiadacz obligacji, akcjonariusz

**bonds·man** [`bondzmən] *s* niewolnik

**bone** [bəun] *s* kość, ość

**bon·fire** [`bonfaɪə(r)] *s* ognisko

**bon·net** [`bonɪt] *s* czapka (damska), czepek (dziecinny); *mot.* maska (samochodu)

**bon·ny** [`bonɪ] *adj dial.* piękny; miły; krzepki

**bo·nus** [`bəunəs] *s* premia; dodatek

**bon·y** [`bəunɪ] *adj* kościsty

**book** [buk] *s* książka, księga, książeczka; *vt* księgować, zapisywać, rejestrować; kupować bilet w przedsprzedaży, rezerwować miejsce (np. w pociągu, teatrze)

**book·bind·er** [ˋbuk baɪndə(r)] *s* introligator

**book·case** [ˋbukkeɪs] *s* szafa na książki, biblioteka; regał

**book·ing-of·fice** [ˋbukɪŋ ofɪs] *s* kasa biletowa

**book·ish** [ˋbukɪʃ] *adj* **książkowy,** naukowy

**book-keep·er** [ˋbuk kipə(r)] *s* księgowy, buchalter

**book-keep·ing** [ˋbuk kipɪŋ] *s* księgowość, buchalteria

**book·let** [ˋbuklət] *s* książeczka

**book-mak·er** [ˋbukmeɪkə(r)] *s* bukmacher

**book·mark** [ˋbukmαk] *s* zakładka (do książki)

**book·sel·ler** [ˋbukselə(r)] *s* księgarz

**book·shelf** [ˋbukʃelf] *s* półka na książki

**book·shop** [ˋbukʃop] *s* księgarnia

**book·stall** [ˋbukstɔl] *s* kiosk z książkami

**book·stand** [ˋbukstænd] *s* półka na książki, regał

**book·store** [ˋbukstɔ(r)] *s am.* księgarnia

**boom** [bum] *s* dźwięk; huk; nagła zwyżka kursów ‹cen›; ożywienie gospodarcze; *vi vt* huczeć; podbijać ceny; szybko zwyżkować; dorabiać się, rozkwitać

**boom·e·rang** [ˋbumərærŋ] *s* bumerang

**boon** [bun] *s* dar, łaska, błogosławieństwo

**boor** [buə(r)] *s* prostak, gbur

**boor·ish** [ˋbuərɪʃ] *adj* prostacki, gburowaty

**boost** [bust] *vt* forsować przez reklamę, podnosić wartość ‹znaczenie›

**boost·er** [ˋbustə(r)] *s* propagator

**boot** [but] *s* but

**boot·black** [ˋbutblæk] *s* czyścibut

**booth** [buð] *s* budka (z desek); kabina; stragan, kiosk; *am.* budka telefoniczna

**boot·leg·ger** [ˋbutlegər] *s am.* przemytnik alkoholu (w okresie prohibicji)

**boot-polish** [ˋbut polɪʃ] *s* pasta do butów

**boots** [buts] *s* posługacz (hotelowy), czyścibut

**boot·y** [ˋbutɪ] *s* łup, zdobycz

**bor·der** [ˋbɔdə(r)] *s* granica; brzeg; krawędź; rąbek; *vt* ograniczać, otaczać; obrębiać; *vi* graniczyć, sąsiadować (**on sth** z czymś)

**bor·der-land** [ˋbɔdəlænd] *s* kresy, pogranicze

**bore 1.** [bɔ(r)] *s* otwór, wydrążenie; *vt* wiercić, drążyć

**bore 2.** [bɔ(r)] *s* nudziarstwo, nuda; nudziarz; *vt* nudzić

**bore 3.** *zob.* **bear**

**bore·dom** [ˋbɔdəm] *s* nuda, znudzenie

**born, borne** *zob.* **bear 2.**

**bor·ough** [ˋbʌrə] *s* miasteczko; *am.* miasto o pełnym samorządzie; *bryt.* królewskie wolne miasto; miasto wysyłające posłów do parlamentu; dzielnica Londynu (np. **the Borough of Hampstead**)

**bor·row** [ˋborəu] *vt vi* pożyczać (od kogoś), zapożyczać się

**bos·om** [ˋbuzəm] *s* łono

**boss** [bos] *s pot.* szef, kierownik; *vi vt* rządzić (się), dominować

**bot·a·ny** [ˋbotənɪ] *s* botanika

**both** [bəuθ] *pron i adj* oba, obaj, obie, oboje; ~ **of them** oni obydwaj; ~ **(the) books** obydwie książki; *adv conj* ~ ... **and** zarówno ..., jak i ...; nie tylko ..., ale i ...; ~ **he and his brother** zarówno on, jak i jego brat; ~ **good and cheap** nie tylko dobre, ale i tanie

**both·er** [ˋboðə(r)] *vt* niepokoić, dręczyć; zanudzać; *vi* kłopotać, martwić się (**about sth** o coś), zawracać sobie głowę; *s* kłopot, udręka, zawracanie głowy

**bot·tle** [ˋbotl] *s* butelka; *vt* butelkować

**bot·tom** [ˋbotəm] *s* dno, grunt; dół, spód; fundament, podstawa; siedzenie; ~ **up** do góry dnem; **at (the)** ~ w gruncie rzeczy; *vt vi* *dosł. i przen.* sięgnąć dna; zgłębić

**bough** [bau] *s* konar

**bought** *zob.* **buy**

**boul·der** [ˈbəuldə(r)] *s* głaz

**bounce** [bauns] *vi vt* podskakiwać; odbijać (się); wpadać, wypadać (jak bomba); *am. pot.* wyrzucać (np. z posady, z lokalu); *s* uderzenie; odbicie (się), odskok; chełpliwość

**bound 1.** [baund] *s* granica; *vt* ograniczać, być granicą

**bound 2.** [baund] *s* skok; odbicie (się); *vi* skakać, odbijać (się)

**bound 3.** [baund] *adj* skierowany (do), przeznaczony (do), odjeżdżający, udający się (do); (*o statku*) płynący (do)

**bound 4.** *zob.* **bind**

**bound·a·ry** [ˈbaundrɪ] *s* granica

**boun·ti·ful** [ˈbauntɪfl] *adj* hojny

**bount·y** [ˈbauntɪ] *s* hojność; dar; premia

**bou·quet** [buˈkeɪ] *s* bukiet

**bour·geois** [ˈbuəʒwa] *s* należący do burżuazji; *pot.* burżuj; *adj* burżuazyjny

**bour·geoi·sie** [ˌbuəʒwaˈzi] *s* burżuazja

**bow 1.** [bəu] *s* łuk; smyczek; kabłąk; tęcza; kokarda, muszka

**bow 2.** [bau] *s* ukłon; *vt* zginać, naginać, pochylać; *vi* kłaniać się; zginać się, uginać się

**bow 3.** [bau] *s* dziób (łodzi, statku, samolotu)

**bow·el** [ˈbauəl] *s* jelito, kiszka; *pl* ~s wnętrzności

**bow·er** [ˈbauə(r)] *s* altana; *lit.* buduar

**bowl 1.** [bəul] *s* czara, miska, waza

**bowl 2.** [bəul] *s* kula do gry w kręgle; *pl* ~s gra w kręgle; *vt vi* toczyć, rzucać kulę (w grze)

**bowl·er** [ˈbəulə(r)] *s* melonik

**bow·string** [ˈbəustrɪŋ] *s* cięciwa (łuku)

**bow-tie** [ˌbəu ˈtaɪ] *s* muszka

**box 1.** [boks] *s* pudełko, skrzynia; kasetka; buda, budka; loża; kabina; boks (w stajni, w garażu); *vt* pakować, wkładać

**box 2.** [boks] *s* uderzenie (dłonią); *vt* uderzać, boksować; *vi* boksować się

**box·er** [ˈboksə(r)] *s* bokser, pięściarz

**box·ing** [ˈboksɪŋ] *s* boks, pięściarstwo

**Box·ing Day** [ˈboksɪŋ deɪ] *s* święto obchodzone w Anglii w pierwszy powszedni dzień tygodnia po Bożym Narodzeniu

**box-of·fice** [ˈboks ofɪs] *s* kasa (w teatrze, kinie itp.)

**boy** [bɔɪ] *s* chłopiec; boy, chłopiec do posług

**boy·cott** [ˈbɔɪkot] *s* bojkot; *vt* bojkotować

**boy·hood** [ˈbɔɪhud] *s* chłopięctwo, lata chłopięce

**boy·ish** [ˈbɔɪɪʃ] *adj* chłopięcy

**bra** [bra] *s pot.* stanik

**brace** [breɪs] *s* klamra; wiązadło; podpora; para (dwie sztuki); *pl* ~s [ˈbreɪsɪz] *bryt.* szelki; *vt* przytwierdzać; spinać; wiązać; podpierać; wzmacniać, krzepić; *vr* ~ **oneself up** zbierać siły

**brace·let** [ˈbreɪslət] *s* bransoleta

**brack·et** [ˈbrækɪt] *s* konsola; podpórka; kinkiet; (*zw. pl* ~s) nawias

**brag** [bræg] *vt vi* chełpić, przechwalać (się); *s* chełpliwość, przechwałki

**brag·gart** [ˈbrægət] *s* samochwał

**braid** [breɪd] *s* splot; warkocz; wstążka; lamówka; *vt* splatać; obszyć lamówką

**brain** [breɪn] *s* (*także pl* ~s) mózg; umysł; rozum; **to have sth on the ~** mieć bzika na punkcie czegoś; **to rack one's ~s (about sth)** łamać sobie głowę (nad czymś)

**brake** [breɪk] *s* hamulec; *vt vi* hamować

**bran** [bræn] *s zbior.* otręby

**branch** [brantʃ] *s* gałąź; odgałęzienie; filia; *vi* (*także* ~ **away** ⟨**forth, off, out**⟩) rozgałęziać się, odgałęziać się

**brand** [brænd] *s* głownia; znak

firmowy; piętno; gatunek; *vt* piętnować, znakować

**bran·dish** [ˋbrændɪʃ] *vt* wymachiwać, potrząsać

**brand-new** [ˈbrænd ˋnju] *adj* nowiuteńki

**bran·dy** [ˋbrændɪ] *s* brandy (wódka z wina)

**brass** [brɑs] *s* mosiądz; ~ **band** orkiestra dęta

**bras·sière** [ˋbræzɪə(r)] *s* biustonosz

**brat** [bræt] *s pot.* bachor

**brave** [breɪv] *adj* śmiały, dzielny; † wspaniały; *vt* stawiać czoło

**brav·er·y** [ˋbreɪvərɪ] *s* dzielność, męstwo

**brawl** [brɔl] *s* awantura, burda; szum (wody); *vi* awanturować się; (*o wodzie*) szumieć

**brawn·y** [ˋbrɔnɪ] *adj* muskularny, krzepki

**bra·zen** [ˋbreɪzn] *adj* mosiężny, spiżowy; bezczelny

**Bra·zil·ian** [brəˋzɪlɪən] *s* Brazylijczyk; *adj* brazylijski

**breach** [britʃ] *s* złamanie, zerwanie; wyrwa, wyłom; naruszenie, przekroczenie

**bread** [bred] *s* chleb; **to earn one's** ~ zarabiać na życie; ~ **and butter** [ˋbred nˋbʌtə(r)] chleb z masłem, *przen.* środki utrzymania

**breadth** [bretθ] *s* szerokość; **to a hair's** ~ o włos

**bread·win·ner** [ˋbred wɪnə(r)] *s* żywiciel

***break** [breɪk], **broke** [brəuk], **bro·ken** [ˋbrəukən] *vt vi* łamać (się), rozrywać (się); przerywać (się); kruszyć (się), tłuc (się); niszczyć, rujnować; rozpoczynać (się); (*o dniu*) świtać; (*o pogodzie*) zmieniać się; naruszać (całość, przepisy); zbankrutować; zerwać przyjaźń (**with sb** z kimś); ~ **away** oddzielić się, oderwać się, uciec; ~ **down** załamać (się), przełamać, zniszczyć, zburzyć; zepsuć (się); ~ **in** włamać (się), wtargnąć; wtrącić się; ~ **into** włamać się; ~ **into tears** wybuchnąć płaczem; ~ **off** odłamać (się); przerwać; zaniechać; ustać; ~ **out** wybuchnąć; ~ **through** przedrzeć (się); ~ **up** rozbić (się); przerwać; rozwiązać; zamknąć (się); zlikwidować; ustać; rozpocząć wakacje (szkolne); rozejść się (np. o uczestnikach zebrania); **to** ~ **loose** uwolnić się, zerwać pęta; **to** ~ **the news** zakomunikować; **to** ~ **the record** pobić rekord; **to** ~ **the way** torować drogę; *s* złamanie, przełamanie; rozbicie; wyłom; luka; przerwa; wybuch; zmiana; ~ **of day** świt

**break·age** [ˋbreɪkɪdʒ] *s* złamanie, rozbicie; *zbior.* rzeczy połamane ⟨potłuczone⟩

**break·down** [ˋbreɪkdaun] *s* załamanie się; rozstrój nerwowy; zniszczenie; upadek, klęska; awaria, defekt, wypadek

**break·er** [ˋbreɪkə(r)] *s techn.* łamacz; fala przybrzeżna

**break·fast** [ˋbrekfəst] *s* śniadanie; *vi* jeść śniadanie

**break-through** [ˋbreɪkθru] *s* wyłom, przerwa

**break-up** [ˋbreɪk ʌp] *s* rozpadnięcie się, załamanie się, upadek; koniec nauki, początek wakacji

**break·water** [ˋbreɪkwɔtə(r)] *s* falochron

**breast** [brest] *s* pierś

**breath** [breθ] *s* dech, oddech; **in one** ~ jednym tchem; **out of** ~ zadyszany; **to take** ~ zaczerpnąć tchu

**breathe** [brið] *vt vi* oddychać; odetchnąć; (*także* ~ **in**) wdychać; (*także* ~ **out**) wydychać; szeptać; **to** ~ **one's last** wydać ostatnie tchnienie

**bred** *zob.* **breed**

**breech·es** [ˋbrɪtʃɪz] *s pl* bryczesy, spodnie

***breed** [brid], **bred, bred** [bred] *vt vi* płodzić, rodzić; rozmnażać (się); wychowywać; hodować; *s* pochodzenie; rasa; chów

**breed·ing** [ˋbridɪŋ] *s* hodowla, chów; wychowanie

**breeze** [briz] *s* lekki wiatr, bryza

**breez·y** [ˋbrizɪ] *adj* wietrzny; odświeżający, rześki; wesoły

**breth·ren** [ˋbreðrən] *s pl* bracia (np. klasztorni)

**brev·i·ty** [ˋbrevətɪ] *s* krótkość, zwięzłość

**brew** [bru] *vt dosł. i przen.* warzyć, gotować; *vi w zwrocie:* **to be ~ing** wisieć w powietrzu, grozić; *s* odwar, napar

**brew·er·y** [ˋbruərɪ] *s* browar

**bri·ar, bri·er 1.** [ˋbraɪə(r)] *s* dzika róża

**bri·ar, bri·er 2.** [ˋbraɪə(r)] *s* wrzosiec; fajka z korzenia wrzośca

**bribe** [braɪb] *s* łapówka; *vt* dać łapówkę, przekupić

**brib·er·y** [ˋbraɪbərɪ] *s* przekupstwo

**brick** [brɪk] *s* cegła; kawałek (np. mydła); *pot.* morowy chłop

**brick·lay·er** [ˋbrɪkleɪə(r)] *s* murarz

**bri·dal** [ˋbraɪdl] *s* wesele, ślub; *adj attr* weselny, ślubny

**bride** [braɪd] *s* panna młoda

**bride·groom** [ˋbraɪdgrum] *s* pan młody, nowożeniec

**bridge 1.** [brɪdʒ] *s* most; *przen.* pomost; *vt* połączyć mostem, przerzucić most ⟨pomost⟩ (**sth** przez coś)

**bridge 2.** [brɪdʒ] *s* brydż

**bridge·head** [ˋbrɪdʒhed] *s wojsk.* przyczółek

**bri·dle** [ˋbraɪdl] *s* uzda, cugle; *vt* okiełznać; *przen.* opanować

**brief 1.** [brif] *adj* krótki, zwięzły; **to be ~** mówić zwięźle, streszczać się; **in ~** słowem

**brief 2.** [brif] *s* streszczenie skargi sądowej; *(o adwokacie)* **to hold ~ for sb** prowadzić czyjąś sprawę

**brief·case** [ˋbrifkeɪs] *s* teka, aktówka

**brief·ing** [ˋbrifɪŋ] *s* odprawa; instrukcja

**bri·gade** [brɪˋgeɪd] *s* brygada

**brig·a·dier** [ˌbrɪgəˋdɪə(r)] *s* brygadier

**brig·and** [ˋbrɪgənd] *s* rozbójnik

**bright** [braɪt] *adj* jasny, promienny; błyszczący; wesoły, żwawy; bystry, inteligentny

**bright·en** [ˋbraɪtn] *vt vi (także* **~ up***)* rozjaśnić (się); ożywić (się); rozweselić (się)

**bril·liant** [ˋbrɪlɪənt] *adj* lśniący; wspaniały; znakomity

**brim** [brɪm] *s* krawędź, brzeg; rondo (kapelusza)

**brine** [braɪn] *s* solanka

***bring** [brɪŋ], **brought, brought** [brɔt] *vt* przynosić; przyprowadzać; przywozić; wnosić (np. skargę); powodować; **~ about** dokonać; wywołać (skutek); **~ back** przypomnieć; **~ down** opuścić; osłabić; powalić; zestrzelić; upokorzyć; obniżyć (np. ceny); **~ forth** wydać na świat; ujawnić; wywołać; **~ forward** przedstawić; wysunąć; **~ (sth) home** uświadomić (coś); unaocznić (coś); **~ in** wnieść, włożyć, wprowadzić; **~ on** sprowadzić, wywołać, spowodować; **~ out** wykryć, wydobyć (na światło dzienne); wydać (książkę); wystawić (sztukę); wyjaśnić; **~ together** złączyć, zetknąć; **~ under** pokonać, opanować; **~ up** wychować; poruszyć (temat); **to ~ to light** odkryć

**brink** [brɪŋk] *s* brzeg, krawędź

**brisk** [brɪsk] *adj* żywy, żwawy; rześki; *vt vi (także* **~ up***)* ożywić (się)

**bris·tle** [ˋbrɪsl] *s* szczecina; *vi* jeżyć się; sierdzić się; *vt* nastroszyć

**Brit·ish** [ˋbrɪtɪʃ] *adj* brytyjski; *s pl* **the ~** Anglicy

**Brit·ish·er** [ˋbrɪtɪʃə(r)] *s* Brytyjczyk

**Brit·on** [ˋbrɪtɪn] *s lit.* Brytyjczyk

**brit·tle** [ˋbrɪtl] *adj* kruchy

**broach** [brəutʃ] *vt* otworzyć, przedziurawić; poruszyć (temat)
**broad** [brɔd] *adj* szeroki, obszerny; (*o aluzji itp.*) wyraźny; (*o regule*) ogólny; pikantny, sprośny, rubaszny (np. dowcip)
**broad·axe** [`brɔdæks] *s* siekiera
**broad·cast** [`brɔdkast] *s* transmisja radiowa, audycja; *vt vi* transmitować, nadawać (przez radio); rozsypywać, rozsiewać; szerzyć (np. wiadomości)
**broad·en** [`brɔdn] *vt vi* rozszerzać (się)
**broad-mind·ed** [ˈbrɔd `maındıd] *adj* (*o człowieku*) tolerancyjny
**broad-shoul·der·ed** [ˈbrɔd `ʃəuldəd] *adj* barczysty
**broil 1.** [brɔıl] *vt vi* piec, smażyć (się)
**broil 2.** [brɔıl] *s* hałas, awantura
**broke 1.** *zob.* **break**
**broke 2.** [brəuk] *adj pot.* zrujnowany, zbankrutowany, bez grosza; **to go ~** zbankrutować
**bro·ken** *zob.* **break**
**bro·ken-down** [`brəukən daun] *adj* wyczerpany; zrujnowany; schorowany; załamany (duchowo); (*o maszynie*) zużyty; uszkodzony
**brok·en-heart·ed** [ˈbrəukən `hatıd] *adj* zrozpaczony, załamany
**bro·ker** [`brəukə(r)] *s* makler, pośrednik
**bro·ker·age** [`brəukərıdʒ] *s* pośrednictwo; *handl.* prowizja
**bro·mine** [`brəumin] *s chem.* brom
**bron·chi** [`broŋkaı] *s pl anat.* oskrzela
**bron·chi·tis** [broŋ`kaıtıs] *s med.* bronchit
**bronze** [bronz] *s* brąz, spiż
**brooch** [brəutʃ] *s* broszka
**brood** [brud] *s* wyląg; potomstwo; plemię; *vi* wylęgać; *przen.* rozmyślać
**brook 1.** [bruk] *s* potok, strumyk
**brook 2.** [bruk] *vt* znosić, cierpieć
**broom** [brum] *s* miotła
**broth** [broθ] *s* rosół, bulion
**broth·er** [`brʌðə(r)] *s* brat
**broth·er·hood** [`brʌðəhud] *s* braterstwo, stowarzyszenie
**broth·er-in-law** [`brʌðər ın lɔ] *s* szwagier
**brought** *zob.* **bring**
**brow** [brau] *s* brew; czoło
**brown** [braun] *adj* brunatny, brązowy
**brown·ie** [`braunı] *s* krasnoludek, duszek; harcerka z grupy zuchów
**browse** [brauz] *vi* paść się; *vt* skubać (trawę); *przen.* czytać dla rozrywki, przeglądać (książkę)
**bruise** [bruz] *vt vi* potłuc (się), nabić guza, zadrasnąć, zranić się; *s* stłuczenie, siniak
**bru·nette** [bru`net] *s* brunetka
**brunt** [brʌnt] *s* główne natarcie, najsilniejszy cios; **to bear the ~** przyjąć ciężar uderzenia, wytrzymać główne natarcie
**brush** [brʌʃ] *s* szczotka, pędzel; krzaki, zarośla; *vt* szczotkować, pędzlować, czyścić szczotką; **~ aside** odsunąć; **~ away** sczyścić; **~ up** wygładzić, odświeżyć
**brusque** [brusk] *adj* obcesowy, szorstki
**Brus·sels-sprouts** [ˈbrʌslz `sprauts] *s pl* brukselka
**bru·tal** [`brutl] *adj* brutalny
**bru·tal·i·ty** [bru`tæləti] *s* brutalność
**brute** [brut] *s* bydlę; brutal; *adj* bydlęcy; brutalny
**bub·ble** [`bʌbl] *s* balonik, bańka (np. mydlana); *vi* kipieć, bulgotać
**buc·ca·neer** [ˈbʌkə`nıə(r)] *s* pirat, korsarz; *vi* uprawiać korsarstwo
**buck 1.** [bʌk] *s* kozioł; jeleń; samiec (zwierzyny płowej); dandys; elegant
**buck 2.** [bʌk] *s am. pot.* dolar
**buck·et** [`bʌkıt] *s* wiadro
**buck·le** [`bʌkl] *s* klamerka, sprzączka; *vt* spinać; *vi* zapinać się
**buck·wheat** [`bʌkwit] *s* gryka
**bud** [bʌd] *s* pączek; *vi* (*także* **to be in ~**) pączkować

**budge** [bʌdʒ] *vi* poruszyć (się); *vt* *zw. w zdaniach przeczących*: **I can't budge him** nie mogę go ruszyć

**budg·et** [ˈbʌdʒɪt] *s* budżet; *vi* robić budżet, planować wydatki

**buf·fa·lo** [ˈbʌfləu] *s* bawół

**buff·er** [ˈbʌfə(r)] *s* bufor

**buf·fet 1.** [ˈbʌfɪt] *s* kułak; *dosł.* i *przen.* cios; *vt* okładać kułakami, uderzać

**buf·fet 2.** [ˈbufeɪ] *s* kredens; bufet

**buf·foon** [bəˈfun] *s* bufon, błazen

**bug** [bʌg] *s* pluskwa; *am.* insekt

**bug·bear** [ˈbʌgbeə(r)] *s* straszydło

**bu·gle** [ˈbjugl] *s* róg, trąbka; *vi* trąbić

***build** [bɪld], **built, built** [bɪlt] *vt vi* budować, tworzyć; **~ up** rozbudować; wzmocnić; rozwinąć; *s* konstrukcja, kształt, budowa

**build·er** [ˈbɪldə(r)] *s* budowniczy

**build·ing** [ˈbɪldɪŋ] *s* budynek

**built** *zob.* **build**

**bulb** [bʌlb] *s* cebulka; żarówka

**Bul·gar·i·an** [bʌlˈgeərɪən] *adj* bułgarski; *s* Bułgar

**bulge** [ˈbʌldʒ] *s* nabrzmienie, wypukłość, wydęcie; *vi* nabrzmiewać, pęcznieć, wydymać (się); *vt* nadymać; napychać

**bulk** [bʌlk] *s* wielkość, objętość, masa (*zw.* **duża**); większa ⟨główna⟩ część

**bulk·y** [ˈbʌlkɪ] *adj* duży, masywny; nieporęczny

**bull 1.** [bul] *s* byk

**bull 2.** [bul] *s* bulla

**bull 3.** [bul] *s* (*także* **Irish ~**) nonsens

**bull·dog** [ˈbuldog] *s* buldog; pedel (woźny)

**bull·doz·er** [ˈbuldəuzə(r)] *s* buldożer, spychacz

**bul·let** [ˈbulɪt] *s* kula, pocisk

**bul·le·tin** [ˈbulətɪn] *s* biuletyn

**bul·lion** [ˈbulɪən] *s* złoto ⟨srebro⟩ w sztabach

**bul·lock** [ˈbulək] *s* wół

**bull's-eye** [ˈbulz aɪ] *s* okrągłe okienko; bulaj; środek tarczy strzelniczej

**bul·ly** [ˈbulɪ] *s* osobnik terroryzujący słabszych; zbir; *vt* terroryzować, znęcać się

**bul·rush** [ˈbulrʌʃ] *s* sitowie

**bul·wark** [ˈbulwək] *s* wał ochronny, przedmurze, osłona

**bump** [bʌmp] *vt vi* gwałtownie uderzyć (**sth, against sth** o coś); wpadać (**sb, sth** *lub* **into sb, sth** na kogoś, na coś); toczyć się z hałasem; *s* uderzenie, wstrząs; guz; *pot.* **~ of locality** zmysł orientacyjny

**bump·er** [ˈbʌmpə(r)] *s* pełna szklanka ⟨pełny kielich⟩ wina; *mot.* zderzak

**bump·kin** [ˈbʌmpkɪn] *s* gamoń, fujara

**bump·tious** [ˈbʌmpʃəs] *adj* zarozumiały, nadęty

**bun** [bʌn] *s* słodka bułka

**bunch** [bʌntʃ] *s* wiązka, pęk, bukiet

**bun·dle** [ˈbʌndl] *s* wiązka; tłumok; pęk; plik; *vt vi* wiązać, zwijać (się); bezładnie pakować, wciskać; wyprawiać (**sb** kogoś); (*zw.* **~ off**) uchodzić w pośpiechu

**bun·ga·low** [ˈbʌŋgələu] *s* domek (*zw.* parterowy z werandą)

**bun·gle** [ˈbʌŋgl] *vt vi* partaczyć; *s* partactwo

**bunk** [bʌŋk] *s* łóżko (w pociągu), koja

**buoy** [bɔɪ] *s* boja; *vt* (*zw.* **~ up**) utrzymywać na powierzchni; *przen.* podnosić na duchu

**buoy·ant** [ˈbɔɪənt] *adj* pływający, pławny; radosny; podniecający, pokrzepiający

**bur·den** [ˈbɜdn] *s* ciężar, brzemię; istota (sprawy, myśli itp.); *vt* obciążyć

**bur·den·some** [ˈbɜdnsəm] *adj* uciążliwy

**bu·reau** [ˈbjuərəu] *s* biuro, urząd; *bryt.* biurko

**bu·reau·cra·cy** [bjuəˈrokrəsɪ] *s* biurokracja

**burg** [bɜg] *s am. pot.* miasteczko

**bur·glar** [ˋbɜglə(r)] *s* włamywacz
**bur·i·al** [ˋberɪəl] *s* pogrzeb
**bur·i·al-ground** [ˋberɪəl graund] *s* cmentarz
**bur·lesque** [bɜˋlesk] *s* burleska; *adj attr* burleskowy, komiczny
***burn** [bɜn], **~t**, **~t** [bɜnt] *lub* **~ed**, **~ed** [bɜnd] *vt vi* palić (się), zapalać, płonąć; sparzyć (się); opalać (się)
**burn·er** [ˋbɜnə(r)] *s* palnik
**burnt** *zob.* **burn**
**bur·row** [ˋbʌrəu] *s* nora, jama; *vt* kopać norę; *vi* ukrywać się w norze
**bur·sar** [ˋbɜsə(r)] *s* kwestor; *szk.* stypendysta
**bur·sa·ry** [ˋbɜsərɪ] *s* kwestura; *szk.* stypendium
***burst, burst, burst** [bɜst] *vi* pękać, trzaskać; wybuchać; *vt* spowodować pęknięcie, rozsadzić, rozerwać; **to ~ with laughing, to ~ into laughter** wybuchnąć śmiechem; **~ in** wpaść; **~ out** wybuchnąć; *s* pęknięcie, wybuch
**bur·y** [ˋberɪ] *vt* grzebać, chować
**bus** [bʌs] *s* autobus
**bush** [buʃ] *s* krzak, gąszcz; busz
**bush·el** [ˋbuʃl] *s* buszel (miara pojemności)
**bush·y** [ˋbuʃɪ] *adj* pokryty krzakami; krzaczasty
**busi·ness** [ˋbɪznəs] *s* interes(y); zajęcie; obowiązek; sprawa; zawód; przedsiębiorstwo handlowe; **~ hours** godziny zajęć ⟨urzędowe⟩; **it is none of my ~** to nie moja sprawa; **mind your own ~** pilnuj swoich spraw; **on ~** w interesie, w sprawie; służbowo
**busi·ness·man** [ˋbɪznəsmən] *s* kupiec, przemysłowiec; człowiek interesu
**bust** [bʌst] *s* popiersie; biust
**bus·tle** [ˋbʌsl] *vi* krzątać się, uwijać się; *vt* popędzać do roboty; *s* krzątanina, bieganina
**bus·y** [ˋbɪzɪ] *adj* zajęty, czynny, ruchliwy, mający dużo roboty; **I am ~ writing a letter** zajęty jestem pisaniem listu; *vr* **~ oneself** krzątać się; być zajętym **(about, over, with sth** czymś)
**bus·y·bod·y** [ˋbɪzɪˈbodɪ] *s* wścibski człowiek
**but** [bʌt, bət] *conj* ale, lecz; jednak; poza tym, że; jak tylko; **I cannot ~ laugh** nic mi nie pozostaje, jak tylko się śmiać, mogę tylko się śmiać; **~ yet** jednakże, niemniej jednak; **there was no one ~ laughed** nie było nikogo, kto by się nie śmiał; **I never utter a word ~ I think first** nigdy nie powiem słowa, zanim nie pomyślę; **he would have failed ~ that I helped him on** by przepadł, gdybym mu nie pomógł; *praep* oprócz, poza; **all ~ me** wszyscy oprócz mnie ⟨poza mną⟩; **the last ~ one** przedostatni; **anywhere ~ here** gdziekolwiek, tylko nie tu; **~ for** bez; **~ for him** bez niego, gdyby nie on; **~ for that** gdyby nie to; **~ then** ale za to; *adv* dopiero, tylko; **~ now** dopiero teraz, dopiero co; **I have seen him ~ once** widziałem go tylko raz; **all ~** prawie; **he all ~ died of hunger** o mało co nie umarł z głodu
**butch·er** [ˋbutʃə(r)] *s* rzeźnik; **~'s shop** sklep rzeźniczy; *vt* mordować, zarzynać
**butch·er·y** [ˋbutʃərɪ] *s* rzeźnia; rzeź, masakra
**but·ler** [ˋbʌtlə(r)] *s* szef służby
**butt 1.** [bʌt] *s* tępy koniec (broni, narzędzia); niedopałek (papierosa, cygara)
**butt 2.** [bʌt] *s* tarcza strzelnicza; cel (kpin, pośmiewiska)
**butt 3.** [bʌt] *vi vt* uderzać głową **(at, against sth** o coś), bóść; **~ in** wtrącać się
**butt 4.** [bʌt] *s* beczka
**but·ter** [ˋbʌtə(r)] *s* masło; *vt* smarować masłem
**but·ter·cup** [ˋbʌtəkʌp] *s bot.* jaskier
**but·ter·fly** [ˋbʌtəflaɪ] *s zool.* motyl

**but·ter·milk** [ˋbʌtəmɪlk] *s* maślanka
**but·tock** [ˋbʌtək] *s* pośladek; *pl* **~s** zad (konia); siedzenie (człowieka)
**but·ton** [ˋbʌtn] *s* guzik; *vt vi* (*zw.* **~ up**) zapinać (się)
**but·ton·hole** [ˋbʌtnhəul] *s* dziurka od guzika; butonierka; *vt przen. pot.* nudzić, wiercić dziurę w brzuchu
**but·tress** [ˋbʌtrəs] *s* podpora; *vt* podtrzymywać
***buy** [baɪ], **bought, bought** [bɔt] *vt* kupować; **~ off** opłacać; **~ up** wykupić (towar)
**buy·er** [ˋbaɪə(r)] *s* nabywca
**buzz** [bʌz] *s* brzęczenie; gwar; *vi* brzęczeć, buczeć
**buzz·er** [ˋbʌzə(r)] *s elektr.* brzęczyk; *pot.* syrena (fabryczna)
**by** [baɪ] *praep* przy, u, obok; nad; przez; do; po, za; **by the door** przy drzwiach; **by the sea** nad morzem; **by Warsaw** przez Warszawę; **by moonlight** przy świetle księżyca; **by 5 o'clock** najdalej do godziny 5; **by then** do tego czasu; **by metres** na metry; **paid by the week** opłacany za tydzień ⟨tygodniowo⟩; **one by one** jeden za drugim; **older by 10 years** starszy o 10 lat; **by day** w ciągu ⟨za⟩ dnia; **by night** w nocy, nocą; **by name** z nazwiska; **by hearsay** ze słyszenia; **by myself, all by myself** ja sam, sam (jeden); **by train, by bus, by land, by sea etc.** (podróżować) pociągiem, autobusem, lądem, morzem itp.; **by steam, by electricity etc.** (poruszany) parą, elektrycznością itp.; **by letter, by phone etc.** (komunikować) listownie, telefonicznie itp.; **by hand etc.** ręką, ręcznie itp.; **step by step** krok za krokiem; **by degrees** stopniowo; **by chance** przypadkiem; **by heart** na pamięć; **by right** prawnie, sprawiedliwie; **by far** o wiele; **little by little** po trochu; *adv* obok, mimo; **near by, hard by** tuż obok; **by the way, by the by** przy okazji, przy tej sposobności, mimochodem; **by and by** wkrótce, niebawem
**bye-bye** [ˈbaɪ ˋbaɪ] *int pot.* do widzenia!
**by-elec·tion** [ˋbaɪ ɪlekʃn] *s* wybory uzupełniające
**by·gone** [ˋbaɪgon] *adj* miniony
**by-law** [ˋbaɪ lɔ] *s* rozporządzenie ⟨przepisy⟩ lokalne
**by-pass** [ˋbaɪ pas] *s* objazd, droga objazdowa; *vt* objeżdżać, omijać
**by·path** [ˋbaɪ paθ] *s* boczna droga
**by-prod·uct** [ˋbaɪ prodʌkt] *s* produkt uboczny
**by-stand·er** [ˋbaɪ stændə(r)] *s* widz, świadek
**by·way** [ˋbaɪ weɪ] *s* boczna droga
**by·word** [ˋbaɪ wɜd] *s* powiedzonko, przysłowie; pośmiewisko
**By·zan·tine** [bɪˋzæntaɪn] *adj* bizantyjski

# C

**cab** [kæb] *s* dorożka, taksówka
**cab·a·ret** [ˋkæbəreɪ] *s* kabaret
**cab·bage** [ˋkæbɪdʒ] *s* kapusta
**cab·in** [ˋkæbɪn] *s* kabina, kajuta; chata
**cab·i·net** [ˋkæbɪnət] *s* gabinet; serwantka, szafka; *polit.* gabinet
**ca·ble** [ˋkeɪbl] *s* kabel; kablogram; *vt vi* depeszować
**cab·man** [ˋkæbmən] *s* taksówkarz

**cack·le** [ˋkækl] *vi* gdakać; rechotać

**cad** [kæd] *s* cham, łajdak

**ca·det** [kəˋdet] *s* kadet; ~ **corps** szkolne przysposobienie wojskowe

**cadre** [ˋkadər] *s wojsk.* kadra

**ca·fé** [ˋkæfeɪ] *s* kawiarnia, bar

**caf·e·te·ri·a** [ˈkæfɪˋtɪərɪə] *s* bar samoobsługowy

**cage** [keɪdʒ] *s* klatka; winda (w kopalni); *vt* zamknąć w klatce

**cais·son** [ˋkeɪsn] *s wojsk.* jaszcz; *techn.* keson

**ca·jole** [kəˋdʒəul] *vt* przypochlebiać, uwodzić, pochlebstwami skłaniać do czegoś

**cake** [keɪk] *s* ciasto, ciastko; kawałek (np. mydła); tabliczka (np. czekolady)

**ca·lam·i·ty** [kəˋlæmətɪ] *s* klęska, plaga

**cal·ci·um** [ˋkælsɪəm] *s chem.* wapń

**cal·cu·late** [ˋkælkjuleɪt] *vt vi* obliczać; liczyć (**on, upon sth** na coś)

**cal·cu·la·tion** [ˈkælkjuˋleɪʃən] *s* obliczenie, kalkulacja

**cal·en·dar** [ˋkælɪndə(r)] *s* kalendarz

**calf** 1. [kaf] *s* (*pl* **calves** [kavz]) cielę; skóra cielęca

**calf** 2. [kaf] *s* (*pl* **calves** [kavz]) łydka

**cal·i·bre**, *am.* **cal·i·ber** [ˋkælɪbə(r)] *s* kaliber

**cal·i·co** [ˋkælɪkəu] *s* rodzaj perkalu

**calk** [kɔlk] *vt* kalkować

**call** [kɔl] *vi* wołać; odezwać się; budzić; (*także* ~ **up**) telefonować; wstąpić, odwiedzać (**on sb** kogoś); przybyć, przyjść (**for sb, for sth** po kogoś, po coś, **at sb's house** do czyjegoś domu); wymagać, wzywać; żądać, domagać się (**for sth** czegoś); *vt* zawołać, przywołać, powołać, wywoływać; wezwać, zwołać; nazwać; **to be ~ed for** do odebrania na żądanie, (*na listach*) poste restante; ~ **back** odwołać; ~ **forth** wywołać; ~ **in question** zakwestionować; ~ **into being** powołać do życia; ~ **into play** wprowadzić w grę; ~ **off** odwołać; ~ **out** wywołać, wyzwać; ~ **over** odczytywać listę (obecności); **to ~ sb's attention** zwrócić czyjąś uwagę (**to sth** na coś); **to ~ sb to account** zażądać od kogoś rachunku, pociągnąć kogoś do odpowiedzialności; **to ~ the roll** odczytywać listę nazwisk; ~ **up** przypominać, przywodzić na pamięć; powołać do wojska; **to ~ sb names** przezywać, wymyślać; **to ~ to mind** przypomnieć (sobie); *s* wołanie; krzyk; wezwanie, zew; rozmowa telefoniczna; wiadomość; wizyta; powołanie; apel; powód, potrzeba; **there is no ~ for worry** nie ma powodu do zmartwienia; **at ⟨within⟩ ~** do usług, na wezwanie, pod ręką

**call·er** [ˋkɔlə(r)] *s* odwiedzający, gość

**call·ing** [ˋkɔlɪŋ] *s* wołanie; powołanie; zawód, zajęcie

**cal·los·i·ty** [kæˋlosətɪ] *s* stwardnienie, zrogowacenie skóry

**cal·lous** [ˋkæləs] *adj* twardy, stwardniały; zatwardziały; gruboskórny; nieczuły

**cal·low** [ˋkæləu] *adj* niedoświadczony; *przen.* młody, niedoświadczony

**calm** [kam] *adj* cichy, spokojny; *s* spokój, cisza; *vt vi* (*także* ~ **down**) uspokoić, uciszyć (się)

**cal·or·ie, cal·or·y** [ˋkælərɪ] *s* kaloria

**ca·lum·ni·ate** [kəˋlʌmnɪeɪt] *vt* oczerniać, spotwarzać

**cal·um·ny** [ˋkæləmnɪ] *s* oszczerstwo, potwarz

**calves** *zob.* **calf**

**came** *zob.* **come**

**cam·el** [ˋkæml] *s zool.* wielbłąd

**cam·er·a** [ˋkæmrə] *s* aparat fotograficzny

**cam·er·a-man** [ˋkæmrəmæn] *s* fotoreporter; kinooperator
**cam·ou·flage** [ˋkæməflaʒ] *s* maskowanie; *vt* maskować
**camp** [kæmp] *s* obóz, kemping, obozowisko; *vi* (*zw.* **~ out**) obozować, mieszkać w namiocie
**cam·paign** [kæmˋpeɪn] *s* kampania; *vi* prowadzić kampanię
**cam·phor** [ˋkæmfə(r)] *s* kamfora
**camp·ing** [ˋkæmpɪŋ] *s* kemping, obozowanie; **to go ~** wybrać się na kemping; **~ equipment** sprzęt turystyczny
**cam·pus** [ˋkæmpəs] *s* teren szkoły ⟨uniwersytetu⟩
**can 1.** [kæn, kən] *v aux* (*p* **could** [kud]) móc, potrafić, umieć; **I ~ speak French** znam (język) francuski; mówię po francusku; **I ~ see** widzę; **I ~ hear** słyszę; **that ~'t be true!** to niemożliwe!
**can 2.** [kæn] *s* kanister; *am.* puszka do konserw; *vt am.* robić konserwę
**Ca·na·dian** [kəˋneɪdɪən] *adj* kanadyjski; *s* Kanadyjczyk
**ca·nal** [kəˋnæl] *s* kanał; kanalik; przewód (np. pokarmowy)
**can·apé** [ˋkænəpeɪ] *s* kanapka (z serem itp.)
**ca·nard** [kæˋnad] *s* kaczka dziennikarska, plotka
**ca·na·ry** [kəˋneərɪ] *s* kanarek.
**can·can** [ˋkænkæn] *s* kankan
**can·cel** [ˋkænsl] *vt* kasować, unieważniać, skreślać; odwoływać; stemplować (np. znaczki); **~ out** *mat.* skracać (np. ułamek); **to ~ an indicator ⟨a flasher⟩** wyłączyć kierunkowskaz
**can·cer** [ˋkænsə(r)] *s med.* rak
**can·did** [ˋkændɪd] *adj* szczery, prostolinijny, uczciwy
**can·di·date** [ˋkændɪdət] *s* kandydat
**can·di·da·ture** [ˋkændɪdətʃə(r)] *s* kandydatura
**can·dle** [ˋkændl] *s* świeca
**can·dle-pow·er** [ˋkændlpauə(r)] *s fiz.* świeca (jednostka miary światła)
**can·dle·stick** [ˋkændlstɪk] *s* lichtarz, świecznik
**can·dour** [ˋkændə(r)] *s* szczerość, uczciwość
**can·dy** [ˋkændɪ] *s* twardy cukierek; *zbior.* słodycze; *am.* cukierek nadziewany; *vt* kandyzować
**cane** [keɪn] *s* trzcina; laska; pałka; *vt* chłostać
**ca·nine** [ˋkænaɪn] *adj* psi; **~ tooth** kieł
**can·ker** [ˋkæŋkə(r)] *s* wrzód; *przen.* niszczycielski wpływ, zguba; *vt* zżerać; niszczyć, gubić; *vi* niszczeć
**canned** [kænd] *zob.* **can 2.**; *adj* konserwowy
**can·ni·bal** [ˋkænəbl] *s* kanibal, ludożerca; *adj* ludożerczy
**can·non** [ˋkænən] *s* działo, armata; *przen.* **~ fodder** mięso armatnie
**can·non·ade** [ˏkænəˋneɪd] *s* kanonada; *vt* ostrzeliwać z dział
**can·not** [ˋkænət] *forma przecząca od* **can 1.**
**can·ny** [ˋkænɪ] *adj* sprytny, chytry; ostrożny
**ca·noe** [kəˋnu] *s* czółno (z kory drzewa lub wydrążonego pnia); *vi* płynąć czółnem
**can·on 1.** [ˋkænən] *s rel. muz. druk.* kanon; kryterium
**can·on 2.** [ˋkænən] *s* kanonik
**can·o·py** [ˋkænəpɪ] *s* baldachim; sklepienie
**can't** [kant] = **cannot**
**cant** [kænt] *s* obłuda, hipokryzja; żargon
**can·teen** [kænˋtin] *s* kantyna, stołówka; menażka
**can·vas** [ˋkænvəs] *s* płótno żaglowe, płótno malarskie; obraz olejny
**can·vass** [ˋkænvəs] *vt vi* badać, roztrząsać; ubiegać się (**for sth** o coś); kaptować, zjednywać sobie; przygotowywać wybory, zabiegać (**for votes** o głosy wyborcze); *s* badanie; prowadzenie kampanii wyborczej; obliczanie głosów
**can·yon** [ˋkænjən] *s* kanion

**caou·tchouc** [ˋkautʃuk] *s* kauczuk
**cap** [kæp] *s* czapka; wieko, pokrywa; kapsel; *vt* nakładać czapkę, wieko, kapsel itp.; ukłonić się (**sb** komuś)
**ca·pa·bil·i·ty** [ˏkeɪpəˋbɪlətɪ] *s* zdolność
**ca·pa·ble** [ˋkeɪpəbl] *adj* zdolny, nadający się (**of sth** do czegoś), podatny (**of sth** na coś); uzdolniony
**ca·pa·cious** [kəˋpeɪʃəs] *adj* pojemny
**ca·pac·i·ty** [kəˋpæsətɪ] *s* zdolność (**for sth** do czegoś); pojemność; nośność; charakter; kompetencja
**cape** 1. [keɪp] *s* peleryna
**cape** 2. [keɪp] *s* przylądek
**ca·per** [ˋkeɪpə(r)] *vi* podskakiwać, fikać koziołki; *s* podskok, sus
**cap·i·tal** [ˋkæpɪtl] *adj* główny; wybitny, duży, wspaniały, kapitalny; stołeczny; ~ **letter** duża litera; ~ **punishment** kara śmierci; *s* stolica; kapitał; duża litera
**cap·i·tal·ism** [ˋkæpɪtḷɪzm] *s* kapitalizm
**cap·i·tal·ist** [ˋkæpɪtḷɪst] *s* kapitalista
**cap·i·tal·is·tic** [ˋkæpɪtḷɪstɪk] *adj* kapitalistyczny
**ca·pit·u·late** [kəˋpɪtʃuleɪt] *vi* kapitulować
**ca·pit·u·la·tion** [kəˏpɪtʃuˋleɪʃn] *s* kapitulacja
**ca·pon** [ˋkeɪpən] *s* kapłon
**ca·price** [kəˋpris] *s* kaprys
**ca·pri·cious** [kəˋprɪʃəs] *adj* kapryśny
**cap·size** [kæpˋsaɪz] *vt vi* (*o statku, łódce itp.*) wywrócić (się)
**cap·tain** [ˋkæptɪn] *s* kapitan; dowódca, naczelnik
**cap·tion** [ˋkæpʃn] *s* tytuł, napis, podpis
**cap·ti·vate** [ˋkæptɪveɪt] *vt* pojmać; zniewolić; urzec
**cap·tive** [ˋkæptɪv] *adj* pojmany, uwięziony; *s* jeniec
**cap·tiv·i·ty** [kæpˋtɪvətɪ] *s* niewola
**cap·ture** [ˋkæptʃə(r)] *vt* pojmać, zawładnąć; *s* zawładnięcie; zdobycz
**car** [ka(r)] *s* wóz; samochód; wagon
**car·a·mel** [ˋkærəml] *s* karmel; karmelek
**car·at** [ˋkærət] *s* karat
**car·a·van** [ˋkærəvæn] *s* karawana; przyczepa mieszkalna do samochodu
**car·bon** [ˋkabən] *s chem.* węgiel (pierwiastek); kalka (maszynowa)
**car·bon-pa·per** [ˋkabən peɪpə(r)] *s* kalka
**car·bu·ret·tor** [ˏkabjuˋretə(r)] *s* gaźnik
**car·cass** [ˋkakəs] *s* ciało zabitego zwierzęcia; ścierwo; szkielet (np. budynku)
**card** [kad] *s* karta, kartka; bilet
**card·board** [ˋkadbɔd] *s* tektura, karton
**car·di·ac** [ˋkadɪæk] *adj* sercowy; *s* środek nasercowy
**car·di·nal** [ˋkadnl] *adj* główny, podstawowy; **four** ~ **points** cztery strony świata; *s* kardynał
**care** [keə(r)] *s* troska; opieka; dozór; ostrożność; niepokój; staranność; (*w adresie*) ~ **of** (*zw. skr.* **c/o**) „z listami, na adres, do rąk"; **to take** ~ dbać (**of sb, sth** o kogoś, o coś), uważać (na kogoś, na coś); strzec się (kogoś, czegoś); *vi* troszczyć się, dbać (**for sb, for sth** o kogoś, o coś), być przywiązanym, lubić (kogoś, coś); **do you** ~? zależy ci na tym?
**ca·reer** [kəˋrɪə(r)] *s* kariera; losy, kolej życia; bieg, galop
**care-free** [ˋkeəfri] *adj* beztroski
**care·ful** [ˋkeəfl] *adj* troskliwy; ostrożny
**care·less** [ˋkeələs] *adj* beztroski, niedbały; niechlujny
**ca·ress** [kəˋres] *vt* pieścić; *s* pieszczota
**care·tak·er** [ˋkeəteɪkə(r)] *s* dozorca, stróż
**care·worn** [ˋkeəwɔn] *adj* zgnębiony troskami
**car·go** [ˋkagəu] *s* ładunek (statku)

**car·i·ca·ture** [ˈkærɪkəˈtʃuə(r)] *s* karykatura; *vt* karykaturować
**car·ies** [ˈkeərɪz] *s* próchnica zębów
**car·na·tion** [kaˈneɪʃn] *s bot.* g(w)oździk; różowy kolor
**car·ni·val** [ˈkanɪvl] *s* karnawał
**car·ol** [ˈkærl] *s* kolęda; *vi* kolędować
**ca·rol·ler** [ˈkærlə(r)] *s* kolędnik
**ca·rou·sal** [kəˈrauzl] *s* hulanka, pijatyka
**ca·rouse** [kəˈrauz] *vi* hulać
**ca·rouser** [kəˈrauzə(r)] *s* hulaka
**carp** [kap] *s zool.* karp
**car·pen·ter** [ˈkapɪntə(r)] *s* stolarz; cieśla
**car·pet** [ˈkapɪt] *s* dywan
**car·riage** [ˈkærɪdʒ] *s* wóz; powóz; wagon; podwozie; przewóz; postawa, zachowanie
**car·ri·er** [ˈkærɪə(r)] *s* roznosiciel; posłaniec; tragarz; nosiciel (zarazków); transportowiec; bagażnik; *chem.* nośnik; *pl* **~s** firma transportowa
**car·ri·on** [ˈkærɪən] *s* padlina
**car·rot** [ˈkærət] *s* marchew
**car·ry** [ˈkærɪ] *vt* nosić, przenosić; wozić; dostarczać; doprowadzić; przeprowadzić (np. uchwałę); *vi* (*o broni*) nieść; (*o głosie*) rozlegać się; **~ about** ⟨**along**⟩ nosić ze sobą; **~ away** uprowadzić, porwać; **~ off** uprowadzić, zabrać; zdobyć (np. nagrodę); **~ on** prowadzić dalej, kontynuować; **~ out** wykonać, przeprowadzić; **~ over** przenosić; **~ through** przeprowadzić, doprowadzić do końca; **to ~ into effect** wprowadzić w czyn; *przen.* **to ~ the day** wziąć górę; **to ~ weight** mieć wagę ⟨znaczenie⟩
**cart** [kat] *s* wóz, fura
**car·tel** [kaˈtel] *s ekon.* kartel
**car·ter** [ˈkatə(r)] *s* woźnica
**cart·load** [ˈkatləud] *s* ładunek wozu
**car·ton** [ˈkatn] *s* karton
**car·toon** [kaˈtun] *s* karykatura; rycina, szkic
**car·toon-film** [kaˈtun fɪlm] *s* film rysunkowy
**car·tridge** [ˈka-trɪdʒ] *s* nabój; **blank ~** ślepy nabój
**carve** [kav] *vt* krajać, wyrzynać; rzeźbić
**carv·er** [ˈkavə(r)] *s* snycerz, rzeźbiarz; krajczy
**case 1.** [keɪs] *s* wypadek; przypadek; położenie; sprawa (np. sądowa); **in ~ of** w przypadku; **in any ~** w każdym bądź razie; **to have no ~** nie mieć podstaw
**case 2.** [keɪs] *s* pudełko; skrzynia; walizka; futerał; **dressing ~** neseser
**case·ment** [ˈkeɪsmənt] *s* okno kwaterowe
**cash** [kæʃ] *s* gotówka; zapłata; *pot.* pieniądze; **in ~** gotówką; **~ down** płatne przy odbiorze; **out of ~** bez gotówki; *vt* spieniężyć; opłacić; inkasować
**cash-book** [ˈkæʃbuk] *s* księga kasowa
**cash·ier** [kəˈʃɪə(r)] *s* kasjer
**cas·ing** [ˈkeɪsɪŋ] *s* oprawa; pokrowiec; powłoka; obudowa
**casino** [kəˈsinəu] *s* kasyno
**cask** [kask] *s* beczułka
**cas·ket** [ˈkaskɪt] *s* kasetka, szkatułka; *am.* trumna
***cast, cast, cast** [kast] *vt* rzucać; zarzucać (sieci); *techn.* odlewać; *sport* powalić (przeciwnika); **~ away** odrzucić; **~ down** ściągnąć, spuścić; przygnębić; **~ off** odrzucić; **~ out** wyrzucić, wypędzić; **~ up** obliczyć; **to ~ a vote** oddać głos; *s* rzut; odlew; *teatr* obsada
**cast·a·way** [ˈkastəweɪ] *adj* odrzucony, wyrzucony; *s* wyrzutek; rozbitek
**caste** [kast] *s* kasta
**cast-iron** [ˈkast aɪən] *s* żeliwo; *adj attr* żeliwny; *przen.* twardy, niewzruszony
**cas·tle** [ˈkasl] *s* zamek; wieża (w szachach); *przen.* **~s in the air**

zamki na lodzie; *vi* robić roszadę (w szachach)
**cas·tor-oil** [ˈkɑstər ˋɔɪl] *s* olej rycynowy
**cas·trate** [kæˋstreɪt] *vt* kastrować; *s* kastrat; rzezaniec
**cas·u·al** [ˋkæʒuəl] *adj* przypadkowy, doraźny, dorywczy; sezonowy (pracownik); niedbały; zdawkowy; banalny
**cas·u·al·ty** [ˋkæʒuəltɪ] *s* nieszczęśliwy wypadek; ofiara wypadku; *pl* casualties straty w ludziach
**cat** [kæt] *s* kot
**cat·a·clysm** [ˋkætəklɪzm] *s* kataklizm
**cat·a·logue** [ˋkætəlog] *s* katalog; *vt* katalogować
**cat·a·lys·er** [ˋkætḷaɪzə(r)] *s* katalizator
**ca·tas·tro·phe** [kəˋtæstrəfɪ] *s* katastrofa
***catch** [kætʃ], **caught, caught** [kɔt] *vt* łapać; łowić; ująć; pojąć, zrozumieć, dosłyszeć; zahaczyć, zaczepić; trafić, uderzyć; nabawić się (choroby); zarazić się (chorobą); *vi* chwytać się, czepiać się (**at sth** czegoś); **~ sb up** dogonić kogoś; **~ up with sb** dogonić kogoś, dorównać komuś; **to ~ cold** zaziębić się; **to ~ fire** zapalić się, stanąć w płomieniach; **to ~ hold** pochwycić (**of sth** coś); **to ~ sight** zobaczyć (**of sth** coś); *s* chwyt; uchwyt; łapanie; połów; łup
**catch·ing** [ˋkætʃɪŋ] *adj* zaraźliwy
**catch·word** [ˋkætʃwɜd] *s* hasło; slogan
**catchy** [ˋkætʃɪ] *adj* pociągający; zwodniczy
**cat·e·gor·i·cal** [ˈkætɪˋgorɪkl] *adj* kategoryczny
**cat·e·go·ry** [ˋkætɪgərɪ] *s* kategoria
**ca·ter** [ˋkeɪtə(r)] *vi* dostarczać żywności ⟨rozrywki⟩ (**for sb** komuś); obsługiwać (**for sb** kogoś)
**ca·ter·er** [ˋkeɪtərə(r)] *s* dostawca artykułów spożywczych
**cat·er·pil·lar** [ˋkætəpɪlə(r)] *s zool. techn.* gąsienica
**ca·the·dral** [kəˋθidrl] *s* katedra
**cath·o·lic** [ˋkæθḷɪk] *adj* uniwersalny, powszechny; liberalny; katolicki; *s* **Catholic** katolik
**cat·kin** [ˋkætkɪn] *s* bazia, kotek
**cat·tle** [ˋkætl] *s* bydło rogate
**Cau·ca·sian** [kɔˋkeɪzɪən] *adj* kaukaski; *s* mieszkaniec Kaukazu
**caught** *zob.* **catch**
**caul·dron** [ˋkɔldrən] *s* kocioł
**cau·li·flow·er** [ˋkolɪflɑuə(r)] *s* kalafior
**caus·al** [ˋkɔzl] *adj* przyczynowy
**cause** [kɔz] *s* przyczyna; powód (**of sth** czegoś, **for sth** do czegoś); sprawa, proces; *vt* powodować
**cause·way** [ˋkɔzweɪ] *s* droga na grobli; grobla
**caus·tic** [ˋkɔstɪk] *s* żrący; zjadliwy, kostyczny
**cau·tion** [ˋkɔʃn] *s* ostrożność; przezorność; ostrzeżenie; uwaga; *vt* ostrzegać
**cau·tious** [ˋkɔʃəs] *adj* ostrożny, rozważny, uważny
**cav·a·lier** [ˈkævəˋlɪə(r)] *s* kawalerzysta; rojalista; kawaler, amant; *adj* swobodny; szarmancki; nonszalancki
**cav·al·ry** [ˋkævlrɪ] *s* kawaleria
**cave** [keɪv] *s* pieczara, jaskinia; *vt* drążyć; *vi* zapadać się
**cav·ern** [ˋkævən] *s* jaskinia, jama
**cav·i·ar** [ˋkævɪɑ(r)] *s* kawior
**cav·il** [ˋkævl] *vi* czepiać się (**at sb, sth** kogoś, czegoś), ganić (**at sb, sth** kogoś, coś); *s* złośliwa uwaga
**cav·i·ty** [ˋkævətɪ] *s* wydrążenie; *dent.* dziura
**caw** [kɔ] *vi* krakać; *s* krakanie
**cease** [sis] *vi* przestawać, ustawać; *vt* przerwać, zaprzestać, skończyć
**cease·less** [ˋsisləs] *adj* nieustanny
**ce·dar** [ˋsidə(r)] *s* cedr
**cede** [sid] *vt* ustąpić, odstąpić, cedować
**ceil·ing** [ˋsilɪŋ] *s* sufit
**cel·e·brate** [ˋseləbreɪt] *vt* świętować, obchodzić (np. uroczystość), sławić

**cel·e·brat·ed** [ˈseləbreɪtɪd] *adj* sławny, powszechnie znany

**ce·leb·ri·ty** [səˈlebrətɪ] *s* znakomitość, sława

**ce·les·tial** [səˈlestɪəl] *adj* niebiański, boski

**cel·i·ba·cy** [ˈselɪbəsɪ] *s* celibat

**cel·i·bate** [ˈselɪbət] *adj* bezżenny; *s* osoba żyjąca w celibacie

**cell** [sel] *s* cela, komórka; *elektr.* bateria

**cel·lar** [ˈselə(r)] *s* piwnica

**cel·lo** [ˈtʃeləu] *s* wiolonczela

**Celt** [kelt, *am.* selt] *s* Celt

**Cel·tic** [ˈkeltɪk, *am.* ˈseltik] *adj* celtycki

**ce·ment** [sɪˈment] *s* cement; *vt* cementować; *przen.* utwierdzać

**cem·e·ter·y** [ˈsemətrɪ] *s* cmentarz

**cen·sor** [ˈsensə(r)] *s* cenzor; *vt* cenzurować

**cen·sor·ship** [ˈsensəʃɪp] *s* cenzura

**cen·sure** [ˈsenʃə(r)] *s* osąd, nagana, krytyka; *vt* ganić, krytykować, potępiać

**cen·sus** [ˈsensəs] *s* spis ludności

**cent** [sent] *s am.* cent (1/100 dolara); **per ~** od sta, na sto; **at 5 per ~** na 5 procent

**cen·te·na·ri·an** [ˌsentəˈneərɪən] *adj* stuletni; *s* stuletni starzec

**cen·te·na·ry** [senˈtinərɪ] *s* stulecie; *adj* stuletni

**cen·ter** [ˈsentər] *am.* = **centre**

**cen·ti·grade** [ˈsentɪgreɪd] *adj* stustopniowy; **100° ~** 100 stopni Celsjusza

**cen·ti·me·tre** [ˈsentɪmitə(r)] *s* centymetr

**cen·tral** [ˈsentrl] *adj* centralny, główny, śródmiejski

**cen·tral·ize** [ˈsentrəlaɪz] *vt* centralizować

**cen·tre** [ˈsentə(r)] *s* centrum, ośrodek; **~ of gravity** środek ciężkości; *vt vi* umieszczać w środku; skupiać (się), koncentrować (się)

**cen·trif·u·gal** [senˈtrɪfjugl] *adj* odśrodkowy

**cen·trip·e·tal** [senˈtrɪpɪtl] *adj* dośrodkowy

**cen·tu·ry** [ˈsentʃərɪ] *s* stulecie, wiek

**ce·ram·ic** [sɪˈræmɪk] *adj* ceramiczny

**ce·ram·ics** [sɪˈræmɪks] *s* ceramika

**ce·re·al** [ˈsɪərɪəl] *adj* zbożowy; *s* (*zw. pl* ~s) roślina zbożowa

**cer·e·bral** [ˈserəbrl] *adj* mózgowy

**cer·e·mo·ni·al** [ˌserəˈməunɪəl] *adj* ceremonialny; *s* ceremoniał, obrządek

**cer·e·mo·ny** [ˈserəmənɪ] *s* ceremonia, uroczystość

**cer·tain** [ˈs3tn] *adj* pewny; określony; przekonany; niejaki, pewien; **for ~** na pewno; **to make ~** ustalić, upewnić się; **he is ~ to come on** na pewno przyjdzie

**cer·tain·ly** [ˈs3tnlɪ] *adv* na pewno, bezwarunkowo; *int* **~!** oczywiście!; **~ not!** nie!, nie ma mowy!

**cer·tain·ty** [ˈs3tntɪ] *s* pewność

**cer·tif·i·cate** [səˈtɪfɪkət] *s* zaświadczenie, świadectwo

**cer·ti·fy** [ˈs3tɪfaɪ] *vt vi* zaświadczać, poświadczać

**cer·ti·tude** [ˈs3tɪtjud] *s* pewność

**ces·sa·tion** [seˈseɪʃn] *s* przerwa, ustanie; wygaśnięcie (terminu)

**chafe** [tʃeɪf] *vt vi* trzeć (się), drażnić, jątrzyć (się)

**chafer** [ˈtʃeɪfə(r)] *s* chrabąszcz

**chaff** [tʃaf] *s* sieczka, plewy; żarty, kpiny; *vt* żartować, droczyć się

**cha·grin** [ˈʃægrɪn] *s* zmartwienie; *vt* martwić się

**chain** [tʃeɪn] *s dosł. i przen.* łańcuch; łańcuszek; *vt* przymocować łańcuchem; skuć; *przen.* uwiązać

**chair** [tʃeə(r)] *s* krzesło, fotel; katedra; krzesło ⟨miejsce, funkcja⟩ przewodniczącego; **to be in the ~** przewodniczyć

**chair·man** [ˈtʃeəmən] *s* przewodniczący, prezes

**chaise** [ʃeɪz] *s* lekki powóz, bryczka
**chalk** [tʃɔk] *s* kreda; kredka; *vt* znaczyć kredą; szkicować
**chal·lenge** [ˋtʃæləndʒ] *s* wyzwanie; wezwanie; próba sił; *vt* wyzywać; wzywać
**cham·ber** [ˋtʃeɪmbə(r)] *s* sala, pokój; izba; komora; ~ **music** muzyka kameralna
**cham·ber·lain** [ˋtʃeɪmbəlɪn] *s* szambelan
**cham·ber·maid** [ˋtʃeɪmbəmeɪd] *s* pokojówka
**cha·me·le·on** [kəˋmilɪən] *s* kameleon
**cham·ois-leath·er** [ˋʃæmɪ leðə(r)] *s* ircha
**cham·pagne** [ʃæmˋpeɪn] *s* szampan
**cham·pi·gnon** [tʃæmˋpɪnɪən] *s bot.* pieczarka
**cham·pi·on** [ˋtʃæmpɪən] *s sport* mistrz, rekordzista; orędownik
**chance** [tʃɑns] *s* traf, przypadek; możność, okazja; szansa; ryzyko; **by** ~ przypadkowo; **to give sb a** ~ dać komuś szansę; **to take one's** ~ próbować, ryzykować; *adj attr* przypadkowy; *vi* zdarzać się; natknąć się (**on, upon sb, sth** na kogoś, na coś); *vt* ryzykować
**chan·cel·ler·y** [ˋtʃɑnslrɪ] *s* urząd kanclerza; biuro ambasady
**chan·cel·lor** [ˋtʃɑnslə(r)] *s* kanclerz; rektor (uniwersytetu); **Chancellor of the Exchequer** minister finansów; **Lord Chancellor** sędzia najwyższy
**chan·cer·y** [ˋtʃɑnsərɪ] *s* rejestr publiczny; **Chancery** Sąd Lorda Kanclerza
**chan·de·lier** [ˏʃændəˋlɪə(r)] *s* kandelabr
**chan·dler** [ˋtʃɑndlə(r)] *s* drobny kupiec, kramarz
**change** 1. [tʃeɪndʒ] *s* zmiana; wymiana; przemiana; przesiadka; drobne pieniądze, reszta; **small** ~ drobne; **for a** ~ dla urozmaicenia, na odmianę; *vt vi* zmieniać (się), wymieniać; odmieniać (się); przebierać się; przesiadać się; **to** ~ **hands** zmieniać właściciela: **to** ~ **one's mind** rozmyślić się
**Change** 2. [tʃeɪndʒ] *s* (*także* **Exchange, Stock Exchange**) giełda
**change·a·ble** [ˋtʃeɪndʒəbl] *adj* zmienny
**chan·nel** [ˋtʃænl] *s* kanał (*zw.* morski); koryto (rzeki); kanalik; *przen.* droga, sposób; **English Channel** kanał La Manche
**chant** [tʃɑnt] *s* pieśń (*zw.* kościelna); *vt vi* śpiewać (pieśni, psalmy)
**cha·os** [ˋkeɪɔs] *s* chaos
**cha·ot·ic** [keɪˋɔtɪk] *adj* chaotyczny
**chap** [tʃæp] *s pot.* facet, gość, człowiek
**chap·el** [ˋtʃæpl] *s* kaplica
**chap·lain** [ˋtʃæplɪn] *s* kapelan
**chap·ter** [ˋtʃæptə(r)] *s* rozdział (np. książki, życia)
**char·ac·ter** [ˋkærɪktə(r)] *s* charakter; postać, rola; osobistość; dobre ⟨złe⟩ imię, reputacja; cecha charakterystyczna; litera; dziwak; *pot.* indywiduum, typ
**char·ac·ter·is·tic** [ˏkærɪktəˋrɪstɪk] *adj* charakterystyczny, znamienny; *s* rys charakterystyczny
**char·ac·ter·ize** [ˋkærɪktəraɪz] *vt* charakteryzować, cechować; scharakteryzować, opisać (**sb, sth** kogoś, coś)
**cha·rade** [ʃəˋrɑd] *s* szarada
**char·coal** [ˋtʃɑkəʊl] *s* węgiel drzewny
**charge** [tʃɑdʒ] *s* obciążenie, ciężar; ładunek; zarzut, oskarżenie; obowiązek, powinność, opieka; atak, szarża; nabój; koszt, opłata; **on a** ~ **of** pod zarzutem (**sth** czegoś); **at a** ~ **of** za opłatą; **to be in** ~ opiekować się, zarządzać (**of sth** czymś); **to take** ~ zająć się (**of sth** czymś); **free of** ~ bezpłatny; *vt* obciążać; ładować; oskarżać (**with sth** o coś); polecić, powierzyć (**sb with sth** komuś

coś); policzyć, pobrać (kwotę); *vi* cenić, podawać cenę; atakować; **how much do you ~ for it?** ile za to żądasz?

**char·i·ot** [`tʃærɪət] *s* rydwan, wóz

**char·i·ta·ble** [`tʃærɪtəbl] *adj* dobroczynny, miłosierny

**char·i·ty** [`tʃærətɪ] *s* dobroczynność, miłosierdzie; jałmużna

**charm** [tʃɑm] *s* czar, wdzięk, urok; *vt vi* czarować, urzekać

**chart** [tʃɑt] *s* mapa morska; wykres

**char·ter** [`tʃɑtə(r)] *s* karta; statut; przywilej; patent; *vt* nadać patent; przyznać (prawo, przywilej); frachtować (statek)

**char·wom·an** [`tʃɑwʊmən] *s* posługaczka, sprzątaczka

**chase** 1. [tʃeɪs] *s* pogoń; polowanie; *vt* gonić, ścigać; polować (**sth** na coś)

**chase** 2. [tʃeɪs] *s* lufa; rowek; oprawa, ramka

**chase** 3. [tʃeɪs] *vt* cyzelować

**chasm** [`kæzm] *s* rozpadlina, przepaść, otchłań

**chas·sis** [`ʃæsɪ] *s mot.* podwozie

**chaste** [tʃeɪst] *adj* niewinny, cnotliwy, czysty; prosty, bez ornamentów

**chas·ten** [`tʃeɪsn] *vt* oczyszczać; doświadczać, karać

**chas·tise** [tʃæ`staɪz] *vt* karać; poskramiać; chłostać, smagać

**chas·tise·ment** [tʃæ`staɪzmənt] *s* kara; chłosta

**chas·ti·ty** [`tʃæstətɪ] *s* czystość, niewinność

**chat** [tʃæt] *s* swobodna rozmowa, pogawędka; *vi* gawędzić, pogadać

**chat·tels** [`tʃætlz] *s pl* ruchomości; (*zw.* **goods and ~**) mienie, dobytek

**chat·ter** [`tʃætə(r)] *vi* świergotać, szczebiotać; paplać, trajkotać; szczękać; *s* szczebiot; paplanina; szczęk

**chat·ter·box** [`tʃætəboks] *s pot.* gaduła, trajkotka

**chauf·feur** [`ʃəʊfə(r)] *s* szofer

**chau·vin·ism** [`ʃəʊvɪnɪzm] *s* szowinizm

**cheap** [tʃip] *adj* tani, marny, bezwartościowy; *adv* tanio

**cheap·en** [`tʃipən] *vt* obniżyć cenę; *vi* potanieć

**cheat** [tʃit] *vt vi* oszukiwać; *s* oszustwo; oszust

**check** [tʃek] *vt* wstrzymywać, hamować; trzymać w szachu; kontrołować, sprawdzać; *am.* oddać na przechowanie za pokwitowaniem, nadać (np. bagaż); **~ in** zameldować się (w hotelu); **~ out** wymeldować się; *s* zatrzymanie, zahamowanie; szach; kontrola; żeton; pokwitowanie; numerek (w szatni itp); *am.* czek; rachunek

**check·er** [`tʃekə(r)] *s am.* = **chequer**

**check·mate** [`tʃekmeɪt] *s* mat; *vt* dać mata; *przen.* udaremnić (zamiary); unicestwić

**cheek** [tʃik] *s* policzek; *przen.* bezczelność, zuchwalstwo

**cheek·y** [`tʃikɪ] *adj* bezczelny, zuchwały

**cheer** [tʃɪə(r)] *s* (*zw. pl* **~s**) radosne okrzyki, oklaski; radość; samopoczucie; jedzenie, dobry posiłek; **to be of good ~** być dobrej myśli; **what ~?** jak się czujesz?; *vt* rozweselać, zachęcać, dodawać otuchy; (*także* **~ up**) przyjmować z aplauzem, robić owację; *vi* wiwatować; (*zw.* **~ up**) nabierać otuchy; **~ up!** głowa do góry!; rozchmurz się!

**cheer·ful** [`tʃɪəfl] *adj* radosny, pogodny, zadowolony

**cheer·less** [`tʃɪələs] *adj* posępny, ponury, smutny

**cheer·y** [`tʃɪərɪ] *adj* pełen radości, wesoły

**cheese** [tʃiz] *s* ser

**chem·i·cal** [`kemɪkl] *adj* chemiczny; *s pl* **~s** chemikalia

**chem·ist** [`kemɪst] *s* chemik; *bryt.* aptekarz; **~'s shop** apteka

**chem·is·try** [`kemɪstrɪ] *s* chemia

**cheque** [tʃek] *s bryt.* czek
**cheq·uer** [ˋtʃekə(r)] *s* szachownica; deseń w kratkę; *vt* kratkować
**cher·ish** [ˋtʃerɪʃ] *vt* lubić, pielęgnować, żywić (np. uczucie, nadzieję)
**cher·ry** [ˋtʃerɪ] *s* wiśnia, czereśnia; ~ **brandy** wiśniówka
**chess** [tʃes] *s* szachy
**chess-board** [ˋtʃesbɔd] *s* szachownica
**chest** [tʃest] *s* skrzynia, kufer; klatka piersiowa, pierś
**chest·nut** [ˋtʃesnʌt] *s* kasztan
**chew** [tʃu] *vt vi* żuć
**chew·ing-gum** [ˋtʃuɪŋ gʌm] *s* guma do żucia
**chick·en** [ˋtʃɪkɪn] *s* kurczę
**chick·en-pox** [ˋtʃɪkɪnpoks] *s med.* wietrzna ospa
**chic·o·ry** [ˋtʃɪkərɪ] *s* cykoria
***chide** [tʃaɪd], **chid** [tʃɪd], **chidden** [ˋtʃɪdn] *vt* ganić, łajać, besztać
**chief** [tʃif] *s* szef, wódz, głowa; *adj* główny, naczelny
**chief·tain** [ˋtʃiftən] *s* wódz, herszt
**child** [tʃaɪld] *s* (*pl* **children** [ˋtʃɪl drn]) dziecko
**child·birth** [ˋtʃaɪldbɜθ] *s* poród
**child·hood** [ˋtʃaɪldhud] *s* dzieciństwo
**child·ish** [ˋtʃaɪldɪʃ] *adj* dziecinny
**chil·dren** *zob.* **child**
**chill** [tʃɪl] *s* chłód; dreszcz; **to catch a** ~ dostać dreszczy, przeziębić się; **to take the** ~ **off** podgrzać; *adj* chłodny, przejmujący dreszczem; *vt* chłodzić, studzić; *vi* stygnąć, oziębiać się
**chill·y** [ˋtʃɪlɪ] *adj* chłodny, przejmujący dreszczem
**chime** [tʃaɪm] *s* kurant; harmonia, zgoda; (*zw. pl* ~s) dźwięk dzwonów; *vt vi* dzwonić, wydzwaniać; **to** ~ **in with** harmonizować z
**chim·ney** [ˋtʃɪmnɪ] *s* komin
**chim·ney-sweep·er** [ˋtʃɪmnɪ swipə(r)] *s* kominiarz
**chim·pan·zee** [ˊtʃɪmpænˋzi] *s* szympans
**chin** [tʃɪn] *s* podbródek, broda
**chi·na** [ˋtʃaɪnə] *s* porcelana
**china-town** [ˋtʃaɪnə taun] *s* chińska dzielnica (miasta)
**Chi·nese** [tʃaɪˋniz] *s* Chińczyk; *adj* chiński
**chink** 1. [tʃɪŋk] *s* brzęk; *vt vi* brzęczeć, dźwięczeć, pobrzękiwać
**chink** 2. [tʃɪŋk] *s* szpara, szczelina; *vi* pękać; *vt* uszczelniać
**chip** [tʃɪp] *s* wiór, drzazga, skrawek; *pl* ~s frytki; *vt vi* strugać; łupać; kruszyć (się); szczerbić (się)
**chirp** [tʃɜp], **chir·rup** [ˋtʃɪrəp] *vt vi* świergotać; *s* świergot
**chis·el** [ˋtʃɪzl] *s* dłuto; *vt* dłutować; rzeźbić (dłutem)
**chiv·al·rous** [ˋʃɪvlrəs] *adj* rycerski
**chiv·al·ry** [ˋʃɪvlrɪ] *s* rycerstwo, rycerskość
**chlo·ride** [ˋklɔraɪd] *s chem.* chlorek
**chlo·rine** [ˋklɔrɪn] *s chem.* chlor
**chlo·ro·form** [ˋklorəfɔm] *s* chloroform
**chock-full** [ˊtʃok ˋful] *adj pot.* wypełniony po brzegi
**choc·o·late** [ˋtʃoklət] *s* czekolada; *adj* czekoladowy
**choice** [tʃɔɪs] *s* wybór; chęć; dobór; rzecz wybrana; *adj* wyborowy, wybrany
**choir** [ˋkwaɪə(r)] *s* chór (zespół śpiewaczy i chór kościelny)
**choke** [tʃəuk] *vt vi* dusić (się); głuszyć, tłumić; (*także* ~ **up**) zatykać; *s* duszenie (się), dławienie (się)
**chol·e·ra** [ˋkolərə] *s* cholera
***choose** [tʃuz], **chose** [tʃəuz], **chosen** [ˋtʃəuzn] *vt* wybierać, obierać; *vi* mieć wybór; woleć; **if you** ~ jeżeli masz ochotę; **when you** ~ kiedy zechcesz
**chop** [tʃop] *vt* krajać, siekać, rąbać; ~ **off** odciąć, odrąbać; ~ **through** przeciąć, przerąbać; *s* cięcie, rąbanie; płat; zraz; kotlet
**chop·per** [ˋtʃopə(r)] *s* tasak

**cho·ral** [ˋkɔrl] *adj* chóralny
**chord** [kɔd] *s* struna; cięciwa; akord
**cho·rus** [ˋkɔrəs] *s* chór; **in ~** chórem
**chose, cho·sen** *zob.* **choose**
**Christ** [kraɪst] *s rel.* Chrystus
**chris·ten** [ˋkrɪsn] *vt* chrzcić
**Chris·tian** [ˋkrɪstʃən] *adj* chrześcijański; *s* chrześcijanin
**Christ·mas** [ˋkrɪsməs] *s* Boże Narodzenie; **~ Eve** Wigilia; **~ tree** choinka
**chron·ic** [ˋkronɪk] *adj* chroniczny
**chron·i·cle** [ˋkronɪkl] *s* kronika
**chron·o·log·i·cal** [ˌkronəˋlodʒɪkl] *adj* chronologiczny
**chro·nol·o·gy** [krəˋnolədʒɪ] *s* chronologia
**chrys·a·lis** [ˋkrɪsəlɪs] *s* poczwarka
**chub·by** [ˋtʃʌbɪ] *adj* pucołowaty
**chuck 1.** [tʃʌk] *vt* cisnąć, rzucić; **~ out** wyrzucić, *pot.* wylać
**chuck 2.** [tʃʌk] *vi* gdakać; zwoływać ptactwo domowe; cmokać (na konia); *s* maleństwo, kurczątko
**chuck·le** [ˋtʃʌkl] *s* chichot; *vi* chichotać
**chum** [tʃʌm] *s* serdeczny kolega; *pot.* kumpel; *vi* przyjaźnić się, być w zażyłych stosunkach
**chunk** [tʃʌŋk] *s* kawał (np. chleba); kloc, bryła
**church** [tʃɜtʃ] *s* kościół
**church·yard** [ˋtʃɜtʃɑd] *s* dziedziniec kościelny; cmentarz przy kościele
**churl** [tʃɜl] *s* gbur, grubianin, sknera
**churn** [tʃɜn] *s* maślnica; *vt vi* robić masło; wzburzyć (się)
**cic·a·trice** [ˋsɪkətrɪs], *med.* **cic·atrix** [ˋsɪkətrɪks] *s* blizna
**ci·der** [ˋsaɪdə(r)] *s* cydr, jabłecznik
**cigar** [sɪˋgɑ(r)] *s* cygaro
**cig·a·rette** [ˌsɪgəˋret] *s* papieros
**cig·a·rette-case** [ˌsɪgəˋret keɪs] *s* papierośnica
**cig·a·rette-holder** [ˌsɪgəˋret həul də(r)] *s* cygarniczka
**cin·der** [ˋsɪndə(r)] *s* (*zw. pl* **~s**) popiół, żużel
**Cin·der·el·la** [ˌsɪndəˋrelə] *s* Kopciuszek
**cin·e·ma** [ˋsɪnəmə] *s* kino
**cin·na·mon** [ˋsɪnəmən] *s* cynamon
**ci·pher** [ˋsaɪfə(r)] *s* cyfra; zero; szyfr; *vi* rachować; *vt* zaszyfrować
**cir·cle** [ˋsɜkl] *s dosł. i przen.* koło; krąg, obwód; *teatr* **upper ~** balkon I piętra; *vt* okrążać, otaczać; *vi* krążyć
**cir·cuit** [ˋsɜkɪt] *s* obwód, linia okrężna; obieg; objazd; **short ~** krótkie spięcie
**cir·cu·i·tous** [sɜˋkjuɪtəs] *adj* okólny, okrężny
**cir·cu·lar** [ˋsɜkjulə(r)] *adj* kolisty; okólny; *s* okólnik
**cir·cu·late** [ˋsɜkjuleɪt] *vt* puszczać w obieg; *vi* krążyć; **circulating medium** płatniczy środek obiegowy
**cir·cu·la·tion** [ˌsɜkjuˋleɪʃn] *s* krążenie, obieg
**cir·cum·fer·ence** [sɜˋkʌmfərns] *s* obwód
**cir·cum·nav·i·gate** [ˌsɜkəmˋnævɪgeɪt] *vt* objechać morzem dookoła, opłynąć
**cir·cum·scribe** [ˋsɜkəmskraɪb] *vt* opisać, określić; ograniczyć
**cir·cum·spect** [ˋsɜkəmspekt] *adj* ostrożny, rozważny
**cir·cum·spec·tion** [ˌsɜkəmˋspekʃn] *s* ostrożność, rozwaga
**cir·cum·stance** [ˋsɜkəmstəns] *s zw. pl* **~s** okoliczności, stosunki, położenie; **under no ~s** pod żadnym warunkiem
**cir·cum·stan·tial** [ˌsɜkəmˋstænʃl] *adj* szczegółowy; okolicznościowy; poszlakowy
**cir·cus** [ˋsɜkəs] *s* cyrk; okrągły plac (u zbiegu ulic)
**cis·tern** [ˋsɪstən] *s* cysterna
**cit·a·del** [ˋsɪtədl] *s* cytadela
**ci·ta·tion** [saɪˋteɪʃn] *s* cytat

**cite** [saɪt] *vt* cytować; wzywać (do sądu)
**cit·i·zen** [ˋsɪtɪzn] *s* obywatel
**cit·i·zen·ship** [ˋsɪtɪznʃɪp] *s* obywatelstwo
**cit·y** [ˋsɪtɪ] *s* (wielkie) miasto; ~ **council** rada miejska; **the City** City (śródmieście Londynu będące centrum handlu i finansów); **City man** handlowiec i finansista z City
**civ·ic** [ˋsɪvɪk] *adj* obywatelski
**civ·il** [ˋsɪvl] *adj* cywilny, obywatelski; ~ **servant** urzędnik państwowy; ~ **service** służba ⟨administracja⟩ państwowa; ~ **war** wojna domowa
**ci·vil·ian** [səˋvɪlɪən] *adj* cywilny; *s* cywil
**ci·vil·i·ty** [səˋvɪlətɪ] *s* uprzejmość
**civ·il·i·za·tion** [ˌsɪvḷaɪˋzeɪʃn] *s* cywilizacja
**civ·il·ize** [ˋsɪvḷaɪz] *vt* cywilizować
**clack** [klæk] *s* trzask, szczęk; *vi* trzaskać, szczękać
**clad** *zob.* **clothe**
**claim** [kleɪm] *vt* żądać, zgłaszać pretensje (**sth** do czegoś); twierdzić; *s* żądanie (**to sth** czegoś), pretensja, roszczenie; twierdzenie; **to lay** ~ zgłaszać pretensję (**to sth** do czegoś)
**claim·ant** [ˋkleɪmənt] *s* pretendent
**clair·voy·ance** [kleəˋvɔɪəns] *s* jasnowidztwo
**clam·ber** [ˋklæmbə(r)] *vi* wspinać się, gramolić się
**clam·my** [ˋklæmɪ] *adj* lepki, wilgotny
**clam·or·ous** [ˋklæmərəs] *adj* krzykliwy, hałaśliwy
**clam·our** [ˋklæmə(r)] *s* krzyk, hałas; *vi* krzyczeć, wrzeszczeć
**clamp 1.** [klæmp] *s* kleszcze; imadło; klamra; *vt* zaciskać, spajać
**clamp 2.** [klæmp] *s* ciężkie stąpanie; *vi* ciężko stąpać
**clamp 3.** [klæmp] *s* sterta, kupa
**clan** [klæn] *s* klan
**clan·des·tine** [klænˋdestɪn] *adj* tajny, potajemny
**clang** [klæŋ] *s* dźwięk (metalu), szczęk; *vt vi* dźwięczeć, pobrzękiwać
**clap** [klæp] *vt vi* trzaskać; klaskać; klepać; *s* trzask; klepanie; klaskanie; grzmot; huk
**clap·trap** [ˋklæptræp] *s zbior.* czcza gadanina, frazesy
**claque** [klæk] *s* klaka
**clar·i·fy** [ˋklærɪfaɪ] *vt vi* wyjaśnić (się); oczyszczać (się), klarować (się)
**clar·i·net** [ˌklærɪˋnet] *s muz.* klarnet
**clar·i·on** [ˋklærɪən] *s* trąbka; sygnał
**clar·i·ty** [ˋklærətɪ] *s* jasność, czystość, klarowność; przejrzystość (np. stylu)
**clash** [klæʃ] *s* trzask, brzęk; zderzenie, kolizja; niezgodność; konflikt; potyczka; *vt* trzasnąć, uderzyć; *vi* brzęknąć; zderzyć się, zetrzeć się; kolidować
**clasp** [klɑsp] *vt* zamykać, spinać, zwierać; chwytać, obejmować; *s* objęcie, uścisk; zapinka, zatrzask, klamra
**clasp-knife** [ˋklɑspnaɪf] *s* nóż składany, scyzoryk
**class** [klɑs] *s* klasa (szkolna, społeczna itp.); lekcja, kurs; ~ **war** walka klasowa; *vt* klasyfikować
**class-con·scious·ness** [ˋklɑs konʃəs nəs] *adj* świadomość klasowa
**clas·sic** [ˋklæsɪk] *adj* klasyczny; *s* klasyk
**clas·si·cal** [ˋklæsɪkl] = **classic** *adj*
**clas·si·cism** [ˋklæsɪsɪzm] *s* klasycyzm
**clas·si·fy** [ˋklæsɪfaɪ] *vt* klasyfikować, sortować
**class·less** [ˋklɑsləs] *adj* bezklasowy
**class·mate** [ˋklɑsmeɪt] *s* kolega szkolny
**class·room** [ˋklɑsrum] *s* klasa, sala szkolna
**clat·ter** [ˋklætə(r)] *vt vi* stukać, brzęczeć; robić hałas; *s* stukot, klekot, brzęk; gwar
**clause** [klɔz] *s* klauzula, warunek; *gram.* zdanie
**claw** [klɔ] *s* pazur, szpon; łapa z

pazurami; kleszcze (np. raka); *vt* drapać; chwytać w szpony
**clay** [kleɪ] *s* glina
**clean** [klin] *adj* czysty, wyraźny; gładki; całkowity; przyzwoity, lojalny; *vt* czyścić; **~ up** porządkować, sprzątać
**clean·li·ness** [`klenlɪnəs] *s* schludność; czystość
**clean·ly 1.** [`klenlɪ] *adj* schludny, dbający o czystość
**clean·ly 2.** [`klinlɪ] *adv* czysto
**clean·ness** [`klinnəs] *s* czystość
**cleanse** [klenz] *vt dosł. i przen.* oczyszczać
**clear** [klɪə(r)] *adj* jasny, wyraźny; całkowity, pełny; czysty (np. zysk, sumienie); wolny (**of sth** od czegoś); bystry, przenikliwy; **all ~** droga wolna; alarm odwołany; *adv* jasno, wyraźnie; całkiem; czysto; z dala; **to get ~ off** wyjść na czysto, uwolnić się, pozbyć się; **to keep ~** trzymać się z dala (**of sth** od czegoś); **to stand ~** stać z dala, na uboczu; *vt* wyjaśniać, objaśniać, usprawiedliwiać, klarować; czyścić, sprzątać; zwalniać, opróżniać, opuszczać; trzebić (las); spłacać, rozliczać, wyrównywać (długi, rachunki); **~ away** usunąć; **~ off** wyprzedać; **~ out** uprzątnąć, wyrzucić; **~ up** wyjaśnić; sprzątnąć; *vi* wyjaśniać się; rozchmurzać się; *pot.* **~ out** ⟨**off**⟩ wynieść się; (*o pogodzie*) **~ up** przejaśniać się
**clear·ance** [`klɪərns] *s* zwolnienie; oczyszczenie; wyprzedaż; rozliczenie, wyrównanie kont; odprawa celna
**clear·ing** [`klɪərɪŋ] *s* karczowisko; polana; rozrachunek (bankowy)
**clear-sight·ed** [ˈklɪə `saɪtɪd] *adj* wnikliwy; pewny
**cleav·age** [`klivɪdʒ] *s* rozszczepienie; szczelina; rozłam
***cleave 1.** [kliv], **cleft** [kleft] *lub* **clove** [kləuv], **cleft** [kleft] *lub* **cloven** [`kləuvn] *vt vi* rozszczepiać (się), rozcinać, pękać
**cleave 2.** [kliv] *vi* trzymać się (**to sb, sth** kogoś, czegoś), być wiernym
**clef** [klef] *s muz.* klucz
**cleft 1.** *zob.* **cleave 1.**
**cleft 2.** [kleft] *s* szczelina, rozpadlina
**clem·en·cy** [`klemənsɪ] *s* łagodność; łaska; łaskawość
**clench** [klentʃ] *vt* ścisnąć, zacisnąć, zewrzeć; zaklepać; *vi* zewrzeć się; zacisnąć się
**cler·gy** [`klɜdʒɪ] *s* duchowieństwo, kler
**cler·gy·man** [`klɜdʒɪmən] *s* duchowny
**cler·i·cal** [`klerɪkl] *adj* duchowny; klerykalny; urzędniczy; biurowy; **~ error** błąd pisarski ⟨maszynowy⟩
**clerk** [klak] *s* urzędnik, kancelista, biuralista
**clev·er** [`klevə(r)] *adj* sprytny; zdolny, utalentowany; zręczny
**clever·ness** [`klevənəs] *s* zręczność; zdolność; inteligencja
**clew** [klu] *s* = **clue**; *vt* zwijać w kłębek; *mors.* zwijać żagiel
**cli·ché** [`kliʃeɪ] *s* banał, komunał; *druk.* klisza
**click** [klɪk] *s* szczęknięcie, trzask; *vt vi* szczęknąć, trzasnąć
**cli·ent** [`klaɪənt] *s* klient
**cliff** [klɪf] *s* stroma ściana skalna, urwisko
**cli·mate** [`klaɪmɪt] *s dosł. i przen.* klimat
**cli·mat·ic** [ˈklaɪ`mætɪk] *adj* klimatyczny
**cli·max** [`klaɪmæks] *s* punkt kulminacyjny
**climb** [klaɪm] *vi* wspinać się, piąć się; *vt* wchodzić (**the stairs** po schodach); włazić (**a tree** na drzewo); *s* wspinaczka; wzniesienie (terenu)
**climb·er** [`klaɪmə(r)] *s* amator wspinaczki, alpinista; *przen.* karierowicz
**clinch** [klɪntʃ] *vt* = **clench**; *s* nit; zaczep
***cling** [klɪŋ], **clung, clung** [klʌŋ]

*vi* **trzymać się kurczowo, chwytać się, czepiać się (to sth** czegoś)
**clin·ic** [ˋklınık] *s* klinika
**clink** [klıŋk] *vt vi* dźwięczeć, dzwonić; *s* brzęk, dzwonienie
**clink·er** [ˋklıŋkə(r)] *s* klinkier
**clip** 1. [klıp] *s* sprzączka; uchwyt; spinacz; klips; *vt* spinać, przytwierdzać
**clip** 2. [klıp] *vt* obcinać, strzyc; *s* strzyżenie, obcięcie
**clip·pers** [ˋklıpəz] *s pl* nożyce; szczypce; maszynka do strzyżenia
**clip·ping** [ˋklıpıŋ] *s* strzyżenie; wycinek (np. z prasy)
**clique** [klik] *s* klika
**cloak** [kləuk] *s* płaszcz, peleryna; *przen.* płaszczyk; *vt* okrywać płaszczem; *przen.* ukrywać pod płaszczykiem
**cloak-room** [ˋkləuk ˈrum] *s* garderoba, szatnia (np. w teatrze)
**clock** [klok] *s* zegar; *zob.* **o'clock**
**clock·wise** [ˋklokwaız] *adv* zgodnie z ruchem wskazówek zegara
**clock·work** [ˋklokwɜk] *s* mechanizm zegara
**clod** [klod] *s* grudka, bryła
**clog** [klog] *s* kłoda, kloc; *przen.* brzemię; zawada, przeszkoda; *pl* **~s** pęta; *vt* pętać; zawadzać; zatykać; *vi* zatykać się
**clois·ter** [ˋklɔıstə(r)] *s* klasztor; krużganek (kryty)
**close** 1. [kləus] *adj* zamknięty; bliski; ścisły; zwarty, zbity; duszny; (*o uwadze*) napięty; gruntowny, szczegółowy; *adv* blisko, tuż obok **(to sb, sth** kogoś, czegoś); ściśle; dokładnie; **~ by** tuż obok, tuż tuż; **~ on** prawie; **~ on 70 years** prawie 70 lat; *s* ogrodzony teren, dziedziniec
**close** 2. [kləuz] *vt vi* zamykać (się); kończyć (się); zewrzeć (się); *s* koniec; zamknięcie; **to bring to a ~** doprowadzać do końca; **to draw to a ~** zbliżać się do końca
**close·ly** [ˋkləuslı] *adv* z bliska; dokładnie; ściśle
**close-up** [ˋkləusʌp] *s* zbliżenie; zdjęcie z bliska
**clo·sure** [ˋkləuʒə(r)] *s* zamknięcie, zakończenie
**clot** [klot] *s* grudka; *med.* skrzep; *vi* krzepnąć
**cloth** [kloθ] *s* (*pl* **~s** [kloθs]) sukno, materiał; ścierka; obrus
***clothe** [kləuð], **~d, ~d** [kləuðd] *lub* † **clad, clad** [klæd] *vt* ubierać, odziewać
**clothes** [kləuðz] *s pl* ubranie, odzież, ubiór
**cloth·ing** [ˋkləuðıŋ] *s* odzież
**cloud** [klaud] *s dosł. i przen.* chmura; obłok; *vt* zachmurzyć, zaciemnić; *vi* **~ over ⟨up⟩** zachmurzyć się
**cloud·y** [ˋklaudı] *adj* chmurny
**clove** 1. [kləuv] *s* goździk (korzenny); ząbek (czosnku)
**clove** 2. *zob.* **cleave** 1.
**clov·en** *zob.* **cleave** 1.; *adj* rozszczepiony na dwoje
**clo·ver** [ˋkləuvə(r)] *s bot.* koniczyna
**clown** [klaun] *s* klown, błazen; gbur
**cloy** [klɔı] *vt* przesycić
**club** [klʌb] *s* maczuga, pałka; kij; koło, klub; (*w kartach*) trefl; *vt* bić pałką; *vi* łączyć się, zrzeszać się; **~ together** zrobić składkę
**cluck** [klʌk] *vi* gdakać; *s* gdakanie
**clue** [klu] *s* klucz (np. do zagadki); wątek; trop; kłębek
**clump** [klʌmp] *s* grupa; kępa (np. drzew); masa, bryła; ciężki chód; *vi* zbijać się w masę ⟨w bryłę⟩; ciężko stąpać
**clum·sy** [ˋklʌmzı] *adj* niezgrabny; nietaktowny
**clung** *zob.* **cling**
**clus·ter** [ˋklʌstə(r)] *s* grono, kiść; wiązka; gromadka; kępka
**clutch** [klʌtʃ] *s* chwyt, uścisk; szpon; *techn.* sprzęgło; *vt* pochwycić, ścisnąć w dłoni; *vi* chwytać się **(at sth** czegoś)

**clut·ter** [ˈklʌtə(r)] *s* zamieszanie, nieład; rozgardiasz; *vi* robić bałagan, zamieszanie; krzątać się (hałaśliwie); *vt* zawalać, zarzucać, zaśmiecać
**coach** [kəutʃ] *s* powóz, kareta; osobowy wagon kolejowy; autokar; korepetytor; *sport.* trener; *vt* udzielać korepetycji, uczyć; *sport* trenować
**coach·man** [ˈkəutʃmən] *s* stangret
**co·ag·u·late** [ˈkəuˈægjuleɪt] *vi* krzepnąć, tężeć, ścinać się
**coal** [kəul] *s* węgiel
**co·a·li·tion** [ˈkəuəˈlɪʃn] *s* koalicja
**coal-mine** [ˈkəul maɪn], **coal-pit** [ˈkəul pɪt] *s* kopalnia węgla
**coarse** [kɔs] *adj* szorstki, gruby; prostacki, ordynarny, pospolity
**coast** [kəust] *s* wybrzeże; *vi* pływać, kursować wzdłuż wybrzeża
**coast·al** [ˈkəustl] *adj* przybrzeżny, nadbrzeżny
**coat** [kəut] *s* marynarka; żakiet; płaszcz, palto; mundur; warstwa, powłoka; skóra, sierść; ~ of mail kolczuga; *vt* pokrywać, powlekać
**coat·ing** [ˈkəutɪŋ] *s* powłoka, warstwa
**coax** [kəuks] *vt* skłonić pochlebstwem, namówić; przymilać, przypochlebiać się
**cob·ble 1.** [ˈkobl] *s* okrągły kamień, brukowiec; *pot.* koci łeb; *vt* brukować
**cob·ble 2.** [ˈkobl] *vt* łatać (*zw.* obuwie)
**co·bra** [ˈkəubrə] *s* kobra
**cob·web** [ˈkobweb] *s* pajęczyna
**co·caine** [kəuˈkeɪn] *s* kokaina
**cock** [kok] *s* kogut; samiec (ptaków); kurek; *vt* podnieść, zadzierać (np. głowę)
**cock·ade** [koˈkeɪd] *s* kokarda
**cock·ney** [ˈioknɪ] *s* londyńczyk (z proletariatu); gwara londyńska
**cock·pit** [ˈkokpɪt] *s* kabina pilota (w samolocie); arena
**cock·roach** [ˈkokrəutʃ] *s* karaluch
**cock·sure** [ˈkokˈʃuə(r)] *adj* pewny siebie, zarozumiały
**cock·tail** [ˈkokteɪl] *s* koktajl
**coco, cocoa 1.** [ˈkəukəu] *s* kokos
**co·coa 2.** [ˈkəukəu] *s* kakao
**co·co·nut** [ˈkəukənʌt] *s* orzech kokosowy
**co·coon** [kəˈkun] *s* kokon, oprzęd
**cod** [kod] *s* dorsz
**code** [kəud] *s* kodeks; kod, szyfr; *vt* szyfrować
**cod·fish** [ˈkodfɪʃ] *s* = **cod**
**cod·i·fy** [ˈkəudɪfaɪ] *vt* kodyfikować
**cod-liv·er oil** [ˈkod lɪvər ˈɔɪl] *s* tran
**co·ed·u·ca·tion** [ˈkəu ˈedʒuˈkeɪʃn] *s* koedukacja
**co·erce** [kəuˈɜs] *vt* zmuszać, wymuszać, zniewalać
**co·er·cion** [kəuˈɜʃn] *s* przymus, bezwzględne traktowanie, zmuszanie
**co·er·cive** [kəuˈɜsɪv] *adj* przymusowy, bezwzględny
**co·e·val** [kəuˈivl] *adj* współczesny; będący w tym samym wieku; *s* rówieśnik
**co-ex·ist·ence** [ˈkəuɪgˈzɪstəns] *s* współistnienie
**co-ex·ist·ent** [ˈkəuɪgˈzɪstənt] *adj* współistniejący
**cof·fee** [ˈkofɪ] *s* kawa
**cof·fee-hous** [ˈkofɪ haus] *s* kawiarnia
**cof·fer** [ˈkofə(r)] *s* kufer, skrzynia, kaseta; *pl* **the** ~s skarbiec, fundusze
**cof·fin** [ˈkofɪn] *s* trumna
**cog** [kog] *s* *techn.* ząb, zębatka
**co·gent** [ˈkəudʒənt] *adj* przekonywający
**co·gnac** [ˈkonjæk] *s* koniak
**cog·nate** [ˈkogneɪt] *adj* pokrewny, bliski
**cog·ni·zance** [ˈkognɪzns] *s* wiedza, wiadomość, świadomość; kompetencja; **to take** ~ zaznajomić się (**of sth** z czymś)
**co·gni·zant** [ˈkognɪznt] *adj* wiedzący, świadomy; kompetentny (**of sth** w czymś)

**cog-wheel** [`kog wil] *s techn.* koło zębate
**co·here** [kəu`hiə(r)] *vi (o faktach, argumentach)* zgadzać się ze sobą
**co·her·ence** [kəu`hıərns] *s* zwartość, spoistość; zgoda; łączność
**co·he·sion** [kəu`hiʒn] *s fiz.* kohezja; spoistość
**coif·fure** [kwɑ`fjuə(r)] *s* fryzura
**coil** [kɔıl] *vt vi* zwijać (się); *s* zwój; szpulka; spirala
**coin** [kɔın[ *s* pieniądz, moneta; *vt* bić (pieniądze); kuć; *przen.* ukuć (nowy wyraz)
**coin·age** [`kɔınıdʒ] *s* bicie monety; wybita moneta; system monetarny; wytwór, wymysł; wprowadzanie do języka nowych słów; nowy wyraz
**co·in·cide** [ˈkəuın`saıd] *vi* zbiegać się; pokrywać się
**co·in·ci·dence** [kəu`ınsıdəns] *s* zbieżność; zbieg okoliczności
**coke 1.** [kəuk] *s* koks; *vt* koksować
**coke 2.** [kəuk] *s pot.* coca-cola
**col·an·der** [`kʌləndə(r)] *s* cedzak
**cold** [kəuld] *adj* zimny, chłodny, oziębły; **I am ~** jest mi zimno; **in ~ blood** z zimną krwią; *s* zimno, chłód; przeziębienie; *(także* **~ in the head)** katar; **to have a ~** być przeziębionym
**cold-blood·ed** [ˈkəuld `blʌdıd] *adj* zimnokrwisty; *przen.* działający z zimną krwią, bezlitosny; popełniony na zimno, okrutny
**col·lab·o·rate** [kə`læbəreıt] *vi* kolaborować
**col·lab·o·ra·tion** [kəˈlæbə`reıʃn] *s* kolaboracja
**col·lab·o·ra·tor** [kəˈlæbə`reıtə(r)] *s* współpracownik; *uj.* kolaborant
**col·lapse** [kə`læps] *vi* runąć, zwalić się; załamać się; opaść z sił; *s* upadek sił, omdlenie; załamanie nerwowe; zawalenie się, katastrofa
**col·lar** [`kolə(r)] *s* kołnierz; naszyjnik; chomąto; obroża; *vt* chwycić za kołnierz; nałożyć chomąto, obrożę; złapać, zatrzymać
**col·league** [`kolig] *s* kolega (z pracy), współpracownik
**col·lect** [kə`lekt] *vt vi* zbierać (się), gromadzić (się); inkasować; podejmować; kolekcjonować; *vr* **~ oneself** opanować się, skupić się
**col·lec·tion** [kə`lekʃn] *s* zbiór, zbiórka; inkaso; podjęcie, odbiór; pobór (podatków); kolekcja
**col·lec·tive** [kə`lektıv] *adj* zbiorowy; **~ farm** spółdzielnia produkcyjna; **~ property** własność kolektywna
**col·lec·tiv·ize** [kə`lektıvaız] *vt* kolektywizować
**col·lec·tor** [kə`lektə(r)] *s* poborca, inkasent; kolekcjoner
**col·lege** [`kolıdʒ] *s* kolegium; uczelnia, szkoła wyższa; gimnazjum; szkoła średnia
**col·le·gi·ate** [kə`lidʒıət] *adj* kolegialny; akademicki
**col·lide** [kə`laıd] *vi* zderzyć się; kolidować
**col·lier** [`kolıə(r)] *s* górnik (w kopalni węgla); statek węglowy
**col·lier·y** [`koljərı] *s* kopalnia węgla
**col·lision** [kə`lıʒn] *s* kolizja, zderzenie
**col·lo·qui·al** [kə`ləukwıəl] *adj* kolokwialny, potoczny
**col·lo·quy** [`koləkwı] *s* rozmowa
**col·lu·sion** [kə`luʒn] *s* konszachty, zmowa
**co·lon** [`kəulən] *s* dwukropek
**colo·nel** [`kɜnl] *s* pułkownik
**co·loni·al** [kə`ləunıəl] *adj* kolonialny; *s* mieszkaniec kolonii
**col·o·nist** [`kolənıst] *s* kolonista, osadnik
**col·o·nize** [`kolənaız] *vt* kolonizować
**col·o·ny** [`kolənı] *s* kolonia
**co·los·sal** [kə`losl] *adj* kolosalny
**col·our** [`kʌlə(r)] *s* barwa, kolor; farba, barwnik; zabarwienie, koloryt; rumieniec; *pl* **~s** chorągiew; odznaki (społeczne, szkolne

itp.); ~ **bar** dyskryminacja rasowa; to **put false** ~**s** przedstawiać w fałszywym świetle; to **give** ⟨**to lend**⟩ ~ koloryzować, nadawać pozór prawdopodobieństwa; to **join** ~**s** wstąpić do wojska; **under** ~ **of** pod pozorem; *vt vi* barwić (się); koloryzować; pozorować

**col·oured** [ˋkʌləd] *zob.* **colour** *v*; *adj* zabarwiony; barwny; ~ **man** człowiek rasy kolorowej

**colt** 1. [kəult] *s* źrebię; *pot.* młokos

**Colt** 2. [kəult] *s* kolt (rewolwer)

**col·umn** [ˋkoləm] *s* kolumna, słup; szpalta, dział (gazety)

**comb** [kəum] *s* grzebień; *vt* czesać; *przen.* przeszukiwać

**com·bat** [ˋkombæt] *s* bój, walka; *vt* zwalczać; *vi* walczyć

**com·bat·ant** [ˋkombətənt] *adj* walczący; *s* kombatant

**com·bi·na·tion** [ˌkombiˋneɪʃn] *s* kombinacja; zrzeszenie, związek; *pl* ~**s** kombinacja (damska)

**com·bine** [kəmˋbaɪn] *vt vi* kombinować, wiązać; zrzeszać (się), łączyć (się); *chem.* wiązać (się); *s* [ˋkombaɪn] kartel; kombajn

**com·bus·ti·ble** [kəmˋbʌstəbl] *adj* palny; *s* (*zw. pl* ~**s**) materiał łatwopalny

**com·bus·tion** [kəmˋbʌstʃən] *s* spalanie; **internal** ~ **engine** silnik spalinowy

***come** [kʌm], **came** [keɪm], **come** [kʌm] *vi* przyjść, przyjechać; przybyć; stawać się; nadchodzić, zbliżać się; wypadać, przypadać; pochodzić; wynosić; wychodzić; dojść do czegoś, w końcu coś zrobić; **it** ~**s to 10 pounds** to wynosi 10 funtów; **nothing will** ~ **of it, this will** ~ **to nothing** nic z tego nie wyjdzie; **to** ~ **to believe** dojść do przekonania; ~ **about** zdarzyć się, stać się; ~ **across sth** natknąć się na coś; ~ **at sth** osiągnąć coś; dostać się do czegoś; ~ **by sth** przechodzić obok czegoś; nabyć, kupić coś; ~ **in** wejść; ~ **into force** nabrać mocy; ~ **into sight** ukazać się; ~ **of** wynikać; ~ **of age** dojść do pełnoletności; ~ **off** odejść; oderwać się; dojść do skutku; zdarzyć się; odbyć się; ~ **on** nadchodzić; ~ **out** wychodzić; ukazywać się w druku; wyjść na jaw; ~ **over** przyjść, przybyć; ~ **up** podchodzić; wspinać się; (*o roślinach*) wyrastać; natknąć się, natrafić na coś; doganiać (**with sb** kogoś); ~ **up to sb's expectations** odpowiadać czyimś oczekiwaniom; ~ **up to the mark** stanąć na wysokości zadania ⟨na odpowiednim poziomie⟩; ~ **upon sb, sth** natknąć się, wpaść na kogoś, na coś; **life to** ~ życie przyszłe; **to** ~ **to pass** zdarzyć się; **he came to be a wreck** doszło do tego, że stał się wykolejeńcem; **to** ~ **unbuttoned** rozpiąć się; **to** ~ **unlaced** rozsznurować się; **to** ~ **unsewn** rozpruć się

**co·me·di·an** [kəˋmidɪən] *s* komediant; komik; autor komedii

**com·e·dy** [ˋkomədɪ] *s* komedia

**come·ly** [ˋkʌmlɪ] *adj* powabny; miły

**com·er** [ˋkʌmə(r)] *s* przybysz

**com·et** [ˋkomɪt] *s* kometa

**com·fort** [ˋkʌmfət] *s* komfort, wygoda; otucha, pociecha, ulga; *vt* pocieszać, dodawać otuchy, przynosić ulgę

**com·fort·a·ble** [ˋkʌmftəbl] *adj* wygodny; zadowolony, o dobrym samopoczuciu

**com·ic** [ˋkomɪk] *adj* komiczny; komediowy; *s pl* ~**s** komiks, historyjka obrazkowa

**com·i·cal** [ˋkomɪkl] *adj* komiczny, zabawny

**com·ing** [ˋkʌmɪŋ] *zob.* **come**; *adj* przyszły, nadchodzący; dobrze zapowiadający się, obiecujący; *s* nadejście, przybycie; nastanie

**com·ma** [ˋkomə] *s* przecinek; **inverted** ~**s** cudzysłów

**com·mand** [kə`mand] *vt* rozkazywać, komenderować, dowodzić; rozporządzać; panować, górować (**sb, sth** nad kimś, nad czymś); wzbudzać; wymagać, domagać się (**sth** czegoś); *s* komenda, dowództwo, rozkaz; panowanie (**of sth** nad czymś), opanowanie; władanie; zlecenie; **to be in ~ of sth** mieć władzę nad czymś; **to have a full ~ of English** biegle władać językiem angielskim; **at ~** na rozkaz; do rozporządzenia

**com·man·dant** ['komən`dænt] *s* komendant

**com·mand·er** [kə`mandə(r)] *s* komendant, dowódca; komandor (orderu)

**com·mand·er-in-chief** [kə`mandər ın tʃıf] *s* głównodowodzący, wódz naczelny

**com·mand·ment** [kə`mandmənt] *s* przykazanie (boskie)

**com·man·do** [kə`mandəu] *s wojsk.* jednostka bojowa (szturmowo-desantowa); komandos (żołnierz tej jednostki)

**com·mem·o·rate** [kə`memərеıt] *vt* upamiętniać; czcić (pamięć); obchodzić (rocznicę)

**com·mence** [kə`mens] *vt vi* zaczynać (się)

**com·mend** [kə`mend] *vt* polecać, zalecać, powierzać

**com·ment** [`koment] *s* komentarz, uwaga; *vi* komentować (**on, upon sth** coś), wypowiadać się

**com·men·ta·ry** [`koməntrı] *s* komentarz, przypisy

**com·merce** [`komзs] *s* handel

**com·mer·cial** [kə`mзʃl] *adj* handlowy; **~ traveller** komiwojażer

**com·mis·sa·ri·at** ['komı`sarıət] *s* intendentura; zaopatrzenie (wojska)

**com·mis·sary** [`komısrı] *s* delegat; komisarz; intendent

**com·mis·sion** [kə`mıʃn] *s* zlecenie, rozkaz; pełnomocnictwo; delegacja; komisja; urząd; prowizja; patent oficerski; **a person in ~** osoba delegowana (z mandatem); **to sell on ~** sprzedawać komisowo (na prowizję); *vt* zlecić; upełnomocnić; delegować; mianować

**com·mis·sion·er** [kə`mıʃnə(r)] *s* pełnomocnik, mandatariusz; komisarz; członek komisji

**com·mit** [kə`mıt] *vt* popełnić; powierzyć; przekazać, odesłać; zobowiązać; angażować; *vr* **~ oneself** angażować się, wdawać się (**to sth** w coś)

**com·mit·ment** [kə`mıtmənt] *s* popełnienie; przekazanie, odesłanie; zobowiązanie, zaangażowanie

**com·mit·tee** [kə`mıtı] *s* komitet, komisja

**com·mod·i·ty** [kə`modətı] *s* towar, artykuł

**com·mo·dore** [`komədɔ(r)] *s* komandor

**com·mon** [`komən] *adj* wspólny; gminny; publiczny; codzienny, zwykły, pospolity; ogólny, powszechny; **~ law** prawo zwyczajowe; **~ sense** zdrowy rozsądek; *s* rzecz wspólna; wspólna łąka, wspólne pastwisko; **in ~** wspólnie; **out of the ~** niezwykły

**com·mon·er** [`komənə(r)] *s* szary obywatel, członek gminu; członek Izby Gmin

**com·mon·place** [`komənpleıs] *s* komunał; *adj* banalny, pospolity

**com·mons** [`komənz] *s pl †* lud, gmin; **House of Commons** Izba Gmin

**com·mon·wealth** [`komənwelθ] *s* dobro publiczne; republika; wspólnota

**com·mo·tion** [kə`məuʃn] *s* poruszenie, tumult; rozruchy

**com·mu·nal** [`komjunl] *adj* gminny, komunalny

**com·mune** [`komjun] *s* komuna, gmina

**com·mu·ni·cate** [kə`mjunıkeıt] *vt vi* komunikować (się)

**com·mu·ni·ca·tion** [kə'mjunı`keıʃn] *s* komunikacja, łączność; udzielanie informacji; kontakt, styczność

**com·mun·ion** [kə`mjunɪən] *s* wspólnota; łączność (duchowa); *rel.* komunia

**com·mu·ni·qué** [kə`mjunɪkeɪ] *s* komunikat

**com·mu·nism** [`komjunɪzm] *s* komunizm

**com·mu·nist** [`komjunɪst] *s* komunista; *adj* komunistyczny

**com·mu·ni·ty** [kə`mjunətɪ] *s* społeczność; wspólnota; gmina (np. religijna)

**com·mute** [kə`mjut] *vt vi* zamienić; *prawn.* złagodzić (karę); *am.* dojeżdżać do pracy (z biletem okresowym)

**com·pact** [kəm`pækt] *adj* zbity, gęsty, zwarty; *vt* stłoczyć, zbić, zgęścić; *s* [`kompækt] umowa, ugoda; puderniczka

**com·pan·ion** [kəm`pænɪən] *s* towarzysz; podręcznik

**com·pan·ion·ship** [kəm`pænɪənʃɪp] *s* towarzystwo, towarzyszenie

**com·pa·ny** [`kʌmpənɪ] *s* towarzystwo; kompania; *handl.* spółka; **to keep sb ~** dotrzymywać komuś towarzystwa; **to part ~ with sb** zerwać z kimś stosunki

**com·pa·ra·ble** [`komprəbl] *adj* porównywalny; stosunkowy

**com·par·a·tive** [kəm`pærətɪv] *adj* porównawczy; *s gram.* stopień wyższy

**com·pare** [kəm`peə(r)] *vt* porównywać, zestawiać; *vi* dorównywać (**with sb** komuś), dać się porównać; *s w zwrocie:* **beyond ⟨without, past⟩ ~** bez porównania; niezrównanie

**com·par·i·son** [kəm`pærɪsn] *s* porównanie

**com·part·ment** [kəm`pɑtmənt] *s* przedział; przegroda

**com·pass** [`kʌmpəs] *s* obręb, zasięg, zakres, granica; kompas; koło; *pl* **~es** cyrkiel; *vt* obejmować, otaczać; okrążać; osiągać

**com·pas·sion** [kəm`pæʃn] *s* współczucie, litość

**com·pas·sion·ate** [kəm`pæʃn̩ət] *adj* współczujący, litościwy

**com·pat·i·ble** [kəm`pætəbl] *adj* dający się pogodzić, zgodny

**com·pel** [kom`pel] *vt* zmuszać, wymuszać

**com·part·ment** [kəm`pɑtmənt] *s* skrót, streszczenie

**com·pen·sate** [`kompənseɪt] *vt vi* kompensować, wynagradzać

**com·pete** [kəm`pit] *vi* współzawodniczyć, konkurować; ubiegać się (**for sth** o coś)

**com·pe·tence** [`kompɪtəns] *s* kompetencja; zadowalająca sytuacja (materialna), zamożność

**com·pe·ti·tion** [ˌkompə`tɪʃn] *s* konkurs; zawody; współzawodnictwo; *handl.* konkurencja

**com·pet·i·tive** [kəm`petətɪv] *adj* konkursowy; konkurencyjny

**com·pet·i·tor** [kəm`petɪtə(r)] *s* konkurent; biorący udział w konkursie; współzawodnik

**com·pile** [kəm`paɪl] *vt* kompilować, zestawiać, opracowywać

**com·pla·cence** [kəm`pleɪsns], **com·pla·cen·cy** [kəm`pleɪsnsɪ] *s* zadowolenie; samozadowolenie

**com·plain** [kəm`pleɪn] *vi* skarżyć się, narzekać (**to sb about ⟨of⟩ sb, sth** przed kimś na kogoś, na coś)

**com·plaint** [kəm`pleɪnt] *s* skarga, narzekanie; bolączka, dolegliwość

**com·plai·sance** [kəm`pleɪzns] *s* uprzejmość, usłużność

**com·ple·ment** [`komplɪmənt] *s* uzupełnienie; *gram.* dopełnienie; *vt* uzupełniać

**com·ple·men·ta·ry** [ˌkomplə`mentrɪ] *adj* uzupełniający

**com·plete** [kəm`plit] *adj* kompletny, zupełny; skończony; *vt* kompletować; kończyć; wypełniać

**com·ple·tion** [kəm`pliʃn] *s* wypełnienie, uzupełnienie; zakończenie

**com·plex** [`kompleks] *adj* skomplikowany, zawiły; złożony; *s* kompleks

**com·plex·ion** [kəm`plekʃn] *s* cera, płeć; wygląd

**com·plex·i·ty** [kəm`pleksətɪ] *s* złożoność, zawiłość; gmatwanina

**com·pli·ance** [kəm`plaɪəns] *s* zgoda, kompromisowość, zgodność; uległość; **in ~ with your wishes** zgodnie z pańskimi ⟨waszymi⟩ życzeniami

**com·pli·cate** [`komplɪkeɪt] *vt* komplikować; wikłać, gmatwać

**com·pli·ca·tion** [ˌkomplɪ`keɪʃn] *s* komplikacja

**com·plic·i·ty** [kəm`plɪsətɪ] *s* współudział (w przestępstwie)

**comp·li·ment** [`komplɪmənt] *s* komplement; *pl* **~s** pozdrowienia, ukłony; **to pay one's ~s** przesyłać pozdrowienia, składać uszanowanie; *vt* [`komplɪment] prawić komplementy; pozdrawiać; gratulować (**sb on, upon sth** komuś czegoś)

**com·ply** [kəm`plaɪ] *vi* zgadzać się, stosować się (**with sth** do czegoś); spełnić (**with a request** prośbę)

**com·po·nent** [kəm`pəunənt] *adj* wchodzący w skład, składowy; *s* część składowa, składnik

**com·pose** [kəm`pəuz] *vt* (*także druk.*) składać; stanowić; układać; łagodzić, uspokajać; tworzyć; komponować

**com·posed** [kəm`pəuzd] *adj* opanowany, skupiony, poważny

**com·pos·er** [kəm`pəuzə(r)] *s* kompozytor

**com·pos·ite** [`kompəzɪt] *adj* złożony; *s bot.* roślina złożona

**com·po·si·tion** [ˌkompə`zɪʃn] *s* skład; układ; kompozycja; utwór; wypracowanie; mieszanina; usposobienie

**com·pos·i·tor** [kəm`pozɪtə(r)] *s* zecer

**com·post** [`kompost] *s* kompost

**com·po·sure** [kəm`pəuʒə(r)] *s* opanowanie, spokój

**com·pote** [`kompəut] *s* kompot

**com·pound 1.** [`kompaund] *adj* złożony; mieszany; skomplikowany; *s* rzecz złożona, preparat; *gram.* wyraz złożony; *chem.* związek; *vt* [kəm`paund] składać, mieszać, łączyć

**com·pound 2.** [`kompaund] *s* ogrodzony teren domu, fabryki itp.

**com·pre·hend** [ˌkomprɪ`hend] *vt* obejmować; zawierać; pojmować, rozumieć

**com·pre·hen·si·ble** [ˌkomprɪ`hensəbl] *adj* zrozumiały; dający się objąć rozumem

**com·pre·hen·sion** [ˌkomprɪ`henʃn] *s* zrozumienie, pojmowanie; zasięg

**com·pre·hen·sive** [ˌkomprɪ`hensɪv] *adj* obszerny, wyczerpujący; pojemny; pojętny; wszechstronny; **~ school** szkoła ogólnokształcąca

**com·press** [kəm`pres] *vt* ściskać, zgęszczać; streszczać; *s* [`kompres] kompres; *med.* tampon

**com·pres·sion** [kəm`preʃn] *s* ściśnięcie, zgęszczenie; sprężenie; zwięzłość

**com·prise** [kəm`praɪz] *vt* obejmować, zawierać

**com·pro·mise** [`komprəmaɪz] *s* kompromis, ugoda; *vi vt* iść na ustępstwa (**on, upon sth** w sprawie czegoś), kompromisowo załatwiać; kompromitować; narażać

**com·pul·sion** [kəm`pʌlʃn] *s* przymus

**com·pul·so·ry** [kəm`pʌlsṛɪ] *adj* przymusowy

**com·punc·tion** [kəm`pʌŋkʃn] *s* skrucha; skrupuły

**com·pu·ta·tion** [ˌkompju`teɪʃn] *s* obliczenie

**com·pute** [kəm`pjut] *vt* obliczać

**com·put·er** [kəm`pjutə(r)] *s* elektroniczna maszyna cyfrowa, komputer

**com·rade** [`komreɪd] *s* towarzysz, kolega

**com·rade·ship** [`komreɪdʃɪp] *s* koleżeństwo; braterstwo

**con** [kon] *praep łac.* = **contra** przeciw; *s pl* **~s** głosy przeciw; *zob.* **pro**

**con·cave** [ˋkoŋkeɪv] *adj* wklęsły; *s* wklęsłość
**con·ceal** [kənˋsil] *vt* ukrywać, taić
**con·ceal·ment** [kənˋsilmənt] *s* ukrycie, zatajenie
**con·cede** [kənˋsid] *vi* ustąpić; *vt* przyznać, uznać; przyzwolić
**con·ceit** [kənˋsit] *s* próżność, zarozumiałość; mniemanie; † koncept
**con·ceit·ed** [kənˋsitɪd] *adj* próżny, zarozumiały
**con·ceiv·a·ble** [kənˋsivəbl] *adj* możliwy do pomyślenia ⟨wyobrażenia, zrozumienia⟩
**con·ceive** [kənˋsiv] *vt vi* począć dziecko, zajść w ciążę; pojąć; wpaść na pomysł; wyobrazić sobie; ująć (w formę).
**con·cen·trate** [ˋkonsntreɪt] *vt vi* koncentrować (się), skupiać (się); stężać
**con·cen·tra·tion** [ˈkonsnˋtreɪʃn] *s* koncentracja, skupienie (się); stężenie
**con·cept** [ˋkonsept] *s* pojęcie; myśl, pomysł
**con·cep·tion** [kənˋsepʃn] *s* poczęcie (dziecka), zajście w ciążę; koncepcja; pojęcie
**con·cern** [kənˋsɜn] *vt* dotyczyć; interesować, zajmować (się); niepokoić się, powodować się troską; **to be ~ed** troszczyć się, być zainteresowanym (**about sth** czymś); mieć do czynienia (**with sth** z czymś); **I am not ~ed in it** to mnie nie dotyczy, nie mam z tym nic wspólnego; **as ~s** co się tyczy; **my life is ~ed** chodzi o moje życie; *vr* **~ oneself with ⟨in, about⟩ sb, sth** interesować się kimś, czymś; troszczyć się o kogoś, o coś; *s* zainteresowanie; związek; udział; stosunek; znaczenie; niepokój, troska; sprawa; *handl.* koncern; **it's no ~ of mine** to nie moja sprawa
**con·cern·ing** [kənˋsɜnɪŋ] *praep* odnośnie do, co do, co się tyczy; w sprawie
**con·cert** [ˋkonsət] *s* koncert; zgoda, porozumienie; *vt* [kənˋsɜt] wspólnie planować, układać (np. plan)
**con·ces·sion** [kənˋseʃn] *s* koncesja; ustępstwo; przyzwolenie
**con·cil·i·ate** [kənˋsɪlɪeɪt] *vt* pojednać, pogodzić; zjednać sobie
**con·cil·i·a·tion** [kənˈsɪlɪˋeɪʃn] *s* pojednanie, pogodzenie
**con·cil·i·a·to·ry** [kənˋsɪlɪətrɪ] *adj* pojednawczy
**con·cise** [kənˋsaɪs] *adj* zwięzły
**con·clude** [kənˋklud] *vt vi* kończyć (się); zawierać; wnioskować; zdecydować
**con·clu·sion** [kənˋkluʒn] *s* zakończenie; zawarcie (traktatu); wniosek, wynik
**con·clu·sive** [kənˋklusɪv] *adj* końcowy; przekonywający; decydujący; rozstrzygający
**con·coct** [kənˋkokt] *vt* sporządzić, skombinować; wymyślić
**con·cord** [ˋkoŋkɔd] *s* zgoda, ugoda, jedność
**con·cord·ance** [kənˋkɔdns] *s* zgoda, harmonia
**con·course** [ˋkoŋkɔs] *s* zbiegowisko, tłum; zbieg (ulic itp.); skupienie
**con·crete** 1. [ˋkoŋkrit] *adj* konkretny; betonowy; *s* konkret; beton
**con·crete** 2. [ˋkoŋkrit] *vi* zgęszczać (się), tworzyć masę, tężeć
**con·cur** [kənˋkɜ(r)] *vi* zbiegać się; zgadzać się; współdziałać
**con·cur·rence** [kənˋkʌrns] *s* zbieg (okoliczności), zbieżność; współdziałanie, zgoda
**con·demn** [kənˋdem] *vt* potępiać; skazywać
**con·dem·na·tion** [ˈkondəmˋneɪʃn] *s* potępienie; skazanie
**con·den·sa·tion** [ˈkondenˋseɪʃn] *s* zgęszczenie, kondensacja; zwięzłość
**con·dense** [kənˋdens] *vt vi* zgęszczać (się), kondensować (się); streścić
**con·de·scend** [ˈkondɪˋsend] *vi* zniżyć się; raczyć, być łaskawym
**con·di·ment** [ˋkondɪmənt] *s* przyprawa

**con·di·tion** [kən`dɪʃn] *s* położenie; stan; warunek; *pl* ~s otoczenie; warunki; **on ~** pod warunkiem, że, jeśli; *vt* warunkować; uzależniać; doprowadzać do odpowiedniego stanu; klimatyzować; *med.* **~ed reflex** odruch warunkowy

**con·di·tion·al** [kən`dɪʃnl] *adj* warunkowy; zależny (**on sth** od czegoś); *gram.* warunkowy; *s gram.* tryb warunkowy

**con·dole** [kən`dəul] *vi* współczuć; składać wyrazy współczucia (**with sb on, upon sth** komuś z powodu czegoś)

**con·do·lence** [kən`dəuləns] *s* współczucie, wyrazy współczucia

**con·duce** [kən`djus] *vi* doprowadzić; przyczynić się, sprzyjać

**con·ducive** [kən`djusɪv] *adj* prowadzący; sprzyjający

**con·duct** [kən`dʌkt] *vt vi* prowadzić, kierować; dowodzić; dyrygować; *vr* **~ oneself** prowadzić się, zachowywać się; *s* [`kondʌkt] prowadzenie (się), sprawowanie; kierownictwo

**con·duc·tor** [kən`dʌktə(r)] *s* konduktor; kierownik; dyrygent; (*także fiz.*) przewodnik

**con·duit** [`kondɪt] *s* przewód, kanał, rura; *elektr.* rura izolacyjna

**cone** [kəun] *s* stożek; szyszka

**con·fab·u·late** [kən`fæbjuleɪt] *vi* gawędzić

**con·fec·tion** [kən`fekʃn] *s* cukierek; konfekcja (damska); *zbior.* słodycze; konfitury

**con·fec·tion·er** [kən`fekʃnə(r)] *s* cukiernik

**con·fec·tion·e·ry** [kən`fekʃnrɪ] *s* fabryka cukierków; cukiernia; *zbior.* wyroby cukiernicze

**con·fed·er·a·cy** [kən`fedrəsɪ] *s* konfederacja; spisek

**con·fed·er·ate** [kən`fedŗət] *adj* sprzymierzony; *s* sprzymierzeniec, konfederat; *vi* [kən`fedəreɪt] sprzymierzać się; spiskować

**con·fer** [kən`fɜ(r)] *vt* nadawać (**sth on sb** coś komuś); *vi* konferować

**con·fer·ence** [`konfrns] *s* konferencja, narada; zjazd

**con·fess** [kən`fes] *vt vi* wyznawać; przyznawać się; spowiadać (się)

**con·fes·sion** [kən`feʃn] *s* wyznanie; przyznanie się; spowiedź

**con·fes·sor** [kən`fesə(r)] *s* spowiednik; wyznawca

**con·fi·dant** ['konfɪ`dænt] *s* powiernik

**con·fide** [kən`faɪd] *vi* dowierzać, ufać (**in sb** komuś); zwierzać się (**to sb** komuś); *vt* powierzać; zwierzać się (**sth** z czegoś)

**con·fi·dence** [`konfɪdəns] *s* zaufanie; poufność; zwierzenie; pewność siebie; przeświadczenie

**con·fi·dent** [`konfɪdənt] *adj* ufny; przekonany, pewny; pewny siebie; *s* powiernik

**con·fi·den·tial** ['konfɪ`denʃl] *adj* poufny; zaufany

**con·fine** [kən`faɪn] *vt* ograniczać; zamykać (w więzieniu); **~d to bed** złożony chorobą; *s* [`konfaɪn] (*zw. pl* ~s) granica

**con·fine·ment** [kən`faɪnmənt] *s* ograniczenie; odosobnienie; zamknięcie (w więzieniu); poród; obłożna choroba

**con·firm** [kən`fɜm] *vt* potwierdzać, zatwierdzać; wzmacniać, utwierdzać; *rel.* konfirmować

**con·fir·ma·tion** ['konfə`meɪʃn] *s* potwierdzenie, zatwierdzenie; wzmocnienie; *rel.* konfirmacja, bierzmowanie

**con·firmed** [kən`fɜmd] *zob.* **confirm**; *adj* zatwardziały, stały, uporczywy; nałogowy

**con·fis·cate** [`konfɪskeɪt] *vt* konfiskować

**con·fla·gra·tion** ['konflə`greɪʃn] *s* pożar

**con·flict** [`konflɪkt] *s* starcie, konflikt, kolizja; *vi* [kən`flɪkt] ścierać się, walczyć; nie zgadzać się, kolidować

**con·form** [kən`fɔm] *vt vi* dostosować (się), upodobnić (się), uzgodnić

**con·form·i·ty** [kən`fɔmətɪ] *s* dostosowanie, zgodność; **in ~** zgodnie

**con·found** [kən`faund] *vt* pomieszać, poplątać; zaskoczyć; konfundować; burzyć, niszczyć; **~ it!** do diabła!

**con·front** [kən`frʌnt] *vt* stawać naprzeciw (twarzą w twarz); konfrontować; porównywać; stawać w obliczu; stawiać czoło; stanąć (sb przed kimś); **to be ~ed with ⟨by⟩ sb, sth** stanąć przed kimś, czymś ⟨wobec kogoś, czegoś⟩

**con·fuse** [kən`fjuz] *vt* mieszać, plątać; zmieszać, zażenować

**con·fu·sion** [kən`fjuʒn] *s* zamieszanie, chaos, nieporządek; zmieszanie, zażenowanie

**con·fute** [kən`fjut] *vt* zbijać (argument); przekonać kogoś, że się myli

**con·geal** [kən`dʒil] *vt* zamrozić, ściąć; *vi* zamarznąć; krzepnąć, ścinać się

**con·ge·nial** [kən`dʒinɪəl] *adj* pokrewny, bliski duchem, sympatyczny; odpowiedni

**con·gen·i·tal** [kən`dʒenɪtl] *adj* wrodzony, przyrodzony

**con·ges·tion** [kən`dʒestʃən] *s* skupienie, zatłoczenie; przeciążenie; przekrwienie

**con·grat·u·late** [kən`grætʃuleɪt] *vt* gratulować (sb on, upon sth komuś czegoś)

**con·grat·u·la·tion** [kən'grætʃu`leɪʃn] *s* (*zw. pl* **~s**) gratulacje

**con·gre·gate** [`koŋgrɪgeɪt] *vt vi* gromadzić (się), skupiać (się)

**con·gre·ga·tion** ['koŋgrɪ`geɪʃn] *s* zgromadzenie, kongregacja; *zbior.* parafia

**con·gress** [`koŋgres] *s* kongres; *am.* **Congress** Kongres

**con·gress·man** [`koŋgresmən] *s am.* członek Kongresu

**con·ic(al)** [`konɪk(l)] *adj* stożkowy, stożkowaty

**coni·fer** [`konɪfə(r)] *n* drzewo iglaste

**co·nif·er·ous** [kəu`nɪfərəs] *adj bot.* (*o drzewie*) iglasty

**con·jec·tur·al** [kən`dʒektʃərl] *adj* przypuszczalny, domniemany

**con·jec·ture** [kən`dʒektʃə(r)] *s* przypuszczenie, domniemanie, domysł; *vt vi* przypuszczać, domyślać się, stawiać hipotezę

**con·ju·gal** [`kondʒugl] *adj* małżeński

**con·ju·gate** [`kondʒu`geɪt] *vt gram.* koniugować; *vi* zespalać się

**con·ju·ga·tion** ['kondʒu`geɪʃn] *s* zespolenie; *gram.* koniugacja

**con·junc·tion** [kən`dʒʌŋkʃn] *s* związek; *gram.* spójnik

**con·junc·tive** [kən`dʒʌŋktɪv] *adj* łączący; *gram.* spójnikowy; *s gram.* spójnik

**con·junc·ture** [kən`dʒʌŋktʃə(r)] *s* zbieg okoliczności; stan rzeczy, koniunktura

**con·jure 1.** [kən`dʒuə(r)] *vt* zaklinać, błagać

**con·jure 2.** [`kʌndʒə(r)] *vt vi* uprawiać czarnoksięstwo, czarować; **~ up** wywoływać (duchy), wyczarować (w wyobraźni)

**con·jur·er** [`kʌndʒərə(r)] *s* czarnoksiężnik, magik

**con·nect** [kə`nekt] *vt vi* łączyć (się), wiązać (się); stykać (się)

**con·nect·ed** [kə`nektɪd] *zob.* **connect**; *adj* połączony, związany; pokrewny, powinowaty; **well ~** dobrze ustosunkowany

**con·nec·tion, con·nex·ion** [kə`nekʃn] *s* związek, koneksja; (*także elektr.*) kontakt; pokrewieństwo; znajomości; klientela; połączenie (kolejowe itp.); **in this ~** w związku z tym

**con·ni·vance** [kə`naɪvəns] *s* przyzwolenie; pobłażanie, tolerowanie

**con·nive** [kə`naɪv] *vi* przyzwalać, patrzeć przez palce (at sth na

coś); brać cichy udział (**at sth** w czymś)
**con·nois·seur** [ˈkonɪˋsɜ(r)] *s* znawca, koneser
**con·quer** [ˋkoŋkə(r)] *vt* zdobyć, pokonać, zwyciężyć, podbić
**con·quer·or** [ˋkoŋkərə(r)] *s* zdobywca
**con·quest** [ˋkoŋkwest] *s* zdobycie, podbój, zwycięstwo
**con·science** [ˋkonʃns] *s* sumienie
**con·sci·en·tious** [ˈkonʃɪˋenʃəs] *adj* sumienny
**con·scious** [ˋkonʃəs] *adj* świadomy; przytomny
**con·scious·ness** [ˋkonʃəsnəs] *s* świadomość; przytomność
**con·script** [ˋkonskrɪpt] *s* poborowy, rekrut; *adj* poborowy; *vt* [kənˋskrɪpt] brać do wojska
**con·scrip·tion** [kənˋskrɪpʃn] *s* pobór; obowiązek służby wojskowej
**con·se·crate** [ˋkonsɪkreɪt] *vt* poświęcać, konsekrować
**con·se·cu·tion** [ˈkonsɪˋkjuʃn] *s* następstwo
**con·sec·u·tive** [kənˋsekjutɪv] *adj* kolejny, następny z rzędu; *gram.* skutkowy
**con·sent** [kənˋsent] *vi* zgadzać się (**to sth** na coś); *s* zgoda; **with one ~, by general ~** jednomyślnie
**con·se·quence** [ˋkonsɪkwəns] *s* następstwo, wynik; konsekwencja; wniosek; znaczenie, doniosłość
**con·se·quent** [ˋkonsɪkwent] *adj* wynikający, będący następstwem (**on, upon sth** czegoś); konsekwentny; późniejszy; *s* skutek, wynik, rezultat
**con·se·quen·tial** [ˈkonsɪˋkwenʃl] *adj* wynikający, logicznie uzasadniony; mający wysokie mniemanie o sobie
**con·ser·va·tion** [ˈkonsəˋveɪʃn] *s* ochrona, konserwacja; rezerwat
**con·serv·a·tive** [kənˋsɜvətɪv] *adj* konserwatywny; *s* konserwatysta
**con·ser·va·toire** [kənˋsɜvətwɑ(r)] *s* konserwatorium
**con·serv·a·to·ry** [kənˋsɜvətrɪ] *s* konserwatorium; cieplarnia
**con·serve** [kənˋsɜv] *vt* przechowywać, konserwować; *s pl* **~s** konserwy owocowe
**con·sid·er** [kənˋsɪdə(r)] *vt vi* rozpatrywać, rozważać, brać pod uwagę; poczytywać, uważać (**sb sth** kogoś za coś); szanować, mieć wzgląd
**con·sid·er·a·ble** [kənˋsɪdrəbl] *adj* znaczny
**con·sid·er·ate** [kənˋsɪdṛət] *adj* uważny, myślący; pełen względów, delikatny
**con·sid·er·a·tion** [kənˈsɪdəˋreɪʃn] *s* rozważanie, rozwaga; wgląd; uwaga; wynagrodzenie; uznanie, szacunek; znaczenie; wzgląd; **in ~** ze względu (**of sth** na coś); **to take into ~** uwzględnić
**con·sid·er·ing** [kənˋsɪdṛɪŋ] *praep* zważywszy, z uwagi, ze względu (**sth** na coś)
**con·sign** [kənˋsaɪn] *vt* przekazywać, powierzać, wydawać; przesyłać
**con·sign·ment** [kənˋsaɪnmənt] *s* powierzenie, przekazanie, wydanie; przesyłka, wysyłka; *handl.* przesyłka konsygnowana
**con·sist** [kənˋsɪst] *vi* składać się, być złożonym (**of sth** z czegoś); polegać (**in sth** na czymś)
**con·sist·ence** [kənˋsɪstəns], **con·sist·en·cy** [kənˋsɪstənsɪ] *s* gęstość, zwartość, konsystencja; zgodność; konsekwencja, stanowczość
**con·sist·ent** [kənˋsɪstənt] *adj* zwarty; zgodny; konsekwentny
**con·so·la·tion** [ˈkonsəˋleɪʃn] *s* pocieszenie
**con·sole** [kənˋsəul] *vt* pocieszać; *s* [ˋkonsəul] konsola
**con·sol·i·date** [kənˋsolɪdeɪt] *vt vi* konsolidować, utwierdzać (się); jednoczyć (się)
**con·so·nance** [ˋkonsənəns] *s* harmonia, zgodność
**con·so·nant** [ˋkonsənənt] *adj* harmonijny, zgodny; *s gram.* spółgłoska
**con·sort** [ˋkonsɔt] *s* współmałżonek; **prince ~** książę małżonek

**con·spic·u·ous** [kən`spıkjuəs] *adj* widoczny, okazały; wybitny
**con·spir·a·cy** [kən`spırəsı] *s* spisek, konspiracja
**con·spire** [kən`spaıə(r)] *vi vt* spiskować, sprzysięgać się; knuć
**con·sta·ble** [`kʌnstəbl] *s* policjant; konstabl
**con·stan·cy** [`konstənsı] *s* stałość, trwałość, wytrwałość; wierność
**con·stant** [`konstənt] *adj* stały, trwały, wytrwały; wierny
**con·stel·la·tion** [ˌkonstə`leıʃn] *s* konstelacja, gwiazdozbiór
**con·ster·na·tion** [ˌkonstə`neıʃn] *s* przerażenie
**con·sti·pa·tion** [ˌkonstı`peıʃn] *s* obstrukcja, *pot.* zatwardzenie
**con·stit·u·en·cy** [kən`stıtʃuənsı] *s* wyborcy; okręg wyborczy; klientela, abonenci
**con·stit·u·ent** [kən`stıtʃuənt] *adj* składowy; ustawodawczy; *s* element, część składowa; wyborca
**con·sti·tute** [`konstıtjut] *vt* stanowić, tworzyć; ustanawiać, konstytuować; mianować; **to be so ~d that ...** mieć taką naturę, że...; **to be weakly ~d** mieć wątły organizm
**con·sti·tu·tion** [ˌkonstı`tjuʃn] *s* konstytucja; skład; budowa (fizyczna); struktura psychiczna; ustanowienie
**con·strain** [kən`streın] *vt* zmuszać; krępować, ograniczać
**con·straint** [kən`streınt] *s* przemoc, przymus; skrępowanie, ograniczenie
**con·strict** [kən`strıkt] *vt* ściągać, zwężać, zaciskać, dusić
**con·struct** [kən`strʌkt] *vt* konstruować, budować
**con·struc·tion** [kən`strʌkʃn] *s* konstrukcja, budowa; budowla
**con·struc·tive** [kən`strʌktıv] *adj* konstruktywny, twórczy; konstrukcyjny
**con·strue** [kən`stru] *vt* objaśniać, interpretować; *gram.* robić rozbiór (zdania); *vi* (*o zdaniu*) mieć dobrą ⟨złą⟩ składnię
**con·sul** [`konsl] *s* konsul
**con·sul·ate** [`konsjulət] *s* konsulat
**con·sult** [kən`sʌlt] *vt* radzić się (**sb** kogoś); brać pod uwagę, rozważać; **to ~ a dictionary** sięgać do słownika; *vi* naradzać się
**con·sume** [kən`sjum] *vt vi* spożywać; zużywać (się); niszczyć, trawić; marnować (się); spalać (się)
**con·sum·er** [kən`sjumə(r)] *s* spożywca, konsument; **~(s') goods** artykuły konsumpcyjne
**con·sum·mate** [`konsəmeıt] *vt* dokonywać, dopełniać; kończyć; *adj* [kən`sʌmət] doskonały; zupełny; skończony
**con·sum·ma·tion** [ˌkonsə`meıʃn] *s* dokonanie, dopełnienie; uwieńczenie
**con·sump·tion** [kən`sʌmpʃn] *s* spożycie; zużycie; zniszczenie, strawienie; *med.* gruźlica
**con·sump·tive** [kən`sʌmptıv] *adj* niszczący; gruźliczy; *s* gruźlik
**con·tact** [`kontækt] *s* kontakt, styczność; **to come into ~, to make ~** kontaktować się; *vt vi* zetknąć (się), kontaktować (się) (**sb** z kimś)
**con·ta·gion** [kən`teıdʒən] *s dosł. i przen.* zaraza, zakażenie
**con·ta·gious** [kən`teıdʒəs] *adj* zakaźny, zaraźliwy
**con·tain** [kən`teın] *vt* zawierać; mieścić; powstrzymywać; *vr* **~ oneself** panować nad sobą
**con·tain·er** [kən`teınə(r)] *s* zbiornik, pojemnik, kontener, skrzynia, bak
**con·tam·i·nate** [kən`tæmıneıt] *vt* zanieczyścić, splugawić, zakazić; wywrzeć zły wpływ
**con·tem·plate** [`kontəmpleıt] *vt vi* oglądać; rozmyślać; mieć na myśli; zamierzać
**con·tem·po·ra·ry** [kən`tempṛı] *adj* współczesny; dzisiejszy; *s* współcześnie żyjący; rówieśnik
**con·tempt** [kən`tempt] *s* pogarda, lekceważenie; obraza

**con·tempt·i·ble** [kən`temptəbl] *adj* zasługujący na pogardę; podły
**con·tempt·u·ous** [kən`temptʃuəs] *adj* pogardliwy; gardzący
**con·tend** [kon`tend] *vi* spierać się; rywalizować; ubiegać się (**for sth** o coś), walczyć; twierdzić
**con·tent 1.** [kən`tent] *s* zadowolenie; *adj* zadowolony; *vt* zadowalać
**con·tent 2.** [`kontent] *s* zawartość; istota; (*zw. pl* **~s**) treść (książki itp.); **table of ~s** spis rzeczy
**con·tent·ed** [kən`tentɪd] *zob.* **content 1.**; *adj* zadowolony
**con·ten·tion** [kən`tenʃn] *s* spór, sprzeczka; walka, rywalizacja; twierdzenie, argument (w sporze)
**con·tent·ment** [kən`tentmənt] *s* zadowolenie
**con·test** [kən`test] *vt vi* spierać się, rywalizować; ubiegać się; kwestionować; *s* [`kontest] spór; rywalizacja; zawody, konkurs
**con·text** [`kontekst] *s* kontekst
**con·ti·gu·i·ty** [ˈkontɪ`gjuətɪ] *s* przyleganie, bliskość
**con·tig·u·ous** [kən`tɪgjuəs] *adj* przyległy, sąsiedni
**con·ti·nence** [`kontɪnəns] *s* wstrzemięźliwość
**con·ti·nent 1.** [`kontɪnənt] *s* kontynent
**con·ti·nent 2.** [`kontɪnənt] *adj* wstrzemięźliwy
**con·tin·gen·cy** [kən`tɪndʒənsɪ] *s* przypadkowość, ewentualność; nieprzewidziany wydatek
**con·tin·gent** [kən`tɪndʒənt] *adj* przypadkowy, ewentualny; warunkowy, uwarunkowany; *s* kontyngent; ewentualność, przypadek
**con·tin·u·al** [kən`tɪnjuəl] *adj* ciągły, powtarzający się, ustawiczny
**con·tin·u·ance** [kən`tɪnjuəns] *s* trwanie, ciągłość; dalszy ciąg
**con·tin·u·a·tion** [kənˈtɪnju`eɪʃn] *s* kontynuacja, ciąg dalszy
**con·tin·ue** [kən`tɪnju] *vt* kontynuować, dalej coś robić, prowadzić; **to be ~d** ciąg dalszy nastąpi; *vi* trwać nadal, ciągnąć się dalej, pozostawać w dalszym ciągu
**con·tin·u·ous** [kən`tɪnjuəs] *adj* dalej trwający, nieprzerwany, trwały, stały
**con·tort** [kən`tɔt] *vt* skrzywić; zwichnąć
**con·tour** [`kontuə(r)] *s* zarys, kontur; *geogr.* **~ line** poziomica
**con·tra·band** [`kontrəbænd] *s* kontrabanda, przemyt
**con·tra·cep·tive** [ˈkontrə`septɪv] *s* środek antykoncepcyjny; *adj* antykoncepcyjny
**con·tract** [`kontrækt] *s* umowa, kontrakt; *vt vi* [kən`trækt] kontraktować; zobowiązywać się; zawierać (umowę, przyjaźń itp.); ściągnąć (się), skurczyć (się); zaciągnąć (dług); nabawić się (np. choroby)
**con·trac·tor** [kən`træktə(r)] *s* kontrahent; przedsiębiorca; dostawca
**con·tra·dict** [ˈkontrə`dɪkt] *vt* zaprzeczać (**sth** czemuś); być w sprzeczności (**sth** z czymś); przeczyć (**sb** komuś)
**con·tra·dic·tion** [ˈkontrə`dɪkʃn] *s* zaprzeczenie; sprzeciw; sprzeczność
**con·tra·dic·to·ry** [ˈkontrə`dɪktərɪ] *adj* przeczący, sprzeczny, przeciwstawny
**con·tra·dis·tinc·tion** [ˈkontrədɪ`stɪŋkʃn] *s* przeciwieństwo, odróżnienie (przez kontrast)
**con·tra·ry** [`kontrərɪ] *adj* sprzeczny, przeciwny; niepomyślny; *s* przeciwieństwo; **on the ~** przeciwnie, na odwrót; *adv* wbrew, przeciwnie, w przeciwieństwie
**con·trast** [`kontrast] *s* kontrast; *vt vi* [kən`trast] kontrastować, przeciwstawiać
**con·trib·ute** [kən`trɪbjut] *vt vi* wnieść udział ⟨wkład⟩; dołożyć się; **to ~ money etc. to sth** przyczynić się finansowo itp. do czegoś; **to ~ to a magazine** współpracować z czasopismem, pisać (artykuły) do czasopisma

**con·tri·bu·tion** [ˈkontrɪˈbjuʃn] *s* przyczynek, wkład, współudział; datek; współpraca (z pismem), artykuł w piśmie; kontrybucja, odszkodowanie wojenne

**con·trite** [konˈtraɪt] *adj* skruszony

**con·tri·tion** [kənˈtrɪʃn] *s* skrucha

**con·tri·vance** [kənˈtraɪvəns] *s* pomysł, plan; pomysłowość; wynalazek; urządzenie

**con·trive** [kənˈtraɪv] *vt vi* wymyślić, obmyśleć; zaplanować; wynaleźć; doprowadzić do czegoś, uskutecznić; zrobić coś pomyślnie, zdołać

**con·trol** [kənˈtrəul] *vt* kontrolować; regulować; rządzić, kierować, zarządzać, nadzorować; wstrzymywać; panować (**sth** nad czymś); sterować; *s* nadzór, kontrola; władza, kierownictwo; kierowanie, sterowanie; regulowanie; panowanie; *pl* **~s** *techn.* sterownica; przyrządy do sterowania; *adj attr* sterujący, regulujący; kontrolny

**con·tro·ver·sial** [ˈkontrəˈvɜʃl] *adj* sporny, polemiczny, kontrowersyjny

**con·tro·ver·sy** [ˈkontrəvɜsɪ] *s* spór, polemika, kontrowersja

**con·tu·me·ly** [ˈkontjumlɪ] *s* obelżywe traktowanie, obelga

**con·tu·sion** [kənˈtjuʒn] *s* kontuzja; stłuczenie

**con·va·lesce** [ˈkonvəˈles] *vi* przychodzić do zdrowia

**con·va·les·cence** [ˈkonvəˈlesns] *s* rekonwalescencja

**con·vene** [kənˈvin] *vt vi* zwoływać, wzywać; zbierać (się)

**con·ve·nience** [kənˈvinɪəns] *s* wygoda; *pl* **~s** komfort; **at your ~** kiedy ⟨jak⟩ ci będzie wygodnie; **marriage of ~** małżeństwo z rozsądku

**con·ve·nient** [kənˈvinɪənt] *adj* wygodny, dogodny

**con·ven·tion** [kənˈvenʃn] *s* umowa; zebranie; zwyczaj; konwencja; *pl* **~s** konwenanse

**con·ven·tion·al** [kənˈvenʃnl] *adj* umowny, zwyczajowy; konwencjonalny; stereotypowy

**con·verge** [kənˈvɜdʒ] *vi* zbiegać się (w jednym punkcie); *vt* skupiać

**con·ver·sant** [kənˈvɜsnt] *adj* dobrze znający (**with sth** coś), dobrze poinformowany (**with sth** o czymś), biegły

**con·ver·sa·tion** [ˈkonvəˈseɪʃn] *s* rozmowa, konwersacja

**con·verse 1.** [kənˈvɜs] *vi* rozmawiać

**con·verse 2.** [ˈkonvɜs] *adj* odwrotny, odwrócony; *s* odwrócenie, odwrotność

**con·ver·sion** [kənˈvɜʃn] *s* konwersja; przemiana; nawrócenie; odwrócenie

**con·vert** [kənˈvɜt] *vt* zmieniać, przemienić; sprzeniewierzyć; nawracać; konwertować; *s* [ˈkonvɜt] konwertyta, nawrócony

**con·vex** [ˈkonveks] *adj* wypukły

**con·vey** [kənˈveɪ] *vt* przewozić, przesyłać, przekazywać; komunikować

**con·vey·ance** [kənˈveɪəns] *s* przewóz, przenoszenie, przekazanie; doprowadzenie; komunikowanie; uzmysławianie; pojazd

**con·vict** [kənˈvɪkt] *vt* przekonywać (**of sth** o czymś); udowadniać (**sb of sth** komuś coś); uznać sądownie winnym (**of sth** czegoś); *s* [ˈkonvɪkt] skazaniec

**con·vic·tion** [kənˈvɪkʃn] *s* przekonanie; zasądzenie, osądzenie, udowodnienie winy

**con·vince** [kənˈvɪns] *vt* przekonać (**of sth** o czymś)

**con·viv·i·al** [kənˈvɪvɪəl] *adj* towarzyski, wesoły

**con·vo·ca·tion** [ˈkonvəˈkeɪʃn] *s* zwołanie; zebranie

**con·voke** [kənˈvəuk] *vt* zwoływać, zbierać

**con·voy** [ˈkonvɔɪ] *s* konwój, konwojowanie; *vt* [kənˈvɔɪ] konwojować

**con·vulse** [kənˈvʌls] *vt* wstrząsać; przyprawiać o konwulsje

**con·vul·sion** [kən`vʌlʃn] *s* konwulsja; wstrząs
**coo** [ku] *vt vi* gruchać; gaworzyć
**cook** [kuk] *vt vi* gotować (się); *przen.* fałszować; *s* kucharz
**cook·er·y** [`kukərɪ] *s* sztuka kulinarna
**cool** [kul] *adj* chłodny; oziębły; *s* chłód; *vt vi* chłodzić (się), studzić (się); ~ **down** ostygnąć; *przen.* ochłonąć
**coo·lie, coo·ly** [`kulɪ] *s* kulis
**cool·ness** [`kulnəs] *s* chłód; *przen.* zimna krew
**coop** [kup] *s* kojec
**co-op,** *am.* **coop** [`kəu op] *s pot.* kooperatywa
**coop·er** [`kupə(r)] *s* bednarz
**co-op·er·ate,** *am.* **co·op·er·ate** [kəu `opəreɪt] *vi* współdziałać, współpracować
**co-op·er·a·tion,** *am.* **co·op·er·a·tion** [kəu ˌopə`reɪʃn] *s* współdziałanie, kooperacja
**co-op·er·a·tive** [kəu `opr̩tɪv] *adj* współdziałający, chętny do współdziałania; spółdzielczy; *s* (*także* ~ **society**) spółdzielnia; (*także* ~ **shop**) sklep spółdzielczy
**co-opt** [kəu `opt] *vt* kooptować
**co-or·di·nate** [ˌkəu `ɔdəneɪt] *vt* koordynować; *adj* [ˌkəu `ɔdnət] równorzędny; *gram.* współrzędny
**cop** [kop] *s pot.* policjant
**co-part·ner** [ˌkəu `patnə(r)] *s* wspólnik, udziałowiec
**cope** [kəup] *vi* zmagać się, borykać się; radzić sobie, podołać
**co·pi·ous** [`kəupɪəs] *adj* obfity; płodny
**cop·per** [`kopə(r)] *s* miedź; miedziak
**cop·pice** [`kopɪs] *s* zarośla, lasek, zagajnik
**cop·u·late** [`kopjuleɪt] *vi* spółkować
**cop·y** [`kopɪ] *s* kopia; egzemplarz; rękopis, maszynopis; **rough** ~ brudnopis; **fair** ⟨**clean**⟩ ~ czystopis; *vt vi* kopiować, przepisywać; naśladować
**cop·y-book** [`kopɪbuk] *s* (szkolny) zeszyt do ćwiczeń
**cop·y·right** [`kopɪraɪt] *s* prawo autorskie; *vt* zastrzec sobie prawo autorskie
**cor·al** [`korl] *s* koral
**cord** [kɔd] *s* sznur, sznurek, lina; **vocal** ~ struna głosowa
**cord·age** [`kɔdɪdʒ] *s* liny; *mors.* olinowanie
**cord·ial** [`kɔdɪəl] *adj* serdeczny; *s* środek nasercowy
**cor·di·al·i·ty** [ˌkɔdɪ`ælətɪ] *s* serdeczność
**cor·du·roy** [`kɔdərɔɪ] *s* sztruks; *pl* ~**s** spodnie sztruksowe
**core** [kɔ(r)] *s* rdzeń, jądro; sedno; ogryzek (owocu); *przen.* serce, dusza
**cork** [kɔk] *s* korek; *vt* korkować
**cork·screw** [`kɔkskru] *s* korkociąg
**corn 1.** [kɔn] *s* ziarno, zboże; *am.* kukurydza
**corn 2.** [kɔn] *s* nagniotek, odcisk
**cor·ner** [`kɔnə(r)] *s* róg, węgieł; kąt; moment krytyczny; *mat.* wierzchołek; *adj attr* narożny; *vt* zapędzić w kąt, przyprzeć do muru
**cor·ner-stone** [`kɔnəstəun] *s* kamień węgielny
**corn·flower** [`kɔnflauə(r)] *s* bławatek
**cor·nice** [`kɔnɪs] *s* gzyms
**cor·ol·la·ry** [kə`rolərɪ] *s* wniosek; wynik
**cor·o·ner** [`korənə(r)] *s* sędzia śledczy
**cor·po·ral 1.** [`kɔprl] *adj* cielesny
**cor·po·ral 2.** [`kɔprl] *s* kapral
**cor·po·ra·tion** [ˌkɔpə`reɪʃn] *s* korporacja; *handl.* towarzystwo, spółka
**cor·por·e·al** [kɔ`pɔrɪəl] *adj* cielesny, materialny
**corps** [kɔ(r)] *s wojsk.* korpus; zespół
**corpse** [kɔps] *s* zwłoki, trup
**cor·pu·lent** [`kɔpjulənt] *adj* korpulentny, otyły
**cor·pus·cle** [`kɔpʌsl] *s biol.* ciałko
**cor·rect** [kə`rekt] *adj* poprawny,

prawidłowy; *vt* poprawiać, robić korektę; karać
**cor·rec·tion** [kə`rekʃn] *s* poprawka, poprawa; korekta; naprawa
**cor·re·la·tion** [ˈkorɪ`leɪʃn] *s* korelacja, współzależność
**cor·re·spond** [ˈkorɪs`pond] *vi* odpowiadać, być odpowiednim, zgadzać się; korespondować
**cor·re·spond·ence** [ˈkorɪ`spondəns] *s* zgodność; korespondencja
**cor·ri·dor** [`korɪdə(r)] *s* korytarz
**cor·ri·gi·ble** [`kɔrɪdʒəbl] *adj* dający się poprawić
**cor·rob·o·rate** [kə`robəreɪt] *vt* potwierdzić
**cor·rob·o·ra·tion** [kəˈrobə`reɪʃn] *s* potwierdzenie
**cor·rode** [kə`rəud] *vt* zżerać, nadgryzać; *vi* niszczeć (na skutek korozji)
**cor·ro·sion** [kə`rəuʒn] *s* korozja
**cor·rupt** [kə`rʌpt] *adj* zepsuty, skorumpowany, sprzedajny; *vt vi* korumpować, psuć (się)
**cor·rup·tion** [kə`rʌpʃn] *s* zepsucie, korupcja; rozkład; sprzedajność
**cor·set** [`kɔsɪt] *s* gorset
**cos·met·ic** [koz`metɪk] *adj* kosmetyczny; *s* kosmetyk; *pl* **~s** kosmetyki, kosmetyka
**cos·mic** [`kozmɪk] *adj* kosmiczny
**cos·mo·naut** [`kozmənɔt] *s* kosmonauta
**cos·mo·pol·i·tan** [ˈkozmə`polɪtən] *adj* kosmopolityczny; *s* kosmopolita
**cos·mo·pol·ite** [koz`mopəlaɪt] *s* kosmopolita
**cos·mo·pol·i·tism** [ˈkozmə`polɪtɪzm] *s* kosmopolityzm
**cos·mos** [`kozmos] *s* kosmos
***cost** [kost] **cost, cost** [kost] *vi* kosztować; *s* koszt; **at the ~** za cenę; **at all ~s** za wszelką cenę
**cost·ly** [`kostlɪ] *adj* kosztowny; wspaniały, doskonały
**cos·tume** [`kostjum] *s* kostium, strój
**co·sy** [`kəuzɪ] *adj* przytulny, wygodny

**cot 1.** [kot] *s* lekkie łóżko (polowe, dziecięce); koja (na statku)
**cot 2.** [kot] *s* szopa, szałas; *poet.* chata
**co·te·rie** [`kəutərɪ] *s* koteria
**cot·tage** [`kotɪdʒ] *s* domek, chata; **~ piano** pianino
**cot·tag·er** [`kotɪdʒə(r)] *s* właściciel ⟨posiadacz własnego⟩ domku; wieśniak
**cot·ton** [`kotn] *s* bawełna, wyrób bawełniany; wata
**cot·ton-wool** [ˈkotn`wul] *s* wata
**couch** [kautʃ] *s* kanapa, tapczan; legowisko; *vi* leżeć w ukryciu, czaić się; *vt* wyrażać, formułować
**cough** [kof] *s* kaszel; *vi* kaszleć; *vt* **~ out** ⟨**up**⟩ wykrztusić, wykaszleć
**could** *zob* **can 1.**
**coun·cil** [`kaunsl] *s* rada (jako zespół); narada
**coun·cil·lor** [`kaunslə(r)] *s* członek rady, radny
**coun·sel** [`kaunsl] *s* rada, porada; narada; radca, doradca, rzecznik, adwokat; *vt* radzić
**coun·sel·lor** [`kaunslə(r)] *s* radca, adwokat
**count 1.** [kaunt] *vt vi* rachować, liczyć (się); uważać za; być uważanym za; **~ on** ⟨**upon**⟩ **sb, sth** liczyć na kogoś, coś; **~ out** odliczyć; nie brać w rachubę; (*w boksie*) wyliczyć, uznać za pokonanego; *s* rachunek, rachuba
**count 2.** [kaunt] *s* hrabia (nie angielski)
**count·able** [`kauntəbl] *adj* obliczalny, dający się policzyć
**coun·te·nance** [`kauntɪnəns] *s* wyraz twarzy, twarz, fizjonomia; opanowanie; kontenans; zachęta, poparcie; **to put out of ~** zdetonować, stropić; *vt* popierać zachęcać
**coun·ter 1.** [`kauntə(r)] *s* lada, kontuar; kantor; prowadzący rachunki; liczman; żeton

**coun·ter** 2. [ˋkauntə(r)] *adj* przeciwny, przeciwległy, przeciwstawny; *adv* przeciwnie, w przeciwnym kierunku; *vt vi* sprzeciwiać się, przeciwdziałać, krzyżować (plany); odparować (cios), kontrować

**coun·ter·act** [ˈkauntəˋrækt] *vt* przeciwdziałać

**coun·ter-at·tack** [ˋkauntər ətæk] *s* kontratak

**coun·ter·bal·ance** [ˋkauntəbæləns] *s* przeciwwaga; *vt* [ˈkauntəˋbæləns] równoważyć

**coun·ter·feit** [ˋkauntəfɪt] *s* podrobienie, fałszerstwo, imitacja; *adj* podrobiony, fałszywy; *vt* podrabiać, fałszować; udawać

**coun·ter·mand** [ˈkauntəˋmand] *vt* odwołać (np. zamówienie, rozkaz); *s* odwołanie

**coun·ter·pane** [ˋkauntəpeɪn] *s* kołdra

**coun·ter·part** [ˋkauntəpat] *s* odpowiednik, pendant; kopia, duplikat

**coun·ter·point** [ˋkauntəpɔɪnt] *s muz.* kontrapunkt

**coun·ter·poise** [ˋkauntəpɔɪz] *s* przeciwwaga; równowaga; *vt* równoważyć, wyrównywać

**coun·ter-rev·o·lu·tion** [ˈkauntə ˈrevəˋluʃn] *s* kontrrewolucja

**coun·ter-rev·o·lu·tion·a·ry** [ˋkauntə ˈrevəˋluʃn̩ərɪ] *adj* kontrrewolucyjny; *s* kontrrewolucjonista

**coun·ter·weight** [ˋkauntəweɪt] *s* przeciwwaga

**count·ess** [ˋkauntɪs] *s* hrabina

**count·less** [ˋkauntləs] *adj* niezliczony

**coun·try** [ˋkʌntrɪ] *s* kraj; ojczyzna; wieś; prowincja; teren; **~ gentleman** obywatel ziemski; **to go into the ~** wyjechać na wieś; **to go to the ~** przeprowadzić powszechne wybory

**coun·try·man** [ˋkʌntrɪmən] *s* wieśniak; rodak

**coun·try·side** [ˋkʌntrɪsaɪd] *s* okolica, krajobraz

**coun·ty** [ˋkauntɪ] *s* hrabstwo; *am.* okręg administracyjny; **~ town** stolica hrabstwa; *am.* główne miasto okręgu administracyjnego

**coup** [ku] *s* wyczyn, mistrzowskie posunięcie; **~ d'état** [ˈku deɪˋta] zamach stanu

**cou·ple** [ˋkʌpl] *s* para (np. małżeńska); **a ~ of** parę, kilka; *vt vi* łączyć (się) parami, kojarzyć (się); *techn.* sprzęgać, sczepiać, spajać, lutować

**cou·plet** [ˋkʌplət] *s* dwuwiersz

**cou·pling** [ˋkʌplɪŋ] *s techn.* złącze

**cou·pon** [ˋkupən] *s* kupon, odcinek, talon

**cour·age** [ˋkʌrɪdʒ] *s* odwaga, męstwo

**cou·ra·geous** [kəˋreɪdʒəs] *adj* odważny, mężny

**course** [kɔs] *s* kurs; bieg; ciąg; tok, przebieg; bieżnia, tor; danie (na stole); **in due ~** we właściwym czasie; **of ~** oczywiście; **a matter of ~** rzecz oczywista

**court** [kɔt] *s* dwór; dziedziniec, plac; izba sądowa, sąd; pałac; sala, hala; *sport* boisko, kort; zaloty; *vt* zalecać się (**sb** do kogoś); szukać (**sth** czegoś); zabiegać (sth o coś)

**cour·te·ous** [ˋkɜtɪəs] *adj* grzeczny, uprzejmy

**cour·te·sy** [ˋkɜtəsɪ] *s* grzeczność, uprzejmość

**cour·ti·er** [ˋkɔtɪə(r)] *s* dworzanin

**court·ly** [ˋkɔtlɪ] *adj* dworski, wytworny

**court-mar·tial** [ˈkɔt ˋmaʃl] *s* sąd wojenny; *vt* postawić przed sądem wojennym

**court·ship** [ˋkɔtʃɪp] *s* zaloty

**court·yard** [ˋkɔtjad] *s* dziedziniec, podwórze

**cous·in** [ˋkʌzn] *s* kuzyn; **first ~** brat stryjeczny, siostra stryjeczna; brat cioteczny, siostra cioteczna; **second ~** dalszy krewny

**cov·e·nant** [ˋkʌvŋənt] *s* umowa, przymierze, związek, pakt
**cov·er** [ˋkʌvə(r)] *vt* pokrywać; przykryć, nakryć, okryć; ukryć, osłaniać; *s* pokrycie, przykrywka; okładka; narzuta; nakrycie; ochrona, osłona; *przen.* płaszczyk
**cov·er·ing** [ˋkʌvərıŋ] *s* przykrycie; osłona
**cov·er·let** [ˋkʌvələt] *s* przykrycie, kołdra, kapa
**cov·ert** [ˋkʌvət] *adj* ukryty, potajemny; ukradkowy; *s* schronienie, legowisko
**cov·et** [ˋkʌvıt] *vt* pożądać
**cov·et·ous** [ˋkʌvətəs] *adj* pożądliwy; zawistny
**cow** 1. [kaʊ] *s* krowa; samica (różnych ssaków)
**cow** 2. [kaʊ] *vt* straszyć
**coward** [ˋkaʊəd] *s* tchórz
**cow·ard·ice** [ˋkaʊədıs] *s* tchórzostwo
**cow·ard·ly** [ˋkaʊədlı] *adj* tchórzliwy
**cow·boy** [ˋkaʊbɔı] *s* pastuch; *am.* kowboj
**cow·er** [ˋkaʊə(r)] *vi* przysiąść, przycupnąć
**cox·comb** [ˋkokskəʊm] *s* fircyk; pyszałek
**cox·swain** [ˋkoksn] *s* sternik
**coy** [kɔı] *adj* nieśmiały, wstydliwy; zaciszny
**co·zy** [ˋkəʊzı] *adj* = **cosy**
**crab** [kræb] *s* krab; *astr.* **Crab** Rak
**crack** [kræk] *vt vi* trzaskać, roztrzaskać; trzeszczeć; pękać; spowodować pęknięcie; łupać; *s* trzask; uderzenie; pęknięcie; szczelina, rysa; *adj attr pot.* wspaniały, pierwszorzędny; *wojsk.* szturmowy
**cracked** [krækt] *pp i adj* potrzaskany; *przen.* zwariowany
**crack·er** [ˋkrækə(r)] *s* petarda; (*zw. pl* ~s) dziadek do orzechów; *pl* ~s krakersy
**crack·le** [ˋkrækl] *vi* skrzypieć, trzaskać; *s* trzaski; skrzypienie
**cra·dle** [ˋkreıdl] *s* kołyska; *przen.* kolebka; *vt* kłaść do kołyski, kołysać; *przen.* wychowywać niemowlę
**craft** [krɑft] *s* zręczność, biegłość; przebiegłość; rzemiosło; cech; (*pl* ~) statek, samolot (*zw. zbior.* statki, samoloty)
**crafts·man** [ˋkrɑftsmən] *s* rzemieślnik
**craft·y** [ˋkrɑftı] *adj* sprytny, zręczny; przebiegły, podstępny
**crag** [kræg] *s* skała (urwista)
**cram** [kræm] *vt vi* przepełnić, tłoczyć (się), zapchać (się); *pot.* (*o uczeniu się*) kuć
**cramp** [kræmp] *s* kurcz; *techn.* klamra, imadło; *przen.* hamulec, ograniczenie; *vt* wywołać kurcz; zwierać; *przen.* krępować, ograniczać
**crane** [kreın] *s zool.* żuraw; *techn.* dźwig, żuraw
**crank**[1] [kræŋk] *s* korba
**crank**[2] [kræŋk] *s* dziwak; dziwactwo
**crape** [kreıp] *s* krepa
**crash** [kræʃ] *s* trzask, łomot; gwałtowny upadek; nagłe zderzenie, katastrofa, kraksa; krach, bankructwo; *vi* trzasnąć, huknąć; spaść z hukiem, rozbić się, ulec katastrofie; *vt* zgnieść, rozbić, zniszczyć
**cra·ter** [ˋkreıtə(r)] *s* krater, lej
**crave** [kreıv] *vt vi* pragnąć, pożądać (sth, for sth czegoś); usilnie prosić (sth o coś)
**cra·ven** [ˋkreıvn] *s* tchórz, nikczemnik; *adj* tchórzliwy, nikczemny
**craw·fish** [ˋkrɔfıʃ] = **crayfish**
**crawl** [krɔl] *vi* pełzać, czołgać się; *s* pełzanie; pływanie kraulem
**cray·fish** [ˋkreıfıʃ] *s* rak; langusta
**cray·on** [ˋkreıən] *s* kredka, pastel; *vt* malować kredką, pastelami; szkicować

**craze** [kreɪz] *vi* szaleć; *vt* doprowadzać do szału; *s* szaleństwo, szał
**cra·zy** [ˋkreɪzɪ] *adj* szalony, zwariowany
**creak** [krik] *vi* skrzypieć, trzeszczeć; *s* skrzypienie, trzeszczenie
**cream** [krim] *s* śmietana; krem; pasta; *przen.* śmietanka; *adj attr* kremowy; *vt* zbierać śmietankę
**cream·y** [ˋkrimɪ] *adj* śmietankowy, kremowy
**crease** [kris] *s* fałda, zmarszczka; kant (spodni); *vt vi* marszczyć (się), miąć (się)
**cre·ate** [kriˋeɪt] *vt* tworzyć, stwarzać; kreować; wywołać
**cre·a·tion** [kriˋeɪʃn] *s* tworzenie, stworzenie; kreacja
**cre·a·tive** [kriˋeɪtɪv] *adj* twórczy
**cre·a·tor** [kriˋeɪtə(r)] *s* twórca, stwórca
**crea·ture** [ˋkritʃə(r)] *s* stworzenie, stwór; kreatura; twór
**crèche** [kreɪʃ] *s* żłobek (dla dzieci)
**cre·dence** [ˋkridəns] *s* wiara, zaufanie
**cre·den·tials** [krɪˋdenʃlz] *s pl* listy uwierzytelniające
**cred·i·ble** [ˋkredəbl] *adj* wiarygodny
**cred·it** [ˋkredɪt] *s* kredyt; zaufanie; uznanie, pochwała; honor; zaszczyt; *handl.* **letter of ~** akredytywa; *vt* kredytować; ufać; przypisywać (**sb with sth** komuś coś); *handl.* uznawać rachunek
**cred·it·a·ble** [ˋkredɪtəbl] *adj* zaszczytny, chlubny
**cred·i·tor** [ˋkredɪtə(r)] *s* wierzyciel
**cre·du·li·ty** [krəˋdjulətɪ] *s* łatwowierność
**cre·du·lous** [ˋkredjuləs] *adj* łatwowierny
**creed** [krid] *s* wiara; wyznanie wiary, credo
**creek** [krik] *s* zatoczka; *am.* rzeczka
***creep** [krip], **crept, crept** [krept] *vi* czołgać się, pełzać; wkradać się; (*o roślinach*) piąć się; (*o skórze*) cierpnąć; **my flesh ~s** ciarki mnie przechodzą
**creep·er** [ˋkripə(r)] *s bot.* pnącze; *pot.* lizus
**creep·y** [ˋkripɪ] *adj* pełzający; wywołujący ⟨mający⟩ ciarki
**cre·ma·tion** [krɪˋmeɪʃn] *s* palenie zwłok, kremacja
**crem·a·to·ri·um** [ˈkreməˋtɔrɪəm] *s* (*pl* **crematoria** [ˈkreməˋtɔrɪə]) krematorium
**crept** *zob* **creep**
**cres·cent** [ˋkresnt] *s* sierp księżyca, półksiężyc; *adj* rosnący; mający kształt półksiężyca
**crest** [krest] *s* grzebień (np. koguta), czub, grzywa; grzbiet (fali, góry itp.); herb
**crev·ice** [ˋkrevɪs] *s* szczelina, rysa
**crew 1.** [kru] *s* załoga, ekipa
**crew 2.** *zob.* **crow 2.**
**crib 1.** [krɪb] *s* żłób; łóżko dziecięce; *vt* zamknąć
**crib 2.** [krɪb] *s* plagiat; *pot.* ściągaczka; *vt vi pot.* ściągać (ćwiczenia szkolne itp.)
**crick** [krɪk] *s* bolesny skurcz; kurcz (np. w karku)
**crick·et 1.** [ˋkrɪkɪt] *s* świerszcz
**crick·et 2.** [ˋkrɪkɪt] *s sport* krykiet
**crime** [kraɪm] *s* zbrodnia
**crim·i·nal** [ˋkrɪmənl] *adj* zbrodniczy, kryminalny; *s* zbrodniarz
**crim·son** [ˋkrɪmzn] *s* karmazyn, purpura; *adj* karmazynowy; *vt vi* barwić (się) na karmazyn; *przen.* rumienić się
**cringe** [krɪndʒ] *vi* kulić się; nisko się kłaniać, płaszczyć się (**to sb** przed kimś); *s* uniżoność, płaszczenie się
**crin·kle** [ˋkrɪŋkl] *s* fałda, zmarszczka; *vt vi* marszczyć (się), fałdować (się), zwijać (się)
**crip·ple** [ˋkrɪpl] *s* kaleka, inwalida; *vt* przyprawiać o kalectwo; paraliżować; uszkadzać
**cri·sis** [ˋkraɪsɪs] *s* (*pl* **crises** [ˋkraɪsiz]) kryzys
**crisp** [krɪsp], **crisp·y** [ˋkrɪspɪ] *adj* kędzierzawy; kruchy; (*o powietrzu*) orzeźwiający; żywy, jędrny

(np. styl); *vt vi* zwijać (się), skręcać (się); stawać się kruchym
**cri·te·ri·on** [kraɪˋtɪərɪən] *s* (*pl* **criteria** [kraɪˋtɪərɪə]) kryterium
**crit·ic** [ˋkrɪtɪk] *s* krytyk; recenzent
**crit·i·cal** [ˋkrɪtɪkl] *adj* krytyczny
**crit·i·cism** [ˋkrɪtɪsɪzm] *s* krytyka; krytycyzm; recenzja, ocena
**crit·i·cize** [ˋkrɪtɪsaɪz] *vt* krytykować; recenzować
**cri·tique** [krɪˋtik] *s* krytyka; recenzja
**croak** [krəuk] *vi* (*o żabach*) rechotać; (*o wronach*) krakać; *pot.* zdechnąć, wykitować; *s* rechot, krakanie
**cro·chet** [ˋkrəuʃeɪ] *s* robota szydełkowa; *vt vi* szydełkować
**crock·er·y** [ˋkrokərɪ] *s* *zbior.* naczynia (gliniane, fajansowe itp.)
**croc·o·dile** [ˋkrokədaɪl] *s* *zool.* krokodyl
**cro·ny** [ˋkrəunɪ] *s* *pot.* bliski przyjaciel, kompan
**crook** [kruk] *s* hak; zagięcie; kij (pasterski); *pot.* oszust; **by hook or by ~** wszelkimi sposobami; *vt vi* skrzywić (się), zgiąć (się)
**crook·ed** 1. [krukt] *pp zob.* **crook** *v*
**crook·ed** 2. [ˋkrukɪd] *adj* kręty, krzywy, zgięty; nieuczciwy, przewrotny
**crop** [krop] *s* urodzaj, zbiór, plon; masa, stos; krótko ostrzyżone włosy; *vt* ścinać, strzyc; skubać; zbierać (plon); uprawiać, siać, sadzić; *vi* obrodzić, dawać plon; **~ up** zjawić się nagle
**cross** [kros] *s* *dosł. i przen.* krzyż; skrzyżowanie; *adj* krzyżowy; poprzeczny; przecinający (się), krzyżujący (się); niepomyślny, przeciwny; zły, rozgniewany; **to be ~** gniewać się (**with sb** na kogoś); *vt* krzyżować (ręce, rasy, plany itd.); przecinać; przejść (**sth** przez coś); przejechać (**sth** przez coś); przechodzić, przeprawić się na drugą stronę; przekreślić; udaremnić; **~ off, out** skreślić, wykreślić; *vr* **~ oneself** przeżegnać się; *vi* krzyżować się, przecinać się; rozmijać się
**cross-bar** [ˋkrosba(r)] *s* poprzeczka
**cross·breed** [ˋkrosbrid] *vt* krzyżować (gatunki, rasy); *s* krzyżówka (ras, gatunków); mieszaniec
**cross-coun·try** [ˌkrosˋkʌntrɪ] *adj attr i adv* na przełaj
**cross-ex·am·i·na·tion** [ˌkros ɪgˌzæmɪˋneɪʃn] *s* badanie (sądowe) za pomocą krzyżowych pytań
**cross-ex·am·ine** [ˌkros ɪgˋzæmɪn] *vt* badać za pomocą krzyżowych pytań
**cross·ing** [ˋkrosɪŋ] *s* skrzyżowanie; przejście przez ulicę; przepłynięcie przez morze; przeprawa
**cross-ref·er·ence** [ˌkros ˋrefrns] *s* odsyłacz
**cross-roads** [ˋkrosrəudz] *s pl* skrzyżowanie dróg, rozdroże; *dosł. i przen.* rozstaje
**cross-sec·tion** [ˌkros ˋsekʃn] *s* przekrój
**cross-word** [ˋkrosw3d] *s* (*także* **~ puzzle**) krzyżówka
**crotch** [krotʃ] *s* *anat.* krocze; rozwidlenie; drzewo rozwidlone
**crotch·et** [ˋkrotʃɪt] *s* hak; kaprys; dziwactwo; *muz.* ćwierćnuta
**crouch** [krautʃ] *vi* przysiąść, skulić się, kucnąć; *s* kucnięcie, skulenie się
**crow** 1. [krəu] *s* wrona, gawron
**crow** 2. [krəu] *vi* piać; triumfować (**over sb** nad kimś)
**crow·bar** [ˋkrəuba(r)] *s* łom, drąg żelazny
**crowd** [kraud] *s* tłum, tłok; stos (rzeczy); *vt vi* tłoczyć (się), pchać (się), zapchać
**crown** [kraun] *s* korona; wieniec; szczyt; ciemię; *vt* koronować, wieńczyć
**cru·cial** [ˋkruʃl] *adj* decydujący, krytyczny
**cru·ci·ble** [ˋkrusəbl] *s* tygiel; *przen.* ciężka próba
**cru·ci·fy** [ˋkrusɪfaɪ] *vt* ukrzyżować
**crude** [krud] *adj* surowy, niedojrzały; nie obrobiony; nieokrzesany, szorstki, brutalny
**cru·el** [ˋkruļ] *adj* okrutny

**cru·el·ty** [`kruḷtɪ] *s* okrucieństwo
**cru·et** [`kruɪt] *s* flaszeczka (na ocet, oliwę itp.)
**cruise** [kruz] *vi* (*zw. o statku*) krążyć; *s* krążenie po morzu, podróż morska, rejs
**cruis·er** [`kruzə(r)] *s* krążownik
**crumb** [krʌm] *s* okruszyna; *przen.* odrobina; *vt* kruszyć
**crum·ble** [`krʌmbl] *vt vi* kruszyć (się), rozpadać się
**crumb·y** [`krʌmɪ] *adj* pulchny
**crum·ple** [`krʌmpl] *vt vi* miąć (się), marszczyć (się), gnieść (się)
**crunch** [krʌntʃ] *vt* gryźć, chrupać; *vi* chrzęścić, skrzypieć; *s* chrupanie; chrzest, skrzypienie
**cru·sade** [kru`seɪd] *s hist.* wojna krzyżowa, krucjata (*także przen.*); *vi* uczestniczyć w wyprawie krzyżowej
**crush** [krʌʃ] *vt vi* gnieść (się), miażdżyć; niszczyć; tłoczyć (się); *s* tłok, ścisk; kruszenie, miażdżenie
**crust** [krʌst] *s* skórka (np. na chlebie); skorupa; strup; osad; *vt vi* pokrywać (się) skorupą, zaskorupiać (się)
**crutch** [krʌtʃ] *s* kula (dla kaleki)
**cry** [kraɪ] *vi* krzyczeć; płakać; *s* krzyk; wołanie; hasło; płacz
**crys·tal** [`krɪstl] *s* kryształ; *adj* kryształowy; krystaliczny
**crys·tal·lize** [`krɪstəlaɪz] *vt vi* krystalizować (się)
**cub** [kʌb] *s* szczenię, młode (u zwierząt)
**cube** [kjub] *s* sześcian; kostka (lodu, cukru); *vt mat.* podnosić do sześcianu
**cu·bic** [`kjubɪk] *adj* sześcienny, kubiczny
**cuck·oo** [`kuku] *s* kukułka
**cu·cum·ber** [`kjukʌmbə(r)] *s* ogórek
**cud·dle** [`kʌdl] *vt vi* tulić (się)
**cudg·el** [`kʌdʒl] *s* pałka, maczuga; *vt* okładać pałką
**cue** 1. [kju] *s* kij bilardowy
**cue** 2. [kju] *s* napomknienie, wskazówka; *teatr* replika
**cuff** 1. [kʌf] *s* mankiet
**cuff** 2. [kʌf] *s* uderzenie dłonią ⟨pięścią⟩; kułak; *vt* uderzyć pięścią ⟨dłonią⟩
**cu·li·na·ry** [`kʌlɪnr̥ɪ] *adj* kulinarny
**cull** [kʌl] *vt* zbierać, zrywać (kwiaty itp.); przebierać
**cul·mi·nate** [`kʌlmɪneɪt] *vi* osiągać szczyt
**cul·pa·ble** [`kʌlpəbl] *adj* winny; karygodny
**cul·prit** [`kʌlprɪt] *s* winowajca; podsądny
**cult** [kʌlt] *s* kult, cześć
**cul·ti·vate** [`kʌltɪveɪt] *vt dosł. i przen.* kultywować, uprawiać
**cul·ti·vat·ed** [`kʌltɪveɪtɪd] *zob.* **cultivate**; *adj* kulturalny, wytworny, wyrobiony
**cul·tur·al** [`kʌltʃərl] *adj* kulturalny
**cul·ture** [`kʌltʃə(r)] *s* kultura; uprawa; hodowla
**cul·tured** [`kʌltʃəd] *adj* kulturalny, wykształcony
**cum·ber** [`kʌmbə(r)] *vt* obciążać; zawadzać; krępować
**cum·ber·some** [`kʌmbəsəm] *adj* uciążliwy, nieporęczny
**cum·min, cum·in** [`kʌmɪn] *s* kmin(ek)
**cu·mu·late** [`kjumjʊleɪt] *vt vi* gromadzić (się), kumulować (się)
**cu·mu·la·tive** [`kjumjʊleɪtɪv] *adj* kumulacyjny, skumulowany, łączny
**cun·ning** [`kʌnɪŋ] *adj* podstępny, chytry; sprytny; zręczny; *s* chytrość; spryt; zręczność
**cup** [kʌp] *s* filiżanka; kubek; kielich; (*także sport*) puchar
**cup·board** [`kʌbəd] *s* kredens; szafka
**cup-fi·nal** [ˌkʌp `faɪnl] *s sport* finał(y) (np. mistrzostw)
**cu·pid·i·ty** [kju`pɪdətɪ] *s* chciwość, zachłanność
**cu·po·la** [`kjupələ] *s* kopuła
**cur** [kɜ(r)] *s* kundel; *przen.* łajdak
**curate** [`kjʊərət] *s* wikary
**cu·ra·tor** [kjʊ`reɪtə(r)] *s* opiekun; kustosz

**curb·stone** [ˋkɜbstəun] *s* = **kerbstone**
**curd** [kɜd] *s* (*zw. pl* ~s) twaróg; zsiadłe mleko
**cur·dle** [ˋkɜdl] *vt vi* ścinać (się); (*o mleku*) zsiadać się; (*o krwi*) krzepnąć; *przen.* ścinać krew w żyłach
**cure** [kjuə(r)] *vt* leczyć; wędzić, konserwować; wulkanizować; *s* kuracja; lekarstwo; wyleczenie; konserwowanie; wulkanizacja
**cur·few** [ˋkɜfju] *s* godzina policyjna; *hist.* dzwon wieczorny
**cu·ri·os·i·ty** [ˊkjuəriˋosətɪ] *s* ciekawość; ciekawostka, osobliwość; unikat
**cu·ri·ous** [ˋkjuərɪəs] *adj* ciekawy; osobliwy
**curl** [kɜl] *s* zwój, skręt; lok, pukiel; *vt vi* kręcić (się), zwijać (się); fryzować; falować
**curl·y** [ˋkɜlɪ] *adj* kędzierzawy, (*o włosach, o wodzie*) falujący
**cur·rant** [ˋkʌrənt] *s* porzeczka; rodzynek
**cur·ren·cy** [ˋkʌrənsɪ] *s* obieg; powszechne użycie (wyrazów); panowanie (poglądów); waluta
**cur·rent** [ˋkʌrənt] *adj* bieżący; obiegowy; powszechny; aktualny; *s* prąd; strumień; bieg; *elektr.* **alternating ~ (AC)** prąd zmienny; **direct ~ (DC)** prąd stały
**cur·ric·u·lum** [kəˋrɪkjuləm] *s* (*pl* **curricula** [kəˋrɪkjulə]) program (nauki)
**curse** [kɜs] *s* przekleństwo; klątwa; *vt vi* przeklinać, kląć
**cur·so·ry** [ˋkɜsərɪ] *adj* pobieżny, powierzchowny
**curt** [kɜt] *adj* krótki, zwięzły; szorstki
**cur·tail** [kɜˋteɪl] *vt* skracać, obcinać, uszczuplać
**cur·tain** [ˋkɜtn] *s* kurtyna, zasłona, firanka, kotara
**curt·s(e)y** [ˋkɜtsɪ] *s* dyg
**curve** [kɜv] *s* krzywa; wygięcie; zakręt; *vt vi* krzywić (się), zginać (się), zakręcać
**cush·ion** [ˋkuʃn] *s* poduszka (na kanapę); podkładka, wyściółka
**cus·tard** [ˋkʌstəd] *s* krem (deserowy)
**cus·to·dy** [ˋkʌstədɪ] *s* ochrona, opieka; areszt
**cus·tom** [ˋkʌstəm] *s* zwyczaj; nawyk; stałe kupowanie (w jednym sklepie); *pl* ~s cło; *pl* **Customs** urząd celny
**cus·tom·a·ry** [ˋkʌstəmərɪ] *adj* zwyczajowy; zwyczajny
**cus·tom·er** [ˋkʌstəmə(r)] *s* klient
**cus·tom-house** [ˋkʌstəmhaus] *s* urząd celny
***cut** [kʌt], **cut, cut** [kʌt] *vt* krajać, ciąć, przecinać, ścinać; rąbać; skracać; obniżać, redukować (ceny, płace itp.); kosić, strzyc; ignorować; *vi* ciąć, dać się krajać; **~ down** obciąć, ściąć; **~ in, into** wtrącić się; wtargnąć; **~ off** odciąć, wyłączyć; przerwać; **~ out** wyciąć; opuścić; odrzucić; przestać (palić, pić itp.); **~ up** pokrajać, posiekać; **to ~ open** rozciąć; **to ~ short** przerwać; *pot.* **to ~ and run** szybko uciec, zwiać; *s* cięcie; krój; rana cięta, szrama; obcięcie, obniżenie (ceny, płacy itp.); odcięty kawałek (np. mięsa); **short ~** najkrótsza droga (na przełaj), skrót
**cute** [kjut] *adj* bystry, zdolny, sprytny; *am.* miły, pociągający
**cut·let** [ˋkʌtlət] *s* kotlet
**cut·ter** [ˋkʌtə(r)] *s* przecinacz, przykrawacz; krojczy; kamieniarz; przyrząd do krajania; *mors.* kuter
**cut-throat** [ˋkʌtθrəut] *s* morderca, bandyta; *adj* bandycki; morderczy
**cy·a·nide** [ˋsaɪənaɪd] *s* cyjanek
**cy·cle** [ˋsaɪkl] *s* cykl; rower; *vi* jeździć rowerem
**cy·cling** [ˋsaɪklɪŋ] *s* kolarstwo
**cy·clist** [ˋsaɪklɪst] *s* kolarz
**cy·clone** [ˋsaɪkləun] *s* cyklon
**cy·clo·pae·di·a** [ˊsaɪkləuˋpidɪə] *s* encyklopedia

**cyl·in·der** [ˋsɪlɪndə(r)] *s* walec, wałek; *techn.* cylinder
**cym·bal** [ˋsɪmbl] *s* *muz.* czynel
**cyn·ic** [ˋsɪnɪk] *adj* cyniczny; *s* cynik
**cyn·i·cal** [ˋsɪnɪkl] *adj* cyniczny
**cyn·i·cism** [ˋsɪnɪsɪzm] *s* cynizm
**cy·press** [ˋsaɪprəs] *s* cyprys
**czar** [zɑ(r)] *s* car
**Czech** [tʃek] *adj* czeski; *s* Czech

# d

**D, d** [di] czwarta litera alfabetu angielskiego; *skr.* **penny, pence**
**dab** [dæb] *vt vi* lekko uderzać dłonią, dotknąć, przytknąć, musnąć, przyłożyć; *s* lekkie uderzenie, dotknięcie, muśnięcie
**dab·ble** [ˋdæbl] *vi* pluskać się; babrać się; interesować się powierzchownie (**in, at sth** czymś); *vt* moczyć; chlapać
**dad** [dæd], **dad·dy** [ˋdædɪ] *s* tatko, tatuś
**daf·fo·dil** [ˋdæfədɪl] *s* *bot.* żółty narcyz, żonkil
**dag·ger** [ˋdægə(r)] *s* sztylet; *vt* zasztyletować
**dai·ly** [ˋdeɪlɪ] *adj* dzienny, codzienny; *adv* dziennie, codziennie; *s* dziennik, gazeta
**dain·ty** [ˋdeɪntɪ] *adj* wykwintny; delikatny; filigranowy; wybredny; *s* przysmak, frykas; *pl* **dainties** łakocie
**dair·y** [ˋdeərɪ] *s* mleczarnia; gospodarstwo mleczne
**dai·sy** [ˋdeɪzɪ] *s* *bot.* stokrotka
**dal·ly** [ˋdælɪ] *vi* próżnować, zabawiać się głupstwami; figlować, igrać
**dam** [dæm] *s* tama, grobla; *vt* zagrodzić, przegrodzić tamą
**dam·age** [ˋdæmɪdʒ] *s* szkoda, uszkodzenie; *pl* **~s** odszkodowanie; *vt* uszkodzić, popsuć; zaszkodzić (**sb** komuś)
**damn** [dæm] *vt* potępiać, przeklinać; ganić
**damned** [dæmd] *pp i adj pot. uj.* przeklęty, cholerny; *adv pot. uj.* cholernie, wściekle, diabelnie
**damp** [dæmp] *adj* wilgotny, parny; *s* wilgoć; *przen.* przygnębienie; *vt* zwilżyć; stłumić; **~ down** przytłumić; zniechęcić
**dance** [dɑns] *vt vi* tańczyć; *s* taniec; zabawa, bal
**danc·er** [ˋdɑnsə(r)] *s* tancerz
**danc·ing** [ˋdɑnsɪŋ] *s* taniec; dansing; *adj attr* taneczny
**dan·de·li·on** [ˋdændɪlaɪən] *s* *bot.* mlecz
**dan·druff** [ˋdændrʌf] *s* łupież
**dan·dy** [ˋdændɪ] *s* elegant, strojniś
**Dane** [deɪn] *s* Duńczyk
**dan·ger** [ˋdeɪndʒə(r)] *s* niebezpieczeństwo
**dan·ger·ous** [ˋdeɪndʒərəs] *adj* niebezpieczny
**dan·gle** [ˋdæŋgl] *vt vi* huśtać (się), dyndać; nadskakiwać (**about** ⟨**after, around**⟩ **sb** komuś); nęcić (**sth before sb** kogoś czymś)
**Dan·ish** [ˋdeɪnɪʃ] *adj* duński; *s* język duński
**dap·per** [ˋdæpə(r)] *adj* żywy, zwinny; elegancko ubrany; fertyczny
**dap·ple** [ˋdæpl] *adj* cętkowany, łaciaty; *vt* nakrapiać (farbą), cętkować
***dare** [deə(r)], **dared** [deəd] *lub* † **durst** [dɜst], **dared** [deəd] *vt vi* śmieć, odważyć się, stawiać czoło, odważnie podjąć się czegoś; wyzwać; **I ~ say** śmiem twierdzić, sądzę; **I ~ swear** założę się; **I ~ you to say it again!** tylko spróbuj powiedzieć to jeszcze raz!

**dare-dev·il** [ˈdeə devl] *s* śmiałek; *adj attr* odważny do szaleństwa

**dar·ing** [ˈdeərɪŋ] *adj* śmiały, odważny; *s* śmiałość, odwaga

**dark** [dɑk] *adj* ciemny; ponury; ukryty; **it is growing ~** robi się ciemno; **to keep sth ~** trzymać coś w tajemnicy; *s* ciemność, zmrok

**dark·en** [ˈdɑkən] *vi vt* ciemnieć, zaciemniać (się); zasępiać (się)

**dark·ness** [ˈdɑknəs] *s* ciemność; ciemnota

**dar·ling** [ˈdɑlɪŋ] *s* ukochany, ulubieniec, *pieszcz.* kochanie; *adj* drogi, kochany

**darn** [dɑn] *vt* cerować

**dart** [dɑt] *s* żądło; strzałka; nagły ruch, zryw; *vt vi* rzucić (się), cisnąć

**dash** [dæʃ] *vt* rzucić, cisnąć; roztrzaskać; spryskać, ochlapać; zniweczyć; zmieszać (coś z czymś); wprawić w zakłopotanie, zmieszać (kogoś); *vi* uderzyć się; rzucić się; przebiec; **~ off** szybko nakreślić; **~ out** wykreślić; wybiec; *s* cios; atak, napaść; werwa; plusk; domieszka; barwna plamka; *druk.* myślnik; **to make a ~** rzucić się (**at sb, sth** na kogoś, coś)

**data** *zob.* **datum**

**date** 1. [deɪt] *s* data; *am.* spotkanie (umówione), *pot.* randka; **to ~** do tej pory, po dzień dzisiejszy; **out of ~** przestarzały, niemodny; **up to ~** nowoczesny, modny; *vt vi* datować (się)

**date** 2. [deɪt] *s* daktyl

**dat·er** [ˈdeɪtə(r)] *s* datownik

**da·tive** [ˈdeɪtɪv] *s gram.* celownik

**da·tum** [ˈdeɪtəm] *s* (*pl* **data** [ˈdeɪtə]) dany fakt ⟨szczegół itp.⟩; *zw. pl* **data** dane

**daub** [dɔb] *vt* mazać, bazgrać; oblepiać; pokrywać; *s* smar, plama; *pot.* bohomaz

**daugh·ter** [ˈdɔtə(r)] *s* córka

**daugh·ter-in-law** [ˈdɔtr ɪn lɔ] *s* synowa

**daunt** [dɔnt] *vt* zastraszyć, nastraszyć; zrazić

**daw·dle** [ˈdɔdl] *vi* mitrężyć, marnować czas, guzdrać się; *vt* **~ away** marnować (czas)

**dawn** [dɔn] *s* świt; *vi* świtać

**day** [deɪ] *s* dzień; doba; **~ off** dzień wolny (od pracy); **work by the ~** praca na dniówki; **by ~** za dnia; **~ by ~** dzień w dzień; **the ~ before yesterday** przedwczoraj; **the ~ after** nazajutrz; **the other ~** kilka dni temu; **this ~ week** od dziś za tydzień

**day·break** [ˈdeɪbreɪk] *s* brzask

**day·light** [ˈdeɪlaɪt] *s* światło dzienne

**day-nurs·er·y** [ˈdeɪ nɜsərɪ] *s* żłobek (dla dzieci)

**day·time** [ˈdeɪtaɪm] *s* (biały) dzień

**daze** [ˈdeɪz] *vt* oszałamiać, ogłupiać

**daz·zle** [ˈdæzl] *vt* oślepić (blaskiem), olśnić

**dead** [ded] *adj* zmarły, *dosł.* i *przen.* martwy; całkowity, bezwzględny, pewny; głuchy, obojętny (**to sth** na coś); **~ certainty** zupełna pewność; **~ hours** głucha noc; **~ loss** kompletna strata; **to be ~** nie funkcjonować; **to come to a ~ stop** nagle zatrzymać się; *adv* całkowicie, kompletnie; **~ drunk** kompletnie pijany; **~ tired** śmiertelnie zmęczony; *s* martwota; *w zwrotach*: **in the ~ of night** w głęboką noc; **in the ~ of winter** w pełni zimy; *pl* **the ~** zmarli

**dead·lock** [ˈdedlok] *s* zastój, impas, martwy punkt

**dead·ly** [ˈdedlɪ] *adj* śmiertelny; *adv* śmiertelnie

**deaf** [def] *adj* głuchy; **~ and dumb** głuchoniemy; **to turn a ~ ear** nie słuchać (**to sb, sth** kogoś, czegoś)

**deaf·en** [ˈdefn] *vt* ogłuszać

**deaf-mute** [ˈdefˈmjut] *s* głuchoniemy

***deal** [dil], **dealt, dealt** [delt] *vt*

dzielić; rozdawać (dary, karty), (*także* ~ **out**) wydzielać; zadawać (cios); *vi* załatwiać (**with sth** coś), mieć do czynienia, rozprawiać się (**with sb** z kimś); handlować (**in sth** czymś); postępować (**by** ⟨**with**⟩ **sb** z kimś), traktować (**by** ⟨**with**⟩ **sb** kogoś); zajmować się (**with sth** czymś); dotyczyć (**with sth** czegoś); *s* interes, sprawa; postępowanie; rozdanie kart; część; **a good** ⟨**great**⟩ ~ wielka ilość, dużo

**deal·er** [`dilə(r)] *s* kupiec, handlarz; rozdający karty (w grze); **plain** ~ człowiek szczery ⟨prostolinijny⟩

**dean** [din] *s* dziekan

**dear** [dɪə(r)] *adj* drogi; *adv* drogo; *int* ~ **me! oh** ~! Boże mój!, czyżby?, ojej!

**dearth** [dɜθ] *s* niedostatek; drożyzna

**death** [deθ] *s* śmierć

**death-rate** [`deθreɪt] *s* śmiertelność

**de·bar** [dɪ`bɑ(r)] *vt* wykluczyć, odsunąć; zakazać

**de·bark** [dɪ`bɑk] = **disembark**

**de·bar·ka·tion** [ˏdɪbɑ`keɪʃn] *s* wyładowanie (towaru); wysadzenie na ląd; wylądowanie

**de·base** [dɪ`beɪs] *vt* obniżać (wartość); poniżać

**de·bate** [dɪ`beɪt] *vt vi* omawiać, obmyślać, debatować (**sth, on sth** nad czymś); *s* debata, dyskusja

**de·bauch** [dɪ`bɔtʃ] *vt* psuć, deprawować; *s* rozpusta

**de·bauch·er·y** [dɪ`bɔtʃərɪ] *s* rozpusta, rozwiązłość

**de·ben·ture** [dɪ`bentʃə(r)] *s* obligacja

**de·bil·i·tate** [dɪ`bɪlɪteɪt] *vt* podciąć siły, osłabić

**de·bil·i·ty** [dɪ`bɪlətɪ] *s* niemoc, osłabienie

**deb·it** [`debɪt] *s* strona rachunku „winien"; *vt* obciążyć (rachunek) kwotą

**de·bris** [`deɪbri] *s zbior.* gruzy, rumowisko

**debt** [det] *s* dług

**debt·or** [`detə(r)] *s* dłużnik

**de·bunk** [dɪ`bʌŋk] *vt pot.* odbrązawiać, demaskować

**de·but** [`deɪbju] *s* debiut

**dec·ade** [`dekeɪd] *s* dekada; dziesiątka

**dec·a·dence** [`dekədəns] *s* dekadencja, upadek

**de·cant·er** [dɪ`kæntə(r)] *s* karafka

**de·cay** [dɪ`keɪ] *vi* gnić, rozpadać się, niszczeć; podupadać; *s* upadek, schyłek; gnicie, rozkład

**de·cease** [dɪ`sis] *vi* umierać; *s* zgon

**de·ceased** [dɪ`sist] *adj* zmarły; *s* nieboszczyk

**de·ceit** [dɪ`sit] *s* fałsz, oszustwo

**de·ceive** [dɪ`siv] *vt* zwodzić, oszukiwać

**De·cem·ber** [dɪ`sembə(r)] *s* grudzień

**de·cen·cy** [`disnsɪ] *s* przyzwoitość

**de·cent** [`disnt] *adj* *dosł.* *i* *przen.* przyzwoity; **a** ~ **income** przyzwoity dochód

**de·cep·tion** [dɪ`sepʃn] *s* oszukaństwo; okłamanie

**de·cep·tive** [dɪ`septɪv] *adj* zwodniczy, oszukańczy

**de·cide** [dɪ`saɪd] *vt* rozstrzygać, decydować (**sth** o czymś); *vi* postanawiać, decydować się (**on sth** na coś)

**de·cid·ed** [dɪ`saɪdɪd] *pp i adj* zdecydowany; stanowczy; bezsporny

**de·cid·u·ous** [dɪ`sɪdʒuəs] *adj* (*o drzewie*) liściasty

**de·ci·mal** [`desɪml] *adj* dziesiętny

**de·ci·pher** [dɪ`saɪfə(r)] *vi* odcyfrować; rozwiązać (zagadkę)

**de·ci·sion** [dɪ`sɪʒn] *s* decyzja; zdecydowanie

**de·ci·sive** [dɪ`saɪsɪv] *adj* decydujący; stanowczy

**deck** [dek] *vt* pokrywać; zdobić; *s* pokład; piętro (w tramwaju, autobusie)

**de·claim** [dɪ`kleɪm] *vt* deklamować

**de·cla·ma·tion** [ˏdeklə`meɪʃn] *s* deklamacja

**dec·la·ra·tion** [ˏdeklə`reɪʃn] *s* deklaracja; wypowiedzenie

**de·clare** [dɪ`kleə(r)] *vt vi* oznajmiać, deklarować (się), oświadczać (się); wypowiadać (wojnę); zgłaszać (do oclenia)
**de·clen·sion** [dɪ`klenʃn] *s* odchylenie; upadek; *gram.* deklinacja
**de·cline** [dɪ`klaɪn] *vi* opaść, obniżać się; zmarnieć; chylić się ku upadkowi, podupadać; *vt* schylać; uchylać; odrzucać (prośbę, wniosek); *gram.* deklinować; *s* upadek; zanik; schyłek
**de·cliv·i·ty** [dɪ`klɪvətɪ] *s* pochyłość
**de·com·pose** [ˏdikəm`pəuz] *vt vi* rozkładać (się)
**dec·o·rate** [`dekəreɪt] *vt* dekorować (*także* kogoś orderem); malować (pokój)
**de·co·ra·tor** [`dekəreɪtə(r)] *s* dekorator; malarz pokojowy
**de·co·rous** [`dekərəs] *adj* przyzwoity, odpowiedni, stosowny
**de·coy** [dɪ`kɔɪ] *vt* wabić; wciągać w pułapkę; *s* [`dikɔɪ] przynęta; pułapka
**de·crease** [dɪ`kris] *vt vi* zmniejszać (się), obniżać (się), ubywać; *s* [`dikris] ubytek, pomniejszenie
**de·cree** [dɪ`kri] *s* dekret, rozporządzenie, wyrok, postanowienie; zarządzenie; *vt* postanawiać, dekretować, zarządzać; (*o losie*) zrządzić
**de·crep·it** [dɪ`krepɪt] *adj* rozpadający się; (*o człowieku*) zgrzybiały
**de·cry** [dɪ`kraɪ] *vt* popsuć opinię, oczernić
**ded·i·cate** [`dedɪkeɪt] *vt* dedykować, poświęcać
**ded·i·ca·tion** [ˏdedɪ`keɪʃn] *s* dedykacja; poświęcenie
**de·duce** [dɪ`djus] *vt* wyprowadzać; wnioskować
**de·duct** [dɪ`dʌkt] *vt* odliczać, odciągać, odejmować, potrącać
**de·duc·tion** [dɪ`dʌkʃn] *s* dedukcja; wniosek; odliczenie, potrącenie; rabat
**deed** [did] *s* dzieło, czyn, uczynek; akt (prawny), dokument
**deem** [dim] *vt vi* uważać, sądzić
**deep** [dip] *adj* głęboki; pochłonięty (in sth czymś); *s* głębia; *adv* głęboko
**deep·en** [`dipən] *vt vi* pogłębiać (się)
**deer** [dɪə(r)] *s* jeleń, łania itp; *zbior.* zwierzyna płowa
**def·a·ma·tion** [ˏdefə`meɪʃn] *s* zniesławienie
**de·fame** [dɪ`feɪm] *vt* zniesławiać
**de·fault** [dɪ`fɔlt] *s* uchybienie (np. obowiązkom), zaniedbanie; brak; nieobecność; *prawn.* niestawiennictwo; by ~ z powodu nieobecności, zaocznie; *vi* zaniedbać; uchybić; nie dotrzymać zobowiązania; nie stawić się w sądzie; *vt* skazać zaocznie
**de·feat** [dɪ`fit] *s* porażka; zniszczenie; *prawn.* anulowanie, kasacja; *vt* pokonać, pobić, zniszczyć; udaremnić; *prawn.* anulować, skasować
**de·fect** [dɪ`fekt] *s* brak, wada, defekt
**de·fec·tive** [dɪ`fektɪv] *adj* wadliwy; *gram.* ułomny
**de·fence**, *am.* **de·fense** [dɪ`fens] *s* obrona; *prawn.* strona pozwana; obrońca
**de·fend** [dɪ`fend] *vt* bronić
**de·fend·ant** [dɪ`fendənt] *s prawn.* pozwany
**de·fense** = **defence**
**de·fen·sive** [dɪ`fensɪv] *adj* obronny; *s* defensywa; on the ~ w defensywie
**de·fer 1.** [dɪ`fɜ(r)] *vt* odwlekać, odkładać
**de·fer 2.** [dɪ`fɜ(r)] *vi* ustępować, ulegać (przez szacunek); mieć wzgląd (to sth na coś)
**def·er·ence** [`defrəns] *s* szacunek, respekt; uleganie
**de·fi·ance** [dɪ`faɪəns] *s* wyzwanie; opór
**de·fi·ant** [dɪ`faɪənt] *adj* wyzywający; oporny
**de·fi·cien·cy** [dɪ`fɪʃnsɪ] *s* brak, niedostatek, niedobór; słabość
**de·fi·cient** [dɪ`fɪʃnt] *adj* niedosta-

teczny, wykazujący brak ⟨niedobór⟩

**def·i·cit** [ˈdefəsɪt] *s* deficyt; niedobór

**de·file** 1. [dɪˈfaɪl] *vt* zanieczyszczać; profanować

**de·file** 2. [ˈdifaɪl] *vi* defilować; *s* wąwóz; przełęcz

**de·fine** [dɪˈfaɪn] *vt* określać, definiować

**def·i·nite** [ˈdefn̩ɪt] *adj* określony; stanowczy

**de·fi·ni·tion** [ˌdefəˈnɪʃn] *s* definicja, określenie

**de·fin·i·tive** [dɪˈfɪnətɪv] *adj* definitywny, stanowczy

**de·fla·tion** [dɪˈfleɪʃn] *s* wypuszczenie powietrza; *fin.* deflacja

**de·form** [dɪˈfɔm] *vt* zniekształcać; szpecić

**de·form·i·ty** [dɪˈfɔmətɪ] *vt* zniekształcenie; kalectwo; brzydota

**de·fraud** [dɪˈfrɔd] *vt* oszukiwać; nieuczciwie pozbawić (**sb of sth** kogoś czegoś)

**de·fray** [dɪˈfreɪ] *vt* opłacać, pokrywać koszty

**de·frost** [dɪˈfrost] *vt vi* odmrażać (się); rozmrażać (się)

**deft** [deft] *adj* zwinny, zgrabny, zręczny

**de·funct** [dɪˈfʌŋkt] *adj* zmarły; nieistniejący, zlikwidowany

**de·fy** [dɪˈfaɪ] *vt* przeciwstawiać się, opierać się (**sb, sth** komuś, czemuś); wyzywać; **to ~ description** nie dać się opisać; być nie do opisania

**de·gen·er·a·cy** [dɪˈdʒenərəsɪ] *s* zwyrodnienie, degeneracja

**de·gen·er·ate** [dɪˈdʒenərət] *adj* zwyrodniały; zdegenerowany; *s* zwyrodnialec; degenerat; *vi* [dɪˈdʒenəreɪt] wyrodnieć, degenerować się

**deg·ra·da·tion** [ˌdegrəˈdeɪʃn] *s* degradacja; poniżenie, upodlenie

**de·grade** [dɪˈgreɪd] *vt vi* degradować (się); poniżać (się), upadlać; nikczemnieć

**de·gree** [dɪˈgri] *s* stopień; **by ~s** stopniowo

**deign** [deɪn] *vi* raczyć (coś zrobić)

**de·i·ty** [ˈdeɪətɪ] *s* bóstwo

**de·ject** [dɪˈdʒekt] *vt* zniechęcić, przygnębić

**de·jec·tion** [dɪˈdʒekʃn] *s* zniechęcenie, przygnębienie

**de·lay** [dɪˈleɪ] *vi* zwlekać; *vt* odkładać; wstrzymywać; *s* zwłoka

**del·e·gate** [ˈdelɪgeɪt] *vt* delegować; zlecać, udzielać; *s* [ˈdelɪgət] delegat

**del·e·ga·tion** [ˌdelɪˈgeɪʃn] *s* delegacja

**de·lib·er·ate** [dɪˈlɪbəreɪt] *vi* rozmyślać, naradzać się (**on ⟨upon⟩ sth** nad czymś); *vt* rozważać (**sth** coś); *adj* [dɪˈlɪbr̩ət] rozmyślny; rozważny

**de·lib·er·a·tion** [dɪˌlɪbəˈreɪʃn] *s* rozważanie; narada; przezorność, rozwaga

**del·i·ca·cy** [ˈdelɪkəsɪ] *s* delikatność; wrażliwość; delikates

**del·i·cate** [ˈdelɪkət] *adj* delikatny, czuły; wątły

**de·li·cious** [dɪˈlɪʃəs] *adj* rozkoszny, wyborny

**de·light** [dɪˈlaɪt] *vt vi* radować (się), zachwycać (się), rozkoszować się (**in sth** czymś); **to be ~ed** być zachwyconym, mieć wielką przyjemność (**at ⟨with⟩ sth** w czymś); *s* rozkosz, radość

**de·light·ful** [dɪˈlaɪtfl] *adj* rozkoszny, czarujący

**de·lin·e·ate** [dɪˈlɪnɪeɪt] *vt* naszkicować, nakreślić

**de·lin·quen·cy** [dɪˈlɪŋkwənsɪ] *s* zaniedbanie obowiązku; przestępczość; wykroczenie

**del·in·quent** [dɪˈlɪŋkwənt] *s* delikwent; winowajca; przestępca; *adj* winny zaniedbania obowiązków; przestępczy

**de·lir·i·ous** [dɪˈlɪrɪəs] *adj* majaczący

**de·liv·er** [dɪˈlɪvə(r)] *vt* uwolnić, wybawić; przekazać, doręczyć, oddać, dostarczyć; wygłosić (mowę); wymierzyć (cios); wydać (rozkaz, bitwę); pomóc przy po-

rodzie, odebrać (dziecko); **to be ~ed of a child** urodzić dziecko
**de·liv·er·y** [dɪˈlɪvr̩ɪ] *s* doręczenie, oddanie, wydanie, dostawa; wygłoszenie (mowy); poród
**de·lude** [dɪˈlud] *vt* łudzić, zwodzić, oszukiwać
**del·uge** [ˈdeljudʒ] *s dosł. i przen.* potop
**de·lu·sion** [dɪˈluʒn] *s* złuda, złudzenie
**dem·a·gog·ic** [ˌdeməˈgodʒɪk] *adj* demagogiczny
**dem·a·gogue** [ˈdeməgog] *s* demagog
**de·mand** [dɪˈmand] *vt* żądać; wymagać; pytać; *s* żądanie; wymaganie; zapotrzebowanie, popyt (**for sth** na coś)
**de·mean·our** [dɪˈminə(r)] *s* zachowanie (się), postawa
**dem·i·john** [ˈdemɪdʒon] *s* gąsior, butla
**de·mil·i·ta·rize** [ˌdiˈmɪlɪtəraɪz] *vt* demilitaryzować
**de·mo·bi·lize** [dɪˈməʊbl̩aɪz] *vt* demobilizować
**de·moc·ra·cy** [dɪˈmokrəsɪ] *s* demokracja
**dem·o·crat·ic** [ˌdeməˈkrætɪk] *adj* demokratyczny
**de·mol·ish** [dɪˈmolɪʃ] *vt* burzyć, demolować; obalać
**dem·o·li·tion** [ˌdeməˈlɪʃn] *s* zburzenie, rozbiórka; obalenie
**de·mon** [ˈdimən] *s* demon
**dem·on·strate** [ˈdemənstreɪt] *vt vi* wykazywać, udowadniać; demonstrować
**dem·on·stra·tion** [ˌdemənˈstreɪʃn] *s* przeprowadzenie dowodu; demonstracja
**de·mon·stra·tive** [diˈmonstrətɪv] *adj* demonstracyjny; udowadniający; *gram.* wskazujący (zaimek)
**de·mor·al·i·za·tion** [diˌmorl̩aɪˈzeɪʃn] *s* demoralizacja, zdeprawowanie
**den** [den] *s* pieczara, nora, jaskinia; *przen.* schronienie
**de·na·tur·ate** [diˈneɪtʃəreɪt], **de·na··ture** [diˈneɪtʃə(r)] *vt* denaturować, skażać
**de·na·tured** [ˌdɪˈneɪtʃəd] *adj* skażony (np. alkohol)
**de·ni·al** [dɪˈnaɪl] *s* zaprzeczenie, odmowa
**den·im** [ˈdenɪm] *s* teksas; *pl* **~s** *pot.* dżinsy
**den·i·zen** [ˈdenɪzn] *s* mieszkaniec
**de·nom·i·nate** [dɪˈnomɪneɪt] *vt* nazwać; określić
**de·nom·i·na·tion** [dɪˌnomɪˈneɪʃn] *s* nazwa; określenie; *rel.* wyznanie; jednostka (wagi itp.)
**de·note** [dɪˈnəʊt] *vt* oznaczać
**de·nounce** [dɪˈnaʊns] *vt* denuncjować, donosić, oskarżać; wypowiadać (np. umowę)
**dense** [dens] *adj* gęsty; spoisty
**den·si·ty** [ˈdensətɪ] *s* gęstość; spoistość
**den·tal** [ˈdentl] *adj* zębowy, dentystyczny; *gram.* (*o głosce*) zębowy
**den·ti·frice** [ˈdentɪfris] *s* pasta ⟨proszek⟩ do zębów
**den·tist** [ˈdentɪst] *s* dentysta
**den·ture** [ˈdentʃə(r)] *s* sztuczna szczęka, proteza
**de·nude** [dɪˈnjud] *vt* obnażyć, ogołocić
**de·nun·ci·a·tion** [dɪˌnʌnsɪ eɪʃn] *s* denuncjacja; oskarżenie; wypowiedzenie (np. umowy)
**de·ny** [dɪˈnaɪ] *vt* zaprzeczyć; odmówić; wyprzeć się (**sb, sth** kogoś, czegoś)
**de·part** [dɪˈpat] *vi* wyruszać, odjeżdżać; odstąpić (**from sth** od czegoś); odbiegać (od tematu itp.)
**de·part·ment** [dɪˈpatmənt] *s* departament; wydział, katedra; oddział; *am.* ministerstwo; **~ store** dom towarowy
**de·par·ture** [dɪˈpatʃə(r)] *s* odstępstwo; odejście, odjazd; **point of ~** punkt wyjścia
**de·pend** [dɪˈpend] *vi* zależeć (**on sb, sth** od kogoś, czegoś); liczyć, polegać (**on sb, sth** na kimś, czymś)
**de·pend·ence** [dɪˈpendəns] *s* zależność; zaufanie

**de·pend·en·cy** [dɪˋpendənsɪ] *s* zależność; podległe terytorium; przyległość
**de·pend·ent** [dɪˋpendənt] *adj* zależny (**on sb, sth** od kogoś, czegoś), podlegający; *s* człowiek zależny od kogoś ⟨będący na czyimś utrzymaniu⟩; służący
**de·pict** [dɪˋpɪkt] *vt* malować, opisywać
**de·plor·a·ble** [dɪˋplɔrəbl] *adj* godny pożałowania
**de·plore** [dɪˋplɔ(r)] *vt* opłakiwać; wyrazić żal
**de·port** [dɪˋpɔt] *vt* deportować; *vr* ~ **oneself** zachowywać się
**de·pose** [dɪˋpəuz] *vt* usuwać, składać (z tronu, urzędu); *vi* składać zeznanie
**de·pos·it** [dɪˋpozɪt] *s* depozyt; zastaw, kaucja; osad; złoże; *vt* deponować; składać; *chem.* strącać
**dep·o·si·tion** [ˈdepəˋzɪʃn] *s* zeznanie; złożenie (z tronu, urzędu)
**de·pos·i·tor** [dɪˋpozɪtə(r)] *s* depozytor
**de·pot** [ˋdepəu] *s* skład; *am.* [ˋdi pəu] dworzec (kolejowy, autobusowy)
**de·prave** [dɪˋpreɪv] *vt* deprawować
**dep·re·cate** [ˋdeprəkeɪt] *vt* potępiać, dezaprobować, ganić; odżegnywać się (**sth** od czegoś)
**de·pre·ci·ate** [dɪˋpriʃɪeɪt] *vt vi* deprecjonować (się)
**de·press** [dɪˋpres] *vt* tłumić, hamować; gnębić, przygnębiać; obniżać; naciskać
**de·pres·sion** [dɪˋpreʃn] *s* depresja, przygnębienie; obniżenie; zastój, kryzys
**de·priv·al** [dɪˋpraɪvl] *s* pozbawienie; złożenie (z urzędu)
**dep·ri·va·tion** [ˈdeprɪˋveɪʃn] = **deprival**
**de·prive** [dɪˋpraɪv] *vt* pozbawiać (**sb of sth** kogoś czegoś); złożyć (z urzędu)
**depth** [depθ] *s* głębokość, głąb, głębia
**dep·u·ta·tion** [ˈdepjuˋteɪʃn] *s* deputacja
**dep·u·ty** [ˋdepjutɪ] *s* delegat; zastępca, wice-
**de·rail** [dɪˋreɪl] *vt vi* wykoleić (się)
**de·range** [dɪˋreɪndʒ] *vt* wprowadzać nieład, psuć, dezorganizować; doprowadzać do obłędu
**de·ranged** [dɪˋreɪndʒd] *pp i adj* umysłowo chory
**de·range·ment** [dɪˋreɪndʒmənt] *s* nieporządek; rozstrój (żołądka); obłęd
**der·e·lict** [ˋderəlɪkt] *adj* opuszczony, bezpański; niedbały
**de·ride** [dɪˋraɪd] *vt* wyśmiewać, szydzić
**de·ri·sion** [dɪˋrɪʒn] *s* wyśmiewanie, wyszydzanie
**de·ri·sive** [dɪˋraɪsɪv] *adj* kpiący, szyderczy
**der·i·va·tion** [ˈderɪˋveɪʃn] *s* pochodzenie; *gram.* derywacja
**de·rive** [dɪˋraɪv] *vt* dobywać, czerpać, wyprowadzać; *vi* pochodzić
**der·o·gate** [ˋderəgeɪt] *vi* pomniejszać (**from sth** coś), przynosić ujmę
**de·rog·a·to·ry** [dɪˋrogətrɪ] *adj* pomniejszający (**from sth** coś), przynoszący ujmę
**de·scend** [dɪˋsend] *vi* schodzić; spapać; wyprowadzać; *vi* pochodzić wywodzić się; *vt* zejść (**a hill etc.** z góry itp.)
**de·scend·ant** [dɪˋsendənt] *s* potomek
**de·scent** [dɪˋsent] *s* zejście, zstąpienie; stok; spadek; pochodzenie
**de·scribe** [dɪˋskraɪb] *vt* opisywać, określić
**de·scrip·tion** [dɪˋskrɪpʃn] *s* opis
**de·scrip·tive** [dɪˋskrɪptɪv] *adj* opisowy; ~ **geometry** geometria wykreślna
**des·e·crate** [ˋdesəkreɪt] *vt* profanować, plugawić
**des·ert 1.** [ˋdezət] *s* pustynia; *adj attr* pustynny
**de·sert 2.** [dɪˋzɜt] *vt* opuszczać; *vi* dezerterować
**de·ser·tion** [dɪˋzɜʃn] *s* opuszczenie; dezercja

**de·serve** [dɪ`zɜv] *vt vi* zasłużyć (sobie, się)
**de·sign** [dɪ`zaɪn] *s* plan; zamiar; cel; wzór; szkic; *vt* planować, zamierzać; przeznaczać; projektować; szkicować; rysować
**de·sig·nate** [`dezɪgneɪt] *vt* desygnować, wyznaczać
**de·sign·ed·ly** [dɪ`zaɪnɪdlɪ] *adv* umyślnie, celowo
**de·sign·er** [dɪ`zaɪnə(r)] *s* rysownik, kreślarz; projektant
**de·sir·a·ble** [dɪ`zaɪərəbl] *adj* pożądany; pociągający
**de·sire** [dɪ`zaɪə(r)] *s* pragnienie, życzenie; żądza; *vt* pragnąć, życzyć sobie, pożądać
**de·sir·ous** [dɪ`zaɪərəs] *adj* pragnący; to be ~ of sth pragnąć czegoś
**de·sist** [dɪ`zɪst] *vi* zaniechać, zaprzestać (from sth czegoś)
**desk** [desk] *s* pulpit; biurko; (*w szkole*) ławka
**des·o·late** [`desəleɪt] *vt* pustoszyć, niszczyć; trapić; *adj* [`desələt] opustoszały; samotny; niepocieszony, stroskany
**des·o·la·tion** [ˌdesə`leɪʃn] *s* spustoszenie; pustka; osamotnienie; strapienie
**de·spair** [dɪ`speə(r)] *s* rozpacz; *vi* rozpaczać, tracić nadzieję (of sth na coś)
**des·patch** [dɪ`spætʃ] *vt s* = dispatch
**des·pe·rate** [`despṛət] *adj* rozpaczliwy, beznadziejny; zdesperowany
**des·per·a·tion** [ˌdespə`reɪʃn] *s* rozpacz
**des·pi·ca·ble** [dɪ`spɪkəbl] *adj* godny pogardy, podły
**de·spise** [dɪ`spaɪz] *vt* pogardzać
**de·spite** [dɪ`spaɪt] *praep* mimo, wbrew
**de·spond·ent** [dɪ`spondənt] *adj* przygnębiony, zniechęcony
**des·pot** [`despot] *s* despota
**des·sert** [dɪ`zɜt] *s* deser
**des·ti·na·tion** [ˌdestɪ`neɪʃn] *s* cel, przeznaczenie, miejsce przeznaczenia, adres
**des·tine** [`destɪn] *vt* przeznaczać
**des·ti·ny** [`destɪnɪ] *s* przeznaczenie
**des·ti·tute** [`destɪtjut] *adj* cierpiący na brak (czegoś); pozbawiony środków do życia; ogołocony
**des·ti·tu·tion** [ˌdestɪ`tjuʃn] *s* nędza
**de·stroy** [dɪ`strɔɪ] *vt* niszczyć, burzyć
**de·stroy·er** [dɪ`strɔɪə(r)] *s mors.* niszczyciel; † kontrtorpedowiec
**de·struc·tion** [dɪ`strʌkʃn] *s* zniszczenie, zburzenie; zabicie
**de·struc·tive** [dɪ`strʌktɪv] *adj* niszczycielski; destrukcyjny, zgubny
**des·ul·to·ry** [`desltərɪ] *adj* przypadkowy, bezładny, chaotyczny
**de·tach** [dɪ`tætʃ] *vt* oddzielać, odłączać, odrywać; odkomenderować
**de·tach·ment** [dɪ`tætʃmənt] *s* oddzielenie; odłączenie, oderwanie; oddział; odosobnienie; bezstronność; *wojsk.* on ~ odkomenderowany
**de·tail** [`diteɪl] *s* szczegół; in ~ szczegółowo
**de·tain** [dɪ`teɪn] *vt* zatrzymywać; wstrzymywać; trzymać w areszcie
**de·tect** [dɪ`tekt] *vt* odkrywać; wykrywać
**de·tec·tion** [dɪ`tekʃn] *s* odkrycie; wykrycie
**de·tec·tive** [dɪ`tektɪv] *adj* wywiadowczy; detektywistyczny; *s* detektyw
**de·ten·tion** [dɪ`tenʃn] *s* zatrzymanie, wstrzymanie; areszt
**de·ter** [dɪ`tɜ(r)] *vt* odstraszać, powstrzymywać (from sth od czegoś)
**de·te·ri·o·rate** [dɪ`tɪərɪəreɪt] *vt vi* zepsuć (się), pogorszyć (się); deprecjonować; tracić na wartości; podupaść
**de·ter·mi·nant** [dɪ`tɜmɪnənt] *s mat.* wyznacznik; *adj* decydujący, miarodajny
**de·ter·mi·na·tion** [dɪˌtɜmɪ`neɪʃn] *s*

określenie; postanowienie; zdecydowanie

**de·ter·mine** [dɪ`tɜmɪn] *vt vi* określać, ograniczać; decydować (się); postanawiać (on sth coś); rozstrzygać; skłaniać (się) (to do sth do zrobienia czegoś); **~d** zdecydowany (on sth na coś)

**de·test** [dɪ`test] *vt* nienawidzić ⟨nie cierpieć⟩ (sb, sth kogoś, czegoś)

**de·test·a·ble** [dɪ`testəbl] *adj* nienawistny, wstrętny

**de·throne** [dɪ`θrəun] *vt* detronizować

**det·o·nate** [`detəneɪt] *vt* wywoływać detonację; *vi* eksplodować

**det·o·na·tion** [ˈdetə`neɪʃn] *s* detonacja

**de·tract** [dɪ`trækt] *vt vi* odciągać; pomniejszać (from sth coś); szkodzić (from sb's reputation czyjejś reputacji)

**det·ri·ment** [`detrɪmənt] *s* szkoda; **to the ~ of sb** ze szkodą ⟨z krzywdą⟩ dla kogoś

**det·ri·men·tal** [ˈdetrɪ`mentl] *adj* szkodliwy

**deuce** 1. [djus] *s* diabeł, licho

**deuce** 2. [djus] *s* dwójka (w kartach itp.); *sport* (*w tenisie*) równowaga

**dev·as·tate** [`devəsteɪt] *vt* pustoszyć, dewastować

**de·ve·lop** [dɪ`veləp] *vt vi* rozwijać (się); rozrastać się; nabawić się (choroby); popaść (w nałóg, zwyczaj); *fot.* wywoływać

**de·vel·op·ment** [dɪ`veləpmənt] *s* rozwój; *fot.* wywoływanie

**de·vi·ate** [`divɪeɪt] *vi* zboczyć, odchylić się

**de·vice** [dɪ`vaɪs] *s* plan, pomysł; urządzenie, przyrząd; dewiza; godło

**dev·il** [`devl] *s* diabeł

**de·vi·ous** [`divɪəs] *adj* okrężny; *dosł. i przen.* kręty

**de·vise** [dɪ`vaɪz] *vt* wymyślić, wynaleźć

**de·void** [dɪ`vɔɪd] *adj* próżny, pozbawiony (of sth czegoś)

**de·volve** [dɪ`volv] *vt* przenosić, przekazać (prawa, odpowiedzialność itp.)

**de·vote** [dɪ`vəut] *vt* poświęcać, oddawać się (czemuś)

**de·vot·ed** [dɪ`vəutɪd] *pp i adj* poświęcony, poświęcający się, oddany

**de·vo·tion** [dɪ`vəuʃn] *s* poświęcenie, oddanie (się); religijność; *pl* **~s** modlitwy

**de·vour** [dɪ`vauə(r)] *vt* pożerać

**de·vout** [dɪ`vaut] *adj* pobożny; szczery

**dew** [dju] *s* rosa

**dex·ter·i·ty** [ˈdek`sterətɪ] *s* zręczność

**dex·ter·ous, dex·trous** [`dekstrəs] *adj* zręczny

**di·a·bol·ic(al)** [ˈdaɪə`bolɪk(l)] *adj* diabelski, diaboliczny

**di·ag·nose** [ˈdaɪəg`nəuz] *vt* rozpoznać (chorobę)

**di·ag·no·sis** [ˈdaɪəg`nəusɪs] *s* (*pl* **diagnoses** [ˈdaɪəg`nəusiz]) diagnoza

**di·ag·o·nal** [daɪ`ægənl] *adj* przekątny; *s* przekątna

**di·a·gram** [`daɪəgræm] *s* diagram, wykres

**di·al** [`daɪḷ] *s* tarcza; zegar słoneczny; *vt* nakręcać numer (na tarczy telefonu)

**di·a·lect** [`daɪəlekt] *s* dialekt

**di·a·lec·tic·al** [ˈdaɪə`lektɪkl] *adj* dialektyczny; **~ materialism** materializm dialektyczny

**di·a·lec·tics** [ˈdaɪə`lektɪks] *s* dialektyka

**di·a·logue** [`daɪəlog] *s* dialog

**di·am·e·ter** [daɪ`æmɪtə(r)] *s* średnica

**di·a·mond** [`daɪəmənd] *s* diament; karo (w kartach)

**di·a·phragm** [`daɪəfræm] *s* przegroda; *anat.* przepona; *fot. fiz.* przesłona

**di·ar·rhoe·a** [ˈdaɪə`rɪə] *s med.* biegunka

**di·a·ry** [`daɪərɪ] *s* dziennik, pamiętnik

**dice** *zob.* **die** 2.

**dic·tate** [dɪkˋteɪt] *vt vi* dyktować; narzucać; rozkazywać; *s* nakaz (np. sumienia)

**dic·ta·tion** [dɪkˋteɪʃn] *s* dyktando; dyktat

**dic·ta·tor** [ˈdɪkˋteɪtə(r)] *s* dyktator

**dic·ta·tor·ship** [ˈdɪkˋteɪtəʃɪp] *s* dyktatura; ~ **of the proletariat** dyktatura proletariatu

**dic·tion** [ˋdɪkʃn] *s* dykcja; wysławianie się

**dic·tion·a·ry** [ˋdɪkʃnrɪ] *s* słownik

**did** *zob.* **do**

**di·dac·tic** [dɪˋdæktɪk] *adj* dydaktyczny

**di·dac·tics** [dɪˋdæktɪks] *s* dydaktyka

**die** 1. [daɪ] *vi* umierać; ~ **away** ⟨**down**⟩ zamierać, zanikać; ~ **out** wymierać, wygasać

**die** 2. [daɪ] *s* (*pl* **dice** [daɪs]) kość do gry; *techn.* (*pl* **dies** [daɪz]) sztanca, matryca

**diet** 1. [ˋdaɪət] *s* dieta; *vr* ~ **oneself** być na diecie

**diet** 2. [ˋdaɪət] *s* sejm, parlament; sesja

**di·e·ta·ry** [ˋdaɪətrɪ] *adj* dietetyczny; *s* wyżywienie

**di·e·tet·ic** [ˈdɪəˋtetɪk] *adj* dietetyczny

**dif·fer** [ˋdɪfə(r)] *vi* różnić się (**from sb, sth** od kogoś, czegoś); być innego zdania, nie zgadzać się

**dif·fer·ence** [ˋdɪfrns] *s* różnica; spór

**dif·fer·ent** [ˋdɪfrnt] *adj* różny, odmienny

**dif·fer·en·ti·ate** [ˈdɪfəˋrenʃɪeɪt] *vt vi* różnicować (się), różnić się; odróżniać; *mat.* różniczkować

**dif·fi·cult** [ˋdɪfɪklt] *adj* trudny

**dif·fi·cul·ty** [ˋdɪfɪkltɪ] *s* trudność

**dif·fi·dent** [ˋdɪfɪdənt] *adj* nie dowierzający własnym umiejętnościom; bojaźliwy

**dif·fuse** [dɪˋfjuz] *vt vi* rozlewać, rozsiewać; rozprzestrzeniać (się), rozpowszechniać (się); *fiz.* przenikać; rozpraszać (się); *adj* [dɪˋfjus] rozprzestrzeniony; rozlany; rozsiany; (*o stylu*) rozwlekły; *fiz.* rozproszony

**dif·fu·sion** [dɪˋfjuʒn] *s* rozlanie; rozproszenie (się); rozpowszechnianie (się); rozwlekłość (stylu); *fiz.* dyfuzja

***dig** [dɪg], **dug, dug** [dʌg] *vt vi* kopać, ryć, wryć się; wbić; grzebać (**for sth** w poszukiwaniu czegoś); ciężko nad czymś pracować, przeprowadzać badania

**di·gest** 1. [daɪˋdʒest] *vt* trawić; *przen.* obmyślić; streścić; pojąć; porządkować, klasyfikować; *vi* być strawnym

**di·gest** 2. [ˋdaɪdʒəst] *s* zbiór; wybór; wyciąg; streszczenie; kompendium

**di·gest·i·ble** [daɪˋdʒestəbl] *adj* strawny

**di·ges·tion** [daɪˋdʒestʃn] *s* trawienie

**di·ges·tive** [daɪˋdʒestɪv] *adj anat.* trawienny; (*o potrawie itp.*) strawny

**dig·it** [ˋdɪdʒɪt] *s* cyfra; *anat.* palec

**dig·ni·fied** [ˋdɪgnɪfaɪd] *adj* godny, pełen godności

**dig·ni·ty** [ˋdɪgnətɪ] *s* godność

**di·gress** [daɪˋgres] *vi* odbiegać (od tematu); zbaczać (z drogi)

**di·gres·sion** [daɪˋgreʃn] *s* dygresja

**dike** [daɪk] *s* tama; przekop

**dil·i·gence** [ˋdɪlɪdʒəns] *s* pilność

**dil·i·gent** [ˋdɪlɪdʒənt] *adj* pilny

**dill** [dɪl] *s bot.* koper

**di·lute** [daɪˋljut] *vt* rozcieńczać; *adj* rozcieńczony

**di·lu·tion** [daɪˋljuʃn] *s* rozcieńczenie; roztwór

**dim** [dɪm] *adj* przyćmiony; mętny; wyblakły; niejasny; matowy; *vt vi* przyćmiewać; zaciemniać (się), zamazać (się)

**dime** [daɪm] *s am.* moneta 10-centowa

**di·men·sion** [dɪˋmenʃn] *s* wymiar, rozmiar

**di·min·ish** [dɪˋmɪnɪʃ] *vt vi* zmniejszać (się), pomniejszać (się), obniżać (się)

**dim·i·nu·tion** [dɪmɪˋnjuʃn] *s* zmniejszanie, pomniejszenie; redukcja; obniżka

**din** [dɪn] *s* łoskot, hałas; *vt* ogłuszać; *vi* hałasować

**dine** [daɪn] *vi* jeść obiad

**din·gy** [ˈdɪndʒɪ] *adj* niechlujny, brudny; mętny; ciemny

**din·ing-car** [ˈdaɪnɪŋ ka(r)] *s* wagon restauracyjny

**din·ing-room** [ˈdaɪnɪŋ rum] *s* jadalnia

**din·ner** [ˈdɪnə(r)] *s* obiad (główny posiłek dnia, *zw.* wieczorem)

**din·ner-jack·et** [ˈdɪnə dʒækɪt] *s* smoking

**dip** [dɪp] *vt vi* zanurzać (się), zamoczyć (się); pochylać (się); opadać; *s* kąpiel, nurkowanie; zanurzenie; opadnięcie, pochylenie

**di·plo·ma** [dɪˈpləumə] *s* dyplom

**di·plo·ma·cy** [dɪˈpləuməsɪ] *s* dyplomacja

**dip·lo·mat** [ˈdɪpləmæt] *s* dyplomata

**dip·lo·mat·ic** [ˌdɪpləˈmætɪk] *adj* dyplomatyczny

**di·plo·ma·tist** [dɪˈpləumətɪst] *s* dyplomata

**dire** [ˈdaɪə(r)] *adj* straszny, okropny

**di·rect** [dɪˈrekt] *adj* prosty, bezpośredni; *elektr.* **~ current** prąd stały; *vt* kierować, zarządzać; wskazać; zlecić; adresować; *muz.* dyrygować

**di·rec·tion** [dɪˈrekʃn] *s* kierunek; kierownictwo; zarządzanie; adres; instrukcja, wskazówka

**di·rect·ly** [dɪˈrektlɪ] *adv* prosto, wprost; bezpośrednio; zaraz, wkrótce; *conj* skoro tylko

**di·rec·tor** [dɪˈrektə(r)] *s* dyrektor, kierownik, zarządca; *muz.* dyrygent; reżyser

**di·rec·to·ry** [dɪˈrektrɪ] *s* książka adresowa ⟨telefoniczna itp.⟩; *am.* zarząd, dyrekcja

**dir·i·gi·ble** [ˈdɪrɪdʒəbl] *adj* sterowny, ze sterem; *s* sterowiec

**dirt** [dɜt] *s* brud; błoto

**dirt-cheap** [ˌdɜtˈtʃip] *adj pot.* śmiesznie tani

**dirt·y** [ˈdɜtɪ] *adj* brudny; *przen.* podły, wstrętny

**dis·a·bil·i·ty** [ˌdɪsəˈbɪlətɪ] *s* niezdolność, niemożność; inwalidztwo

**dis·a·ble** [dɪsˈeɪbl] *vt* uczynić niezdolnym, pozbawić sił, obezwładnić; uszkodzić; *prawn.* ubezwłasnowolnić; **~d soldier** inwalida wojenny

**dis·ad·van·tage** [ˌdɪsədˈvantɪdʒ] *s* wada; niekorzyść; niekorzystne położenie; szkoda

**dis·af·fect** [ˌdɪsəˈfekt] *vt* zrażać, odpychać

**dis·af·fec·tion** [ˌdɪsəˈfekʃn] *s* niezadowolenie, niechęć

**dis·a·gree** [ˌdɪsəˈgri] *vi* nie zgadzać się; nie odpowiadać; (*o potrawie itp.*) nie służyć

**dis·a·gree·a·ble** [ˌdɪsəˈgrɪəbl] *adj* nieprzyjemny

**dis·a·gree·ment** [ˌdɪsəˈgrimənt] *s* niezgoda; niezgodność

**dis·al·low** [ˌdɪsəˈlau] *vt* nie pozwalać; nie aprobować

**dis·ap·pear** [ˌdɪsəˈpɪə(r)] *vi* znikać; zginąć

**dis·ap·pear·ance** [ˌdɪsəˈpɪərns] *s* zniknięcie; zginięcie

**dis·ap·point** [ˌdɪsəˈpɔɪnt] *vt* rozczarować, zawieść; **to be ~ed** zawieść się (**in sb, sth** na kimś, na czymś); być rozczarowanym, doznać zawodu (**at sth** w czymś)

**dis·ap·point·ment** [ˌdɪsəˈpɔɪntmənt] *s* rozczarowanie, zawód

**dis·ap·prov·al** [ˌdɪsəˈpruvl] *s* dezaprobata

**dis·ap·prove** [ˌdɪsəˈpruv] *vt vi* dezaprobować, nie pochwalać

**dis·arm** [dɪsˈam] *vt vi* rozbroić (się)

**dis·ap·pear·ance** [ˌdɪsəˈpɪərns] *s* rozbrojenie

**dis·ar·range** [ˌdɪsəˈreɪndʒ] *vt* wprowadzać nieład, rozprzęgać

**dis·ar·ray** [ˌdɪsəˈreɪ] *vt* wprowadzać zamieszanie, dezorganizować; *s* zamęt, nieład

**dis·as·ter** [dɪˈzastə(r)] *s* nieszczęście, klęska

**dis·as·trous** [dɪ`zastrəs] *adj* nieszczęsny, zgubny
**dis·a·vow** [ˈdɪsəˋvau] *vt* wyrzec, wyprzeć się
**dis·band** [dɪsˋbænd] *vt vi* rozpuścić, rozproszyć (się), rozejść się
**dis·be·lief** [ˈdɪsbɪˋlif] *s* niewiara
**dis·be·lieve** [ˈdɪsbɪˋliv] *vt vi* nie wierzyć, nie dowierzać
**dis·bur·den** [dɪsˋbɜdn] *vt* odciążyć, uwolnić od ciężaru
**dis·burse** [dɪsˋbɜs] *vt* wypłacić, wyłożyć (pieniądze)
**disc** [dɪsk] *s* = disk
**dis·card** [dɪˋskad] *vt* odsunąć; odrzucić, zarzucić
**dis·cern** [dɪˋsɜn] *vt* rozróżniać; spostrzegać
**dis·cern·ment** [dɪˋsɜnmənt] *s* zdolność rozróżnienia; bystrość (umysłu), wnikliwość
**dis·charge** [dɪsˋtʃadʒ] *vt vi* wyładowywać; wypuszczać; wydzielać; spełniać (obowiązki); zwalniać; spłacać; wystrzelić; odbarwić; *s* [ˋdɪstʃadʒ] wyładowanie; zwolnienie; spełnienie (obowiązku); wydzielanie; wystrzał; spłata
**dis·ci·ple** [dɪˋsaɪpl] *s* uczeń
**dis·ci·pline** [ˋdɪsəplɪn] *s* dyscyplina; kara; *vt* utrzymywać w karności, ćwiczyć; karać
**dis·claim** [dɪˋskleɪm] *vt* wypierać się; zrzekać się (sth czegoś)
**dis·close** [dɪˋskləuz] *vt* odsłaniać, odkrywać, ujawniać
**dis·clo·sure** [dɪˋskləuʒə(r)] *s* odsłonięcie, odkrycie, ujawnienie
**dis·col·our** [dɪˋskʌlə(r)] *vt vi* odbarwić (się)
**dis·com·fit** [dɪˋskʌmfɪt] *vt* zmieszać; udaremnić; † pobić
**dis·com·fort** [dɪˋskʌmfət] *s* niewygoda; złe samopoczucie; niepokój
**dis·con·cert** [ˈdɪskənˋsɜt] *vt* wyprowadzić z równowagi; zdenerwować, zmieszać; udaremnić
**dis·con·nect** [ˈdɪskəˋnekt] *vt* rozłączyć, odłączyć
**dis·con·nect·ed** [ˈdɪskəˋnektɪd] *pp i adj* pozbawiony związku, chaotyczny
**dis·con·tent** [ˈdɪskənˋtent] *s* niezadowolenie; *adj* niezadowolony; *vt* budzić niezadowolenie (sb w kimś)
**dis·con·tin·ue** [ˈdɪskənˋtɪnju] *vt* przestać, przerwać; *vi* ustać, skończyć się
**dis·cord** [ˋdɪskɔd] *s* niezgoda, dysharmonia; *muz.* dysonans
**dis·count** [ˋdɪskaunt] *s bank.* dyskonto; *vt* [dɪˋskaunt] dyskontować
**dis·cour·age** [dɪˋskʌrɪdʒ] *vt* zniechęcić (sb from sth kogoś do czegoś)
**dis·course** [ˋdɪskɔs] *s* mowa; rozprawa; rozmowa; *vt* [dɪˋskɔs] rozprawiać, rozmawiać
**dis·cov·er** [dɪˋskʌvə(r)] *vt* odkrywać
**dis·cov·er·y** [dɪˋskʌvr̩ɪ] *s* odkrycie; wynalazek
**dis·cred·it** [dɪˋskredɪt] *s* zła sława; niedowierzanie, nieufność; *vt* dyskredytować; nie ufać, nie dawać wiary
**dis·creet** [dɪˋskrit] *adj* dyskretny; roztropny
**dis·crep·an·cy** [dɪˋskrepənsɪ] *s* rozbieżność, niezgodność
**dis·cre·tion** [dɪˋskreʃn] *s* dyskrecja, takt; oględność, rozsądek; własne uznanie, wolna wola; **at sb's ~** zależnie od czyjegoś uznania
**dis·crim·i·nate** [dɪˋskrɪmɪneɪt] *vt* rozróżniać; dyskryminować
**dis·crim·i·nat·ing** [dɪˋskrɪmɪneɪtɪŋ] *adj* bystry, spostrzegawczy; szczególny
**dis·crim·i·na·tion** [dɪˈskrɪmɪˋneɪʃn] *s* dyskryminacja; rozróżnienie, rozeznanie; roztropność
**dis·cus** [ˋdɪskəs] *s sport.* dysk
**dis·cuss** [dɪˋskʌs] *vt* dyskutować (sth nad czymś), roztrząsać, omawiać
**dis·cus·sion** [dɪˋskʌʃn] *s* dyskusja, omówienie

**dis·dain** [dɪs`deɪn] *vt* pogardzać; *s* pogarda
**dis·ease** [dɪ`ziz] *s* choroba
**dis·em·bark** ['dɪsɪm`bak] *vt* wyładować, wysadzać na ląd; *vi* wysiadać ze statku
**dis·en·chant** ['dɪsɪn`tʃant] *vt* rozczarować; odczarować
**dis·en·gage** ['dɪsɪn`geɪdʒ] *vt vi* uwolnić (się), odłączyć (się), rozluźniać (się)
**dis·en·tan·gle** ['dɪsɪn`tæŋgl] *vt vi* rozwikłać (się), rozplątać (się)
**dis·es·tab·lish** ['dɪsɪ`stæblɪʃ] *vt* oddzielić (kościół od państwa)
**dis·fa·vour** [dɪs`feɪvə(r)] *s* niełaska; *vt* nieprzychylnie traktować
**dis·fig·ure** [dɪs`fɪgə(r)] *vt* zniekształcić, szpecić
**dis·fran·chise** [dɪs`fræntʃaɪz] *vt* pozbawić praw obywatelskich (*zw.* prawa głosowania)
**dis·grace** [dɪs`greɪs] *s* hańba; niełaska; *vt* okryć hańbą; pozbawić łaski
**dis·guise** [dɪs`gaɪz] *s* przebranie; udawanie, maska; *vt* przebierać; maskować
**dis·gust** [dɪs`gʌst] *s* wstręt; *vt* napełniać wstrętem; **to be ~ed** czuć wstręt (**with sth** do czegoś)
**dish** [dɪʃ] *s* półmisek; danie
**dis·har·mo·ny** [dɪs`hamənɪ] *s dosł. i przen.* dysharmonia
**dis·heart·en** [dɪs`hatn] *vt* zniechęcić, odebrać odwagę
**dis·hon·est** [dɪs`onɪst] *adj* nieuczciwy
**dis·hon·our** [dɪs`onə(r)] *s* hańba; niehonorowanie (np. czeku); *vt* hańbić; nie honorować (czeku)
**dis·hon·our·a·ble** [dɪs`onr̥əbl] *adj* bez honoru; haniebny
**dis·il·lu·sion** ['dɪsɪ`luʒn] *s* rozczarowanie; *vt* rozczarować
**dis·in·cli·na·tion** ['dɪs'ɪnklɪ`neɪʃn] *s* niechęć
**dis·in·cline** ['dɪsɪn`klaɪn] *vt* odstręczać; **to be ~d** nie mieć chęci, nie być skłonnym
**dis·in·fect** ['dɪsɪn`fekt] *vt* dezynfekować
**dis·in·her·it** ['dɪsɪn`herɪt] *vt* wydziedziczyć
**dis·in·te·grate** [dɪs`ɪntɪgreɪt] *vt vi* rozkładać (się), rozdrabniać, rozpadać się
**dis·in·ter·est·ed** [dɪs`ɪntrəstɪd] *adj* bezinteresowny, bezstronny
**dis·join** ['dɪs`dʒoɪn] *vt vi* rozłączyć (się)
**dis·joint** ['dɪs`dʒoɪnt] *vt* zwichnąć, wywichnąć; rozłączyć; zakłócić (rytm)
**disk** [dɪsk] *s* tarcza (np. słońca); krążek; płyta (gramofonowa)
**dis·like** [dɪs`laɪk] *vt* nie lubić; *s* niechęć, antypatia
**dis·lo·cate** [`dɪsləkeɪt] *vt* przesunąć, przemieścić; zwichnąć; zaburzyć
**dis·lo·ca·tion** ['dɪslə`keɪʃn] *s* przesunięcie, przemieszczenie; zaburzenie; zwichnięcie
**dis·lodge** [dɪs`lodʒ] *vt* usunąć; wysiedlić; wyprzeć (nieprzyjaciela)
**dis·loy·al** [dɪs`loɪl̥] *adj* nielojalny, niewierny
**dis·mal** [`dɪzml] *adj* ponury, przygnębiający
**dis·man·tle** [dɪs`mæntl] *vt* ogołocić, pozbawić (np. części); zdemontować
**dis·may** [dɪs`meɪ] *vt* przerażać; konsternować; *s* przerażenie, konsternacja
**dis·mem·ber** [dɪs`membə(r)] *vt* rozczłonkować, rozebrać na części
**dis·miss** [dɪs`mɪs] *vt* pozbyć się; odsunąć; zwolnić; porzucić
**dis·mis·sal** [dɪs`mɪsl] *s* odsunięcie; porzucenie; zwolnienie, odprawa, dymisja
**dis·mount** ['dɪs`maunt] *vi* zsiadać z konia; *vt* demontować; wysadzać (np. z siodła)
**dis·o·be·di·ent** ['dɪsə`bidɪənt] *adj* nieposłuszny
**dis·o·bey** ['dɪsə`beɪ] *vt* nie słuchać (**sb** kogoś), naruszać (przepisy);

*vi* sprzeciwiać się (komuś, rozkazom)

**dis·or·der** [dɪsˋɔdə(r)] *s* nieporządek; zamieszki; *med.* zaburzenie; *vt* wprowadzić nieporządek; rozstroić

**dis·or·der·ly** [dɪsˋɔdəlɪ] *adj* nieporządny; zakłócający porządek (publiczny); niesforny; rozwiązły

**dis·own** [dɪsˋəun] *vt* nie uznawać, wypierać się

**dis·par·age** [dɪˋspærɪdʒ] *vt* ujemnie wyrażać się (**sb, sth** o kimś, czymś), dyskredytować, uwłaczać

**dis·par·i·ty** [dɪˋspærətɪ] *s* nierówność, różnica

**dis·pas·sion·ate** [dɪˋspæʃn̩ət] *adj* beznamiętny; bezstronny, obiektywny

**dis·patch** [dɪˋspætʃ] *vt* wysłać; załatwić; *s* przesyłka, ekspedycja; załatwienie; pośpiech

**dis·pel** [dɪˋspel] *vt* rozpędzić, rozproszyć, rozwiać

**dis·pen·sa·ry** [dɪˋspensərɪ] *s* apteka; przychodnia

**dis·pense** [dɪˋspens] *vt* wydawać, rozdzielać; wymierzać (sprawiedliwość); zwalniać, udzielać dyspensy; (*o lekarstwach*) sporządzać i wydawać; *vi* obchodzić się (**with sth** bez czegoś)

**dis·perse** [dɪˋspɜs] *vt vi* rozpędzić; rozproszyć (się); rozsypać (się), rozsiać; rozbiec się

**dis·per·sion** [dɪˋspɜʃn] *s* rozproszenie (się); rozejście się; *fiz.* rozszczepienie, dyspersja; rozrzut

**dis·place** [dɪˋspleɪs] *vt* przenieść, przesunąć, przełożyć, przestawić; usuwać, wypierać; zastępować; **~d person** wysiedleniec, uchodźca

**dis·place·ment** [dɪˋspleɪsmənt] *s* przemieszczenie, przesunięcie; zastąpienie, wyparcie; *mors.* wyporność

**dis·play** [dɪˋspleɪ] *vt* rozwinąć, ujawnić, wystawić na pokaz, pokazać; *s* pokaz, wystawa; manifestowanie, popis

**dis·please** [dɪˋspliz] *vt* nie podobać się (**sb** komuś), urazić, narazić się (**sb** komuś)

**dis·pleas·ure** [dɪˋspleʒə(r)] *s* niezadowolenie, gniew

**dis·po·sal** [dɪˋspəuzl] *s* rozporządzanie (**of sth** czymś); rozkład; pozbycie się; usunięcie; **at sb's ~** do czyjejś dyspozycji

**dis·pose** [dɪˋspəuz] *vt vi* rozkładać; rozporządzać, dysponować (**sth** ⟨**of sth**⟩ czymś); usuwać, pozbywać się (**of sth** czegoś); rozprawić się (**of sb, sth** z kimś, czymś); skłonić (**sb to sth** kogoś do czegoś)

**dis·po·si·tion** [ˏdɪspəˋzɪʃn] *s* rozmieszczenie, rozkład; dyspozycja; usposobienie, skłonność; zarządzenie

**dis·pos·sess** [ˏdɪspəˋzes] *vt* wywłaszczyć

**dis·pro·por·tion·ate** [ˏdɪsprəˋpɔʃn̩ət] *adj* nieproporcjonalny

**dis·prove** [ˏdɪˋspruv] *vt* zbijać, obalać (twierdzenie, zarzuty)

**dis·pu·ta·ble** [dɪˋspjutəbl] *adj* sporny

**dis·pute** [dɪˋspjut] *vt vi* rozprawiać, dyskutować (**sth** ⟨**about, on sth**⟩ nad czymś); kwestionować; walczyć (**sth** o coś); spierać się, kłócić się; *s* [ˋdɪspjut] spór, dysputa, dyskusja; kłótnia

**dis·qual·i·fy** [dɪˋskwolɪfaɪ] *vt* dyskwalifikować

**dis·qui·et** [dɪˋskwaɪət] *adj* niespokojny; *s* niepokój; *vt* niepokoić

**dis·re·gard** [ˏdɪsrɪˋgad] *vt* lekceważyć, nie zważać (**sth** na coś); *s* lekceważenie

**dis·rep·u·ta·ble** [dɪsˋrepjutəbl] *adj* haniebny, niecny; (*o człowieku*) mający złą opinię; (*o ubraniu itp.*) nędzny, zdarty, zniszczony

**dis·re·pute** [ˏdɪsrɪˋpjut] *s* zła reputacja, niesława

**dis·rupt** [ˏdɪsˋrʌpt] *vt* rozrywać, rozwalić

**dis·sat·is·fac·tion** [ˏdɪˏsætɪsˋfækʃn] *s* niezadowolenie

**dis·sat·is·fy** [dɪˋsætɪsfaɪ] *vt* wywołać niezadowolenie (sb u kogoś)
**dis·sem·ble** [dɪˋsembl] *vt vi* ukrywać; udawać
**dis·sem·i·nate** [dɪˋsemɪneɪt] *vt* rozsiewać
**dis·sen·sion** [dɪˋsenʃn] *s* niezgoda
**dis·sent** [dɪˋsent] *vi* nie zgadzać się, mieć odmienne poglądy; *s* różnica zdań ⟨poglądów⟩; herezja
**dis·sent·er** [diˋsentə(r)] *s* dysydent, heretyk
**dis·sim·i·lar** [ˋdɪˋsɪmḷə(r)] *adj* niepodobny
**dis·sim·u·late** [dɪˋsɪmjuleɪt] *vt vi* maskować (się), ukrywać; udawać
**dis·si·pate** [ˋdɪsɪpeɪt] *vt vi* rozpraszać (się); marnować (się), trwonić
**dis·so·ci·ate** [dɪˋsəuʃɪeɪt] *vt* rozdzielać, rozłączać; *vr* ~ **oneself** zrywać związek
**dis·sol·u·ble** [dɪˋsoljubl] *adj* rozpuszczalny; (*o związku itd.*) rozerwalny
**dis·so·lute** [ˋdɪsəljut] *adj* rozwiązły
**dis·so·lu·tion** [ˏdɪsəˋluʃn] *s* rozkład; rozwiązanie (np. spółki)
**dis·solve** [dɪˋzolv] *vt vi* rozpuszczać (się); rozkładać (się); rozwiązywać (się); zrywać; zanikać
**dis·suade** [dɪˋsweɪd] *vt* odradzać (**sb from sth** komuś coś)
**dis·taff** [ˋdɪstaf] *s* kądziel; **on the ~ side** po kądzieli
**dis·tance** [ˋdɪstəns] *s* odległość; *dosł. i przen.* dystans; *vt* dystansować; oddalać
**dis·tant** [ˋdɪstənt] *adj* odległy
**dis·taste** [dɪˋsteɪst] *s* niesmak, wstręt (**for sth** do czegoś)
**dis·tend** [dɪˋstend] *vt vi* rozciągać (się); rozdymać (się)
**dis·til** [dɪˋstɪl] *vt vi* destylować (się); sączyć (się)
**dis·tinct** [dɪˋstɪŋkt] *adj* różny; wyraźny, dobitny
**dis·tinc·tion** [dɪˋstɪŋkʃn] *s* odróżnienie; różnica, wyróżnienie (się), odznaczenie
**dis·tinc·tive** [dɪˋstɪŋktɪv] *adj* odróżniający; wyraźny, znamienny
**dis·tin·guish** [dɪˋstɪŋgwɪʃ] *vt* odróżniać, rozróżniać; wyróżniać; *vr* ~ **oneself** odznaczać się
**dis·tin·guished** [dɪˋstɪŋgwɪʃt] *adj* wybitny, znakomity; dystyngowany
**dis·tort** [dɪˋstɔt] *vt* przekręcać, zniekształcać
**dis·tract** [dɪˋstrækt] *vt* odciągać, odrywać (uwagę), rozpraszać; oszałamiać
**dis·tract·ed** [dɪˋstræktɪd] *adj* roztargniony
**dis·trac·tion** [dɪˋstrækʃn] *s* roztargnienie; rozrywka; rozterka
**dis·tress** [dɪˋstres] *s* nieszczęście, niedola, strapienie; bieda; krytyczna sytuacja; *vt* unieszczęśliwiać; trapić
**dis·trib·ute** [dɪˋstrɪbjut] *vt* rozdzielać, rozprowadzać, rozmieszczać
**dis·tri·bu·tion** [ˏdɪstrɪˋbjuʃn] *s* rozdział, rozkład, dystrybucja
**dis·trib·u·tor** [dɪˋstrɪbjutə(r)] *s* rozdzielca; *handl.* rozprowadzający; *elektr.* rozdzielacz
**dis·trict** [ˋdɪstrɪkt] *s* okręg, obwód; dzielnica; okolica
**dis·trust** [dɪˋstrʌst] *vt* nie dowierzać; *s* nieufność
**dis·turb** [dɪˋstɜb] *vt* niepokoić, przeszkadzać; zakłócać
**dis·turb·ance** [dɪˋstɜbəns] *s* zaburzenie, zakłócenie; niepokój
**dis·u·nite** [ˏdɪsjuˋnaɪt] *vt vi* rozłączać (się), rozdzielać (się)
**dis·use** [disˋjus] *s* nieużywanie; zarzucenie; odzwyczajenie; **to fall ⟨come⟩ into ~** wyjść z użycia; *vt* [dɪsˋjuz] zarzucić, zaprzestać (używania)
**ditch** [dɪtʃ] *s* rów, kanał
**dit·ty** [ˋdɪtɪ] *s* piosenka
**di·va·gate** [ˋdaɪvəgeɪt] *vi* błąkać się; odbiegać od tematu
**dive** [daɪv] *vi* zanurzyć (się), pogrążyć (się); *pot.* dać nura; nurkować; *lotn.* pikować; *s* nurkowanie, skok do wody
**div·er** [ˋdaɪvə(r)] *s* nurek

**di·verge** [daɪˋvɜdʒ] *vi* odbiegać, rozbiegać się
**di·verse** [daɪˋvɜs] *adj* rozmaity; odmienny
**di·ver·si·fy** [ˈdaɪˋvɜsɪfaɪ] *vt* urozmaicać
**di·ver·sion** [daɪˋvɜʃn] *s* odchylenie, odwrócenie; objazd; rozrywka; *wojsk.* dywersja
**di·ver·si·ty** [ˈdaɪˋvɜsətɪ] *s* rozmaitość; urozmaicenie
**di·vert** [ˈdaɪˋvɜt] *vt* odchylać, odciągać; zmieniać kierunek; zabawiać; odwracać uwagę
**di·vest** [daɪˋvest] *vt* rozbierać (**of sth** z czegoś); pozbawiać (**of sth** czegoś)
**di·vide** [dɪˋvaɪd] *vt vi* dzielić (się); *s geogr.* dział wód
**div·i·dend** [ˋdɪvɪdend] *s fin.* dywidenda; *mat.* dzielna
**div·i·na·tion** [ˈdɪvɪˋneɪʃn] *s* wróżenie; wróżba
**di·vine 1.** [dɪˋvaɪn] *vt* przepowiadać; domyślać się, zgadywać; *vi* wróżyć
**di·vine 2.** [dɪˋvaɪn] *adj* boski; *s* duchowny
**di·vin·i·ty** [dɪˋvɪnətɪ] *s* bóstwo; boskość; teologia
**di·vis·i·ble** [dɪˋvɪzəbl] *adj* podzielny
**di·vi·sion** [dɪˋvɪʒn] *s* podział; dział; przegroda; niezgoda; *mat.* dzielenie; *wojsk.* dywizja; *polit.* głosowanie (w parlamencie)
**di·vi·sor** [dɪˋvaɪzə(r)] *s mat.* dzielnik
**di·vorce** [dɪˋvɔs] *s* rozwód; *vt* rozwieść; *vi* rozwieść się (**sb** z kimś)
**diz·zy** [ˋdɪzɪ] *adj* zawrotny, oszałamiający; cierpiący na zawrót głowy
**do** [du], **did** [dɪd], **done** [dʌn], *3 pers sing praes* **does** [dʌz] *vt vi* robić, czynić, sporządzać, wykonywać; skończyć; mieć się, czuć się; wystarczyć, ujść; *pot.* zwiedzać; odgrywać (rolę); nabierać, oszukiwać; pełnić (obowiązek); przynosić (np. zaszczyt); załatwić; przyznawać (np. rację); uporządkować; przebywać (odległość); **do away** usunąć, znieść (**with sth** coś); **do up** zapakować; uporządkować; przyrządzić; wykończyć; **do without sth** obejść się bez czegoś; **do with sth** zadowolić się (czymś); **to be done for** ⟨**up**⟩ być wykończonym, być zmordowanym; **to be doing well** prosperować, rozwijać się, cieszyć się powodzeniem; **to be doing badly** nie mieć powodzenia; **how do you do?** dzień dobry, miło mi poznać; *v aux tworzy formę pytającą i przeczącą w czasach Present Simple i Simple Past*: **do you like him?** czy lubisz go?; **I did not like him** nie lubiłam go; *zastępuje orzeczenie*: **you play better than he does** grasz lepiej od niego; **do you smoke? — I do** ⟨**I don't**⟩ czy palisz? ~ tak, palę ⟨nie, nie palę⟩; *w zdaniach pytających*: **you don't like her, do you?** nie lubisz jej, prawda?; **you like her, don't you?** lubisz ją, nieprawdaż?; *oznacza emfazę*: **I did go** przecież ⟨jednak⟩ poszedłem; **do come!** bardzo proszę, przyjdź!
**do·cile** [ˋdəusaɪl] *adj* uległy, posłuszny; łagodny; pojętny
**do·cil·i·ty** [dəuˋsɪlətɪ] *s* uległość, posłuszeństwo; pojętność
**dock 1.** [dok] *s* dok; *vt* umieścić w doku, dokować
**dock 2.** [dok] *s* ława oskarżonych
**dock 3.** [dok] *vt* obcinać; kasować; ~ **a horse** ⟨**a dog**⟩ przycinać ogon koniowi ⟨psu⟩
**dock·er** [ˋdokə(r)] *s* robotnik portowy
**dock·yard** [ˋdokjad] *s* stocznia
**doc·tor** [ˋdoktə(r)] *s* doktor
**doc·u·ment** [ˋdokjumənt] *s* dokument
**dodge** [dodʒ] *vt vi* wymijać; używać wykrętów; wymykać się; *s* wykręt; sztuczka; unik
**dodg·er** [ˋdodʒə(r)] *s* krętacz, spryciarz
**does** *zob.* **do**
**dog** [dog] *s* pies; *vt* tropić, śledzić
**dog-cheap** [ˋdogtʃip] *adj i adv pot.* tani ⟨tanio⟩ jak barszcz

**dog·ged** [ˋdogɪd] *adj* uparty, zawzięty
**dog·ma** [ˋdogmə] *s* dogmat
**dog·mat·ic** [dogˋmætɪk] *adj* dogmatyczny
**do·ing** [ˋduɪŋ] *ppraes i s* sprawa, sprawka; czyn, trud; *pl* ~s poczynania
**dole** [dəul] *s* część, cząstka; zasiłek (dla bezrobotnych), zapomoga; † los; **to be on the** ~ pobierać zasiłek; *vt* (*zw.* ~ **out**) wydzielać
**doll** [dol] *s* lalka
**dol·lar** [ˋdolə(r)] *s* dolar
**do·main** [dəuˋmeɪn] *s* domena; posiadłość, majątek ziemski
**dome** [dəum] *s* kopuła; sklepienie
**do·mes·tic** [dəˋmestɪk] *adj* domowy; wewnętrzny; krajowy, rodzimy; *s* służący
**do·mes·ti·cate** [dəˋmestɪkeɪt] *vt* oswajać; cywilizować; przywiązywać do domu
**dom·i·cile** [ˋdomɪsaɪl] *s* miejsce zamieszkania
**dom·i·nant** [ˋdomɪnənt] *adj* panujący, dominujący
**dom·i·nate** [ˋdomɪneɪt] *vt vi* panować; górować (**sb, sth** ⟨**over sb, sth**⟩ nad kimś, czymś)
**dom·i·neer** [ˌdomɪˋnɪə(r)] *vi* tyranizować, okazywać swą władzę
**do·min·ion** [dəˋmɪnɪən] *s* władza; dominium
**dom·i·no** [ˋdomɪnəu] *s* domino; *pl* ~es gra w domino
**do·na·tion** [dəuˋneɪʃn] *s* dar
**done** *zob.* **do**
**don·key** [ˋdoŋkɪ] *s* osioł
**doom** [dum] *s* los, przeznaczenie; † *prawn.* wyrok; *vt lit.* skazać, osądzać
**door** [dɔ(r)] *s* drzwi; **within** ~s w domu; **out of** ~s poza domem, na dworze
**door·keep·er** [ˋdɔ kipə(r)] *s* dozorca, portier
**door·way** [ˋdɔweɪ] *s* brama, wejście
**dope** [dəup] *s* smar; lakier; narkotyk; *vt* narkotyzować; dawać środek podniecający
**dor·mant** [ˋdɔmənt] *adj* śpiący; bezczynny; w stanie zawieszenia
**dor·mi·to·ry** [ˋdɔmɪtrɪ] *s* sala sypialna; *am.* bursa
**dose** [dəus] *s* doza, dawka; *vt* dawkować
**dot** [dot] *s* kropka; *vt* stawiać kropkę; kropkować; usiać (**with sth** czymś)
**doub·le** [ˋdʌbl] *adj* podwójny, dwojaki, dwoisty; *s* podwójna ilość; sobowtór; dublet; *sport* gra podwójna, debel; *vt* podwoić, złożyć we dwoje; *teatr* dublować; (*w kartach*) kontrować; *vi* podwoić (się); **to** ~ **up** zgiąć (się), złożyć (się); *adv* podwójnie; we dwoje (jechać, spać itd.); ~ **as long** dwa razy taki długi
**doub·le-bass** [ˌdʌblˋbeɪs] *s muz.* kontrabas
**doub·le-deal·er** [ˌdʌblˋdilə(r)] *s* człowiek dwulicowy, krętacz
**doub·le-mean·ing** [ˌdʌblˋminɪŋ] *adj* dwuznaczny; *s* dwuznacznik
**doubt** [daut] *s* wątpliwość; **out of** ~, **without** ⟨**beyond, no**⟩ ~ bez wątpienia; *vt vi* wątpić (**sth** w coś; **of** ⟨**about**⟩ **sth** o czymś)
**doubt·ful** [ˋdautfl] *adj* wątpliwy; niepewny, niezdecydowany; podejrzany
**dough** [dəu] *s* ciasto
**dove** [dʌv] *s* gołąb
**dove·cot** [ˋdʌvkət] *s* gołębnik
**dow·a·ger** [ˋdauɪdʒə(r)] *s* wdowa (dziedzicząca tytuł lub dobra)
**dow·dy** [ˋdaudɪ] *adj* (*zw. o kobiecie*) o zaniedbanym wyglądzie, niemodnie ubrana
**down 1.** [daun] *adv* w dole, w dół, nisko; ~ **to** aż po; **to be** ~ być powalonym, leżeć; być na liście; opaść; zawziąć się (**on sb** na kogoś); być przygnębionym; *praep* w dół, na dół; po, z, wzdłuż; *adj* w dół, na dół; skierowany w dół; ~ **train** pociąg ze stolicy na pro-

wincję; *vt pot.* rozłożyć, położyć (przeciwnika); zrzucić, strącić; ~ **tools** zastrajkować

**down 2.** [daun] *s* pagórkowata, nie zalesiona okolica; wydma

**down 3.** [daun] *s* puch; meszek

**down·cast** [ˋdaunkast] *adj* przygnębiony

**down·fall** [ˋdaunfɔl] *s* upadek; zguba

**down·hill** [ˊdaunˋhɪl] *adv* z góry na dół; *s* [ˋdaunhɪl] pochyłość, spadek

**down·pour** [ˋdaunpɔ] *s* ulewa

**down·right** [ˋdaunraɪt] *adj* całkowity; szczery, otwarty; istny; oczywisty; *adv* całkowicie, w pełni; otwarcie; po prostu

**down·stairs** [ˊdaunˋsteəz] *adv* w dół, na dół, ze schodów; na dole podeptany; *przen.* uciskany

**down·trod·den** [ˊdaunˋtrodn] *adj* podeptany; *przen.* uciskany

**down·ward** [ˋdaunwəd] *adv* ku dołowi, w dół; *adj attr* skierowany ⟨poruszający się⟩ w dół, na dół

**down·wards** = **downward** *adv*

**dow·ry** [ˋdauərɪ] *s* posag; talent

**doze** [dəuz] *vi* drzemać; *s* drzemka

**doz·en** [ˋdʌzn] *s* tuzin; **baker's** ~ trzynaście

**drab** [dræb] *adj* bury, brudnoszary; bezbarwny; monotonny, nudny; *s* bury kolor; bure sukno; monotonia, nuda

**draft** [draft] *s* rysunek, szkic; projekt; *handl.* trata; ciągnięcie; *wojsk.* oddział wyborowy; *am.* pobór; **beast of** ~ zwierzę pociągowe; *vt* szkicować; projektować; *wojsk.* odkomenderować

**drafts·man** [ˋdraftsmən] *s* rysownik, kreślarz

**drag** [dræg] *vt vi* wlec (się), ciągnąć (się)

**drag·on** [ˋdrægən] *s* smok

**drag·on·fly** [ˋdrægənflaɪ] *s zool.* ważka

**drain** [dreɪn] *vt* suszyć, drenować, odprowadzać wodę; *vi* (*także* ~ **away**) wyciekać; *s* dren, ściek, rów odwadniający; *med.* sączek

**dra·ma** [ˋdramə] *s* dramat

**dra·ma·tic** [drəˋmætɪk] *adj* dramatyczny

**dram·a·tist** [ˋdræmətɪst] *s* dramaturg

**drank** *zob.* **drink**

**drape** [dreɪp] *vt vi* drapować (się)

**dra·per·y** [ˋdreɪpərɪ] *s zbior.* materiały tekstylne; handel tekstyliami; draperia

**dras·tic** [ˋdræstɪk] *adj* drastyczny; silnie działający, drakoński

**draught** [draft] *s* przeciąg; ciąg; łyk; rysunek (= **draft**); połów, zarzucenie sieci; *pl* ~**s** warcaby

**draughts·man 1.** *zob.* **draftsman**

**draughts·man 2.** [ˋdraftsmən] *s* pionek w warcabach

***draw** [drɔ], **drew** [dru], **drawn** [drɔn] *vt vi* ciągnąć, przyciągać, ściągać, nadciągać; otrzymywać; czerpać; pobierać; (*o ziołach, herbacie*) zaparzać, naciągać; rysować; ~ **away** odbierać; odciągać; oddalać się; ~ **back** cofać (się); ~ **forth** wywoływać; ~ **in** wciągać; ~ **near** zbliżać się; ~ **off** ściągać; wycofywać się; ~ **on** naciągać; przyciągać; nadchodzić; ~ **out** wyciągać, wydobywać; wydłużać (się); sporządzić (*np.* plan); ~ **round** gromadzić się dookoła; ~ **up** podciągnąć; zestawić; sformułować; ustawić (się) w szeregu; zatrzymać (się), stanąć

**draw·back** [ˋdrɔbæk] *s* przeszkoda; wada, ujemna strona; *handl.* cło zwrotne

**draw·bridge** [ˋdrɔbrɪdʒ] *s* most zwodzony

**draw·er** [ˋdrɔə(r)] *s* rysownik; *handl.* trasant; [drɔ(r)] szuflada; **chest of** ~**s** komoda; *pl* ~**s** [drɔz] kalesony, majtki

**draw·ing** [ˋdrɔɪŋ] *s* rysunek; lekcja rysunków

**draw·ing-room** [ˈdrɔɪŋrum] *s* salon
**drawl** [drɔl] *vt vi* przeciągać, cedzić (słowa)
**drawn** *zob.* **draw**
**dread** [dred] *s* strach; *adj* straszny; *vt* bać się
**dread·ful** [ˈdredfl] *adj* straszny
**dread·nought** [ˈdrednɔt] *s mors.* pancernik
***dream** [drim], **dreamt, dreamt** [dremt] *lub* **dreamed, dreamed** [drimd] *vt vi* marzyć, śnić, widzieć we śnie; *s* sen, marzenie
**dreamt** *zob.* **dream**
**drear·y** [ˈdrɪərɪ] *adj* mroczny, ponury
**dregs** [dregz] *s pl* odpadki; *dosł. i przen.* męty, osad
**drench** [drentʃ] *vt* przemoczyć
**dress** [dres] *vt vi* ubierać (się); stroić, ozdabiać; przyrządzać; opatrzyć (ranę); zdobić; oporządzać; włożyć strój wieczorowy; ~ **up** wystroić (się); *s* ubranie, strój; **evening** ~ smoking, suknia wieczorowa; **full** ~ strój uroczysty; frak; ~ **coat** frak
**dress·ing** [ˈdresɪŋ] *s* ubieranie się, toaleta; przyprawa (sos, farsz itp.); oporządzenie; dekoracja; opatrunek
**dress·ing-case** [ˈdresɪŋkeɪs] *s* neseser
**dress·ing-gown** [ˈdresɪŋgaʊn] *s* szlafrok
**dress·ing-sta·tion** [ˈdresɪŋ steɪʃn] *s* punkt opatrunkowy
**dress·ing-ta·ble** [ˈdresɪŋteɪbl] *s* toaleta (mebel)
**dress·ma·ker** [ˈdresmeɪkə(r)] *s* krawiec damski
**dress·y** [ˈdresɪ] *adj* wystrojony; lubiący się stroić; szykowny
**drew** *zob.* **draw**
**drib·ble** [ˈdrɪbl] *vi* kapać; ślinić się; *vt* odcedzić
**drift** [drɪft] *s* prąd; *mors.* dryf; unoszenie się z prądem; zaspa; zawierucha; dążność; bieg (wypadków); tok (myśli); *vt vi* nieść; nawiać, nanieść; dążyć; *mors.* dryfować; unosić się bezwładnie; zmierzać
**drill 1.** [drɪl] *s* świder; *wojsk.* musztra; *vt vi* świdrować; drylować, musztrować (się), ćwiczyć (się), odbywać ćwiczenie
**drill 2.** [drɪl] *s* bruzda; siewnik; *vt* siać (rzędami)
**drill 3.** [drɪl] *s* drelich
***drink** [drɪŋk], **drank** [dræŋk], **drunk** [drʌŋk] *vt vi* pić; ~ **up** ⟨**off**⟩ wypić; *s* napój, picie, kieliszek trunku; **soft** ~ napój bezalkoholowy; **strong** ~ trunek; **to have a** ~ napić się
**drip** [drɪp] *vi* kapać; ociekać
***drive** [draɪv], **drove** [drəuv], **driven** [ˈdrɪvn] *vt vi* pędzić, jechać; popędzać, zagnać; wprawiać w ruch; wieźć; powozić, kierować; wbijać; doprowadzać; zmierzać (**at sth** do czegoś); ~ **sb mad** doprowadzić kogoś do szału; *przen.* ~ **sth home to sb** przekonać, uzmysłowić coś komuś; ~ **in** wpędzić; wbić; *s* jazda, przejażdżka; napęd, energia; nagonka; wjazd, dojazd, droga dojazdowa; *am.* akcja, kampania
**driv·el** [ˈdrɪvl] *vi* ślinić się; pleść głupstwa; *s* ślina cieknąca z ust; gadanie od rzeczy
**driv·en** *zob.* **drive**
**driv·er** [ˈdraɪvə(r)] *s* woźnica; kierowca; maszynista; poganiacz
**driz·zle** [ˈdrɪzl] *vi* mżyć; *s* drobny deszcz, mżawka
**droll** [drəul] *adj* zabawny, dziwaczny
**drone 1.** [drəun] *vt vi* buczeć, brzęczeć; mruczeć; *s* truteń; warkot, brzęczenie
**droop** [drup] *vi* opadać, obwisać; omdlewać
**drop** [drɔp] *vi* kapać; spaść, padać; opadać; cichnąć, słabnąć; ustać; ~ **into a habit** popaść w nałóg; *vt* spuścić, opuścić; upuścić, zrzucić; zniżać; podrzucić, odwieźć (kogoś, coś); zaprzestać; ~ **asleep** zasnąć; *pot.* ~ **in** wpaść,

odwiedzić (**on sb** kogoś); ~ **off** ⟨**away**⟩ odpadać, zmniejszać się; zasnąć; zamierać; ~ **out** zniknąć, wycofać się; usunąć; wypuścić; *s* kropla; obniżenie, spadek; zniżka (cen); *pl* ~**s** cukierki, dropsy
**drought** [draʊt] *s* posucha
**drove** *zob.* **drive**
**drown** [draʊn] *vt* topić; *vi* tonąć
**drowse** [draʊz] *vi* drzemać; *vt* usypiać; *s* drzemka
**drow·sy** [ˋdraʊzɪ] *adj* senny, ospały, usypiający
**drub** [drʌb] *vt* poturbować, wygrzmocić
**drudge** [drʌdʒ] *vi* ciężko pracować, harować; *s przen.* wół roboczy
**drudg·er·y** [ˋdrʌdʒərɪ] *s* ciężka, niewdzięczna praca, harówka
**drug** [drʌg] *s* lek, lekarstwo; narkotyk; *vt* narkotyzować
**drug·gist** [ˋdrʌgɪst] *s* aptekarz
**drug-store** [ˋdrʌgstɔ(r)] *s am.* drogeria (z działem sprzedaży lekarstw, kosmetyków, czasopism i napojów chłodzących)
**drum** [drʌm] *s* bęben; werbel; *vi* bębnić
**drum·mer** [ˋdrʌmə(r)] *s* dobosz
**drunk** 1. *zob.* **drink**
**drunk** 2. [drʌŋk] *adj praed* pijany
**drunk·ard** [ˋdrʌŋkəd] *s* pijak
**drunk·en** [ˋdrʌŋkən] *adj attr* pijany
**dry** [draɪ] *adj* suchy, uschnięty; oschły; bezalkoholowy; *vt* suszyć; wycierać; *vi* schnąć ~ **up** wysuszyć; wyschnąć
**dry-clean·ing** [ˏdraɪˋklinɪŋ] *s* pranie chemiczne
**du·al** [ˋdjul̩] *adj* dwoisty, podwójny
**dub** 1. [dʌb] *vt* pasować na rycerza; nazywać (**sb sth** kogoś czymś); przezywać
**dub** 2. [dʌb] *vt kin.* dubbingować
**du·bi·ous** [ˋdjubɪəs] *adj* wątpliwy, dwuznaczny; niepewny
**duch·ess** [ˋdʌtʃɪs] *s* księżna
**duch·y** [ˋdʌtʃɪ] *s* księstwo
**duck** 1. [dʌk] *s zool.* kaczka
**duck** 2. [dʌk] *vt vi* zanurzyć (się), dać nurka; zgiąć się, zrobić unik
**duct** [dʌkt] *s* kanał, przewód
**dud** [dʌd] *s* niewypał; *pl* ~**s** ciuchy, łachy
**due** [dju] *adj* należny; dłużny, zobowiązany; spowodowany (**to sth** czymś); spodziewany; odpowiedni; *handl.* płatny; *s* należność, opłata
**du·el** [ˋdjul̩] *s* pojedynek
**dug** *zob.* **dig**
**dug-out** [ˋdʌg aʊt] *s wojsk.* ziemianka, schron
**duke** [djuk] *s* książę
**dul·ci·mer** [ˋdʌlsɪmə(r)] *s muz.* cymbały
**dull** [dʌl] *adj* mętny; nudny; tępy; matowy; posępny; stłumiony; *vt* stępić; stłumić; *vi* stępieć; zmatowieć
**du·ly** [ˋdjulɪ] *adv* należycie, słusznie; w porę
**dumb** [dʌm] *adj* niemy; ~ **show** pantomima; **to strike sb** ~ wprawić kogoś w osłupienie
**dumb·found** [dʌmˋfaʊnd] *vt* ogłuszyć, oszołomić; odebrać mowę
**dum·my** [ˋdʌmɪ] *s* manekin; statysta, figurant; imitacja, makieta; pozór; smoczek; *adj attr* podrobiony, udany, naśladujący
**dump** [dʌmp] *vt* zrzucać, zsypywać; wywalać; *handl.* zbywać towar na zasadzie dumpingu; *s* stos; hałda; śmietnik
**dum·ping** [ˋdʌmpɪŋ] *s handl.* dumping
**dump·y** [ˋdʌmpɪ] *adj* przysadkowaty, pękaty
**dunce** [dʌns] *s* (*o uczniu*) osioł, nieuk
**dune** [djun] *s* wydma piaszczysta
**dung** [dʌŋ] *s* gnój, nawóz
**dun·geon** [ˋdʌndʒən] *s* wieża; loch, ciemnica
**dupe** [djup] *s* ofiara oszustwa; *pot.* dudek, naiwniaczek; *vt* oszukać, okpić
**du·pli·cate** [ˋdjuplɪkət] *adj* podwój-

ny; *s* duplikat; *vt* [ˋdjuplɪkeɪt] kopiować, odbijać, powielać
**du·pli·ca·tor** [ˋdjuplɪkeɪtə(r)] *s* powielacz
**du·plic·i·ty** [djuˋplɪsətɪ] *s* dwulicowość
**du·ra·ble** [ˋdjuərəbl] *adj* trwały; stały
**du·ra·tion** [djuˋreɪʃn] *s* czas trwania
**dur·ing** [ˋdjuərɪŋ] *praep* podczas, przez, za
**dusk** [dʌsk] *s* zmierzch
**dusk·y** [ˋdʌski] *adj* ciemny
**dust** [dʌst] *s* pył, kurz, proch; *vt* zakurzyć, posypać prochem; czyścić z kurzu, z prochu, ścierać
**dust·bin** [ˋdʌstbɪn] *s* skrzynia na śmieci
**dust·y** [ˋdʌstɪ] *adj* zakurzony; nudny; niejasny, mglisty
**Dutch** [dʌtʃ] *adj* holenderski; język holenderski
**Dutch·man** [ˋdʌtʃmən] *s* (*pl* **Dutchmen** [ˋdʌtʃmən]) Holender
**du·ti·a·ble** [ˋdjutɪəbl] *adj* podlegający ocleniu
**du·ti·ful** [ˋdjutɪfl] *adj* obowiązkowy, sumienny; pełen szacunku, uległy
**du·ty** [ˋdjutɪ] *s* obowiązek, powinność; służba; należność podatkowa; cło; **off ~** po służbie; **on ~** na służbie, na dyżurze
**dwarf** [dwɔf] *s* karzeł; *adj attr* karłowaty; *vt* powstrzymać wzrost; pomniejszyć
***dwell** [dwel], **dwelt, dwelt** [dwelt] *vi* mieszkać; zatrzymywać się; rozwodzić się (**on sth** nad czymś); kłaść nacisk
**dwell·er** [ˋdwelə(r)] *s* mieszkaniec
**dwell·ing** [ˋdwelɪŋ] *s* mieszkanie
**dwelt** *zob.* **dwell**
**dwin·dle** [ˋdwɪndl] *vi* zanikać, zmniejszać się
**dye** [daɪ] *s* barwa, farba; *vt vi* barwić (się), farbować (się)
**dye-stuff** [ˋdaɪstʌf] *s* barwnik
**dy·ing** *zob.* **die**
**dyke = dike**
**dy·nam·ic** [daɪˋnæmɪk] *adj* dynamiczny; *s pl* **~s** dynamika
**dy·na·mite** [ˋdaɪnəmaɪt] *s* dynamit; *vt* wysadzać dynamitem
**dy·nas·tic** [dɪˋnæstɪk] *adj* dynastyczny
**dyn·as·ty** [ˋdɪnəstɪ] *s* dynastia

# e

**each** [itʃ] *adj pron* każdy; **~ other** nawzajem
**ea·ger** [ˋigə(r)] *adj* żądny (**for** ⟨**after**⟩ **sth** czegoś); skory, gorliwy; (*o pragnieniu itp.*) gorący; **to be ~ to do sth** bardzo pragnąć coś zrobić
**ea·gle** [ˋigl] *s* orzeł
**ear** [ɪə(r)] *s* ucho
**earl** [ɜl] *s* hrabia (tylko angielski)
**ear·ly** [ˋɜlɪ] *adj* wczesny; *adv* wcześnie
**ear·mark** [ˋɪəmak] *s* (*u zwierząt domowych*) piętno, kolczyk; *przen.* znak (rozpoznawczy); *vt* znaczyć, znakować; *przen.* przeznaczać
**earn** [ɜn] *vt* zarabiać; zasługiwać
**ear·nest** [ˋɜnɪst] *adj* poważny; szczery; gorliwy; *s w zwrocie*: **in ~** na serio, poważnie
**earn·ing** [ˋɜnɪŋ] *s* zarobek, dochód
**ear-phone** [ˋɪəfəun] *s* słuchawka
**ear-ring** [ˋɪərɪŋ] *s* kolczyk
**earth** [ɜθ] *s* ziemia; świat, kula ziemska; **what on ~!** cóż to znowu?; *elektr.* uziemienie; *vt vi* za-

kopać ⟨zagrzebać⟩ (się) w ziemi; okopać; *elektr.* uziemić
**earth·en** [ˋɜθn] *adj* ziemny; gliniany
**earth·en·ware** [ˋɜθnweə(r)] *s zbior.* wyroby garncarskie
**earth·ly** [ˋɜθlɪ] *adj* ziemski
**earth·quake** [ˋɜθkweɪk] *s* trzęsienie ziemi; wstrząs
**earth·work** [ˋɜθwɜk] *s* robota ziemna; nasyp
**ease** [iz] *s* lekkość, swoboda; wygoda; **at ~** spokojnie, wygodnie; **at ~!** *wojsk.* spocznij!; **ill at ~** niedobrze, nieswojo; *vt* łagodzić; uspokajać; uwalniać
**ea·sel** [ˋizl] *s* sztaluga
**eas·i·ness** [ˋizɪnəs] *s* lekkość, wygoda, swoboda; beztroska
**east** [ist] *s* wschód; *adj* wschodni; *adv* na wschód, na wschodzie
**East·er** [ˋistə(r)] *s* Wielkanoc
**east·ern** [ˋistən] *adj* wschodni
**east·ward** [ˋistwəd] *adj* wschodni, zwrócony ku wschodowi; *adv* (*także* **~s**) ku wschodowi, na wschód
**eas·y** [ˋizɪ] *adj* łatwy; swobodny; wygodny; spokojny; **~ of access** łatwo dostępny; *adv* łatwo; lekko; swobodnie
**eas·y-chair** [ˋizɪtʃeə(r)] *s* fotel
***eat** [it], **ate** [et], **eaten** [ˋitn] *vt vi* jeść; **~ up** zjeść, pożreć, pochłonąć
**eat·a·ble** [ˋitəbl] *adj* jadalny; *s pl* **~s** artykuły spożywcze, prowiant
**eat·en** *zob.* **eat**
**eaves** [ivz] *s pl* okap
**eaves·drop** [ˋivzdrop] *vi* podsłuchiwać
**ebb** [eb] *s* odpływ (morza); ubytek (np. sił); *vi* (*o morzu*) odpływać; słabnąć, ubywać
**eb·on·y** [ˋebənɪ] *s* heban
**ec·cen·tric** [ɪkˋsentrɪk] *adj* ekscentryczny, dziwaczny; *s* dziwak, ekscentryk
**ec·cle·si·as·tic** [ɪˌklizɪˋæstɪk] *adj* kościelny, duchowny; *s* osoba duchowna, duchowny
**ech·o** [ˋekəʊ] *s* echo; *vt vi* odbijać się echem; powtarzać (**sb, sth** za kimś, czymś)
**e·clipse** [ɪˋklɪps] *s* zaćmienie; przyćmienie; *vt* zaćmiewać
**e·co·nom·ic** [ˌikəˋnomɪk] *adj* ekonomiczny
**e·co·nom·i·cal** [ˌikəˋnomɪkl] *adj* ekonomiczny, oszczędny
**e·co·nom·ics** [ˌikəˋnomɪks] *s* ekonomia, ekonomika
**e·con·o·mist** [ɪˋkonəmɪst] *s* ekonomista
**e·con·o·mize** [ɪˋkonəmaɪz] *vt vi* oszczędzać, oszczędnie gospodarować
**e·con·o·my** [ɪˋkonəmɪ] *s* ekonomia, gospodarka; organizacja; struktura; oszczędność
**ec·sta·sy** [ˋekstəsɪ] *s* ekstaza, zachwyt
**ec·stat·ic** [ɪkˋstætɪk] *adj* ekstatyczny, pełen zachwytu
**ed·dy** [ˋedɪ] *s* wir; *vi* wirować
**E·den** [ˋidn] *s* raj
**edge** [edʒ] *s* brzeg, krawędź, kant; ostrze; *vt* ostrzyć, toczyć; obsadzać; obszywać; **to ~ one's way** przeciskać się; wśliznąć się
**edg·ing** [ˋedʒɪŋ] *s* brzeg, rąbek
**ed·i·ble** [ˋedəbl] *adj* jadalny
**e·dict** [ˋidɪkt] *s* edykt
**ed·i·fice** [ˋedɪfɪs] *s* gmach
**ed·i·fy** [ˋedɪfaɪ] *vt* oddziaływać (moralnie, budująco), pouczać
**ed·it** [ˋedɪt] *vt* wydawać; redagować
**e·di·tion** [ɪˋdɪʃn] *s* wydanie; nakład
**ed·i·tor** [ˋedɪtə(r)] *s* wydawca; redaktor
**ed·i·tor·i·al** [ˌedɪˋtɔrɪəl] *adj* wydawniczy; redakcyjny; *s* artykuł wstępny (od redakcji)
**ed·u·cate** [ˋedʒukeɪt] *vt* wychowywać; kształcić
**ed·u·ca·tion** [ˌedʒuˋkeɪʃn] *s* wykształcenie, nauka; oświata; wychowanie; szkolenie
**ed·u·ca·tion·al** [ˌedʒuˋkeɪʃnl] *adj*

wychowawczy, oświatowy, kształcący
**eel** [il] *s* węgorz
**ef·face** [ɪˋfeɪs] *vt* ścierać, zacierać, zmazywać; *przen.* przyćmiewać
**ef·fect** [ɪˋfekt] *s* wynik, skutek; efekt; oddziaływanie; *pl* **~s** dobytek, ruchomości; papiery wartościowe; **in ~** rzeczywiście; **to no ~** bezskutecznie; **to give ‹to bring to, to carry into› ~** dokonać, uskutecznić, wprowadzić w życie; *vt* spowodować, wykonać, spełnić
**ef·fec·tive** [ɪˋfektɪv] *adj* efektywny; efektowny; *am.* mający moc prawną, obowiązujący
**ef·fem·i·nate** [ɪˋfemɪnət] *adj* zniewieściały
**ef·fer·vesce** [ˏefəˋves] *vt* musować, pienić się; (*o człowieku*) tryskać (życiem)
**ef·fi·ca·cious** [ˏefɪˋkeɪʃəs] *adj* skuteczny
**ef·fi·ca·cy** [ˋefɪkəsɪ] *s* skuteczność
**ef·fi·cien·cy** [ɪˋfɪʃnsɪ] *s* wydajność, sprawność; skuteczność
**ef·fi·cient** [ɪˋfɪʃnt] *adj* wydajny, sprawny; skuteczny
**ef·figy** [ˋefɪdʒɪ] *s* podobizna, wizerunek
**ef·fort** [ˋefət] *s* wysiłek; próba
**ef·front·er·y** [ɪˋfrʌntərɪ] *s* bezczelność
**ef·fu·sion** [ɪˋfjuʒn] *s* wylew; wydzielanie; *pl* **~s** *przen.* wynurzenia
**egg** [eg] *s* jajko
**e·go** [ˋegəu] *s* jaźń
**e·go·ism** [ˋegəuɪzm] *s* egoizm
**e·go·ist** [ˋegəuɪst] *s* egoista
**e·go·tism** [ˋegətɪzm] *s* egotyzm
**E·gyp·tian** [ɪˋdʒɪpʃn] *adj* egipski; *s* Egipcjanin
**ei·der·down** [ˋaɪdədaun] *s* puch; kołdra puchowa
**eight** [eɪt] *num* osiem; *s* ósemka
**eight·een** [ˏeɪˋtin] *num* osiemnaście; *s* osiemnastka
**eight·eenth** [ˏeɪˋtinθ] *adj* osiemnasty
**eighth** [eɪtθ] *adj* ósmy
**eight·i·eth** [ˋeɪtɪəθ] *adj* osiemdziesiąty
**eight·y** [ˋeɪtɪ] *num* osiemdziesiąt; *s* osiemdziesiątka
**ei·ther** [ˋaɪðə(r)], *am.* [ˋiðər] *adj pron* jeden lub drugi, jeden z dwóch, każdy z dwóch; obaj, obie, oboje; którykolwiek z dwóch; *conj* **~ ... or** albo ..., albo; *z przeczeniem*: ani ..., ani; *adv z przeczeniem*: też (nie)
**e·jac·u·late** [ɪˋdʒækjuleɪt] *vt* wytrysnąć; wykrzyknąć, wydać (okrzyk)
**e·ject** [ɪˋdʒekt] *vt* wyrzucić, wydzielić; usunąć, wydalić
**eke** [ik] *vt* (*zw.* **~ out**) sztukować, nadrabiać, uzupełniać
**e·lab·o·rate** [ɪˋlæbəreɪt] *vt* wypracować; *adj* [ɪˋlæbr̩ət] wypracowany; wymyślny, wyszukany
**e·lapse** [ɪˋlæps] *vi* (*o czasie*) upływać, mijać
**e·las·tic** [ɪˋlæstɪk] *adj* elastyczny; gumowy; *s* guma (np. do pończoch)
**el·bow** [ˋelbəu] *s* łokieć; *vt* popychać, szturchać łokciem; **~ sb out** wypchnąć kogoś
**eld·er** [ˋeldə(r)] *adj* starszy
**el·der·ly** [ˋeldəlɪ] *adj* podstarzały
**eld·est** [ˋeldɪst] *adj* najstarszy (w rodzinie)
**e·lect** [ɪˋlekt] *vt* wybierać; *adj* wybrany, nowo obrany
**e·lec·tion** [ɪˋlekʃn] *s* wybór, wybory; **general ~** wybory powszechne
**e·lec·tion·eer** [ɪˏlekʃənˋɪə(r)] *vi* agitować, przeprowadzać kampanię wyborczą
**e·lec·tor** [ɪˋlektə(r)] *s* wyborca
**e·lec·tor·ate** [ˋɪlektr̩ət] *s zbior.* wyborcy
**e·lec·tric(al)** [ɪˋlektrɪk(l)] *adj* elektryczny
**e·lec·tri·cian** [ɪˏlekˋtrɪʃn] *s* elektrotechnik

**e·lec·tric·i·ty** [ɪ'lek`trɪsətɪ] *s* elektryczność
**e·lec·tri·fi·ca·tion** [ɪ'lektrɪfɪ`keɪʃn] *s* elektryfikacja
**e·lec·tri·fy** [ɪ`lektrɪfaɪ] *vt* elektryfikować
**e·lec·tro·cute** [ɪ`lektrəkjut] *vt* uśmiercić na krześle elektrycznym; śmiertelnie porazić prądem
**e·lec·trol·y·sis** [ɪ'lek`troləsɪs] *s* elektroliza
**e·lec·tro·plate** [ɪ`lektrəupleɪt] *vt* platerować, galwanizować; *s zbior.* platery
**el·e·gance** [`elɪgəns] *s* elegancja
**el·e·gi·ac** ['elɪ`dʒaɪək] *adj* elegijny
**el·e·gy** [`elədʒɪ] *s* elegia
**el·e·ment** [`eləmənt] *s* element; żywioł; składnik; *chem.* pierwiastek
**el·e·men·tal** ['elə`mentl] *adj* żywiołowy; podstawowy
**el·e·men·ta·ry** ['elə`mentrɪ] *adj* elementarny; podstawowy
**el·e·phant** [`eləfnt] *s* słoń
**el·e·vate** [`eləveɪt] *vt* podnieść, podwyższyć, dźwignąć
**el·e·va·tion** ['elə`veɪʃn] *s* podniesienie, wzniesienie, wysokość; dostojeństwo
**el·e·va·tor** [`eləveɪtə(r)] *s* elewator; *am.* winda
**e·lev·en** [ɪ`levn] *num* jedenaście; *s* jedenastka
**e·lev·enth** [ɪ`levnθ] *adj* jedenasty
**elf** [elf] *s* (*pl* **elves** [elvz]) elf
**e·lic·it** [ɪ`lɪsɪt] *vt* ujawniać, wydobywać, wyciągać na światło dzienne; wywoływać
**el·i·gi·ble** [`elɪdʒəbl] *adj* wybieralny; godny wyboru, odpowiedni
**e·lim·i·nate** [ɪ`lɪmɪneɪt] *vt* eliminować, usuwać, wykluczać, znieść
**e·lim·i·na·tion** [ɪ'lɪmɪ`neɪʃn] *s* eliminacja, usunięcie, wykluczenie, zniesienie
**elk** [elk] *s* łoś
**elm** [elm] *s bot.* wiąz
**el·o·cu·tion** ['elə`kjuʃn] *s* wysławianie się, dykcja
**e·lon·gate** [`ɪloŋgeɪt] *vt vi* wydłużyć (się)
**el·o·quence** [`eləkwəns] *s* elokwencja, krasomówstwo
**else** [els] *adv* prócz tego, ponadto, jeszcze (inny); **or ~** bo inaczej; **sb ~** ktoś inny; **sth ~** coś innego
**else·where** ['els`weə(r)] *adv* gdzie indziej
**e·lu·ci·date** [ɪ`lusɪdeɪt] *vt* wyświetlić, wyjaśnić
**e·lude** [ɪ`lud] *vt* wymijać, obejść (np. prawo); ujść (**sth** czemuś)
**e·lu·sive** [ɪ`lusɪv] *adj* nieuchwytny, wykrętny
**elves** *zob.* **elf**
**e·ma·ci·ate** [ɪ`meɪʃɪeɪt] *vt* wyniszczyć (fizycznie), wycieńczyć
**em·a·nate** [`eməneɪt] *vi* emanować, promieniować; wyłaniać się; pochodzić (**from sth** od czegoś)
**e·man·ci·pate** [ɪ`mænsɪpeɪt] *vt* emancypować, wyzwolić
**e·mas·cu·late** [ɪ`mæskjuleɪt] *vt* wykastrować; zniewieścić; wyjałowić; *adj* [ɪ`mæskjulət] zniewieściały; wyjałowiony
**em·balm** [ɪm`bam] *vt* balsamować; nasycać aromatem
**em·bank·ment** [ɪm`bæŋkmənt] *s* wał, tama; nabrzeże, bulwar
**em·bar·go** [ɪm`bagəu] *s* embargo, zakaz
**em·bark** [ɪm`bak] *vt* ładować na statek; brać na pokład; *vi* wsiadać na statek; *przen.* przedsięwziąć (**on** ⟨**upon**⟩ **sth** coś); wdać się (**in sth** w coś)
**em·bar·ka·tion** ['emba`keɪʃn] *s* ładowanie ⟨wsiadanie⟩ na statek
**em·bar·rass** [ɪm`bærəs] *vt* wprawić w zakłopotanie; sprawić kłopot; przeszkadzać; krępować
**em·bas·sy** [`embəsɪ] *s* ambasada; misja
**em·bed** [ɪm`bed] *vt* osadzić, wryć, wkopać, wbić; wyłożyć (np. cementem)
**em·bel·lish** [ɪm`belɪʃ] *vt* upiększyć

**em·bers** [ˋembəz] *s pl* żarzące się węgle; *przen.* zgliszcza
**em·bez·zle** [ımˋbezl] *vt* sprzeniewierzyć
**em·bit·ter** [ımˋbıtə(r)] *vt* rozgoryczyć; zatruć (życie); rozjątrzyć
**em·blem** [ˋembləm] *s* emblemat
**em·bod·i·ment** [ımˋbodımənt] *s* ucieleśnienie, wcielenie
**em·bod·y** [ımˋbodı] *vt* ucieleśniać; urzeczywistniać; wcielać; formułować, wyrażać (w słowach, czynach); zawierać
**em·boss** [ımˋbos] *vt* wytłaczać; wykuwać; zdobić płaskorzeźbą
**em·brace** [ımˋbreıs] *vt vi* obejmować (się), uścisnąć (się); ogarniać; zawierać; przyjmować (np. światopogląd); *s* uścisk, objęcie
**em·broi·der** [ımˋbrɔıdə(r)] *vt* haftować; *przen.* upiększać
**em·broi·de·ry** [ımˋbrɔıdərı] *s* haft; *przen.* upiększenie
**em·broil** [ımˋbrɔıl] *vt* powikłać; uwikłać
**em·bry·o** [ˋembrıəu] *s* embrion
**e·mend** [ıˋmend] *vt* poprawiać (tekst)
**em·er·ald** [ˋemərld] *s* szmaragd
**e·merge** [ıˋmɜdʒ] *vi* wynurzać się, wyłaniać się, ukazywać się
**e·mer·gence** [ıˋmɜdʒəns] *s* pojawienie się, powstanie
**e·mer·gen·cy** [ıˋmɜdʒənsı] *s* stan wyjątkowy, krytyczne położenie, gwałtowna potrzeba; ~ **exit** wyjście zapasowe (np. na wypadek pożaru)
**em·i·grant** [ˋemıgrənt] *s* emigrant
**em·i·grate** [ˋemıgreıt] *vi* emigrować
**emigré** [ˋemıgreı] *s* emigrant polityczny
**em·i·nence** [ˋemınəns] *s* wysokie położenie, wzniesienie; eminencja; wybitność, znakomitość
**em·i·nent** [ˋemınənt] *adj* wybitny, znakomity, sławny
**em·is·sa·ry** [ˋemısr̥ı] *s* emisariusz
**e·mis·sion** [ıˋmıʃn] *s* emisja; wydzielanie, wysyłanie
**e·mit** [ıˋmıt] *vt* emitować; wydzielać, wysyłać
**e·mo·tion** [ıˋməuʃn] *s* wzruszenie, uczucie
**e·mo·ti·onal** [ıˋməuʃnl] *adj* emocjonalny
**em·per·or** [ˋempərə(r)] *s* cesarz, imperator
**em·pha·sis** [ˋemfəsıs] *s* nacisk, uwydatnienie, emfaza
**em·pha·size** [ˋemfəsaız] *vt* podkreślać, kłaść nacisk
**em·phat·ic** [ımˋfætık] *adj* emfatyczny; dobitny; wymówiony z naciskiem; kategoryczny; wymowny
**em·pire** [ˋempaıə(r)] *s* imperium, cesarstwo
**em·ploy** [ımˋplɔı] *vt* zatrudniać; używać
**em·ploy·ee** [ˏemplɔıˋi] *s* pracownik
**em·ploy·er** [ımˋplıɔə(r)] *s* pracodawca, szef
**em·ploy·ment** [ımˋplɔımənt] *s* zajęcie, zatrudnienie; zastosowanie, użycie
**em·pow·er** [ımˋpauə(r)] *vt* dać władzę, upoważnić
**em·press** [ˋemprəs] *s* cesarzowa
**emp·ty** [ˋemptı] *adj* pusty, czczy, próżny; *vt vi* opróżnić (się)
**em·u·late** [ˋemjuleıt] *vt* rywalizować (*sb* z kimś)
**en·a·ble** [ıˋneıbl] *vt* dać możność, umożliwić
**en·act** [ıˋnækt] *vt* ustanowić (dekret)
**en·act·ment** [ıˋnæktmənt] *s* przeprowadzenie ustawy; zarządzenie, dekret
**en·am·el** [ıˋnæml] *s* emalia; lakier; *vt* emaliować; lakierować
**en·camp** [ınˋkæmp] *vt* rozkładać obozem; *vi* rozłożyć się obozem, obozować
**en·camp·ment** [ınˋkæmpmənt] *s* rozłożenie się obozem; obozowisko
**en·cash** [ınˋkæʃ] *vt* spieniężyć (czek), zrealizować (weksel); inkasować

**en·chain** [ɪn'tʃeɪn] *vt* zakuć w łańcuchy, uwiązać na łańcuchu; *przen.* ujarzmić

**en·chant** [ɪn'tʃɑnt] *vt* oczarować; zaczarować

**en·cir·cle** [ɪn'sɜkl] *vt* okrążyć, otoczyć

**en·close** [ɪn'kləuz] *vt* ogrodzić, otoczyć; zawierać; załączyć

**en·clo·sure** [ɪn'kləuʒə(r)] *s* ogrodzenie, ogrodzone miejsce; załącznik

**en·com·pass** [ɪn'kʌmpəs] *vt* otaczać, obejmować; zawierać

**en·core** ['ɔŋkɔ(r)] *int* **bis!**; *s* bis, bisowanie; *vt vi* bisować

**en·coun·ter** [ɪn'kauntə(r)] *vt* natknąć się (**sb** na kogoś); *s* spotkanie; starcie, potyczka

**en·cour·age** [ɪn'kʌrɪdʒ] *vt* zachęcać; popierać; dodawać odwagi

**en·croach** [ɪn'krəutʃ] *vi* wdzierać się, wkraczać (**on** ⟨**upon**⟩ **sth** do czegoś); bezprawnie naruszać (**on** ⟨**upon**⟩ **sth** coś)

**en·crust** [ɪn'krʌst] *vt* inkrustować; *vi* zaskorupić się

**en·cum·ber** [ɪn'kʌmbə(r)] *vt* zawalić, zatłoczyć; obciążyć; utrudnić, zawadzać

**en·cy·clo·pae·di·a** [ɪn'saɪklə'pidɪə] *s* encyklopedia

**end** [end] *s* koniec; kres; cel; **~ on** rzędem; **on ~** pionowo, sztorcem; z rzędu; **to no ~** bezcelowo; **to be at an ~** być skończonym; **to bring to an ~** położyć kres; **to serve an ~** odpowiadać celowi; **to the ~ that** w tym celu, aby; *vt* kończyć; **~ off** ⟨**up**⟩ zakończyć; *vi* kończyć się (**in sth** czymś)

**en·dan·ger** [ɪn'deɪndʒə(r)] *vt* narażać na niebezpieczeństwo

**en·dear** [ɪn'dɪə(r)] *vt* uczynić drogim (**to sb** dla kogoś); zdobyć czyjeś serce

**en·deav·our** [ɪn'devə(r)] *vi* usiłować, starać się; dążyć (**after sth** do czegoś); *s* dążenie, staranie, zabiegi

**end·ing** ['endɪŋ] *s* zakończenie; *gram.* końcówka

**end·less** ['endləs] *adj* nie kończący się, ustawiczny

**en·dorse** [ɪn'dɔs] *vt* potwierdzić, podpisać się (**sth** pod czymś); zaaprobować; *handl.* indosować

**en·dow** [ɪn'dau] *vt* wyposażyć, zaopatrzyć (**with sth** w coś); obdarzyć; ufundować

**en·dow·ment** [ɪn'daumənt] *s* wyposażenie, dotacja; *pl* **~s** zdolności

**en·dur·ance** [ɪn'djuərns] *s* wytrzymałość, cierpliwość; **past** ⟨**beyond**⟩ **~** nie do zniesienia

**en·dure** [ɪn'djuə(r)] *vt* znosić, cierpieć, wytrzymywać; *vi* przetrwać

**en·dur·ing** [ɪn'djuərɪŋ] *adj* trwały; wytrzymały

**en·e·my** ['enəmɪ] *s* wróg, przeciwnik

**en·er·gy** ['enədʒɪ] *s* energia

**en·er·vate** ['enəveɪt] *vt* osłabić

**en·fee·ble** [ɪn'fibl] *vt* osłabić

**en·fold** [ɪn'fəuld] *vt* otulić, zawinąć; objąć

**en·force** [ɪn'fɔs] *vt* narzucić pod przymusem (**sth on sb** coś komuś); ustawowo wprowadzić w życie

**en·fran·chise** [ɪn'fræntʃaɪz] *vt* obdarzyć prawami (obywatelskimi, wyborczymi); wyzwolić; uwłaszczyć

**en·gage** [ɪn'geɪdʒ] *vt vi* angażować (się); zobowiązywać (się); zajmować (się); najmować, przyjmować do pracy; *wojsk.* nawiązać walkę, atakować; **to be ~d** mieć zajęcie, pracować, krzątać się (**in sth** koło czegoś); **to become ~d** zaręczyć się (**to sb** z kimś)

**en·gage·ment** [ɪn'geɪdʒmənt] *s* zobowiązanie; obietnica; umowa; przyjęcie do pracy; najęcie, zatrudnienie; zaręczyny; *wojsk.* rozpoczęcie bitwy

**en·gag·ing** [ɪn'geɪdʒɪŋ] *adj* ujmujący, miły

**en·gen·der** [ɪn'dʒendə(r)] *vt* rodzić; powodować

**en·gine** [ˋendʒɪn] *s* maszyna; lokomotywa; silnik

**en·gine-driv·er** [ˋendʒɪn draɪvə(r)] *s* maszynista

**en·gi·neer** [ˏendʒɪˋnɪə(r)] *s* mechanik; technik; inżynier; *wojsk.* saper; *am.* maszynista; *vt* budować (drogi, mosty), montować; planować, projektować; *pot.* kombinować

**en·gi·neer·ing** [ˏendʒɪˋnɪərɪŋ] *s* inżyniera; mechanika; technika; *pot. pl* **~s** kombinacje, machinacje

**Eng·lish** [ˋɪŋglɪʃ] *adj* angielski; *s* język angielski; *pl* **the ~** Anglicy

**Eng·lish·man** [ˋɪŋglɪʃmən] *s* (*pl* **Englishmen** [ˋɪŋglɪʃmən]) Anglik

**Eng·lish·wom·an** [ˋɪŋglɪʃwumən] *s* (*pl* **Englishwomen** [ˋɪŋglɪʃwɪmɪn]) Angielka

**en·grave** [ɪnˋgreɪv] *vt* ryć, grawerować

**en·grav·ing** [ɪnˋgreɪvɪŋ] *s* grawerowanie; sztych

**en·gross** [ɪnˋgrəus] *vt handl.* zmonopolizować; wykupić hurtem; opanować, pochłonąć; odpisać (dokument) dużymi literami

**en·gulf** [ɪnˋgʌlf] *vt* pochłonąć

**en·hance** [ɪnˋhans] *vt* powiększyć, podwyższyć, uwydatnić

**e·nig·ma** [ɪˋnɪgmə] *s* zagadka

**e·nig·mat·ic** [ˏenɪgˋmætɪk] *adj* zagadkowy

**en·join** [ɪnˋdʒɔɪn] *vt* nakazać; gorąco polecać (**sth on sb** coś komuś)

**en·joy** [ɪnˋdʒɔɪ] *vt* znajdować przyjemność, zasmakować (**sth** w czymś); mieć, cieszyć się (np. **good health** dobrym zdrowiem); korzystać (**sth** z czegoś); *vr* **~ oneself** dobrze się bawić

**en·joy·a·ble** [ɪnˋdʒɔɪəbl] *adj* przyjemny, rozkoszny

**en·joy·ment** [ɪnˋdʒɔɪmənt] *s* przyjemność, uciecha; korzystanie (**of sth** z czegoś)

**en·large** [ɪnˋladʒ] *vt vi* powiększać (się); rozszerzać (się); rozwodzić się (**on** ⟨**upon**⟩ **sth** nad czymś)

**en·light·en** [ɪnˋlaɪtn] *vt* oświecać, uświadamiać, objaśniać

**en·light·en·ment** [ɪnˋlaɪtnmənt] *s* oświecenie

**en·list** [ɪnˋlɪst] *vt* zwerbować; zjednać sobie; *vi* zaciągnąć się do wojska

**en·li·ven** [ɪnˋlaɪvn] *vt* ożywić

**en·mi·ty** [ˋenmətɪ] *s* wrogość

**en·noble** [ɪˋnəubl] *vt* uszlachetnić; nobilitować

**e·nor·mi·ty** [ɪˋnɔmətɪ] *s* potworność; ogrom, ogromne rozmiary

**e·nor·mous** [ɪˋnɔməs] *adj* ogromny

**en·ough** [ɪˋnʌf] *adv* dość, dosyć; **be good ~ to ...** bądź tak dobry i ...; **to be stupid ~ to ...** być na tyle głupim, aby ...

**en·quire, en·quir·y** = **inquire, inquiry**

**en·rage** [ɪnˋreɪdʒ] *vt* doprowadzić do wściekłości

**en·rich** [ɪnˋrɪtʃ] *vt* wzbogacić; ulepszyć; ozdobić

**en·rol(l)** [ɪnˋrəul] *vt* zarejestrować; wciągnąć na listę członków; zwerbować; *vi* zapisać się (np. na kurs); zaciągnąć się (np. do wojska)

**en·shrine** [ɪnˋʃraɪn] *vt* zamknąć w sanktuarium; przechowywać pieczołowicie ⟨ze czcią⟩

**en·sign** [ˋensaɪn] *s* oznaka, insygnia, odznaka; chorągiew; *mors.* bandera; † *wojsk.* chorąży

**en·slave** [ɪnˋsleɪv] *vt* zrobić niewolnikiem, ujarzmić

**en·snare** [ɪnˋsneə(r)] *vt dosł. i przen.* chwycić w sidła

**en·sue** [ɪnˋsju] *vi* nastąpić, wyniknąć

**en·sure** [ɪnˋʃuə(r)] *vt* zapewnić; zabezpieczyć

**en·tail** [ɪnˋteɪl] *vt* pociągnąć za sobą, powodować; wymagać (**sth on sb** czegoś od kogoś)

**en·tan·gle** [ɪnˋtæŋgl] *vt* uwikłać, zaplątać; usidlić

**en·tente** [õˋtõt] *s polit.* porozumienie

**en·ter** [ˋentə(r)] *vt vi* wchodzić, wkraczać, wjechać; wstępować (**sth** ⟨**into sth**⟩ do czegoś, np. **a school** ⟨**university**⟩ do szkoły ⟨na uniwersytet⟩); wpisywać (się); zgłaszać (się); przeniknąć; przystępować (**on** ⟨**upon**⟩ **sth** do czegoś, np. **upon one's duties** do obowiązków); ~ **into a contract** zawierać umowę; ~ **a protest** zgłosić protest
**en·ter·ic** [enˋterɪk] *adj* jelitowy; ~ **(fever)** tyfus brzuszny
**en·ter·prise** [ˋentəpraɪz] *s* przedsięwzięcie, inicjatywa; *handl.* przedsiębiorstwo
**en·ter·pris·ing** [ˋentəpraɪzɪŋ] *adj* przedsiębiorczy
**en·ter·tain** [ˈentəˋteɪn] *vt* zabawiać; przyjmować (gości); żywić (uczucie, nadzieję); podtrzymywać, utrzymywać (np. korespondencję); *vi* prowadzić życie towarzyskie
**en·ter·tain·ment** [ˈentəˋteɪnmənt] *s* rozrywka; przedstawienie (rozrywkowe); przyjęcie, uczta
**en·throne** [ɪnˋθrəʊn] *vt* osadzić na tronie
**en·thu·si·asm** [ɪnˋθjuzɪæzm] *s* entuzjazm
**en·thu·si·as·tic** [ɪnˈθjuzɪˋæstɪk] *adj* zachwycony, entuzjastyczny, zapalony; **to be** ~ zachwycać się (**about** ⟨**over**⟩ **sth** czymś)
**en·tice** [ɪnˋtaɪs] *vt* uwodzić, nęcić, kusić
**en·tice·ment** [ɪnˋtaɪsmənt] *s* ponęta; urok; wabienie
**en·tire** [ɪnˋtaɪə(r)] *adj* cały, całkowity
**en·tire·ly** [ɪnˋtaɪəlɪ] *adv* całkowicie, wyłącznie
**en·ti·tle** [ɪnˋtaɪtl] *vt* tytułować; upoważniać; mianować
**en·ti·ty** [ˋentətɪ] *s* jednostka, wyodrębniona całość; istnienie, byt; rzecz realnie istniejąca
**en·trails** [ˋentreɪlz] *s pl* wnętrzności
**en·train** [enˋtreɪn] *vt* ładować do pociągu (*zw.* wojsko); *vi* (*zw. o wojsku*) wsiadać do pociągu
**en·trance** 1. [ˋentrns] *s* wejście, wjazd; wstęp, dostęp
**en·trance** 2. [ɪnˋtrɑns] *vt* wprowadzać w trans; zachwycić
**en·trap** [ɪnˋtræp] *vt* schwytać w pułapkę, usidlić
**en·treat** [ɪnˋtrit] *vt vi* błagać
**en·treat·y** [ɪnˋtritɪ] *s* błaganie
**en·trench** [ɪnˋtrentʃ] *vt wojsk.* okopać, umocnić okopami
**en·trust** [ɪnˋtrʌst] *vt* powierzyć
**en·try** [ˋentrɪ] *s* wstęp, wjazd, wejście; hasło (w słowniku); notatka; pozycja (w księdze, spisie)
**en·twine** [ɪnˋtwaɪn] *vt* oplatać, owijać; splatać
**e·nu·mer·ate** [ɪˋnjuməreɪt] *vt* wyliczać
**e·nun·ci·ate** [ɪˋnʌnsɪeɪt] *vt* wypowiedzieć, oświadczyć, głosić
**en·ve·lop** [ɪnˋveləp] *vt* owinąć; objąć; *wojsk.* otoczyć
**en·ve·lope** [ˋenvələʊp] *s* koperta; otoczka
**en·vi·able** [ˋenvɪəbl] *adj* godny pozazdroszczenia
**en·vi·ous** [ˋenvɪəs] *adj* zazdrosny, zawistny (**of sb, sth** o kogoś, coś)
**en·vi·ron** [ɪnˋvaɪərn] *vt* otaczać
**en·vi·ron·ment** [ɪnˋvaɪərnmənt] *s* otoczenie, środowisko
**en·vi·rons** [ˋenvɪrənz] *s pl* okolice
**en·vis·age** [ɪnˋvɪzɪdʒ] *vt* patrzeć w oczy, stać w obliczu (**sth** czegoś); rozpatrywać
**en·voy** [ˋenvɔɪ] *s* poseł pełnomocny; wysłannik (dyplomatyczny)
**en·vy** [ˋenvɪ] *s* zazdrość, zawiść; przedmiot zazdrości; *vt* zazdrościć
**en·wrap** [ɪnˋræp] *vt* zawijać, owijać; *przen.* pogrążyć
**e·phem·er·al** [ɪˋfemərl] *adj* efemeryczny
**ep·ic** [ˋepɪk] *adj* epicki; *s* epos, poemat epicki; *pot.* długa powieść; długi film przygodowy
**ep·i·dem·ic** [epɪˋdemɪk] *adj* epidemiczny; *s* epidemia

**e·pis·co·pal** [ı`pıskəpl] *adj* episkopalny, biskupi
**ep·i·sode** [`epısəud] *s* epizod
**e·pit·o·me** [ı`pıtəmı] *s* skrót, wyciąg, streszczenie
**e·poch** [`ipok] *s* epoka
**e·qual** [`ikwl] *adj* równy; **to be ~** równać się; dorównywać; stać na wysokości zadania; *s* człowiek równy innemu; **he has no ~s** on nie ma sobie równych; **to live as ~s** żyć jak równy z równym; *vt* równać się; dorównywać (sb komuś); **not to be ~led** nie do porównania, niezrównany
**e·qual·i·ty** [ı`kwolətı] *s* równość
**e·qual·ize** [`ikwəlaız] *vt* wyrównywać
**e·qua·nim·i·ty** [ˏekwə`nımətı] *s* równowaga ducha
**e·qua·tion** [ı`kweıʃn] *s* wyrównanie; *mat.* równanie
**e·qua·tor** [ı`kweıtə(r)] *s* równik
**e·ques·tri·an** [ı`kwestrıən] *adj* konny; *s* jeździec
**e·quil·i·brist** [ı`kwılıbrıst] *s* ekwilibrysta
**e·qui·lib·ri·um** [ˏikwı`lıbrıəm] *s* równowaga
**e·qui·nox** [`ikwınoks] *s* zrównanie dnia z nocą
**e·quip** [ı`kwıp] *vt* zaopatrzyć, wyposażyć (**with sth** w coś)
**eq·ui·ta·ble** [`ekwıtəbl] *adj* sprawiedliwy, słuszny, bezstronny
**eq·ui·ty** [`ekwətı] *s* sprawiedliwość, słuszność
**e·quiv·a·lent** [ı`kwıvələnt] *adj* równoważny, równowartościowy; *s* równoważnik, równowartość
**e·quiv·o·cal** [ı`kwıvəkl] *adj* dwuznaczny; podejrzany
**e·ra** [`ıərə] *s* era
**e·rad·i·cate** [ı`rædıkeıt] *vt* wykorzenić
**e·rase** [ı`reız] *vt* zeskrobać, zetrzeć (gumą); wymazać
**e·raser** [ı`reızə(r)] *s* guma (do wycierania); nożyk (do zeskrobywania)
**ere** [ıə(r)] *praep lit.* przed; *adv* † wcześniej; *conj* † zanim; **~ long** wkrótce; **~ now** już przedtem
**e·rect** [ı`rekt] *adj* prosty, wyprostowany; *vt* wyprostować; wznieść, zbudować
**e·rot·ic** [ı`rotık] *adj* erotyczny; *s lit.* erotyk
**err** [ɜ(r)] *vi* błądzić, mylić się
**er·rand** [`erənd] *s* sprawunek; zlecenie; **to run ~s** chodzić na posyłki
**er·rant** [`erənt] *adj* błądzący; błędny; wędrowny
**er·ra·ta** = **erratum**
**er·rat·ic** [ı`rætık] *adj* wędrujący; niepewny; kapryśny, nieobliczalny; *geol.* narzutowy
**er·ra·tum** [e`rɑtəm] *s* (*pl* errata [e`rɑtə]) błąd drukarski
**er·ro·neous** [ı`rəunıəs] *adj* mylny, błędny
**er·ror** [`erə(r)] *s* omyłka, błąd
**er·u·dite** [`erudaıt] *adj* (*o człowieku*) uczony, wykształcony; *s* erudyta
**er·u·di·tion** [ˏeru`dıʃn] *s* erudycja
**e·rup·tion** [ı`rʌpʃn] *s* wybuch; *med.* wysypka
**es·ca·la·tor** [`eskəleıtə(r)] *s* schody ruchome
**es·ca·pade** [ˏeskə`peıd] *s* eskapada
**es·cape** [ı`skeıp] *vt vi* umknąć; ujść, uciec; uniknąć; ulatniać się; *s* ucieczka; wyciek; ujście; ratunek (przed śmiercią, chorobą), ocalenie; **to make one's ~** wymknąć się, uciec
**es·cort** [`eskɔt] *s* eskorta, straż; mężczyzna towarzyszący kobiecie; *vt* [ı`skɔt] eskortować; towarzyszyć
**es·pe·cial** [ı`speʃl] *adj* specjalny, osobliwy
**es·pi·o·nage** [`espıənɑʒ] *s* szpiegostwo
**es·pouse** [ı`spauz] *vt* poślubić; zostać orędownikiem (**sth** czegoś)
**es·py** [ı`spaı] *vt* spostrzec; wyśledzić
**es·quire** [ı`skwaıə(r)] *s* dawny szlachecki tytuł w Anglii, obec-

nie w adresach tytuł grzecznościowy (*skr.* **Esq.**)
**es·say** [`eseɪ] *s* szkic; próba; esej; wypracowanie szkolne; *vi vt* [ɪ`seɪ] próbować; poddawać próbie
**es·sence** [`esns] *s* istota, sedno; esencja, wyciąg
**es·sen·tial** [ɪ`senʃl] *adj* istotny, zasadniczy; niezbędny; *s pl* ~s rzeczy niezbędne; zasady, podstawy
**es·tab·lish** [ɪ`stæblɪʃ] *vt* założyć; ustanowić, ustalić; *vr* ~ **oneself** osiedlić się, urządzić się
**es·tab·lish·ment** [ɪ`stæblɪʃmənt] *s* urządzenie, założenie, ustanowienie; instytucja, zakład
**es·tate** [ɪ`steɪt] *s* stan; majątek, własność, posiadłość ziemska; **real** ~ nieruchomość
**es·teem** [ɪ`stim] *vt* cenić, szanować; docenić; poczytywać ⟨uważać⟩ (**sth** za coś); *s* szacunek
**es·ti·mate** [`estɪmeɪt] *vt* szacować; *s* [`estɪmət] szacunek, ocena
**es·ti·ma·tion** [ˈestɪ`meɪʃn] *s* ocena, oszacowanie; osąd, opinia
**es·trange** [ɪ`streɪndʒ] *vt* zrazić sobie, odsunąć od siebie, odstręczyć; *prawn.* odseparować
**es·trange·ment** [ɪ`streɪndʒmənt] *s* oddalenie się (dwóch osób od siebie), oziębienie stosunków; *prawn.* separacja
**es·tu·a·ry** [`estʃuərɪ] *s* ujście (wielkiej rzeki)
**etch** [etʃ] *vt vi* ryć (w metalu), trawić (metal)
**etch·ing** [`etʃɪŋ] *s* grawerowanie; akwaforta
**e·ter·nal** [ɪ`tɜnl] *adj* wieczny
**e·ter·ni·ty** [ɪ`tɜnətɪ] *s* wieczność
**e·ther** [`iθə(r)] *s* eter
**eth·i·c(al)** [`eθɪk(l)] *adj* etyczny
**eth·ics** [`eθɪks] *s* etyka
**et·y·mol·o·gy** [ˈetɪ`molədʒɪ] *s* etymologia
**eu·gen·ic** [ju`dʒenɪk] *adj* eugeniczny
**eu·gen·ics** [ju`dʒenɪks] *s* eugenika
**eu·lo·gize** [`julədʒaɪz] *vt* chwalić, sławić
**eu·lo·gy** [`julədʒɪ] *s* pochwalna mowa, pochwała
**Eu·ro·pe·an** [ˈjuərə`pɪən] *adj* europejski; *s* Europejczyk
**e·vac·u·ate** [ɪ`vækjueɪt] *vt* wypróżniać; ewakuować
**e·vade** [ɪ`veɪd] *vt* unikać; uchylać się (**sth** od czegoś); obchodzić (np. ustawę)
**e·val·u·ate** [ɪ`væljueɪt] *vt* szacować
**e·van·gel·ic(al)** [ˈivæn`dʒelɪk(l)] *adj* ewangeliczny; ewangelicki; *s* ewangelik
**e·vap·o·rate** [ɪ`væpəreɪt] *vt* odparować; *vi* parować, ulatniać się
**e·va·sion** [ɪ`veɪʒn] *s* unikanie; uchylanie się (**of sth** od czegoś); obchodzenie (np. ustawy), omijanie (np. prawdy); wykręt
**eve** [iv] *s* wigilia; przeddzień
**e·ven 1.** [`ivn] *adj* równy, gładki; *vt* (*także* **to** ~ **out**) wyrównywać, wygładzać; *adv* równo; właśnie; nawet
**e·ven 2.** [`ivn] *s poet.* wieczór
**eve·ning** [`ivnɪŋ] *s* wieczór; **this** ~ dziś wieczór; **in the** ~ wieczorem; **on Sunday** ~ w niedzielę wieczór
**e·vent** [ɪ`vent] *s* zdarzenie, wydarzenie; wypadek, przypadek
**e·ven·tu·al** [ɪ`ventʃuəl] *adj* ewentualny, możliwy; ostateczny
**e·ven·tu·al·ly** [ɪ`ventʃulɪ] *adv* ostatecznie, w końcu
**ev·er** [`evə(r)] *adv* zawsze; kiedyś; kiedykolwiek; ~ **so much** bardzo; ~ **so long** wieki całe; **for** ~ na zawsze; **hardly** ~ bardzo rzadko; prawie nigdy; **as** ~ **I can** jak tylko mogę; **what** ~ **do you mean?** co u licha masz na myśli?
**ev·er·green** [`evəgrin] *adj* wiecznie zielony; *s* wiecznie zielone drzewo ⟨zielona roślina⟩
**ev·er·last·ing** [ˈevə`lastɪŋ] *adj* wieczny, wiekuisty; stały
**eve·ry** [`evrɪ] *adj* każdy, wszelki; ~ **day** codziennie; ~ **other** co drugi; ~ **ten minutes** co dziesięć minut

**eve·ry·bod·y** [ˋevrɪbodɪ] *pron* każdy, wszyscy
**eve·ry·day** [ˋevrɪdeɪ] *adj attr* codzienny; pospolity
**eve·ry·one** [ˋevrɪwʌn] *pron* każdy, wszyscy
**eve·ry·thing** [ˋevrɪθɪŋ] *pron* wszystko
**eve·ry·way** [ˋevrɪweɪ] *adv* na wszystkie sposoby; pod każdym względem
**eve·ry·where** [ˋevrɪweə(r)] *adv* wszędzie
**e·vict** [ɪˋvɪkt] *vt* wyrzucać; wysiedlać, eksmitować
**e·vic·tion** [ɪˋvɪkʃn] *s* wysiedlenie, eksmisja
**ev·i·dence** [ˋevɪdəns] *s* oczywistość; dowód, materiał dowodowy; zeznanie; świadectwo; *vt vi* unaocznić; dowodzić; świadczyć
**ev·i·dent** [ˋevɪdənt] *adj* oczywisty, jawny
**ev·i·dential** [ˈevɪˋdenʃl] *adj* dowodowy; świadczący (**of sth** o czymś)
**e·vil** [ivl] *adj* zły; nieszczęsny; *s* zło
**e·vince** [ɪˋvɪns] *vt* przejawiać, ujawniać
**e·vis·cer·ate** [ɪˋvɪsəreɪt] *vt* patroszyć; *przen.* wyjałowić
**e·voke** [ɪˋvəuk] *vt* wywoływać
**e·vo·lu·tion** [ˈivəˋluʃn] *s* ewolucja, rozwój
**e·volve** [ɪˋvolv] *vt vi* rozwijać (się); wydzielać (się), wypływać
**ex·a·cer·bate** [ɪgˋzæsəbeɪt] *vt* rozjątrzyć; pogorszyć
**ex·act** [ɪgˋzækt] *adj* ścisły, dokładny; *vt* egzekwować, wymagać, wymuszać
**ex·ac·tion** [ɪgˋzækʃn] *s* wymaganie (nadmierne), wymuszanie; ściąganie (np. podatków)
**ex·act·i·tude** [ɪgˋzæktɪtjud] *s* dokładność, ścisłość
**ex·ag·ger·ate** [ɪgˋzædʒəreɪt] *vt vi* przesadzać
**ex·alt** [ɪgˋzolt] *vt* wywyższać, wynosić (ponad innych); wychwalać
**ex·al·ta·tion** [ˈegzolˋteɪʃn] *s* wywyższanie; zachwyt; egzaltacja
**ex·am** [ɪgˋzæm] *s pot.* = examination
**ex·am·i·na·tion** [ɪgˈzæmɪˋneɪʃn] *s* egzamin; badanie (np. lekarskie); przesłuchanie (np. sądowe); kontrola; **to pass an ~** zdać egzamin; **to take ⟨to sit for⟩ an ~** przystępować do egzaminu, zdawać egzamin
**ex·am·ine** [ɪgˋzæmɪn] *vt* egzaminować; badać; kontrolować; przesłuchiwać
**ex·am·in·er** [ɪgˋzæmɪnə(r)] *s* egzaminator; inspektor
**ex·am·ple** [ɪgˋzampl] *s* przykład, wzór; **for ~** na przykład; **to set an ~** dać przykład
**ex·as·per·ate** [ɪgˋzaspəreɪt] *vt* rozdrażniać, irytować
**ex·ca·vate** [ˋekskəveɪt] *vt* wykopywać; prowadzić wykopaliska
**ex·ca·va·tion** [ˈekskəˋveɪʃn] *s* wykopywanie; prace wykopaliskowe
**ex·ca·va·tor** [ˋekskəveɪtə(r)] *s* ekskawator, koparka
**ex·ceed** [ɪkˋsid] *vt* przewyższać, przekraczać
**ex·ceed·ing** [ɪkˋsidɪŋ] *adj* nadzwyczajny, niezmierny
**ex·cel** [ɪkˋsel] *vt* przewyższać; *vi* wyróżniać się, wybijać się (**in ⟨at⟩ sth** w czymś)
**ex·cel·lence** [ˋeksləns] *s* wspaniałość, doskonałość; wyższość
**Ex·cel·len·cy** [ˋekslənsɪ] *s* Ekscelencja
**ex·cel·lent** [ˋekslənt] *adj* wspaniały, doskonały
**ex·cept** [ɪkˋsept] *praep* wyjąwszy, poza, oprócz; **~ for** pomijając, abstrahując od; *vt* wyłączyć, wykluczyć; zastrzec; *vi* sprzeciwiać się, stawiać zarzuty (**against sth** czemuś)
**ex·cept·ing** [ɪkˋseptɪŋ] *praep* wyjąwszy, oprócz
**ex·cep·tion** [ɪkˋsepʃn] *s* wyjątek; zarzut, sprzeciw

**ex·cep·tion·al** [ɪk`sepʃnl] *adj* wyjątkowy
**ex·cess** [ɪk`ses] *s* eksces; przekroczenie; nadwyżka; nadmiar, brak umiaru; **in ~ of** ponad, więcej niż
**ex·cess·ive** [ɪk`sesɪv] *adj* nadmierny; nieumiarkowany
**ex·change** [ɪks`tʃeɪndʒ] *s* wymiana; giełda; kurs (na giełdzie); centrala telefoniczna; **foreign ~** waluta obca, dewizy; *zob.* **bill**; *vt* wymieniać (**sth for sth** coś na coś)
**ex·cheq·uer** [ɪks`tʃekə(r)] *s* skarb państwa; *bryt.* **the Exchequer** ministerstwo finansów
**ex·cise** [`eksaɪz] *s* akcyza
**ex·cit·a·ble** [ɪk`saɪtəbl] *adj* pobudliwy
**ex·cite** [ɪk`saɪt] *vt* podniecać, pobudzać; wzniecać; **to get ~d** denerwować się
**ex·cite·ment** [ɪk`saɪtmənt] *s* podniecenie, zdenerwowanie
**ex·claim** [ɪk`skleɪm] *vt vi* zawołać, wykrzyknąć
**ex·cla·ma·tion** [ˌeksklə`meɪʃn] *s* okrzyk; **mark ⟨point⟩ of ~** wykrzyknik
**ex·clude** [ɪk`sklud] *vt* wykluczyć, wyłączyć
**ex·clu·sion** [ɪk`skluʒn] *s* wykluczenie, wyłączenie
**ex·clu·sive** [ɪk`sklusɪv] *adj* wyłączny; ekskluzywny; *am.* wyborowy; **~ of** wyłączając
**ex·cur·sion** [ɪk`skɜʃn] *s* wycieczka
**ex·cuse** [ɪk`skjus] *s* wymówka, usprawiedliwienie; *vt* [ɪk`skjuz] wybaczać, usprawiedliwiać; uwalniać (**from sth** od czegoś); **~ me** przepraszam
**ex·e·cra·ble** [`eksɪkrəbl] *adj* przeklęty, wstrętny
**ex·e·cute** [`eksɪkjut] *vt* wykonać; stracić (skazańca)
**ex·e·cu·tion** [ˌeksɪ`kjuʃn] *s* wykonanie; spustoszenie; egzekucja
**ex·e·cu·tion·er** [ˌeksɪ`kjuʃnə(r)] *s* kat
**ex·ec·u·tive** [ɪg`zekjutɪv] *adj* wykonawczy; *s* egzekutywa; wykonawca; *am.* urzędnik (na kierowniczym stanowisku)
**ex·ec·u·tor** [`eksɪkjutə(r)] *s* wykonawca; [ɪg`zekjutə(r)] wykonawca testamentu
**ex·em·pla·ry** [ɪg`zemplərɪ] *adj* wzorowy; przykładowy
**ex·em·pli·fy** [ɪg`zemplɪfaɪ] *vt* ilustrować na przykładzie; być przykładem (**sth** czegoś)
**ex·empt** [ɪg`zempt] *adj* wolny, zwolniony; *vt* zwolnić (**from sth** od czegoś)
**ex·emp·tion** [ɪg`zempʃn] *s* zwolnienie (**from sth** od czegoś)
**ex·er·cise** [`eksəsaɪz] *s* ćwiczenie; zadanie (np. w podręczniku); posługiwanie się, użycie; wykonywanie, pełnienie (np. obowiązków), praktykowanie; *vt vi* ćwiczyć; używać; wykonywać, pełnić, praktykować; wywierać (np. wpływ)
**ex·er·cise-book** [`eksəsaɪzbuk] *s* zeszyt (do ćwiczeń szkolnych)
**ex·ert** [ɪg`zɜt] *vt* wytężać (siły); wywierać (np. nacisk); stosować; *vr* **~ oneself** wysilać się (**for sth** nad czymś)
**ex·er·tion** [ɪg`zɜʃn] *s* wysiłek, natężenie; stosowanie, użycie
**ex·ha·la·tion** [ˌekshə`leɪʃn] *s* wydychanie; parowanie; wyziew; wybuch (gniewu)
**ex·hale** [eks`heɪl] *vt vi* parować; wydychać; wydzielać (się); dać upust
**ex·haust** [ɪg`zɔst] *vt* wyczerpać; wypróżnić; *s* wylot; wydech, wyziew
**ex·haus·tion** [ɪg`zɔstʃn] *s* wyczerpanie, opróżnienie
**ex·haus·tive** [ɪg`zɔstɪv] *adj* wyczerpujący
**ex·hib·it** [ɪg`zɪbɪt] *vt* pokazywać, wystawiać, eksponować; przedkładać; *s* eksponat; wystawa, pokaz

**ex·hi·bi·tion** [ˈeksɪˋbɪʃn] *s* pokaz; wystawa; stypendium (studenckie)
**ex·hi·bi·tion·er** [ˈeksɪˋbɪʃnə(r)] *s* stypendysta
**ex·hib·i·tor** [ɪgˋzɪbɪtə(r)] *s* wystawca
**ex·hil·a·rate** [ɪgˋzɪləreɪt] *vt* rozweselić, ożywiać
**ex·hort** [ɪgˋzɔt] *vt* upominać; namawiać; popierać
**ex·hor·ta·tion** [ˈeksɔˋteɪʃn] *s* upomnienie; namowa; *rel.* egzorta
**ex·hu·ma·tion** [ˈeksjuˋmeɪʃn] *s* ekshumacja
**ex·hume** [ɪgˋzjum] *vt* ekshumować
**ex·i·gence** [ˈekˋsɪdʒəns] *s* wymaganie; gwałtowna potrzeba, krytyczne położenie
**ex·i·gent** [ˈekˋsɪdʒənt] *adj* wymagający; naglący
**ex·ig·u·ous** [egˋzɪgjuəs] *adj* nikły, znikomy
**ex·ile** [ˋegzaɪl] *s* wygnanie; emigrant, wygnaniec; *vt* skazać na wygnanie
**ex·ist** [ɪgˋzɪst] *vi* istnieć, znajdować się; egzystować, żyć
**ex·ist·ence** [ɪgˋzɪstəns] *s* istnienie, byt; **to come into ~** zacząć istnieć, powstać
**ex·it** [ˋeksɪt] *vi 3 pers sing łac.* (*o aktorze*) wychodzi; *s* wyjście; ujście
**ex·on·er·ate** [ɪgˋzonəreɪt] *vt* usprawiedliwić, uniewinnić, uwolnić (od winy, obowiązku)
**ex·or·bi·tant** [ɪgˋzɔbɪtənt] *adj* nadmierny, wygórowany
**ex·ot·ic** [ɪgˋzotɪk] *adj* egzotyczny
**ex·pand** [ɪkˋspænd] *vt vi* rozszerzać (się), rozprzestrzeniać (się); rozwijać (się)
**ex·panse** [ɪkˋspæns] *s* przestrzeń, obszar
**ex·pan·sion** [ɪkˋspænʃn] *s* ekspansja, rozszerzanie (się); rozwój; rozrost
**ex·pan·sive** [ɪkˋspænsɪv] *adj* ekspansywny; rozszerzalny; obszerny
**ex·pa·tri·ate** [eksˋpætrɪeɪt] *vt* wygnać z kraju
**ex·pect** [ɪkˋspekt] *vt* oczekiwać, spodziewać się; przypuszczać, sądzić
**ex·pec·ta·tion** [ˈekspekˋteɪʃn] *s* oczekiwanie, nadzieja; prawdopodobieństwo
**ex·pe·di·ent** [ɪkˋspidɪənt] *adj* celowy, stosowny; korzystny; *s* środek, sposób, wybieg
**ex·pe·di·tion** [ˈekspɪˋdɪʃn] *s* wyprawa, ekspedycja; zręczność, szybkość (w działaniu)
**ex·pe·di·tious** [ˈekspɪˋdɪʃəs] *adj* sprawny, szybki (w działaniu)
**ex·pel** [ɪkˋspel] *vt* wypędzić, wyrzucić
**ex·pend** [ɪkˋspend] *vt* wydawać (pieniądze); zużywać; **~ care** dokładać starań
**ex·pend·i·ture** [ɪkˋspendɪtʃə(r)] *s* wydatkowanie, wydatek; zużycie
**ex·pense** [ɪkˋspens] *s* koszt, wydatek; **at the ~ of** kosztem
**ex·pen·sive** [ɪkˋspensɪv] *adj* drogi, kosztowny
**ex·pe·ri·ence** [ɪkˋspɪərɪəns] *s* doświadczenie, przeżycie; *vt* doświadczać, przeżywać
**ex·per·i·ment** [ɪkˋsperɪmənt] *s* doświadczenie, eksperyment; *vi* [ɪkˋsperɪment] eksperymentować, robić doświadczenia
**ex·pert** [ˋekspɜt] *s* ekspert, rzeczoznawca; *adj* biegły
**ex·pi·ate** [ˋekspɪeɪt] *vt* pokutować (sth za coś)
**ex·pi·ra·tion** [ˈekspɪˋreɪʃn] *s* upływ; wygaśnięcie (np. terminu); zgon
**ex·pire** [ɪkˋspaɪə(r)] *vi* wydychać; upływać; wygasać; umrzeć
**ex·plain** [ɪkˋspleɪn] *vt* wyjaśniać, tłumaczyć
**ex·pla·na·tion** [ˈekspləˋneɪʃn] *s* wyjaśnienie, wytłumaczenie
**ex·plan·a·tory** [ɪkˋsplænətrɪ] *adj* wyjaśniający
**ex·plic·it** [ɪkˋsplɪsɪt] *adj* wyraźny, jasno postawiony, kategoryczny; szczery

**ex·plode** [ɪk`spləud] *vi* wybuchnąć, eksplodować; *vt* wysadzać w powietrze; *przen.* obalać (np. teorię)

**ex·ploit 1.** [ɪk`splɔɪt] *vt* wyzyskiwać; eksploatować

**ex·ploit 2.** [`eksplɔɪt] *s* wyczyn; czyn bohaterski

**ex·plo·ra·tion** [ˈeksplə`reɪʃn] *s* badanie, eksploracja

**ex·plore** [ɪk`splɔ(r)] *vt vi* badać, poszukiwać

**ex·plor·er** [ɪk`splɔrə(r)] *s* badacz, odkrywca

**ex·plo·sion** [ɪk`spləuʒn] *s* wybuch

**ex·plo·sive** [ɪk`spləusɪv] *adj* wybuchowy; *s* materiał wybuchowy

**ex·po·nent** [ɪk`spəunənt] *s* wyraziciel; przedstawiciel; *mat.* wykładnik potęgowy

**ex·port** [`ekspɔt] *s* wywóz; *vt* [ɪk`spɔt] eksportować

**ex·pose** [ɪk`spəuz] *vt* wystawiać; narażać; demaskować; *fot.* naświetlać

**ex·po·si·tion** [ˈekspə`zɪʃn] *s* wystawienie; *am.* wystawa; wykład, wyjaśnienie; *fot.* naświetlanie; porzucenie (dziecka)

**ex·pos·tu·late** [ɪk`spostʃuleɪt] *vi* robić wyrzuty (**with sb** komuś, **about** ⟨**on**⟩ **sth** z powodu czegoś)

**ex·pos·tu·la·tion** [ɪkˈspostʃu`leɪʃn] *s* robienie wyrzutów, wymówki

**ex·po·sure** [ɪk`spəuʒə(r)] *s* wystawienie, wystawa; odsłonięcie, zdemaskowanie; *fot.* czas naświetlania; porzucenie (dziecka)

**ex·pound** [ɪk`spaund] *vt* wytłumaczyć, wyjaśnić

**ex·press** [ɪk`spres] *adj* wyraźny; specjalny; terminowy, szybki; pospieszny (pociąg); *s* specjalny posłaniec; pociąg pospieszny; list ekspresowy; *adv* pospiesznie, ekspresem; umyślnie, specjalnie; *vt* wyciskać; wyrażać; *vr* ~ **oneself** wypowiedzieć się

**ex·pres·sion** [ɪk`spreʃn] *s* wyrażenie, wyraz; wyrażanie się; wyciskanie

**ex·pres·sive** [ɪk`spresɪv] *adj* wyrazisty; wyrażający (**of sth** coś)

**ex·pro·pri·ate** [eks`prəuprɪeɪt] *vt* wywłaszczać; zagarnąć (czyjąś własność)

**ex·pul·sion** [ɪk`spʌlʃn] *s* wypędzenie, wydalenie

**ex·punge** [ɪk`spʌndʒ] *vt* wykreślić, skasować

**ex·pur·gate** [`ekspəgeɪt] *vt* oczyścić, okroić (np. tekst książki), przeprowadzić czystkę

**ex·qui·site** [ek`skwɪzɪt] *adj* wyborny; wytworny

**ex·tant** [ˈek`stænt] *adj* jeszcze istniejący, zachowany (np. dokument, książka)

**ex·ta·sy** *s* = **ecstasy**

**ex·tem·po·rize** [ek`stempəraɪz] *vt vi* improwizować

**ex·tend** [ɪk`stend] *vt vi* rozciągać (się); rozszerzać (się); przedłużać (się); rozwijać (się); okazywać, wyrażać

**ex·ten·sion** [ɪk`stenʃn] *s* rozciągnięcie, rozszerzenie (się), przedłużenie (się); rozwinięcie, rozwój; dobudówka; **university** ~ popularne eksternistyczne kursy uniwersyteckie; ~ (**telephone**) (numer, telefon) wewnętrzny

**ex·ten·sive** [ɪk`stensɪv] *adj* rozległy, obszerny

**ex·tent** [ɪk`stent] *s* rozciągłość; rozmiar, zasięg; **to some** ~ w pewnej mierze, do pewnego stopnia

**ex·ten·u·ate** [ɪk`stenjueɪt] *vt* pomniejszać, osłabiać, łagodzić

**ex·te·ri·or** [ek`stɪərɪə(r)] *adj* zewnętrzny; *s* strona zewnętrzna; powierzchowność

**ex·ter·mi·nate** [ɪk`stɜmɪneɪt] *vt* niszczyć, tępić

**ex·ter·mi·na·tion** [ɪkˈstɜmɪ`neɪʃn] *s* zniszczenie, zagłada

**ex·ter·nal** [ek`stɜnl] *adj* zewnętrzny; zagraniczny

**ex·ter·ri·to·ri·al** [ˈeksˈterɪ`tɔrɪəl] *adj* eksterytorialny

**ex·tinct** [ɪk`stɪŋkt] *adj* wygasły, wymarły
**ex·tinc·tion** [ɪk`stɪŋkʃn] *s* wygaszenie; wygaśnięcie; wymarcie, zanik; wytępienie, skasowanie
**ex·tin·guish** [ɪk`stɪŋgwɪʃ] *vt* gasić; niszczyć; kasować; unicestwiać
**ex·tin·guish·er** [ɪk`stɪŋgwɪʃə(r)] *s* gaśnica
**ex·tir·pate** [`ekstəpeɪt] *vt* wykorzenić, wytrzebić, wytępić
**ex·tol** [ɪk`stəul] *vt* wynosić (ponad innych), wychwalać
**ex·tort** [ɪk`stɔt] *vt* wymuszać; wydzierać
**ex·tor·tion** [ɪk`stɔʃn] *s* wymuszenie
**ex·tra** 1. [`ekstrə] *adj* oddzielny, specjalny, dodatkowy, nadzwyczajny; *adv* ponad (normę); oddzielnie, specjalnie, dodatkowo; *s* dodatek, dopłata
**ex·tra-** 2. [`ekstrə] *praef* poza-
**ex·tract** [ɪk`strækt] *vt* wyciągać; wydobywać; *chem.* ekstrahować; *s* [`ekstrækt] wyciąg, ekstrakt; wyjątek (z książki)
**ex·trac·tion** [ɪk`strækʃn] *s* wyjęcie, wydobycie, wyciągnięcie; pochodzenie
**ex·tra·di·tion** [ˌekstrə`dɪʃn] *s* ekstradycja
**ex·traor·di·na·ry** [ɪk`strɔdnrɪ] *adj* nadzwyczajny, niezwykły
**ex·trav·a·gant** [ɪk`strævəgənt] *adj* ekstrawagancki; przesadny; nadmierny; rozrzutny
**ex·treme** [ɪk`strim] *adj* krańcowy, skrajny, ostateczny; *s* kraniec; krańcowość, skrajność, ostateczność
**ex·treme·ly** [ɪk`strimlɪ] *adv* niezmiernie; nadzwyczajnie
**ex·trem·ist** [ɪk`strimɪst] *s* ekstremista
**ex·trem·i·ty** [ɪk`streməti] *s* koniec; skrajność; ostateczność; skrajna nędza; krytyczne położenie; *anat.* kończyna
**ex·tri·cate** [`ekstrɪkeɪt] *vt* wyplątać; *chem.* wyzwolić
**ex·u·ber·ance** [ɪg`zjubərəns] *s* obfitość, bogactwo
**ex·ult** [ɪg`zʌlt] *vi* radować się, triumfować
**ex·ult·ant** [ɪg`zʌltənt] *adj* pełen radości, triumfujący
**ex-voto** [ˌeks `vəutəu] *s rel.* wotum
**eye** [aɪ] *s* oko; ucho igielne; oczko, otworek; **to keep an ~** pilnować (on sb kogoś), mieć na oku; *vt* wpatrywać się (sb, sth w kogoś, coś), mierzyć wzrokiem
**eye·ball** [`aɪbɔl] *s* gałka oczna
**eye·brow** [`aɪbrau] *s* brew
**eye·glass** [`aɪglas] *s* monokl; *techn.* okular; *pl* ~es [`aɪglasɪz] binokle
**eye·lid** [`aɪlɪd] *s* powieka
**eye-piece** [`aɪpis] *s* okular
**eye·sore** [`aɪsɔ(r)] *s* ohyda, obrzydliwość

# f

**fa·ble** [`feɪbl] *s* bajka
**fab·ric** [`fæbrɪk] *s* wyrób; tkanina; budowla, gmach; konstrukcja, struktura
**fab·ri·cate** [`fæbrɪkeɪt] *vt* fabrykować, wytwarzać; zmyślić
**fab·u·lous** [`fæbjuləs] *adj* bajeczny, baśniowy
**face** [feɪs] *s* twarz; mina; wygląd; powierzchnia; przednia strona; tarcza (zegara); *przen.* śmiałość, czelność; ~ **value** wartość nominalna; **in the ~ of** wobec, w obliczu (czegoś); wbrew; **to pull a ~** robić grymas; wykrzywiać się; **to put on a ~** zrobić odpowied-

nią minę; **to set one's ~ against sth** przeciwstawić się czemuś; *vt* obrócić się twarzą, spoglądać twarzą w twarz, znajdować się naprzeciw (**sb** kogoś); stawiać czoło (**sth** czemuś); **to be ~d with** natknąć się (np. **difficulties** na trudności); **~ the risk** być narażonym na ryzyko, liczyć się z ryzykiem; *vi* **~ up** stawiać czoło (**to sth** czemuś)

**fa·ce·tious** [fə`sɪʃəs] *adj* zabawny, żartobliwy

**fa·cil·i·tate** [fə`sɪlɪteɪt] *vt* ułatwić

**fa·cil·i·ty** [fə`sɪlətɪ] *s* łatwość; zręczność; *pl* **facilities** korzyści, ułatwienia, udogodnienia

**fac·sim·i·le** [fæk`sɪməlɪ] *s* kopia, odpis

**fact** [fækt] *s* fakt; **a matter of ~** rzecz naturalna, oczywisty fakt; **as a matter of ⟨in point of⟩ ~** w istocie rzeczy, ściśle mówiąc; **in ~** faktycznie

**fac·tion** [`fækʃn] *s* frakcja, odłam; klika

**fac·tious** [`fækʃəs] *adj* frakcyjny

**fac·ti·tious** [fæk`tɪʃəs] *adj* sztuczny, nieoryginalny

**fac·tor** [`fæktə(r)] *s* czynnik; agent (handlowy); *mat.* mnożnik

**fac·to·ry** [`fæktr̩ɪ] *s* fabryka; faktoria

**fac·tu·al** [`fæktʃuəl] *adj* faktyczny

**fac·ul·ty** [`fækltɪ] *s* talent, uzdolnienie; fakultet; *am.* grono profesorskie

**fad** [fæd] *s* fantazja, kaprys, chwilowa moda

**fade** [feɪd] *vi* blednąć, więdnąć, zanikać, blaknąć; **~ away** zanikać, marnieć

**fag** [fæg] *s* ciężka praca, *pot.* harówka; ciężko pracujący; (*w szkołach angielskich*) uczeń usługujący starszym kolegom; *vi* ciężko pracować; usługiwać; *vt* używać do posług; męczyć, eksploatować

**fag-end** [`fæg end] *s* ogryzek; niedopałek

**fag·got** [`fægət] *s* wiązka, pęk (chrustu itp.)

**fail** [feɪl] *vi* nie zdołać; nie udać się; zaniedbać, nie uczynić; zawieść; brakować; zbankrutować; zepsuć się; zanikać, słabnąć, zamierać; **not to ~** nie omieszkać; **he ~ed to pass the examination** nie udało mu się zdać egzaminu; **he ~ed in the examination** nie zdał egzaminu; **he never ~s to come in time** nie zdarza mu się nie przyjść na czas; *vt* zrobić zawód (**sb** komuś); **his memory ~s him** pamięć go zawodzi; *s w zwrocie*: **without ~** na pewno, niechybnie

**fail·ing** [`feɪlɪŋ] *s* brak, słabość, ułomność, wada; *praep* w braku; bez; **~ his assistance** bez jego pomocy

**fail·ure** [`feɪljə(r)] *s* uchybienie, zaniedbanie; fiasko, niepowodzenie; niewypłacalność, bankructwo; wada, defekt, brak; bankrut życiowy; **to be a ~ as a writer** okazać się kiepskim pisarzem

**faint** [feɪnt] *adj* słaby; lekki, nikły; blady, niewyraźny; *s* omdlenie; *vi* (*także* **~ away**) mdleć, słabnąć

**fair 1.** [feə(r)] *adj* jasny; blond; sprawiedliwy, prawy, uczciwy; odpowiedni, możliwy, dostateczny; czysty, bez skazy; (*o morzu*) spokojny; (*o stopniu*) dostateczny; **~ copy** czystopis; **~ play** uczciwa gra; uczciwe ⟨honorowe⟩ postępowanie; *adv* uczciwie, otwarcie; czysto; delikatnie; **to bid ~** dobrze się zapowiadać; **to write ~** przepisać na czysto

**fair 2.** [feə(r)] *s* jarmark; targi (międzynarodowe)

**fair·y** [`feərɪ] *adj* czarodziejski, bajeczny; *s* czarodziejka, wieszczka

**fair·y·land** [`feərɪlænd] *s* kraina czarów

**fair·y-tale** [`feərɪteɪl] *s* bajka

**faith** [feɪθ] *s* wiara; ufność; **to keep ~** dotrzymywać słowa (**with sb** komuś)

**faith·ful** [`feɪθfl] *adj* wierny; uczciwy, sumienny

**faith·less** [`feɪθləs] *adj* wiarołomny, niewierny

**fake** [feɪk] *s* fałszerstwo, oszustwo; *pot.* kant; *vt* fałszować, podrabiać; zmyślać

**fal·con** [`fɔlkən] *s* sokół

***fall** [fɔl], **fell** [fel], **fallen** [`fɔlən] *vi* padać; wpadać; opadać; upaść, runąć; podupadać, marnieć; przypadać, zdarzać się; **~ away** odpadać; **~ back** upaść do tyłu; *wojsk.* cofać się; uciekać się (**on** ⟨**upon**⟩ **sth** do czegoś; **~ down** upaść; zwalić się; **~ in** zapaść się; natknąć się (**with sb** na kogoś); zgodzić się (**with sth** na coś); dostosować się (**with sth** do czegoś); **~ off** odpadać; ubywać, zanikać; **~ out** wypadać; **~ through** przepadać, kończyć się fiaskiem; **to ~ asleep** zasnąć; **to ~ due** zapadać; (*o terminie płatności*) przypadać; **to ~ dumb** oniemieć; **to ~ ill** zachorować; **to ~ in love** zakochać się (**with sb** w kimś); **to ~ short** nie wystarczać, brakować; nie dopisać; nie osiągać (**of sth** czegoś); zawieść (**of expectations** nadzieje); *s* upadek; zwalenie się; opadanie; spadek; opad; (*zw. pl* **~s**) wodospad; *am.* jesień

**fal·la·cy** [`fæləsɪ] *s* złudzenie, złuda; błąd, błędne rozumowanie

**fall·en** *zob.* **fall**; *adj* upadły; poległy; leżący

**fal·low** [`fæləʊ] *adj* ugorowy; *s* ugór

**false** [fɔls] *adj* fałszywy; kłamliwy; zdradliwy; obłudny

**false·hood** [`fɔlshud] *s* kłamstwo, nieprawda; kłamliwość

**fal·si·fy** [`fɔlsɪfaɪ] *vt* fałszować; zawodzić (nadzieje itp.)

**fal·ter** [`fɔltə(r)] *vi* chwiać się; drżeć; jąkać się, mamrotać

**fame** [feɪm] *s* sława; wieść

**fa·mil·iar** [fə`mɪlɪə(r)] *adj* dobrze zaznajomiony, obeznany; dobrze znany; spoufalony

**fa·mil·i·ar·i·ty** [fə'mɪlɪ`ærətɪ] *s* poufałość, zażyłość; znajomość, obeznanie

**fa·mil·iar·ize** [fə`mɪlɪəraɪz] *vt* zaznajamiać, popularyzować

**fam·i·ly** [`fæmļɪ] *s* rodzina; *adj attr* rodzinny; **in a ~ way** poufale; **in the ~ way** (*o kobiecie*) w ciąży

**fam·ine** [`fæmɪn] *s* głód; brak

**fa·mous** [`feɪməs] *adj* sławny

**fan 1.** [fæn] *s* wachlarz; wentylator; *vt* wachlować, owiewać; rozniecać

**fan 2.** [fæn] *s pot.* entuzjasta; *sport* kibic

**fa·nat·ic(al)** [fə`nætɪk(l)] *adj* fanatyczny; *s* fanatyk

**fan·ci·ful** [`fænsɪfl] *adj* fantastyczny; fantazyjny; dziwaczny; kapryśny

**fan·cy** [`fænsɪ] *s* fantazja, upodobanie, kaprys; **to take a ~** upodobać sobie (**to sth** coś); *adj attr* fantastyczny; fantazyjny, ekstrawagancki; **~ articles** galanteria; **~ ball** bal kostiumowy; **~ dress** strój na bal kostiumowy; **~ work** robótki ręczne (np. haftowanie); *vt* wyobrażać sobie, roić sobie; upodobać sobie

**fang** [fæŋ] *s* jadowity ząb (węża); kieł (*zw.* psi)

**fan·tas·tic** [fæn`tæstɪk] *adj* fantastyczny

**fan·ta·sy** [`fæntəsɪ] *s* fantazja, wyobraźnia; kaprys

**far** [fa(r)] *adj* (*comp* **farther** [`faðə(r)] *lub* **further** [`fɜðə(r)], *sup* **farthest** [`faðɪst] *lub* **furthest** [`fɜðɪst]) daleki; *adv* daleko; **~ from it** bynajmniej, *pot.* gdzie tam!; **as ~ as** aż do; o ile; **by ~** o wiele, znacznie; **in so ~ as** o tyle, że; **so** ⟨**thus**⟩ **~** dotąd, dotychczas, na razie

**farce** [fas] *s* farsa

**fare** [feə(r)] *s* opłata za podróż; pasażer; jedzenie, wikt; **bill of ~** jadłospis; *vi* podróżować; czuć się, mieć się; **how do you ~?, how does it ~ with you?** jak ci się powodzi?
**fare·well** [ˈfeəˋwel] *s* pożegnanie; *int* żegnaj(cie)!; *adj attr* pożegnalny
**farm** [fam] *s* gospodarstwo wiejskie; *vt vi* uprawiać ziemię, prowadzić gospodarstwo rolne; dzierżawić (ziemię)
**farm·er** [ˋfamə(r)] *s* rolnik, farmer; dzierżawca
**farm-hand** [ˋfamhænd] *s* robotnik rolny
**farm·yard** [ˋfamjad] *s* podwórko gospodarskie
**far-off** [ˈfar ˋɔf] *adj attr* odległy
**far-sight·ed** [ˈfaˋsaɪtɪd] *adj* dalekowzroczny
**far·ther** *zob.* **far**
**far·thest** *zob.* **far**
**far·thing** [ˋfaðɪŋ] *s* ćwierć pensa; *przen.* grosz
**fas·ci·nate** [ˋfæsɪneɪt] *vt* czarować, urzekać, fascynować
**fas·ci·na·tion** [ˈfæsɪˋneɪʃn] *s* oczarowanie, urzeczenie, fascynacja
**fas·cism** [ˋfæʃɪzm] *s* faszyzm
**fas·cist** [ˋfæʃɪst] *s* faszysta
**fash·ion** [ˋfæʃn] *s* moda; styl; wzór; zwyczaj; fason; **after the ~ of** na wzór; **out of ~** niemodny; *vt* kształtować, urabiać, modelować
**fash·ion·a·ble** [ˋfæʃnəbl] *adj* modny, wytworny
**fast 1.** [fast] *adj* szybki; mocny, trwały; przymocowany; **to make ~** umocować; **the watch is ~** zegarek się spieszy; *adv* szybko; mocno, trwale
**fast 2.** [fast] *s* post; *vi* pościć
**fast·en** [ˋfasn] *vt vi* przymocować (się); zamknąć (się); chwycić się (**on ⟨upon⟩ sth** czegoś); spinać (się), wiązać (się)
**fast·en·er** [ˋfasnə(r)] *s* zszywka (do papieru; spinacz; zatrzask; klamra; suwak; zasuwa
**fas·tid·i·ous** [fəˋstɪdɪəs] *adj* grymaśny, wybredny (**about sth** w czymś)
**fat** [fæt] *adj* tłusty; gruby; tuczny; *s* sadło, tłuszcz; *vi* tyć; *vt* tuczyć
**fa·tal** [ˋfeɪtl] *adj* fatalny, zgubny; nieuchronny
**fa·tal·i·ty** [fəˋtæləti] *s* fatalność; nieszczęśliwy wypadek, nieszczęście; zgubny wpływ
**fate** [feɪt] *s* fatum, przeznaczenie, los
**fate·ful** [ˋfeɪtfl] *adj* fatalny, nieszczęsny; proroczy; nieuchronny
**fa·ther** [ˋfaðə(r)] *s* ojciec
**fa·ther-in-law** [ˋfaðr ɪn lɔ] *s* (*pl* **~s-in-law** [ˋfaðəz ɪn lɔ]) teść
**fa·ther·land** [ˋfaðəlænd] *s* kraj ojczysty, ojczyzna
**fa·ther·ly** [ˋfaðəlɪ] *adj* ojcowski; *adv* po ojcowsku
**fath·om** [ˋfæðəm] *s* sążeń (miara głębokości lub objętości); *vt* mierzyć głębokość; *przen.* zgłębiać
**fath·om·less** [ˋfæðəmləs] *adj* niezmierzony, bezdenny
**fa·tigue** [fəˋtig] *s* znużenie; trud; *vt* nużyć, męczyć
**fat·ten** [ˋfætn] *vt* tuczyć; użyźniać; *vi* tyć
**fat·ty** [ˋfætɪ] *adj chem* tłuszczowy; oleisty, tłusty; *s* tłuścioch
**fault** [fɔlt] *s* brak, wada; uchybienie; omyłka; wina; **to find ~** krytykować (**with sb, sth** kogoś, coś)
**fault·less** [ˋfɔltləs] *adj* bezbłędny, nienaganny, bez zarzutu
**fault·y** [ˋfɔltɪ] *adj* wadliwy, błędny
**fau·na** [ˋfɔnə] *s* fauna
**fa·vour** [ˋfeɪvə(r)] *s* łaska, łaskawość, przychylność; przysługa, uprzejmość; **in ~** na korzyść, na rzecz; **out of ~** w niełasce; *vt* sprzyjać, faworyzować; zaszczycać
**fa·vour·a·ble** [ˋfeɪvṛəbl] *adj* życzliwy, przychylny, sprzyjający

**fa·vour·ite** [ˋfeɪvr̥ɪt] *adj* ulubiony; *s* ulubieniec

**fear** [fɪə(r)] *s* strach, obawa; *vt* bać się, obawiać się

**fear·ful** [ˋfɪəfl] *adj* straszny; bojaźliwy

**fea·si·ble** [ˋfizəbl] *adj* wykonalny, możliwy

**feast** [fist] *s* uczta; uroczystość; *vi* ucztować; obchodzić uroczystość; *vt* gościć, częstować

**feat** [fit] *s* wyczyn, czyn (bohaterski)

**feath·er** [ˋfeðə(r)] *s* pióro (ptasie); *vt* upierzyć, stroić w pióra; *vi* opierzyć się

**feath·er-weight** [ˋfeðəweɪt] *s sport* waga piórkowa

**fea·ture** [ˋfitʃə(r)] *s* rys, cecha, znamię; osobliwość, właściwość; **~ film** film długometrażowy; *vt* znamionować, cechować; uwydatniać; opisywać; grać jedną z głównych ról (w filmie)

**Feb·ru·ar·y** [ˋfebrʊərɪ] *s* luty

**fed** *zob.* **feed**

**fed·er·al** [ˋfedrl] *adj* związkowy, federalny

**fed·er·ate** [ˋfedrət] *adj* federacyjny; *vt vi* [ˋfedəreɪt[ jednoczyć (się)

**fed·er·a·tion** [ˌfedəˋreɪʃn] *s* federacja

**fed·er·a·tive** [ˋfedrtɪv] *adj* federalny, związkowy

**fee** [fi] *s* zapłata; opłata; honorarium; wpisowe

**fee·ble** [ˋfibl] *adj* słaby

***feed** [fid], **fed, fed** [fed] *vt vi* karmić (się), żywić się; paść (się); zasilać; **~ up** tuczyć; **to be fed up** mieć dość (**with sth** czegoś), mieć powyżej uszu; *s* pokarm, pasza; *techn.* zasilanie

***feel** [fil], **felt, felt** [felt] *vt vi* czuć (się), odczuwać; dotykać, macać; dawać się odczuć; wydawać się, robić wrażenie; szukać po omacku (**for** ⟨**after, about**⟩ **sth** czegoś); współczuć (**for sb** komuś); **~ like** skłaniać się, mieć ochotę; wyglądać na coś; **I don't ~ like dancing** nie mam ochoty tańczyć; **~ one's way** iść po omacku; *s* czucie, odczucie, dotyk

**feel·ing** [ˋfilɪŋ] *s* czucie, dotyk; uczucie, wrażenie; emocja

**feet** *zob.* **foot**

**feign** [feɪn] *vt* udawać

**fe·lic·i·tate** [fəˋlɪsɪteɪt] *vt* gratulować (**sb on** ⟨**upon**⟩ **sth** komuś czegoś)

**fe·lic·i·ty** [fəˋlɪsətɪ] *s* błogość, szczęście; trafność (zwrotu); trafny zwrot ⟨wyraz⟩

**fell** 1. *zob.* **fall**

**fell** 2. [fel] *vt* wyrąbać (drzewo), powalić

**fel·low** [ˋfeləʊ] *s* towarzysz, kolega; człowiek równy komuś ⟨podobny do kogoś⟩; rzecz (np. skarpetka) do pary; członek (towarzystwa naukowego, kolegium uniwersyteckiego); *pot.* gość, typ, facet; **~ citizen** współobywatel; **~ creature** bliźni; **~ soldier** towarzysz broni; **~ worker** towarzysz pracy

**fel·low·ship** [ˋfeləʊʃɪp] *s* towarzystwo, koleżeństwo; wspólnota, współudział; korporacja, bractwo; członkostwo (towarzystwa naukowego itp.)

**fel·on** [ˋfelən] *s* przestępca

**felt** 1. *zob.* **feel**

**felt** 2. [felt] *s* wojłok; filc

**fe·male** [ˋfimeɪl] *adj* żeński, kobiecy, płci żeńskiej; *zool.* samiczy; *s* kobieta, niewiasta; *zool.* samica

**fem·i·nine** [ˋfemənɪn] *adj* żeński (rodzaj, rym), niewieści, kobiecy

**fen** [fen] *s* bagno, trzęsawisko

**fence** [fens] *s* ogrodzenie, płot; *sport* szermierka; *przen.* **to sit on the ~** zachować neutralność, nie angażować się; *vt* ogrodzić; *vi* fechtować się, uprawiać szermierkę

**fend·er** [ˋfendə(r)] *s* zderzak; błotnik; krata przed kominkiem; zasłona

**fen·land** [`fenlænd] *s* bagnista okolica

**fer·ment** [`f3mənt] *s* ferment; *vt* [fə`ment] poddawać fermentacji, wywoływać ferment; *vi* fermentować, burzyć się

**fern** [f3n] *s bot.* paproć

**fe·ro·cious** [fə`rəuʃəs] *adj* srogi, dziki

**fe·roc·i·ty** [fə`rosətı] *s* srogość, dzikość

**fer·ro-con·crete** [ˈferəu `koŋkrit] *s* żelazobeton

**fer·ry** [`ferı] *s* prom; *vt vi* przeprawiać (się) ⟨przewozić⟩ promem ⟨łodzią⟩; *lotn.* dostawiać drogą powietrzną

**fer·ry-boat** [`ferıbəut] *s* prom

**fer·ry·man** [`ferımən] *s* przewoźnik

**fer·tile** [`f3taıl] *adj* żyzny, płodny

**fer·til·i·ty** [fə`tılətı] *s* żyzność, płodność

**fer·til·ize** [`f3tılaız] *vt* użyźniać; nawozić; zapładniać

**fer·til·iz·er** [`f3tılaızə(r)] *s* nawóz

**fer·vent** [`f3vənt] *adj* żarliwy, gorący

**fer·vour** [`f3və(r)] *s* żarliwość, namiętność

**fes·ter** [`festə(r)] *vi* ropieć; gnić; jątrzyć się; *vt* powodować gnicie ⟨ropienie⟩; *s* ropień

**fes·ti·val** [`festıvl] *adj* świąteczny; *s* święto, uroczystość; festiwal

**fes·tive** [`festıv] *adj* uroczysty; wesoły

**fes·tiv·i·ty** [fe`stıvətı] *s* uroczystość; wesołość, zabawa

**fetch** [fetʃ] *vt* pójść po coś, przynieść, przywieźć; uzyskać (kwotę), osiągać (cenę); wzruszać, oddziaływać na wyobraźnię; rozdrażnić; *vi* dotrzeć, dobrnąć

**fet·ter** [`fetə(r)] *vt* skuć, spętać, związać; *s pl* ~s pęta, kajdany, więzy

**feud** 1. [fjud] *s* waśń rodowa

**feud** 2. [fjud] *s* lenno

**feu·dal** [`fjudl] *adj* feudalny

**feu·dal·ism** [`fjudlızm] *s* feudalizm

**fe·ver** [`fivə(r)] *s* gorączka; rozgorączkowanie

**few** [fju] *adj i pron* mało, niewiele; **a** ~ nieco, kilku

**fi·bre** [`faıbə(r)] *s* włókno; natura, struktura

**fi·brous** [`faıbrəs] *adj* włóknisty

**fickle** [`fıkl] *adj* zmienny; płochy

**fic·tion** [`fıkʃn] *s* fikcja, wymysł; beletrystyka

**fic·ti·tious** [fık`tıʃəs] *adj* fikcyjny, zmyślony

**fid·dle** [`fıdl] *s pot.* skrzypki; *vt vi* grać na skrzypkach, rzępolić; ~ away spędzać czas na niczym

**fid·dler** [`fıdlə(r)]*s* skrzypek, grajek

**fid·dle·stick** [`fıdlstık] *s* smyczek; *pl* ~s *pot.* bzdury

**fi·del·i·ty** [fı`delətı] *s* wierność

**fid·get** [`fıdʒıt] *vt vi* denerwować (się), wiercić się; *s* człowiek niespokojny, *pot.* wiercipięta; *pl* ~s niespokojne ruchy, zdenerwowanie

**field** [fild] *s* pole; boisko; teren; domena

**fiend** [find] *s* diabeł; fanatyk

**fierce** [fıəs] *adj* srogi; dziki; zagorzały; gwałtowny

**fi·er·y** [`faıərı] *adj* ognisty, płomienny; porywczy

**fif·teen** [ˈfıf`tin] *num* piętnaście; *s* piętnastka

**fif·teenth** [ˈfıf`tinθ] *adj* piętnasty

**fifth** [fıfθ] *adj* piąty

**fif·ti·eth** [`fıftıəθ] *adj* pięćdziesiąty

**fif·ty** [`fıftı] *num* pięćdziesiąt; *s* pięćdziesiątka

**fig** 1. [fıg] *s bot.* figa

**fig** 2. [fıg] *s pot.* strój; samopoczucie

***fight** [faıt], **fought, fought** [fɔt] *vt vi* walczyć, zwalczać; ~ **back**

odeprzeć, zwalczyć; ~ **out** rozstrzygnąć drogą walki; *s* walka, bitwa

**fight·er** [ˋfaɪtə(r)] *s* żołnierz; bojownik; *lotn.* myśliwiec

**fig·ur·a·tive** [ˋfɪgjurətɪv] *adj* obrazowy; przenośny; symboliczny

**fig·ure** [ˋfɪgə(r)] *s* figura, kształt; wykres; obraz, rycina; posąg; postać; liczba, cyfra; *vt vi* tworzyć, kształtować, przedstawiać; figurować; obliczać, oceniać; ~ **out** wypracować; wyliczyć; zrozumieć; ~ **up** policzyć, zsumować

**file 1.** [faɪl] *s* kartoteka, akta; klasyfikator; rocznik (pisma); plik papierów; *vt* układać papiery; rejestrować; trzymać kartotekę

**file 2.** [faɪl] *s* pilnik; *vt* piłować

**file 3.** [faɪl] *s* rząd; **in** ~ rzędem, gęsiego; *vi* iść w rzędzie

**fil·ial** [ˋfɪlɪəl] *adj* synowski

**fil·i·gree** [ˋfɪlɪgri] *s* filigran; *adj attr* filigranowy

**fill** [fɪl] *vt vi* napełniać (się); spełniać, pełnić; wykonywać; ~ **in** wypełniać; ~ **out** zapełniać (się); wydymać (się), pęcznieć; ~ **up** napełnić (się); *s* pełna ilość; ładunek, porcja; **to eat one's** ~ najeść się do syta

**fill·ing** [ˋfɪlɪŋ] *s* materiał wypełniający; plomba; zapas (np. benzyny); ładunek; farsz

**fill·ing-sta·tion** [ˋfɪlɪŋ steɪʃn] *s* stacja benzynowa

**fil·lip** [ˋfɪlɪp] *s* prztyczek; bodziec; *vt* dać prztyczka; pobudzić, przyspieszyć

**film** [fɪlm] *s* film; błona; powłoka; bielmo; *vt vi* filmować; pokrywać (się) emulsją

**fil·ter** [ˋfɪltə(r)] *s* filtr, sączek; *vt vi* filtrować, sączyć (się)

**filth** [fɪlθ] *s* brud, plugastwo; sprośność

**filth·y** [ˋfɪlθɪ] *adj* brudny, plugawy; sprośny

**fil·trate** [ˋfɪltreɪt] *vt vi* filtrować, sączyć (się); *s* przesącz

**fi·nal** [ˋfaɪnl] *adj* końcowy, ostateczny; *s* finał; **in** ~ w końcu

**fi·nance** [ˋfaɪnæns] *s* (*także pl* ~**s**) finanse; *vt* finansować

**fi·nan·cial** [ˈfaɪˋnænʃl] *adj* finansowy

**fi·nan·cier** [ˈfaɪˋnænsɪə(r)] *s* finansista

***find** [faɪnd], **found, found** [faund] *vt* znajdować, odkrywać; natrafiać, zastać; konstatować, stwierdzać, orzekać; ~ **sb guilty** uznać kogoś winnym; *s* odkrycie; rzecz znaleziona

**find·ing** [ˋfaɪndɪŋ] *s* odkrycie; rzecz znaleziona; *pl* ~**s** wyniki, wnioski, dane

**fine 1.** [faɪn] *adj* piękny; delikatny, wytworny; czysty, oczyszczony; precyzyjny; *pot.* świetny; *adv* pięknie, dobrze

**fine 2.** [faɪn] *s* grzywna, kara pieniężna; **in** ~ ostatecznie, koniec końców; *vt* ukarać grzywną

**fin·ger** [ˋfɪŋgə(r)] *s* palec (u ręki); *vt* dotykać palcami, macać

**fin·ger-print** [ˋfɪŋgəprɪnt] *s* odcisk palca

**fin·ish** [ˋfɪnɪʃ] *vt vi* kończyć (się), przestać; ~ **off** wykończyć; ~ **up** dokończyć, doprowadzić do końca; *s* zakończenie, koniec; wykończenie; *sport* finisz; *techn.* apretura

**fi·nite** [ˋfaɪnaɪt] *adj* ograniczony; *mat.* skończony; *gram.* określony

**Finn** [fɪn] *s* Fin

**Fin·nish** [ˋfɪnɪʃ] *adj* fiński; *s* język fiński

**fir** [fɜ(r)] *s bot.* jodła; ~ **branch** jedlina

**fire** [ˋfaɪə(r)] *s* ogień, pożar, żar; zapał; **to be on** ~ płonąć; **to catch** ⟨**take**⟩ ~ zapalić się; **to set on** ~, **to set** ~ **to** podpalić; *vt vi* zapalić (się), płonąć; wybuchnąć; strzelać, dać ognia; wzniecić; *pot.* wyrzucić (z posady); ~ **off** wystrzelić; ~ **up** wybuchnąć (gniewem)

**fire-arm** [`faɪərɑm] *s* (*zw. pl* ~s) broń palna

**fire-brand** [`faɪəbrænd] *s* głownia, zarzewie; podżegacz

**fire-bri·gade** [`faɪə brɪgeɪd] *s* straż pożarna

**fire-en·gine** [`faɪərendʒɪn] *s* wóz straży pożarnej, sikawka

**fire-ex·tin·guish·er** [`faɪər ɪkstɪŋgwɪʃə(r)] *s* gaśnica

**fire·man** [`faɪəmən] *s* strażak; palacz

**fire-place** [`faɪəpleɪs] *s* kominek; palenisko

**fire·proof** [`faɪəpruf] *adj* ogniotrwały

**fire·side** [`faɪəsaɪd] *s* miejsce przy kominku; *przen.* ognisko domowe

**fire·work** [`faɪəwɜk] *s* fajerwerk; *pl* ~s sztuczne ognie

**firm 1.** [fɜm] *s* firma, przedsiębiorstwo

**firm 2.** [fɜm] *adj* mocny, trwały; jędrny; energiczny; stały; stanowczy; *vt* umocnić, osadzić

**fir·ma·ment** [`fɜməmənt] *s* firmament

**first** [fɜst] *num adj* pierwszy; ~ **floor** *bryt.* pierwsze piętro, *am.* parter; ~ **name** imię chrzestne; ~ **night** premiera; ~ **thing** przede wszystkim, zaraz; *s* (*o człowieku, rzeczy*) pierwszy; **at (the)** ~ najpierw, na początku; **from** ~ **to last** od początku do końca; *adv* najpierw, początkowo, po pierwsze; ~ **of all** przede wszystkim

**first·ly** [`fɜstlɪ] *adv* po pierwsze, najpierw

**first-rate** [ˈfɜst`reɪt] *adj* pierwszorzędny, pierwszej kategorii

**fish** [fɪʃ] *s* (*pl* ~es, *zbior.* **the** ~) ryba; *vt vi* łowić ryby; poławiać; *przen.* polować, czyhać (**for sth** na coś)

**fish-bone** [`fɪʃbəun] *s* ość

**fish·er** [`fɪʃə(r)], **fish·er·man** [`fɪʃəmən] *s* rybak

**fish·ing** [`fɪʃɪŋ] *s* rybołówstwo; wędkarstwo; połów

**fish·ing-rod** [`fɪʃɪŋrod] *s* wędka

**fish·mon·ger** [`fɪʃmʌŋgə(r)] *s* handlarz rybami

**fist** [fɪst] *s* pięść

**fit 1.** [fɪt] *adj* odpowiedni, nadający się, zdatny (**for sth** do czegoś); w dobrej formie; zdolny, gotów; **to feel** ~ czuć się na siłach; **to keep** ~ zachowywać dobrą kondycję; *vt* dostosować, dopasować; pasować, być dostosowanym; (*o ubraniu*) leżeć; być stosownym; zaopatrzyć, wyposażyć; *vi* nadawać się, mieć kwalifikacje (**into** ⟨**for**⟩ **sth** do czegoś); ~ **in** wprawiać; pasować; uzgadniać; ~ **on** nakładać, przypasowywać, przymierzać (ubranie); ~ **out** zaopatrzyć, wyekwipować (**with sth** w coś); *s* dostosowanie, dopasowanie; krój (ubrania)

**fit 2.** [fɪt] *s* atak (np. choroby), przystęp (np. złego humoru)

**fit·ful** [`fɪtfl] *adj* spazmatyczny; kapryśny

**fit-out** [`fɪtaut] *s* wyposażenie, ekwipunek

**fit·ter** [`fɪtə(r)] *s* monter, mechanik

**fit·ting** [`fɪtɪŋ] *s* zmontowanie, zainstalowanie; wyposażenie, oprawa; *pl* ~s instalacje; armatura; przybory, części składowe

**five** [faɪv] *num* pięć; ~ **o'clock (tea)** podwieczorek; *s* piątka

**fix** [fɪks] *vt* przymocować; wyznaczyć, ustalić; utkwić (wzrok); założyć (np. siedzibę); wbić; wpoić; naprawić, uporządkować; urządzić, przygotować; *am.* załatwić; *fot. techn.* utrwalić; *vi* skrzepnąć; zdecydować się (**on** ⟨**upon**⟩ **sth** na coś); ~ **up** urządzić, wygładzić, uporządkować; *s* kłopot, położenie bez wyjścia

**flab·by** [`flæbɪ] *adj* zwiotczały; słaby

**flag 1.** [flæg] *s* flaga, bandera

**flag 2.** [flæg] *s* płyta chodnikowa; *vt* wykładać płytami

**flag** 3. [flæg] *vi* zwisać, opadać; słabnąć
**flag·el·late** [ˈflædʒɪleɪt] *vt* biczować
**fla·grant** [ˈfleɪgrənt] *adj* rażący, skandaliczny; (*zw. o przestępcy*) notoryczny
**flag·ship** [ˈflægʃɪp] *s* okręt admiralski
**flag-staff** [ˈflægstɑf] *s* drzewce (flagi)
**flail** [fleɪl] *s* cep
**flake** [fleɪk] *s* płatek; łuska; *vt vi* łuszczyć (się); (*o śniegu itd.*) sypać płatkami
**flame** [fleɪm] *s* płomień; *vi* płonąć; ~ **out** zapłonąć (gniewem); ~ **up** spłonąć rumieńcem
**flank** [flæŋk] *s* bok; skrzydło, *wojsk.* flanka; *vt wojsk.* strzec flanki, oskrzydlać; znajdować się z boku (czegoś)
**flan·nel** [ˈflænl] *s* flanela; *s pl* ~**s** ubranie flanelowe
**flap** [flæp] *vi* trzepotać (skrzydłami); *vt* klapnąć, trzepnąć; *s* lekkie uderzenie, klaps; trzepot; klapa, klapka
**flare** [fleə(r)] *vi* migotać, błyskać; *s* błysk, światło migające; sygnał świetlny; wybuch (płomienia, gniewu)
**flash** [flæʃ] *vi vt* błysnąć, błyszczeć, świecić; sygnalizować światłem; mignąć, przemknąć; nadawać (np. przez radio); *s* błysk, przebłysk (np. talentu)
**flash·light** [ˈflæʃlaɪt] *s* światło sygnalizacyjne; latarka elektryczna; *fot.* flesz
**flask** [flɑsk] *s* flaszka (kieszonkowa); butla; *chem.* kolba
**flat** [flæt] *adj* płaski; płytki; nudny, monotonny; stanowczy; *s* płaszczyzna; równina; nizina; mielizna; mieszkanie, apartament; *muz.* bemol; **the** ~ **of the hand** dłoń; **block of** ~**s** blok mieszkalny
**flat-i·ron** [ˈflætaɪən] *s* żelazko do prasowania
**flat·ten** [ˈflætn] *vt vi* spłaszczyć (się), wyrównać
**flat·ter** [ˈflætə(r)] *vt* pochlebiać
**flat·ter·y** [ˈflætərɪ] *s* pochlebstwo
**flaunt** [flɔnt] *vt vi* wystawiać na pokaz; dumnie powiewać; paradować; pysznić się (**sth** czymś)
**fla·vour** [ˈfleɪvə(r)] *s* zapach; posmak, smak; *vt* nadawać posmak, przyprawiać; *vi* mieć posmak, trącić (**of sth** czymś)
**flaw** [flɔ] *s* szczelina; rysa; skaza, wada; *vt vi* rozszczepiać (się), rysować się, pękać; uszkodzić
**flax** [flæks] *s bot.* len
**flax·en** [ˈflæksn] *adj* lniany; płowy, słomkowy (kolor)
**flea** [fli] *s* pchła
**fleck** [flek] *s* plamka, cętka; *vt* pokrywać plamkami, cętkować
**fled** *zob.* **flee**
**fledg(e)·ling** [ˈfledʒlɪŋ] *s* świeżo opierzony ptak; *przen.* żółtodziób
***flee** [fli], **fled, fled** [fled] *vi vt* uciekać, omijać, unikać
**fleece** [flis] *s* runo; *vt* strzyc (owcę); *przen.* oskubać (kogoś), ograbić
**fleet** 1. [flit] *s* flota
**fleet** 2. [flit] *vi poet.* mknąć
**Flem·ish** [ˈflemɪʃ] *adj* flamandzki
**flesh** [fleʃ] *s* mięso, ciało
**flesh·y** [ˈfleʃɪ] *adj* mięsisty, tłusty
**flew** *zob.* **fly** 2.
**flex·i·ble** [ˈfleksəbl] *adj* elastyczny, giętki
**flex·ion** [ˈflekʃn] *s* zgięcie; *gram.* fleksja
**flick·er** [ˈflɪkə(r)] *vi* migotać; drgać; *s* migotanie; drganie
**fli·er** [ˈflaɪə(r)] *s* lotnik
**flight** 1. [flaɪt] *s* lot, przelot; wzlot; bieg; stado (ptaków); eskadra (samolotów); ~ **of stairs** kondygnacja schodów
**flight** 2. [flaɪt] *s* ucieczka
**flim·sy** [ˈflɪmzɪ] *adj* cienki, słaby, kruchy; błahy
**flinch** [flɪntʃ] *vi* cofać się, uchylać się
***fling** [flɪŋ], **flung, flung** [flʌŋ] *vt vi* rzucać (się), ciskać, miotać; **to** ~ **open** gwałtownie otworzyć

**flint** [flɪnt] *s* krzemień; kamień (do zapalniczki)
**flip·pant** [ˈflɪpənt] *adj* niepoważny, swobodny, nonszalancki, lekceważący
**flirt** [flɜt] *vi vt* flirtować; machać; przytyknąć; *s* flirciarz, kokietka
**flir·ta·tion** [flɜˈteɪʃn] *s* flirt
**flit** [flɪt] *vi* przelatywać, przemknąć; *pot.* przeprowadzać (się)
**flitch** [flɪtʃ] *s* połeć (np. słoniny)
**float** [fləut] *vi* płynąć, bujać ⟨unosić się⟩ (na wodzie, w powietrzu); (*o pogłosce*) rozchodzić się; *vt* spławiać, nieść (po wodzie); puszczać w obieg; rozpisać (pożyczkę); wprowadzać (w życie); *s* coś unoszącego się na powierzchni wody (pływak u wędki, tratwa itp.)
**float·a·tion** *s* = **flotation**
**flock 1.** [flok] *s* kłak, kosmyk
**flock 2.** [flok] *s* stado; *przen.* tłum; *vi* gromadzić się tłumnie, tłoczyć się
**floe** [fləu] *s* pole lodowe, kra
**flog** [flog] *vt* chłostać, smagać
**flood** [flʌd] *s* powódź, potop, zalew; wylew; przypływ; *przen.* potok (łez itp.); *vt* zalać, zatopić; *vi* wezbrać, wylać
**flood·light** [ˈflʌdlaɪt] *s* snop światła, światło reflektorów; *vt* oświetlić reflektorami
**floor** [flɔ(r)] *s* podłoga; piętro
**flo·ra** [ˈflɔrə] *s* flora
**flor·id** [ˈflorɪd] *adj* kwiecisty; ozdobny
**flor·ist** [ˈflorɪst] *s* sprzedawca kwiatów
**flo·ta·tion** [fləuˈteɪʃn] *s* unoszenie się; spławianie; uruchomienie (przedsiębiorstwa)
**flot·sam** [ˈflotsəm] *s* pływające po morzu szczątki rozbitego statku; *zob.* **jetsam**
**flounce 1.** [flauns] *vi* miotać ⟨rzucać⟩ się; *s* miotanie się; żachnięcie
**flounce 2.** [flauns] *s* falbana
**floun·der** [ˈflaundə(r)] *vi* brnąć, potykać się
**flour** [flauə(r)] *s* mąka
**flour·ish** [ˈflʌrɪʃ] *vi* kwitnąć; prosperować; być w rozkwicie; brzmieć; *vt* wymachiwać; zdobić (ornamentem); *s* fanfara; ozdoba
**flow** [fləu] *vi* płynąć, spływać, wypływać; (*o krwi*) krążyć; (*o włosach*) falować; *s* płynięcie, przepływ; prąd; przypływ (morza); potok
**flow·er** [ˈflauə(r)] *s* kwiat; *vi* kwitnąć; *vt* zdobić kwiatami
**flow·er·y** [ˈflauərɪ] *adj* kwiecisty
**flown** *zob.* **fly 2.**
**flu** [flu] *s pot.* grypa
**fluc·tu·ate** [ˈflʌktʃueɪt] *vi* wahać się
**flue 1.** [flu] *s* komin
**flue 2.** = **flu**
**flu·en·cy** [ˈfluənsɪ] *s* płynność, biegłość
**flu·ent** [ˈfluənt] *adj* płynny, biegły
**fluff** [flʌf] *s* puch
**fluff·y** [ˈflʌfɪ] *adj* puszysty
**flu·id** [ˈfluɪd] *adj* płynny; *s* płyn
**flung** *zob.* **fling**
**flur·ry** [ˈflʌrɪ] *s* wichura; *am.* ulewa; podniecenie, poruszenie, nerwowy pośpiech; *vt* podniecić, poruszyć, zdenerwować
**flush** [flʌʃ] *vi vt* trysnąć; (*o krwi*) napłynąć do twarzy; zaczerwienić się, zarumienić się; rozpłomienić (się); spłukiwać, zalewać; *adj* wezbrany; opływający (of sth w coś); obfity; równy, na tym samym poziomie; *s* strumień; napływ; wybuch; rozkwit; podniecenie; rumieniec
**flus·ter** [ˈflʌstə(r)] *vt vi* denerwować (się), wzburzyć (się); *s* podniecenie, wzburzenie
**flute** [flut] *s muz.* flet
**flut·ter** [ˈflʌtə(r)] *vt vi* trzepotać (się); machać; drgać; dygotać; niepokoić (się); *s* trzepot; drganie; niepokój, podniecenie
**flux** [flʌks] *s dosł. i przen.* potok, strumień; prąd, bieg wody; przypływ; ciągłe zmiany, płynność

**fly** 1. [flaɪ] *s* mucha
***fly** 2. [flaɪ], **flew** [flu], **flown** [fləun] *vi vt* latać, lecieć, fruwać; pospieszyć; uciekać; powiewać; puszczać (np. latawca); **~ into a passion** wpaść w pasję; **~ open** nagle się otworzyć; *s* lot; klapa; rozporek
**fly·er** [`flaɪə(r)] *s* lotnik
**fly·ing-boat** [`flaɪɪŋbəut] *s* wodnopłatowiec, hydroplan
**fly-pa·per** [`flaɪ peɪpə(r)] *s* lep na muchy
**foal** [fəul] *s* źrebię
**foam** [fəum] *s* piana; *vi* pienić się
**foam·y** [`fəumɪ] *adj* pienisty, spieniony
**fo·cus** [`fəukəs] *s* (*pl* **foci** [`fəusaɪ] *lub* **~es** [`fəukəsɪz]) *fiz.* ognisko; siedlisko, centrum, skupienie; *vt vi* ogniskować (się), skupiać (się)
**fod·der** [`fodə(r)] *s* pasza; *vt* karmić (bydło)
**foe** [fəu] *s* wróg
**fog** [fog] *s* mgła; *vt* zamglić
**fo·gey** [`fəugɪ] *s* (*zw.* **old ~**) człowiek staroświecki
**fog·gy** [`fogɪ] *adj* mglisty
**fog-horn** [`foghɔn] *s* okrętowa syrena (mgłowa)
**fo·gy** *s* = **fogey**
**foi·ble** [`fɔɪbl] *s* słabostka
**foist** [fɔɪst] *vt* podsunąć (skrycie), podrzucić
**fold** 1. [fəuld] *s dosł. i przen.* owczarnia
**fold** 2. [fəuld] *s* zagięcie, fałda, zakładka; *vt vi* składać (się), zaginać (się); zawijać; tulić
**fold·er** [`fəuldə(r)] *s* teczka; broszurka, ulotka (np. reklamowa), folder
**fold·ing** [`fəuldɪŋ] *adj* składany, przystosowany do składania
**fo·li·age** [`fəulɪɪdʒ] *s* liście, listowie
**folk** [fəuk] *s zbior.* ludzie; lud, naród; *adj attr* ludowy
**folk·lore** [`fəuklɔ(r)] *s* folklor
**fol·low** [`foləu] *vt vi* następować, iść (**sb** za kimś); śledzić; wykonywać ⟨uprawiać⟩ (**a profession** zawód); podążać (**a path** ścieżką, **sb's thought** za czyjąś myślą); wynikać; być zwolennikiem; stosować się (**sth** do czegoś); słuchać, rozumieć (**sb** kogoś); **~ in sb's footsteps** iść w czyjeś ślady; **~ out** doprowadzić do końca; **~ up** uporczywie coś robić, nie ustawać (w czymś)
**fol·low·er** [`foləuə(r)] *s* zwolennik; uczeń; członek świty
**fol·ly** [`folɪ] *s* szaleństwo
**fo·ment** [fə`ment] *vt* podżegać, podsycać; *med.* nagrzewać
**fond** [fond] *adj* czuły; miły; zamiłowany; **to be ~** lubić (**of sb, sth** kogoś, coś)
**fon·dle** [`fondl] *vt vi* pieścić (się)
**fond·ness** [`fondnəs] *s* czułość; zamiłowanie (**for sth** do czegoś)
**font** [font] *s* chrzcielnica
**food** [fud] *s* żywność, pokarm, wyżywienie, jedzenie
**food-stuff** [`fudstʌf] *s* artykuły spożywcze
**fool** [ful] *s* głupiec, wariat; *vi* błaznować, wygłupiać się; *vt* robić błazna (**sb** z kogoś); okpić; wyłudzać (**sb out of sth** coś od kogoś)
**fool·ish** [`fulɪʃ] *adj* głupi
**fools·cap** [`fulskæp] *s* papier kancelaryjny
**foot** [fut] *s* (*pl* **feet** [fit]) stopa; noga; spód, dół; stopa (miara długości); **on ~** piechotą, pieszo
**foot·ball** [`futbɔl] *s* piłka nożna, futbol; piłka futbolowa
**foot·hold** [`futhəuld] *s* oparcie dla stóp; *przen.* mocna podstawa
**foot·ing** [`futɪŋ] *s* oparcie dla stóp; ostoja, punkt oparcia;. poziom; stopa (wojenna, pokojowa); wzajemny stosunek; **on a friendly ~** na przyjacielskiej stopie, w przyjaznych stosunkach
**foot·man** [`futmən] *s* lokaj
**foot·mark** [`futmak] *s* ślad (stopy)
**foot·note** [`futnəut] *s* odnośnik
**foot·path** [`futpaθ] *s* ścieżka; chodnik
**foot·print** [`futprɪnt] *s* = **footmark**

**foot·wear** [ˋfutweə] *s* obuwie
**for** [fɔ(r), fə(r)] *praep* dla; za; zamiast; jako; na; z powodu; przez; do; z; po; co do; mimo, wbrew; jak na; ~ **all that** mimo wszystko; ~ **ever,** ~ **good** na zawsze, na dobre; ~ **instance** ⟨**example**⟩ na przykład; ~ **5 miles** na przestrzeni 5 mil; ~ **years** przez całe lata; **what** ~? na co?, po co?; *conj* ponieważ, gdyż, bowiem
**for·age** [ˋforɪdʒ] *s* furaż; furażowanie; *vt vi* furażować; grabić
**for·bade** *zob.* **forbid**
**forbear** 1. [ˋfɔbeə(r)] *s* przodek, antenat
***for·bear** 2. [fəˋbeə(r)], **forbore** [fɔˋbɔ(r)], **forborne** [fɔˋbɔn] *vt vi* znosić cierpliwie, pobłażać; powstrzymać się (**sth** ⟨**doing sth, from sth**⟩ od czegoś)
***for·bid** [fəˋbɪd], **forbade** [fəˋbeɪd], **forbidden** [fəˋbɪdn] *vt* zakazywać, zabraniać, nie pozwalać
**for·bore, for·borne** *zob.* **forbear** 2.
**force** [fɔs] *s* siła, moc, przemoc; *pl* ~**s** siły zbrojne; *vt* forsować, brać siłą; zmuszać, wymuszać; narzucać
**forced** [fɔst] *adj* przymusowy; wymuszony; forsowny
**for·ci·ble** [ˋfɔsəbl] *adj* gwałtowny; przymusowy; mocny; przekonywający
**ford** [fɔd] *s* bród; *vt* przejść w bród
**fore** [fɔ(r)] *s* przód, przednia część; **to the** ~ ku przodowi, na przedzie, na widoku, (*o pieniądzach*) pod ręką; *adj* przedni
**fore·arm** [ˋfɔram] *s* przedramię
**fore·bear** = **forbear** 1.
**fore·bode** [fɔˋbəud] *vt* przewidywać, przeczuwać; zapowiadać, wróżyć
***fore·cast** [fɔˋkast], ~, ~ *lub* ~**ed**, ~**ed** [fɔˋkastɪd] *vt* przewidywać, zapowiadać; *s* [ˋfɔkast] przewidywanie, prognoza
**fore·fa·ther** [ˋfɔfaðə(r)] *s* przodek, antenat
**fore·fin·ger** [ˋfɔfɪŋgə(r)] *s* palec wskazujący
***fore·go** 1. [fɔˋgəu], **forewent** [fɔˋwent], **foregone** [fɔˋgon] *vt* poprzedzać
**fore·go** 2. = **forgo**
**fore·go·ing** [fɔˋgəuɪŋ] *adj* poprzedni, powyższy
**fore·gone** [fɔˋgon] *pp i adj* z góry powzięty, przesądzony; *adj attr* [ˋfɔgon] **a** ~ **conclusion** wiadomy wniosek, nieunikniony wynik
**fore·ground** [ˋfɔgraund] *s* przedni plan
**fore·head** [ˋforɪd] *s* czoło
**for·eign** [ˋforɪn] *adj* obcy, cudzoziemski, zagraniczny; **Foreign Office** ministerstwo spraw zagranicznych; **Foreign Secretary** minister spraw zagranicznych
**for·eign·er** [ˋforɪnə(r)] *s* obcokrajowiec, cudzoziemiec
**fore·land** [ˋfɔlənd] *s* przylądek
**fore·man** [ˋfɔmən] *s* nadzorca, brygadzista; *prawn.* starszy ławy przysięgłych
**fore·most** [ˋfɔməust] *adj* przedni, najważniejszy, pierwszy, czołowy
**fore·noon** [ˋfɔnun] *s* przedpołudnie
**fore·run·ner** [ˋfɔrʌnə(r)] *s* prekursor, zwiastun
***fore·see** [fɔˋsi], **foresaw** [fɔˋsɔ], **foreseen** [fɔˋsin] *vt* przewidywać
**fore·seen** *zob.* **foresee**
**fore·shad·ow** [fɔˋʃædəu] *vt* zapowiadać
**fore·sight** [ˋfɔsaɪt] *s* przewidywanie; przezorność
**for·est** [ˋforɪst] *s* las; *vt* zalesiać
**fore·stall** [fɔˋstɔl] *vt* wyprzedzić, ubiec
**for·est·er** [ˋforɪstə(r)] *s* leśniczy
***fore·tell** [fɔˋtel], **foretold, foretold** [fɔˋtəuld] *vt* przepowiadać, wróżyć
**for·ev·er** [fəˋrevə(r)] *adv* na zawsze, wciąż
**fore·went** *zob.* **forego**
**fore·word** [ˋfɔwɜd] *s* wstęp, przedmowa

**for·feit** [ˈfɔfɪt] *vt* stracić, zaprzepaścić; *s* grzywna; utrata przez konfiskatę, przepadek (mienia); zastaw, fant

**for·feit·ure** [ˈfɔfɪtʃə(r)] *s* utrata; grzywna; konfiskata

**for·gave** *zob.* **forgive**

**forge** [fɔdʒ] *s* kuźnia; piec hutniczy; *vt* kuć; fałszować, podrabiać; zmyślać

**for·ger** [ˈfɔdʒə(r)] *s* fałszerz

**for·ger·y** [ˈfɔdʒərɪ] *s* fałszerstwo

***for·get** [fəˈget], **forgot** [fəˈgot], **forgotten** [fəˈgotn] *vt vi* zapominać; opuszczać, pomijać

**for·get·ful** [fəˈgetfl] *adj* zapominający, niepomny, nie zważający (**of sth** na coś); *pot.* zapominalski

**for·get-me-not** [fəˈget mɪ·not] *s bot.* niezapominajka

***for·give** [fəˈgɪv], **forgave** [fəˈgeɪv], **forgiven** [fəˈgɪvn] *vt* przebaczać, odpuszczać, darować

***for·go** [fəˈgəʊ], **forwent** [fəˈwent], **forgone** [fəˈgon] *vt* zrzec się; powstrzymać się (**sth** od czegoś); obejść się (**sth** bez czegoś)

**for·got** *zob.* **forget**

**for·got·ten** *zob.* **forget**

**fork** [fɔk] *s* widelec; widły; rozwidlenie; *vt* rozwidlać się

**for·lorn** [fəˈlɔn] *adj* opuszczony; stracony; beznadziejny; **~ hope** oddział szturmowy skazany na stracenie; z góry stracona sprawa

**form** [fɔm] *s* forma, kształt; formalność; formularz; ławka; klasa; *vt vi* formować (się), tworzyć (się); urabiać (np. opinię)

**for·mal** [ˈfɔml] *adj* formalny; oficjalny; zewnętrzny

**for·mal·i·ty** [fɔˈmælətɪ] *s* formalność; etykieta, ceremonialność

**for·ma·tion** [fɔˈmeɪʃn] *s* formowanie ⟨kształtowanie, tworzenie, wytwarzanie⟩ się; budowa, powstawanie; *wojsk. geol.* formacja

**for·mer** [ˈfɔmə(r)] *adj* poprzedni, pierwszy (z dwu); dawny, były

**for·mi·da·ble** [ˈfɔmɪdəbl] *adj* straszny, groźny

**for·mu·la** [ˈfɔmjʊlə] *s* (*pl* **formulae** [ˈfɔmjʊli] *lub* **formulas** [ˈfɔmjʊləz]) formułka; przepis; *mat. chem.* wzór

**for·mu·late** [ˈfɔmjʊleɪt] *vt* formułować

***for·sake** [fəˈseɪk], **forsook** [fəˈsʊk], **forsaken** [fəˈseɪkn] *vt* opuszczać, porzucać

**forth** [fɔθ] *adv* naprzód; **and so ~** i tak dalej

**forth·com·ing** [fɔθˈkʌmɪŋ] *adj* zbliżający się, mający się ukazać

**forth·right** [ˈfɔθraɪt] *adj* prosty; szczery; *adv* prosto, otwarcie; szczerze; natychmiast

**forth·with** [fɔθˈwɪð] *adv* bezzwłocznie

**for·ti·eth** [ˈfɔtɪəθ] *adj* czterdziesty

**for·ti·fy** [ˈfɔtɪfaɪ] *vt* wzmacniać, pokrzepiać; popierać; fortyfikować

**for·ti·tude** [ˈfɔtɪtjud] *s* męstwo, hart ducha

**fort·night** [ˈfɔtnaɪt] *s* dwa tygodnie

**fort·night·ly** [ˈfɔtnaɪtlɪ] *adj* dwutygodniowy; *adv* co dwa tygodnie; *s* dwutygodnik

**for·tress** [ˈfɔtrəs] *s* forteca

**for·tu·nate** [ˈfɔtʃunət] *adj* szczęśliwy, pomyślny

**fortune** [ˈfɔtʃən] *s* los, szczęście, przypadek; majątek; **by ~** przypadkowo

**for·tune-tel·ler** [ˈfɔtʃən telə(r)] *s* wróżbita

**for·ty** [ˈfɔtɪ] *num* czterdzieści; *s* czterdziestka

**for·ward** [ˈfɔwəd] *adj* przedni; skierowany do przodu; przedwczesny; wczesny; gotów, chętny; postępowy; pewny siebie, arogancki; *adv* (*także* **~s**) naprzód, dalej; z góry; **to come ~** wystąpić; zgłosić się; *vt* przyspieszać; popierać; wysyłać, ekspediować; *s sport* napastnik

**for·wards** *zob.* **forward** *adv*

**for·went** *zob.* **forgo**
**fos·sil** [ˈfosl] *adj* skamieniały; *s* skamieniałość
**fos·ter** [ˈfostə(r)] *vt* pielęgnować; żywić (np. nadzieję); podniecać, podsycać
**fos·ter-broth·er** [ˈfostə brʌðə(r)] *s* mleczny brat
**fos·ter-child** [ˈfostə tʃaɪld] *s* przybrane dziecko
**fos·ter-fath·er** [ˈfostə faðə(r)] *s* wychowawca, opiekun
**fos·ter-moth·er** [ˈfostə mʌðə(r)] *s* mamka, piastunka
**fought** *zob.* **fight**
**foul** [faul] *adj* zgniły; cuchnący; plugawy, wstrętny; sprośny; *sport* nieprzepisowy; nieuczciwy, niehonorowy; ~ **copy** brulion; *s* nieuczciwe postępowanie; *sport* faul; *vt vi* brudzić (się), kalać; zatkać; zderzyć się
**found** 1. *zob.* **find**
**found** 2. [faund] *vt* zakładać; opierać (np. na faktach)
**found** 3. [faund] *vt* odlewać, topić (metal)
**foun·da·tion** [faunˈdeɪʃn] *s* podstawa, fundament; założenie; fundacja
**found·er** 1. [ˈfaundə(r)] *s* założyciel
**found·er** 2. [ˈfaundə(r)] *s* giser, odlewnik
**found·er** 3. [ˈfaundə(r)] *vi* zatonąć; zawalić się, zapaść się; *vt* zatopić
**found·ling** [ˈfaundlɪŋ] *s* podrzutek
**found·ry** [ˈfaundrɪ] *s* odlewnia
**fount** [faunt] *s* źródło; zbiornik
**foun·tain** [ˈfauntɪn] *s* fontanna; *przen.* źródło; zbiornik
**foun·tain-pen** [ˈfauntɪnpen] *s* pióro wieczne
**four** [fɔ(r)] *num* cztery; *s* czwórka; **on all ~s** na czworakach
**four·fold** [ˈfɔfəuld] *adj* czterokrotny; *adv* czterokrotnie
**four·teen** [ˈfɔˈtin] *num* czternaście; *s* czternastka
**four·teenth** [ˈfɔˈtinθ] *adj* czternasty
**fourth** [fɔθ] *adj* czwarty
**fowl** [faul] *s* ptak (domowy, dziki); *zbior.* drób, ptactwo
**fox** [foks] *s* lis
**frac·tion** [ˈfrækʃn] *s* ułamek; frakcja
**frac·ture** [ˈfræktʃə(r)] *s* złamanie; *vt vi* złamać (się), pęknąć
**frag·ile** [ˈfrædʒaɪl] *adj* kruchy, łamliwy; wątły
**frag·ment** [ˈfrægmənt] *s* fragment
**fra·grance** [ˈfreɪgrəns] *s* zapach
**frail** [freɪl] *adj* kruchy, łamliwy; wątły; przelotny
**frame** [freɪm] *s* rama, oprawa; struktura, szkielet, zrąb; system, porządek; *vt* oprawiać w ramę; tworzyć, kształtować; konstruować; dostosowywać
**frame-work** [ˈfreɪmwɜk] *s* praca ramowa; zrąb, struktura
**fran·chise** [ˈfræntʃaɪz] *s* prawo wyborcze; przywilej; *am.* koncesja
**frank** [fræŋk] *adj* otwarty, szczery
**fran·tic** [ˈfræntɪk] *adj* szalony, zapamiętały
**fra·ter·nal** [frəˈtɜnl] *adj* braterski, bratni
**fra·ter·ni·ty** [frəˈtɜnətɪ] *s* braterstwo; bractwo
**frat·er·nize** [ˈfrætənaɪz] *vi* bratać się
**fraud** [frɔd] *s* oszustwo; oszust
**fraught** [frɔt] *adj* naładowany, pełny, brzemienny
**fray** [freɪ] *vt vi* strzępić (się)
**freak** [frik] *s* kaprys, wybryk (*także* natury); fenomen
**freck·le** [frekl] *s* pieg, plamka; *vt vi* pokryć (się) plamkami, piegami
**free** [fri] *adj* wolny; hojny; niezależny, swobodny; bezpłatny; *vt* uwolnić, wyzwolić
**free·dom** [ˈfridəm] *s* wolność; swoboda; prawo (**of sth** do czegoś); ~ **of a city** honorowe obywatelstwo miasta
***freeze** [friz], **froze** [frəuz], **frozen**

[frəuzn] *vi* marznąć, zamarzać; *vt* zamrażać
**freez·er** [`frizə(r)] *s* chłodnia, zamrażalnia; zamrażarka
**freez·ing-point** [`friziŋpɔint] *s* punkt zamarzania
**freight** [freit] *s* fracht; przewóz; ładunek; *vt* frachtować; ładować (na statek); obciążać; przewozić
**freight-train** [freit trein] *s am.* pociąg towarowy
**French** [frentʃ] *adj* francuski; *s* język francuski
**French·man** [`frentʃmən] *s* (*pl* **Frenchmen** [`frentʃmən]) Francuz
**fren·zy** [`frenzi] *s* szaleństwo
**fre·quen·cy** [`frikwənsi] *s* częstość; częstotliwość
**fre·quent** [`frikwənt] *adj* częsty; *vt* [fri`kwent] uczęszczać; nawiedzać, odwiedzać, bywać
**fresh** [freʃ] *adj* świeży, nowy; rześki; ~ **water** słodka woda; *adv* świeżo, niedawno
**fret** [fret] *vt vi* denerwować (się); gryźć (się), wgryzać się
**fret·ful** [`fretfl] *adj* drażliwy, nerwowy
**fri·a·ble** [`fraiəbl] *adj* miałki, kruchy
**fri·ar** [`fraiə(r)] *s* mnich
**fric·tion** [`frikʃn] *s* tarcie, nacieranie
**Fri·day** [`fraidi] *s* piątek
**fried** *zob.* **fry 1.**
**friend** [frend] *s* przyjaciel, kolega; **to be ~s with sb** przyjaźnić się z kimś
**friend·ly** [`frendli] *adj* przyjazny, przychylny; ~ **society** towarzystwo wzajemnej pomocy
**friend·ship** [`frendʃip] *s* przyjaźń
**fright** [frait] *s* strach; **to take ~** przestraszyć się (**at sth** czegoś)
**fright·en** [`fraitn] *vt* straszyć, nastraszyć; ~ **away** ⟨**off**⟩ odstraszyć
**fright·ful** [`fraitfl] *adj* straszny
**frig·id** [`fridʒid] *adj* zimny, chłodny; *przen.* oziębły
**frill** [fril] *s* falbanka, kryza; *vt* zdobić kryzą; plisować
**fringe** [frindʒ] *s* frędzla; grzywka; rąbek, skraj; peryferie; *vt* ozdabiać frędzlami; obrębiać; *vi* graniczyć (**upon sth** z czymś)
**frit·ter** [`fritə(r)] *vt* rozdrabniać, marnować (np. czas na drobiazgi)
**fri·vol·i·ty** [fri`voləti] *s* lekkomyślność; błahość, błahostka
**friv·o·lous** [`frivələs] *adj* frywolny; lekkomyślny; błahy
**fro** [frəu] *adv w zwrocie:* **to and ~** tam i z powrotem
**frock** [frok] *s* suknia, sukienka; habit
**frock-coat** [ˈfrok`kəut] *s* surdut
**frog** [frog] *s zool.* żaba
**frog·man** [`frogmən] *s* płetwonurek
**frol·ic** [`frolik] *s* swawola, zabawa; figiel; *adj* (*także* ~**some**) swawolny, figlarny; *vi* swawolić, dokazywać
**from** [from, frəm] *praep* od, z
**front** [frʌnt] *s* front, czoło, przód; **in ~ of** przed; **to have the ~** mieć czelność; *adj attr* frontowy, przedni, czołowy; *vi* stać frontem; *vt* stawiać czoło
**fron·tier** [`frʌntiə(r)] *s* granica
**frost** [frost] *s* mróz
**frost·y** [`frosti] *adj* mroźny, lodowaty
**froth** [froθ] *s* piana; *vi* pienić się
**frown** [fraun] *vi* marszczyć brwi; krzywo patrzeć (**at** ⟨**on**⟩ **sb** na kogoś); *s* kose spojrzenie, wyraz niezadowolenia
**froze** *zob.* **freeze**
**fru·gal** [`frugl] *adj* oszczędny (**of sth** w czymś); (*o jedzeniu*) skromny
**fruit** [frut] *s* owoc, płód; *zbior.* owoce
**fruit·ful** [`frutfl] *adj* owocny; płodny
**frus·trate** [frʌ`streit] *vt* zniweczyć; udaremnić
**fry 1.** [frai] *vt vi* smażyć (się)
**fry 2.** [frai] *s zbior.* drobne rybki, narybek; *przen.* dzieciarnia
**fry·ing-pan** [`fraiiŋpæn] *s* patelnia
**fu·el** [`fjul] *s* opał, paliwo

**fu·gi·tive** [ˈfjudʒətɪv] *adj* zbiegły; przelotny; *s* zbieg
**ful·crum** [ˈfʌlkrəm] *s* (*pl* **fulcra** [ˈfʌlkrə]) punkt podparcia ⟨obrotu, zawieszenia⟩
**ful·fil** [fulˈfɪl] *vt* spełnić
**full** [ful] *adj* pełny; najedzony; obfity; kompletny; ~ **up** przepełniony, pełny po brzegi; ~ **stop** kropka; *s* pełnia; **in** ~ w całości; **to the** ~ w całej pełni
**fum·ble** [ˈfʌmbl] *vi* szperać, grzebać, gmerać (**at** ⟨**in, with**⟩ **sth** w czymś); *vt pot.* partaczyć
**fume** [fjum] *s* dym (gryzący); wybuch (gniewu); *vi* dymić; złościć się
**fun** [fʌn] *s* wesołość, zabawa; **to make** ~ żartować sobie (**of sb, sth** z kogoś, czegoś)
**func·tion** [ˈfʌŋkʃn] *s* funkcja, czynność; *vi* funkcjonować, działać
**func·tion·a·ry** [ˈfʌŋkʃn̩ərɪ] *s* funkcjonariusz
**fund** [fʌnd] *s* fundusz zapomogowy; zapas, zasób
**fun·da·men·tal** [ˈfʌndəˈmentl] *adj* podstawowy; *s* podstawa, zasada
**fu·ner·al** [ˈfjunrəl] *adj* pogrzebowy, żałobny; *s* pogrzeb
**fun·gus** [ˈfʌŋgəs] *s* (*pl* **fungi** [ˈfʌn dʒaɪ]) grzyb
**fu·nic·u·lar** [fjuˈnɪkjulə(r)] *adj* (*o kolejce*) linowy
**fun·nel** [ˈfʌnl] *s* lejek; komin (statku ⟨maszyny parowej⟩)
**fun·ny** [ˈfʌnɪ] *adj* zabawny, wesoły, śmieszny; dziwny
**fur** [fɜ(r)] *s* futro, sierść
**fu·ri·ous** [ˈfjuərɪəs] *adj* wściekły, szalony
**fur·nace** [ˈfɜnɪs] *s* piec (do celów przemysłowych); **blast** ~ piec hutniczy
**fur·nish** [ˈfɜnɪʃ] *vt* zaopatrywać (**with sth** w coś); dostarczać; meblować
**fur·ni·ture** [ˈfɜnɪtʃə(r)] *s zbior.* meble, wyposażenie; **a piece of** ~ mebel
**fu·ro·re** [fjuˈrɔrɪ] *s* furora
**fur·ri·er** [ˈfʌrɪə(r)] *s* kuśnierz
**fur·row** [ˈfʌrəu] *s* bruzda; zmarszczka; *vt* robić bruzdy; żłobić
**fur·ther 1.** *zob.* **far**
**fur·ther 2.** [ˈfɜðə(r)] *vt* popierać
**fur·ther·more** [ˈfɜðəˈmɔ(r)] *adv* co więcej, ponadto
**fur·thest** [ˈfɜðɪst] *zob.* **far**
**fur·tive** [ˈfɜtɪv] *adj* ukradkowy, potajemny
**fu·ry** [ˈfjuərɪ] *s* szał, furia; siła (burzy)
**fuse** [fjuz] *vt vi* stopić (się), roztapiać (się), stapiać (się); *s* zapalnik, lont; *elektr.* bezpiecznik
**fu·se·lage** [ˈfjuzlɑʒ] *s lotn.* kadłub (samolotu)
**fu·sion** [ˈfjuʒn] *s* fuzja, zlanie (się), stopienie (się)
**fuss** [fʌs] *s* hałas, rwetes; krzątanina; *vt vi* robić hałas, awanturować się; wiercić się; niepokoić (się); zabiegać (**over** ⟨**around**⟩ **sb, sth** koło kogoś, czegoś)
**fuss·y** [ˈfʌsɪ] *adj* hałaśliwy, niespokojny; kapryśny; drobiazgowy
**fust·y** [ˈfʌstɪ] *adj* stęchły; zacofany; przestarzały
**fu·tile** [ˈfjutaɪl] *adj* daremny; błahy
**fu·ture** [ˈfjutʃə(r)] *adj* przyszły; *s* przyszłość; *gram.* czas przyszły
**fu·tu·ri·ty** [fjuˈtjuərətɪ] *s* przyszłość
**fuze** = **fuse**

# g

**gab·ble** [ˋgæbl] *vi* bełkotać, mamrotać; *s* bełkot
**ga·ble** [ˋgeɪbl] *s* szczyt (ściany)
**gad·fly** [ˋgædflaɪ] *s* giez
**gag** [gæg] *vt* kneblować usta; *s* knebel
**gage 1.** [geɪdʒ] *s* rękojmia; *vt* zastawiać; ręczyć (**sth** czymś)
**gage 2.** = **gauge**
**gai·e·ty** [ˋgeɪətɪ] *s* wesołość
**gai·ly** [ˋgeɪlɪ] *adv* wesoło
**gain** [geɪn] *s* zysk; zarobek; wzrost; korzyść; *vt vi* zyskać; zarobić; wyprzedzić; (*o zegarku*) spieszyć się; zdobyć, osiągnąć; **~ ground** *przen.* robić postępy; **~ over** przeciągnąć na swoją stronę; **~ the upper hand** wziąć górę
**gain·ing** [ˋgeɪnɪŋ] *s* (*zw. pl* **~s**) zysk, dochody
***gain·say** [ˈgeɪnˋseɪ], **gainsaid, gainsaid** [ˈgeɪnˋsed] *vt* przeczyć, oponować
**gait** [geɪt] *s* chód
**gai·ter** [ˋgeɪtə(r)] *s* (*zw. pl* **~s**) kamasz(e)
**ga·la** [ˋgalə] *s* gala; *adj attr* galowy
**gale** [geɪl] *s* wichura, sztorm
**gall 1.** [gɔl] *s* żółć; *przen.* gorycz
**gall 2.** [gɔl] *s* otarcie skóry, odparzenie; *vt* ocierać, odparzyć (skórę); drażnić
**gal·lant** [ˋgælənt] *adj* dzielny, rycerski; wspaniały; szarmancki, wytworny; *s* galant; elegant
**gal·lant·ry** [ˋgæləntrɪ] *s* dzielność, rycerskość; szarmanckie postępowanie, galanteria, wytworność
**gal·ler·y** [ˋgælərɪ] *s* galeria; korytarz, pasaż
**gal·ley** [ˋgælɪ] *s* galeria; *pl* **~s** (*także przen.*) galery, ciężkie roboty
**gal·lon** [ˋgælən] *s* galon (*bryt.* = = 4,54 l; *am.* = 3,78 l)
**gal·lop** [ˋgæləp] *vi* galopować; *s* galop
**gal·lows** [ˋgæləuz] *s* szubienica
**ga·loot** [gəˋlut] *s pot.* niedołęga, safanduła
**ga·losh** [gəˋlɔʃ] *s* kalosz
**gal·va·nize** [ˋgælvənaɪz] *vt* galwanizować
**gam·ble** [ˋgæmbl] *vi* uprawiać hazard; ryzykować; *s* hazard; ryzyko
**gam·bol** [ˋgæmbl] *vi* podskakiwać, swawolić; *s* wesoły podskok; *pl* **~s** koziołki
**game** [geɪm] *s* gra; rozrywka, zabawa; *sport* rozgrywka, partia; zwierzyna, dziczyzna; *pl* **~s** zawody
**game·ster** [ˋgeɪmstə(r)] *s* gracz, karciarz
**gam·mon 1.** [ˋgæmən] *s* szynka (wędzona)
**gam·mon 2.** [ˋgæmən] *s pot.* blaga, nabieranie, oszustwo; *vt vi* oszukiwać; bzdurzyć; udawać
**gam·ut** [ˋgæmət] *s muz. przen.* skala, zakres
**gang** [gæŋ] *s* grupa (ludzi), drużyna; ekipa; szajka, banda
**gang-board** [ˋgæŋbɔd] *s mors.* pomost, kładka
**gan·grene** [ˋgæŋgrin] *s* gangrena; *vt* gangrenować; *vi* ulegać gangrenie
**gang·ster** [ˋgæŋgstə(r)] *s* gangster
**gang·way** [ˋgæŋweɪ] *s* przejście (między rzędami krzeseł itp.); *mors.* schodnia
**gaol** [dʒeɪl] *s* więzienie
**gaol·er** [ˋdʒeɪlə(r)] *s* dozorca więzienny
**gap** [gæp] *s* luka, wyrwa, przerwa; odstęp; *przen.* przepaść
**gape** [geɪp] *vi* ziewać; gapić się, rozdziawiać usta; ziać, stać otworem; rozłazić się
**ga·rage** [ˋgæraʒ] *s* garaż; *vt* garażować
**garb** [gab] *s* odzież, strój; *vt* odziewać, ubierać, stroić

**gar·bage** [`gabɪdʒ] *s zbior.* odpadki, śmieci
**gar·den** [`gadn] *s* ogród; *vi* pracować w ogrodzie
**gar·den·er** [`gadnə(r)] *s* ogrodnik
**gar·den-par·ty** [`gadnpatɪ] *s* przyjęcie na świeżym powietrzu
**gar·gle** [`gagl] *vt vi* płukać gardło
**gar·ish** [`gærɪʃ] *adj* jaskrawy, krzykliwy
**gar·land** [`galənd] *s* girlanda; wieniec
**gar·lic** [`galɪk] *s* czosnek
**gar·ment** [`gamənt] *s* artykuł odzieżowy; *pl* ~s odzież
**gar·ner** [`ganə(r)] *s* spichrz; zbiór; *vt* przechowywać, gromadzić
**garnish** [`ganɪʃ] *vt* zdobić; garnirować; *s* ozdoba; przybranie
**gar·ret** [`gærət] *s* poddasze, mansarda, strych
**gar·ri·son** [`gærɪsn] *s wojsk.* garnizon
**gar·ter** [`gatə(r)] *s* podwiązka
**gas** [gæs] *s* gaz, *am. pot.* benzyna; *vt* zagazować, zatruć gazem
**gas·me·ter** [`gæsmitə(r)] *s* gazomierz
**gas·o·line** [`gæsəlin] *s* gazolina; *am.* benzyna
**gasp** [gasp] *vi* ciężko dyszeć, łapać oddech; stracić oddech; *s* ciężki oddech, dyszenie, łapanie tchu
**gas-range** [`gæs reɪndʒ], **gas-stove** [`gæs stəuv] *s* kuchenka gazowa
**gate** [geɪt] *s* brama, wrota, furtka; zasuwa; tama
**gate·way** [`geɪtweɪ] *s* brama wejściowa, wjazd, furtka
**gath·er** [`gæðə(r)] *vt vi* zbierać (się); wnioskować; (*o rzece*) wzbierać; (*o wrzodzie*) nabierać; narastać
**gath·er·ing** [`gæðərɪŋ] *s* zebranie; gromada; zbiór; *med.* ropień
**gaud·y** [`gɔdɪ] *adj* (*o barwie*) jaskrawy; (*o stroju*) krzykliwy; pompatyczny; wystrojony, paradny
**gauge** [geɪdʒ] *s* przyrząd pomiarowy; miara; skala; rozmiar, wymiar; kaliber; szerokość toru; sprawdzian; *vt* mierzyć; szacować
**gaunt** [gɔnt] *adj* chudy, nędzny; ponury
**gaunt·let** [`gɔntlət] *s* rękawica
**gauze** [gɔz] *s* gaza; siatka druciana; mgiełka
**gave** *zob.* **give**
**gawk** [gɔk] *s* ciemięga, gamoń
**gay** [geɪ] *adj* wesoły; (*o barwie*) żywy
**gaze** [geɪz] *vi* uporczywie patrzeć, gapić się (**at sth** na coś); *s* spojrzenie, uporczywy wzrok
**ga·zette** [gə`zet] *s* dziennik urzędowy
**gaz·et·teer** [ˌgæzə`tɪə(r)] *s* słownik nazw geograficznych; *am.* dziennikarz
**gear** [gɪə(r)] *s* przekładnia; mechanizm; bieg (w aucie); *zbior.* narzędzia, przybory; uprząż; **in ~** włączony, w ruchu, na biegu; **out of ~** wyłączony, nie działający; popsuty; *vt vi* włączyć (się); zazębić (się)
**gear-box** [`gɪəboks] *s* skrzynka biegów
**gear-wheel** [`gɪəwil] *s* koło zębate
**geese** *zob.* **goose**
**gem** [dʒem] *s* klejnot
**gen·der** [`dʒendə(r)] *s gram.* rodzaj
**gen·e·al·o·gy** [ˌdʒinɪ`ælədʒɪ] *s* genealogia
**gen·e·ra** *zob.* **genus**
**gen·er·al** [`dʒenrl] *adj* ogólny; powszechny; główny; ogólnikowy; *s* generał
**gen·er·al·ize** [`dʒenrəlaɪz] *vt* uogólniać; upowszechniać
**gen·er·ate** [`dʒenəreɪt] *vt* rodzić, wytwarzać; powodować
**gen·er·a·tion** [ˌdʒenə`reɪʃn] *s* pokolenie; wytwarzanie; powstawanie
**gen·er·os·i·ty** [ˌdʒenə`rosətɪ] *s* szlachetność; wielkoduszność; szczodrość
**gen·er·ous** [`dʒenrəs] *adj* szlachetny; wielkoduszny; szczodry
**ge·net·ics** [dʒɪ`netɪks] *s* genetyka
**ge·nial** [`dʒinɪəl] *adj* radosny; mi-

ły; uprzejmy; towarzyski; (*o powietrzu*) łagodny

**gen·i·tive** [`dʒenətɪv] *s gram.* dopełniacz

**ge·nius** [`dʒinɪəs] *s* (*pl* ~**es** [`dʒinɪəsɪz]) geniusz, człowiek genialny; (*tylko sing*) zdolność; talent; (*pl* **genii** [`dʒinɪaɪ]) duch, demon

**gen·o·cide** [`dʒenəsaɪd] *s* ludobójstwo

**gen·til·i·ty** [dʒen`tɪlətɪ] *s* szlacheckie urodzenie; dobre maniery; (*ironicznie*) „lepsze" towarzystwo

**gen·tle** [`dʒentl] *adj* delikatny, łagodny; szlachetny; szlachecki

**gen·tle·man** [`dʒentlmən] *s* (*pl* **gentlemen** [`dʒentlmən] dżentelmen; szlachcic; pan; mężczyzna

**gen·tle·wom·an** [`dʒentlwumən] *s* (*pl* **gentlewomen** [`dʒentlwɪmɪn]) dama, szlachcianka, kobieta z towarzystwa

**gen·try** [`dʒentrɪ] *s* szlachta, ziemiaństwo

**gen·u·ine** [`dʒenjuɪn] *adj* prawdziwy; oryginalny; autentyczny; szczery

**ge·nus** [`dʒinəs] *s* (*pl* **genera** [`dʒenərə]) (*zw. biol.*) rodzaj, klasa

**ge·od·e·sy** [dʒɪ`odəsɪ] *s* geodezja

**ge·o·graph·ic(al)** [ˌdʒɪə`græfɪk(l)] *adj* geograficzny

**ge·og·ra·phy** [dʒɪ`ogrəfɪ] *s* geografia

**ge·o·log·ic(al)** [ˌdʒɪə`lodʒɪk(l)] *adj* geologiczny

**ge·ol·o·gy** [dʒɪ`olədʒɪ] *s* geologia

**ge·o·met·ric(al)** [ˌdʒɪə`metrɪk(l)] *adj* geometryczny

**ge·om·e·try** [dʒɪ`omətrɪ] *s* geometria

**germ** [dʒɜm] *s* zarodek, zalążek; zarazek

**Ger·man** [`dʒɜmən] *adj* niemiecki; *s* Niemiec; język niemiecki

**ger·mi·nate** [`dʒɜmɪneɪt] *vi* kiełkować; *vt* powodować kiełkowanie

**ger·on·tol·og·y** [ˌdʒeron`tolədʒɪ] *s* gerontologia

**ges·tic·u·late** [dʒɪ`stɪkjuleɪt] *vt* gestykulować

**ges·ture** [`dʒestʃə(r)] *s* gest

***get** [get], **got**, **got** [got] *vt vi* dostać, otrzymać; nabyć, zdobyć, wziąć; przynieść, podać, dostarczyć; dostać się, dojść; stać się; wpływać, zmuszać, nakłaniać; **I cannot ~ him to do his work** nie mogę go zmusić do pracy; **he got the engine to move** puścił silnik w ruch; **I got my hair cut** dałem sobie ostrzyc włosy; **I got my work finished** skończyłem pracę; uporałem się ze swoją pracą; **he got his leg broken** złamał sobie nogę; **to ~ sth ready** przygotować coś; **I have got** *pot.* = **I have; have you got a watch?** czy masz zegarek?; **I have got to** = **I must; it has got to be done** to musi być zrobione; *z bezokolicznikiem*: **to ~ to know** dowiedzieć się; **to ~ to like** polubić; *z imiesłowem biernym*: **to ~ married** ożenić się, wyjść za mąż; **to ~ dressed** ubrać się; *z rzeczownikiem*: **to ~ rid** uwolnić się, pozbyć się (**of sth** czegoś); *z przymiotnikiem*: **to ~ old** zestarzeć się; **to ~ ready** przygotować (się); **it's ~ting late** robi się późno; *z przyimkami i przysłówkami*: **~ about** chodzić, poruszać się (z miejsca na miejsce); (*o wiadomościach; także* **~ abroad**) rozchodzić się; **~ across** przeprawić się (na drugą stronę); znaleźć zrozumienie ⟨oddźwięk⟩ (**to sb** u kogoś); **~ ahead** posuwać się naprzód, robić postępy; **~ along** posuwać (się), robić postępy; współżyć; dawać sobie radę; **~ away** usunąć (się), oddalić się, umknąć; **~ back** wracać; otrzymać z powrotem; **~ down** ściągać (na dół), opuszczać (się); schodzić; dobierać ⟨zabierać⟩ się (**to sth** do czegoś); **~ in** wejść, wjechać, dostać się (do wnętrza); wnieść, wprowadzić, wcisnąć; zbierać, zwozić (plony); **~ off**

schodzić, złazić; wysiadać; zdejmować; usuwać (się); wyruszyć; wysłać, wyprawić; wymknąć się; ~ **on** nakładać; posuwać (się) naprzód; mieć powodzenie; robić postępy; współżyć; **easy to ~ on with** łatwy w pożyciu; ~ **out** wydostać ⟨wydobyć⟩ (się); wyjść, wysiąść; wyprowadzić, wyciągnąć, wyrwać ⟨wykręcić⟩ (się); ~ **over** przenieść; pokonać, przemóc; ukończyć, załatwić (**sth** coś); przejść na drugą stronę; ~ **through** przedostać się; przeprowadzić; skończyć, uporać się (**with sth** z czymś); zdać (egzamin); połączyć się (telefonicznie); ~ **together** zebrać (się), zejść się; ~ **under** pokonać, opanować; ~ **up** podnieść (się), wstać; doprowadzić do porządku, urządzić; ubrać; dojść, dotrzeć; wystawić (sztukę w teatrze)

**gew·gaw** [ˋgju gɔ] *s* błyskotka

**gey·ser** [ˋgizə(r)] *s geol.* gejzer; piecyk gazowy (do grzania wody)

**ghast·ly** [ˋgɑstlɪ] *adj* straszny, upiorny; *adv* strasznie, upiornie

**gher·kin** [ˋgɜkɪn] *s* korniszon

**ghost** [gəust] *s* duch, cień, widmo

**gi·ant** [ˋdʒɑɪənt] *s* olbrzym; *adj attr* olbrzymi

**gib·bet** [ˋdʒɪbɪt] *s* szubienica; śmierć na szubienicy

**gibe** [dʒɑɪb] *vi* kpić (**at sb** z kogoś); *s* kpina

**gid·di·ness** [ˋgɪdɪnəs] *s* zawrót głowy; roztrzepanie; lekkomyślność

**gid·dy** [ˋgɪdɪ] *adj* zawrotny; oszołomiony; roztrzepany; lekkomyślny; **to feel ~** mieć zawrót głowy

**gift** [gɪft] *s* prezent, dar; uzdolnienie (**for sth** do czegoś)

**gift·ed** [ˋgɪftɪd] *adj* utalentowany

**gi·gan·tic** [dʒɑɪˋgæntɪk] *adj* olbrzymi

**gig·gle** [ˋgɪgl] *vi* chichotać; *s* chichot

**gild** 1. = **guild**

**gild** 2. [gɪld] *vt* złocić, pozłacać

**gilt** [gɪlt] *s* pozłota; *adj* pozłacany

**gin** [dʒɪn] *s* dżyn

**gin·ger** [ˋdʒɪndʒə(r)] *s* imbir

**gip·sy** [ˋdʒɪpsɪ] *s* Cygan

**gi·raffe** [dʒɪˋrɑf] *s* żyrafa

***gird** [gɜd], **~ed**, **~ed** [ˋgɜdɪd] *lub* **girt**, **girt** [gɜt] *s* opasać, otoczyć

**gir·dle** [ˋgɜdl] *s* pas; *vt* opasać

**girl** [gɜl] *s* dziewczynka, dziewczyna, *pot.* kobieta; **Girl Guide** harcerka

**girt** [gɜt] *zob.* **gird**; *s* obwód; *vt* mierzyć obwód

**gist** [dʒɪst] *s* istota rzeczy, sens

***give** [gɪv], **gave** [geɪv], **~n** [ˋgɪvn] *vt* dawać; oddawać, poświęcać; *vi* ustąpić, poddać się; rozpaść się; *z rzeczownikami*: **to ~ ground** cofać się, ustępować; **to ~ a guess** zgadywać; **to ~ a look** spojrzeć; **to ~ offence** obrazić; **to ~ pain** sprawiać ból; **to ~ rise** dać początek; **to ~ way** ustąpić; *z przysłówkami*: **~ away** wydawać, zdradzać; oddawać, rozdawać; **~ forth** wydawać, wydzielać; **~ in** wręczać, podawać; poddać się, ustępować, ulegać; **~ off** wydzielać, wydawać; **~ out** wydawać, rozdawać; ogłaszać, rozgłaszać; (*o zapasie*) wyczerpywać się; **~ over** przekazać, przesłać; zaprzestać, zaniechać; **~ up** opuścić; zaniechać; zrezygnować; oddać (się)

**giv·en** *zob.* **give**

**gla·cial** [ˋgleɪʃl] *adj* lodowy, lodowaty; *geol.* lodowcowy

**gla·cier** [ˋglæsɪə(r)] *s* lodowiec

**glad** [glæd] *adj* rad; radosny, wesoły; **I am ~ to see you** cieszę się, że cię widzę

**glad·den** [ˋglædn] *vt* radować, weselić

**glade** [gleɪd] *s* przesieka, polana

**gladi·olus** [ˏglædɪˋəuləs] *s bot.* gladiolus, mieczyk

**glam·our** [ˋglæmə(r)] *s* blask, urok, świetność

**glance** [glɑns] *vi* spoglądać (**at sth** na coś); *s* spojrzenie; **to take ⟨cast⟩ a ~** spojrzeć (**at sth** na coś)

**gland** [glænd] *s* gruczoł

**glare** [gleə(r)] *vi* błyszczeć, jasno świecić, razić; patrzeć (z blaskiem w oczach, ze złością); *s* blask; dzikie ⟨piorunujące⟩ spojrzenie; uporczywy wzrok

**glass** [glɑs] *s* szkło; szklanka; przedmiot ze szkła; *pl* **~es** okulary

**glass·ful** [`glɑsfl] *s* szklanka (pełna czegoś)

**glass·house** [`glɑshaus] *s* cieplarnia; szklarnia

**glass-works** [`glɑs wɜks] *s pl* huta szkła

**glaze** [gleɪz] *s* szkliwo; emalia; glazura; *vt vi* szklić (się); pokrywać (się) emalią ⟨glazurą⟩; glazurować; **~d frost** gołoledź

**gla·zier** [`gleɪzɪə(r)] *s* szklarz

**gleam** [glim] *vi* połyskiwać, migotać, błyszczeć; *s* błysk, promień, blask

**glean** [glin] *vt vi* zbierać (kłosy); *przen.* skrzętnie zbierać, starannie wybierać

**glee** [gli] *s* radość, wesołość

**glen** [glen] *s* dolina (górska)

**glib** [glɪb] *adj* gładki, (*o mowie*) płynny

**glide** [glaɪd] *vi* ślizgać się, sunąć; szybować; (*o czasie*) upływać; *s* ślizganie się; *lotn.* szybowanie, ślizg; *gram.* głoska przejściowa

**glid·er** [`glaɪdər()] *s lotn.* szybowiec

**glim·mer** [`glɪmə(r)] *vi* migotać; *s* migotanie, światełko

**glimpse** [glɪmps] *vi* ujrzeć w przelocie (at ⟨on⟩ sth coś); *s* przelotne spojrzenie; to catch a ~ ujrzeć w przelocie (of sth coś)

**glit·ter** [`glɪtə(r)] *vi* lśnić, błyszczeć, połyskiwać; *s* blask, połysk

**gloat** [gləut] *vi* napawać się, nasycać wzrok (over ⟨on⟩ sth widokiem czegoś)

**globe** [gləub] *s* glob; kula (ziemska); globus; klosz

**glob·al** [`gləubl] *adj* ogólny, globalny; ogólnoświatowy

**gloom** [glum] *s* mrok; *przen.* smutek, przygnębienie; *vt vi* zaciemniać (się); *przen.* posępnieć

**gloom·y** [`glumɪ] *adj* mroczny; *przen.* posępny

**glor·i·fy** [`glɔrɪfaɪ] *vt* sławić, gloryfikować

**glo·ri·ous** [`glɔrɪəs] *adj* sławny, chlubny; wspaniały

**glo·ry** [`glɔrɪ] *s* sława, chluba; wspaniałość; *vi* chlubić się (in sth czymś)

**gloss 1.** [glos] *s* połysk; blichtr; *vt* nadawać połysk; *przen.* upiększać

**gloss 2.** [glos] *s* glosa, objaśnienie

**glos·sa·ry** [`glosərɪ] *s* glosariusz

**gloss·y** [`glosɪ] *adj* lśniący, połyskujący; gładki

**glove** [glʌv] *s* rękawiczka

**glow** [gləu] *vi* płonąć, żarzyć się; promieniować; *s* żar; jasność; żarliwość

**glow-worm** [`gləuwɜm] *s* robaczek świętojański

**glue** [glu] *s* klej; *vt* kleić

**glum** [glʌm] *adj* ponury

**glut** [glʌt] *vt* nasycić, napełnić do syta; przesycić; *s* nasycenie, przesyt

**glu·ti·nous** [`glutɪnəs] *adj* kleisty

**glut·ton** [`glʌtn] *s* żarłok

**glut·ton·y** [`glʌtnɪ] *s* żarłoczność, obżarstwo

**gnash** [næʃ] *vt* zgrzytać

**gnat** [næt] *s* komar

**gnaw** [nɔ] *vt vi* gryźć, ogryzać; wgryzać się

**gnome** [nəum] *s* gnom

***go** [gəu], **went** [went], **gone** [gon], *3 pers sing praes* **goes** [gəuz] *vi* iść, pójść, chodzić, poruszać się, jechać; udać się; pójść sobie, przepaść, zniknąć; stać się, przeobrazić się; obchodzić się (without sth bez czegoś); **to let go** puścić; **to go to make** stanowić, składać się (sth na coś); *z przymiotnikami*: **to go bad** zepsuć się; **to go mad** zwariować; **to go red** poczerwienieć; **to go wrong**

spotkać się z niepowodzeniem, nie udać się; zepsuć się; *z przysłówkami i przyimkami*: **go about** krążyć, chodzić tu i tam; przystąpić, zabierać się (**sth** do czegoś); **go after** starać się, ubiegać się o coś; **go ahead** posuwać się naprzód; dalej coś robić; zaczynać; **go along** iść ⟨posuwać się⟩ naprzód; **go asunder** rozpaść się; **go back** wrócić; cofnąć (**on one's word** swoje słowo); **go down** schodzić; opadać; zmniejszać się; (*o słońcu*) zachodzić; **go in** wchodzić; zabierać się (**for sth** do czegoś); uprawiać, zajmować się (**for sth** czymś); zasiadać (**for an exam** do egzaminu); **go off** odejść; (*o broni*) wystrzelić; przeminąć; wypaść, (*o przedstawieniu, zawodach itp.*) udać się; **go on** posuwać się naprzód; kontynuować (**with sth** coś, **doing sth** robienie czegoś); trwać; dziać się; zachowywać się; **go out** wyjechać, wyjść; kończyć się; niknąć, gasnąć; **go over** przejść na drugą stronę; przejrzeć, zbadać, powtórzyć (**sth** coś); **go through** (*o uchwale itp.*) przejść; dobrnąć do końca (**with sth** czegoś); **go under** ulec; zginąć; zniknąć; zatonąć; **go up** podejść; wejść na górę; podnieść się; **to go up in flames** spłonąć; *s* ruch; werwa, życie; próba; posunięcie; **to have a go** spróbować (**at sth** czegoś)

**goad** [gəud] *vt* kłuć; dawać bodźca, popędzać, pobudzać; *s* bodziec

**goal** [gəul] *s* cel; *sport* gol, bramka

**goal-keep·er** [`gəulkipə(r)] *s sport* bramkarz

**goat** [gəut] *s* koza, kozioł

**go-be·tween** [`gəu bɪtwin] *s* pośrednik

**god** [god] *s* bóg, bóstwo; **God** Bóg

**god·daugh·ter** [`goddɔtə(r)] *s* chrześniaczka

**god·dess** [`godɪs] *s* bogini

**god·fath·er** [`godfaðə(r)] *s* ojciec chrzestny

**god·moth·er** [`godmʌðə(r)] *s* matka chrzestna

**god·send** [`godsend] *s* niespodzianka, „dar niebios"

**god·son** [`godsʌn] *s* chrześniak

**goes** *zob.* **go**

**gog·gle** [`gogl] *vi* wytrzeszczać oczy; *s pl* **~s** gogle

**gold** [gəuld] *s* złoto; *attr* złoty

**gold-dig·ger** [`gəulddɪgə(r)] *s* poszukiwacz złota

**gold·en** [`gəuldn] *adj* złoty; złocisty

**gold-field** [`gəuldfild] *s* pole złotodajne, złoże złota

**gold-mine** [`gəuldmaɪn] *s* kopalnia złota

**gold·smith** [`gəuldsmɪθ] *s* złotnik

**golf** [golf] *s* (*gra*) golf

**gone** *zob.* **go**

**good** [gud] *adj* dobry (*comp* **better** [`betə(r)] lepszy, *sup* **best** [best] najlepszy); (*o dzieciach*) grzeczny; (*o dokumencie*) ważny; spory; właściwy; **~ at sth** biegły w czymś, zdolny do czegoś; **to make ~** naprawić; wyrównać; wynagrodzić; (*przy powitaniu*) **~ morning, ~ afternoon** dzień dobry; **~ evening** dobry wieczór; **~ night** dobranoc; *s* dobro; *pl* **~s** dobra, własność; towary; **~s train** pociąg towarowy; **~s van** wóz dostawczy; **for ~** na dobre, na zawsze; **to be some ~** na coś się przydać; **to be no ~** nie przydać się na nic; **what's the ~ of it?** na co się to przyda?

**good-bye** [ˈgud`baɪ] *int* do widzenia!

**good-look·ing** [ˈgud`lukɪŋ] *adj* przystojny

**good·ly** [`gudlɪ] *adj* piękny; spory, niemały

**good-na·tured** [ˈgud`neɪtʃəd] *adj* dobroduszny

**good·ness** [`gudnəs] *s* dobroć; **~ gracious!, my ~!** *int* mój Boże!

**goods** *zob.* **good**

**good·will** ['gud'wɪl] *s* dobra wola; *handl.* majątek i reputacja firmy
**goose** [gus] *s* (*pl* geese [gis]) gęś
**goose·ber·ry** ['guzbrɪ] *s* agrest
**gore** [gɔ(r)] *vt* bóść
**gorge** [gɔdʒ] *s* czeluść, parów; † gardło; *vt vi pot.* żarłocznie jeść
**gor·geous** ['gɔdʒəs] *adj* wspaniały, okazały
**gos·pel** ['gospl] *s* ewangelia
**gos·sa·mer** ['gosəmə(r)] *s* babie lato, pajęczyna
**gos·sip** ['gosɪp] *s* plotka; plotkarstwo; plotkarz, plotkarka; *vi* plotkować
**got** *zob.* **get**
**Goth·ic** ['goθɪk] *adj* gotycki; gocki; *s* gotyk; pismo gotyckie; język gocki
**got·ten** ['gotn] *am. pp* od **get**
**gourd** [guəd] *s* tykwa
**gout** [gaut] *s* podagra
**gov·ern** ['gʌvn] *vt vi* rządzić, sprawować rządy, panować (*także* nad sobą ⟨uczuciami⟩)
**gov·ern·ment** ['gʌvṃənt] *s* rząd, władze; gubernia, prowincja
**gov·er·nor** ['gʌvṇə(r)] *s* gubernator; dyrektor naczelny; naczelnik; członek zarządu
**gown** [gaun] *s* suknia, toga
**grab** [græb] *vt* porywać, chwytać; grabić
**grace** [greɪs] *s* gracja, wdzięk; łaska, łaskawość; *vt* zdobić; zaszczycać
**grace·ful** ['greɪsfl] *adj* pełen wdzięku, powabny; łaskawy
**gra·cious** ['greɪʃəs] *adj* łaskawy; **good ~!** mój Boże!
**grade** [greɪd] *s* stopień; gatunek; ranga, szczebel służbowy; *am.* klasa (w szkole podstawowej)
**grad·u·al** ['grædʒuəl] *adj* stopniowy
**grad·u·ate** ['grædʒueɪt] *vt* stopniować; oznaczać stopniami, znaczyć według skali; nadawać stopień naukowy; *vi* stopniowo przechodzić (w coś); otrzymać stopień naukowy; *s* ['grædʒuət] absolwent wyższej uczelni ze stopniem naukowym
**grad·u·a·tion** ['grædʒu'eɪʃn] *s* stopniowanie; ukończenie studiów ze stopniem naukowym
**graft 1.** [graft] *vt* szczepić; *s bot.* szczep; *med.* przeszczep
**graft 2.** [graft] *s* wymuszenie, nieuczciwy zysk, łapówka; *vi* nieuczciwie zdobywać pieniądze (wymuszeniem, przekupstwem itp.)
**grain** [greɪn] *s* ziarno; *zbior.* zboże
**gram·mar** ['græmə(r)] *s* gramatyka
**gram·mar-school** ['græməskul] *s bryt.* szkoła średnia
**gramo·phone** ['græməfəun] *s* gramofon
**gran·a·ry** ['grænərɪ] *s* spichlerz
**grand** [grænd] *adj* wielki; wytworny, wspaniały; uroczysty; główny; **~ piano** fortepian
**grand·child** ['græntʃaɪld] *s* wnuk, wnuczka
**gran·deur** ['grændʒə(r)] *s* wielkość, majestatyczność
**grand·fath·er** ['grændfaðə(r)] *s* dziadek
**gran·di·ose** ['grændɪəus] *adj* wspaniały, majestatyczny
**grand·moth·er** ['grændmʌðə(r)] *s* babka
**gran·ite** ['grænɪt] *s* granit
**grant** [grant] *vt* użyczać; spełniać (prośbę); nadawać (własność); przyznawać (rację); *s* akt łaski; dar, darowizna; subwencja; **to take for ~ed** przyjąć za rzecz oczywistą, przesądzić
**gran·u·lar** ['grænjulə(r)] *adj* ziarnisty
**gran·u·late** ['grænjuleɪt] *vt vi* granulować (się), nadawać ⟨przybierać⟩ postać ziarnistą
**grape** [greɪp] *s* winogrono
**grape·fruit** ['greɪpfrut] *s* grejpfrut
**graph** [græf] *s* wykres
**graph·ic** ['græfɪk] *adj* graficzny
**graph·ite** ['græfaɪt] *s* grafit

**grap·ple** [ˋgræpl] *vt* zahaczyć; *vi* chwycić; zmagać się; *s* chwyt; walka wręcz, zmaganie

**grasp** [grɑsp] *vt* uchwycić, ścisnąć, mocno objąć; pojąć; zrozumieć; *vi* chwytać się (**at sth** czegoś); *s* chwyt, uścisk; władza; pojmowanie; zasięg (ręki)

**grasp·ing** [ˋgrɑspɪŋ] *adj* chciwy, zachłanny

**grass** [grɑs] *s* trawa; ~ **widow** słomiana wdowa; ~ **widower** słomiany wdowiec; (*w napisie*) **keep off the** ~ nie deptać trawników

**grass·hop·per** [ˋgrɑshopə(r)] *s* konik polny

**grass-snake** [ˋgrɑs sneɪk] *s zool.* zaskroniec

**grate 1.** [greɪt] *s* krata; ruszt, palenisko; *vt* zakratować

**grate 2.** [greɪt] *vt* skrobać, ucierać (na tarce); skrzypieć, zgrzytać

**grate·ful** [ˋgreɪtfl] *adj* wdzięczny; miły

**grat·i·fi·ca·tion** [ˈgrætɪfɪˋkeɪʃn] *s* wynagrodzenie; zadośćuczynienie; zadowolenie

**grat·i·fy** [ˋgrætɪfaɪ] *vt* wynagrodzić; zadośćuczynić; zadowolić

**grat·ing** [ˋgreɪtɪŋ] *ppraes i s* okratowanie

**gra·tis** [ˋgreɪtɪs] *adv* darmo, bezpłatnie

**grat·i·tude** [ˋgrætɪtjud] *s* wdzięczność

**gra·tu·i·tous** [grəˋtjuɪtəs] *adj* bezpłatny; dobrowolny; bezpodstawny

**gra·tu·i·ty** [grəˋtjuətɪ] *s* wynagrodzenie, napiwek

**grave 1.** [greɪv] *s* grób

**grave 2.** [greɪv] *adj* poważny; ważny

**grav·el** [ˋgrævl] *s* żwir

**grave·stone** [ˋgreɪvstəun] *s* płyta nagrobna; nagrobek

**grave·yard** [ˋgreɪvjɑd] *s* cmentarz

**grav·i·ta·tion** [ˈgrævɪˋteɪʃn] *s* ciążenie

**grav·i·ty** [ˋgrævətɪ] *s* waga, powaga; *fiz.* ciężkość, ciężar (gatunkowy); przyciąganie ziemskie; **specific** ~ ciężar właściwy; **centre of** ~ środek ciężkości

**gra·vy** [ˋgreɪvɪ] *s* sos od pieczeni

**gray** = **grey**

**graze 1.** [greɪz] *vt vi* paść (się)

**graze 2.** [greɪz] *vt* lekko dotknąć, musnąć; drasnąć

**grease** [gris] *s* tłuszcz; smar; *vt* tłuścić; smarować

**greas·y** [ˋgrisɪ] *adj* tłusty; zatłuszczony; brudny; wstrętny

**great** [greɪt] *adj* wielki, duży; *pot.* wspaniały; ~ **in** ⟨**on**⟩ **sth** zamiłowany w czymś; ~ **at sth** uzdolniony do czegoś

**greed** [grid] *s* chciwość, żądza (władzy)

**greed·y** [ˋgridɪ] *adj* chciwy; żarłoczny

**Greek** [grik] *adj* grecki; *s* Grek; język grecki

**green** [grin] *adj* zielony; niedojrzały; *przen.* niedoświadczony; *s* zieleń, łąka; *pl* ~**s** warzywa; *vt vi* zielenić się, pokrywać (się) zielenią

**green·horn** [ˋgrinhɔn] *s pot.* żółtodziób, nowicjusz

**green·house** [ˋgrinhɑus] *s* cieplarnia

**greet** [grit] *vt* witać, kłaniać się, pozdrawiać

**greet·ing** [ˋgritɪŋ] *ppraes i s* przywitanie, pozdrowienie

**gre·nade** [grɪˋneɪd] *s wojsk.* granat

**grew** *zob.* **grow**

**grey** [greɪ] *adj* szary, siwy; *s* szary kolor

**grey·hound** [ˋgreɪhaund] *s zool.* chart

**grid** [grɪd] *s* ruszt; krata; *elektr. geogr.* siatka; sieć wysokiego napięcia

**grief** [grif] *s* zmartwienie; żal; nieszczęście; **to come to** ~ spotkać się z nieszczęściem ⟨niepowodzeniem⟩, źle się skończyć

**griev·ance** [ˋgrivns] *s* skarga, powód do skargi, krzywda

**grieve** [griv] *vt vi* martwić (się), sprawiać ⟨odczuwać⟩ przykrość

**griev·ous** [ˋgrivəs] *adj* krzywdzący; bolesny, przykry

**grill** [grɪl] *s* krata, ruszt; mięso z rusztu; bufet; *vt vi* smażyć (się) na ruszcie

**grim** [grɪm] *adj* ponury; srogi, nieubłagany

**gri·mace** [grɪˋmeɪs] *s* grymas; *vi* robić grymasy

**grime** [graɪm] *s* brud; *vt* brudzić, brukać

**grim·y** [ˋgraɪmɪ] *adj* brudny

**grin** [grɪn] *vi* szczerzyć zęby, uśmiechać się (szeroko); *s* (szeroki) uśmiech, szczerzenie zębów

***grind** [graɪnd], **ground, ground** [graʊnd] *vt* mleć, ucierać, miażdżyć; ostrzyć; szlifować; toczyć; *vi* dać się zemleć; *pot.* wkuwać; harować

**grind·stone** [ˋgraɪndstəʊn] *s* kamień szlifierski

**grip** [grɪp] *vt* chwycić (dłonią), ująć; ścisnąć; opanować; działać (sb na kogoś); *s* chwyt; ujęcie; uścisk; *przen.* władza, szpony; opanowanie, oddziaływanie

**grit** [grɪt] *s* piasek, żwir; *przen.* stanowczość, wytrwałość

**griz·zled** [ˋgrɪzld] *adj* posiwiały

**griz·zly** [ˋgrɪzlɪ] *s zool.* grizzly

**groan** [grəʊn] *vi* jęczeć; *s* jęk

**groats** [grəʊts] *s pl* krupy, kasza

**gro·cer** [ˋgrəʊsə(r)] *s* właściciel sklepu spożywczego ⟨kolonialnego⟩

**gro·cer·y** [ˋgrəʊsrɪ] *s* sklep z towarami spożywczymi ⟨kolonialnymi⟩

**groom** [grum] *s* stajenny; szambelan; pan młody

**groove** [gruv] *s* rowek, bruzda; wpust; *przen.* szablon, rutyna; *vt* żłobić

**grope** [grəʊp] *vt vi* szukać ⟨iść⟩ po omacku

**gross** [grəʊs] *adj* gruby, duży; ordynarny; całkowity; *handl.* brutto; *s* gros (= 12 tuzinów); **in ⟨by⟩ the ~** hurtem, ogółem

**gro·tesque** [grəʊˋtesk] *adj* groteskowy; *s* groteska

**ground** 1. *zob.* **grind**

**ground** 2. [graʊnd] *s* podstawa, podłoże; grunt, ziemia; dno (morza); tło; teren, plac; **~ floor** parter; *vt* gruntować; opierać; uczyć (podstaw); *elektr.* uziemić

**group** [grup] *s* grupa; *vt vi* grupować (się)

**grove** [grəʊv] *s* gaj, lasek

**grov·el** [ˋgrovl] *vi* pełzać, płaszczyć się

***grow** [grəʊ], **grew** [gru], **grown** [grəʊn] *vi* rosnąć, wzrastać; stawać się; wzmagać się; *vt* hodować, sadzić; zapuszczać (np. brodę); **to ~ old** starzeć się; **it is ~ing dark** ściemnia się; **~ up** wyrastać, dorastać, dojrzewać

**growl** [graʊl] *vi* warczeć, mruczeć, burczeć; *s* warczenie, pomruk

**grown-up** [ˋgrəʊnʌp] *adj* dorosły; *s* dorosły człowiek

**growth** [grəʊθ] *s* rośnięcie; wzrost; rozwój; hodowla; porost; narośl

**grub** [grʌb] *vt vi* ryć, grzebać; karczować; *s* robak, czerw

**grudge** [grʌdʒ] *s* złość, niechęć, uraza; *vt* czuć urazę, zazdrościć; skąpić, żałować (**sb, sth** komuś czegoś); **to bear sb a ~** czuć urazę do kogoś

**gru·el** [ˋgrʊl] *s* kaszka, kleik

**grue·some** [ˋgrusəm] *adj* straszny, budzący zgrozę

**grum·ble** [ˋgrʌmbl] *vt vi* szemrać, gderać, narzekać (**at sb, sth** na kogoś, coś)

**grum·bler** [ˋgrʌmblə(r)] *s* gderacz, zrzęda

**grunt** [grʌnt] *vt vi* chrząkać; *s* chrząkanie

**guar·an·tee** [ˏgærənˋti] *s* poręczyciel; gwarancja; *vt* gwarantować, ręczyć

**guar·an·ty** [ˋgærəntɪ] *s prawn.* = guarantee

**guard** [gɑd] *s* straż, warta; baczność; stróż, wartownik, strażnik; ochrona, osłona; *bryt.* konduktor

(kolejowy); *pl* ~s gwardia; *vt* pilnować, osłaniać, ochraniać; *vi* strzec się; zabezpieczać się (**against sth** przed czymś)
**guard·i·an** [ˋgɑdɪən] *s* opiekun, stróż
**gue·ril·la** [gəˋrɪlə] *s* partyzantka; partyzant
**guess** [ges] *vt vi* zgadywać; przypuszczać, domyślać się, sądzić; *s* zgadywanie; przypuszczenie, domysł; **to give ⟨make⟩ a ~** zgadnąć; **at ~** na chybił trafił, na oko
**guest** [gest] *s* gość
**guid·ance** [ˋgɑɪdns] *s* kierownictwo; informacja
**guide** [gɑɪd] *s* kierownik; (*także o książce*) przewodnik; poradnik; doradca; *vt* kierować, prowadzić
**guild** [gɪld] *s* gildia, cech
**guile** [gɑɪl] *s* podstęp, oszustwo
**guile·less** [ˋgɑɪlləs] *adj* otwarty, szczery
**guil·lo·tine** [ˏgɪləˋtin] *s* gilotyna
**guilt·y** [ˋgɪltɪ] *adj* winny; **~ conscience** nieczyste sumienie
**guin·ea** [ˋgɪnɪ] *s* gwinea (= 21 szylingów)
**gui·tar** [gɪˋtɑ(r)] *s* gitara
**gulf** [gʌlf] *s* zatoka; otchłań; wir
**gull** [gʌl] *s* mewa
**gul·let** [ˋgʌlɪt] *s* przełyk; gardziel
**gul·li·ble** [ˋgʌləbl] *adj* naiwny, łatwowierny
**gul·ly** [ˋgʌlɪ] *s* ściek, kanał; żleb
**gulp** [gʌlp] *vt* chłeptać, łykać (*także* łzy); powstrzymywać (łzy); *s* łyk; **at one ~** jednym haustem
**gum 1.** [gʌm] *s* dziąsło
**gum 2.** [gʌm] *s* guma; klej roślinny; *vt* lepić, gumować
**gun** [gʌn] *s* działo; strzelba, karabin; rewolwer; strzelec
**gun·boat** [ˋgʌnbəut] *s wojsk.* kanonierka
**gun·ner** [ˋgʌnə(r)] *s* kanonier
**gun·pow·der** [ˋgʌnpaudə(r)] *s* proch strzelniczy
**gur·gle** [ˋgɜgl] *vi* bulgotać; *s* bulgotanie
**gush** [gʌʃ] *vi* wylewać, tryskać; *s* wylew, wytrysk
**gust** [gʌst] *s* poryw wiatru; gwałtowna ulewa; *przen.* wybuch uczucia
**gut** [gʌt] *pl* ~s wnętrzności, jelita; *pot.* odwaga, energia
**gut·ter** [ˋgʌtə(r)] *s* ściek, rynna
**gut·ter·snipe** [ˋgʌtəsnɑɪp] *s* dziecko ulicy
**gut·tur·al** [ˋgʌtərl] *adj* gardłowy (dźwięk)
**guy** [gɑɪ] *s* kukła, straszydło; *am. pot.* typ, facet
**gym·na·si·um** [dʒɪmˋneɪzɪəm] *s* sala gimnastyczna
**gym·nas·tic** [dʒɪmˋnæstɪk] *adj* gimnastyczny; *s pl* ~s gimnastyka
**gynae·colo·gist** [ˏgɑɪnɪˋkolədʒɪst] *s* ginekolog
**gyp·sy** [ˋdʒɪpsɪ] *s* = **gipsy**

# h

**hab·er·dash·er** [ˋhæbədæʃə(r)] *s* kupiec pasmanteryjny i galanteryjny
**hab·it** [ˋhæbɪt] *s* zwyczaj; nawyk, przyzwyczajenie; nałóg; budowa ciała; habit (zakonny); † (*zw.* **~ of mind**) usposobienie; **to be in the ~ of** mieć zwyczaj ⟨nałóg⟩; **to fall ⟨get⟩ into the ~ of** popaść w nawyk ⟨nałóg⟩; **to break off the ~** odzwyczaić się; *vt* odziewać

**hab·i·ta·tion** [ˌhæbɪˈteɪʃn] *s* mieszkanie, zamieszkiwanie; miejsce zamieszkania

**ha·bit·u·al** [həˈbɪtʃuəl] *adj* zwykły, zwyczajny; nałogowy; notoryczny

**hack** 1. [hæk] *s* oskard, kilof; cięcie; *vt* ciosać, rąbać, siekać

**hack** 2. [hæk] *s* koń wynajęty; szkapa; *przen. pot.* wyrobnik, murzyn; ~ **writer** pismak; *vt* wynajmować; banalizować; *vi* pracować jak wyrobnik

**hack·ney** [ˈhæknɪ] *s* koń wynajęty; dorożka; *vt* banalizować, pospolitować

**hack·neyed** [ˈhæknɪd] *pp i adj* oklepany, banalny, szablonowy

**had** *zob.* **have**

**hadn't** [hædnt] = **had not**; *zob.* **have**

**haem·or·rhage** [ˈhemərɪdʒ] *s* krwawienie, krwotok

**hag** [hæg] *s* wiedźma; jędza

**hag·gard** [ˈhægəd] *adj* wynędzniały, wychudzony; (*o wzroku*) nieprzytomny

**hail** 1. [heɪl] *s* grad; *vi* (*o gradzie*) padać

**hail** 2. [heɪl] *vt* witać; wołać; obwołać; *vi* pochodzić, przybywać (skądś); *s* powitanie

**hair** [heə] *s* włos; *zbior.* włosy

**hair·cut** [ˈheəkʌt] *s* strzyżenie

**hair·dress·er** [ˈheədresə(r)] *s* fryzjer

**hair·y** [ˈheərɪ] *adj* włochaty, owłosiony

**hale** [heɪl] *adj* (*zw.* ~ **and hearty**) (*o starszych ludziach*) czerstwy, krzepki

**half** [haf] *s* (*pl* **halves** [havz]) połowa; **one and a** ~ półtora; **to go halves** dzielić się (z kimś) na pół; *adj* pół; ~ **a mile** pół mili; *adv* na pół, po połowie

**half-back** [ˈhafbæk] *s sport.* obrońca, pomocnik

**half-broth·er** [ˈhafbrʌðə(r)] *s* przyrodni brat

**half-crown** [ˈhafkraun] *s* półkoronówka (= dwa i pół szylinga)

**half-heart·ed** [ˈhafhatɪd] *adj* niezdecydowany, bez zapału

**half·pen·ny** [ˈheɪpnɪ] *s* (*pl* **halfpence** [ˈheɪpəns]) pół pensa

**half-sis·ter** [ˈhafsɪstə(r)] *s* przyrodnia siostra

**half-time** [ˈhafˈtaɪm] *s* system pracy na pół dniówki; ~ **worker** półetatowy pracownik

**half-way** [ˈhafˈweɪ] *adv* w połowie drogi; *adj attr* znajdujący się w połowie drogi; *przen.* połowiczny

**hall** [hɔl] *s* hall; sala; hala; westybul; dwór, gmach

**hall·mark** [ˈhɔlmak] *s* stempel probierczy; *przen.* znamię

**hal·lo!** [həˈləu] *int* halo!; cześć!, czołem!

**hal·low** [ˈhæləu] *vt* święcić, poświęcać

**hal·lu·ci·na·tion** [həˌlusɪˈneɪʃn] *s* halucynacja

**ha·lo** [ˈheɪləu] *s* aureola; obwódka

**halt** [hɔlt] *vt vi* zatrzymać (się); wahać się; † chromać; *s* zatrzymanie się, postój

**hal·ter** [ˈhɔltə(r)] *s* stryczek; postronek

**halves** *zob.* **half**

**ham** [hæm] *s* szynka

**ham·burg·er** [ˈhæmbɜgə(r)] *s* mielony kotlet wołowy (*zw.* podawany w przekrojonej bułce)

**ham·let** [ˈhæmlət] *s* wioska

**ham·mer** [ˈhæmə(r)] *s* młot, młotek; *vt* bić młotem, kuć, wbijać; *przen.* zadać klęskę; *vi* walić ⟨tłuc⟩ (**at sth** w coś)

**ham·mock** [ˈhæmək] *s* hamak

**ham·per** [ˈhæmpə(r)] *vt* przeszkadzać, hamować, krępować

**hand** [hænd] *s* ręka, dłoń; pracownik; *pl* ~**s** siły robocze, obsługa; załoga; pismo; **legible** ~ czytelne pismo; **at** ~ pod ręką; blisko; wkrótce; **by** ~ ręcznie; **in** ~ w posiadaniu; w robocie; pod kontrolą; **on** ~ w ręku; w posiadaniu; **on all** ~**s** ze wszystkich stron; **on the one** ⟨**other**⟩ ~ z jednej ⟨drugiej⟩ strony; **out of**

~ z miejsca, bezzwłocznie; poza kontrolą; **to be a good ~ at sth** umieć coś dobrze zrobić; **to bear ⟨lend, give⟩ sb a ~** przyjść komuś z pomocą; **to get sth off one's ~s** pozbyć się czegoś; uwolnić się od czegoś; **to have a ~ in sth** maczać palce w czymś; **to live from ~ to mouth** żyć z dnia na dzień; **to shake ~s** ściskać dłoń (na powitanie); *vt* (*także* **~ in**) włączyć; **~ on** podać dalej; **~ out** wydać, wypłacić; **~ over** przekazać, dostarczyć

**hand-bag** [ˋhændbæg] *s* torebka damska

**hand·bill** [ˋhændbɪl] *s* ulotka

**hand·book** [ˋhændbʊk] *s* podręcznik; poradnik

**hand·cuff** [ˋhændkʌf] *s zw. pl* **~s** kajdany; *vt* zakuć w kajdany

**hand·ful** [ˋhændful] *s* garść (pełna czegoś); garstka (np. osób)

**hand·i·cap** [ˋhændɪkæp] *s* zawada, przeszkoda, obciążenie; *sport* handicap; *vt sport* dodatkowo obciążać (zawodnika), (obciążeniem) wyrównywać szanse (zawodników); przeszkadzać, utrudniać (**sb** komuś); upośledzać, stawiać w gorszym położeniu

**hand·i·craft** [ˋhændɪkrɑft] *s* rękodzieło; rzemiosło

**hand·i·work** [ˋhændɪwɜk] *s* robota ręczna

**hand·ker·chief** [ˋhæŋkətʃif] *s* chustka (*także* na szyję); chusteczka (do nosa)

**han·dle** [ˋhændl] *vt* trzymać w ręku, dotykać ręką ⟨palcami⟩ (**sth** czegoś); obracać, manipulować (**sth** czymś); kierować (**sth** czymś); mieć do czynienia, traktować, obchodzić się (**sb, sth** z kimś, czymś); załatwiać (np. **orders** zamówienia); handlować (**sth** czymś); *s* rączka, rękojeść, uchwyt, trzonek; klamka (u drzwi); ucho (garnka itp.)

**han·dle-bar** [ˋhændlbɑ(r)] *s* kierownica (roweru)

**hand-made** [ˈhændˋmeɪd] *adj* ręcznie zrobiony ⟨wykonany⟩

**hand·rail** [ˋhændreɪl] *s* poręcz

**hand·some** [ˋhænsəm] *adj* ładny, przystojny; hojny

**hand·work** [ˋhændwɜk] *s* praca ręczna ⟨fizyczna⟩

**hand·writ·ing** [ˋhændraɪtɪŋ] *s* charakter pisma, pismo

**hand·y** [ˋhændɪ] *adj* będący pod ręką; podręczny; zręczny, sprytny; wygodny, poręczny

***hang** [hæŋ], **hung, hung** [hʌŋ] (*gdy mowa o egzekucji, samobójstwie*: **hanged, hanged** [hæŋd]) *vt* wieszać, zwieszać; *vi* wisieć, zwisać; zależeć (**on sb, sth** od kogoś, czegoś); **~ about** ⟨*am. także* **around**⟩ trzymać się w pobliżu, wałęsać się, *pot.* obijać się; **~ back** wahać się, ociągać się; **~ on** uporczywie trzymać się, czepiać się (**to sth** czegoś); **~ out** zwisać na zewnątrz, wychylać się; wywieszać; **~ together** trzymać się razem; **~ up** powiesić, zawiesić; wstrzymać (np. plan)

**hang·er** [ˋhæŋə(r)] *s* wieszak, wieszadło

**hang·er-on** [ˈhæŋər ˋon] *s* (*pl* **~s-on**) pochlebca, pieczeniarz; intruz

**hang·ing** [ˋhæŋɪŋ] *s* (*zw. pl* **~s**) draperia, kotara

**hang·man** [ˋhæŋmən] *s* (*pl* **hangmen** [ˋhæŋmən]) kat

**hang·over** [ˋhæŋəuvə(r)] *s* przeżytek; *pot.* kac

**hank·er** [ˋhæŋkə(r)] *vi* pożądać ⟨pragnąć⟩ (**after ⟨for⟩ sth** czegoś); tęsknić (**after ⟨for⟩ sth, sb** za czymś, kimś, do czegoś, kogoś)

**hap·haz·ard** [hæpˋhæzəd] *s* czysty przypadek, los szczęścia; **at ⟨by⟩ ~** na chybił trafił; *adj* przypadkowy; *adv* przypadkowo, na ślepo

**hap·less** [ˋhæpləs] *adj* nieszczęśliwy, nieszczęsny

**hap·pen** [ˋhæpn] *vi* zdarzyć się, trafić się, stać się, dziać się; **~ to do sth** przypadkowo coś zrobić; natknąć się ⟨natrafić⟩ (**on ⟨upon⟩ sth** na coś)

**hap·pen·ing** [ˋhæpnɪŋ] *s* wydarzenie; przedstawienie, happening

**hap·pi·ness** [ˋhæpɪnəs] *s* szczęście

**hap·py** [ˋhæpɪ] *s* szczęśliwy; radosny; zadowolony; (*o pomyśle itp.*) trafny, udany

**ha·rangue** [həˋræŋ] *s* przemowa, tyrada, oracja; *vt vi* przemawiać (**sb** do kogoś), wygłaszać tyradę ⟨orację⟩

**har·ass** [ˋhærəs] *vt* niepokoić, dręczyć

**har·bin·ger** [ˋhabɪndʒə(r)] *s* zwiastun; *vt* zwiastować

**har·bour** [ˋhabə(r)] *s dosł. i przen.* przystań; port; schronienie; *vi* zawijać (do portu); chronić się; *vt* przygarnąć, dać przytułek; być siedliskiem (np. brudu); żywić (np. uczucie)

**hard** [had] *adj* twardy; surowy, srogi; ostry; trudny, ciężki; silny, mocny; **~ worker** człowiek ciężko pracujący; **~ and fast** bezwzględny, surowy; nienaruszalny; *adv* mocno, twardo; wytrwale, usilnie; ciężko, z trudem; intensywnie; nadmiernie ⟨bez umiaru⟩; **~ by** ⟨**upon**⟩ tuż (obok); **~ on** ⟨**after, behind**⟩ śladem, tuż za; **to be ~ up** być bez pieniędzy

**hard·en** [ˋhadn] *vt* hartować, wzmacniać; znieczulać; *techn.* utwardzać; *vi* twardnieć; hartować się; *pot.* (*o cenach*) stabilizować się, ustalać się

**har·di·hood** [ˋhadɪhud] *s* odwaga; zuchwalstwo, bezczelność

**hard·ly** [ˋhadlɪ] *adv* surowo, twardo; z trudem; ledwo; **I can ~ say** trudno mi powiedzieć; **~ anybody** mało kto; **~ ever** rzadko, prawie nigdy; **I ~ know** nie bardzo wiem

**hard·ness** [ˋhadnəs] *s* twardość; wytrzymałość, odporność; trudność; surowość, ostrość

**hard·ship** [ˋhadʃɪp] *s* męka, znój, trud; ciężkie doświadczenie; nędza, niedostatek

**hard·ware** [ˋhadweə(r)] *s zbior.* towary żelazne

**har·dy** [ˋhadɪ] *adj* śmiały; wytrzymały

**hare** [heə(r)] *s* zając

**hark** [hak] *vi* uważnie słuchać; *int.* słuchaj!, uwaga!

**har·le·quin** [ˋhaləkwɪn] *s* arlekin

**harm** [ham] *s* szkoda, krzywda; skaleczenie; **to do ~** zaszkodzić; *vt* szkodzić, krzywdzić; skaleczyć

**harm·ful** [ˋhamfl] *adj* szkodliwy

**har·mo·ni·ous** [haˋməunɪəs] *adj* harmonijny, zgodny; melodyjny

**har·mo·ny** [ˋhamənɪ] *s* (*także muz.*) harmonia, zgodność

**har·ness** [ˋhanɪs] *s* uprząż, zaprzęg; *vt* zaprzęgać

**harp** [hap] *s* harfa; *vi* grać na harfie; uporczywie powtarzać jedno i to samo (**on sth** na ten sam temat)

**har·poon** [ˈhaˋpun] *s* harpun; *vt* ugodzić harpunem

**har·row** [ˋhærəu] *s* brona; *vt* bronować; *przen.* dręczyć, ranić (uczucia)

**har·ry** [ˋhærɪ] *vt* pustoszyć, grabić; dręczyć

**harsh** [ˋhaʃ] *adj* szorstki; opryskliwy, nieuprzejmy; przykry (dla oka, ucha itp.); (*o opinii, klimacie itd.*) surowy

**har·vest** [ˋhavɪst] *s* żniwo; *dosł. i przen.* żniwo, plon; *vt* zbierać (zboże, plon)

**has** *zob.* **have**

**hash** [hæʃ] *vt* siekać (mięso); *s* siekane mięso; *przen. pot.* bigos, galimatias

**hasn't** [ˋhæznt] = **has not**; *zob.* **have**

**hasp** [hæsp] *s* skobel, zasuwka; klamra

**haste** [heɪst] *s* pośpiech; **to make ~** śpieszyć się

**has·ten** [ˋheɪsn] *vt* przyśpieszać; ponaglać; *vi* śpieszyć się

**hast·y** [ˋheɪstɪ] *adj* pośpieszny; porywczy; nie przemyślany, pochopny

**hat** [hæt] *s* kapelusz

**hatch 1.** [hætʃ] *s mors.* luk; klapa; właz

**hatch 2.** [hætʃ] *vt vi* wysiadywać (jaja), wylęgać (pisklęta); *vi* wylęgać się; *s* wylęganie; wyląg

**hatch·et** [`hætʃɪt] *s* toporek; *am.* **to bury the ~** pogodzić się

**hate** [heɪt] *vt* nienawidzić; nie znosić; *s* nienawiść

**hath** [hæθ] † = **has**

**ha·tred** [`heɪtrɪd] *s* nienawiść

**haugh·ty** [`hɔtɪ] *adj* wyniosły, pyszny

**haul** [hɔl] *vt vi* ciągnąć; wlec; *mors.* holować; przewozić; *s* ciągnienie; holowanie; połów; przewóz

**haunch** [hɔntʃ] *s* biodro

**haunt** [hɔnt] *vt* nawiedzać; (*o duchach*) straszyć; odwiedzać, bywać (**a place** w jakimś miejscu); (*o myślach*) prześladować; *s* miejsce częstych odwiedzin; kryjówka; spelunka

***have** [hæv, həv], **had, had** [hæd, həd], *3 pers sing praes* **has** [hæz] *vt* mieć; miewać, posiadać; otrzymać, nabyć; kazać ⟨dać⟩ (coś zrobić); spowodować (zrobienie czegoś); kazać (**sb** do **sth** komuś coś zrobić); twierdzić; życzyć sobie, chcieć; znosić, pozwalać na coś; *przed bezokolicznikiem z* **to**: musieć; **to ~ a good time** dobrze się bawić; **to ~ dinner** jeść obiad; **to ~ a bath** wykąpać się; **to ~ a drink** napić się; **to ~ a walk** przejść się; **do you ~ tea for breakfast?** czy pijasz herbatę na śniadanie?; **do you often ~ colds?** czy często się zaziębiasz?; **I must ~ my watch repaired** muszę dać zegarek do naprawy; **I had my watch stolen** ukradziono mi zegarek; **let me ~ it** daj mi to; **G. B. Shaw has it** G. B. Shaw twierdzi; **I ~ to go** muszę iść; **I would ~ you know** chciałem, żebyś wiedział; **I won't ~ such conduct** nie zniosę takiego zachowania; **~ on** mieć na sobie; mieć w planie; **~ out** dać sobie usunąć (np. zęby); **~ up** wprowadzić na górę; wezwać do sądu (na przesłuchanie)

**ha·ven** [`heɪvn] *s dosł.* i *przen.* przystań

**haven't** [`hævnt] = **have not**

**hav·oc** [`hævək] *s* spustoszenie; **to play ~** pustoszyć, szerzyć zniszczenie

**hawk 1.** [hɔk] *s* jastrząb

**hawk 2.** [hɔk] *vt* sprzedawać na ulicy (lub krążąc od domu do domu)

**hawk 3.** [hɔk] *vi* chrząkać

**hawk·er** [`hɔkə(r)] *s* sprzedawca uliczny; domokrążca

**haw·thorn** [`hɔθɔn] *s* głóg

**hay** [heɪ] *s* siano; **to make ~** kosić, grabić i suszyć siano; *przen.* robić bałagan; szerzyć zamieszanie (**of sth** w czymś)

**hay·cock** [`heɪkok] *s* kopa siana

**hay·stack** [`heɪstæk] *s* stóg siana

**haz·ard** [`hæzəd] *s* hazard, ryzyko, niebezpieczeństwo; traf; *vt* ryzykować, narażać (się) na niebezpieczeństwo

**haz·ard·ous** [`hæzədəs] *adj* hazardowy, ryzykowny, niebezpieczny

**haze** [heɪz] *s* lekka mgła, mgiełka; *przen.* niepewność

**ha·zel** [`heɪzl] *s bot.* leszczyna; *adj attr* leszczynowy; **~ nut** orzech laskowy

**ha·zy** [`heɪzɪ] *adj* zamglony, *dosł.* i *przen.* mglisty

**H-bomb** [`eɪtʃ bom] *s* bomba wodorowa

**he** [hi] *pron* on

**head** [hed] *s* głowa; główka (np. szpilki, sałaty itd.); łeb (zwierzęcia); szef, kierownik, naczelnik; nagłówek; rubryka, dział, punkt, dziedzina; *prawn.* paragraf; szczyt, góra, górna część; przód, czoło (listy, pochodu); **at the ~** na czele; **to bring to a ~** doprowadzić do rozstrzygającego ⟨kulminacyjnego⟩ momentu; **to keep one's ~** nie tracić głowy; **to**

make ~ against sth stawić czoło ⟨opór⟩ czemuś; *vt* prowadzić, przewodzić, stać ⟨być, iść⟩ na czele; *sport* (*w piłce nożnej*) uderzyć głową; nadawać kierunek; zatytułować (np. rozdział); stawiać czoło, sprzeciwiać się (sth czemuś); *vi* zdążać, brać kurs (for sth na coś), zmierzać (for sth ku czemuś)

**head·ache** [ˋhedeɪk] *s* ból głowy

**head·ing** [ˋhedɪŋ] *s* nagłówek; dział; rubryka; *mors.* kurs

**head·land** [ˋhedlənd] *s* przylądek, cypel

**head·light** [ˋhedlaɪt] *s* przednie światło ⟨reflektor⟩ (lokomotywy, samochodu itp.)

**head·line** [ˋhedlaɪn] *s.* nagłówek, tytuł (w gazecie); *pl* ~s *radio* wiadomości w skrócie

**head·long** [ˋhedlɒŋ] *adj* gwałtowny, nagły; nierozważny; *adv* nagle, na łeb na szyję, na oślep; (*upaść itd.*) głową naprzód

**head·man** [ˋhedmən] *s* (*pl* **headmen** [ˋhedmən]) przewodnik; przywódca, wódz

**head·mas·ter** [ˈhedˋmastə(r)] *s* dyrektor szkoły

**head·phones** [ˋhedfəunz] *s pl* słuchawki (do radia itp.)

**head·quar·ters** [ˈhedˋkwɔtəz] *s pl wojsk.* kwatera główna; dowództwo

**heads·man** [ˋhedzmən] *s* (*pl* **headsmen** [ˋhedzmən]) kat

**head·way** [ˋhedweɪ] *s* ruch naprzód, postęp

**head·y** [ˋhedɪ] *adj* gwałtowny; (*o trunku itp.*) oszałamiający

**heal** [hil] *vt vi* leczyć (się); goić (się); łagodzić

**health** [helθ] *s* zdrowie; ~ **insurance** ubezpieczenie na wypadek choroby; ~ **resort** uzdrowisko

**health·y** [ˋhelθɪ] *adj* zdrowy

**heap** [hip] *s* stos, kupa; *pot.* masa, mnóstwo; *vt* (*także* ~ **up**) ułożyć ⟨usypać⟩ stos ⟨kopiec⟩ (sth z czegoś); (*także* ~ **up**) gromadzić; ładować

***hear** [hɪə(r)], **heard, heard** [hɜd] *vt vi* słuchać, słyszeć; przesłuchać, przepytać; dowiedzieć się, otrzymać wiadomość

**hear·er** [ˋhɪərə(r)] *s* słuchacz

**hear·ing** [ˋhɪərɪŋ] *ppraes i s* słuch; posłuchanie; przesłuchanie; słyszenie (czegoś); **it was said in my** ~ powiedziano to w mojej obecności

**hear·say** [ˋhɪəseɪ] *s* wieść; pogłoska; **from** ~ ze słyszenia

**hearse** [hɜs] *s* karawan

**heart** [hat] *s* serce; *przen.* dusza; rdzeń; środek, sedno; *przen.* otucha, męstwo, odwaga; *pl* ~s kier (w kartach); ~ **to** ~ szczerze; **to have sth at** ~ mieć coś na sercu; **I cannot find it in my** ~ nie mogę się na to zdobyć, nie mam odwagi; **by** ~ na pamięć

**heart-break·ing** [ˋhatbreɪkɪŋ] *adj* rozdzierający serce

**heart-brok·en** [ˋhatbrəukn] *adj* ze złamanym sercem, zgnębiony

**heart·burn** [ˋhatbɜn] *s* zgaga

**heart·en** [ˋhatn] *vt* (*także* ~ **up**) dodać otuchy ⟨serca, odwagi⟩; *vi* (*także* ~ **up**) nabrać odwagi

**hearth** [haθ] *s* palenisko; kominek; *przen.* ognisko domowe

**heart·sick** [ˋhatsɪk] *adj* przygnębiony, przybity, strapiony

**heart·y** [ˋhatɪ] *adj* serdeczny, szczery (*o posiłku*) solidny; krzepki; (*o glebie*) żyzny

**heat** [hit] *s* gorąco, żar, upał; *fiz.* ciepło; *przen.* zapał; ogień; pasja; **at a** ~ naraz, za jednym zamachem; **trial ⟨preliminary⟩** ~**s** zawody eliminacyjne; *vt vi* grzać ⟨ogrzewać, rozgrzewać⟩ (się); palić ⟨rozpalić⟩ (się)

**heat·er** [ˋhitə(r)] *s* ogrzewacz, grzejnik, grzałka, piec, kaloryfer

**heath** [hiθ] *s* wrzosowisko

**hea·then** [ˋhiðn] *adj* pogański; *s* (*pl* **the** ~) poganin

**heath·er** [`heðə(r)] *s* wrzos
**heat·ing** [`hitɪŋ] *s* ogrzewanie
***heave** [hiv], **hove, hove** [həuv] *lub* **heaved, heaved** [hivd] *vt vi* podnosić (się), dźwigać (się); (*o falach itp.*) unosić (się) i opadać; wydać (**a groan** jęk); wydymać (się); *s* podniesienie ⟨dźwignięcie⟩ (się); nabrzmienie
**heav·en** [`hevn] *s* niebo, niebiosa; **for ~'s sake!** na miłość boską!; **good ~(s)!** wielkie nieba!
**heav·i·ness** [`hevɪnəs] *s* ciężkość; ociężałość
**heav·y** [`hevɪ] *adj* ciężki; ociężały; (*o ciosie itd.*) silny, mocny; (*o stracie itd.*) duży, wielki; (*o śnie*) głęboki; (*o posiłku*) obfity; (*o kobiecie*) ciężarna; (*o morzu*) wzburzony; (*o niebie*) zachmurzony; (*o deszczu*) rzęsisty; **to lie ⟨hang⟩ ~** ciążyć; (*o czasie*) dłużyć się
**heav·y-weight** [`hevɪweɪt] *s sport* waga ciężka; bokser ciężkiej wagi
**He·brew** [`hibru] *adj* hebrajski; *s* Izraelita; język hebrajski
**heck·le** [`hekl] *vt* dręczyć ⟨przerywać mówcy⟩ (pytaniami, okrzykami)
**hec·tic** [`hektɪk] *adj* gorączkowy, rozgorączkowany; niszczący
**he'd** [hid] = **he had; he would**
**hedge** [hedʒ] *s* żywopłot, ogrodzenie; *vt* ogradzać
**hedge·hog** [`hedʒhog] *s zool.* jeż
**heed** [hid] *vt* uważać ⟨baczyć⟩ (**sb, sth** na kogoś, coś); *s* uwaga; baczenie; **to take ~** zważać (**of sth** na coś)
**heed·ful** [`hidfl] *adj* baczny, uważny, dbały
**heed·less** [`hidləs] *adj* nieuważny, niedbały, nieostrożny
**heel** [hil] *s* pięta; obcas; **to take to one's ~s** uciec, *pot.* wziąć nogi za pas
**heel-tap** [`hiltæp] *s* flek
**he·ge·mo·ny** [hi`gemənɪ] *s* hegemonia
**heif·er** [`hefə(r)] *s* jałówka
**height** [haɪt] *s* wysokość; wzrost (człowieka); szczyt; pełnia, punkt kulminacyjny; wzniesienie (terenu)
**height·en** [`haɪtn] *vt vi* podwyższyć (się), podnieść (się), wzmóc, powiększyć
**hei·nous** [`heɪnəs] *adj* (*o zbrodni itp.*) potworny, ohydny
**heir** [eə(r)] *s* dziedzic, spadkobierca
**heir·ess** [`eəres] *s* dziedziczka
**heir·loom** [`eəlum] *s* coś dziedziczonego w rodzinie, scheda (klejnot, talent itp.)
**held** *zob.* **hold**
**hell** [hel] *s* piekło; *int* do diabła!
**he'll** [hil] = **he will, he shall**
**hel·lo** [he`ləu] *int* halo!
**helm** [helm] *s dosł. i przen.* ster
**hel·met** [`helmɪt] *s* hełm (żołnierza, policjanta itp.); kask
**helms·man** [`helmzmən] *s* (*pl* **helmsmen** [`helmzmən]) sternik
**help** [help] *s* pomoc; rada, ratunek; pomocnik; służący; **to be of ~** być pomocnym; **to be past ~** być w beznadziejnym stanie; **there is no ~ for it** na to nie ma rady; *vt* pomagać, wspierać, ratować; częstować (**to sth** czymś); wstrzymać się; zapobiec; dać radę; **~ yourself** poczęstuj się (**to sth** czymś); **I can't ~ laughing** nie mogę się powstrzymać od śmiechu; **I can't ~ it** nic na to nie poradzę
**help·ful** [`helpfl] *adj* pomocny, użyteczny
**help·less** [`helpləs] *adj* bez oparcia, bezradny
**help·mate** [`helpmeɪt] *s* towarzysz, partner; współmałżonek
**hem** [hem] *vt* rąbek, obwódka; *vt* obrębić, obszyć; **~ in** otoczyć, okrążyć
**hem·i·sphere** [`hemɪsfɪə(r)] *s* półkula
**hemp** [hemp] *s* konopie
**hem·stitch** [`hemstɪtʃ] *s* mereżka; *vt* mereżkować

**hen** [hen] *s* kura; samica (ptaków)
**hence** [hens] *adv* a więc; stąd, odtąd
**hence·forth** [ˈhensˋfɔθ], **hence·forward** [ˈhensˋfɔwəd] *adv* odtąd, na przyszłość
**hench·man** [ˋhentʃmən] *s* (*pl* **henchmen** [ˋhentʃmən]) stronnik, ślepo oddany zwolennik
**her** [hɜ(r), ɜ(r)] *pron* ją, jej; *pot.* ona
**her·ald** [ˋherld] *s* herold; zwiastun; *vt* zwiastować
**her·ald·ry** [ˋherldrɪ] *s* heraldyka
**herb** [hɜb] *s* zioło
**herd** [hɜd] *s* stado; motłoch; *vt vi* żyć w stadach, gromadzić (się)
**herds·man** [ˋhɜdzmən] *s* (*pl* **herdsmen** [ˋhɜdzmən]) pastuch, pasterz
**here** [hɪə(r)] *adv* tu, tutaj; oto; **from ~** stąd; **in ~** tu (wewnątrz); **near ~** niedaleko stąd, tuż obok; **up to ~** dotąd
**here·a·bout(s)** [ˈhɪərəˋbaut(s)] *adv* w pobliżu, gdzieś tutaj
**here·af·ter** [hɪərˋaftə(r)] *adv* następnie, w przyszłości; poniżej
**here·by** [hɪəˋbaɪ] *adv* przez to; przy tym; tym sposobem
**he·red·i·ta·ry** [hɪˋredɪtrɪ] *adj* dziedziczny
**he·red·i·ty** [hɪˋredətɪ] *s* dziedziczność
**here·in** [ˈhɪərˋɪn] *adv* w tym; tu (wewnątrz)
**here·of** [ˈhɪərˋov] *adv* tego, niniejszego (np. dokumentu)
**here's** [hɪəz] = **here is; here has**
**her·e·sy** [ˋherəsɪ] *s* herezja
**her·e·tic** [ˋherətɪk] *s* heretyk
**he·ret·i·cal** [hɪˋretɪkl] *adj* heretycki
**here·up·on** [ˈhɪərəˋpon] *adv* na to co do tego; następnie
**here·with** [ˈhɪəˋwɪð] *adv* niniejszym, z niniejszym
**her·i·table** [ˋherɪtəbl] *adj* dziedziczny
**her·i·tage** [ˋherɪtɪdʒ] *s* dziedzictwo, spadek
**her·met·ic** [hɜˋmetɪk] *adj* hermetyczny
**her·mit** [ˋhɜmɪt] *s* pustelnik
**he·ro** [ˋhɪərəu] *s* (*pl* **~es** [ˋhɪərəuz]) bohater
**he·ro·ic** [hɪˋrəuɪk] *adj* bohaterski, heroiczny
**her·o·ine** [ˋherəuɪn] *s* bohaterka
**her·o·ism** [ˋherəuɪzm] *s* bohaterstwo
**her·on** [ˋherən] *s zool.* czapla
**her·ring** [ˋherɪŋ] *s zool.* śledź
**hers** [hɜz] *pron* jej
**her·self** [hɜˋself] *pron* ona sama; (ona) sobie ⟨siebie, się⟩; **by ~** sama (jedna), samodzielnie
**he's** [hiz] = **he is; he has**
**hes·i·tant** [ˋhezɪtənt] *adj* niezdecydowany, niepewny
**hes·i·tate** [ˋhezɪteɪt] *vi* wahać się, być niezdecydowanym
**hes·i·ta·tion** [ˈhezɪˋteɪʃn] *s* wahanie, niezdecydowanie
***hew** [hju], **hewed** [hjud], **hewn** [hjun] *vt* rąbać, ciosać; wyrąbać sobie (np. ścieżkę)
**hew·er** [ˋhjuə(r)] *s* drwal; kamieniarz; rębacz
**hey·day** [ˋheɪdeɪ] *s* punkt szczytowy; pełny rozkwit
**hi·ber·nate** [ˋhaɪbəneɪt] *vi* zimować, znajdować się w śnie zimowym
**hic·cup, hic·cough** [ˋhɪkʌp] *s* czkawka; *vi* mieć czkawkę
**hid, hid·den** *zob.* **hide** 2.
**hide** 1. [haɪd] *s* (nie wyprawiona) skóra
***hide** 2. [haɪd], **hid** [hɪd], **hidden** [ˋhɪdn] *vt vi* ukrywać (się), chować (się)
**hide-and-seek** [ˈhaɪdəndˋsik] *s* zabawa w chowanego
**hid·e·ous** [ˋhɪdɪəs] *adj* wstrętny, ohydny, odrażający
**hi·er·arch·y** [ˋhaɪərakɪ] *s* hierarchia
**hi·er·o·glyph** [ˋhaɪərəglɪf] *s* hieroglif
**high** [haɪ] *adj* **wysoki; wybitny;**

skrajny, szczytowy; górny; główny; wzniosły; (*o głosie*) cienki; (*o opinii*) pochlebny; (*o wietrze*) silny; (*o barwach*) żywy; ~ **affairs** ważne sprawy; ~ **day** jasny dzień; ~ **hand** arbitralne postępowanie, wyniosłość; ~ **life** życie wyższych sfer, wytworny świat; ~ **seas** pełne morze; ~ **spirits** radosny nastrój; ~ **tide** przypływ; ~ **water** najwyższy stan wody; ~ **words** gwałtowne ⟨ostre⟩ słowa; **to run** ~ (*o cenach*) iść w górę; (*o morzu, uczuciach*) być wzburzonym

**high·brow** [ˋhaɪbrau] *s* (*zw.* pretensjonalny) intelektualista

**high·flown** [ˊhaɪˋfləun] *adj* górnolotny

**high-hand·ed** [ˊhaɪˋhændɪd] *adj* władczy, despotyczny, arbitralny

**High·land·er** [ˋhaɪləndə(r)] *s* góral szkocki

**high·ly** [ˋhaɪlɪ] *adv* wysoko; wysoce, w wysokim stopniu; wielce, w dużej mierze; wyniośle

**high·ness** [ˋhaɪnəs] *s* wysokość; **Your Highness** Wasza Wysokość

**high·road** [ˋhaɪrəud] *s* gościniec, szosa

**high·way** [ˋhaɪweɪ] *s* szosa, główny szlak

**high·way·man** [ˋhaɪweɪmən] *s* (*pl* **highwaymen** [ˋhaɪweɪmən]) rozbójnik

**hike** [haɪk] *vi* odbywać pieszą wycieczkę ⟨wędrówkę⟩; *s* piesza wycieczka, wędrówka

**hik·er** [ˋhaɪkə(r)] *s* turysta (pieszy)

**hi·la·ri·ous** [hɪˋleərɪəs] *adj* wesoły

**hi·lar·i·ty** [hɪˋlærətɪ] *s* wesołość

**hill** [hɪl] *s* wzgórze, pagórek

**hill-side** [ˋhɪlsaɪd] *s* stok, zbocze

**hill·y** [ˋhɪlɪ] *adj* pagórkowaty

**hilt** [hɪlt] *s* rękojeść

**him** [hɪm] *pron* jemu, mu, jego, go; *pot.* on

**him·self** [hɪmˋself] *pron* on sam, jego samego, (on) sobie ⟨siebie, się⟩; **by** ~ sam (jeden), samodzielnie

**hind 1.** [haɪnd] *s* łania

**hind 2.** [haɪnd] *adj* tylny

**hin·der** [ˋhɪndə(r)] *vt* przeszkadzać; powstrzymywać (**sb from doing sth** kogoś od zrobienia czegoś)

**hin·drance** [ˋhɪndrns] *s* przeszkoda

**hinge** [hɪndʒ] *s* zawias(a); *przen.* punkt zaczepienia, oś (problemu itp.); *vt* umocować na zawiasach; *vi* obracać się (**on sth** dookoła czegoś); *przen.* zależeć (**on sth** od czegoś)

**hint** [hɪnt] *s* aluzja, przytyk, docinek; napomknienie, wzmianka; *vt vi* napomknąć (**sth** ⟨**at sth**⟩ o czymś), zrobić aluzję (**at sth** do czegoś)

**hip** [hɪp] *s* biodro

**hire** [ˋhaɪə(r)] *s* najem; opłata za najem; *vt* najmować

**hire·ling** [ˋhaɪəlɪŋ] *s* najmita, najemnik

**his** [hɪz] *pron* jego

**hiss** [hɪs] *vi* syczeć; *vt* wygwizdać; *s* syk; wygwizdanie

**his·to·ri·an** [hɪˋstɔrɪən] *s* historyk

**his·tor·ic(al)** [hɪˋstorɪk(l)] *adj* historyczny

**his·to·ry** [ˋhɪstr̩ɪ] *s* historia, dzieje

**his·tri·on·ic** [ˊhɪstrɪˋonɪk] *adj* aktorski, teatralny; komediancki

***hit, hit, hit** [hɪt] *vt vi* uderzyć (się); trafić; ugodzić (**at sth** w coś); ~ **off** uchwycić (np. podobieństwo); *s* uderzenie; celny strzał; traf; aluzja, przytyk; trafna uwaga; sukces, udana próba

**hitch** [hɪtʃ] *vt* szarpnąć, przyciągnąć, podciągnąć; posunąć; przymocować, przyczepić; *vi* przyczepić ⟨zaczepić⟩ się; *s* nerwowy ruch; szarpnięcie; zaciśnięcie; zatrzymanie; zwłoka; przeszkoda; komplikacja

**hitch-hike** [ˋhɪtʃ haɪk] *s* podróż autostopem; *vi* podróżować autostopem

**hitch-hik·er** [ˋhɪtʃ haɪkə(r)] *s* autostopowicz

**hith·er** [ˋhɪðə(r)] *adv* tu, do tego miejsca, dotąd

**hith·er·to** ['hɪðə`tu] *adv* dotychczas, dotąd
**hive** [haɪv] *s* ul; *przen.* mrowisko (ludzkie); *vt* umieszczać (pszczoły) w ulu; *przen.* gromadzić; *vi* wchodzić do ula; *przen.* żyć w gromadzie
**hoar** [hɔ(r)] *adj* siwy
**hoard** [hɔd] *s* zapas; skarb; *vt* gromadzić ⟨zbierać⟩ (np. zapasy), ciułać, odkładać (pieniądze)
**hoard·ing** [`hɔdɪŋ] *s* płot, parkan; deski do naklejania afiszów
**hoar·frost** [`hɔfrost] *s* szron
**hoarse** [hɔs] *adj* ochrypły, chrapliwy
**hoar·y** [`hɔrɪ] *adj* oszroniony; siwy; sędziwy
**hoax** [həuks] *s* mistyfikacja, oszustwo, *pot.* kawał; *vt* mistyfikować, *pot.* nabierać
**hob·ble** [`hobl] *vi* kuleć, utykać; *vt* pętać (konia); *s* utykanie, kuśtykanie; pęta (dla konia)
**hob·by** [`hobɪ] *s* ulubione zajęcie, rozrywka, konik, pasja, hobby; † konik, kucyk
**hob·nail** [`hobneɪl] *s* ćwiek
**hob·nailed** [`hobneɪld] *adj* podbity ćwiekami
**hock·ey** [`hokɪ] *s* hokej; **field** ⟨**ice**⟩ ~ hokej na trawie ⟨na lodzie⟩
**hoe** [həu] *s* motyka; graca; *vt vi* kopać motyką; gracować
**hog** [hog] *s* wieprz, świnia
**hoist** [hɔɪst] *vt* (*także* ~ **up**) podnieść, podciągnąć w górę, wywiesić (flagę)
***hold 1.** [həuld], **held, held** [held] *vt vi* trzymać (się); zawierać, mieścić; utrzymywać (się); odbywać (np. zebranie); obchodzić (np. święto); twierdzić, uważać (**sb guilty** kogoś za winnego, **sth to be good** że coś jest dobre); obstawać (**to sth** przy czymś); powstrzymać, hamować; **to ~ good** ⟨**true**⟩ utrzymywać się w mocy; **to ~ one's ground** trzymać się mocno, nie ustępować; **to ~ one's own** stać na swoim, nie poddawać się; **to ~ true** być nadal ważnym; **to ~ one's tongue** milczeć; *z przysłówkami:* ~ **back** powstrzymywać (się); taić; ociągać się; ~ **in** hamować (się); ~ **off** trzymać (się) z dala, powstrzymywać (się); ~ **on** trzymać (się) mocno, trwać (**to sth** przy czymś); wytrzymywać; ~ **out** wyciągać; ofiarowywać, dawać; wytrzymywać; ~ **over** odkładać, odraczać; ~ **up** podtrzymywać; podnosić; zatrzymywać; hamować; wystawiać (np. **to derision** na pośmiewisko); *s* chwyt, uchwyt; trzymanie; wpływ (**over sb** na kogoś); **to catch** ⟨**get, lay**⟩ ~ pochwycić, opanować (**of sth** coś); **to keep ~** mocno trzymać (**of sth** coś); **to lose** ⟨**leave**⟩ **one's ~** stracić panowanie (**of sth** nad czymś)
**hold 2.** [həuld] *s* ładownia (statku)
**hold·er** [`həuldə(r)] *s* posiadacz; właściciel; dzierżawca; okaziciel; rączka (pióra), oprawka, obsadka; naczynie, zbiornik
**hold·ing** [`həuldɪŋ] *ppraes i s* władanie; posiadłość; dzierżawa; *handl.* portfel (papierów wartościowych)
**hold-up** [`həuldʌp] *s* zatrzymanie (ruchu); napad (rabunkowy)
**hole** [həul] *s* dziura, dół, otwór; nora, jama; *vt* dziurawić, wiercić, drążyć
**hol·i·day** [`holədɪ] *s* święto; dzień wolny od pracy; (*zw. pl* ~**s**) wakacje; urlop; ferie
**hol·low** [`holəu] *s* puste miejsce, dziura, wydrążenie, jama; kotlina, dolina; *adj* pusty, wydrążony, wklęsły; (*o policzkach, oczach*) zapadnięty; (*o zębie*) dziurawy; *przen.* czczy; nieszczery, fałszywy; (*o dźwięku*) głuchy; *vt* wydrążyć, wyżłobić; *adv pot.* całkowicie
**holm** [həum] *s* ostrów, kępa
**hol·ster** [`həulstə(r)] *s* kabura, olstro

**ho·ly** [ˋhəulɪ] *adj* święty, poświęcony; ~ **orders** święcenia

**hom·age** [ˋhomɪdʒ] *s* hołd; **to pay** ~ składać hołd

**home** [həum] *s* dom (rodzinny), ognisko domowe; mieszkanie; przytułek; kraj (rodzinny), ojczyzna; **at** ~ w domu; w kraju; **to make oneself** ~ rozgościć się, nie krępować się; *adj* domowy, rodzinny; miejscowy; wewnętrzny, krajowy; **Home Office** ministerstwo spraw wewnętrznych; **Home Secretary** minister spraw wewnętrznych; **Home Rule** autonomia; *adv* do domu; do kraju; w domu, w kraju; **to bring** ~ unaocznić, wyjaśnić

**home·less** [ˋhəumləs] *adj* bezdomny

**home·ly** [ˋhəumlɪ] *adj* przytulny, swojski; prosty, pospolity; (np. *o rysach twarzy*) nieładny

**home-made** [ˈhəumˋmeɪd] *adj* domowego ⟨krajowego⟩ wyrobu

**home·sick** [ˋhəumsɪk] *adj* cierpiący na nostalgię

**home·spun** [ˋhəumspʌn] *adj* przędzony ⟨tkany⟩ ręcznie (w domu); prosty, domowy; *s* samodział

**home·stead** [ˋhəumsted] *s* zabudowania gospodarskie; gospodarstwo rolne

**home·ward(s)** [ˋhəumwəd(z)] *adv* ku domowi

**home·work** [ˋhəumwɜk] *s* praca domowa (*zw.* szkolna)

**hom·i·cide** [ˋhomɪsaɪd] *s* zabójca; zabójstwo

**ho·mo·ge·ne·ous** [ˈhəuməˋdʒinɪəs] *adj* jednorodny, homogeniczny

**hom·o·nym** [ˋhomənɪm] *s* homonim

**ho·mun·cule** [hoˋmʌŋkjul], **ho·mun·cu·lus** [hoˋmʌŋkjuləs] *s* człowieczek, karzeł

**hon·est** [ˋonɪst] *adj* uczciwy, prawy; szczery; porządny

**hon·es·ty** [ˋonɪstɪ] *s* uczciwość, prawość; szczerość

**hon·ey** [ˋhʌnɪ] *s* miód; (*mówiąc do kogoś*) kochanie

**hon·our** [ˋonə(r)] *s* honor, cześć; zaszczyt, odznaczenie; **to pass the exam with** ~**s** zdać egzamin z odznaczeniem; **in** ~ **of** na cześć; *vt* honorować; czcić; zaszczycać

**hon·our·a·ble** [ˋonrbl] *adj* szanowny, czcigodny; honorowy, zaszczytny; prawy

**hood** [hud] *s* kaptur; nakrycie, osłona, daszek

**hood·wink** [ˋhudwɪŋk] *vt* zawiązać oczy; *przen.* zmylić

**hoof** [huf] *s* (*pl* ~**s** [hufs] *lub* **hooves** [huvz]) kopyto; **cattle on the** ~ żywiec

**hook** [huk] *s* hak; haczyk; sierp; ostry zakręt; *geogr.* cypel; ~ **and eye** konik i haftka; *vt vi* zahaczyć (się), zaczepić (się); zagiąć (się); złapać (męża), złowić (rybę)

**hoop** [hup] *s* obręcz; *vt* otoczyć ⟨ścisnąć⟩ obręczą

**hoop·ing-cough** [ˋhupɪŋkof] *s* koklusz

**hoot** [hut] *vi* huczeć, hukać (**at sb** na kogoś); (*o syrenie*) wyć; (*o klaksonie*) trąbić; wygwizdać (**at sb** kogoś); *vt* wygwizdać (**an actor** aktora); ~ **down** zagłuszyć gwizdaniem

**hoot·er** [ˋhutə(r)] *s* syrena; klakson; gwizdek

**hooves** *zob.* **hoof**

**hop 1.** [hop] *s* skok; *pot.* potańcówka; *vi* skakać, podskakiwać

**hop 2.** [hop] *s* (*także pl* ~**s**) chmiel; *vt vi* zbierać chmiel

**hope** [həup] *s* nadzieja; *vi* mieć ⟨żywić⟩ nadzieję; spodziewać się (**for sth** czegoś)

**hope·ful** [ˋhəupfl] *adj* pełen nadziei, ufny; obiecujący

**hope·less** [ˋhəupləs] *adj* beznadziejny; zrozpaczony

**horde** [hɔd] *s* horda

**ho·ri·zon** [həˋraɪzn] *s* horyzont, widnokrąg

**hor·i·zon·tal** [ˈhorɪˋzontl] *adj* horyzontalny, poziomy

**horn** [hɔn] *s* róg, rożek; klakson

**horn·y** [ˋhɔnɪ] *adj* rogowy; rogowaty

**hor·ri·ble** [ˋhorəbl] *adj* straszny, okropny

**hor·rid** [ˋhorɪd] *adj* straszny, odrażający; *pot.* niemiły

**hor·ri·fy** [ˋhorəfaɪ] *vt* przerażać

**hor·ror** [ˋhorə(r)] *s* odraza; przerażenie; okropność

**horse** [hɔs] *s* koń; *zbior.* konnica, jazda

**horse·back** [ˋhɔsbæk] *s* grzbiet koński; **on ~** konno

**horse-pow·er** [ˋhɔspauə(r)] *s techn.* koń parowy (miara mocy)

**horse-race** [ˋhɔsreis], **horse-rac·ing** [ˋhɔsreɪsɪŋ] *s* wyścigi konne

**horse-rad·ish** [ˋhɔsrædɪʃ] *s* chrzan

**horse·shoe** [ˋhɔʃʃu] *s* podkowa

**hor·ti·cul·ture** [ˋhɔtɪkʌltʃə(r)] *s* ogrodnictwo

**hose** [həuz] *s* wąż (gumowy, do polewania itp.); *zbior.* wyroby pończosznicze; pończochy; trykoty; *vt* polewać z węża

**ho·sier** [ˋhəuzɪə(r)] *s* handlarz wyrobami trykotarskimi, pończosznik

**ho·sier·y** [ˋhəuzɪərɪ] *s zbior.* artykuły ⟨wyroby⟩ trykotarskie, trykotaże; pończochy i skarpetki

**hos·pice** [ˋhospɪs] *s* schronisko; przytułek

**hos·pi·ta·ble** [həˋspɪtəbl] *adj* gościnny

**hos·pi·tal** [ˋhospɪtl] *s* szpital

**hos·pi·tal·i·ty** [ˈhospɪˋtælətɪ] *s* gościnność

**host 1.** [həust] *s* orszak, zastęp; masa, mnóstwo; tłum (np. przyjaciół)

**host 2.** [həust] *s* gospodarz, pan domu; właściciel gospody

**hos·tage** [ˋhostɪdʒ] *s* zakładnik

**hos·tel** [ˋhostl] *s* dom akademicki, bursa; dom noclegowy

**host·ess** [ˋhəustɪs] *s* gospodyni, pani domu

**hos·tile** [ˋhostaɪl] *adj* wrogi (**to sb, sth** komuś, czemuś)

**hos·til·i·ty** [hoˋstɪlətɪ] *s* wrogość; *pl* **hostilities** działania ⟨kroki⟩ wojenne

**hot** [hot] *adj* gorący, palący; świeżo upieczony; (*także o tropie*) świeży; (*także o anegdocie*) pieprzny; namiętny, pobudliwy; (*także o sporze*) zawzięty; **a ~ temper** gwałtowne usposobienie; **to get ~ over sth** roznamiętnić się czymś

**hot·bed** [ˋhotbed] *s* inspekty

**hotch·potch** [ˋhotʃpotʃ] *s* mieszanina; *przen.* bigos, groch z kapustą

**ho·tel** [həuˋtel] *s* hotel

**hot·house** [ˋhothaus] *s* cieplarnia, oranżeria

**hound** [haund] *s* pies myśliwski; *vt* szczuć (psami), ścigać, tropić

**hour** [auə(r)] *s* godzina; **office ~s** godziny urzędowe; **small ~s** wczesne godziny po północy; **after ~s** czas po godzinach urzędowania; **at the eleventh ~** w ostatniej chwili

**hour·ly** [ˋauəlɪ] *adj* godzinny, cogodzinny; ciągły; *adv* co godzina; ciągle

**house** [haus] *s* dom; gospodarstwo (domowe); izba (w parlamencie); dom handlowy, firma, zakład; dynastia; teatr, widownia; **to keep ~** prowadzić dom ⟨gospodarstwo⟩; *vt* [hauz] przyjąć do domu, gościć, umieścić pod dachem; dać mieszkanie; zaopatrzyć w mieszkania (**people** ludzi); magazynować, przechowywać (**sth** coś)

**house-break·er** [ˋhausbreɪkə(r)] *s* włamywacz; robotnik zatrudniony przy rozbiórce starych domów

**house·hold** ˋ[haushəuld] *s zbior.* domownicy; gospodarstwo domowe; **~ goods** artykuły gospodarstwa domowego

**house·keep·er** [ˋhauskipə(r)] *s* pani domu; gospodyni (służąca); kierownik działu gospodarczego

**house·maid** [ˋhausmeɪd] *s* pomocnica domowa, pokojówka

**house·wife** [ˈhauswaɪf] *s* gospodyni
**hove** *zob.* **heave** *v*
**hov·el** [ˈhovl] *s* rudera; buda, szopa
**hov·er** [ˈhovə(r)] *vi* unosić się ⟨wisieć⟩ w powietrzu; krążyć, kręcić się (**about sb, sth** dokoła kogoś, czegoś); *przen.* wahać się
**how** [hau] *adv* jak, w jaki sposób; **~ much** ⟨**many**⟩ ile; *przed przymiotnikiem:* jaki; **~ nice he is!** jaki(ż) on miły!
**how·ev·er** [hauˈevə(r)] *adv* jakkolwiek, jakimkolwiek sposobem; jednakowoż, jednak, tym niemniej; natomiast; *conj* chociaż, choćby, żeby
**howl** [haul] *vi* wyć; *s* wycie, ryk
**hub** [hʌb] *s* piasta (u koła); *przen.* centrum, ośrodek
**huck·ster** [ˈhʌkstə(r)] *s* kramarz; *vi* kupczyć, targować się
**hud·dle** [ˈhʌdl] *vt vi* nagromadzić, zwalić na kupę; **~ together** stłoczyć (się); **~ up** zwinąć (się) w kłębek; *s* kupa, tłum; natłok
**hue 1.** [hju] *s* zabarwienie, odcień
**hue 2.** [hju] *s w zwrocie:* **~ and cry** krzykliwa pogoń za ściganym człowiekiem ⟨zwierzęciem⟩; *przen.* larum
**hug** [hʌg] *vt* tulić, ściskać, obejmować; trzymać się blisko (**sth** czegoś); *s* objęcie, uścisk
**huge** [hjudʒ] *adj* olbrzymi, ogromny
**hull 1.** [hʌl] *s* kadłub, zrąb
**hull 2.** [hʌl] *s* łuska, łupina, strąk; *vt* łuszczyć, łuskać
**hum** [hʌm] *vt vi* brzęczeć, buczeć, warkotać; mruczeć; *s* brzęczenie, warkot, pomruk
**hu·man** [ˈhjumən] *adj* ludzki; **~ being** człowiek; *s* istota ludzka
**hu·mane** [hjuˈmeɪn] *adj* humanitarny, ludzki; humanistyczny
**hu·man·ism** [ˈhjumənɪzm] *s* humanizm
**hu·man·i·tar·i·an** [hjuˈmænɪˈteərɪən] *adj* humanitarny, filantropijny; *s* filantrop
**hu·man·i·ty** [hjuˈmænətɪ] *s* ludzkość; humanitarność; *pl* **humanities** humanistyka
**hum·ble** [hʌmbl] *adj* pokorny; skromny; niskiego stanu; *vt* upokarzać, poniżać
**hum·bug** [ˈhʌmbʌg] *s* oszustwo, blaga; oszust, blagier; brednie; *vt vi* blagować, oszukiwać
**hum·drum** [ˈhʌmdrʌm] *adj* jednostajny, banalny, nudny; *s* jednostajność, banalność; nudziarz, nieciekawy człowiek
**hu·mid** [ˈhjumɪd] *adj* wilgotny
**hu·mid·i·ty** [hjuˈmɪdətɪ] *s* wilgoć, wilgotność
**hu·mil·i·ate** [hjuˈmɪlɪeɪt] *vt* upokarzać, poniżać
**hu·mil·i·ty** [hjuˈmɪlətɪ] *s* pokora
**hu·mor·ist** [ˈhjumərɪst] *s* humorysta
**hu·mor·ous** [ˈhjumərəs] *adj* humorystyczny, zabawny, śmieszny
**hu·mour** [ˈhjumə(r)] *s* humor; nastrój; **out of ~** w złym nastroju ⟨humorze⟩; *vt* dogadzać, pobłażać, folgować
**hump** [hʌmp] *s* garb; *pot.* chandra; *vt* zgarbić; wygiąć (w łuk); *vr* **~ oneself** zgarbić się; wygiąć się w łuk
**hump·back** [ˈhʌmpbæk] *s* garb; garbus
**hunch** [hʌntʃ] *s* garb; pajda (chleba itp.)
**hun·dred** [ˈhʌndrəd] *num* sto; *s* setka
**hun·dredth** [ˈhʌndrədθ] *adj* setny; *s* jedna setna
**hun·dred·weight** [ˈhʌndrədweɪt] *s* cetnar
**hung** *zob.* **hang**
**Hun·ga·ri·an** [hʌŋˈgeərɪən] *adj* węgierski; *s* Węgier; język węgierski
**hun·ger** [ˈhʌŋgə(r)] *s* głód (**for sth** czegoś); *vi* głodować; pożądać (**after** ⟨**for**⟩ **sth** czegoś)
**hun·gry** [ˈhʌŋgrɪ] *adj* głodny, wygłodzony; **to be ~ for sth** pragnąć ⟨pożądać⟩ czegoś

**hunt** [hʌnt] *vt vi* polować (animals na zwierzynę); ścigać (sb ⟨for sb⟩ kogoś); poszukiwać (after ⟨for⟩ sb, sth kogoś, czegoś); **~ down** dopaść, pojmać (sb kogoś); **~ out** wygnać; wyszukać; *s* polowanie; pościg; poszukiwanie

**hunt·er** [ˋhʌntə(r)] *s* myśliwy

**hunt·ing** [ˋhʌntɪŋ] *s* polowanie, pościg; *attr* myśliwski

**hur·dle** [ˋhɜdl] *s* płot, płotek; *sport pl* **~s** (*także* **~-race**) bieg przez płotki

**hurl** [hɜl] *vt* miotać; ciskać; *s* rzut

**hur·ri·cane** [ˋhʌrɪkən] *s* huragan

**hur·ried** [ˋhʌrɪd] *pp i adj* pośpieszny

**hur·ry** [ˋhʌrɪ] *s* pośpiech; *vt vi* przyspieszać, ponaglić; (*także* **~ up**) spieszyć się

***hurt** [hɜt], **hurt, hurt** [hɜt] *vt vi* skaleczyć, zranić; zaszkodzić, uszkodzić; urazić, dotknąć; boleć; *s* skaleczenie, rana; ból; uszkodzenie, krzywda, szkoda, uraz (psychiczny)

**hus·band** [ˋhʌzbənd] *s* mąż, małżonek; *vt* oszczędnie gospodarować (sth czymś)

**hus·band·ry** [ˋhʌzbəndrɪ] *s* gospodarka; uprawa roli

**hush** [hʌʃ] *vt vi* uciszyć; ucichnąć; **~ up** zataić, zatuszować; *s* cisza; *int* cicho! sza!

**husk** [hʌsk] *s* łuska, łupina; *vt* łuszczyć, łuskać

**husk·y** [ˋhʌskɪ] *adj* pokryty łupiną; łuskowaty; krzepki, czerstwy; (*o głosie*) ochrypły

**hus·tle** [ˋhʌsl] *s* rwetes, krzątanina, bieganina, popychanie (się); *vt vi* tłoczyć (się), popychać (się), szturchać

**hut** [hʌt] *s* chata, szałas

**hy·a·cinth** [ˋhaɪəsɪnθ] *s* hiacynt

**hy·ae·na** [haɪˋinə] *s* hiena

**hy·brid** [ˋhaɪbrɪd] *s* hybryda, hybryd, krzyżówka

**hy·drau·lic** [haɪˋdrɔlɪk] *adj* hydrauliczny

**hy·dro·gen** [ˋhaɪdrədʒən] *s chem.* wodór; **~ bomb** bomba wodorowa

**hy·dro·plane** [ˋhaɪdrəpleɪn] *s lotn.* wodnopłatowiec

**hy·e·na** = hyaena

**hy·giene** [ˋhaɪdʒin] *s* higiena

**hy·gi·en·ic** [ˈhaɪˋdʒinɪk] *adj* higieniczny

**hymn** [hɪm] *s* hymn

**hy·per·bo·le** [haɪˋpɜbəlɪ] *s* hiperbola, przesadnia

**hy·phen** [ˋhaɪfn] *s gram.* łącznik

**hyp·no·sis** [hɪpˋnəʊsɪs] *s* hipnoza

**hyp·not·ic** [hɪpˋnotɪk] *adj* hipnotyczny

**hyp·no·tize** [ˋhɪpnətaɪz] *vt* hipnotyzować

**hy·poc·ri·sy** [hɪˋpokrəsɪ] *s* hipokryzja, obłuda

**hyp·o·crite** [ˋhɪpəkrɪt] *s* hipokryta

**hy·po·der·mic** [ˈhaɪpəˋdɜmɪk] *adj* podskórny

**hy·poth·e·sis** [ˈhaɪˋpoθəsɪs] *s* (*pl* **hypotheses** [ˈhaɪˋpoθəsiz]) hipoteza

**hys·te·ri·a** [hɪˋstɪərɪə] *s* histeria

**hys·ter·ical** [hɪˋsterɪkl] *adj* histeryczny

**hys·ter·ics** [hɪˋsterɪks] *s* napad histerii

# I

**I** [aɪ] *pron* ja

**ice** [aɪs] *s* lód; = **ice-cream**

**ice·berg** [ˋaɪsbɜg] *s* góra lodowa

**ice·bound** [ˋaɪsbaund] *adj* skuty lodem; uwięziony w lodach

**ice-break·er** [ˋaɪsbreɪkə(r)] *s* łamacz lodów, lodołamacz

**ice-cream** [aɪsˋkrim] *s* lody

**i·ci·cle** [ˋaɪsɪkl] *s* sopel

**icon** [ˋaɪkon] *s* ikona

**i·cy** [ˋaɪsɪ] *adj* lodowaty

**I'd** [aɪd] = **I had; I should; I would**

**i·de·a** [aɪˋdɪə] *s* idea; pojęcie, myśl, pomysł; **I don't get the ~** nie rozumiem; **I have the ⟨an⟩ ~ that ...** mam wrażenie ⟨wydaje mi się⟩, że ...

**i·de·al** [aɪˋdɪəl] *adj* idealny; *s* ideał

**i·de·al·ism** [aɪˋdɪəlɪzəm] *s* idealizm

**i·de·al·ize** [aɪˋdɪəlaɪz] *vt* idealizować

**i·den·ti·c(al)** [aɪˋdentɪk(l)] *adj* identyczny

**i·den·ti·fy** [aɪˋdentɪfaɪ] *vt* utożsamiać, identyfikować; rozpoznać

**i·den·ti·ty** [aɪˋdentətɪ] *s* identyczność, tożsamość; **~ card** dowód osobisty, legitymacja

**i·de·o·log·i·cal** [ˌaɪdɪəˋlodʒɪkl] *adj* ideologiczny

**i·de·ol·o·gy** [ˌaɪdɪˋolədʒɪ] *s* ideologia

**id·i·o·cy** [ˋɪdɪəsɪ] *s* idiotyzm; niedorozwój umysłowy

**id·i·om** [ˋɪdɪəm] *s* idiom, wyrażenie idiomatyczne; język danego kraju; dialekt, narzecze; właściwość językowa, styl

**id·i·o·mat·ic** [ˌɪdɪəˋmætɪk] *adj* idiomatyczny

**id·i·ot** [ˋɪdɪət] *s* idiota

**id·i·ot·ic** [ˌɪdɪˋotɪk] *adj* idiotyczny

**i·dle** [ˋaɪdl] *adj* leniwy; bezczynny; bez pracy; daremny; próżny; bezpodstawny; błahy, bezwartościowy; *vi* leniuchować, próżnować; *vt* (*także* **~ away**) marnować

**i·dler** [ˋaɪdlə(r)] *s* próżniak, leń, nieróbka, wałkoń

**i·dol** [ˋaɪdl] *s* bożyszcze, bożek

**i·dol·a·try** [aɪˋdolətrɪ] *s* bałwochwalstwo

**i·dol·ize** [ˋaɪdḷaɪz] *vt* ubóstwiać, czcić bałwochwalczo

**i·dyll** [ˋɪdl] *s* sielanka

**if** [ɪf] *conj* jeżeli, jeśli, o ile; gdyby, jeśli by; *w zdaniach pytających zależnych*: czy; **I wonder if he is there** ciekaw jestem, czy on tam jest; **if I knew** gdybym wiedział; **if necessary** w razie potrzeby; **if not** w przeciwnym wypadku ⟨razie⟩; **if so** w takim razie ⟨wypadku⟩; **as if** jak gdyby

**ig·ni·tion** [ɪgˋnɪʃn] *s* palenie się, zapalenie; zapłon

**ig·no·ble** [ɪgˋnəubl] *adj* podły, haniebny

**ig·no·min·i·ous** [ˌɪgnəˋmɪnɪəs] *adj* haniebny, sromotny

**ig·no·min·y** [ˋɪgnəmɪnɪ] *s* podłość, hańba

**ig·no·ra·mus** [ˌɪgnəˋreɪməs] *s* nieuk, ignorant

**ig·no·rance** [ˋɪgnərəns] *s* ignorancja; nieznajomość (**of sth** czegoś)

**ig·no·rant** [ˋɪgnərnt] *adj* nie wiedzący (**of sth** o czymś), nieświadomy (**of sth** czegoś); niewykształcony, ciemny

**ig·nore** [ɪgˋnɔ(r)] *vt* ignorować, nie zwracać uwagi, nie zważać

**ill** [ɪl] *adj* (*comp* **worse** [wɜs], *sup* **worst** [wɜst]) zły, niedobry, szkodliwy; *praed* chory (**with sth** na coś); **to fall ⟨get, be taken⟩ ~** zachorować; *adv* źle; niedostatecznie, niewłaściwie; ledwo, z trudem; *s* zło

**I'll** [aɪl] = **I shall, I will**

**il·le·gal** [ɪ'ligl] *adj* bezprawny, nieprawny, nielegalny
**il·leg·i·ble** [ɪ'ledʒəbl] *adj* nieczytelny
**il·le·git·i·mate** [ˌɪlɪ'dʒɪtɪmət] *adj* nieprawny; (*o dziecku*) nieślubny
**ill-fat·ed** [ˌɪl'feɪtɪd] *adj* nieszczęsny, nieszczęśliwy
**il·lib·er·al** [ɪ'lɪbrl] *adj* nieliberalny; ograniczony (umysłowo); skąpy
**il·lic·it** [ɪ'lɪsɪt] *adj* nielegalny, zakazany
**il·lit·er·a·cy** [ˌɪ'lɪtr̩əsɪ] *s* analfabetyzm, nieuctwo
**il·lit·er·ate** [ɪ'lɪtr̩ət] *adj* niepiśmienny; *s* analfabeta
**ill·ness** ['ɪlnəs] *s* choroba
**il·log·i·cal** [ɪ'lodʒɪkl] *adj* nielogiczny
**ill-tem·pered** [ˌɪl'tempəd] *adj* zły, rozdrażniony; o złym usposobieniu
**ill-timed** [ˌɪl'taɪmd] *adj* będący nie na czasie ‹nie w porę›; niefortunny
**ill-treat** [ˌɪl'trit] *vt* źle traktować, maltretować
**il·lu·mi·nate** [ɪ'lumɪneɪt] *vt* oświetlać; oświecać, rozjaśniać; iluminować
**il·lu·mi·na·tion** [ɪˌlumɪ'neɪʃn] *s* oświetlenie; oświecenie, rozjaśnienie; iluminacja
**il·lu·mine** [ɪ'lumɪn] = **illuminate**
**il·lu·sion** [ɪ'luʒn] *s* złudzenie, iluzja
**il·lu·sive** [ɪ'lusɪv] *adj* złudny, zwodniczy
**il·lu·so·ry** [ɪ'lusərɪ] *adj* iluzoryczny, nierzeczywisty
**il·lus·trate** ['ɪləstreɪt] *vt* ilustrować; objaśniać
**il·lus·tra·tion** [ˌɪlə'streɪʃn] *s* ilustracja
**il·lus·tra·tive** ['ɪləstrətɪv] *adj* ilustrujący (**of sth** coś)
**il·lus·tri·ous** [ɪ'lʌstrɪəs] *adj* wybitny, znamienity
**I'm** [aɪm] = **I am**
**im·age** ['ɪmɪdʒ] *s* obraz, podobizna, posąg; wyobrażenie
**im·age·ry** ['ɪmɪdʒrɪ] *s* obrazowość (opisu itp.); *zbior.* obrazy, wizerunki
**im·ag·i·na·ble** [ɪ'mædʒn̩əbl] *adj* dający się wyobrazić, wyobrażalny
**im·ag·i·nar·y** [ɪ'mædʒnrɪ] *adj* urojony, wyimaginowany
**im·ag·i·na·tion** [ɪˌmædʒɪ'neɪʃn] *s* imaginacja, wyobraźnia
**im·ag·i·na·tive** [ɪ'mædʒn̩ətɪv] *adj* obdarzony wyobraźnią, pomysłowy
**im·ag·ine** [ɪ'mædʒɪn] *vt* wyobrażać sobie; przypuszczać; mieć wrażenie
**im·be·cile** ['ɪmbəsil] *adj* niedorozwinięty umysłowo; *s* imbecyl, idiota
**im·bibe** [ɪm'baɪb] *vt* wchłaniać, absorbować, wsysać, wdychać
**im·bro·glio** [ɪm'brəulɪəu] *s* powikłanie, zawikłana sytuacja
**im·bue** [ɪm'bju] *vt* napawać; nasycać; wpajać
**im·i·tate** ['ɪmɪteɪt] *vt* naśladować, imitować
**im·i·ta·tion** [ˌɪmɪ'teɪʃn] *s* imitacja, naśladownictwo
**im·i·ta·tive** ['ɪmɪtətɪv] *adj* naśladowczy, naśladujący (**of sth** coś)
**im·mac·u·late** [ɪ'mækjulət] *adj* niepokalany, nieskazitelny
**im·ma·te·ri·al** [ˌɪmə'tɪərɪəl] *adj* niematerialny; nieistotny
**im·ma·ture** [ˌɪmə'tjuə(r)] *adj* niedojrzały, nierozwinięty
**im·meas·ur·a·ble** [ɪ'meʒr̩əbl] *adj* niezmierzony, niezmierny, bezgraniczny
**im·me·di·ate** [ɪ'midɪət] *adj* bezpośredni; najbliższy; natychmiastowy; bezzwłoczny; pilny
**im·me·di·ate·ly** [ɪ'midɪətlɪ] *adv* bezpośrednio; natychmiast; tuż obok
**im·me·mo·ri·al** [ˌɪmə'mɔrɪəl] *adj* odwieczny; **from time ~** od niepamiętnych czasów
**im·mense** [ɪ'mens] *adj* ogromny, niezmierny

**im·merse** [ɪ`mɜs] *vt* zanurzyć; pogrążyć

**im·mi·grant** [`ɪmɪgrənt] *s* imigrant; *adj* imigrujący

**im·mi·grate** [`ɪmɪgreɪt] *vi* imigrować

**im·mi·gra·tion** [ˈɪmɪ`greɪʃn] *s* imigracja

**im·mi·nence** [`ɪmɪnəns] *s* bezpośrednia bliskość (w czasie), bezpośrednie zagrożenie

**im·mi·nent** [`ɪmɪnənt] *adj* zbliżający się, bezpośrednio zagrażający

**im·mo·bile** [ɪ`məubaɪl] *adj* nieruchomy, unieruchomiony

**im·mo·bil·i·ty** [ˈɪmə`bɪlətɪ] *s* nieruchomość, bezruch

**im·mod·er·ate** [`ɪmodɽət] *adj* nieumiarkowany, nadmierny

**im·mod·est** [ɪ`modɪst] *adj* nieskromny, nieprzyzwoity

**im·mor·al** [ɪ`morl] *adj* niemoralny

**im·mo·ral·i·ty** [ˈɪmə`rælətɪ] *s* niemoralność

**im·mor·tal** [ɪ`mɔtl] *adj* nieśmiertelny

**im·mor·tal·i·ty** [ˈɪmɔ`tælətɪ] *s* nieśmiertelność

**im·mov·a·ble** [ɪ`muvəbl] *adj* nieruchomy, niewzruszony; *s pl* ~s nieruchomości

**im·mune** [ɪ`mjun] *adj* odporny **(from ⟨against⟩ sth** na coś); wolny (np. od obowiązku)

**im·mu·ni·ty** [ɪ`mjunətɪ] *s* odporność; immunitet, nietykalność; wolność (np. od obowiązku)

**im·mu·nize** [`ɪmjunaɪz] *vt* uodpornić, immunizować

**im·mu·ta·ble** [ɪ`mjutəbl] *adj* niezmienny, stały

**imp** [ɪmp] *s* diabełek, chochlik; (*o dziecku*) diablę

**im·pact** [`ɪmpækt] *s* uderzenie, zderzenie; wpływ, oddziaływanie, działanie

**im·pair** [ɪm`peə(r)] *vt* uszkodzić; osłabić, nadwątlić

**im·pal·pa·ble** [ɪm`pælpəbl] *adj* niewyczuwalny; nieuchwytny, niepojęty

**im·part** [ɪm`pɑt] *vt* użyczyć, udzielić; przekazać

**im·par·tial** [ɪm`pɑʃl] *adj* bezstronny

**im·par·ti·al·i·ty** [ˈɪmˈpɑʃɪ`ælətɪ] *s* bezstronność

**im·pas·sioned** [ɪm`pæʃnd] *adj* namiętny, roznamiętniony

**im·pas·sive** [ɪm`pæsɪv] *adj* beznamiętny; nieczuły

**im·pa·tience** [ɪm`peɪʃns] *s* niecierpliwość, zniecierpliwienie **(of sth** czymś)

**im·pa·tient** [ɪm`peɪʃnt] *adj* niecierpliwy, zniecierpliwiony **(of sth** czymś)

**im·peach** [ɪm`pitʃ] *vt* kwestionować; podać w wątpliwość; oskarżyć

**im·pec·ca·ble** [ɪm`pekəbl] *adj* bezgrzeszny; nienaganny

**im·pe·cu·ni·ous** [ˈɪmpɪ`kjunɪəs] *adj* niezamożny, ubogi, bez pieniędzy

**im·pede** [ɪm`pid] *vt* zatrzymywać; przeszkadzać, krępować

**im·ped·i·ment** [ɪm`pedɪmənt] *s* przeszkoda, zawada

**im·pel** [ɪm`pel] *vt* zmusić, skłonić; poruszyć, uruchomić

**im·pend** [ɪm`pend] *vi* bezpośrednio zagrażać; *dosł. i przen.* wisieć **(over sb** nad kimś)

**im·pen·e·tra·ble** [ɪm`penɪtrəbl] *adj* nieprzenikliwy, nieprzepuszczalny; niezgłębiony; niedostępny

**im·per·a·tive** [ɪm`perətɪv] *adj* rozkazujący; naglący, niezbędny; władczy; *s gram.* tryb rozkazujący

**im·per·cep·ti·ble** [ˈɪmpə`septəbl] *adj* niedostrzegalny; nieuchwytny

**im·per·fect** [ɪm`pɜfɪkt] *adj* niedoskonały, wadliwy; *gram.* niedokonany; *s gram.* czas przeszły niedokonany

**im·per·fec·tion** [ˈɪmpə`fekʃn] *s* niedoskonałość, wadliwość; wada

**im·pe·ri·al** [ɪm`pɪərɪəl] *adj* cesarski; majestatyczny, królewski

**im·pe·ri·al·ism** [ɪm`pɪərɪəlɪzm] *s* imperializm

**im·pe·ri·al·ist** [ɪm`pɪərɪəlɪst] *s* imperialista; *attr* imperialistyczny

**im·per·il** [ɪm`perl] *vt* narażać na niebezpieczeństwo

**im·pe·ri·ous** [ɪm`pɪərɪəs] *adj* rozkazujący, władczy; naglący, nakazujący

**im·per·ish·a·ble** [ɪm`perɪʃəbl] *adj* wieczny, trwały, niezniszczalny

**im·per·me·a·ble** [ɪm`pɜmɪəbl] *adj* nieprzenikniony, nieprzepuszczalny

**im·per·son·al** [ɪm`pɜsnl] *adj* nieosobowy, bezosobowy

**im·per·so·nate** [ɪm`pɜsn̩eɪt] *vt* ucieleśniać, personifikować, uosabiać; odgrywać (rolę)

**im·per·son·a·tion** [ɪm/pɜsn`eɪʃn] *s* ucieleśnienie, uosobienie; odgrywanie (roli)

**im·per·ti·nence** [ɪm`pɜtɪnəns] *s* impertynencja; niestosowność

**im·per·ti·nent** [ɪm`pɜtɪnənt] *s* impertynencki; niestosowny, nie na miejscu

**im·per·turb·a·ble** [/ɪmpə`tɜbəbl] *adj* niewzruszony

**im·per·vi·ous** [ɪm`pɜvɪəs] *adj* nieprzepuszczalny; nieczuły ⟨głuchy⟩ (to sth na coś)

**im·pet·u·os·i·ty** [ɪm/petʃu`osətɪ] *s* porywczość, impulsywność, popędliwość

**im·pet·u·ous** [ɪm`petʃuəs] *adj* porywczy, impulsywny, popędliwy

**im·pe·tus** [`ɪmpɪtəs] *s* bodziec, pęd, impuls; rozpęd, impet

**im·pi·ous** [`ɪmpɪəs] *adj* bezbożny

**im·pla·ca·ble** [ɪm`plækəbl] *adj* nieubłagany, nieugięty

**imp·lant** [ɪm`plant] *vt* sadzić; *przen.* wpajać, wszczepiać

**im·ple·ment** [`ɪmpləmənt] *s* narzędzie, sprzęt; *pl* ~s przybory

**im·pli·cate** [`ɪmplɪkeɪt] *vt* wplątać, wciągnąć, uwikłać; włączać; zawierać; pociągać za sobą; implikować

**im·pli·ca·tion** [/ɪmplɪ`keɪʃn] *s* włączenie; wplątanie, uwikłanie; sugestia, (ukryte) znaczenie, implikacja

**im·plic·it** [ɪm`plɪsɪt] *adj* dający się wywnioskować, domniemany; niezaprzeczalny, bezwzględny

**im·plore** [ɪm`plɔ(r)] *vt* błagać

**im·ply** [ɪm`plɑɪ] *vt* mieścić ⟨kryć, zawierać⟩ w sobie; oznaczać, implikować; dawać do zrozumienia; zakładać

**im·po·lite** [/ɪmpə`lɑɪt] *adj* nieuprzejmy, niegrzeczny

**im·pol·i·tic** [ɪm`polətɪk] *adj* niepolityczny; niezręczny; nierozsądny

**im·port** [ɪm`pɔt] *vt* importować; znaczyć, oznaczać; *s* [`ɪmpɔt] import; znaczenie, treść; doniosłość

**im·por·tance** [ɪm`pɔtns] *s* znaczenie, ważność

**im·por·tant** [ɪm`pɔtnt] *adj* ważny, znaczący, doniosły

**im·por·ta·tion** [/ɪmpɔ`teɪʃn] *s* importowanie, przywóz

**im·por·tu·nate** [ɪm`pɔtʃunət] *s* natarczywy, natrętny; naglący

**im·por·tune** [ɪm`pɔtʃun] *vt* dokuczać, molestować; nudzić **(sb for sth** kogoś o coś)

**im·por·tu·ni·ty** [/ɪmpə`tjunətɪ] *s* natarczywość, natręctwo, naprzykrzanie się

**im·pose** [ɪm`pəuz] *vt* nakładać, nakazywać, narzucać **(sth on sb** coś komuś); *vi* oszukiwać, naciągać **(on ⟨upon⟩ sb** kogoś)

**im·pos·ing** [ɪm`pəuzɪŋ] *ppraes i adj* imponujący, okazały

**im·po·si·tion** [/ɪmpə`zɪʃn] *s* nałożenie, narzucenie; okpienie, naciąganie

**im·pos·si·bil·i·ty** [ɪm/posə`bɪlətɪ] *s* niemożliwość

**im·pos·si·ble** [ɪm`posəbl] *adj* niemożliwy

**im·post** [`ɪmpəust] *s* podatek, cło; *sport* dodatkowe obciążenie konia

**im·pos·tor** [ɪm`postə(r)] *s* oszust

**im·pos·ture** [ɪm`postʃə(r)] *s* oszustwo

**im·po·tence** [ˋɪmpətəns] *s* niemoc, impotencja; nieudolność

**im·po·tent** [ˋɪmpətənt] *adj* bezsilny; nieudolny; *s* impotent

**im·pov·er·ish** [ɪmˋpovərɪʃ] *vt* doprowadzić do ubóstwa, zubożyć; wyniszczyć; osłabić

**im·prac·ti·ca·ble** [ɪmˋpræktɪkəbl] *adj* niewykonalny; (*o drodze, terenie*) nie do przebycia; krnąbrny

**im·pre·cate** [ˋɪmprɪkeɪt] *vt* przeklinać; złorzeczyć

**im·preg·na·ble** [ɪmˋpregnəbl] *adj* nie do zdobycia, niepokonany; niezachwiany, niewzruszony

**im·preg·nate** [ˋɪmpregneɪt] *vt* impregnować; zaszczepić, wpoić, wdrożyć

**im·press** [ɪmˋpres] *vt* pozostawić, odcisnąć, wycisnąć (odbicie); zrobić ⟨wywrzeć⟩ wrażenie (**sb** na kimś); wryć ⟨wbić⟩ (w pamięć); wpoić, zasugerować; przymusowo wcielić do wojska; rekwirować; *s* [ˋɪmpres] odbicie, odcisk; piętno

**im·pres·sion** [ɪmˋpreʃn] *s* odbicie, odcisk; znak, piętno; wrażenie; *druk.* odbitka; nakład

**im·pres·sive** [ɪmˋpresɪv] *adj* robiący ⟨wywołujący⟩ wrażenie, uderzający, imponujący

**im·press·ment** [ɪmˋpresmənt] *s* przymusowe wcielenie do wojska; rekwizycja

**im·print** [ɪmˋprɪnt] *vt* odbijać, wytłaczać, wyciskać, pozostawić odbitkę ⟨odcisk⟩; wryć ⟨wbić⟩ (w pamięć; *s* [ˋɪmprɪnt] odbicie, odcisk; piętno; nadruk (firmowy)

**im·pris·on** [ɪmˋprɪzn] *vt* uwięzić

**im·pris·on·ment** [ɪmˋprɪznmənt] *s* uwięzienie

**im·prob·a·bil·i·ty** [ˈɪmˈprobəˋbɪlətɪ] *s* nieprawdopodobieństwo

**im·prob·a·ble** [ɪmˋprobəbl] *adj* nieprawdopodobny

**im·promp·tu** [ɪmˋpromptju] *adj* improwizowany; *adv* (robić coś) improwizując

**im·prop·er** [ɪmˋpropə(r)] *adj* niewłaściwy, nieodpowiedni; nieprzyzwoity

**im·pro·pri·e·ty** [ˈɪmprəˋpraɪətɪ] *s* niewłaściwość; nieprzyzwoitość

**im·prove** [ɪmˋpruv] *vt vi* poprawić ⟨udoskonalić, ulepszyć⟩ (się); ulepszyć, upiększyć (**on** ⟨**upon**⟩ **sth** coś); podnieść (wartość, jakość itd.); zyskać na wartości ⟨jakości itd.⟩

**im·prove·ment** [ɪmˋpruvmənt] *s* poprawa; ulepszenie, udoskonalenie; podniesienie wartości ⟨jakości itd.⟩

**im·prov·i·dent** [ɪmˋprovɪdənt] *adj* nieprzezorny, lekkomyślny

**im·pro·vise** [ˋɪmprəvaɪz] *vt vi* improwizować

**im·pru·dence** [ɪmˋprudəns] *s* nieopatrzność, nieroztropność

**im·pu·dence** [ˋɪmpjudəns] *s* bezwstyd, zuchwalstwo

**im·pugn** [ɪmˋpjun] *vt* kwestionować, zbijać (twierdzenie)

**im·pulse** [ˋɪmpʌls] *s* impuls, bodziec, odruch

**im·pul·sive** [ɪmˋpʌlsɪv] *adj* impulsywny; (*o sile*) napędowy

**im·pu·ni·ty** [ɪmˋpjunətɪ] *s* bezkarność

**im·pure** [ɪmˋpjuə(r)] *adj* nieczysty; zanieczyszczony

**im·pu·ri·ty** [ɪmˋpjuərətɪ] *s* nieczystość; zanieczyszczenie

**im·pu·ta·tion** [ˈɪmpjuˋteɪʃn] *s* przypisywanie (np. winy), zarzut

**im·pute** [ɪmˋpjut] *vt* przypisywać (np. winę), zarzucać

**in** [ɪn] *praep określa miejsce*: w, we, wewnątrz, na, do; *czas*: w ciągu, w czasie, za; **in a month** za miesiąc; **in a word** jednym słowem; **in fact** faktycznie; **in honour** ku czci; **in ink** atramentem; **in order that** ażeby; **in pairs** parami; **in short** pokrótce ⟨krótko mówiąc⟩; **in so far as** o tyle, o ile; **in that** w tym, że; o tyle, że; **in the morning** rano; **written in my hand** pisane moją ręką; **in writing** na piśmie ⟨pisemnie⟩; *adv* w środku, wewnątrz, w domu; do środka, do wewnątrz ⟨wnętrza⟩; **to be in** być wewnątrz ⟨w domu⟩; **the train ⟨bus etc.⟩ is in** pociąg ⟨autobus itd.⟩ przyjechał; **to be in for sth** stać przed czymś (spodziewanym), oczekiwać czegoś; **to come in** wejść; *s polit.* (*zw. pl*) **the ins** partia rządząca; **the ins and outs** wszystkie dane ⟨szczegóły, tajniki⟩ (sprawy)

**in·a·bil·i·ty** [ˈɪnəˋbɪlətɪ] *s* niezdolność, niemożność

**in·ac·ces·si·ble** [ˈɪnækˋsesəbl] *adj* niedostępny, nieprzystępny

**in·ac·cu·ra·cy** [ɪnˋækjərəsɪ] *s* niedokładność

**in·ac·cu·rate** [ɪnˋækjərət] *adj* niedokładny

**in·ac·tion** [ɪnˋækʃn] *s* bezczynność

**in·ac·tive** [ɪnˋæktɪv] *adj* bezczynny, bierny

**in·ac·tiv·i·ty** [ˈɪnækˋtɪvətɪ] *s* bezczynność, bierność

**in·ad·e·qua·cy** [ɪnˋædɪkwəsɪ] *s* nieodpowiedniość, niewystarczalność

**in·ad·e·quate** [ɪnˋædɪkwət] *adj* nieodpowiedni, niedostateczny

**in·ad·mis·si·ble** [ˈɪnədˋmɪsəbl] *adj* niedopuszczalny

**in·ad·vert·ent** [ˈɪnədˋvɜtnt] *adj* niebaczny, nieuważny, niedbały

**in·a·li·en·a·ble** [ɪnˋeɪlɪənəbl] *adj prawn.* niepozbywalny, nieprzenośny

**in·ane** [ɪˋneɪn] *adj* próżny; głupi; bezmyślny

**in·an·i·mate** [ɪnˋænɪmət] *adj* nieożywiony, bezduszny, martwy

**in·a·ni·tion** [ˈɪnəˋnɪʃn] *s* wyczerpanie, wycieńczenie (*zw.* z głodu)

**in·an·i·ty** [ɪnˋænətɪ] *s* próżność; głupota, bezmyślność

**in·ap·pli·ca·ble** [ɪnˋæplɪkəbl] *adj* nie dający się zastosować, nieodpowiedni

**in·ap·pro·pri·ate** [ˈɪnəˋprəuprɪət] *adj* niestosowny, niewłaściwy

**in·apt** [ɪnˋæpt] *adj* niezdolny, niezdatny; nieodpowiedni

**in·ar·tic·u·late** [ˈɪnɑˋtɪkjulət] *adj* niewyraźny; nieartykułowany; mówiący niewyraźnie

**in·as·much** [ˈɪnəzˋmʌtʃ] *adv w połączeniu z* **as**: ~ **as** o tyle, że; o tyle, o ile; jako, że; ponieważ; wobec tego, że

**in·at·ten·tive** [ˈɪnəˋtentɪv] *adj* nieuważny, niebaczny

**in·au·di·ble** [ɪnˋɔdəbl] *adj* niesłyszalny

**in·au·gu·ral** [ɪˋnɔgjurl] *adj* inauguracyjny, wstępny

**in·au·gu·rate** [ɪˋnɔgjureɪt] *vt* inaugurować; wprowadzać, intronizować; rozpoczynać

**in·au·gu·ra·tion** [ɪˈnɔgjuˋreɪʃn] *s* inauguracja; wprowadzenie

**in·born** [ˈɪnˋbɔn] *adj* wrodzony

**in·bred** [ˈɪnˋbred] *adj* wpojony

**in·cal·cu·la·ble** [ɪnˋkælkjuləbl] *adj* nieobliczalny; nie dający się przewidzieć

**in·can·des·cent** [ˈɪnkænˋdesnt] *adj* żarzący się; ~ **lamp** żarówka

**in·can·ta·tion** [ˈɪnkænˋteɪʃn] *s* zaklęcie, formuła czarodziejska

**in·ca·pa·ble** [ɪnˋkeɪpəbl] *adj* niezdolny **(of sth** do czegoś)

**in·ca·pac·i·tate** [ˈɪnkəˋpæsəteɪt] *vt* uczynić niezdolnym (**from ⟨for⟩ sth** do czegoś)

**in·ca·pac·i·ty** [ˈɪnkəˋpæsətɪ] *s* niezdolność, nieudolność

**in·car·nate** [ɪnˋkɑnət] *adj* wcielony; *vt* wcielić

**in·car·na·tion** [ˈɪnkɑˋneɪʃn] *s* wcielenie

**in·cen·di·ar·y** [ɪnˋsendɪərɪ] *adj* zapalający; palny; podżegający; *s* podpalacz; podżegacz

**in·cense** 1. [ˋɪnsens] *s* kadzidło; *przen.* pochlebstwo; *vt vi* okadzić; palić kadzidło

**in·cense** 2. [ɪnˋsens] *vt* rozdrażnić, rozzłościć

**in·cen·tive** [ɪnˋsentɪv] *adj* podniecający; *s* podnieta

**in·cep·tion** [ɪnˋsepʃn] *s* początek, zapoczątkowanie

**in·cep·tive** [ɪnˋseptɪv] *adj* początkowy

**in·cer·ti·tude** [ɪn`sɜtɪtjud] *s* niepewność
**in·ces·sant** [ɪn`sesnt] *adj* nieprzerwany, nieustający
**in·cest** [`ɪnsest] *s* kazirodztwo
**in·ces·tu·ous** [ɪn`sestʃuəs] *adj* kazirodczy
**inch** [ɪntʃ] *s* cal; **by ~es** po trochu; **~ by ~** stopniowo
**in·ci·dent** [`ɪnsɪdənt] *adj* związany (**to sth** z czymś), wynikający (**to sth** z czegoś); *fiz.* padający (np. promień); *s* zajście, wypadek, incydent
**in·ci·den·tal** [ɪnsɪ`dentl] *adj* przypadkowy, przygodny, uboczny; związany (**to sth** z czymś), wynikający (**to sth** z czegoś)
**in·cin·er·ate** [ɪn`sɪnəreɪt] *vt* spalić na popiół
**in·cip·i·ence** [ɪn`sɪpɪəns] *s* początek, zaczątek
**in·cip·i·ent** [ɪn`sɪpɪənt] *adj* zaczynający się, początkowy
**in·ci·sion** [ɪn`sɪʒn] *s* wcięcie, nacięcie
**in·ci·sive** [ɪn`saɪsɪv] *adj* tnący, ostry; przenikliwy; cięty
**in·ci·sor** [ɪn`saɪzə(r)] *s* siekacz (ząb)
**in·cite** [ɪn`saɪt] *vt* pobudzać, podniecać; namawiać, podburzać
**in·cite·ment** [ɪn`saɪtmənt] *s* podnieta, bodziec; namowa, podburzanie
**in·ci·vil·i·ty** [ɪnsɪ`vɪlətɪ] *s* niegrzeczność
**in·clem·en·cy** [ɪn`klemənsɪ] *s* surowość, ostrość
**in·cli·na·tion** [ˏɪnklɪ`neɪʃn] *s* nachylenie; pochyłość; skłonność
**in·cline** [ɪn`klaɪn] *vt vi* nachylać (się), przychylać (się), skłaniać (się); *s* [`ɪnklaɪn] nachylenie, pochyłość, stok
**in·close** [ɪn`kləuz] = **enclose**
**in·clude** [ɪn`klud] *vt* włączać, zawierać
**in·clu·sion** [ɪn`kluʒn] *s* włączenie
**in·clu·sive** [ɪn`klusɪv] *adj* zawierający w sobie; obejmujący; (*o sumie*) globalny; **from ... to ... ~** od ... do ... włącznie; **~ of ...** łącznie z ...; liczony włącznie (**sth** z czymś)
**in·co·her·ent** [ˏɪnkəu`hɪərnt] *adj* nie powiązany, bez związku; chaotyczny, bezładny, niesystematyczny
**in·com·bus·ti·ble** [ɪnkəm`bʌstəbl] *adj* niepalny
**in·come** [`ɪnkəm] *s* dochód
**in·com·ing** [ɪn`kʌmɪŋ] *adj* przybywający, nadchodzący; *s* nadejście, przybycie; dopływ; *pl* **~s** dochody, wpływy
**in·com·men·su·rate** [ˏɪnkə`menʃərət] *adj* niewspółmierny, nieproporcjonalny
**in·com·pa·ra·ble** [ɪn`kompərəbl] *adj* nie do porównania (**to ⟨with⟩ sb, sth** z kimś, czymś); niezrównany
**in·com·pat·i·ble** [ɪnkəm`pætəbl] *adj* nie dający się pogodzić, sprzeczny
**in·com·pe·tence, in·com·pe·ten·cy** [ɪn`kompɪtəns(ɪ)] *s* niekompetencja; nieudolność; niezdolność
**in·com·plete** [ˏɪnkəm`plit] *adj* niepełny, nie zakończony; niedoskonały
**in·com·pre·hen·si·ble** [ˏɪnˏkomprɪ`hensəbl] *adj* niezrozumiały
**in·con·ceiv·a·ble** [ˏɪnkən`sivəbl] *adj* niepojęty
**in·con·gru·i·ty** [ˏɪnkoŋ`gruətɪ] *s* brak związku; niezgodność; niestosowność, niewłaściwość
**in·con·gru·ous** [ˏɪn`koŋgruəs] *adj* nie mający związku; niezgodny; niestosowny, niewłaściwy; dziwaczny; bezsensowny
**in·con·se·quent** [ɪn`konsɪkwənt] *adj* niekonsekwentny, nielogiczny
**in·con·sid·er·a·ble** [ˏɪnkən`sɪdrəbl] *adj* nieznaczny
**in·con·sid·er·ate** [ˏɪnkən`sɪdrət] *adj* nierozważny, lekkomyślny; nie okazujący względów ⟨szacunku⟩; nieuprzejmy
**in·con·sist·ence, in·con·sist·en·cy** [ɪnkən`sɪstəns(ɪ)] *s* niekonsekwencja; niezgodność, sprzeczność

**in·con·sist·ent** [ˈɪnkənˋsistənt] *adj* niekonsekwenty; niezgodny, sprzeczny
**in·con·sol·a·ble** [ˈɪnkənˋsəuləbl] *adj* niepocieszony
**in·con·spic·u·ous** [ˈɪnkənˋspɪkjuəs] *adj* niepokaźny, nie rzucający się w oczy, niepozorny
**in·con·stan·cy** [ɪnˋkonstənsɪ] *s* niestałość, zmienność
**in·con·test·a·ble** [ˈɪnkənˋtestəbl] *adj* niezaprzeczalny, bezsporny
**in·con·ti·nence** [ɪnˋkontɪnəns] *s* niewstrzemięźliwość, niepowściągliwość
**in·con·tro·vert·i·ble** [ˈɪnkontrəˋvɜtəbl] *adj* niezbity, bezsporny
**in·con·ven·ience** [ˈɪnkənˋvinɪəns] *s* niewygoda; kłopot; *vt* sprawiać kłopot, przeszkadzać (sb komuś)
**in·con·ven·ient** [ˈɪnkənˋvinɪənt] *adj* niewygodny; kłopotliwy, uciążliwy
**in·cor·po·rate** [ɪnˋkɔpəreɪt] *vt* wcielić, włączyć; łączyć (w sobie); nadać samorząd; zarejestrować, zalegalizować; *vi* złączyć się, zjednoczyć się; *adj* [ɪnˋkɔpərət] wcielony; zarejestrowany; zrzeszony; ~ **body** korporacja
**in·cor·po·ra·tion** [ɪnˈkɔpəˋreɪʃn] *s* wcielenie; zrzeszenie; *handl.* rejestracja, zalegalizowanie; nadanie samorządu
**in·cor·rect** [ˈɪnkəˋrekt] *adj* nieprawidłowy, błędny, mylny, wadliwy; niestosowny
**in·cor·ri·gi·ble** [ˈɪnˋkorɪdʒəbl] *adj* niepoprawny
**in·cor·rupt·i·ble** [ˈɪnkəˋrʌptəbl] *adj* nie ulegający zepsuciu; nieprzekupny
**in·crease** [ɪnˋkris] *vt* zwiększać, wzmagać; podnosić, podwyższać; *vi* wzrastać; zwiększać ⟨wzmagać⟩ się; *s* [ˋɪnkris] wzrost, przyrost; powiększenie się; podwyżka; **to be on the** ~ wzrastać
**in·creas·ing·ly** [ɪnˋkrisɪŋlɪ] *adv* coraz (to) więcej ⟨bardziej⟩
**in·cred·i·ble** [ɪnˋkredəbl] *adj* niewiarygodny, nieprawdopodobny
**in·cre·du·li·ty** [ˈɪnkrɪˋdjulətɪ] *s* niedowierzanie, nieufność
**in·cred·u·lous** [ɪnˋkredjuləs] *adj* niedowierzający, nieufny
**in·cre·ment** [ˋɪnkrəmənt] *s* wzrost, powiększenie się; (*także mat.*) przyrost; dochód
**in·crim·i·nate** [ɪnˋkrɪmɪneɪt] *vt* inkryminować, obwiniać
**in·croach** [ɪnˋkrəutʃ] = **encroach**
**in·crust** [ɪnˋkrʌst] = **encrust**
**in·cu·ba·tion** [ˈɪnkjuˋbeɪʃn] *s* inkubacja, wylęganie
**in·cu·bus** [ˋɪnkjubəs] *s* (*pl* **incubi** [ˋɪnkjubaɪ] *lub* **~es**) zmora, zły duch; *przen.* udręka, koszmar
**in·cul·cate** [ˋɪnkʌlkeɪt] *vt* wpajać, wdrażać
**in·cul·pate** [ˋɪnkʌlpeɪt] *vt* obwiniać, oskarżać
**in·cum·bent** [ɪnˋkʌmbənt] *adj* ciążący (**on sb** na kimś); obowiązujący (kogoś); **it is ~ on me** to jest moim obowiązkiem
**in·cur** [ɪnˋkɜ(r)] *vt* narazić się (**sth** na coś); ściągnąć na siebie (gniew itd.); zaciągnąć (dług)
**in·cur·a·ble** [ɪnˋkjuərəbl] *adj* nieuleczalny
**in·cur·sion** [ɪnˋkɜʃn] *s* najazd, napad, wtargnięcie
**in·debt·ed** [ɪnˋdetɪd] *adj* zadłużony; zobowiązany
**in·de·cent** [ɪnˋdisnt] *adj* nieprzyzwoity
**in·de·ci·sion** [ˈɪndɪˋsɪʒn] *s* niezdecydowanie, chwiejność
**in·de·ci·sive** [ˈɪndɪˋsaɪsɪv] *adj* niezdecydowany, chwiejny; nie rozstrzygnięty, nie rozstrzygający
**in·deed** [ɪnˋdid] *adv* rzeczywiście, faktycznie, naprawdę; *dla podkreślenia*: **I am very glad ~** ogromnie się cieszę; **yes, ~** jeszcze jak!; **no, ~** bynajmniej!; żadną miarą!; *dla wyrażenia zdziwienia, oburzenia, ironii*: czyżby?; gdzież tam?!; nie ma mowy!
**in·de·fat·i·ga·ble** [ˈɪndɪˋfætɪgəbl] *adj* niezmordowany

**in·de·fen·si·ble** [ˈɪndɪˈfensəbl] *adj* nie dający się obronić

**in·def·i·nite** [ɪnˈdefn̩ɪt] *adj* nieokreślony, niewyraźny; nieograniczony

**in·del·i·ble** [ɪnˈdeləbl] *adj* nie dający się zetrzeć ⟨zmazać, zmyć⟩; niezatarty; (*o ołówku*) chemiczny

**in·dem·ni·fy** [ɪnˈdemnɪfaɪ] *vt* wynagrodzić, dać odszkodowanie (**sb for sth** komuś za coś); zabezpieczyć (**sb from ⟨against⟩ sth** kogoś przed czymś)

**in·dem·ni·ty** [ɪnˈdemnətɪ] *s* odszkodowanie; zabezpieczenie; wynagrodzenie, kompensata; *prawn.* zwolnienie (od kary)

**in·dent 1.** [ɪnˈdent] *vt* nacinać, wycinać, wyrzynać (w ząbki); wcinać, karbować; *handl.* zamawiać (towar); *druk.* wcinać (wiersz); *s* [ˈɪndent] wcięcie, nacięcie; karbowanie; *handl.* zamówienie

**in·dent 2.** [ɪnˈdent] *vt* wgnieść, zrobić wgłębienie; wtłoczyć; *s* [ˈɪndent] wgłębienie

**in·den·ta·tion** [ˈɪndenˈteɪʃn] *s* nacięcie, wcięcie

**in·den·tion** [ɪnˈdenʃn] *s* wcięcie wiersza, akapit

**in·den·ture** [ɪnˈdentʃə(r)] *s* obustronna umowa (pisemna), kontrakt; dokument (handlowy); *vt* zakontraktować, związać umową

**in·de·pend·ence** [ˈɪndɪˈpendəns] *s* niezależność, niepodległość; **Independence Day** święto narodowe USA (4 lipca)

**in·de·pend·ent** [ˈɪndɪˈpendənt] *adj* niezależny, niepodległy, niezawisły

**in·de·scrib·a·ble** [ˈɪndɪˈskraɪbəbl] *adj* nie do opisania

**in·de·ter·mi·nate** [ˈɪndɪˈtɜmɪnət] *adj* nieokreślony, niewyraźny

**in·de·ter·mi·na·tion** [ˈɪndɪˈtɜmɪˈneɪʃn] *s* nieokreślony charakter; niezdecydowanie

**in·dex** [ˈɪndeks] *s* (*pl* ~**es** [ˈɪndeksɪz] *lub* **indices** [ˈɪndɪsiz]) wskaźnik; wykaz, rejestr, indeks; palec wskazujący; *mat.* wykładnik potęgowy; *fiz.* współczynnik

**In·di·an** [ˈɪndɪən] *adj* indyjski, hinduski; indiański; ~ **corn** kukurydza; ~ **ink** tusz; ~ **summer** babie lato; ~ **weed** tytoń; **in** ~ **file** rzędem, gęsiego; *s* Indianin; Hindus

**in·di·a-rub·ber** [ˈɪndɪəˈrʌbə(r)] *s* kauczuk, guma; guma ⟨gumka⟩ do wycierania

**in·di·cate** [ˈɪndɪkeɪt] *vt* wskazywać (**sth** coś ⟨na coś⟩), oznaczać; wykazywać; zalecać

**in·di·ca·tion** [ˈɪndɪˈkeɪʃn] *s* wskazanie, wskazówka, oznaka

**in·dic·a·tive** [ɪnˈdɪkətɪv] *adj* wskazujący (**of sth** na coś); *s gram.* tryb oznajmujący

**in·di·ca·tor** [ˈɪndɪkeɪtə(r)] *s* informator; *techn.* wskazówka

**in·dict** [ɪnˈdaɪt] *vt* oskarżać

**in·dict·ment** [ɪnˈdaɪtmənt] *s* oskarżenie

**in·dif·fer·ence** [ɪnˈdɪfrns] *s* obojętność; błahość, marność

**in·dif·fer·ent** [ɪnˈdɪfrnt] *adj* obojętny (**to sb, sth** dla kogoś, na coś); błahy, marny

**in·di·gence, in·di·gen·cy** [ˈɪndɪdʒəns(ɪ)] *s* ubóstwo

**in·di·gent** [ˈɪndɪdʒənt] *adj* ubogi

**in·di·gest·i·ble** [ˈɪndɪˈdʒestəbl] *adj* niestrawny

**in·di·ges·tion** [ˈɪndɪˈdʒestʃn] *s* niestrawność

**in·dig·nant** [ɪnˈdɪgnənt] *adj* oburzony (**with sb** na kogoś, **at sth** na coś)

**in·dig·na·tion** [ˈɪndɪgˈneɪʃn] *s* oburzenie (**with sb** na kogoś, **at sth** na coś)

**in·dig·ni·ty** [ɪnˈdɪgnətɪ] *s* obelga, zniewaga

**in·di·rect** [ˈɪndɪˈrekt] *adj* pośredni; nieuczciwy, wykrętny; okrężny; *gram.* zależny; ~ **object** *gram.* dopełnienie dalsze

**in·dis·creet** [ˈɪndɪˈskrit] *adj* niedyskretny; nieroztropny; nieostrożny

**in·dis·cre·tion** ['ɪndɪ`skreʃn] *s* niedyskrecja; nieroztropność, nieostrożność

**in·dis·crim·i·nate** ['ɪndɪ`skrɪmɪnət] *adj* niewymagający, niewybredny; pomieszany, bezładny; (robiony) na oślep ⟨bez wyboru⟩

**in·dis·pen·sa·ble** ['ɪndɪ`spensəbl] *adj* niezbędny, konieczny, niezastąpiony

**in·dis·pose** ['ɪndɪ`spəuz] *vt* źle usposobić ⟨zrazić⟩ (**towards sb, sth** do kogoś, czegoś); zniechęcić (**sb towards sth** ⟨**to do sth**⟩ do czegoś ⟨do zrobienia czegoś⟩)

**in·dis·posed** ['ɪndɪ`spəuzd] *adj* niedysponowany, niezdrów; niechętny

**in·dis·po·si·tion** ['ɪn'dɪspə`zɪʃn] *s* niedyspozycja; niechęć

**in·dis·pu·ta·ble** ['ɪndɪ`spjutəbl] *adj* niewątpliwy, bezsporny

**in·dis·so·lu·ble** ['ɪndɪ`soljubl] *adj* nierozpuszczalny; nierozerwalny

**in·dis·tinct** ['ɪndɪ`stɪŋkt] *adj* niewyraźny, niejasny

**in·dis·tin·guish·a·ble** ['ɪndɪ`stɪŋgwɪʃəbl] *adj* nie dający się odróżnić, nieuchwytny (np. dla oka)

**in·di·vid·u·al** ['ɪndɪ`vɪdʒuəl] *adj* indywidualny; pojedynczy, poszczególny; *s* jednostka; indywiduum

**in·di·vid·u·al·ism** ['ɪndɪ`vɪdʒuəlɪzm] *s* indywidualizm

**in·di·vid·u·al·i·ty** ['ɪndɪ'vɪdʒu`ælətɪ] *s* indywidualność

**in·di·vis·i·ble** ['ɪndɪ`vɪzəbl] *adj* niepodzielny

**in·doc·ile** [ɪn`dəusaɪl] *adj* nieuległy, nieposłuszny, niesforny; niepojętny

**in·do·lence** [`ɪndələns] *s* lenistwo, opieszałość

**in·dom·i·ta·ble** [ɪn`domɪtəbl] *adj* nieposkromiony

**In·do·ne·sian** ['ɪndəu`nizɪən] *adj* indonezyjski; *s* Indonezyjczyk

**in·door** [ɪn`dɔ(r)] *adj* znajdujący się ⟨robiony⟩ w domu, domowy; ~ **care** opieka ⟨leczenie⟩ w zakładzie ⟨przytułku⟩

**in·doors** [ɪn`dɔz] *adv* w ⟨wewnątrz⟩ domu; pod dachem; (wchodzić) do domu

**in·dorse** [ɪn`dɔs] = **endorse**

**in·du·bi·ta·ble** [ɪn`djubɪtəbl] *adj* niewątpliwy

**in·duce** [ɪn`djus] *vt* skłonić, namówić; wnioskować; wywołać, powodować; *elektr.* indukować

**in·duce·ment** [ɪn`djusmənt] *s* pobudka; powab

**in·duc·tion** [ɪn`dʌkʃn] *s* indukcja; wstęp; wprowadzenie (na urząd); *med.* wywołanie (choroby)

**in·dulge** [ɪn`dʌldʒ] *vt* pobłażać, dogadzać, folgować (**sb in sth** komuś w czymś); *vi* oddawać się ⟨ulegać, dawać upust⟩ (**in sth** czemuś), zażywać (**in sth** czegoś); zaspokoić (**in sth** coś)

**in·dul·gence** [ɪn`dʌldʒəns] *s* pobłażanie, folgowanie, uleganie; zaspokojenie; oddawanie się (**in sth** czemuś), dogadzanie sobie; *rel.* odpust

**in·dul·gent** [ɪn`dʌldʒənt] *adj* pobłażliwy, ulegający

**in·dus·tri·al** [ɪn`dʌstrɪəl] *adj* przemysłowy; *s* = **industrialist**

**in·dus·tri·al·ist** [ɪn`dʌstrɪəlɪst] *s* przemysłowiec; człowiek pracujący w przemyśle

**in·dus·tri·al·i·za·tion** [ɪn'dʌstrɪəlaɪzeɪʃn] *s* industrializacja

**in·dus·tri·al·ize** [ɪn`dʌstrɪəlaɪz] *vt* uprzemysłowić

**in·dus·tri·ous** [ɪn`dʌstrɪəs] *adj* pracowity, skrzętny

**in·dus·try** [`ɪndəstrɪ] *s* przemysł; pracowitość, skrzętność

**in·e·bri·ate** [ɪ`nibrɪət] *adj* oszołomiony alkoholem; *vt* [ɪ`nibrɪeɪt] upić, odurzyć

**in·ed·i·ble** [ɪn`edəbl] *adj* niejadalny

**in·ef·fa·ble** [ɪn`efəbl] *adj* niewypowiedziany, niewysłowiony

**in·ef·fec·tive** ['ɪnɪ`fektɪv] *adj* bezskuteczny, daremny; nieefektywny

**in·ef·fec·tu·al** [ˈɪnɪˋfektʃuəl] = **ineffective**

**in·ef·fi·ca·cious** [ˈɪnefɪˋkeɪʃəs] *adj* nie działający, nieskuteczny

**in·ef·fi·cient** [ˈɪnɪˋfɪʃnt] *adj* nieudolny; niewydajny, nieefektywny

**in·el·i·gi·ble** [ɪnˋelɪdʒəbl] *adj* niewybieralny; nie do przyjęcia; nie nadający się, nieodpowiedni

**in·ept** [ɪˋnept] *adj* niedorzeczny, głupi; nie na miejscu; nietrafny

**in·e·qual·i·ty** [ˈɪnɪˋkwolətɪ] *s* nierówność

**in·eq·ui·ty** [ɪnˋekwətɪ] *s* niesprawiedliwość

**in·ert** [ɪˋnɜt] *adj* bezwładny; bez ruchu; *chem.* obojętny

**in·er·tia** [ɪˋnɜʃə] *s* bezwład, bezczynność, inercja; *fiz.* bezwładność

**in·es·cap·a·ble** [ˈɪnɪˋskeɪpəbl] *adj* nieunikniony

**in·es·ti·ma·ble** [ɪnˋestɪməbl] *adj* nieoceniony

**in·ev·i·ta·ble** [ɪnˋevɪtəbl] *adj* nieunikniony

**in·ex·act** [ˈɪnɪgˋzækt] *adj* niedokładny, nieścisły

**in·ex·act·i·tude** [ˈɪnɪgˋzæktɪtjud] *s* niedokładność, nieścisłość

**in·ex·cus·a·blę** [ˈɪnɪkˋskjuzəbl] *adj* niewybaczalny

**in·ex·haust·i·ble** [ˈɪnɪgˋzɔstəbl] *adj* niewyczerpany

**in·ex·o·ra·ble** [ɪˋnegzərəbl] *adj* nieubłagany

**in·ex·pen·sive** [ˈɪnɪkˋspensɪv] *adj* niedrogi

**in·ex·pe·ri·enced** [ˈɪnɪkˋspɪərɪənst] *adj* niedoświadczony

**in·ex·pert** [ɪnˋekspɜt] *adj* niewprawny

**in·ex·pli·ca·ble** [ˈɪnɪkˋsplɪkəbl] *adj* niewytłumaczalny, niewyjaśniony

**in·ex·plic·it** [ˈɪnɪkˋsplɪsɪt] *adj* niewyraźny, niejasny

**in·ex·press·i·ble** [ˈɪnɪkˋspresəbl] *adj* niewypowiedziany, niewymowny, niewysłowiony

**in·ex·pres·sive** [ˈɪnɪkˋspresɪv] *adj* pozbawiony wyrazu

**in·ex·tri·ca·ble** [ɪnˋekstrɪkəbl] *adj* nie dający się rozwikłać, bez wyjścia

**in·fal·li·bil·i·ty** [ˈɪnˈfæləˋbɪlətɪ] *s* nieomylność; niezawodność

**in·fal·li·ble** [ɪnˋfæləbl] *adj* nieomylny; niezawodny

**in·fa·mous** [ˋɪnfəməs] *adj* mający złą sławę; nikczemny, haniebny

**in·fa·my** [ˋɪnfəmɪ] *s* niesława; infamia; nikczemność; hańba

**in·fan·cy** [ˋɪnfənsɪ] *s* dzieciństwo, niemowlęctwo; *prawn.* niepełnoletność

**in·fant** [ˋɪnfənt] *s* niemowlę; dziecko (do 7 lat); *prawn.* niepełnoletni; ~ **school** przedszkole

**in·fan·tile** [ˋɪnfəntaɪl] *adj* infantylny; dziecięcy, niemowlęcy

**in·fan·try** [ˋɪnfəntrɪ] *s wojsk.* piechota

**in·fat·u·ate** [ɪnˋfætʃueɪt] *vt* pozbawić rozsądku, zawrócić głowę, zaślepić; rozkochać; **to be ~d** mieć zawróconą głowę, szaleć **(with sb, sth** za kimś, czymś)

**in·fat·u·a·tion** [ɪnˈfætʃuˋeɪʃn] *s* szaleńcza miłość; zaślepienie ⟨odurzenie⟩ (kimś, czymś)

**in·fect** [ɪnˋfekt] *vt* zarazić; zakazić; zatruć

**in·fec·tion** [ɪnˋfekʃn] *s* zaraza; zakażenie; zatruwanie

**in·fec·tious** [ɪnˋfekʃəs] *adj* zaraźliwy, zakaźny

**in·fec·tive** [ɪnˋfektɪv] = **infectious**

**in·fer** [ɪnˋfɜ(r)] *vt* wnioskować; zawierać ⟨nasuwać⟩ pojęcie **(sth** czegoś)

**in·fer·ence** [ˋɪnfərəns] *s* wniosek, wywód

**in·fe·ri·or** [ɪnˋfɪərɪə(r)] *adj* niższy, gorszy **(to sb, sth** od kogoś, czegoś); *s* podwładny

**in·fe·ri·or·i·ty** [ˈɪnfɪərɪˋorətɪ] *s* niższość, słabość; ~ **complex** kompleks niższości

**in·fer·nal** [ɪn`fɜnl] *adj* piekielny
**in·fest** [ɪn`fest] *vt* niepokoić, trapić; nawiedzać; (*o robactwie*) roić się (**sth** w czymś)
**in·fi·del** [`ɪnfɪdl] *adj rel.* niewierny; *s rel.* niewierny
**in·fi·del·i·ty** [ˌɪnfɪ`delətɪ] *s* niewierność (*zw.* małżeńska); *rel.* niewiara
**in·fil·trate** [`ɪnfɪltreɪt] *vt vi* przesączać (się); nasycać; przenikać
**in·fi·nite** [`ɪnfənɪt] *adj* nieograniczony, bezkresny, bezmierny, nieskończony; niezliczony
**in·fin·i·tes·i·mal** [ˌɪnˌfɪnɪ`tesɪml] *adj* nieskończenie mały
**in·fin·i·tive** [ɪn`fɪnɪtɪv] *adj* nieokreślony; *s gram.* bezokolicznik
**in·fin·i·ty** [ɪn`fɪnətɪ] *s* (*także mat.*) nieskończoność; bezkres, bezgraniczność
**in·firm** [ˌɪn`fɜm] *adj* bezsilny, słaby, niedołężny
**in·fir·ma·ry** [ɪn`fɜmərɪ] *s* szpital; izba chorych; lecznica
**in·fir·mi·ty** [ɪn`fɜmətɪ] *s* niemoc, ułomność, niedołęstwo
**in·flame** [ɪn`fleɪm] *vt vi* rozpalić (się); podniecić (się), rozdrażnić (się); rozbudzić (**sb with sth** coś w kimś)
**in·flam·ma·ble** [ɪn`flæməbl] *adj* zapalny, łatwo palny; *przen.* zapalczywy; *s* materiał łatwo palny
**in·flam·ma·tion** [ˌɪnflə`meɪʃn] *s* zapalenie (się), rozniecenie
**in·flam·ma·to·ry** [ɪn`flæmətrɪ] *adj* zapalny, zapalający; *przen.* podżegający
**in·flate** [ɪn`fleɪt] *vt* wydymać, nadymać; napompować (dętkę itp.); podnosić (np. ceny)
**in·fla·tion** [ɪn`fleɪʃn] *s* nadymanie, napompowanie; *fin.* inflacja
**in·flect** [ɪn`flekt] *vt* zginać; *fiz.* załamywać; *gram.* odmieniać (części mowy); modulować (głos)
**in·flec·tion** [ɪn`flekʃn] = **inflexion**
**in·flex·i·ble** [ɪn`fleksəbl] *adj* nieugięty; sztywny
**in·flex·ion** [ɪn`flekʃn] *s* zgięcie; *fiz.* załamanie; *gram.* fleksja; modulacja (głosu)
**in·flict** [ɪn`flɪkt] *vt* zadać (np. cios); nałożyć (np. karę); narzucić (**sth on** ⟨**upon**⟩ **sb** coś komuś)
**in·flu·ence** [`ɪnfluəns] *s* wpływ; działanie, oddziaływanie; *vt* wpływać ⟨działać, oddziaływać⟩ (**sb, sth** na kogoś, coś)
**in·flu·en·tial** [ˌɪnflu`enʃl] *adj* wpływowy
**in·flux** [`ɪnflʌks] *s* napływ, dopływ, przypływ; wlot
**in·form** [ɪn`fɔm] *vt* informować, zawiadomić (**sb of sth** kogoś o czymś); natchnąć ⟨ożywić⟩ (**sb with sth** kogoś czymś); *vi* denuncjować (**against sb** kogoś)
**in·for·mal** [ɪn`fɔml] *adj* nieoficjalny, nieurzędowy, swobodny; nieformalny, nieprzepisowy
**in·form·ant** [ɪn`fɔmənt] *s* informator; donosiciel
**in·for·ma·tion** [ˌɪnfə`meɪʃn] *s* informacja, wiadomość; doniesienie, denuncjacja; **a piece of ~** wiadomość; **to get ~** poinformować się
**in·form·a·tive** [ɪn`fɔmətɪv] *adj* informacyjny; pouczający
**in·fra-red** [ˌɪnfrə`red] *adj* podczerwony
**in·fre·quent** [ɪn`frikwənt] *adj* nieczęsty
**in·fringe** [ɪn`frɪndʒ] *vt* naruszyć, przekroczyć (*także vi* **~ on** ⟨**upon**⟩ **sth** coś)
**in·fu·ri·ate** [ɪn`fjʊərɪeɪt] *vt* doprowadzać do szału, rozjuszyć
**in·fuse** [ɪn`fjuz] *vt* natchnąć (**sb with sth** kogoś czymś); wlać; zaparzyć (np. herbatę)
**in·fu·sion** [ɪn`fjuʒn] *s* wlewanie; napar; nalewka; domieszka; natchnięcie ⟨napełnienie⟩ (**of sth into sb** kogoś czymś)
**in·gen·ious** [ɪn`dʒinɪəs] *adj* pomysłowy, wynalazczy

**in·ge·nu·i·ty** ['ɪndʒɪ'njuətɪ] *s* pomysłowość, wynalazczość
**in·gen·u·ous** [ɪn'dʒenjuəs] *adj* otwarty, szczery; niewinny, naiwny
**in·got** ['ɪŋgət] *s* sztaba (kruszcu)
**in·grain** ['ɪn'greɪn] *vt* utrwalić, trwale ufarbować
**in·grained** [ɪn'greɪnd] *pp i adj* zakorzeniony, zatwardziały
**in·gra·ti·ate** [ɪn'greɪʃɪeɪt] *vr* ~ **oneself** zyskać sobie łaskę (**with sb** czyjąś), ująć sobie (**with sb** kogoś)
**in·grat·i·tude** [ɪn'grætɪtjud] *s* niewdzięczność
**in·gre·di·ent** [ɪn'gridɪənt] *s* składnik
**in·gress** ['ɪngrəs] *s* wejście; prawo wstępu
**in·hab·it** [ɪn'hæbɪt] *vt* zamieszkiwać
**in·hab·it·ant** [ɪn'hæbɪtənt] *s* mieszkaniec
**in·ha·la·tion** ['ɪnhə'leɪʃn] *s* inhalacja; wdychanie
**in·hale** [ɪn'heɪl] *vt* wdychać, wchłaniać, wciągać (np. zapach)
**in·her·ent** [ɪn'hɪərnt] *adj* tkwiący, wrodzony, nieodłączny (**in sth** od czegoś); właściwy (**in sb, sth** komuś, czemuś)
**in·her·it** [ɪn'herɪt] *vt vi* dziedziczyć, być spadkobiercą
**in·her·it·ance** [ɪn'herɪtəns] *s* dziedzictwo, spadek, spuścizna
**in·hib·it** [ɪn'hɪbɪt] *vt* powstrzymywać, hamować, zakazywać (**sb from doing sth** komuś zrobienia czegoś)
**in·hi·bi·tion** ['ɪnɪ'bɪʃn] *s* zahamowanie, powstrzymanie; zakaz; hamulec (psychiczny)
**in·hos·pi·ta·ble** ['ɪnho'spɪtəbl] *adj* niegościnny
**in·hu·man** [ɪn'hjumən] *adj* nieludzki
**in·hu·mane** ['ɪnhju'meɪn] *adj* niehumanitarny
**in·hu·ma·tion** ['ɪnhju'meɪʃn] *s* pochowanie, pogrzebanie, pogrzeb
**in·im·i·cal** [ɪ'nɪmɪkl] *adj* wrogi; szkodliwy
**in·im·i·ta·ble** [ɪ'nɪmɪtəbl] *adj* nie do naśladowania; niezrównany
**in·iq·ui·tous** [ɪ'nɪkwɪtəs] *adj* niesprawiedliwy; niegodziwy
**in·iq·ui·ty** [ɪ'nɪkwətɪ] *s* niesprawiedliwość; niegodziwość
**in·i·tial** [ɪ'nɪʃl] *adj* początkowy, wstępny; *s pl* ~**s** inicjały; parafa; *vt* podpisywać inicjałami; parafować
**in·i·ti·ate** [ɪ'nɪʃɪeɪt] *vt* inicjować, zapoczątkować; wprowadzać ⟨wtajemniczać, wdrażać⟩ (**sb into sth** kogoś w coś); *adj* [ɪ'nɪʃɪət] wtajemniczony; świeżo wprowadzony; *s* nowicjusz
**in·i·ti·a·tion** [ɪ'nɪʃɪ'eɪʃn] *s* zainicjowanie, zapoczątkowanie; wprowadzenie; wtajemniczenie
**in·i·ti·a·tive** [ɪ'nɪʃətɪv] *adj* początkowy, wstępny; *s* inicjatywa; przedsiębiorczość; **on one's** ~ z czyjejś inicjatywy
**in·ject** [ɪn'dʒekt] *vt* zastrzyknąć, wstrzykiwać
**in·jec·tion** [ɪn'dʒekʃn] *s* zastrzyk
**in·ju·di·cious** ['ɪndʒʊ'dɪʃəs] *adj* nierozsądny; nieoględny
**in·junc·tion** [ɪn'dʒʌŋkʃn] *s* nakaz, zalecenie
**in·jure** ['ɪndʒə(r)] *vt* uszkodzić; skrzywdzić; skaleczyć, zranić; obrazić
**in·ju·ri·ous** [ɪn'dʒʊərɪəs] *adj* szkodliwy, krzywdzący; obraźliwy
**in·ju·ry** ['ɪndʒərɪ] *s* uszkodzenie; obraza; krzywda, szkoda
**in·jus·tice** [ɪn'dʒʌstɪs] *s* niesprawiedliwość
**ink** [ɪŋk] *s* atrament; farba drukarska; *vt* plamić, znaczyć atramentem; powlekać farbą drukarską
**ink·ling** ['ɪŋklɪŋ] *s* domysł, przeczucie, podejrzenie
**ink-pad** ['ɪŋkpæd] *s* poduszka do stempli
**ink·pot** ['ɪŋkpot] = **inkstand**

**ink·stand** [`ɪŋkstænd] *s* kałamarz
**ink-well** [`ɪŋk wel] *s* kałamarz w ławce szkolnej
**in·laid** [ɪn`leɪd] *adj* wyłożony (czymś), inkrustowany
**in·land** [`ɪnlənd] *adj attr* znajdujący się ⟨położony⟩ w głębi kraju (z dala od morza); wewnętrzny, krajowy; *s* wnętrze ⟨głąb⟩ kraju
**in·let** [`ɪnlet] *s* wstawka, wpustka; mała zatoka; wlot, wejście; otwór
**in·mate** [`ɪnmeɪt] *s* lokator, mieszkaniec, domownik; pensjonariusz; (*w więzieniu*) więzień; (*w szpitalu*) pacjent
**in·most** [`ɪnməust] *adj* ukryty ⟨utajony⟩ w głębi; najskrytszy
**inn** [ɪn] *s* gospoda, zajazd
**in·nate** [ɪ`neɪt] *adj* wrodzony, przyrodzony
**in·ner** [`ɪnə(r)] *adj* wewnętrzny
**in·ner·most** [`ɪnəməust] = **inmost**
**inn·keep·er** [`ɪn kipə(r)] *s* właściciel gospody ⟨zajazdu⟩
**in·no·cence** [`ɪnəsns] *s* niewinność; prostoduszność, naiwność; nieszkodliwość
**in·no·cent** [`ɪnəsnt] *adj* niewinny; prostoduszny, naiwny; nieszkodliwy; *s* niewiniątko; prostaczek; półgłówek
**in·noc·u·ous** [ɪ`nokjuəs] *adj* nieszkodliwy
**in·no·va·tion** [ˏɪnə`veɪʃn] *s* innowacja
**in·no·va·tor** [`ɪnəveɪtə(r)] *s* innowator
**in·nu·en·do** [ˏɪnju`endəu] *s* insynuacja
**in·nu·mer·a·ble** [ɪ`njumrəbl] *adj* niezliczony
**in·oc·u·late** [ɪ`nokjuleɪt] *vt* szczepić, zaszczepiać
**in·oc·u·la·tion** [ɪˏnokju`leɪʃn] *s* szczepienie, zaszczepianie
**in·o·dor·ous** [ɪn`əudərəs] *adj* bezwonny
**in·of·fen·sive** [ˏɪnə`fensɪv] *adj* nieszkodliwy; nie drażniący
**in·op·por·tune** [ˏɪn`opətʃun] *adj* niewczesny, nieodpowiedni, nie na czasie
**in·or·di·nate** [ɪ`nɔdɪnət] *adj* nie uporządkowany; nieumiarkowany; przesadny, nadmierny
**in·or·gan·ic** [ˏɪnɔ`gænɪk] *adj* nieorganiczny
**in·quest** [`ɪnkwest] *s* badanie, śledztwo
**in·quire** [ɪn`kwaɪə(r)] *vi* pytać ⟨informować⟩ się (**about** ⟨**after, for**⟩ **sth** o coś); dowiadywać się (**of sb** od kogoś); badać, śledzić (**into sth** coś); dochodzić, dociekać (**into sth** czegoś); *vt* pytać (**sth** o coś)
**in·quir·er** [ɪn`kwaɪərə(r)] *s* pytający; prowadzący śledztwo
**in·quir·y** [ɪn`kwaɪərɪ] *s* pytanie; badanie, śledztwo; zasięganie informacji; **to make inquiries** zasięgać informacji
**in·qui·si·tion** [ˏɪnkwɪ`zɪʃn] *s* badanie, śledztwo; *hist.* inkwizycja
**in·quis·i·tive** [ɪn`kwɪzətɪv] *adj* ciekawy, wścibski
**in·road** [`ɪnrəud] *s* najazd, napad
**in·rush** [`ɪnrʌʃ] *s* wdarcie się; napór
**in·sane** [ɪn`seɪn] *adj* umysłowo chory, obłąkany
**in·san·i·ty** [ɪn`sænətɪ] *s* obłęd, szaleństwo; choroba umysłowa
**in·sa·tia·ble** [ɪn`seɪʃəbl] *adj* nienasycony
**in·scribe** [ɪn`skraɪb] *vt* wpisać, zapisać; wyryć (napis); zadedykować (**sth to sb** coś komuś)
**in·scrip·tion** [ɪn`skrɪpʃn] *s* napis; dedykacja
**in·scru·ta·ble** [ɪn`skrutəbl] *adj* niezbadany, nieprzenikniony
**in·sect** [`ɪnsekt] *s* owad, insekt
**in·sec·ti·cide** [ɪn`sektɪsaɪd] *s* środek owadobójczy
**in·se·cure** [ˏɪnsɪ`kjuə(r)] *adj* niepewny
**in·sen·sate** [ɪn`senseɪt] *adj* nieczuły; nierozumny
**in·sen·si·bil·i·ty** [ɪnˏsensə`bɪlətɪ] *s* omdlenie, nieprzytomność; nie-

czułość ⟨niewrażliwość⟩ (**to sth** na coś)

**in·sen·si·ble** [ɪn`sensəbl] *adj* nieprzytomny, bez zmysłów; niewrażliwy, nieczuły; niedostrzegalny

**in·sen·si·tive** [ɪn`sensətɪv] *adj* nieczuły ⟨niewrażliwy⟩ (**to sth** na coś)

**in·sep·a·ra·ble** [ɪn`seprəbl] *adj* nierozłączny, nieodłączny

**in·sert** [ɪn`sɜt] *vt* wstawić, włożyć, wsunąć, wprowadzić; zamieścić

**in·ser·tion** [ɪn`sɜʃn] *s* wstawka, wkładka; wstawienie, włożenie, wsunięcie; ogłoszenie (w gazecie); dopisek

**in·set** [`ɪnset] *s* wstawka, wkładka; *vt* [ˈɪn`set] wstawić, wkleić

**in·side** [ɪn`saɪd] *s* wnętrze; ~ **out** wewnętrzną stroną na wierzch; na lewą stronę; *adj attr* wewnętrzny; *adv i praep* wewnątrz, do wnętrza

**in·sid·i·ous** [ɪn`sɪdɪəs] *adj* podstępny, zdradziecki, zdradliwy

**in·sight** [`ɪnsaɪt] *s* wgląd (**into sth** w coś); intuicja

**in·sig·ni·a** [ɪn`sɪgnɪə] *s pl* insygnia

**in·sig·nif·i·cant** [ˈɪnsɪg`nɪfɪkənt] *adj* nic nie znaczący, nieistotny, mało ważny

**in·sin·cere** [ˈɪnsɪn`sɪə(r)] *adj* nieszczery

**in·sin·cer·i·ty** [ˈɪnsɪn`serətɪ] *s* nieszczerość

**in·sin·u·ate** [ɪn`sɪnjueɪt] *vt* insynuować; *vr* ~ **oneself** wkraść ⟨wśliznąć⟩ się

**in·sin·u·a·tion** [ɪnˈsɪnju`eɪʃn] *s* insynuacja; wślizgnięcie się

**in·sip·id** [ɪn`sɪpɪd] *adj* bez smaku, mdły; tępy (umysłowo); bezbarwny

**in·sist** [ɪn`sɪst] *vi* nalegać, nastawać; upierać się, obstawać; kłaść nacisk; domagać się (**on** ⟨**upon**⟩ **sth** czegoś)

**in·sist·ence** [ɪn`sɪstəns] *s* naleganie; uporczywość; domaganie się

**in·sist·ent** [ɪn`sɪstənt] *adj* uporczywy; naglący

**in·so·lence** [`ɪnsələns] *s* zuchwalstwo, bezczelność

**in·sol·u·ble** [ɪn`soljubl] *adj* nierozpuszczalny; nierozwiązalny

**in·sol·ven·cy** [ɪn`solvənsɪ] *s* niewypłacalność

**in·sol·vent** [ɪn`solvənt] *adj* niewypłacalny; *s* bankrut

**in·som·ni·a** [ɪn`somnɪə] *s* bezsenność

**in·so·much** [ˈɪnsəu`mʌtʃ] *adv* o tyle, do tego stopnia

**in·spect** [ɪn`spekt] *vt* doglądać, dozorować; badać, kontrolować; wizytować

**in·spec·tion** [ɪn`spekʃn] *s* inspekcja, dozór; badanie, kontrola

**in·spi·ra·tion** [ˈɪnspə`reɪʃn] *s* natchnienie; wdech

**in·spire** [ɪn`spaɪə(r)] *vt* natchnąć, pobudzić (**sb with sth** kogoś do czegoś); wzbudzić (**sth** coś, **sb with sth** coś w kimś); inspirować (**sb with sth** kogoś czymś); wdychać

**in·sta·bil·i·ty** [ˈɪnstə`bɪlətɪ] *s* niestałość

**in·stall** [ɪn`stɔl] *vt* wprowadzać na urząd; instalować, urządzać

**in·stal·la·tion** [ˈɪnstə`leɪʃn] *s* wprowadzenie na urząd; instalacja, urządzenie

**in·stall·ment** [ɪn`stɔlmənt] *s* rata; felieton; odcinek (powieści); zeszyt (publikacji)

**in·stance** [`ɪnstəns] *s* wypadek; przykład; instancja; naleganie, żądanie; **for** ~ na przykład

**in·stant** [`ɪnstənt] *adj* natychmiastowy, nagły, naglący; bieżący (miesiąc); *s* chwila

**in·stan·ta·ne·ous** [ˈɪnstən`teɪnɪəs] *adj* momentalny; natychmiastowy

**in·stant·ly** [`ɪnstəntlɪ] *adv* natychmiast

**in·stead** [ɪn`sted] *adv* na miejsce ⟨zamiast⟩ tego; *praep* ~ **of** zamiast ⟨w miejsce⟩ (**sb, sth** kogoś, czegoś)

**in·sti·gate** [ˋɪnstɪgeɪt] *vt* podżegać, podjudzać; wywołać (np. bunt)
**in·sti·ga·tion** [ˏɪnstɪˋgeɪʃn] *s* podżeganie, prowokacja, namowa
**in·still** [ɪnˋstɪl] *vt* wsączać; wpajać (np. zasady)
**in·stinct** [ˋɪnstɪŋkt] *s* instynkt; *adj* ożywiony ⟨przepojony⟩ (czymś)
**in·stinc·tive** [ɪnˋstɪŋktɪv] *adj* instynktowny
**in·sti·tute** [ˋɪnstɪtjut] *s* instytut; *vt* zakładać; urządzać; ustanawiać; zaprowadzać; wszczynać
**in·sti·tu·tion** [ˏɪnstɪˋtjuʃn] *s* instytucja, zakład; związek, towarzystwo; ustanowienie, założenie; zwyczaj (powszechny)
**in·struct** [ɪnˋstrʌkt] *vt* instruować, informować; zlecać; uczyć (**in sth** czegoś)
**in·struc·tion** [ɪnˋstrʌkʃn] *s* instrukcja; wskazówka; polecenie; nauka, szkolenie
**in·struc·tive** [ɪnˋstrʌktɪv] *adj* pouczający
**in·struc·tor** [ɪnˋstrʌktə(r)] *s* instruktor, nauczyciel
**in·stru·ment** [ˋɪnstrumənt] *s* instrument; przyrząd, aparat; *dosł.* i *przen.* narzędzie
**in·stru·men·tal** [ˏɪnstruˋmentl] *adj* służący za narzędzie; pomocny; **to be ~ in sth** doprowadzić ⟨przyczynić się⟩ do czegoś; *s gram.* narzędnik
**in·sub·or·di·nate** [ˏɪnsəˋbɔdɪnət] *adj* nieposłuszny, niekarny
**in·sub·or·di·na·tion** [ˏɪnsəˏbɔdɪˋneɪʃn] *s* niesubordynacja, niekarność, nieposłuszeństwo
**in·suf·fer·a·ble** [ɪnˋsʌfrəbl] *adj* nieznośny
**in·suf·fi·cien·cy** [ˏɪnsəˋfɪʃnsɪ] *s* niedostatek; *med.* niedomoga
**in·suf·fi·cient** [ˏɪnsəˋfɪʃnt] *adj* niewystarczalny, niedostateczny
**in·su·lar** [ˋɪnsjulə(r)] *adj* wyspiarski; *przen.* mający ograniczony światopogląd
**in·su·late** [ˋɪnsjuleɪt] *vt* izolować
**in·su·la·tion** [ˏɪnsjuˋleɪʃn] *s* izolacja
**in·sult** [ɪnˋsʌlt] *vt* lżyć, znieważać, obrażać; *s* [ˋɪnsʌlt] obraza, zniewaga
**in·su·per·a·ble** [ɪnˋsjuprəbl] *adj* niepokonany, niezwyciężony; nie do przezwyciężenia
**in·sup·port·a·ble** [ˏɪnsəˋpɔtəbl] *adj* nie do zniesienia
**in·sur·ance** [ɪnˋʃuərns] *s* ubezpieczenie
**in·sure** [ɪnˋʃuə(r)] *vt vi* ubezpieczać (się)
**in·sur·gence** [ɪnˋsɜdʒəns] *s* powstanie, insurekcja
**in·sur·gent** [ɪnˋsɜdʒənt] *adj* powstańczy; *s* powstaniec
**in·sur·mount·a·ble** [ˏɪnsəˋmauntəbl] *adj* nie do pokonania, nieprzezwyciężony
**in·sur·rec·tion** [ˏɪnsəˋrekʃn] *s* powstanie
**in·sur·rec·tion·ist** [ˏɪnsəˋrekʃnɪst] *s* powstaniec
**in·sus·cep·ti·ble** [ˏɪnsəˋseptəbl] *adj* nieczuły (**to sth** na coś); niepodatny ⟨odporny⟩ (**of sth** na coś)
**in·tact** [ɪnˋtækt] *adj* nietknięty, nienaruszony, dziewiczy
**in·take** [ˋɪnteɪk] *s* wsysanie, pobieranie (np. wody); ilość spożyta ⟨zużyta, pobrana⟩; wlot; napływ, dopływ
**in·tan·gi·ble** [ɪnˋtændʒəbl] *adj* niedotykalny; nieuchwytny
**in·te·ger** [ˋɪntɪdʒə(r)] *s* całość; *mat.* liczba całkowita
**in·te·gral** [ˋɪntɪgrəl] *adj* integralny; *s mat.* całka; całość
**in·te·grate** [ˋɪntɪgreɪt] *vt* scalić, uzupełnić; *mat.* całkować
**in·te·gra·tion** [ˏɪntɪˋgreɪʃn] *s* scalenie, integracja; *mat.* całkowanie
**in·teg·ri·ty** [ɪnˋtegrətɪ] *s* integralność; rzetelność, prawość
**in·tel·lect** [ˋɪntəlekt] *s* intelekt, umysł
**in·tel·lec·tu·al** [ˏɪntəˋlektʃuəl] *adj* intelektualny, umysłowy; *s* intelektualista, pracownik umysłowy
**in·tel·li·gence** [ɪnˋtelɪdʒəns] *s* inte-

ligencja; informacja; wywiad; ~ service służba wywiadowcza

**in·tel·li·genc·er** [ɪn`telɪdʒənsə(r)] *s* agent obcego wywiadu, szpieg

**in·tel·li·gent** [ɪn`telɪdʒənt] *adj* inteligentny

**in·tel·li·gent·si·a** [ɪn'telɪ`dʒentsɪə] *s zbior.* inteligencja, warstwy wykształcone

**in·tel·li·gi·ble** [ɪn`telɪdʒəbl] *adj* zrozumiały

**in·tem·per·ance** [ɪn`temprəns] *s* nieumiarkowanie, niepowściągliwość

**in·tem·per·ate** [ɪn`tempərət] *adj* nieumiarkowany, niepohamowany

**in·tend** [ɪn`tend] *vt* zamierzać, zamyślać; przeznaczać; mieć na myśli ⟨na celu⟩; chcieć

**in·tense** [ɪn`tens] *adj* intensywny; napięty; silny; usilny; wytężony; *(o uczuciu)* żywy

**in·ten·si·fi·ca·tion** [ɪn'tensɪfɪ`keɪʃn] *s* intensyfikacja, wzmacnianie, wzmaganie

**in·ten·si·fy** [ɪn`tensɪfaɪ] *vt vi* wzmocnić (się), napiąć, pogłębiać (się), wzmagać (się)

**in·ten·si·ty** [ɪn`tensətɪ] *s* intensywność

**in·ten·sive** [ɪn`tensɪv] *adj* wzmożony, intensywny

**in·tent** [ɪn`tent] *adj* uważny; zajęty, zaprzątnięty; zdecydowany, zawzięty (**on** ⟨**upon**⟩ **sth** na coś); *s* zamiar, intencja, plan; **to all ~s and purposes** w istocie, faktycznie

**in·ten·tion** [ɪn`tenʃn] *s* zamiar, cel

**in·ten·tion·al** [ɪn`tenʃnl] *adj* celowy, umyślny

**in·ter** [ɪn`tɜ(r)] *vt* grzebać, chować (zmarłego)

**in·ter·act** ['ɪntər`ækt] *vi* oddziaływać (na siebie) wzajemnie

**in·ter·cede** ['ɪntə`sid] *vi* interweniować, wstawiać się (**with sb for sb, sth** u kogoś za kimś, czymś)

**in·ter·cept** ['ɪntə`sept] *vt* przechwycić, przejąć; przerwać, zagrodzić; odciąć

**in·ter·ces·sion** ['ɪntə`seʃn] *s* wstawiennictwo

**in·ter·change** ['ɪntə`tʃeɪndʒ] *vt vi* wymieniać (między sobą); zamieniać (coś na coś); zmieniać (się) kolejno; *s* [`ɪntətʃeɪndʒ] wzajemna wymiana, kolejna zmiana

**in·ter·course** [`ɪntəkɔs] *s* obcowanie, stosunek (wzajemny), związek; **to have** ⟨**hold**⟩ ~ utrzymywać stosunki (**with sb** z kimś)

**in·ter·dict** ['ɪntə`dɪkt] *vt* zabronić, zakazać; *s* [`ɪntədɪkt] = **interdiction**

**in·ter·dic·tion** ['ɪntə`dɪkʃn] *s* zakaz; *hist.* interdykt

**in·ter·est** [`ɪntrəst] *s* interes, zysk, udział (np. w zyskach); dobro (publiczne itd.); *handl.* odsetki; zainteresowanie; **to take an ~** interesować się (**in sth** czymś); *vt* interesować; *vr* ~ **oneself** interesować się (**in sth** czymś)

**in·ter·est·ing** [`ɪntrəstɪŋ] *ppraes i adj* interesujący, zajmujący, ciekawy

**in·ter·fere** ['ɪntə`fɪə(r)] *vi* mieszać ⟨wtrącać, wdawać⟩ się (**with sth** w coś); przeszkadzać ⟨zawadzać⟩ (**with sth** czemuś), kolidować

**in·ter·fer·ence** ['ɪntə`fɪərns] *s* mieszanie ⟨wtrącanie⟩ się, ingerencja, wkraczanie; przeszkoda, kolizja

**in·ter·im** [`ɪntərɪm] *s* okres przejściowy; *adj* przejściowy

**in·te·ri·or** [ɪn`tɪərɪə(r)] *adj* wewnętrzny; ~ **design** architektura wnętrz; *s* wnętrze; środek ⟨głąb⟩ kraju

**in·ter·jec·tion** ['ɪntə`dʒekʃn] *s* okrzyk; *gram.* wykrzyknik

**in·ter·lace** ['ɪntə`leɪs] *vt vi* przeplatać (się)

**in·ter·lock** ['ɪntə`lok] *vt vi* spleść (się), sprząc ⟨złączyć⟩ (się)

**in·ter·loc·u·tor** ['ɪntə`lokjutə(r)] *s* rozmówca

**in·ter·lude** [ˋɪntəlud] *s* (*także muz.*) interludium; przerwa
**in·ter·mar·riage** [ˈɪntəˋmærɪdʒ] *s* małżeństwo mieszane; małżeństwo w obrębie rodu ⟨plemienia⟩
**in·ter·me·di·ar·y** [ˈɪntəˋmidɪərɪ] *adj* pośredni; pośredniczący; *s* pośrednik
**in·ter·me·di·ate** [ˈɪntəˋmidɪət] *adj* pośredni; ~ **examination** egzamin składany w połowie studiów uniwersyteckich; *s* etap ⟨produkt itd.⟩ pośredni; stadium pośrednie
**in·ter·ment** [ɪnˋtɜmənt] *s* pogrzeb
**in·ter·mi·na·ble** [ɪnˋtɜmɪnəbl] *adj* nie kończący się
**in·ter·min·gle** [ˈɪntəˋmɪŋgl] *vt vi* mieszać (się), splatać (się)
**in·ter·mis·sion** [ˈɪntəˋmɪʃn] *s* przerwa, pauza
**in·ter·mit·tent** [ˈɪntəˋmɪtnt] *adj* przerywany, sporadyczny
**in·ter·mix** [ˈɪntəˋmɪks] *vt vi* mieszać (się)
**in·tern 1.** [ɪnˋtɜn] *vt* internować
**in·tern 2.** [ˋɪntɜn] *s am.* lekarz-stażysta (mieszkający na terenie kliniki); student **w** internacie
**in·ter·nal** [ɪnˋtɜnl] *adj* wewnętrzny; krajowy, domowy
**in·ter·na·tion·al** [ˈɪntəˋnæʃnl] *adj* międzynarodowy; *s sport* zawody międzynarodowe; uczestnik zawodów międzynarodowych; **the International** Międzynarodówka
**In·ter·na·tio·nale** [ˈɪntəˈnæʃənˋal] *s* Międzynarodówka (hymn)
**in·ter·na·tion·al·ism** [ˈɪntəˋnæʃnlɪzm] *s* internacjonalizm
**in·ter·na·tion·al·ize** [ˈɪntəˋnæʃnəlaɪz] *vt* umiędzynarodowić
**in·ter·ne·cine** [ˈɪntəˋnisaɪn] *adj* morderczy
**in·tern·ment** [ɪnˋtɜnmənt] *s* internowanie; ~ **camp** obóz koncentracyjny
**in·ter·pel·late** [ɪnˋtɜpɪleɪt] *vt* interpelować
**in·ter·play** [ˋɪntəpleɪ] *s* obustronna gra; wzajemne oddziaływanie
**in·ter·po·late** [ɪnˋtɜpəleɪt] *vt* wstawić (do tekstu); *mat.* interpolować
**in·ter·pose** [ˈɪntəˋpəuz] *vt vi* wstawiać, wtrącać (się); użyć (autorytetu itp.); interweniować
**in·ter·pret** [ɪnˋtɜprɪt] *vt* tłumaczyć, objaśniać; interpretować; *vi* tłumaczyć ustnie (np. na odczycie)
**in·ter·pre·ta·tion** [ɪnˈtɜprɪˋteɪʃn] *s* tłumaczenie; objaśnienie, interpretacja
**in·ter·pret·er** [ɪnˋtɜprɪtə(r)] *s* tłumacz (ustny)
**in·ter·ro·gate** [ɪnˋterəgeɪt] *vt* pytać, indagować, przesłuchiwać
**in·ter·ro·ga·tion** [ɪnˈterəˋgeɪʃn] *s* pytanie, indagacja, przesłuchanie; *gram.* **note of** ~ pytajnik
**in·ter·rog·a·tive** [ˈɪntəˋrogətɪv] *adj* (*także gram.*) pytający
**in·ter·rupt** [ˈɪntəˋrʌpt] *vt* przerywać
**in·ter·sect** [ˈɪntəˋsekt] *vt* przecinać
**in·ter·sperse** [ˈɪntəˋspɜs] *vt* rozsypać ⟨rozrzucić⟩ (między czymś), przemieszać; urozmaicić
**in·ter·twine** [ˈɪntəˋtwaɪn] *vt vi* przeplatać (się)
**in·ter·val** [ˋɪntəvl] *s* przerwa, odstęp; *muz.* interwał; **at ~s** z przerwami, tu i ówdzie
**in·ter·vene** [ˈɪntəˋvin] *vi* interweniować; ingerować ⟨wdawać się, wkraczać⟩ (w coś); wydarzyć się; upłynąć
**in·ter·ven·tion** [ˈɪntəˋvenʃn] *s* interwencja, wkroczenie (w coś)
**in·ter·view** [ˋɪntəvju] *s* wywiad (*zw.* dziennikarski); *vt* przeprowadzić wywiad (sb z kimś)
***in·ter·weave** [ˈɪntəˋwiv], **interwove** [ˈɪntəˋwəuv], **interwoven** [ˈɪntəˋwəuvən] *vt vi* tkać, przeplatać (się), przetykać
**in·tes·tine** [ɪnˋtestɪn] *adj* wewnętrzny; *s pl* **~s** wnętrzności, jelita
**in·ti·ma·cy** [ˋɪntɪməsɪ] *s* poufałość, intymność

**in·ti·mate** [ˈɪntɪmət] *adj* poufały, intymny, zażyły; gruntowny; *vt* [ˈɪntɪmeɪt] podać do wiadomości; dać do zrozumienia

**in·ti·ma·tion** [ˌɪntɪˈmeɪʃn] *s* podanie do wiadomości; zasugerowanie; napomknięcie

**in·tim·i·date** [ɪnˈtɪmɪdeɪt] *vt* zastraszyć, onieśmielić

**in·tim·i·da·tion** [ɪnˌtɪmɪˈdeɪʃn] *s* zastraszenie, onieśmielenie

**in·to** [ˈɪntu, ˈɪntə] *praep dla oznaczenia ruchu i kierunku*: w, do; **far ~ the night** do późna w nocy; *dla oznaczenia przemiany i podziału*: na, w; **to turn ~ gold** zmienić w złoto; **to divide ~ groups** dzielić na grupy

**in·tol·er·a·ble** [ɪnˈtolr̥əbl] *adj* nieznośny

**in·tol·er·ance** [ɪnˈtolərns] *s* nietolerancja

**in·tol·er·ant** [ɪnˈtolərnt] *adj* nietolerancyjny

**in·to·na·tion** [ˌɪntəˈneɪʃn] *s* intonacja

**in·tone** [ɪnˈtəun] *vt* intonować

**in·tox·i·cant** [ɪnˈtoksɪkənt] *adj* odurzający, alkoholowy; *s* środek odurzający, napój alkoholowy

**in·tox·i·cate** [ɪnˈtoksɪkeɪt] *vt* odurzyć, upić

**in·tox·i·ca·tion** [ɪnˌtoksɪˈkeɪʃn] *s* odurzenie, upicie; *med.* zatrucie

**in·trac·ta·ble** [ɪnˈtræktəbl] *adj* krnąbrny; oporny, niepodatny

**in·tran·si·gent** [ɪnˈtrænsɪdʒənt] *adj* nieprzejednany; *s* człowiek nieprzejednany

**in·tran·si·tive** [ɪnˈtrænsɪtɪv] *adj gram.* nieprzechodni

**in·tra·ve·nous** [ˌɪntrəˈvinəs] *adj* dożylny

**in·trench** = **entrench**

**in·trep·id** [ɪnˈtrepɪd] *adj* nieustraszony

**in·tri·ca·cy** [ˈɪntrɪkəsɪ] *s* zawiłość, gmatwanina

**in·tri·cate** [ˈɪntrɪkət] *adj* skomplikowany, zawiły

**in·trigue** [ɪnˈtrig] *s* intryga; *vt vi* intrygować

**in·trin·sic** [ɪnˈtrɪnsɪk] *adj* wewnętrzny, głęboki; istotny, faktyczny

**in·tro·duce** [ˌɪntrəˈdjus] *vt* wprowadzić; przedstawić (**sb to sb** kogoś komuś); przedłożyć (np. wniosek)

**in·tro·duc·tion** [ˌɪntrəˈdʌkʃn] *s* wprowadzenie; przedstawienie; przedłożenie; wstęp, przedmowa

**in·tro·duc·to·ry** [ˌɪntrəˈdʌktr̥ɪ] *adj* wstępny, wprowadzający; polecający

**in·tro·spect** [ˌɪntrəˈspekt] *vi* obserwować samego siebie, oddawać się introspekcji

**in·trude** [ɪnˈtrud] *vi* wtrącać się ⟨wkraczać⟩ (**into sth** do czegoś); przeszkadzać, narzucać się (**on** ⟨**upon**⟩ **sb** komuś); zakłócać (**on** ⟨**upon**⟩ **sth** coś); *vt* narzucać (**sth on** ⟨**upon**⟩ **sb** komuś coś)

**in·trud·er** [ɪnˈtrudə(r)] *s* intruz, natręt

**in·tru·sion** [ɪnˈtruʒn] *s* bezprawne wkroczenie ⟨wtargnięcie⟩ (w coś ⟨gdzieś⟩); narzucanie (się); wciśnięcie

**in·tru·sive** [ɪnˈtruzɪv] *adj* narzucający się, natrętny; wtrącony

**in·trust** = **entrust**

**in·tu·i·tion** [ˌɪntjuˈɪʃn] *s* intuicja

**in·tu·i·tive** [ɪnˈtjuɪtɪv] *adj* intuicyjny

**in·un·date** [ˈɪnəndeɪt] *vt* zalać, zatopić

**in·un·da·tion** [ˌɪnənˈdeɪʃn] *s* zalew, powódź

**in·ure** [ɪˈnjuə(r)] *vt* przyzwyczajać, zaprawiać, hartować

**in·vade** [ɪnˈveɪd] *vt* najechać, wtargnąć (**a country** do kraju)

**in·va·lid** 1. [ˈɪnvəlɪd] *adj* chory, ułomny, niezdolny do pracy; *s* człowiek chory, kaleka, inwalida

**in·va·lid** 2. [ɪnˈvælɪd] *adj* nieważny, nieprawomocny

**in·val·i·date** [ɪnˈvælɪdeɪt] *vt* unieważnić

**in·val·u·a·ble** [ɪn'væljʊbl] *adj* bezcenny, nieoceniony
**in·var·i·a·ble** [ɪn'veərɪəbl] *adj* niezmienny
**in·va·sion** [ɪn'veɪʒn] *s* inwazja
**in·vec·tive** [ɪn'vektɪv] *s* inwektywa, obelga
**in·veigh** [ɪn'veɪ] *vi* gromić, kląć **(against sb, sth** kogoś, coś)
**in·vei·gle** [ɪn'vigl] *vt* uwodzić; wabić
**in·vent** [ɪn'vent] *vt* wynajdować, wymyślić; zmyślić
**in·ven·tion** [ɪn'venʃn] *s* wynalazek; wymysł
**in·ven·tive** [ɪn'ventɪv] *adj* wynalazczy, pomysłowy
**in·ven·tor** [ɪn'ventə(r)] *s* wynalazca
**in·ven·to·ry** ['ɪnvəntrɪ] *s* inwentarz
**in·verse** ['ɪn'vɜs] *adj* odwrotny; *s* odwrotność
**in·ver·sion** [ɪn'vɜʃn] *s* odwrócenie, inwersja
**in·vert** [ɪn'vɜt] *vt* odwrócić, przestawić
**in·ver·te·brate** [ɪn'vɜtəbreɪt] *adj zool.* bezkręgowy; *przen.* bez kręgosłupa; *s zool.* bezkręgowiec
**in·vest** [ɪn'vest] *vt* odziewać, ubierać **(in sth** w coś); otaczać **(with sth** czymś); inwestować, wkładać; wyposażyć, obdarzyć **(with sth** w coś); nadać **(sb with sth** komuś coś — np. przywilej, władzę)
**in·ves·ti·gate** [ɪn'vestɪgeɪt] *vt* badać; dochodzić ⟨dociekać⟩ **(sth** czegoś); prowadzić śledztwo
**in·ves·ti·ga·tion** [ɪn'vestɪ'geɪʃn] *s* badanie, dociekanie, śledztwo
**in·vest·ment** [ɪn'vestmənt] *s* inwestycja, lokata; odzianie, szata; *wojsk.* oblężenie
**in·vet·er·ate** [ɪn'vetərət] *adj* zastarzały; głęboko zakorzeniony; uporczywy; nałogowy
**in·vid·i·ous** [ɪn'vɪdɪəs] *adj* nienawistny, budzący zawiść
**in·vig·i·late** [ɪn'vɪdʒɪleɪt] *vt* nadzorować przy egzaminie ⟨egzamin⟩
**in·vig·o·rate** [ɪn'vɪgəreɪt] *vt* wzmacniać, pokrzepiać, orzeźwić
**in·vin·ci·ble** [ɪn'vɪnsəbl] *adj* niezwyciężony
**in·vi·o·la·ble** [ɪn'vaɪələbl] *adj* nienaruszalny, nietykalny
**in·vi·o·late** [ɪn'vaɪələt] *adj* nienaruszony, nietknięty
**in·vis·i·ble** [ɪn'vɪzəbl] *adj* niewidzialny, niewidoczny
**in·vi·ta·tion** ['ɪnvɪ'teɪʃn] *s* zaproszenie
**in·vite** [ɪn'vaɪt] *vt* zapraszać; zachęcać **(sth** do czegoś); wywoływać, powodować
**in·voice** ['ɪnvɔɪs] *s handl.* faktura
**in·voke** [ɪn'vəʊk] *vt* wzywać, zaklinać
**in·vol·un·tar·y** [ɪn'voləntrɪ] *adj* mimowolny
**in·vo·lu·tion** ['ɪnvə'luʃn] *s* powikłanie, zawiłość
**in·volve** [ɪn'volv] *vt* obejmować; zwijać; wciągać, pociągać za sobą; wmieszać, wplątać; uwikłać; komplikować, gmatwać
**in·volved** [ɪn'volvd] *pp i adj* zawiły; wplątany
**in·vul·ner·a·ble** [ɪn'vʌlnrəbl] *adj* nie do zranienia, niewrażliwy (na ciosy itp.); nienaruszalny
**in·ward** ['ɪnwəd] *adj* wewnętrzny; duchowy; skryty; skierowany do wewnątrz; *adv* (*także* ~s) do wnętrza, w głąb, w głębi; w duchu
**i·o·dine** ['aɪədin] *s chem.* jod; *pot.* jodyna (*zw.* **tincture of** ~)
**i·o·ta** [aɪ'əʊtə] *s* (*litera*) jota; odrobina
**I·ra·ni·an** [ɪ'reɪnɪən] *adj* irański, perski; *s* Irańczyk, Pers
**i·ras·ci·ble** [ɪ'ræsəbl] *adj* drażliwy, skłonny do gniewu
**I·rish** ['aɪərɪʃ] *adj* irlandzki
**I·rish·man** ['aɪərɪʃmən] (*pl* **Irishmen** ['aɪərɪʃmən]) *s* Irlandczyk
**irk·some** ['ɜksəm] *adj* nużący, przykry
**i·ron** ['aɪən] *s* żelazo; żelazko (do prasowania); *pl* ~s kajdanki; **cast** ~ żeliwo; *vt* okuć, podkuć;

prasować (np. bieliznę); zakuć w kajdany

**i·ron·clad** [ˋaɪənklæd] *adj* opancerzony, pancerny; *s mors.* pancernik

**i·ron-found·ry** [ˋaɪənfaundrɪ] *s* huta, odlewnia żelaza

**i·ron·ic(al)** [aɪˋronɪk(l)] *adj* ironiczny

**i·ron·mon·ger** [ˋaɪənmʌŋgə(r)] *s* handlarz towarami żelaznymi

**i·ron·side** [ˋaɪənsaɪd] *s przen.* człowiek „z żelaza"; *hist.* żołnierz armii Cromwella

**i·ron·work** [ˋaɪənwək] *s* konstrukcja żelazna; *zbior.* wyroby żelazne; *pl* **~s** huta

**i·ro·ny** [ˋaɪərənɪ] *s* ironia

**ir·ra·di·ate** [ɪˋreɪdɪeɪt] *vt* oświetlać; naświetlać (promieniami); wyjaśniać (kwestię, sprawę itd.); *vi* promieniować

**ir·ra·tion·al** [ɪˋræʃnl] *adj* irracjonalny; nierozumny

**ir·rec·on·cil·a·ble** [ˈɪˈrekənˋsaɪləbl] *adj* nieprzejednany; nie dający się pogodzić

**ir·re·cov·er·a·ble** [ˈɪrɪˋkʌvərəbl] *adj* bezpowrotnie stracony, nie do odzyskania; nie do naprawienia

**ir·ref·u·ta·ble** [ˈɪrɪˋfjutəbl] *adj* niezbity, nieodparty

**ir·reg·u·lar** [ɪˋregjulə(r)] *adj* nieregularny, nieprawidłowy, nierówny; nieporządny; nielegalny

**ir·reg·u·lar·i·ty** [ˈɪˈregjuˋlærətɪ] *s* nieregularność, nieprawidłowość, nierówność; nieporządek; naruszanie norm ⟨przepisów itd.⟩

**ir·rel·e·vant** [ɪˋreləvənt] *adj* nie należący do rzeczy, nie odnoszący się do danej sprawy, nie mający związku z tematem

**ir·re·li·gious** [ˈɪrɪˋlɪdʒəs] *adj* niewierzący, bezbożny

**ir·re·me·di·a·ble** [ˈɪrɪˋmidɪəbl] *adj* nie do naprawienia

**ir·re·mov·a·ble** [ˈɪrɪˋmuvəbl] *adj* nieusuwalny, nie do usunięcia

**ir·rep·a·ra·ble** [ɪˋreprəbl] *adj* nie do naprawienia, niepowetowany

**ir·re·press·i·ble** [ˈɪrɪˋpresəbl] *adj* niepowstrzymany, nie do opanowania; nieodparty

**ir·re·proach·a·ble** [ˈɪrɪˋprəutʃəbl] *adj* nienaganny

**ir·re·sist·i·ble** [ˈɪrɪˋzɪstəbl] *adj* nieodparty

**ir·res·o·lute** [ˈɪˋrezəlut] *adj* niezdecydowany

**ir·re·spec·tive** [ˈɪrɪˋspektɪv] *adj* nie biorący pod uwagę; niezależny; *adv* niezależnie; **~ of** bez względu na, niezależnie od

**ir·re·spon·si·ble** [ˈɪrɪˋsponsəbl] *adj* nieodpowiedzialny, lekkomyślny

**ir·re·triev·a·ble** [ˈɪrɪˋtrivəbl] *adj* niepowetowany, bezpowrotny

**ir·rev·er·ent** [ɪˋrevərənt] *adj* nie okazujący szacunku, lekceważący

**ir·rev·o·ca·ble** [ɪˋrevəkəbl] *adj* nieodwołalny

**ir·ri·gate** [ˋɪrɪgeɪt] *vt* nawadniać; *med.* przepłukiwać

**ir·ri·ga·tion** [ˈɪrɪˋgeɪʃn] *s* nawodnienie; *med.* przepłukiwanie, irygacja

**ir·ri·ta·ble** [ˋɪrɪtəbl] *adj* skłonny do gniewu, drażliwy

**ir·ri·tate** [ˋɪrɪteɪt] *vt* irytować, rozdrażniać

**ir·ri·ta·tion** [ˈɪrɪˋteɪʃn] *s* irytacja, rozdrażnienie

**is** [ɪz] *zob.* **be**

**is·land** [ˋaɪlənd] *s* wyspa

**is·land·er** [ˋaɪləndə(r)] *s* wyspiarz

**isle** [aɪl] *s* wyspa

**is·let** [ˋaɪlət] *s* wysepka

**isn't** [ɪznt] = **is not**; *zob.* **be**

**i·so·late** [ˋaɪsəleɪt] *vt* izolować ⟨odosobnić, wyodrębnić⟩ **(from** sth od czegoś**)**

**i·so·la·tion** [ˈaɪsəˋleɪʃn] *s* izolacja, odosobnienie

**i·sos·ce·les** [aɪˋsosḷiz] *adj mat.* równoramienny (trójkąt)

**i·so·tope** [ˋaɪsətəup] *s fiz.* izotop

**Is·ra·el·ite** [ˋɪzrɪəlaɪt] *s* Izraelita

**is·sue** [ˋɪʃu] *s* wyjście; ujście, upływ; wynik, rezultat; potomstwo; kwestia, zagadnienie; emisja; przydział; nakład, wydanie; wydawanie; **in the ~** w końcu; **matter at ~** sprawa sporna; **to bring to an ~** doprowadzić do końca; **to join ⟨take⟩ ~** zacząć się spierać; *vt* wypuszczać; wydawać; emitować; *vi* wychodzić; uchodzić; wypadać; pochodzić; wynikać, wypływać

**isth·mus** [ˋɪsməs] *s* przesmyk

**it** [ɪt] *pron* ono, to; (*gdy zastępuje rzeczowniki nieżywotne i nazwy zwierząt*) on, ona

**I·tal·ian** [ɪˋtælɪən] *adj* włoski; *s* Włoch; język włoski

**i·tal·ics** [ɪˋtælɪks] *s pl* kursywa, pismo pochyłe

**itch** [ɪtʃ] *vi* swędzić; *s* swędzenie; *med.* świerzb; *pot.* chętka

**i·tem** [ˋaɪtəm] *s* przedmiot; punkt; szczegół; pozycja (w rachunku itd.); *adv* podobnie, tak samo

**i·tem·ize** [ˋaɪtəmaɪz] *vt* wyszczególniać

**it·er·ate** [ˋɪtəreɪt] *vt* powtarzać

**i·tin·er·ant** [aɪˋtɪnərənt] *adj* wędrowny

**i·tin·er·ar·y** [aɪˋtɪnərərɪ] *adj* wędrowny; *s* trasa ⟨plan⟩ podróży; przewodnik (książka); dziennik podróży

**i·tin·er·ate** [aɪˋtɪnəreɪt] *vi* wędrować

**its** [ɪts] *pron* (*w odniesieniu do dziecka, zwierząt i rzeczy*) jego, jej, swój

**it's** [ɪts] = **it is**; *zob.* **be**

**it·self** [ɪtˋself] *pron* samo, sobie, siebie, się; **by ~** samo (jedno)

**I've** [aɪv] = **I have**

**i·vo·ry** [ˋaɪvṛɪ] *s* kość słoniowa

**i·vy** [ˋaɪvɪ] *s* bluszcz

## J

**jab·ber** [ˋdʒæbə(r)] *vt vi* trajkotać, paplać; *s* paplanie, trajkotanie

**Jack, jack** [dʒæk] *s zdrob.* od **John** Jaś; chłopak; (*także* **jack tar**) (prosty) marynarz; służący; walet (w kartach); lewar, podnośnik; *mors.* bandera; **Jack of all trades** majster do wszystkiego; **Jack in office** biurokrata; *pot.* ważniak; **cheap Jack** wędrowny przekupień; **Union Jack** narodowa flaga brytyjska; **everyman jack** każdy bez wyjątku

**jack·al** [ˋdʒækəl] *s zool.* szakal

**jack·ass** [ˋdʒækæs] *s dosł. i przen.* osioł

**jack·boot** [ˋdʒækbut] *s* but z wysoką cholewką

**jack·daw** [ˋdʒækdɔ] *s zool.* kawka

**jack·et** [ˋdʒækɪt] *s* żakiet, kurtka, marynarka, kaftan; obwoluta; teczka (na akta); skórka, łupina; okładzina, koszulka, osłona

**jack-o'-lantern** [ˈdʒækəˋlæntən] *s* błędny ognik

**jade** [dʒeɪd] *s* szkapa; *vt vi* zmordować (się), zmęczyć (się)

**jad·ed** [ˋdʒeɪdɪd] *pp i adj* sterany

**jag** [dʒæg] *s* szczerba, wyrwa; cypel; ząb (np. piły); strzęp (materiału, kartki itd.); występ (skalny); *vt* karbować; szczerbić; wyrzynać; strzępić

**jag·ged** [ˋdʒægɪd] *pp i adj* szczerbaty; strzępiasty, ząbkowany

**jag·uar** [ˋdʒægjuə(r)] *s zool.* jaguar

**jail** [dʒeɪl] *s am.* więzienie

**jail·er** [ˋdʒeɪlə(r)] *s am.* dozorca więzienny

**jam** 1. [dʒæm] *s* dżem, konfitura

**jam** 2. [dʒæm] *vt* zaciskać, wciskać; stłoczyć; zatykać, blokować; zagłuszać (transmisję radiową); *vi* zaklinować się; zaciąć się; *s* ucisk, ścisk; zator; zacięcie się

**jam·bo·ree** [ˈdʒæmbəˈri] *s* zlot harcerski; jamboree

**jan·gle** [ˋdʒæŋgl] *s* brzęk; klekot; *vt vi* brzęczeć, dzwonić, klekotać

**jan·i·tor** [ˋdʒænɪtə(r)] *s* odźwierny, dozorca, portier

**Jan·u·ar·y** [ˋdʒænjuərɪ] *s* styczeń

**Jap·a·nese** [ˈdʒæpəˋniz] *adj* japoński; *s* Japończyk; język japoński

**jar** 1. [dʒa(r)] *s* słój, słoik, dzban

**jar** 2. [dʒa(r)] *vi* zgrzytać, brzęczeć; kłócić się; *vt* drażnić ⟨razić⟩ (np. ucho); szarpać ⟨działać na⟩ nerwy; wstrząsać; *s* zgrzyt; wstrząs; kłótnia

**jas·mine** [ˋdʒæzmɪn] *s* jaśmin

**jas·per** [ˋdʒæspə(r)] *s* *miner.* jaspis

**jaun·dice** [ˋdʒɔndɪs] *s* *med.* żółtaczka; *przen.* zazdrość, zawiść

**jaunt** [dʒɔnt] *vi* wybrać się na wycieczkę; *s* (krótka) wycieczka

**jaun·ty** [ˋdʒɔntɪ] *s* żwawy, wesoły, beztroski

**jave·lin** [ˋdʒævl̩ɪn] *s* *sport* oszczep

**jaw** [dʒɔ] *s* szczęka

**jaw-bone** [ˋdʒɔ bəun] *s* kość szczękowa

**jazz** [dʒæz] *s* dżez, jazz; muzyka dżezowa ⟨jazzowa⟩

**jeal·ous** [ˋdʒeləs] *adj* zazdrosny (**of sb, sth** o kogoś, coś), zawistny

**jeal·ous·y** [ˋdʒeləsɪ] *s* zazdrość, zawiść

**jeep** [dʒip] *s* dżip, jeep, łazik (samochód wojskowy)

**jeer** [dʒɪə(r)] *vi* szydzić (**at sb, sth** z kogoś, czegoś); *s* szyderstwo

**jel·ly** [ˋdʒelɪ] *s* galareta, kisiel

**jel·ly-fish** [ˋdʒelɪ fɪʃ] *s* *zool.* meduza

**jen·ny** [ˋdʒenɪ] *s* *techn.* przędzarka (maszyna)

**jeop·ard·ize** [ˋdʒepədaɪz] *vt* narazić na niebezpieczeństwo, ryzykować (**sth** coś, czymś)

**jeop·ard·y** [ˋdʒepədɪ] *s* niebezpieczeństwo, ryzyko

**jerk** [dʒɜk] *vt* szarpnąć, targnąć; cisnąć, pchnąć; *vi* szarpać się, nagle poruszyć się; *s* szarpnięcie, targnięcie, pchnięcie; skurcz, drgawka

**jerk·y** [ˋdʒɜkɪ] *adj* szarpiący, szarpany; konwulsyjny

**jer·sey** [ˋdʒɜzɪ] *s* sweter, golf

**jest** [dʒest] *s* żart; pośmiewisko; *vi* żartować (**about sb, sth** z kogoś, czegoś)

**jest·er** [ˋdʒestə(r)] *s* żartowniś; błazen

**jet** [dʒet] *s* struga, wytrysk; dysza; odrzutowiec; *adj attr* odrzutowy; *vt vi* tryskać

**jet-plane** [ˋdʒetpleɪn] *s* odrzutowiec

**jet-pro·pelled** [ˈdʒet prəˋpeld] *adj* odrzutowy; ~ **plane** odrzutowiec

**jet·sam** [ˋdʒetsəm] *s* części ładunku wyrzucane za burtę (z powodu awarii); *przen.* **flotsam and ~** wyrzutki społeczeństwa, rozbitki życiowe; rzeczy bez wartości

**jet·ti·son** [ˋdʒetɪsn] *s* zrzut poza burtę; *vt* wyrzucać za burtę

**jet·ty** [ˋdʒetɪ] *s* molo; falochron

**Jew** [dʒu] *s* Żyd

**jew·el** [ˋdʒul̩] *s* klejnot; *vt* zdobić klejnotami

**jew·el·ler** [ˋdʒul̩ə(r)] *s* jubiler

**jew·el·ler·y** [ˋdʒul̩rɪ] *s* biżuteria; handel biżuterią

**Jew·ess** [dʒuˋes] *s* Żydówka

**Jew·ish** [ˋdʒuɪʃ] *adj* żydowski

**jib** [dʒɪb] *vi* (*o koniu*) płoszyć się ⟨stawać dęba⟩; *przen.* wzbraniać się (**at sth** przed czymś)

**jibe** = **gibe**

**jif·fy** [ˋdʒɪfɪ] *s* *pot.* chwilka

**jig** [dʒɪg] *s* skoczny taniec (giga)

**jig·saw** [ˋdʒɪgsɔ] *s* laubzega; ~ **puzzle** układanka

**jin·gle** [ˋdʒɪŋgl] *vt vi* dźwięczeć, brzęczeć, pobrzękiwać; *s* dzwonienie, brzęk, dźwięczenie

**jin·go** [ˋdʒɪŋgəu] *s* szowinista

**jin·go·ism** [ˋdʒɪŋgəuɪzm] *s* szowinizm

**job** [dʒob] *s* robota, zajęcie, praca;

sprawa; interes; **by the ~** na akord; **odd ~s** okazyjna ⟨dorywcza⟩ praca; **out of a ~** bezrobotny; **to make a good ~ of sth** dobrze sobie z czymś poradzić; *vt vi* pracować na akord; pracować dorywczo; nadużywać władzy; uprawiać machinacje handlowe; wynajmować (konia, wóz)

**job·ber** [ˈdʒobə(r)] *s* wyrobnik, robotnik akordowy; drobny spekulant (handlowy, giełdowy); aferzysta; pośrednik

**job·less** [ˈdʒobləs] *adj* bezrobotny

**jock·ey** [ˈdʒokɪ] *s* dżokej; szachraj; *vt vi* oszukiwać, szachrować

**jo·cose** [dʒəuˈkəus] *adj* zabawny, dowcipkujący, wesoły

**joc·u·lar** [ˈdʒokjulə(r)] *adj* figlarny, wesoły

**joc·und** [ˈdʒokənd] *adj* wesoły, pogodny

**jog** [dʒog] *vt* potrącać, popychać; potrząsać; *vi* (*zw.* **~ on** ⟨**along**⟩) posuwać się ⟨jechać⟩ naprzód; *s* popchnięcie; szturchnięcie; wolny kłus

**jog·gle** [ˈdʒogl] *vt* potrząsać; podrzucać; *vi* trząść się

**join** [dʒɔɪn] *vt vi* połączyć, przyłączyć (się) (**sb** do kogoś); wstąpić (np. **the party** do partii); spoić; związać (się), zetknąć się; **to ~ hands** wziąć się za ręce; przystąpić do wspólnego dzieła; **~ up** zaciągnąć się (do wojska)

**join·er** [ˈdʒɔɪnə(r)] *s* stolarz

**joint** [dʒɔɪnt] *adj* łączny, wspólny; *s* połączenie, spojenie; pieczeń, udziec; *anat.* staw; **out of ~** zwichnięty; *przen.* zepsuty; *vt* złożyć, zestawić, spoić; rozczłonkować

**joint·ly** [ˈdʒɔɪntlɪ] *adv* łącznie

**joint-stock** [ˈdʒɔɪntˈstok] *adj attr*: **~ company** spółka akcyjna

**joke** [dʒəuk] *s* żart, dowcip; **to crack a ~** *pot.* palnąć dowcip; *vi* żartować (**about** ⟨**at**⟩ **sb, sth** z kogoś, czegoś)

**jol·ly** [ˈdʒolɪ] *adj* wesoły; podochocony; przyjemny; *pot.* nie lada; *adv pot.* bardzo, szalenie

**jolt** [dʒəult] *vt* wstrząsać, podrzucać; *vi* (*o wozie*) jechać z turkotem, trząść się; *s* wstrząs, szarpnięcie, podrzucanie

**jos·tle** [ˈdʒosl] *vt vi* popychać, rozpychać (się), potrącać; *s* popchnięcie, potrącenie

**jot** [dʒot] *s* jota, odrobina; *vt* (*zw.* **~ down**) skreślić w paru słowach, pośpiesznie zapisać

**jour·nal** [ˈdʒɜnl] *s* dziennik; żurnal

**jour·nal·ese** [ˌdʒɜnlˈiz] *s* język ⟨styl⟩ dziennikarski

**jour·nal·ism** [ˈdʒɜnlɪzm] *s* dziennikarstwo

**jour·nal·ist** [ˈdʒɜnlɪst] *s* dziennikarz

**jour·ney** [ˈdʒɜnɪ] *s* podróż (*zw.* lądowa); *vi* podróżować

**jour·ney·man** [ˈdʒɜnɪmən] *s* czeladnik

**jo·vi·al** [ˈdʒəuvɪəl] *adj* jowialny, wesoły

**jowl** [dʒaul] *s* szczęka; policzek

**joy** [dʒɔɪ] *s* radość, uciecha; *vt vi* radować (się)

**joy·ful** [ˈdʒɔɪfl] *adj* radosny

**ju·bi·lant** [ˈdʒubɪlənt] *adj* radujący się, rozradowany

**ju·bi·late** [ˈdʒubɪleɪt] *vi* radować się, triumfować

**ju·bi·lee** [ˈdʒubɪli] *s* jubileusz

**judge** [dʒʌdʒ] *vt vi* sądzić, osądzać; uważać; *s* sędzia

**judge·ment** [ˈdʒʌdʒmənt] *s* sąd; wyrok; osąd; opinia, zdanie; rozsądek; **to pass ~** wyrokować, osądzać (**on** ⟨**upon**⟩ **sb, sth** kogoś, coś)

**ju·di·ca·ture** [ˈdʒudɪkətʃə(r)] *s* sądownictwo, wymiar sprawiedliwości

**ju·di·cial** [dʒuˈdɪʃl] *adj* sądowy, sędziowski; rozsądny, krytyczny

**ju·di·cious** [dʒuˈdɪʃəs] *adj* rozsądny, rozważny

**jug** [dʒʌg] *s* dzban, garnek; *pot.* (*o więzieniu*) paka

**jug·ful** [ˈdʒʌgful] *s* pełny dzban ⟨garnek⟩

**jug·gle** [ˈdʒʌgl] *vi* żonglować; manipulować (**with sth** czymś); *vt* zwodzić, mamić; wyłudzić (**sb out of sth** coś od kogoś); *s* sztuczka, kuglarstwo, żonglerka
**jug·gler** [ˈdʒʌglə(r)] *s* kuglarz, żongler; oszust
**juice** [dʒus] *s* sok; *przen.* treść, istota
**juic·y** [ˈdʒusɪ] *adj* soczysty
**Ju·ly** [dʒuˈlaɪ] *s* lipiec
**jum·ble** [ˈdʒʌmbl] *s* mieszanina, bałagan; *przen.* „groch z kapustą"; *vt vi* pomieszać (się), narobić bałaganu, wprowadzić zamęt
**jump** [dʒʌmp] *vi* skakać, podskakiwać; skoczyć ⟨napaść⟩ (**on** ⟨**upon**⟩ **sb** na kogoś); **to ~ at** ⟨**to**⟩ **a conclusion** wyciągnąć pochopny wniosek; *vt* przeskoczyć; wstrząsnąć; *s* skok, podskok; wstrząs
**jump·er 1.** [ˈdʒʌmpə(r)] *s* skoczek
**jump·er 2.** [ˈdʒʌmpə(r)] *s* damska bluzka; damski sweterek; *mors.* bluza
**junc·tion** [ˈdʒʌŋkʃn] *s* połączenie; węzeł kolejowy; stacja węzłowa; skrzyżowanie
**junc·ture** [ˈdʒʌŋktʃə(r)] *s* połączenie, spojenie; stan rzeczy ⟨spraw⟩; krytyczna chwila; zbieg okoliczności; **at this ~** w tych okolicznościach
**June** [dʒun] *s* czerwiec
**jun·gle** [ˈdʒʌŋgl] *s* dżungla
**jun·ior** [ˈdʒunɪə(r)] *adj* młodszy (wiekiem, stanowiskiem); *s* junior; młodszy student ⟨uczeń⟩; podwładny
**junk 1.** [dʒʌŋk] *s zbior. pot.* rupiecie, złom; *przen.* nonsens; *mors.* stara lina okrętowa; solone mięso
**junk 2.** [dʒʌŋk] *s* dżonka
**ju·ris·dic·tion** [ˌdʒuərɪsˈdɪkʃn] *s* jurysdykcja
**jury** [ˈdʒuərɪ] *s* sąd przysięgłych; jury
**just** [dʒʌst] *adj* sprawiedliwy; słuszny; właściwy; *adv* właśnie; w sam raz; po prostu; zaledwie
**jus·tice** [ˈdʒʌstɪs] *s* sprawiedliwość; (*w tytułach*) sędzia
**jus·ti·fi·ca·tion** [ˌdʒʌstɪfɪˈkeɪʃn] *s* usprawiedliwienie
**jus·ti·fy** [ˈdʒʌstɪfaɪ] *vt* usprawiedliwić; uzasadnić
**jut** [dʒʌt] *vi* sterczeć, wystawać; *s* występ (np. muru)
**jute** [dʒut] *s bot.* juta
**ju·ve·nile** [ˈdʒuvənaɪl] *adj* młodzieńczy, młodociany, małoletni; młodzieżowy; *s* młodzieniec, wyrostek
**jux·ta·pose** [ˌdʒʌkstəˈpəuz] *vt* ustawić obok siebie, zestawić
**jux·ta·po·si·tion** [ˌdʒʌkstəpəˈzɪʃn] *s* ustawienie obok siebie, zestawienie

# K

**kan·ga·roo** [ˌkæŋgəˈru] *s* kangur
**keel** [kil] *s mors.* kil
**keen** [kin] *adj* ostry; tnący; przejmujący, przenikliwy; gorliwy, zapalony, gwałtownie pożądający (**on sth** czegoś); bystry, żywy; *pot.* **to be ~ on sb, sth** przepadać za kimś, czymś
***keep** [kip], **kept, kept** [kept] *vt* trzymać (się); utrzymywać; dotrzymywać; przechowywać; przestrzegać (np. zasady); prowadzić (np. księgi); obchodzić (np. święto); pilnować; hodować; po-

wstrzymywać; zachowywać (pozory, tajemnicę); chronić (**sb from sth** kogoś przed czymś); pozostawać (**the house, one's bed** w domu, w łóżku); *z przymiotnikiem*: **to ~ a door ⟨eyes⟩ open** trzymać ⟨mieć⟩ drzwi ⟨oczy⟩ otwarte; *z imiesłowem*: **to ~ sb waiting** kazać komuś czekać; *vi* trzymać ⟨mieć⟩ się; ściśle stosować się (**at ⟨to⟩ sth** do czegoś); pozostawać; zachowywać się; stale ⟨wciąż⟩ coś robić; uporczywie kontynuować (**at sth** coś); **to ~ clear** trzymać się z dala (**of sth** od czegoś); **to ~ to the right ⟨left⟩** iść ⟨jechać, płynąć⟩ na prawo ⟨lewo⟩; **to ~ to one's bed** pozostawać w łóżku; **to ~ to one's room** nie wychodzić z pokoju; **to ~ cool** zachowywać zimną krew; **to ~ working ⟨studying⟩** ciągle pracować ⟨uczyć się⟩; **to ~ silent** milczeć; **to ~ smiling** stale się uśmiechać, zachowywać pogodę ducha; *z przysłówkami*: **~ away** trzymać (się) z dala; nie dawać się zbliżyć; **~ back** powstrzymywać (się); nie ujawniać; nie zbliżać się; **~ down** trzymać w ryzach; tłumić; utrzymywać na niskim poziomie; **~ off** trzymać (się) na uboczu, nie dopuszczać; **~ on** kontynuować; **he ~s on working** on w dalszym ciągu pracuje; **~ out** trzymać (się) na zewnątrz, nie puszczać do środka; **~ under = ~ down**; **~ up** podtrzymywać; trzymać do góry; utrzymywać (się); trzymać (się) na odpowiednim poziomie; nie tracić ducha; dotrzymywać kroku (**with sb** komuś), nadążać

**keep·er** [ˋkipə(r)] *s* stróż, dozorca; opiekun; kustosz; prowadzący (sklep, zakład)

**keep·ing** [ˋkipɪŋ] *s* utrzymanie, opieka; przechowanie; **to be in ~** zgadzać się, harmonizować; **to be out of ~** nie zgadzać się, nie licować

**keep·sake** [ˋkipseɪk] *s* upominek, pamiątka

**keg** [keg] *s* beczułka

**ken·nel** [ˋkenl] *s* psia buda; psiarnia

**kept** *zob.* **keep**

**kerb** [kɜb] *s* krawężnik

**ker·chief** [ˋkɜtʃɪf] *s* chustka (na głowę)

**ker·nel** [ˋkɜnl] *s* jądro ⟨ziarno⟩ (owocu); sedno (sprawy)

**ket·tle** [ˋketl] *s* kocioł; imbryk

**ket·tle-drum** [ˋketldrʌm] *s muz.* kocioł

**key** [ki] *s* klucz; klawisz; *arch.* klin; *muz.* klucz, tonacja; *vt* **~ up** nastroić (instrumenty, kogoś do czegoś)

**key·board** [ˋkibɔd] *s* klawiatura

**key·hole** [ˋkihəul] *s* dziurka od klucza

**key·note** [ˋkinəut] *s muz.* tonika; *przen.* myśl przewodnia

**khak·i** [ˋkakɪ] *s* tkanina o barwie ochronnej; mundur o barwie khaki; żołnierz w mundurze khaki; *adj* (*o kolorze*) khaki

**kick** [kɪk] *vt vi* kopać, wierzgać; *pot.* buntować się, opierać się (**against ⟨at⟩ sth** czemuś); *pot.* **~ away** odpędzić; *pot.* **~ out** wypędzić; **~ up** podnieść ⟨wzniecić, narobić⟩ (**a dust ⟨noise, fuss⟩** kurzu ⟨hałasu, wrzawy⟩); *s* kopniak; uderzenie; skarga, protest

**kick-off** [ˋkɪk of] *s sport* pierwszy strzał (początek gry w piłkę nożną)

**kid** [kɪd] *s* koźlę; skóra koźla; *pot.* dziecko, smyk

**kid·dy** [ˋkɪdɪ] *s pot.* (*o dziecku*) mały, brzdąc

**kid-glove** [ˈkɪd ˋglʌv] *s* rękawiczka z koźlej skóry

**kid·nap** [ˋkɪdnæp] *vt* porywać (dziecko), uprowadzić

**kid·nap·per** [ˋkɪdnæpə(r)] *s* kidnaper

**kid·ney** [ˋkɪdnɪ] *s* nerka; *pot.* rodzaj, natura, pokrój (człowieka)

**kill** [kɪl] *vt* zabijać; kasować ⟨wyrzucać⟩ (część tekstu)

**kiln** [kɪln] *s* piec przemysłowy (do suszenia, wypalania)

**kil·o·gramme** [ˋkɪləgræm] *s* kilogram

**kil·o·me·tre** [ˋkɪləmitə(r)] *s* kilometr

**kil·o·watt** [ˋkɪləwot] *s* kilowat

**kilt** [kɪlt] *s* męska spódnica szkocka

**kin** [kɪn] *s* † ród; *zbior.* krewni; **next of ~** najbliższy krewny; *adj* spokrewniony

**kind** [kaɪnd] *s* rodzaj; gatunek; natura; jakość; **a ~ of** coś w rodzaju; **nothing of the ~** nic podobnego; **what ~ of...?** jakiego rodzaju...?, co za...?; **to pay in ~** płacić w naturze ⟨w towarze⟩; *adj* miły, uprzejmy, łaskawy; **very ~ of you** bardzo uprzejmie z pańskiej ⟨twojej⟩ strony; *adv pot.* **~ of** poniekąd, do pewnego stopnia

**kin·der·gar·ten** [ˋkɪndəgatn] *s* przedszkole

**kin·dle** [ˋkɪndl] *vt vi* rozpalić (się), rozżarzyć (się), roznieсić (się), podniecić

**kind·ly** [ˋkaɪndlɪ] *adj* dobry, dobrotliwy, uczynny, łaskawy, miły

**kind·ness** [ˋkaɪndnəs] *s* uprzejmość, dobroć; przysługa

**kin·dred** [ˋkɪndrəd] *s* pokrewieństwo; *zbior.* krewni; *adj attr* pokrewny

**king** [kɪŋ] *s* król

**king·dom** [ˋkɪŋdəm] *s* królestwo

**kins·folk** [ˋkɪnzfəuk] *s zbior.* krewni, rodzeństwo

**kins·man** [ˋkɪnzmən] *s* (*pl* **kinsmen** [ˋkɪnzmən]) krewny

**kins·wom·an** [ˋkɪnzwumən] *s* (*pl* **kinswomen** [ˋkɪnzwɪmɪn]) krewna

**kip·per** [ˋkɪpə(r)] *s* ryba wędzona (*zw.* śledź)

**kirk** [kɜk] *s szkoc.* kościół

**kiss** [kɪs] *s* pocałunek; *vt vi* całować (się)

**kit** [kɪt] *s* wyposażenie, ekwipunek; komplet narzędzi; plecak, worek ⟨torba⟩ (na rzeczy, narzędzia); cebrzyk; paczka

**kit·bag** [ˋkɪt bæg] *s* torba podróżna, plecak

**kitch·en** [ˋkɪtʃɪn] *s* kuchnia; **~ garden** ogród warzywny

**kite** [kaɪt] *s zool.* kania; latawiec; **to fly a ~** puszczać latawca

**kith** [kɪθ] *s w zwrocie:* **~ and kin** *zbior.* przyjaciele i krewni

**kit·ten** [ˋkɪtn] *s* kotek

**kit·ty** [ˋkɪtɪ] = **kitten**

**knack** [næk] *s* sztuka (robienia czegoś), spryt, zręczność

**knag** [næg] *s* sęk

**knap·sack** [ˋnæpsæk] *s* plecak

**knave** [neɪv] *s* nikczemnik, łajdak; walet (w kartach)

**knav·er·y** [ˋneɪvərɪ] *s* nikczemność, łajdactwo

**knav·ish** [ˋneɪvɪʃ] *adj* nikczemny, łajdacki

**knead** [nid] *vt* miesić, ugniatać; mieszać

**knee** [ni] *s* kolano

***kneel** [nil], **knelt**, **knelt** [nelt] *vi* klękać, klęczeć

**knell** [nel] *s* podzwonne; *vi* dzwonić (umarłemu); *vt* dzwonić (*sth* obwieszczając coś)

**knelt** *zob.* **kneel**

**knew** *zob.* **know**

**knick·er·bock·ers** [ˋnɪkəbokəz], *pot.* **knick·ers** [ˋnɪkəz] *s pl* spodnie spięte pod kolanami; pumpy

**knife** [naɪf] *s* (*pl* **knives** [naɪvz]) nóż

**knight** [naɪt] *s* rycerz; szlachcic; kawaler orderu; koń (w szachach); *vt* nadać szlachectwo ⟨tytuł, order⟩

**knight·hood** [ˋnaɪthud] *s* rycerstwo; tytuł szlachecki

***knit**, **knit**, **knit** [nɪt] *lub* **knitted**,

**knitted** [ˋnɪtɪd] *vt* dziać, robić na drutach; składać, wiązać, spajać, łączyć; ściągać (brwi)

**knives** *zob.* **knife**

**knob** [nob] *s* gałka; guz; sęk; kawałek (np. cukru)

**knock** [nok] *vt* pukać, stukać (**at the door** do drzwi), uderzyć się (**against sth** o coś); *vt* uderzyć, walnąć; **~ about** *pot.* rozbijać ⟨wałęsać⟩ się; **~ down** powalić, zwalić z nóg; przejechać (kogoś); **~ off** strącić; strzepnąć; potrącić (sumę pieniężną); skończyć (pracę); **~ out** wybić, wytrząsnąć; pokonać; **~ over** przewrócić; **~ together** zbić (np. deski); sklecić; uderzać o siebie; **~ up** podbić ku górze; *pot.* zmajstrować; znużyć; zderzyć się (**against sb, sth** z kimś; czymś); *s* stuk, uderzenie

**knock-out** [ˋnokaut] *s* nokaut (w boksie)

**knoll** [nəul] *s* pagórek

**knot** [not] *s* węzeł, pętla; sęk; guz, narośl; *przen.* powikłanie; *vt* robić węzeł; wiązać; *przen.* komplikować

**knot·ty** [ˋnotɪ] *adj* węzłowaty; *przen.* zawiły, kłopotliwy

***know** [nəu], **knew** [nju], **known** [nəun] *vt vi* znać; rozpoznać, poznać; wiedzieć, dowiedzieć się (**about** ⟨**of**⟩ **sb, sth** o kimś, czymś); doświadczać, zaznać (czegoś); umieć, potrafić (coś zrobić); **to get to ~** dowiedzieć się

**know·ing** [ˋnəuɪŋ] *ppraes i adj* rozumny, bystry; chytry, zręczny

**know·ing·ly** [ˋnəuɪŋlɪ] *adv* ze znajomością rzeczy; naumyślnie; chytrze, zręcznie

**knowl·edge** [ˋnolɪdʒ] *s* wiedza, znajomość; wiadomość, świadomość; **to my ~** o ile mi wiadomo

**known** *zob.* **know**

**knuck·le** [ˋnʌkl] *s* kostka (palca); *vi* **~ down** ⟨**under**⟩ ulec, ustąpić

**ko·dak** [ˋkəudæk] *s* kodak; *vt* fotografować kodakiem

**kohl-ra·bi** [ˈkəulˋrɑbɪ] *s* kalarepa

# l

**la·bel** [ˋleɪbl] *s* napis, naklejka, etykieta; *vt* nakleić ⟨zaopatrzyć w⟩ etykietę ⟨nalepkę, naklejkę⟩; *przen.* określić (mianem), nazwać

**la·bi·al** [ˋleɪbɪəl] *adj* wargowy

**la·bor·a·to·ry** [ləˋborətrɪ] *s* laboratorium, pracownia

**la·bo·ri·ous** [ləˋbɔrɪəs] *adj* pracowity; żmudny; wypracowany

**la·bour** [ˋleɪbə(r)] *s* praca, trud; klasa pracująca, świat pracy; siła robocza; bóle porodowe, poród; **Labour Party** Partia Pracy (w Anglii); *vi* ciężko pracować, mozolić się (**at sth** nad czymś), ponosić trudy; uginać się (**under sth** pod ciężarem czegoś); cierpieć (**under sth** z powodu czegoś); z trudem poruszać się; (*o kobiecie*) rodzić; *vt* starannie opracować, wypielęgnować; szczegółowo rozważać, dokładnie omawiać

**la·bour·er** [ˋleɪbərə(r)] *s* robotnik, wyrobnik

**la·bour·ite** [ˋleɪbəraɪt] *s* członek Partii Pracy

**lab·y·rinth** [ˋlæbərɪnθ] *s* labirynt

**lace** [leɪs] *s* lamówka; sznurowadło; koronka; *vt* sznurować; ob-

szyć lamówką; ozdobić koronką
**lac·er·ate** [ˈlæsəreɪt] *vt* szarpać, rwać, rozrywać, rozdrapywać; kaleczyć; *przen.* zranić (uczucia)
**lack** [læk] *s* brak, niedostatek; **for ~** z braku; *vt vi* brakować; odczuwać brak, nie posiadać, nie mieć; **I ~ money** brak mi pieniędzy
**lack·ey** [ˈlækɪ] *s* lokaj
**la·con·ic** [ləˈkonɪk] *adj* lakoniczny
**lac·quer** [ˈlækə(r)] *s* lakier; *vt* lakierować
**lac·tic** [ˈlæktɪk] *adj* mleczny
**lad** [læd] *s* chłopiec, chłopak
**lad·der** [ˈlædə(r)] *s* drabina; spuszczone oczko (w pończosze); *przen.* drabina społeczna; *vi* (*o pończosze*) puszczać oczko
***lade** [leɪd], **laded** [ˈleɪdɪd], **laded** *lub* **laden** [ˈleɪdn] *vt* ładować; czerpać, wygarniać
**lad·en** [ˈleɪdn] *pp i adj* obciążony, obarczony; pogrążony (w smutku)
**la·dle** [ˈleɪdl] *s* łyżka wazowa, chochla; *vt* rozlewać ⟨czerpać⟩ (chochlą)
**la·dy** [ˈleɪdɪ] *s* dama, pani; tytuł szlachecki; **lady's ⟨ladies'⟩ man** kobieciarz
**la·dy·bird** [ˈleɪdɪbɜd] *s* biedronka
**lag** [læg] *vi* zwlekać, opóźniać się, (*także* **~ behind**) wlec. się z tyłu
**lag·gard** [ˈlægəd] *adj* powolny, ospały; *s* maruder, człowiek opieszały
**laid** *zob.* **lay 1.**
**lain** *zob.* **lie 1.**
**lair** [leə(r)] *s* legowisko, nora, matecznik; *przen.* melina
**lake** [leɪk] *s* jezioro
**lamb** [læm] *s* jagnię, baranek
**lame** [leɪm] *adj* chromy, ułomny; wadliwy; nieprzekonywający, mętny; **~ duck** pechowiec; bankrut życiowy ⟨giełdowy⟩; *vt* uczynić kaleką, okaleczyć; popsuć, sparaliżować
**la·ment** [ləˈment] *s* skarga, lament; *vt vi* opłakiwać (**sb, sth** ⟨**over sb, sth**⟩ kogoś, coś), lamentować
**lam·en·ta·ble** [ˈlæməntəbl] *adj* opłakany, godny pożałowania
**lam·i·na** [ˈlæmɪnə] *s* (*pl* **~e** [ˈlæmɪni]) blaszka
**lamp** [læmp] *s* lampa
**lam·poon** [læmˈpun] *s* pamflet, paszkwil; *vt* napisać paszkwil (**sb, sth** na kogoś, coś)
**lamp-post** [ˈlæmp pəʊst] *s* słup latarni, latarnia (uliczna)
**lamp·shade** [ˈlæmp ʃeɪd] *s* abażur
**lance** [lans] *s* lanca, kopia; *med.* lancet
**land** [lænd] *s* ziemia, ląd; kraj; własność ziemska, rola; **by ~** drogą lądową; *vt* wysadzać ⟨wyładowywać⟩ na ląd; zdobyć (nagrodę itp.); *pot.* wpakować (kogoś w kłopot itd.); *vi* lądować; wysiadać, przybywać; trafić (gdzieś)
**land·ed** [ˈlændɪd] *pp i adj* ziemski; **~ proprietor** właściciel ziemski
**land·hold·er** [ˈlændhəʊldə(r)] *s* właściciel gruntu, gospodarz
**land·ing** [ˈlændɪŋ] *s* lądowanie; zejście (ze statku) na ląd; podest; *wojsk.* desant
**land·ing-place** [ˈlændɪŋpleɪs] *s* przystań
**land·la·dy** [ˈlændleɪdɪ] *s* właścicielka domu czynszowego ⟨pensjonatu, hotelu, gospody⟩; gospodyni; dziedziczka
**land·lord** [ˈlændlɔd] *s* dziedzic, właściciel domu czynszowego ⟨pensjonatu, hotelu, gospody⟩
**land·mark** [ˈlændmak] *s* kamień graniczny; *przen.* znak orientacyjny; wydarzenie epokowe, punkt zwrotny
**land·own·er** [ˈlændəʊnə(r)] *s* właściciel ziemski
**land·scape** [ˈlændskeɪp] *s* krajobraz, pejzaż
**lane** [leɪn] *s* droga polna, dróżyna; uliczka, zaułek

**lan·guage** [ˈlæŋgwɪdʒ] *s* język, mowa; styl

**lan·guid** [ˈlæŋgwɪd] *adj* osłabiony, znużony; powolny; tęskny

**lan·guish** [ˈlæŋgwɪʃ] *vi* więdnąć, słabnąć, marnieć; usychać z tęsknoty (**after** ⟨**for**⟩ **sb, sth** za kimś, czymś)

**lan·guor** [ˈlæŋgə(r)] *s* osłabienie, znużenie, powolność; tęsknota

**lank** [læŋk] *adj* chudy; cienki i długi; mizerny; (*o włosach*) prosty

**lan·tern** [ˈlæntən] *s* latarnia

**lap 1.** [læp] *s* poła; łono; **in** ⟨**on**⟩ **sb's ~** na kolanach u kogoś; *sport* okrążenie (bieżni); *vt* otoczyć; objąć; owinąć, otulić; nakładać (**over sth** na coś); *sport* zdystansować

**lap 2.** [læp] *vt vi* mlaskać; chłeptać; chlupotać

**lap-dog** [ˈlæp dog] *s* piesek pokojowy

**la·pel** [ləˈpel] *s* klapa (marynarki)

**lapse** [læps] *s* upływ ⟨odstęp⟩ (czasu); błąd, omyłka; odstępstwo; uchybienie; obniżenie; *vi* opadać; wpadać ⟨zapadać, popadać, wdawać się⟩ (w coś); odstępować (od wiary itp.); mijać; upływać; mylić się; zaniedbywać (coś)

**lar·ce·ny** [ˈlasnɪ] *s* (drobna) kradzież

**lard** [lad] *s* smalec, słonina; *vt* szpikować

**lard·er** [ˈladə(r)] *s* spiżarnia

**large** [ladʒ] *adj* duży, rozległy, obszerny; liczny; obfity; szeroki, swobodny; *s tylko z przyimkiem*: **at ~** na wolności; na szerokim świecie; w pełnym ujęciu; *adv w zwrocie*: **by and ~** w ogóle, ogólnie biorąc

**large·ly** [ˈladʒlɪ] *adv* wielce, w dużej mierze, przeważnie

**lark 1.** [lak] *s* skowronek

**lark 2.** [lak] *s pot.* figiel, żart; *vi pot.* figlować

**lash 1.** [læʃ] *s* bicz, bat; uderzenie biczem; kara chłosty; *vt vi* uderzać biczem, chłostać ⟨smagać⟩ (*także* biczem satyry)

**lash 2.** [læʃ] = **eyelash**

**lass** [læs] *s szkoc.* i *poet.* dziewczę, dziewczyna

**las·si·tude** [ˈlæsɪtjud] *s* znużenie

**last 1.** [last] *s* kopyto (szewskie), prawidło

**last 2.** [last] *vi* trwać, utrzymywać się; przetrwać; starczyć (na pewien czas)

**last 3.** [last] *adj* ostatni; miniony, zeszły, ubiegły; ostateczny, końcowy; **~ but one** przedostatni; **~ but not least** rzecz nie mniej ważna; *s* ostatnia rzecz, ostatek, koniec; **at ~** na koniec, wreszcie; **to breathe one's ~** wyzionąć ducha; **to the very ~** do samego końca; *adv* po raz ostatni; ostatnio; ostatecznie

**last·ing** [ˈlastɪŋ] *ppraes* i *adj* trwały

**latch** [lætʃ] *s* klamka; zatrzask, zasuwka

**latch-key** [ˈlætʃki] *s* klucz (*zw.* od zatrzasku)

**late** [leɪt] *adj* późny, spóźniony; niedawny, świeżo miniony; dawny, były; (*o zmarłym*) świętej pamięci; **to be ~** spóźnić się; **of ~** ostatnimi czasy; *adv* późno, do późna; ostatnio; przedtem, niegdyś

**late·ly** [ˈleɪtlɪ] *adv* ostatnio, niedawno temu

**la·tent** [ˈleɪtnt] *adj* ukryty, utajony

**lat·er** [ˈleɪtə(r)] *adj* (*comp* od **late**) późniejszy; *adv* później; **~ on** później, w dalszym ciągu, poniżej

**lat·er·al** [ˈlætrl] *adj* boczny

**lat·est** [ˈleɪtəst] *adj* (*sup* od **late**) najpóźniejszy; najnowszy

**lath** [laθ] *s* listwa; deszczułka

**lathe** [leɪð] *s* tokarka, tokarnia

**lath·er** [ˈlaðə(r)] *s* piana mydlana; *vt vi* mydlić (się), pienić się

**Lat·in** [ˈlætɪn] *adj* łaciński: *s* łacina

**lat·i·tude** [ˈlætɪtjud] *s geogr.* szerokość; *przen.* swoboda, tolerancja, liberalizm

**lat·ter** [ˈlætə(r)] *adj* (ten) ostatni ⟨drugi⟩ (z dwóch); późniejszy, nowszy; końcowy

**lat·tice** [ˈlætɪs] *s* krata; *vt* okratować

**laud·a·ble** [ˈlɔdəbl] *adj* godny pochwały

**laugh** [lɑf] *vi* śmiać się (**at sth** z czegoś); wyśmiewać (**at sb** kogoś); *s* śmiech; **to break into a** ~ roześmiać się; **to raise a** ~ wywołać wesołość

**laugh·ing-stock** [ˈlɑfɪŋstok] *s* pośmiewisko

**laugh·ter** [ˈlɑftə(r)] *s* śmiech; **to cry with** ~ uśmiać się do łez

**launch** [lɔntʃ] *vt* puszczać, spuszczać; zrzucać; ciskać, miotać; uruchamiać; lansować; wodować; wszczynać (śledztwo); *vi* zapędzić się, puścić się (dokądś); (*także* ~ **out**) wypłynąć na morze; zaangażować się (w coś); *s* wodowanie; łódź motorowa, szalupa

**laun·dress** [ˈlɔndrəs] *s* praczka

**laun·dry** [ˈlɔndrɪ] *s* pralnia; bielizna do prania ⟨z pralni⟩

**lau·re·ate** [ˈlorɪət] *s* laureat

**lau·rel** [ˈlorl] *s* wawrzyn

**lav·a·to·ry** [ˈlævətrɪ] *s* umywalnia (*zw.* z ustępem)

**lav·en·der** [ˈlævəndə(r)] *s* lawenda

**lav·ish** [ˈlævɪʃ] *adj* rozrzutny, hojny; suty, obfity; *vt* hojnie darzyć, szafować

**law** [lɔ] *s* prawo; zasada, ustawa; system prawny; wiedza prawnicza; ~ **court** sąd; **to go to** ~ wnosić skargę sądową; **a man of** ~ prawnik

**law·ful** [ˈlɔfl] *adj* prawny, legalny; sprawiedliwy

**law·less** [ˈlɔləs] *adj* bezprawny; samowolny

**lawn** [lɔn] *s* murawa, trawnik

**law·suit** [ˈlɔsut] *s* sprawa sądowa, proces

**law·yer** [ˈlɔjə(r)] *s* prawnik; adwokat

**lax** [læks] *adj* luźny; swobodny; rozwiązły; niedbały

**lax·a·tive** [ˈlæksətɪv] *s med.* środek przeczyszczający

***lay 1.** [leɪ], **laid, laid** [leɪd] *vt* kłaść, ułożyć, nałożyć; uciszyć, uspokoić; założyć się (o coś); przedłożyć, przedstawić (np. prośbę); **to** ~ **bare** obnażyć; **to** ~ **claim** zgłaszać roszczenie; **to** ~ **open** wyjawić; **to** ~ **siege** oblegać; **to** ~ **stress** ⟨**emphasis**⟩ kłaść nacisk; **to** ~ **the table** nakryć do stołu; **to** ~ **waste** spustoszyć; *z przyimkami*: ~ **aside** ⟨**away, by**⟩ odłożyć; ~ **down** składać; ustanawiać; ~ **in** odkładać (na zapas), magazynować; ~ **on** nakładać; powlekać; zakładać (np. instalację); ~ **out** wykładać, wydawać; ułożyć; planować, zaprojektować; ~ **up** zbierać, gromadzić, ciułać, przechowywać; **to be laid up** być złożonym chorobą

**lay 2.** [leɪ] *adj* świecki, laicki

**lay 3.** [leɪ] *s* pieśń

**lay 4.** *zob.* **lie 1.**

**lay·er** [ˈleɪə(r)] *s* warstwa, pokład; instalator

**lay·man** [ˈleɪmən] *s* (*pl* **laymen** [ˈleɪmən]) człowiek świecki; laik

**lay-out** [ˈleɪ ɑut] *s* plan; układ (topograficzny)

**la·zi·ness** [ˈleɪzɪnəs] *s* lenistwo

**la·zy** [ˈleɪzɪ] *adj* leniwy

**la·zy-bones** [ˈleɪzɪ bəunz] *s* leniuch

***lead 1.** [lid], **led, led** [led] *vt* prowadzić, dowodzić, kierować; namówić, zasugerować, przekonać, nasunąć (przypuszczenie); wieść ⟨pędzić⟩ (życie); *vi* przewodzić; prowadzić (np. do celu); *s* kierownictwo, przewodnictwo; przykład; smycz; wyjście (w kartach)

**lead** 2. [led] *s* ołów; grafit (w ołówku); ~ **pencil** ołówek
**lead·en** [ˋledn] *adj* ołowiany
**lead·er** [ˋlidə(r)] *s* kierownik, przywódca, lider; artykuł wstępny (w gazecie)
**lead·er·ship** [ˋlidəʃɪp] *s* przywództwo
**lead·ing** [ˋlidɪŋ] *ppraes i adj* kierowniczy, przewodzący, główny
**leaf** [lif] *s* (*pl* **leaves** [livz]) liść; kartka
**leaf·let** [ˋliflət] *s* listek; ulotka
**league** 1. [lig] *s* liga
**league** 2. [lig] *s* mila
**leak** [lik] *vi* cieknąć, przeciekać, sączyć się; *s* wyciek, upływ; nieszczelność
**leak·age** [ˋlikɪdʒ] *s* przeciekanie, upływ
**leak·y** [ˋlikɪ] *adj* nieszczelny
**lean** 1. [lin] *adj dosł. i przen.* chudy
***lean** 2. [lin], **leant, leant** [lent] *lub* **~ed, ~ed** *vt vi* nachylać się, pochylać się, opierać (się); ~ **out** wychylać się
***leap** [lip], **leapt, leapt** [lept] *lub* **~ed, ~ed** *vi* skakać; *vt* przeskoczyć; *s* skok, podskok
**leap-year** [ˋlip jɜ(r)] *s* rok przestępny
***learn** [lɜn], **learnt, learnt** [lɜnt] *lub* **~ed, ~ed** [lɜnt], *vt vi* uczyć się; dowiadywać się
**learn·ed** [ˋlɜnɪd] *adj* uczony
**learn·ing** [ˋlɜnɪŋ] *s* nauka, wiedza, erudycja
**learnt** *zob.* **learn**
**lease** [lis] *s* dzierżawa, najem; *vt* dzierżawić, najmować
**lease·hold** [ˋlishəuld] *s* dzierżawa; *adj* dzierżawny, wydzierżawiony
**leash** [liʃ] *s* smycz
**least** [list] *adj* (*sup od* **little**) najmniejszy; *adv* najmniej; *s* najmniejsza rzecz; **at** ~ przynajmniej; **not in the** ~ bynajmniej; ~ **common multiple** najmniejsza wspólna wielokrotna
**leath·er** [ˋleðə(r)] *s* skóra (wyprawiona)
***leave** 1. [liv], **left, left** [left] *vt* zostawiać, opuszczać; **to** ~ **sb alone** dać komuś spokój; **to** ~ **behind** pozostawić za sobą, zapomnieć (coś) wziąć; ~ **off** przerwać, zaniechać, zaprzestać; ~ **out** opuścić; przeoczyć; zaniedbać; ~ **over** odłożyć na później, pozostawić; *vi* odchodzić, odjeżdżać (**for a place** dokądś)
**leave** 2. [liv] *s* pozwolenie; rozstanie, pożegnanie; zwolnienie; urlop; **to take French** ~ ulotnić się po angielsku, odejść bez pożegnania; **to take** ~ pożegnać się (**of sb** z kimś)
**leav·en** [ˋlevn] *s* drożdże; zaczyn; *przen.* ferment; *vt* zakwasić
**leaves** *zob.* **leaf**
**lec·ture** [ˋlektʃə(r)] *s* odczyt, wykład; *vi* wygłaszać odczyt, wykładać (**on sth** coś); *vt* odbywać ⟨mieć⟩ wykłady; robić wymówki, udzielić nagany
**lec·tur·er** [ˋlektʃərə(r)] *s* prelegent, wykładowca
**led** *zob.* **lead** 1.
**ledge** [ledʒ] *s* występ (np. muru), gzyms, krawędź; listwa
**ledg·er** [ˋledʒə(r)] *s handl.* księga główna, rejestr
**leech** [litʃ] *s* pijawka
**leek** [lik] *s bot.* por
**leer** [lɪə(r)] *vi* patrzeć z ukosa, łypać okiem (**at sb** na kogoś)
**lees** [liz] *s pl* fusy, osad, męty
**left** 1. *zob.* **leave** 1.
**left** 2. [left] *adj* lewy; *adv* na lewo; *s* lewa strona; **on the** ~ po lewej stronie
**left·ist** [ˋleftɪst] *s* lewicowiec; *adj* lewicowy
**left-o·ver** [ˈleftˋəuvə(r)] *adj attr* pozostały; *s* pozostałość
**leg** [leg] *s* noga, nóżka
**leg·a·cy** [ˋlegəsɪ] *s* spadek, legat
**le·gal** [ˋligl] *adj* prawny; prawniczy; ustawowy; legalny

**le·gal·ize** [ˋligḷaɪz] *vt* legalizować

**le·ga·tion** [lɪˋgeɪʃn] *s* poselstwo

**leg·end** [ˋledʒənd] *s* legenda

**leg·ging** [ˋlegɪŋ] *s* sztylpa

**leg·i·ble** [ˋledʒəbl] *adj* czytelny

**le·gion** [ˋlidʒən] *s* legion, legia

**le·gion·ary** [ˋlidʒənrɪ] *s* legionista

**leg·is·la·tion** [ˏledʒɪsˋleɪʃn] *s* ustawodawstwo, prawodawstwo

**leg·is·la·tive** [ˋledʒɪslətɪv] *adj* ustawodawczy, prawodawczy

**leg·is·la·ture** [ˋledʒɪsleɪtʃə(r)] *s* władza ustawodawcza

**le·git·i·mate** [lɪˋdʒɪtɪmət] *adj* prawny; prawowity, ślubny; prawidłowy; *vt* [lɪˋdʒɪtɪmeɪt] legalizować; uzasadniać; uznać ⟨wykazać⟩ ślubne pochodzenie

**lei·sure** [ˋleʒə(r)] *s* czas wolny od pracy; **at ~** bez pośpiechu; **to be at ~** mieć wolny czas, nie pracować

**lei·sured** [ˋleʒəd] *adj* nie pracujący, bezczynny

**lei·sure·ly** [ˋleʒəlɪ] *adj* powolny; mający wolny czas; *adv* powoli, bez pośpiechu

**lem·on** [ˋlemən] *s* cytryna

***lend** [lend], **lent, lent** [lent] *vt* pożyczać, użyczać; udzielać; nadawać, przydawać; **to ~ an ear** posłuchać; **to ~ a hand** przyjść z pomocą

**lend·ing-li·brar·y** [ˋlendɪŋ laɪbrərɪ] *s* wypożyczalnia książek

**length** [leŋθ] *s* długość; odległość; trwanie; **at ~** na koniec; szczegółowo, obszernie; **at full ~** na całą długość, w całej rozciągłości; **at some ~** dość szczegółowo, dość obszernie; **to go to the ~ of ...** posunąć się aż do ...

**length·en** [ˋleŋθən] *vt vi* przedłużyć (się), wydłużać (się), rozciągnąć (się)

**length·ways** [ˋleŋθweɪz] *adv* na długość, wzdłuż

**length·wise** = **lengthways**

**length·y** [ˋleŋθɪ] *adj* przydługi, rozwlekły

**le·ni·ent** [ˋlinɪənt] *adj* łagodny, pobłażliwy

**Len·in·ism** [ˋlenɪnɪzm] *s* leninizm

**Len·in·ist** [ˋlenɪnɪst] *adj* leninowski

**lens** [lenz] *s* soczewka

**lent 1.** *zob.* **lend**

**Lent 2.** [lent] *s rel.* Wielki Post; **~ term** semestr wiosenny (na uczelni)

**len·til** [ˋlentl] *s* soczewica

**leop·ard** [ˋlepəd] *s zool.* lampart

**lep·er** [ˋlepə(r)] *s* trędowaty

**lep·ro·sy** [ˋleprəsɪ] *s* trąd

**lese-maj·es·ty** [ˋliz ˈmædʒəstɪ] *s prawn.* obraza majestatu

**less** [les] *adj* (*comp* od **little**) mniejszy; *adv* mniej; **none the ~** tym niemniej, niemniej jednak; *s* coś mniejszego; **the ~ the better** im mniej, tym lepiej

**les·see** [leˋsi] *s* dzierżawca

**less·en** [ˋlesn] *vt vi* zmniejszać (się), obniżać, osłabiać, maleć, ubywać

**less·er** [ˋlesə(r)] *adj* mniejszy, pomniejszy

**les·son** [ˋlesn] *s* lekcja; nauczka; **to do one's ~s** odrabiać lekcje

**lest** [lest] *conj* ażeby nie

***let, let, let** [let] *vt* pozwalać; dopuszczać, puszczać; dawać; zostawiać; najmować; **to ~ alone** zostawić w spokoju, dać spokój; **to ~ fall** upuścić; **to ~ go** wypuścić, zwolnić; **to ~ know** dać znać, zawiadomić; **to ~ oneself go** pofolgować sobie, dać się ponieść; *z przyimkami:* **~ down** spuścić; porzucić, pozostawić własnemu losowi; obniżyć; **~ in** wpuścić; **~ off** wypuścić; wystrzelić; wybaczyć; **~ out** wypuścić; wynająć; **~ through** przepuścić; *zob.* **alone**

**le·thar·gic** [lɪˋθɑdʒɪk] *adj* letargiczny

**leth·ar·gy** [ˈleθədʒɪ] *s* letarg

**let·ter** [ˈletə(r)] *s* litera; list; **to the ~** dosłownie; *pl* **~s** literatura piękna, beletrystyka; **man of ~s** literat, pisarz; *vt* oznaczyć literami

**let·ter-box** [ˈletəboks] *s* skrzynka na listy

**let·tered** [ˈletəd] *pp i adj* wykształcony, oczytany

**let·tuce** [ˈletɪs] *s* sałata ogrodowa

**leu·kae·mi·a** [luˈkimɪə] *s med.* białaczka

**lev·el** [ˈlevl] *s* poziom, płaszczyzna; **on a ~ with ...** na tym samym poziomie co ...; *adj* poziomy; równy; zrównoważony; *vt* wyrównywać; spoziomować; kierować, nastawiać

**lev·er** [ˈlivə(r)] *s* dźwignia; lewar

**lev·i·ty** [ˈlevətɪ] *s* lekkość; lekkomyślność

**lev·y** [ˈlevɪ] *s* ściąganie ⟨nakładanie⟩ (podatków itp.); pobór (rekruta), zaciąg; *vt* ściągać ⟨nakładać⟩ (podatki itp.); zaciągnąć (rekruta), werbować

**lewd** [lud] *adj* sprośny, lubieżny

**lex·i·cal** [ˈleksɪkl] *adj* leksykalny

**li·a·bil·i·ty** [ˈlaɪəˈbɪlətɪ] *s* zobowiązanie, obowiązek; *prawn.* odpowiedzialność; skłonność; *pl* **liabilities** *handl.* pasywa, obciążenie

**li·a·ble** [ˈlaɪəbl] *adj* zobowiązany; odpowiedzialny; podlegający (**to sth** czemuś); narażony (**to sth** na coś); skłonny, podatny (**to sth** na coś); **the weather is ~ to change** pogoda może się zmienić

**li·ai·son** [lɪˈeɪzn] *s* stosunek (miłosny), romans; *wojsk.* łączność; **~ officer** oficer łącznikowy

**li·ar** [ˈlaɪə(r)] *s* kłamca

**li·bel** [ˈlaɪbl] *s* paszkwil, potwarz; *vt* napisać paszkwil, zniesławić, rzucić potwarz

**lib·er·al** [ˈlɪbr̩l] *adj* liberalny; swobodny; wyrozumiały; hojny; obfity; *s* liberał

**lib·er·al·ism** [ˈlɪbr̩lɪzm] *s* liberalizm

**lib·er·al·i·ty** [ˈlɪbəˈrælətɪ] *s* wielkoduszność, tolerancja, wyrozumiałość; szczodrość

**lib·er·ate** [ˈlɪbəreɪt] *vt* uwolnić, wyzwolić

**lib·er·a·tion** [ˈlɪbəˈreɪʃn] *s* uwolnienie, wyzwolenie

**lib·er·tine** [ˈlɪbətin] *s* libertyn, wolnomyśliciel; rozpustnik

**lib·er·ty** [ˈlɪbətɪ] *s* wolność; **to be at ~** być wolnym; **to set sb at ~** uwolnić kogoś; **to take the ~ of doing sth** pozwolić sobie na zrobienie czegoś; **to take liberties** pozwolić sobie (**with sth** na coś); nie krępować się

**li·bra·ri·an** [laɪˈbreərɪən] *s* bibliotekarz

**li·brar·y** [ˈlaɪbr̩ɪ] *s* biblioteka; seria wydawnicza

**lice** *zob.* **louse**

**li·cence** [ˈlaɪsns] *s* licencja, koncesja; pozwolenie; rozwiązłość; **driving ~** prawo jazdy; *vt* (*także* **license**) dawać licencję, ⟨patent, koncesję⟩, zezwalać

**li·cense** *zob.* **licence** *vt*

**li·cen·tious** [laɪˈsenʃəs] *adj* rozwiązły

**li·chen** [ˈlaɪkən] *s med.* liszaj; *bot.* porost

**lick** [lɪk] *vt* lizać, oblizywać; *pot.* sprawić lanie, pobić; *przen.* **to ~ into shape** wykształcić, okrzesać (kogoś); *s* lizanie; odrobina; *pot.* uderzenie

**lid** [lɪd] *s* wieko, pokrywa; powieka

***lie 1.** [laɪ], **lay** [leɪ], **lain** [leɪn] *vi* leżeć; być (**idle, under suspicion** bezczynnym, podejrzanym; (*o widoku, dolinie itd.*) rozciągać się; rozpościerać się; (*o statku*) stać na kotwicy; **it ~s** to zależy (**with sb** od kogoś); **to**

~ heavy ciążyć; ~ down położyć się; ~ over być w zawieszeniu, zostać odroczonym; ~ up leżeć w łóżku, chorować

**lie** 2. [laɪ], **lied, lied** [laɪd] *vi* kłamać; okłamywać (**to sb** kogoś); *s* kłamstwo; **to give the ~** zarzucać kłamstwo, zadać kłam (**sb** komuś)

**liege** [lidʒ] *adj* lenny, lenniczy; *s* lennik, wasal

**li·en** [lɪən] *s prawn.* prawo zastawu

**lieu·ten·ant** [lef`tenənt], *mors.* [le`tenənt], *am.* [lu`tenənt] *s* porucznik; zastępca; **second ~** podporucznik

**life** [laɪf] *s* (*pl* **lives** [laɪvz]) życie; ożywienie, werwa; żywot, życiorys; **Life Guards** straż przyboczna (królewska); **~ insurance** ubezpieczenie na życie; **true to ~** wierny rzeczywistości, naturalny; **for ~** na całe życie, dożywotnio

**life-belt** [`laɪf belt] *s* pas ratunkowy

**life-boat** [`laɪf bəut] *s* łódź ratunkowa

**life·long** [`laɪf lɒŋ] *adj* trwający całe życie

**life-sen·tence** [`laɪf sentəns] *s* wyrok dożywotniego więzienia

**life-size** [`laɪf saɪz] *adj* naturalnej wielkości

**life·time** [`laɪftaɪm] *s* (całe) życie; **in sb's ~** w przeciągu ⟨za⟩ czyjegoś życia

**lift** [lɪft] *vt vi* podnieść (się); ukraść, *pot.* ściągnąć; *s* podniesienie; winda; **air ~** most powietrzny; **to give sb a ~** podwieźć kogoś (autem itp.)

**lig·a·ment** [`lɪgəmənt] *s anat.* wiązadło

**lig·a·ture** [`lɪgətʃə(r)] *s* związanie, podwiązanie, przewiązanie; *muz. druk.* ligatura

**light** 1. [laɪt] *adj* lekki; nie obciążony; mało ważny, błahy; lekkomyślny, beztroski; *adv* lekko

***light** 2. [laɪt], **lit, lit** [lɪt] *lub* **~ed, ~ed** [`laɪtɪd] *vt vi* zaświecić, świecić, zapalić (się), oświetlać; rozjaśnić (się); **~ up** zaświecić; zapłonąć; rozjaśnić się; *s* światło, oświetlenie; światło dzienne; jasność; ogień; **to bring to ~** wydobyć na światło dzienne; **to come to ~** wyjść na jaw; *adj* jasny

***light** 3. [laɪt], **lighted, lighted** [`laɪtɪd] *lub* **lit, lit** [lɪt] *vi* natknąć się ⟨natrafić⟩ (**upon sb, sth** na kogoś, coś); zstąpić; (*o ptaku*) osiąść; (*o wzroku*) paść

**light·en** 1. [`laɪtn] *vt vi* oświetlać, rozjaśniać (się); błyskać się

**light·en** 2. [`laɪtn] *vt* ulżyć; uczynić lżejszym; odciążyć, złagodzić; *vi* pozbyć się ciężaru ⟨ładunku⟩; stać się lżejszym

**light·er** 1. [`laɪtə(r)] *s* zapalniczka; *mors.* lichtuga

**light·er** 2. [`laɪtə(r)] *s* galar

**light-heart·ed** [ˈlaɪt`hatɪd] *adj* wesoły, niefrasobliwy

**light·house** [`laɪt haus] *s* latarnia morska

**light-mind·ed** [ˈlaɪt`maɪndɪd] *adj* lekkomyślny

**light·ning** [`laɪtnɪŋ] *s* piorun, błyskawica

**light·ning-con·duc·tor** [`laɪtnɪŋ kəndʌktə(r)], **light·ning-rod** [`laɪtŋɪŋ rod] *s* piorunochron

**light-weight** [`laɪt weɪt] *s* człowiek bez znaczenia; *adj* (*o bokserze*) wagi lekkiej

**like** 1. [laɪk] *adj* podobny; **in ~ manner** podobnie; **it is just ~ him** to na niego wygląda, to do niego pasuje; **it looks ~ rain** będzie padać; **I don't feel ~ working** nie chce mi się pracować; *adv w zwrotach*: **~ enough, very ~** prawdopodobnie; *conj* podobnie, podobnie jak; **to be ~ ...** wyglądać jak ...; **people ~ you** ludzie tacy, jak wy; *s* rzecz podobna ⟨taka sama⟩; coś podobnego; **and the ~** i tym podobne rzeczy

**like** 2. [laɪk] *vt* lubić; **~ better** woleć; mieć upodobanie ⟨przyjemność, zamiłowanie⟩; **I ~ this** lubię to; to mi się podoba; **I should ~ to go** chciałbym pójść; **I should ~ you to do this for me** chciałbym, ażebyś to dla mnie zrobił

**like·li·hood** [ˈlaɪklɪhʊd] *s* prawdopodobieństwo

**like·ly** [ˈlaɪklɪ] *adj* możliwy ⟨odpowiedni, nadający się⟩ (kandydat, plan itd.); prawdopodobny; **he is ~ to come on** prawdopodobnie przyjdzie; *adv* prawdopodobnie, pewnie (*zw.* **most ~, very ~**); **as ~ as not** prawie na pewno

**lik·en** [ˈlaɪkən] *vt* upodabniać; porównywać

**like·ness** [ˈlaɪknəs] *s* podobieństwo; podobizna, portret; **in the ~ of...** na podobieństwo...

**like·wise** [ˈlaɪkwaɪz] *adv* podobnie, również; ponadto

**lik·ing** [ˈlaɪkɪŋ] *ppraes i s* gust, upodobanie, pociąg (**for sth** do czegoś)

**li·lac** [ˈlaɪlək] *s bot.* bez; *adj* (*o kolorze*) lila

**li·ly** [ˈlɪlɪ] *s bot.* lilia; **~ of the valley** konwalia

**limb** [lɪm] *s* kończyna; członek (ciała)

**lime** 1. [laɪm] *s* wapno

**lime** 2. [laɪm] *s* lipa (drzewo i kwiat)

**lime** 3. [laɪm] *s* limona (drzewo i owoc)

**lime·light** [ˈlaɪmlaɪt] *s* światło wapienne; *przen.* **in the ~** na widoku (publicznym), w świetle reflektorów

**lim·er·ick** [ˈlɪmərɪk] *s* limeryk, fraszka

**lime·stone** [ˈlaɪmstəʊn] *s* wapień

**lim·it** [ˈlɪmɪt] *s* granica; limit; *vt* ograniczać

**lim·i·ta·tion** [ˌlɪmɪˈteɪʃn] *s* ograniczenie; zastrzeżenie; *prawn.* prekluzja

**limp** 1. [lɪmp] *adj* wiotki, słaby, bez energii

**limp** 2. [lɪmp] *vi* chromać, utykać na nogę, kuśtykać

**lim·pid** [ˈlɪmpɪd] *adj* przezroczysty, klarowny

**lim·y** [ˈlaɪmɪ] *adj* wapnisty; kleisty

**lin·den** [ˈlɪndən] *s bot.* lipa

**line** 1. [laɪn] *s* linia; lina, sznur; sznurek u wędki; szereg, rząd, *pot.* kolejka; granica; kurs, kierunek; zajęcie, rodzaj zainteresowania; linia postępowania, wytyczna; wiersz, linia, linijka; dziedzina, specjalność; *handl.* branża; *vt* liniować; kreślić; ustawiać w rząd ⟨szpaler⟩; *vi* (*także* **~ up**) stawać ⟨ustawiać się⟩ w rzędzie

**line** 2. [laɪn] *vt* wyścielić, wyłożyć; podszyć (podszewką)

**lin·e·age** [ˈlɪnɪɪdʒ] *s* rodowód, pochodzenie

**lin·e·al** [ˈlɪnɪəl] *adj* pochodzący w prostej linii

**line·man** [ˈlaɪnmən] *s* dróżnik (kolejowy); monter (linii telegraficznej ⟨telefonicznej⟩)

**lin·en** [ˈlɪnɪn] *s* płótno; *zbior.* bielizna

**lin·er** [ˈlaɪnə(r)] *s* liniowiec, statek żeglugi liniowej; samolot regularnej linii pasażerskiej

**lines·man** [ˈlaɪnzmən] *s* (*pl* **linesmen** [ˈlaɪnzmən]) żołnierz liniowy; dróżnik (kolejowy); *sport* sędzia liniowy

**lin·ger** [ˈlɪŋgə(r)] *vi* zwlekać, ociągać się; zasiedzieć się, przeciągać pobyt; (*także* **~ on**) trwać, przeciągać się

**lin·gual** [ˈlɪŋgwl] *adj* językowy

**lin·guist** [ˈlɪŋgwɪst] *s* lingwista

**lin·i·ment** [ˈlɪnɪmənt] *s* płyn (leczniczy), maść

**lin·ing** [ˈlaɪnɪŋ] *s* podszewka, podkład, podbicie; okładzina, obudowa

**link** [lɪŋk] *s* ogniwo; więź; *vt vi* łączyć (się), wiązać (się), przyłączyć (się)

**lin·seed** [ˈlɪnsid] *s* siemię lniane; ~ **oil** olej lniany

**lint** [lɪnt] *s* szarpie, płótno opatrunkowe

**li·on** [ˈlaɪən] *s* lew

**li·on·ize** [ˈlaɪənaɪz] *vt* traktować kogoś jako znakomitość, ubóstwiać; oglądać ⟨pokazywać⟩ osobliwości miasta

**lip** [lɪp] *s* warga; brzeg, skraj; *pl* ~**s** usta

**lip·stick** [ˈlɪp stɪk] *s* kredka do ust, szminka

**li·queur** [lɪˈkjʊə(r)] *s* likier

**liq·uid** [ˈlɪkwɪd] *adj* płynny; *s* płyn, ciecz

**liq·ui·date** [ˈlɪkwɪdeɪt] *vt vi* likwidować (się)

**liq·uor** [ˈlɪkə(r)] *s* napój alkoholowy

**lisp** [lɪsp] *vi* seplenić; *s* seplenienie

**list** [lɪst] *s* lista, spis; *vt* umieszczać na liście, spisywać

**lis·ten** [ˈlɪsn] *vi* słuchać (**to sb, sth** kogoś, czegoś), przysłuchiwać się (**to sb, sth** komuś, czemuś), nadsłuchiwać (**for sth** czegoś); ~ **in** słuchać radia

**lis·ten·er** [ˈlɪsnə(r)] *s* słuchacz; radiosłuchacz

**list·less** [ˈlɪstləs] *adj* obojętny, apatyczny

**lit** *zob.* **light** 2., 3

**lit·er·a·cy** [ˈlɪtrəsɪ] *s* umiejętność czytania i pisania

**lit·er·al** [ˈlɪtr̩l] *adj* literalny, dosłowny; literowy

**lit·er·ar·y** [ˈlɪtr̩ɪ] *adj* literacki

**lit·er·ate** [ˈlɪtr̩ət] *adj* (*o człowieku*) piśmienny

**lit·er·a·ture** [ˈlɪtrətʃə(r)] *s* literatura, piśmiennictwo

**lithe** [laɪð] *adj* giętki, gibki

**lit·i·gant** [ˈlɪtɪgənt] *adj* procesujący się; *s* strona procesująca się

**lit·i·gate** [ˈlɪtɪgeɪt] *vi* procesować się; *vt* kwestionować

**lit·i·ga·tion** [ˈlɪtɪˈgeɪʃn] *s* spór, sprawa sądowa

**lit·mus** [ˈlɪtməs] *s chem.* lakmus

**lit·ter** [ˈlɪtə(r)] *s* śmiecie, odpadki; nieporządek; wyściółka; miot, młode; *vt* podścielać; zaśmiecać

**lit·tle** [ˈlɪtl] *adj* (*comp* **less** [les], *sup* **least** [list]) mały, drobny; krótki; mało, niewiele; ~ **bread** mało ⟨trochę⟩ chleba; *adv* mało; **he sees me very** ~ on mnie mało ⟨rzadko⟩ widuje; *s* mała ilość, mało, niewiele; **a** ~ niewiele, trochę; ~ **by** ~ stopniowo, po trochu

**lit·tle·ness** [ˈlɪtlnəs] *s* małość, mały rozmiar

**live** 1. [lɪv] *vi* żyć; mieszkać, przebywać; przetrwać; ~ **on** żyć nadal, przetrwać; ~ **on sth** żyć z czegoś ⟨czymś⟩; ~ **through** ⟨**over**⟩ przeżyć (**war** wojnę); **to** ~ **to be** ⟨**to see**⟩ doczekać (się); **to** ~ **up to sth** żyć stosownie do czegoś ⟨zgodnie z czymś⟩; **long** ~! niech żyje!; *vt* prowadzić ⟨pędzić⟩ (**a happy life** szczęśliwe życie itd.)

**live** 2. [laɪv] *adj attr* żywy; ~ **coal** żarzące się węgle

**live·li·hood** [ˈlaɪvlɪhʊd] *s pl* środki utrzymania ⟨do życia⟩

**live·long** [ˈlɪvlɒŋ] *adj* (*o dniu, roku itp.*) cały, długi

**live·ly** [ˈlaɪvlɪ] *adj* żywy, ożywiony

**liv·en** [ˈlaɪvn] *vt vi* (*także* ~ **up**) ożywiać (się)

**liv·er** [ˈlɪvə(r)] *s* wątroba

**liv·er·y** [ˈlɪvərɪ] *s* liberia

**live-stock** [ˈlaɪvstɒk] *s* żywy inwentarz

**liv·id** [ˈlɪvɪd] *adj* siny

**liv·ing** [ˈlɪvɪŋ] *ppraes i adj* żyjący, żywy; **within** ~ **memory** za ludzkiej pamięci; *s* życie, tryb życia; ~ **conditions** warunki życia; ~ **standard** stopa życiowa; utrzymanie; **to make ⟨earn one's⟩ ~** zarabiać na życie; ~ **wage** płaca wystarczająca na utrzymanie

**liz·ard** [ˋlɪzəd] *s zool.* jaszczurka

**lla·ma** [ˋlɑmə] *s zool.* lama

**load** [ləud] *s* ciężar, obciążenie, ładunek; *vt* ładować, obciążać; obsypać (darami, pochwałami); obrzucać (obelgami)

**loaf 1.** [ləuf] *s* (*pl* **loaves** [ləuvz]) bochenek (chleba); główka ⟨głowa⟩ (cukru, sałaty itd.)

**loaf 2.** [ləuf] *vi* wałęsać się; *s* wałęsanie się, próżniactwo

**loaf·er** [ˋləufə(r)] *s* włóczęga, próżniak, nierób

**loan** [ləun] *s* pożyczka; zapożyczenie; *vt* pożyczyć (**sth to sb** coś komuś)

**loath** [ləuθ] *adj* niechętny; **to be ~ to do sth** z niechęcią coś robić; **nothing ~** chętnie

**loathe** [ləuð] *vt* czuć wstręt, ⟨obrzydzenie⟩ (**sb, sth** do kogoś, czegoś)

**loath·some** [ˋləuðsəm] *adj* wstrętny, ohydny

**loaves** *zob.* **loaf 1.**

**lob·by** [ˋlobɪ] *s* westybul, hall; poczekalnia; kuluar (w parlamencie); *vt* urabiać posłów w kuluarach

**lobe** [ləub] *s* płat, płatek

**lob·ster** [ˋlobstə(r)] *s zool.* homar

**lo·cal** [ˋləukl] *adj* miejscowy; ~ **government** samorząd

**lo·cal·i·ty** [ləuˋkælətɪ] *s* miejscowość; położenie; rejon

**lo·cal·ize** [ˋləukḷaɪz] *vt* lokalizować

**lo·cate** [ləˋkeɪt] *vt* umieścić, ulokować; zlokalizować; osiedlić; *am.* **to be ~d** mieszkać

**lo·ca·tion** [ləuˋkeɪʃn] *s* zlokalizowanie, umiejscowienie; ulokowanie, umieszczenie; miejsce zamieszkania; położenie

**lock 1.** [lok] *s* zamek, zamknięcie; śluza; *vt vi* zamykać (się) na klucz; otaczać (np. o górach); *przen.* więzić; unieruchomić; zaciskać (się), zwierać (się); przechodzić ⟨przeprowadzać⟩ przez śluzę (**up, down** w górę, w dół); ~ **in** zamykać wewnątrz; ~ **out** wykluczyć; nie puścić (kogoś) do wewnątrz, zastosować lokaut; ~ **up** zamknąć (na klucz); uwięzić; trzymać pod kluczem

**lock 2.** [lok] *s* lok, kędzior

**lock·er** [ˋlokə(r)] *s* kabina; szafka

**lock-out** [ˋlokaut] *s* lokaut

**lock·smith** [ˋloksmɪθ] *s* ślusarz

**lock-up** [ˋlokʌp] *s* zamknięcie na klucz (*zw.* bramy na noc); areszt, *pot.* koza

**lo·co·mo·tion** [ˌləukəˋməuʃn] *s* lokomocja

**lo·co·mo·tive** [ˌləukəˋməutɪv] *s* lokomotywa; *adj* ruchomy

**lo·cust** [ˋləukəst] *s* szarańcza

**lo·cu·tion** [ləˋkjuʃn] *s* powiedzenie, zwrot

**lodge** [lodʒ] *vt* umieszczać, przyjmować pod dach, zakwaterować; deponować, dawać na przechowanie; wnosić (np. protest, skargę); składać (np. oświadczenie); wbić, wsadzić; *vi* mieszkać, znaleźć nocleg, ulokować się; *s* domek (dozorcy, służbowy, myśliwski); loża (masońska); stróżówka, portiernia; kryjówka, nora

**lodg·er** [ˋlodʒə(r)] *s* lokator

**lodg·ing** [ˋlodʒɪŋ] *s* zakwaterowanie, pomieszczenie; *pl* **~s** wynajmowane mieszkanie (umeblowane)

**loft** [loft] *s* poddasze, strych

**loft·i·ness** [ˋloftɪnəs] *s* wysokość; wzniosłość; wyniosłość

**lof·ty** [ˋloftɪ] *adj* wysoki; wzniosły; wyniosły

**log** [log] *s* kłoda, kloc; *mors.* log

**log·book** [ˋlogbuk] *s mors.* dziennik okrętowy

**log·ger·head** [ˋlogəhed] *s* bałwan, tępak; *pot.* **to be at ~s** kłócić się, brać się za łby

**log·ic** [ˈlodʒɪk] *s* logika

**log-roll·ing** [ˈlogrəulɪŋ] *s* popieranie siebie nawzajem; kumoterstwo; *am.* wzajemna pomoc (finansowa lub polityczna)

**loin** [lɔɪn] *s, pl* **~s** lędźwie; (*także* **~ chop**) polędwica

**loi·ter** [ˈlɔɪtə(r)] *vi* wałęsać się, włóczyć się

**loi·ter·er** [ˈlɔɪtərə(r)] *s* włóczęga, łazik

**loll** [lol] *vi* (*także* **~ about** ⟨**around**⟩) rozwalać się, przybierać niedbałą pozę; (*o psie*) wywieszać (**it's tongue** język)

**lone** [ləun] *adj attr* samotny; odludny

**lone·li·ness** [ˈləunlɪnəs] *s* samotność, osamotnienie

**lone·ly** [ˈləunlɪ] *adj* samotny; odludny

**lone·some** [ˈləunsəm] = **lonely**

**long 1.** [loŋ] *adj* długi; **he is ~ in doing that on to** długo robi; **he won't be ~ on** niedługo przyjdzie; *adv* długo; dawno; **before ~** wkrótce; **so ~!** do widzenia!; **~ ago** ⟨**since**⟩ dawno temu; *s* długi ⟨dłuższy⟩ czas; **for ~** na długo; **it won't take ~** to nie potrwa długo

**long 2.** [loŋ] *vi* pragnąć, łaknąć (**for sth** czegoś); tęsknić (**after** ⟨**for**⟩ **sb, sth** za kimś, czymś), mieć wielką chęć

**lon·gev·i·ty** [lonˈdʒəvətɪ] *s* długowieczność

**long·ing** [ˈloŋgɪŋ] *ppraes i s* chęć, pragnienie; tęsknota

**lon·gi·tude** [ˈlondʒɪtjud] *s* długość geograficzna

**long-leg·ged** [ˈloŋlegd] *adj* długonogi

**long-range** [ˈloŋreɪndʒ] *adj attr* dalekosiężny; długofalowy

**long·shore·man** [ˈloŋ ʃɔmən] *s* tragarz, robotnik portowy

**long-sight·ed** [ˈloŋˈsaɪtɪd] *adj* dalekowzroczny

**long-wave** [ˈloŋweɪv] *adj attr* długofalowy

**long·ways** [ˈloŋ weɪz], **long·wise** [ˈloŋ waɪz] *adv* wzdłuż; na długość

**look** [luk] *s* spojrzenie; wygląd; mina, wyraz (twarzy); **to have a ~ at sth** spojrzeć na coś; **to give sb a kind ~** spojrzeć na kogoś życzliwie; **good ~s** piękna twarz, uroda; *vi* patrzeć; wyglądać; **~ about** rozglądać się; **~ after** doglądać, pilnować (**sb, sth** kogoś, czegoś); **~ ahead** patrzeć przed siebie, przewidywać; **~ at** patrzeć (**sb, sth** na kogoś, coś); **~ for** szukać (**sb, sth** kogoś, czegoś); **~ forward** oczekiwać, wypatrywać (**to sth** czegoś); **~ in** wpaść (**on** ⟨**upon**⟩ **sb** do kogoś); oglądać (**to the TV** telewizję); **~ into** zaglądać (**a room** do pokoju itd.); badać (**sth** coś); **~ like** wyglądać jak (**sb, sth** ktoś, coś); **it ~s like rain** zanosi się na deszcz; **~ on** przypatrywać się (**sb, sth** komuś, czemuś); **~ on** ⟨**upon**⟩ patrzeć na (**sb, sth as ...** kogoś, coś jak na ...); uważać ⟨mieć⟩ (**sb, sth as ...** kogoś, coś za ...); **~ out** wyglądać; mieć się na baczności; wypatrywać (**for sb** kogoś); **~ over** przeglądać (**sth** coś); **~ round** rozglądać się; **~ through** przejrzeć (**a book** książkę); patrzeć przez (**a window** okno); przezierać; **his greed ~ed through his eyes** chciwość wyzierała mu z oczu; **~ to** pilnować (**sth** czegoś), uważać (**sth** na coś); **~ to it that ...** uważać, ażeby ...; **~ up** patrzeć w górę; szukać (czegoś w książce itp.); **~ up to sb** traktować kogoś z szacunkiem; *vt* patrzeć, spojrzeć (**sb in the face** komuś w oczy); wyglądać (**sb, sth** na kogoś, coś)

**look·er-on** [ˈlukəron] *s* (*pl* **~s-on** [ˈlukəzon]) widz

**look·ing-glass** [ˈlukɪŋ glas] *s* lustro, lusterko

**look-out** [ˈlukaut] *s* widok, perspektywa; czujność; **to be on the ~** pilnować, czatować

**loom 1.** [lum] *s* warsztat tkacki

**loom 2.** [lum] *vi* majaczyć, zarysowywać się (np. na horyzoncie); wyłaniać się; *przen.* zagrażać; **to ~ large** wywołać ⟨budzić⟩ niepokój

**loop** [lup] *s* pętla; węzeł; *vt* robić pętlę ⟨węzeł⟩; **to ~ the ~** (*o samolocie*) wykonać pętlę

**loop·hole** [ˈlup həul] *s* otwór ⟨strzelnica⟩ w murze; *przen.* wykręt, furtka

**loose** [lus] *adj* luźny, swobodny; niedbały; rozwiązły; **at a ~ end** zaniedbany; bez zajęcia; **to break ~** zerwać ⟨urwać, uwolnić⟩ (się); **to come ~** rozluźnić się; **to let ~** puścić na wolność; *przen.* dać upust; *vt* rozluźnić, rozwiązać, puścić

**loos·en** [ˈlusn] *vt vi* rozluźnić (się), popuścić, rozwiązać; działać rozwalniająco

**loot** [lut] *vt vi* grabić; *s* grabież; łupy

**lop 1.** [lop] *vt* obcinać, obrzynać

**lop 2.** [lop] *vt* zwieszać, opuszczać; *vi* zwisać

**lope** [ləup] *s* skok, sus; *vi* biec susami

**lo·qua·cious** [ləuˈkweɪʃəs] *adj* gadatliwy

**lord** [lɔd] *s* lord; pan, dziedzic

**lord·ly** [ˈlɔdlɪ] *adj* wielkopański; wyniosły

**lore** [lɔ(r)] *s* wiedza, nauka

**lor·ry** [ˈlorɪ] *s* ciężarówka; platforma kolejowa

***lose** [luz], **lost, lost** [lost] *vt* stracić, zgubić; **to ~ heart** upaść na duchu; **to ~ one's heart to sb** oddać komuś serce, zakochać się w kimś; **~ oneself, to ~ one's way** zabłądzić, zabłąkać się; **to ~ sight** stracić z oczu (**of sth** coś); **to ~ weight** stracić na wadze; **to be ⟨to go⟩ lost** zaginąć; pójść na marne; **to be lost to all sense of honour** stracić wszelkie poczucie honoru; *vi* przyprawić o stratę; zmarnować (okazję itp.); przegrać (mecz itp.); (*o zegarku*) spóźniać się

**loss** [los] *s* strata, zguba; utrata, ubytek; **to be at a ~** być w kłopocie, nie wiedzieć, co robić

**lost** *zob.* **lose**

**lot** [lot] *s* los, dola; udział; część; partia (towaru); parcela, działka; wielka ilość; *pot.* banda, paczka; **a ~ of people** gromada ludzi; **a ~ of money** (*także pl* **~s of money**) masa pieniędzy; **a good ⟨quite a⟩ ~** sporo; **a ~ more** znacznie więcej

**lo·tion** [ˈləuʃn] *s* płyn leczniczy

**lot·ter·y** [ˈlotərɪ] *s* loteria

**lo·tus** [ˈləutəs] *s bot.* lotos

**loud** [laud] *adj* głośny; *adv* głośno

**loud-speak·er** [ˈlaudˈspikə(r)] *s* głośnik, megafon

**lounge** [laundʒ] *vi* bezczynnie spędzać czas; wygodnie siedzieć ⟨leżeć⟩; wałęsać się, próżnować; *s* wypoczynek, relaks; wałęsanie się; pokój klubowy; świetlica; kanapa, tapczan

**lounge-suit** [ˈlaundʒ sut] *s* garnitur na co dzień

**louse** [laus] *s* (*pl* **lice** [laɪs]) wesz

**lous·y** [ˈlauzɪ] *adj* wszawy, zawszony; *pot.* wstrętny

**lout** [laut] *s* gbur, prostak

**love** [lʌv] *s* miłość; zamiłowanie; ukochany; **to fall in ~** zakochać się (**with sb** w kimś); **to make ~** kochać się ⟨*pot.* spać⟩ (**to sb** z kimś); **for ~** bezinteresownie; dla zabawy ⟨przyjemności⟩; **in ~** zakochany; *vt vi* kochać, lubić (bardzo); **I should ~** bardzo bym chciał (**to do this** to zrobić)

**lov·a·ble** [ˈlʌvəbl] *adj* dający się lubić ⟨kochać⟩; miły

**love-af·fair** [ˈlʌv əfeə(r)] *s* romans

**love·ly** [ˈlʌvlɪ] *adj* miły; uroczy

**lov·er** [ˈlʌvə(r)] *s* kochanek; amator, wielbiciel

**low 1.** [ləu] *adj* niski; nizinny; słaby; skromny; marny; przygnębiony; (*o głosie*) cichy; pospoli-

ty, wulgarny; podły; *adv* nisko; cicho; podle, marnie
**low 2.** [ləʊ] *vi* ryczeć; *s* ryk
**low·er 1.** *adj comp* od **low 1.**
**low·er 2.** [ˈləʊə(r)] *vt vi* zniżyć (się), opuścić (się); zmniejszyć (się); poniżyć
**low-grade** [ˈləʊgreɪd] *adj attr* niskogatunkowy, niskoprocentowy
**low·land** [ˈləʊlənd] *s* nizina
**low·ly** [ˈləʊlɪ] *adj* korny, skromny; *adv* kornie; skromnie; nisko
**loy·al** [ˈlɔɪl̩] *adj* lojalny
**loy·al·ty** [ˈlɔɪl̩tɪ] *s* lojalność
**lub·ber** [ˈlʌbə(r)] *s* ślamazara, niedołęga
**lu·bri·cant** [ˈlubrɪkənt] *s* smar; *adj* smarujący
**lub·ri·cate** [ˈlubrɪkeɪt] *vt* smarować, oliwić
**lu·cent** [ˈlusnt] *adj* lśniący; przezroczysty
**lu·cid** [ˈlusɪd] *adj* jasny; lśniący; przezroczysty
**lu·cid·i·ty** [luˈsɪdətɪ] *s* jasność; blask; przezroczystość
**luck** [lʌk] *s* szczęście, traf; **good ~** szczęście; **bad ~** pech
**luck·y** [ˈlʌkɪ] *adj* szczęśliwy, pomyślny
**lu·cra·tive** [ˈlukrətɪv] *adj* dochodowy, intratny
**lu·di·crous** [ˈludɪkrəs] *adj* śmieszny, niedorzeczny
**lug** [lʌg] *vt* ciągnąć, wlec, szarpać (**at sth** czymś)
**lug·gage** [ˈlʌgɪdʒ] *s* bagaż
**lu·gu·bri·ous** [luˈgubrɪəs] *adj* ponury, żałobny
**luke·warm** [ˈlukˈwɔm] *adj* letni, ciepławy; *przen.* obojętny
**lull** [lʌl] *vt vi* usypiać; uśmierzać; uspokajać (się); *s* okres spokoju, chwila ciszy
**lull·a·by** [ˈlʌləbaɪ] *s* kołysanka
**lum·ber** [ˈlʌmbə(r)] *s* drewno, budulec; *zbior.* stare meble, *pot.* graty, rupiecie
**lum·ber-room** [ˈlʌmbərum] *s* rupieciarnia
**lu·mi·nar·y** [ˈlumɪnərɪ] *s* ciało świetlne; luminarz
**lu·mi·nous** [ˈlumɪnəs] *adj* świetlny, lśniący; jasny, zrozumiały
**lump** [lʌmp] *s* kawałek; bryła; *pot.* niedołęga, mazgaj; **~ sugar** cukier w kostkach; **~ sum** suma globalna, ryczałt; **by ⟨in⟩ the ~** hurtem; *vt* zwalać na stos ⟨kupę⟩; scalić; *vi* zbić się
**lu·na·cy** [ˈlunəsɪ] *s* szaleństwo, obłęd
**lu·nar** [ˈlunə(r)] *adj* księżycowy; *chem.* **~ caustic** lapis
**lu·na·tic** [ˈlunətɪk] *adj* obłąkany, szalony; *s* obłąkaniec, wariat
**lunch** [lʌntʃ] *s* drugie śniadanie, lunch; *vi* spożywać lunch
**lunch·eon** [ˈlʌntʃən] = **lunch** *s*
**lung** [lʌŋ] *s* płuco
**lurch 1.** [lɜtʃ] *s w zwrocie:* **to leave sb in the ~** opuścić kogoś w ciężkiej sytuacji
**lurch 2.** [lɜtʃ] *vi* przechylić ⟨zachwiać⟩ się; słaniać się; *s* przechylenie się; chwiejny chód
**lure** [luə(r)] *vt* nęcić, wabić; *s* przynęta; pułapka; powab
**lu·rid** [ˈluərɪd] *adj* ponury, upiorny, niesamowity
**lurk** [lɜk] *vi* czaić się, czyhać (**for sb** na kogoś); *s* ukrycie; **to be on the ~** czaić się
**lus·cious** [ˈlʌʃəs] *adj* przesłodzony, ckliwy; soczysty
**lust** [lʌst] *vi* pożądać (**after ⟨for⟩ sth** czegoś); *s* pożądliwość, lubieżność, żądza
**lus·tre** [ˈlʌstə(r)] *s* blask, połysk; *przen.* świetność
**lus·trous** [ˈlʌstrəs] *adj* połyskujący, lśniący
**lust·y** [ˈlʌstɪ] *adj* tęgi; żwawy, pełen wigoru
**lute** [lut] *s muz.* lutnia
**lux·u·ri·ant** [ləgˈʒuərɪənt] *adj* obfity, bujny; (*o stylu*) kwiecisty

**lux·u·ri·ous** [ləg`ʒuərɪəs] *adj* luksusowy, bogaty
**lux·u·ry** [`lʌkʃərɪ] *s* przepych, zbytek, luksus; obfitość; *adj attr* luksusowy
**lye** [laɪ] *s* ług
**ly·ing** [`laɪɪŋ] *ppraes i adj* kłamliwy
**lynch** [lɪntʃ] *vt* linczować; *s* lincz
**lynx** [lɪŋks] *s zool.* ryś
**ly·oph·i·li·za·tion** [ˌlaɪofələ`zeɪʃn] *s* liofilizacja
**ly·oph·i·lize** [laɪ`ofə`laɪz] *vt* liofilizować
**lyre** [`laɪə(r)] *s muz.* lira
**lyr·ic** [`lɪrɪk] *adj* liryczny; *s* utwór liryczny
**lyr·i·cal** [`lɪrɪkl] *adj* liryczny
**ly·sol** [`laɪsol] *s chem.* lizol

# m

**ma`am** [mæm] *s* proszę pani, słucham panią (*służba do pani domu, personel sklepu do klientki itd.*)
**mace** [meɪs] *s* maczuga; buława
**mach·i·na·tion** [ˌmækɪ`neɪʃn] *s* machinacja, intryga, knowanie
**ma·chine** [mə`ʃin] *s* maszyna; agricultural ~s maszyny rolnicze; *vt* wykonywać maszynowo; *adj attr* maszynowy
**ma·chine-gun** [mə`ʃingʌn] *s* karabin maszynowy
**ma·chin·er·y** [mə`ʃinərɪ] *s* maszyneria, mechanizm
**mack·er·el** [`mækrl] *s* makrela
**mack·in·tosh** [`mækɪntoʃ] *s* płaszcz nieprzemakalny
**mad** [mæd] *adj* szalony, obłąkany; zwariowany (after ⟨about, for, on⟩ sth na punkcie czegoś); wściekły; to go ~ zwariować; to drive ~ doprowadzić do szaleństwa
**mad·am** [`mædəm] *s w zwrotach grzecznościowych:* (Szanowna) Pani!
**mad·cap** [`mædkæp] *s* narwaniec, człowiek postrzelony
**mad·den** [`mædn] *vt* doprowadzić do szaleństwa ⟨szału⟩; *vi* szaleć
**made** *zob.* **make**
**mad·ness** [`mædnəs] *s* szaleństwo, obłęd, furia
**mag·a·zine** [ˌmægə`zin] *s* magazyn, skład; *wojsk.* skład broni; periodyk, czasopismo
**mag·got** [`mægət] *s* larwa; chimera; kaprys
**ma·gi** *zob.* **magus**
**mag·ic** [`mædʒɪk] *adj* magiczny, czarodziejski; *s* magia, czary
**ma·gi·cian** [mə`dʒɪʃn] *s* czarodziej, magik, iluzjonista
**mag·is·trate** [`mædʒɪstreɪt] *s* sędzia pokoju
**mag·na·nim·i·ty** [ˌmægnə`nɪmətɪ] *s* wspaniałomyślność
**mag·nate** [`mægneɪt] *s* magnat
**mag·ne·sia** [mæg`niʃə] *s* magnezja
**mag·net** [`mægnɪt] *s* magnes
**mag·net·ic** [mæg`netɪk] *adj* magnetyczny
**mag·net·ize** [`mægnɪtaɪz] *vt* magnetyzować
**mag·nif·i·cence** [mæg`nɪfɪsns] *s* wspaniałość; świetność
**mag·nif·i·cent** [mæg`nɪfɪsnt] *adj* wspaniały
**mag·ni·fi·er** [`mægnɪfaɪə(r)] *s* wzmacniacz; szkło powiększające
**mag·ni·fy** [`mægnɪfaɪ] *vt* wzmacniać; powiększać
**mag·ni·tude** [`mægnɪtjud] *s* ogrom, wielkość

**mag·pie** [ˈmægpaɪ] *s* sroka; *przen.* gaduła

**ma·gus** [ˈmeɪgəs] *s* (*pl* **magi** [ˈmeɪdʒaɪ]) mag, mędrzec Wschodu

**ma·hog·a·ny** [məˈhogənɪ] *s* mahoń

**maid** [meɪd] *s lit.* dziewczyna; † panna; służąca; ~ **of honour** dama dworu

**maid·en** [ˈmeɪdn] *s lit.* dziewica, panna; *adj* dziewiczy; panieński

**maid-serv·ant** [ˈmeɪd sɜvənt] *s* służąca, pokojówka

**mail 1.** [meɪl] *s* poczta; *vt* wysyłać pocztą

**mail 2.** [meɪl] *s* pancerz; **coat of ~** kolczuga; **~ed fist** *przen.* zbrojna pięść ⟨siła⟩

**maim** [meɪm] *vt* okaleczyć

**main** [meɪn] *adj* główny, przeważający, najważniejszy; *s* główna rura (wodociągu, gazu); *pl* **~s** kanalizacja; *elektr.* główna linia; *poet.* pełne morze; **in the ~** głównie, przeważnie; **with might and ~** z całych sił

**main·land** [ˈmeɪnlænd] *s* ląd stały

**main·spring** [ˈmeɪnsprɪŋ] *s* główna sprężyna (zegara); *przen.* główny motyw (działania)

**main·stay** [ˈmeɪnsteɪ] *s mors.* sztag grotmasztu; *przen.* ostoja

**main·tain** [meɪnˈteɪn] *vt* podtrzymywać; utrzymywać; zachowywać; twierdzić

**main·te·nance** [ˈmeɪntɪnəns] *s* utrzymanie; utrzymywanie; konserwacja; podtrzymywanie, podpora

**maize** [meɪz] *s* kukurydza

**ma·jes·tic** [məˈdʒestɪk] *adj* majestatyczny

**maj·es·ty** [ˈmædʒɪstɪ] *s* majestat

**ma·jor** [ˈmeɪdʒə(r)] *adj* większy, ważniejszy; główny; starszy; pełnoletni; *muz.* durowy, majorowy; *s* człowiek pełnoletni; *wojsk.* major

**ma·jor·i·ty** [məˈdʒorətɪ] *s* większość; pełnoletność

***make** [meɪk], **made, made** [meɪd] *vt vi* robić, tworzyć, produkować, sporządzać; szyć (ubranie), piec (chleb itd.); zrobić ⟨ugotować, przygotować⟩ coś do jedzenia ⟨picia⟩; narobić (hałasu, kłopotu itd.); ustalić, ustanowić; powodować, doprowadzać, kazać; posłać (**a bed** łóżko); zawrzeć (**peace** pokój); wygłaszać (**a speech** mowę); okazać się (**a good soldier** dobrym żołnierzem); wybierać się; udawać się, kierować się (**for a place** dokądś); zrozumieć, wywnioskować; przerobić, przetworzyć (**sth into sth** coś na coś); *mat.* wynosić; **to ~ acquainted** zaznajomić; **to ~ believe** udawać, stwarzać pozory; wmawiać; **to ~ friends** zaprzyjaźnić się; **to ~ good** naprawić; **to ~ hay** przewracać siano; *przen.* wprowadzać zamieszanie (**of sth** do czegoś); **to ~ known** podać do wiadomości; **to ~ little** lekceważyć (**of sth** coś); **to ~ merry** zabawiać się, weselić się; **to ~ much of sth** wysoko coś cenić, przywiązywać wagę do czegoś; **to ~ ready** przygotowywać się; **to ~ sure** upewnić się; **to ~ understood** dać do zrozumienia; **to ~ oneself understood** porozumieć się; **I cannot ~ either head or tail of it** w żaden sposób nie mogę tego pojąć; **that ~s me think** to mi daje do myślenia, to mnie zastanawia; **what do you ~ the time?** która może być godzina?; **to ~ it** uzgadniać, umawiać się (**5 o'clock** na godzinę piątą); *pot.* **I made it** udało mi się; zdążyłem; *z przyimkami i przysłówkami*: **~ away** oddalić się, uciec; usunąć, skończyć z czymś; sprzeniewierzyć; zaprzepaścić (**with sth** coś); **~ off** zwiać, uciec; **~ out** wystawić (np. rachunek), sporządzić (np. spis); zrozumieć, odgadnąć; odczytać; rozpoznać; **~ over** przenieść; przekazać (np. własność); **~ up** sporządzić; szminkować (się); odrobić, powetować (komuś, sobie) (**for sth** coś); załagodzić, pogodzić; **~ it up** pogodzić się (**with sb** z kimś); **~ up one's mind** postanowić; *s* wyrób; budowa, forma; fason, krój

**make-be·lieve** [`meɪk bɪliv] *s* pozór, symulowanie; *adj attr* pozorny, udany; zmyślony

**mak·er** [`meɪkə(r)] *s* twórca; wytwórca, konstruktor; sprawca

**make·shift** [`meɪkʃɪft] *s* środek zastępczy; namiastka; *adj attr* tymczasowy, zastępczy, prowizoryczny

**make-up** [`meɪk ʌp] *s* makijaż, charakteryzacja; struktura

**mak·ing** [`meɪkɪŋ] *ppraes i s* zrobienie, tworzenie; przetwarzanie, produkcja; skład; *pl* **~s** zarobek, dochody; *pl* **~s** zadatki (np. **of a writer** na pisarza)

**mal·ad·just·ment** [ˌmælə`dʒʌstmənt] *s* złe przystosowanie, niedopasowanie

**mal·ad·min·is·tra·tion** [ˌmælədmɪnɪ`streɪʃn] *s* zły zarząd; zła ⟨wadliwa⟩ gospodarka

**mal·a·dy** [`mælədɪ] *s* choroba

**mal·con·tent** [`mælkəntent] *s* malkontent; *adj* niezadowolony

**male** [meɪl] *adj* męski, płci męskiej; *zool.* samczy; *s* mężczyzna; *zool.* samiec

**mal·e·dic·tion** [ˌmælɪ`dɪkʃn] *s* przekleństwo

**ma·lev·o·lence** [mə`levl̩əns] *s* zła wola, nieżyczliwość

**mal·fea·sance** [mæl`fizns] *s prawn.* wykroczenie (*zw.* służbowe)

**mal·ice** [`mælɪs] *s* złość, złośliwość, złe zamiary

**ma·li·cious** [mə`lɪʃəs] *adj* złośliwy

**ma·lign** [mə`laɪn] *adj* złośliwy; szkodliwy; *vt* oczerniać (**sb** kogoś)

**ma·lig·nant** [mə`lɪgnənt] *adj* złośliwy, jadowity

**ma·lig·ni·ty** [mə`lɪgnətɪ] *s* złośliwość, jadowitość

**ma·lin·ger** [mə`lɪŋgə(r)] *vi* udawać chorego, symulować

**mal·let** [`mælɪt] *s* drewniany młotek

**mal·nu·tri·tion** [ˌmælnju`trɪʃn] *s* niedożywienie

**mal·prac·tice** [mæl`præktɪs] *s* postępowanie niezgodne z prawem, nadużycie

**malt** [mɔlt] *s* słód

**mal·treat** [mæl`trit] *vt* maltretować; źle traktować

**mam·mal** [`mæml] *s zool.* ssak

**mam·moth** [`mæməθ] *s* mamut

**mam·my** [`mæmɪ] *s zdrob.* mamusia, mateczka

**man** [mæn] *s* (*pl* **men** [men]) człowiek; mężczyzna; mąż; prosty żołnierz; robotnik; (*w szachach*) pionek, figura; **best ~** drużba; **~ in the street** szary ⟨przeciętny⟩ człowiek; **to a ~** do ostatniego człowieka, co do jednego, wszyscy; *vt* obsadzić (np. załogą)

**man·a·cle** [`mænəkl] *s* (*zw. pl* **~s**) kajdany

**man·age** [`mænɪdʒ] *vt* zarządzać, kierować, prowadzić; poskromić, utrzymywać w karności; zdołać ⟨potrafić⟩ (coś zrobić), dać sobie radę (**sth** z czymś); posługiwać się (**sth** czymś), obchodzić się (**sb, sth** z kimś, czymś); *vi* poradzić sobie; gospodarować

**man·age·ment** [`mænɪdʒmənt] *s* zarząd; umiejętne postępowanie, kierowanie; posługiwanie się

**man·ag·er** [`mænɪdʒə(r)] *s* zarządca; kierownik; impresario

**man·da·rin** [`mændərɪn] *s* mandaryn

**man·date** [`mændeɪt] *s* mandat; *vt* powierzyć zarząd (terytorium) na podstawie mandatu

**man·do·lin** [`mændəlɪn] *s muz.* mandolina

**mane** [meɪn] *s* grzywa

**man·ful** [`mænfl] *adj* mężny, nieustraszony

**man·ger** [`meɪndʒə(r)] *s* żłób

**man·gle 1.** [`mæŋgl] *s* magiel; *vt* maglować

**man·gle** 2. [`mæŋgl] *vt* krajać; kaleczyć; szarpać; zniekształcać
**man·gy** [`meɪndʒɪ] *adj* (*o zwierzętach*) parszywy; *przen.* plugawy, nędzny
**man·hood** [`mænhud] *s* męskość; wiek męski; męstwo; *zbior.* mężczyźni, ludność płci męskiej
**ma·ni·a** [`meɪnɪə] *s* mania
**ma·ni·ac** [`meɪnɪæk] *s* maniak
**man·i·fest** [`mænɪfest] *adj* oczywisty, jawny; *vt* ujawniać, manifestować
**man·i·fes·to** [ˌmænɪ`festəu] *s* (*pl* ~s, ~es) manifest
**man·i·fold** [`mænɪfəuld] *adj* różnorodny, wieloraki; *vt* powielać
**ma·nip·u·late** [mə`nɪpjuleɪt] *vt* manipulować (sth czymś); zręcznie urabiać (sb kogoś); zręcznie pokierować (sth czymś)
**man·kind** [ˌmæn`kaɪnd] *s* ludzkość, rodzaj ludzki; [`mænkaɪnd] *zbior.* mężczyźni
**man·like** [`mænlaɪk] *adj* męski, właściwy mężczyźnie
**man·ly** [`mænlɪ] *adj* męski; mężny, dzielny
**man·ner** [`mænə(r)] *s* sposób; rodzaj; zwyczaj, sposób bycia, maniera; **in a ~** poniekąd; do pewnego stopnia; *pl* ~s obyczaje, maniery, zachowanie się
**ma·noeu·vre** [mə`nuvə(r)] *s* manewr, posunięcie; *vi* manewrować; *vt* manipulować
**man-of-war** [ˌmæn əv `wɔ(r)] † *s* (*pl* **men-of-war** [ˌmæn əv `wɔ(r)]) okręt wojenny
**man·or** [`mænə(r)] *s* dwór z majątkiem ziemskim
**man·pow·er** [`mænpauə(r)] *s* ludzka siła robocza; rezerwy ⟨zasoby⟩ ludzkie (np. dla armii)
**man·sion** [`mænʃn] *s* pałac, dwór; (*zw. pl* ~s) dom czynszowy
**man·slaugh·ter** [`mænslɔtə(r)] *s* zabójstwo
**man·tel** [`mæntl], **man·tel·piece** [`mæntlpis] *s* obramowanie ⟨okap⟩ kominka
**man·tle** [`mæntl] *s* płaszcz; okrycie, pokrycie; *vt vi* otulić płaszczem; okryć (się), pokryć (się)
**man·trap** [`mæntræp] *s* potrzask, zasadzka
**man·u·al** [`mænjuəl] *adj* ręczny; (*o pracy*) fizyczny; *s* podręcznik
**man·u·fac·ture** [ˌmænju`fæktʃə(r)] *s* produkcja; fabrykat; *vt* fabrykować, wytwarzać
**man·u·fac·tur·er** [ˌmænju`fæktʃərə(r)] *s* fabrykant
**ma·nure** [mə`njuə(r)] *s* nawóz; *vt* nawozić
**man·u·script** [`mænjuskrɪpt] *s* rękopis
**man·y** [`menɪ] *adj* (*comp* **more** [mɔ(r)], *sup* **most** [məust]) dużo, wiele, wielu, liczni; **~ a** niejeden; **~ a time** nieraz; **a good ⟨great⟩ ~** liczni, wielka ilość; **as ~** tyle; **as ~ as** nie mniej niż; aż; **how ~?** ile?; *s pl* **the ~** wielka ilość, masa, tłum
**man·y-sid·ed** [ˌmenɪ `saɪdɪd] *adj* wszechstronny; wielostronny
**map** [mæp] *s* mapa; *vt* sporządzać mapę (sth czegoś), znaczyć na mapie; **~ out** planować
**ma·ple** [`meɪpl] *s* klon
**mar** [mɑ(r)] *vt* psuć, niszczyć
**ma·raud** [mə`rɔd] *vi* włóczyć się w celach rabunkowych, grasować; *vt* rabować, łupić
**ma·raud·er** [mə`rɔdə(r)] *s* maruder
**mar·ble** [`mɑbl] *s* marmur; kulka (do gier)
**march** 1. [mɑtʃ] *s* marsz, pochód; **~ past** defilada; *vi* maszerować; **~ past** defilować; *vt* prowadzić
**March** 2. [mɑtʃ] *s* marzec
**mar·chion·ess** [ˌmɑʃə`nes] *s* markiza
**mare** [`mɛə(r)] *s* klacz
**mar·ga·rine** [ˌmɑdʒə`rin] *s* margaryna
**marge** [mɑdʒ] = **margarine, margin**
**mar·gin** [`mɑdʒɪn] *s* margines; krawędź; luz, rezerwa
**mar·gin·al** [`mɑdʒɪnl] *adj* marginesowy

**mar·i·gold** [ˈmærɪgəuld] *s bot.* nogietek

**ma·rine** [məˈrin] *s* flota, marynarka (handlowa); marynarz (na okręcie wojennym); pejzaż morski; *adj* morski, dotyczący marynarki

**mar·i·ner** [ˈmærɪnə(r)] *s* marynarz

**mar·i·tal** [ˈmærɪtl] *adj* małżeński

**mar·i·time** [ˈmærɪtaɪm] *adj* morski; nadmorski

**mark 1.** [mak] *s* marka (pieniądz)

**mark 2.** [mak] *s* znak, oznaka; ślad, piętno; oznakowanie; ocena (szkolna), nota; cel; wyróżnienie; **man of ~** wybitny człowiek; **to be up to ⟨below⟩ the ~** być ⟨nie być⟩ na wysokości zadania ⟨na poziomie⟩; **to miss the ~** chybić celu; **wide of the ~** daleki od celu, nietrafny, od rzeczy; *vt* oznaczać, określać; oceniać; zwracać uwagę (**sth** na coś); notować; wyznaczać; cechować; **~ off** oddzielać, wydzielać; **~ out** wyznaczać, wyróżniać; przeznaczać

**marked** [makt] *pp i adj* wybitny, wyraźny

**mark·ed·ly** [ˈmakɪdlɪ] *adv* wybitnie, wyraźnie, dobitnie

**mar·ket** [ˈmakɪt] *s* rynek, targ; zbyt; *vi vt* znajdować zbyt, wystawiać na sprzedaż, sprzedawać

**mar·ket·a·ble** [ˈmakɪtəbl] *adj* pokupny, sprzedażny

**marks·man** [ˈmaksmən] *s* wybitny strzelec

**ma·roon 1.** [məˈrun] *vt* wysadzić ze statku i pozostawić na odludnej wyspie, odosobnić; *vt* kręcić się, *pot.* pętać się; *s* człowiek pozostawiony na odludnej wyspie; zbiegły z niewoli Murzyn

**ma·roon 2.** [məˈrun] *adj* kasztanowy; *s* kolor kasztanowy

**marque** [mak] *s w zwrocie:* **letters of ~s** *pl* list kaperski

**mar·quee** [maˈki] *s* markiza, daszek ogrodowy; duży namiot

**mar·riage** [ˈmærɪdʒ] *s* małżeństwo, ślub

**mar·ried** [ˈmærɪd] *pp i adj* żonaty; zamężna; małżeński

**mar·row** [ˈmærəu] *s* szpik, rdzeń; *przen.* istota rzeczy

**mar·ry** [ˈmærɪ] *vt* żenić się (**sb** z kimś), wychodzić za mąż (**sb** za kogoś), wydawać za mąż, żenić; kojarzyć

**marsh** [maʃ] *s* bagno

**mar·shal** [ˈmaʃl] *s* marszałek; mistrz ceremonii; *vt* formować (szyki); ustawiać, uporządkować; wprowadzić (uroczyście)

**marsh·y** [ˈmaʃɪ] *adj* bagnisty

**mar·tial** [ˈmaʃl] *adj* wojenny; wojowniczy, wojskowy

**mar·tyr** [ˈmatə(r)] *s* męczennik

**mar·vel** [ˈmavl] *s* cud, cudo; fenomen; *vi* zdumiewać się (**at sb, sth** kimś, czymś)

**mar·vel·lous** [ˈmavḷəs] *adj* cudowny, zdumiewający

**Marx·ism** [ˈmaksɪzm] *s* marksizm

**Marx·ist** [ˈmaksɪst] *adj* marksistowski; *s* marksista

**mas·cu·line** [ˈmæskjulɪn] *adj* męski, rodzaju męskiego, płci męskiej

**mash** [mæʃ] *s* papka, miazga; mieszanka pokarmowa; zacier; *vt* tłuc; gnieść; **~ed potatoes** kartofle purée

**mask** [mask] *s* maska; *przen.* pozór, pretekst; *vt vi* maskować (się)

**ma·son** [ˈmeɪsn] *s* murarz, kamieniarz; mason; *vt* murować, budować (z kamienia)

**ma·son·ry** [ˈmeɪsnrɪ] *s* murarska ⟨kamieniarska⟩ robota; obmurowanie; masoneria

**masque** [mask] *s* maska (utwór sceniczny)

**mas·quer·ade** [ˌmæskəˈreɪd] *s* maskarada

**mass 1.** [mæs] *s* masa; *pl* **~es** masy (pracujące); *adj attr* masowy; *vt vi* masować, gromadzić (się)

**mass 2.** [mæs] *s* msza; **high ~** suma

**mas·sa·cre** [`mæsəkə(r)] *s* masakra; *vt* masakrować
**mas·sage** [`mæsaʒ] *s* masaż; *vt* masować
**mas·seur** [mæ`s3(r)] *s* masażysta
**mas·seuse** [mæ`s3z] *s* masażystka
**mas·sive** [`mæsɪv] *adj* masywny
**mass·y** [`mæsɪ] *adj* masywny, solidny, ciężki
**mast** [mast] *s* maszt
**mas·ter** [`mastə(r)] *s* mistrz (*także* w rzemiośle, sztuce); majster; nauczyciel; pan, gospodarz, szef; magister (stopień naukowy); (*także* ~ **mariner**) kapitan statku handlowego; panicz (z dodaniem imienia); *vt* panować, opanować; poskramiać; kierować
**mas·ter·ful** [`mastəfl] *adj* władczy
**mas·ter·hood** [`mastəhud] *s* mistrzostwo
**mas·ter·ly** [`mastəlɪ] *adj* mistrzowski
**mas·ter·piece** [`mastəpis] *s* arcydzieło
**mas·ter·ship** [`mastəʃɪp] *s* mistrzostwo; władza, panowanie, zwierzchnictwo; stanowisko nauczyciela
**mas·ter·y** [`mastərɪ] *s* władza, władanie, panowanie; mistrzostwo
**mas·ti·cate** [`mæstɪkeɪt] *vt* żuć; miażdżyć
**mas·tiff** [`mæstɪf] *s* brytan
**mat 1.** [mæt] *s* mata, słomianka; *vt vi* spleść (się), splątać (się)
**mat 2.** [mæt] *adj* matowy
**match 1.** [mætʃ] *s* zapałka
**match 2.** [mætʃ] *s* odpowiedni dobór ⟨zestawienie⟩ osób ⟨rzeczy⟩; rzecz lub osoba dobrana ⟨dopasowana⟩; małżonek, małżonka; para małżeńska, małżeństwo; *sport* zawody, mecz; **to be a good ~** dorównywać, dobrze pasować (**for sb, sth** do kogoś, czegoś); **to be no ~** nie dorównywać; **to be more than a ~** przewyższać, mieć przewagę (**for sb** nad kimś); **to find ⟨meet⟩ one's ~** znaleźć równego sobie; **to make a good ~** dobrze się ożenić; *vt* dobierać rzeczy sobie odpowiadające, zestawiać, łączyć; kojarzyć (małżeństwo); dorównywać (**sb, sth** komuś, czemuś); być dobrze dobranym; pasować (**sb, sth** do kogoś, czegoś); **tie and dress to ~** krawat i ubranie dobrane (do koloru)
**match·less** [`mætʃləs] *adj* niezrównany, nieprześcigniony
**mate 1.** [meɪt] *s* (*w szachach*) mat; *vt* dać mata
**mate 2.** [meɪt] *s* towarzysz, kolega; małżonek; pomocnik; *mors.* niższy oficer, mat
**ma·te·ri·al** [mə`tɪərɪəl] *adj* materialny; cielesny; istotny, rzeczowy; ważny; *s* materiał; **raw ~** surowiec; *pl* **~s** przybory
**ma·te·ri·al·ism** [mə`tɪərɪəlɪzm] *s* materializm
**ma·te·ri·al·is·tic** [mə'tɪərɪə`lɪstɪk] *adj* materialistyczny
**ma·te·ri·al·ize** [mə`tɪərɪəlaɪz] *vt vi* zmaterializować (się), ucieleśnić (się), urzeczywistnić (się)
**ma·ter·ni·ty** [mə`t3nətɪ] *s* macierzyństwo; **~ hospital** szpital położniczy
**math·e·mat·i·cal** ['mæθ`mætɪkl] *adj* matematyczny
**math·e·ma·ti·cian** ['mæθəmə`tɪʃn] *s* matematyk
**math·e·mat·ics** ['mæθə`mætɪks] *s* matematyka
**mat·i·née** [`mætɪneɪ] *s* popołudniowe przedstawienie teatralne
**ma·tric** [mə`trɪk] *s pot.* = **matriculation**
**ma·tric·u·late** [mə`trɪkjuleɪt] *vt vi* immatrykulować (się), zapisywać (się) na wyższą uczelnię; zdawać egzamin wstępny na wyższą uczelnię
**ma·tric·u·la·tion** [mə'trɪkju`leɪʃn] *s* immatrykulacja; egzamin wstępny na wyższą uczelnię
**mat·ri·mo·ni·al** ['mætrɪ`məunɪəl] *adj* matrymonialny, małżeński
**mat·ri·mo·ny** [`mætrɪmənɪ] *s* stan

małżeński; małżeństwo, ślub; mariasz (w kartach)

**ma·tron** [ˋmeɪtrən] *s* matrona; przełożona

**mat·ter** [ˋmætə(r)] *s* materia; substancja; istota; sprawa; rzecz; kwestia, temat; *med.* ropa; **a ~ of course** rzecz zrozumiała sama przez się; **as a ~ of fact** w istocie rzeczy; **for that ~** jeśli o to chodzi; **in the ~ of** co do, co się tyczy; **it's no laughing ~** to nie żarty; **no ~** mniejsza o to, to nie ma znaczenia; **printed ~** druki; **reading ~** lektura; **to make much ~ of sth** robić z czegoś wielką sprawę; **what's the ~?** o co chodzi?; **what's the ~ with him?** co się z nim dzieje?; *vi* mieć znaczenie; **it does not ~** to nie ma znaczenia; mniejsza o to

**mat·ter-of-fact** [ˌmætərəvˋfækt] *adj attr* rzeczowy, realny, praktyczny, prozaiczny

**mat·ting** [ˋmætɪŋ] *s* materiał na maty, mata; rogoża

**mat·tock** [ˋmætək] *s* kilof

**mat·tress** [ˋmætrəs] *s* materac

**ma·ture** [məˋtʃuə(r)] *adj* dojrzały; *handl.* płatny; *vi* dojrzewać; *vt* przyspieszać dojrzewanie

**ma·tu·ri·ty** [məˋtjuərətɪ] *s* dojrzałość; *handl.* termin płatności

**maud·lin** [ˋmɔdlɪn] *adj* ckliwy, rzewny

**maul** [mɔl] *vt* tłuc; kaleczyć, zniekształcać; miażdżyć krytyką

**mau·so·le·um** [ˌmɔsəˋlɪəm] *s* mauzoleum

**mauve** [məuv] *adj* różowoliliowy; *s* kolor różowoliliowy

**mawk·ish** [ˋmɔkɪʃ] *adj* ckliwy, sentymentalny

**max·im** [ˋmæksɪm] *s* maksyma

**max·i·mum** [ˋmæksɪməm] *s* (*pl* **maxima** [ˋmæksɪmə], **~s**) maksimum; *adj attr* maksymalny

**may 1.** [meɪ] *v aux* (*p* **might** [maɪt]) **I ~** mogę, wolno mi; **he ~ be back soon** może szybko wróci; **long ~ he live** oby długo żył

**May 2.** [meɪ] *s* maj

**may·be** [ˋmeɪbi] *adv* być może

**May-Day** [ˋmeɪ deɪ] *s* święto 1 Maja; **~ watchwords** hasła pierwszomajowe

**may·or** [meə(r)] *s* mer, burmistrz

**maze** [meɪz] *s* labirynt, gmatwanina; oszołomienie; wprowadzenie w błąd; *vt* sprowadzić na manowce, wprowadzić w błąd; oszołomić

**mazy** [ˋmeɪzɪ] *adj* powikładny; zdezorientowany

**me** [mi] *pron* mi, mnie; *pot.* ja; **with ~** ze mną; *pot.* **it's me** to ja

**mead 1.** [mid] *s* miód (pitny)

**mead 2.** [mid] *s poet.* łąka

**mead·ow** [ˋmedəu] *s* łąka

**mea·gre** [ˋmigə(r)] *adj* chudy, cienki; *pot.* marny

**meal 1.** [mil] *s* mąka (nie pytlowana)

**meal 2.** [mil] *s* posiłek; jedzenie

**mean 1.** [min] *adj* podły, niski, nędzny, marny

**mean 2.** [min] *adj* średni, pośredni; *s* przeciętna, średnia; *pl* **~s** środki utrzymania, zasoby pieniężne; (*zw. pl* **~s**, *w znacz. sing*) środek; **by this ~s** tym sposobem; **by ~s of** za pomocą; **by no ~s** w żaden sposób; **man of ~s** człowiek zamożny

***mean 3.** [min], **meant, meant** [ment] *vt vi* myśleć (coś), mieć na myśli; znaczyć, mieć znaczenie; mieć zamiar, zamierzać; przeznaczać (**sth for sb** coś dla kogoś); **to ~ business** poważnie traktować sprawę; **to ~ well** mieć dobrą wolę, odnosić się życzliwie

**me·an·der** [mɪˋændə(r)] *s* kręta linia, zakręt; *vi* tworzyć zakręty, wić się

**mean·ing** [ˋminɪŋ] *s* znaczenie, sens, treść

**meant** *zob.* **mean**

**mean·time** [ˋmin-taɪm] *adv* tym-

czasem; w międzyczasie; *s w zwrocie*: **in the ~** tymczasem; w międzyczasie
**mean·while** [ˈminˋwaɪl] = **meantime**
**mea·sles** [ˋmizlz] *s med.* odra
**meas·ure** [ˋmeʒə(r)] *s* miara; miarka; środek, sposób, zabieg; *lit.* metrum; *muz.* takt; stopień; **to ~** na miarę; **in a ‹some› ~** do pewnego stopnia; **in great ‹large› ~** w znacznym stopniu; **out of ~** nadmiernie; *mat.* **the greatest common ~** największy wspólny dzielnik; *vt* mierzyć, mieć wymiar; szacować; **~ off ‹out›** odmierzać
**meas·ure·ment** [ˋmeʒəmənt] *s* pomiar; miara, wymiar, rozmiar
**meat** [mit] *s* mięso (jadalne); † posiłek, potrawa
**me·chan·ic** [mɪˋkænɪk] *s* mechanik; technik
**me·chan·i·cal** [mɪˋkænɪkl] *adj* mechaniczny; maszynowy
**me·chan·ics** [mɪˋkænɪks] *s* mechanika
**mech·an·ism** [mekənɪzm] *s* mechanizm
**med·al** [ˋmedl] *s* medal
**med·dle** [ˋmedl] *vi* mieszać się; wtrącać się (**with ‹in› sth** do czegoś)
**med·dle·some** [ˋmedlsm] *adj* wścibski
**me·di·ae·val** [ˈmedɪˋivl] = **medieval**
**me·di·al** [ˋmidɪəl] *adj* środkowy; średni; pośredni
**me·di·ate** [ˋmidɪeɪt] *vi vt* pośredniczyć; doprowadzić pośrednictwem (sth do czegoś)
**me·di·a·tor** [ˋmidɪeɪtə(r)] *s* pośrednik, rozjemca
**med·i·cal** [ˋmedɪkl] *adj* lekarski, medyczny
**me·dic·a·ment** [mɪˋdɪkəmənt] *s* lek, lekarstwo
**med·i·cine** [ˋmedsn] *s* medycyna; lekarstwo
**med·i·cine-man** [ˋmedsn mæn] *s* znachor, czarownik
**me·di·e·val** [ˈmedɪˋivl] *adj* średniowieczny
**me·di·o·cre** [ˈmidɪˋəʊkə(r)] *adj* przeciętny, mierny
**me·di·oc·ri·ty** [ˈmidɪˋokrətɪ] *s* przeciętność, mierność
**med·i·tate** [ˋmedɪteɪt] *vt vi* rozmyślać, rozważać; planować
**med·i·ta·tive** [ˋmedɪtətɪv] *adj* oddany rozmyślaniom, medytacyjny, kontemplacyjny
**med·i·ter·ra·ne·an** [ˈmedɪtəˋreɪnɪən] *adj* śródziemny; śródziemnomorski
**me·di·um** [ˋmidɪəm] *s* (*pl* **media** [ˋmidɪə], **~s**) środek; sposób; ośrodek; środowisko; medium; **through ‹by› the ~ of** za pomocą ‹pośrednictwem›; *adj attr* środkowy, średni
**med·ley** [ˋmedlɪ] *s* mieszanina; rozmaitości; *muz.* potpourri; *adj* różnorodny; pstry
**meek** [mik] *adj* łagodny; potulny
***meet** [mit], **met, met** [met] *vt vi* spotykać (się); zobaczyć się (**with sb** z kimś); zbierać ‹gromadzić› się; stykać ‹łączyć› się; odpowiadać (gustom, wymaganiom), zgadzać się; spełniać, zaspokajać; stawić czoło, spojrzeć w oczy (np. niebezpieczeństwu); stosować się; *handl.* honorować ‹spłacić› (np. weksel); natknąć się, natrafić (**sb, sth ‹with sb, sth›** na kogoś, coś); wyjść naprzeciw (komuś); *s* styk; spotkanie ‹zbiórka› (myśliwych itd.)
**meet·ing** [ˋmitɪŋ] *s* spotkanie, zejście się, zetknięcie się; zebranie, wiec, zbiórka
**meg·a·phone** [ˋmegəfəʊn] *s* megafon
**mel·an·chol·y** [ˋmelənkolɪ] *s* melancholia; *adj* melancholijny
**mel·io·rate** [ˋmilɪəreɪt] *vt vi* ulepszać (się), uszlachetniać (się)
**mel·low** [ˋmeləʊ] *adj* dojrzały; soczysty; pełny; miękki; (*o człowieku*) pogodny; *vt* zmiękczyć,

łagodzić; *vi* mięknąć, łagodnieć; (np. *o winie, owocu*) dojrzewać

**me·lo·di·ous** [məˋləudɪəs] *adj* melodyjny

**mel·o·dra·ma** [ˋmelədramə] *s* melodramat

**mel·o·dy** [ˋmelədɪ] *s* melodia

**melt** [melt] *vt* topić, roztapiać, przetapiać; rozpuszczać; *vi* topnieć, rozpuszczać się; *przen.* rozpływać się; *s* stop, wytop

**melt·ing-point** [ˋmeltɪŋ pɔɪnt] *s* temperatura topnienia

**mem·ber** [ˋmembə(r)] *s* członek (np. organizacji); człon

**mem·ber·ship** [ˋmembəʃɪp] *s* członkostwo

**mem·brane** [ˋmembreɪn] *s* błona

**mem·oir** [ˋmemwa(r)] *s* rozprawa (naukowa); *pl* ~s życiorys; pamiętnik; seria (wydawnicza ⟨rozpraw naukowych⟩)

**mem·o·ra·ble** [ˋmemṛəbl] *adj* pamiętny

**mem·o·ran·dum** [ˏmeməˋrændəm] *s* memorandum; notatka

**me·mo·ri·al** [məˋmɔrɪəl] *adj* pamięciowy; pamiątkowy; *s* petycja; pomnik; *pl* ~s pamiętnik, kronika

**mem·o·rize** [ˋmeməraɪz] *vt* zapamiętać, nauczyć się na pamięć

**mem·o·ry** [ˋmemərɪ] *s* pamięć; wspomnienie

**men** *zob.* **man**

**men·ace** [ˋmenəs] *s* groźba; *vt vi* grozić, zagrażać

**me·nag·er·ie** [məˋnædʒərɪ] *s* menażeria

**mend** [mend] *vt vi* naprawiać, poprawiać (się); *s* poprawa; naprawa

**men·da·cious** [menˋdeɪʃəs] *adj* kłamliwy, zakłamany

**men·dac·i·ty** [menˋdæsətɪ] *s* kłamliwość, zakłamanie

**men·di·cant** [ˋmendɪkənt] *adj* żebraczy, żebrzący; *s* żebrak; mnich żebrzący

**me·ni·al** [ˋminɪəl] *adj* służebny; ~ **work** czarna robota; *s* służący, popychadło

**men·in·gi·tis** [ˏmenɪnˋdʒaɪtɪs] *s* zapalenie opon mózgowych

**men·su·ra·tion** [ˏmensjʊˋreɪʃn] *s* pomiar

**men·tal** [ˋmentl] *adj* umysłowy; chory umysłowo; (*o szpitalu*) psychiatryczny

**men·tal·i·ty** [menˋtælətɪ] *s* umysłowość, mentalność

**men·tion** [ˋmenʃn] *s* wzmianka; *vt* wspominać, nadmieniać; **don't ~ it!** nie ma o czym mówić, nie ma za co, proszę bardzo!

**mer·can·tile** [ˋmɜkəntaɪl] *adj* handlowy

**mer·ce·nar·y** [ˋmɜsnrɪ] *adj* najemny; interesowny; *s* najemnik

**mer·cer** [ˋmɜsə(r)] *s* kupiec bławatny

**mer·cer·y** [ˋmɜsərɪ] *s* towary bławatne; handel towarami bławatnymi

**mer·chan·dise** [ˋmɜtʃəndaɪz] *s* *zbior.* towar(y)

**mer·chant** [ˋmɜtʃənt] *s* kupiec, handlowiec; *adj* kupiecki, handlowy; ~ **service** marynarka handlowa

**mer·chant·man** [ˋmɜtʃəntmən] *s* statek handlowy

**mer·ci·ful** [ˋmɜsɪfl] *adj* litościwy, miłosierny

**mer·ci·less** [ˋmɜsɪləs] *adj* bezlitosny

**mer·cu·ry** [ˋmɜkjʊrɪ] *s* rtęć, żywe srebro; *przen.* żywość

**mer·cy** [ˋmɜsɪ] *s* miłosierdzie, litość; łaska; **at the ~ of** na łasce (czegoś)

**mere** [mɪə(r)] *adj* czczy, zwykły, zwyczajny; ~ **words** puste słowa; **he is a ~ child** on jest tylko ⟨po prostu⟩ dzieckiem

**mere·ly** [ˋmɪəlɪ] *adv* po prostu, jedynie; zaledwie

**merge** [mɜdʒ] *vt vi* łączyć (się), zlewać (się), stapiać (się)

**merg·er** [ˋmɜdʒə(r)] *s* fuzja, połączenie (się)

**me·rid·i·an** [məˋrɪdɪən] *adj* południowy; *przen.* szczytowy; *s* południk; zenit; *przen.* szczyt

**mer·it** [ˋmerɪt] *s* zasługa; zaleta; *vt* zasłużyć (sth na coś)
**mer·i·to·ri·ous** [ˈmerɪˋtɔrɪəs] *adj* zasłużony; chwalebny
**mer·maid** [ˋmɜmeɪd] *s* syrena (z baśni)
**mer·ri·ment** [ˋmerɪmənt] *s* wesołość, uciecha
**mer·ry** [ˋmerɪ] *adj* wesoły; miły; **to make ~** weselić ⟨bawić⟩ się
**mer·ry-go-round** [ˋmerɪ gəu raund] *s* karuzela
**me·seems** [miˋsimz] *v impers* † zdaje mi się
**mesh** [meʃ] *s* oko ⟨oczko⟩ (w sieci); *pl* **~es** sieci; *vt vi* (dać się) złapać w sieci; zazębiać (się)
**mess** [mes] *s wojsk.* kasyno; *mors.* mesa; zamieszanie, nieporządek, *pot.* bałagan; kłopot; *vt vi* zabrudzić; *pot.* zabałaganić; zaprzepaścić (sprawę); spartaczyć (coś); żywić (np. wojsko); *vi* wspólnie jadać
**mes·sage** [ˋmesɪdʒ] *s* posłanie, orędzie; wiadomość, pismo; zlecenie
**mes·sen·ger** [ˋmesɪndʒə(r)] *s* posłaniec; zwiastun
**mess·mate** [ˋmesmeɪt] *s wojsk. mors.* towarzysz przy stole
**mess·y** [ˋmesɪ] *adj* nieporządny, brudny
**mes·ti·zo** [meˋstizəu] *s* Metys
**met** *zob.* **meet**
**met·al** [ˋmetl] *s* metal
**me·tal·lic** [məˋtælɪk] *adj* metaliczny
**me·tal·lur·gy** [mɪˋtælədʒɪ] *s* metalurgia
**met·a·mor·pho·sis** [ˈmetəˋmɔfəsɪs] *s* (*pl* **metamorphoses** [ˈmetəˋmɔfəsiz]) metamorfoza
**met·a·phor** [ˋmetəfə(r)] *s* metafora
**met·a·phys·ics** [ˋmetəfɪzɪks] *s* metafizyka
**mete** [mit] *vt* zmierzyć; (*także* **~ out**) wymierzyć (np. karę)
**me·te·or** [ˋmitɪə(r)] *s* meteor
**me·te·or·ol·o·gy** [ˈmitɪəˋrolədʒɪ] *s* meteorologia
**me·ter** [ˋmitə(r)] *s* licznik (np. gazowy)
**me·thinks** [miˋθɪŋks] *v impers* (*p* **methought**) † zdaje mi się
**meth·od** [ˋmeθəd] *s* metoda
**me·thod·i·cal** [məˋθodɪkl] *adj* metodyczny
**Meth·od·ist** [ˋmeθədɪst] *s* metodysta
**me·thought** *zob.* **methinks**
**meth·yl·at·ed** [ˋmeθleɪtɪd] *pp i adj* denaturowany, skażony
**me·tic·u·lous** [mɪˋtɪkjuləs] *adj* drobiazgowy, skrupulatny
**me·tre** [ˋmitə(r)] *s* metr; metrum (miara wiersza)
**met·ric** [ˋmetrɪk] *adj* metryczny
**me·trop·o·lis** [məˋtropəlɪs] *s* stolica, metropolia
**met·ro·pol·i·tan** [ˈmetrəˋpolɪtən] *adj* stołeczny
**met·tle** [ˋmetl] *s* charakter, temperament; odwaga; zapał
**mew 1.** [mju] *vi* miauczeć
**mew 2.** [mju] *s* mewa
**Mex·i·can** [ˋmeksɪkən] *adj* meksykański; *s* Meksykanin
**mice** [maɪs] *zob.* **mouse**
**mi·crobe** [ˋmaɪkrəub] *s* mikrob
**mi·cro·phone** [ˋmaɪkrəfəun] *s* mikrofon
**mi·cro·scope** [ˋmaɪkrəskəup] *s* mikroskop
**mid** [mɪd] *adj* środkowy; **in ~ summer** w połowie lata; **in ~ air** w powietrzu
**mid·day** [ˈmɪdˋdeɪ] *s* południe
**mid·dle** [ˋmɪdl] *s* środek, połowa; *adj* środkowy, średni
**mid·dle-aged** [ˈmɪdl ˋeɪdʒd] *adj* w średnim wieku
**mid·dle·man** [ˋmɪdlmæn] *s* pośrednik
**mid·dle-weight** [ˋmɪdl weɪt] *s sport* waga średnia
**mid·dling** [ˋmɪdlɪŋ] *adj* średni, przeciętny; *adv* średnio, przeciętnie; *pot.* tak sobie, nieźle
**midge** [mɪdʒ] *s zool.* muszka

**midg·et** [ˈmɪdʒɪt] *s* karzełek; *przen.* maleństwo
**mid·land** [ˈmɪdlənd] *adj* środkowy, znajdujący się wewnątrz kraju, śródlądowy; *s* środkowa część kraju
**mid·night** [ˈmɪdnaɪt] *s* północ; **at ~** o północy; *adj attr* północny
**mid·ship·man** [ˈmɪdʃɪpmən] *s mors. bryt.* podchorąży marynarki; *am.* kadet marynarki
**midst** [mɪdst] *s* środek; **in the ~ of** w środku; pośród; wśród; między, pomiędzy
**mid·sum·mer** [ˈmɪdˈsʌmə(r)] *s* środek lata; **~ night** noc świętojańska
**mid·way** [ˈmɪdˈweɪ] *adv* w połowie ⟨w pół⟩ drogi; *adj attr* leżący w połowie drogi
**mid·wife** [ˈmɪdwaɪf] *s* (*pl* **midwives** [ˈmɪdwaɪvz]) akuszerka
**mid·win·ter** [ˈmɪdˈwɪntə(r)] *s* środek zimy
**might** 1. *zob.* **may** 1.
**might** 2. [maɪt] *s* potęga, moc
**might·y** [ˈmaɪtɪ] *adj* potężny; *adv pot.* bardzo, wielce
**mi·grant** [ˈmaɪgrənt] *adj* wędrowny, koczowniczy; *s* wędrowiec, tułacz, koczownik; emigrant
**mi·grate** [maɪˈgreɪt] *vi* wędrować, koczować; przesiedlać się; emigrować
**mi·gra·to·ry** [ˈmaɪgrətərɪ] = **migrant** *adj*
**mike** [maɪk] *s pot.* = **microphone**
**mil·age** = **mileage**
**mild** [maɪld] *adj* łagodny, delikatny
**mil·dew** [ˈmɪldju] *s* pleśń
**mile** [maɪl] *s* mila
**mile·age** [ˈmaɪlɪdʒ] *s* odległość w milach
**mile·stone** [ˈmaɪlstəun] *s* kamień milowy
**mi·lieu** [ˈmiljɜ] *s* środowisko, otoczenie
**mil·i·tant** [ˈmɪlɪtənt] *adj* bojowy, wojowniczy
**mil·i·tar·y** [ˈmɪlɪtrɪ] *adj* wojskowy; *s zbior* **the ~** wojskowi, wojsko
**mil·i·tate** [ˈmɪlɪteɪt] *vi* walczyć (**against sb, sth** z kimś, czymś)
**mi·li·tia** [mɪˈlɪʃə] *s* milicja
**milk** [mɪlk] *s* mleko; *vt vi* doić
**milk·maid** [ˈmɪlk meɪd] *s* dojarka; mleczarka
**milk·man** [ˈmɪlkmən] *s* mleczarz
**milk-tooth** [ˈmɪlk tuθ] *s* ząb mleczny
**milk·y** [ˈmɪlkɪ] *adj* mleczny
**mill** [mɪl] *s* młyn; fabryka; walcownia; *vt* mleć; obrabiać; ubijać, ucierać; walcować; karbować
**mil·len·ni·um** [mɪˈlenɪəm] *s* tysiąclecie
**mill·er** [ˈmɪlə(r)] *s* młynarz
**mil·let** [ˈmɪlɪt] *s* proso
**mill-hand** [ˈmɪl hænd] *s* robotnik fabryczny
**mil·li·me·tre** [ˈmɪlɪmitə(r)] *s* milimetr
**mil·li·ner** [ˈmɪlɪnə(r)] *s* modystka
**mil·lion** [ˈmɪlɪən] *s* milion
**mil·lion·aire** [ˈmɪlɪəˈneə(r)] *s* milioner
**mill·stone** [ˈmɪl stəun] *s* kamień młyński
**mime** [maɪm] *s* mim (aktor i sztuka); *vi* grać mimicznie
**mim·e·o·graph** [ˈmɪmɪəugraf] *s* powielacz; *vt* powielać
**mim·ic** [ˈmɪmɪk] *adj* mimiczny; naśladowczy; *s* mimik; naśladowca; *vt* (*p i pp* **mimicked** [ˈmɪmɪkt]) naśladować
**mim·ic·ry** [ˈmɪmɪkrɪ] *s* mimika; naśladownictwo; *bot.* mimetyzm
**mince** [mɪns] *vt* krajać (drobno), siekać, kruszyć; **~ one's words** mówić z afektacją ⟨sztucznie⟩; **not to ~ one's words** mówić bez ogródek ⟨prosto z mostu⟩; *s* siekanina

**mince·meat** [ˋmɪnsmit] *s* legumina z mieszanych owoców i bakalii

**minc·er** [ˋmɪnsə(r)] *s* maszynka do mięsa

**mind** [maɪnd] *s* umysł, rozum, świadomość; myśl(i); pamięć; zdanie, opinia; skłonność, ochota, zamiar; decyzja; duch, psychika; **absence of ~** roztargnienie; **presence of ~** przytomność umysłu; **peace of ~** spokój ducha; **state ⟨frame⟩ of ~** stan ducha, nastrój; **turn of ~** mentalność; **sound in ~** zdrowy na umyśle; **to be of unsound ~** nie być przy zdrowych zmysłach; **to be of sb's ~** podzielać czyjeś zdanie; **to bring ⟨to call⟩ to ~** przypomnieć sobie; **to change one's ~** zmienić zdanie ⟨zamiar⟩; **to enter sb's ~** przyjść komuś na myśl; **to go out of ~** wyjść z pamięci; **to have ⟨to keep, to bear⟩ sb ⟨sth⟩ in ~** pamiętać o kimś ⟨o czymś⟩; **to have a good ⟨great⟩ ~ to ...** mieć (wielką) ochotę ...; **to make up ⟨to set⟩ one's ~** postanowić; **to speak one's ~** wypowiedzieć się, wygarnąć prawdę; **to my ~** moim zdaniem; *vt vi* uważać, baczyć, zwracać uwagę; starać się; pamiętać; brać sobie do serca, przejmować się (**sth** czymś); sprzeciwiać się, mieć coś przeciw (**sth** czemuś); **do you ~ if I smoke?, do you ~ my smoking?** czy masz coś przeciwko temu, żebym zapalił?, czy pozwolisz, że zapalę?; **I don't ~** jest mi obojętne, nie przeszkadza mi; **never ~** mniejsza o to

**mind·ful** [ˋmaɪndfl] *adj* uważający (**of sth** na coś); troskliwy

**mine 1.** [maɪn] *pron* mój, moja, moje, moi

**mine 2.** [maɪn] *s* kopalnia; mina; *vt* kopać, wydobywać (rudę itd.); zaminować

**min·er** [ˋmaɪnə(r)] *s* górnik

**min·er·al** [ˋmɪnr̩l] *s* minerał; *pl* **~s** wody mineralne; *adj* mineralny

**min·er·al·o·gy** [ˈmɪnəˋrælədʒɪ] *s* mineralogia

**mine·sweep·er** [ˋmaɪn swipə(r)] *s* poławiacz min, *mors.* trałowiec

**mine·throw·er** [ˋmaɪn θrəuə(r)] *s wojsk.* moździerz

**min·gle** [ˋmɪŋgl] *vt vi* mieszać (się); obracać się (w towarzystwie)

**min·ia·ture** [ˋmɪnɪtʃə(r)] *s* miniatura

**min·i·mal** [ˋmɪnɪml] *adj* minimalny

**min·i·mize** [ˋmɪnɪmaɪz] *vt* sprowadzić ⟨zredukować⟩ do minimum, pomniejszyć

**min·i·mum** [ˋmɪnɪməm] *s* (*pl* **minima** [ˋmɪnɪmə]) minimum; *adj attr* minimalny

**min·ing** [ˋmaɪnɪŋ] *s* górnictwo; zaminowanie

**min·is·ter** [ˋmɪnɪstə(r)] *s* minister; poseł; pastor; *vi* służyć (**to sb** komuś); przyczyniać się (**to sth** do czegoś); dbać (**to sb's wants ⟨pleasures⟩** o czyjeś potrzeby ⟨przyjemności⟩); odprawiać nabożeństwo (w kościele protestanckim); *vt* udzielać (np. pomocy)

**min·is·te·ri·al** [ˈmɪnɪˋstɪərɪəl] *adj* ministerialny; usłużny; pomocny; kościelny, duszpasterski

**min·is·try** [ˋmɪnɪstrɪ] *s* ministerstwo; pomoc, usługa; stan duchowny, kler, obowiązki duszpasterskie

**mink** [mɪŋk] *s* norka; norki (futro)

**mi·nor** [ˋmaɪnə(r)] *adj* mniejszy; podrzędny, drugorzędny; młodszy (z rodzeństwa); *s* niepełnoletni

**mi·nor·i·ty** [maɪˋnorətɪ] *s* mniejszość (np. narodowa); niepełnoletność

**min·ster** [ˋmɪnstə(r)] *s* kościół klasztorny; katedra

**min·strel** [ˋmɪnstrəl] *s* minstrel, bard
**min·strel·sy** [ˋmɪnstrlsɪ] *s* zbiór pieśni ⟨ballad⟩; *zbior.* minstrelowie; sztuka minstrelska
**mint 1.** [mɪnt] *s* mennica; *vt* bić monetę; *adj* czysty, nie używany
**mint 2.** [mɪnt] *s bot.* mięta
**mi·nus** [ˋmaɪnəs] *praep* minus, mniej
**min·ute 1.** [ˋmɪnɪt] *s* minuta; notatka, zapisek; *pl* **~s** protokół; **to keep the ~s** protokołować; **any ~** lada chwila; **wait a ~!**, zaraz, zaraz!
**mi·nute 2.** [maɪˋnjut] *adj* drobny, nieznaczny; szczegółowy
**mir·a·cle** [ˋmɪrəkl] *s* cud; (*także* **~ play**) misterium (dramat średniowieczny)
**mi·rac·u·lous** [mɪˋrækjuləs] *adj* cudowny
**mire** [ˋmaɪə(r)] *s* błoto; *vt vi* pogrążyć (się) w błocie, ubłocić
**mir·ror** [ˋmɪrə(r)] *s* lustro, zwierciadło; *vt* odzwierciedlać, odbijać obraz
**mirth** [mɜθ] *s* radość, wesołość
**mis·ad·ven·ture** [ˈmɪsədˋventʃə(r)] *s* nieszczęście, nieszczęśliwy wypadek, niepowodzenie
**mis·al·li·ance** [ˈmɪsəˋlaɪəns] *s* mezalians
**mis·an·thrope** [ˋmɪsnθrəup] *s* mizantrop
**mis·an·thro·py** [mɪsˋænθrəpɪ] *s* mizantropia
**mis·ap·ply** [ˈmɪsəˋplaɪ] *vt* źle zastosować
**mis·ap·pre·hend** [ˈmɪsˈæprɪˋhend] *vt* źle ⟨fałszywie⟩ zrozumieć
**mis·be·have** [ˈmɪsbɪˋheɪv] *vi* (*także vr* **~ oneself**) źle ⟨nieodpowiednio⟩ prowadzić ⟨zachowywać⟩ się
**mis·cal·cu·late** [ˈmɪsˋkælkjuleɪt] *vt* źle obliczyć; *vi* przeliczyć się
**mis·car·riage** [mɪsˋkærɪdʒ] *s* niepowodzenie; zaginięcie (np. listu); poronienie; pomyłka
**mis·car·ry** [mɪsˋkærɪ] *vi* nie udać się; chybić; doznać niepowodzenia; (*o statku, liście*) nie dojść; poronić
**mis·cel·la·ne·ous** [ˈmɪsəˋleɪnɪəs] *adj* rozmaity; różnorodny
**mis·cel·la·ny** [mɪˋselənɪ] *s* zbieranina, zbiór rozmaitości
**mis·chance** [mɪsˋtʃans] *s* niepowodzenie, pech, nieszczęście
**mis·chief** [ˋmɪstʃɪf] *s* niegodziwość; szkoda; psota
**mis·chie·vous** [ˋmɪstʃɪvəs] *adj* złośliwy; szkodliwy; psotny
**mis·con·cep·tion** [ˈmɪskənˋsepʃn] *s* błędne pojęcie ⟨zrozumienie⟩
**mis·con·duct** [mɪsˋkondʌkt] *s* złe prowadzenie się; złe kierownictwo; *vt* [ˈmɪskənˋdʌkt] źle prowadzić ⟨kierować⟩; *vr* **~ oneself** źle się prowadzić
**mis·con·strue** [ˈmɪskənˋstru] *vt* mylnie objaśniać ⟨rozumieć⟩
**mis·cre·ant** [ˋmɪskrɪənt] *adj* nikczemny; *s* nikczemnik, łajdak
**mi·ser** [ˋmaɪzə(r)] *s* skąpiec
**mis·er·a·ble** [ˋmɪzrəbl] *adj* godny litości, żałosny, nieszczęśliwy; nędzny, godny pogardy; przykry, wstrętny
**mi·ser·ly** [ˋmaɪzəlɪ] *adj* skąpy
**mis·er·y** [ˋmɪzərɪ] *s* nędza; nieszczęście; cierpienie
**misfit** [ˋmɪsfɪt] *s* źle dobrane ubranie, zły krój; *przen.* człowiek nie przystosowany (do otoczenia)
**mis·for·tune** [ˈmɪsˋfɔtʃən] *s* nieszczęście, zły los, pech
***mis·give** [ˈmɪsˋgɪv], **mis·gave** [ˈmɪsˋgeɪv], **mis·given** [ˈmɪsˋgɪvn] *vt* wzbudzić obawę ⟨złe przeczucie⟩ (**sb** w kimś)
**mis·giv·ing** [ˈmɪsˋgɪvɪŋ] *ppraes i s* niepokój; złe przeczucie
**mis·gov·ern** [ˈmɪsˋgʌvən] *vt* źle rządzić
**mis·guide** [ˈmɪsˋgaɪd] *vt* fałszywie kierować, wprowadzać w błąd
**mis·han·dle** [ˈmɪsˋhændl] *vt* źle ⟨nieumiejętnie⟩ obchodzić się (sb, sth z kimś, czymś)
**mis·hap** [ˋmɪshæp] *s* niepowodze-

nie, nieszczęście, nieszczęśliwy wypadek

**mis·in·form** ['mɪsɪn'fɔm] *vt* źle poinformować

***mis·lay** ['mɪs'leɪ], **mislaid, mislaid** ['mɪs'leɪd] *vt* położyć nie na swoim miejscu, zapodziać

***mis·lead** ['mɪs'lid], **misled, misled** ['mɪs'led] *vt* wprowadzić w błąd, zmylić

**mis·man·age** ['mɪs'mænɪdʒ] *vt* źle zarządzać ⟨kierować⟩

**mi·sog·y·nist** [mɪ'sodʒɪnɪst] *s* wróg kobiet

**mis·place** [mɪs'pleɪs] *vt* źle umieścić ⟨ulokować⟩, położyć nie na swoim miejscu

**mis·print** ['mɪsprɪnt] *s* błąd drukarski; *vt* [mɪs'prɪnt] błędnie wydrukować

**mis·pro·nounce** ['mɪsprə'nauns] *vt* błędnie wymawiać

**mis·rep·re·sent** ['mɪs'reprɪ'zent] *vt* fałszywie przedstawić, przekręcać

**mis·rule** [mɪs'rul] *s* złe rządy; *vt* źle rządzić

**miss** 1. [mɪs] *vt* chybić, nie trafić; opuścić, przepuścić; stracić (okazję); nie zastać (**sb** kogoś); spóźnić się (**the bus** ⟨**train**⟩ na autobus ⟨pociąg⟩); tęsknić (**sb** za kimś); odczuwać brak; zawodzić; nie dosłyszeć ⟨nie dostrzec, nie zrozumieć⟩ (**sth** czegoś); *s* chybiony strzał; nieudany krok

**miss** 2. [mɪs] *s* (*przed imieniem* ⟨*nazwiskiem*⟩) panna; panienka

**mis·sha·pen** [mɪs'ʃeɪpən] *adj* zniekształcony, niekształtny

**mis·sile** ['mɪsaɪl] *s* pocisk

**mis·sion** ['mɪʃn] *s* misja, posłannictwo, zlecenie

**mis·sion·a·ry** ['mɪʃnrɪ] *s* misjonarz

***mis·spell** [mɪs'spel], **mis·spelt, mis·spelt** [mɪs'spelt] *vt* napisać z błędem ortograficznym

**mist** [mɪst] *s* mgła, mgiełka; *vt vi* pokrywać (się) mgiełką, zamglić (się); zajść parą; mżyć

***mis·take** [mɪ'steɪk], **mis·took** [mɪ'stuk], **mis·tak·en** [mɪ'steɪkn] *vt* brać ⟨wziąć⟩ (**sb for sb else** kogoś za kogoś innego, **sth for sth else** coś za coś innego); pomylić się (**sth** co do czegoś); źle zrozumieć; *s* omyłka, błąd; **to make a ~** popełnić błąd

**mis·tak·en** [mɪ'steɪkən] *pp i adj* mylny, błędny; **to be ~** mylić się, być w błędzie

**mis·ter** ['mɪstə(r)] *s* (*przed nazwiskiem*) Pan; (*w piśmie*) *skr.* = **Mr.**

**mis·tle·toe** ['mɪsltəu] *s bot.* jemioła

**mis·took** *zob.* **mistake**

**mis·tress** ['mɪstrəs] *s* pani, pani domu; nauczycielka, guwernantka; kochanka; **Mistress** ['mɪsɪz] (*przed nazwiskiem mężatki*) Pani; (*w piśmie*) *skr.* = **Mrs.**

**mis·trust** ['mɪs'trʌst] *s* niedowierzanie, nieufność; *vt* niedowierzać, nie ufać

**mist·y** ['mɪstɪ] *adj* mglisty

***mis·un·der·stand** ['mɪs'ʌndə'stænd], **misunderstood, misunderstood** ['mɪs'ʌndə'stud] *vt* źle rozumieć

**mis·un·der·stand·ing** ['mɪs'ʌndə'stændɪŋ] *s* złe zrozumienie, nieporozumienie

**mis·un·der·stood** *zob.* **misunderstand**

**mis·use** [mɪs'juz] *vt* niewłaściwie używać; źle traktować; nadużywać; *s* [mɪs'jus] niewłaściwe użycie, nadużycie

**mite** [maɪt] *s* drobna rzecz, kruszynka; grosz (wdowi)

**mit·i·gate** ['mɪtɪgeɪt] *vt* łagodzić, uspokajać

**mi·tre** ['maɪtə(r)] *s* infuła

**mitt** [mɪt] = **mitten**

**mit·ten** ['mɪtn] *s* rękawica (z jednym palcem); rękawiczka (bez palców), mitenka; *sport* rękawica bokserska

**mix** [mɪks] *vt vi* mieszać (się); preparować, przyrządzać (np. napoje); obcować (towarzysko); ~

up zmieszać, pomieszać; wplątać, uwikłać

**mix·er** [ˈmɪksə(r)] *s* barman; mikser; a good ~ człowiek towarzyski

**mix·ture** [ˈmɪkstʃə(r)] *s* mieszanina, mieszanka, mikstura

**mix-up** [ˈmɪks ʌp] *s* pomieszanie, zamieszanie, gmatwanina

**moan** [məʊn] *vt vi* jęczeć, lamentować, opłakiwać (sb kogoś); *s* jęk

**moat** [məʊt] *s* fosa

**mob** [mob] *s* tłum, pospólstwo, tłuszcza; *vt* (*o tłumie*) rzucać się (**sb, sth** na kogoś, coś); *vi* gromadzić się tłumnie

**mo·bile** [ˈməʊbaɪl] *adj* ruchomy; ruchliwy

**mo·bil·i·ty** [məʊˈbɪlətɪ] *s* ruchliwość

**mo·bil·ize** [ˈməʊbḷaɪz] *vt vi* mobilizować (się)

**mo·cha** [ˈmokə] *s* (kawa) mokka

**mock** [mok] *vt vi* szydzić, wyśmiewać, żartować sobie (**at sb, sth** z kogoś, czegoś); *s* pośmiewisko, kpiny; *adj attr* podrobiony, udany, pozorny

**mock·er·y** [ˈmokərɪ] *s* szyderstwo; pośmiewisko

**mock-he·ro·ic** [ˈmokhɪˈrəʊɪk] *adj* heroikomiczny

**mode** [məʊd] *s* sposób; obyczaj; tryb (życia, postępowania); moda; *gram.* tryb

**mod·el** [ˈmodl] *s* model, wzór; modelka; *vt* modelować, kształtować, kopiować; *vr* ~ **oneself** wzorować się (**on** ⟨**upon, after**⟩ **sb** na kimś)

**mod·er·ate** [ˈmodəreɪt] *vt vi* poskramiać, hamować, powściągać, uspokajać (się); łagodzić; powstrzymywać (się); *adj* [ˈmodrət] umiarkowany, wstrzemięźliwy; przeciętny

**mod·er·a·tion** [ˈmodəˈreɪʃn] *s* umiarkowanie

**mod·ern** [ˈmodn] *adj* nowoczesny, nowożytny

**mod·est** [ˈmodɪst] *adj* skromny

**mod·es·ty** [ˈmodɪstɪ] *s* skromność

**mod·i·fy** [ˈmodɪfaɪ] *vt* modyfikować, zmieniać

**mod·u·late** [ˈmodjʊleɪt] *vt* modulować

**moiety** [ˈmɔɪətɪ] *s prawn.* połowa

**moist** [mɔɪst] *adj* wilgotny

**mois·ten** [ˈmɔɪsn] *vt* zwilżyć; *vi* wilgotnieć

**mois·ture** [ˈmɔɪstʃə(r)] *s* wilgoć

**mo·lar** [ˈməʊlə(r)] *adj* trzonowy (ząb); *s* ząb trzonowy

**mo·las·ses** [məˈlæsɪz] *s pl* melasa

**mold, molder** = **mould, moulder**

**mole** 1. [məʊl] *s zool.* kret

**mole** 2. [məʊl] *s* molo, grobla

**mole** 3. [məʊl] *s* pieprzyk (na skórze)

**mol·e·cule** [ˈmolɪkjul] *s fiz.* cząsteczka

**mole-hil** [ˈməʊl hɪl] *s* kretowisko

**mo·lest** [məˈlest] *vt* molestować, dokuczać

**mol·li·fy** [ˈmolɪfaɪ] *vt* miękczyć; łagodzić

**molt** *zob.* **moult**

**mol·ten** [ˈməʊltən] *adj* stopiony, lity

**mo·ment** [ˈməʊmənt] *s* moment, chwila; znaczenie, ważność; **at the** ~ w tej (właśnie) chwili; **for the** ~ na razie; **in a** ~ za chwilę, po chwili; **to the** ~ co do minuty; **of great** ⟨**little**⟩ ~ bardzo ⟨nie bardzo⟩ ważny

**mo·men·tar·y** [ˈməʊməntrɪ] *adj* chwilowy

**mo·men·tous** [məˈmentəs] *adj* ważny, doniosły

**mo·men·tum** [məˈmentəm] *s* pęd, rozpęd; *fiz.* ilość ruchu

**mon·arch** [ˈmonək] *s* monarcha

**mon·ar·chy** [ˈmonəkɪ] *s* monarchia

**mon·as·ter·y** [ˈmonəstrɪ] *s* klasztor

**Mon·day** [ˈmʌndɪ] *s* poniedziałek

**mon·e·tar·y** [ˈmʌnɪtrɪ] *adj* monetarny

**mon·ey** [ˈmʌnɪ] *s zbior.* pieniądze; **ready** ~ gotówka

**mon·ger** [ˈmʌŋgə(r)] *s* handlarz, przekupień
**mon·grel** [ˈmʌŋgrəl] *s* kundel; mieszaniec; *adj attr* (*o krwi, rasie*) mieszany
**mon·i·tor** [ˈmonɪtə(r)] *s* monitor; najstarszy uczeń w klasie pilnujący porządku; urządzenie kontrolne; *vi vt* nasłuchiwać, kontrolować
**mon·i·tor·ing** [ˈmonɪtərɪŋ] *s* (*w radiu*) nasłuch
**monk** [mʌŋk] *s* mnich
**mon·key** [ˈmʌŋkɪ] *s* małpa
**mon·key·ish** [ˈmʌŋkɪɪʃ] *adj* małpi
**monk·ish** [ˈmʌŋkɪʃ] *adj* mnisi
**mo·nog·a·my** [məˈnogəmɪ] *s* monogamia
**mon·o·logue** [ˈmonəlog] *s* monolog
**mo·nop·o·lize** [məˈnopəlaɪz] *vt* monopolizować
**mo·nop·o·ly** [məˈnopəlɪ] *s* monopol
**mo·not·o·nous** [məˈnotənəs] *adj* monotonny
**mon·ster** [ˈmonstə(r)] *s* potwór; *adj attr* potworny; monstrualny
**mon·stros·i·ty** [monˈstrosətɪ] *s* potworność
**mon·strous** [ˈmonstrəs] *adj* potworny; monstrualny
**mon·tage** [ˈmontaʒ] *s fot. kino* montaż
**month** [mʌnθ] *s* miesiąc
**month·ly** [ˈmʌnθlɪ] *adj* miesięczny; *adv* miesięcznie; co miesiąc; *s* miesięcznik
**mon·u·ment** [ˈmonjumənt] *s* pomnik
**mood 1.** [mud] *s* nastrój, humor
**mood 2.** [mud] *s gram.* tryb; *muz.* tonacja
**mood·y** [ˈmudɪ] *adj* nie w humorze, markotny; o zmiennym usposobieniu
**moon** [mun] *s* księżyc; **full ~** pełnia; **once in a blue ~** bardzo rzadko, raz od wielkiego święta
**moon·beam** [ˈmunbim] *s* promień księżyca
**moon·light** [ˈmunlaɪt] *s* światło księżyca
**moon·lit** [ˈmunlɪt] *adj* oświetlony światłem księżyca
**moon·shine** [ˈmun-ʃaɪn] *s* światło księżyca; *przen.* rojenia
**moon·shin·er** [ˈmunʃaɪnə(r)] *s pot. am.* nielegalny producent ⟨przemytnik⟩ napojów alkoholowych
**moor 1.** [muə(r)] *s* otwarty teren, błonie; wrzosowisko; torfowisko
**moor 2.** [muə(r)] *vt mors.* cumować
**Moor 3.** [muə(r)] *s* Maur
**moor·ings** [ˈmuərɪŋz] *s pl mors.* cumy; miejsce cumowania
**moor·land** [ˈmuələnd] *s* pustynna okolica (*zw.* pokryta wrzosem, torfem itp.)
**moot** [mut] *vt* rozważać, poddać pod dyskusję (**sth** coś); *s hist.* zgromadzenie, narada; *adj attr* sporny
**mop 1.** [mop] *s* zmywak na kiju (do podłogi, okien itd.); *vt* wycierać, zmywać
**mop 2.** [mop] *s w zwrocie*: **~s and mows** grymasy, miny; *vi w zwrocie*: **~ and mow** stroić miny, robić grymasy
**mope** [məup] *vi* być przygnębionym; *s* człowiek przygnębiony
**mor·al** [ˈmorl] *adj* moralny; *s* morał; *pl* **~s** moralność
**mo·rale** [məˈral] *s* morale, duch (np. wojska)
**mor·al·ist** [ˈmorḷɪst] *s* moralista
**mo·ral·i·ty** [məˈrælətɪ] *s* moralność; moralitet (dramat)
**mor·al·ize** [ˈmorḷaɪz] *vi* moralizować; *vt* umoralniać
**mo·rass** [məˈræs] *s* bagno, trzęsawisko
**mor·bid** [ˈmɔbɪd] *adj* chorobliwy; chorobowy
**more** [mɔ(r)] *adj* (*comp od* **much, many**) więcej; *adv* więcej, bardziej; *s* więcej; **~ and ~** coraz więcej; **~ or less** mniej więcej; **~ than** ponad; **never ~** już nigdy; **no ~** już nie, więcej nie;

dość; once ~ jeszcze raz; so much the ~ o tyle więcej; the ~ tym bardziej; the ~ ... the ~ im więcej ... tym więcej

**more·o·ver** [mor`əuvə(r)] *adv* co więcej, prócz tego, ponadto

**morn** [mɔn] *s poet.* = **morning**

**morn·ing** [`mɔnɪŋ] *s* rano, poranek; przedpołudnie; **good ~!** dzień dobry!; **in the ~** rano; **this ~** dziś rano; **~ call** wizyta przedpołudniowa; **~ coat** żakiet

**mo·roc·co** [mə`rokəu] *s* marokin (safian)

**mo·rose** [mə`rəus] *adj* ponury, markotny

**mor·phol·o·gy** [mɔ`folədʒɪ] *s* morfologia

**mor·row** [`morəu] *s* † następny dzień; **on the ~** nazajutrz

**mor·sel** [`mɔsl] *s* kąsek

**mor·tal** [`mɔtl] *adj* śmiertelny; *s* śmiertelnik

**mor·tal·i·ty** [mɔ`tælətɪ] *s* śmiertelność

**mor·tar** [`mɔtə(r)] *s* moździerz; zaprawa murarska

**mort·gage** [`mɔgɪdʒ] *s* zastaw; hipoteka; *vt* zastawić; obciążyć hipotecznie

**mor·ti·fy** [`mɔtɪfaɪ] *vt* umartwiać, dręczyć, upokarzać; *vi* zamierać; ulegać gangrenie

**mor·tu·ar·y** [`mɔtʃuərɪ] *adj* pogrzebowy; *s* kostnica

**mo·sa·ic** [məu`zeɪɪk] *s* mozaika

**Mos·lem** [`mozləm] *adj* muzułmański; *s* muzułmanin

**mosque** [mosk] *s* meczet

**mos·qui·to** [mə`skitəu] *s* (*pl* **~es**) moskit

**moss** [mos] *s* mech

**most** [məust] *adj* (*sup od* **much, many**) najwięcej, najbardziej; *adv* najbardziej, najwięcej; *s* największa ilość, przeważająca większość, maksimum; **at (the) ~** najwyżej, w najlepszym razie; **to make the ~ of sth** wykorzystać coś maksymalnie; najkorzystniej przedstawić

**most·ly** [`məustlɪ] *adv* najczęściej, przeważnie

**mote** [məut] *s* pyłek

**mo·tel** [məu`tel] *s* motel

**moth** [moθ] *s* mól; ćma

**moth·|er** [`mʌðə(r)] *s* matka; **~ country** ojczyzna; **~ of pearl** macica perłowa; **~ tongue** mowa ojczysta

**moth·er·hood** [`mʌðəhud] *s* macierzyństwo

**mother-in-law** [`mʌðr in lɔ] *s* (*pl* **mothers-in-law** [`mʌðz ɪn lɔ]) teściowa, świekra

**moth·er·ly** [`mʌðəlɪ] *adj* macierzyński

**motif** [məu`tif] *s* motyw

**mo·tion** [`məuʃn] *s* ruch; chód ‹bieg› (silnika); skinienie; gest; wniosek; **~ picture** film; **to carry a ~** przeprowadzić ‹przyjąć› wniosek; **to put ‹set› in ~** wprawić w ruch; *vt vi* dać znak (ręką), skinąć

**mo·ti·vate** [`məutɪveɪt] *vt* być bodźcem (*sb, sth* dla kogoś, czegoś); powodować; motywować

**mo·tive** [`məutɪv] *adj* napędowy; *s* motyw; bodziec

**mot·ley** [`motlɪ] *s* pstrokacizna; rozmaitości; strój błazeński; *adj* pstry; rozmaity

**mo·tor** [`məutə(r)] *s* motor; silnik; *adj* ruchowy, motoryczny; *vt vi* jechać ‹wieźć› samochodem ‹motocyklem›

**mo·tor-bi·cy·cle** [`məutəbaɪsɪkl] *s* motocykl

**mo·tor-bike** [`məutəbaɪk] *s pot.* motocykl

**mo·tor-boat** [`məutəbəut] *s* łódź motorowa

**mo·tor-bus** [`məutəbʌs] *s* autobus

**mo·tor-car** [`muətəka(r)] *s* samochód

**mo·tor-coach** [`məutəkəutʃ] *s* autokar

**mo·tor-cycle** [`məutəsaɪkl] *s* motocykl

**mo·tor·ist** [`məutərɪst] *s* automobilista

**mo·tor·man** [ˈməutəmən] *s* (*pl* **motormen** [ˈməutəmən]) motorniczy
**mo·tor-scoot·er** [ˈməutə skutə(r)] *s* skuter
**mo·tor·way** [ˈməutəweɪ] *s* autostrada
**mot·tle** [ˈmotl] *vt* pstrzyć, cętkować, nakrapiać; *s* cętka, (barwna) plamka
**mot·to** [ˈmotəu] *s* (*pl* **~es, ~s**) motto
**mould** 1. [məuld] *s* czarnoziem, ziemia ⟨gleba⟩ (luźna)
**mould** 2. [məuld] *s* pleśń; *vi* pleśnieć
**mould** 3. [məuld] *s* forma, odlew; typ ⟨pokrój⟩ (człowieka); *vt* odlewać; kształtować
**mould·er** [ˈməuldə(r)] *vi* butwieć, rozpadać się
**moult** [məult] *vi* linieć; *s* linienie
**mound** [maund] *s* nasyp, kopiec
**mount** 1. [maunt] *s* góra, szczyt (*zw.* przed nazwą)
**mount** 2. [maunt] *vt vi* wznosić (się), podnosić (się); wsiadać, sadzać (na konia, rower itp.); wspinać się, wchodzić do góry (**a ladder, the stairs etc.** po drabinie; schodach itd.); montować; ustawiać; oprawiać (np. klejnot); **to ~ guard** zaciągnąć wartę, stanąć na warcie; **~ed troops** oddziały konne
**moun·tain** [ˈmauntɪn] *s* góra
**moun·tain·eer** [ˈmauntɪˈnɪə(r)] *s* góral; alpinista
**moun·tain·eer·ing** [ˈmauntɪˈnɪərɪŋ] *s* *sport* alpinistyka, wspinaczka wysokogórska
**moun·tain·ous** [ˈmauntɪnəs] *adj* górzysty
**moun·te·bank** [ˈmauntɪbæŋk] *s* szarlatan
**mourn** [mɔn] *vt* opłakiwać; *vi* być w żałobie; płakać ⟨lamentować⟩ (**for** ⟨**over**⟩ **sb** nad kimś)
**mourn·ful** [ˈmɔnfl] *adj* żałobny
**mourn·ing** [ˈmɔnɪŋ] *s* żałoba; *przen.* smutek; **in deep ~** w głębokiej żałobie
**mouse** [maus] *s* (*pl* **mice** [maɪs]) mysz
**mouse-trap** [ˈmaus træp] *s* pułapka na myszy
**mous·tache** [məˈstaʃ] *s* wąsy
**mouth** [mauθ] *s* usta; pysk; ujście (rzeki), wylot
**mouth·ful** [ˈmauθful] *s* kęs, łyk
**mouth·piece** [ˈmauθpis] *s* ustnik (np. instrumentu); wyraziciel, rzecznik; muszla mikrofonu
**mov·a·ble** [ˈmuvəbl] *adj* ruchomy; *s pl* **~s** ruchomości
**move** [muv] *vt vi* ruszać ⟨poruszać⟩ (się), być w ruchu, posuwać (się); przeprowadzać (się); rozczulać, wzruszać; zachęcać, pobudzać; stawiać wniosek; **~ in** wnieść; wprowadzić (się); **~ out** wynieść; wyprowadzić (się); *s* posunięcie, ruch; przeprowadzka; **to be on the ~** być w ruchu ⟨w marszu⟩
**move·ment** [ˈmuvmənt] *s* ruch; chód, bieg; *muz.* część utworu, fraza
**mov·ies** [ˈmuvɪz] *s pl pot.* kino; **let's go to the ~** chodźmy do kina
***mow** [məu], **mowed** [məud], **mown** [məun] *vt* kosić
**mow·er** [ˈməuə(r)] *s* kosiarz; (*maszyna*) kosiarka
**mown** *zob.* **mow**
**much** [mʌtʃ] *adj i adv* dużo, wiele; bardzo, wielce; **~ the same** mniej więcej taki sam ⟨to samo⟩; **as ~** tyleż; **as ~ as** tyle samo, co; **so ~** tyle; **so ~ the better** ⟨**worse**⟩ tym lepiej ⟨gorzej⟩; **he is not ~ of a poet** on jest słabym poetą; **how ~?** ile?
**muck** [mʌk] *s* gnój, nawóz; błoto; *pot.* paskudztwo; szmira
**mud** [mʌd] *s* błoto, muł
**mud-bath** [ˈmʌdbaθ] *s* kąpiel borowinowa
**mud·dle** [ˈmʌdl] *vt* mącić, gmatwać, bałaganić; zamroczyć; *vi* **~ on** ⟨**along**⟩ radzić sobie jakoś; **~**

through wybrnąć z ciężkiej sytuacji; *s* powikłanie; bałagan, nieład; trudne położenie

**mud·dy** [ˋmʌdɪ] *adj* błotnisty; mętny, brudny

**mud·guard** [ˋmʌdgɑd] *s* błotnik

**muff** 1. [mʌf] *s* zarękawek, mufka

**muff** 1. [mʌf] *vt* fuszerować; *s* fuszerka; fuszer; mazgaj

**muf·fin** [ˋmʌfɪn] *s* bułeczka (*zw.* na gorąco z masłem)

**muf·fle** [ˋmʌfl] *vt* owijać, otulać; tłumić

**muf·fler** [ˋmʌflə(r)] *s* szalik; tłumik; *sport* rękawica bokserska

**mug** [mʌg] *s* kubek, kufel; *pot.* gęba

**mu·lat·to** [mjuˋlætəu] *s* (*pl* ~es, ~s) Mulat

**mul·ber·ry** [ˋmʌlbrɪ] *s* morwa (owoc i drzewo)

**mule** [mjul] *s* *zool.* muł

**mul·ti** [ˋmʌltɪ] *praef* wielo-

**mul·ti·form** [ˋmʌltɪfɔm] *adj* wielokształtny

**mul·ti·lat·er·al** [ˌmʌltɪˋlætrl] *adj* wielostronny

**mul·ti·ple** [ˋmʌltɪpl] *adj* wieloraki; wielokrotny; złożony; *s mat.* wielokrotna; **least common** ~ najmniejsza wspólna wielokrotna

**mul·ti·plex** [ˋmʌltɪpleks] = **multiple** *adj*

**mul·ti·pli·ca·tion** [ˌmʌltɪplɪˋkeɪʃn] *s* mnożenie (się); *mat.* ~ **table** tabliczka mnożenia

**mul·ti·pli·er** [ˋmʌltɪplaɪə(r)] *s mat.* mnożnik; *fiz.* powielacz

**mul·ti·ply** [ˋmʌltɪplaɪ] *vt vi* mnożyć (się); rozmnażać się; ~ **4 by 6** pomnóż 4 przez 6

**mul·ti·tude** [ˋmʌltɪtjud] *s* mnóstwo; tłum

**mum** 1. [mʌm] *adj* niemy, cichy; **to keep** ~ milczeć; *int* sza!

**mum** 2. [mʌm] *vi* grać w pantomimie

**mum** 3. [mʌm] *s pot.* mamusia

**mum·ble** [ˋmʌmbl] *vt vi* mruczeć, mamrotać, bełkotać

**mum·my** 1. [ˋmʌmɪ] *s* mamusia

**mum·my** 2. [ˋmʌmɪ] *s* mumia

**mumps** [mʌmps] *s med.* świnka

**munch** [mʌntʃ] *vt vi* głośno żuć, chrupać

**mun·dane** [ˋmʌndeɪn] *adj* ziemski; światowy

**mu·nic·i·pal** [mjuˋnɪsɪpl] *adj* komunalny, miejski

**mu·nic·i·pal·i·ty** [mjuˌnɪsɪˋpælətɪ] *s* gmina samorządowa, zarząd miejski

**mu·nif·i·cence** [mjuˋnɪfɪsns] *s* hojność, szczodrość

**mu·ni·tion** [mjuˋnɪʃn] *s* (*zw. pl* ~s) sprzęt wojenny, amunicja

**mu·ral** [ˋmjuərl] *adj* ścienny; *s* malowidło ścienne

**mur·der** [ˋmɜdə(r)] *s* morderstwo; *vt* mordować

**mur·der·er** [ˋmɜdərə(r)] *s* morderca

**murk·y** [ˋmɜkɪ] *adj* mroczny

**mur·mur** [ˋmɜmə(r)] *vt vi* szeptać, mruczeć; szemrać; szumieć; *s* szept, szmer; szum; pomruk, mruczenie

**mus·cle** [ˋmʌsl] *s* mięsień

**mus·cu·lar** [ˋmʌskjulə(r)] *adj* muskularny; mięśniowy

**muse** 1. [mjuz] *vi* rozmyślać ⟨dumać⟩ (**on** ⟨**about, upon**⟩ **sth** o czymś)

**muse** 2. [mjuz] *s* muza

**mu·se·um** [mjuˋzɪəm] *s* muzeum

**mush** [mʌʃ] *s* kleik, papka

**mush·room** [ˋmʌʃrum] *s* grzyb; **of** ~ **growth** rosnący jak grzyby po deszczu

**mu·sic** [ˋmjuzɪk] *s* muzyka; *zbior.* nuty

**mu·si·cal** [ˋmjuzɪkl] *adj* muzyczny; muzykalny; dźwięczny; *s* komedia muzyczna

**mu·sic-hall** [ˋmjuzɪk hɔl] *s* teatr rewiowy ⟨rozmaitości⟩

**mu·si·cian** [mjuˋzɪʃn] *s* muzyk

**musk** [mʌsk] *s* piżmo

**mus·lin** [ˋmʌzlɪn] *s* muślin

**must** 1. [mʌst, məst] *v aux* nie-

*odm.* muszę, musisz itd.; **I ~** muszę; **I ~ not** nie wolno mi, nie mogę

**must 2.** [mʌst] *s* pleśń

**must 3.** [mʌst] *s* moszcz

**mus·tard** [ˋmʌstəd] *s* musztarda

**mus·ter** [ˋmʌstə(r)] *vt vi* gromadzić (się); zbierać (się); *wojsk.* robić przegląd; *s wojsk.* przegląd; apel; zgromadzenie

**mus·ty** [ˋmʌstɪ] *adj* zapleśniały, stęchły

**mu·ta·ble** [ˋmjutəbl] *adj* zmienny

**mute** [mjut] *adj* niemy; *s* niemowa; *teatr* statysta

**mu·ti·late** [ˋmjutɪleɪt] *vt* kaleczyć; okroić, zniekształcić (tekst itp.)

**mu·ti·neer** [mjutɪˋnɪə(r)] *s* buntownik

**mu·ti·ny** [ˋmjutɪnɪ] *s* bunt

**mut·ter** [ˋmʌtə(r)] *vt vi* mruczeć, mamrotać; szemrać (**at** <**against**> **sb, sth** na kogoś, coś)

**mut·ton** [ˋmʌtn] *s* baranina

**mu·tu·al** [ˋmjutʃuəl] *adj* wzajemny

**muz·zle** [ˋmʌzl] *s* pysk; kaganiec; wylot lufy; *vt* nałożyć kaganiec

**my** [maɪ] *pron* mój, moja, moje, moi

**my·ope** [ˋmaɪəup] *s* krótkowidz

**my·o·pi·a** [maɪˋəupɪə] *s* krótkowzroczność

**myr·i·ad** [ˋmɪrɪəd] *s* miriada

**myr·tle** [ˋmɜtl] *s bot.* mirt

**my·self** [maɪˋself] *pron* sam, ja sam; się; siebie, sobą, sobie; **by ~** ja sam, sam jeden

**mys·te·ri·ous** [mɪˋstɪərɪəs] *adj* tajemniczy

**mys·ter·y** [ˋmɪstṛɪ] *s* tajemnica

**mys·tic** [ˋmɪstɪc] *adj* mistyczny; *s* mistyk

**mys·ti·fy** [ˋmɪstɪfaɪ] *vt* mistyfikować

**myth** [mɪθ] *s* mit

**myth·o·log·i·cal** [ˌmɪθəˋlodʒɪkl] *adj* mitologiczny

**my·thol·o·gy** [mɪˋθolədʒɪ] *s* mitologia

# n

**nag** [næg] *vt* dokuczać (komuś), dręczyć; *vi* gderać (**at sb** na kogoś)

**nai·ad** [ˋnaɪæd] *s* rusałka, najada

**nail** [neɪl] *s* paznokieć; pazur; gwóźdź; *vt* przybić gwoździem podbić gwoździami, przygwoździć; *przen.* przykuć (np. uwagę); *pot.* przydybać; **~ down** przybić gwoździem; *przen.* trzymać (kogoś) za słowo

**na·ïve** [naɪˋiv] *adj* naiwny

**na·ked** [ˋneɪkɪd] *adj* nagi, goły

**name** [neɪm] *s* imię, nazwisko, nazwa; **family ~** nazwisko; **first** <**Christian**> **~** imię; **full ~** imię i nazwisko; **by ~** na imię, po nazwisku; **to call sb ~s** obrzucać kogoś wyzwiskami; *vt* dawać imię, nazywać; wyznaczać, wymieniać

**name-day** [ˋneɪmdeɪ] *s* imieniny

**name·less** [ˋneɪmləs] *adj* bezimienny; nieznany; niewysłowiony; *uj.* niesłychany

**name·ly** [ˋneɪmlɪ] *adv* mianowicie

**name·sake** [ˋneɪmseɪk] *s* imiennik

**nap** [næp] *s* drzemka; **to take a ~** zdrzemnąć się; *vi* drzemać

**na·palm** [ˋneɪpam] *s* napalm

**nape** [neɪp] *s* kark

**nap·kin** [ˋnæpkɪn] *s* serwetka; pieluszka

**nar·cot·ic** [naˋkotɪk] *adj* narkotyczny; *s* narkotyk

**nar·co·tize** [ˋnakətaɪz] *vt* narkotyzować

**nar·rate** [nəˋreɪt] *vt* opowiadać

**nar·ra·tion** [nəˋreɪʃn] *s* opowiadanie

**nar·ra·tive** [ˋnærətɪv] *adj* narracyjny; *s* opowiadanie, opowieść

**nar·row** [ˋnærəu] *adj* wąski, ciasny, ścisły; **to have a ~ escape** ledwo umknąć; *vt vi* zwężać (się); ściągać ⟨kurczyć⟩ (się)

**nar·row-gauge** [ˋnærəugeɪdʒ] *adj attr* wąskotorowy

**nar·row-mind·ed** [ˊnærəu ˋmaɪndɪd] *adj* (umysłowo) ograniczony

**na·sal** [ˋneɪzl] *adj* nosowy; *s gram.* głoska nosowa

**nas·ty** [ˋnastɪ] *adj* wstrętny, przykry; groźny; złośliwy; plugawy; *pot.* świński

**na·tal** [ˋneɪtl] *adj* rodzinny; (*o dniu, miejscu*) urodzenia

**na·ta·tion** [neɪˋteɪʃn] *s* pływanie

**na·tion** [ˋneɪʃn] *s* naród; państwo

**na·tion·al** [ˋnæʃnl] *adj* narodowy; państwowy; **~ service** obowiązkowa służba wojskowa; *s* poddany, obywatel państwa

**na·tion·al·ism** [ˋnæʃnḷɪzm] *s* nacjonalizm

**na·tion·al·i·ty** [ˊnæʃnˋælətɪ] *s* narodowość; państwowość; przynależność państwowa, obywatelstwo

**na·tion·al·i·za·tion** [ˊnæʃnḷaɪˋzeɪʃn] *s* upaństwowienie, nacjonalizacja; naturalizacja

**na·tion·al·ize** [ˋnæʃnḷaɪz] *vt* unarodowić; nacjonalizować, upaństwowić; naturalizować

**na·tive** [ˋneɪtɪv] *adj* rodzimy, rodzinny, ojczysty; wrodzony; krajowy, tubylczy; **~ land** ojczyzna; *s* tubylec, autochton; **a ~ of Warsaw** rodowity warszawianin

**na·tiv·i·ty** [nəˋtɪvətɪ] *s* narodzenie (zw. Chrystusa)

**nat·ty** [ˋnætɪ] *adj* schludny, czysty

**nat·u·ral** [ˋnætʃərl] *adj* naturalny; dziki, pierwotny; przyrodniczy; przyrodzony, wrodzony; (*o dziecku*) nieślubny; **~ history** przyroda; *s muz.* nuta naturalna; *muz.* kasownik; idiota

**nat·u·ral·ism** [ˋnætʃrḷɪzm] *s* naturalizm

**nat·u·ral·ize** [ˋnætʃrḷaɪz] *vt vi* naturalizować (się)

**na·ture** [ˋneɪtʃə(r)] *s* natura, przyroda; istota; charakter; rodzaj; **by ~** z natury

**naught** [nɔt] *s i pron* nic; zero

**naugh·ty** [ˋnɔtɪ] *adj* (*o dziecku*) niegrzeczny; nieprzyzwoity

**nau·sea** [ˋnɔsɪə] *s* nudności, mdłości; obrzydzenie

**nau·se·ate** [ˋnɔsɪeɪt] *vt* przyprawiać o mdłości, budzić wstręt; czuć wstręt (*sth* do czegoś); *vi* dostawać mdłości

**nau·seous** [ˋnɔsɪəs] *adj* przyprawiający o mdłości, obrzydliwy

**nau·ti·cal** [ˋnɔtɪkl] *adj* morski

**na·val** [ˋneɪvl] *adj* morski; dotyczący marynarki wojennej; okrętowy

**nave 1.** [neɪv] *s* nawa

**nave 2.** [neɪv] *s* piasta (u koła)

**na·vel** [ˋneɪvl] *s anat.* pępek

**nav·i·ga·ble** [ˋnævɪgəbl] *adj* spławny, nadający się do żeglugi

**nav·i·gate** [ˋnævɪgeɪt] *vt vi* żeglować, kierować statkiem ⟨samolotem⟩; pilotować

**nav·i·ga·tion** [ˊnævɪˋgeɪʃn] *s* żegluga, nawigacja

**nav·vy** [ˋnævɪ] *s* robotnik drogowy, wyrobnik

**na·vy** [ˋneɪvɪ] *s* marynarka wojenna; **~ cut** tytoń fajkowy (drobno krajany)

**navy-blue** [ˊneɪvɪˋblu] *adj* granatowy; *s* kolor granatowy

**nay** [neɪ] *adv* † nie; nawet, co więcej; **to say ~** zaprzeczyć; *s* sprzeciw (w głosowaniu)

**near** [nɪə(r)] *adj* bliski, blisko spokrewniony; trafny; dokładny; **to have a ~ escape** ledwo uciec, uniknąć o włos; *adv i praep* blisko, niedaleko, obok; **~ by** tuż obok; **~ upon** blisko; tuż przed ⟨po⟩ czymś; prawie; **to come ~** zbliżyć się; *vt* zbliżać się (sth do czegoś)

**near·by** [ˋnɪəbaɪ] *adj* bliski, sąsiedni

**near·ly** [ˋnɪəlɪ] *adv* blisko; prawie (że)

**neat** [nit] czysty, schludny; gustowny; grzeczny; miły; staranny, porządny

**neb·u·lous** [ˋnebjuləs] *adj* mglisty, zamglony

**nec·es·sar·y** [ˋnesəsrɪ] *adj* konieczny, niezbędny; **if ~** w razie potrzeby; *s* rzecz konieczna; *pl* **necessaries of life** artykuły pierwszej potrzeby

**ne·ces·si·tate** [nɪˋsesɪteɪt] *vt* czynić koniecznym ⟨niezbędnym⟩; wymagać

**ne·ces·si·ty** [nɪˋsesətɪ] *s* konieczność, potrzeba; bieda; **of ~** z konieczności; **to be under the ~ of doing sth** być zmuszonym coś zrobić

**neck** [nek] *s* szyja, kark; szyjka (np. flaszki); przesmyk; cieśnina; *vt vi am. pot.* obejmować (się) za szyję; pieścić się

**neck·lace** [ˋnekləs] *s* naszyjnik

**neck·tie** [ˋnektaɪ] *s* krawat

**ne·crol·o·gy** [nɪˋkrolədʒɪ] *s* nekrolog; lista zgonów

**need** [nid] *s* potrzeba; ubóstwo, bieda; **to have ⟨stand in, be in⟩ ~ of** potrzebować czegoś; *vt* potrzebować, wymagać (czegoś); *vi* być w potrzebie; **I ~ not** nie muszę

**need·ful** [ˋnidfl] *adj* potrzebny, konieczny

**nee·dle** [ˋnidl] *s* igła; iglica

**need·less** [ˋnidləs] *adj* niepotrzebny, zbędny

**nee·dle·work** [ˋnidlwɜk] *s* robótka (szycie, haftowanie)

**need·n't** [nidnt] = **need not**

**need·y** [ˋnidɪ] *adj* będący w potrzebie

**ne'er** [neə(r)] *poet.* = **never**

**ne·ga·tion** [nɪˋgeɪʃn] *s* przeczenie, negacja

**neg·a·tive** [ˋnegətɪv] *adj* przeczący, negatywny; *mat.* ujemny; *s* zaprzeczenie; odmowa; *gram.* forma przecząca; *mat.* wartość ujemna; *fot.* negatyw; **in the ~** negatywnie, przecząco

**neg·lect** [nɪˋglekt] *vt* zaniedbywać, lekceważyć; nie zrobić (sth czegoś); *s* zaniedbanie, lekceważenie, pominięcie

**neg·li·gence** [ˋneglɪdʒəns] *s* niedbalstwo, zaniedbanie

**neg·li·gent** [ˋneglɪdʒənt] *adj* niedbały, lekceważący; zaniedbany

**neg·li·gi·ble** [ˋneglɪdʒəbl] *adj* niegodny uwagi, mało znaczący

**ne·go·ti·a·ble** [nɪˋgəuʃəbl] *adj handl.* sprzedażny, możliwy do spieniężenia; dający się opanować ⟨pokonać⟩

**ne·go·ti·ate** [nɪˋgəuʃɪeɪt] *vt vi* załatwiać ⟨omawiać⟩ (sprawy polityczne, handlowe); prowadzić rokowania ⟨pertraktować⟩ (sth w sprawie czegoś); *handl.* puszczać w obieg (np. weksel); realizować, spieniężać; przezwyciężać, pokonywać

**ne·go·ti·a·tion** [nɪˋgəuʃɪeɪʃn] *s* rokowania ⟨pertraktacje⟩ (polityczne, handlowe); *handl.* spieniężenie, realizowanie; pokonanie (trudności)

**Ne·gress** [ˋnigrəs] *s* Murzynka

**Ne·gro** [ˋnigrəu] *s* (*pl* **~es**) Murzyn

**neigh** [neɪ] *vi* rżeć

**neigh·bour** [ˋneɪbə(r)] *s* sąsiad; *vt vi* sąsiadować

**neigh·bour·hood** [ˋneɪbəhud] *s* sąsiedztwo; okolica

**nei·ther** [ˋnaɪðə(r), *am.* ˋniðə(r)] *pron* ani jeden, ani drugi, żaden z dwóch; *adv* ani; **~ ... nor**

ani ..., ani; **he could ~ eat nor drink** nie mógł jeść, ani pić; *conj* też nie; **he doesn't like it, ~ do I** on tego nie lubi, i ja też nie
**ne·on** [ˋnion] *s fiz.* neon (gaz); **~ sign** neon (reklama); **~ lamp** lampa neonowa
**neph·ew** [ˋnevju] *s* siostrzeniec; bratanek
**nerve** [nɜv] *s* nerw; *przen.* siła, energia; opanowanie; tupet; **to get on sb's ~s** działać komuś na nerwy; *vt* wzmocnić, dodać otuchy; *vr* **~ oneself** zebrać siły (**for sth** do czegoś), wziąć się w garść
**nerv·ous** [ˋnɜvəs] *adj* nerwowy; niespokojny
**nest** [nest] *s* gniazdo; *vi* wić gniazdo; gnieździć się
**nes·tle** [ˋnesl] *vt* przycisnąć, przytulić; *vi* gnieździć się; tulić się, wygodnie się usadowić
**net 1.** [net] *adj* (*o zysku itp.*) czysty; netto; *vt* zarobić na czysto
**net 2.** [net] *s dosł. i przen.* sieć, siatka; *sport* net; *vt* łowić siecią (np. ryby)
**net·tle** [ˋnetl] *s* pokrzywa; *vt* parzyć pokrzywą; *przen.* drażnić, irytować, docinać
**net·work** [ˋnetwɜk] *s* sieć (kolejowa, radiowa itp.)
**neu·ras·the·ni·a** [ˈnjuərəsˋθinɪə] *s* neurastenia
**neu·rol·o·gy** [njuəˋrolədʒɪ] *s* neurologia
**neu·ro·sis** [njuəˋrəusɪs] *s* (*pl* **neuroses** [njuəˋrousiz]) *med.* nerwica
**neu·ter** [ˋnjutə(r)] *adj gram.* nijaki (rodzaj); nieprzechodni (czasownik); neutralny; **to stand ~** zachowywać neutralność
**neu·tral** [ˋnjutrl] *adj* neutralny; nieokreślony
**neu·tral·i·ty** [njuˋtrælətɪ] *s* neutralność
**neu·tral·ize** [ˋnjutrlaɪz] *vt* neutralizować
**neu·tron** [ˋnjutron] *s fiz.* neutron
**nev·er** [ˋnevə(r)] *adv* nigdy; bynajmniej
**nev·er·more** [ˈnevəˋmɔ(r)] *adv* już nigdy, nigdy więcej
**nev·er·the·less** [ˈnevəðəˋles] *adv* mimo wszystko ⟨tego, to⟩; (tym) niemniej
**new** [nju] *adj* nowy; świeży
**new·com·er** [ˋnjukʌmə(r)] *s* przybysz
**news** [njuz] *s* nowość; nowina; wiadomość; kronika, aktualności
**news-a·gent** [ˋnjuzeɪdʒənt] *s* właściciel kiosku z czasopismami
**news·boy** [ˋnjuzbɔɪ] *s* gazeciarz
**news·cast** [ˋnjuskast] *s* dziennik radiowy
**news·pa·per** [ˋnjuspeɪpə(r)] *s* gazeta
**news·reel** [ˋnjuzril] *s* kronika filmowa
**news·ven·dor** [ˋnjuzvendə(r)] *s* sprzedawca gazet
**news·y** [ˋnjuzɪ] *adj pot.* pełen najświeższych wiadomości, plotkarski
**next** [nekst] *adj* najbliższy; następny; **~ of kin** najbliższy krewny; **~ to nothing** prawie nic; *adv* następnie, z kolei, zaraz potem; *praep* tuż obok ⟨przy⟩; po (kimś, czymś)
**nib** [nɪb] *s* kolec; koniuszek, ostrze, szpic; stalówka
**nib·ble** [ˋnɪbl] *vt vi* gryźć, obgryzać, nadgryzać (**sth** ⟨**at sth**⟩ coś)
**nice** [naɪs] *adj* ładny; miły, przyjemny; wrażliwy; delikatny, subtelny; wybredny; skrupulatny
**nice-look·ing** [ˋnaɪslukɪŋ] *adj* przystojny; ładny
**ni·ce·ty** [ˋnaɪsətɪ] *s* delikatność, subtelność; precyzja, dokładność; **to a ~** możliwie najdokładniej; starannie, *przen.* na ostatni guzik; *pl* **niceties** drobiazgi, subtelności

**niche** [nɪtʃ] *s* nisza
**nick** [nɪk] *s* nacięcie, wcięcie; odpowiednia chwila; **in the ~ of time** w samą porę; **in the ~ of doing sth** w momencie robienia czegoś; *vt* nacinać, karbować; trafić, zgadnąć; **to ~ a train** zdążyć w ostatniej chwili na pociąg; **to ~ the time** zdążyć ⟨przyjść⟩ w samą porę
**nick·el** [ˋnɪkl] *s* nikiel; *am. pot.* pięciocentówka
**nick·name** [ˋnɪkneɪm] *s* przezwisko; przydomek; *vt* przezywać
**niece** [nis] *s* siostrzenica; bratanica
**nig·gard** [ˋnɪgəd] *s* skąpiec, sknera; *adj* skąpy
**nig·ger** [ˋnɪgə(r)] *s pog.* Murzyn
**nigh** [naɪ] *adj i adv poet.* = **near**
**night** [naɪt] *s* noc; wieczór; **by ⟨at⟩ ~** nocą, w nocy; **at ~** wieczorem; **last ~** ubiegłej nocy; wczoraj wieczorem; **the ~ before last** przedostatniej nocy; przedwczoraj wieczorem; **first ~** *teatr* premiera
**night·fall** [ˋnaɪtfɔl] *s* zmierzch
**night·in·gale** [ˋnaɪtɪŋgeɪl] *s* słowik
**night·ly** [ˋnaɪtlɪ] *adj* nocny, conocny; wieczorny; powtarzający się co wieczór; *adv* co noc; co wieczór
**night·mare** [ˋnaɪtmeə(r)] *s* koszmar (nocny)
**night-time** [ˋnaɪttaɪm] *s* noc, pora nocna
**ni·hil·ism** [ˋnaɪhɪlɪzm] *s* nihilizm
**nil** [nɪl] *s* nic; *sport* zero
**nim·ble** [ˋnɪmbl] *adj* zwinny, zgrabny; rączy; (*o umyśle*) bystry
**nine** [naɪn] *num* dziewięć; *s* dziewiątka
**nine·pins** [ˋnaɪnpɪnz] *s pl* kręgle
**nine·teen** [ˏnaɪnˋtin] *num* dziewiętnaście; *s* dziewiętnastka
**nine·teenth** [ˏnaɪnˋtinθ] *adj* dziewiętnasty
**nine·ti·eth** [ˋnaɪntɪəθ] *adj* dziewięćdziesiąty
**nine·ty** [ˋnaɪntɪ] *num* dziewięćdziesiąt; *s* dziewięćdziesiątka
**ninth** [naɪnθ] *adj* dziewiąty
**nip** [nɪp] *vt* szczypnąć; ścisnąć; ucinać; zwarzyć ⟨zmrozić⟩ (roślinę); **~ sth in the bud** zdusić coś w zarodku
**nip·ple** [ˋnɪpl] *s* sutka; smoczek
**ni·tric** [ˋnaɪtrɪk] *adj* azotowy
**ni·tro·gen** [ˋnaɪtrədʒən] *s* azot
**no** [nəʊ] *adj* nie; żaden; **~ doubt** niewątpliwie; **~ entrance** wstęp wzbroniony; **~ end** bez końca; **to ~ end** bez celu; **~ smoking** nie wolno palić; *adv* nie; *s* przecząca odpowiedź; odmowa
**no·bil·i·ty** [nəʊˋbɪlətɪ] *s* szlachectwo; szlachetność; szlachta, arystokracja
**no·ble** [ˋnəʊbl] *adj* szlachetny; szlachecki; *s* = **nobleman**
**no·ble·man** [ˋnəʊblmən] *s* szlachcic (wysokiego rodu), arystokrata
**no·bod·y** [ˋnəʊbədɪ] *pron* nikt; *s* nic nie znaczący człowiek, zero
**noc·tur·nal** [nokˋtɜnl] *adj* nocny
**nod** [nod] *vt* skinąć (**to sb** na kogoś); ukłonić się, kiwnąć głową; drzemać; *vi* kiwnąć ⟨skinąć⟩ (**one's head** głową); *s* skinienie, ukłon, kiwnięcie głową; drzemka
**noise** [nɔɪz] *s* hałas; odgłos; szum
**noi·some** [ˋnɔɪsəm] *adj* szkodliwy, niezdrowy; wstrętny
**nois·y** [ˋnɔɪzɪ] *adj* hałaśliwy
**no·mad** [ˋnəʊmæd] *s* koczownik; *adj* koczowniczy
**no·mad·ic** [nəʊˋmædɪk] *adj* koczowniczy
**nom·i·nal** [ˋnomɪnl] *adj* nominalny; imienny
**nom·i·nate** [ˋnomɪneɪt] *vt* mianować; wyznaczyć; wysunąć jako kandydata
**nom·i·na·tion** [ˏnomɪˋneɪʃn] *s* nominacja; wyznaczenie; wysunięcie kandydatury
**nom·i·na·tive** [ˋnomnətɪv] *s gram.* mianownik
**non-** [non] *praef* nie-; bez-
**non·age** [ˋnəʊnɪdʒ] *s* niepełnoletność

**non-ag·gres·sion** [ˈnonəˋgreʃn] *s* nieagresja; ~ **pact** pakt o nieagresji
**non·cha·lant** [ˋnonʃələnt] *adj* nonszalancki
**non-com·ba·tant** [ˈnonˋkombətənt] *adj* nie walczący; *s* żołnierz nieliniowy (np. sanitariusz)
**non-com·mis·sioned** [ˈnon kəˋmɪʃnd] *adj* nie mający stopnia oficerskiego; ~ **officer** podoficer
**non·con·form·ist** [ˈnon kənˋfɔmɪst] *s hist.* dysydent
**non-co·op·er·a·tion** [ˈnonkəuˈopəˋreɪʃn] *s* brak współdziałania, bierny opór
**non·de·script** [ˋnondɪskrɪpt] *adj* nie dający się opisać ⟨określić⟩; dziwaczny; *s* osoba ⟨rzecz⟩ nieokreślonego wyglądu; człowiek bez określonego zajęcia; dziwak
**none** [nʌn] *pron* nikt, żaden, nic; ~ **of this** ⟨**that**⟩ nic z tego; ~ **of that!** dość tego!; *adv* wcale ⟨bynajmniej⟩ nie; **I feel** ~ **the better** wcale nie czuję się lepiej; ~ **the less** tym niemniej
**non·en·ti·ty** [nonˋentətɪ] *s* nicość; fikcja; człowiek bez znaczenia, zero
**none·such** = **nonsuch**
**non-i·ron** [ˈnonˋaɪən] *adj* nie wymagający prasowania
**non-par·ty** [ˈnonˋpɑtɪ] *adj attr* bezpartyjny
**non·plus** [nonˋplʌs] *s* zakłopotanie; impas; *vt* zakłopotać; zapędzić w kozi róg
**non-res·i·dent** [ˈnonˋrezɪdənt] *adj* (uczeń, lekarz itp.) dojeżdżający, zamiejscowy
**non·sense** [ˋnonsns] *s* niedorzeczność, nonsens
**non-smok·er** [ˈnonˋsməukə(r)] *s* niepalący; wagon ⟨przedział⟩ dla niepalących
**non-stop** [ˈnonˋstop] *adj attr* bezpośredni, bez postoju, bez lądowania; nieprzerwany
**non·such** [ˋnʌnsʌtʃ] *s* unikat; osoba ⟨rzecz⟩ niezrównana
**noo·dle** 1. [ˋnudl] *s* makaron
**noo·dle** 2. [ˋnudl] *s* głuptas
**nook** [nuk] *s* **kąt, zakątek**
**noon** [nun] *s* południe (pora dnia)
**noon·day** [ˋnundeɪ] *s* = **noon**; *adj attr* południowy
**noon·tide** [ˋnuntaɪd] = **noonday**
**noose** [nus] *s* lasso, pętla; *przen.* sidła; *vt* złapać w pętlę ⟨w sidła⟩; wiązać na pętlę; *przen.* usidlić
**nor** [nɔ(r)] *adv* ani; także ⟨też⟩ nie; **he doesn't know her,** ~ **do I** on jej nie zna, ani ja ⟨i ja też nie⟩
**norm** [nɔm] *s* norma
**nor·mal** [ˋnɔml] *adj* normalny
**north** [nɔθ] *s geogr.* północ; *adj* północny; *adv* na północ, w kierunku północnym; na północy
**north·er·ly** [ˋnɔðəlɪ] *adj* północny
**north·ern** [ˋnɔðən] *adj* północny
**north·ward** [ˋnɔθwəd] *adj* (*o kierunku*) północny; *adv* (*także* ~**s**) ku północy, na północ
**north·west·er** [ˈnɔθˋwestə(r)] *s* wiatr północno-zachodni
**Nor·we·gian** [nɔˋwidʒən] *adj* norweski; *s* Norweg; język norweski
**nose** [nəuz] *s* nos; *vt vi* czuć zapach (**sth** czegoś), wąchać (**at sth** coś); węszyć (**sth** ⟨**after sth**⟩ za czymś); ~ **down** *lotn.* pikować; ~ **out** wywęszyć
**nose-dive** [ˋnəuzdaɪv] *vi* (*o samolocie*) pikować; spadać prosto w dół; *s lotn.* pikowanie; nurkowanie
**nose·gay** [ˋnəuzgeɪ] *s* bukiet
**nos·tril** [ˋnostrɪl] *s* nozdrze
**not** [not] *adv* nie; ~ **at all** ⟨**a bit**⟩ ani trochę, wcale nie; ~ **a word** ani słowa
**no·ta·bil·i·ty** [ˈnəutəˋbɪlətɪ] *s* (*o człowieku*) znakomitość; znaczenie, sława
**no·ta·ble** [ˋnəutəbl] *adj* godny uwagi; wybitny, sławny
**no·ta·ry** [ˋnəutərɪ] *s* notariusz
**no·ta·tion** [nəuˋteɪʃn] *s* oznaczanie

symbolami ⟨znakami⟩; system znaków

**notch** [notʃ] *s* wcięcie, nacięcie; znak; *vt* nacinać, robić znaki ⟨nacięcia, karby⟩

**note** [nəut] *s* notatka, uwaga; bilecik, list; nota (dyplomatyczna); uwaga; znaczenie, sława; banknot; rachunek; znak, piętno; nuta; **to make a ~** zanotować (**of sth** coś); **to take a ~** zanotować sobie (**of sth** coś); zwrócić uwagę (**of sth** na coś); przyjąć do wiadomości (**of sth** coś); *vt* (*także* **~ down**) notować, zapisywać; robić adnotacje; zwracać uwagę (na coś)

**note·book** [ˋnəutbuk] *s* notatnik, notes

**not·ed** [ˋnəutɪd] *pp i adj* znany, wybitny

**note·pa·per** [ˋnəut peɪpə(r)] *s* papier listowy

**note·wor·thy** [ˋnəutwɜðɪ] *adj* godny uwagi, wybitny

**noth·ing** [ˋnʌθɪŋ] *s* nic; **all to ~** wszystko na nic; **for ~** bezpłatnie; bez powodu; na próżno; **~ at all** w ogóle nic; (*grzecznościowo*) proszę, nie ma za co; **~ but ...** nic (jak) tylko ...; nic oprócz ...; **~ much** nic ważnego; **~ to speak of** nie ma o czym mówić; nie warto wspominać; **to say ~ of** nie mówiąc o; pomijając; a co dopiero; **there's ~ for it but...** nie ma innej rady ⟨nic mi nie pozostaje⟩ jak tylko ...; *adv* wcale ⟨bynajmniej⟩ nie; **this will help you ~** to ci wcale nie pomoże; **I'm ~ the better for it** wcale mi nie lepiej z tego powodu, nic na tym nie zyskuję

**no·tice** [ˋnəutɪs] *s* notatka, wiadomość, ogłoszenie; uwaga; spostrzeżenie; ostrzeżenie; wypowiedzenie; termin; **at one month's ~** w terminie jednomiesięcznym; z jednomiesięcznym wypowiedzeniem; **to bring sth to sb's ~** zwrócić komuś na coś uwagę, powiadomić kogoś o czymś; **to come to sb's ~** dojść do czyjejś wiadomości; **to come into ~** zwrócić na siebie uwagę, stać się znanym; **to take ~** zwrócić uwagę, zauważyć (**of sth** coś); *vt* zauważyć, spostrzec; robić uwagi, komentować; wypowiedzieć (posadę itd.)

**no·tice·a·ble** [ˋnəutɪsəbl] *adj* widoczny, dostrzegalny; godny uwagi

**no·tice-board** [ˋnəutɪsbɔd] *s* tablica ogłoszeń

**no·ti·fi·ca·tion** [ˏnəutɪfɪˋkeɪʃn] *s* zawiadomienie ⟨ogłoszenie⟩ (**of sth** o czymś)

**no·ti·fy** [ˋnəutɪfaɪ] *vt* obwieścić (**sth to sb** coś komuś), zawiadomić (**sb of sth** kogoś o czymś)

**no·tion** [ˋnəuʃn] *s* pojęcie, wyobrażenie; myśl, pogląd; zamiar; kaprys

**no·to·ri·e·ty** [ˏnəutəˋraɪətɪ] *s* (*zw. uj.*) sława, rozgłos

**no·tor·i·ous** [nəuˋtɔrɪəs] *adj* notoryczny; osławiony

**not·with·stand·ing** [ˏnotwɪðˋstændɪŋ] *praep* mimo, nie bacząc na; *adv* mimo to, niemniej jednak, jednakże

**nought** [nɔt] = **naught**

**noun** [naun] *s gram.* rzeczownik

**nour·ish** [ˋnʌrɪʃ] *vt* karmić, żywić (*także* uczucie); podtrzymywać

**nour·ish·ment** [ˋnʌrɪʃmənt] *s* pokarm; żywienie

**nov·el** [ˋnovl] *s* powieść; *adv* nowy, nieznany; oryginalny

**nov·el·ist** [ˋnovlɪst] *s* powieściopisarz

**nov·el·ty** [ˋnovltɪ] *s* nowość; oryginalność

**No·vem·ber** [nəuˋvembə(r)] *s* listopad

**nov·ice** [ˋnovɪs] *s* nowicjusz

**now** [nau] *adv* obecnie, teraz; **~ and again** od czasu do czasu; **every ~ and again** co chwilę; **just ~** dopiero co, przed chwilą; otóż, przecież, no; *s* chwila obecna; **before ~** już; przedtem; **by ~** już; do tego czasu; **from ~ on** odtąd; w przyszłości; **till ⟨until, up to⟩ ~** dotąd, dotychczas; *conj* **~ (that)** teraz gdy; skoro (już)

**now·a·days** [ˋnauədeɪz] *adv* obecnie, w dzisiejszych czasach

**no·where** [ˋnəuweə(r)] *adv* nigdzie

**nox·ious** [ˋnokʃəs] *adj* szkodliwy, niezdrowy

**noz·zle** [ˋnozl] *s* dziobek (np. imbryka); wylot (np. rury)

**nu·cle·ar** [ˋnjuklɪə(r)] *adj biol. fiz.* jądrowy, nuklearny

**nu·cle·us** [ˋnjuklɪəs] *s biol. fiz.* jądro; zawiązek

**nude** [njud] *adj* nagi; *s* akt (w malarstwie, rzeźbie)

**nudge** [nʌdʒ] *vt* trącić łokciem (dla zwrócenia czyjejś uwagi); *s* trącenie łokciem

**nug·get** [ˋnʌgɪt] *s* bryłka (np. złota)

**nui·sance** [ˋnjusns] *s* przykrość; dokuczliwość; osoba ⟨rzecz⟩ dokuczliwa ⟨uciążliwa⟩; **to be a ~** zawadzać, dokuczać, dawać się we znaki; **what a ~ that child is!** jakie to dziecko jest nieznośne!

**null** [nʌl] *adj* nie istniejący, niebyły; *prawn.* nieważny; *prawn.* **~ and void** nie mający prawnego znaczenia

**nul·li·fy** [ˋnʌlɪfaɪ] *vt* unieważnić

**numb** [nʌm] *adj* zdrętwiały, bez czucia

**num·ber** [ˋnʌmbə(r)] *s* liczba; numer; *gram.* liczebnik; **a ~ of** dużo; **in ~s** w wielkich ilościach, gromadnie; **without ~** bez liku; *vt* liczyć; liczyć sobie; zaliczyć (**among ⟨in⟩** do); numerować

**num·ber·less** [ˋnʌmbələs] *adj* niezliczony

**nu·mer·al** [ˋnjumərl] *s* cyfra; *gram.* liczebnik; *adj* liczbowy

**nu·mer·a·tor** [ˋnjumәreɪtә(r)] *s mat.* licznik

**nu·mer·ous** [ˋnjumərəs] *adj* liczny

**nun** [nʌn] *s* zakonnica

**nun·ci·o** [ˋnʌnsɪəu] *s* nuncjusz

**nup·tial** [ˋnʌpʃl] *adj* ślubny, małżeński

**nurse** [nɜs] *s* niańka, mamka; pielęgniarz, pielęgniarka; bona; *vt* niańczyć, pielęgnować; karmić; hodować; żywić (uczucie)

**nurse·ling** [ˋnɜslɪŋ] *s* osesek

**nurs·er·y** [ˋnɜsŗɪ] *s* pokój dziecinny; szkółka drzew; (*także* **day ~**) żłobek; **~ school** przedszkole

**nur·ture** [ˋnɜtʃə(r)] *vt* karmić; wychowywać; kształcić; *s* opieka, wychowanie; kształcenie; pożywienie

**nut** [nʌt] *s* orzech

**nut·meg** [ˋnʌtmeg] *s* gałka muszkatołowa

**nu·tri·ment** [ˋnjutrɪmənt] *s* pokarm, środek odżywczy

**nu·tri·tion** [njuˋtrɪʃn] *s* odżywianie

**nu·tri·tious** [njuˋtrɪʃəs] *adj* pożywny, odżywczy

**nu·tri·tive** [ˋnjutrɪtɪv] *adj* odżywczy; *s* środek odżywczy

**nut·shell** [ˋnʌtʃel] *s* łupina orzecha; **in a ~** jak najkrócej, w paru słowach

**ny·lon** [ˋnaɪlon] *s* nylon; *pl* **~s** nylony (pończochy)

**nymph** [nɪmf] *s* nimfa

# O

**O, o** [əu] zero
**oak** [əuk] *s* (*także* ~ **tree**) dąb
**oak·en** [`əukən] *adj* dębowy
**oak·um** [`əukəm] *s* pakuły
**oar** [ɔ(r)] *s* wiosło; **to pull a good ~** dobrze wiosłować; *przen.* **to put in one's ~** wtrącać się w nieswoje sprawy; *vt vi* wiosłować
**oars·man** [`ɔzmən] *s* wioślarz
**o·a·sis** [əu`eɪsɪs] *s* (*pl* **oases** [əu`eɪsiz]) oaza
**oat** [əut] *s* (*zw. pl* ~**s**) owies
**oath** [əuθ] *s* przysięga; przekleństwo; **to take ⟨make, swear⟩ an ~** przysięgać
**oat·meal** [`əutmil] *s* owsianka
**ob·du·rate** [`obdjuərət] *adj* nieczuły; zatwardziały; uparty
**o·be·dience** [ə`bidɪəns] *s* posłuszeństwo
**o·be·dient** [ə`bidɪənt] *adj* posłuszny
**o·bei·sance** [əu`beɪsns] *s* głęboki ukłon; hołd; **to make ⟨pay⟩ ~** złożyć hołd
**ob·e·lisk** [`obəlɪsk] *s* obelisk
**o·bese** [əu`bis] *adj* otyły
**o·bes·i·ty** [əu`bisətɪ] *s* otyłość
**o·bey** [ə`beɪ] *vt vi* słuchać, być posłusznym, przestrzegać (praw itp.)
**o·bit·u·ar·y** [ə`bɪtʃuərɪ] *adj* pośmiertny, żałobny; *s* nekrolog; ~ **notice** klepsydra
**ob·ject 1.** [`obdʒɪkt] *s* przedmiot; rzecz; cel; *gram.* dopełnienie
**ob·ject 2.** [əb`dʒekt] *vt vi* zarzucać ⟨mieć do zarzucenia⟩ (coś komuś); protestować, oponować; sprzeciwiać się (**to sth** czemuś)
**ob·jec·tion** [əb`dʒekʃn] *s* zarzut; sprzeciw; przeszkoda, trudność; **I have no ~ to it** nie mam nic przeciwko temu
**ob·jec·tion·a·ble** [əb`dʒekʃnəbl] *adj* budzący sprzeciw; niewłaściwy; niepożądany; naganny; wstrętny
**ob·jec·tive** [ob`dʒektɪv] *adj* obiektywny, bezstronny; przedmiotowy; *gram.* ~ **case** biernik; *s* cel; obiektyw
**ob·jec·tiv·i·ty** [ˌobdʒek`tɪvətɪ] *s* obiektywność
**ob·ject-les·son** [`obdʒɪkt lesn] *s* lekcja poglądowa
**ob·jec·tor** [əb`dʒektə(r)] *s* wnoszący sprzeciw, oponent; **conscientious ~** człowiek uchylający się od służby wojskowej z powodu nakazów sumienia
**ob·li·ga·tion** [ˌoblɪ`geɪʃn] *s* zobowiązanie; obligacja, dług; **to be under an ~** być zobowiązanym; **to undertake an ~** zobowiązać się
**ob·lig·a·to·ry** [ə`blɪgətrɪ] *adj* obowiązujący, obowiązkowy, wiążący
**o·blige** [ə`blaɪdʒ] *vt* zobowiązywać; zmuszać; obowiązywać; mieć moc wiążącą; sprawić przyjemność, wyświadczyć grzeczność, usłużyć (**sb with sth** komuś czymś)
**o·blig·ing** [ə`blaɪdʒɪŋ] *adj* uprzejmy
**ob·lique** [ə`blik] *adj* skośny, nachylony; pośredni; *przen.* wykrętny, nieszczery; *gram.* zależny
**ob·liq·ui·ty** [ə`blikwətɪ] *s* pochyłość, nachylenie; *przen.* nieszczerość, dwulicowość
**ob·lit·er·ate** [ə`blɪtəreɪt] *vt* zatrzeć, zetrzeć, wykreślić; zniszczyć
**ob·liv·i·on** [ə`blɪvɪən] *s* zapomnienie, niepamięć
**ob·liv·i·ous** [ə`blɪvɪəs] *adj* zapominający, niepomny; **to be ~** nie pamiętać (**of sth** o czymś)
**ob·long** [`oblоŋ] *adj* podłużny; prostokątny

**ob·lo·quy** [ˋobləkwɪ] *s* obmowa, zniesławienie; hańba

**ob·nox·ious** [əbˋnokʃəs] *adj* wstrętny, odpychający, przykry

**o·boe** [ˋəubəu] *s muz.* obój

**ob·scene** [əbˋsin] *adj* nieprzyzwoity, obsceniczny

**ob·scen·i·ty** [əbˋsenətɪ] *s* niemoralność, sprośność

**ob·scure** [əbˋskjuə(r)] *adj* ciemny; niezrozumiały; nieznany; niejasny; niewyraźny; *fiz.* **~ rays** promienie niewidzialne; *vt* zaciemniać; przyćmiewać

**ob·scu·ri·ty** [əbˋskjuərətɪ] *s* ciemność; niezrozumiałość; zapomnienie; **to live in ~** żyć z dala od świata

**ob·se·quies** [ˋobsɪkwɪz] *s pl* uroczystości żałobne, uroczysty pogrzeb

**ob·se·qui·ous** [əbˋsikwɪəs] *adj* służalczy, uległy

**ob·serv·ance** [əbˋzɜvəns] *s* przestrzeganie ⟨poszanowanie⟩ (prawa, zwyczaju itp.); obchodzenie (świąt); obrzęd, rytuał

**ob·serv·ant** [əbˋzɜvənt] *adj* przestrzegający; uważny, spostrzegawczy

**ob·ser·va·tion** [ˌobzəˋveɪʃn] *s* obserwacja, spostrzeganie; spostrzegawczość; uwaga, spostrzeżenie

**ob·serv·a·to·ry** [əbˋzɜvətrɪ] *s* obserwatorium

**ob·serve** [əbˋzɜv] *s* obserwować; spostrzegać; zauważyć, zrobić uwagę ⟨spostrzeżenie⟩; przestrzegać (ustaw itd.); zachowywać (zwyczaj itp.); obchodzić (święta itp.)

**ob·serv·er** [əbˋzɜvə(r)] *s* obserwator; człowiek przestrzegający (prawa, zwyczaju itp.)

**ob·sess** [əbˋses] *vt* (*o myślach*) prześladować; (*o duchach*) nawiedzać; nie dawać spokoju (sb komuś)

**ob·ses·sion** [əbˋseʃn] *s* obsesja, opętanie; natręctwo (myślowe)

**ob·so·lete** [ˋobsəlit] *adj* przestarzały, nie będący (już) w użyciu

**ob·sta·cle** [ˋobstəkl] *s* przeszkoda; **~ race** bieg z przeszkodami

**ob·stet·rics** [əbˋstetrɪks] *s* położnictwo

**ob·sti·na·cy** [ˋobstɪnəsɪ] *s* upór, zawziętość

**ob·sti·nate** [ˋobstɪnət] *adj* uparty, zawzięty; uporczywy

**ob·struct** [əbˋstrʌkt] *vt* zagradzać; wywoływać zator; przeszkadzać; hamować; wstrzymywać; zatykać, zapychać; powodować zaparcie

**ob·struc·tion** [əbˋstrʌkʃn] *s* przeszkoda; zator; zatamowanie; obstrukcja, zaparcie; utrudnienie

**ob·tain** [əbˋteɪn] *vt* otrzymać, uzyskać, osiągnąć; *vi* utrzymywać się, trwać; być w użyciu ⟨w mocy⟩; panować

**ob·tain·a·ble** [əbˋteɪnəbl] *adj* osiągalny, możliwy do nabycia

**ob·trude** [əbˋtrud] *vt* narzucać (**sth on ⟨upon⟩ sb** coś komuś); *vi* narzucać się (**on ⟨upon⟩ sb** komuś)

**ob·tru·sion** [əbˋtruʒn] *s* narzucanie się (**on sb** komuś); natręctwo

**ob·tru·sive** [əbˋtrusɪv] *adj* narzucający się, natrętny

**ob·tuse** [əbˋtjus] *adj* przytępiony; tępy, głupi; *mat.* (*o kącie*) rozwarty

**ob·vi·ate** [ˋobvɪeɪt] *vt* zapobiec (**sth** czemuś); ustrzec się; ominąć (przeszkodę)

**ob·vi·ous** [ˋobvɪəs] *adj* oczywisty

**oc·ca·sion** [əˋkeɪʒn] *s* okazja, sposobność; powód, przyczyna; **on ~** okazyjnie, przy sposobności; **to rise to the ~** stanąć na wysokości zadania; **to take ~** skorzystać ze sposobności; *vt* spowodować, wywołać, wzbudzić

**oc·ca·sion·al** [əˋkeɪʒnl] *adj* okolicznościowy; przypadkowy, nieregularny; rzadki

**Oc·ci·dent** [ˋoksɪdənt] *s* Zachod

**oc·cult** [oˋkʌlt] *adj* tajemny; okultystyczny

**oc·cult·ism** [oˋkʌltɪzm] *s* okultyzm
**oc·cu·pant** [ˋokjupənt] *s* posiadacz; mieszkaniec, lokator, użytkownik; pasażer (w pojeździe); okupant
**oc·cu·pa·tion** [ˌokjuˋpeɪʃn] *s* okupacja; zajęcie, zawód; zajmowanie ⟨zamieszkiwanie⟩ (lokalu itd.)
**oc·cu·pa·tion·al** [ˌokjuˋpeɪʃnl] *adj* (*o ryzyku, chorobie itp.*) zawodowy
**oc·cu·py** [ˋokjupaɪ] *vt* okupować; zajmować; posiadać
**oc·cur** [əˋkɜ(r)] *vi* zdarzać się; trafiać się, występować; przychodzić na myśl
**oc·cur·rence** [əˋkʌrns] *s* wydarzenie, wypadek; występowanie
**o·cean** [ˋəuʃn] *s* ocean
**o'clock** [əˋklok]: **six ~** szósta godzina; *zob.* **clock**
**Oc·to·ber** [okˋtəubə(r)] *s* październik
**oc·to·pus** [ˋoktəpəs] *s* (*pl* **~es, octopi** [ˋoktəpaɪ]) *zool.* ośmiornica
**oc·u·lar** [ˋokjulə(r)] *adj* oczny; naoczny; *s* okular
**oc·u·list** [ˋokjulɪst] *s* okulista
**odd** [od] *adj* dziwny, dziwaczny; (*o liczbie*) nieparzysty; dodatkowy, ponad normę, z okładem; zbywający; przypadkowy; **~ jobs** drobne ⟨dorywcze⟩ zajęcia; **an ~ shoe** (jeden) but nie do pary
**odd·i·ty** [ˋodətɪ] *s* dziwactwo, osobliwość
**odd·ments** [ˋodmənts] *s pl* odpadki, resztki
**odds** [odz] *s pl* nierówność; nierówna ilość; nierówna szansa; przewaga; różnica; niezgoda; prawdopodobieństwo, możliwość; **it is no ~** to obojętne; **it makes no ~** to nie stanowi różnicy; **what's the ~?** jaka różnica?; czy to nie wszystko jedno?; **to be at ~** kłócić się, być w sprzeczności; **~ and ends = oddments**
**ode** [əud] *s* oda
**o·di·ous** [ˋəudɪəs] *adj* wstrętny, nienawistny, ohydny
**o·dour** [ˋəudə(r)] *s* zapach, woń; posmak; reputacja
**o'er** [ɔ(r)] *poet.* = **over**
**of** [ov, əv] *praep* od, z, ze, na; *służy do tworzenia dopełniacza i przydawki*: **author of the book** autor książki; **a friend of mine** mój przyjaciel; **the city of London** miasto Londyn; **a man of tact** człowiek taktowny; *określa miejsce lub pochodzenie*: **a man of London** człowiek z Londynu, londyńczyk; *czas*: **of a nice day** pewnego pięknego dnia; **of late** ostatnio; *przyczynę*: **to die of typhus** umrzeć na tyfus; *tworzywo*: **made of wood** zrobiony z drewna; *zawartość*: **a bottle of milk** butelka mleka; *przynależność, podział, udział*: **to be one of the party** należeć do towarzystwa; **one of us** jeden z nas; *odległość*: **within one mile of the school** w obrębie jednej mili od szkoły; *stosunek*: **regardless of his will** bez względu na jego wolę; **it is kind of you** to uprzejmie z twojej strony; *wiek*: **a man of forty** człowiek czterdziestoletni; *po przymiotniku ⟨przysłówku⟩ w stopniu najwyższym*: **the best of all** najlepszy ze wszystkich
**off** [of] *praep* od, z, ze; od strony; spoza; z dala; na boku; w odległości; **to take the picture ~ the wall** zdjąć obraz ze ściany; **to stand ~ the road** stać w pewnej odległości od drogi; **to take 10% ~ the price** potrącić 10% z ceny; **~ the mark** nietrafny, chybiony (strzał); **to be ~ duty** nie być na służbie; *adv* precz, hen daleko, daleko od (środka, celu, głównego tematu itd.); **hands ~!** precz z rękami!; **the button is ~** guzik się urwał; **the electricity is ~** elektryczność jest wyłączona; **I must be ~** muszę odejść; **you ought to keep ~** powinie-

neś trzymać się na uboczu ⟨z dala⟩; **this dish is ~** to danie jest skreślone z karty; **~ and on, on and ~** od czasu do czasu; z przerwami; *adj* dalszy, odległy; leżący obok; **~ street** boczna ulica; **~ day, day ~** dzień wolny od pracy; **well ~** zamożny

**of·fal** [`ofl] *s zbior.* odpadki; mięso ⟨ryby⟩ najniższego gatunku (np. podroby)

**of·fence** [ə`fens] *s* obraza; zaczepka; przestępstwo, przekroczenie; **to take ~** obrażać się (**at sth** z powodu czegoś); **to give ~** obrazić ⟨dotknąć⟩ (**to sb** kogoś)

**of·fend** [ə`fend] *vt* obrazić, urazić; *vi* wykroczyć (**against sth** przeciwko czemuś)

**of·fend·er** [ə`fendə(r)] *s* obrażający; winowajca, popełniający wykroczenie, przestępca; **first ~** przestępca karany po raz pierwszy

**of·fen·sive** [ə`fensɪv] *adj* zaczepny, napastliwy; obraźliwy; odrażający; *s* ofensywa; **to be on the ~** być w ofensywie; **to take the ~** przejść do ofensywy

**of·fer** [`ofə(r)] *vt* ofiarować, oferować; przedkładać; proponować; okazywać gotowość; wystawiać na sprzedaż (**goods** towary); **to ~ resistance** stawiać opór; *vi* wystąpić z propozycją; oświadczyć się; (*o okazji itp.*) trafić się; *s* propozycja, oferta (*także handl.*)

**of·fer·ing** [`ofrɪŋ] *ppraes i s* ofiara; propozycja, oferta

**off-hand** [of `hænd] *adv* szybko, z miejsca, bez przygotowania; bezceremonialnie; *adj attr* szybki; improwizowany, zrobiony od ręki; bezceremonialny

**of·fice** [`ofɪs] *s* urząd, biuro; ministerstwo; urzędowanie, służba, posada, obowiązek służbowy; nabożeństwo; przysługa; **to be in ~** piastować urząd, sprawować rządy; **to be out of ~** być w opozycji (np. o partii); **to take ⟨enter upon⟩ ~** objąć urząd

**of·fi·cer** [`ofɪsə(r)] *s* oficer; urzędnik; funkcjonariusz

**of·fi·cial** [ə`fɪʃl] *adj* oficjalny, urzędowy; *s* urzędnik

**of·fi·ci·ate** [ə`fɪʃɪeɪt] *vi* urzędować; pełnić obowiązki (urzędowe, religijne itd.)

**of·fi·cious** [ə`fɪʃəs] *adj* półurzędowy; natrętny, narzucający się; nadgorliwy

**off-li·cence** [`of laɪsns] *s bryt.* koncesja na sprzedaż alkoholu na wynos

**off-print** [`of prɪnt] *s* odbitka (artykułu)

**off·set** [`ofset] *s* odgałęzienie, odnoga; potomek; wynagrodzenie, wyrównanie (straty, długu); *druk.* offset; *vt* wyrównać, zrównoważyć, wynagrodzić; drukować offsetem

**off·shoot** [`ofʃut] *s* odgałęzienie, odrośl; potomek z bocznej linii

**off·spring** [`ofsprɪŋ] *s* potomek

**of·ten** [`ofn] *adv* często

**o·gle** [`əugl] *vt* zerkać ⟨patrzeć zalotnie⟩ (**sb** na kogoś); *vi* robić oko (**at sb** do kogoś); *s* zerkanie

**o·gre** [`əugə(r)] *s* ludożerca (w bajkach)

**oil** [ɔɪl] *s* oliwa, olej; farba olejna; nafta; **to strike ~** trafić na źródło nafty; *przen.* mieć szczęście; *przen.* **to pour ~ on the flame** dolać oliwy do ognia; *vt* smarować, oliwić

**oil·cloth** [`ɔɪlkloθ] *s* cerata

**oil-col·our** [`ɔɪl kʌlə(r)] *s* farba olejna

**oil-field** [`ɔɪl fild] *s* pole naftowe

**oil-paint·ing** [`ɔɪl peɪntɪŋ] *s* malarstwo olejne; obraz olejny

**oil·skin** [`ɔɪl skɪn] = **oilcloth**; *pl* **~s** ubranie nieprzemakalne

**oil·y** [`ɔɪlɪ] *adj* oleisty; natłuszczony; *przen.* gładki, pochlebczy, służalczy

**oint·ment** [`ɔɪntmənt] *s* maść

**O.K., okay** [ˈəuˋkeɪ] *adv pot.* dobrze, w porządku; *interj* dobrze!; *adj praed* (będący) w porządku ⟨w dobrym stanie, na miejscu⟩; *vt pot.* zaaprobować

**old** [əuld] *adj* stary; dawny; były; **~ age** starość; **~ age pension** renta starcza; **~ hand** stary praktyk; **~ pupil** były uczeń, absolwent; **times of ~** dawno minione czasy

**old-fash·ioned** [ˈəuldˋfæʃnd] *adj* staromodny; niemodny

**ol·ive** [ˋolɪv] *s* oliwka; (*także* **~-tree**) drzewo oliwne

**olive-branch** [ˋolɪvbrantʃ] *s* gałązka oliwna

**Olym·pic** [əˋlɪmpɪk] *adj* olimpijski; **the ~ Games** igrzyska olimpijskie

**o·men** [ˋəumen] *s* zły znak, wróżba, omen

**om·i·nous** [ˋomɪnəs] *adj* złowieszczy, fatalny

**o·mis·sion** [əˋmɪʃn] *s* opuszczenie, przeoczenie; zaniedbanie

**o·mit** [əˋmɪt] *adj* opuścić, pominąć, przeoczyć

**om·ni·bus** [ˋomnɪbəs] *s* omnibus

**om·nip·o·tent** [omˋnɪpətənt] *adj* wszechmocny

**om·nis·cient** [omˋnɪʃnt] *adj* wszechwiedzący

**on** [on] *praep* na, nad, u, przy, po, w; **on foot** piechotą; **on horseback** konno; **on Monday** w poniedziałek; **on my arrival** po moim przybyciu; *adv* dalej, naprzód; na sobie; **and so on** i tak dalej; **from now on** od tej chwili (na przyszłość); **read on** czytaj dalej; **with my overcoat on** w palcie; **the light is on** światło jest zapalone; **the play is on** sztuka jest grana na scenie

**once** [wʌns] *adv* raz, jeden raz; kiedyś (w przyszłości); (*także* **~ upon a time**) pewnego razu; niegdyś; **~ again** ⟨**more**⟩ jeszcze raz; **~ and again** raz po raz; **~ for all** raz na zawsze; **all at ~** nagle; **at ~** naraz, od razu, zaraz, natychmiast; równocześnie; *conj* skoro, skoro już, skoro tylko; *s* raz; **for this ~** tylko tym razem

**one** [wʌn] *num adj* jeden, jedyny, niejaki, pewien; *pron* ktoś; **no ~** nikt; *w połączeniu z* **the, this, that** *i przymiotnikami*: ten; **this ~** ten; **the red ~** ten czerwony; *pron impers* **~ lives** żyje się; **~ never knows** nigdy nie wiadomo; *pron zastępczy*: **I don't want this book, give me another ~** nie chcę tej książki, daj mi inną

**one-armed** [ˈwʌnˋamd] *adj* jednoręki

**one-eyed** [ˈwʌnˋaɪd] *adj* jednooki

**one·self** [wʌnˋself] *pron* sam, sam jeden, bez pomocy; (samego) siebie, się, sobie, sobą

**one-sid·ed** [ˈwʌnˋsaɪdɪd] *adj* jednostronny

**on·ion** [ˋʌnɪən] *s* cebula

**on·look·er** [ˋonlukə(r)] *s* widz

**on·ly** [ˋəunlɪ] *adj* jedyny; *adv* tylko, jedynie; dopiero

**on·rush** [ˋonrʌʃ] *s* napad; napór; poryw

**on·set** [ˋonset] *s* najście; zryw; początek

**on·ward** [ˋonwəd] *adj* idący ⟨skierowany⟩ naprzód ⟨ku przodowi⟩; *adv* naprzód, dalej, ku przodowi

**on·wards** [ˋonwədz] = **onward** *adv*

**ooze** [uz] *s* muł, szlam; *vi* (*także* **~ out** ⟨**away**⟩) przeciekać, sączyć się

**o·pen** [ˋəupən] *adj* otwarty; odsłonięty, obnażony; publiczny; szczery; skłonny; **~ air** wolne ⟨świeże⟩ powietrze; **~ to doubt** wątpliwy; **to lay ~** odsłonić, ujawnić; *vt vi* otwierać (się); objawiać, ogłaszać; rozpoczynać (się); *s* wolna przestrzeń, otwar-

te pole, świeże powietrze
**o·pen-heart·ed** [ˈəupənˋhɑtɪd] *adj* szczery, serdeczny
**o·pen·ing** [ˋəupnɪŋ] *ppraes i s* otwór; otwarcie; początek; wolna przestrzeń; wakans; okazja, szansa
**o·pen-mind·ed** [ˈəupənˋmaɪndɪd] *adj* mający szerokie poglądy; bez uprzedzeń, bezstronny
**op·er·a** [ˋoprə] *s* opera
**op·e·ra-glass** [ˋoprəglɑs] *s* (*zw. pl* **~es**) lornetka teatralna
**op·er·ate** [ˋopəreɪt] *vt vi* działać; powodować działanie; oddziaływać; operować (**on** ⟨**upon**⟩ **sb** kogoś); wprawiać w ruch, obsługiwać (np. maszynę); spekulować (na giełdzie); *am.* kierować (czymś), eksploatować (coś)
**op·er·at·ic** [ˈopəˋrætɪk] *adj* operowy
**op·er·a·tion** [ˈopəˋreɪʃn] *s* operacja; działanie; *am.* kierownictwo, eksploatacja
**op·er·a·tive** [ˋoprətɪv] *adj* czynny, skuteczny, działający; obowiązujący; praktyczny; techniczny; operacyjny; *s* robotnik obsługujący maszynę
**op·er·a·tor** [ˋopəreɪtə(r)] *s* operator; robotnik ⟨pracownik⟩ obsługujący maszynę, aparat itd.; telefonista; *am.* kierownik
**op·er·et·ta** [ˈopəˋretə] *s* operetka
**o·pin·ion** [əˋpɪnɪən] *s* opinia, zdanie, pogląd; **in my ~** moim zdaniem; **public ~** opinia publiczna; **~ poll** badanie opinii (publicznej)
**op·por·tune** [ˋopətjun] *adj* dogodny; pomyślny; odpowiedni
**op·por·tun·ism** [ˈopəˋtjunɪzm] *s* oportunizm
**op·por·tu·ni·ty** [ˈopəˋtjunətɪ] *s* sposobność; **to take** ⟨**seize**⟩ **the ~** skorzystać ze sposobności
**op·pose** [əˋpəuz] *vt* przeciwstawiać ⟨sprzeciwiać⟩ się (**sb, sth** komuś, czemuś); oponować; **to be ~d** sprzeciwiać się (**to sb, sth** komuś, czemuś); stanowić przeciwieństwo (**to sb, sth** kogoś, czegoś)
**op·po·site** [ˋopəzɪt] *adj* przeciwległy, przeciwny; (znajdujący się) naprzeciwko; *s* przeciwieństwo; *adv praep* naprzeciwko
**op·po·si·tion** [ˈopəˋzɪʃn] *s* opozycja, opór; przeciwstawienie
**op·press** [əˋpres] *vt* uciskać, gnębić; męczyć
**op·pres·sion** [əˋpreʃn] *s* ucisk; znużenie
**op·press·ive** [əˋpresɪv] *adj* uciskający, gnębiący; ciążący; męczący; (*o pogodzie*) duszny
**op·pro·bri·um** [əˋprəubrɪəm] *s* hańba, niesława
**op·tic** [ˋoptɪk] *adj* optyczny
**op·tics** [ˋoptɪks] *s* optyka
**op·ti·mism** [ˋoptɪmɪzm] *s* optymizm
**op·ti·mis·tic** [ˈoptɪˋmɪstɪk] *adj* optymistyczny
**op·tion** [ˋopʃn] *s* prawo wyboru, wybór
**op·tion·al** [ˋopʃnl] *adj* dowolny; nadobowiązkowy, fakultatywny
**op·u·lence** [ˋopjuləns] *s* zamożność, bógactwo, obfitość
**or** [ɔ(r)] *conj* lub, albo; bo inaczej; czy; czyli
**or·a·cle** [ˋorəkl] *s* wyrocznia
**o·ral** [ˋɔrl] *adj* ustny; *med.* doustny
**or·ange** [ˋorɪndʒ] *s* pomarańcza; *adj attr* (*o kolorze*) pomarańczowy
**or·ange·ade** [ˈorɪnˋdʒeɪd] *s* oranżada
**o·rang-ou·tang** [ɔˈræŋ uˋtæŋ] *s* orangutan
**o·ra·tion** [ɔˋreɪʃn] *s* mowa, uroczyste przemówienie
**or·a·tor** [ˋorətə(r)] *s* mówca, orator
**or·bit** [ˋɔbɪt] *s* orbita
**or·chard** [ˋɔtʃəd] *s* sad
**or·ches·tra** [ˋɔkɪstrə] *s* orkiestra; *teatr.* parter
**or·chid** [ˋɔkɪd] *s bot.* storczyk
**or·dain** [ɔˋdeɪn] *vt* zarządzić; mia-

nować; (*o losie itd.*) zrządzić; *rel.* wyświęcić (na księdza)

**or·deal** [ɔ`dil] *s* sąd Boży; próba (życiowa, ognia); ciężkie przeżycie

**or·der** [`ɔdə(r)] *vt* rozkazywać; zarządzać; zamawiać; porządkować; ~ **away** odprawić; ~ **out** kazać wyjść (**sb** komuś); *s* rozkaz; dekret, zarządzenie; porządek; zamówienie; cel, zamiar; order; *bank.* zlecenie; *biol. mat.* rząd; *pl* ~**s** święcenia kapłańskie; **in working** ~ zdatny do użytku; działający; **out of** ~ nie w porządku, zepsuty; **made to** ~ zrobiony na zamówienie; **money** ⟨**postal**⟩ ~ przekaz pieniężny; **in** ~ **that, in** ~ **to** ażeby

**or·der·ly** [`ɔdəlɪ] *adj* porządny; systematyczny; spokojny, zdyscyplinowany; *wojsk.* służbowy; *s* posługacz (w szpitalu); *wojsk.* ordynans

**or·di·nal** [`ɔdɪnl] *adj* porządkowy; *s gram.* liczebnik porządkowy

**or·di·nance** [ɔ`dṇəns] *s* zarządzenie; *rel.* obrzęd

**or·di·na·ry** [`ɔdnrɪ] *adj* zwyczajny; *s* rzecz zwyczajna; norma, przeciętność; **in** ~ stały, etatowy; **physician in** ~ lekarz nadworny

**ord·nance** [`ɔdnəns] *s zbior.* armaty, artyleria; intendentura (wojskowa); uzbrojenie (broń i amunicja)

**ord·nance-map** [`ɔdnəns mæp] *s* mapa sztabu generalnego

**ore** [ɔ(r)] *s geol.* ruda; kruszec

**or·gan** [`ɔgən] *s* organ; *muz.* organy

**or·gan·ic** [ɔ`gænɪk] *adj* organiczny

**or·gan·ism** [`ɔgənɪzm] *s* organizm

**or·gan·i·za·tion** [ˌɔgənaɪ`zeɪʃn] *s* organizacja

**or·gan·ize** [`ɔgənaɪz] *vt* organizować

**or·gy** [`ɔdʒɪ] *s* orgia

**o·ri·ent** [`ɔrɪənt] *s lit.* wschód; *vt* = **orientate**

**o·ri·en·tal** [ˌɔrɪ`entl] *adj* orientalny, wschodni; *s* mieszkaniec Bliskiego Wschodu

**o·ri·en·tate** [`ɔrɪənteɪt] *vt* orientować, nadawać kierunek; *vr* ~ **oneself** orientować się (w terenie według stron świata)

**o·ri·en·ta·tion** [ˌɔrɪən`teɪʃn] *s* orientacja

**or·i·fice** [`orəfɪs] *s* otwór, ujście, wylot

**or·i·gin** [`orədʒɪn] *s* pochodzenie, początek, geneza

**o·rig·i·nal** [ə`rɪdʒnl] *adj* oryginalny; początkowy, pierwotny; *s* oryginał

**o·rig·i·nal·i·ty** [əˌrɪdʒə`nælətɪ] *s* oryginalność

**o·rig·i·nate** [ə`rɪdʒɪneɪt] *vt* dawać początek, zapoczątkowywać, tworzyć; *vi* powstawać (**in sth** z czegoś); pochodzić (**from sth** od czegoś)

**o·rig·i·na·tion** [əˌrɪdʒɪ`neɪʃn] *s* pochodzenie; powstawanie

**o·rig·i·na·tor** [ə`rɪdʒɪneɪtə(r)] *s* twórca, sprawca

**or·na·ment** [`ɔnəmənt] *s* ornament, ozdoba; *vt* [`ɔnəment] zdobić, upiększać

**or·nate** [ɔ`neɪt] *adj* zdobny; (*o stylu*) kwiecisty

**or·phan** [`ɔfən] *s* sierota; *adj* sierocy, osierocony

**or·phan·age** [`ɔfənɪdʒ] *s* sieroctwo; sierociniec

**or·tho·dox** [`ɔθədoks] *adj* ortodoksyjny; *rel.* prawosławny

**or·thog·ra·phy** [ɔ`θogrəfɪ] *s* ortografia

**os·cil·late** [`osɪleɪt] *vi* oscylować; wahać się

**os·su·ar·y** [`osjərɪ] *s* kostnica

**os·ten·si·ble** [o`stensəbl] *adj* pozorny, rzekomy

**os·ten·ta·tion** [ˌosten`teɪʃn] *s* ostentacja

**os·ten·ta·tious** [ˌosten`teɪʃəs] *adj* ostentacyjny

**ost·ler** [ˋoslə(r)] *s* stajenny

**os·trich** [ˋostrɪtʃ] *s zool.* struś

**oth·er** [ˋʌðə(r)] *adj pron* inny, drugi, jeszcze jeden; **each ~** jeden drugiego, nawzajem; **every ~ day** co drugi dzień; **on the ~ hand** z drugiej strony; **the ~ day** onegdaj

**oth·er·wise** [ˋʌðəwaɪz] *adv* inaczej, w inny sposób; skądinąd, poza tym, z innych powodów; pod innym względem; w przeciwnym razie, bo inaczej

**ot·ter** [ˋotə(r)] *s zool.* wydra

**ought** [ɔt] *v aux* powinienem, powinieneś itd.; **it ~ to be done** powinno się ⟨należy⟩ to zrobić

**ounce** [ɑuns] *s* uncja (jednostka ciężaru)

**our** [ˋɑuə(r)] *pron* nasz (*przed rzeczownikiem*)

**ours** [ˋɑuəz] *pron* nasz (*bez rzeczownika*); **this house is ~** ten dom jest nasz

**our·selves** [ɑˋselvz] *pron* sami, my sami; się, (samych) siebie, sobie, sobą

**oust** [ɑust] *vt* wyrzucić, usunąć, wyrugować

**out** [ɑut] *adv* na zewnątrz; hen; precz; poza domem, na dworze; **~ with him!** precz z nim!; **he is ~** nie ma go w domu; **the ministers are ~** ministrowie nie są u władzy; **the fire is ~** ogień zgasł; **the week is ~** tydzień minął; **my patience is ~** moja cierpliwość się wyczerpała; **the book is ~** książka wyszła drukiem; **the secret is ~** tajemnica wyszła na jaw; **the flowers are ~** kwiaty rozkwitły; *praep w połączeniu z* **of** poza; bez; z, przez; **~ of curiosity** przez ciekawość; **~ of date** przestarzały, niemodny; **~ of doors** na świeżym powietrzu; **~ of doubt** bez wątpienia; **~ of favour** w niełasce; **~ of place** nie na miejscu; **~ of reach** poza zasięgiem; **~ of sight** poza zasięgiem wzroku, niewidoczny; **~ of spite** ze złości; **~ of work** bez pracy, bezrobotny; *adj* zewnętrzny; *sport* nie na własnym boisku; *s pl* **~s** nieobecni, ci, których już nie ma (w urzędzie, grze itd.); *vt* wyrzucić; *sport* znokautować

**out·bal·ance** [ɑutˋbæləns] *vt* przeważyć

***out·bid** [ɑutˋbɪd], **outbade** [ɑutˋbeɪd], **outbidden** [ɑutˋbɪdn] *lub* **outbid, outbid** *vt* przelicytować

**out·break** [ˋɑutbreɪk] *s* wybuch (wojny, epidemii, gniewu)

**out·burst** [ˋɑutbɜst] *s* wybuch (*także* śmiechu, gniewu itd.);

**out·cast** [ˋɑutkɑst] *adj* wypędzony, odepchnięty; *s* wyrzutek; banita

**out·caste** [ˋɑutkɑst] *s* człowiek wykluczony z kasty (w Indiach)

**out·come** [ˋɑutkʌm] *s* wynik

**out·cry** [ˋɑutkraɪ] *s* okrzyk, krzyk; wrzask

***out·do** [ɑutˋdu], **outdid** [ɑutˋdɪd], **outdone** [ɑutˋdʌn] *vt* przewyższyć, prześcignąć

**out·door** [ɑutˋdɔ(r)] *adj attr* będący poza domem; (np. *o sportach*) na świeżym powietrzu; pozazakładowy; (*o ubraniu*) wyjściowy

**out·doors** [ɑutˋdɔz] *adv* na zewnątrz (domu), na świeżym powietrzu

**out·er** [ˋɑutə(r)] *adj* zewnętrzny; **the ~ man** zewnętrzny wygląd człowieka

**out·er·most** [ˋɑutəməust] *adj* najdalszy od centrum ⟨środka⟩

**out·fit** [ˋɑutfɪt] *s* wyposażenie, sprzęt, ekwipunek; komplet narzędzi

**out·flow** [ˋɑutfləu] *s* odpływ (np. wody)

***out·go** [ɑutˋgəu], **outwent** [ɑutˋwent], **outgone** [ɑutˋgon] *vt* prześcignąć, wyprzedzić

**out·go·ing** [ɑutˋgəuɪŋ] *s* wyjście, odejście; *pl* **~s** wydatki; *adj* odchodzący; (*o rządzie itp.*) ustępujący

**out·gone** *zob.* **outgo**

***out·grow** [aut`grəu], **outgrew** [aut`gru], **outgrown** [aut`grəun] *vt* przerastać (kogoś); wyrastać (np. z ubrania)

**out·growth** [`autgrəuθ] *s* wyrostek, narośl; wynik, następstwo

**out·ing** [`autɪŋ] *s* wycieczka, wypad

**out·land·ish** [aut`lændɪʃ] *adj* cudzoziemski, obcy; odległy

**out·last** [aut`last] *vt* trwać dłużej (sth niż coś); przetrwać, przeżyć

**out·law** [`autlɔ] *s* banita, człowiek wyjęty spod prawa; *vt* wyjąć spod prawa; zakazać

**out·lay** [`autleɪ] *s* wydatek

**out·let** [`autlet] *s* wylot, ujście

**out·line** [`autlaɪn] *s* zarys, szkic; *vt* zarysować, naszkicować

**out·live** [aut`lɪv] *vt* przeżyć, przetrwać

**out·look** [`autluk] *s* widok; pogląd; obserwacja, punkt obserwacyjny; **to be on the ~** rozglądać się (for sth za czymś), czatować

**out·ly·ing** [`autlaɪɪŋ] *adj* leżący na uboczu, oddalony

**out·most** [`autməust] *adj* = **outermost**; *s w zwrocie*: **at the ~** najwyżej

**out·num·ber** [aut`nʌmbə(r)] *vt* przewyższać liczebnie

**out-of-date** [′aut əv deɪt] *adj* przestarzały, niemodny

**out-of-doors** [′aut əv dɔz] *adj* = **outdoor**; *adv* = **outdoors**

**out-of-the-way** [′aut əv ðə `weɪ] *adj attr* leżący z dala od drogi, odległy, oddalony; niezwykły, dziwny

**out-pa·tient** [`autpeɪʃnt] *s* pacjent ambulatoryjny

**out·post** [`autpəust] *s* posterunek (wysunięty), przednia placówka

**out·pour** [aut`pɔ(r)] *vt vi* wylewać (się); *s* [`autpɔ(r)] wylew

**out·put** [`autput] *s* produkcja, wydajność; plon; *górn.* wydobycie

**out·rage** [`aut-reɪdʒ] *s* obraza (ciężka), zniewaga; pogwałcenie; *vt* [aut`reɪdʒ] znieważyć; pogwałcić; zhańbić; urągać (przyzwoitości itd.)

**out·ra·geous** [aut`reɪdʒəs] *adj* obrażający, znieważający; skandaliczny, niesłychany

**out·ran** *zob.* **outrun**

***out·ride** [aut`raɪd], **out·rode** [aut`rəud], **out·rid·den** [aut`rɪdn] *vt* prześcignąć (w jeździe), wyprzedzić; (*o statku*) przetrzymać (burzę)

**out·right** [`aut-raɪt] *adj* otwarty, szczery, uczciwy; całkowity, zupełny; *adv* [aut`raɪt] otwarcie, szczerze, wprost; całkowicie, w pełni; natychmiast, z miejsca

***out·run** [aut`rʌn], **out·ran** [aut`ræn], **out·run** [aut`rʌn] *vt* wyprzedzić w biegu, prześcignąć; wykroczyć (sth poza coś)

**out·set** [`autset] *s* początek

**out·side** [aut`saɪd] *adv* zewnątrz, na zewnątrz; *praep* (*także* ~ **of**) poza ⟨przed⟩ czymś; na zewnątrz (czegoś); *s* zewnętrzna strona; zewnętrzny wygląd; *adj attr* [`autsaɪd] zewnętrzny; (*leżący, robiony itd.*) poza domem

**out·sid·er** [aut`saɪdə(r)] *s* (człowiek) postronny, obcy; laik; outsider

**out·size** [aut`saɪz] *adj* (*o rozmiarze*) nietypowy; (*o sklepie*) dla nietypowych

**out·skirts** [`autskɜts] *s pl* kraniec; peryferie, kresy

**out·spo·ken** [aut`spəukən] *adj* szczery, otwarty; mówiący szczerze; powiedziany otwarcie

**out·spread** [aut`spred] *adj* rozpostarty

**out·stand·ing** [aut`stændɪŋ] *adj* wybitny; wystający; zaległy, nie załatwiony

**out·stay** [aut`steɪ] *vt* pozostać dłużej (sb niż ktoś), przetrzymać (sb kogoś)

**out·stretch** [aut`stretʃ] *vt* rozciągać, rozpościerać

**out·strip** [aut`strɪp] *vt* prześcignąć; przewyższyć

**out·vote** [aut`vəut] *vt* przegłosować

**out·ward** [`autwəd] *adj* zewnętrzny; skierowany na zewnątrz; widoczny; powierzchowny; odjeżdżający (*zw.* za granicę); (*o podróży, bilecie zw. za granicę*) docelowy; *s* strona zewnętrzna; powierzchowność; *adv* = **outwards**

**out·wards** [`autwədz] *adv* po stronie zewnętrznej, na zewnątrz; poza granice (kraju, miasta)

**out·weigh** [aut`weɪ] *vt* przeważyć; przewyższyć

**out·went** *zob.* **outgo**

**out·wit** [aut`wɪt] *vt* przechytrzyć, podstępnie podejść (**sb** kogoś)

**out·work** [`autwɜk] *s* praca wykonywana poza domem ⟨poza zakładem pracy⟩; praca chałupnicza; *wojsk.* umocnienie zewnętrzne

**out·worn** [aut`wɔn] *adj* znoszony; przestarzały; znużony

**o·val** [`əuvl] *adj* owalny; *s* owal

**o·va·ry** [`əuvərɪ] *s anat.* jajnik

**o·va·tion** [əu`veɪʃn] *s* owacja

**ov·en** [`ʌvn] *s* piec

**o·ver 1.** [`əuvə(r)] *praep* nad, ponad, powyżej; na, po, w; przez, poprzez; po drugiej stronie, za, poza, **all ~** wszędzie, po całym (np. pokoju); *adv* na drugą stronę, po drugiej stronie; po powierzchni; całkowicie; od początku do końca; więcej, zbytnio, z okładem; ponownie, jeszcze raz, znowu; **all ~** wszędzie, po całym (świecie, mieście itd.); od początku ⟨końca⟩ do końca; **to be ~** minąć; **it is ~ with him** on jest skończony; **~ again** raz jeszcze; **~ and again** co jakiś czas

**o·ver 2.** [`əuvə(r)] *praef* nad-, na-, prze-

**o·ver·all** [ˈəuvər`ɔl] *adj* ogólny, kompletny; *s pl* **~s** [`əuvərɔls] kombinezon; kitel

**o·ver·ate** *zob* **overeat**

**o·ver·awe** [ˈəuvər`ɔ] *vt* trwożyć, przejmować strachem

**o·ver·bal·ance** [ˈəuvə`bæləns] *vt* przeważyć, przewrócić; *vi* stracić równowagę, przewrócić się; *s* przewaga

***o·ver·bear** [ˈəuvə`beə(r)], **o·ver·bore** [ˈəuvə`bɔ(r)], **o·ver·borne** [ˈəuvə`bɔn] *vt* przemóc, pokonać; ciemiężyć; przewyższyć; lekceważyć

**o·ver·bear·ing** [ˈəuvə`beərɪŋ] *adj* dumny, wyniosły, butny; władczy; despotyczny

**o·ver·board** [`əuvəbɔd] *adv* za burtę; **to throw ~** *przen.* porzucić, poniechać

**o·ver·bore** *zob.* **overbear**

**o·ver·borne** *zob.* **overbear**

**o·ver·bur·den** [ˈəuvə`bɜdn] *vt* przeciążyć

**o·ver·came** *zob.* **overcome**

***o·ver·cast, overcast, overcast** [ˈəuvə`kast] *vt* pokryć; zasłonić; zaciemnić; przygnębić; *adj* pochmurny, posępny

**o·ver·charge** [ˈəuvə`tʃadʒ] *vt* przeładować, przeciążyć; zażądać zbyt wysokiej ceny; *s* przeciążenie; nałożenie ⟨żądanie⟩ nadmiernej ceny

**o·ver·coat** [`əuvəkəut] *s* palto, płaszcz

***o·ver·come** [ˈəuvə`kʌm], **overcame** [ˈəuvə`keɪm], **overcome** *vt* przemóc, opanować, pokonać, przezwyciężyć

**o·ver·crowd** [ˈəuvə`kraud] *vt* przepełnić (ludźmi), zatłoczyć

***o·ver·do** [ˈəuvə`du], **overdid** [ˈəuvə`dɪd], **overdone** [ˈəuvə`dʌn] *vt* przebrać miarę; przekroczyć (granice przyzwoitości itd.); przesadzić (w czymś); przegotować, przesmażyć itp.; przeciążyć pracą

**o·ver·draft** [`əuvədraft] *s handl.* przekroczenie konta; czek bez pokrycia

**over·dress** [ˈəuvə`dres] *vt vi* stroić (się); ubierać (się) zbyt strojnie ⟨drogo⟩

**o·ver·due** [ˈəuvə`dju] *adj* opóźniony; *handl.* (*o terminie*) przekroczony; (*o rachunku*) zaległy

***o·ver·eat** ['əuvər'it], **overate** ['əuvər'et], **overeaten** ['əuvər'itn] *vr* ~ **oneself** przejeść się

**o·ver·es·ti·mate** ['əuvər'estɪmeɪt] *vt* przecenić wartość ⟨znaczenie⟩ (**sb, sth** kogoś, czegoś); *s* ['əuvər'estɪmət] zbyt wysokie oszacowanie

**o·ver·flow** ['əuvə'fləu] *vt vi* przelewać się (**sth** przez coś); przepełniać, zalewać; (*o rzece*) wylewać; obfitować (**with sth** w coś); *s* ['əuvəfləu] zalew, wylew; nadmiar

***o·ver·grow** ['əuvə'grəu], **overgrew** ['əuvə'gru], **overgrown** ['əuvə'grəun] *vt* porastać, zarastać; przerastać; *vi* szybko ⟨nadmiernie⟩ rosnąć

**o·ver·growth** ['əuvəgrəuθ] *s* pokrywa roślinna; zbyt szybki ⟨bujny⟩ wzrost; rozrost, przerost

***o·ver·hang** ['əuvə'hæŋ], **overhung, overhung** ['əuvə'hʌŋ] *vt vi* zwisać, wisieć, wystawać; zagrażać, wisieć nad głową

**o·ver·haul** ['əuvə'hɔl] *vt* gruntownie przeszukać, dokładnie zbadać; poddać kapitalnemu remontowi; *s* ['əuvəhɔl] gruntowny przegląd; **general** ~ remont kapitalny

**o·ver·head** ['əuvə'hed] *adv* nad głową, u góry; powyżej; *adj attr* ['əuvəhed] znajdujący się u góry ⟨nad głową⟩; górny; napowietrzny; *handl.* ~ **charges** ⟨**costs**⟩ koszty ogólne; *s pl* ~**s** ['əuvəhedz] koszty ogólne

***o·ver·hear** ['əuvə'hɪə(r)] **overheard, overheard** ['əuvə'hɜd] *vt* podsłuchać

**o·ver·hung** *zob.* **overhang**

**o·ver·land** ['əuvə'lænd] *adv* lądem; *adj attr* ['əuvəlænd] lądowy

**o·ver·lap** ['əuvə'læp] *vt vi* zachodzić jedno na drugie ⟨na siebie⟩ (np. o dachówkach); (częściowo) pokrywać się

**o·ver·load** ['əuvə'ləud] *vt* przeciążyć, przeładować; *s* ['əuvələud] przeciążenie, przeładowanie

**o·ver·look** ['əuvə'luk] *vt* przeoczyć, pominąć; zamykać oczy (**sth** na coś); wystawać ⟨wznosić się⟩ (**sth** ponad coś); (*o oknie*) wychodzić (**the street etc.** na ulicę itd.); nadzorować

**o·ver·night** ['əuvə'naɪt] *adv* przez noc, na noc; (od) poprzedniego wieczoru

**o·ver·paid** *zob.* **overpay**

**o·ver·pass** ['əuvə'pɑs] *vt* przejść, przejechać; przekroczyć; przezwyciężyć; pominąć; *s am.* wiadukt

***o·ver·pay** ['əuvə'peɪ], **o·ver·paid, o·ver·paid** ['əuvə'peɪd] *vt* przepłacić, nadpłacić

**o·ver·pop·u·late** ['əuvə'pɔpjuleɪt] *vt* przeludnić

**o·ver·pow·er** ['əuvə'pauə(r)] *vt* przemóc, pokonać; przytłoczyć, zmóc (kogoś czymś)

**o·ver·print** ['əuvəprɪnt] *s* nadruk; *vt* ['əuvə'prɪnt] nadrukować

**o·ver·pro·duc·tion** ['əuvəprə'dʌkʃn] *s* nadprodukcja

**o·ver·ran** *zob.* **overrun**

**o·ver·rate** ['əuvə'reɪt] *vt* przecenić

***o·ver·ride** ['əuvə'raɪd], **overrode** ['əuvə'rəud], **overridden** ['əuvə'rɪdn] *vt* przejechać; podeptać; zajeździć (konia); *przen.* potraktować z góry; odrzucić (np. propozycję); przełamać (np. opór)

**o·ver·rule** ['əuvə'rul] *vt* opanować; wziąć górę (**sb, sth** nad kimś, czymś); *prawn.* unieważnić, odrzucić, uchylić; zlekceważyć

***o·ver·run** ['əuvə'rʌn], **overran** ['əuvə'ræn], **overrun** ['əuvə'rʌn] *vt* najechać (np. kraj); pokonać; spustoszyć; przekroczyć granice (**sth** czegoś); (*o wodzie*) zalewać (okolicę itd.)

**o·ver·sea(s)** ['əuvə'si(z)] *adv* za morzem, za morze; *adj attr* zamorski

**o·ver·se·er** [ˋəuvəsɪə(r)] *s* nadzorca

**o·ver·shad·ow** [ˈəuvəˋʃædəu] *vt dosł. i przen.* rzucać cień (sth na coś); przyciemnić; zaćmić

**o·ver·shoe** [ˋəuvəʃu] *s* kalosz, bot

**o·ver·sight** [ˋəuvəsaɪt] *s* przeoczenie; nadzór

**o·ver·size** [ˈəuvəˋsaɪz] *adj* zbyt ⟨za⟩ duży

***o·ver·sleep** [ˈəuvəˋslip], **overslept, overslept** [ˈəuvəˋslept] *vt* przespać; *vi (także vr* ~ **oneself**) zaspać

***o·ver·spread, overspread, overspread** [ˈəuvəˋspred] *vt* pokrywać

**o·ver·state** [ˈəuvəˋsteɪt] *vt* przesadzić (sth w czymś)

**o·ver·step** [ˈəuvəˋstep] *vt* przekroczyć

**o·ver·stock** [ˈəuvəˋstok] *vt* przepełnić (zapasami), zapchać (towarem itd.)

**o·ver·strain** [ˈəuvəˋstreɪn] *vt* naciągnąć; *dosł. i przen.* przeciągnąć (strunę); przeciążyć (np. pracą); *s* [ˋəuvəstreɪn] wyczerpanie (nadmierną pracą), przemęczenie

**o·vert** [ˋəuvɜt] *adj* otwarty, jawny

***o·ver·take** [ˈəuvəˋteɪk], **overtook** [ˈəuvəˋtuk], **overtaken** [ˈəuvəˋteɪkən] *vt* dopędzić, dosięgnąć; *(zw. o samochodzie)* wyprzedzić; zaskoczyć; odrobić (zaległości)

**o·ver·tax** [ˈəuvəˋtæks] *vt* przeciążyć (podatkami); przecenić; *przen.* przeliczyć się (z siłami itd.)

***o·ver·throw** [ˈəuvəˋθrəu], **overthrew** [ˈəuvəˋθru], **overthrown** [ˈəuvəˋθrəun] *vt* przewrócić; obalić; pobić; zniweczyć; *s* [ˋəuvəθrəu] obalenie, przewrót

**o·ver·time** [ˋəuvətaɪm] *s* czas pracy nadprogramowej, godziny nadliczbowe; *adj attr* nadliczbowy; *adv* nadliczbowo, nadprogramowo

**o·ver·took** *zob.* **overtake**

**o·ver·ture** [ˋəuvətʃə(r)] *s muz.* uwertura; *(zw. pl* ~s) rokowania wstępne; zabieganie o czyjeś względy

**o·ver·turn** [ˈəuvəˋtɜn] *vt vi* przewrócić (się), obalić; *s* [ˋəuvətɜn] obalenie, przewrót

**o·ver·weigh** [ˈəuvəˋweɪ] *vt vi* przeważać, więcej ważyć

**o·ver·weight** [ˋəuvəweɪt] *s* nadwyżka wagi

**o·ver·whelm** [ˈəuvəˋwelm] *vt* zalać, zasypać; przygnieść; pognębić; *dosł. i przen.* przytłoczyć; zakłopotać (hojnością itd.); *(o uczuciach)* ogarniać

**o·ver·work** [ˈəuvəˋwɜk] *vt* zmuszać do nadmiernej pracy, przeciążać pracą; *vi* przepracowywać się; *s* [ˋouvəwɜk] przemęczenie, przepracowanie

**o·ver·wrought** [ˈəuvəˋrɔt] *adj* przemęczony; wyczerpany nerwowo; *(o stylu)* mozolnie wypracowany

**owe** [əu] *vt* być winnym ⟨dłużnym⟩; zawdzięczać (**sth to sb** coś komuś)

**ow·ing** [ˋəuɪŋ] *adj* należny; dłużny; wynikający (**to sth** z czegoś); *praep* ~ **to** dzięki, na skutek, z powodu

**owl** [aul] *s* sowa

**owl·ish** [ˋaulɪʃ] *adj* sowi

**own 1.** [əun] *adj* własny; **to be on one's** ~ być samodzielnym ⟨niezależnym⟩; **to have sth for one's** ~ mieć coś na własność; **to hold one's** ~ trzymać się, nie poddawać się

**own 2.** [əun] *vt vi* posiadać; wyznawać (winę itd.); przyznawać (się); uznawać; ~ **up** *pot.* przyznawać się

**own·er** [ˋəunə(r)] *s* właściciel

**own·er·ship** [ˋəunəʃɪp] *s* posiadanie, własność

**ox** [oks] *s (pl* **oxen** [ˋoksn]) wół

**ox·ide** [ˋoksaɪd] *s chem.* tlenek

**ox·i·dize** [ˋoksɪdaɪz] *vt vi* utleniać ⟨oksydować⟩ się

**Ox·o·ni·an** [okˋsəunɪən] *adj* oksfordzki; *s* Oksfordczyk

**ox·tail** [`oks teɪl] *s* ogon wołowy; **~ soup** zupa ogonowa
**ox·y·gen** [`oksɪdʒən] *s* tlen
**oys·ter** [`ɔɪstə(r)] *s* ostryga
**oys·ter-knife** [`ɔɪstə naɪf] *s* nóż do otwierania (muszli) ostryg
**oz** = ounce (*pl* ozs = ounces)
**o·zone** [`əuzəun] *s* *chem.* ozon; *pot.* świeży luft, świeże powietrze

# P

**pa** [pɑ] *s* *pot.* tatuś
**pace** [peɪs] *s* krok; chód; **to keep ~ with sb** dotrzymywać komuś kroku; *vt vi* kroczyć, stąpać
**pa·ci·fic** [pə`sɪfɪk] *adj* spokojny; pokojowy; *s* **the Pacific (Ocean)** Ocean Spokojny, Pacyfik
**pac·i·fism** [`pæsɪfɪzm] *s* pacyfizm
**pac·i·fist** [`pæsɪfɪst] *s* pacyfista
**pac·i·fy** [`pæsɪfaɪ] *vt* uspokajać; pacyfikować
**pack** [pæk] *s* pakiet; wiązka; pakunek, paczka; tłumok, bela; *handl.* partia towaru; gromada; sfora (psów), stado; *pot.* banda; talia (kart); *vt vi* (*także* **~ up**) pakować (się); gromadzić ⟨tłoczyć, ścieśnić⟩ (się); zbierać (się) w stado ⟨sforę⟩; **~ in** zapakować; **~ off** odprawić, wyprawić (sb kogoś); zabrać się (skądś); **~ out** wypakować, wyładować; **~ up** spakować (się); *pot. przen.* przerwać pracę
**pack·age** [`pækɪdʒ] *s* pakiet, paczka, pakunek; opakowanie
**pack-an·i·mal** [`pækænəml] *s* zwierzę juczne
**pack·et** [`pækɪt] *s* pakiet, paczka, plik; (*także* **~-boat**) statek pocztowy
**pack·ing** [`pækɪŋ] *s* pakowanie; opakowanie; materiał do pakowania ⟨uszczelnienia itp.⟩; uszczelka; *med.* tampon; zawijanie
**pack·man** [`pækmən] *s* domokrążca
**pact** [pækt] *s* pakt, umowa
**pad 1.** [pæd] *s* podkładka, wyściółka; poduszka (palca, łapy, łożyska maszyny, do pieczątek, do igieł); bibularz, blok (papieru, rysunkowy); *vt* wypychać, wyściełać; nabijać, obijać
**pad 2.** [pæd] *s* droga, ścieżka; wierzchowiec; *vi* chodzić pieszo, wędrować
**pad·ding** [`pædɪŋ] *s* wyściółka; podbicie; podszycie (płaszcza itd.); obicie
**pad·dle 1.** [`pædl] *s* wiosło; *vt vi* wiosłować
**pad·dle 2.** [`pædl] *vi* brodzić, taplać się w wodzie
**pad·dle-wheel** [`pædlwil] *s* łopatkowe koło napędowe (statku)
**pad·dock** [`pædək] *s* wybieg dla koni, wygon
**pad·lock** [`pædlok] *s* kłódka; *vt* zamykać na kłódkę
**pa·gan** [`peɪgən] *adj* pogański; *s* poganin
**page 1.** [peɪdʒ] *s* stronica
**page 2.** [peɪdʒ] *s* paź
**pag·eant** [`pædʒənt] *s* pokaz, widowisko; parada, korowód
**paid** *zob.* pay
**pail** [peɪl] *s* wiadro
**pain** [peɪn] *s* ból; troska; przykrość; † kara; *pl* **~s** trud; bóle porodowe; **to take ~s** zadawać sobie trud; **to give ~** zadawać ból, sprawiać przykrość; *vt vi* boleć, zadawać ból; gnębić, dręczyć; smucić; **I am ~ed to learn it** przykro mi, że się o tym dowiaduję

**pain·ful** [ˋpeɪnfl] *adj* bolesny, przykry

**pains·tak·ing** [ˋpeɪnzteɪkɪŋ] *adj* pracowity, dbały, staranny

**paint** [peɪnt] *s* farba; szminka; *vt* malować; szminkować; opisywać ⟨przedstawiać⟩ obrazowo

**paint·er** [ˋpeɪntə(r)] *s* (artysta) malarz

**paint·ing** [ˋpeɪntɪŋ] *s* malarstwo; obraz, malowidło

**pair** [peə(r)] *s* para; **in ~s** parami; *vt vi* łączyć (się) w pary, dobierać (się) do pary; (*o zwierzętach*) parzyć się; **~ off** rozbijać się na pary, odchodzić parami; pobrać się

**pa·jam·as** [pəˋdʒaməz] *s am.* = **pyjamas**

**pal** [pæl] *s pot.* towarzysz, kompan; *vi* (*także* **~ up**) zaprzyjaźnić się (**with** sb z kimś)

**pal·ace** [ˋpælɪs] *s* pałac

**pal·at·a·ble** [ˋpælətəbl] *adj* smaczny, przyjemny

**pal·a·tal** [ˋpælətəl] *adj* podniebienny

**pal·ate** [ˋpælət] *s* podniebienie; gust

**pa·lav·er** [pəˋlavə(r)] *s pot.* gadanina; *vi* paplać

**pale** 1. [peɪl] *s* pal; granica; zakres; **within the ~ of** w granicach ⟨w obrębie⟩ (czegoś); *vt* (*także* **~ in**) ogrodzić, otoczyć

**pale** 2. [peɪl] *adj* blady; **to turn ~** zblednąć; *vi* blednąć; *vt* powodować bladość

**pal·ette** [ˋpælɪt] *s* paleta

**pal·i·sade** [ˋpælɪseɪd] *s* palisada; *vt* otoczyć palisadą

**pall** 1. [pɔl] *s* całun; *vt* okryć całunem

**pall** 2. [pɔl] *vi* sprzykrzyć się ⟨obrzydnąć⟩ (**on sb** komuś)

**pal·let** 1. [ˋpælɪt] *s* siennik; nędzne łoże, barłóg

**pal·let** 2. [ˋpælɪt] = **palette**

**pal·li·a·tive** [ˋpælɪətɪv] *adj* uśmierzający, łagodzący; *s* środek łagodzący; półśrodek; wymówka, usprawiedliwienie

**pal·lid** [ˋpælɪd] *adj* blady

**pal·lor** [ˋpælə(r)] *s* bladość

**palm** 1. [pam] *s* palma; **Palm Sunday** Niedziela Palmowa

**palm** 2. [pam] *s* dłoń

**palm·is·try** [ˋpamɪstrɪ] *s* chiromancja

**palm·y** [ˋpamɪ] *adj* palmowy; pomyślny

**pal·pa·ble** [ˋpælpəbl] *adj* namacalny, wyczuwalny dotykiem

**pal·pi·tate** [ˋpælpɪteɪt] *vi* (*o sercu*) bić, kołatać; drżeć

**pal·pi·ta·tion** [ˌpælpɪˋteɪʃn] *s* silne bicie serca, palpitacja; drżenie

**pal·sy** [ˋpɔlzɪ] *s* paraliż; *vt* sparaliżować

**pal·try** [ˋpɔltrɪ] *adj* nędzny, lichy

**pam·per** [ˋpæmpə(r)] *vt* rozpieszczać, dogadzać

**pam·phlet** [ˋpæmflət] *s* broszura; pamflet

**pam·phlet·eer** [ˌpæmfləˋtɪə(r)] *s* autor broszur; pamflecista

**pan** [pæn] *s* (*także* **frying-~**) patelnia; (*także* **sauce-~**) rondel

**pan·cake** [ˋpænkeɪk] *s* naleśnik

**pan·cre·as** [ˋpænkrɪəs] *s anat.* trzustka

**pan·der** [ˋpændə(r)] *vi* stręczyć; *s* stręczyciel, rajfur

**pane** [peɪn] *s* szyba; (kwadratowa) płaszczyzna; kratka (wzoru)

**pan·e·gyr·ic** [ˌpænɪˋdʒɪrɪk] *s* panegiryk

**pan·el** [ˋpænl] *s* płyta; filunek, kaseton; wstawka ⟨klin⟩ (w sukni); poduszka (u siodła); urzędowy wykaz lekarzy; *prawn.* skład sędziów przysięgłych; komisja (np. konkursowa); **~ discussion** dyskusja rzeczoznawców; **~ patient** pacjent korzystający z ubezpieczeń społecznych; *vt* zdobić płytkami, kasetonami itp.; wszywać wstawkę (do sukni)

**pang** [pæŋ] *s* ostry ból, spazm bólu; **~s of conscience** wyrzuty sumienia

**pan·ic** [ˋpænɪk] *adj* paniczny; *s* panika

**pan·ick·y** [ˋpænɪkɪ] *adj pot.* paniczny, łatwo ulegający panice; alarmistyczny
**pan·o·ram·a** [ˌpænəˋrɑmə] *s* panorama
**pan·sy** [ˋpænzɪ] *s bot.* bratek
**pant** [pænt] *vi* dyszeć; sapać; (*o sercu*) kołatać; (*o piersi*) falować; pożądać ⟨łaknąć⟩ (**for** ⟨**after**⟩ **sth** czegoś); *s* dyszenie; sapanie; kołatanie (serca)
**pan·ther** [ˋpænθə(r)] *s* pantera
**pan·to·mime** [ˋpæntəmaɪm] *s* pantomima
**pan·try** [ˋpæntrɪ] *s* spiżarnia
**pants** [pænts] *s pl pot.* kalesony; *am.* spodnie
**pa·pa** [pəˋpɑ] *s zdrob.* tatuś
**pa·pa·cy** [ˋpeɪpəsɪ] *s* papiestwo
**pa·pal** [ˋpeɪpl] *adj* papieski
**pa·per** [ˋpeɪpə(r)] *s* papier; gazeta, czasopismo; tapeta; praca pisemna; referat, rozprawa; *pl* **~s** papiery, dokumenty; *adj* papierowy; *vt* wyłożyć papierami; pakować ⟨zawijać⟩ w papier; tapetować
**pa·per·back** [ˋpeɪpə bæk] *s* książka broszurowana ⟨w papierowej okładce⟩
**pa·per-clip** [ˋpeɪpə klɪp] *s* spinacz do papieru
**pa·per-weight** [ˋpeɪpəweɪt] *s* przycisk
**pa·pist** [ˋpeɪpɪst] *s* papista
**pap·ri·ka** [ˋpæprɪkə] *s* papryka
**par** [pɑ(r)] *s handl.* parytet; równość; **at ~** na równi; **above** ⟨**below**⟩ **~** powyżej ⟨poniżej⟩ parytetu ⟨przeciętnej⟩; **to be on a ~** dorównywać (**with sb, sth** komuś, czemuś)
**par·a·ble** [ˋpærəbl] *s* przypowieść
**pa·rab·o·la** [pəˋræbələ] *s* parabola
**par·a·chute** [ˋpærəʃut] *s* spadochron; *adj attr* spadochronowy; *vt* zrzucić na spadochronie; *vi* spadać na spadochronie
**par·a·chut·ist** [ˋpærəʃutɪst] *s* spadochroniarz
**pa·rade** [pəˋreɪd] *s* parada; popis, pokaz; *wojsk.* apel, przegląd; *vt* wystawiać na pokaz; *wojsk.* robić przegląd; *vi* paradować
**par·a·dise** [ˋpærədaɪs] *s* raj
**par·a·dox** [ˋpærədoks] *s* paradoks
**par·af·fin** [ˋpærəfɪn] *s* parafina; (*także* **~ oil**) nafta
**par·a·gon** [ˋpærəgən] *s* wzór (np. cnoty)
**par·a·graph** [ˋpærəgrɑf] *s* paragraf; ustęp (w książce), akapit
**par·al·lel** [ˋpærəlel] *adj* równoległy; analogiczny; **~ bars** *sport* drążki; *s* (linia) równoległa; odpowiednik; porównanie; *geogr.* równoleżnik
**par·a·lyse** [ˋpærəlaɪz] *vt* paraliżować
**pa·ral·y·sis** [pəˋræləsɪs] *s* paraliż
**par·a·mount** [ˋpærəmaunt] *adj* najważniejszy, główny
**par·a·mour** [ˋpærəmɔ(r)] *s* kochanek, kochanka
**par·a·phrase** [ˋpærəfreɪz] *s* parafraza
**par·a·site** [ˋpærəsaɪt] *s* pasożyt
**par·a·sit·ic** [ˌpærəˋsɪtɪk] *adj* pasożytniczy
**par·a·sol** [ˋpærəsol] *s* parasolka (od słońca)
**par·a·troops** [ˋpærətrups] *s pl* wojska spadochronowe
**par·cel** [ˋpɑsl] *s* paczka; przesyłka; partia (towaru); parcela; *vt* paczkować; dzielić; (*także* **~ out**) parcelować
**parch** [pɑtʃ] *vt* suszyć, prażyć, palić (kawę); *vi* schnąć
**parch·ment** [ˋpɑtʃmənt] *s* pergamin
**par·don** [ˋpɑdn] *s* przebaczenie; **I beg your ~** przepraszam; *rel.* odpust; *vt* przebaczać; **~ me** przepraszam
**par·don·a·ble** [ˋpɑdn̩əbl] *adj* wybaczalny
**par·ent** [ˋpeərnt] *s* ojciec, matka; *pl* **~s** rodzice
**par·ent·age** [ˋpeərntɪdʒ] *s* pochodzenie, ród

**pa·ren·tal** [pə`rentl] *adj* rodzicielski
**pa·ren·the·sis** [pə`renθəsɪs] *s* nawias
**par·ish** [`pærɪʃ] *s* parafia; gmina; ~ **register** księga metrykalna
**Pa·ri·sian** [pə`rɪzɪən] *adj* paryski; *s* paryżanin
**par·i·ty** [`pærətɪ] *s* równość; parytet
**park** [pak] *s* park; parking; *wojsk.* park (artyleryjski itd.); *vt* parkować
**park·ing** [`pakɪŋ] *s* parkowanie; parking; ~ **lot** miejsce do parkowania; ~ **meter** licznik parkingowy
**par·lance** [`paləns] *s* mowa, język
**par·ley** [`palɪ] *s* narada, rokowania; *vi* paktować, pertraktować
**par·lia·ment** [`paləmənt] *s* parlament
**par·lia·men·tar·i·an** ['paləmen`teərɪən] *adj* parlamentarny; *s* parlamentarz
**par·lour** [`palə(r)] *s* salon, pokój przyjęć
**par·lour-car** [`paləka(r)] *s am.* salonka (w pociągu)
**par·lour-maid** [`palə məɪd] *s* pokojówka
**pa·ro·chi·al** [pə`rəukɪəl] *adj* parafialny; *przen.* ograniczony
**par·o·dy** [`pærədɪ] *s* parodia
**pa·role** [pə`rəul] *s* słowo honoru; *wojsk.* hasło; *vt* zwolnić z aresztu na słowo honoru ⟨warunkowo⟩
**par·quet** [`pakeɪ] *s* parkiet
**par·ri·cide** [`pærɪsaɪd] *s* ojcobójstwo; ojcobójca
**par·rot** [`pærət] *s* papuga; *vi* mówić jak papuga; *vt* powtarzać (coś) jak papuga
**par·ry** [`pærɪ] *vt* odparować, odpierać; *s* odparcie, odparowanie (np. ciosu)
**parse** [paz] *vt gram.* zrobić rozbiór (**a sentence** zdania)
**par·si·mo·ny** [`pasɪmənɪ] *s* oszczędność; skąpstwo
**pars·ley** [`paslɪ] *s* pietruszka
**pars·nip** [`pasnɪp] *s* pasternak
**par·son** [`pasn] *s* proboszcz, pastor
**par·son·age** [`pasnɪdʒ] *s* probostwo; plebania
**part** [pat] *s* część; udział, rola; strona; *pl* ~**s** okolica, strony; zdolności, talent; **for my** ~ co do mnie; **for the most** ~ przeważnie, po większej części; **in great** ~ w znacznej mierze; **in** ~ częściowo; **on my** ~ z mojej strony, co do mnie; **to do one's** ~ zrobić swoje; **to take** ~ brać udział ⟨pomagać⟩ (**in sth** w czymś); **to take sth in good** ~ brać coś za dobrą monetę; **this is not my** ~ to nie moja rzecz; *vt* dzielić, rozdzielać; rozrywać; **to** ~ **company** rozstawać się; *vi* rozdzielić się; rozłączyć się; rozejść się; rozstąpić się; rozstać się (**from sb** z kimś, **with sth** z czymś)
***par·take** [pa`teɪk], **partook** [pa`tuk], **partaken** [pa`teɪkən] *vi* uczestniczyć (**in** ⟨**of**⟩ **sth** w czymś); spożywać (**of sth** coś); mieć w sobie (**of sth** coś); trącić (**of sth** czymś); *vt* podzielać (czyjś los itd.)
**par·tial** [`paʃl] *adj* częściowy; stronniczy; **to be** ~ **to sth** lubić coś, mieć słabość do czegoś
**par·tial·i·ty** ['paʃɪ`ælətɪ] *s* stronniczość; upodobanie (**for sth** do czegoś)
**par·tic·i·pant** [pa`tɪsɪpənt] *s* uczestnik
**par·tic·i·pate** [pa`tɪsɪpeɪt] *vi* uczestniczyć (**in sth** w czymś); podzielać (**in sth** coś)
**par·ti·ci·ple** [`patəspl] *s gram.* imiesłów
**par·ti·cle** [`patɪkl] *s* cząstka; *gram.* partykuła
**par·tic·u·lar** [pə`tɪkjulə(r)] *adj* szczególny, specjalny, specyficzny; szczegółowy, dokładny; wy-

bredny; grymaśny, wymagający (**about sth** pod względem czegoś); nadzwyczajny, osobliwy; uważny, staranny; **in ~** w szczególności; *s* szczegół

**par·tic·u·lar·ity** [pə'tıkju'lærətı] *s* osobliwość; szczegół; szczegółowość, dokładność; wybredność

**part·ing** ['patıŋ] *ppraes i s* rozdział; przedział; *geogr.* dział wodny; rozstanie, pożegnanie, odejście

**par·ti·san** ['patı'zæn] *s* zwolennik, stronnik; partyzant

**par·ti·tion** [pa'tıʃn] *s* podział; rozbiór (państwa); (oddzielona) część; przedział; przepierzenie; *vt* dzielić; **~ off** oddzielać, odgradzać

**part·ner** ['patnə(r)] *s* partner, wspólnik, współuczestnik; *vt* być czyimś partnerem (np. w tańcu)

**part·ner·ship** ['patnəʃıp] *s* współudział, współuczestnictwo; spółka

**par·took** *zob.* **partake**

**par·tridge** ['pa-trıdʒ] *s zool.* kuropatwa

**part-time** ['pattaım] *adj attr zw. w połączeniach:* **~ worker ‹work›** pracownik ‹praca› na niepełnym etacie; *adv* na niepełnym etacie

**par·ty** ['patı] *s* partia; towarzystwo; grupa; zespół; przyjęcie towarzyskie, zabawa; strona (np. w sądzie); współuczestnik; **to be a ~** współuczestniczyć (**to sth** w czymś)

**pass** [pas] *vt vi* przechodzić ‹przebiegać, przejeżdżać itd.› (obok ‹przez coś›); mijać; przekraczać; przewyższać; spędzać (czas); przeżywać (**through sth** coś); pominąć, przeoczyć, przepuścić; zaniedbać; zdać (egzamin); zatwierdzić, przeprowadzić (uchwałę); (*o uchwale*) przejść; podać dalej, posłać; (*także* **~ on**) przekazać; wydać (wyrok, opinię); zdarzyć się; być uważanym, uchodzić (**for sth** za coś); zachodzić, dziać się; **~ away** minąć, zniknąć; umrzeć; **~ off** mijać, przemijać; **~ oneself off** podawać się (**as ‹for› sb, sth** za kogoś, coś); **~ out** wyjść; zemdleć; **~ over** przepuścić, pominąć; przejść (np. na drugą stronę); przeminąć; *s* przejście; przepustka, paszport; złożenie (egzaminu); krytyczna sytuacja; przesmyk; przełęcz; *sport* podanie piłki; **to bring to ~** dokonać (**sth** czegoś); **to come to ~** zdarzyć się

**pass·a·ble** ['pasəbl] *adj* nadający się do przejścia ‹przebycia, przeprawy, przejazdu›; znośny; (*o stopniu*) dostateczny

**pas·sage** ['pæsıdʒ] *s* przejście, przejazd, przeprawa; korytarz; ustęp (w książce); pasaż

**pas·sen·ger** ['pæsndʒə(r)] *s* pasażer

**pass·er-by** ['pasə 'baı] *s* (*pl* **passers-by** ['pasəz 'baı]) przechodzień

**pas·sing** ['pasıŋ] *adj* przemijający, przelotny; rzucony mimochodem

**pas·sion** ['pæʃn] *s* namiętność ‹pasja› (**for sth** do czegoś)

**pas·sion·ate** ['pæʃŋət] *adj* namiętny; zapalczywy; żarliwy

**pas·sive** ['pæsıv] *adj* bierny; *gram.* **~ voice** strona bierna

**pass·port** ['paspɔt] *s* paszport

**pass-word** ['paswɜd] *s* hasło

**past** [past] *adj* miniony, przeszły; ubiegły, ostatni (tydzień itd.); *s* przeszłość; *gram.* czas przeszły; *praep* za (czymś); obok; po; **~ all belief** nie do wiary; **~ comparison** nie do porównania; **~ hope** beznadziejny; **ten ~ two** dziesięć (minut) po drugiej; **~ work** niezdolny (już) do pracy; **a man ~ forty** mężczyzna po czterdziestce; *adv* obok, mimo; **march ~** defilować

**paste** [peıst] *s* ciasto; klej; pasta; *vt* kleić, lepić; **~ up** naklejać; smarować pastą

**paste·board** [`peɪstbɔd] *s* tektura, karton

**pas·tel** [`pæstl] *s* pastel (kredka i obraz)

**pas·time** [`pastaɪm] *s* rozrywka

**pas·tor** [`pastə(r)] *s* pastor, duszpasterz

**pas·to·ral** [`pastərl] *adj* pasterski; *s* sielanka (utwór); list pasterski

**pas·try** [`peɪstrɪ] *s* ciasto; *zbior.* wyroby cukiernicze

**pas·tur·a·ble** [`pastʃərəbl] *adj* pastewny

**pas·ture** [`pastʃə(r)] *s* pastwisko; pasza; *vt vi* paść (się)

**past·y 1.** [`pæstɪ] *s* pasztet, pasztecik, pierożek

**past·y 2.** [`peɪstɪ] *adj* ciastowaty, papkowaty

**pat** [pæt] *s* klepnięcie, klaps; tupot; krążek (np. masła); *vt* poklepywać; *vi* postukiwać, tupać; *adj pot.* szczęśliwy, trafny; *adv pot.* trafnie, w sam raz, akurat, w samą porę

**patch** [pætʃ] *s* łata, łatka; plaster; opatrunek na oku; skrawek; płat (np. ziemi); grządka; *vt* (*także* ~ **up**) łatać, naprawiać

**patch·work** [`pætʃwɜk] *s* łatanina; mieszanina (kawałków, skrawków); szachownica (np. pól)

**pat·ent** [`peɪtənt] *s* patent; przywilej; *adj* patentowy, opatentowany; otwarty, jawny, oczywisty; ~ **leather** skóra lakierowana; **letters** ~ patent (dokument); *vt* opatentować

**pa·ter·nal** [pə`tɜnl] *adj* ojcowski; (*o krewnym*) po ojcu

**pa·ter·ni·ty** [pə`tɜnətɪ] *s* ojcostwo; pochodzenie

**path** [paθ] *s* (*pl* ~**s** [paðz]) ścieżka, droga (dla pieszych i *przen.*); tor (pocisku itd.)

**pa·thet·ic** [pə`θetɪk] *adj* patetyczny

**pa·thol·o·gy** [pə`θolədʒɪ] *s* patologia

**pa·thos** [`peɪθos] *s* patos

**pa·tience** [`peɪʃns] *s* cierpliwość

**pa·tient** [`peɪʃnt] *adj* cierpliwy; *s* pacjent

**pa·tri·ot** [`peɪtrɪət] *s* patriota

**pa·tri·ot·ic** [ˌpeɪtrɪ`otɪk] *adj* patriotyczny

**pa·trol** [pə`trəul] *s* patrol; *vt vi* patrolować

**pa·trol·man** [pə`trəulmən] *s am.* policjant

**pa·tron** [`peɪtrən] *s* patron, opiekun; stały klient

**pat·ron·age** [`pætrənɪdʒ] *s* patronat, opieka; protekcjonalność

**pat·ron·ize** [`pætrənaɪz] *vt* patronować, otaczać opieką; okazywać łaskę; traktować protekcjonalnie; być stałym klientem

**pat·ter 1.** [`pætə(r)] *vt vi* (lekko) stukać, tupotać; *s* (lekkie) stukanie, tupot

**pat·ter 2.** [`pætə(r)] *vt vi* klepać (np. pacierz); trajkotać; *s* żargon, gwara (środowiskowa); trajkotanie

**pat·tern** [`pætn] *s* wzór; próbka; szablon, wykrój; model, forma; *vt* ozdabiać wzorem; **to** ~ **sth after** ⟨**on**⟩ **sth** wzorować się na czymś

**pat·ty** [`pætɪ] *s* pasztecik

**pau·ci·ty** [`pɔsətɪ] *s* mała ilość, szczupłość

**pau·per** [`pɔpə(r)] *s* żebrak; ubogi (człowiek)

**pau·per·ize** [`pɔpəraɪz] *vt* spauperyzować

**pause** [pɔz] *s* pauza, przerwa; *vi* pauzować, robić przerwę, zatrzymać się

**pave** [peɪv] *vt* brukować; *przen.* torować (drogę)

**pave·ment** [`peɪvmənt] *s* bruk, nawierzchnia; chodnik

**pa·vil·ion** [pə`vɪlɪən] *s* duży namiot; pawilon

**paw** [pɔ] *s* łapa; *vt* uderzać ⟨skrobać⟩ łapą; *pot.* obłapiać; *vi* (*o koniu*) grzebać nogą

**pawn 1.** [pɔn] *s dosł. i przen.* pionek

**pawn 2.** [pɔn] *s* zastaw, fant; *vt* dawać w zastaw

**pawn·broker** [ˈpɔnbrəukə(r)] *s* właściciel lombardu

**pawn·shop** [ˈpɔnʃop] *s* lombard

***pay** [peɪ] **paid, paid** [peɪd] *vt vi* płacić, wynagradzać, opłacać (się); **to ~ attention** uważać (**to sth** na coś); **to ~ (sb) a compliment** powiedzieć (komuś) komplement; **to ~ one's respects to sb** złożyć komuś uszanowanie; **to ~ a visit** złożyć wizytę; **to ~ one's way** pokrywać koszty ⟨zobowiązania⟩; *z przysłówkami:* **~ back** odpłacić; zwrócić pieniądze; **~ down** wypłacić gotówką; **~ in** wpłacić; **~ off** spłacić; **~ out** wypłacić; **~ up** całkowicie spłacić; *s* wypłata, zapłata; wynagrodzenie, płaca; **to be in sb's ~** być zatrudnionym u kogoś; być na czyimś żołdzie

**pay·a·ble** [ˈpeɪəbl] *adj* płatny; opłacalny

**pay·ing** [ˈpeɪŋ] *ppraes i adj* płacący; popłatny, dochodowy

**pay·ment** [ˈpeɪmənt] *s* zapłata, wypłata, wynagrodzenie, wpłata

**pay·roll** [ˈpeɪrəul], **pay·sheet** [ˈpeɪ ʃit] *s* lista płac

**pea** [pi] *s* groch, ziarnko grochu

**peace** [pis] *s* pokój; spokój; **at ~** w spokoju; na stopie pokojowej

**peace·ful** [ˈpisful] *adj* spokojny; pokojowy

**peace·mak·er** [ˈpismeɪkə(r)] *s* pojednawca, arbiter

**peach** [pitʃ] *s* brzoskwinia (owoc i drzewo)

**pea·cock** [ˈpikok] *s* paw

**peak** [pik] *s* szczyt (góry), wierzchołek; szpic; daszek (u czapki); *adj attr* szczytowy

**peal** [pil] *s* melodia ⟨bicie⟩ dzwonów, kurant; huk; *vi* rozbrzmiewać; huczeć

**pea·nut** [ˈpinʌt] *s* orzech ziemny

**pear** [peə(r)] *s* gruszka (owoc i drzewo)

**pearl** [pɜl] *s* perła

**peas·ant** [ˈpeznt] *s* chłop, wieśniak, rolnik

**peas·ant·ry** [ˈpezntrɪ] *s* chłopstwo

**pease** [piz] *s* groch

**peat** [pit] *s* torf

**peat-bog** [ˈpitbog] *s* torfowisko

**peb·ble** [ˈpebl] *s* kamyk; *geol.* otoczak

**peck 1.** [pek] *s* garniec (miara); *pot.* wielka ilość, masa

**peck 2.** [pek] *vt vi* dziobać (**sth, at sth** coś); *s* dziobanie

**pe·cul·iar** [pɪˈkjulɪə(r)] *adj* szczególny, specyficzny; osobliwy, dziwny; właściwy (**to sb, sth** komuś, czemuś)

**pe·cu·li·ar·i·ty** [pɪˌkjulɪˈærətɪ] *s* osobliwość; właściwość

**pe·cu·ni·ar·y** [pɪˈkjunɪərɪ] *adj* pieniężny, finansowy

**ped·a·gog·ic(al)** [ˌpedəˈgodʒɪk(l)] *adj* wychowawczy, pedagogiczny

**ped·a·gog·ics** [ˌpedəˈgodʒɪks] *s* pedagogika

**ped·a·gogue** [ˈpedəgog] *s zw. uj.* wychowawca, belfer

**ped·al** [ˈpedl] *s* pedał; *vt* naciskać pedał; *vi* pedałować (na rowerze)

**ped·ant** [ˈpednt] *s* pedant

**pe·dan·tic** [pɪˈdæntɪk] *adj* pedantyczny

**ped·dle** [ˈpedl] *vi* uprawiać handel domokrążny; *vt* kolportować (towary, plotki)

**ped·es·tal** [ˈpedɪstl] *s* piedestał

**pe·des·tri·an** [pɪˈdestrɪən] *adj* pieszy; *przen.* przyziemny, nudny; *s* pieszy, przechodzień, piechur

**ped·i·gree** [ˈpedɪgri] *s* rodowód, pochodzenie

**ped·lar** [ˈpedlə(r)] *s* domokrążca

**peel** [pil] *s* łupina, skórka; *vt* obierać (ziemniaki, owoce); zdzierać (korę, skórę); *vi (także* **~ off**) łuszczyć się; zrzucać skórę

**peep 1.** [pip] *vi* zaglądać z ciekawości (**into sth** do czegoś), zerkać (at sb, sth na kogoś, coś); podglądać (at sb, sth kogoś, coś); *s* ukradkowe spojrzenie, zerknięcie

**peep** 2. [pip] *vi* ćwierkać; *s* ćwierkanie

**peep-hole** [ˈpiphəul] *s* otwór do zaglądania; judasz (w drzwiach)

**peer** 1. [pɪə(r)] *s* par, lord; (człowiek) równy drugiemu; **to be sb's ~** dorównywać komuś

**peer** 2. [pɪə(r)] *vi* (badawczo) patrzeć ⟨spoglądać⟩ (at sb, sth na kogoś, coś); wyzierać, wyglądać

**peer·less** [ˈpɪələs] *adj* niezrównany, bezkonkurencyjny

**pee·vish** [ˈpivɪʃ] *adj* skłonny do irytacji, drażliwy

**peg** [peg] *s* kołek, czop, szpunt; *vt* kołkować, przytwierdzać kołkami; *vi* **~ away** zawzięcie pracować

**pel·i·can** [ˈpelɪkən] *s zool.* pelikan

**pell-mell** [ˈpel ˈmel] *adv* bezładnie, chaotycznie; *adj* bezładny, chaotyczny; *s* chaos, bałagan

**pelt** 1. [pelt] *s* skóra (zwierzęca), skórka (na futro)

**pelt** 2. [pelt] *vt* obrzucić (obelgami, kamieniami itd.); *vi* gęsto padać, (np. *o gradzie*) bębnić; *s* grad (np. kul)

**pel·vis** [ˈpelvɪs] *s* (*pl* **pelves** [ˈpelviz]) *anat.* miednica

**pen** 1. [pen] *s* zagroda (dla bydła, drobiu itd.); *vt* zamknąć w zagrodzie; uwięzić

**pen** 2. [pen] *s* pióro; *vt* pisać, kreślić; zapisywać

**pe·nal** [ˈpinl] *adj prawn.* karny; karalny

**pe·nal·ize** [ˈpinḷaɪz] *vt prawn.* karać sądownie

**pen·al·ty** [ˈpenltɪ] *s prawn.* kara sądowa, grzywna

**pen·ance** [ˈpenəns] *s rel.* pokuta

**pence** *zob.* **penny**

**pen·cil** [ˈpensl] *s* ołówek; *vt* szkicować, rysować

**pen·dant** [ˈpendənt] *s* wisząca ozdoba, wisiorek; para ⟨pendant⟩ (to sth do czegoś); odpowiednik (to sth czegoś)

**pend·ent** [ˈpendənt] *adj* wiszący; będący w toku; *s* = **pendant**

**pend·ing** [ˈpendɪŋ] *adj* nie rozstrzygnięty; *praep* w oczekiwaniu, do (czasu)

**pen·du·lum** [ˈpendjuləm] *s* wahadło

**pen·e·trate** [ˈpenɪtreɪt] *vt vi* przeniknąć, przebić; zanurzyć (się), wcisnąć się, wtargnąć

**pen·e·tra·tion** [ˈpenɪˈtreɪʃn] *s* penetracja, przenikanie; przenikliwość

**pen·hold·er** [ˈpenhəuldə(r)] *s* obsadka (do pisania)

**pen·i·cil·lin** [ˈpenɪˈsɪlɪn] *s* penicylina

**pe·nin·su·la** [pəˈnɪnsjulə] *s* półwysep

**pen·i·tent** [ˈpenɪtənt] *adj* skruszony; *s* pokutnik

**pen·i·ten·tial** [ˈpenɪˈtenʃl] *adj* pokutny

**pen·i·ten·tia·ry** [ˈpenɪˈtenʃərɪ] *adj* poprawczy; *prawn.* penitencjarny; *s* dom poprawczy; *am.* więzienie

**pen·knife** [ˈpennaɪf] *s* (*pl* **penknives** [ˈpennaɪvz]) scyzoryk

**pen·man** [ˈpenmən] *s* pisarz, autor

**pen-name** [ˈpenneɪm] *s* pseudonim (autora)

**pen·ni·less** [ˈpenɪləs] *adj* bez grosza

**pen·ny** [ˈpenɪ] *s* (*pl* **pence** [pens]) pens (kwota); (*pl* **pennies** [ˈpenɪz]) moneta jednopensowa; *przen.* grosz

**pen·sion** [ˈpenʃn] *s* emerytura, renta; [ˈpɑ̃sɪõ] pensjonat; *vt* przyznawać emeryturę, wypłacać rentę; **~ off** przenieść na emeryturę

**pen·sion·ar·y** [ˈpenʃnərɪ] *adj* emerytalny; *s* emeryt, rencista

**pen·sion·er** [ˈpenʃnə(r)] = pensionary *s*
**pen·sive** [ˈpensɪv] *adj* zadumany
**pen·ta·gon** [ˈpentəgən] *s* pięciokąt, pięciobok
**pen·tath·lon** [penˈtæθlən] *s sport* pięciobój
**pent·house** [ˈpenthaus] *s* przybudówka, nadbudówka; wystający dach ochronny, okap
**pe·nul·ti·mate** [penˈʌltɪmət] *adj* przedostatni
**pe·nu·ri·ous** [pɪˈnjuərɪəs] *adj* biedny, ubogi; skąpy
**pen·u·ry** [ˈpenjuərɪ] *s* bieda; brak; skąpstwo
**pe·on** [ˈpiən] *s* (*w Indiach*) żołnierz pieszy; policjant; posłaniec; służący; *am.* wyrobnik
**peo·ple** [ˈpipl] *s* naród, lud; *zbior.* osoby, ludzie, obywatele; ludność; członkowie rodziny; pracownicy (zakładu); *vt* zaludniać
**pep** [pep] *s pot.* wigor, werwa
**pep·per** [ˈpepə(r)] *s* pieprz; *vt* pieprzyć
**per** [pɜ(r)] *praep łac.* przez, za pośrednictwem; ~ **day** za dzień, na dzień, dziennie; ~ **post** pocztą; ~ **cent** od sta; **5** ~ **cent**, **5 p.c.** 5 procent
**per·am·bu·late** [pəˈræmbjuleɪt] *vt* wędrować (**fields** po polach); *vi* przechadzać się
**per·am·bu·la·tor** [pəˈræmbjuleɪtə(r)] *s* wózek dziecięcy
**per·ceive** [pəˈsiv] *vt* odczuć, zauważyć, spostrzec; postrzegać
**per·cent·age** [pəˈsentɪdʒ] *s* procent, odsetek
**per·cep·ti·ble** [pəˈseptəbl] *adj* dający się odczuć; dostrzegalny
**per·cep·tion** [pəˈsepʃn] *s* percepcja
**perch** [pɜtʃ] *s* żerdź; grzęda; *vi* siadać, usadowić się; *vt* sadzać; usadowić
**per·co·late** [ˈpɜkəleɪt] *vt vi* przesączać (się); filtrować; przeciekać
**per·cuss** [pəˈkʌs] *vt* wstrząsać; *med.* opukiwać
**per·cus·sion** [pəˈkʌʃn] *s* wstrząs, uderzenie; *muz.* perkusja; *med.* opukiwanie
**per·di·tion** [pəˈdɪʃn] *s* zatracenie, potępienie
**per·emp·to·ry** [pəˈremptərɪ] *adj* ostateczny, stanowczy; apodyktyczny
**per·en·ni·al** [pəˈrenɪəl] *adj* wieczny; trwały; *s bot.* bylina
**per·fect** [ˈpɜfɪkt] *adj* doskonały; skończony; zupełny; *gram.* dokonany; *s gram.* czas przeszły dokonany; *vt* [pəˈfekt] doskonalić; kończyć, dokonać (czegoś)
**per·fec·tion** [pəˈfekʃn] *s* doskonałość; dokonanie ⟨ukończenie⟩ (czegoś)
**per·fid·i·ous** [pəˈfɪdɪəs] *adj* wiarołomny, przewrotny, perfidny
**per·fi·dy** [ˈpɜfɪdɪ] *s* wiarołomność, przewrotność, perfidia
**per·fo·rate** [ˈpɜfəreɪt] *vt* perforować, dziurkować
**per·fo·ra·tion** [ˌpɜfəˈreɪʃn] *s* dziurkowanie, perforacja, przekłucie
**per·force** [pɜˈfɔs] *adv* z konieczności
**per·form** [pəˈfɔm] *vt* dokonywać, wykonywać, spełniać; grać (sztukę); *vi* występować (na scenie)
**per·form·ance** [pəˈfɔməns] *s* dokonanie, wykonanie, spełnienie; wyczyn; wystawienie (sztuki), przedstawienie; odegranie (roli)
**per·fume** [ˈpɜfjum] *s* perfumy; zapach; *vt* [pəˈfjum] perfumować, rozsiewać zapach
**per·func·to·ry** [pəˈfʌŋktərɪ] *adj* powierzchowny; niedbały
**per·haps** [pəˈhæps] *adv* może, być może
**per·il** [ˈperl] *s* niebezpieczeństwo
**per·il·ous** [ˈperləs] *adj* niebezpieczny, ryzykowny
**per·im·e·ter** [pəˈrɪmitə(r)] *s* perymetr, obwód
**pe·ri·od** [ˈpɪərɪəd] *s* okres, cykl; *gram.* kropka; **to put a** ~ postawić kropkę; położyć kres

**pe·ri·od·i·cal** [ˈpɪərɪˈodɪkl] *adj* okresowy; *s* czasopismo, periodyk
**per·ish** [ˈperɪʃ] *vi* ginąć, niszczeć; *vt* niszczyć
**per·ish·a·ble** [ˈperɪʃəbl] *adj* (łatwo) psujący się; *s pl* ~s łatwo psujące się towary
**per·i·wig** [ˈperɪwɪg] *s* peruka
**per·jure** [ˈpɜdʒə(r)] *vr* ~ **oneself** krzywoprzysięgać
**per·ju·ry** [ˈpɜdʒərɪ] *s* krzywoprzysięstwo
**perk** [pɜk] *vt vi* ożywiać (się); (*także* ~ **up**) zadzierać nosa; nabierać ⟨dodawać⟩ animuszu; rozzuchwalać się
**perk·y** [ˈpɜkɪ] *adj* buńczuczny
**perm** [pɜm] *s pot.* trwała ondulacja; *vt* trwale ondulować
**per·ma·nent** [ˈpɜmənənt] *adj* stały, ciągły, trwały; ~ **wave** trwała ondulacja
**per·me·a·ble** [ˈpɜmɪəbl] *adj* przenikalny, przepuszczalny
**per·me·ate** [ˈpɜmɪeɪt] *vt vi* przenikać, przesiąkać (**through sth** przez coś)
**per·mis·si·ble** [pəˈmɪsəbl] *adj* dopuszczalny, dozwolony
**per·mis·sion** [pəˈmɪʃn] *s* pozwolenie
**per·mit** [pəˈmɪt] *vt* pozwalać (**sth** na coś); *vi* dopuszczać ⟨znosić⟩ (**of sth** coś); *s* [ˈpɜmɪt] zezwolenie (pisemne), przepustka
**per·ni·cious** [pəˈnɪʃəs] *adj* zgubny
**per·pen·dic·u·lar** [ˈpɜpənˈdɪkjulə(r)] *adj* pionowy; *s* linia prostopadła; pion
**per·pe·trate** [ˈpɜpɪtreɪt] *vt* popełnić (przestępstwo, błąd itd.)
**per·pe·tra·tor** [ˈpɜpɪtreɪtə(r)] *s* sprawca, przestępca
**per·pet·u·al** [pəˈpetʃuəl] *adj* wieczny;. bezustanny
**per·pet·u·ate** [pəˈpetʃueɪt] *vt* uniešmiertelnić, uwiecznić
**per·pe·tu·i·ty** [ˈpɜpɪˈtjuətɪ] *s* wieczność; dożywotnia renta
**per·plex** [pəˈpleks] *vt* zakłopotać, zmieszać
**per·plex·i·ty** [pəˈpleksətɪ] *s* zakłopotanie; dylemat; zamieszanie
**per·se·cute** [ˈpɜsɪkjut] *vt* prześladować
**per·se·cu·tion** [ˈpɜsɪˈkjuʃn] *s* prześladowanie
**per·se·cu·tor** [ˈpɜsɪkjutə(r)] *s* prześladowca
**per·se·ver·ance** [ˈpɜsɪˈvɪərns] *s* wytrwałość
**per·se·vere** [ˈpɜsɪˈvɪə(r)] *vi* trwać (**in sth** przy czymś), uporczywie robić (**in sth** coś)
**Per·sian** [ˈpɜʃn] *adj* perski; *s* Pers; język perski
**per·sist** [pəˈsɪst] *vi* upierać się ⟨obstawać⟩ (**in sth** przy czymś); wytrwać; utrzymywać się
**per·sist·ence** [pəˈsɪstəns] *s* uporczywość, wytrwałość; trwałość
**per·son** [ˈpɜsn] *s* osoba, osobnik; **in** ~ osobiście
**per·son·age** [ˈpɜsn̩ɪdʒ] *s* osobistość, (wielka) figura; postać (utworu itd.)
**per·son·al** [ˈpɜsnl] *adj* osobisty, prywatny, własny; osobowy
**per·son·al·i·ty** [ˈpɜsəˈnælətɪ] *s* osobistość; indywidualność; prezencja
**per·son·al·ty** [ˈpɜsnltɪ] *s* osobiste mienie; *zbior.* ruchomości
**per·son·ate** [ˈpɜsəneɪt] *vt* przedstawiać; odgrywać rolę; uosabiać
**per·son·i·fi·ca·tion** [pəˈsonɪfɪˈkeɪʃn] *s* uosobienie, personifikacja
**per·son·i·fy** [pəˈsonɪfaɪ] *vt* uosabiać
**per·son·nel** [ˈpɜsnˈel] *s* personel
**per·spec·tive** [pəˈspektɪv] *adj* perspektywiczny; *s* perspektywa
**per·spi·ca·cious** [ˈpɜspɪˈkeɪʃəs] *adj* bystry, przenikliwy
**per·spi·cu·i·ty** [ˈpɜspɪˈkjuətɪ] *s* jasność, zrozumiałość, wyrazistość
**per·spic·u·ous** [pəˈspɪkjuəs] *adj* jasny, wyraźny, zrozumiały

**per·spi·ra·tion** ['pɜspə'reɪʃn] *s* pot, pocenie się

**per·spire** [pə'spaɪə(r)] *vi* pocić się; *vt* wypacać

**per·suade** [pə'sweɪd] *vt* przekonywać, namawiać (**sb into sth** kogoś do czegoś); **I was ~d that...** byłem przekonany, że...

**per·sua·sion** [pə'sweɪʒn] *s* przekonywanie, perswazja, namowa; przekonanie; *rel.* wyznanie

**per·sua·sive** [pə'sweɪsɪv] *adj* przekonywający

**pert** [pɜt] *adj* bezczelny, wyzywający

**per·tain** [pə'teɪn] *vi* należeć (**to sth** do czegoś); odnosić się (**to sb, sth** do kogoś, czegoś); mieć związek (**to sth** z czymś); być właściwym (**to sth** czemuś)

**per·ti·na·cious** ['pɜtɪ'neɪʃəs] *adj* uporczywy, uparty; wytrwały

**per·ti·nac·i·ty** ['pɜtɪ'næsətɪ] *s* uporczywość, wytrwałość

**per·ti·nent** ['pɜtɪnənt] *adj* stosowny, trafny; związany z tematem, celowy

**per·turb** [pə'tɜb] *vt* niepokoić, zakłócać (porządek), wzburzyć

**per·tur·ba·tion** ['pɜtə'beɪʃn] *s* niepokój, zamieszanie, zamęt, zakłócenie (porządku)

**pe·ru·sal** [pə'ruzl] *s* uważne czytanie, dokładne przeglądanie

**pe·ruse** [pə'ruz] *vt* uważnie czytać, dokładnie przeglądać

**per·vade** [pə'veɪd] *vt* przenikać, nurtować, ogarniać

**per·va·sive** [pə'veɪsɪv] *adj* przenikający, ogarniający; dominujący

**per·verse** [pə'vɜs] *adj* przewrotny; perwersyjny

**per·ver·sion** [pə'vɜʃn] *s* przewrotność; zboczenie, perwersja

**per·vert** [pə'vɜt] *vt* psuć, deprawować, wypaczać; odciągać, odwodzić; *s* ['pɜvɜt] zboczeniec; odstępca

**pes·si·mism** ['pesɪmɪzm] *s* pesymizm

**pest** [pest] *s* zaraza, plaga; szkodnik (chwast, insekt)

**pes·ter** ['pestə(r)] *vt* dręczyć, dokuczać, dawać się we znaki

**pes·ti·lence** ['pestɪləns] *s* zaraza, epidemia

**pes·ti·lent** ['pestɪlənt], **pes·ti·len·tial** ['pestɪ'lenʃl] *adj* zaraźliwy; szkodliwy; zabójczy

**pes·tle** ['pesl] *s* tłuczek (do moździerza)

**pet** [pet] *vt* pieścić; *s* (*także o zwierzęciu*) pieszczoch, ulubieniec; *adj attr* pieszczotliwy; ulubiony

**pet·al** ['petl] *s* płatek (kwiatu)

**pe·ti·tion** [pɪ'tɪʃn] *s* prośba, petycja, podanie; *vt* zwracać się z prośbą (*zw.* pisemną), wnosić petycję; *vi* błagać (**for sth** o coś)

**pe·ti·tion·er** [pɪ'tɪʃnə(r)] *s* petent

**pet·ri·fy** ['petrɪfaɪ] *vt* petryfikować; *przen.* wprawić w osłupienie; *vi* skamienieć; *przen.* osłupieć

**pet·rol** ['petrl] *s* benzyna (mieszanka); *adj* benzynowy **~ station** stacja benzynowa

**pe·tro·le·um** [pɪ'trəulɪəm] *s* ropa naftowa

**pet·ti·coat** ['petɪkəut] *s* halka; *przen.* kobieta, dziewczyna

**pet·tish** ['petɪʃ] *adj* drażliwy, opryskliwy

**pet·ty** ['petɪ] *adj* drobny, mało znaczący

**pet·u·lance** ['petjuləns] *s* drażliwość; rozdrażnienie

**pew** [pju] *s* ławka (w kościele)

**pe·wit** ['piwɪt] *s* *zool.* czajka

**pew·ter** ['pjutə(r)] *s* naczynie cynowe

**pha·lanx** ['fælæŋks] *s* (*pl* **~es** ['fælæŋksɪz] *lub* **phalanges** [fæ'lændʒiz]) falanga

**phan·tasm** ['fæntæzm] *s* zjawa, przywidzenie, urojenie

**phan·ta·sy** ['fæntəsɪ] *s* = **fantasy**

**phan·tom** ['fæntəm] *s* widmo, zjawa, fantom; złudzenie

**Phar·i·see** [`færɪsi] *s* faryzeusz, hipokryta
**phar·ma·cy** [`fɑməsɪ] *s* apteka; farmacja
**phase** [feɪz] *s* faza
**pheas·ant** [`feznt] *s zool.* bażant
**phe·nom·e·non** [fɪ`nomɪnən] *s* (*pl* phenomena [fɪ`nomɪnə]) fenomen, zjawisko
**phi·al** [`faɪəl] *s* fiolka, flaszeczka
**phi·lan·thro·pist** [fɪ`lænθrəpɪst] *s* filantrop
**phi·lat·e·list** [fɪ`lætəlɪst] *s* filatelista
**phi·lat·e·ly** [fɪ`lætəlɪ] *s* filatelistyka
**Phi·lis·tine** [`fɪlɪstaɪn] *s* wróg (sztuki, literatury itd.); filister
**phil·o·log·i·cal** [ˌfɪlə`lodʒɪkl] *adj* filologiczny
**phi·lol·o·gist** [fɪ`lolədʒɪst] *s* filolog
**phi·lol·o·gy** [fɪ`lolədʒɪ] *s* filologia
**phi·los·o·pher** [fɪ`losəfə(r)] *s* filozof
**phil·o·soph·ic(al)** [ˌfɪlə`sofɪk(l)] *adj* filozoficzny
**phi·los·o·phy** [fɪ`losəfɪ] *s* filozofia
**phiz** [fiz] *s pot.* gęba, facjata
**phlegm** [flem] *s* flegma
**phleg·mat·ic** [fleg`mætɪk] *adj* flegmatyczny
**phone 1.** [fəʊn] *s gram.* głoska
**phone 2.** [fəʊn] *s pot.* = **telephone;** *vt vi* dzwonić, telefonować
**pho·net·ic** [fə`netɪk] *adj* fonetyczny
**pho·net·ics** [fə`netɪks] *s* fonetyka
**pho·ney** [`fəʊnɪ] *adj pot.* fałszywy, udawany
**phos·phate** [`fosfeɪt] *s chem.* fosfat, fosforan; *miner.* fosforyt
**phos·phor·us** [`fosfərəs] *s chem.* fosfor
**photo** [`fəʊtəʊ] *s skr.* = **photograph** *s*
**pho·to·graph** [`fəʊtəgrɑf] *s* fotografia, zdjęcie; *vt* fotografować
**pho·tog·ra·pher** [fə`togrəfə(r)] *s* fotograf
**pho·tog·ra·phy** [fə`togrəfɪ] *s* fotografia (sztuka fotografowania)
**phrase** [freɪz] *s* zwrot, fraza
**phra·se·ol·o·gy** [ˌfreɪzɪ`olədʒɪ] *s* frazeologia
**phthi·sis** [`θaɪsɪs] *s med.* gruźlica
**phys·ic** [`fɪzɪk] *s* lekarstwo; *vt* leczyć (lekarstwami)
**phys·i·cal** [`fɪzɪkl] *adj* fizyczny
**phy·si·cian** [fɪ`zɪʃn] *s* lekarz
**phys·i·cist** [`fɪzɪsɪst] *s* fizyk
**phys·ics** [`fɪzɪks] *s* fizyka
**phys·i·og·no·my** [ˌfɪzɪ`onəmɪ] *s* fizjonomia
**phys·i·o·log·i·cal** [ˌfɪzɪə`lodʒɪkl] *adj* fizjologiczny
**phys·i·ol·o·gy** [ˌfɪzɪ`olədʒɪ] *s* fizjologia
**phy·sique** [fɪ`zik] *s* budowa ciała
**pi·an·ist** [`pɪənɪst] *s* pianista
**pi·an·o** [pɪ`ænəʊ] *s* fortepian; **cottage** ⟨**upright**⟩ **~** pianino
**pick** [pɪk] *vt* wybierać, sortować; kopać (motyką, kilofem); przetykać; skubać; dłubać (w zębach, w nosie); okradać; zbierać ⟨przebierać⟩ (np. owoce); **to ~ sb's pocket** wyciągnąć coś komuś z kieszeni; *vi* kraść; **to ~ at one's food** jeść małymi kęsami; dłubać w talerzu; **to ~ at sb** czepiać się kogoś; **~ off** zrywać, zdzierać; powystrzelać; **~ out** wybierać; wyrywać; wyśledzić; **~ up** podnosić; zbierać; zgarniać; nauczyć się (sth czegoś); natrafić ⟨natknąć się⟩ (sth na coś); (*o taksówce, kierowcy*) zabrać (sb kogoś); złapać (w radiu); **~ up courage** zebrać się na odwagę; **~ up an acquaintance** zawrzeć okolicznościową znajomość; **~ up a quarrel** wywołać kłótnię; *s* motyka, kilof; uderzenie kilofem ⟨motyką⟩; wybór, elita, *przen.* śmietanka; zbiór (owoców itd.)
**pick·a·back** [`pɪk ə bæk] *adv* (*nieść*) na plecach, (*o dziecku*) na barana
**pick·axe** [`pɪkæks] *s* oskar, kilof, motyka
**pick·et** [`pɪkɪt] *s* kół, pal; pikieta;

*vt vi* otaczać palami; obstawiać pikietami, pikietować

**pick·le** [ˈpɪkl] *s* marynata; *pl* **~s** marynowane jarzyny, pikle; *vt* marynować

**pick·pock·et** [ˈpɪkpokɪt] *s* złodziej kieszonkowy

**pick-up** [ˈpɪkʌp] *s* przygodna znajomość; adapter; *sport* odbicie piłki; *am.* mały samochód półciężarowy

**pic·nic** [ˈpɪknɪk] *s* piknik; *vi* urządzać piknik

**pic·to·ri·al** [pɪkˈtɔrɪəl] *adj* malowniczy; malarski; ilustrowany; *s* pismo ilustrowane

**pic·ture** [ˈpɪktʃə(r)] *s* obraz, rycina, rysunek; portret; zdjęcie; **to take a ~** zrobić zdjęcie; *pl* **~s** film, kino; *vt* wyobrażać, przedstawiać, malować

**pic·ture-house** [ˈpɪktʃəhaus] *s* kino (budynek)

**pic·tur·esque** [ˈpɪktʃəˈresk] *adj* malowniczy

**pidg·in** [ˈpɪdʒɪn] *s* (*także* **~ English**) łamana angielszczyzna

**pie 1.** [paɪ] *s* sroka

**pie 2.** [paɪ] *s* pasztecik, pierożek; ciastko, placek

**piece** [pis] *s* kawałek; część; sztuka; utwór (sceniczny, muzyczny); moneta; *wojsk.* działo; robota akordowa; **in ~s** w kawałkach; **~ by ~** po kawałku; **to go to ~s** rozlecieć się na kawałki; stracić panowanie nad sobą; **to take to ~s** rozebrać na części; *vt* sztukować, łatać; **~ on** nałożyć, dosztukować; **~ out** uzupełnić; zestawić; **~ together** złożyć w całość; **~ up** połatać

**piece·meal** [ˈpismil] *adj* częściowy, robiony częściami ⟨po kawałku⟩; *adv* częściami, po kawałku; na części

**piece-work** [ˈpiswɜk] *s* praca akordowa

**pier** [pɪə(r)] *s* molo, falochron

**pierce** [pɪəs] *vt* przebić, przeszyć, przekłuć; przeniknąć; wbić się

**pi·e·ty** [ˈpaɪətɪ] *s* pobożność

**pig** [pɪg] *s* prosiak, świnia

**pig·eon** [ˈpɪdʒən] *s* gołąb

**pig·eon-hole** [ˈpɪdʒən həul] *s* przegródka, szufladka (w biurku itd.); wejście do gołębnika; *vt* umieszczać w przegródkach, segregować (papiery); *przen.* odłożyć (sprawę) do szuflady

**pig·gish** [ˈpɪgɪʃ] *adj* świński, brudny; ordynarny, wstrętny

**pig·head·ed** [ˈpɪg ˈhedɪd] *adj* głupi; uparty

**pig-iron** [ˈpɪg aɪən] *s* żeliwo, surówka (metalu)

**pig·my** = **pygmy**

**pig·sty** [ˈpɪgstaɪ] *s* chlew

**pig·tail** [ˈpɪgteɪl] *s* warkocz; tytoń pleciony

**pike 1.** [paɪk] *s* pika, włócznia; kilof; ostrze

**pike 2.** [paɪk] *s* szczupak

**pile 1.** [paɪl] *s* kupa, sterta, stos; *elektr.* bateria, stos; gmach; blok; *vt* rzucać na kupę; (*także* **~ on** ⟨**up**⟩) gromadzić; piętrzyć

**pile 2.** [paɪl] *s* pal; *vt* wbijać pale

**pile 3.** [paɪl] *s* meszek (na tkaninie), wełna

**pil·fer** [ˈpɪlfə(r)] *vt* ukraść, *pot.* zwędzić

**pil·grim** [ˈpɪlgrɪm] *s* pielgrzym

**pil·grim·age** [ˈpɪlgrɪmɪdʒ] *s* pielgrzymka

**pill** [pɪl] *s* pigułka

**pil·lage** [ˈpɪlɪdʒ] *s* grabież, rabunek; *vt* rabować, grabić

**pil·lar** [ˈpɪlə(r)] *s* słup, filar

**pill-box** [ˈpɪl boks] *s* pudełko na pigułki; mała okrągła czapeczka; *wojsk.* schron betonowy

**pil·lar-box** [ˈpɪlə boks] *s* skrzynka pocztowa (stojąca)

**pil·lion** [ˈpɪlɪən] *s* tylne siodełko (motocykla)

**pil·lo·ry** [ˈpɪlərɪ] *s* pręgierz; *vt* postawić pod pręgierzem

**pil·low** [ˈpɪləu] *s* poduszka

**pil·low-case** [ˈpɪləu keɪs] *s* poszewka

**pi·lot** [ˋpaɪlət] *s* pilot; *vt* pilotować

**pi·lot·age** [ˋpaɪlətɪdʒ] *s* pilotaż

**pim·ple** [ˋpɪmpl] *s* pryszcz

**pim·pled** [ˋpɪmpld], **pim·ply** [ˋpɪmplɪ] *adj* pryszczaty

**pin** [pɪn] *s* szpilka; *vt* przyszpilić, przymocować, przygwoździć

**pin·a·fore** [ˋpɪnəfɔ(r)] *s* fartuszek (dziecinny)

**pin·cers** [ˋpɪnsəz] *s pl* szczypce, kleszcze, obcążki

**pinch** [pɪntʃ] *vt vi* szczypać; przycisnąć; (*o bucie*) uciskać, uwierać; *pot.* porwać; buchnąć; *s* uszczypnięcie, szczypanie; ucisk; nagły ból; szczypta

**pine 1.** [paɪn] *s* sosna; *pot. bot.* ananas

**pine 2.** [paɪn] *vi* schnąć, marnieć; bardzo tęsknić (**after** ⟨**for**⟩ **sb, sth** za kimś, czymś); ~ **away** marnieć, ginąć

**pine·ap·ple** [ˋpaɪnæpl] *s bot.* ananas

**pin·ion** [ˋpɪnɪən] *s* koniec (ptasiego) skrzydła, lotka; kółko zębate; *vt* podciąć skrzydła; związać ręce, skrępować

**pink 1.** [pɪŋk] *s bot.* goździk; kolor różowy; *adj* różowy; *vt* zaróżowić

**pink 2.** [pɪŋk] *vt* przebijać; dziurkować, ząbkować

**pin·na·cle** [ˋpɪnəkl] *s* szczyt, wierzchołek; wieżyczka

**pin·point** [ˋpɪn pɔɪnt] *s* koniec szpilki; *vt* dokładnie określić, ustalić położenie; zbombardować

**pint** [paɪnt] *s* pół kwarty

**pi·o·neer** [ˌpaɪəˋnɪə(r)] *s* pionier; *vt vi* wykonywać pionierską pracę, torować drogę

**pi·ous** [ˋpaɪəs] *adj* pobożny

**pip** [pɪp] *s* ziarnko ⟨pestka⟩ owocu; gwiazdka (oficerska); oczko (w grze)

**pipe** [paɪp] *s* rura, rurka; przewód; fujarka; fajka; *pl* ~s kobza; (*także* **bagpipe**) dudy; *vt vi* grać na fujarce ⟨piszczałce, kobzie⟩ świstać, gwizdać; świergotać; skanalizować (**a house** dom)

**pipe·line** [ˋpaɪplaɪn] *s* rurociąg

**pip·er** [ˋpaɪpə(r)] *s* grający na fujarce; kobziarz; **to pay the** ~ ponosić konsekwencje

**pip·ing** [ˋpaɪpɪŋ] *ppraes i s* instalacja rurowa; sieć wodociągowa ⟨gazowa itd.⟩; gra na fujarce ⟨kobzie itp.⟩; świst; świergot

**pi·quant** [ˋpikənt] *adj* pikantny

**pique** [pik] *vt* ubóść, dotknąć ⟨kogoś⟩; obrazić; zaciekawić; *s* uraza, żal

**pi·rate** [ˋpaɪərət] *s* pirat, korsarz; plagiator; *vt vi* rabować, uprawiać korsarstwo

**pis·til** [ˋpɪstl] *s bot.* słupek

**pis·tol** [ˋpɪstl] *s* pistolet

**pis·ton** [ˋpɪstn] *s techn.* tłok

**pit** [pɪt] *s* dół, jama; kopalnia, szyb; pułapka, wilczy dół; *am.* miejsce transakcji giełdowych

**pitch 1.** [pɪtʃ] *s* smoła; *vt* smołować

**pitch 2.** [pɪtʃ] *vt* ustawiać, lokować; wystawiać (towary); rozbijać (namiot, obóz); *wojsk.* ustawiać w szyku bojowym; stroić (instrument); nadziewać (np. na widły); *sport* rzucać (oszczepem itd.); *vi* rzucić się (**into sb** na kogoś); opaść, zapaść się; *s* szczyt, wierzchołek; stopień, natężenie; wysokość głosu ⟨tonu⟩; poziom lotu; spadek, upadek; rzut; miejsce (przekupnia, żebraka itd.); stanowisko

**pitch·er** [ˋpɪtʃə(r)] *s* dzban; *sport* (*w baseballu*) zawodnik rzucający piłkę; kamień brukowy

**pitch·fork** [ˋpɪtʃfɔk] *s* widły

**pit·e·ous** [ˋpɪtɪəs] *adj* żałosny

**pit·fall** [ˋpɪtfɔl] *s* pułapka

**pith** [pɪθ] *s* rdzeń, szpik; *przen.* wigor

**pit·head** [ˋpɪthed] *s* wejście do szybu, nadszybie

**pith·y** [ˋpɪθɪ] *adj* rdzeniowy; *przen.* pełen wigoru ⟨energii⟩, jędrny; treściwy

**pit·i·a·ble** [ˋpɪtɪəbl] *adj* żałosny

**pit·i·ful** [ˈpɪtɪfl] *adj* litościwy, współczujący; żałosny, nędzny

**pit·i·less** [ˈpɪtɪləs] *adj* bezlitosny

**pit·man** [ˈpɪtmən] *s* górnik

**pit·tance** [ˈpɪtns] *s* nędzne wynagrodzenie; nędzna porcja, ochłap

**pit·y** [ˈpɪtɪ] *s* litość, politowanie; szkoda; **to take ⟨have⟩ ~** litować się (**on ⟨upon⟩ sb** nad kimś); **what a ~!** jaka szkoda!; **a thousand pities** wielka szkoda; *vt* litować się (**sb** nad kimś); żałować (**sb** kogoś)

**piv·ot** [ˈpɪvət] *s* oś; czop (osi); *przen.* oś ⟨sedno⟩ (sprawy)

**plac·ard** [ˈplækɑd] *s* plakat, afisz; *vt* rozlepiać afisze, ogłaszać

**pla·cate** [pləˈkeɪt] *vt* łagodzić, zjednywać sobie

**place** [pleɪs] *s* miejsce; miejscowość; siedziba; lokal; ulica, plac; dom, posiadłość; lokal, zakład; posada, zawód; **to give ~** ustąpić; **to take ~** odbyć ⟨wydarzyć, zdarzyć⟩ się; **to take the ~ of sb, sth** zastąpić kogoś, coś; **in ~** na miejscu; stosowny; **in ~ of** zamiast; **out of ~** nie na miejscu, nieodpowiedni; **in the first ~** przede wszystkim; *vt* umieścić, pomieścić; kłaść, stawiać; określić miejsce, umiejscowić

**plac·id** [ˈplæsɪd] *adj* spokojny, łagodny

**pla·gi·a·rize** [ˈpleɪdʒəraɪz] *vt* popełniać plagiat

**pla·gi·a·ry** [ˈpleɪdʒərɪ] *s* plagiat; plagiator

**plague** [pleɪg] *s* zaraza, plaga; *vt* dotknąć plagą; *przen.* dręczyć

**plaid** [plæd] *s* pled (*zw.* w kratę)

**plain** [pleɪn] *adj* gładki, prosty; zrozumiały, jasny; wyraźny; otwarty, szczery; pospolity, zwyczajny; **~ dealing** uczciwe postępowanie; **~ living** prosty tryb życia; **in ~ clothes** w cywilnym ubraniu; **~ clothes man** policjant w cywilnym ubraniu, *pot.* tajniak

**plain·tiff** [ˈpleɪntɪf] *s prawn.* oskarżyciel, powód

**plain·tive** [ˈpleɪntɪv] *adj* żałosny

**plait** [plæt] *s* fałda; warkocz; plecionka; *vt* układać w fałdy; splatać

**plan** [plæn] *s* plan, projekt, zamiar; *vt* planować, zamierzać

**plane 1.** [pleɪn] *s* samolot; *vi* lecieć samolotem, szybować

**plane 2.** [pleɪn] *adj* płaski, równy; *s* płaszczyzna; poziom; hebel, strug; *vt* gładzić, wyrównywać; heblować

**plan·et** [ˈplænɪt] *s* planeta

**plank** [plæŋk] *s* deska; (główny) punkt programu politycznego; *vt* obijać deskami, szalować

**plant** [plɑnt] *s* roślina; instalacje, warsztaty, urządzenie fabryki; fabryka; *vt* sadzić; siać; wsadzać, wtykać; wszczepić, wpoić; osiedlać; umieszczać, ustawiać; założyć (miasto itd.)

**plan·ta·tion** [plænˈteɪʃn] *s* plantacja

**plant·er** [ˈplɑntə(r)] *s* plantator; maszyna do flancowania sadzonek

**plaque** [plɑk] *s* plakietka; płyta pamiątkowa

**plash** [plæʃ] *vt vi* pluskać; *s* plusk

**plas·ter** [ˈplɑstə(r)] *s* gips; tynk; *med.* plaster; *vt* gipsować; tynkować; przyłożyć plaster

**plas·tic** [ˈplæstɪk] *adj* plastyczny; plastykowy; *s* plastyk, tworzywo sztuczne

**plas·tron** [ˈplæstrən] *s* gors; napierśnik

**plate** [pleɪt] *s* płyta; tafla; talerz; klisza; sztych; *zbior.* naczynia metalowe, platery; *vt* platerować, pokryć metalem; opancerzyć

**pla·teau** [ˈplætəʊ] *s* płaskowzgórze; taca, patera

**plat·form** [ˈplætfɔm] *s* platforma; peron; trybuna, estrada

**plat·i·num** [ˈplætɪnəm] *s* platyna

**plat·i·tude** [ˈplætɪtjud] *s* płytkość (wypowiedzi itd.); banał

**pla·toon** [pləˈtun] *s wojsk.* pluton

**plau·si·ble** [ˈplɔzəbl] *adj* możliwy do przyjęcia, prawdopodobny, pozornie uzasadniony

**play** [pleɪ] *vt vi* bawić się (**at sth** w coś; **with sth** czymś); igrać, swawolić; grać (**at sth** w coś); grać ⟨odgrywać⟩ rolę; udawać; *sport* rozegrać (mecz); (*o świetle, kolorach*) mienić się; **to ~ cards** ⟨**football**⟩ grać w karty ⟨w piłkę nożną⟩; **to ~ fair** grać przepisowo; *przen.* postępować uczciwie; **to ~ (on) the violin** grać na skrzypcach; **to ~ tricks** płatać figle; **to ~ the fool** udawać głupiego; **~ away** przegrać (majątek itd.); **~ down** lekceważyć, nie doceniać; **~ off** symulować; żartować sobie (**sb** z kogoś); **~ out** grać do końca; **~ed out** zgrany, zużyty, przebrzmiały; *s* gra, zabawa, rozrywka; figiel, żart; sztuka sceniczna; *sport* rozgrywka

**play·er** [ˈpleɪə(r)] *s* gracz; aktor; muzyk; *sport* zawodowiec

**play·fel·low** [ˈpleɪfeləu] *s* towarzysz zabaw dziecinnych

**play·ful** [ˈpleɪfl] *adj* figlarny, wesoły; żartobliwy

**play·ground** [ˈpleɪgraund] *s* boisko

**play·house** [ˈpleɪhaus] *s* teatr

**play·ing-field** [ˈpleɪɪŋ fild] *s* boisko

**play·mate** [ˈpleɪmeɪt] = **playfellow**

**play-off** [ˈpleɪɔf] *s sport* dogrywka

**play·thing** [ˈpleɪθɪŋ] *s* zabawka

**play·wright** [ˈpleɪraɪt] *s* dramaturg

**plea** [pli] *s* usilna prośba; usprawiedliwienie; pretekst; *prawn.* obrona (wygłaszana przez oskarżonego)

**plead** [plid] *vt vi* ujmować się (**for sb** ⟨**in sb's favour**⟩ za kimś); błagać (**with sb for sth** kogoś o coś); usprawiedliwiać się; powoływać się (**sth** na coś); *prawn.* bronić (w sądzie), wygłaszać mowę obrończą; **to ~ ignorance** tłumaczyć się nieświadomością; **to ~ guilty** przyznać się do winy

**plead·er** [ˈplidə(r)] *s prawn.* obrońca

**pleas·ant** [ˈpleznt] *adj* miły, przyjemny; figlarny

**pleas·ant·ry** [ˈplezntrɪ] *s* żartobliwość, figlarność; żart

**please** [pliz] *vt vi* podobać się, sprawiać przyjemność, być miłym; uznać ⟨uważać⟩ za stosowne ⟨odpowiednie⟩; zadowolić, zaspokoić; *vr* **~ oneself** znajdować upodobanie; robić po swojemu; **~ come in!** proszę wejść!; **if you ~** proszę bardzo; **~ not to go out** proszę nie wychodzić; **to be ~d** być zadowolonym (**with sth** z czegoś); mieć przyjemność (**at sth** w czymś); raczyć; **I am ~d to say** z przyjemnością stwierdzam ⟨mówię⟩; **do as you ~** rób, jak chcesz

**pleas·ing** [ˈplizɪŋ] *ppraes i adj* miły, ujmujący

**pleas·ure** [ˈpleʒə(r)] *s* przyjemność; **to take ~ in doing sth** mieć ⟨znajdować⟩ przyjemność w czymś; **at ~** do woli; **at your ~** według twego upodobania

**pleas·ure-boat** [ˈpleʒəbəut] *s* łódź spacerowa

**pleas·ure-ground** [ˈpleʒəgraund] *s* park przeznaczony do zabaw ⟨gier⟩

**pleat** [plit] *s* fałda, zakładka, plisa; *vt* układać w fałdy, plisować

**ple·be·ian** [plɪˈbiən] *adj* plebejski; *s* plebejusz

**pleb·i·scite** [ˈplebɪsɪt] *s* plebiscyt

**pledge** [pledʒ] *s* zastaw, gwarancja; ślubowanie; zobowiązanie; **to take the ~** ślubować wstrzemięźliwość (od alkoholu); *vt* dawać w zastaw, zastawiać; ślubować; zobowiązywać się pod słowem honoru (**sth** do czegoś); **to ~ one's word** dawać słowo honoru;

*vr* ~ oneself zobowiązywać się pod słowem honoru

**ple·na·ry** [`plinərı] *adj* plenarny; całkowity

**plen·i·po·ten·ti·ar·y** [ˌplenıpə`ten ʃərı] *adj* pełnomocny; *s* pełnomocnik

**plen·i·tude** [`plenıtjud] *s* pełnia ⟨obfitość⟩ (of sth czegoś)

**plen·ti·ful** [`plentıfl] *adj* obfity, liczny

**plen·ty** [`plentı] *s* obfitość, duża ilość; ~ of dużo

**ple·num** [`plinəm] *s* plenum

**pli·a·ble** [`plaıəbl] *adj* giętki, podatny, ustępliwy

**pli·ant** [`plaıənt] = pliable

**pli·ca** [`plaıkə] *s* (*pl* ~e [`plaısi]) *med.* kołtun; *anat.* fałda

**pli·ers** [`plaıəz] *s pl* szczypce, kleszcze

**plight** 1. [plaıt] *s* położenie (*zw.* trudne), sytuacja

**plight** 2. [plaıt] *s* przyrzeczenie, ślubowanie; *vt* przyrzekać, ślubować; *vr* ~ oneself ślubować wierność

**plod** [plod] *vi* wlec się z trudem; (*także* ~ along) ciężko pracować, harować (at sth nad czymś); wkuwać (lekcje itd.)

**plod·der** [`plodə(r)] *s* człowiek wytrwale ⟨ciężko⟩ pracujący

**plot** 1. [plot] *s* kawałek gruntu, działka

**plot** 2. [plot] *s* spisek, intryga; temat ⟨fabuła, akcja⟩ (powieści, dramatu); *vt vi* spiskować, intrygować, knuć

**plot·ter** [`plotə(r)] *s* intrygant, spiskowiec

**plough** [plaυ] *s* pług; *vt vi* orać; pruć (fale, powietrze); *pot.* oblać egzamin; ~ up przeorać, zorać

**plough·man** [`plaυmən] *s* oracz

**plow, plow·man** *am.* = plough, ploughman

**pluck** [plʌk] *vt* skubać, rwać, szarpać, pociągać; wyrywać; *pot.* ścinać przy egzaminie; ~ up one's courage zebrać się na odwagę; *vi* szarpać (at sth coś); *s* skubanie, szarpnięcie; *zbior.* podróbki; *pot.* oblanie egzaminu; odwaga, śmiałość

**pluck·y** [`plʌkı] *adj* odważny, śmiały

**plug** [plʌg] *s* szpunt, czop, wtyczka; sztyft; tampon; świeca (w silniku); *dent.* plomba; *vt* szpuntować, zatykać; ~ in wetknąć wtyczkę (do kontaktu)

**plum** [plʌm] *s* śliwka; rodzynek (w cieście)

**plum·age** [`plumıdʒ] *s* upierzenie; *zbior.* pióra

**plumb** [plʌm] *s* kulka ołowiana (u pionu); (*także* ~-line) pion; out of ~ nie w pionie, nie prostopadle; *adj* pionowy; *adv* pionowo, prosto; *pot.* całkowicie, dokładnie; *vt* badać ⟨ustalać⟩ pion, sondować; *przen.* zgłębiać, przenikać

**plumb·er** [`plʌmə(r)] *s* monter, hydraulik

**plume** [plum] *s* pióro; pióropusz; *vt* zdobić w pióra ⟨pióropuszem⟩; *vr* ~ oneself pysznić się

**plump** 1. [plʌmp] *adj* pulchny, tłusty; *vt* tuczyć; *vi* nabierać ciała

**plump** 2. [plʌmp] *vt* cisnąć, rzucić; *vi* ciężko upaść; *s* (ciężki) upadek; *adj* kategoryczny, bez ogródek; *adv* prosto z mostu, otwarcie; nagle; ciężko

**plum-pud·ding** [ˌplʌm`pudıŋ] *s* budyń z rodzynkami

**plun·der** [`plʌndə(r)] *vt vi* plądrować, grabić; *s* grabież; łup

**plunge** [plʌndʒ] *vt vi* zanurzać ⟨pogrążać, zagłębiać⟩ (się) (into sth w coś); nurkować, rzucać się, wpadać; wsadzać, wtykać; *s* zanurzenie (się), skok do wody, nurkowanie

**plung·er** [`plʌndʒə(r)] *s* nurek

**plu·per·fect** [ˌplu`pɜfıkt] *adj gram.* zaprzeszły; *s gram.* czas zaprzeszły

**plu·ral** [ˈpluərl] *adj* pluralny; *gram.* mnogi; *s gram.* liczba mnoga

**plu·ral·i·ty** [pluəˈrælətɪ] *s* wielość, mnogość; większość

**plus** [plʌs] *adv i praep* plus; i; *adj* dodatkowy, dodatni; *s* plus, znak dodawania

**plus-fours** [ˈplʌsˈfɔz] *s pl* pumpy

**plush** [plʌʃ] *s* plusz

**ply 1.** [plaɪ] *s* fałda; skłonność; warstwa; zwój, pasmo

**ply 2.** [plaɪ] *vt vi* wykonywać, uprawiać (**sth** coś); bez przerwy ⟨pilnie⟩ pracować; regularnie kursować; natarczywie częstować; zasypywać (pytaniami, faktami itd.)

**ply·wood** [ˈplaɪwud] *s* dykta, sklejka

**pneu·mat·ic** [njuˈmætɪk] *adj* pneumatyczny

**pneu·mat·ics** [njuˈmætɪks] *s* pneumatyka

**pneu·mo·ni·a** [njuˈməunɪə] *s* zapalenie płuc

**poach 1.** [pəutʃ] *vt* uprawiać kłusownictwo; (*o ziemi*) rozmiękać; *vt* rozdeptywać

**poach 2.** [pəutʃ] *vt* gotować (jajko) bez skorupy

**poach·er** [ˈpəutʃə(r)] *s* kłusownik

**pock·et** [ˈpokɪt] *s* kieszeń; *vt* włożyć do kieszeni; *adj attr* kieszonkowy; ~ **edition** wydanie kieszonkowe

**pock·et-book** [ˈpokɪtbuk] *s* notatnik; portfel

**pock·et-knife** [ˈpokɪtnaɪf] (*pl* **pock·et-knives** [ˈpokɪtnaɪvz]) *s* scyzoryk

**pock·et-mon·ey** [ˈpokɪt mʌnɪ] *s* kieszonkowe

**pock-marked** [ˈpokmɑkt] *adj* dziobaty, ospowaty

**pod** [pod] *s* strączek; kokon

**podg·y** [ˈpodʒɪ] *adj* pękaty, przysadzisty

**po·em** [ˈpəuɪm] *s* poemat, wiersz

**po·et** [ˈpəuɪt] *s* poeta

**po·et·ic(al)** [pəuˈetɪk(l)] *adj* poetyczny, poetycki

**po·et·ry** [ˈpəuɪtrɪ] *s* poezja

**poign·ant** [ˈpɔɪnjənt] *adj* przejmujący, chwytający za serce; dojmujący; ostry; cierpki; sarkastyczny

**point** [pɔɪnt] *s* punkt; cel, zamiar; istota rzeczy, sedno sprawy; sens; kwestia, sprawa; pozycja, szczegół; chwila, moment; punkt widzenia, teza; ostry koniec, ostrze; stopień (np. napięcia); kreska (na termometrze); cecha charakterystyczna; ~ **of exclamation** *gram.* wykrzyknik; ~ **of interrogation** *gram.* pytajnik; **full** ~ *gram.* kropka; **to carry** ⟨**win**⟩ **one's** ~ osiągnąć cel ⟨swoje⟩; **in** ~ trafny, w sam raz; **the case in** ~ odpowiedni ⟨stosowny⟩ wypadek; to, o co chodzi; **this is not the** ~ to nie należy do rzeczy, nie o to chodzi; **in** ~ **of** pod względem, odnośnie do; **in** ~ **of fact** faktycznie; **to the** ~ do rzeczy; **off the** ~ nie na temat; **to make a** ~ **of sth** uważać coś za rzecz konieczną; **at** ⟨**in**⟩ **all** ~**s** całkowicie; **to be on the** ~ **of doing sth** mieć właśnie coś zrobić; **I see your** ~ rozumiem, o co ci chodzi; **to make a** ~ uważać za rzecz zasadniczą; *vt* punktować; kropkować; ostrzyć; wskazywać; nastawiać, celować (np. **the revolver at sb** z rewolweru do kogoś); *vi* wskazywać (**at** ⟨**to**⟩ **sb, sth** na kogoś, coś); ukazywać (**to sth** coś); zwracać uwagę (**at sth** na coś); zmierzać ⟨dążyć⟩ (**at** ⟨**towards**⟩ **sth** do czegoś); ~ **out** wykazywać, uwydatniać, zaznaczać

**point-blank** [ˈpɔɪnt ˈblæŋk] *adv* bezpośrednio, wprost; kategorycznie

**point-du·ty** [ˈpɔɪnt djutɪ] *s* służba na posterunku

**point·ed** [ˈpɔɪntɪd] *pp i adj* zaostrzony; spiczasty; ostry; dosadny, dobitny; cięty, zjadliwy

**poise** [pɔɪz] *vt* ważyć, równoważyć, utrzymywać w równowadze; trzymać w powietrzu; *przen.* rozważać; *vi* wisieć ⟨unosić się⟩ w powietrzu; być zrównoważonym; *s* równowaga; spokój; zrównoważona postawa; postawa, sposób trzymania głowy, stan zawieszenia

**poi·son** [ˈpɔɪzn] *s* trucizna; *vt* truć

**poi·son·ous** [ˈpɔɪzn̩əs] *adj* trujący

**poke** [pəuk] *vt* wtykać, wpychać, szturchać; grzebać (np. w piecu); **to ~ fun** żartować sobie (at sb, sth z kogoś, czegoś); *vi* szperać, myszkować; szturchać, trącać (at sb, sth kogoś, coś)

**pok·er 1.** [ˈpəukə(r)] *s* pogrzebacz

**pok·er 2.** [ˈpəukə(r)] *s* poker (gra)

**po·lar** [ˈpəulə(r)] *adj* polarny; *mat. geogr.* biegunowy

**pole 1.** [pəul] *s* biegun

**pole 2.** [pəul] *s* drąg, słup, tyka, maszt; *sport* **~ jump** skok o tyczce

**Pole 3.** [pəul] *s* Polak, Polka

**pole·cat** [ˈpəulkæt] *s zool.* tchórz

**po·lem·ic** [pəˈlemɪk] *adj* polemiczny; *s* polemista; polemika

**po·lem·ics** [pəˈlemɪks] *s* polemika

**po·lice** [pəˈlis] *s* policja; *zbior.* policjanci; *vt* utrzymywać porządek za pomocą policji; patrolować

**po·lice·man** [pəˈlismən] *s* policjant

**po·lice-sta·tion** [pəˈlis steɪʃn] *s* posterunek policji

**pol·i·cy 1.** [ˈpoləsɪ] *s* polityka (jako racja stanu), mądrość polityczna; kierunek; kurs, linia, taktyka; dyplomacja

**pol·i·cy 2.** [ˈpoləsɪ] *s* polisa (ubezpieczeniowa)

**pol·i·o** [ˈpəulɪəu], **pol·i·o·my·e·li·tis** [ˈpəulɪəuˈmaɪəˈlaɪtɪs] *s med.* paraliż dziecięcy, Heine-Medina

**pol·ish 1.** [ˈpolɪʃ] *s* połysk; politura; pasta; ogłada; *vt* politurować; nadawać połysk; czyścić (np. buty); nadać ogładę ⟨polor⟩ (sb komuś)

**Pol·ish 2.** [ˈpəulɪʃ] *adj* polski; *s* język polski

**pol·ished** [ˈpolɪʃt] *adj* wytworny, z ogładą

**po·lite** [pəˈlaɪt] *adj* grzeczny, uprzejmy

**pol·i·tic** [ˈpolətɪk] *adj* przezorny, rozsądny, zręczny; † **the body ~** państwo (jako organizm państwowy)

**po·lit·i·cal** [pəˈlɪtɪkl] *adj* polityczny

**pol·i·ti·cian** [ˈpoləˈtɪʃn] *s* polityk

**pol·i·tics** [ˈpolətɪks] *s* polityka (jako praktyczna umiejętność rządzenia państwem), taktyka polityczna

**pol·i·ty** [ˈpolətɪ] *s* polityka administracyjna, forma rządzenia, ustrój

**poll** [pəul] *s* spis wyborców; głosowanie (wyborcze); obliczanie głosów; ankieta; *vt* obcinać rogi; przycinać (np. drzewo); oddawać (głos); liczyć głosy; otrzymać (głosy); *vi* głosować

**pol·lute** [pəˈlut] *vt* zanieczyścić, skazić

**pol·lu·tion** [pəˈluʃn] *s* zanieczyszczenie, skażenie; polucja

**pol·y·gon** [ˈpolɪgən] *s* wielokąt

**pol·y·syl·lab·ic** [ˈpolɪsɪˈlæbɪk] *adj* wielozgłoskowy

**pol·y·tech·nic** [ˈpolɪˈteknɪk] *s* politechniczny; *s* zawodowa szkoła techniczna

**pome·gran·ate** [ˈpomɪgrænət] *s bot.* granat (owoc i drzewo)

**po·mi·cul·ture** [ˈpomɪˈkʌltʃə(r)] *s* sadownictwo

**pomp** [pomp] *s* pompa, wystawność, parada

**pom·pous** [ˈpompəs] *adj* pompatyczny, nadęty; paradny, okazały

**pond** [pond] *s* staw

**pon·der** [ˈpondə(r)] *vt* rozważać; *vi* rozmyślać, zastanawiać się (on ⟨over⟩ sth nad czymś)

**pon·der·a·bil·i·ty** ['pondərə'bɪlətɪ] *s* ważkość
**pon·der·ous** ['pondərəs] *adj* ciężki; ważny
**pon·iard** ['ponjəd] *s* sztylet
**pon·tiff** ['pontɪf] *s* arcykapłan; biskup
**pon·tif·i·cate** [pon'tɪfɪkeɪt] *s* pontyfikat
**pon·toon 1.** [pon'tun] *s* ponton
**pon·toon 2.** [pon'tun] *s* gra hazardowa w „oko"
**pon·y** ['pəunɪ] *s* kucyk
**poo·dle** ['pudl] *s* pudel
**pool 1.** [pul] *s* kałuża; sadzawka; basen (pływacki)
**pool 2.** [pul] *s* pula (w grze); wspólny fundusz; totalizator; *handl.* rodzaj kartelu; *vt* gromadzić wspólny kapitał; gospodarzyć wspólnym kapitałem
**poor** [puə(r)] *adj* ubogi; lichy; nie mający znaczenia; nędzny; biedny, nieszczęśliwy
**poor·ly** ['puəlɪ] *adv* ubogo; licho; *adj* niezdrów, mizerny
**pop** [pop] *vt* trzasnąć; rozerwać; wystrzelić; cisnąć; *vi* rozrywać się z trzaskiem, pęknąć; *pot.* ~ in zajrzeć ⟨wpaść⟩ (on sb do kogoś); ~ off zwiać, uciec; *s* trzask, wystrzał; *adv pot.* z trzaskiem ⟨hukiem⟩
**pope 1.** [pəup] *s* papież
**pope 2.** [pəup] *s* pop (prawosławny)
**pop·ish** ['pəupɪʃ] *adj uj.* papieski
**pop·lar** ['poplə(r)] *s* topola
**pop·lin** ['poplɪn] *s* popelina
**pop·py** ['popɪ] *s* mak
**pop·u·lace** ['popjuləs] *s* tłum, pospólstwo, lud
**pop·u·lar** ['popjulə(r)] *adj* ludowy; popularny; potoczny
**pop·u·lar·i·ty** ['popju'lærətɪ] *s* popularność
**pop·u·lar·ize** ['popjuləraɪz] *vt* popularyzować
**pop·u·late** ['popjuleɪt] *vt* zaludniać
**pop·u·la·tion** ['popju'leɪʃn] *s* zaludnienie, ludność
**pop·u·lous** ['popjuləs] *adj* ludny, gęsto zaludniony
**porce·lain** ['pɔslɪn] *s* porcelana
**porch** [pɔtʃ] *s* portyk; ganek; *am.* weranda
**pore 1.** [pɔ(r)] *s anat.* por; otworek
**pore 2.** [pɔ(r)] *vi* ślęczeć (over sth nad czymś); zamyślać się (upon ⟨at⟩ sth nad czymś)
**pork** [pɔk] *s* wieprzowina
**por·nog·ra·phy** [pɔ'nogrəfɪ] *s* pornografia
**po·ros·i·ty** [pɔ'rosətɪ] *s* porowatość
**po·rous** ['pɔrəs] *adj* porowaty
**por·ridge** ['porɪdʒ] *s* kasza owsiana, owsianka
**port 1.** [pɔt] *s mors.* port
**port 2.** [pɔt] *s techn.* otwór, wlot; brama miejska; *mors.* otwór ładunkowy; (także ~hole) iluminator; lewa burta
**port 3.** [pɔt] *s* postawa, wygląd
**port 4.** [pɔt] *s* (*także* ~-wine) portwajn (rodzaj słodkiego wina)
**port·a·ble** ['pɔtəbl] *adj* przenośny
**por·tal** ['pɔtl] *s arch.* portal
**por·tend** [pɔ'tend] *vt* zapowiadać, przepowiadać
**por·tent** ['pɔtent] *s* zapowiedź ⟨oznaka⟩ (np. burzy); omen
**por·ten·tous** [pɔ'tentəs] *adj* złowróżbny; nadzwyczajny, cudowny
**por·ter 1.** ['pɔtə(r)] *s* portier
**por·ter 2.** ['pɔtə(r)] *s* bagażowy
**por·ter 3.** ['pɔtə(r)] *s* porter (gatunek piwa)
**port·fo·li·o** ['pɔtfəulɪəu] *s* teka, aktówka; *handl.* portfel wekslowy
**port·hole** ['pɔthəul] *s mors.* iluminator; *mors.* † otwór strzelniczy
**por·tion** ['pɔʃn] *s* porcja, udział, cząstka; partia (czegoś); los, dola; posag; *vt* dzielić (na porcje ⟨części⟩); (*także* ~ out) wydzielać
**port·ly** ['pɔtlɪ] *adj* pełen godności; okazały; korpulentny
**port·man·teau** [pɔt'mæntəu] *s* walizka

**por·trait** [`pɔtrɪt] *s* portret
**por·tray** [pɔ`treɪ] *vt* portretować; odtwarzać, przedstawiać
**por·tray·al** [pɔ`treɪl] *s* portret; portretowanie; opis, przedstawienie
**Por·tu·guese** [ˈpɔtʃu`giz] *adj* portugalski; *s* Portugalczyk
**pose** [pəuz] *s* poza, postawa; *vi* pozować; *vt* stawiać (pytanie), wygłaszać (opinię)
**pos·er** [`pəuzə(r)] *s* łamigłówka, trudne pytanie
**po·si·tion** [pə`zɪʃn] *s* pozycja, położenie; pozycja społeczna; możność, stan; stanowisko; *vt* umieszczać; ustalać położenie
**pos·i·tive** [`pozətɪv] *adj* pozytywny; twierdzący; pewny, przekonany; dodatni; bezwzględny, stanowczy; *gram.* równy; *s fot.* pozytyw
**pos·sess** [pə`zes] *vt* posiadać; **to be ~ed of sth** posiadać coś na własność; władać (**sth** czymś); opętać
**pos·sessed** [pə`zest] *pp i adj* opanowany (*także* **self-~**); opętany (**by the devil** przez diabła)
**pos·ses·sion** [pə`zeʃn] *s* posiadanie; władanie (**of sth** czymś); posiadłość, posiadany przedmiot; panowanie nad sobą; **to take ~ of sth** objąć coś w posiadanie, zawładnąć czymś
**pos·ses·sive** [pə`zesɪv] *adj* dotyczący posiadania; (*o chęci itd.*) posiadania; *gram.* dzierżawczy; **~ case** dopełniacz; *s gram.* dopełniacz; zaimek dzierżawczy
**pos·ses·sor** [pə`zesə(r)] *s* właściciel, posiadacz
**pos·si·bil·i·ty** [ˈposə`bɪlətɪ] *s* możliwość, możność
**pos·si·ble** [`posəbl] *adj* możliwy; ewentualny; **as soon as ~** jak najszybciej
**post 1.** [pəust] *s* słup; *vt* naklejać na słupie, rozlepiać afisze, ogłaszać za pomocą afiszów, wywieszać (afisz, kartkę itp.)
**post 2.** [pəust] *s* poczta; **by ~** pocztą; **by return of ~** odwrotną pocztą; *vt* posłać pocztą, wrzucić (list) do skrzynki pocztowej
**post 3.** [pəust] *s* posterunek; stanowisko, posada; *vt* umieścić na stanowisku, wyznaczyć (zadania, obowiązki)
**post·age** [`pəustɪdʒ] *s* opłata pocztowa
**post·age·stamp** [`pəustɪdʒ stæmp] *s* znaczek pocztowy
**post·al** [`pəustl] *adj* pocztowy; **~ card** (*am.* **~**) pocztówka
**post·card** [`pəustkad] *s* kartka pocztowa; **picture ~** widokówka
**post·er** [`pəustə(r)] *s* afisz
**pos·te·ri·or** [po`stɪərɪə(r)] *adj* późniejszy, następny; tylny; *s* tył, tylna część
**pos·ter·i·ty** [po`sterətɪ] *s* potomność, potomkowie
**post-free** [ˈpəust `fri] *adj* wolne od opłaty pocztowej
**post-grad·u·ate** [ˈpəust `grædʒuət] *adj* dotyczący studiów po uzyskaniu stopnia uniwersyteckiego; *s* student kontynuujący naukę po uzyskaniu stopnia uniwersyteckiego, doktorant
**post·hu·mous** [`postjuməs] *adj* pośmiertny
**post·man** [`puəstmən] *s* listonosz
**post·mark** [`pəustmak] *s* stempel pocztowy
**post·mas·ter** [`pəustmastə(r)] *s* naczelnik poczty
**post-mor·tem** [pəust `mɔtem] *adj attr* pośmiertny; **~ examination** obdukcja; *s* obdukcja
**post-of·fice** [`pəust ofɪs] *s* urząd pocztowy
**post-paid** [ˈpəust `peɪd] *adj* (*o przesyłce pocztowej*) opłacony
**post·pone** [pə`spəun] *vt* odraczać, odwlekać; podporządkowywać (**sth to sth** coś czemuś)
**post·script** [`pəusskrɪpt] *s* postscriptum
**pos·tu·late** [`postjuleɪt] *vt* domagać się; postulować; *s* postulat

**pos·ture** [`postʃə(r)] *s* położenie; postawa, poza
**post-war** [`pəustwɔ(r)] *adj* powojenny
**po·sy** [`pəuzɪ] *s* bukiet, wiązanka
**pot** [pot] *s* garnek; dzban; wazon; doniczka; czajniczek (do herbaty, kawy); nocnik; *pot. sport* puchar; **to make the ~ boil** z trudem zarabiać na kawałek chleba; *vt* włożyć do garnka; przechowywać ⟨konserwować⟩ w garnku; sadzić w doniczce
**po·ta·to** [pə`teɪtəu] *s* (*pl* **~es**) ziemniak, kartofel
**po·ta·to-bee·tle** [pə`teɪtəu bitl] *s* stonka ziemniaczana
**pot-boil·er** [`potbɔɪlə(r)] *s* mierna praca autorska pisana dla zarobku, szmira, chałtura
**po·tent** [`pəutnt] *adj* silny, potężny; przekonywający; skuteczny
**po·tent·tate** [`pəutnteɪt] *s* potentat
**po·ten·tial** [pə`tenʃl] *adj* potencjalny
**po·tion** [`pəuʃn] *s* napój (*zw.* leczniczy)
**pot-lid** [`potlɪd] *s* pokrywka, przykrywka
**pot·ter** [`potə(r)] *s* garncarz
**pot·ter·y** [`potərɪ] *s* garncarstwo; wyroby garncarskie; garncarnia
**pouch** [pautʃ] *s* woreczek; kapciuch (na tytoń); kieszeń; *wojsk.* ładownica; *vt* włożyć do woreczka ⟨kieszeni⟩; wydymać
**pouf** [puf] *s* puf, miękki taboret
**poul·tice** [`pəultɪs] *s* gorący okład
**poul·try** [`pəultrɪ] *s* drób
**pounce** [pauns] *s* pazur, szpon; gwałtowny ruch (ptaka drapieżnego); *vt* chwycić w szpony; *vi* błyskawicznie spaść ⟨skoczyć, rzucić się⟩ (**upon sth** na coś)
**pound 1.** [paund] *s* funt; (*także* **~ sterling**) funt szterling
**pound 2.** [paund] *vt vi* tłuc ⟨walić⟩ (**sth** coś; **at** ⟨**on**⟩ **sth** w coś)
**pound 3.** [paund] *s* zagroda (dla zwierząt); *vt* zamknąć w zagrodzie
**pour** [pɔ(r)] *vt vi* nalewać, rozlewać, lać; **~ in** napływać; **~ out** wylewać (się); *s* ulewa
**pout** [paut] *vt vi* wydymać wargi; *przen.* robić kwaśną minę
**pov·er·ty** [`povətɪ] *s* ubóstwo
**pow·der** [`paudə(r)] *s* proch; proszek; puder; *vt* posypać (proszkiem itd.); sproszkować; pudrować
**pow·er** [`pauə(r)] *s* potęga, moc, władza; możność, zdolność; mocarstwo; *elektr.* energia, siła; *mat.* potęga
**pow·er·ful** [`pauəfl] *adj* potężny, mocny; wpływowy
**pow·er-house** [`pauə haus] *s* elektrownia; *pot.* osoba pełna energii
**pow·er·less** [`pauəlɪs] *adj* bezsilny
**pow·er-sta·tion** [`pauə steɪʃən] *s* = **power-house**
**prac·ti·ca·ble** [`præktɪkəbl] *adj* możliwy, do przeprowadzenia, wykonalny; nadający się do użytku
**prac·ti·cal** [`præktɪkl] *adj* praktyczny; realny; faktyczny
**prac·ti·cal·ly** [`præktɪklɪ] *adv* praktycznie; faktycznie, w istocie rzeczy, właściwie
**prac·tice** [`præktɪs] *s* praktyka, ćwiczenie; **to be out of ~** wyjść z wprawy; **to put in** ⟨**into**⟩ **~** zrealizować
**prac·tise** [`præktɪs] *vt* praktykować; ćwiczyć (się)
**prac·ti·tion·er** [præk`tɪʃn̩ə(r)] *s* (*zw. o lekarzu*) praktyk; **general ~** lekarz praktykujący ogólnie
**prai·rie** [`preərɪ] *s* preria
**praise** [preɪz] *vt* chwalić, sławić; *s* chwała, pochwała
**praise·wor·thy** [`preɪzwɜðɪ] *adj* godny pochwały, chwalebny
**pram** [præm] *s pot. skr.* = **perambulator**
**prance** [prans] *vi* (*o koniu*) stawać dęba; harcować; *pot.* (*o człowieku*) dumnie kroczyć; zadzierać nosa

**prank** 1. [præŋk] *s* psota, figiel, wybryk; **to play ~s** dokazywać; płatać figle (**on sb** komuś)

**prank** 2. [præŋk] *vt* stroić, zdobić

**prate** [preɪt] *vt vi* paplać; *s* paplanina

**prat·tle** [ˋprætl] *vt vi* paplać, bajdurzyć; szczebiotać; *s* paplanina; szczebiot

**pray** [preɪ] *vt vi* prosić ⟨błagać, modlić się⟩ (**for sth** o coś); **~!** proszę!

**prayer** [ˋpreə(r)] *s* modlitwa; prośba; [ˋpreɪə(r)] modlący się

**pre** [pri] *praef łac.* przed-

**preach** [pritʃ] *vi* wygłaszać kazanie; *vt* głosić, wygłaszać (kazanie)

**preach·er** [ˋpritʃə(r)] *s* kaznodzieja

**pre·am·ble** [priˋæmbl] *s* wstęp, wstępna uwaga

**pre·ca·ri·ous** [prɪˋkeərɪəs] *adj* niepewny, wątpliwy; niebezpieczny

**pre·cau·tion** [prɪˋkɔʃn] *s* ostrożność, środek ostrożności; **to take ~s** zastosować środki ostrożności

**pre·cede** [prɪˋsid] *vt vi* poprzedzać (w czasie); iść przodem; mieć pierwszeństwo (**sb, sth** przed kimś, czymś)

**pre·ced·ence** [ˋpresɪdəns] *s* pierwszeństwo

**prec·e·dent** 1. [ˋpresɪdənt] *s* precedens

**pre·ced·ent** 2. [prɪˋsidənt] *adj* poprzedzający, uprzedni

**pre·ced·ing** [prɪˋsidɪŋ] *ppraes i adj* poprzedzający, poprzedni; powyższy

**pre·cept** [ˋprisept] *s* reguła; nauka moralna, przykazanie; *prawn.* nakaz

**pre·cep·tor** [prɪˋseptə(r)] *s* nauczyciel, instruktor

**pre·cinct** [ˋprisɪŋkt] *s* obręb, zakres, granica; *pl* **~s** najbliższe otoczenie, okolice; *am.* okręg wyborczy

**pre·cious** [ˋpreʃəs] *adj* drogocenny, wartościowy, cenny; (*o kamieniu itd.*) szlachetny; afektowany; ukochany; *pot.* skończony, kompletny (np. dureń); *adv pot.* bardzo, szalenie

**prec·i·pice** [ˋpresəpɪs] *s* przepaść

**pre·cip·i·tate** [prəˋsɪpɪteɪt] *vt* zrzucić, strącić; przyspieszyć; *chem.* strącić; *vi* spaść; osadzić się; *vr* **~ oneself** rzucić się (**on** ⟨**upon**⟩ **sb, sth** na kogoś, coś); *adj* [prəˋsɪpɪtət] spadzisty; gwałtowny, pośpieszny, nagły; *s* [prəˋsɪpɪtət] osad

**pre·cip·i·ta·tion** [prəˌsɪpɪˋteɪʃn] *s* zepchnięcie, zrzucenie; upadek; pośpiech, nagłość; *chem.* strącenie, osad

**pre·cip·i·tous** [prəˋsɪpɪtəs] *adj* przepastny; stromy, urwisty

**pré·cis** [ˋpreɪsɪ] *s* streszczenie

**pre·cise** [prɪˋsaɪs] *adj* dokładny, ścisły; (*o człowieku*) skrupulatny

**pre·ci·sion** [prɪˋsɪʒn] *s* precyzja, ścisłość

**pre·clude** [prɪˋklud] *vt* uniemożliwiać, zapobiegać

**pre·clu·sion** [prɪˋkluʒn] *s* wykluczenie; zapobieżenie (**from sth** czemuś)

**pre·clu·sive** [prɪˋklusɪv] *adj* uniemożliwiający, wykluczający

**pre·co·cious** [prɪˋkəuʃəs] *adj* przedwcześnie rozwinięty ⟨dojrzały⟩; przedwczesny

**pre·coc·i·ty** [prɪˋkosətɪ] *s* przedwczesny rozwój

**pre·con·ceive** [ˌprikənˋsiv] *vt* powziąć z góry (sąd, opinię), uprzedzić się (**sth** do czegoś)

**pre·con·cep·tion** [ˌprikənˋsepʃn] *s* z góry powzięty sąd; uprzedzenie

**pre·cur·sor** [prɪˋkɜsə(r)] *s* poprzednik, prekursor

**pred·a·to·ry** [ˋpredətərɪ] *adj* drapieżny; łupieżczy

**pre·de·ces·sor** [ˋpridɪsesə(r)] *s* poprzednik; przodek, antenat

**pre·des·ti·nate** [priˋdestɪneɪt] *vt* predestynować

**pre·des·ti·na·tion** [ˌpriˌdestɪˋneɪʃn] *s* predestynacja

**pre·des·tine** [pri`destɪn] = predestinate

**pre·dic·a·ment** [prɪ`dɪkəmənt] *s* ciężkie położenie, kłopot

**pred·i·cate** [`predɪkeɪt] *vt* orzekać, twierdzić; *s* [`predɪkət] *gram.* orzeczenie

**pre·dic·a·tive** [prɪ`dɪkətɪv] *adj* orzekający; *gram.* orzecznikowy; *s gram.* orzecznik

**pre·dict** [prɪ`dɪkt] *vt* przepowiadać, prorokować

**pre·di·lec·tion** [ˈpridɪ`lekʃn] *s* szczególne upodobanie (**for sth** do czegoś)

**pre·dis·po·si·tion** [ˈpriˈdɪspə`zɪʃn] *s* skłonność ⟨predyspozycja⟩ (**to sth** do czegoś)

**pre·dom·i·nant** [prɪ`domɪnənt] *adj* dominujący, przeważający

**pre·dom·i·nate** [prɪ`domɪneɪt] *vi* przeważać, dominować; przewyższać (**over sb, sth** kogoś, coś)

**pre·em·i·nent** [pri`emɪnənt] *adj* górujący, wybitny

**pre·fab** [`prifæb] *s pot. skr.* dom z prefabrykatów

**pre·fab·ri·cate** [pri`fæbrɪkeɪt] *vt* prefabrykować

**pref·ace** [`prefɪs] *s* przedmowa; *vt* poprzedzić przedmową

**pre·fect** [`prifekt] *s* prefekt

**pre·fer** [prɪ`fɜ(r)] *vt* woleć (**sb, sth to** ⟨**rather than**⟩ **sb, sth** kogoś, coś od kogoś, czegoś); wnosić, przedkładać (np. skargę); awansować

**pref·er·a·ble** [`prefṛəbl] *adj* bardziej wskazany ⟨lepszy, milszy⟩ (**to sb, sth** aniżeli ktoś, coś)

**pref·er·ence** [`prefṛəns] *s* pierwszeństwo; preferencja, przedkładanie (**of sth to** ⟨**over**⟩ **sth** czegoś nad coś)

**pre·fix** [pri`fɪks] *vt* umieścić na wstępie, poprzedzić (**sth to sth** coś czymś); *s* [`prifɪks] *gram.* przedrostek

**preg·nan·cy** [`pregnənsɪ] *s* ciąża, brzemienność

**preg·nant** [`pregnənt] *adj* ciężarna, brzemienna; *przen.* brzemienny; pełen treści, ważki; sugestywny

**pre·his·tor·ic** [ˈprihɪ`storɪk] *adj* prehistoryczny

**prej·u·dice** [`predʒədɪs] *s* uprzedzenie, złe nastawienie (**against sb, sth** do kogoś, czegoś); przychylne nastawienie (**in favour of sb, sth** do kogoś, czegoś); przesąd; szkoda, uszczerbek; **to the ~ of sb** ze szkodą dla kogoś; *vt* uprzedzić (fakt itd.); uprzedzić, z góry źle usposobić (**sb against sb, sth** kogoś do kogoś, czegoś); przychylnie nastawić (**sb in favour of sb, sth** kogoś od kogoś, czegoś); zaszkodzić, przynieść uszczerbek

**prej·u·di·cial** [ˈpredʒʊ`dɪʃl] *adj* szkodliwy (**to sb, sth** dla kogoś, czegoś)

**prel·ate** [`prelət] *s* prałat, dostojnik kościelny

**pre·lim·i·na·ry** [prɪ`lɪmɪnərɪ] *adj* wstępny, przygotowawczy; *s* (*zw. pl* **preliminaries**) preliminaria, wstępne kroki ⟨rozmowy⟩

**prel·ude** [`preljud] *s* wstęp; *muz.* preludium; *vt* zapowiadać; wprowadzić, poprzedzić wstępem; *vi* stanowić wstęp (**to sth** do czegoś)

**pre·ma·ture** [`premətʃə(r)] *adj* przedwczesny

**pre·med·i·tate** [pri`medɪteɪt] *vt* z góry obmyślić

**pre·med·i·ta·tion** [ˈpriˈmedɪ`teɪʃn] *s* premedytacja

**pre·mi·er** [`premɪə(r)] *adj* pierwszy; *s* premier

**prem·ise** [`premɪs] *s filoz.* przesłanka; założenie; *pl* **~s** lokal; parcela z zabudowaniami

**pre·mi·um** [`primɪəm] *s* premia

**pre·oc·cu·pa·tion** [ˈpriˈokjʊ`peɪʃn] *s* zaabsorbowanie, troska; uprzednie zajęcie (np. miejsca); uprzedzenie, przesąd

**pre·oc·cu·py** [pri`okjʊpaɪ] *vt* absorbować, pochłaniać uwagę; uprzednio zająć

**pre·paid** [ˈpri`peɪd] *adj* z góry opłacony

**prep·a·ra·tion** [ˌprepəˋreɪʃn] *s* przygotowanie; sporządzenie

**pre·par·a·to·ry** [prɪˋpærətərɪ] *adj* przygotowawczy

**pre·pare** [prɪˋpeə(r)] *vt vi* przygotowywać ⟨naszykować⟩ (się); sporządzić

**pre·pared** [prɪˋpeəd] *pp i adj* gotowy

**pre·pon·der·ance** [prɪˋpondərəns] *s* przewaga

**pre·pon·der·ate** [prɪˋpondəreɪt] *vi* przeważać ⟨mieć przewagę⟩ (**over sb, sth** nad kimś, czymś)

**prep·o·si·tion** [ˌprepəˋzɪʃn] *s gram.* przyimek

**pre·pos·sess** [ˌpripəˋzes] *vt* uprzedzać, usposabiać (*zw.* przychylnie), ujmować (zachowaniem itd.); natchnąć (**sb with sth** kogoś czymś)

**pre·pos·ter·ous** [prɪˋpostərəs] *adj* absurdalny, niedorzeczny

**pres·age** [ˋpresɪdʒ] *s* przepowiednia, zapowiedź; przeczucie; *vt* [prɪˋseɪdʒ] przepowiadać; zapowiadać

**pre·scribe** [prɪˋskraɪb] *vt* przepisywać, zarządzać, zalecać; *prawn.* unieważnić z powodu przedawnienia

**pre·scrip·tion** [prɪˋskrɪpʃn] *s* przepis, zarządzenie; recepta; *prawn.* **positive ~** nabycie przez zasiedzenie; **negative ~** przedawnienie

**pres·ence** [ˋprezns] *s* obecność; prezencja, powierzchowność; **~ of mind** przytomność umysłu

**pres·ent** 1. [ˋpreznt] *adj* obecny, teraźniejszy, niniejszy; *s* teraźniejszość; *gram.* czas teraźniejszy; **at ~** teraz, obecnie; **for the ~** na razie; **up to ⟨until⟩ the ~** dotychczas

**pre·sent** 2. [ˋpreznt] *s* prezent; *vt* [prɪˋzent] robić prezent, podarować (**sb with sth** komuś coś); prezentować, przedstawiać, przedkładać; **~ compliments ⟨regards⟩** pozdrawiać, składać uszanowanie; *vr* **~ oneself** zgłosić ⟨stawić⟩ się

**pre·sent·a·ble** [prɪˋzentəbl] *adj* (*o człowieku*) mający dobrą prezencję

**pres·en·ta·tion** [ˌpreznˋteɪʃn] *s* przedstawienie; przedłożenie; podarowanie; **~ copy** egzemplarz autorski

**pre·sen·ti·ment** [prɪˋzentɪmənt] *s* przeczucie

**pres·en·tly** [ˋprezntlɪ] *adv* wkrótce, zaraz

**pres·er·va·tion** [ˌprezəˋveɪʃn] *s* zachowywanie, przechowanie; ochrona

**pre·serve** [prɪˋzɜv] *vt* zachowywać, przechowywać; zabezpieczać, ochraniać; konserwować (owoce itp.); *s* konserwa; rezerwat

**pre·side** [prɪˋzaɪd] *vi* przewodniczyć (**at ⟨over⟩ the meeting** zebraniu)

**pres·i·dent** [ˋprezɪdənt] *s* prezydent; prezes, przewodniczący; rektor

**press** [pres] *vt vi* cisnąć (się), ściskać, uciskać, naciskać; nalegać; naglić; prasować; tłoczyć; wymuszać, narzucać; gnębić, ciążyć; **~ in** wciskać (się); wdzierać się; **~ on** pędzić naprzód; popędzać; **~ out** wyciskać; **~ through** przeciskać się; **to be ~ed for money** mieć trudności pieniężne; *s* nacisk; ścisk, tłok, napór; nawał; opresja; ciężkie położenie; prasa (*także* drukarska); **in ⟨the⟩ ~** pod prasą, w druku; **to go to ~** iść do druku; **a good ~** dobra recenzja (w prasie)

**press-clip·ping** [ˋpres klɪpɪŋ], **press-cut·ting** [ˋpres kʌtɪŋ] *s* wycinek prasowy

**press·ing** [ˋpresɪŋ] *ppraes i adj* naglący, pilny; natarczywy

**pres·sure** [ˋpreʃə(r)] *s* ciśnienie; nacisk; ucisk; *elektr.* napięcie; presja; nawał (spraw, pracy); **to**

put ~ wywierać nacisk (on ⟨upon⟩ sth na coś)

**pres·tige** [pre`stiʒ] *s* prestiż

**pre·sume** [prɪ`zjum] *vt vi* przypuszczać, domyślać się, zakładać; pozwalać sobie, ośmielać się; wykorzystywać, nadużywać (on ⟨upon⟩ sth czegoś); polegać (on ⟨upon⟩ sth na czymś)

**pre·sumed** [prɪ`zjumd] *pp i adj* przypuszczalny, domniemany

**pre·sump·tion** [prɪ`zʌmpʃn] *s* przypuszczenie, domniemanie; zarozumiałość

**pre·sump·tive** [prɪ`zʌmptɪv] *adj* przypuszczalny

**pre·sump·tu·ous** [prɪ`zʌmptʃuəs] *adj* zarozumiały, pewny siebie

**pre·sup·pose** [ˈprisə`pəuz] *vt* przyjmować ⟨zakładać⟩ z góry

**pre·tence** [prɪ`tens] *s* pretensja; roszczenie; udawanie; pretekst; pozory

**pre·tend** [prɪ`tend] *vt vi* pozorować, udawać; wysuwać jako pretekst; rościć pretensje, pretendować (to sth do czegoś)

**pre·tend·er** [prɪ`tendə(r)] *s* udający, symulant; pretendent

**pre·ten·sion** [prɪ`tenʃn] *s* pretensja, roszczenie; aspiracja; pretensjonalność

**pre·ten·tious** [prɪ`tenʃəs] *adj* pretensjonalny

**pret·er·ite** [`pretərɪt] *adj gram.* przeszły; *s gram.* czas przeszły

**pre·text** [`pritekst] *s* pretekst

**pret·ty** [`prɪtɪ] *adj* ładny, śliczny; dobry; spory; *adv pot.* sporo, dość

**pre·vail** [prɪ`veɪl] *vi* przeważać; brać górę (over ⟨against⟩ sb nad kimś); skłonić (kogoś); wymóc (on ⟨upon⟩ sb to do sth na kimś, aby coś zrobił); być powszechnie przyjętym, panować

**prev·a·lent** [`prevələnt] *adj* przeważający; powszechny, panujący

**pre·vent** [prɪ`vent] *vt* przeszkadzać (sth czemuś; sb from doing sth komuś w robieniu czegoś); powstrzymywać; zapobiegać (sth czemuś)

**pre·ven·tion** [prɪ`venʃn] *s* profilaktyka, zapobieganie; przeszkoda

**pre·ven·tive** [prɪ`ventɪv] *adj* zapobiegawczy; *s* środek zapobiegawczy

**pre·vi·ous** [`privɪəs] *adj* poprzedni, uprzedni; poprzedzający (to sth coś); *adv w zwrocie:* ~ to sth przed czymś

**pre-war** [ˈpri `wɔ(r)] *adj* przedwojenny

**prey** [preɪ] *s* łup, ofiara; to fall a ~ paść ofiarą (to sth czegoś); beast ⟨bird⟩ of ~ drapieżnik; *vi* grabić; żerować (on ⟨upon⟩ sb, sth na kimś, czymś); polować (on ⟨upon⟩ sth na coś); *przen.* trawić, dręczyć (on sb's mind kogoś)

**price** [praɪs] *s* cena; at the ~ po cenie, za cenę; *vt* ocenić, wycenić

**price·less** [`praɪsləs] *adj* bezcenny

**price-list** [`praɪs lɪst] *s* cennik

**prick** [prɪk] *s* ukłucie; ~s of conscience wyrzuty sumienia; *vt* ukłuć, przekłuć, nakłuć; ~ up one's ears nadstawiać uszu

**prick·le** [`prɪkl] *s* kolec, cierń; *vt vi* kłuć; szczypać

**pride** [praɪd] *s* duma; to take ~ szczycić się (in sth czymś); *vr* ~ oneself szczycić się ⟨pysznić się⟩ (on ⟨upon⟩ sth czymś)

**priest** [prist] *s* kapłan, duchowny

**prig** [prɪg] *s* pedant; zarozumialec

**prim** [prɪm] *adj pot.* schludny; afektowany; wyszukany; pedantyczny

**pri·ma·cy** [`praɪməsɪ] *s* prymat

**pri·ma·ry** [`praɪmərɪ] *adj* początkowy, pierwotny; pierwszorzędny, zasadniczy, główny; ~ school szkoła podstawowa

**pri·mate** [`praɪmeɪt] *s* prymas

**prime** [praɪm] *adj* pierwszy, najważniejszy, główny; at ~ cost po kosztach własnych; Prime Minister premier; *s* początek, zara-

nie; *przen.* wiosna, rozkwit; **in the ~ of life** w kwiecie wieku
**prim·er** [ˋpraɪmə(r)] *s* elementarz, podręcznik dla początkujących
**prim·i·tive** [ˋprɪmɪtɪv] *adj* prymitywny; początkowy, pierwotny
**prim·rose** [ˋprɪmrəuz] *s bot.* pierwiosnek
**prince** [prɪns] *s* książę
**prin·cess** [ˈprɪnˋses] *s* księżna, księżniczka
**prin·ci·pal** [ˋprɪnsəpl] *adj* główny; *s* kierownik, szef, dyrektor; kapitał (bez procentów)
**prin·ci·pal·i·ty** [ˈprɪnsəˋpælətɪ] *s* księstwo
**prin·ci·ple** [ˋprɪnsəpl] *s* zasada; podstawa
**print** [prɪnt] *s* druki, druk; sztych; odbicie, ślad, odcisk; odbitka; perkal; (*o książce*) **in ~** wydrukowany; będący w sprzedaży; **out of ~** wyczerpany; *vt* drukować; wytłaczać, wycisnąć
**print·er** [ˋprɪntə(r)] *s* drukarz
**print·ing** [ˋprɪntɪŋ] *s* drukowanie, druk; nakład
**print·ing-house** [ˋprɪntɪŋ haus] *s* drukarnia
**print·ing-of·fice** [ˋprɪntɪŋ ofɪs] = **printing-house**
**pri·or** [ˋpraɪə(r)] *adj* poprzedni, wcześniejszy, uprzedni; ważniejszy (**to sb, sth** od kogoś, czegoś); *adv w zwrocie*: **~ to sth** przed czymś; *s* przeor
**pri·or·i·ty** [praɪˋorətɪ] *s* pierwszeństwo, priorytet
**prism** [ˋprɪzm] *s fiz.* pryzmat; *mat.* graniastosłup
**pris·on** [ˋprɪzn] *s* więzienie
**pris·on·er** [ˋprɪzŋə(r)] *s* więzień, jeniec; **~ of war** jeniec wojenny; **to take ~** wziąć do niewoli
**pri·va·cy** [ˋprɪvəsɪ] *s* samotność, odosobnienie, izolacja; skrytość; utrzymywanie w tajemnicy
**pri·vate** [ˋpraɪvɪt] *adj* osobisty, własny, prywatny; tajny, poufny; **keep sth ~** trzymać coś w tajemnicy; odosobniony; *wojsk.* szeregowy; *s wojsk.* szeregowiec
**pri·va·teer** [ˈpraɪvɪˋtɪə(r)] *s* statek korsarski; kaper, korsarz
**pri·va·tion** [praɪˋveɪʃn] *s* pozbawienie; niedostatek, brak
**priv·i·lege** [ˋprɪvḷɪdʒ] *s* przywilej; nietykalność (poselska); *vt* uprzywilejować, nadać przywilej
**priv·y** [ˋprɪvɪ] *adj* tajny; wtajemniczony (**to sth** w coś); *s* ustęp, ubikacja
**prize 1.** [praɪz] *s* nagroda, premia; wygrana (na loterii); *vt* wysoko cenić
**prize 2.** [praɪz] *s* łup wojenny (zdobyty na morzu); *pot.* gratka; **to make a ~** zdobyć ⟨zająć⟩ (**of sth** coś)
**pro** [prəu] *praep łac.* za, na, pro; *adv w zwrocie*: **~ and con** za i przeciw; *s w zwrocie*: **~s and cons** (fakty itd.) za i przeciw
**prob·a·bil·i·ty** [ˈprobəˋbɪlətɪ] *s* prawdopodobieństwo; **in all ~** według wszelkiego prawdopodobieństwa
**prob·a·ble** [ˋprobəbl] *adj* prawdopodobny
**pro·ba·tion** [prəˋbeɪʃn] *s* staż; próba; nowicjat; *prawn.* warunkowe zwolnienie z więzienia i oddanie pod nadzór sądowy; **on ~** na stażu; pod nadzorem sądowym
**pro·ba·tion·a·ry** [prəˋbeɪʃnrɪ] *adj* (*o okresie*) próbny
**pro·ba·tion·er** [prəˋbeɪʃŋə(r)] *s* pracownik w okresie próby, praktykant, stażysta; nowicjusz; *prawn.* zwolniony więzień oddany pod nadzór sądowy
**probe** [prəub] *s* sonda; *vt* sondować; *przen.* badać; *vi* zagłębiać się (**into sth** w coś)
**pro·bi·ty** [ˋprəubətɪ] *s* rzetelność
**prob·lem** [ˋprobləm] *s* problem
**prob·lem·at·ic(al)** [ˈprobləˋmætɪk(l)] *adj* problematyczny
**pro·ce·dure** [prəˋsidʒə(r)] *s* procedura, postępowanie
**pro·ceed** [prəˋsid] *vi* podążać, posuwać się naprzód; udać się (dokądś); kontynuować (**with sth**

coś); wynikać ⟨pochodzić⟩ (**from sth** z czegoś); przystąpić ⟨zabrać się⟩ (**to sth** do czegoś); z kolei ⟨następnie⟩ zrobić (**to sth** coś); toczyć się, ciągnąć się, przebiegać; wytoczyć proces (**against sb** komuś)

**pro·ceed·ing** [prəˈsidɪŋ] *s* postępowanie; poczynanie; *pl* **~s** sprawozdanie (z działalności), protokóły; debaty (obrady); *prawn.* **legal ~s** przewód sądowy

**pro·ceeds** [ˈprəusidz] *s pl* dochód, zysk

**pro·cess** [ˈprəuses] *s* przebieg, tok, proces; **in ~** w toku; **in ~ of time** z biegiem czasu; *vt* obrabiać, poddawać procesowi ⟨działaniu⟩

**pro·ces·sion** [prəˈseʃn] *s* procesja, pochód

**pro·claim** [prəˈkleɪm] *vt* proklamować; zakazywać (**sth** czegoś)

**proc·la·ma·tion** [ˌprokləˈmeɪʃn] *s* proklamacja; zakaz

**pro·cliv·i·ty** [prəuˈklɪvətɪ] *s* skłonność, inklinacja (**to** ⟨**towards**⟩ **sth** do czegoś)

**pro·cras·ti·nate** [prəuˈkræstɪneɪt] *vt* odwlekać; *vi* ociągać się

**pro·cre·ate** [ˈprəukrɪeɪt] *vt* rodzić, wydawać na świat

**pro·cure** [prəˈkjuə(r)] *vt* dostarczyć (**sth for sb** coś komuś); sprawić (sobie), postarać się (**sth** o coś); dostać; *vi* stręczyć (do nierządu)

**pro·cur·er** [prəˈkjuərə(r)] *s* pośrednik; stręczyciel

**prod** [prod] *s* szturchnięcie; bodziec; *vt* szturchać; popędzać

**prod·i·gal** [ˈprodɪgl] *adj* rozrzutny, marnotrawny

**pro·dig·ious** [prəˈdɪdʒəs] *adj* zdumiewający, cudowny; ogromny

**prod·i·gy** [ˈprodɪdʒɪ] *s* cudo, cud; cudowne dziecko; nadzwyczajny talent

**pro·duce** [prəˈdjus] *vt* produkować, wytwarzać; wydobywać; powodować; wywoływać; wydawać (książkę, plony, potomstwo itd.); przynieść (np. zysk), dawać (rezultaty); okazywać, przedkładać, przedstawiać (np. dowody); wystawiać (sztukę); *s* [ˈprodjus] wynik; plon, zbiór; płody, produkty; produkcja, wydobycie

**pro·duc·er** [prəˈdjusə(r)] *s* producent; *am.* dyrektor teatru

**prod·uct** [ˈprodʌkt] *s* produkt, wyrób; wynik; *mat.* iloczyn

**pro·duc·tion** [prəˈdʌkʃn] *s* produkcja, wytwórczość; utwór (literacki itd.); wystawienie (sztuki)

**pro·duc·tive** [prəˈdʌktɪv] *adj* produktywny; płodny, żyzny

**pro·fane** [prəˈfeɪn] *vt* profanować; *adj* bluźnierczy; podgański; nieczysty; pospolity; świecki

**pro·fess** [prəˈfes] *vt* wyznawać (wiarę); oświadczać, twierdzić; uprawiać (zawód)

**pro·fessed** [prəˈfest] *pp i adj* jawny; zawodowy; rzekomy

**pro·fes·sion** [prəˈfeʃn] *s* zawód, zajęcie; wyznanie (wiary); oświadczenie; **by ~** z zawodu

**pro·fes·sion·al** [prəˈfeʃnl] *adj* zawodowy, fachowy; *s* fachowiec

**pro·fes·sor** [prəˈfesə(r)] *s* profesor

**prof·fer** [ˈprofə(r)] *vt* proponować ⟨oferować⟩ (swoje usługi itd.)

**pro·fi·cien·cy** [prəˈfɪʃnsɪ] *s* biegłość, sprawność

**pro·fi·cient** [prəˈfɪʃnt] *adj* biegły, sprawny

**pro·file** [ˈprəufaɪl] *s* profil

**prof·it** [ˈprofɪt] *s* korzyść, pożytek; dochód; **to turn to ~** wykorzystać; *vt* przynosić korzyść ⟨pożytek⟩; *vi* korzystać (**by** ⟨**from**⟩ **sth** z czegoś); zyskać (**by sth** na czymś)

**prof·it·a·ble** [ˈprofɪtəbl] *adj* korzystny, pożyteczny; zyskowny

**prof·it·eer** [ˌprofɪˈtɪə(r)] *s* spekulant, *pot.* paskarz; *vi* spekulować, *pot.* paskować

**prof·li·gate** [ˈproflɪgət] *adj* rozpustny; rozrzutny; *s* rozpustnik; rozrzutnik

**pro·found** [prə`faund] *adj* (*o ukłonie, zainteresowaniu itp.*) głęboki; (*o wiedzy itp.*) gruntowny

**pro·fun·di·ty** [prə`fʌndətɪ] *s* głębokość, głębia

**pro·fuse** [prə`fjus] *adj* hojny, rozrzutny; obfity

**pro·fu·sion** [prə`fjuʒn] *s* hojność, rozrzutność; obfitość

**pro·gen·itor** [prəu`dʒenɪtə(r)] *s* przodek, antenat

**prog·e·ny** [`prodʒɪnɪ] *s* potomstwo, *zbior.* potomkowie

**prog·nos·tic** [prog`nostɪk] *s* prognostyk, oznaka

**pro·hib·i·tive** [prə`hɪbətɪv] *adj* program; *vt* układać program

**prog·ress** [`prəugres] *s* postęp; rozwój; bieg; *vi* [prə`gres] posuwać się naprzód; robić postępy; być w toku

**pro·gres·sion** [prə`greʃn] *s* postęp, progresja

**pro·gres·sive** [prə`gresɪv] *adj* postępowy; progresywny; *gram.* ciągły; *s* postępowiec

**pro·hib·it** [prə`hɪbɪt] *vt* zakazywać; wstrzymywać

**pro·hi·bi·tion** [ˌprəuɪ`bɪʃn] *s* zakaz; prohibicja

**pro·hib·i·tive** [prə`hɪbətɪv] *adj* prohibicyjny; (*o cenach*) nieprzystępny

**pro·ject** [`prodʒekt] *s* projekt; *vt* [prə`dʒekt] projektować; rzucać, wyrzucać; rzutować; wyświetlać (na ekranie); *vi* wystawać, sterczeć

**pro·jec·tile** [prə`dʒektaɪl] *adj* dający się wyrzucić; *s* pocisk

**pro·jec·tion** [prə`dʒekʃn] *s* rzut, wyrzucenie; rzutowanie; wyświetlanie, projekcja; projektowanie, planowanie; występ, wystawanie; wyświetlony obraz

**pro·jec·tion·ist** [prə`dʒekʃnɪst] *s* operator kinowy (wyświetlający film)

**pro·le·ta·ri·an** [ˌprəulɪ`teərɪən] *adj* proletariacki; *s* proletariusz

**pro·le·ta·ri·at** [ˌprəulɪ`teərɪət] *s* proletariat

**pro·lif·ic** [prə`lɪfɪk] *adj* płodny

**pro·lix** [`prəulɪks] *adj* rozwlekły

**pro·logue** [`prəulog] *s* prolog

**pro·long** [prə`loŋ] *vt* przedłużać, prolongować

**pro·longed** [prə`loŋd] *pp i adj* długotrwały, przedłużający się

**prom·e·nade** [ˌpromə`nad] *s* przechadzka; promenada; *vt vi* przechadzać się

**prom·i·nent** [`promɪnənt] *adj* wystający; wybitny, sławny; widoczny

**prom·is·cu·i·ty** [ˌpromɪ`skjuətɪ] *s* mieszanina, bezład; stosunek pozamałżeński

**pro·mis·cu·ous** [prə`mɪskjuəs] *adj* mieszany, różnorodny; nie czyniący różnicy; pozamałżeński

**prom·ise** [`promɪs] *s* obietnica; **to keep a ~** dotrzymać obietnicy; **to show ~** dobrze się zapowiadać; *vt vi* obiecywać (**sb sth** ⟨**sth to sb**⟩ komuś coś); zapowiadać (się)

**prom·on·to·ry** [`promәntrɪ] *s* przylądek

**pro·mote** [prə`məut] *vt* posuwać naprzód; popierać, sprzyjać, zachęcać; promować; dawać awans; **to be ~d** awansować

**pro·mo·tion** [prə`məuʃn] *s* promocja, awans; poparcie

**prompt** [prompt] *adj* szybki; gotowy, zdecydowany; natychmiastowy; *vt vi* pobudzić, dodać bodźca; nakłonić; podpowiadać, *teatr* suflerować

**prompt·er** [`promptə(r)] *s teatr* sufler

**promp·ti·tude** [`promptɪtjud] *s* szybkość; gotowość (**of sth** do czegoś)

**prompt·ness** [`promptnəs] = **promptitude**

**prom·ul·gate** [`promlgeɪt] *vt* publicznie ogłaszać; szerzyć (poglądy itd.)

**prom·ul·ga·tion** [ˌproml`geɪʃn] *s* ogłoszenie, opublikowanie; szerzenie (poglądów itd.)

**prone** [prəun] *adj* pochyły, pochylony, stromy; leżący twarzą na dół; skłonny (**to do sth** do zrobienia czegoś)

**prong** [proŋ] *s* ząb (np. widelca); kolec, ostrze

**pro·noun** [ˋprəunaun] *s gram.* zaimek

**pro·nounce** [prəˋnauns] *vt* wymawiać; wypowiadać, oświadczać; *vi* wypowiadać się (**on sth** w jakiejś sprawie; **for sb, sth** za kimś, czymś; **against sb, sth** przeciwko komuś, czemuś)

**pro·nounced** [prəˋnaunst] *pp i adj* wyraźnie zaznaczony; zdecydowany (kolor itd.)

**pro·nounce·ment** [prəˋnaunsmənt] *s* wypowiedź, oświadczenie

**pro·nun·ci·a·tion** [prəˌnʌnsɪˋeɪʃn] *s* wymowa

**proof** [pruf] *s* dowód; badanie, próba; korekta; *adj* mocny, trwały, odporny

**proof-read·er** [ˋpruf ridə(r)] *s* korektor

**proof-sheet** [ˋpruf ʃit] *s* korekta (szpalta, arkusz)

**prop** [prop] *s* podpórka; podpora; *vt* (*także* **~ up**) podpierać, podtrzymywać

**prop·a·gan·da** [ˌpropəˋgændə] *s* propaganda

**prop·a·gate** [ˋpropəgeɪt] *vt* mnożyć, krzewić; propagować

**pro·pel** [prəˋpel] *vt* wprawiać w ruch, poruszać; napędzać; popędzać; pchnąć ⟨rzucić⟩ naprzód

**pro·pel·ler** [prəˋpelə(r)] *s lotn.* śmigło; *mors.* śruba okrętowa; siła napędowa

**pro·pen·si·ty** [prəˋpensətɪ] *s* skłonność ⟨popęd⟩ (**to sth** do czegoś)

**prop·er** [ˋpropə(r)] *adj* właściwy, odpowiedni, należyty, stosowny; (*o imieniu*) własny

**prop·er·ty** [ˋpropətɪ] *s* własność, posiadłość; posiadanie; własność, właściwość; *teatr zbior.* rekwizyty

**proph·e·cy** [ˋprofɪsɪ] *s* proroctwo

**proph·e·sy** [ˋprofɪsaɪ] *vt vi* prorokować

**proph·et** [ˋprofɪt] *s* prorok

**pro·phy·lac·tic** [ˌprofɪˋlæktɪk] *adj* profilaktyczny

**pro·pin·qui·ty** [prəˋpɪŋkwətɪ] *s* bliskość; pokrewieństwo

**pro·pi·ti·ate** [prəˋpɪʃɪeɪt] *vt* jednać sobie względy; przejednywać

**pro·pi·tious** [prəˋpɪʃəs] *adj* pomyślny; sprzyjający; łaskawy

**pro·por·tion** [prəˋpɔʃn] *s* proporcja; udział; **out of ~** nieproporcjonalny; *vt* dostosować; proporcjonalnie rozdzielić

**pro·por·tion·al** [prəˋpɔʃnl] *adj* proporcjonalny

**pro·por·tion·ate** [prəˋpɔʃn̩ət] *adj* proporcjonalny

**pro·pos·al** [prəˋpəuzl] *s* propozycja; oświadczyny

**pro·pose** [prəˋpəuz] *vt* proponować; wysunąć (wniosek, kandydaturę); zamierzać; zaplanować; *vi* oświadczyć się

**prop·o·si·tion** [ˌpropəˋzɪʃn] *s* propozycja; wniosek; *mat.* twierdzenie

**pro·pound** [prəˋpaund] *vt* przedkładać, proponować, zgłaszać

**pro·pri·e·tar·y** [prəˋpraɪətrɪ] *adj* własnościowy; (*o prawie*) posiadania; posiadający

**pro·pri·e·tor** [prəˋpraɪətə(r)] *s* właściciel, posiadacz

**pro·pri·e·ty** [prəˋpraɪətɪ] *s* słuszność, stosowność, właściwość, trafność; przyzwoitość, dobre wychowanie

**pro·rogue** [prəuˋrəug] *vt* odraczać

**pro·sa·ic** [prəˋzeɪɪk] *adj* prozaiczny

**pro·scribe** [prəuˋskraɪb] *vt* wyjąć spod prawa; skazać na banicję ⟨na wygnanie⟩

**pro·scrip·tion** [prəuˋskrɪpʃn] *s* proskrypcja, wyjęcie spod prawa

**prose** [prəuz] *s* proza; *vi* nudno mówić ⟨pisać⟩

**pros·e·cute** [ˋprosɪkjut] *vt* prowadzić (np. badania); wykonywać (np. pracę); kontynuować; sprawować, pełnić (np. obowiązki); ścigać sądownie

**pros·e·cu·tion** [ˌprosɪˈkjuʃn] *s* wykonywanie ⟨kontynuowanie⟩ (np. pracy); pełnienie ⟨sprawowanie⟩ (obowiązków); dochodzenie sądowe

**pros·e·cu·tor** [ˈprosɪkjutə(r)] *s* oskarżyciel sądowy; **public ~** prokurator

**pros·o·dy** [ˈprosədɪ] *s* prozodia

**pros·pect** [ˈprospekt] *s* perspektywa; widok; działka złotonośna; *vt vi* [prəˈspekt] przeszukiwać (teren złotodajny itp.), poszukiwać (**for gold** ⟨**oil**⟩ złota, nafty itd.)

**pro·spec·tive** [prəˈspektɪv] *adj* odnoszący się do przyszłości; przewidywany

**pro·spec·tor** [prəˈspektə(r)] *s* poszukiwacz (złota, nafty *itd.*)

**pro·spec·tus** [prəˈspektəs] *s* prospekt

**pros·per** [ˈprospə(r)] *vi* prosperować

**pros·per·i·ty** [proˈsperətɪ] *s* pomyślność; dobrobyt; dobra koniunktura

**pros·per·ous** [ˈprospərəs] *adj* cieszący się pomyślnością ⟨dobrobytem⟩, kwitnący; pomyślny

**pros·ti·tute** [ˈprostɪtjut] *s* prostytutka; *vt* prostytuować; marnować (np. zdolności); *vr* **~ oneself** uprawiać prostytucję

**pros·trate** [ˈprostreɪt] *adj* leżący plackiem ⟨twarzą ku ziemi⟩; *przen.* będący w prostracji, zgnębiony; *vt* [proˈstreɪt] powalić na ziemię; *przen.* skrajnie wyczerpać, zgnębić, doprowadzić do prostracji

**pro·tect** [prəˈtekt] *vt* chronić ⟨bronić, osłaniać, zabezpieczać⟩ (**from** ⟨**against**⟩ **sb, sth** przed kimś, czymś)

**pro·tec·tion** [prəˈtekʃn] *s* ochrona, obrona, zabezpieczenie (**against sth** przed czymś); protekcja, opieka; system ochrony celnej

**pro·tec·tion·ism** [prəˈtekʃnɪzm] *s* polityka ochrony celnej

**pro·tec·tive** [prəˈtektɪv] *adj* ochronny, zabezpieczający

**pro·tec·tor** [prəˈtektə(r)] *s* obrońca, opiekun; *techn.* osłona

**pro·tec·tor·ate** [prəˈtektərət] *s* protektorat

**pro·tein** [ˈprəutin] *s* białko, proteina

**pro·test** [ˈprəutest] *s* protest; uroczyste zapewnienie, oświadczenie; *vt vi* [prəˈtest] protestować; uroczyście zapewniać, oświadczać

**Prot·es·tant** [ˈprotɪstənt] *s* protestant; *adj* protestancki

**prot·es·ta·tion** [ˌprotɪˈsteɪʃn] *s* protestowanie; uroczyste zapewnienie

**pro·to·col** [ˈprəutəkol] *s* protokół (dyplomatyczny)

**pro·to·type** [ˈprəutətaɪp] *s* prototyp

**pro·tract** [prəˈtrækt] *vt* przewlekać, przedłużać

**pro·trac·tor** [prəˈtræktə(r)] *s mat.* kątomierz

**pro·trude** [prəˈtrud] *vi* wystawać, sterczeć; *vt* wysuwać

**pro·tru·sion** [prəˈtruʒn] *s* wysunięcie; wystawanie

**proud** [praud] *adj* dumny (**of sth** z czegoś); wspaniały

**prove** [pruv] *vt* udowadniać; badać, próbować; sprawdzać; *vi* (*także vr* **~ oneself**) okazywać się

**prov·erb** [ˈprovɜb] *s* przysłowie

**pro·ver·bi·al** [prəˈvɜbɪəl] *adj* przysłowiowy

**pro·vide** [prəˈvaɪd] *vt vi* dostarczać (**sb with sth** ⟨**sth for sb**⟩ komuś czegoś); zaspokoić potrzeby, zaopatrywać; (*o ustawie*) postanawiać, zarządzać; przedsiębrać kroki (w przewidywaniu czegoś), zabezpieczyć się (**for sth** na wypadek czegoś); *prawn.* postanawiać (**for sth** coś)

**pro·vid·ed** [prəˈvaɪdɪd] *pp i conj*

o ile, pod warunkiem, byle (tylko)
**prov·i·dence** [`prɔvɪdns] *s* przezorność; oszczędność; opatrzność
**prov·i·dent** [`prɔvɪdənt] *adj* przezorny; oszczędny
**prov·i·den·tial** [ˈprɔvɪ`denʃl] *adj* opatrznościowy
**prov·ince** [`prɔvɪns] *s* prowincja; zakres, dziedzina
**pro·vin·cial** [prə`vɪnʃl] *adj* prowincjonalny; rejonowy; *s* prowincjał
**pro·vi·sion** [prə`vɪʒn] *s* zaopatrzenie (**of sth** w coś); zabezpieczenie (**for** ⟨**against**⟩ **sth** przed czymś); zastosowanie środków, podjęcie kroków; klauzula, zastrzeżenie; warunek; zarządzenie, postanowienie; *pl* **~s** zapasy żywności, prowianty; *vt* zaprowiantować
**pro·vi·sion·al** [prə`vɪʒnl] *adj* tymczasowy, prowizoryczny
**pro·vi·sion-mer·chant** [prəˈvɪʒn `mɜtʃənt] *s* sprzedawca artykułów spożywczych
**pro·vi·so·ry** [prə`vaɪzərɪ] *adj* prowizoryczny; warunkowy
**prov·o·ca·tion** [ˈprɔvə`keɪʃn] *s* prowokacja; rozdrażnienie; powód
**pro·voke** [prə`vəuk] *vt* prowokować, podburzać; wywoływać, powodować; rozdrażniać, irytować, złościć
**prov·ost** [`prɔvəst] *s* przełożony; rektor; (*w Szkocji*) burmistrz
**prow** [prau] *s* dziób (okrętu)
**prow·ess** [`prauɪs] *s* waleczność, męstwo
**prowl** [praul] *vi* grasować, polować na zdobycz
**prowl·er** [`praulə(r)] *s* maruder
**prox·im·i·ty** [prɔk`sɪmətɪ] *s* bliskość ⟨sąsiedztwo⟩ (**of** ⟨**to**⟩ **sth** czegoś)
**prox·y** [`prɔksɪ] *s* zastępstwo; pełnomocnictwo; strona upełnomocniona; *handl.* prokura; **by ~** na podstawie pełnomocnictw, w zastępstwie
**prude** [prud] *s* kobieta pruderyjna, świętoszka
**pru·dence** [`prudns] *s* roztropność; ostrożność; rozwaga
**pru·dent** [`prudnt] *adj* roztropny; ostrożny; rozważny
**pru·den·tial** [pru`denʃl] *adj* podyktowany roztropnością ⟨rozwagą⟩
**prud·er·y** [`prudərɪ] *adj* pruderia
**prune 1.** [prun] *vt* czyścić drzewa (obcinając gałęzie); okrawać
**prune 2.** [prun] *s* suszona śliwka
**Prus·sian** [`prʌʃn] *adj* pruski; *s* Prusak
**prus·sic** [`prʌsɪk] *adj chem.* (*o kwasie*) pruski
**pry** [praɪ] *vi* podpatrywać; wścibiać nos (**into sth** w coś); szperać
**psalm** [sam] *s* psalm
**psal·ter** [`sɔltə(r)] *s* psałterz
**pseu·do** [`sjudəu] *praef* pseudo-; *adj* rzekomy
**pseu·do·nym** [`sjudənɪm] *s* pseudonim
**psy·che** [`saɪkɪ] *s* psyche, dusza; usposobienie; mentalność
**psy·chi·a·try** [saɪ`kaɪətrɪ] *s* psychiatria
**psy·chic** [`saɪkɪk] *adj* psychiczny, duchowy; metapsychiczny; *s* medium
**psy·chi·cal** [`saɪkɪkl] *adj* psychiczny, duchowy
**psy·cho·a·nal·y·sis** [ˈsaɪkəu ə`næləsɪs] *s* psychoanaliza
**psy·cho·log·i·c(al)** [ˈsaɪkə`lɔdʒɪk(l)] *adj* psychologiczny
**psy·chol·o·gy** [saɪ`kɔlədʒɪ] *s* psychologia
**psy·cho·sis** [saɪ`kəusɪs] *s* psychoza
**pub** [pʌb] *s pot.* piwiarnia, knajpa, bar
**pu·ber·ty** [`pjubətɪ] *s* okres dojrzewania płciowego
**pub·lic** [`pʌblɪk] *adj* publiczny; ogólny, powszechny; jawny; obywatelski, społeczny; urzędowy; **~ debt** dług państwowy; **~ house** szynk, piwiarnia, knajpa; **~**

school *bryt.* ekskluzywna szkoła średnia z internatem; *am.* państwowa szkoła średnia; ~ **service** służba państwowa; *s* publiczność; **in** ~ publicznie

**pub·li·ca·tion** [ˌpʌblɪˈkeɪʃn] *s* publikacja; ogłoszenie

**pub·lic·i·ty** [pʌbˈlɪsətɪ] *s* reklama, rozgłos

**pub·lish** [ˈpʌblɪʃ] *vt* publikować, wydawać; ogłaszać; **~ing house** firma wydawnicza, wydawnictwo

**pub·lish·er** [ˈpʌblɪʃə(r)] *s* wydawca

**puck** [pʌk] *s* chochlik

**pud·ding** [ˈpudɪŋ] *s* pudding

**pud·dle** [ˈpʌdl] *s* kałuża; *pot.* bałagan; *vt vi* chlapać (się), babrać (się); *pot.* bałaganić

**puff** [pʌf] *vt vi* dmuchać; pykać; sapać; *przen.* przesadnie zachwalać; (*także* ~ **up**) nadymać się; *s* podmuch, dmuchnięcie; kłąb (dymu itd.); bufa (rękawa); przesadna pochwała; hałaśliwa reklama; puszek (do pudru)

**puff-ball** [ˈpʌfbɔl] *s bot.* purchawka

**puff·y** [ˈpʌfɪ] *adj* porywisty; pękaty; nadęty; napuszony

**pu·gil·ist** [ˈpjudʒɪlɪst] *s* pięściarz

**pug·na·cious** [pʌgˈneɪʃəs] *adj* wojowniczy

**pull** [pul] *vt vi* ciągnąć, szarpać; wyrywać, zrywać; wiosłować; ~ **away** ⟨**back**⟩ odciągnąć; ~ **down** ściągnąć; rozebrać (dom); osłabić; ~ **in** wciągnąć; powściągnąć (np. konia); zatrzymać się; ograniczyć (wydatki); ~ **off** ściągnąć, zdjąć; zdobyć (np. nagrodę); przeprowadzić (plan, przedsięwzięcie), dokonać (czegoś); ~ **out** wyciągnąć, wyrwać; odejść, wycofać się; ~ **through** wyciągnąć (kogoś) z trudnego położenia; przebrnąć przez trudności; powracać powoli do zdrowia; ~ **(oneself) together** zebrać siły, przyjść do siebie; opamiętać się; ~ **up** podciągnąć; wyrwać z korzeniami; zatrzymać (się); dogonić (**with** ⟨**to**⟩ **sb, sth** kogoś, coś); *s* pociągnięcie, szarpnięcie; przyciąganie, ciąg; uchwyt; wysiłek; wpływ (**with sb** na kogoś); przewaga (**of** ⟨**over**⟩ **sb** nad kimś)

**pul·let** [ˈpulɪt] *s* kurczę; pularda

**pul·ley** [ˈpulɪ] *s techn.* rolka (linowa), blok (do podnoszenia), koło transmisyjne

**pull-over** [ˈpul əuvə(r)] *s* pulower

**pul·lu·late** [ˈpʌljuleɪt] *vi* kiełkować; krzewić się; roić się

**pulp** [pʌlp] *s* miękka masa; miazga; miękisz; papka

**pul·pit** [ˈpulpɪt] *s* ambona; *przen.* kaznodziejstwo; *zbior.* kaznodzieje

**pul·sate** [pʌlˈseɪt] *vi* pulsować, tętnić

**pulse** [pʌls] *s* puls, tętno; **to feel sb's** ~ badać komuś puls; *vi* pulsować

**pul·ver·ize** [ˈpʌlvəraɪz] *vt vi* sproszkować (się); zetrzeć (się) na proch; *przen.* zniszczyć

**puma** [ˈpjumə] *s zool.* puma

**pump** [pʌmp] *s* pompa; *vt* pompować; *przen.* wypytywać, wyciągać wiadomości

**pump·kin** [ˈpʌmpkɪn] *s bot.* dynia

**pun** [pʌn] *s* kalambur, gra słów; dwuznacznik; *vi* bawić się kalamburami ⟨dwuznacznikami⟩

**punch 1.** [pʌntʃ] *vt* bić pięścią; poganiać (bydło); *s* uderzenie pięścią, kułak

**punch 2.** [pʌntʃ] *vt* dziurkować, przebijać; kasować (np. bilet); *s* dziurkacz, przebijak

**punch 3.** [pʌntʃ] *s* poncz

**punc·tu·al** [ˈpʌŋktʃuəl] *adj* punktualny

**punc·tu·ate** [ˈpʌŋktʃueɪt] *vt* stosować interpunkcję; podkreślać

**punc·tu·a·tion** [ˌpʌŋnktʃuˈeɪʃn] *s* interpunkcja

**punc·ture** [ˈpʌŋktʃə(r)] *s* przekłucie, przebicie; *vt* przekłuwać; *vi* przedziurawić się

**pun·gent** [ˋpʌŋdʒənt] *adj* kłujący; (*o smaku, zapachu*) ostry; pikantny; zgryźliwy
**pun·ish** [ˋpʌnɪʃ] *vt* karać
**pun·ish·a·ble** [ˋpʌnɪʃəbl] *adj* karalny
**pun·ish·ment** [ˋpʌnɪʃmənt] *s* kara
**pu·ni·tive** [ˋpjunɪtɪv] *adj* karny; karzący
**punt** [pʌnt] *s* łódź płaskodenna
**pup** [pʌp] *s* szczenię
**pu·pil 1.** [ˋpjupl] *s* uczeń
**pu·pil 2.** [ˋpjupl] *s* źrenica
**pup·pet** [ˋpʌpɪt] *s* kukiełka, marionetka
**pup·py** [ˋpʌpɪ] *s* szczenię
**pur·chase** [ˋpɜtʃəs] *s* kupno, nabytek; *vt* kupować, nabywać
**pure** [pjuə(r)] *adj* czysty; szczery; nie fałszowany; bez domieszki
**pur·ga·tion** [pɜˋgeɪʃn] *s* oczyszczenie (się); *med.* przeczyszczenie
**pur·ga·tive** [ˋpɜgətɪv] *adj* przeczyszczający; *lit.* oczyszczający; *s* środek przeczyszczający
**pur·ga·to·ry** [ˋpɜgətrɪ] *s* czyściec
**purge** [pɜdʒ] *vt* oczyszczać; *s* oczyszczanie; czystka
**pu·ri·fy** [ˋpjuərɪfaɪ] *vt vi* oczyszczać (się)
**Pu·ri·tan** [ˋpjuərɪtən] *adj* purytański; *s* purytanin
**pu·ri·ty** [ˋpjuərətɪ] *s* czystość
**pur·loin** [pɜˋlɔɪn] *vt* ukraść
**pur·ple** [ˋpɜpl] *s* purpura; *vt* barwić na purpurowo
**pur·port** [ˋpɜpət] *s* treść, sens, znaczenie; doniosłość; *vt* świadczyć, znaczyć, oznaczać; wydawać się; **to ~ to be** wydawać się być, rzekomo być
**pur·pose** [ˋpɜpəs] *s* cel, plan, zamiar; wola, stanowczość; **on ~** umyślnie, celowo; **to little ~** z małą korzyścią, z niewielkim skutkiem; **to no ~** bezcelowo, na darmo; bezcelowy; **with the ~ of** celem, w celu; *vt* zamierzać, mieć na celu
**purr** [pɜ(r)] *vi* (*o kocie*) mruczeć; warkotać; *s* mruczenie; warkot
**purse** [pɜs] *s* portfel, portmonetka; sakiewka; *vt* włożyć do portfelu ⟨portmonetki, sakiewki⟩; ściągnąć (brwi), zacisnąć (usta), zmarszczyć (czoło)
**pur·su·ance** [pəˋsjuəns] *s* wykonywanie; pójście w ślady; **in ~ of** zgodnie z (planem itd.), stosownie do (instrukcji itd.)
**pur·sue** [pəˋsju] *vt* prześladować, ścigać; dążyć; uprawiać, wykonywać; kontynuować
**pur·suit** [pəˋsjut] *s* ściganie, pościg (**of sb, sth** za kimś, czymś); dążenie; *pl* **~s** interesy, sprawy, zajęcia
**pur·vey** [pɜˋveɪ] *vt* zaopatrzyć, dostarczyć; *vi* robić zapasy; być dostawcą (**for sb** czyimś)
**pur·vey·or** [pɜˋveɪə(r)] *s* dostawca
**pus** [pʌs] *s med.* ropa
**push** [puʃ] *vt vi* popychać; **~ along** pośpieszyć się; **~ in** wepchnąć; **~ off** odepchnąć; **~ out** wypchnąć; posuwać (się) naprzód; popędzić, nakłonić (**sb to sth** kogoś do czegoś); popierać (**sb, sth** kogoś, coś); *s* pchnięcie; posunięcie; wysiłek; poparcie
**puss** [pus] *s* kot
**pus·sy 1.** [ˋpʌsɪ] *adj* ropny
**pus·sy 2.** [ˋpusɪ] *s* (*także* **~-cat**) kotek
* **put, put, put** [put] *vt vi* stawiać, kłaść, umieszczać; zadawać (pytania); wypowiadać, wyrażać; skazać (**to death** na śmierć); nastawić (np. zegarek); zaprząc (**sb to work** kogoś do pracy; **a horse to the cart** konia do wozu); poddać (**to the test** próbie); **to ~ right** naprawić; **to ~ a stop** położyć kres, przerwać; *z przysłówkami i przyimkami*: **~ away** ⟨**aside**⟩ odłożyć; **~ back** odłożyć; powstrzymać; cofnąć (zegarek); **~ by** odkładać (np. pieniądze); uchylać się (**sth** od czegoś); zbywać (**sb** kogoś); **~ down** złożyć; stłumić (np. powstanie); ukrócić,

poskromić; wysadzić (np. pasażerów); zapisać; zmniejszyć (wydatki); przypisywać (**sth to sb** coś komuś); **~ forth** wytężać (np. siły); puszczać (pąki); wydać (książkę); **~ forward** wysuwać, przedkładać, przedstawiać; posuwać naprzód; **~ in** wkładać, wsuwać; wtrącać; wnosić (np. skargę); wprowadzać; **~ in mind** przypominać (**sb of sth** komuś o czymś); **~ in order** doprowadzić do porządku; **~ off** odłożyć; zdjąć (np. ubranie); zbyć, odprawić; odroczyć; **~ on** nakładać, wdziewać; przybierać (np. postać); wystawiać (sztukę); **~ out** wysuwać ⟨wyciągać⟩ (np. rękę); gasić; *sport* eliminować; wywiesić (np. bieliznę); wybić; wydać (drukiem); **~ out of countenance** skonfundować; **~ out of doors** wyrzucić za drzwi; **~ out of order** wprowadzić nieład; **~ over** przeprowadzić; zapewnić uznanie (np. **a film** dla filmu); **~ through** przepchnąć ⟨przeprowadzić⟩ (np. sprawę); połączyć telefonicznie (**to sb** z kimś); **~ together** zestawić, zmontować; zebrać, zsumować; **~ up** podnieść, dźwignąć; ustawiać, instalować; wywieszać (np. ogłoszenie); zaplanować, ukartować (podstępnie); schować, wetknąć (np. do kieszeni); zapakować; podnieść (np. cenę); wystawić (np. towar na sprzedaż); wysunąć (kandydaturę); wnieść (prośbę); dać nocleg (**sb** komuś); zatrzymać się (**at a hotel** w hotelu); pogodzić się (**with sb** z kimś); ścierpieć (**with sth** coś); zadowolić się (**with sth** czymś); namawiać ⟨nakłaniać⟩ (**sb to sth** kogoś do czegoś); *s* rzut

**pu·ta·tive** [`pjuṭətɪv] *adj* domniemany

**pu·tre·fac·tion** [ˌpjutrɪ`fækʃn] *s* gnicie

**pu·tre·fy** [`pjutrɪfaɪ] *vi* psuć się, gnić; *vt* powodować gnicie ⟨rozkład⟩

**pu·trid** [`pjutrɪd] *adj* zgniły, zepsuty

**put·ty** [`pʌtɪ] *adj* kit

**put-up** [`put ʌp] *adj attr* zaplanowany, ukartowany (podstępnie)

**puz·zle** [`pʌzl] *s* zagadka; *vt* zaintrygować; wprawić w zakłopotanie

**puz·zle·ment** [`pʌzlmənt] *s* zaintrygowanie; zakłopotanie

**pyg·my** [`pɪgmɪ] *s* pigmej

**py·ja·mas** [pə`dʒaməz] *s pl* piżama

**pyr·a·mid** [`pɪrəmɪd] *s* piramida; *mat.* ostrosłup

**pyre** [`paɪə(r)] *s* stos (*zw.* pogrzebowy)

**py·ro·tech·nics** [ˌpaɪərəu`teknɪks] *s* pirotechnika

**py·thon** [`paɪθən] *s zool.* pyton

# q

**quack 1.** [kwæk] *s* znachor, szarlatan

**quack 2.** [kwæk] *vi* kwakać; *s* kwakanie

**quad·ran·gle** [`kwodræŋgl] *s* dziedziniec; *mat.* czworokąt

**quad·ri·lat·er·al** [ˌkwodrɪ`lætərl] *adj* czworoboczny; *s mat.* czworokąt

**quad·ru·ped** [`kwodruped] *s zool.* czworonóg; *adj* czworonożny

**quad·ru·ple** [`kwodrupl] *adj* poczwórny, czterokrotny

**quaff** [kwof] *vt vi* wychylać jed-

nym haustem, pić wielkimi łykami
**quag** [kwæg] *s* bagno
**quag·gy** [ˋkwægɪ] *adj* bagnisty, grząski
**quag·mire** [ˋkwægmaɪə(r)] *s* bagno, trzęsawisko
**quail 1.** [kweɪl] *vi* ociągać się, lękać się; cofać się (**before sth** przed czymś)
**quail 2.** [kweɪl] *s* (*pl* ~) *zool.* przepiórka
**quaint** [kweɪnt] *adj* dziwny, dziwaczny
**quake** [kweɪk] *vi* trząść się, drżeć; *s* drżenie; *pot.* trzęsienie ziemi
**Quak·er** [ˋkweɪkə(r)] *s* kwakier
**qual·i·fi·ca·tion** [ˏkwolɪfɪˋkeɪʃn] *s* kwalifikacja; określenie; zastrzeżenie
**qual·i·fy** [ˋkwolɪfaɪ] *vt* kwalifikować; określać; warunkować; modyfikować; łagodzić; *vi* zdobyć kwalifikacje zawodowe; otrzymać dyplom
**qual·i·ta·tive** [ˋkwolɪtətɪv] *adj* jakościowy
**qual·i·ty** [ˋkwolətɪ] *s* jakość; gatunek; cecha, właściwość, zaleta; charakter
**qualm** [kwam] *s* mdłości; skrupuł; niepewność, niepokój
**quan·da·ry** [ˋkwondərɪ] *s* ciężkie położenie, kłopot, dylemat
**quan·ti·ta·tive** [ˋkwontɪtətɪv] *adj* ilościowy
**quan·ti·ty** [ˋkwontətɪ] *s* ilość; iloczas; *pl* **quantities** masa, obfitość
**quar·rel** [ˋkworl] *s* kłótnia; *vi* kłócić się
**quar·rel·some** [ˋkworlsəm] *adj* kłótliwy
**quar·ry 1.** [ˋkworɪ] *s* kamieniołom
**quar·ry 2.** [ˋkworɪ] *s* zwierzyna (upolowana); łup
**quart** [kwɔt] *s* kwarta
**quar·ter** [ˋkwɔtə(r)] *s* ćwierć, czwarta część; kwadrans; kwartał; strona świata; kwadra (księżyca); dzielnica, rewir; źródło (informacji); *am.* moneta 25-centowa; *pl* ~**s** sfery; apartamenty, mieszkanie; *wojsk.* kwatery; **at close ~s** z bliska; (*o walce*) wręcz; **to take up ~s** zamieszkać; *vt* ćwiartować; *wojsk.* zakwaterować; *vi wojsk.* kwaterować, stacjonować
**quar·ter·ly** [ˋkwɔtəlɪ] *adj* kwartalny; *adv* kwartalnie; *s* kwartalnik
**quartz** [kwɔts] *s miner.* kwarc
**quash** [kwoʃ] *vt* zgnieść, stłumić; skasować, unieważnić
**qua·si** [ˋkweɪsaɪ] *adj, adv i praef* prawie, niemal; niby
**quat·rain** [ˋkwotreɪn] *s* czterowiersz
**qua·ver** [ˋkweɪvə(r)] *vi* (*zw. o głosie*) drżeć, drgać; śpiewać tremolando; *s* wibrujący głos, tremolo; *muz.* tryl; *muz.* ósemka
**quay** [ki] *s* nadbrzeże
**quea·sy** [ˋkwizɪ] *adj* wrażliwy; grymaśny; skłonny do mdłości; przyprawiający o mdłości
**queen** [kwin] *s* królowa; żona króla; dama (w kartach)
**queer** [kwɪə(r)] *adj* dziwaczny; podejrzany, wątpliwy; nieswój; **to feel ~** czuć się niedobrze ⟨kiepsko⟩
**quell** [kwel] *vt* tłumić, dławić
**quench** [kwentʃ] *vt* gasić; tłumić; studzić (np. zapał)
**quer·u·lous** [ˋkwerələs] *adj* gderliwy, zrzędny
**que·ry** [ˋkwɪərɪ] *s* pytanie; znak zapytania; *vt vi* zapytywać; badać; stawiać znak zapytania
**quest** [kwest] *s* poszukiwanie; *vt vi* poszukiwać (**sth** ⟨**for sth, after sth**⟩ czegoś)
**ques·tion** [ˋkwestʃən] *s* pytanie; zastrzeżenie, kwestia; **to ask** ⟨**put**⟩ **a ~** zadać pytanie; **to call in ~** zakwestionować; **in ~** będący przedmiotem rozważań, to, o co chodzi; **out of the ~** nie wchodzący w rachubę; **beyond**

⟨past, without, out of the⟩ ~ niewątpliwie; *vt* zadawać pytania, pytać; indagować; badać; kwestionować

**ques·tion·a·ble** [ˋkwestʃənəbl] *adj* wątpliwy, sporny

**ques·tion-mark** [ˋkwestʃən mak] *s* znak zapytania

**ques·tion·naire** [ˌkwestʃəˋneə(r)] *s* kwestionariusz

**queue** [kju] *s* szereg ludzi, kolejka (w sklepie itd.); warkocz; = **cue**; *vi* (*także* ~ **up**) stać w kolejce

**quib·ble** [ˋkwɪbl] *s* gra słów; wykręt, wybieg (w rozmowie); *vi* uprawiać grę słów; mówić wykrętnie

**quick** [kwɪk] *adj* szybki; bystry; zwinny; (*o zmysłach*) zaostrzony; *adv* szybko, żwawo; zaraz; *s* żywe ciało; czuły punkt; *przen.* **to sting to the ~** dotknąć do żywego

**quick·en** [ˋkwɪkən] *vt vi* przyśpieszyć; ożywić (się); wracać do życia

**quick-lime** [ˋkwɪk-laɪm] *s* nie gaszone wapno

**quick·sand** [ˋkwɪksænd] *s* lotne ⟨ruchome⟩ piaski

**quick·sil·ver** [ˋkwɪksɪlvə(r)] *s* rtęć; *przen.* żywe srebro

**quick-tem·pered** [ˌkwɪk ˋtempəd] *adj* nieopanowany, porywczy

**quid** [kwɪd] *s pot.* funt szterling

**qui·es·cent** [kwaɪˋesnt] *adj* spokojny, nieruchomy; bierny

**qui·et** [ˋkwaɪət] *adj* spokojny; cichy; *s* spokój; cisza; *vt* uspokajać; uciszać; *vi* (*zw.* ~ **down**) uspokajać, uciszać się

**qui·et·ism** [ˋkwaɪətɪzm] *s filoz.* kwietyzm

**qui·e·tude** [ˋkwaɪətjud] *s* spokój

**quill** [kwɪl] *s* lotka; gęsie pióro (do pisania); kolec (np. jeża)

**quilt** [kwɪlt] *s* kołdra; *vt* pikować

**qui·nine** [kwɪˋnin] *s* chinina

**quin·tuple** [ˋkwɪntjupl] *adj* pięciokrotny

**quirk** [kwɜk] *s* gra słów, kalambur; wykręt; kaprys

**quit** [kwɪt] *vt vi* opuszczać (miejsce, posadę itd.); rezygnować; odejść, odjechać; *lit.* odpłacać; *adj* wolny (**of sth** od czegoś)

**quite** [kwaɪt] *adv* zupełnie, całkiem; całkowicie; wcale; ~ **a treat** istna biesiada; **it's ~ the thing** to jest właśnie to, o co chodzi; to ostatni krzyk mody; ~ **so!** zupełna racja! właśnie!

**quiv·er 1.** [ˋkwɪvə(r)] *vi* drżeć, drgać; *s* drżenie, drganie

**quiv·er 2.** [ˋkwɪvə(r)] *s* kołczan

**quiz** [kwɪz] *vt* nabierać, kpić; żartować sobie (**sb, sth** z kogoś, czegoś); *am.* egzaminować, badać (inteligencję); *s* nabieranie, żarty; *am.* egzamin, test; kwiz; kpiarz

**quo·ta** [ˋkwəutə] *s* określony udział; kontyngent

**quo·ta·tion** [kwəuˋteɪʃn] *s* cytat; cytowanie; *handl.* notowanie kursu (na giełdzie)

**quo·ta·tion-marks** [kwəuˋteɪʃn maks] *s pl* cudzysłów

**quote** [kwəut] *vt* cytować, powoływać się (**sth** na coś); *handl.* notować ⟨podawać⟩ kurs (na giełdzie)

**quo·tient** [ˋkwəuʃnt] *s mat.* iloraz

# r

**R, r** [ɑ(r)]: **the three R's** wykształcenie elementarne **(reading, (w)riting, (a)rithmetic** czytanie, pisanie, arytmetyka)
**rab·bi** [ˋræbɑɪ] *s* rabin
**rab·bit** [ˋræbɪt] *s* królik
**rab·ble** [ˋræbl] *s* motłoch
**rab·id** [ˋræbɪd] *adj* wściekły, rozwścieczony, szalony
**ra·bies** [ˋreɪbiz] *s med.* wścieklizna
**race 1.** [reɪs] *s* rasa, ród
**race 2.** [reɪs] *s* bieg, gonitwa, wyścig; nurt, prąd; **armaments ~** wyścig zbrojeń; **to run a ~** *sport* brać udział w biegu, biec; *pl* **~s** wyścigi konne; *vt vi* gonić ⟨ścigać⟩ (się); brać udział w wyścigach, iść w zawody; puszczać w zawody (np. konia); popędzać (konia)
**race·course** [ˋreɪs kɔs], **race-track** [ˋreɪs træk] *s* tor wyścigowy
**ra·cial** [ˋreɪʃl] *adj* rasowy
**ra·cial·ism** [ˋreɪʃlɪzm] *s* rasizm
**rac·ing** [ˋreɪsɪŋ] *s* wyścigi (konne), biegi, regaty, zawody; *adj attr* wyścigowy
**rac·ism** [ˋreɪsɪzm] *s* rasizm
**rack 1.** [ræk] *s* wieszak (na palta); stojak; półka (np. w wagonie); drabinka stajenna
**rack 2.** [ræk] *s* koło tortur; *vt* łamać kołem, torturować; **to ~ one's brains for sth** łamać sobie głowę nad czymś
**rack 3.** [ræk] *s* zniszczenie; **to go to ~ and ruin** ulec zniszczeniu; wykoleić się
**rack·et 1.** [ˋrækɪt] *s sport* rakieta
**racket 2.** [ˋrækɪt] *s* hałas, huk, wrzawa; hulanka; *pot.* szantaż, wymuszanie, granda; *vi* hałasować; hulać
**rack·et·eer** [ˏrækɪˋtɪə(r)] *s pot.* szantażysta, grandziarz; *vi* uprawiać szantaż ⟨grandę⟩
**rac·y** [ˋreɪsɪ] *adj* pełen życia; dosadny; pikantny; (bardzo) charakterystyczny, typowy
**ra·dar** [ˋreɪdɑ(r)] *s* radar
**ra·di·al** [ˋreɪdɪəl] *adj* promieniowy
**ra·di·ance** [ˋreɪdɪəns] *s* promieniowanie; blask
**ra·di·ant** [ˋreɪdɪənt] *adj* promieniujący; promienny
**ra·di·ate** [ˋreɪdɪeɪt] *vt vi* promieniować; wysyłać ⟨emitować⟩ (promienie, światło, energię, ciepło)
**ra·di·a·tion** [ˏreɪdɪˋeɪʃn] *s* promieniowanie; napromienienie
**ra·di·a·tor** [ˋreɪdɪeɪtə(r)] *s* radiator; kaloryfer, grzejnik; *techn.* chłodnica
**rad·i·cal** [ˋrædɪkl] *adj* radykalny; *s* radykał; *mat.* pierwiastek
**ra·di·o** [ˋreɪdɪəʊ] *s* radio; *vt* nadawać przez radio
**ra·di·o·ac·tive** [ˏreɪdɪəʊ ˋæktɪv] *adj* promieniotwórczy, radioaktywny
**ra·di·o·ac·tiv·i·ty** [ˏreɪdɪəʊ ækˋtɪvətɪ] *s* promieniotwórczość, radioaktywność
**ra·di·o·gram** [ˋreɪdɪəʊgræm] *s* depesza radiowa; zdjęcie rentgenowskie
**ra·di·o·graph** [ˋreɪdɪəʊgrɑf] *s* zdjęcie rentgenowskie; *vt* robić zdjęcie rentgenowskie
**ra·di·ol·o·gy** [ˏreɪdɪˋolədʒɪ] *s* radiologia; rentgenologia
**rad·ish** [ˋrædɪʃ] *s* rzodkiewka
**ra·di·um** [ˋreɪdɪəm] *s chem.* rad
**ra·di·us** [ˋreɪdɪəs] *s* (*pl* **radii** [ˋreɪdɪɑɪ]) promień
**raf·fle** [ˋræfl] *s* loteria (fantowa); *vt* sprzedawać na loterii; *vi* grać na loterii
**raft** [rɑft] *s* tratwa; *vt* spławiać tratwą; *vi* przeprawiać się tratwą
**rag** [ræg] *s* szmata, gałgan
**rag·a·muf·fin** [ˋrægəmʌfɪn] *s* obdartus

**rage** [reɪdʒ] *s* wściekłość, gniew, pasja, furia; mania (**for sth** czegoś); pasja (**for sth** do czegoś); (najnowsza) moda; *vi* szaleć; wściekać się (**at** ⟨**against**⟩ **sb** na kogoś)

**rag·ged** [ˈrægɪd] *adj* obszarpany, obdarty; poszarpany, nierówny, szorstki

**rag·time** [ˈrægtaɪm] *s* ragtime (wczesna forma jazzu o rytmie synkopowanym); synkopowana muzyka murzyńska

**raid** [reɪd] *s* najazd, napad; nalot; obława; *vt* najeżdżać (np. kraj), robić napad ⟨nalot⟩; urządzać obławę

**rail 1.** [reɪl] *s* balustrada, poręcz; listwa; szyna; sztacheta; kolej żelazna; **by ~** koleją; **to get off the ~s** wykoleić się; *vt* (*także* **~ in** ⟨**off, round**⟩) ogrodzić; okratować; przewozić koleją; *vi* jechać koleją

**rail 2.** [reɪl] *vi* złorzeczyć, uskarżać się (**at sb, sth** na kogoś, coś); szydzić (**at sb** z kogoś); urągać (**at sb** komuś)

**rail·ing** [ˈreɪlɪŋ] *ppraes i s* ogrodzenie; okratowanie; poręcz

**rail·road** [ˈreɪlrəud] *am.* = **railway**

**rail·way** [ˈreɪlweɪ] *s* kolej żelazna; *vi* jechać ⟨podróżować⟩ koleją

**rain** [reɪn] *s* deszcz; *vi* (*o deszczu*) padać

**rain·bow** [ˈreɪnbəu] *s* tęcza

**rain·coat** [ˈreɪnkəut] *s* płaszcz nieprzemakalny

**rain·fall** [ˈreɪnfɔl] *s* opad (deszczu); ulewa

**rain·y** [ˈreɪnɪ] *adj* deszczowy, dżdżysty; *przen.* **~ day** czarna godzina

**raise** [reɪz] *vt* podnosić, dźwignąć, podwyższać; wznosić (budynek itd.); budzić, wywoływać; ożywiać; poruszać (sprawę); ściągać (podatki itp.); werbować; mobilizować; hodować, uprawiać; wychowywać (dzieci)

**rai·sin** [ˈreɪzn] *s* rodzynek

**rake 1.** [reɪk] *s* grabie; pogrzebacz; *vt vi* grabić, zgarniać; grzebać (się), szperać; **~ out** wygrzebać; **~ up** zgrzebywać, zgarniać; rozgrzebywać

**rake 2.** [reɪk] *s* łajdak, hulaka

**ral·ly 1.** [ˈrælɪ] *s* zjazd, zlot, zbiórka; poprawa (zdrowia itd.); *vt vi* zbiegać się, zbierać (się), gromadzić (się); zebrać siły (np. po chorobie); otrząsnąć się, przyjść do siebie

**ral·ly 2.** [ˈrælɪ] *vt* wyszydzać, wykpiwać

**ram** [ræm] *s* baran; taran; dźwig hydrauliczny; tłok; *vt* uderzać (taranem); ubijać, wbijać, tłuc, wtłaczać

**ram·ble** [ˈræmbl] *s* wędrówka, przechadzka; *vi* wałęsać ⟨włóczyć⟩ się; wędrować; (np. *o ścieżce*) wić się; zbaczać (z tematu)

**ram·bler** [ˈræmblə(r)] *s* wędrowiec, włóczęga; pnącze, roślina pnąca

**ram·i·fi·ca·tion** [ˌræmɪfɪˈkeɪʃn] *s* rozgałęzienie

**ram·i·fy** [ˈræmɪfaɪ] *vt vi* rozgałęziać ⟨rozwidlać⟩ (się)

**ram·mer** [ˈræmə(r)] *s* kafar; ubijak

**ramp** [ræmp] *s* pochyłość; nachylenie (muru itd.); pochyła droga, podjazd w górę; rampa; *vi* wznosić się ⟨opadać⟩ pochyło; *pot.* wściekać się

**ram·pant** [ˈræmpənt] *adj* obficie krzewiący się, bujny; szerzący ⟨srożący, panoszący⟩ się; nieokiełznany, gwałtowny

**ram·part** [ˈræmpɑt] *s* wał (obronny), szaniec; *przen.* obrona, osłona

**ram·shack·le** [ˈræmʃækl] *adj* rozpadający się, rozklekotany, w ruinie

**ran** *zob.* **run**

**ranch** [rɑntʃ] *s am.* ranczo, gospodarstwo hodowlane; *vi* prowadzić gospodarstwo hodowlane

**ranch·er** [ˈrantʃə(r)] *s* właściciel rancza ⟨farmy hodowlanej⟩

**ran·cid** [ˈrænsɪd] *adj* zjełczały

**ran·cor·ous** [ˈræŋkərəs] *adj* rozgoryczony; zawzięty, zajadły

**ran·cour** [ˈræŋkə(r)] *s* rozgoryczenie, uraza; złośliwość

**ran·dom** [ˈrændəm] *s w zwrocie*: **at ~** na chybił trafił; *adj* przypadkowy, pierwszy lepszy

**randy** [ˈrændɪ] *adj* hałaśliwy, krzykliwy

**rang** *zob.* **ring**

**range** [reɪndʒ] *s* szereg, rząd; zasięg, rozpiętość; zakres, sfera; teren ⟨pole⟩ (badań itd.); wędrówka; łańcuch (gór); piec kuchenny; strzelnica; *vt* szeregować, porządkować; ciągnąć się ⟨biec⟩ (**sth** wzdłuż czegoś); przemierzać (kraj itd.); *vi* rozciągać ⟨ciągnąć⟩ się (**from sth to sth** od czegoś do czegoś); wałęsać się, wędrować (**over** ⟨**through**⟩ po czymś, przez coś); (*o temperaturze, cenach*) wahać się; zaliczać się (np. **among the rebels** do buntowników); (*o roślinach, zwierzętach*) spotykać ⟨trafiać⟩ się; sięgać; **the prices ~d from £5 to £7** ⟨**beween £5 and £7**⟩ ceny wahały się od pięciu do siedmiu funtów

**rang·er** [ˈreɪndʒə(r)] *s* włóczęga, wędrowiec; strażnik lasu; żołnierz ⟨policjant⟩ konny; *am.* komandos

**rank 1.** [ræŋk] *s* rząd; szereg; klasa, sfera; ranga, stopień, kategoria; **the ~ and file, the ~s** szeregowi żołnierze; *przen.* szara masa (społeczeństwa); **to join the ~s** wstąpić do wojska; *vt* ustawić w szeregu; zaszeregować; sklasyfikować; nadać rangę (**sb** komuś); *vi* zajmować rangę; mieć ⟨zajmować⟩ stanowisko ⟨pozycję⟩; liczyć się (**as sb** jako ktoś)

**rank 2.** [ræŋk] *adj* bujny, wybujały; żywotny; (*o glebie*) zbyt żyzny; zgniły, cuchnący; istny, wierutny, skończony

**ran·kle** [ˈræŋkl] *vi* jątrzyć (się), ropieć; *przen.* drażnić, dręczyć

**ran·sack** [ˈrænsæk] *vt* przewrócić do góry nogami, przetrząsnąć; plądrować

**ran·som** [ˈrænsəm] *s* okup; *vt* odkupić, wykupić

**rant** [rænt] *s* napuszona mowa, tyrada; *vt vi* mówić stylem napuszonym

**rap** [ræp] *vt* lekko uderzać; *vi* stukać (**at** ⟨**on**⟩ **the door** do drzwi); *s* lekkie uderzenie, kuksaniec; stukanie

**ra·pa·cious** [rəˈpeɪʃəs] *adj* drapieżny, zachłanny

**rape 1.** [reɪp] *vt* porwać (kobietę); zgwałcić; pogwałcić (np. prawa); *s* porwanie (kobiety); zgwałcenie, gwałt; pogwałcenie (np. praw)

**rape 2.** [reɪp] *s* rzepa

**rap·id** [ˈræpɪd] *adj* szybki; wartki, rwący; *s* (*zw. pl* **~s**) bystry nurt rzeki (na progach), katarakta

**ra·pi·er** [ˈreɪpɪə(r)] *s* rapier

**rap·ine** [ˈræpaɪn] *s* rabunek

**rap·proche·ment** [ræˈproʃmõ] *s* pojednanie, przywrócenie dobrych stosunków (*zw.* między państwami)

**rapt** [ræpt] *adj* pochłonięty, zaabsorbowany; zachwycony, urzeczony

**rap·ture** [ˈræptʃə(r)] *s* zachwyt, upojenie

**rare** [reə(r)] *adj* rzadki

**rar·i·ty** [ˈreərətɪ] *s* rzadkość, niezwykłość

**ras·cal** [ˈraskl] *s* łotr, łajdak, łobuz

**rash 1.** [ræʃ] *adj* pospieszny, nieroztropny, nie przemyślany

**rash 2.** [ræʃ] *s med.* wysypka, nalot

**rasp** [rasp] *s* raszpla; zgrzyt; *vt* skrobać raszplą; drażnić; *vi* zgrzytać

**rasp·ber·ry** [ˈrazbrɪ] *s* malina

**rat** [ræt] *s* szczur; *przen.* **to smell a ~** podejrzewać coś

**rate** [reɪt] *s* stosunek (ilościowy), proporcja; ustalona cena, taryfa, taksa; norma; tempo; stawka; podatek (samorządowy itd.); kurs (wymiany itd.); stopa; wskaźnik; ocena, oszacowanie; **at any ~** w każdym razie; za każdą cenę; **birth ~** wskaźnik urodzeń; **death ~** śmiertelność; **~ of exchange** kurs dewizowy; giełdowy kurs wymiany pieniędzy; **~ of interest** stopa procentowa; **~ of living** stopa życiowa; *vt* szacować, taksować, oceniać; klasyfikować; opodatkować; *vi* być zaliczanym

**rate-pay·er** [ˋreɪt peɪə(r)] *s* płatnik podatku samorządowego

**rath·er** [ˋrɑðə(r)] *adv* raczej; dość; właściwie; poniekąd; oczywiście; **I had ⟨would⟩ ~ go** wolałbym pójść; **the ~ that ...** tym bardziej, że ...

**rat·i·fi·ca·tion** [ˏrætɪfɪˋkeɪʃn] *s* ratyfikacja

**rat·i·fy** [ˋrætɪfaɪ] *vt* ratyfikować

**ra·ti·o** [ˋreɪʃɪəʊ] *s* stosunek (liczbowy, ilościowy), proporcja

**ra·tion** [ˋræʃn] *s* racja, przydział; *vt* racjonować, wydzielać

**ra·tion·al** [ˋræʃnl] *adj* racjonalny, rozumowy; rozumny; *mat.* wymierny; *s* stworzenie rozumne; *mat.* liczba wymierna

**ra·tion·al·ism** [ˋræʃn̩əlɪzm] *s* racjonalizm

**rat·tle** [ˋrætl] *s* klekot, grzechot; brzęk; stukot, turkot; grzechotka; gaduła; *vt vi* klekotać, grzechotać; stukotać, turkotać; szczękać, brzęczeć; terkotać; rzęzić; paplać, trajkotać

**rat·tle-snake** [ˋrætlsneɪk] *s zool.* grzechotnik

**rav·age** [ˋrævɪdʒ] *vt* pustoszyć, plądrować; *s* spustoszenie, zniszczenie

**rave** [reɪv] *vi* szaleć; bredzić; zachwycać się (**about sb, sth** kimś, czymś)

**rav·el** [ˋrævl] *vt vi* wikłać ⟨plątać, gmatwać⟩ (się); (*zw.* **~ out**) strzępić; *s* powikłanie; plątanina; strzępy

**ra·ven** [ˋreɪvn] *s zool.* kruk

**rav·en·ous** [ˋrævn̩əs] *adj* zachłanny; drapieżny

**ra·vine** [rəˋvin] *s* wąwóz, parów

**rav·ish** [ˋrævɪʃ] *vt* zachwycić, oczarować; porwać; zgwałcić (kobietę)

**raw** [rɔ] *adj* surowy; nie wykończony, niewyrobiony; (*o człowieku*) niedoświadczony; (*o ranie*) otwarty; **~ material** surowiec; *s* świeża rana; otarcie (skóry); żywe ciało; *przen.* czułe miejsce

**ray** [reɪ] *s* promień; *vt vi* (*także* **~ forth ⟨off, out⟩**) promieniować

**ray·on** [ˋreɪon] *s* sztuczny jedwab

**raze** [reɪz] *vt* zetrzeć, wykreślić; zburzyć, zrównać z ziemią

**ra·zor** [ˋreɪzə(r)] *s* brzytwa; **~ blade** żyletka; **safety ~** maszynka do golenia

**re-** [ri] *praef* ponownie, po raz drugi

**reach** [ritʃ] *vt vi* sięgać; dosięgnąć, osiągnąć; dojść, dojechać, dogonić; rozciągać się; wyciągać rękę, sięgać (**for ⟨after⟩ sth** po coś); *s* zasięg, zakres; **beyond ⟨out of⟩ ~** poza zasięgiem; **within ~** w zasięgu; **within easy ~** łatwo osiągalny; dostępny

**re·act** [riˋækt] *vi* reagować (**to sth** na coś); oddziaływać (**upon sth** na coś); przeciwdziałać (**against sth** czemuś)

**re·ac·tion** [riˋækʃn] *s* reakcja; oddziaływanie; przeciwdziałanie

**re·ac·tion·ar·y** [riˋækʃn̩ərɪ] *adj* reakcyjny; *s* reakcjonista

**re·ac·tor** [riˋæktə(r)] *s* reaktor

* **read 1.** [rid], **read, read** [red] *vt vi* czytać; studiować; (*o tekście*) brzmieć; (*o ustawie*) głosić; przygotowywać się (**for an examina-**

tion do egzaminu); **this book ~s well** tę książkę dobrze się czyta; **~ over ⟨through⟩** przeczytać (od początku do końca); **~ up** zaznajomić się z tematem na podstawie lektury; *s* [rid] lektura; **to have a ~** poczytać sobie

**read** 2. [red] *adj w zwrocie*: **well ⟨deeply⟩ ~** oczytany

**read·er** [`ridə(r)] *s* czytelnik; lektor, wykładowca; korektor; wybór czytanek, wypisy

**read·i·ly** [`redɪlɪ] *adv* chętnie, z gotowością; z łatwością

**read·i·ness** [`redɪnəs] *s* gotowość; chęć; łatwość, obrotność; bystrość

**read·ing** [`ridɪŋ] *ppraes* i *s* czytanie; oczytanie; lektura; odczytywanie

**read·ing-book** [`ridɪŋ buk] *s* książka do czytania; wypisy

**read·ing-room** [`ridɪŋ rum] *s* czytelnia

**re·ad·just** [ˈriə`dʒʌst] *vt* ponownie uporządkować ⟨dopasować⟩

**read·y** [`redɪ] *adj* gotowy; skłonny, chętny; łatwy; szybki; bystry; **~ money** gotówka; **to get ⟨make⟩ ~** przygotować się; *vt* przygotować

**ready-to-wear** *am.* = **ready-made**

**ready-made** [ˈredɪ `meɪd] *adj* (*o ubraniu*) gotowy, nie na miarę; *przen.* banalny, oklepany

**re·a·gent** [ri`eɪdʒənt] *s chem.* odczynnik

**re·al** [rɪəl] *adj* rzeczywisty, istotny, prawdziwy; **~ estate ⟨property⟩** nieruchomość; *s* rzecz realnie istniejąca, autentyk; *adv am.* naprawdę; bardzo

**re·al·ism** [`rɪəl-ɪzm] *s* realizm

**re·al·ist** [`rɪəlɪst] *adj* realistyczny

**re·al·i·ty** [ri`æləti] *s* rzeczywistość; realność, prawdziwość

**re·al·i·za·tion** [ˈrɪəlaɪ`zeɪʃn] *s* realizacja; uświadomienie sobie, zrozumienie; *handl.* spieniężenie, upłynnienie (kapitału)

**re·al·ize** [`rɪəlaɪz] *vt* urzeczywistnić; uświadomić sobie, zrozumieć; *handl.* spieniężyć, upłynnić (kapitał); zrealizować (np. czek)

**re·al·ly** [`rɪəlɪ] *adv* naprawdę, rzeczywiście; istotnie

**realm** [relm] *s* królestwo; *przen.* dziedzina, sfera

**re·al·tor** [`rɪəltə(r)] *s am.* pośrednik w handlu nieruchomościami

**re·al·ty** [`rɪəltɪ] *s* nieruchomość, własność gruntowa, realność

**reap** [rip] *vt vi* zbierać (plon, żniwo); żąć, kosić

**reap·er** [`ripə(r)] *s* żniwiarz; żniwiarka (maszyna)

**re·ap·pear** [ˈriə`pɪə(r)] *vi* pojawić ⟨ukazać⟩ się ponownie

**rear** 1. [rɪə(r)] *vt* hodować, uprawiać; wychowywać; budować, wznosić; *vi* (*o koniu*) stawać dęba

**rear** 2. [rɪə(r)] *s* tył, tylna strona; *wojsk.* tyły; **in the ~** w tyle; *wojsk.* na tyłach

**rear·guard** [`rɪəgad] *s wojsk.* tylna straż

**re·arm** [ri`am] *vt vi* ponownie zbroić (się), dozbrajać (się)

**re·ar·ma·ment** [ri`aməmənt] *s* ponowne zbrojenie, dozbrojenie

**re·ar·range** [ˈriə`reɪndʒ] *vt* na nowo uporządkować, przegrupować, przestawić, przemienić

**rear·ward** [`rɪəwəd] *adj* zwrócony ku tyłowi, tylny, końcowy; wsteczny; *adv* (*także* **~s**) ku tyłowi, wstecz

**rea·son** [`rizn] *s* rozum, intelekt; rozwaga; powód (**of sth** czegoś, **for sth** do czegoś); uzasadnienie; **by ~ of, for ~s of** z powodu; **to bring to ~** przywodzić do rozsądku; **to hear ⟨to listen to⟩ ~** słuchać głosu rozsądku, dać się przekonać; **it stands to ~** to jest zrozumiałe ⟨oczywiste⟩, nie można temu zaprzeczyć; **out of ~** nierozsądnie; *vt vi* rozumować; rozważać; uzasadniać; wnioskować; wyperswadować (**sb out of sth** komuś coś); przekonać, namówić (sb into sth kogoś do czegoś)

**rea·son·a·ble** [`riznəbl] *adj* rozsądny; (np. *o cenach*) umiarkowany

**re·as·sem·ble** [ˈriə`sembl] *vt vi* ponownie zebrać (się)

**re·as·sume** [ˈriə`sjum] *vt* na nowo podjąć ⟨objąć⟩

**re·as·sure** [ˈriə`ʃuə(r)] *vt* przywrócić zaufanie, rozproszyć obawy

**re·bate** [ri`beɪt] *vt* zmniejszyć; *handl.* potrącić; udzielić rabatu; *s* [`ribeɪt] *handl.* rabat

**reb·el** [`rebl] *s* buntownik; *adj* buntowniczy; *vi* [rɪ`bel] buntować się

**re·bel·lion** [rɪ`belɪən] *s* bunt, rebelia

**re·bel·lious** [rɪ`belɪəs] *adj* buntowniczy, zbuntowany

**re·bound** [ri`baʊnd] *vi* odskakiwać, odbijać się

**re·buff** [rɪ`bʌf] *vt* odepchnąć, odtrącić; dać odprawę; odmówić; *s* odmowa; odepchnięcie, odprawa

* **re·build** [ˈri`bɪld], **rebuilt, rebuilt** [ˈri`bɪlt] *vt* odbudować, przebudować, odnowić

**re·buke** [rɪ`bjuk] *s* wymówka, zarzut, nagana; *vt* robić wymówki, ganić, karcić

**re·cal·ci·trant** [rɪ`kælsɪtrənt] *adj* oporny, krnąbrny

**re·call** [rɪ`kɔl] *vt* odwoływać (np. ambasadora); cofać (np. obietnicę); przypominać sobie; wskrzeszać (wspomnienia); kasować; *s* odwołanie; nakaz powrotu

**re·cant** [rɪ`kænt] *vt* odwołać, cofnąć, wyprzeć się

**re·ca·pit·u·late** [ˈri-kə`pɪtʃuleɪt] *vt* rekapitulować, podsumować, streścić

**re·cast** [ˈri`kast] *vt* przetopić ⟨przelać⟩ (metal); przekształcić, przerobić; *s* przeróbka

**re·cede** [rɪ`sid] *vi* cofnąć ⟨wycofać⟩ się, odstąpić

**re·ceipt** [rɪ`sit] *s* odbiór; potwierdzenie odbioru, pokwitowanie; recepta; przepis; *pl* ~s przychód, wpływy; *vt* kwitować

**re·ceive** [rɪ`siv] *vt* otrzymywać, odbierać; przyjmować; zawierać; doznawać

**re·ceived** [rɪ`sivd] *pp i adj* uznany, powszechnie przyjęty

**re·ceiv·er** [rɪ`sivə(r)] *s* odbiorca; poborca; odbiornik (radiowy); słuchawka (telefoniczna); paser

**re·cent** [`risnt] *adj* świeży, niedawny, świeżej daty; nowoczesny

**re·cent·ly** [`risntlɪ] *adv* ostatnio, niedawno

**re·cep·ta·cle** [rɪ`septəkl] *s* naczynie, zbiornik

**re·cep·tion** [rɪ`sepʃn] *s* recepcja, przyjęcie; odbiór (radiowy); ~ office recepcja, portiernia

**re·cep·tive** [rɪ`septɪv] *adj* podatny, chłonny, wrażliwy

**re·cess** [rɪ`ses] *s* odejście, ustąpienie, odwrót; ferie (*zw.* sądowe lub parlamentarne); zakątek, zakamarek, ustronie; wgłębienie; nisza, alkowa; *am.* wakacje; *vt* ustawić we wgłębieniu; *vi* zrobić wgłębienie; zaprzestać działalności

**re·ces·sion** [rɪ`seʃn] *s* recesja, cofnięcie się; *handl.* zastój

**rec·i·pe** [`resəpɪ] *s* przepis (kulinarny); *med.* recepta

**re·cip·ro·cal** [rɪ`sɪprəkl] *adj* wzajemny; *s mat.* odwrotność

**re·cip·ro·cate** [rɪ`sɪprəkeɪt] *vt vi* odwzajemniać (się); odpłacać ⟨rewanżować się⟩ (sth za coś)

**rec·i·proc·i·ty** [ˈresɪ`prosətɪ] *s* wzajemność

**re·cit·al** [rɪ`saɪtl] *s* recytacja; wyłożenie ⟨przedstawienie⟩ (faktów itp.); *muz.* recital

**rec·i·ta·tion** [ˈresɪ`teɪʃn] *s* recytacja, deklamacja

**re·cite** [rɪ`saɪt] *vt* recytować, deklamować; wyliczać

**reck·less** [`rekləs] *adj* beztroski, lekkomyślny; niebaczny (of danger etc. na niebezpieczeństwo itd.)

**reck·on** [`rekən] *vt vi* liczyć (się);

rachować; być zdania, sądzić; zaliczać (sb, sth among ⟨with⟩ ... kogoś, coś do ...); ~ in wliczyć, włączyć, uwzględnić; ~ off odliczyć

**reck·on·ing** [ˋreknɪŋ] *ppraes i s* rachunek, obliczenie, rozliczenie; rachuba, kalkulacja

**re·claim** [rɪˋkleɪm] *vt* zażądać zwrotu; wnieść reklamację; poprawiać, reformować; meliorować (grunt), użyźniać (pustkowie); cywilizować

**rec·la·ma·tion** [ˌrekləˋmeɪʃn] *s* reklamacja; poprawienie, reforma; melioracja; wzięcie pod uprawę (nieużytków); cywilizowanie

**re·cline** [rɪˋklaɪn] *vt* złożyć ⟨położyć, oprzeć⟩ (głowę); *vi* wyciągnąć się; spoczywać (pół) leżąc

**re·cluse** [rɪˋklus] *adj* samotny, odosobniony; *s* samotnik; pustelnik

**rec·og·ni·tion** [ˌrekəgˋnɪʃn] *s* rozpoznanie; uznanie (zasług itd.)

**rec·og·nize** [ˋrekəgnaɪz] *vt* rozpoznać; uznać; przyznać się (sb, sth do kogoś, czegoś)

**re·coil** [rɪˋkɔɪl] *vi* cofnąć się; odskoczyć, odbić się; wzdragać ⟨wzbraniać⟩ się (from sth przed czymś)

**rec·ol·lect** [ˌrekəˋlekt] *vt* przypominać sobie, wspominać

**rec·ol·lec·tion** [ˌrekəˋlekʃn] *s* przypomnienie, pamięć, wspomnienie

**re·com·mence** [ˌrikəˋmens] *vt vi* zacząć (się) na nowo

**rec·om·mend** [ˌrekəˋmend] *vt* polecić

**rec·om·men·da·tion** [ˌrekəmənˋdeɪʃn] *s* polecenie, rekomendacja

**rec·om·pense** [ˋrekəmpens] *vt* wynagradzać; kompensować (np. stratę); *s* wynagrodzenie; rekompensata

**rec·on·cile** [ˋrekənsaɪl] *vt* pojednać; pogodzić, uzgodnić; to become ~d pogodzić się (with sb z kimś, to sth z czymś)

**rec·on·cil·i·a·tion** [ˌrekənˌsɪlɪˋeɪʃn] *s* pojednanie

**re·con·nais·sance** [rɪˋkonɪsns] *s* *wojsk.* rekonesans; *przen.* zorientowanie się w sytuacji

**rec·on·noi·tre** [ˌrekəˋnɔɪtə(r)] *vt vi* badać (np. sytuację); rozpoznawać (teren); *wojsk.* robić rekonesans

**re·con·sid·er** [ˌrikənˋsɪdə(r)] *vt* na nowo rozważyć ⟨rozpatrzyć⟩

**re·con·struct** [ˌrikənˋstrʌkt] *vt* przebudować, odtworzyć, zrekonstruować

**re·cord** [ˋrekɔd] *s* zarejestrowanie, zapisanie; spis, zapis, rejestr; akta (personalne); świadectwo; protokół; notatka, wzmianka; rekord (np. sportowy); płyta (gramofonowa); *pl* ~s archiwa; zapiski; kroniki; on ~ zanotowany, zapisany; to have a good ~ być dobrze notowanym, mieć nieskazitelną przeszłość; to break ⟨beat⟩ the ~ pobić rekord; *vt* [rɪˋkɔd] notować, zapisywać, rejestrować; nagrywać (na płycie ⟨taśmie⟩)

**re·cord·ing** [rɪˋkɔdɪŋ] *s* nagranie

**re·count 1.** [ˌrɪˋkaunt] *vt* opowiadać, relacjonować

**re·count 2.** [ˋrikaunt] *s* przeliczenie (*zw.* głosów); *vt* [riˋkaunt] przeliczyć

**re·course** [rɪˋkɔs] *s* zwrócenie ⟨uciekanie⟩ się (to sth do czegoś); have ~ uciekać się (to sth do czegoś)

**re·cov·er** [ˌrɪˋkʌvə(r)] *vt* odzyskać; otrzymać zwrot ⟨rekompensatę⟩; wynagrodzić sobie; ocucić; wyleczyć; *vi* przyjść do siebie, oprzytomnieć; wyzdrowieć; wrócić do normy

**re·cov·er·y** [rɪˋkʌvrɪ] *s* odzyskanie; rekompensata, zwrot; powrót do zdrowia; poprawa; past ~ w beznadziejnym stanie

**rec·re·a·tion** [ˌrekrɪˋeɪʃn] *s* odpoczynek (po pracy), rozrywka; przerwa (między lekcjami)

**re·crim·i·na·tion** [rɪˈkrɪmɪˋneɪʃn] *s* wzajemne oskarżanie się
**re·cruit** [rɪˋkrut] *s* rekrut; nowicjusz; *vt vi* rekrutować; wracać do zdrowia, odzyskiwać siły
**rec·tan·gle** [ˋrektæŋgl] *s* prostokąt
**rec·tan·gu·lar** [rekˋtæŋgjulə(r)] *adj* prostokątny
**rec·ti·fi·ca·tion** [ˈrektɪfɪˋkeɪʃn] *s* sprostowanie, poprawka; *chem.* rektyfikacja
**rec·ti·fy** [ˋrektɪfaɪ] *vt* prostować, poprawiać; *chem.* rektyfikować
**rec·ti·tude** [ˋrektɪtjud] *s* prostolinijność, uczciwość
**rec·tor** [ˋrektə(r)] *s* rektor; dyrektor (szkoły średniej); proboszcz (anglikański)
**re·cum·bent** [rɪˋkʌmbənt] *adj* leżący, w pozycji leżącej
**re·cu·per·ate** [rɪˋkjupəreɪt] *vt* przywracać siły, regenerować; *vi* odzyskiwać siły, wracać do zdrowia
**re·cur** [rɪˋkɜ(r)] *vi* powtarzać się; powracać (na myśl)
**re·cur·rence** [rɪˋkʌrns] *s* powtarzanie się; powrót (**to sth** do czegoś)
**re·cur·rent** [rɪˋkʌrnt] *adj* powtarzający się, periodyczny; powrotny
**red** [red] *adj* czerwony; rudy, ryży; *przen.* krwawy; rewolucyjny, lewicowy; **to see ~** dostać uderzenia krwi do głowy; szaleć z gniewu; *s* czerwień; radykał, rewolucjonista, komunista
**red·den** [ˋredn] *vt vi* czerwienić (się)
**red·dish** [ˋredɪʃ] *adj* czerwonawy
**re·deem** [rɪˋdim] *vt* wykupić, spłacić; odkupić, zbawić; uratować (np. honor); skompensować (np. wady); uwolnić; odpokutować
**re·deem·a·ble** [rɪˋdiməbl] *adj* odkupny, zwrotny
**re·deem·er** [rɪˋdimə(r)] *s* zbawca, zbawiciel
**re·demp·tion** [rɪˋdempʃn] *s* wykup, spłacenie; uwolnienie; zbawienie; odpokutowanie
**red-hand·ed** [ˈred ˋhændɪd] *adj* mający ręce splamione krwią; **to be caught ~** być złapanym na gorącym uczynku
**red-hot** [ˈred ˋhot] *adj* rozpalony do czerwoności
**red-let·ter** [ˈred ˋletə(r)] *adj attr* świąteczny, odświętny; pamiętny (np. dzień)
**red·o·lent** [ˋredələnt] *adj* wonny; pachnący ⟨zalatujący⟩ (**of sth** czymś)
**re·doub·le** [rɪˋdʌbl] *vt vi* podwoić (się); rekontrować (w kartach)
**re·doubt·a·ble** [rɪˋdautəbl] *adj* straszny, groźny
**re·dress** [rɪˋdres] *vt* naprawić, wyrównać, wynagrodzić; przywrócić (równowagę); ulżyć; *s* naprawa, rekompensata
**red·skin** [ˋredskɪn] *s i adj* czerwonoskóry
**re·duce** [rɪˋdjus] *vt* pomniejszać, redukować; obniżać (np. cenę); osłabiać; sprowadzać ⟨doprowadzać⟩ (np. **sth to an absurdity** coś do absurdu); pokonać, ujarzmić; degradować; *vi* zmniejszyć się; *pot.* chudnąć; odchudzać się
**re·duc·tion** [rɪˋdʌkʃn] *s* redukcja; zmniejszenie; obniżka (np. cen); osłabienie; zdegradowanie; doprowadzenie, sprowadzenie (kogoś ⟨czegoś⟩ do jakiegoś stanu)
**re·dun·dant** [rɪˋdʌndənt] *adj* nadmierny; zbyteczny; rozwlekły
**reed** [rid] *s* trzcina, szuwar; piszczałka
**reef** [rif] *s* rafa
**reek** [rik] *vi* dymić, kopcić; śmierdzieć; *s* dym; *zbior.* opary; fetor, smród
**reel** [ril] *s* zataczanie ⟨kręcenie⟩ się; wir; szpulka, cewka; rolka (papieru, filmu); *przen.* **off the ~** gładko, jednym tchem; *vt* (*także* **~ in** ⟨**up**⟩) nawijać, motać; (*także* **~ off**) odwijać, roz-

wijać; *vi* kręcić się, wirować; zataczać się; chwiać się

**re-en·ter** [ri `entə(r)] *vt vi* ponownie wejść, wrócić; ponownie wprowadzić ⟨zgłosić⟩

**re-es·tab·lish** [ˈri ɪs`tæblɪʃ] *vt* zrekonstruować, przywrócić

**re·fer** [rɪ`fɜ(r)] *vt vi* odsyłać, kierować; odnosić (się), wiązać (się), nawiązywać; powoływać się; zwracać się, udawać się; **to ~ to the dictionary** zajrzeć do słownika

**ref·er·ee** [ˈrefə`ri] *s* arbiter; *sport* sędzia; *vi* sędziować

**ref·er·ence** [`refrns] *s* powołanie się (**to sth** na coś); odesłanie ⟨odniesienie⟩ (**to sth** do czegoś); polecenie, referencja; adnotacja; wzmianka; sprawdzanie ⟨szukanie⟩ (w słowniku, encyklopedii); informacja; **~ book, a book of ~** książka podręczna (słownik, encyklopedia, informator itp.); **with ⟨in⟩ ~ to** odnośnie do, co się tyczy

**re·fill** [ri`fɪl] *vt vi* ponownie napełnić (się); *s* [`rifɪl] zapas ⟨wkład⟩ (do ołówka automatycznego, długopisu, latarki itd.)

**re·fine** [rɪ`faɪn] *vt* oczyszczać, rafinować; uszlachetniać; nadawać polor; *vi* oczyszczać ⟨rafinować⟩ się; wyszlachetnieć; nabrać poloru

**re·fine·ment** [rɪ`faɪnmənt] *s* oczyszczanie, rafinowanie; wyrafinowanie (np. smaku); wytworność

**re·fin·er·y** [rɪ`faɪnr̩ɪ] *s* rafineria

**re·flect** [rɪ`flekt] *vt* odbijać (np. fale); odzwierciedlać; *vi* rozważać (**on sth** coś); zastanawiać się (**on ⟨upon⟩ sth** nad czymś); robić uwagi (**on sb, sth** o kimś, o czymś), krytykować; czynić zarzuty

**re·flec·tion** [rɪ`flekʃn] *s* odbicie (np. fal); odzwierciedlenie; namysł, zastanowienie, refleksja; **on ~** po namyśle; krytyka (**on sb, sth** kogoś, czegoś)

**re·flec·tive** [rɪ`flektɪv] *adj* odbijający (np. fale); myślący, refleksyjny; *gram.* = **reflexive**

**re·flec·tor** [rɪ`flektə(r)] *s* reflektor

**re·flex** [`rifleks] *s* odbicie (się); odruch, refleks; *adj* (*o świetle itp.*) odbity; odruchowy

**re·flex·ion** = **reflection**

**re·flex·ive** [rɪ`fleksɪv] *adj gram.* zwrotny

**re·form** [rɪ`fɔm] *vt vi* reformować; poprawiać (się); *s* reforma; poprawa

**ref·or·ma·tion** [ˈrefə`meɪʃn] *s* nawrócenie, poprawa; *hist.* **the Reformation** Reformacja

**re·form·er** [rɪ`fɔmə(r)] *s* reformator

**re·fract** [rɪ`frækt] *vt fiz.* załamywać (promienie)

**re·frac·to·ry** [rɪ`fræktərɪ] *adj* oporny, uparty; *techn.* ogniotrwały

**re·frain** 1. [rɪ`freɪn] *vt* powstrzymywać, hamować; *vi* powstrzymywać się (**from sth** od czegoś)

**re·frain** 2. [rɪ`frein] *s* refren

**re·fresh** [rɪ`freʃ] *vt* odświeżać; pokrzepiać, posilać

**re·fresh·er** [rɪ`freʃə(r)] *s* środek odświeżający; odświeżenie; napój orzeźwiający; **~ course** kurs odświeżający (zdobyte) wiadomości; powtórka

**re·fresh·ment** [rɪ`freʃmənt] *s* odświeżenie; pokrzepienie; wypoczynek; lekki posiłek, przekąska; **~ room** bufet

**re·frig·er·ate** [rɪ`frɪdʒəreɪt] *vt vi* chłodzić ⟨zamrażać⟩ (się)

**re·frig·er·a·tor** [rɪ`frɪdʒəreɪtə(r)] *s* chłodnia; lodówka

**ref·uge** [`refjudʒ] *s* schronienie; azyl; przytułek; wysepka bezpieczeństwa (na jezdni); **to take ~** schronić się

**ref·u·gee** [ˈrefjuˈdʒi] *s* zbieg, uchodźca

**re·fund** [rɪ`fʌnd] *vt* zwracać pieniądze; *s* [`rifʌnd] zwrot ⟨spłata⟩ (pieniędzy)

**re·fu·sal** [rɪ`fjuzl] *s* odmowa

**re·fuse** 1. [rɪˈfjuz] *vt vi* odmówić, odrzucić (propozycję), dać odpowiedź odmowną
**ref·use** 2. [ˈrefjus] *s zbior.* odpadki, nieczystości, śmieci
**ref·u·ta·tion** [ˈrefjuˈteɪʃn] *s* zaprzeczenie, obalenie (teorii), odparcie (zarzutów)
**re·fute** [rɪˈfjut] *vt* zaprzeczyć, obalić (teorię), odeprzeć (zarzuty)
**re·gain** [rɪˈgeɪn] *vt* odzyskać
**re·gal** [ˈrigl] *adj* królewski
**re·gale** [rɪˈgeɪl] *vt* gościć, raczyć, wystawnie przyjmować; być rozkoszą (dla oka, ucha); *vr* ~ **oneself** uraczyć ⟨cieszyć⟩ się (**with sth** czymś); *vi* ucztować; delektować się (**on sth** czymś)
**re·ga·li·a** [rɪˈgeɪlɪə] *s pl* insygnia królewskie
**re·gard** [rɪˈgɑd] *s* wzgląd; spojrzenie; uwaga, baczenie; szacunek; *pl* ~**s** ukłony, pozdrowienia; **in** ⟨**with**⟩ ~ w odniesieniu (**to** ⟨**of**⟩ **sth** do czegoś); **in** ⟨**with**⟩ **this** ~ pod tym względem; *vt* oglądać, patrzeć; uważać (**sb, sth as...** kogoś, coś za...); dotyczyć ⟨odnosić się do⟩ (**sb, sth** kogoś, czegoś); brać pod uwagę; ~**ing, as** ~**s** co się tyczy, co do, odnośnie do
**re·gard·less** [rɪˈgɑdləs] *adj* niebaczny, nieuważny; niedbały; nie liczący się (**of sth** z czymś); *adv* bez względu, nie bacząc (**of sth** na coś); nie licząc się (**of sth** z czymś)
**re·gen·er·ate** [rɪˈdʒenəreɪt] *vt vi* regenerować (się), odnawiać (się), odradzać (się)
**re·gent** [ˈridʒənt] *s* regent
**reg·i·cide** [ˈredʒɪsaɪd] *s* królobójca; królobójstwo
**ré·gime** [reɪˈʒim] *s* ustrój, reżim
**reg·i·ment** [ˈredʒɪmənt] *s* pułk; *przen.* zastęp; *vt* [ˈredʒɪment] organizować (w pułki, grupy); trzymać w dyscyplinie
**re·gion** [ˈridʒən] *s* rejon, zakres; okolica; strefa
**re·gion·al** [ˈridʒənl] *adj* regionalny; rejonowy
**reg·is·ter** [ˈredʒɪstə(r)] *s* rejestr; wykaz, spis; ~ **office** urząd stanu cywilnego; *vt vi* rejestrować (się); meldować się; notować; (*o liście, bagażu*) nadawać jako polecony
**reg·is·tra·tion** [ˈredʒɪˈstreɪʃn] *s* rejestracja, zapis, meldowanie
**reg·is·try** [ˈredʒɪstrɪ] *s* rejestracja; (*także* ~ **office**) urząd stanu cywilnego
**re·gress** [ˈrigres] *s* regres, cofanie się; *vi* [rɪˈgres] cofać się
**re·gres·sion** [rɪˈgreʃn] *s* powrót, regresja, cofanie się
**re·gret** [rɪˈgret] *s* żal; *vt* żałować; boleć (**sth** nad czymś), opłakiwać
**re·gret·ta·ble** [rɪˈgretəbl] *adj* godny pożałowania, opłakany
**reg·u·lar** [ˈregjulə(r)] *adj* regularny, prawidłowy; systematyczny, uporządkowany; przepisowy; *pot.* istny, skończony
**reg·u·lar·i·ty** [ˈregjəˈlærətɪ] *s* prawidłowość, regularność; systematyczność; reguła
**reg·u·late** [ˈregjəleɪt] *vt* regulować; porządkować
**reg·u·la·tion** [ˈregjəˈleɪʃn] *s* regulacja; przepis, zarządzenie
**re·ha·bil·i·tate** [ˈriəˈbɪlɪteɪt] *vt* rehabilitować; przywrócić do normalnego stanu; uzdrowić
**re·ha·bil·i·ta·tion** [ˈriəˈbɪlɪˈteɪʃn] *s* rehabilitacja; przywrócenie do normalnego stanu; uzdrowienie
**re·hears·al** [rɪˈhɜsl] *s* próba (przedstawienia, występu); powtórka; recytowanie, wyliczanie; **dress** ~ próba generalna
**re·hearse** [rɪˈhɜs] *vt* zrobić próbę (teatralną); powtarzać (np. lekcję); recytować, wyliczać
**reign** [reɪn] *vi* władać, panować; *s* panowanie, władza
**re·im·burse** [ˈriɪmˈbɜs] *vt* zwrócić (pieniądze)
**rein** [reɪn] *s* cugiel, lejc; **to give the** ~**s** popuścić cugli; *przen.* puszczać wodze; *vt* trzymać (konia)

za lejce; *przen.* trzymać na wodzy ⟨w ryzach⟩, kierować

**re·in·car·na·tion** ['riɪnkɑ`neɪʃn] *s* reinkarnacja

**rein·deer** [`reɪndɪə(r)] *s zool.* renifer

**re·in·force** ['riɪn`fɔs] *vt* wzmocnić, zasilić; poprzeć, podeprzeć; ~**d concrete** żelazobeton

**re·in·force·ment** ['riɪn`fɔsmənt] *s* wzmocnienie, zasilenie; (*zw. pl* ~**s**) *wojsk.* posiłki; podpora; poparcie

**re·in·state** ['riɪn`steɪt] *vt* przywracać (np. na poprzednie stanowisko)

**re·in·sure** ['riɪn`ʃʊə(r)] *vt vi* reasekurować (się), ponownie (się) zabezpieczyć

**re·it·er·ate** [ri`ɪtəreɪt] *vt* stale powtarzać

**re·ject** [rɪ`dʒekt] *vt* odrzucać

**re·jec·tion** [rɪ`dʒekʃn] *s* odrzucenie, odmowa

**re·joice** [rɪ`dʒɔɪs] *vt* cieszyć, sprawiać przyjemność (**sb** komuś); *vi* radować ⟨cieszyć⟩ się (**in** ⟨**at, over**⟩ **sth** czymś)

**re·join 1.** [rɪ`dʒɔɪn] *vi* odpowiadać, replikować

**re·join 2.** ['ri`dʒɔɪn] *vt* złożyć na nowo; połączyć się na nowo (**sb** z kimś); powrócić (**sb** do kogoś), na nowo nawiązać stosunki (**sb** z kimś); *vi* połączyć się na nowo, zejść się ponownie

**re·join·der** [rɪ`dʒɔɪndə(r)] *s* odpowiedź, replika

**re·ju·ve·nate** [rɪ`dʒuvəneɪt] *vt* odmładzać; *vi* odmłodnieć

**re·lapse** [rɪ`læps] *s* nawrót (**into sth** do czegoś); recydywa; *vi* ponownie popaść (**into silence etc.** w milczenie itd.); powrócić (**into vice etc.** na drogę grzechu itd.); ~ **into illness** ponownie zachorować

**re·late** [rɪ`leɪt] *vt* opowiadać, relacjonować; wiązać, nawiązywać, łączyć; *vt* odnosić się (**to sb, sth** do kogoś, czegoś), wiązać się (**to sb, sth** z kimś, czymś)

**re·lat·ed** [rɪ`leɪtɪd] *pp i adj* wiążący się ⟨związany⟩ (**to sth** z czymś); spokrewniony (**to sb** z kimś)

**re·la·tion** [rɪ`leɪʃn] *s* opowiadanie, relacja; związek, stosunek; pokrewieństwo; krewny

**re·la·tion·ship** [rɪ`leɪʃnʃɪp] *s* związek; pokrewieństwo

**rel·a·tive** [`relətɪv] *adj* względny, stosunkowy; dotyczący (**to sth** czegoś); *s* krewny; *gram.* zaimek względny; *adv* odnośnie (**to sth** do czegoś)

**re·lax** [rɪ`læks] *vt vi* osłabić; osłabnąć; rozluźnić (się), odprężyć (się)

**re·lax** [rɪ`læks] *vt vi* osłabić; osłabienie, rozluźnienie; odprężenie, relaks

**re·lay** [rɪ`leɪ] *vt* luzować; zmieniać; retransmitować; przekazywać; *s* luzowanie; zmiana; szychta; konie rozstawne; jazda rozstawna; retransmisja; *sport* sztafeta; *elektr.* przekaźnik; ~ **race** bieg sztafetowy

**re·lease** [rɪ`lis] *vt* zwolnić, wyzwolić; wypuścić (z rąk, z druku, na wolność itd.); *s* zwolnienie, wyzwolenie; wypuszczenie (na rynek, na wolność itd.)

**rel·e·gate** [`reləgeɪt] *vt* przenosić (np. na niższe stanowisko); relegować, wydalać; oddalać; przekazywać ⟨kierować⟩ (dalej)

**re·lent** [rɪ`lent] *vi* łagodnieć, mięknąć, ustępować

**rel·e·vant** [`reləvənt] *adj* stosowny, na miejscu, trafny; dotyczący (**to sth** czegoś), związany (**to sth** z czymś)

**re·li·a·bil·i·ty** [rɪ'laɪə`bɪlətɪ] *s* niezawodność, solidność, pewność

**re·li·a·ble** [rɪ`laɪəbl] *adj* godny zaufania; solidny, pewny, niezawodny

**re·li·ance** [rɪ`laɪəns] *s* zaufanie; **to have** ⟨**place, feel**⟩ ~ **in** ⟨**on, upon**⟩ **sb, sth** mieć zaufanie do kogoś, czegoś; polegać na kimś, czymś

**rel·ic** [`relɪk] *s* relikwia; pozostałość; pamiątka

**re·lief 1.** [rɪ`lif] *s* ulga; odciążenie; obniżenie (grzywny itd.); zapomoga; zmiana (np. warty), nowa szychta; odsiecz

**re·lief 2.** [rɪ`lif] *s* płaskorzeźba; uwypuklenie; **to bring into ~** uwypuklić; uwydatnić

**re·lieve** [rɪ`liv] *vt* ulżyć; uśmierzyć (np. ból); pomóc; odciążyć, zmniejszyć; zastąpić, zluzować; uwolnić (**sb of sth** kogoś od czegoś)

**re·li·gion** [rɪ`lɪdʒən] *s* religia

**re·li·gious** [rɪ`lɪdʒəs] *adj* religijny; kościelny, zakonny

**re·lin·guish** [rɪ`lɪŋkwɪʃ] *vt* opuścić, porzucić, zaniechać; zrezygnować; odstąpić (**sth** od czegoś)

**rel·ish** [`relɪʃ] *s* smak, posmak; urok, powab; przyjemność; upodobanie ⟨pociąg⟩ (**for sth** do czegoś); przysmak; przyprawa; *vt* lubić; rozkoszować się (**sth** czymś); jeść ze smakiem; dodawać smaku; *vi* smakować, mieć posmak

**re·luc·tance** [rɪ`lʌktəns] *s* niechęć, opór

**re·luc·tant** [rɪ`lʌktənt] *adj* niechętny, oporny

**re·ly** [rɪ`laɪ] *vi* polegać (**on sb, sth** na kimś, czymś)

**re·main** [rɪ`meɪn] *vi* pozostawać; *s pl* **~s** pozostałość; resztki; zwłoki

**re·maind·er** [rɪ`meɪndə(r)] *s* pozostałość, reszta

**re·mand** [rɪ`mɑnd] *vt* odesłać do więzienia

**re·mark** [rɪ`mɑk] *vt* zauważyć; zanotować; *vi* zrobić uwagę (**on ⟨upon⟩ sb, sth** o kimś, czymś); *s* uwaga; spostrzeżenie; notatka

**re·mark·a·ble** [rɪ`mɑkəbl] *adj* godny uwagi, niepospolity, wybitny

**rem·e·dy** [`remədɪ] *s* lekarstwo, środek; naprawa; *vt* naprawić, zaradzić

**re·mem·ber** [rɪ`membə(r)] *vt* pamiętać; przypominać (sobie), wspominać; **~ me to your sister** przekaż siostrze ukłony ode mnie

**re·mem·brance** [rɪ`membrns] *s* pamiątka; pozdrowienia, ukłony

**re·mind** [rɪ`maɪnd] *vt* przypominać (**sb of sth** coś komuś)

**re·mind·er** [rɪ`maɪndə(r)] *s* pamiątka; przypomnienie; upomnienie

**rem·i·nis·cence** [ˌremɪ`nɪsns] *s* wspomnienie, reminiscencja

**rem·i·nis·cent** [ˌremɪ`nɪsnt] *adj* wspominający, pamiętający, przypominający (sobie); **to be ~** przypominać ⟨przypominać sobie⟩ (**of sth** coś)

**re·miss** [rɪ`mɪs] *adj* opieszały; niedbały

**re·mis·sion** [rɪ`mɪʃn] *s* osłabienie, zmniejszenie, złagodzenie; przebaczenie ⟨odpuszczenie⟩ (grzechów itd.); umorzenie (długu)

**re·mit** [rɪ`mɪt] *vt* osłabić, zmniejszyć, złagodzić; przebaczyć; odpuścić (grzechy); umorzyć (dług); przekazać (sprawę, pieniądze itd.); *vi* osłabnąć, zelżeć, złagodnieć, zmniejszyć się

**re·mit·tance** [rɪ`mɪtns] *s* przesyłka pieniężna, należność, wpłata, przekaz

**rem·nant** [`remnənt] *s* reszta, pozostałość

**re·mon·strance** [rɪ`mɔnstrəns] *s* wystąpienie protestacyjne, skarga publiczna; napomnienie

**re·mon·strate** [`remənstreɪt] *vi* (publicznie) protestować, występować ze skargą; robić wymówki (**with sb on ⟨upon⟩ sth** komuś z powodu czegoś)

**re·morse** [rɪ`mɔs] *s* wyrzut sumienia; skrucha

**re·mote** [rɪ`məut] *adj* odległy, daleki; obcy

**re·mov·al** [rɪ`muvl] *s* usunięcie; zdjęcie; zniesienie; przeprowadzka

**re·move** [rɪ`muv] *vt vi* usunąć (się); oddalić (się); zdjąć; sprzątnąć; odwołać, zwolnić (np. ze służby); pozbyć się; przenieść ⟨przeprowadzić⟩ (się); *s* oddalenie, odstęp; przejście do wyższej klasy, promocja

**re·mu·ner·ate** [rɪˋmjunəreɪt] *vt* wynagradzać

**re·mu·ner·a·tion** [rɪˏmjunəˋreɪʃn] *s* wynagrodzenie

**re·mu·ner·a·tive** [rɪˋmjunr̩ətɪv] *adj* dochodowy, opłacalny, korzystny

**Re·nais·sance** [rɪˋneɪsns] *s* Odrodzenie, Renesans

**re·nas·cence** [rɪˋnæsns] *s* odrodzenie, powrót do życia; = **Renaissance**

***rend** [rend], **rent, rent** [rent] *vt vi* rozrywać ⟨rwać⟩ (się); drzeć (się); rozszczepiać ⟨rozłupać⟩ (się)

**ren·der** [ˋrendə(r)] *vt* zrobić, sprawić, wyświadczyć; oddać, zwrócić, odpłacić; przedstawić, odtworzyć; przetłumaczyć (**into English** na angielski); okazać (pomoc itd.); przedkładać, składać

**ren·dez·vous** [ˋrõndɪvu] *s* spotkanie (umówione), *pot.* randka

**ren·e·gade** [ˋrenɪgeɪd] *s* renegat, odstępca; zdrajca

**re·new** [rɪˋnju] *vt* odnowić; wznowić; odświeżyć; prolongować

**re·new·al** [rɪˋnjuļ] *s* odnowienie; wznowienie; odświeżenie; prolongata

**re·nounce** [rɪˋnauns] *vt* zrzekać ⟨wyrzekać⟩ się (**sth** czegoś); wypowiedzieć (np. umowę); odmówić uznania (np. władzy); wyprzeć się

**ren·o·vate** [ˋrenəveɪt] *vt* odnawiać, naprawiać; remontować

**ren·o·va·tion** [ˏrenəˋveɪʃn] *s* odnowienie; naprawa; remont

**re·nown** [rɪˋnaun] *s* sława, rozgłos

**re·nowned** [rɪˋnaund] *adj* sławny, głośny

**rent 1.** *zob.* **rend**

**rent 2.** [rent] *s* renta (dzierżawna), czynsz, dzierżawa; *vt* wynajmować, dzierżawić; *vi* być do wynajęcia (**at the price** za cenę)

**rent 3.** [rent] *s* dziura, rozdarcie; szczelina; rozłam

**rent·al** [ˋrentl] *s* czynsz, komorne

**re·nun·ci·a·tion** [rɪˏnʌnsɪˋeɪʃn] *s* zrzeczenie ⟨wyrzeczenie⟩ się (**of sth** czegoś); rezygnacja (**of sth** z czegoś); wypowiedzenie (umowy itp.); wyparcie się

**re·o·pen** [ˏriˋəupən] *vt vi* ponownie otworzyć (się); wznowić (np. działalność)

**re·or·gan·i·za·tion** [ˏriˏɔgənaɪˋzeɪʃn] *s* reorganizacja

**re·or·gan·ize** [ˏriˋɔgənaɪz] *vt vi* reorganizować (się)

**rep** [rep] *s* ryps

**re·pair 1.** [rɪˋpeə(r)] *vt* naprawiać, reperować; wynagrodzić, rekompensować; *s* naprawa, reperacja, remont; **in good ⟨bad⟩ ~** w dobrym ⟨złym⟩ stanie; **out of ~** w złym stanie; **under ~** w reperacji

**re·pair 2.** [rɪˋpeə(r)] *vi* udawać się, iść

**rep·a·ra·tion** [ˏrepəˋreɪʃn] *s* remont, naprawa; odszkodowanie; reparacja

**rep·ar·tee** [ˏrepɑˋti] *s* ostra odpowiedź, odcięcie się

**re·par·ti·tion** [ˏrepɑˋtɪʃn] *s* repartycja; *vt* dokonać podziału ⟨repartycji⟩

**re·past** [rɪˋpɑst] *s* jedzenie, posiłek

**re·pat·ri·ate** [riˋpætrɪeɪt] *vt* repatriować

**re·pay** [rɪˋpeɪ] *vt vi* spłacić ⟨zwrócić⟩ (pieniądze, dług); odpłacić ⟨zrewanżować⟩ się; dać odszkodowanie, wynagrodzić

**re·pay·a·ble** [rɪˋpeɪəbl] *adj* zwrotny

**re·peal** [rɪˋpil] *vt* odwołać, unieważnić, uchylić; *s* odwołanie, unieważnienie

**re·peat** [rɪˋpit] *vt vi* powtarzać (się)

**re·peat·ed** [rɪˋpitɪd] *pp i adj* stale powtarzający się

**re·pel** [rɪ`pel] *vt* odpychać, odrzucać, odpierać

**re·pel·lent** [rɪ`pelənt] *adj* odpychający, wstrętny; *s* płyn ⟨środek⟩ przeciw komarom itp.

**re·pent** [rɪ`pent] *vt* żałować (**sth** czegoś); *vi* odczuwać żal (**of sth** z powodu czegoś), okazywać skruchę

**re·pent·ance** [rɪ`pentəns] *s* żal, skrucha

**re·pent·ant** [rɪ`pentənt] *adj* skruszony, żałujący

**re·per·cus·sion** [ˈripə`kʌʃn] *s* odbicie się, odgłos, echo; *przen.* następstwo; oddźwięk; *muz.* reperkusja

**re·per·cus·sive** [ˈripə`kʌsɪv] *adj muz. fiz.* reperkusyjny

**rep·er·toire** [`repətwa(r)] *s* repertuar

**rep·er·to·ry** [`repətrɪ] *s* zbiór (dokumentów, materiałów itp.); *teatr.* repertuar; ~ **theatre** teatr stały

**rep·e·ti·tion** [ˈrepə`tɪʃn] *s* powtórzenie; kopia (obrazu); repetycja

**re·pine** [rɪ`paɪn] *vi* szemrać; narzekać (**at** ⟨**against**⟩ **sb, sth** na kogoś, coś)

**re·place** [rɪ`pleɪs] *vt* postawić ⟨położyć⟩ na tym samym miejscu; przywrócić (kogoś na dawne stanowisko); zastąpić (**sb, sth with** ⟨**by**⟩ **sb, sth** kogoś, coś kimś, czymś)

**re·plen·ish** [rɪ`plenɪʃ] *vt* napełnić ponownie, uzupełnić; zaopatrzyć

**re·plete** [rɪ`plit] *adj* wypełniony ⟨przepełniony⟩ (**with sth** czymś)

**re·ple·tion** [rɪ`pliʃn] *s* wypełnienie; nasycenie; przesyt, nadmiar

**re·ply** [rɪ`plaɪ] *vi* odpowiadać (**to a question** na pytanie); *s* odpowiedź

**re·port** [rɪ`pɔt] *vt vi* zdawać sprawę ⟨relację⟩, referować; donosić, informować; meldować (się), zgłaszać (się); *s* raport, sprawozdanie; doniesienie; protokół; komunikat; reputacja; świadectwo szkolne; pogłoska, plotka; detonacja

**re·port·age** [rɪ`pɔtɪdʒ] *s* reportaż

**re·port·ed** [rɪ`pɔtɪd] *adj gram.* zależny; ~ **speech** mowa zależna

**re·pose** [rɪ`pəuz] *vt* opierać (np. głowę na czymś); *vi* odpoczywać, spoczywać; opierać się (**on sb, sth** na kimś, czymś); *s* odpoczynek, wytchnienie

**re·pos·i·to·ry** [rɪ`pozɪtrɪ] *s* skład, przechowalnia, magazyn

**rep·re·hend** [ˈreprɪ`hend] *vt* ganić, robić wymówki

**rep·re·sent** [ˈreprɪ`zent] *vt* opisywać; symbolizować, oznaczać; reprezentować; występować w (czyimś) imieniu; przedstawiać, wyobrażać

**rep·re·sen·ta·tion** [ˈreprɪzen`teɪʃn] *s* reprezentacja, przedstawicielstwo; przedstawienie, wyobrażenie

**rep·re·sent·a·tive** [ˈreprɪ`zentətɪv] *adj* reprezentatywny; charakterystyczny; okazowy; *s* reprezentant; przedstawiciel

**re·press** [rɪ`pres] *vt* tłumić; uciskać; poskramiać

**re·pres·sion** [rɪ`preʃn] *s* tłumienie; ucisk, represja; poskromienie

**re·pres·sive** [rɪ`presɪv] *adj* represyjny

**re·prieve** [rɪ`priv] *vt* odroczyć wykonanie wyroku (**a convict** skazańcowi); przynieść tymczasową ulgę (**sb** komuś); udzielić zwłoki (np. **a debtor** dłużnikowi); *s* zwłoka (w terminie); odroczenie wyroku; ulga

**rep·ri·mand** [ˈreprɪ`mand] *vt* ganić, karcić; *s* [`reprɪmand] nagana, besztanie, bura

**re·print** [rɪ`prɪnt] *vt* przedrukować, wznowić (książkę); *s* [`rɪprɪnt] przedruk, wznowienie

**re·pris·al** [rɪ`praɪzl] *s* represja, odwet

**re·proach** [rɪ`prəutʃ] *vt* wyrzucać ⟨wymawiać, zarzucać⟩ (**sb with**

⟨for⟩ sth komuś coś); *s* zarzut, wyrzut; hańba

**re·proach·ful** [rɪ`prəutʃfl] *adj* pełen wyrzutu

**rep·ro·bate** [`reprəbeɪt] *vt* potępiać; *adj* rozpustny; zatwardziały w grzechu; *s* rozpustnik, nikczemnik; potępieniec

**re·pro·duce** [ˈriprəˋdjus] *vt* reprodukować, odtwarzać; rozmnażać

**re·pro·duc·tion** [ˈriprəˋdʌkʃn] *s* reprodukcja, odtworzenie; rozmnożenie (się)

**re·pro·duc·tive** [ˈriprəˋdʌktɪv] *adj* reprodukcyjny; rozrodczy

**re·proof** [rɪ`pruf] *s* wyrzut, zarzut, nagana

**re·prove** [rɪ`pruv] *vt* ganić, czynić wyrzuty

**reps** *s* = **rep**

**rep·tile** [`reptaɪl] *adj* (*o gadzie*) pełzający; *s zool.* gad

**re·pub·lic** [rɪ`pʌblɪk] *s* republika, rzeczpospolita

**re·pub·li·can** [rɪ`pʌblɪkən] *adj* republikański; *s* republikanin

**re·pu·di·ate** [rɪ`pjudɪeɪt] *vt* odrzucić; wyrzec się; odmówić zapłaty; rozwieść się (sb z kimś); wyprzeć się; odmówić uznania

**re·pu·di·a·tion** [rɪˈpjudɪˋeɪʃn] *s* odrzucenie; wyrzeczenie się; wyparcie się; odmowa; rozwód (of sb z kimś)

**re·pug·nance** [rɪ`pʌgnəns] *s* wstręt, odraza

**re·pug·nant** [rɪ`pʌgnənt] *adj* wstrętny, odrażający, odpychający

**re·pulse** [rɪ`pʌls] *vt* odpierać, odtrącać; *s* odparcie; odprawa; odmowa

**re·pul·sion** [rɪ`pʌlʃn] *s* wstręt; *fiz.* odpychanie

**re·pul·sive** [rɪ`pʌlsɪv] *adj* wstrętny; *fiz.* odpychający

**rep·u·ta·ble** [`repjutəbl] *adj* szanowany; cieszący się poważaniem

**rep·u·ta·tion** [ˈrepjuˋteɪʃn] *s* reputacja

**re·pute** [rɪ`pjut] *vt* uważać (kogoś za coś); to be **~d** mieć reputację, być uważanym ⟨uchodzić⟩ (an honest man za uczciwego człowieka); *s* sława, reputacja; of **~** słynny

**re·put·ed** [rɪ`pjutɪd] *adj* słynny, powszechnie znany; rzekomy

**re·quest** [rɪ`kwest] *s* prośba; życzenie; popyt; **~ stop** przystanek na żądanie; **by ~** na życzenie; **in great ~** pożądany, cieszący się popytem; *vt* prosić (sth o coś); **as ~ed** według życzenia; **the public is ~ed** ... uprasza się publiczność o ...

**re·quire** [rɪ`kwaɪə(r)] *vt* żądać, wymagać, potrzebować (sth of sb czegoś od kogoś)

**re·quire·ment** [rɪ`kwaɪəmənt] *s* wymaganie, żądanie

**req·ui·site** [`rekwɪzɪt] *adj* niezbędny, konieczny, wymagany; *s* rzecz niezbędna; rekwizyt

**req·ui·si·tion** [ˈrekwɪˋzɪʃn] *s* żądanie, zapotrzebowanie; rekwizycja; *vt* rekwirować

**re·quit·al** [rɪ`kwaɪtl] *s* zapłata, wynagrodzenie; odpłata, odwet

**re·quite** [rɪ`kwaɪt] *vt* wynagrodzić; odwzajemnić się; (sth with, for sth czymś za coś); odpłacić; **~ like for like** odpłacić się tym samym ⟨tą samą monetą⟩

**res·cue** [`reskju] *s* ratunek, ocalenie; *vt* ratować, ocalić

**re·search** [rɪ`sɜtʃ] *s* badanie (into sth czegoś); praca badawcza (on sth nad czymś); poszukiwanie (after, for sth czegoś); **~ work** praca naukowa; *vi* prowadzić badania (into sth nad czymś)

**re·search·er** [rɪ`sɜtʃə(r)] *s* badacz

**re·sem·blance** [rɪ`zembləns] *s* podobieństwo

**re·sem·ble** [rɪ`zembl] *vt* być podobnym (sb, sth do kogoś, czegoś)

**re·sent** [rɪ`zent] *vt* czuć się urażonym (sth z powodu czegoś), mieć za złe

**re·sent·ful** [rɪ`zentfl] *adj* urażony, rozżalony, dotknięty (of sth czymś)

**re·sent·ment** [rɪˋzentmənt] *s* uraza, przykrość, rozżalenie

**res·er·va·tion** [ˌrezəˋveɪʃn] *s* zastrzeżenie; ograniczenie; *am.* rezerwacja (miejsca, pokoju itd.); rezerwat (np. przyrody)

**re·serve** [rɪˋzɜv] *vt* mieć w zapasie ‹w rezerwie›; rezerwować (pokój, bilet itp.); zastrzegać (sobie); *s* rezerwa; zapas; zastrzeżenie, ograniczenie; *am.* rezerwat; zarezerwowane miejsce; **without ~** bez zastrzeżeń

**re·served** [rɪˋzɜvd] *adj* zastrzeżony; zarezerwowany; (*o człowieku*) zachowujący się z rezerwą; ostrożny

**re·side** [rɪˋzaɪd] *vi* rezydować; przebywać

**res·i·dence** [ˋrezɪdəns] *s* rezydencja; miejsce stałego pobytu; mieszkanie

**res·i·dent** [ˋrezɪdənt] *adj* mieszkający, zamieszkały; *s* rezydent; stały mieszkaniec

**res·i·den·tial** [ˌrezɪˋdenʃl] *adj* mieszkaniowy; **~ area ‹district›** dzielnica mieszkaniowa

**re·sid·u·al** [rɪˋzɪdjuəl] *adj* pozostały; *s mat.* reszta

**res·i·due** [ˋrezɪdju] *s* pozostałość; *chem.* osad

**re·sign** [rɪˋzaɪn] *vt* rezygnować (**sth** z czegoś); zrzekać się; ustąpić (**sth to sb** coś komuś); *vr* **~ oneself** poddać się z rezygnacją, pogodzić się (**to sth** z czymś)

**res·ig·na·tion** [ˌrezɪgˋneɪʃn] *s* rezygnacja, dymisja; zrzeczenie się; pogodzenie się z losem, rezygnacja

**re·sil·i·ence** [rɪˋzɪlɪəns] *s* elastyczność, sprężystość; zdolność odbijania

**res·in** [ˋrezɪn] *s* żywica

**re·sist** [rɪˋzɪst] *vt* opierać się (**sth** czemuś), przeciwstawiać się

**re·sist·ance** [rɪˋzɪstəns] *s* opór, przeciwstawienie się; *elektr.* oporność, opornik; **~ movement** ruch oporu

**res·o·lute** [ˋrezəlut] *adj* zdecydowany

**res·o·lu·tion** [ˌrezəˋluʃn] *s* rezolucja; postanowienie; zdecydowana postawa; rozwiązanie (np. zadania); rozłożenie, rozkład

**re·solve** [rɪˋzolv] *vt vi* rozwiązać; rozpuścić (się); rozłożyć (się); postanowić (**on, upon sth** coś), zdecydować się; *s* postanowienie, decyzja; stanowczość

**re·solved** [rɪˋzolvd] *adj* stanowczy, zdecydowany

**res·o·nance** [ˋrezənəns] *s* rezonans, odgłos

**res·o·nant** [ˋrezənənt] *adj* dźwięczny, brzmiący; akustyczny

**re·sort** [rɪˋzɔt] *vi* uciekać się; często odwiędzać (np. **to the seaside** wybrzeże); *s* resort; kurort; ucieczka; zwrócenie się; ratunek; **health ~** uzdrowisko; **summer ~** letnisko; **the last ~** ostateczność; **without ~** bez uciekania się, bez stosowania

**re·sound** [rɪˋzaund] *vi* dźwięczeć, rozbrzmiewać; odbijać się echem

**re·source** [rɪˋsɔs] *s* środek zaradczy; źródło, zapas, pomysłowość; **natural ~s** bogactwa naturalne

**re·source·ful** [rɪˋsɔsfl] *adj* pomysłowy, wynalazczy

**re·spect** [rɪˋspekt] *s* szacunek; wzgląd; odniesienie; związek; *pl* **~s** pozdrowienia, ukłony; **with ~** w odniesieniu (**to sth** do czegoś); **in ~** pod względem (**of sth** czegoś); *vt* szanować; mieć wzgląd (**sth** na coś); dotyczyć

**re·spect·a·bil·i·ty** [rɪˌspektəˋbɪlətɪ] *s* ogólne poważanie, szacunek

**re·spect·a·ble** [rɪˋspektəbl] *adj* godny szacunku, szanowny; poważny, znaczny

**re·spect·ful** [rɪˋspektfl] *adj* pełen szacunku

**re·spect·ing** [rɪˋspektɪŋ] *praep* odnośnie do, co do

**re·spec·tive** [rɪˋspektɪv] *adj* odnośny; poszczególny

**res·pi·ra·tion** [ˌrespəˋreɪʃn] *s* oddychanie

**re·spir·a·to·ry** [rɪˋspaɪərətrɪ] *adj* oddechowy

**re·spire** [rɪˋspaɪə(r)] *vi* oddychać

**res·pite** [ˋrespaɪt] *s* przerwa; odroczenie, zwłoka; *vt* odroczyć (ogłoszenie wyroku); sprolongować (termin wykonania)

**re·splend·ent** [rɪˋsplendənt] *adj* lśniący

**re·spond** [rɪˋspond] *vi* odpowiadać; reagować (**to sth** na coś)

**re·sponse** [rɪˋspons] *s* odpowiedź; reakcja, *przen.* echo

**re·spon·si·bil·i·ty** [rɪ'sponsəˋbɪlətɪ] *s* odpowiedzialność

**re·spon·si·ble** [rɪˋsponsəbl] *adj* odpowiedzialny

**re·spon·sive** [rɪˋsponsɪv] *adj* odpowiadający; reagujący, wrażliwy (**to sth** na coś)

**rest 1.** [rest] *s* odpoczynek, spokój; podpora, podstawa; *muz.* pauza; **to be at ~** spoczywać; **to have ⟨take⟩ a ~** wypocząć; **to lay to ~** złożyć do grobu; **to retire ⟨go⟩ to ~** udać się na spoczynek, położyć się spać; **to set to ~** uspokoić, dać spocząć; **to set a question at ~** załatwić sprawę; *vt* uspokoić, dać spocząć; podpierać, opierać; *vi* wypoczywać, leżeć; polegać; opierać się, wspierać się; *vr* **to ~ oneself** zażywać wypoczynku

**rest 2.** [rest] *s* reszta; **for the ~** co do reszty, poza tym, zresztą; *vi* pozostawać; zależeć; **this ~s with you** to od ciebie zależy; to (jest) w twoich rękach; **to ~ assured** być pewnym

**res·tau·rant** [ˋrestrõ] *s* restauracja

**rest-cure** [ˋrest kjuə(r)] *s* kuracja wypoczynkowa

**rest·ful** [ˋrestfl] *adj* spokojny, uspokajający

**rest·ing-place** [ˋrestɪŋpleɪs] *s* miejsce wypoczynku

**res·ti·tu·tion** ['restɪˋtjuʃn] *s* restytucja; zwrot; przywrócenie; odszkodowanie

**rest·less** [ˋrestləs] *adj* niespokojny

**res·to·ra·tion** ['restəˋreɪʃn] *s* restauracja, odbudowa; przywrócenie

**re·store** [rɪˋstɔ(r)] *vt* odrestaurować, odbudować; przywrócić (do zdrowia, do życia itp.); odnowić, wznowić

**re·strain** [rɪˋstreɪn] *vt* powstrzymywać, hamować

**re·straint** [rɪˋstreɪnt] *s* zahamowanie; ograniczenie; powściągliwość; **without ~** swobodnie; bez skrępowania

**re·strict** [rɪˋstrɪkt] *vt* ograniczać; zastrzegać

**re·stric·tion** [rɪˋstrɪkʃn] *s* ograniczenie; zastrzeżenie

**re·sult** [rɪˋzʌlt] *vt* wynikać (**from sth** z czegoś); kończyć się (**in sth** czymś); *s* wynik, skutek; **as a ~** w następstwie, na skutek; **in the ~** ostatecznie; *gram.* **~ clause** zdanie skutkowe

**re·sult·ant** [rɪˋzʌltənt] *adj* wynikający; *fiz.* wypadkowy; *s fiz.* wypadkowa

**re·sume** [rɪˋzjum] *vt* odzyskać; podjąć na nowo; streścić

**ré·sumé** [ˋrezumeɪ] *s* streszczenie

**re·sump·tion** [rɪˋzʌmpʃn] *s* podjęcie na nowo, wznowienie

**res·ur·rect** ['rezəˋrekt] *vt* wskrzesić; wznowić; *vt vi* powstać z martwych

**res·ur·rec·tion** ['rezəˋrekʃn] *s* wskrzeszenie; *rel.* zmartwychwstanie

**re·tail** [ˋriteɪl] *s* sprzedaż detaliczna; *adj attr* detaliczny; *adv* detalicznie; *vt* [rɪˋteɪl] sprzedawać detalicznie

**re·tain** [rɪˋteɪn] *vt* zatrzymywać; najmować, zatrudniać; zachowywać w pamięci

**re·tain·er** [rɪˋteɪnə(r)] *s* zaliczka; *hist.* służący, lokaj (w liberii); członek świty, wasal; *pl* **~s** orszak, świta; czeladź

**re·tal·i·ate** [rɪˋtælɪeɪt] *vt vi* odpłacać (się), odwzajemniać (się)

**re·tal·i·a·tion** [rɪ'tælɪˋeɪʃn] *s* odpłata, odwet

**re·tard** [rɪ`tɑd] *vt vi* opóźnić (się); *s* opóźnienie
**re·ten·tion** [rɪ`tenʃn] *s* zatrzymanie; wstrzymywanie
**re·ten·tive** [rɪ`tentɪv] *adj* (*o glebie*) nie przepuszczający; (*o pamięci*) trwały
**ret·i·cence** [`retɪsns] *s* powściągliwość w słowach
**ret·i·cent** [`retɪsnt] *adj* powściągliwy w słowach, milczący, skryty
**ret·i·na** [`rętɪnə] *s* (*pl* **retinae** [`retɪni]) *anat.* siatkówka oka
**ret·i·nue** [`retɪnju] *s* orszak, świta
**re·tire** [rɪ`taɪə(r)] *vt vi* odchodzić, wychodzić, cofać (się), usuwać (się); iść na emeryturę; rezygnować ze stanowiska; podać się do dymisji; **to ~ to rest ⟨to bed, for the night⟩** iść spać, udać się na spoczynek
**re·tired** [rɪ`taɪəd] *adj* samotny, osamotniony; emerytowany; **~ pay** emerytura
**re·tire·ment** [rɪ`taɪəmənt] *s* odwrót, cofanie się; emerytura; dymisja; osamotnienie
**re·tort** [rɪ`tɔt] *vt vi* ostro odpowiedzieć, dać odprawę, odciąć się; odpłacić (się); odeprzeć; *s* ostra odpowiedź, odcięcie się
**re·touch** [ˈri`tʌtʃ] *vt* retuszować; *s* retusz
**re·trace** [ri`treɪs] *vt* cofnąć się (**sth** do czegoś); zawrócić; odtworzyć; przypominać sobie
**re·tract** [rɪ`trækt] *vt vi* ciągnąć z powrotem, wciągać; cofać (się), wycofać (się); odwołać
**re·trac·ta·tion** [ˈriˈtræk`teɪʃn], **re·trac·tion** [rɪ`trækʃn] *s* retrakcja, cofnięcie; odwołanie
**re·treat** [rɪ`trit] *vi* cofać się; *s* odwrót; usunięcie się; *rel.* rekolekcje
**re·trench** [rɪ`trentʃ] *vt* obciąć, skrócić; zredukować; *wojsk.* okopać, oszańcować
**re·trench·ment** [rɪ`trentʃmənt] *s* obcięcie, skrócenie, redukcja; *wojsk.* szaniec
**ret·ri·bu·tion** [ˈretrɪ`bjuʃn] *s* kara, odpłata, odwet
**re·trieve** [rɪ`triv] *vt* odzyskać; naprawić, powetować (np. stratę); przywrócić; wynagrodzić
**ret·ro·ac·tive** [ˈretrəu`æktɪv] *adj prawn.* z mocą retroaktywną, działający wstecz
**ret·ro·grade** [`retrəgreɪd] *adj* (*o ruchu*) wsteczny; (*o polityce*) reakcyjny
**ret·ro·spect** [`retrəspekt] *s* spojrzenie wstecz, retrospekcja
**re·turn** [rɪ·tɜn] *vt vi* wracać; zwracać, oddawać; odpowiadać; wybrać (posła); przynosić (dochody); odpłacić (się); *s* powrót; zwrot; dochód; wynik (głosowania); *pl* **~s** wpływy (kasowe); **by ~ of post** odwrotną pocztą; **in ~** w zamian (**for sth** za coś); *adj attr* powrotny; **~ ticket** bilet powrotny
**re·veal** [rɪ`vil] *vt* odsłonić, odkryć, objawić, ujawnić
**rev·el** [`revl] *s* uczta, zabawa; *vi* ucztować, zabawiać się; hulać; rozkoszować się (**in sth** czymś)
**rev·e·la·tion** [ˈrevə`leɪʃn] *s* wyjawienie, ujawnienie; rewelacja, odkrycie; *rel.* objawienie
**rev·el·ler** [`revḷə(r)] *s* biesiadnik; hulaka
**rev·el·ry** [`revḷrɪ] *s* uczta (hałaśliwa), pohulanka
**re·venge** [rɪ`vendʒ] *vt* mścić; **to be ~d** mścić się; *vr* **to ~ oneself** mścić się (**on sb** na kimś); *s* zemsta; **to take one's ~** zemścić się
**re·venge·ful** [rɪ`vendʒfl] *adj* mściwy
**rev·e·nue** [`revənju] *s* dochód (państwowy); urzędy skarbowe
**re·ver·ber·ate** [rɪ`vɜbəreɪt] *vt vi* odbijać (światło); rozlegać się, (*o głosie*) brzmieć echem; promieniować, odbijać się
**re·vere** [rɪ`vɪə(r)] *vt* szanować, czcić

**rev·er·ence** [`revərəns] *s* szacunek; *vt* czcić
**rev·er·end** [`revərənd] *adj* czcigodny; (*o duchownym*) **the Reverend** Wielebny
**rev·er·ent** [`revərənt] *adj* pełen szacunku
**rev·er·en·tial** [ˌrevə`renʃl] *adj* pełen szacunku
**rev·er·ie** [`revərɪ] *s* marzenie, zaduma
**re·ver·sal** [rɪ`vɜsl] *s* odwrócenie, zwrot
**re·verse** [rɪ`vɜs] *vt* odwrócić (przedmiot, kierunek itd.), przewrócić na drugą stronę; cofać; przemieścić; *s* odwrotna strona; przeciwieństwo; odwrotny kierunek; strata (finansowa); porażka, niepowodzenie; *adj* odwrotny; przeciwny
**re·vers·i·ble** [rɪ`vɜsəbl] *adj* odwracalny; odwołalny
**re·vert** [rɪ`vɜt] *vt vi* odwracać, zawracać, powracać
**re·view** [rɪ`vju] *s* inspekcja, rewia; czasopismo, przegląd wydarzeń; recenzja; *vt* przeglądać; odbywać rewię; rewidować; recenzować
**re·view·er** [rɪ`vjuə(r)] *s* recenzent, krytyk
**re·vile** [rɪ`vaɪl] *vt vi* lżyć, wymyślać (**sb, against** ⟨**at**⟩ **sb** komuś)
**re·vise** [rɪ`vaɪz] *vt* rewidować, przeglądać, poprawiać
**re·vi·sion** [rɪ`vɪʒn] *s* rewizja, przegląd
**re·viv·al** [rɪ`vaɪvl] *s* odżycie, powrót do życia; wznowienie (np. sztuki w teatrze); odrodzenie, ożywienie, odnowienie
**re·vive** [rɪ`vaɪv] *vt* ożywiać, przywracać do życia; odnawiać; *vi* odżyć, odrodzić się, ożywić się
**rev·o·ca·tion** [ˌrevə`keɪʃn] *s* odwołanie; unieważnienie
**re·voke** [rɪ`vəuk] *vt* odwołać; skasować; unieważnić
**re·volt** [rɪ`vəult] *s* rewolta, bunt; **to rise in ~** zbuntować się; *vt vi* buntować (się); czuć odrazę; (**at sth** z powodu czegoś); budzić odrazę
**rev·o·lu·tion** [ˌrevə`luʃn] *s* rewolucja; obracanie się, pełny obrót (ziemi, koła itd.)
**rev·o·lu·tion·ar·y** [ˌrevə`luʃnrɪ] *adj* rewolucyjny; *s* rewolucjonista
**rev·o·lu·tion·ist** [ˌrevə`luʃnɪst] *s* rewolucjonista
**rev·o·lu·tion·ize** [ˌrevə`luʃnaɪz] *vt* rewolucjonizować
**re·volve** [rɪ`volv] *vt vi* obracać (się), krążyć
**re·volv·er** [rɪ`volvə(r)] *s* rewolwer
**re·vue** [rɪ`vju] *s teatr.* rewia
**re·vul·sion** [rɪ`vʌlʃn] *s* zwrot (w opinii, reakcji)
**re·ward** [rɪ`wɔd] *s* nagroda; *vt* nagradzać
**re·write** [ˌri`raɪt] *vt* przepisać; przerobić (tekst)
**rhet·o·ric** [`retərɪk] *s* retoryka
**rhe·tor·i·cal** [rɪ`torɪkl] *adj* retoryczny
**rheu·mat·ic** [ru`mætɪk] *adj* reumatyczny
**rheu·ma·tism** [`rumətɪzm] *s* reumatyzm
**rhi·no** [`raɪnəu] *s pot.* nosorożec
**rhi·noc·er·os** [raɪ`nosərəs] *s zool.* nosorożec
**rhomb** [rom] *s mat.* romb
**rhyme** [raɪm] *s* rym; wiersz; **neither** ⟨**without**⟩ **~ nor** ⟨**or**⟩ **reason** bez sensu; *vt vi* rymować (się)
**rhythm** [`rɪðm] *s* rytm
**rib** [rɪb] *s* żebro
**rib·ald** [`rɪbld] *adj* sprośny, ordynarny; *s* człowiek sprośny ⟨ordynarny⟩
**rib·bon** [`rɪbən] *s* wstążka, tasiemka; taśma
**rice** [raɪs] *s* ryż
**rich** [rɪtʃ] *adj* bogaty; obfity
**rich·es** [`rɪtʃɪz] *s pl* bogactwo
**rick** [rɪk] *s* stóg, sterta (np. siana)
**rick·ets** [`rɪkɪts] *s med.* krzywica
**rick·et·y** [`rɪkɪtɪ] *adj* słaby, ra-

chityczny; rozwalający się, pokrzywiony, rozklekotany
**ric·o·chet** [`rɪkəʃeɪ] *s* rykoszet
***rid, rid, rid** [rɪd] *vt* uwolnić, oczyścić (**of sth** z czegoś); **to get ~** uwolnić się, pozbyć się (**of sth** czegoś)
**rid·dance** [`rɪdns] *s* uwolnienie, pozbycie się
**rid·den** *zob.* **ride**
**rid·dle 1.** [`rɪdl] *s* zagadka
**rid·dle 2.** [`rɪdl] *s* sito (duże); *vt* przesiewać; podziurawić (jak sito)
***ride** [raɪd], **rode** [rəud], **ridden** [`rɪdn] *vt vi* jeździć (na koniu, rowerem, autem itp.); przejeżdżać (np. **the street** ulicą); **~ a race** brać udział w wyścigach konnych; **~ down** *vi* zjechać w dół; *vt* stratować; *przen.* źle potraktować; **~ over** *vi* wygrać na wyścigach; *vt przen.* zlekceważyć; *s* jazda, przejażdżka
**rid·er** [`raɪdə(r)] *s* jeździec; (*w pojeździe*) pasażer
**ridge** [rɪdʒ] *s* grzbiet; krawędź, brzeg; skiba
**rid·i·cule** [`rɪdɪkjul] *s* śmieszność; pośmiewisko; szyderstwo, kpiny; *vt* wyśmiewać, ośmieszać
**ri·dic·u·lous** [rɪ`dɪkjələs] *adj* śmieszny; absurdalny
**rife** [raɪf] *adj praed* rozpowszechniony; pełny, obfity, znajdujący się w wielkiej ilości; **to grow ~** wzmagać się
**riff-raff** [`rɪfræf] *s* motłoch, hołota
**ri·fle 1.** [`raɪfl] *vt* ograbić, zrabować, obrabować
**ri·fle 2.** [`raɪfl] *s* karabin; *wojsk.* *pl* **~s** strzelcy, pułk strzelecki
**ri·fle·man** [`raɪflmən] *s* strzelec
**rift** [rɪft] *s* szczelina; *vt vi* rozszczepić (się), rozłupać (się)
**rig** [rɪg] *s mors.* takielunek; *przen.* strój, powierzchowność; *vt mors.* otaklować; *przen.* **to ~ sb out (with sth)** wyekwipować, zaopatrzyć (kogoś w coś); *pot.* wystroić
**right** [raɪt] *adj* (*o stronie*) prawy; prawidłowy, słuszny; **~ angle** kąt prosty; **to be ~** mieć rację; **to get ~** doprowadzić do porządku, dojść do normalnego stanu; **to set ⟨to put⟩ ~** uporządkować, uregulować; **all ~** wszystko w porządku ⟨dobrze⟩; *int.* dobrze!; zgoda!; **on the ~ (side)** po prawej stronie; *adv* słusznie, prawidłowo; prosto; *am.* **~ away ⟨off⟩** w tej chwili, natychmiast; **~ out** wprost, natychmiast; całkowicie; *s* prawo; słuszność; **to be in the ~** mieć rację; **to do ~** sprawiedliwie potraktować, oddać sprawiedliwość (**sb** komuś); **by ~** prawnie; na podstawie, z tytułu (**of sth** czegoś); *vt* nadać prawidłowe położenie; naprawić; wymierzyć sprawiedliwość
**right-an·gled** [`raɪt æŋgld] *adj* prostokątny; *mat.* **~ triangle** trójkąt prostokątny
**right·eous** [`raɪtʃəs] *adj* sprawiedliwy, prawy
**right·ful** [`raɪtfl] *adj* legalny, słuszny, sprawiedliwy
**right-mind·ed** [ˈraɪt `maɪndɪd] *adj* zrównoważony; *pot.* zdrowy na umyśle
**rig·id** [`rɪdʒɪd] *adj* sztywny; (*o człowieku*) nieugięty; bezwzględny
**rig·ma·role** [`rɪgmərəul] *s* bzdury, *pot.* koszałki opałki
**rig·or·ous** [`rɪgərəs] *adj* rygorystyczny, surowy
**rig·our** [`rɪgə(r)] *s*. rygor, surowość
**rill** [rɪl] *s* strumyczek, struga
**rim** [rɪm] *s* obwódka; obręcz; brzeg; oprawa (okularów); *vt* otoczyć obręczą; oprawić
**rime 1.** [raɪm] *s* szron
**rime 2.** [raɪm] *s* = **rhyme**
**rind** [raɪnd] *s* skórka; kora; łupina
**ring 1.** [rɪŋ] *s* pierścień, krąg, ko-

ło; arena; *handl.* i *sport.* **ring**; klika, szajka; *vt* tworzyć koło; obrączkować; **~ in ⟨round, about⟩** okrążyć

• **ring** 2. [rɪŋ], **rang** [ræŋ], **rung** [rʌŋ] *vt vi* dzwonić, dźwięczeć; **~ up** telefonować (sb do kogoś); *s* dźwięk, brzmienie dzwonka, dzwonienie; dzwonek (telefonu)

**ring-fin·ger** [ˋrɪŋ fɪŋgə(r)] *s* palec serdeczny

**ring·leader** [ˋrɪŋ lidə(r)] *s* prowodyr

**ring·let** [ˋrɪŋlət] *s* mały pierścionek, kółeczko

**rink** [rɪŋk] *s* ślizgawka, lodowisko; tor do jazdy na wrotkach

**rinse** [rɪns] *vt* (*także* **~ out**) płukać, przemywać; **~ down** popijać (przy jedzeniu)

**ri·ot** [ˋraɪət] *s* bunt, rozprzężenie; **to run ~** *przen.* brykać, szaleć; *vi* wszczynać rozruchy; szaleć, hulać

**ri·ot·ous** [ˋraɪətəs] *adj* burzliwy; buntowniczy, niesforny

**rip** [rɪp] *vt vi* rwać, rozrywać; trzaskać, pękać; **to ~ open** rozpruć, rozerwać (np. kopertę); **~ off** odpruć, oderwać; **~ up** spruć, rozgrzebać

**ripe** [raɪp] *adj* dojrzały; **to grow ~** dojrzeć

**rip·en** [ˋraɪpn] *vi* dojrzewać; *vt* przyspieszać dojrzewanie

**rip·ple** [ˋrɪpl] *s* zmarszczka (na powierzchni wody), mała fala; plusk; szmer; *vi* (*o powierzchni wody*) marszczyć się; pluskać; szemrać

• **rise** [raɪz], **rose** [rəuz], **risen** [ˋrɪzn] *vi* wstawać, podnosić się; powstawać; wzrastać; **to ~ (up) in arms** chwytać za broń; **to ~ to the occasion** stanąć na wysokości zadania; **the House of Commons rose** Izba Gmin zakończyła obrady; *s* wzrost; podniesienie się; wzniesienie; wschód (słońca); **to give ~** dać początek, zapoczątkować; dać powód

**ris·ing** [ˋraɪzɪŋ] *s* powstanie (zbrojne); podniesienie się; wzrost, rozwój; zamknięcie (obrad)

**risk** [rɪsk] *s* ryzyko; **to run ⟨to take⟩ the ~ ⟨~s⟩** ryzykować; *vt* ryzykować

**risk·y** [ˋrɪskɪ] *adj* ryzykowny

**rite** [raɪt] *s* obrzęd

**rit·u·al** [ˋrɪtʃuəl] *adj* rytualny; *s* rytuał, obrządek

**ri·val** [ˋraɪvl] *s* rywal; *adj attr* rywalizujący, konkurencyjny; *vt* rywalizować, iść w zawody; równać się (sb z kimś)

**ri·val·ry** [ˋraɪvlrɪ] *s* rywalizacja

**riv·er** [ˋrɪvə(r)] *s* rzeka

**riv·er-basin** [ˋrɪvə beɪsn] *s* dorzecze

**riv·er-bed** [ˋrɪvə bed] *s* koryto rzeki

**riv·er·side** [ˋrɪvəsaɪd] *s* brzeg rzeki

**riv·et** [ˋrɪvɪt] *s techn.* nit; *vt* nitować; wzmocnić; przykuć

**riv·u·let** [ˋrɪvjulət] *s* rzeczka, strumień

**road** [rəud] *s* droga, jezdnia; podróż; *pl mors.* **~s** reda; **by ~** drogą lądową; **on the ~** w drodze, w podróży

**road·hog** [ˋrəud hɔg] *s* pirat drogowy

**road·side** [ˋrəudsaɪd] *s* pobocze (drogi); *attr* przydrożny (np. zajazd)

**road·stead** [ˋrəudsted] *s mors.* reda

**road·way** [ˋrəudweɪ] *s* szosa, jezdnia

**roam** [rəum] *vi vt* wędrować, wałęsać się; *s* wędrówka

**roar** [rɔ(r)] *vi* huczeć, ryczeć, grzmieć; *s* huk, ryk, grzmot

**roast** [rəust] *vt vi* piec, smażyć (się); *s* pieczeń; *adj* pieczony, smażony; **~ beef** rostbef; **~ mutton** pieczeń barania; **~ veal** pieczeń cielęca

**rob** [rɔb] *vt* okradać (sb of sth

kogoś z czegoś); *vi* uprawiać rabunek

**rob·ber** [ˋrobə(r)] *s* rozbójnik, rabuś

**rob·ber·y** [ˋrobərɪ] *s* rozbój, grabież

**robe** [rəub] *s* suknia; toga; *vt* ubierać w suknię ⟨togę⟩

**rob·in** [ˋrobɪn] *s zool.* rudzik

**ro·bot** [ˋrəubot] *s* robot

**ro·bust** [rəuˋbʌst] *adj* mocny, krzepki

**rock 1.** [rok] *s* skała; kamień; twardy cukierek

**rock 2.** [rok] *vt vi* kołysać (się)

**rock·et** [ˋrokɪt] *s* rakieta (pocisk, ogień sztuczny)

**rock·ing-chair** [ˋrokɪŋ tʃeə(r)] *s* krzesło ⟨fotel⟩ na biegunach, bujak

**rock-salt** [ˈrok ˋsɔlt] *s* sól kamienna

**rock·y** [ˋrokɪ] *adj* skalisty

**rod** [rod] *s* pręt, rózga; **fishing-~** wędka

**rode** *zob.* **ride**

**ro·dent** [ˋrəudnt] *s zool.* gryzoń

**roe 1.** [rəu] *s zool.* sarna

**roe 2.** [rəu] *s* ikra; **soft ~** mlecz rybi

**rogue** [rəug] *s* łajdak, szelma

**rogu·ish** [ˋrəugɪʃ] *adj* łajdacki, szelmowski

**role** [rəul] *s* rola

**roll 1.** [rəul] *s* zwój; zawiniątko; walec; rolka; bułka (okrągła); spis, lista; **to call the ~** odczytać listę (obecności)

**roll 2.** [rəul] *vt vi* obracać (się), toczyć (się); falować, kołysać (się); rolować; skręcać, zwijać; **~ down** stoczyć (się); **~ over** przewalić (się); **~ up** zwinąć; zakasać (rękawy)

**roll-call** [ˋrəul kɔl] *s* odczytanie nazwisk; *wojsk.* apel

**roll·er** [ˋrəulə(r)] *s* walec; wałek; duża fala, bałwan (morski)

**roll·er-skate** [ˋrəulə skeɪt] *vi* jeździć na wrotkach; *s pl* **~s** wrotki

**rol·lick** [ˋrolɪk] *vi* hałaśliwie się bawić; swawolić; *s* hałaśliwa zabawa; swawola

**roll·ing-mill** [ˋrəulɪŋ mɪl] *s* walcownia

**roll·ing-pin** [ˋrəulɪŋ pɪn] *s* wałek do ciasta

**roll·ing-stock** [ˋrəulɪŋ stok] *s* tabor kolejowy

**Ro·man** [ˋrəumən] *adj* rzymski; *s* Rzymianin

**ro·mance** [rəˋmæns] *s* romans; romanca; romantyka; romantyczność; **Romance (languages)** języki romańskie; *adj attr* romański, romanistyczny

**ro·man·tic** [rəˋmæntɪk] *adj* romantyczny

**ro·man·ti·cism** [rəˋmæntɪsɪzm] *s* romantyzm

**romp** [romp] *s* hałaśliwa zabawa, wybryki, swawola; sowizdrzał; *vi* bawić się hałaśliwie, brykać, swawolić

**rood** [rud] *s* krzyż; krucyfiks

**roof** [ruf] *s* dach; *lotn.* pułap

**rook 1.** [ruk] *s zool.* gawron; szuler, oszust; *vt* oszukiwać

**rook 2.** [ruk] *s* wieża (w szachach)

**rook·er·y** [ˋrukərɪ] *s* kolonia gawronia; kolonia pingwinów; *zbior.* rudery

**room** [rum, rum] *s* pokój, izba; miejsce, przestrzeń; zakres możliwości; **in my ~** na moim miejscu; zamiast mnie; **to make ~** ustąpić miejsca, zrobić miejsce; *vi* mieszkać; najmować mieszkanie; *vt* dawać mieszkanie, przyjąć pod dach

**room-mate** [ˋrum meɪt] *s* współlokator

**room·y** [ˋrumɪ] *adj* przestronny

**roost** [rust] *s* grzęda, żerdź (dla kur); *vi* siedzieć na grzędzie

**roost·er** [ˋrustə(r)] *s* kogut

**root** [rut] *s* korzeń; podstawa; sedno; *mat.* pierwiastek; *gram.* rdzeń, źródłosłów; **~ and branch** z korzeniem, gruntownie, całkowicie; **to get at the ~ of the matter** dotrzeć do sedna sprawy;

to **strike** ⟨**take**⟩ ~ zapuścić korzenie; *vt* głęboko sadzić, przytwierdzić do ziemi; *vi* zakorzenić się; *vt* ~ **out** wykorzenić; wyrywać z korzeniami

**rope** [rəup] *s* lina, sznur; *vt* przywiązywać; ciągnąć po linie

**rope-danc·er** [ˋrəup dɑnsə(r)] *s* tancerz na linie, linoskoczek

**rope-lad·der** [ˈrəup ˋlædə(r)] *s* drabina sznurowa

**rope-mak·er** [ˋrəup meɪkə(r)] *s* powroźnik

**ro·sace** [ˋrəuzeɪs] *s* rozeta

**ro·sa·ry** [ˋrəuzərɪ] *s* różaniec; rozarium

**rose** 1. [rəuz] *zob.* **rise**

**rose** 2. [rəuz] *s* róża; kolor róży; rozeta; **a bed of** ~**s** przyjemności życia; *hist.* **the Wars of the Roses** wojna Dwu Róż; *adj attr* różowy, różany; *vt* barwić na różowo

**rose·mary** [ˋrəuzmərɪ] *s bot.* rozmaryn

**ros·in** [ˋrozɪn] *s* żywica, kalafonia

**ros·y** [ˋrəuzɪ] *adj* różowy, różany

**rot** [rot] *vi* gnić; *vt* powodować gnicie; *s* gnicie; zgnilizna; *pot.* (*także* **tommy-rot**) bzdury, brednie

**ro·ta·ry** [ˋrəutərɪ] *adj* obrotowy

**ro·tate** [rəuˋteɪt] *vt vi* obracać (się), wirować; zmieniać (się) kolejno

**ro·ta·tion** [rəuˋteɪʃn] *s* obrót, obieg; kolejność, rotacja; płodozmian; **by** ⟨**in**⟩ ~ po kolei, na przemian

**rot·ten** [ˋrɔtn] *adj* zgniły, cuchnący, zepsuty

**ro·tund** [rəuˋtʌnd] *adj* okrągły; (*o człowieku*) pękaty; (*o stylu itp.*) napuszony

**rouge** [ruʒ] *s* czerwona szminka, róż; *vt* szminkować

**rough** [rʌf] *adj* szorstki, nierówny; (*o morzu*) wzburzony; zrobiony z grubsza, grubo ciosany; brutalny; gruboskórny; surowy, nie obrobiony; ~ **copy** brulion; ~ **sketch** szkic; *vt* grubo ciosać; z grubsza opracowywać; szorstko traktować; **to** ~ **it** pędzić życie pełne trudów i niewygód

**rough-cast** [ˋrʌf kɑst] *s* szkic, zarys; tynk; *vt* naszkicować; otynkować

**rough·en** [ˋrʌfən] *vt vi* stawać się szorstkim, gruboskórnym

***rough-hew** [ˈrʌf ˋhju] *vt* (*pp* **rough-hewn** [ˈrʌfˋhjun]) ociosać (z grubsza); naszkicować (powierzchownie)

**round** [raund] *adj* okrągły, zaokrąglony; (*o podróży*) okrężny; otwarty, szczery, uczciwy; należyty; dosadny; *s* krąg, cykl; obieg; (*przy częstowaniu*) kolejka; kolejność; bieg (*życia itp.*) przechadzka; objazd; obchód służbowy, inspekcja; *muz.* kanon; *sport* runda; *adv* naokoło, kołem; ~ **about** dookoła; naokoło; **all** ~ ogółem, w całości; *praep* wokół, dookoła; ~ **the corner** za węgłem ⟨rogiem⟩; *vt vi* zaokrąglić (się); okrążać; ~ **off** zaokrąglić, wykończyć; zakończyć; ~ **up** spędzić (np. bydło); zrobić obławę

**round·a·bout** [ˋraundəbaut] *adj attr* okólny, okrężny; rozwlekły; *s* okrężna droga; karuzela; (*w ruchu ulicznym*) rondo

**round-up** [ˋraundʌp] *s* spędzenie (bydła); obława, łapanka; *am.* przegląd (wiadomości itp.)

**rouse** [rauz] *vt* wstrząsnąć, pobudzić, podniecić; podburzyć; obudzić; *s wojsk.* pobudka

**rout** 1. [raut] *s* raut; wesołe towarzystwo

**rout** 2. [raut] *vt* rozgromić; *s* rozgromienie; rozsypka, bezładny odwrót

**route** [rut] *s* droga, trasa, marszruta; *wojsk.* **column of** ~ kolumna marszowa

**rou·tine** [ruˋtin] *s* rutyna; **the** ~ **procedure** normalna ⟨zwykła⟩ procedura, normalne ⟨zwykłe⟩ postępowanie

**rove** [rəuv] *vt vi* wędrować, błąkać się
**rov·er** [ˈrəuvə(r)] *s* wędrowiec, włóczęga; pirat; starszy harcerz
**row 1.** [rəu] *s* rząd, szereg
**row 2.** [rəu] *vt vi* wiosłować; **to ~ a race** brać udział w zawodach wioślarskich; *s* wiosłowanie, przejażdżka łodzią
**row 3.** [rau] *s pot.* hałas, burda, zamieszanie; **to kick up a ~** narobić hałasu, wywołać awanturę; *vi pot.* hałasować, kłócić się; *vt* skrzyczeć, zbesztać
**row·dy** [ˈraudɪ] *adj* hałaśliwy, awanturniczy; *s* awanturnik
**row·er** [ˈrauə(r)] *s* wioślarz
**row·lock** [ˈrolək] *s sport* dulka
**roy·al** [ˈrɔɪəl] *adj* królewski; wspaniały
**roy·al·ty** [ˈrɔɪəltɪ] *s* królewskość; osoba królewska; władza królewska; opłata na rzecz króla; honorarium (np. autorskie); *pl* **royalties** rodzina królewska
**rub** [rʌb] *vt vi* trzeć, ocierać (się); wycierać, czyścić; **~ down** wycierać, zeskrobywać; **~ in** wcierać; **~ off** wycierać; **~ on** przedzierać się, przebijać się; **~ out** wykreślać, ścierać; usuwać z drogi; **~ up** polerować; *s* tarcie; nacieranie, masaż; pociągnięcie (np. szczotką); cios; przeszkoda
**rub·ber** [ˈrʌbə(r)] *s* guma; rober (w brydżu); *pl* **~s** kalosze
**rub·bish** [ˈrʌbɪʃ] *s* śmieci, graty; tandeta; **to talk ~** pleść bzdury
**rub·ble** [ˈrʌbl] *s* tłuczeń; gruz
**ru·by** [ˈrubɪ] *s* rubin; kolor rubinowy
**ruck·sack** [ˈrʌksæk] *s* plecak
**rud·der** [ˈrʌdə(r)] *s* ster (statku, samolotu)
**rud·dy** [ˈrʌdɪ] *adj* rumiany; rudy; (*o cerze*) świeży
**rude** [rud] *adj* gruboskórny, ordynarny; nie ociosany, prymitywny; szorstki; **to be ~** być niegrzecznym (**to sb** dla kogoś)
**ru·di·ment** [ˈrudɪmənt] *s* szczątek; *pl* **~s** podstawy, podstawowe wiadomości
**ru·di·ment·al** [ˌrudɪˈmentl], **ru·di·men·ta·ry** [ˌrudɪˈmentrɪ] *adj* szczątkowy; podstawowy, zasadniczy
**rue** [ru] *vt* żałować; *s* żal, smutek
**rue·ful** [ˈrufl] *adj* żałosny, smutny; pełen skruchy
**ruff** [rʌf] *s* kreza
**ruf·fian** [ˈrʌfɪən] *s* awanturnik; brutal
**ruf·fle** [ˈrʌfl] *vt vi* marszczyć (się), mierzwić, wichrzyć (się); rozdrażnić, wzburzyć (się), zamącić
**rug** [rʌg] *s* dywanik, kilim; kocyk
**rug·by** [ˈrʌgbɪ] *s* (*także* **~ football**) *sport* rugby
**rug·ged** [ˈrʌgɪd] *adj* chropowaty, nierówny; (*o charakterze*) szorstki, surowy
**ruin** [ˈruɪn] *s* ruina; *vt* rujnować
**ru·in·ous** [ˈruɪnəs] *adj* zrujnowany, leżący w gruzach; zgubny
**rule** [rul] *s* prawidło, reguła, zasada; rząd(y); przepis; linia, linijka; *prawn.* zarządzenie, orzeczenie; **as a ~** zasadniczo; **by ~** według zasady, przepisowo; **to make it a ~** przyjąć za zasadę; **~s and regulations** regulamin; *vt vi* rządzić, panować, kierować; *prawn.* orzekać, stanowić; liniować; **~ out** wykluczyć, wykreślić; **~ off** oddzielić linią; *handl.* **prices ~ high** ceny utrzymują się na wysokim poziomie
**rul·er** [ˈrulə(r)] *s* rządca, władca; linijka, liniał
**rul·ing** [ˈrulɪŋ] *s prawn.* zarządzenie, orzeczenie
**rum** [rʌm] *s* rum
**rum·ble** [ˈrʌmbl] *s* grzmot, huk; *vi* grzmieć, huczeć
**ru·mi·nant** [ˈrumɪnənt] *s zool.* przeżuwacz; *adj* przeżuwający
**ru·mi·nate** [ˈrumɪneɪt] *vt vi* przeżuwać; *przen.* przemyśliwać (**over** ⟨**about, on, of**⟩ **sth** o czymś, nad czymś)
**rum·mage** [ˈrʌmɪdʒ] *vt vi* przeszu-

kiwać, szperać; *s* szperanie

**ru·mour** [ˋrumə(r)] *s* pogłoska; *vt* puszczać pogłoskę (**sth** o czymś); **it is ~ed** krążą wieści

**rum·ple** [ˋrʌmpl] *vt* miąć; mierzwić

**rump·steak** [ˋrʌmp steɪk] *s* rumsztyk

* **run** [rʌn], **ran** [ræn], **run** [rʌn] *vi* biec; (*o pojazdach*) jechać, kursować; (*o płynie*) ciec; (*o zdaniu*) brzmieć; funkcjonować; być w ruchu; upływać; trwać; (*o rozmowie*) toczyć się; *vt* prowadzić (np. interes); kierować (np. maszyną); przebiegać (np. pole, ulicę); skłonić do biegu (np. konia); uruchomić; pędzić, wpędzać; przesuwać; wbijać; **~ up against sb** natknąć się na kogoś; **to ~ dry** wyschnąć, wyczerpać się; **to ~ errands** biegać na posyłki; **to ~ for sth** ubiegać się o coś; **to ~ high** podnosić się; ożywiać się; **to ~ short** kończyć się, wyczerpywać się; **to ~ wild** dziczeć; **~ down** upływać; przemóc; wyczerpać; **~ in** dotrzeć (samochód); **~ out** wybiec, upływać, kończyć się; niszczeć; być na wyczerpaniu, wyczerpać się; **~ over** przebiec na drugą stronę; przejechać; powierzchownie przeglądnąć; **~ through** przebiegać, przeszukiwać, badać (np. przekłuciem), przenikać; *s* bieg; rozbieg, rozpęd; przejażdżka, przejazd; trasa, tor; zjazd (dla narciarzy); nieprzerwana seria, ciąg; (*o urzędowaniu itp.*) okres; typ; pokrój; norma; *handl.* run; **in the long ~** ostatecznie, w końcu; **had a long ~** (*o sztuce*) długo szła; (*o filmie*) długo był wyświetlany; **a ~ of bad luck** seria ⟨pasmo⟩ nieszczęść; **the ~ of events** bieg wypadków; **at a ~** biegiem

**run·a·way** [ˋrʌnəweɪ] *adj attr* zbiegły; *s* zbieg, uciekinier

**rung 1.** *zob.* **ring 2.**

**rung 2.** [rʌŋ] *s* szczebel

**run·ner** [ˋrʌnə(r)] *s* biegacz; goniec; koń wyścigowy; (spuszczone) oczko w pończosze

**run·ning** [ˋrʌnɪŋ] *adj* kolejny; bieżący; ciągły; płynny; **~ in** (*o samochodzie*) niedotarty; **six months ~** sześć miesięcy z rzędu

**run·way** [ˋrʌnweɪ] *s* bieżnia; *lotn.* pas startowy

**rup·ture** [ˋrʌptʃə(r)] *s* zerwanie; *med.* przepuklina; pęknięcie; *vt vi* zrywać, przerywać (się)

**ru·ral** [ˋruərl] *adj* wiejski; rolny

**ruse** [ruz] *s* podstęp, przebiegłość

**rush 1.** [rʌʃ] *vi* pędzić; mknąć; gwałtownie pchać się; rzucić się; nagle upaść; *vt* popędzać, gwałtownie przyspieszać; **~ to a conclusion** pochopnie wyciągnąć wniosek; *s* pęd, napływ, tłok; **gold ~** gorączka złota; **~ hours** godziny szczytu (w tramwajach itp.); **be in a ~** bardzo się spieszyć

**rush 2.** [rʌʃ] *s* sitowie

**rusk** [rʌsk] *s* sucharek

**rus·set** [ˋrʌsɪt] *s* brunatny samodział; *adj* brunatny, rdzawy

**Rus·sian** [ˋrʌʃn] *adj* rosyjski; *s* Rosjanin; język rosyjski

**rust** [rʌst] *s* rdza; *vi* rdzewieć

**rus·tic** [ˋrʌstɪk] *adj* wiejski; nieokrzesany, prosty

**rus·ti·cate** [ˋrʌstɪkeɪt] *vt* relegować (z uniwersytetu); *vi* zamieszkać na wsi; przybrać chłopskie maniery

**rus·tle** [ˋrʌsl] *vi* szeleścić; *s* szelest

**rust·less** [ˋrʌstləs] *adj* nierdzewny

**rust·y 1.** [ˋrʌstɪ] *adj* zardzewiały; rdzawy; znoszony, zniszczony; (*o człowieku*) zaniedbany

**rust·y 2.** [ˋrʌstɪ] *adj* zjełczały

**rut 1.** [rʌt] *s* koleina, wyżłobienie; *przen.* rutyna, nawyki

**rut 2.** [rʌt] *s* ruja; *vi* być w okresie rui, parzyć się

**ruth** [ruθ] *s* litość

**ruth·less** [ˋruθləs] *adj* bezlitosny

**rye** [raɪ] *s* żyto; żytniówka

# S

**'s** *skr.* = **is; has; us;** końcówka Saxon Genitive
**Sab·bath** [ˋsæbəθ] *s* szabas; dzień święta; sabat
**sa·ble 1.** [ˋseɪbl] *s zool.* soból
**sa·ble 2.** [ˋseɪbl] *s poet.* czarny kolor, czerń; *pl* ~s *poet.* czarna odzież, żałoba; *adj* czarny, ciemny
**sab·o·tage** [ˋsæbətaʒ] *s* sabotaż; *vt vi* sabotować
**sa·bre** [ˋseɪbə(r)] *s* szabla
**sac·cha·rine** [ˋsækərɪn] *s* sacharyna
**sack 1.** [sæk] *s* worek; *pot.* zwolnienie z pracy; † płaszcz (szeroki, luźny); *pot.* **give the ~** wyrzucić z pracy; *vt* włożyć do worka; *pot.* wyrzucić z pracy
**sack 2.** [sæk] *s* grabież; łupy; *vt* grabić; splądrować (miasto)
**sack·cloth** [ˋsækkloθ] *s* materiał na worki
**sac·ra·ment** [ˋsækrəmənt] *s* sakrament
**sa·cred** [ˋseɪkrəd] *adj* święty, poświęcony
**sac·ri·fice** [ˋsækrɪfaɪs] *s* poświęcenie; ofiara; *vt* poświęcać; ofiarować
**sac·ri·fi·cial** [ˌsækrɪˋfɪʃl] *adj* ofiarny, ofiarniczy
**sac·ri·lege** [ˋsækrɪlɪdʒ] *s* świętokradztwo
**sad** [sæd] *adj* smutny; przygnębiony; żałosny; (*o barwie*) ciemny, ponury
**sad·den** [ˋsædn] *vt vi* smucić (się)
**sad·dle** [ˋsædl] *s* siodło; siodełko; comber (barani); *vt* siodłać; obciążać
**sad·dler** [ˋsædlə(r)] *s* siodlarz, rymarz
**safe** [seɪf] *adj* pewny, bezpieczny, nie narażony na niebezpieczeństwo; **~ and sound** zdrowo, bez szwanku; *s* bezpieczny schowek, kasa ogniotrwała, sejf; **~ conduct** list żelazny
**safe·guard** [ˋseɪf gad] *s* ochrona; gwarancja; *vt* chronić, zabezpieczać
**safe-keep·ing** [ˌseɪf ˋkipɪŋ] *s* bezpieczne przechowanie
**safe·ty** [ˋseɪftɪ] *s* bezpieczeństwo
**safe·ty-belt** [ˋseɪftɪ belt] *s* pas bezpieczeństwa
**safe·ty-hel·met** [ˋseɪftɪ helmɪt] *s* kask ochronny
**safe·ty-lamp** [ˋseɪftɪ læmp] *s* lampa bezpieczeństwa
**safe·ty-match** [ˋseɪftɪ mætʃ] *s* zapałka szwedzka
**safe·ty-pin** [ˋseɪftɪ pɪn] *s* agrafka
**safe·ty razor** [ˋseɪftɪ reɪzə(r)] *s* maszynka do golenia
**safe·ty-valve** [ˋseɪftɪ vælv] *s* klapa bezpieczeństwa
**sag** [sæg] *vi* opadać, zwisać; *s* opadanie; wygięcie
**sa·ga·cious** [səˋgeɪʃəs] *adj* rozumny, bystry
**sa·gac·i·ty** [səˋgæsətɪ] *s* bystrość, przenikliwość; roztropność, mądrość
**sage** [seɪdʒ] *adj* mądry; *s* mędrzec
**sago** [ˋseɪgəʊ] *s* sago
**said** *zob.* **say**
**sail** [seɪl] *s* żagiel; skrzydło wiatraka; przejażdżka żaglówką, podróż morska; **to have a ~** odbywać przejażdżkę morską; **to set ~** wyruszyć w podróż morską; *vt vi* żeglować, podróżować morzem
**sail-cloth** [ˋseɪl kloθ] *s* płótno żaglowe
**sail·ing-boat** [ˋseɪlɪŋ bəʊt] *s* żaglówka
**sail·or** [ˋseɪlə(r)] *s* żeglarz, marynarz
**saint** [seɪnt] *adj* święty; *skr.* **St** [snt]; *s* święty

**sake** [seɪk] *s w wyrażeniach:* **for the ~ of sb** dla ⟨na rzecz⟩ kogoś; **for my ~** dla mnie, ze względu na mnie; **for Heaven's ~!** nieba!, na Boga!; na miłość Boską!
**sal·ad** [ˈsæləd] *s* sałata, sałatka (np. jarzynowa, owocowa)
**sal·a·ry** [ˈsælərɪ] *s* uposażenie, pensja, płaca
**sale** [seɪl] *s* sprzedaż, zbyt; **on ⟨for⟩ ~** na sprzedaż, do sprzedania
**sale·able** [ˈseɪləbl] *adj* pokupny
**sales·man** [ˈseɪlzmən] *s* sprzedawca, ekspedient; komiwojażer
**sa·lient** [ˈseɪlɪənt] *adj* wystający; wybitny, wydatny; *s* występ
**sa·line** [ˈseɪlaɪn] *adj* słony; *s chem.* salina
**sa·li·va** [səˈlaɪvə] *s* ślina
**sal·low 1.** [ˈsæləʊ] *adj* blady, ziemisty
**sal·low 2.** [ˈsæləʊ] *s bot.* iwa, wiklina
**sal·ly** [ˈsælɪ] *s* wypad, wyskok; błyskotliwa myśl, dowcipny pomysł; *vi* robić wypad, wyruszyć (na wycieczkę, spacer itd.)
**salm·on** [ˈsæmən] *s* łosoś
**sa·loon** [səˈlun] *s bryt.* bar 1. klasy, *am.* knajpa; zakład (z apartamentem); salonka
**salt** [sɔlt] *s* sól; *adj* słony; *vt* solić
**salt-cel·lar** [ˈsɔlt selə(r)] *s* solniczka
**salt·pe·tre** [sɔltˈpitə(r)] *s chem.* saletra
**salty** [ˈsɔltɪ] *adj* słony
**sa·lu·bri·ous** [səˈlubrɪəs] *adj* zdrowy, zdrowotny
**sal·u·tar·y** [ˈsæljutrɪ] *adj* zbawienny, dobroczynny
**sal·u·ta·tion** [ˌsæljuˈteɪʃn] *s* pozdrowienie, powitanie
**sa·lute** [səˈlut] *s* ukłon, powitanie; salut; *vt* kłaniać się, witać; salutować
**sal·vage** [ˈsælvɪdʒ] *s* ratowanie (tonącego statku, płonącego mienia); uratowane mienie; *vt* ratować
**sal·va·tion** [sælˈveɪʃn] *s* zbawienie
**salve 1.** [sɑlv] *s* maść (lecznicza), balsam; *vt* smarować maścią, łagodzić (np. ból)
**salve 2.** [sælv] *vt* ratować
**sal·ver** [ˈsælvə(r)] *s* tacka
**same** [seɪm] *adj, pron i adv* sam; równy; wyżej wspomniany; jednolity; **all the ~** wszystko jedno; **much the ~** prawie jedno i to samo, prawie taki sam; **the very ~** zupełnie ten sam
**same·ness** [ˈseɪmnəs] *s* identyczność; monotonia
**sam·ple** [ˈsɑmpl] *s* wzór, próbka
**san·a·to·ri·um** [ˌsænəˈtɔrɪəm] *s* (*pl* **sanatoria** [ˌsænəˈtɔrɪə]) sanatorium
**sanc·ti·fy** [ˈsæŋktɪfaɪ] *vt* święcić, uświęcać
**sanc·tion** [ˈsæŋkʃn] *s* sankcja; *vt* sankcjonować
**sanc·tu·a·ry** [ˈsæŋktʃuərɪ] *s* sanktuarium; azyl
**sand** [sænd] *s* piasek; *vt* posypać piaskiem
**san·dal** [ˈsændl] *s* sandał
**sand·glass** [ˈsænd glɑs] *s* zegar piaskowy, klepsydra
**sand·pa·per** [ˈsændpeɪpə(r)] *s* papier ścierny
**sand·stone** [ˈsændstəun] *s* piaskowiec
**sand·wich** [ˈsænwɪdʒ] *s* sandwicz, kanapka
**sand·y** [ˈsændɪ] *adj* piaszczysty, piaskowy
**sane** [seɪn] *adj* zdrowy na umyśle, rozumny; rozsądny
**sang** *zob.* **sing**
**san·gui·nar·y** [ˈsæŋgwɪnərɪ] *adj* krwawy
**san·guine** [ˈsæŋgwɪn] *adj* pełnokrwisty, sangwiniczny; (*o cerze*) rumiany; pewny, pełen nadziei
**san·i·tar·y** [ˈsænɪtrɪ] *adj* sanitarny, higieniczny
**san·i·ty** [ˈsænətɪ] *s* zdrowie (psychiczne); zdrowy rozsądek

**sank** *zob.* **sink**
**sap** 1. [sæp] *s* *wojsk.* okop, podkop; *vt vi dosł. i przen.* podkopywać; podminowywać
**sap** 2. [sæp] *s* sok (roślin); *przen.* żywotność, werwa; *vt* pozbawiać soku; *przen.* wycieńczać
**sap** 3. [sæp] *vi pot.* kuć, wkuwać; *s pot.* kujon
**sap·ling** [ˋsæplɪŋ] *s* drzewko, młode drzewo; *przen.* młodzik
**sap·per** [ˋsæpə(r)] *s* *wojsk.* saper
**sap·phire** [ˋsæfaɪə(r)] *s* szafir
**sap·py** [ˋsæpɪ] *adj* soczysty; *przen.* pełen energii
**sar·cas·tic** [saˋkæstɪk] *adj* sarkastyczny
**sar·dine** [saˋdin] *s* sardynka
**sar·don·ic** [saˋdonɪk] *adj* sardoniczny
**sash** 1. [sæʃ] *s* rama okna zasuwanego (pionowo)
**sash** 2. [sæʃ] *s* szarfa; pas
**sash-win·dow** [ˋsæʃ wɪndəu] *s* okno zasuwane (pionowo)
**sat** *zob.* **sit**
**satch·el** [ˋsætʃl] *s* tornister (szkolny)
**sate** [seɪt] *vt* nasycić, zaspokoić
**sa·teen** [sæˋtin] *s* satyna
**sat·el·lite** [ˋsætəlait] *s* satelita
**sa·ti·ate** [ˋseɪʃɪəɪt] *vt* nasycić, zaspokoić
**sat·in** [ˋsætɪn] *s* atłas; satyna; *adj attr* atłasowy; satynowy
**sat·ire** [ˋsætaɪə(r)] *s* satyra
**sa·tir·i·cal** [səˋtɪrɪkl] *vt* satyryczny
**sat·i·rize** [ˋsætəraɪz] *vt* satyryzować
**sat·is·fac·tion** [ˈsætɪsˋfækʃn] *s* satysfakcja; zaspokojenie; zadośćuczynienie, wynagrodzenie
**sat·is·fac·to·ry** [ˈsætɪsˋfæktŗɪ] *adj* zadowalający, dostateczny
**sat·is·fy** [ˋsætɪsfaɪ] *vt* zadowolić, dać satysfakcję; zaspokoić; wyrównać (dług); przekonać
**sat·u·rate** [ˋsætʃəreɪt] *vt* nasycić
**Sat·ur·day** [ˋsætədɪ] *s* sobota
**sauce** [sɔs] *s* sos; *pot.* bezczelność, tupet; *vt* przyprawić sosem; *pot.* bezczelnie potraktować
**sauce·pan** [ˋsɔspən] *s* rondel
**sau·cer** [ˋsɔsə(r)] *s* spodek
**sau·cy** [ˋsɔsɪ] *adj* impertynencki; *pot.* szykowny, zgrabny
**sau·er·kraut** [ˋsauəkraut] *s* kiszona kapusta
**saun·ter** [ˋsɔntə(r)] *vi* chodzić powoli, powłóczyć nogami; *s* przechadzka
**sau·sage** [ˋsosɪdʒ] *s* kiełbasa
**sav·age** [ˋsævɪdʒ] *adj* dziki; *s* dzikus
**save** [seɪv] *vt* ratować, chronić; zbawiać; oszczędzać; zachować, odłożyć; *vi* robić oszczędności (*także* ~ up); *praep* wyjąwszy, oprócz; **all ~ him** wszyscy oprócz niego
**sav·ing** [ˋseɪvɪŋ] *adj* zbawczy; oszczędny; *prawn.* zastrzegający; *s* ratunek; oszczędność, oszczędzanie; *praep* oprócz, wyjąwszy
**sav·ings-bank** [ˋseɪvɪŋz bæŋk] *s* kasa oszczędności
**sav·iour** [ˋseɪvɪə(r)] *s* zbawca, zbawiciel
**sa·vour** [ˋseɪvə(r)] *s* smak, posmak; *vi* mieć smak (**of sth** czegoś); pachnąć, zalatywać (**of sth** czymś)
**sa·vour·y** [ˋseɪvərɪ] *adj* smakowity; wonny
***saw** 1. [sɔ], **sawed** [sɔd], **sawn** [sɔn]) *vt vi* piłować, przecinać; *s* piła
**saw** 2. *zob.* **see**
**saw·dust** [ˋsɔdʌst] *s* trociny
**saw·mill** [ˋsɔmɪl] *s* tartak
**sawn** *zob.* **saw** 1.
**saw·yer** [ˋsɔjə(r)] *s* tracz
**Sax·on** [ˋsæksn] *adj* saksoński
* **say** [seɪ], **said** [sed], **said** [sed] *vt vi* mówić, powiedzieć (**to sb** komuś); przypuszczać; wygłaszać; **I ~!** słuchaj! halo!; (*ze zdziwieniem*) no wiesz!; **I should ~** rzekłbym, myślę, przypuszczam; **~** dajmy na to, przypuśćmy; **~ over ⟨again⟩** powtórzyć; **so to ~** że tak powiem; **that is to ~** to znaczy; *s* powiedzenie, zdanie, głos; **it is my ~ now** teraz ja mam głos
**say·ing** [ˋseɪɪŋ] *s* powiedzenie; as

the ~ goes jak to się mówi; that goes without ~ to się rozumie samo przez się; nie ma co o tym mówić; there is no ~ trudno powiedzieć

**scab** [skæb] *s* świerzb; *pot.* łamistrajk

**scab·bard** [ˈskæbəd] *s* pochwa (miecza itp.)

**scaf·fold** [ˈskæfld] *s* estrada; szafot; rusztowanie; *vt* otoczyć rusztowaniem, podeprzeć

**scaf·fold·ing** [ˈskæfldɪŋ] *s* rusztowanie

**scald** 1. [skɔld] *vt* sparzyć; wyparzyć; *s* oparzenie

**scald** 2. [skɔld] *s* skald (pieśniarz nordycki)

**scale** 1. [skeɪl] *s* łuska, łupina; *vt vi* łuszczyć (się); skrobać, oczyszczać z łusek

**scale** 2. [skeɪl] *s* szala (wagi); *przen.* to tip ⟨turn⟩ the ~ przeważyć; *pl* ~s (*także* pair of ~s) waga; *vt* ważyć

**scale** 3. [skeɪl] *s* skala; gama; stopniowanie; *vt* wspinać się (a mountain na górę); rysować według skali

**scalp** [skælp] *s* skalp; *vt* skalpować

**scamp** 1. [skæmp] *vt* źle wykonywać robotę, fuszerować

**scamp** 2. [skæmp] *s* łajdak, szubrawiec

**scamp·er** 1. [ˈskæmpə(r)] *s* fuszer

**scamp·er** 2. [ˈskæmpə(r)] *vi* (*zw. o zwierzętach*) pierzchać, uciekać w popłochu; *przen.* przelecieć galopem; *s* szybka ucieczka, gonitwa; pobieżne przeczytanie, przejrzenie

**scamp·ish** [ˈskæmpɪʃ] *adj* łajdacki

**scan** [skæn] *vt* dokładnie badać, oglądać, pilnie się przyglądać; skandować

**scan·dal** [ˈskændl] *s* skandal; oszustwo, obmowa; zgorszenie

**scan·dal·ize** [ˈskændəlaɪz] *vt* gorszyć; obmawiać; zniesławiać

**scan·dal·mon·ger** [ˈskændlmʌŋgə(r)] *s* plotkarz, oszczerca

**scan·dal·ous** [ˈskændələs] *adj* skandaliczny; oszczerczy; gorszący

**scant** [skænt] *adj* skąpy, niedostateczny, ograniczony; *vt* skąpić

**scant·y** [ˈskæntɪ] *adj* ledwo wystarczający, skąpy, ograniczony

**scape·goat** [ˈskeɪpgəut] *s przen.* kozioł ofiarny

**scar** [skɑ(r)] *s* blizna; *vt* kiereszować, kaleczyć; *vi* (*także* ~ over) zabliźniać się

**scarce** [skeəs] *adj* skąpy, niedostateczny; rzadki

**scarce·ly** [ˈskeəslɪ] *adv* ledwo, zaledwie

**scar·ci·ty** [ˈskeəsətɪ] *s* niedobór, brak

**scare** [skeə(r)] *vt* straszyć; ~ away ⟨off⟩ odstraszyć, wypłoszyć; *s* strach; panika

**scare·crow** [ˈskeəkrəu] *s* strach na wróble

**scarf** [skɑf] *s* (*pl* scarves [skɑvz]) szarfa, szal

**scar·let** [ˈskɑlət] *s* szkarłat; *adj attr* szkarłatny; *med.* ~ fever szkarlatyna

**scarp** [skɑp] *s* skarpa

**scat·ter** [ˈskætə(r)] *vt vi* rozsypać (się), rozproszyć (się)

**scav·en·ger** [ˈskævɪndʒə(r)] *s* zamiatacz ulic

**sce·na·ri·o** [sɪˈnɑrɪəu] *s* scenariusz

**scene** [sin] *s* scena; widownia; widok, obraz; *pl* ~s kulisy; behind the ~s *dosł. i przen.* za kulisami

**scene-paint·er** [ˈsin peɪntə(r)] *s* dekorator teatralny

**scen·er·y** [ˈsinərɪ] *s* sceneria, krajobraz; dekoracja teatralna

**scent** [sent] *vt* wąchać, węszyć, wietrzyć; perfumować; *s* węch; zapach; perfumy; trop

**scep·tic** [ˈskeptɪk] *adj* sceptyczny; *s* sceptyk

**scep·ti·cal** [ˈskeptɪkl] = sceptic *adj*

**scep·ti·cism** [ˈskeptɪsɪzm] *s* sceptycyzm

**scep·tre** [ˋseptə(r)] *s* berło

**sched·ule** [ˋʃedjul] *s* spis, lista, tabela, plan; rozkład jazdy; **on ~** na czas, punktualnie; *vt* wpisać na listę, umieścić w planie, zanotować

**scheme** [skim] *s* schemat, zarys, plan; intryga; *vt* planować; knuć

**schism** [ˋsɪzm] *s* schizma

**schis·mat·ic** [sɪzˋmætɪk] *s* schizmatyk; *adj* schizmatycki

**schol·ar** [ˋskolə(r)] *s* uczeń; uczony; stypendysta

**schol·ar·ship** [ˋskoləʃɪp] *s* wiedza, erudycja; stypendium

**scho·las·tic** [skəˋlæstɪk] *adj* nauczycielski, szkolny; scholastyczny

**school** [skul] *s* szkoła, nauka (w szkole); *vt* szkolić

**school-board** [ˋskul bɔd] *s* rada szkolna

**school-book** [ˋskul buk] *s* podręcznik szkolny

**school·boy** [ˋskulbɔɪ] *s* uczeń

**school·fel·low** [ˋskul feləu] *s* kolega szkolny

**school·girl** [ˋskulgɜl] *s* uczennica

**school·mas·ter** [ˋskulmastə(r)] *s* nauczyciel

**school·mate** [ˋskulmeɪt] *s* kolega szkolny

**school·mis·tress** [ˋskulmɪstrəs] *s* nauczycielka

**school·room** [ˋskulrum] *s* sala szkolna, klasa

**schoo·ner** [ˋskunə(r)] *s mors.* szkuner

**sci·at·i·ca** [saɪˋætɪkə] *s med.* ischias

**sci·ence** [ˋsaɪəns] *s* wiedza, nauka; **natural ~** nauki przyrodnicze; **~ fiction** literatura fantastyczno-naukowa

**sci·en·tif·ic** [ˌsaɪənˋtɪfɪk] *adj* naukowy

**sci·en·tist** [ˋsaɪəntɪst] *s* naukowiec

**scin·til·late** [ˋsɪntɪleɪt] *vi* iskrzyć się

**scion** [ˋsaɪən] *s* latorośl; *bot.* pęd

**scis·sors** [ˋsɪzəz] *s pl* nożyce

**scoff** [skof] *s* szyderstwo; *vi* szydzić (**at sth** z czegoś)

**scoff·er** [ˋskofə(r)] *s* kpiarz, szyderca

**scold** [skəuld] *vt vi* łajać, złorzeczyć (**sb, sth, at sb, sth** komuś, czemuś); gderać; *s* zrzęda, jędza, sekutnica

**scoop** [skup] *s* chochla, szufelka, czerpak; *vt* czerpać, wygarniać

**scoot·er** [ˋskutə(r)] *s* (*także* **motor-~**) skuter; hulajnoga; ślizgacz (np. na wodzie)

**scope** [skəup] *s* cel; zakres; pole działania; **to be within the ~** wchodzić w zakres; **to be beyond one's ~** przechodzić czyjeś możliwości

**scorch** [skɔtʃ] *vt vi* przypiekać, spalać (się), prażyć (się); *s* oparzenie

**score** [skɔ(r)] *s* nacięcie; rysa; znak; rachunek; dwudziestka; *sport* ilość zdobytych punktów; *muz.* partytura; **three ~** sześćdziesiąt; **to keep the ~** notować punkty w grze; **on that ~** pod tym względem; **on what ~?** z jakiej racji?; *vt* nacinać; liczyć; *sport* rachować punkty (w grze); zdobywać (punkty); osiągać; notować; **~ out** wykreślić; **~ under** podkreślić

**scorn** [skɔn] *s* pogarda, lekceważenie; *vt* pogardzać, lekceważyć

**scorn·ful** [ˋskɔnfl] *adj* lekceważący, pogardliwy

**scor·pion** [ˋskɔpɪən] *s zool.* skorpion

**Scot** [skot] *s* Szkot

**Scotch** 1. [skotʃ] *adj* szkocki; *n* **the ~** Szkoci; szkocka whisky

**scotch** 2. [skotʃ] *s* nacięcie; *vt* naciąć; *przen.* udaremnić

**Scotch·man** [ˋskotʃmən] *s* Szkot

**scot-free** [ˌskot ˋfri] *adj* cały, bez szwanku, nietknięty; **to get off ~** wyjść cało (z jakiejś sytuacji); ujść bezkarnie

**Scots** [skots] *adj* szkocki

**Scots·man** [ˋskotsmən] *s* Szkot

**Scot·tish** [ˋskotɪʃ] *adj poet.* szkocki

**scoun·drel** [ˋskaundrl] *s* łajdak

**scour 1.** [ˋskauə(r)] *vt* czyścić, szorować; *s* czyszczenie, szorowanie

**scour 2.** [ˋskauə(r)] *vt vi* biegać (w poszukiwaniu czegoś); przeszukać; grasować

**scourge** [skɜdʒ] *s* bicz; kara; plaga; *vt* biczować; karać, nękać

**scout 1.** [skaut] *s* zwiadowca; harcerz; zwiady; *lotn.* samolot wywiadowczy; *vi* robić rekonesans

**scout 2.** [skaut] *vt* odrzucić z pogardą, zlekceważyć

**scow** [skau] *s* łódź płaskodenna

**scowl** [skaul] *vi* patrzeć wilkiem, ⟨spode łba⟩; *s* groźne spojrzenie

**scram·ble** [ˋskræmbl] *vi* wspinać się, gramolić się (na czworakach); usilnie zabiegać (**for sth** o coś); nawzajem sobie wydzierać (**for sth** coś); *vt* bezładnie rzucać; bełtać; **~d eggs** jajecznica; *s* gramolenie się; ubieganie się; dobijanie się (**for sth** o coś)

**scrap** [skræp] *s* kawałek, ułamek; świstek; wycinek; złom, szmelc; *pl* **~s** resztki, odpadki; *vt* wyrzucić, przeznaczyć na szmelc, wybrakować

**scrap·book** [ˋskræp buk] *s* album (wycinków, obrazków itp.)

**scrape** [skreɪp] *vt vi* skrobać, drapać; szurać, ocierać (się); zgrzytać; **to ~ a living** jako tako zarabiać na życie; **~ away** ⟨**off, out**⟩ wyskrobać, wykreślić; **~ through** z trudem przedostać się; **~ up** ⟨**together**⟩ z trudem nagromadzić, uciułać (pieniądze); *s* skrobanie, szuranie; trudne położenie, tarapaty

**scrap·er** [ˋskreɪpə(r)] *s* drapacz; skrobak; zgarniak; sknera; **shoe ~** wycieraczka do butów

**scrap-heap** [ˋskræp hip] *s* stos szmelcu

**scrap-iron** [ˋskræp aɪən] *s* złom żelazny

**scratch** [skrætʃ] *vt* drapać, skrobać; bazgrać (piórem); skreślić (*także* **~ off** ⟨**out**⟩); *s* skrobanie, draśnięcie; *sport* linia startu; **to come to ~** stanąć na linii startu

**scrawl** [skrɔl] *vt vi* bazgrać, gryzmolić; *s* bazgranina

**scream** [skrim] *vi* piszczeć, wrzeszczeć, wyć; *vt* powiedzieć krzykliwym tonem; *s* pisk, wrzask, wycie

**screech** [skritʃ] *vi* skrzeczeć, piszczeć; *vt* powiedzieć wrzaskliwym głosem; *s* wrzask, pisk

**screen** [skrin] *s* osłona, zasłona; parawan; ekran; *techn.* sito; *fot.* przesłona; *vt* osłaniać, chronić; maskować; wyświetlać (na ekranie); filmować; przesiewać; **~ off** odgrodzić (np. parawanem)

**screw** [skru] *s* śruba; zwitek papieru; *pot.* sknera; *vt* śrubować; przyciskać, naciskać, ugniatać; wykręcać, skręcać; **~ down** przyśrubować; **~ out** odśrubować; wycisnąć, wydobyć; **~ up** zaśrubować; zwijać (np. papier); *pot.* śrubować w górę (np. ceny)

**screw·driv·er** [ˋskru draɪvə(r)] *s* śrubokręt

**scrib·ble** [ˋskrɪbl] *vt vi* gryzmolić, bazgrać; *s* bazgranina; szmira

**scribe** [skraɪb] *s* skryba, pisarz (niższy urzędnik)

**scrim·mage** [ˋskrɪmɪdʒ] *s* bijatyka, bójka

**scrimp** [skrɪmp] *vt vi* skąpić

**script** [skrɪpt] *s* pismo odręczne; skrypt; scenariusz filmowy; tekst audycji radiowej

**scrip·tur·al** [ˋskrɪptʃərl] *adj* biblijny

**scrip·ture** [ˋskrɪptʃə(r)] *s* (*także* **the Holy Scripture**) Pismo Święte, Biblia

**scroll** [skrəul] *s* zwój papieru; spirala; *arch.* woluta; *vt vi* zwijać (się); ozdabiać wolutą

**scrub 1.** [skrʌb] *s* krzak (karłowaty), zarośle; wiecheć

**scrub** 2. [skrʌb] *vt* szorować, ścierać
**scru·ple** [ˈskrupl] *s* skrupuł; drobnostka; *vi* mieć skrupuły, wahać się
**scru·pu·lous** [ˈskrupjələs] *adj* drobiazgowy, skrupulatny, sumienny
**scru·ti·nize** [ˈskrutɪnaɪz] *vt* dokładnie badać
**scru·ti·ny** [ˈskrutɪnɪ] *s* badanie, dokładne sprawdzenie
**scud** [skʌd] *vi* biec, mknąć; *s* bieg, ucieczka
**scuf·fle** [ˈskʌfl] *s* bójka; *vi* bić się, szamotać się
**scull** [skʌl] *s* krótkie wiosło; mała łódka; *vi* wiosłować
**scul·ler·y** [ˈskʌlərɪ] *s* pomywalnia (naczyń)
**sculp·tor** [ˈskʌlptə(r)] *s* rzeźbiarz
**sculp·ture** [ˈskʌlptʃə(r)] *s* rzeźba; rzeźbiarstwo; *vt* rzeźbić
**scum** [skʌm] *s* piana; *dosł. i przen.* szumowiny, męty; *vt* zbierać pianę; *vt* pienić się
**scur·ril·ous** [ˈskʌrɪləs] *adj* ordynarny, nieprzyzwoity, sprośny
**scur·ry** [ˈskʌrɪ] *vi* biegać, pędzić; *s* bezładna ucieczka
**scur·vy** [ˈskɜvɪ] *s med.* szkorbut; *adj* nikczemny, podły
**scutch·eon** [ˈskʌtʃən] *s* tarcza (z herbem); tabliczka, płytka (np. na drzwiach z nazwiskiem)
**scut·tle** 1. [ˈskʌtl] *s* kosz, wiadro na węgiel
**scut·tle** 2. [ˈskʌtl] *s mors.* właz, otwór (zamykany klapą); *techn.* wlot
**scut·tle** 3. [ˈskʌtl] *vi* umykać; *s* ucieczka
**scythe** [saɪð] *s* kosa; *vt* kosić
**sea** [si] *s* morze; ocean; **at ~** na morzu; *przen.* w kłopocie, zdezorientowany; **by ~** morzem; **on the high ~s** na pełnym morzu; **to follow the ~** być marynarzem; **to go to ~** wypłynąć na morze; obrać zawód marynarza; **to put to ~** odpłynąć, zacząć rejs
**sea-board** [ˈsibɔd] *s* brzeg morski
**sea-borne** [ˈsi bɔn] *adj* (*o towarze*) przewożony morzem, zamorski
**sea-coast** [ˈsi kəʊst] *s* brzeg morski
**sea-dog** [ˈsi dog] *s zool.* foka; *przen.* wilk morski
**sea·far·ing** [ˈsi feərɪŋ] *s* żegluga morska; *adj* podróżujący morzem; żeglarski
**sea-go·ing** [ˈsi gəʊɪŋ] *adj* (*o statku*) służący do żeglugi morskiej
**sea-gull** [ˈsi gʌl] *s zool.* mewa
**seal** 1. [sil] *s zool.* foka
**seal** 2. [sil] *s* pieczęć, stempel; opieczętowanie; plomba; **under ~ of secrecy** w tajemnicy; *vt* pieczętować, stemplować; lakować, plombować, zatykać
**seal·ing-wax** [ˈsilɪŋ wæks] *s* lak (do pieczęci)
**seam** [sim] *s* szew; *geol.* żyła minerału, złoże; *vt* zszywać
**sea·man** [ˈsimən] *s* żeglarz, marynarz
**sea·mew** [ˈsi mju] *s zool.* mewa
**seam·less** [ˈsimləs] *adj* bez szwu
**seam·stress** [ˈsemstrəs] *s* szwaczka
**seam·y** [ˈsimɪ] *adj* pokryty szwami; **~ side** odwrotna strona (ubrania); *przen.* druga strona medalu
**sea·plane** [ˈsi-pleɪn] *s* hydroplan, wodnopłat
**sea·port** [ˈsi-pɔt] *s* port morski
**sear** [sɪə(r)] *adj* suchy, zwiędły; *vt* wysuszyć, wypalić; zwarzyć (np. liście)
**search** [sɜtʃ] *vt vi* szukać, przeszukiwać; badać; poszukiwać (**after, for sth** czegoś); rewidować; dociekać (**into sth** czegoś); *s* szukanie, przeszukiwanie; badanie; rewizja; **in ~** w poszukiwaniu (**of sth** czegoś); **to make ~** poszukiwać (**after, for sth** czegoś)
**search·ing** [ˈsɜtʃɪŋ] *adj* badawczy; dokładny

**search-light** [`sɜtʃlaɪt] *s* reflektor
**search-war·rant** [`sɜtʃ wornt] *s* nakaz rewizji
**sea-rov·er** [`si rəuvə(r)] *s* pirat; statek piracki
**sea·shore** [`si-ʃɔ(r)] *s* brzeg morski
**sea·sick** [`si-sɪk] *adj* cierpiący na chorobę morską
**sea·side** [`si-saɪd] *s* wybrzeże morskie; **at the ~** nad morzem
**sea·son** [`sizn] *s* pora (roku), sezon; **in ~** w porę; *vt* przyzwyczajać, hartować; przyprawiać; powodować dojrzewanie; suszyć (np. drewno); *vi* dojrzewać; przyzwyczajać się
**sea·son·a·ble** [`siznəbl] *adj* będący na czasie, trafny, stosowny
**sea·son·al** [`siznl] *adj* sezonowy
**seat** [sit] *s* siedzenie, miejsce siedzące; krzesło; siedziba; **to keep one's ~** siedzieć na miejscu; **to take a ~** usiąść; *vt* posadzić, usadowić; **to be ~ed** usiąść, siedzieć; *vr* **~ oneself** usiąść
**sea·ward** [`siwəd] *adj* skierowany ku morzu; *adv* (*także* **~s**) w stronę morza
**sea·weed** [`siwid] *s* wodorost
**sea·wor·thy** [`siwɜðɪ] *adj* (*o statku*) nadający się do żeglugi
**se·cede** [sɪ`sid] *vi* odstąpić, oderwać się
**se·ces·sion** [sɪ`seʃn] *s* odstępstwo, secesja
**se·clude** [sɪ`klud] *vt* oddzielić, odosobnić
**se·clu·sion** [sɪ`kluʒn] *s* oddzielenie, odosobnienie
**sec·ond** [`sekənd] *adj* drugi, następny; uboczny, drugorzędny; **every ~ day** co drugi dzień; **~ best** drugiej jakości; **~ floor** drugie piętro, *am.* pierwsze piętro; **on ~ thoughts** po rozważeniu sprawy; **~ to none** nikomu nie ustępujący; *s* sekunda; drugi zwycięzca; druga nagroda; sekundant; *vt* sekundować, wtórować, popierać
**sec·on·dar·y** [`sekəndrɪ] *adj* drugorzędny, pochodny; (*o szkole*) średni
**sec·ond-hand** [ˈsekənd `hænd] *adj attr* pochodzący z drugiej ręki, używany
**sec·ond·ly** [`sekəndlɪ] *adv* po drugie
**sec·ond-rate** [ˈsekənd `reɪt] *adj attr* drugorzędny
**se·cre·cy** [`sikrəsɪ] *s* tajemnica; dyskrecja
**se·cret** [`sikrət] *s* sekret; *adj* tajny
**sec·re·tar·iat** [ˈsekrə`teərɪæt] *s* sekretariat
**sec·re·tar·y** [`sekrətrɪ] *s* sekretarz, sekretarka; minister, sekretarz (np. stanu)
**se·crete** [sɪ`krit] *vt* ukrywać; *biol.* wydzielać
**se·cre·tion** [sɪ`kriʃn] *s* wydzieliny; *biol.* wydzielina
**se·cre·tive** [`sikrətɪv] *adj* skryty, milczący; [sɪ`kritɪv] *biol.* wydzielający
**sect** [sekt] *s* sekta
**sec·tar·i·an** [sek`teərɪən] *adj* sekciarski; *s* sekciarz
**sec·tion** [`sekʃn] *s* sekcja; przekrój; cięcie; rozdział; oddział; odcinek; część; paragraf; **cross ~** przekrój poprzeczny; *vt* przecinać, rozkładać na części
**sec·tion·al** [`sekʃnl] *adj* sekcyjny; klasowy
**sec·tor** [`sektə(r)] *s* sektor, odcinek; gałąź (np. przemysłu)
**sec·u·lar** [`sekjulə(r)] *adj* stuletni; wieczny; świecki
**se·cure** [sɪ`kjuə(r)] *adj* bezpieczny; pewny; solidny; *vt* zabezpieczyć, zapewnić; upewnić się; zapewnić sobie; osiągnąć
**se·cu·ri·ty** [sɪ`kjuərətɪ] *s* bezpieczeństwo; pewność; gwarancja, kaucja; solidność; *pl* **securities** papiery wartościowe; **Security Council** Rada Bezpieczeństwa
**se·date** [sɪ`deɪt] *adj* opanowany, spokojny, ustatkowany

**sed·a·tive** [ˋsedətɪv] *adj* uspokajający; *s* środek uspokajający
**sed·en·tar·y** [ˋsedntrɪ] *adj* (*o trybie życia*) siedzący; *zool.* osiadły
**sed·i·ment** [ˋsedɪmənt] *s* osad
**se·di·tion** [sɪˋdɪʃn] *s* bunt
**se·di·tious** [sɪˋdɪʃəs] *adj* buntowniczy
**se·duce** [sɪˋdjus] *vt* uwodzić
**se·duc·tion** [sɪˋdʌkʃn] *s* uwiedzenie; powab
**se·duc·tive** [sɪˋdʌktɪv] *adj* uwodzicielski
**sed·u·lous** [ˋsedjuləs] *adj* skrzętny, pilny
***see 1.** [si], **saw** [sɔ], **seen** [sin] *vt vi* widzieć, zobaczyć, oglądać; pojmować; doświadczać; baczyć, uważać; odwiedzać; odprowadzać; **I** ~ rozumiem; **to** ~ **a thing done** dopilnować, żeby coś zostało zrobione; **to** ~ **about sth** postarać się o coś; **to** ~ **after sth** doglądać czegoś; **to** ~ **to sth** pilnować czegoś; ~ **off** odprowadzić; ~ **through** przeprowadzić; doczekać się; doprowadzić do końca; przejrzeć
**see 2.** [si] *s* biskupstwo; **the Holy See** Stolica Apostolska
**seed** [sid] *s* nasienie; *vt vi* siać, rozsiewać się; obsiewać; drylować
**seed·ling** [ˋsidlɪŋ] *s* sadzonka
**seed·y** [ˋsidɪ] *adj* (*o roślinie*) z nasieniem; *pot.* marny, zużyty; niedysponowany; **to feel** ~ czuć się niedobrze
***seek** [sik], **sought, sought** [sɔt] *vt* szukać; potrzebować; pożądać; *vi* ubiegać się, dążyć (**after, for sth** do czegoś); przeszukać (**through the pockets** kieszenie)
**seem** [sim] *vi* wydawać się; wyglądać; mieć ⟨robić⟩ wrażenie; **it** ~**s to me** wydaje mi się; **he** ~**s to be ill** wygląda na chorego
**seem·ly** [ˋsimlɪ] *adj* przyzwoity, odpowiedni
**seen** *zob.* **see**
**seer** [sɪə(r)] *s* jasnowidz
**see·saw** [ˋsi-sɔ] *s* huśtawka (na desce); *vt vi* huśtać (się)
**seethe** [sið] *vi* wrzeć, kipieć; *vt* gotować
**seg·ment** [ˋsegmənt] *s* segment, odcinek (np. koła), człon; *vt vi* dzielić (się) na człony, rozczłonkowywać
**seg·re·gate** [ˋsegrɪgeɪt] *vt vi* segregować, oddzielać (się)
**seg·re·ga·tion** [ˈsegrɪˋgeɪʃn] *s* segregacja, oddzielenie
**seize** [siz] *vt* chwycić, złapać; zająć; opanować, pojąć; *vi* zawładnąć, skwapliwie chwycić się (**on, upon, sth** czegoś); **to** ~ **the opportunity** wykorzystać okazję ⟨sposobność⟩
**sei·zure** [ˋsɪʒə(r)] *s* konfiskata; porwanie; aresztowanie; atak (choroby)
**sel·dom** [ˋseldəm] *adv* rzadko
**se·lect** [sɪˋlekt] *vt* wybierać, dobierać; *adj* wybrany, doborowy
**se·lec·tion** [sɪˋlekʃn] *s* wybór, dobór
**se·lec·tive** [sɪˋlektɪv] *adj* selekcyjny
**self** [self] *s* (*pl* **selves** [selvz]) jaźń, osobowość, własna osoba; *pron* sam
**self-ac·cu·sa·tion** [ˈself ækjuˋzeɪʃn] *s* samooskarżenie
**self-ad·ver·tise·ment** [ˈself ədˋvɜtɪsmənt] *s* autoreklama
**self-com·mand** [ˈself kəˋmɑnd] *s* panowanie nad sobą
**self-com·pla·cency** [ˈself kəmˋpleɪsnsɪ] *s* zadowolenie z samego siebie
**self-con·ceit** [ˈself kənˋsit] *s* zarozumiałość
**self-con·scious** [ˈself ˋkonʃəs] *adj* nieśmiały, zakłopotany
**self-con·trol** [ˈself kənˋtrəul] *s* panowanie nad sobą, opanowanie
**self-de·fence** [ˈself dɪˋfens] *s* samoobrona
**self-den·i·al** [ˈself dɪˋnɑɪəl] *s* samozaparcie

**self-de·ter·mi·na·tion** [ˈself dɪˈtɜmɪˋneɪʃn] *s* samookreślenie
**self-dis·ci·pline** [ˈself ˋdɪsəplɪn] *s* dyscyplina wewnętrzna
**self-ed·u·cat·ed** [ˈself ˋedjukeɪtɪd] *adj* ~ **man** samouk
**self-em·ployed** [ˈself ɪmˋplɔɪd] *adj* zatrudniony we własnym przedsiębiorstwie
**self-es·teem** [ˈself ɪˋstim] *s* poczucie własnej godności, ambicja
**self-ev·i·dent** [ˈself ˋevɪdənt] *s* oczywisty
**self-ig·ni·tion** [ˈself ɪgˋnɪʃən] *s techn.* samozapłon
**self-gov·ern·ment** [ˈself ˋgʌvnmənt] *s* samorząd
**self·ish** [ˋselfɪʃ] *adj* egoistyczny
**self-made** [ˈself ˋmeɪd] *adj* zawdzięczający wszystko samemu sobie
**self-por·trait** [ˈself ˋpɔtrət] *s* autoportret
**self-pos·sessed** [ˈself pəˋzest] *adj* opanowany, panujący nad sobą
**self-pres·er·va·tion** [ˈselfˈprezəˋveɪʃn] *s* instynkt samozachowawczy, samoobrona
**self-re·li·ant** [ˈself riˋlaɪənt] *adj* polegający na samym sobie
**self-re·spect** [ˈself rɪˋspekt] *s* poczucie własnej godności
**self-sac·ri·fice** [ˈself ˋsækrɪfaɪs] *s* samopoświęcenie
**self-same** [ˈself ˈseɪm...] *adj* ten sam, identyczny
**self-seek·er** [ˈself ˋsikə(r)] *s* egoista
**self-seek·ing** [ˈself ˋsikɪŋ] *adj* egoistyczny
**self-ser·vice** [ˈself ˋsɜvɪs] *s* samoobsługa
**self-styled** [ˈself ˋstaɪld] *adj* samozwańczy
**self-suf·fi·cien·cy** [ˈself səˋfɪʃnsɪ] *s* samowystarczalność
**self-suf·fi·cient** [ˈself səˋfɪʃnt] *adj* samowystarczalny
**self-will** [ˈself ˋwɪl] *s* narzucanie własnej woli, upór
**self-willed** [ˈself ˋwɪld] *adj* uparty; nieusłuchany
* **sell** [sel], **sold** [səuld], **sold** [səuld] *vt* sprzedawać; *vi* iść, mieć zbyt; ~ **out** ⟨**off**⟩ wyprzedawać
**sell·er** [ˋselə(r)] *s* sprzedawca
**selves** *zob.* **self**
**sem·a·phore** [ˋseməfɔ(r)] *s kolej.* semafor
**sem·blance** [ˋsembləns] *s* wygląd; pozór
**semi-** [ˋsemɪ] *praef* pół-
**sem·i·cir·cle** [ˋsemɪsɜkl] *s* półkole
**sem·i·co·lon** [ˈsemɪ ˋkəulən] *s gram.* średnik
**semi-fi·nal** [ˈsemɪ ˋfaɪnl] *s sport* półfinał
**sem·i·nar** [ˋsemɪnɑ(r)] *s* seminarium (na uniwersytecie)
**sem·i·nar·ist** [ˋsemɪnərɪst] *s* uczestnik ćwiczeń seminaryjnych; kleryk
**sem·i·na·ry** [ˋsemɪnərɪ] *s* seminarium (instytut wychowawczy, *zw.* teologiczny)
**sem·i·nude** [ˈsemɪ ˋnjud] *adj* półnagi
**semi-of·fi·cial** [ˈsemɪ əˋfɪʃl] *adj* półurzędowy
**Sem·ite** [ˋsimaɪt] *s* Semita
**Se·mit·ic** [sɪˋmɪtɪk] *adj* semicki
**sem·o·li·na** [ˈseməˋlinə] *s* kasza manna, grysik
**sen·ate** [ˋsenət] *s* senat
**sen·a·tor** [ˋsenətə(r)] *s* senator
* **send** [send], **sent**, **sent** [sent] *vt* posyłać; sprawiać, zrządzić; **to ~ flying** zmusić do ucieczki; rozpędzić, rozproszyć; **to ~ mad** doprowadzić do szaleństwa; **to ~ word** posłać wiadomość; ~ **away** odsyłać; ~ **forth** wydawać, wydzielać; wydobywać na światło dzienne; wypuszczać; ~ **in** wpuścić; nadesłać; złożyć; ~ **off** odsyłać; ~ **on** posłać dalej; przeadresować (np. list); ~ **out** wysyłać; wyrzucać; ~ **up** podnieść, podrzucić (do góry), wypuścić (w górę); zgłosić; podać (np. do stołu); *vi* posyłać (**for sb** po kogoś)
**se·nile** [ˋsinaɪl] *adj* starczy

**sen·ior** [`sinɪə(r)] *adj* starszy (rangą, studiami); ~ **forms** wyższe klasy (w szkole); *s* senior, człowiek starszy; **my ~ by ten years** starszy ode mnie o dziesięć lat
**sen·ior·i·ty** [ˈsinɪ`orətɪ] *s* starszeństwo
**sen·sa·tion** [sen`seɪʃn] *s* uczucie, wrażenie; sensacja
**sense** [sens] *s* uczucie, poczucie; zmysł; świadomość; rozsądek; znaczenie, sens; **common ~** zdrowy rozsądek; **a man in his ~s** człowiek przy zdrowych zmysłach; **a man of ~** człowiek rozsądny; **to come to one's ~s** odzyskać przytomność; opamiętać się; **to make ~** mieć sens; **to talk ~** mówić do rzeczy; *vt* odczuwać, wyczuwać, rozeznać; *am.* rozumieć
**sense·less** [`sensləs] *adj* bezmyślny, niedorzeczny; nieprzytomny; nieczuły
**sen·si·bil·i·ty** [ˈsensə`bɪlətɪ] *s* wrażliwość, uczuciowość
**sen·si·ble** [`sensəbl] *adj* dający się uchwycić zmysłami; świadomy; uczuciowy, wrażliwy; rozsądny; znaczny, poważny; **to become ~** uzmysławiać sobie (**of sth** coś)
**sen·si·tive** [`sensətɪv] *adj* zmysłowy; uczuciowy, czuły, wrażliwy; łatwo obrażający się; *bot.* **~ plant** mimoza
**sen·si·tize** [`sensətaɪz] *vt med.* uczulać; *fot.* uczulać na światło
**sen·su·al** [`senʃuəl] *adj* zmysłowy
**sen·su·al·i·ty** [ˈsenʃu`ælətɪ] *s* zmysłowość
**sen·su·ous** [`senʃuəs] *adj* zmysłowy, czuciowy
**sent** *zob.* **send**
**sen·tence** [`sentəns] *s* sentencja, powiedzenie; wyrok, decyzja; *gram.* zdanie; **to pass a ~** wydać wyrok; **to serve a ~** odbywać karę sądową; *vt* osądzić, skazać
**sen·ti·ment** [`sentɪmənt] *s* sentyment, uczucie, odczucie; zdanie, opinia
**sen·ti·men·tal** [ˈsentɪ`mentl] *adj* sentymentalny
**sen·ti·nel** [`sentɪnl] *s* placówka, posterunek; wartownik; **to stand ~** stać na warcie
**sen·try** [`sentrɪ] *s* placówka, posterunek
**sep·a·ra·ble** [`sepr̥əbl] *adj* rozdzielny, rozłączny
**sep·a·rate** [`sepəreɪt] *vt vi* oddzielić (się), rozłączyć (się); *adj* [`sepr̥ət] oddzielny
**sep·a·ra·tion** [ˈsepə`reɪʃn] *s* separacja, rozłączenie; **~ allowance** dodatek (do pensji) za rozłąkę; *prawn.* **judicial ⟨legal⟩ ~** separacja (małżonków)
**Sep·tem·ber** [sep`tembə(r)] *s* wrzesień
**sep·tic** [`septɪk] *adj* septyczny
**se·pul·chral** [sɪ`pʌlkrl] *adj* grobowy, ponury
**sep·ul·chre** [`seplkə(r)] *s lit. rel.* grób
**se·quel** [`sikwl] *s* następstwo, ciąg dalszy
**se·quence** [`sikwəns] *s* następstwo, kolejność; **in ~** kolejno; *gram.* **~ of tenses** następstwo czasów
**se·ques·ter** [sɪ`kwestə(r)] *vt* oddzielić, odosobnić; konfiskować
**sere** [sɪə(r)] *adj* = **sear**
**ser·e·nade** [ˈserə`neɪd] *s* serenada; *vt vi* śpiewać serenadę
**se·rene** [sɪ`rin] *adj* pogodny, jasny; spokojny
**se·ren·i·ty** [sɪ`renətɪ] *s* pogoda, spokój
**serf** [sɜf] *s* niewolnik; *hist.* chłop pańszczyźniany
**serf·dom** [`sɜfdəm] *s* niewolnictwo; *hist.* poddaństwo, pańszczyzna
**ser·geant** [`sadʒənt] *s wojsk.* sierżant
**se·ri·al** [`sɪərɪəl] *adj* seryjny, kolejny; *s* serial; powieść drukowana w odcinkach (w gazecie); periodyk
**se·ries** [`sɪəriz] *s* (*pl* ~) seria, szereg; **in ~** seryjnie; *elektr.* szeregowo
**se·ri·ous** [`sɪərɪəs] *adj* poważny

**ser·jeant** *s* = **sergeant**

**ser·mon** [ˈsɜmən] *s* kazanie

**ser·mon·ize** [ˈsɜmənaɪz] *vi* wygłaszać kazanie; *vt* napominać, strofować

**ser·pent** [ˈsɜpənt] *s* wąż

**ser·pen·tine** [ˈsɜpəntaɪn] *adj* wężowy; wężowaty, wijący się; *s* serpentyna

**ser·ried** [ˈserɪd] *adj* stłoczony, zwarty

**se·rum** [ˈsɪərəm] *s* surowica

**serv·ant** [ˈsɜvənt] *s* służący, sługa; **civil ⟨public⟩ ~** urzędnik państwowy

**serve** [sɜv] *vt vi* służyć, obsługiwać; podawać (przy stole); wyrządzić; odpowiadać (celowi); odbywać (karę, służbę, praktykę itp.); traktować; *sport* serwować; **it ~s you right** dobrze ci tak, masz za to; **to ~ one's time** odbyć kadencję; **to ~ time** odsiedzieć karę; **~ out** rozdzielić; odpłacić się; *s sport* serwis, serw

**serv·ice** [ˈsɜvɪs] *s* służba, obsługa; pomoc; przysługa; nabożeństwo; (*zastawa*) serwis; *sport* serwis; **civil ~** służba państwowa ⟨urzędnicza⟩; **train ~** komunikacja kolejowa; **public ~s** instytucje użyteczności publicznej; **social ~s** świadczenia społeczne; **~ area** (*radio*) zasięg odbioru; **~ station** stacja benzynowa ⟨obsługi⟩; sklep ⟨warsztat⟩ usługowy; **to be of ~** przydać się; **to do one's ~** odbywać służbę; **to do ⟨to render⟩ ~** oddać przysługę

**ser·vi·ette** [ˌsɜvɪˈet] *s* serwetka

**ser·vile** [ˈsɜvaɪl] *adj* niewolniczy; służalczy

**ses·sion** [ˈseʃn] *s* posiedzenie; sesja; okres posiedzeń; *am.* (*także w Szkocji*) rok akademicki; *am.* **summer ~** letni kurs uniwersytecki

* **set** [set] *vt vi* (**set, set** [set]) stawiać, kłaść, ustawiać, zastawiać (stół); montować; wzmacniać; kierować; nastawiać; nakłaniać; zapędzać (np. **to work** do roboty); podjudzać; (*o słońcu*) zachodzić; zanikać, kończyć się; opadać; regulować (np. zegarek); (*o pogodzie*) ustalić się; (*o organizmie*) rozwinąć się; (*o cieczy*) krzepnąć; nastroić (fortepian); zadać (pytanie); zabierać się (**about, to sth** do czegoś); skłaniać się (**towards, to** ku czemuś); **to ~ an example** dać przykład; **to ~ the fashion** ustanowić modę; **to ~ fire** podłożyć ogień, podpalić (**to sth** coś); **to ~ on fire** podpalić (**sth** coś); **to ~ free** uwolnić; **to ~ in motion** uruchomić; **to ~ at rest** uspokoić; **to ~ sail** odpłynąć; **to ~ sb a task** dać komuś zadanie; *z ppraes* wprawić w ruch, spowodować; **to ~ flying** wypuścić w powietrze; **to ~ going** nadać bieg; **to ~ thinking** dać do myślenia; *z adv*: **~ about** rozpowszechnić; **~ apart** oddzielić, odsunąć; **~ aside** odłożyć na bok; zignorować; *prawn.* anulować; **~ back** cofnąć; **~ by** odłożyć na bok; **~ down** położyć, złożyć; wyłożyć na piśmie; przypisać; zsadzić, wysadzić; ustalić (np. regułę); **~ forth** wyłożyć, wykazać; uwydatnić; przedstawić (np. projekt); wyruszyć; **~ forward** posunąć się naprzód; wyruszyć; podsunąć, wysunąć; **~ in** wprawić; nastać, nastąpić; **~ off** wyruszyć w drogę; oddzielić, odłożyć, usunąć; uwydatnić; wyodrębnić; wyrównać; **~ on** podjudzać; rozpoczynać; napadać; wyruszać w dalszą drogę; **~ out** rozpoczynać, przedsiębrać; wykładać, przedstawiać, wystawiać; zdobić; wyruszać; **~ up** ustawiać, nastawiać, instalować, montować; założyć; podnieść; ustanowić; urządzić (życiowo); zaopatrzyć; osiedlić się; **~ up for sth** podawać się za coś; **~ up in business** założyć przedsiębiorstwo; **to be ~ up** być dobrze zaopatrzonym; **~ to** zabrać się do

czegoś; zacząć (walczyć, kłócić się); *s* seria, asortyment, komplet, kolekcja, wybór; serwis (stołowy); zaprząg; gatunek; grupa; zachód (słońca); postawa, budowa ciała; układ; kierunek; próba; *sport* set; **(radio) ~** aparat radiowy; *adj* uporządkowany, ustalony, zdecydowany; nieruchomy; (*o ciele ludzkim*) zbudowany; **to be hard ~** być w ciężkim położeniu; **of ~ purpose** z mocnym postanowieniem

**set-back** [ˋset bæk] *s* cofnięcie się; niepowodzenie

**set-off** [ˋset ɔf] *s* kontrast; przeciwwaga; wyrównanie; dekoracja, tło (ozdobne); *handl.* kompensata

**set-out** [setˋaut] *s* początek; wyjazd

**set-square** [ˋset skweə(r)] *s* ekierka

**set·tee** [seˋti] *s* sofa

**set·ting** [ˋsetɪŋ] *s* oprawa, obramowanie; układ, ustawienie; tło, otoczenie; inscenizacja; ilustracja; ilustracja muzyczna

**set·tle** [ˋsetl] *vt vi* posadzić, osadzić, ułożyć; (*także* **~ down**) osiąść, osiedlić się; ustalić (się); rozstrzygnąć; uporządkować, uregulować; uspokoić; ustanowić; zdecydować (się); *vr* **~ oneself** osiąść; dostosować się; zabrać się, zasiąść (**to sth** do czegoś); ustatkować się; **~ up** uregulować (zobowiązania)

**set·tled** [ˋsetld] *adj* stały, ustalony; **~ weather** ustabilizowana ⟨stała⟩ pogoda; **a man of ~ convictions** człowiek o stałych przekonaniach; (*na rachunku*) „~" „zapłacono"

**set·tle·ment** [ˋsetlmənt] *s* ustalenie, załatwienie, rozstrzygnięcie; układ; uspokojenie; wyrównanie, rozliczenie; osiadanie; osiedlenie się; osiedle, osada; założenie (interesu)

**set·tler** [ˋsetlə(r)] *s* osadnik, osiedleniec

**sev·en** [ˋsevn] *num* siedem; *s* siódemka

**sev·en·teen** [ˈsevnˋtin] *num* siedemnaście; *s* siedemnastka

**sev·en·teenth** [ˈsevnˋtinθ] *adj* siedemnasty; *s* siedemnasta część

**sev·enth** [ˋsevnθ] *adj* siódmy; *s* siódma część

**sev·en·ti·eth** [ˋsevntɪəθ] *adj* siedemdziesiąty; *s* siedemdziesiąta część

**sev·en·ty** [ˋsevntɪ] *num* siedemdziesiąt; *s* siedemdziesiątka

**sev·er** [ˋsevə(r)] *vt vi* oddzielić (się), oderwać (się); *przen.* rozstać się; zerwać

**sev·er·al** [ˋsevrl] *adj* oddzielny; różny; poszczególny; podzielny; liczny; *pron* kilka, kilkanaście

**sev·er·al·ly** [ˋsevrḷɪ] *adv* poszczególnie; różnie; indywidualnie; **jointly and ~** zbiorowo i indywidualnie

**sev·er·ance** [ˋsevərəns] *s* oddzielenie, oderwanie; zerwanie

**se·vere** [səˋvɪə(r)] *adj* surowy, bezwzględny, srogi; ostry; poważny; obowiązujący

**se·ver·i·ty** [səˋverətɪ] *s* bezwzględność, surowość, srogość; ciężki stan

***sew** [səu], **sewed** [səud] **sewn** [səun] *vt vi* szyć; **~ on** naszywać, przyszywać; **~ up** zszywać, łatać

**sew·age** [ˋsuɪdʒ] *s* woda ściekowa, nieczystości; **~ system** kanalizacja

**sew·er** [ˋsuə(r)] *s* ściek, rynsztok; *vt* kanalizować

**sew·er·age** [ˋsuərɪdʒ] *s* kanalizacja; wody ściekowe

**sew·ing-ma·chine** [ˋsəuɪŋ məʃin] *s* maszyna do szycia

**sewn** *zob.* **sew**

**sex** [seks] *s* płeć

**sex-ap·peal** *zob.* **appeal**

**sex·ton** [ˋsekstn] *s* zakrystian

**sex·u·al** [ˋsekʃuəl] *adj* płciowy

**sex·y** [ˋseksɪ] *adj* zmysłowy, pociągający

**shab·by** [ˈʃæbɪ] *adj* lichy, zniszczony, stargany, nędznie ubrany; nędzny, podły
**shack** [ʃæk] *s* chata, rudera
**shack·le** [ˈʃækl] *s* ogniwo łańcuchowe; sprzęgło, klamra; *pl* **~s** (*także przen.*) kajdany; *vt* skuć, spętać
**shade** [ʃeɪd] *s* cień, mrok; odcień; abażur; parasolka; *am.* roleta, stora; **a ~** coś niecoś, odrobinę; *vt vi* zaciemnić; cieniować; zasłaniać; stopniowo zmieniać (odcień); (*także* **~ off** ⟨**away**⟩) tuszować, łagodzić
**shad·ow** [ˈʃædəu] *s* cień (odbicie kształtu człowieka, drzewa itp.); mrok; ułuda; zjawa, widmo; *vt* zacieniać; śledzić
**shad·ow·y** [ˈʃædəuɪ] *adj* cienisty; ciemny, niejasny
**shad·y** [ˈʃeɪdɪ] *adj* cienisty; ciemny; mętny, dwuznaczny; podejrzany
**shaft** [ʃɑft] *s* trzon, łodyga; drzewce; dyszel; promień; błyskawica; ostrze; strzała; *górn.* szyb
**shag** [ʃæg] *s* zmierzwione włosy; kudły; włochaty materiał; gatunek tytoniu
**shag·gy** [ˈʃægɪ] *adj* włochaty, kudłaty
* **shake** [ʃeɪk] *vt vi* (**shook** [ʃuk], **shaken** [ˈʃeɪkn]) trząść (się), potrząsnąć, wstrząsnąć; drżeć, chwiać się; **to ~ hands** podawać sobie ręce; **~ down** strząsnąć; **~ off** odrzucić, zrzucić, pozbyć się; **~ out** wytrząsnąć, wyrzucić, wysypać; **~ up** potrząsnąć, rozruszać; *s* potrząsanie, trzęsienie, drżenie; *pl* **~s** dreszcze
**shake-up** [ˈʃeɪkʌp] *s* wstrząs, poruszenie; przetasowanie, reorganizacja
**shak·y** [ˈʃeɪkɪ] *adj* drżący; chwiejny, niepewny
**shall** [ʃæl, ʃl] *v aux* służy do tworzenia *fut*: **I ~ be there** będę tam; **you ~ not see him** nie zobaczysz go; powinien; **~ he wait?** czy ma czekać?
**shal·low** [ˈʃæləu] *adj* płytki; *przen.* niepoważny, powierzchowny; *s* płycizna, mielizna
**sham** [ʃæm] *vt vi* udawać, symulować, pozorować; *s* udawanie, symulowanie, fikcja; *adj* udawany, fałszywy, rzekomy, pozorny
**sham·ble** [ˈʃæmbl] *vi* powłóczyć nogami; *s* niezgrabny chód
**shame** [ʃeɪm] *s* wstyd; *vt* zawstydzić; wymóc (**sb into sth** coś na kimś); odwieść (**out of sth** od czegoś); **~ on you!** wstydź się! jak ci nie wstyd!
**shame·faced** [ˈʃeɪmfeɪst] *adj* wstydliwy, nieśmiały
**shame·ful** [ˈʃeɪmfl] *adj* haniebny, sromotny
**shame·less** [ˈʃeɪmləs] *adj* bezwstydny
**sham·poo** [ʃæmˈpu] *s* szampon; *vt* myć szamponem
**sham·rock** [ˈʃæmrok] *s bot.* biała koniczyna
**shank** [ʃæŋk] *s* goleń
**shan't** [ʃɑnt] = **shall not**
**shan·ty** [ˈʃæntɪ] *s* buda, szałas
**shape** [ʃeɪp] *s* kształt, wygląd; obraz, rysunek; **in (the) ~ of** w postaci; **out of ~** zniekształcony; **in good** ⟨**poor**⟩ **~** w dobrej ⟨złej⟩ formie; *vt vi* kształtować (się); tworzyć; wyobrażać sobie
**shape·ly** [ˈʃeɪplɪ] *adj* ładnie zbudowany, kształtny, zgrabny
**share** [ʃeə(r)] *vt vi* dzielić, podzielać; uczestniczyć; **~ out** rozdzielać; *s* część; udział; działka; przyczynek; *handl.* akcja; **to go ~s** podzielić się (**in sth** czymś); uczestniczyć; **to have a ~** przyczynić się (**in sth** do czegoś); **to hold ~s** *handl.* być akcjonariuszem; **to take ~** brać udział
**share-bro·ker** [ˈʃeə brəukə(r)] *s* makler
**share-hold·er** [ˈʃeə həuldə(r)] *s* akcjonariusz
**shark** [ʃɑk] *s* rekin; *przen.* oszust; *vt* oszukiwać

**sharp** [ʃap] *adj* ostry, spiczasty; przenikliwy, bystry; przebiegły; *adv* bystro; punktualnie; *s muz.* krzyżyk

**sharp·en** [ˋʃapn] *vt vi* ostrzyć (się)

**shat·ter** [ˋʃætə(r)] *vt* roztrzaskać, rozbić; *vi* rozlecieć się; *s zw. pl* **~s** odłamki, strzępy

**shave** [ʃeɪv] *vt vi* golić (się); strugać; *s* golenie; **to have a ~** ogolić się; **close ⟨near⟩ ~** sytuacja o włos od niebezpieczeństwa

**shav·en** [ˋʃeɪvn] *adj* (*także* **clean ~**) wygolony

**shav·ing** [ˋʃeɪvɪŋ] *s* golenie; struganie; *pl* **~s** wióry, odpadki

**shawl** [ʃɔl] *s* szal

**she** [ʃɪ] *pron* ona

**sheaf** [ʃif] *s* (*pl* **sheaves** [ʃivz]) snop, wiązka

* **shear** [ʃɪə(r)] *vt* (**sheared** [ʃɪəd], **shorn** [ʃɔn]) strzyc; *przen.* ogołacać, pozbawiać; *s* strzyżenie

**shears** [ʃɪəz] *s pl* nożyce (np. krawieckie, ogrodnicze)

**sheath** [ʃiθ] *s* (*pl* **sheaths** [ʃiðz]) pochwa, futerał

**sheathe** [ʃið] *vt* wkładać do pochwy ⟨futerału⟩

**sheath·ing** [ˋʃiðɪŋ] *s* ochronne pokrycie, powłoka

**sheave** [ʃiv] *vt* wiązać w snopy

**sheaves** *zob.* **sheaf**

**she'd** [ʃid] *skr.* = **she had, she would**

* **shed 1. shed, shed** [ʃed] *vt* ronić, gubić, zrzucać; wylewać, przelewać; rozsiewać

**shed 2.** [ʃed] *s* szopa; zajezdnia

**sheep** [ʃip] *s* (*pl* **~**) owca, baran

**sheep-hook** [ˋʃip hʊk] *s* kij pasterski

**sheep·ish** [ˋʃipɪʃ] *adj* bojaźliwy; zakłopotany; zbaraniały; nieśmiały

**sheep·skin** [ˋʃipskɪn] *s* owcza skóra; pergamin; dyplom

**sheep·walk** [ˋʃipwɔk] *s* pastwisko dla owiec

**sheer** [ʃɪə(r)] *adj* zwyczajny; czysty; istny; prosty; pionowy; **~ nonsense** istny nonsens; **by ~ force** po prostu siłą; *adv* całkowicie; wprost; pionowo

**sheet** [ʃit] *s* prześcieradło; arkusz; kartka (papieru); powierzchnia, tafla, płyta; *mors.* szot; *vt* nakryć prześcieradłem

**sheet-iron** [ˋʃit aɪən] *s* blacha

**shelf** [ʃelf] *s* (*pl* **shelves** [ʃelvz]) półka; wystająca skała, rafa; listwa

**shell** [ʃel] *s* skorupa, łupina, muszla; nabój armatni; *vt vi* wyłuskiwać; *wojsk.* ostrzelać

**she'll** [ʃil] *skr.* = **she will**

**shel·ter** [ˋʃeltə(r)] *s* schronienie, schron, przytułek; *vt vi* chronić (się), osłaniać; udzielić przytułku; znaleźć przytułek

**shelve** [ʃelv] *vt* położyć na półce; odłożyć, odstawić; oddalić, zwolnić (np. ze służby)

**shelves** *zob.* **shelf**

**shep·herd** [ˋʃepəd] *s* pastuch; *przen. i lit.* pasterz; *vt vi* strzec; paść owce

**sher·ry** [ˋʃerɪ] *s* gatunek wina (Xeres)

**she's** [ʃiz] = **she is, she has**

**shield** [ʃild] *s* tarcza, osłona; *vt* ochraniać, osłaniać

**shift** [ʃɪft] *vt vi* przesuwać (się), przestawiać (się); zmieniać miejsce pobytu, przenosić się; zmieniać (np. ubranie); *s* zmiana; przesunięcie; sposób, środek, zabieg; szychta; **to make (a) ~** uporać się, dać sobie radę; **to work in ~s** pracować na zmiany

**shift·y** [ˋʃɪftɪ] *adj* przebiegły, przemyślny

**shil·ling** [ˋʃɪlɪŋ] *s* szyling; **a ~'s worth** za szylinga

**shim·mer** [ˋʃɪmə(r)] *vi* migotać; *s* migotanie

**shin** [ʃɪn] *s* goleń; *vt* **~ up** wspinać się, wdrapywać się (**the tree** na drzewo)

***shine** [ʃaɪn], **shone, shone** [ʃon] *vi* świecić, jaśnieć; *vt* nadawać blask, czyścić do połysku; *s* blask, połysk

**shin·gle 1.** [ˋʃɪŋgl] *s* gont; *am.* tabliczka; krótko strzyżone włosy; *vt* kryć gontami; krótko strzyc włosy

**shin·gle 2.** [ˋʃɪŋgl] *s* kamyk; *zw. zbior.* kamyki, żwir

**shin·y** [ˋʃaɪnɪ] *adj* błyszczący

**ship** [ʃɪp] *s* statek; okręt; *vt* przewozić okrętem; ładować na okręt; *vi* zaokrętować się

**ship·board** [ˋʃɪpbɔd] *s* pokład; **on ~** na statku

**ship·build·ing** [ˋʃɪpbɪldɪŋ] *s* budownictwo okrętowe

**ship·car·riage** [ˋʃɪp kærɪdʒ] *s* transport okrętowy

**ship·mas·ter** [ˋʃɪp mastə(r)] *s* kapitan statku (handlowego)

**ship·ment** [ˋʃɪpmənt] *s* załadowanie na okręt, przewóz okrętem

**ship·own·er** [ˋʃɪp əunə(r)] *s* armator

**ship·ping** [ˋʃɪpɪŋ] *s* żegluga; transport okrętem; załadowanie na okręt; marynarka (handlowa)

**ship·shape** [ˋʃɪpʃeɪp] *adj i adv* we wzorowym porządku; **to put ~** doprowadzić do wzorowego stanu

**ship·wreck** [ˋʃɪp-rek] *s* rozbicie okrętu; *przen.* katastrofa, klęska; *vt* spowodować rozbicie okrętu; *przen.* rozbić, zniweczyć; **to be ~ed** (*o okręcie*) ulec rozbiciu, rozbić się; *przen.* ulec zniszczeniu

**ship·yard** [ˋʃɪp-jad] *s* stocznia

**shirt** [ʃɜt] *s* koszula męska; bluzka damska

**shirt-sleeves** [ˋʃɜt slivz] *s pl* rękawy koszuli; **in one's ~** bez marynarki, w samej koszuli

**shiv·er 1.** [ˋʃɪvə(r)] *vi* trząść się, drżeć; *s* drżenie, dreszcz

**shiv·er 2.** [ˋʃɪvə(r)] *s* kawałek, ułamek; *vt vi* rozbić (się) na kawałki

**shoal 1.** [ʃəul] *s* ławica (ryb); *przen.* tłum, gromada, masa

**shoal 2.** [ʃəul] *s* mielizna; *adj* płytki; *vi* stawać się płytkim

**shock 1.** [ʃok] *s* gwałtowne uderzenie, cios; wstrząs, szok; *wojsk.* **~ troops** oddziały szturmowe; *vt* gwałtownie uderzyć, zadać cios; gwałtownie wstrząsnąć; urazić; zgorszyć

**shock 2.** [ʃok] *s* bróg, kopka

**shock-ab·sorb·er** [ˋʃok əbsɔbə(r)] *s* amortyzator

**shock-proof** [ˋʃok pruf] *adj* odporny na wstrząsy

**shock-work·er** [ˋʃok wɜkə(r)] *s* przodownik pracy

**shod** *zob.* **shoe** *vt*

**shod·dy** [ˋʃodɪ] *s* licha wełna (z odpadków); tandeta; *adj* tandetny

**shoe** [ʃu] *s* but, trzewik; podkowa; okucie; *vt* ***shoe** (**shod, shod** [ʃod]) obuć; okuć (konia); obić żelazem

**shoe·black** [ˋʃublæk] *s* czyścibut, pucybut

**shoe·horn** [ˋʃu hɔn] *s* łyżka do butów

**shoe·lace** [ˋʃu leɪs] *s* sznurowadło

**shoe·mak·er** [ˋʃumeɪkə(r)] *s* szewc

**shone** *zob.* **shine**

**shook** *zob.* **shake**

* **shoot** [ʃut] *vt vi* (**shot, shot** [ʃot]) strzelać (**at sb** do kogoś); zastrzelić, rozstrzelać; ciskać, miotać; fotografować, (*o filmie*) nakręcać; wystawać; wypędzać, wyrzucać (*także* **~ out**); wyskoczyć; wpaść; wypuszczać (pączki); (*o bólu*) rwać; mknąć, przemykać; **to ~ dead** zastrzelić; **to ~ past** szybko przelecieć (koło czegoś); **~ down** zestrzelić; gwałtownie spadać; **~ forth** kiełkować; rozciągać się; **~ off** wystrzelić; odstrzelić; pomknąć; **~ out** wystawać, sterczeć; wypaść, wylecieć; wyrzucić; (*o pączkach*) wypuścić; wystrzelać; **~ up** strzelać w górę; szybko rosnąć; podnosić się, podskoczyć; *przen.* **~ Niagara** ryzykować życie; *s*

strzelanie; polowanie; wodotrysk; kiełek, pęd; ostry ból

**shoot·er** [ˈʃutə(r)] *s* strzelec; broń palna, rewolwer

**shoot·ing-star** [ˈʃutɪŋ stɑ(r)] *s* spadająca gwiazda

**shop** [ʃop] *s* sklep; warsztat; interes; zakład; *przen.* profesja, zawód, sprawy zawodowe; *vi* robić zakupy, załatwiać sprawunki w sklepach; **to go ~ping** chodzić po zakupy, załatwiać sprawunki

**shop-as·sis·tant** [ˈʃop əsɪstənt] *s* ekspedient (sklepowy)

**shop·keep·er** [ˈʃopkipə(r)] *s* drobny kupiec, sklepikarz

**shop·man** [ˈʃopmən] *s* drobny kupiec; sklepikarz; ekspedient, sprzedawca

**shop-win·dow** [ˈʃop ˈwɪndəu] *s* okno wystawowe

**shore** [ʃɔ(r)] *s* brzeg (morza, jeziora), wybrzeże

**shorn** *zob.* **shear**

**short** [ʃɔt] *adj* krótki; niski, mały; niedostateczny, szczupły, będący na wyczerpaniu; **~ circuit** krótkie spięcie; **~ cut** skrót, najkrótsza droga, droga na przełaj; **~ story** nowela; **~ weight** niepełna waga; **~ of breath** zadyszany; **little ~ of a miracle** prawie cud; **to be ~ of sth** odczuwać brak czegoś; pozostawać w tyle za czymś; nie być na poziomie czegoś; **to come ~** chybić, nie osiągnąć (**of sth** czegoś); **to fall ~** zawieść, nie dopisać (**of sth** pod względem czegoś); **to get ⟨become, grow⟩ ~** ulegać skróceniu, stawać się krótszym, zbliżać się do końca; **to make ~ work of sth** szybko załatwić się z czymś; **to run ~** wyczerpywać się, kończyć się (np. *o zapasach*); odczuwać brak, mieć już niewiele (**of sth** czegoś); **to stop ~** nagle zatrzymać (się), nagle przerwać; **at ~ range** z bliska, na krótką metę; *s* skrócenie, skrót; *kino* (*także* **~ subject**) film krótkometrażowy; *pl* **~s** krótkie spodnie; **in ~** pokrótce, krótko mówiąc

**short·age** [ˈʃɔtɪdʒ] *s* niedostateczna ilość, niedobór, brak

**short-cir·cuit** [ˈʃɔt ˈsɜkɪt] *s elektr.* krótkie spięcie; *vt* wywołać krótkie spięcie

**short·com·ing** [ˈʃɔtkʌmɪŋ] *s* brak, wada, uchybienie; *handl.* manko

**short·en** [ˈʃɔtn] *vt vi* skracać (się), zmniejszać (się)

**short·hand** [ˈʃɔthænd] *s* stenografia

**short-lived** [ˈʃɔt ˈlɪvd] *adj* krótkotrwały

**short·ly** [ˈʃɔtlɪ] *adv* pokrótce; wkrótce

**short-sight·ed** [ˈʃɔt ˈsaɪtɪd] *adj* krótkowzroczny

**shot** 1. *zob.* **shoot**; *adj* lśniący, mieniący się

**shot** 2. [ʃɔt] *s* strzał; strzelec; pocisk, kula; *fot. kino* zdjęcie migawkowe; *pot.* zastrzyk, dawka; **big ~** gruba ryba; **to make a good ~** trafić; *przen.* zgadnąć

**should** [ʃud] *p od* **shall**; *oznacza warunek*: **I ~ go** poszedłbym; *powinność*: **you ~ work** powinieneś pracować; *przypuszczenie*: **I should say so** chyba tak

**shoul·der** [ˈʃəuldə(r)] *s* ramię, bark; **to give ⟨show, turn⟩ the cold ~** traktować oziębłe; **~ to ~** ramię w ramię; *vt* wziąć na ramię; popychać; potrącać ramionami; *przen.* (*także* **~ up**) brać na swoje barki

**shouldn't** [ˈʃudnt] *skr.* = **should not**

**shout** [ʃaut] *vi* krzyczeć (**at sb** na kogoś); *s* krzyk, wołanie; okrzyk

**shove** [ʃʌv] *vt vi* posuwać (się), popychać (się); *pot.* wpakować, wsadzić; **~ down** zepchnąć; **~ off** odepchnąć; odbić (np. od brzegu); *s* posunięcie (się), pchnięcie

**shov·el** [ˈʃʌvl] *s* szufla, łopata; *vt* szuflować

**• show** [ʃəu] *vt vi* (**showed** [ʃəud], **shown** [ʃəun]) pokazywać (się), wykazywać, okazywać; ukazać się, zjawić się; prowadzić, pokazywać drogę, oprowadzać (**round the town** po mieście); ~ **down** sprowadzić na dół; wyłożyć karty na stół; ~ **in** wprowadzić; ~ **off** wystawić na pokaz; popisywać się (**sth** czymś), paradować; ~ **out** wyprowadzić; ~ **up** zdemaskować, obnażyć; uwydatniać (się); zjawiać się; *vr* ~ **oneself** pokazywać się publicznie; *s* widok; wystawa; pokaz; parada; widowisko; *teatr* przedstawienie

**show-case** [`ʃəu keɪs] *s* gablotka

**show-down** [`ʃəu daun] *s* wyłożenie kart na stół; *przen.* gra w otwarte karty

**show·er** [`ʃauə(r)] *s* przelotny deszcz; *przen.* powódź (np. listów); *vi* (*o deszczu*) padać, lać; *vt* zalewać strumieniem

**show·er-bath** [`ʃauə baθ] *s* tusz, prysznic

**show·er·y** [`ʃəuərɪ] *adj* ulewny

**show·girl** [`ʃəu gɜl] *s* piosenkarka ⟨tancerka⟩ w rewii, klubie nocnym itd.

**shown** *zob.* **show**

**show-room** [`ʃəu rum] *s* lokal wystawowy

**show-win·dow** [`ʃəu wɪndəu] *s* okno wystawowe

**show·y** [`ʃəuɪ] *adj* okazały, paradny, ostentacyjny

**shrank** *zob.* **shrink**

**shrap·nel** [`ʃræpnl] *s* szrapnel

**shred** [ʃred] *s* strzęp; skrawek; odrobina; *vt* strzępić, ciąć na strzępy

**shrew** [ʃru] *s* sekutnica, jędza

**shrewd** [ʃrud] *adj* bystry, przenikliwy; chytry; ostry; dotkliwy

**shrew·ish** [`ʃruɪʃ] *adj* swarliwy, złośliwy

**shriek** [ʃrik] *vt vi* krzyczeć, piszczeć, wykrzykiwać; *s* krzyk, pisk, przeraźliwy gwizd

**shrill** [ʃrɪl] *adj* przeraźliwy, przenikliwy

**shrimp** [ʃrɪmp] *s* krewetka

**shrine** [ʃraɪn] *s* sanktuarium; relikwiarz

***shrink** [ʃrɪŋk] *vt vi* (**shrank** [ʃræŋk], **shrunk** [ʃrʌŋk]) ściągać (się), kurczyć (się), dekatyzować; marszczyć się; cofać się; zanikać; wzdragać się (**from sth** przed czymś); *s* ściągnięcie; zmarszczka; skurcz

**shrink·age** [`ʃrɪŋkɪdʒ] *s* skurczenie, ściągnięcie; ubytek, zanik

***shrive** [ʃraɪv], **shrove** [ʃrəuv], **shriven** [`ʃrɪvn] *vt* wyspowiadać i rozgrzeszyć

**shriv·el** [`ʃrɪvl] *vt vi* ściągać (się), marszczyć (się)

**shriv·en** *zob.* **shrive**

**shroud** [ʃraud] *s* całun; *przen.* okrycie, osłona; *vt* owijać całunem, *przen.* okrywać

**shrove** *zob.* **shrive**

**Shrove Tues·day** ['ʃrəuv `tjuzdɪ] *s* tłusty wtorek

**shrub** [ʃrʌb] *s* krzak

**shrub·ber·y** [`ʃrʌbərɪ] *s* zarośla, krzaki

**shrug** [ʃrʌg] *vt vi* wzruszać ramionami; *s* wzruszenie ramionami

**shrunk·en** [`ʃrʌŋkən] *adj* skurczony; *pp od* **shrink**

**shud·der** [`ʃʌdə(r)] *vi* drżeć, wzdrygać się

**shuf·fle** [`ʃʌfl] *vt vi* szurać, powłóczyć (nogami); suwać; tasować (karty), mieszać; kręcić, wykręcać się; ~ **off** strząsnąć z siebie; odejść powłócząc nogami; ~ **out** wykręcić się; *s* szuranie nogami; włóczenie; posunięcie; wykręt; chwyt; tasowanie

**shun** [ʃʌn] *vt* unikać

**shunt** [ʃʌnt] *vt vi* przetaczać (wagony); przesunąć na bok; odłożyć (do szuflady)

***shut, shut, shut** [ʃʌt] *vt vi* zamykać (się); ~ **in** zamknąć (w środku), otoczyć; ~ **off** odgrodzić; wyłączyć (np. prąd); ~ **out** wykluczyć; zostawić na zewnątrz; przesłonić (widok); ~ **up** zamykać (dokładnie); więzić; *pot.* zamykać usta; *pot.* ~ **up!** cicho bądź! zamknij się!

**shut·ter** [`ʃʌtə(r)] *s* pokrywa; okiennica; zasłona; okienko (np. w kasie); *fot.* migawka

**shut·tle** [`ʃʌtl] *s* czółenko (tkackie)

**shy 1.** [ʃaɪ] *adj* bojaźliwy, nieśmiały; ostrożny; **to be** ~ **of sth** unikać czegoś; **to fight** ~ unikać, wystrzegać się (**of sth** czegoś); *vi* bać się (**at sth** czegoś), płoszyć się

**shy 2.** [ʃaɪ] *vt vi pot.* cisnąć, rzucić; *s* rzut

**sick** [sɪk] *adj* czujący się niedobrze, mający mdłości; *attr* chory (**of sth na** coś); **to be** ~ uprzykrzyć sobie, mieć powyżej uszu (**of sth** czegoś); tęsknić (**for sth** za czymś); **to feel** ⟨**to be**⟩ ~ mieć mdłości

**sick·en** [`sɪkn] *vt* przyprawiać o mdłości, napełniać obrzydzeniem; *vi* chorować; słabnąć; marnieć; zrażać się (**of sth** do czegoś); czuć obrzydzenie (**at sth** do czegoś)

**sick·le** [`sɪkl] *s* sierp

**sick-leave** [`sɪk liv] *s* urlop chorobowy

**sick-list** [`sɪk lɪst] *s* lista chorych

**sick·ly** [`sɪklɪ] *adj* chorowity; (*o powietrzu, okolicy*) niezdrowy; powodujący mdłości

**sick·ness** [`sɪknəs] *s* choroba; niedomaganie, złe samopoczucie; mdłości

**side** [saɪd] *s* strona, bok; brzeg; ~ **by** ~ jeden przy drugim, w jednym rzędzie; **by the** ~ po stronie (**of sth** czegoś); *sport.* **off** ~ na pozycji spalonej; **on my** ~ po mojej stronie, z mojej strony; **on all** ~**s** ze wszystkich stron; **on this** ~ **the barricade** po tej stronie barykady; **on the safe** ~ bezpiecznie; **to change** ~**s** przejść do przeciwnej grupy; **to take** ~**s** stanąć po stronie (**with sb** kogoś); *vi* stać po stronie (**with sb** kogoś)

**side-arms** [`saɪdamz] *s* broń boczna (szabla, bagnet)

**side·board** [`saɪdbɔd] *s* kredens

**side·car** [`saɪd ka(r)] *s* przyczepa motocyklowa

**side-glance** [`saɪd glans] *s* spojrzenie z ukosa

**side-is·sue** [`saɪd ɪʃu] *s* sprawa uboczna

**side-light** [`saɪd laɪt] *s* światło boczne

**side·long** [`saɪdlɔŋ] *adj* boczny, skośny; *adv* bokiem, na ukos

**side-track** [`saɪd træk] *s* boczny tor; *vt* przesunąć na boczny tor; *pot.* zmienić temat rozmowy

**side·view** [`saɪd vju] *s* widok z boku

**side-walk** [`saɪdwɔk] *s am.* chodnik

**side·wards** [`saɪdwɜdz], **side·ways** [`saɪdweɪz] *adv* bokiem; na bok

**side-whis·kers** [`saɪd wɪskəz] *s pl* bokobrody

**side·wise** [`saɪdwaɪz] = **sidewards**

**sid·ing** [`saɪdɪŋ] *s* bocznica

**siege** [sidʒ] *s* oblężenie; **to lay** ~ przystąpić do oblężenia (**to a town** miasta); **to raise the** ~ zaprzestać oblężenia

**sieve** [siv] *s* sito; *vt* przesiewać

**sift** [sɪft] *vt* przesiewać; *przen.* selekcjonować; dokładnie badać

**sigh** [saɪ] *vi* wzdychać; tęsknić (**after, for sth** do czegoś); *s* westchnienie

**sight** [saɪt] *s* widok; wzrok; *pot.* wielka ilość, masa; **at first** ~ na pierwszy rzut oka; **at** ~ natychmiast, bez przygotowania; *handl.* za okazaniem; **by** ~ z widzenia; **in** ⟨**within**⟩ ~ w polu widzenia; **out of** ~ poza zasięgiem wzroku; **to catch** ⟨**get**⟩ **(a)** ~ zobaczyć (**of sth** coś); spostrzec; **to come into** ~ ukazać się; **to keep out of** ~ ukrywać (się), chować (się); **to lose** ~ stracić z oczu (**of sth** coś); **to**

see ~s oglądać osobliwości (miasta); *vt* zobaczyć, obserwować; celować (z broni palnej)
**sight·ly** [ˋsaɪtlɪ] *adj* przyjemny dla oka, ujmujący; widoczny
**sight·see·ing** [ˋsaɪtsiɪŋ] *s* zwiedzanie (np. miasta)
**sight·seer** [ˋsaɪtsiə(r)] *s* turysta, zwiedzający
**sign** [saɪn] *s* znak, objaw, symbol; szyld; skinienie; **by ~s** na migi; **in ~** na znak; *vt vi* znaczyć, znakować, dawać znak; podpisywać; **~ away** przepisać (własność, prawa); **~ up** zapisać się (**for sth** na coś)
**sig·nal** [ˋsɪgnl] *s* sygnał; *vt vi* dawać sygnały, sygnalizować; *adj* znakomity, wybitny
**sig·nal·ize** [ˋsɪgnḷaɪz] *vt* wyróżniać, uświetniać
**sig·na·to·ry** [ˋsɪgnətrɪ] *adj* podpisujący (np. umowę); *s* sygnatariusz
**sig·na·ture** [ˋsɪgnətʃə(r)] *s* sygnatura, podpis; **~ tune** *radio* melodia rozpoczynająca program; *muz.* oznaczenie tonacji
**sign·board** [ˋsaɪnbɔd] *s* szyld, wywieszka
**sig·nif·i·cance** [sɪgˋnɪfɪkəns] *s* znaczenie, doniosłość
**sig·nif·i·cant** [sɪgˋnɪfɪkənt] *adj* mający znaczenie, doniosły, ważny
**sig·ni·fi·ca·tion** [ˈsɪgnɪfɪˋkeɪʃn] *s* znaczenie, sens
**sig·nif·i·ca·tive** [sɪgˋnɪfɪkətɪv] *adj* znaczący, oznaczający (**of sth** coś)
**sig·ni·fy** [ˋsɪgnɪfaɪ] *vt* znaczyć, oznaczać; *vi* znaczyć, mieć znaczenie, dawać do zrozumienia
**sign·post** [ˋsaɪnpuəst] *s* drogowskaz
**si·lence** [ˋsaɪləns] *s* milczenie, cisza; **in ~** milcząco; **to keep ~** zachować ciszę; **to pass over in ~** pominąć ⟨zbyć⟩ milczeniem; **to put to ~** zmusić do milczenia; *vt* skłonić do milczenia; uspokoić, uciszyć; **~!** proszę o spokój!; cisza!
**si·lenc·er** [ˋsaɪlənsə(r)] *s* tłumik
**si·lent** [ˋsaɪlənt] *adj* milczący
**sil·hou·ette** [ˈsɪluˋet] *s* sylweta
**sil·i·ca** [ˋsɪlɪkə] *s chem.* krzemionka
**sil·i·con** [ˋsɪlɪkən] *s chem.* krzem
**silk** [sɪlk] *s* jedwab
**silk·en** [ˋsɪlkən], **silk·y** [ˋsɪlkɪ] *adj* jedwabisty; delikatny, miękki
**sill** [sɪl] *s* próg; parapet
**sil·ly** [ˋsɪlɪ] *adj* głupi, niedorzeczny
**si·lo** [ˋsaɪləʊ] *s techn.* silos
**silt** [sɪlt] *s* osad, muł; *vt vi* zamulić (się)
**sil·ver** [ˋsɪlvə(r)] *s* srebro; *adj attr* srebrny, srebrzysty; *vt vi* srebrzyć (się)
**sil·ver-plate** [ˈsɪlvə ˋpleɪt] *s zbior.* srebro stołowe
**sil·ver·smith** [ˋsɪlvəsmɪθ] *s* wytwórca ⟨sprzedawca⟩
**sim·i·lar** [ˋsɪmɪlə(r)] *adj* podobny
**sim·i·lar·i·ty** [ˈsɪmɪˋlærətɪ] *s* podobieństwo
**sim·i·le** [ˋsɪmḷɪ] *s* porównanie
**si·mil·i·tude** [sɪˋmɪlɪtjud] *s* podobieństwo
**sim·mer** [ˋsɪmə(r)] *vi* gotować się; *przen.* być podnieconym; *vt* gotować na wolnym ogniu
**sim·per** [ˋsɪmpə(r)] *vi* uśmiechać się sztucznie ⟨obłudnie⟩; *s* wymuszony uśmiech
**sim·ple** [ˋsɪmpl] *adj* prosty; naturalny; naiwny
**sim·ple·ton** [ˋsɪmpltən] *s* prostak, głuptas
**sim·plic·i·ty** [sɪmˋplɪsətɪ] *s* prostota; naiwność
**sim·pli·fy** [ˋsɪmplɪfaɪ] *vt* upraszczać, ułatwiać
**sim·ply** [ˋsɪmplɪ] *adv* prosto; po prostu
**sim·u·late** [ˋsɪmjuleɪt] *vt* symulować; naśladować
**si·mul·ta·ne·ous** [ˈsɪmlˋteɪnɪəs] *adj* równoczesny
**sin** [sɪn] *s* grzech; *vi* grzeszyć
**since** [sɪns] *adv* (*także* **ever ~**) od owego ⟨tego⟩ czasu; ... temu;

long ~ dawno temu; many years ~ wiele lat temu; *praep* od (określonego czasu); ~ **Sunday** od niedzieli; ~ **when?** od kiedy?; *conj* odkąd; ponieważ, skoro; ~ **I last saw you** odkąd cię widziałem

**sin·cere** [sɪn'sɪə(r)] *adj* szczery

**sin·cer·i·ty** [sɪn'serətɪ] *s* szczerość

**sine** [saɪn] *s mat.* sinus

**sin·ew** ['sɪnju] *s* ścięgno; *przen.* tężyzna, energia

**sin·ew·y** ['sɪnjuɪ] *adj* muskularny, silny

**sin·ful** ['sɪnfl] *adj* grzeszny

***sing** [sɪŋ], **sang** [sæŋ], **sung** [sʌŋ] *vt vi* śpiewać

**singe** ['sɪndʒ] *vt vi* (*p praes* **singeing** ['sɪndʒɪŋ] przypalić (się), przypiec (się); opalić (się)

**sing·er** ['sɪŋə(r)] *s* śpiewak

**sin·gle** ['sɪŋgl] *adj* pojedynczy; sam jeden; oddzielny; jedyny w swym rodzaju; nieżonaty; niezamężna; *s* bilet w jedną stronę; *sport* gra pojedyncza; *vt* ~ **out** wyróżnić, wydzielić

**sin·gle·ness** ['sɪŋglnəs] *s* jedność; prostota, szczerość; stan bezżenny

**sing·song** ['sɪŋsoŋ] *s* monotonny śpiew, monotonna recytacja

**sin·gu·lar** ['sɪŋgjulə(r)] *adj* pojedynczy; szczególny, niezwykły, dziwny; *s gram.* liczba pojedyncza

**sin·gu·lar·i·ty** [ˌsɪŋgju'lærətɪ] *s* niezwykłość, osobliwość

**sin·is·ter** ['sɪnɪstə(r)] *adj* złowieszczy, ponury

***sink** [sɪŋk], **sank** [sæŋk], **sunk** [sʌŋk] *vt vi* zanurzyć (się); topić (się), tonąć; opadać; pogrążać (się); zanikać, słabnąć; *handl. i prawn.* umarzać; *s* zlew; ściek

**sink·ing-fund** ['sɪŋkɪŋ fʌnd] *s* fundusz amortyzacyjny

**sin·ner** ['sɪnə(r)] *s* grzesznik

**sin·u·ate** ['sɪnjuət] *adj* kręty

**sin·u·os·i·ty** [ˌsɪnju'osətɪ] *s* zakręt; linia falista

**sin·u·ous** ['sɪnjuəs] *adj* kręty, wijący się

**sip** [sɪp] *vt* wolno pić, sączyć (np. kawę); *s* łyczek

**si·phon** ['saɪfən] *s* syfon

**sir** [sɜ(r)] *s* (*bez imienia i nazwiska*) pan(ie), proszę pana!; (*przed imieniem lub imieniem z nazwiskiem*) tytuł szlachecki: np. **Sir Winston Churchill; Yes, Sir** tak, proszę pana!; **Sir, it is my duty...** Panie, moim obowiązkiem jest...; (*w listach*) **(Dear) Sir!** Szanowny Panie

**si·ren** ['saɪərən] *s* syrena

**sis·kin** ['sɪskɪn] *s zool.* czyżyk

**sis·ter** ['sɪstə(r)] *s* siostra

**sis·ter-in-law** ['sɪstr ɪn lɔ] *s* szwagierka, bratowa

***sit** [sɪt], **sat, sat** [sæt] *vi* siedzieć; zasiadać; (*o ubraniu*) leżeć; mieć sesję, obradować; studiować (**under sb** pod czyimś kierunkiem); pozować (**to a painter for one's portrait** malarzowi do portretu); **to ~ for an examination** zasiadać do egzaminu; **to ~ in judgment** wyrokować; **to ~ on a committee** zasiadać w komitecie; ~ **down** siadać, usiąść; ~ **out** siedzieć na zewnątrz; wysiedzieć do końca; ~ **through** siedzieć przez cały czas, przesiedzieć; ~ **up** podnieść się (w łóżku); nie spać, czuwać, przesiadywać do późna

**sit-down** ['sɪtdaun] *adj attr:* ~ **strike** strajk okupacyjny

**site** [saɪt] *s* położenie; miejscowość; działka, parcela; miejsce

**sit·ting** ['sɪtɪŋ] *s* siedzenie; posiedzenie

**sit·ting-room** ['sɪtɪŋ rum] *s* bawialnia, salonik

**sit·u·ate** ['sɪtʃueɪt] *vt* umieszczać

**sit·u·at·ed** ['sɪtʃueɪtɪd] *adj* położony; sytuowany; **badly ~** (znajdujący się) w ciężkiej sytuacji

**sit·u·a·tion** [ˌsɪtʃu'eɪʃn] *s* sytuacja, położenie; stanowisko

**six** [sɪks] *num* sześć; *s* szóstka;

**at ~es and sevens** w zupełnym zamieszaniu

**six·pence** [`sıkspəns] *s* sześciopensówka (moneta)

**six·teen** ['sık`stin] *num* szesnaście; szesnastka

**six·teenth** ['sık`stinθ] *adj* szesnasty

**sixth** [`sıksθ] *adj* szósty

**six·ti·eth** [`sıkstıəθ] *adj* sześćdziesiąty

**six·ty** [`sıkstı] *num* sześćdziesiąt

**siz·able** [`saızəbl] *adj* wielki, pokaźnych rozmiarów

**size 1.** [saız] *s* rozmiar, wielkość; format; wymiar; *vt* szacować według rozmiaru

**size 2.** [saız] *s* klej; *vt* kleić

**skate** [skeıt] *vi* ślizgać się (na łyżwach); *s* łyżwa; (*także* **roller-~**) wrotka

**skat·ing-ground** [`skeıtıŋ graund], **skat·ing-rink** [`skeıtıŋ rıŋk] *s* lodowisko; tor łyżwiarski

**skein** [skeın] *s* motek, pasmo (przędzy); *przen.* plątanina

**skel·e·ton** [`skelıtən] *s dosł. i przen.* szkielet, kościotrup; zarys; **~ key** wytrych

**sketch** [sketʃ] *s* rysunek, szkic; skecz; *vt* kreślić, szkicować

**sketch-book** [`sketʃ buk] *s* szkicownik

**sketch·er** [`sketʃə(r)] *s* kreślarz

**sketch·y** [`sketʃı] *adj* zrobiony w zarysie, szkicowy, pobieżny

**ski** [ski] *s* narty; *vi* jeździć na nartach

**skid** [skıd] *s* podpórka; klocek hamulcowy; pochylnia; ześlizg; poślizg; *lotn.* płoza; *vt* hamować; *vi* pośliznąć się; (*o samochodzie*) zarzucić, wpaść w poślizg

**ski·er** [`skiə(r)] *s* narciarz

**ski·ing** [`skiıŋ] *s* narciarstwo

**skil·ful** [`skılfl] *adj* zręczny; **to be ~ at sth** dobrze coś umieć

**skill** [skıl] *s* zręczność, sprawność, umiejętność

**skilled** [skıld] *adj* wprawny; (*o pracy*) fachowy; (*o robotniku*) wykwalifikowany

**skim** [skım] *vt* zbierać (śmietanę); szumować; *vi* lekko dotykać powierzchni; przerzucać (książkę)

**skim-milk** [`skımmılk] *s* mleko zbierane

**skin** [skın] *s* skóra (na ciele), skórka (rośliny); *vt* zdjąć skórę, obedrzeć ze skóry

**skin·ny** [`skını] *adj* chudy

**skip** [skıp] *vt vi* skakać, przeskakiwać; opuszczać, pomijać; *s* skok

**skip·per** [`skıpə(r)] *s* kapitan statku handlowego

**skip·ping-rope** [`skıpıŋ rəup] *s* skakanka

**skir·mish** [`skɜmıʃ] *s* potyczka

**skirt** [skɜt] *s* spódnica; poła

**skit·tle** [`skıtl] *s* (*także* **~-pin**) kręgiel; *pl* **~s** ⟨**~-pins**⟩ gra w kręgle

**skulk** [skʌlk] *vi* czaić się, kryć się

**skull** [skʌl] *s* czaszka

**skunk** [skʌŋk] *s zool.* skunks; skunksy (futro)

**sky** [skaı] *s* niebo; **under the open ~** pod gołym niebem

**sky·lark** [`skaılak] *s* skowronek; *vi* psocić, swawolić

**sky·light** [`skaı laıt] *s* okno w suficie, świetlik

**sky·line** [`skaı laın] *s* linia horyzontu; sylweta (np. miasta) na tle nieba

**sky·scrap·er** [`skaı skreıpə(r)] *s* drapacz chmur, wieżowiec

**sky·wards** [`skaıwədz] *adv* ku niebu, wzwyż

**sky·way** [`skaıweı] *s* droga powietrzna

**slab** [slæb] *s* płyta

**slack** [slæk] *adj* wiotki, słaby; ospały, leniwy; *s* zastój, bezczynność; miał węglowy; *pl* **~s** spodnie

**slack·en** [`slækən] *vt vi* słabnąć, maleć; popuszczać, rozluźniać; zwalniać (tempo)

**slain** *zob.* **slay**

**slake** [sleık] *vt* gasić, lasować

(wapno); gasić (pragnienie); opaść, osłabnąć

**slam** [slæm] *vt vi* trzaskać (np. drzwiami), zatrzaskiwać (się), gwałtownie zamykać; *s* trzaśnięcie, trzask; (*w kartach*) szlem

**slan·der** [ˈslandə(r)] *s* potwarz; *vt* rzucać oszczerstwa

**slan·der·er** [ˈslandərə(r)] *s* oszczerca

**slan·der·ous** [ˈslandərəs] *adj* oszczerczy

**slang** [slæŋ] *s* slang, żargon

**slant** [slant] *vi* skośnie padać, być nachylonym; *vt* nadawać skośny kierunek, nachylać; *adj* skośny, nachylony; *s* skośny kierunek, skos, nachylenie

**slap** [slæp] *vt* klepać, uderzać dłonią; ~ **down** położyć z trzaskiem; *s* klaps, uderzenie dłonią; *przen.* ~ **in the face** policzek

**slap·dash** [ˈslæpdæʃ] *adv* niedbale, byle jak; *adj attr* niedbały, byle jaki; *s* fuszerka, robota na kolanie; *vt* robić coś na kolanie, fuszerować

**slash** [slæʃ] *vt* ciąć, smagać, kaleczyć; *s* cięcie, szrama

**slash·ing** [ˈslæʃɪŋ] *adj* cięty, zjadliwy; okrutny

**slat 1.** [slæt] *s* deszczułka, listewka

**slat 2.** [slæt] *vi* trzepotać, łopotać

**slate 1.** [sleɪt] *vt pot.* besztać, ganić

**slate 2.** [sleɪt] *s* łupek; dachówka z łupku; *vt* pokrywać łupkiem

**slaugh·ter** [ˈslɔtə(r)] *s* rzeź; ubój; *vt* zarzynać; mordować

**slaugh·ter-house** [ˈslɔtə haus] *s* rzeźnia

**Slav** [slav] *s* Słowianin; *adj* słowiański

**slave** [sleɪv] *s* niewolnik; *vi* pracować niewolniczo, harować ponad siły; *vt* zmuszać do pracy niewolniczej

**slave-driv·er** [ˈsleɪv draɪvə(r)] *s* nadzorca niewolników

**slav·er 1.** [ˈsleɪvə(r)] *s* handlarz niewolnikami

**slav·er 2.** [ˈsleɪvə(r)] *vi* ślinić się; *vt* poślinić; *s* ślina

**slav·e·ry** [ˈsleɪvərɪ] *s* niewolnictwo

**Slav·ic** [ˈslavɪk] *adj* słowiański

**slav·ish** [ˈsleɪvɪʃ] *adj* niewolniczy

**Sla·von·ic** [sləˈvonɪk] *adj* słowiański; *s* język słowiański

***slay** [sleɪ], **slew** [slu], **slain** [sleɪn] *vt* zabijać

**sled** [sled] *s* sanie, sanki; *vi* jechać saniami; saneczkować się; *vt* przewozić saniami

**sledge 1.** [sledʒ] = **sled**

**sledge 2.** [sledʒ], **sledge-hammer** [ˈsledʒ hæmə(r)] *s* młot kowalski

**sleek** [slik] *adj* gładki; *vt* gładzić; łagodzić

***sleep** [slip], **slept, slept** [slept], *vi* spać; *s* sen

**sleep·er** [ˈslipə(r)] *s* człowiek śpiący; wagon sypialny; miejsce sypialne; podkład

**sleep·ing-car** [ˈslipɪŋ ka(r)] *s* wagon sypialny

**sleep·less** [ˈsliplǝs] *adj* bezsenny

**sleep-walk·er** [ˈslip wɔkə(r)] *s* lunatyk

**sleep·y** [ˈslipɪ] *adj* senny, śpiący; ospały

**sleep·y·head** [ˈslipɪ hed] *s* śpioch

**sleet** [slit] *s* deszcz ze śniegiem; *v imp* **it** ~**s** pada deszcz ze śniegiem

**sleeve** [sliv] *s* rękaw; *przen.* **to laugh up one's** ~ śmiać się w kułak

**sleigh** [sleɪ] *s* sanie, sanki; *vi* jechać saniami; saneczkować się

**slen·der** [ˈslendə(r)] *adj* wysmukły, szczupły; cienki

**slept** *zob.* **sleep**

**sleuth** [sluθ] *s* pies policyjny; detektyw, szpicel

**slew** *zob.* **slay**

**slice** [slaɪs] *s* kromka, płat, płatek (np. szynki); *vt* cienko krajać

**slick** [slɪk] *adj* gładki, zręczny, układny; *adv* gładko; wprost; od razu; całkowicie

* **slide** [slaɪd], **slid, slid** [slɪd] *vi* poślizgnąć się, ślizgać się, sunąć; *vt* posuwać, zsuwać; *s* poślizgnięcie się; śliski zjazd; tor saneczkowy; suwak; przeźrocze; szkiełko w mikroskopie; *fot.* slajd

**slide-rule** [ˋslaɪd rul] *s mat.* suwak logarytmiczny

**slight** [slaɪt] *adj* nieznaczny, drobny, niegodny uwagi; cienki, szczupły; *s* lekceważenie; *vt* lekceważyć, pogardliwie traktować

**slight·ness** [ˋslaɪtnəs] *s* słabość, delikatność; małe znaczenie

**slim** [slɪm] *adj* cienki; smukły; nieistotny, mało znaczący

**slime** [slaɪm] *s* muł; *vt* zamulić

**slim·y** [ˋslaɪmɪ] *adj* mulisty, grząski; *przen.* płaszczący się, służalczy

* **sling** [slɪŋ], **slung, slung** [slʌŋ], [slʌŋ] *vt* rzucać, miotać; zawiesić (np. na ramieniu), zarzucić (na ramię); *s* cios, rzut; rzemień; temblak

* **slink** [slɪŋk], **slunk, slunk** [slʌŋk] *vi* skradać się, przekradać się

**slip 1.** [slɪp] *vi* poślizgnąć się; wśliznąć się, niepostrzeżenie wpaść; przemówić się, zrobić przypadkowy błąd; *vt* niepostrzeżenie wsunąć, ukradkiem włożyć; **to let ~** spuścić, wypuścić (z rąk); **to ~ one's notice** ujść czyjejś uwagi; **~ in** wkraść się; **~ off** ześliznąć się; ujść; zrzucić (z siebie ubranie); **~ out** wymknąć się, wyrwać się; **~ over** wciągnąć, naciągnąć (np. koszulę przez głowę); *s* poślizgnięcie się; wykolejenie; błąd, omyłka, lapsus; świstek (papieru), kartka; pasek; kawałek; *pl* **~s** kąpielówki, slipy

**slip·per** [ˋslɪpə(r)] *s* pantofel (domowy)

**slip·per·y** [ˋslɪpərɪ] *adj* śliski; chwiejny, niestały; nierzetelny

**slip·shod** [ˋslɪpʃod] *adj* niedbały, nieporządny

* **slit, slit, slit** [slɪt] *vt* rozszczepić (podłużnie), rozłupać, rozpłatać, rozpruć; *vi* rozedrzeć się, pęknąć; *s* szczelina, szpara

**slob·ber** [ˋslobə(r)] *vt vi* ślinić (się); roztkliwiać się; partaczyć; *s* ślina (na ustach); rozczulenie się

**slo·gan** [ˋsləugən] *s* slogan, hasło

**slop 1.** [slop] *vt vi* rozlać (się), przelać (się), przelewać się (przez wierzch), zalać; *s* rozlana ciecz, mokra plama; *pl* **~s** pomyje

**slop 2.** [slop] *s* (*zw pl* **~s**) luźna odzież, chałat; tania konfekcja

**slope** [sləup] *s* pochyłość, nachylenie; zbocze; *vt vi* nachylać (się), opadać pochyło, być pochylonym

**sloped** [sləupt] *adj* pochyły, spadzisty

**slop·py** [ˋslopɪ] *adj* błotnisty; niechlujny, zaniedbany

**slop·shop** [ˋslopʃop] *s* sklep z tanią konfekcją

**slop·work** [ˋslopwɜk] *s* wyrób taniej konfekcji, tania konfekcja

**slot** [slot] *s* szczelina, szpara

**sloth** [sləuθ] *s* lenistwo, ospałość; *zool.* leniwiec

**slot-ma·chine** [ˋslot məʃin] *s* automat (sprzedający bilety, papierosy itp.)

**slouch** [slautʃ] *vt* opuścić (np. rondo kapelusza); niedbale zwiesić (np. głowę); *vi* zwisać; chodzić ociężale; *s* zaniedbana powierzchowność; ociężały chód; przygarbienie; *pot.* niedołęga

**slough 1.** [slau] *s* bagno, trzęsawisko

**slough 2.** [slʌf] *s* zrzucona skóra (węża); *vt* zrzucać (skórę); *vi* linieć

**slov·en** [ˋslʌvn] *s* brudas

**slov·en·ly** [ˋslʌvnlɪ] *adj* niechlujny, niedbały

**slow** [sləu] *adj* wolny, powolny; spóźniony, spóźniający się; **to be ~** ociągać się, zwlekać; (*o ze-*

*garku*) późnić się; *vt vi* (*zw.* ~ **down** ⟨**up, off**⟩) zwalniać, zmniejszać szybkość; *adv* wolno, powoli

**slow-worm** [ˋsləuwɜm] *s zool.* padalec

**sludge** [slʌdʒ] *s* gęste błoto, muł

**slug·gard** [ˋslʌgəd] *s* próżniak

**slug·gish** [ˋslʌgɪʃ] *adj* leniwy, ociężały; ciężko myślący

**sluice** [slus] *s* śluza; *vt* puszczać przez śluzę, zalewać

**slum** [slʌm] *s* (*zw. pl* ~**s**) dzielnica ruder

**slum·ber** [ˋslʌmbə(r)] *vi* drzemać; *s* drzemka

**slump** [slʌmp] *s* gwałtowny spadek cen, krach; *vi* (*o cenach*) gwałtownie spaść

**slung** *zob.* **sling**

**slunk** *zob.* **slink**

**slur** [slɜ(r)] *vt* zacierać, tuszować; oczerniać; niewyraźnie wymawiać; *muz.* grać legato; *s* plama; nagana; oszczerstwo; *muz.* legato

**slush** [slʌʃ] *s* śnieg z błotem, chlapa

**slush·y** [ˋslʌʃɪ] *adj* błotnisty, grząski

**slut** [slʌt] *s* niechlujna kobieta, flejtuch

**sly** [slaɪ] *adj* chytry

**smack 1.** [smæk] *s* przedsmak; posmak; *vi* mieć posmak, trącić (**of sth** czymś)

**smack 2.** [smæk] *vt* trzaskać (z bicza); mlaskać, cmokać; chlastać; *s* trzaśnięcie; cmoknięcie; trzepnięcie

**small** [smɔl] *adj* mały, drobny; bardzo młody; nieważny; małostkowy; ~ **change** drobne (pieniądze); ~ **hours** wczesne godziny ranne; ~ **talk** rozmowa o byle czym

**small-pox** [ˋsmɔlpoks] *s med.* ospa

**smart** [smɑt] *vi* boleć; cierpieć, czuć ból; *s* ostry ból; *adj* bolesny, dotkliwy; ostry, bystry; sprytny; elegancki, modny

**smash** [smæʃ] *vt vi* rozbić (się), potłuc, pogruchotać, zniszczyć; *sport* ściąć (piłkę tenisową); *s* gwałtowne uderzenie, rozbicie, zniszczenie, katastrofa; *sport* smecz

**smat·ter·ing** [ˋsmætərɪŋ] *s* powierzchowna wiedza

**smear** [smɪə(r)] *vt* smarować, mazać; *s* plama

***smell** [**smel**], **smelt, smelt** [**smelt**] *vi* pachnieć (**of sth** czymś); *vt* wąchać, węszyć, wietrzyć; czuć zapach (**sth** czegoś); *s* zapach; węch, powonienie

**smell·y** [ˋsmelɪ] *adj pot.* śmierdzący

**smelt 1.** *zob.* **smell**

**smelt 2.** [smelt] *vt* topić, wytapiać (metal)

**smile** [smaɪl] *s* uśmiech; *vi* uśmiechać się (**on, upon sb** do kogoś, **at sth** do czegoś); *vt* wyrazić uśmiechem; ~ **away** rozproszyć uśmiechem

**smirch** [smɜtʃ] *vt* plamić, brudzić; *s* brudne miejsce, plama

**smirk** [smɜk] *vi* uśmiechać się nieszczerze ⟨niemądrze⟩; *s* uśmiech nieszczery ⟨niemądry⟩

***smite** [**smaɪt**], **smote** [**sməut**], **smit·ten** [ˋ**smɪtn**] *vt* uderzać, walić, porazić; ~ **off** odtrącić, strącić; ściąć (głowę); **to be smitten** doznać wstrząsu, przejąć się (**with sth** czymś); zadurzyć się

**smith** [smɪθ] *s* kowal; *vt* kuć

**smith·er·eens** [ˈsmɪðəˋrinz] *s pl pot.* kawałeczki, drzazgi, strzępy

**smith·y** [ˋsmɪθɪ] *s* kuźnia

**smit·ten** *zob.* **smite**

**smock** [smok] *s* chałat, kitel; † koszula damska

**smock-frock** [ˋsmokfrok] *s* chałat, kitel, ubranie robocze

**smog** [smog] *s* mgła zmieszana z dymem, smog

**smoke** [sməuk] *s* dym; kopeć; palenie (papierosa); **to have a** ~ zapalić papierosa ⟨cygaro⟩; *vt vi*

dymić, kopcić; palić (tytoń); wędzić
**smok·er** [ˈsməukə(r)] *s* palacz; *kolej.* przedział dla palących
**smoke-screen** [ˈsməuk skrin] *s* zasłona dymna
**smoke·stack** [ˈsməuk stæk] *s* komin (fabryczny, lokomotywy)
**smok·y** [ˈsməukɪ] *adj* dymiący, dymny
**smooth** [smuð] *adj* gładki, równy; *vt* (*także* **smoothe**) gładzić, wyrównywać
**smote** *zob.* **smite**
**smoth·er** [ˈsmʌðə(r)] *vt vi* dusić (się), dławić (się); tłumić; *s* dławiący dym; chmura dymu ⟨kurzu⟩; *przen.* **from the smoke into the ~** z deszczu pod rynnę
**smoul·der** [ˈsməuldə(r)] *vi* tlić się; *s* tlący się ogień
**smudge 1.** [smʌdʒ] *vt* plamić, brudzić; *s* plama, brudne miejsce
**smudge 2.** [smʌdʒ] *s* dławiący dym
**smug** [smʌg] *adj* dufny, zadowolony z siebie, próżny
**smug·gle** [ˈsmʌgl] *vt* przemycać; *vi* uprawiać przemyt
**smug·gler** [ˈsmʌglə(r)] *s* przemytnik
**smut** [smʌt] *s* sadza; brud, plama; *vt* zanieczyścić ⟨zabrudzić⟩ sadzą
**smut·ty** [ˈsmʌtɪ] *adj* zabrudzony ⟨poplamiony⟩ sadzą
**snack** [snæk] *s* zakąska, przekąska; **~ bar** bufet; **to have a ~** przekąsić
**snaf·fle** [ˈsnæfl] *s* uzda; *vt* nałożyć uzdę; *pot.* porwać, zwędzić
**snag** [snæg] *s* pieniek; przeszkoda, zapora
**snag·gy** [ˈsnægɪ] *adj* sękaty
**snail** [sneɪl] *s zool.* ślimak
**snake** [sneɪk] *s zool.* wąż
**snap** [snæp] *vt vi* chwycić, porwać; trzasnąć, uderzyć; zatrzasnąć się; *fot.* zrobić migawkowe zdjęcie; rozerwać (się), rozłupać (się); ugryźć; **~ off** odgryźć; nagle oderwać; przerwać; *s* trzaśnięcie; porwanie; zatrzask; *fot.* zdjęcie migawkowe; *adj* nagły, niespodziewany; zaskakujący
**snap-fas·ten·er** [ˈsnæp fɑsnə(r)] *s* zatrzask (do ubrania)
**snap-lock** [ˈsnæp lok] *s* zatrzask (u drzwi)
**snap·py** [ˈsnæpɪ] *adj* zgryźliwy, zjadliwy; żywy, energiczny
**snap-roll** [ˈsnæp rəul] *s lotn.* beczka
**snap·shot** [ˈsnæpʃot] *s fot.* zdjęcie migawkowe
**snare** [sneə(r)] *s* pułapka, sidła; *vt* złapać w sidła, usidlić
**snarl 1.** [snɑl] *vi* warczeć; *s* warczenie
**snarl 2.** [snɑl] *s* węzeł; plątanina; *vt* zaplątać, zagmatwać
**snatch** [snætʃ] *vt* porwać, urwać; *vi* chwytać się (**at sth** czegoś); *s* szybki chwyt; kęs; urywek
**sneak** [snik] *vi* wkradać się; *pot.* skarżyć (**on sb** na kogoś); *s* nikczemnik; *pot.* donosiciel, skarżypyta
**sneer** [snɪə(r)] *vi* szyderczo się śmiać (**at sb, sth** z kogoś, czegoś); *s* szyderczy uśmiech
**sneer·ing·ly** [ˈsnɪərɪŋlɪ] *adv* szyderczo
**sneeze** [sniz] *vi* kichać; *s* kichnięcie
**snick·er** [ˈsnɪkə(r)] = **snigger**
**sniff** [snɪf] *vt* wąchać, węszyć; *vi* pociągać nosem
**snif·fle** [ˈsnɪfl] *vi* = **snuffle**
**snif·fy** [ˈsnɪfɪ] *adj pot.* pogardliwy; śmierdzący
**snig·ger** [ˈsnɪgə(r)] *vi* chichotać; *s* chichot
**snip** [snɪp] *vt* ciąć nożycami; *s* cięcie; skrawek; *pot.* okazja
**snipe**[1] [snaɪp] *s* (*pl* ~) *zool.* bekas
**snipe**[2] [snaɪp] *vi* strzelać z ukrycia ⟨z dalekiej odległości⟩ (**at sb, sth** do kogoś, czegoś)
**snip·er** [ˈsnaɪpə(r)] *s* strzelec wyborowy, snajper
**sniv·el** [ˈsnɪvl] *vi* pociągać nosem; biadolić; pochlipywać; *s* pochlipywanie
**snob** [snob] *s* snob

**snob·ber·y** [ˋsnobərɪ] *s* snobizm
**snooze** [snuz] *s pot.* drzemka; *vi pot.* drzemać; zdrzemnąć się
**snore** [snɔ(r)] *vi* chrapać; *s* chrapanie
**snort** [snɔt] *vi* parskać, sapać
**snout** [snaut] *s* pysk; *techn.* wlot, dysza
**snow** [snəu] *s* śnieg; *vi* (*o śniegu*) padać; *vt* przysypać śniegiem
**snow·ball** [ˋsnəubɔl] *s* kula śniegowa; **to play at ~s** bawić się w śnieżki
**snow·drop** [ˋsnəudrop] *s bot.* śnieżyczka; przebiśnieg
**snow·flake** [ˋsnəufleɪk] *s* płatek śniegu
**snow-man** [ˋsnəumæn] *s* bałwan śniegowy
**snow-slide** [ˋsnəu slaɪd] *s* lawina śnieżna
**snow-storm** [ˋsnəu stɔm] *s* burza śnieżna; zadymka
**snow·y** [ˋsnəuɪ] *adj* śnieżny, śnieżysty
**snub** [snʌb] *vt* zrobić afront, *pot.* dać po nosie; *s* ofuknięcie; afront
**snub-nose** [ˊsnʌb ˋnəuz] *s* perkaty nos
**snuff** [snʌf] *vt vi* pociągać nosem, wąchać; zażywać tabaki; *s* tabaka, szczypta tabaki
**snuff-box** [ˋsnʌf boks] *s* tabakiera
**snuf·fle** [ˋsnʌfl] *vi* ciężko oddychać (przez nos), sapać; mówić przez nos
**snug** [snʌg] *adj* miły, wygodny; przytulny; (*o ubraniu*) przylegający; *vt vi* tulić (się), wygodnie ułożyć (się)
**so** [səu] *adv* tak, w ten sposób; **so as to** ażeby, żeby; **so far** dotąd, na razie; **so far as** o ile; **so long as** jak długo; o ile; **so much for that** dość tego; **so much more** tym więcej; **so much the better** o tyle lepiej; **not so much** nie tak wiele; ani nawet; **he would not so much as talk to me** on nawet mówić ze mną nie chciał; *zastępuje wyrażoną poprzednio myśl*: **he is honest but his partner is not so** on jest uczciwy, ale jego wspólnik nie jest (uczciwy); **or so** mniej więcej; **5 pounds or so** mniej więcej 5 funtów; **so so** tak sobie; **so and so** taki a taki, ten a ten; **so to say** że tak powiem; **so long!** tymczasem!; do widzenia!; **just ⟨quite⟩ so!** tak właśnie!, racja!; *conj* więc, a więc; **she asked me to go, so I went** prosiła żebym poszedł, więc poszedłem
**soak** [səuk] *vt* zmoczyć, zamoczyć, przemoczyć, namoczyć; *vi* zamoknąć, nasiąknąć wilgocią; *pot.* chlać; **to get a nice ~ing** przemoknąć do nitki
**soap** [səup] *s* mydło; *vt vi* namydlić, mydlić (się)
**soap·y** [ˋsəupɪ] *adj* mydlany
**soar** [sɔ(r)] *vi* unosić się, wzbijać się, ulatać
**sob** [sob] *vi* łkać, szlochać; *s* szloch
**so·ber** [ˋsəubə(r)] *adj* trzeźwy; trzeźwo myślący, rozumny; **as ~ as a judge** zupełnie trzeźwy; śmiertelnie poważny; *vt* otrzeźwić; *vi* wytrzeźwieć; **~ down** opamiętać się
**so·bri·e·ty** [səˋbraɪətɪ] *s* trzeźwość, rozsądek
**soc·cer** [ˋsokə(r)] *s pot. sport* piłka nożna
**so·cia·ble** [ˋsəuʃəbl] *adj* towarzyski; przyjacielski, miły
**so·cial** [ˋsəuʃl] *adj* socjalny, społeczny; towarzyski; **~ welfare worker** społecznik, działacz społeczny; **~ security** ubezpieczenia społeczne
**so·cial·ism** [ˋsəuʃḷɪzm] *s* socjalizm
**so·cial·ist** [ˋsəuʃḷɪst] *adj* socjalistyczny; *s* socjalista
**so·cial·is·tic** [ˊsəuʃəˋlɪstɪk] *adj* socjalistyczny
**so·cial·ize** [ˋsəuʃḷaɪz] *vt* socjalizować, uspołeczniać
**so·ci·e·ty** [səˋsaɪətɪ] *s* społeczeństwo; towarzystwo

**so·ci·o·log·i·cal** [ˈsəusɪəˋlodʒɪkl] *adj* socjologiczny
**so·ci·ol·o·gist** [ˈsəusɪˋolədʒɪst] *s* socjolog
**so·ci·ol·o·gy** [ˈsəusɪˋolədʒɪ] *s* socjologia
**sock** [sok] *s* skarpetka; *przen.* **to pull up one's ~s** wziąć się w garść
**sock·et** [ˋsokɪt] *s* wgłębienie, jama; *techn.* gniazdko; oprawka
**sod** [sod] *s* darnina, gruda darniny
**so·da** [ˋsəudə] *s* soda; **~ water** woda sodowa
**so·di·um** [ˋsəudɪəm] *s chem.* sód
**so·fa** [ˋsəufə] *s* sofa
**soft** [soft] *adj* miękki, łagodny, przyjemny, delikatny; cichy; **~ drink** napój bezalkoholowy
**soft-boiled** [ˈsoft ˋbɔɪld] *adj (o jajku)* ugotowany na miękko
**soft·en** [ˋsofn] *vt* zmiękczyć, złagodzić; *vi* mięknąć, łagodnieć
**sog·gy** [ˋsogɪ] *adj* rozmokły, mokry
**soil 1.** [sɔɪl] *s* gleba, ziemia
**soil 2.** [sɔɪl] *vt vi* plamić (się), brudzić (się); *s* plama, brud
**so·journ** [ˋsodʒən] *s* pobyt; *vi* przebywać
**so·lace** [ˋsolɪs] *vt* pocieszać; *s* pocieszenie, pociecha
**so·lar** [ˋsəulə(r)] *adj* słoneczny
**sold** *zob.* **sell**
**sol·der** [ˋsoldə(r)] *vt* lutować, spawać; *s* lut
**sol·der·ing-iron** [ˋsoldrɪŋ aɪən] *s* kolba lutownicza
**sol·dier** [ˋsəuldʒə(r)] *s* żołnierz; *vi* służyć w wojsku, być żołnierzem
**sole 1.** [səul] *s* podeszwa, zelówka; *vt* zelować
**sole 2.** [səul] *adj* jedyny, wyłączny
**sole 3.** [səul] *s zool.* sola (ryba)
**so·le·cism** [ˋsolɪsɪzm] *s* błąd językowy
**sol·emn** [ˋsoləm] *adj* uroczysty
**so·lem·ni·ty** [səˋlemnətɪ] *s* uroczystość
**sol·em·nize** [ˋsoləmnaɪz] *vt* święcić, uroczyście obchodzić
**so·lic·it** [səˋlɪsɪt] *vt* ubiegać się (**sth** o coś), usilnie prosić (**sb for sth, sth from sb** kogoś o coś)
**so·lic·i·ta·tion** [səˈlɪsɪˋteɪʃn] *s* molestowanie, nagabywanie, starania, zabiegi
**so·lic·i·tor** [səˋlɪsɪtə(r)] *s* adwokat (występujący w niższych instancjach); *am. handl.* akwizytor; *bryt.* **Solicitor General** zastępca rzecznika Korony (najwyższy radca prawny)
**so·lic·i·tous** [səˋlɪsɪtəs] *adj* troskliwy; zatroskany (**about, for sth** o coś); chcący, pragnący (**of sth** czegoś)
**so·lic·i·tude** [səˋlɪsɪtjud] *s* troska, troskliwość
**sol·id** [ˋsolɪd] *adj* solidny; masywny; stały, trwały; poważny; pewny; *mat.* trójwymiarowy; **~ geometry** stereometria; *s* ciało stałe; *mat.* bryła
**sol·i·dar·i·ty** [ˈsolɪˋdærətɪ] *s* solidarność
**so·lid·i·ty** [səˋlɪdətɪ] *s* solidność, masywność, trwałość
**so·lil·o·quy** [səˋlɪləkwɪ] *s* monolog
**sol·i·tar·y** [ˋsolɪtrɪ] *adj* samotny; *s* samotnik
**sol·i·tude** [ˋsolɪtjud] *s* samotność
**sol·stice** [ˋsolstɪs] *s* przesilenie dnia z nocą
**sol·u·ble** [ˋsoljubl] *adj* rozpuszczalny
**so·lu·tion** [səˋluʃn] *s* rozwiązanie (np. problemu); rozłączenie; przerwanie; rozpuszczenie; *chem.* roztwór
**solve** [solv] *vt* rozwiązać
**sol·ven·cy** [ˋsolvənsɪ] *s* wypłacalność
**sol·vent** [ˋsolvənt] *adj chem.* rozpuszczający; *handl.* wypłacalny; *s chem.* rozpuszczalnik
**som·bre** [ˋsombə(r)] *adj* ciemny; ponury

**some** [sʌm] *adj pron* pewien, jakiś, niejaki; trochę, nieco, kilka; część; *adv* około, mniej więcej

**some·bod·y** [`sʌmbədɪ] *pron* ktoś

**some·way** [`sʌmweɪ] *adv* jakoś

**some·one** [`sʌmwʌn] *pron* ktoś

**som·er·sault** [`sʌməsɔlt] *s* koziołek; **to turn a ~** przekoziołkować, wywrócić koziołka

**some·thing** [`sʌmθɪŋ] *pron* coś; *adv* trochę, nieco; (*także* **~ like**) mniej więcej

**some·time** [`sʌmtaɪm] *adv* niegdyś, kiedyś; *adj attr* były

**some·times** [`sʌmtaɪmz] *adv* czasem, niekiedy

**some·way** [`sʌmweɪ] *adv* jakoś

**some·what** [`sʌmwot] *adv* nieco, poniekąd

**some·where** [`sʌmweə(r)] *adv* gdzieś; **~ else** gdzieś indziej

**son** [sʌn] *s* syn

**song** [soŋ] *s* śpiew; pieśń

**song·ster** [`soŋstə(r)] *s* śpiewak

**son-in-law** [`sʌn ɪn lɔ] *s* zięć

**son·net** [`sonɪt] *s* sonet

**son·ny** [`sʌnɪ] *s* synek

**so·no·rous** [sə`nɔrəs] *adj* dźwięczny, donośny

**soon** [sun] *adv* wkrótce; wcześnie; szybko; **as ~ as** skoro tylko; **as ~ as possible** możliwie najwcześniej; **as ~** chętnie; **I would as ~ ...** chętnie bym ...; **~er** chętniej; **I would ~er ...** chętniej ⟨raczej⟩ bym ...; **no ~er than** natychmiast potem jak, ledwo

**soot** [sut] *s* sadza; *vt* zabrudzić sadzą

**sooth** [suθ] *s lit.* prawda; **in (good) ~** naprawdę

**soothe** [suð] *vt* łagodzić, koić; pochlebiać

**sooth·say·er** [`suθ seɪə(r)] *s* wróżbita

**sop** [sop] *s* maczanka; *przen.* łapówka; *vt* maczać, rozmoczyć; *vi* być przemoczonym; **~ up** zbierać ⟨wycierać⟩ płyn (np. gąbką)

**so·phis·ti·cate** [sə`fɪstɪkeɪt] *vi* używać sofizmatów; *vt* przekręcać (np. tekst); fałszować

**so·phis·ti·cat·ed** [sə`fɪstɪkeɪtɪd] *adj* wyszukany, wymyślny, przemądrzały, wyrafinowany

**soph·ist·ry** [`sofɪstrɪ] *s* sofistyka

**so·po·rif·ic** ['sopə`rɪfɪk] *adj* nasenny; *s* środek nasenny

**sorb** [sɔb] *s bot.* jarzębina

**sor·cer·er** [`sɔsərə(r)] *s* czarodziej, czarnoksiężnik

**sor·cer·y** [`sɔsərɪ] *s* czarnoksięstwo

**sor·did** [`sɔdɪd] *adj* brudny; podły; skąpy

**sor·dine** [sɔ`din] *s muz.* tłumik

**sore** [sɔ(r)] *adj* bolesny, wrażliwy; rozdrażniony, zmartwiony; drażliwy; **he has a ~ throat ⟨head⟩** boli go gardło ⟨głowa⟩; *s* bolesne miejsce, otarcie, rana; *przen.* bolesne ⟨przykre⟩ wspomnienie

**sor·rel** [`sorl] *s bot.* szczaw

**sor·row** [`sorəu] *s* smutek; *vi* smucić się (**at ⟨for, over⟩ sth** czymś)

**sor·row·ful** [`sorəufl] *adj* smutny; żałosny

**sor·ry** [`sorɪ] *adj* smutny; zmartwiony; **to be ~** żałować (**for sb, sth** kogoś, czegoś); **to be ~** martwić się (**about sth** czymś); **(I am) ~** przykro mi, przepraszam; **I am ~ for you** żal mi ciebie; **I am ~ to tell you that ...** z przykrością muszę ci powiedzieć, że ...

**sort** [sɔt] *s* rodzaj, jakość, gatunek; **in a ~** w pewnej mierze, w pewnym sensie; **nothing of the ~** nic podobnego; **of all ~s** wszelkiego rodzaju; **out of ~s** w złym nastroju; *pot.* **~ of** coś w tym rodzaju, jakiś tam; **what ~ of ...?** jaki to ...?; **he is the right ~** to jest odpowiedni człowiek; *vt* sortować; *vi* zgadzać się; być stosowanym (**with sth** do czegoś)

**sor·tie** [`sɔtɪ] *s wojsk.* wypad; *lotn.* lot bojowy

**so-so** [`səu səu] *adj* taki sobie; *adv* tak sobie, jako tako

**sot** [sot] *s* pijaczyna; *vi* pić nałogowo

**sot·tish** [ˋsotɪʃ] *adj* ogłupiony alkoholem, głupi

**sought** *zob.* **seek**

**soul** [səul] *s* dusza; **poor ~** biedaczysko; **All Souls' Day** Zaduszki; **heart and ~** całą duszą; **in my ~ of ~s** w głębi duszy; **to keep body and ~ together** żyć jako tako, wegetować

**sound 1.** [saund] *adj* zdrowy; cały; tęgi; rozsądny; solidny; słuszny; *adv* zdrowo; mocno

**sound 2.** [saund] *s* dźwięk; *vt vi* dźwięczeć, wydawać dźwięki, brzmieć, dzwonić, wydzwaniać; głośno ogłaszać; dawać sygnał (**sth** do czegoś); zagrać (**the horn** na rogu)

**sound 3.** [saund] *s geogr.* cieśnina

**sound 4.**[saund] *s med. mors.* sonda; *vt* sondować

**sound-box** [ˋsaund boks] *s* głowica (gramofonu)

**sound-film** [ˋsaund fɪlm] *s* film dźwiękowy

**sound-head·ed** [ˋsaund hedɪd] *adj* rozsądny

**soup** [sup] *s* zupa

**sour** [ˋsauə(r)] *adj* kwaśny; zgorzkniały; cierpki; **~ milk** zsiadłe mleko; *vt* kwasić; rozgoryczać; psuć humor; *vi* kwaśnieć

**source** [sɔs] *s dosł. i przen.* źródło; pochodzenie

**sour·dine** [suəˋdin] *s muz.* tłumik, surdyna

**souse** [saus] *s* peklowane mięso, marynata; zanurzenie; *vt* peklować; zanurzać, moczyć; *vi* zanurzać się, moknąć; *pot.* upijać się

**south** [sauθ] *s geogr.* południe; *adj* południowy; *adv* na południe

**south·er·ly** [ˋsʌðəlɪ] *adj* zwrócony ku południowi, południowy

**south·ern** [ˋsʌðən] *adj* południowy

**south·ward** [ˋsauθwəd] *adj* zwrócony ku południowi; *adv* = **southwards**

**south-wards** [ˋsauθwədz] *adv* ku południowi

**sou·ve·nir** [ˈsuvəˋnɪə(r)] *s* pamiątka

**sov·er·eign** [ˋsovrɪn] *s* suweren; monarcha; złoty funt angielski; *adj* suwerenny, zwierzchni, najwyższy

**sov·er·eign·ty** [ˋsovrəntɪ] *s* suwerenność

**So·vi·et** [ˋsəuvɪət] *s* rada; obywatel radziecki; *adj* radziecki; **the Union of ~ Socialist Republics** Związek Socjalistycznych Republik Rad; **the ~ Union** Związek Radziecki

***sow 1.** [səu], **sowed** [səud], **sown** [səun] *vt* siać, zasiewać

**sow 2.** [sau] *s zool.* locha, maciora

**sow·er** [ˋsəuə(r)] *s* siewca

**sow·ing-ma·chine** [ˈsəuɪŋ məˋʃin] *s* siewnik

**sox** [soks] *s pl handl.* skarpety, skarpetki

**spa** [spa] *s* zdrojowisko, miejscowość uzdrowiskowa (ze zdrojem)

**space** [speɪs] *s* przestrzeń, obszar; okres czasu; *druk.* spacja, odstęp; **outer ~** przestrzeń kosmiczna; *vt* rozstawiać; *druk.* (*także* **~ out**) spacjować

**space-ship** [ˋspeɪʃʃɪp], **space-craft** [ˋspeɪs kraʃt] *s* statek kosmiczny

**spa·cious** [ˋspeɪʃəs] *adj* obszerny

**spade** [speɪd] *s* łopata; *pl* **~s** piki (*w kartach*); **to call a ~ a ~** nazwać rzecz po imieniu; *vt* kopać łopatą

**spall** [spɔl] *s* odłamek; *vt vi* odłamać (się), rozbić (się)

**span** [spæn] *s* piędź; rozpiętość; przęsło; okres; zasięg; zaprzęg; *vt vi* sięgać, pokrywać, obejmować; rozciągać się; łączyć brzegi (mostem); mierzyć (odległość)

**span·gle** [ˋspæŋgl] *s* błyskotka; *vt* pokryć błyskotkami

**Span·iard** [ˋspænɪəd] *s* Hiszpan

**span·iel** [ˋspænɪəl] *s zool.* spaniel

**Span·ish** [ˋspænɪʃ] *adj* hiszpański; *s* język hiszpański

**spank** [spæŋk] *s* uderzenie dłonią, klaps; *vt* dać klapsa; popędzać
**span·ner** [ˋspænə(r)] *s* *techn.* klucz do nakrętek
**spar 1.** [spɑ(r)] *s* *mors.* drąg, część omasztowania
**spar 2.** [spɑ(r)] *vi* kłócić się, bić się; *sport* boksować się, ćwiczyć boks; *s* kłótnia; *sport* mecz sparringowy
**spar 3.** [spɑ(r)] *miner.* szpat
**spare** [speə(r)] *vt* oszczędzić, zaoszczędzić, skąpić; mieć na zbyciu; móc obejść się; odstąpić; użyczyć; łagodnie traktować; **enough and to ~** w nadmiarze; aż zanadto; **I have some bread to ~** mam ⟨zostało mi⟩ trochę chleba; **I have no time to ~** nie mam ani chwili wolnego czasu; *vi* oszczędnie żyć, robić oszczędności; *adj* szczupły, skąpy; zbywający; zapasowy; **~ cash** wolna gotówka; **~ parts** części zapasowe ⟨zamienne⟩; **~ time** wolny czas; *s* część zapasowa ⟨zamienna⟩
**spar·ing** [ˋspeərɪŋ] *adj* oszczędny; wstrzemięźliwy
**spark** [spɑk] *s* iskra; odrobina; *przen.* żywość, witalność; inteligencja; ślad; modniś, elegant; lekkoduch; *vt* krzesać iskry; *vi* iskrzyć (się)
**spark·ing-plug** [ˋspɑkɪŋ plʌg] *s* *techn.* świeca (zapłonowa)
**spar·kle** [ˋspɑkl] *vi* iskrzyć się; *s* iskrzenie się, migotanie
**spark·ling** [ˋspɑklɪŋ] *adj* (*o winie*) musujący
**spark-plug** [ˋspɑk plʌg] *s* = **sparking-plug**
**spar·ring** [ˋspɑrɪŋ] *s* *sport* sparring
**spar·row** [ˋspærəʊ] *s* wróbel
**sparse** [spɑs] *adj* rzadki; rzadko rosnący; rozsypany, rozsiany
**spasm** [ˋspæzm] *s* spazm, skurcz
**spas·mod·ic** [spæzˋmodɪk] *adj* spazmatyczny
**spat 1.** *zob.* **spit**
**spat 2.** [spæt] *s* (*zw pl* **~s**) getry *pl*
**spate** [speɪt] *s* zalew, powódź, ulewa
**spa·tial** [ˋspeɪʃl] *adj* przestrzenny
**spat·ter** [ˋspætə(r)] *vt vi* bryzgać, chlapać
**spawn** [spɔn] *s* ikra; *pog.* nasienie; *vt vi* składać ikrę; *przen.* mnożyć się
***speak** [spik], **spoke** [spəʊk], **spoken** [ˋspəʊkn] *vt vi* mówić (**about** ⟨**of**⟩ **sb, sth** o kimś, o czymś); rozmawiać; przemawiać; świadczyć, dowodzić; **~ for sb** wstawić się ⟨przemawiać⟩ za kimś; **~ out** głośno powiedzieć; otwarcie wypowiedzieć się; **~ up** głośno powiedzieć; **~ one's mind** powiedzieć, co się ma na myśli; **nothing to ~ of** nic ważnego ⟨szczególnego⟩, nic godnego wzmianki
**speak·er** [ˋspikə(r)] *s* mówiący, mówca; głośnik (radiowy); Speaker przewodniczący Izby Gmin ⟨*am.* Reprezentantów⟩
**speak·ing** [ˋspikɪŋ] *p praes adj* mówiący; wiele mówiący, pełen znaczenia; **a ~ likeness** uderzające podobieństwo; **to be on ~ terms with sb** znać się na tyle, aby z kimś rozmawiać
**spear** [spɪə(r)] *s* dzida, włócznia; harpun; *vt* przebić dzidą; złowić harpunem
**spear·head** [ˋspɪə hed] *s* ostrze włóczni; *wojsk.* czołówka
**spe·cial** [ˋspeʃl] *adj* specjalny; szczególny, osobliwy; nadzwyczajny
**spe·cial·ist** [ˋspeʃl̩ɪst] *s* specjalista
**spe·ci·al·i·ty** [ˏspeʃɪˋælətɪ] *s* specjalność; szczególny wypadek
**spe·cial·ize** [ˋspeʃl̩ɑɪz] *vt vi* specjalizować (się); przeznaczyć, przystosować
**spe·cie** [ˋspiʃɪ] *s* bilon, moneta
**spe·cies** [ˋspiʃiz] *s* (*pl* **~**) rodzaj; *biol.* gatunek; **the origin of ~** pochodzenie gatunków
**spe·cif·ic** [spəˋsɪfɪk] *adj* swoisty; ściśle określony; charakterystyczny; gatunkowy

**spec·i·fi·ca·tion** [ˌspesɪfɪˈkeɪʃn] *s* specyfikacja, wyszczególnienie; dokładny opis

**spec·i·fy** [ˈspesɪfaɪ] *vt* specyfikować, wyszczególniać; dokładnie określać, precyzować

**spec·i·men** [ˈspesɪmən] *s* wzór, okaz; próbka; *pot.* dziwak

**spe·cious** [ˈspiʃəs] *adj* łudzący, pozornie prawdziwy, na pozór słuszny

**speck 1.** [spek] *s* plamka; kruszynka, odrobina; *vt* pstrzyć, pokrywać plamkami

**speck 2.** [spek] *s am.* słonina; tłuszcz (wielorybi)

**speck·le** [ˈspekl] *s* plamka; *vt* znaczyć plamkami, pstrzyć

**spec·ta·cle** [ˈspektəkl] *s dosł. i przen.* widowisko; niezwykły widok; *pl* **~s** (*także* **a pair of ~s**) okulary

**spec·ta·tor** [spekˈteɪtə(r)] *s* widz

**spec·tral** [ˈspektrəl] *adj* widmowy; *fiz.* spektralny

**spec·tre** [ˈspektə(r)] *s* widmo, zjawa

**spec·trum** [ˈspektrəm] *s* (*pl* **spectra** [ˈspektrə]) *s fiz.* widmo

**spec·u·late** [ˈspekjuleɪt] *vi* spekulować (**in sth** czymś); rozważać (**on, upon sth** coś)

**spec·u·la·tion** [ˌspekjuˈleɪʃn] *s* rozważanie; spekulacja

**spec·u·la·tive** [ˈspekjulətɪv] *adj* teoretyczny; badawczy; spekulacyjny

**spec·u·la·tor** [ˈspekjuleɪtə(r)] *s* spekulant

**sped** *zob.* **speed**

**speech** [spitʃ] *s* mowa; przemówienie; **to deliver** ⟨**to make**⟩ **a ~** wygłosić mowę

**speech·less** [ˈspitʃləs] *adj* milczący

***speed** [spid], **sped, sped** [sped] *vi* spieszyć się, pospieszać; *vt* żegnać, życzyć powodzenia; **~ up** przyspieszać; *s* pośpiech, szybkość

**speed·y** [ˈspidɪ] *adj* pospieszny, szybki

**spell 1.** [spel] *s* urok, czar

**spell 2.** [spel] *s* okres czasu; krótki okres; **a cold ~** okres zimna; *vt* zastąpić ⟨zmienić⟩ (w pracy)

* **spell 3.** [spel], **spelt, spelt** [spelt] *vt* sylabizować, literować, podawać (pisownię) litera po literze; *przen.* znaczyć, oznaczać

**spell·bound** [ˈspelbaund] *adj* oczarowany, urzeczony

**spell·ing** [ˈspelɪŋ] *s* pisownia; ortografia

**spelt** *zob.* **spell 3.**

* **spend** [spend], **spent, spent** [spent] *vt* wydawać (pieniądze), trwonić; wyczerpywać; spędzać (czas)

**spend·thrift** [ˈspendθrɪft] *s* rozrzutnik, marnotrawca

**spent** *zob.* **spend**

**sphere** [ˈsfɪə(r)] *s* (*także astr.*) kula; sfera, zakres

**spherical** [ˈsferɪkl] *adj* sferyczny, kulisty

**spice** [spaɪs] *s zbior.* korzenie; przyprawa; pikanteria; *vt* przyprawiać (korzeniami)

**spick** [spɪk] *adj tylko w zwrocie:* **~ and span** nowiuteńki, czyściutki

**spic·y** [ˈspaɪsɪ] *adj* pieprzny; pikantny

**spi·der** [ˈspaɪdə(r)] *s zool.* pająk

**spike** [spaɪk] *s* długi gwóźdź, żelazny kolec; *vt* przymocować ⟨zabić⟩ gwoździami

**spile** [spaɪl] *s* szpunt, kołek

* **spill** [spɪl], **spilt, spilt** [spɪlt] *vt vi* rozlewać (się), rozsypywać (się), wysypywać (się)

* **spin** [spɪn], **spun, spun** [spʌn] *vt vi* prząść; kręcić (się), wiercić (się), wprawiać w ruch obrotowy, wirować; *lotn.* opadać korkociągiem; **~ along** toczyć się; mknąć; **~ out** rozciągać; spędzać (czas); *s* kręcenie się, ruch obrotowy; *lotn.* korkociąg

**spin·ach** [ˈspɪnɪdʒ] *s* szpinak

**spi·nal** [ˈspaɪnl] *adj* krzyżowy, pacierzowy; **~ column** kręgosłup

**spin·dle** [ˋspɪndl] *s* wrzeciono
**spine** [spaɪn] *s anat.* kręgosłup; grzbiet (np. książki)
**spin·ner** [ˋspɪnə(r)] *s* prządzarz, prządka
**spin·ster** [ˋspɪnstə(r)] *s* stara panna
**spin·y** [ˋspaɪnɪ] *adj* kolczasty
**spi·ral** [ˋspaɪərl] *adj* spiralny; *s* spirala
**spire** [ˋspaɪə(r)] *s* wieża spiczasta, iglica
**spir·it** [ˋspɪrɪt] *s* duch; charakter; męstwo; zapał, energia; spirytus; *pl* **~s** nastrój; napoje alkoholowe; **animal ~s** zapał, radość życia; **in high** ⟨**in low**⟩ **~s** w doskonałym ⟨w złym⟩ nastroju; *vt* dodać otuchy
**spir·it·ed** [ˋspɪrɪtɪd] *adj* pełen polotu ⟨zapału⟩, ożywiony
**spir·i·tu·al** [ˋspɪrɪtʃuəl] *adj* duchowy; duchowny; *s* (*także* **Negro ~**) religijna pieśń murzyńska
**spir·i·tu·al·ism** [ˋspɪrɪtʃulɪzm] *s* spirytyzm; spirytualizm
**spit 1.** [spɪt] *s* rożen; *geogr.* cypel
***spit 2.** [spɪt], **spat, spat** [spæt] *vt vi* pluć; *pot.* **~ it out!** mów!, gadaj!; *s* plucie; plwocina
**spite** [spaɪt] *s* złość, gniew; **in ~ of sth** pomimo czegoś; na złość ⟨na przekór⟩ czemuś; *vt* gniewać, drażnić, robić na złość
**spite·ful** [ˋspaɪtfl] *adj* złośliwy, pełen złości
**spit·fire** [ˋspɪtfaɪə(r)] *s* człowiek porywczy, raptus; *lotn.* typ myśliwca
**spit·tle** [ˋspɪtl] *s* plwocina
**spit·toon** [spɪˋtun] *s* spluwaczka
**spiv** [spɪv] *s pot.* niebieski ptak, spekulant (na czarnym rynku)
**splash** [splæʃ] *vt vi* bryzgać, pluskać (się), chlapać (się); *s* bryzganie, plusk; szum, sensacja; **to make a ~** wzbudzić sensację
**spleen** [splin] *s anat.* śledziona; *przen.* zły humor, chandra; zgryźliwość
**splen·did** [ˋsplendɪd] *adj* wspaniały, doskonały
**splen·dour** [ˋsplendə(r)] *s* wspaniałość, splendor
**splice** [splaɪs] *vt* splatać, łączyć; *pot.* kojarzyć (pary)
**splint** [splɪnt] *s* drzazga; łyko, deszczułka; *med.* szyna
**splin·ter** [ˋsplɪntə(r)] *s* drzazga, odłamek; *vt vi* rozszczepić (się), rozłupać (się)
***split** [splɪt], **split, split** [splɪt] *vt vi* rozszczepić (się), rozłupać (się), rozerwać (się), rozbić (się), przepołowić; **~ open** rozewrzeć (się); pęknąć; *s* rozłam, rozbicie; *pl* **~s** szpagat (w tańcu, gimnastyce akrobatycznej)
**splut·ter** [ˋsplʌtə(r)] *s* = **sputter**
***spoil** [spɔɪl], **spoilt, spoilt** [spɔɪlt] *vt* psuć, niszczyć, unicestwiać; psuć ⟨rozpieszczać⟩ (dziecko itp.); rabować; *vi* psuć się, niszczeć; *s* (*zw. pl* **~s**) łupy wojenne, trofea; zdobycz
**spoil·age** [ˋspɔɪlɪdʒ] *s zbior.* odpadki; makulatura
**spoilt** *zob.* **spoil**
**spoke 1.** *zob.* **speak**
**spoke 2.** [spəuk] *s* szprycha; szczebel; drąg (do hamowania)
**spo·ken** *zob.* **speak**
**spokes·man** [ˋspəuksmən] *s* rzecznik
**spo·li·ate** [ˋspəulɪeɪt] *vt* rabować
**sponge** [spʌndʒ] *s* gąbka; pasożyt, darmozjad; *vt* myć gąbką; wchłaniać; *vi* pasożytować (**on sb** na kimś), wyłudzać (**on sb for sth** coś od kogoś)
**spon·sor** [ˋsponsə(r)] *s* poręczyciel; ojciec chrzestny, matka chrzestna; *handl.* opłacający reklamę (np. radiową)
**spon·ta·ne·ous** [sponˋteɪnɪəs] *adj* spontaniczny, samorzutny; **~ combustion** samozapalenie się
**spool** [spul] *s* szpulka; *vt* nawijać
**spoon** [spun] *s* łyżka; *vt* czerpać łyżką
**spoon·ful** [ˋspunfl] *s* zawartość łyżki, pełna łyżka (czegoś)
**spo·rad·ic** [spəˋrædɪk] *adj* sporadyczny

**sport** [spɔt] *s* sport; żart; *pot.* porządny chłop; *pl* **~s** zawody lekkoatletyczne; **athletic ~s** lekkoatletyka; **in ⟨for⟩ ~** w żarcie, dla żartu; **to make ~** żartować sobie, zabawiać się (**of sb, sth** kimś, czymś); *vt* wystawiać na pokaz, popisywać się (**sth** czymś); *vi* uprawiać sport; bawić się, żartować (**with sb, sth** z kogoś, czegoś)

**sport·ive** [ˈspɔtɪv] *adj* wesoły, zabawny; sportowy

**sports·man** [ˈspɔtsmən] *s* sportowiec

**spot** [spot] *s* miejsce; plama; kropka; krosta; *handl.* **~ cash** zapłata gotówką; **on the ~** na miejscu; od razu; *attr* natychmiastowy, na miejscu; *vt* nakrapiać, pstrzyć; plamić; rozpoznać, wykryć; plamić się

**spot·less** [ˈspotləs] *adj* nieskazitelny, nienaganny

**spot·ted** [ˈspotɪd] *adj* nakrapiany, pstry; poplamiony

**spouse** [spauz] *s* małżonek, małżonka

**spout** [spaut] *vt vi* trysnąć, wyrzucić z siebie; wypowiedzieć; *s* dziobek (np. imbryka); kurek; otwór wylotowy; strumień (np. wody)

**sprain** [spreɪn] *vt* zwichnąć; *s* zwichnięcie

**sprang** *zob.* **spring**

**sprat** [spræt] *s zool.* szprot, szprotka

**sprawl** [sprɔl] *vi* wyciągać się, rozwalać się, leżeć jak długi; rozprzestrzeniać się, rozrastać się; *s* rozwalanie się

**spray 1.** [spreɪ] *s* gałązka

**spray 2.** [spreɪ] *s* pył wodny; rozpylacz; *vt vi* rozpylać (się), opryskiwać

***spread** [spred], **spread, spread** [spred] *vt vi* rozpościerać (się), rozprzestrzeniać (się); rozkładać (się), rozwijać (się); rozpowszechniać (się); powlekać; rozlewać (się); *s* rozprzestrzenienie, przestrzeń; rozłożenie; rozłożystość; rozpiętość; rozstęp; rozpowszechnienie; *pot.* uczta

**spree** [spri] *s* wesoła zabawa, hulanka; *vi* bawić się, hulać

**sprig** [sprɪg] *s* gałązka; latorośl; *pot.* młodzieniaszek

**spright·ly** [ˈspraɪtlɪ] *adj* żywy, wesoły

***spring** [sprɪŋ], **sprang** [spræŋ], **sprung** [sprʌŋ] *vi* skakać, podskakiwać; tryskać, buchać; wyrastać; pochodzić; pękać, rozpadać się; *vt* spowodować pęknięcie, rozbić; płoszyć; zaskoczyć; wysadzić w powietrze; **~ up** podskakiwać; wyrastać; wypływać; ukazywać się; *s* skok; wiosna; źródło; sprężyna; elastyczność; pęknięcie; *pl* **~s** resory, resorowanie

**spring-board** [ˈsprɪŋ bɔd] *s* trampolina; *przen.* odskocznia

**sprin·kle** [ˈsprɪŋkl] *vt vi* pryskać, spryskiwać; *s* kropienie, spryskiwanie; szczypta; drobny deszcz

**sprin·kling** [ˈsprɪŋklɪŋ] *s* drobna ilość, szczypta

**sprint** [sprɪnt] *s sport* sprint; *vi* sprintować

**sprint·er** [ˈsprɪntə(r)] *s* sprinter

**sprite** [spraɪt] *s* chochlik

**sprout** [spraut] *s* kiełek, pęd; *vi* kiełkować, puszczać pędy

**spruce 1.** [sprus] *adj* schludny; elegancki

**spruce 2.** [sprus] *s bot.* świerk

**sprung** *zob.* **spring**

**spry** [spraɪ] *adj* żywy, żwawy

**spun** *zob.* **spin**

**spur** [spɜ(r)] *s* ostroga; odnoga (górska); *przen.* podnieta; *vt* spinać ostrogami; *przen.* popędzać, podniecać

**spu·ri·ous** [ˈspjuərɪəs] *adj* nieautentyczny, podrobiony

**spurn** [spɜn] *vt* odepchnąć, odtrącić; pogardliwie traktować; *s* odepchnięcie, odtrącenie; pogardliwe traktowanie

**spurt** [spɜt] *vt vi* tryskać; *s* wytrysk; zryw
**sput·ter** [ˋspʌtə(r)] *vi* bryzgać śliną (przy mówieniu); *vt* mówić bełkocąc
**spy** [spaɪ] *s* szpieg; *vi* szpiegować (**on, upon sb** kogoś); dokładnie badać (**into sth** coś); *vt* dostrzegać
**spy·glass** [ˋspaɪ glɑs] *s* luneta, mały teleskop
**squab·ble** [ˋskwobl] *s* sprzeczka; *vi* sprzeczać się
**squad** [skwod] *s wojsk.* oddział; grupa, brygada (robocza); **firing ~** pluton egzekucyjny
**squad·ron** [ˋskwodrən] *s wojsk.* szwadron; *lotn. mors.* eskadra
**squal·id** [ˋskwolɪd] *adj* brudny; nędzny
**squall 1.** [skwɔl] *s mors.* szkwał
**squall 2.** [skwɔl] *s* wrzask; *vt vi* wrzeszczeć, wykrzykiwać
**squal·or** [ˋskwolə(r)] *s* brud; nędza
**squan·der** [ˋskwondə(r)] *vt* trwonić, marnować
**squan·der·er** [ˋskwondərə(r)] *s* marnotrawca
**square** [skweə(r)] *s* kwadrat; czworobok; (kwadratowy) plac, skwer; blok budynków; *mat.* druga potęga liczby; *adj* kwadratowy; czworokątny; szczery, uczciwy; załatwiony, uporządkowany; solidny; jasno postawiony; kompletny; **~ deal** uczciwe postępowanie; *mat.* **~ root** pierwiastek; *vt* nadać kształt kwadratu; wyrównać (rachunek); uzgodnić; dostosować; *mat.* podnieść do kwadratu; rozprostować (ramiona); *vi* pasować; zgadzać się; **~ up** rozliczyć się; przybrać postawę bojową (**to sb** wobec kogoś); *adv* pod kątem prostym; rzetelnie, uczciwie; wprost, w sam środek
**squash** [skwoʃ] *vt vi* gnieść (się), wyciskać; *s* zgnieciona masa; **lemon ~** napój z (wyciśniętej) cytryny
**squat** [skwot] *vi* kucać, przykucnąć; nielegalnie się osiedlić; *s* przysiad
**squat·ter** [ˋskwotə(r)] *s* nielegalny osadnik; dziki lokator
**squaw** [skwɔ] *s* Indianka (*zw.* zamężna)
**squeak** [skwik] *vi* piszczeć; *s* pisk
**squeal** [skwil] *vi* skomleć, kwiczeć; *s* skomlenie, kwiczenie
**squeam·ish** [ˋskwimɪʃ] *adj* drażliwy, wrażliwy; grymaśny
**squeeze** [skwiz] *vt vi* cisnąć (się), ściskać, pchać się; **~ out** wycisnąć; **~ through** przeciskać (się); **~ up** ścisnąć; *s* ścisk; uścisk; odcisk
**squib** [skwɪb] *s* fajerwerk; *przen.* paszkwil, satyra polityczna
**squint** [skwɪnt] *s* zez; *adj* zezowaty; *vi* patrzeć zezem
**squire** [ˋskwaɪə(r)] *s* obywatel ziemski
**squir·rel** [ˋskwɪrl] *s zool.* wiewiórka
**squirt** [skwɜt] *vi* tryskać; *vt* strzykać; *s* wytrysk; strzykawka; sikawka; *pot.* zarozumialec
**stab** [stæb] *vt* pchnąć sztyletem, zasztyletować; *vi* (*o bólu*) rwać; *s* pchnięcie sztyletem; *pot.* próba
**sta·bil·i·ty** [stəˋbɪlətɪ] *s* stałość, trwałość
**sta·bi·lize** [ˋsteɪbḷaɪz] *vt* stabilizować
**sta·ble 1.** [ˋsteɪbl] *adj* stały, trwały
**sta·ble 2.** [ˋsteɪbl] *s* stajnia; stadnina
**stack** [stæk] *s* stóg, sterta; komin (okrętowy *lub* fabryczny)
**sta·di·um** [ˋsteɪdɪəm] *s* (*pl* **sta·di·a** [ˋsteɪdɪə]) *sport* stadion; stadium
**staff** [stɑf] *s* (*pl* **staves** [steɪvz] *lub* **~s** [stɑfs]) kij, drąg, drzewce (flagi); *muz.* pięciolinia; (*pl* **staffs**) sztab, personel
**stag** [stæg] *s zool.* jeleń; *pot.* spekulant giełdowy; *am.* samotny mężczyzna

**stage** [steɪdʒ] *s* scena, estrada; rusztowanie; stadium, etap, okres; ~ manager reżyser; *vt* wystawiać na scenie

**stage-coach** [ˋsteɪdʒ kəutʃ] *s* dyliżans

**stag·ger** [ˋstægə(r)] *vi* chwiać się; zataczać się; wahać się; *vi* oszołomić; *s* chwiejny chód; wahanie; *pl* ~s zawrót głowy

**stag·nant** [ˋstægnənt] *adj* stojący w miejscu; (będący) w zastoju, martwy

**stag·na·tion** [stægˋneɪʃn] *s* zastój

**stag·y** [ˋsteɪdʒɪ] *adj* teatralny; afektowany

**staid** [steɪd] *adj* zrównoważony, stateczny

**stain** [steɪn] *s* plama; zabarwienie; *vt* plamić; zabarwiać; ~**ed glass** witraż

**stain·less** [ˋsteinləs] *adj* nie splamiony; nienaganny; (*o stali*) nierdzewny

**stair** [steə(r)] *s* stopień (schodów); *pl* ~s schody

**stair·case** [ˋsteəkeɪs] *s* klatka schodowa

**stake** [steɪk] *s* pal, słup; stawka, ryzyko; wkład, udział; stos całopalny; **to be at** ~ wchodzić w grę; **life is at** ~ tu chodzi o życie; *vt* wzmacniać palami; ryzykować; zakładać się (**sth** o coś; przywiązać do pala; wbić na pal

**sta·lac·tite** [ˋstæləktaɪt] *s miner.* stalaktyt

**sta·lag·mite** [ˋstæləgmaɪt] *s miner.* stalagmit

**stale** [steɪl] *adj* suchy; (*o chlebie*) czerstwy, nieświeży; pozbawiony smaku; zużyty; stary; *vi* zużyć się, zestarzeć się

**stale·mate** [ˋsteɪlmeɪt] *s* pat (w szachach); *przen.* martwy punkt

**stalk 1.** [stɔk] *s* łodyga, szypułka, źdźbło

**stalk 2.** [stɔk] *vi* kroczyć (z dumą); *przen.* (*o epidemii itp.*) panować; *vt* podkradać się, podchodzić (**the game** do zwierzyny); *s* wyniosły chód

**stall** [stɔl] *s* stragan, buda, stoisko, kiosk; przegroda w stajni; *pl* ~s *teatr* miejsca na parterze

**stal·lion** [ˋstælɪən] *s zool.* ogier

**stal·wart** [ˋstɔlwət] *adj* mocny, silny; wierny, lojalny

**sta·men** [ˋsteɪmən] *s bot.* pręcik

**stam·i·na** [ˋstæmɪnə] *s zbior.* siły życiowe, energia, wytrzymałość

**stam·mer** [ˋstæmə(r)] *vi* jąkać się; *vt* (*także* ~ **out**) wyjąkać; *s* jąkanie się

**stam·mer·er** [ˋstæmərə(r)] *s* jąkała

**stamp** [stæmp] *vt vi* stemplować, pieczętować; nalepić znaczek pocztowy; *przen.* wbić (w pamięć); deptać, tupać; ~ **out** zgnieść, zmiażdżyć; *przen.* zniszczyć; *s* stempel, pieczęć; znaczek pocztowy; tupanie, deptanie, tętent; *przen.* piętno, cecha

**stamp-album** [ˋstæmp ælbəm] *s* album na znaczki pocztowe, klaser

**stamp-col·lec·tor** [ˋstæmp kəlektə(r)] *s* filatelista

**stam·pede** [stæmˋpid] *s* paniczna ucieczka, popłoch; *vi* pędzić w popłochu; *vt* siać popłoch

**stanch 1.** [stɑntʃ], **staunch** [stɔntʃ] *vt* tamować, zatrzymywać (krew)

**stanch 2.** [stɑntʃ] *adj* = **staunch 2.**

**stan·chion** [ˋstɑnʃən] *s* podpora; *vt* podpierać

* **stand** [stænd], **stood, stood** [stud] *vi* stać; stawiać się; pozostawać; znajdować się (w pewnej sytuacji); *vt* stawiać; wytrzymywać, znosić; podtrzymywać; **to** ~ **to sth** trzymać się czegoś, dotrzymywać; trwać przy czymś; **it** ~**s to reason** to się rozumie samo przez się, to jest oczywiste; **to** ~ **firm** trzymać się, nie odstępować (od swego zdania); **to** ~ **good** być w mocy, obowiązywać; **to** ~ **prepared** być gotowym; **to** ~ **for sth** popierać coś; zastępować coś; występować w obronie czegoś; **to** ~ **for Parliament** kandydować do parlamen-

tu; ~ on sth nalegać na coś, polegać na czymś; ~ **back** cofać się, być cofniętym; ~ **forth** ⟨**forward**⟩ występować, wystawać; **to** ~ **out** wystawać, występować; opierać się (**against sth** czemuś); kontrastować (**against sth** z czymś); odznaczać się, wyróżniać się; ~ **over** ulec zwłoce, zalegać; ~ **up** powstać, podnieść się; opierać się, stawiać czoło (**to sb, sth** komuś, czemuś); *s* miejsce, stanowisko; stoisko; podstawa, podstawka; stojak; pulpit (do nut); trybuna; zastój, przerwa; postój; okres pobytu; opór; **to bring to a** ~ zatrzymać, unieruchomić; **to come to a** ~ zatrzymać się; **to make a** ~ zatrzymać się; stawiać opór (**against sb, sth** komuś, czemuś); stanąć w obronie (**for sth** czegoś); **to take a** ~ zająć stanowisko

**stand·ard** [ˈstændəd] *s* sztandar, flaga; norma, przeciętna miara; poziom; gatunek; wzór; standard; stopa (życiowa); ~ **time** urzędowy czas miejscowy; **up to (the)** ~ zgodnie z wzorem; na odpowiednim poziomie

**stand·ard·ize** [ˈstændədaɪz] *vt* normalizować, ujednolicać

**stand·ing** [ˈstændɪŋ] *s* stanie; miejsce; stanowisko; trwanie; *adj* stojący; trwający; obowiązujący; ~ **corn** zboże na pniu; ~ **orders** regulamin

**stand·point** [ˈstænd pɔɪnt] *s* punkt widzenia, stanowisko

**stand·still** [ˈstænd stɪl] *s* zastój; martwy punkt

**stand-up** [ˈstænd ʌp] *attr* stojący, na stojąco

**stank** *zob.* **stink**

**stan·za** [ˈstænzə] *s* zwrotka

**sta·ple 1.** [ˈsteɪpl] *s* skład towarów; magazyn; podstawowy towar; główny temat; *attr* główny

**sta·ple 2.** [ˈsteɪpl] *s* hak; klamra; *vt* spinać klamrą

**star** [stɑ(r)] *s* gwiazda; **shooting** ~ gwiazda spadająca; **the Stars and Stripes** flaga St. Zjednoczonych; *vt* zdobić gwiazdami; *vi teatr* występować w głównej roli

**star·board** [ˈstɑbɔd] *s mors.* sterbort, prawa burta

**starch** [stɑtʃ] *s* krochmal; *vt* krochmalić

**stare** [steə(r)] *vt vi* uporczywie patrzeć, wytrzeszczać oczy (**at sb, sth** na kogoś, coś); *s* uporczywy wzrok

**stark** [stɑk] *adj* całkowity; istny; *poet.* sztywny; *adv* całkowicie

**star·light** [ˈstɑlaɪt] *s* światło gwiazd

**star·ling** [ˈstɑlɪŋ] *s zool.* szpak

**star·ry** [ˈstɑrɪ] *adj* gwiaździsty

**star-span·gled** [ˈstɑ spæŋgld] *adj* usiany gwiazdami; **the** ~ **banner** gwiaździsta flaga USA

**start** [stɑt] *vi* wyruszyć, wystartować; wybierać się (**on a journey** w drogę); wzdrygać się; zrywać się; płoszyć się; skoczyć, podskoczyć; zacząć; podjąć się (**on sth** czegoś); *vt* wprowadzić w ruch; poruszyć; ustanowić; rozpocząć; przerazić; spłoszyć; założyć (np. przedsiębiorstwo); spowodować, wywołać (np. pożar); ~ **back** nagle cofnąć się; wyruszyć w drogę powrotną; ~ **off** wyruszyć, odjechać; zacząć się (**with sth** od czegoś); ~ **out** wystąpić, ukazać się; odjechać; ~ **up** podskoczyć, zerwać się; wszcząć; **to** ~ **with** na początek; po pierwsze; *s* start; podskok; odjazd; wstrząs; początek; pierwszeństwo; zryw; **at the** ~ na początku; **to get the** ~ wyprzedzać (**of sb** kogoś); **to make a new** ⟨**fresh**⟩ ~ rozpocząć na nowo

**star·tle** [ˈstɑtl] *vt vi* przerazić (się); zaskoczyć; wstrząsnąć

**star·va·tion** [stɑˈveɪʃn] *s* głodowanie, głód

**starve** [stɑv] *vi* głodować, umierać

z głodu; *vt* głodzić; tęsknić, przepadać (for sth za czymś)

**starve·ling** [`stavlɪŋ] *s* głodomór

**state** [steɪt] *s* stan; stanowisko; położenie; państwo; uroczystość, pompa; **in ~** uroczyście, ceremonialnie; z całym ceremoniałem; **the United States** Stany Zjednoczone; *am.* **Secretary of State** minister spraw zagranicznych; *vt* stwierdzać; oświadczać; przedstawiać (np. sprawę); *attr* państwowy; stanowy; urzędowy; paradny; *am.* **State Department** ministerstwo spraw zagranicznych

**state·craft** [`steɪtkraft] *s* umiejętność rządzenia państwem

**state·ly** [`steɪtlɪ] *adj* okazały, wspaniały; wzniosły, pełen godności

**state·ment** [`steɪtmənt] *s* stwierdzenie; oświadczenie; zeznanie

**states·man** [`steɪtsmən] *s* mąż stanu

**states·man·ship** [`steɪtsmənʃɪp] *s* umiejętność kierowania sprawami państwa, działalność męża stanu

**stat·ic** [`stætɪk] *adj* statyczny

**stat·ics** [`stætɪks] *s* statyka

**sta·tion** [`steɪʃn] *s* stacja; miejsce, położenie; posterunek; stan; urząd; *vt* umieścić, osadzić; rozlokować

**sta·tion·ar·y** [`steɪʃnrɪ] *adj* stacjonarny, nieruchomy; niezmienny; stały

**sta·tion·er** [`steɪʃn̩ə(r)] *s* właściciel sklepu z artykułami piśmiennymi

**sta·tion·er·y** [`steɪʃnrɪ] *s zbior.* artykuły piśmienne; papier listowy

**sta·tion-mas·ter** [`steɪʃn mastə(r)] *s* zawiadowca stacji

**sta·tis·tic** [stə`tɪstɪk], **sta·tis·ti·cal** [stə`tɪstɪkl] *adj* statystyczny

**stat·is·ti·cian** [ˌstætɪ`stɪʃn] *s* statystyk

**sta·tis·tics** [stə`tɪstɪks] *s* statystyka

**stat·u·ar·y** [`stætʃuərɪ] *adj* rzeźbiarski; *s* rzeźbiarstwo posągowe; rzeźba, zbiór rzeźb; rzeźbiarz

**stat·ue** [`stætʃu] *s* statua

**stat·ure** [`stætʃə(r)] *s* postawa, wzrost

**sta·tus** [`steɪtəs] *s* stan (prawny itp.); położenie; stanowisko

**stat·ute** [`stætʃut] *s* ustawa; statut; **~ law** ustawy parlamentarne

**staunch 1.** *zob.* **stanch 1.**

**staunch 2.** [stɔntʃ] *adj* mocny, niewzruszony; lojalny, pewny, wierny

**stave 1.** [steɪv] *s* kij; klepka; *muz.* takt; zwrotka

***stave 2.** [steɪv], **~d, ~d** [steɪvd] *lub* **stove, stove** [stəuv] *vt* (*także* **~ in**) wgniatać; robić dziurę; **~ off** zapobiegać (np. niebezpieczeństwu)

**staves** *zob.* **staff**

**stay** [steɪ] *vi* zatrzymać się, przebywać, pozostawać, mieszkać; wstrzymywać się; *vt* zatrzymywać, powstrzymywać, hamować; podpierać; wytrzymywać; **to ~ with sb** gościć u kogoś; **~ing power** wytrzymałość; **~ away** trzymać się z dala, nie zjawiać się; **~ in** pozostawać w domu; **~ out** pozostawać poza domem; **~ up** nie siadać, nie kłaść się spać; *s* przebywanie, pobyt; postój; zwłoka; zastój; hamowanie; podpora, podpórka; *pl* **~s** gorset

**stay-at-home** [`steɪ ət həum] *s* domator

**stay-in** [`steɪ ɪn] *attr* **~ strike** strajk okupacyjny

**stead** [sted] *s lit.* miejsce; korzyść; **in my ~** na moim miejscu; **to stand in good ~** wyjść na korzyść

**stead·fast** [`stedfast] *adj* trwały, solidny, niezachwiany

**stead·y** [`stedɪ] *adj* mocny, silny; niezachwiany, stały; zrównoważony; spokojny; *vt* utwierdzić, wzmocnić; uspokoić; doprowadzić do równowagi; *vi* okrzepnąć; ustalić się; dojść do równowagi; *adv* spokojnie; *pot.* (*o chłopcu, dziewczynie*) to go ~ chodzić ze sobą

**steak** [steɪk] *s* kawałęk mięsa; stek

* **steal** [stil], **stole** [stəul], **stolen** [ˈstəuln] *vt* kraść; *vi* skradać się; ~ **away** wymknąć się; ~ **in** wkraść się; ~ **out** wyśliznąć się

**stealth** [stelθ] *s w zwrocie:* **in** ⟨**by**⟩ ~ ukradkiem

**stealth·y** [ˈstelθɪ] *adj* tajemny, skryty

**steam** [stim] *s* para (wodna); *vt* parować, gotować na parze; *vi* wytwarzać parę; (*o pociągu, parowcu*) jechać

**steam·boat** [ˈstimbəut] *s* parowiec

**steam-boil·er** [ˈstim bɔɪlə(r)] *s* kocioł parowy

**steam·er** [ˈstimə(r)] *s* parowiec; maszyna parowa

**steam-pow·er** [ˈstim pauə(r)] *s* siła parowa

**steam·ship** [ˈstimʃɪp] *s* = **steamboat**

**steed** [stid] *s lit.* rumak

**steel** [stil] *s* stal; *vt* hartować

**steel·on** [ˈstilon] *s* stylon

**steel·works** [ˈstil wɜks] *s* stalownia

**steep 1.** [stip] *adj* stromy; *pot.* (*o wymaganiach*) wygórowany

**steep 2.** [stip] *vt* zanurzyć, zamoczyć, zmiękczyć

**stee·ple** [ˈstipl] *s* iglica; wieża strzelista

**stee·ple·chase** [ˈstipl tʃeɪs] *s sport* wyścigi konne z przeszkodami

**steer** [ˈstɪə(r)] *vt vi* sterować; dążyć (**for sth** w stronę czegoś); **to** ~ **clear** unikać (**of sth** czegoś)

**steer·age** [ˈstɪərɪdʒ] *s* sterowanie; przedział najtańszej klasy na statku

**steer·ing-wheel** [ˈstɪərɪŋ wil] *s* koło sterowe; kierownica

**steers·man** [ˈstɪəzmən] *s* sternik

**stem 1.** [stem] *s* trzon; pień, łodyga; *gram.* temat

**stem 2.** [stem] *vt* tamować, wstrzymywać; wybudować tamę (**a river** na rzece)

**stench** [stentʃ] *s* smród

**sten·cil** [ˈstensl] *s* szablon, patron, matryca; *vt* malować szablonem; matrycować

**ste·nog·ra·pher** [stəˈnogrəfə(r)] *s* stenograf

**sten·o·graph·ic** [ˈstenəˈgræfɪk] *adj* stenograficzny

**step** [step] *s* krok; stopień; próg; **flight of** ~**s** kondygnacja schodów; ~ **by** ~ krok za krokiem; stopniowo; **to keep** ~ dotrzymywać kroku (**with sb** komuś); **to take** ~**s** przedsięwziąć kroki; *vi* kroczyć; deptać; ~ **back** cofnąć się; ~ **down** schodzić na dół; ~ **forth** ⟨**forward**⟩ wystąpić; ~ **in** wkroczyć

**step·daugh·ter** [ˈstep dɔtə(r)] *s* pasierbica

**step·fa·ther** [ˈstep faðə(r)] *s* ojczym

**step·moth·er** [ˈstep mʌðə(r)] *s* macocha

**step·ping-stone** [ˈstepɪŋ stəun] *s przen.* środek wiodący do celu, odskocznia

**step·son** [ˈstep sʌn] *s* pasierb

**ster·e·o·metry** [ˈstɪərɪˈomɪtrɪ] *s* stereometria

**ster·e·o·phon·ic** [ˈstɪərɪəˈfonɪk] *adj* stereofoniczny

**ster·ile** [ˈsteraɪl] *adj* bezpłodny

**ster·i·lize** [ˈsterḷaɪz] *vt* sterylizować

**ster·ling** [ˈstɜlɪŋ] *s* (**funt**) szterling; *adj przen.* prawdziwy; solidny; nieskazitelny

**stern 1.** [stɜn] *adj* surowy, groźny

**stern 2.** [stɜn] *s mors.* rufa; tył

**stew** [stju] *vt* dusić (potrawę); *vi* dusić się; *s* duszona potrawa mięsna, gulasz

**stew·ard** [ˈstjuəd] *s* zarządca, gospodarz; steward

**stew·ard·ess** [ˈstjuəˈdes] *s* stewardesa

• **stick** [stɪk], **stuck, stuck** [stʌk] *vt* wetknąć, wepchnąć; przebić; przymocować; przykleić; *vi* tkwić; przyczepić się (**to sth** czegoś); trzymać się; trwać (**to sth** przy czymś); ~ **around** *pot.* kręcić się w pobliżu; ~ **out** wysunąć; wystawać; ~ **up** podnieść do góry; sterczeć; *s* laska, pałka, kij; baton; mydło do golenia; *pot.* nudziarz, człowiek nadęty ⟨napuszony⟩

**stick·y** [`stɪkɪ] *adj* lepki, kleisty

**stiff** [stɪf] *adj* sztywny; uparty; (*o egzaminie*) trudny; silny, mocny (wiatr, trunek itd.); *s pot.* trup

**stiff·en** [`stɪfn] *vt* usztywnić; utwierdzić w uporze; utrudnić (np. egzamin); *vi* zesztywnieć; uprzeć się

**sti·fle** [`staɪfl] *vt vi* dusić (się); dławić (się), tłumić

**stig·ma** [`stɪgmə] (*pl* **stigmata** [stɪg `matə]) *s* piętno, stygmat

**stig·ma·tize** [`stɪgmətaɪz] *vt* piętnować

**still** 1. [stɪl] *adj* cichy, spokojny; ~ **life** martwa natura; *s* cisza, spokój; fotografia; *vt vi* uciszyć (się), uspokoić (się); *adv* ciągle, jeszcze, stale, nadal; mimo wszystko, przecież

**still** 2. [stɪl] *vt* destylować; *s* aparat destylacyjny

**still-born** [`stɪl bɔn] *adj* martwo urodzony

**stilt** [stɪlt] *s* szczudło

**stilt·ed** [`stɪltɪd] *adj* nienaturalny, afektowany

**stim·u·lant** [`stɪmjulənt] *adj* podniecający; *s* środek podniecający; bodziec

**stim·u·late** [`stɪmjuleɪt] *vt* podniecać; zachęcać, pobudzać

• **sting** [stɪŋ], **stung, stung** [stʌŋ] *vt* użądlić, kłuć; sparzyć (pokrzywą); podniecać; przypiekać; *vi* piec, boleć

**stin·gi·ness** [`stɪndʒɪnəs] *s* sknerstwo

**stin·gy** [`stɪndʒɪ] *adj* skąpy

• **stink** [stɪŋk], **stunk, stunk** [stʌŋk] *vi* śmierdzieć (**of sth** czymś); *s* smród

**stint** [stɪnt] *vt* ograniczyć; skąpić (**sb of sth** komuś czegoś); *s* ograniczenie; wyznaczona ilość pracy, norma

**sti·pend** [`staɪpend] *s* pensja (zw. duchownego)

**stip·u·late** [`stɪpjuleɪt] *vt vi* żądać; ustalać warunki, zastrzegać sobie (**for sth** coś)

**stip·u·la·tion** [ˌstɪpju`leɪʃn] *s* uzgodnienie warunków, warunek (układu), zastrzeżenie

**stir** [stɜ(r)] *vt vi* ruszać (się); wzruszać (się); wprawiać w ruch; podniecać; pomieszać; krzątać się; *s* poruszenie; podniecenie; krzątanina

**stir·rup** [`stɪrəp] *s* strzemię

**stitch** [stɪtʃ] *s* ścieg; oczko (np. w pończosze); kłucie (w boku); *vt vi* robić ścieg; szyć

**stock** [stok] *s* trzon, pień; ród; zapas, zasób; inwentarz; (*także* **live** ~) żywy inwentarz; majątek; *handl.* kapitał zakładowy, akcja, obligacja; *teatr* repertuar; **rolling** ~ tabor kolejowy; ~ **exchange** giełda; *teatr* ~ **piece** sztuka repertuarowa; ~ **tale** ciągle powtarzana historyjka; **to take** ~ robić inwentarz ⟨remanent⟩ (**of sth** czegoś); **in** ~ w zapasie; **out of** ~ wyprzedany; *vt* robić zapas, zaopatrzyć; trzymać na składzie; osadzać (narzędzie itp.); *handl.* prowadzić sprzedaż

**stock·ade** [sto`keɪd] *s* palisada; *vt* otoczyć palisadą

**stock-bro·ker** [`stokbrəukə(r)] *s* makler giełdowy

**stock-ex·change** [`stok ɪkstʃeɪndʒ] *s* giełda

**stock·ing** [`stokɪŋ] *s* pończocha

**stock-in-trade** [ˌstok in `treɪd] *s* zapas towarów w sklepie

**stock-tak·ing** [`stok teɪkɪŋ] *s* inwentaryzacja, remanent

**stock·y** [`stokɪ] *adj* krępy
**stock·yard** [`stokjɑd] *s* zagroda dla bydła (na targu, w rzeźni)
**sto·ic** [`stəuɪk] *s* stoik
**sto·i·cal** [`stəuɪkl] *adj* stoicki
**stoke** [stəuk] *vt* palić (w lokomotywie, piecu hutniczym)
**stoke·hold** [`stəuk həuld] *s mors.* kotłownia (na statku)
**stole 1.** [stəul] *s rel.* stuła
**stole 2.** *zob.* **steal**
**sto·len** *zob.* **steal**
**stol·id** [`stolɪd] *adj* obojętny; flegmatyczny; bierny
**stom·ach** [`stʌmək] *s anat.* żołądek, *pot.* brzuch; chętka; *vt* jeść z apetytem; znosić, ścierpieć
**stom·ach-ache** [`stʌmək eɪk] *s* ból brzucha
**stone** [stəun] *s* kamień; ziarnko (owocu), pestka; *bryt.* miara ciężaru; *vt* ukamienować; drylować (owoce)
**stone-ma·son** [`stəunmeɪsn] *s* kamieniarz
**stone·ware** [`stəunweə(r)] *s zbior.* naczynia ⟨wyroby⟩ kamionkowe
**ston·y** [`stəunɪ] *adj* kamienisty; kamienny
**stood** *zob.* **stand**
**stool** [stul] *s* stołek; *med.* stolec
**stoop** [stup] *vt vi* schylić (się), zgiąć (się); poniżyć (się); raczyć; być przygarbionym; *s* pochylenie; przygarbienie
**stop** [stop] *vt* zatkać, zatrzymać, zahamować; zaprzestać, skończyć; napełnić, zaplombować; powstrzymać; *vi* zatrzymać się, stanąć; przestać, skończyć (się), ustać; **~ short** urwać, nagle przerwać; *s* zatrzymanie (się); postój; przystanek; przerwa; koniec; zatyczka; *gram.* głoska zwarta; *gram.* **full ~** kropka; **to come to a ~** stanąć; ustać; **to put a ~** położyć kres
**stop-light** [`stop laɪt] *s* światło stopowe; sygnał zatrzymania
**stop·page** [`stopɪdʒ] *s* zatrzymanie; wstrzymanie (np. pracy); zawieszenie (np terminu płatności); zastój
**stop·per** [`stopə(r)] *s* szpunt, korek
**stop-press** ['stop `pres] *attr* **~ news** wiadomości (z ostatniej chwili)
**stor·age** [`stɔrɪdʒ] *s* magazynowanie, gromadzenie, zapas; **cold ~** przechowywanie w chłodni; chłodnia
**store** [stɔ(r)] *s* zapas; skład; magazyn; *am.* sklep; *pl* **~s** dom towarowy; **to set ~** przykładać wagę, przywiązywać znaczenie (**by sth** do czegoś); *vt* zaopatrywać, ekwipować; (*także* **~ up**) magazynować, przechowywać, gromadzić (np. zapasy)
**store-house** [`stɔ haus] *s* magazyn
**store·keep·er** [`stɔ kipə(r)] *s* magazynier; *am.* kupiec
**sto·rey, sto·ry** [`stɔrɪ] *s* piętro
**stork** [stɔk] *s* bocian
**storm** [stɔm] *s* burza; *mors.* sztorm; szturm; *vi* krzyczeć, złościć się; **it ~s** burza szaleje; *vt* szturmować
**storm·y** [`stɔmɪ] *adj* burzliwy, gwałtowny; zapowiadający burzę
**sto·ry 1.** [`stɔrɪ] *s* historia; opowiadanie, opowieść; fabuła; **short ~** nowela; **the ~ goes that ...** mówią, że ...; podobno ...
**sto·ry 2.** *zob.* **storey**
**stout** [staut] *adj* mocny, mocno zbudowany; tęgi; otyły; solidny; stanowczy; *s* mocny porter
**stove** [stəuv] *s* piec
**stow** [stəu] *vt* umieścić; zapakować; (*także* **~ away**) schować; usunąć; *vi* ukryć się; jechać bez biletu (*zw.* na statku)
**stow·age** [`stəuɪdʒ] *s mors.* pakownia; pakowanie; ładunek ułożony; opłaty za ładunek
**stow·a·way** [`stəu əweɪ] *s* pasażer na gapę (na statku)
**strad·dle** [`strædl] *vt vi* stać z rozkraczonymi nogami; siedzieć okrakiem
**strag·gle** ['strægl] *vi* rozejść się;

rozproszyć się, być rozproszonym ⟨rozciągniętym⟩

**strag·gler** [ˋstræglə(r)] *s* włóczęga, maruder

**straight** [streɪt] *adj* prosty, sztywny; prostolinijny; uporządkowany; pewny; rzetelny; **to put ~** uporządkować, poprawić, wyrównać; *adv* prosto; **~ away** natychmiast; z miejsca; **~ out** wprost, bez wahania

**straight·en** [ˋstreɪtn] *vt vi* wyprostować (się); uporządkować; wyrównać

**straight·for·ward** [streɪtˋfɔwəd] *adj* prosty; prostolinijny, szczery

**strain 1.** [streɪn] *vt* napinać, wytężać, forsować; przesadzać; przekraczać; cedzić, filtrować; *vi* wysilać się, wytężać się; usilnie dążyć (**after sth** do czegoś); *s* napięcie, natężenie; wysiłek; (*zw. pl* **~s**) *poet.* melodia, ton

**strain 2.** [streɪn] *s* ród, rasa, pochodzenie

**strait** [streɪt] *adj* † wąski, ciasny; **~ jacket** kaftan bezpieczeństwa; *s* (*zw. pl* **~s**) cieśnina; ciężkie położenie, kłopoty

**strand 1.** [strænd] *s* brzeg, nabrzeże; *vt* osadzić na brzegu ⟨na mieliźnie⟩; osiąść na brzegu ⟨na mieliźnie⟩

**strand 2.** [strænd] *s* skręcona nitka (przędzy, sznura); splot (włosów), warkocz

**strange** [streɪndʒ] *adj* dziwny, niezwykły; obcy; **to feel ~** czuć się nieswojo ⟨obco⟩; **~ to say ...** dziwne, że ...

**strang·er** [ˋstreɪndʒə(r)] *s* obcy człowiek; nieznajomy, przybysz; człowiek nie obeznany (**to sth** z czymś)

**stran·gle** [ˋstræŋl] *vt* dusić, dławić

**stran·gu·late** [ˋstræŋgjuleɪt] *vt* dusić; *med.* podwiązywać (np. żyłę)

**strap** [stræp] *s* rzemień; uchwyt (*np.* w tramwaju); *vt* opasać rzemieniem, przewiązać; sprawić lanie

**stra·ta** *zob.* **stratum**

**strat·a·gem** [ˋstrætədʒəm] *s* podstępny plan, fortel

**stra·te·gic** [strəˋtidʒɪk] *adj* strategiczny

**strat·e·gy** [ˋstrætɪdʒɪ] *s* strategia

**strato·sphere** [ˋstrætəsfɪə(r)] *s* stratosfera

**stra·tum** [ˋstrɑtəm] *s* (*pl* **strata** [ˋstrɑtə]) *geol.* warstwa; *przen.* grupa ⟨warstwa⟩ społeczna

**straw** [strɔ] *s* słoma; *przen.* **I don't care a ~** nic mnie to nie obchodzi, nie dbam o to; **it isn't worth a ~** to nie ma żadnej wartości

**straw·ber·ry** [ˋstrɔbrɪ] *s* truskawka; (*także* **wild ~**) poziomka

**stray** [streɪ] *vi* błąkać się, błądzić; odłączyć się (od grupy); zejść z właściwej drogi; *adj attr* zabłąkany; przypadkowy; *s* przybłęda; *pl* **~s** zakłócenia atmosferyczne

**streak** [strɪk] *s* pasmo; smuga; rys; **like a ~ of lightning** błyskawicznie, z szybkością błyskawicy

**stream** [strim] *s* strumień; prąd; **a ~ of people** masa ludzi; tłum; **to go with the ~** iść z prądem ⟨duchem⟩ czasu; *lit.* **~ of consciousness** strumień świadomości; **down ~** z prądem; **up ~** pod prąd; *vi* uciec, płynąć, spływać

**stream·let** [ˋstrimlət] *s* strumyk

**stream·line** [ˋstrim laɪn] *s* linia opływowa

**street** [strit] *s* ulica; **the man in the ~** szary ⟨przeciętny⟩ człowiek

**street-car** [ˋstrit kɑ(r)] *s am.* tramwaj

**street-walk·er** [ˋstrit wɔkə(r)] *s* ulicznica, prostytutka

**strength** [ˋstreŋθ] *s* siła, moc

**strength·en** [ˋstreŋθn] *vt vi* wzmocnić (się)

**stren·u·ous** [ˋstrenjuəs] *adj* gorliwy; usilny; wymagający wysiłku

**stress** [stres] *s* nacisk, przycisk; presja, ciśnienie; *gram.* akcent; *vt* naciskać; podkreślać; *gram.* akcentować

**stretch** [stretʃ] *vt vi* wyciągać (się), rozciągać (się), naciągać (się); *s* rozpostarcie; napięcie; rozpiętość; elastyczność; przeciąg czasu; jednolita przestrzeń; **at a ~** jednym ciągiem

**stretch·er** [ˈstretʃə(r)] *s* nosze; rama do napinania

***strew** [stru], **strewed** [strud], **strewn** [strun] *vt* sypać, rozsypywać

**strick·en** [ˈstrɪkən] *adj* trafiony, dotknięty; **~ in years** w podeszłym wieku

**strict** [strɪkt] *adj* ścisły, dokładny

**stric·ture** [ˈstrɪktʃə(r)] *s med.* zwężenie, skurcz; (*zw. pl* **~s**) ostra krytyka

***stride** [ˈstrɪd], **strode** [strəud], **strid·den** [ˈstrɪdn] *vt vi* kroczyć; przekroczyć; siedzieć okrakiem (**sth** na czymś); *s* krok; rozkrok; **to take sth in one's ~** zrobić coś bez wysiłku

**stri·dent** [ˈstraɪdnt] *adj* (*o dźwięku*) zgrzytający, piskliwy

**strife** [straɪf] *s* walka, spór

***strike** [straɪk], **struck**, **struck** [strʌk] *vt vi* uderzyć, ugodzić; strajkować; (*o zegarze*) bić; krzesać (*ogień*); zapalać (zapałkę); zadać (cios); wybijać (np. monetę); kończyć, zamykać (np. bilans); natknąć się (**sth** na coś); skreślić (np. **off a list** z listy); **to ~ a bargain** ubić interes; **to ~ blind** oślepić; **to ~ dead** uśmiercić; **to ~ root** zapuścić korzenie; **to ~ the tent** zwinąć namiot; **~ down** powalić; zbić; **~ off** odciąć; odejść; potrącić (np. procent); skreślić; **~ out** wykreślić; szybko ruszyć ⟨rzucić się⟩ (**for sth** ku czemuś); **~ up** zawrzeć (znajomość); zacząć grać ⟨śpiewać⟩; *s* strajk; trafienie; **to be on ~** strajkować

**strike-break·er** [ˈstraɪk breɪkə(r)] *s* łamistrajk

**strik·er** [ˈstraɪkə(r)] *s* strajkujący

* **string** [strɪŋ], **strung**, **strung** [strʌŋ] *vt* naciągać, napinać; nawlekać; zaopatrzyć w struny; wiązać sznurem; *vi* napinać się; (np. *o kleju*) ciągnąć się; **~ up** powiesić (człowieka); napinać; *s* sznur, szpagat; struna; cięciwa; *muz.* **~ instruments** instrumenty smyczkowe

**stringed** [strɪŋgd] *adj* zaopatrzony w struny; smyczkowy

**strin·gent** [ˈstrɪndʒənt] *adj* ścisły; surowy; ograniczony (np. brakiem pieniędzy); ciasny (rynek)

**strip 1.** [strɪp] *s* pasek, skrawek

**strip 2.** [strɪp] *vt* zdejmować, zrywać; obdzierać (**sb of sth** kogoś z czegoś); obnażać; *vi* rozebrać się, obnażyć się

**stripe** [straɪp] *s* pasek, kreska, smuga

**striped** [straɪpt] *adj* pasiasty, w pasy, prążkowany

**strip·ling** [ˈstrɪplɪŋ] *s* wyrostek, młokos

**strip-tease** [ˈstrɪp ˈtiz] *s* strip-tease

* **strive** [straɪv], **strove** [strəuv], **striv·en** [ˈstrɪvn] *vi* dążyć (**for** ⟨**after**⟩ **sth** do czegoś); walczyć, zmagać się (**with** ⟨**against**⟩ **sb, sth** z kimś, czymś)

**strode** *zob.* **stride**

**stroke 1.** [strəuk] *vt* głaskać, gładzić; *s* głaskanie

**stroke 2.** [strəuk] *s* uderzenie, cios; pociągnięcie; kreska; nagły pomysł, przebłysk; atak (choroby); *sport* styl (pływania); ruch (ramion, wiosła itp.)

**stroll** [strəul] *vi* wędrować, przechadzać się; *s* przechadzka

**strong** [strɒŋ] *adj* silny, mocny, energiczny; **~ drink** napój alkoholowy; **~ language** przekleństwa

**strong-box** [ˈstrɒŋ bɒks] *s* sejf

**strong·hold** [ˈstrɒŋ həuld] *s* forteca

**strop** [strop] *s* pasek do ostrzenia brzytwy; *vt* ostrzyć na pasku
**strove** *zob.* **strive**
**struck** *zob.* **strike**
**struc·tur·al** [ˈstrʌktʃərl] *adj* strukturalny; budowlany
**struc·ture** [ˈstrʌktʃə(r)] *s* struktura; budowa
**strug·gle** [ˈstrʌgl] *s* walka; *vi* walczyć; zmagać się, usiłować; ~ **in** z wysiłkiem wtargnąć do wnętrza; ~ **through** z wysiłkiem przedostać się
**strum** [strʌm] *vt vi* rzępolić, brzdąkać
**strum·pet** [ˈstrʌmpɪt] *s* ulicznica
**strung** *zob.* **string**; *adj* ~ **up** znajdujący się w napięciu nerwowym
**strut** [strʌt] *vi* dumnie kroczyć, chodzić z nadętą miną
**stub** [stʌb] *s* pień; niedopałek (papierosa); pieniek (zęba); kikut; odcinek (czeku, biletu); *vt* (*także* ~ **out** ⟨**up**⟩) trzebić, karczować; trącić (**against sth** o coś)
**stub·ble** [ˈstʌbl] *s* ściernisko; szczecina; broda nie golona
**stub·born** [ˈstʌbən] *adj* uparty
**stuc·co** [ˈstʌkəu] *s* sztukateria
**stuck** *zob.* **stick**
**stud 1.** [stʌd] *s* stadnina
**stud 2.** [stʌd] *s* gwóźdź z płaską główką, ćwiek; mały krążek; spinka; *vt* nabić gwoździami
**stu·dent** [ˈstjudnt] *s* student; człowiek studiujący; uczony
**stud·ied** [ˈstʌdɪd] *adj* oczytany; przemyślany; wyrafinowany; udawany
**stu·dio** [ˈstjudɪəu] *s* atelier, studio
**stu·di·ous** [ˈstjudɪəs] *adj* pilny, pracowity, oddany studiom; przemyślany
**stud·y** [ˈstʌdɪ] *s* studium; badanie; dążenie, staranie; pracownia, gabinet; *vt* studiować, badać; *vi* odbywać studia; przygotowywać się (**for an exam** do egzaminu); starać się
**stuff** [stʌf] *s* materiał, tworzywo, tkanina; istota, rzecz; *pl* **food** ~**s** artykuły żywnościowe; **green** ~ warzywa; *vt* napychać, wypychać; nabijać; faszerować
**stuff·ing** [ˈstʌfɪŋ] *s* nabicie; wypchanie; nadzienie, farsz
**stuff·y** [ˈstʌfɪ] *adj* duszny; nudny; *am. pot.* zły, skwaszony
**stul·ti·fy** [ˈstʌltɪfaɪ] *vt* udaremnić; ośmieszyć
**stum·ble** [ˈstʌmbl] *vi* potykać się; *przen.* robić błędy; jąkać się; natknąć się; *s* potknięcie; błąd
**stum·bling-block** [ˈstʌmblɪŋ blok] *s* zapora, przeszkoda, trudność
**stump** [stʌmp] *s* pniak; niedopałek (papierosa); pieniek (zęba); kikut; ~ **orator** okolicznościowy mówca; agitator polityczny; *vt* zapędzić w kozi róg; szerzyć agitację; *vi* iść sztywnym krokiem
**stump·y** [ˈstʌmpɪ] *adj* krępy
**stun** [stʌn] *vt* ogłuszyć (uderzeniem)
**stung** *zob.* **sting**
**stunt 1.** [stʌnt] *s pot.* pokaz, popis; wyczyn; *vi* dokonać czegoś sensacyjnego; popisać się (np. akrobatyką lotniczą)
**stunt 2.** [stʌnt] *vt* hamować (w rozwoju); *s* zahamowanie (w rozwoju)
**stunt·ed** [ˈstʌntɪd] *adj* karłowaty
**stu·pe·fac·tion** [ˌstjupɪˈfækʃn] *s* osłupienie; oszołomienie, otępienie
**stu·pe·fy** [ˈstjupɪfaɪ] *vt* oszołomić, otępić; wprawić w osłupienie
**stu·pen·dous** [stjuˈpendəs] *adj* zdumiewający
**stu·pid** [ˈstjupɪd] *adj* głupi
**stu·pid·i·ty** [stjuˈpɪdətɪ] *s* głupota; głupstwo; nonsens
**stu·por** [ˈstjupə(r)] *s* osłupienie; odrętwienie
**stur·dy** [ˈstɜdɪ] *adj* mocny, krzepki; nieugięty
**stur·geon** [ˈstɜdʒən] *s zool.* jesiotr
**stut·ter** [ˈstʌtə(r)] *vi* jąkać się

**sty** 1. [staɪ] *s* chlew

**sty(e)** 2. [staɪ]'*s med.* jęczmień (na oku)

**style** [staɪl] *s* styl; moda; sposób tytułowania; szyk; wzór; sztyft; rylec; *vt* nazywać, tytułować

**styl·ish** [ˈstaɪlɪʃ] *adj* stylowy, modny

**suave** [swɑv] *adj* przyjemny, uprzejmy

**sub-** [sʌb] *praef* pod-

**sub·al·tern** [ˈsʌbltən] *adj (o oficerze)* niższy rangą; *s wojsk.* oficer poniżej kapitana

**sub·com·mit·tee** [ˈsʌb kəmɪtɪ] *s* podkomisja, podkomitet

**sub·con·scious** [ˈsʌbˈkonʃəs] *adj* podświadomy

**sub·cu·ta·ne·ous** [ˈsʌbkjuˈteɪnɪəs] *adj* podskórny

**sub·di·vi·sion** [ˈsʌbdɪˈvɪʒn] *s* poddział

**sub·due** [səbˈdju] *vt* pokonać, ujarzmić, przytłumić

**sub·ject** [ˈsʌbdʒɪkt] *s* podmiot (*także gram.*); temat; poddany; przedmiot (np. nauki); *adj* podległy; podlegający; narażony (**to sth** na coś); skłonny (**to sth** do czegoś); *adv* z zastrzeżeniem, pod warunkiem (**to sth** czegoś); *vt* [səbˈdʒekt] podporządkować; ujarzmić; poddać; narazić (**to sth** na coś)

**sub·jec·tion** [səbˈdʒekʃn] *s* podporządkowanie (się); ujarzmienie; uzależnienie

**sub·jec·tive** [səbˈdʒektɪv] *adj* subiektywny; *gram.* ~ **case** mianownik

**sub·ject-mat·ter** [ˈsʌbdʒɪkt mætə(r)] *s* temat; treść; tematyka

**sub·join** [sʌbˈdʒɔɪn] *vt* dołączyć, załączyć

**sub·ju·gate** [ˈsʌbdʒugeɪt] *vt* ujarzmić

**sub·junc·tive** [səbˈdʒʌŋktɪv] *adj gram.* łączący; *s gram.* tryb łączący

**sub·lime** [səˈblaɪm] *adj* wzniosły; wspaniały; najwyższy

**sub·ma·rine** [ˈsʌbməˈrin] *adj* podwodny; *s* łódź podwodna

**sub·merge** [səbˈmɜdʒ] *vt vi* zatopić, zanurzyć (się)

**sub·mis·sion** [səbˈmɪʃn] *s* podporządkowanie; uległość, posłuszeństwo

**sub·mis·sive** [səbˈmɪsɪv] *adj* uległy, posłuszny

**sub·mit** [səbˈmɪt] *vt* poddawać pod rozwagę; pozostawiać do decyzji; przedkładać, proponować; *vi* podporządkować się, ulegać

**sub·or·di·nate** [səˈbɔdnət] *adj* podporządkowany, podwładny; *gram.* ~ **clause** zdanie podrzędne; *s* podwładny; *vt* [səˈbɔdɪneɪt] podporządkować, uzależnić

**sub·or·di·na·tion** [səˈbɔdɪˈneɪʃn] *s* podporządkowanie; uległość, posłuszeństwo, subordynacja

**sub·scribe** [səbˈskraɪb] *vt* podpisać; dopisać; pisemnie złożyć, zaofiarować (np. sumę pieniężną); *vi* podpisać się (**to sth** pod czymś); popierać (**to sth** coś); prenumerować (**for** ⟨**to**⟩ **sth** coś)

**sub·scrib·er** [səbˈskraɪbə(r)] *s* subskrybent; abonent

**sub·scrip·tion** [səbˈskrɪpʃn] *s* podpis; abonament; subskrypcja; składka członkowska

**sub·se·quent** [ˈsʌbsɪkwənt] *adj* następny, późniejszy; ~ **to sth** wynikający z czegoś

**sub·serve** [səbˈsɜv] *vt* służyć (sprawie), przynosić korzyść

**sub·side** [səbˈsaɪd] *vi* opadać; zapadać się; uspokajać się

**sub·sid·i·ar·y** [səbˈsɪdɪərɪ] *adj* pomocniczy; dodatkowy; *s* pomocnik

**sub·si·dy** [ˈsʌbsɪdɪ] *s* subwencja

**sub·sist** [səbˈsɪst] *vi* istnieć, żyć (**by sth** z czegoś, dzięki czemuś); żywić się (**on sth** czymś); utrzymywać się (w mocy, w zwyczaju itp.)

**sub·sist·ence** [səbˈsɪstəns] *s* istnienie; życie; utrzymywanie się; utrzymanie

**sub·stance** [ˋsʌbstəns] *s* substancja; istota, treść, znaczenie; trwałość; posiadłość, majątek
**sub·stan·tial** [səbˋstænʃl] *adj* istotny; rzeczywisty; konkretny; solidny
**sub·stan·tive** [səbˋstæntɪv] *adj* rzeczywisty, konkretny; *s gram.* rzeczownik
**sub·sti·tute** [ˋsʌbstɪtjut] *s* zastępca; substytut, namiastka; *vt* podstawić, użyć zastępczo (**sth for sth** czegoś zamiast czegoś), zastąpić
**sub·sti·tu·tion** [ˌsʌbstɪˋtjuʃn] *s* substytucja; podstawienie; zastępowanie
**sub·ter·fuge** [ˋsʌbtəfjudʒ] *s* podstęp
**sub·ter·ra·ne·an** [ˌsʌbtəˋreɪnɪən] *adj* podziemny
**sub-title** [ˋsʌbtaɪtl] *s* podtytuł
**sub·tle** [ˋsʌtl] *adj* subtelny; misterny
**sub·tract** [səbˋtrækt] *vt mat.* odejmować
**sub·trac·tion** [səbˋtrækʃn] *s mat.* odejmowanie
**sub·trop·i·cal** [ˌsʌbˋtropɪkl] *adj* podzwrotnikowy
**sub·urb** [ˋsʌbɜb] *s* przedmieście; *pl* **~s** peryferie
**sub·ur·ban** [səˋbɜbən] *adj* podmiejski
**sub·ven·tion** [səbˋvenʃn] *s* subwencja
**sub·ver·sion** [səbˋvɜʃn] *s* przewrót, akcja wywrotowa
**sub·ver·sive** [səbˋvɜsɪv] *adj* wywrotowy
**sub·vert** [sʌbˋvɜt] *vt* przewrócić, obalić
**sub·way** [ˋsʌbweɪ] *s* przejście podziemne; *am.* kolej podziemna, metro
**suc·ceed** [səkˋsid] *vi* mieć powodzenie, z powodzeniem coś robić; odziedziczyć (**to an estate** posiadłość); **I ~ed in finishing my work** udało mi się skończyć pracę; *vt* nastąpić (**sb, sth** po kimś, po czymś)
**suc·cess** [səkˋses] *s* powodzenie; pomyślność; sukces; człowiek, który ma powodzenie (w życiu)
**suc·cess·ful** [səkˋsesfl] *adj* mający powodzenie, udany, pomyślny; **I was ~ in doing that** udało mi się to zrobić
**suc·ces·sion** [səkˋseʃn] *s* następstwo, kolejność; seria; sukcesja, dziedziczenie; **in ~** kolejno; **in quick ~** raz za razem, szybko po sobie
**suc·ces·sive** [səkˋsesɪv] *adj* kolejny
**suc·ces·sor** [səkˋsesə(r)] *s* następca (**to sb** czyjś); sukcesor, dziedzic
**suc·cinct** [səkˋsɪŋkt] *adj* krótki, zwięzły
**suc·cour** [ˋsʌkə(r)] *s* pomoc; *vt* wspomagać, przyjść z pomocą
**suc·cu·lent** [ˋsʌkjulənt] *adj* soczysty
**suc·cumb** [səˋkʌm] *vi* ulec, poddać się (**to sth** czemuś); umrzeć
**such** [sʌtʃ] *adj pron* taki; **no, some, any, every, another, many, all** *poprzedzają* **such**; *rodzajnik* **a** *następuje po* **such**, *np.*: **no ~ thing** nic takiego, **~ a thing** coś takiego; **~ a nice day** taki piękny dzień; **~ as** taki, jak ...; **~ that ...** taki ⟨tego rodzaju⟩, że ...
**such·like** [ˋsʌtʃlaɪk] *adj* podobny (do tego), tego rodzaju
**suck** [sʌk] *vt* ssać, wysysać; *przen.* czerpać (np. korzyść); *s* ssanie
**suck·er** [ˋsʌkə(r)] *s* osesek; *zool.* ssak; ssawka; *techn.* tłok ssący; *bot.* odrost, kiełek; *pot.* oszust, szantażysta; naiwniak; *pot.* młokos
**suck·le** [ˋsʌkl] *vt* karmić piersią
**suck·ling** [ˋsʌklɪŋ] *s* osesek
**suc·tion** [ˋsʌkʃn] *s* ssanie
**suc·tion-pump** [ˋsʌkʃn pʌmp] *s* pompa ssąca
**sud·den** [ˋsʌdn] *adj* nagły; *s tylko w zwrocie*: **all of a ~** nagle
**suds** [sʌdz] *s pl* mydliny
**sue** [su] *vt* ścigać sądownie, procesować się (**sb** z kimś, **for sth** o coś); *vi* błagać (**for sth** o coś);

prosić (kobietę o rękę); wnosić skargę (to a court do sądu)·
**su·et** [`suɪt] *s* łój
**suf·fer** [`sʌfə(r)] *vi* cierpieć (from sth na coś, for sth za coś); chorować; cierpieć (sth z powodu czegoś); ~ hunger cierpieć głód; *vt* znosić, tolerować; ponosić (np. karę); pozwalać (sth na coś)
**suf·fer·a·ble** [`sʌfr̩əbl] *adj* znośny, dopuszczalny
**suf·fer·ance** [`sʌfr̩əns] *s* tolerowanie; cierpliwość, wytrzymałość; to be on ~ być tolerowanym; beyond ~ nie do wytrzymania
**suf·fer·er** [`sʌfr̩ə(r)] *s* człowiek cierpiący; ponoszący szkodę (from sth z powodu czegoś)
**suf·fer·ing** [`sʌfr̩ɪŋ] *s* cierpienie
**suf·fice** [sə`faɪs] *vt vi* wystarczać; zadowalać; ~ it to say wystarczy powiedzieć
**suf·fi·cien·cy** [sə`fɪʃnsɪ] *s* dostateczna ilość; wystarczające środki do życia
**suf·fi·cient** [sə`fɪʃnt] *adj* wystarczający, dostateczny
**suf·fix** [`sʌfɪks] *s gram.* przyrostek
**suf·fo·cate** [`sʌfəkeɪt] *vt vi* dusić (się)
**suf·frage** [`sʌfrɪdʒ] *s* prawo głosowania; głosowanie; głos
**suf·fuse** [sə`fjuz] *vt* zalać (np. łzami); pokryć (np. farbą)
**sug·ar** [`ʃugə(r)] *s* cukier; *vt* cukrzyć
**sug·ar-ba·sin** [`ʃugə beɪsn] *s* cukiernica
**sug·ar-beet** [`ʃugə bit] *s bot.* burak cukrowy
**sug·ar-cane** [`ʃugə keɪn] *s bot.* trzcina cukrowa
**sug·ar-loaf** [`ʃugə ləuf] *s* głowa cukru
**sug·gest** [sə`dʒest] *vt* sugerować, podsuwać myśl, dawać do zrozumienia; proponować
**sug·ges·tion** [sə`dʒestʃən] *s* sugestia; propozycja
**sug·ges·tive** [sə`dʒestɪv] *adj* sugestywny, nasuwający myśl (of sth o czymś); wiele mówiący; dwuznaczny
**su·i·cide** [`suɪsaɪd] *s* samobójca; samobójstwo
**suit** [sut] *s* podanie; sprawa sądowa, proces; zachody; zaloty; seria; garnitur, ubranie; kostium (damski); zestaw, komplet; kolor (w kartach); to follow ~ dodać do koloru; *przen.* pójść w ślady; *vt vi* odpowiadać, nadawać się, pasować (sth do czegoś); dostosowywać; być do twarzy; zadowolić, dogodzić; ~ yourself rób, jak uważasz; this dress ~s you do twarzy ci w tej sukni
**suit·a·ble** [`sutəbl] *adj* odpowiedni, stosowny; należyty
**suit-case** [`sutkeɪs] *s* walizka
**suite** [swit] *s* świta, orszak; seria; *muz.* suita; ~ of rooms amfilada (pokoi), apartamenty
**suit·or** [`sutə(r)] *s* zalotnik, konkurent; petent; *prawn.* powód (strona w sądzie)
**sulk** [sʌlk] *vi* dąsać się; *s pl* ~s dąsy, fochy
**sulk·y** [`sʌlkɪ] *adj* nadąsany
**sul·len** [`sʌlən] *adj* ponury
**sul·ly** [`sʌlɪ] *vt* kalać, plamić; zaciemniać
**sul·phate** [`sʌlfeɪt] *s chem.* siarczan
**sul·phur** [`sʌlfə(r)] *s chem.* siarka
**sul·phu·ric** [sʌl`fjuərɪk] *adj chem.* siarkowy
**sul·phur·ous** [`sʌlfərəs] *adj chem.* siarkawy
**sul·tan** [`sʌltən] *s* sułtan
**sul·tan·a** [sl`tanə] *s* sułtanka; [səl `tanə] rodzynek
**sul·try** [`sʌltrɪ] *adj* duszny, parny
**sum** [sʌm] *s* suma, wynik; treść, sedno; zadanie arytmetyczne; *pl* ~s rachunki (w szkole); in ~s krótko mówiąc; *vt* sumować; ~ up dodawać; podsumowywać, streszczać
**sum·ma·rize** [`sʌmr̩aɪz] *vt* streścić, zreasumować
**sum·ma·ry** [`sʌmr̩ɪ] *adj* krótki; po-

bieżny; *prawn.* sumaryczny; *s* streszczenie, zwięzłe ujęcie
**sum·mer** [ˋsʌmə(r)] *s* lato; **Indian ~** babie lato; **~ school** kurs wakacyjny; *vi* spędzać lato
**sum·mer·y** [ˋsʌmərɪ] *adj* letni
**sum·mit** [ˋsʌmɪt] *s* (*także przen.*) szczyt
**sum·mon** [ˋsʌmən] *vt* wezwać, zawezwać; zwołać; zebrać; **~ up** powołać; zebrać się, zdobyć się (**sth** na coś)
**sum·mons** [ˋsʌmənz] *s* wezwanie, nakaz; *vt* wezwać (do sądu)
**sump·tu·ous** [ˋsʌmptʃuəs] *adj* pełen przepychu, wspaniały, wystawny
**sun** [sʌn] *s* słońce; **in the ~** na słońcu; *vt* wystawiać na słońce; *vi* wygrzewać się na słońcu
**sun·beam** [ˋsʌn bim] *s* promień słońca
**sun·burn** [ˋsʌnbɜn] *s* opalenizna
**sun·burnt** [ˋsʌnbɜnt] *adj* opalony, ogorzały
**sun·dae** [ˋsʌndeɪ] *s* lody z owocami i śmietaną
**Sun·day** [ˋsʌndɪ] *s* niedziela; *attr* niedzielny; *pot.* **~ best** odświętne ubranie
**sun·dial** [ˋsʌn daɪḷ] *s* zegar słoneczny
**sun·dry** [ˋsʌndrɪ] *adj* różny, rozmaity; **all and ~** wszyscy bez wyjątku; *s pl* **sundries** rozmaitości
**sun·flow·er** [ sʌnflauə(r)] *s bot.* słonecznik
**sung** *zob.* **sing**
**sunk** *zob.* **sink**
**sunk·en** [ˋsʌŋkən] *pp od* **sink**; *adj* zanurzony, zatopiony; zapadnięty, zapadły; leżący poniżej poziomu
**sun·kissed** [ˋsʌnkɪst] *adj* nasłoneczniony; dojrzewający w słońcu
**sun·light** [ˋsʌn laɪt] *s* światło słoneczne
**sun·ny** [ˋsʌnɪ] *adj* słoneczny; (*o usposobieniu*) pogodny, wesoły
**sun-ray** [ˋsʌn reɪ] *s* promień słońca
**sun·rise** [ˋsʌnraɪz] *s* wschód słońca; **at ~** o świcie
**sun·set** [ˋsʌnset] *s* zachód słońca; **at ~** o zachodzie słońca
**sun·shade** [ˋsʌnʃeɪd] *s* parasolka (od słońca); markiza
**sun·shine** [ˋsʌnʃaɪn] *s* światło słoneczne; słoneczna pogoda
**sun·stroke** [ˋsʌnstrəuk] *s* udar słoneczny
**sup** [sʌp] *vi* jeść kolację
**su·per 1.** [ˋsupə(r)] *adj pot.* wspaniały, pierwszorzędny; *s pot. teatr* statysta; *pot.* kierownik, przełożony; *pot.* szlagier
**su·per 2.** [ˋsupə(r)] *praef* nad-; prze-, *np.*: **superman** nadczłowiek; **to superheat** przegrzewać
**su·per·a·bound** [ˈsupərəˋbaund] *vi* być w nadmiarze
**su·per·a·bun·dant** [ˈsupərəˋbʌndənt] *adj* będący w nadmiarze
**su·per·an·nu·ate** [ˈsupərˋænjueɪt] *vt* zarzucić (coś przestarzałego); przenieść w stan spoczynku; usunąć (ucznia ze szkoły)
**su·per·an·nu·at·ed** [ˈsupərˋænjueɪt ɪd] *adj* emerytowany; przestarzały, zużyty
**su·perb** [suˋpɜb] *adj* wspaniały
**su·per·cil·i·ous** [ˈsupəˋsɪlɪəs] *adj* zarozumiały, wyniosły
**su·per·e·roga·to·ry** [ˈsupərəˋrogətrɪ] *adj* zbyteczny, nadobowiązkowy
**su·per·fi·cial** [ˈsupəˋfɪʃl] *adj* dotyczący powierzchni; (*o uczuciach, wiedzy*) powierzchowny
**su·per·fi·ci·es** [ˋsupəfɪʃɪz] *s* powierzchnia
**su·per·flu·i·ty** [ˈsupəˋfluətɪ] *s* zbędność; nadmiar; zbędna rzecz
**su·per·flu·ous** [suˋpɜfluəs] *adj* zbędny; nadmierny
**su·per·high·way** [ˈsupə ˋhaɪweɪ] *s am.* autostrada
**su·per·hu·man** [ˈsupəˋhjumən] *adj* nadludzki
**su·per·in·tend·ent** [ˈsupṛɪnˋtendənt]

*s* nadzorca; inspektor; kierownik
**su·pe·ri·or** [sə`pɪərɪə(r)] *adj* wyższy; przeważający; starszy rangą; wyniosły; zwierzchni; przedni; **to be ~** przewyższać; wznosić się (**to sb, sth** ponad kogoś, coś); *s* zwierzchnik, przełożony; człowiek górujący; **he has no ~ in ...** nikt go nie przewyższa pod względem ...
**su·pe·ri·or·i·ty** [sə'pɪərɪ`orətɪ] *s* wyższość; starszeństwo; przewaga
**su·per·la·tive** [su`pɜlətɪv] *adj* nieprześcigniony, najlepszy; *gram.* (*o stopniu*) najwyższy; *s gram.* stopień najwyższy; *przen.* wyraz najwyższego uznania, superlatyw
**su·per·man** [`supəmæn] *s* nadczłowiek
**su·per·nat·u·ral** ['supə`nætʃərl] *adj* nadprzyrodzony
**su·per·nu·mer·a·ry** ['supə`njumərərɪ] *adj* nadliczbowy; zbędny; nieetatowy; rzecz zbędna; *teatr* statysta; pracownik nieetatowy
**su·per·scribe** ['supə`skraɪb] *vt* napisać u góry, umieścić napis; adresować
**su·per·scrip·tion** [`supəskrɪpʃn] *s* napis; adres
**su·per·sede** ['supə`sid] *vt* wyprzeć, usunąć, zastąpić
**su·per·son·ic** ['supə`sonɪk] *s fiz.* ultradźwiękowy
**su·per·sti·tion** ['supə`stɪʃn] *s* przesąd, zabobon
**su·per·sti·tious** ['supə`stɪʃəs] *adj* przesądny, zabobonny
**su·per·struc·ture** [`supəstrʌktʃə(r)] *s* nadbudowa
**su·per·vene** ['supə`vin] *vi* niespodziewanie nadejść, nastąpić
**su·per·vise** [`supəvaɪz] *vi* dozorować, kontrolować
**su·per·vi·sion** ['supə`vɪʒn] *s* dozór, nadzór, kontrola
**su·per·vi·sor** [`supəvaɪzə(r)] *s* nadzorca, kontroler; kierownik
**sup·per** [`sʌpə(r)] *s* kolacja
**sup·plant** [sə`plɑnt] *vt* wyprzeć, zająć miejsce
**sup·ple** [`sʌpl] *adj* giętki, uległy
**sup·ple·ment** [`sʌplɪmənt] *s* uzupełnienie, dodatek; *vt* uzupełnić, zaopatrzyć w suplement
**sup·ple·men·ta·ry** ['sʌplɪ`mentrɪ] *adj* uzupełniający
**sup·pli·cate** [`sʌplɪkeɪt] *vt* błagać (**sb for sth** kogoś o coś)
**sup·plier** [sə`plaɪə(r)] *s* dostawca
**sup·ply** [sə`plaɪ] *vt* dostarczyć (**sb with sth** komuś, czegoś), dostawić; zaopatrzyć (**sb with sth** kogoś w coś); uzupełnić; zastąpić; **~ the demand** zaspokoić popyt; *s* dostawca; podaż; zaopatrzenie; zastępca; *pl* **supplies** kredyty (*zw.* państwowe); zasiłki; *handl.* artykuły; *wojsk.* zaopatrzenie; posiłki; **food ~** aprowizacja; **short ~** niedostateczne zaopatrzenie, niedobór; **~ and demand** podaż i popyt
**sup·port** [sə`pɔt] *vt* podpierać; popierać, pomagać, utrzymywać; podtrzymywać; znosić, cierpieć; *s* podpora; poparcie, pomoc; utrzymanie; **in ~** na poparcie (**of sth** czegoś); *wojsk.* w rezerwie
**sup·pose** [sə`pəuz] *vt vi* przypuszczać, zakładać; **he is ~ed to be ...** przypuszcza się, że on jest ⟨powinien być⟩ ...; **~** przypuśćmy, dajmy na to; **I ~ so ⟨not⟩** myślę, że tak ⟨że nie⟩, chyba tak ⟨nie⟩
**sup·pos·ing** [sə`pəuzɪŋ] *conj* o ile, jeśli
**sup·po·si·tion** ['sʌpə`zɪʃn] *s* przypuszczenie; **on the ~** przypuszczając
**sup·po·si·to·ry** [sə`pozɪtrɪ] *s med.* czopek
**sup·press** [sə`pres] *vt* stłumić; znieść; zakazać; powstrzymać; ukryć, zataić
**sup·pres·sion** [sə`preʃn] *s* stłumienie; zniesienie; zakaz; powstrzymanie; ukrycie, zatajenie

**sup·pu·rate** [ˋsʌpjureɪt] *vi med.* ropieć, jątrzyć się

**su·prem·a·cy** [səˋpreməsɪ] *s* supremacja, zwierzchnictwo

**su·preme** [səˋprim] *adj* najwyższy; ostateczny

**sur·charge** [ˋsɜtʃadʒ] *vt* dodatkowo obciążyć, przeciążyć; zażądać zbyt wysokiej ceny; *s* przeciążenie; nadwaga; dopłata; *filat.* nadruk

**surd** [sɜd] *adj mat.* niewymierny; *gram.* bezdźwięczny; *s mat.* liczba niewymierna; *gram.* głoska bezdźwięczna

**sure** [ʃuə(r)] *adj* pewny, niezawodny; **be ~ to come** przyjdź koniecznie ⟨na pewno⟩; **he is ~ to do it** on na pewno to zrobi; **for ~** na pewno tak, oczywiście; **to make ~** upewnić się; *adv* na pewno

**sure·ly** [ˋʃuəlɪ] *adv* pewnie, niezawodnie

**surf** [sɜf] *s* fale rozbijające się o brzeg; piana na falach

**sur·face** [ˋsɜfɪs] *s* powierzchnia; wygląd zewnętrzny

**sur·feit** [ˋsɜfɪt] *s* przesyt; nadmiar; *vt* przesycić

**surge** [sɜdʒ] *vi* (*o falach*) podnosić się; *s* wysoka fala

**sur·geon** [ˋsɜdʒən] *s* chirurg; lekarz wojskowy ⟨okrętowy⟩

**sur·ger·y** [ˋsɜdʒərɪ] *s* chirurgia; zabieg chirurgiczny; sala operacyjna; pokój przyjęć pacjentów

**sur·gi·cal** [ˋsɜdʒɪkl] *adj* chirurgiczny

**sur·ly** [ˋsɜlɪ] *adj* ponury, nieprzyjazny; gburowaty

**sur·mise** [ˋsɜmaɪz] *s* przypuszczenie; podejrzenie; *vt* [sɜˋmaɪz] przypuszczać; podejrzewać

**sur·mount** [səˋmaunt] *vt* wznosić się (**sth** ponad coś); opanować, przezwyciężyć

**sur·name** [ˋsɜneɪm] *s* nazwisko; przydomek

**sur·pass** [səˋpas] *vt* przewyższać, przekraczać (oczekiwania itd.)

**sur·plus** [ˋsɜpləs] *s* nadwyżka, dodatek; *adj attr* dodatkowy; **~ value** wartość dodatkowa

**sur·prise** [səˋpraɪz] *s* zaskoczenie; niespodzianka; zdziwienie; **by ~** niespodziewanie; *vt* zaskoczyć; zdziwić

**sur·ren·der** [səˋrendə(r)] *vt* poddać, wydawać; przekazać; zrzec się, zrezygnować (**sth** z czegoś); *vi* poddać się, ulec, oddać się; *s* poddanie się; kapitulacja; oddanie (się); rezygnacja; wykup (np. polisy)

**sur·rep·ti·tious** [ˈsʌrəpˋtɪʃəs] *adj* skryty, tajny

**sur·round** [səˋraund] *vt* otaczać

**sur·round·ings** [səˋraundɪŋz] *s pl* otoczenie; okolica

**sur·veil·lance** [sɜˋveɪləns] *s* nadzór (*zw.* policyjny)

**sur·vey** [ˋsɜveɪ] *s* przegląd, inspekcja; pomiar (terenu); mapa (terenowa); *vt* [sɜˋveɪ] przeglądać, dokładnie badać; lustrować; mierzyć (grunty), dokonywać pomiarów

**sur·vey·or** [sɜˋveɪə(r)] *s* nadzorca; kontroler, inspektor; mierniczy

**sur·viv·al** [səˋvaɪvl] *s* przeżycie, przetrwanie, utrzymanie się przy życiu; pozostałość, resztka; przeżytek; *biol.* **the ~ of the fittest** ewolucja drogą doboru naturalnego

**sur·vive** [səˋvaɪv] *vt vi* przeżyć, przetrwać, utrzymać się przy życiu

**sus·cep·ti·bil·i·ty** [səˈseptəˋbɪlətɪ] *s* podatność (**to sth** na coś), wrażliwość

**sus·cep·ti·ble** [səˋseptəbl] *adj* wrażliwy, podatny (**to sth** na coś); nadający się, dopuszczający możliwość (**of sth** czegoś)

**sus·pect** [səˋspekt] *vt vi* podejrzewać (**sb of sth** kogoś o coś); obawiać się; *s* [ˋsʌspekt] człowiek podejrzany; *adj* podejrzany

**sus·pend** [səˋspend] *vt* zawiesić, wstrzymać

**sus·pend·ers** [sə`spendəz] *s pl* podwiązki; *am.* szelki
**sus·pense** [sə`spens] *s* stan zawieszenia; niepewność
**sus·pen·sion** [sə`spenʃn] *s* zawieszenie; wstrzymanie; zwłoka; ~ **bridge** most wiszący
**sus·pi·cion** [sə`spɪʃn] *s* podejrzenie
**sus·pi·cious** [sə`spɪʃəs] *adj* podejrzliwy; podejrzany
**sus·tain** [sə`steɪn] *vt* podtrzymywać; utrzymywać; przetrzymywać; znosić; ponosić
**sus·te·nance** [`sʌstɪnəns] *s* utrzymanie, wyżywienie; *zbior.* środki utrzymania
**swad·dle** [`swodl] *vt* owijać, przewijać (niemowlę)
**swag·ger** [`swægə(r)] *vi* przechwalać się, zadzierać nosa; *s* chełpliwość, zarozumiałość
**swal·low** 1. [`swoləʊ] *s zool.* jaskółka; *sport* ~ **dive** skok do wody jaskółką
**swal·low** 2. [`swoləʊ] *vt* połykać; pochłaniać; *s* łyk
**swam** *zob.* **swim**
**swamp** [swomp] *s* bagno, trzęsawisko; *vt* zanurzyć, pogrążyć; zasypać
**swamp·y** [`swompɪ] *adj* bagnisty
**swan** [swon] *s zool.* łabędź
**swap** [swop] = **swop**
**sward** [swɔd] *s* darń
**swarm** [swɔm] *s* rój; *vi* roić się
**swarth·y** [`swɔðɪ] *adj* śniady
**swash·buck·ler** [`swoʃbʌklə(r)] *s* zawadiaka
**swathe** [sweɪð] *vt* owijać, bandażować; *s* bandaż
**sway** [sweɪ] *vt vi* kołysać (się); przechylać (się); wahać się; mieć władzę, panować, przeważać; *s* kołysanie, przerzucanie się; władza, panowanie
* **swear** [sweə(r)], **swore** [swɔ(r)], **sworn** [swɔn] *vi* przysięgać (**by sth** na coś); kląć (**at sb, sth** na kogoś, na coś); *vt* zaprzysięgać; **to ~ an oath** złożyć przysięgę; **~ in** zaprzysięgać; **~ off** odwołać, wyrzec się pod przysięgą
**swear·ing** [`sweərɪŋ] *s* przysięga, zaprzysiężenie; przekleństwo, przeklinanie
**sweat** [swet] *s* pot, pocenie się; trud; **in the ~ of one's brow** w pocie czoła; *vi* pocić się; trudzić się, ciężko pracować; *vt* wywoływać poty; wydzielać; zmuszać do pracy w pocie czoła, wyzyskiwać; **~ed industry** przemysł oparty na wyzysku; **~ing system** system eksploatacji pracownika; wyzysk
**sweat·er** [`swetə(r)] *s* sweter; wyzyskiwacz (robotników)
**Swede** [swid] *s* Szwed
**Swed·ish** [`swidɪʃ] *adj* szwedzki; *s* język szwedzki
* **sweep** [swip], **swept**, **swept** [swept] *vt* zamiatać, wymiatać, zmiatać; przesuwać, przeciągać; *vi* wędrować, przebiegać, mknąć; *s* zamiatanie; rozmach, zamaszysty ruch; rozległość; **to make a clean ~ (of sth)** pozbyć się (czegoś) za jednym zamachem
**sweep·er** [`swipə(r)] *s* zamiatacz; zamiatarka (mechaniczna)
**sweep·ing** [`swipɪŋ] *adj* zamaszysty; gwałtowny, radykalny; rozległy; stanowczy
**sweep·stake** [`swipsteɪk] *s* (*także pl* **~s**) rodzaj totalizatora (na wyścigach konnych)
**sweet** [swit] *adj* słodki; delikatny; miły, ujmujący; melodyjny; łagodny; **it's ⟨how⟩ ~ of you** to miło z twojej strony; *pot.* **to be ~ on sb** kochać się w kimś; *s* cukierek; legumina, deser; kochana osoba; *pl* **~s** słodycze; rozkosze
**sweet·en** [`switn] *vt* słodzić; *vi* stać się słodkim
**sweet·heart** [`swithɑt] *s* kochana osoba, kochanie
**sweet·meat** [`switmit] *s* cukierek
**sweet·shop** [`swit ʃɔp] *s* sklep ze słodyczami
***swell** [swel], **swelled** [sweld],

**swollen** [`swəulən] *vi* puchnąć, nabrzmiewać; wzbierać; wzmagać się; *vt* nadymać; powiększać; wzmagać; *s* nabrzmienie, obrzęk; wzniesienie; wzmaganie się; *pot.* modniś, elegant; *przen.* gruba ryba; mistrz (**at sth** w czymś); *adj pot.* elegancki, modny; ważny, nadzwyczajny; **~ society** lepsze towarzystwo, wyższa sfera

**swell·ing** [`swelɪŋ] *s* nabrzmienie, obrzęk, opuchlina; wypukłość; *adj* nadęty; (*o stylu*) napuszony

**swel·ter** [`sweltə(r)] *vi* omdlewać od upału; *s* upał, skwar

**swept** *zob.* **sweep**

**swerve** [swɜv] *vt vi* odchylić (się), zboczyć; *s* odchylenie

**swift** [swɪft] *adj* szybki, prędki; *adv* szybko, prędko

* **swim** [swɪm], **swam** [swæm], **swum** [swʌm] *vi* pływać, płynąć; kręcić się (w głowie); *vt* przepłynąć; *s* pływanie; zawrót głowy

**swim·ming-bath** [`swimɪŋ bɑθ] *s* pływalnia

**swim·ming-match** [`swɪmɪŋ mætʃ] *s* zawody pływackie

**swim·ming-pool** [`swɪmɪŋ pul] *s* basen pływacki, pływalnia

**swin·dle** [`swɪndl] *vt* oszukiwać, wyłudzać (**sb of sth** od kogoś coś); *s* oszustwo

**swin·dler** [`swɪndlə(r)] *s* oszust

**swine** [swɑɪn] *s* świnia

* **swing** [swɪŋ], **swung, swung** [swʌŋ] *vt vi* kołysać (się), huśtać (się); zakręcać; wymachiwać; *s* kołysanie; rozmach; ruch wahadłowy; huśtawka; rytm (wiersza, muzyki itd.); **in full ~** w pełnym toku

**swing-door** [`swɪŋ dɔ(r)] *s* drzwi wahadłowe

**swin·ish** [`swaɪnɪʃ] *adj* świński

**swirl** [swɜl] *s* wir; zwój; *vi* wirować

**swish 1.** [swɪʃ] *s* świst, szmer; *vi* świszczeć; *vt pot.* chłostać

**swish 2.** [swɪʃ] *adj pot.* elegancki, modny

**Swiss** [swɪs] *adj* szwajcarski; *s* Szwajcar

**switch** [swɪtʃ] *s* wyłącznik; pręt; zwrotnica; *vt* bić prętem; trzaskać (np. z bata); *elektr.* połączyć; wyrwać; porwać; skierować (np. pociąg); **~ off** wyłączyć (światło, prąd itp.); **~ on** włączyć (światło); połączyć (telefonicznie); **~ over** przełączyć

**switch-board** [`swɪtʃbɔd] *s* tablica rozdzielcza

**switch-man** [`swɪtʃmæn] *s* zwrotniczy

**swol·len** *zob.* **swell**

**swoon** [swun] *s* omdlenie; *vi* (*także* **~ away**) zemdleć

**swoop** [swup] *vi* rzucać się (z góry); (*o ptakach drapieżnych*) nagle spaść; *lotn.* pikować

**swop** [swɔp], **swap** [swɔp] *vt pot.* wymienić, przehandlować (**sth for sth** coś na coś); *s* wymiana

**sword** [sɔd] *s* miecz, szabla, szpada; (*o pochodzeniu*) **on the ~ side** po mieczu

**swore** *zob.* **swear**

**sworn** *zob.* **swear**

**swum** *zob.* **swim**

**swung** *zob.* **swing**

**syc·o·phant** [`sɪkəfənt] *s* służalczy pochlebca

**syl·lab·ic** [sɪ`læbɪk] *adj* sylabowy, zgłoskowy

**syl·la·ble** [`sɪləbl] *s* zgłoska, sylaba

**syl·la·bus** [`sɪləbəs] *s* (*pl* **syllabi** [`sɪləbaɪ] *lub* **~es**) kompendium, konspekt; program studiów, spis wykładów

**sym·bol·ic·(al)** [sɪm`bolɪk(l)] *adj* symboliczny

**sym·met·ric** [sɪ`metrɪk] *adj* symetryczny

**sym·me·try** [`sɪmɪtrɪ] *s* symetria

**sym·pa·thet·ic** [ˌsɪmpə`θetɪk] *adj* współczujący, pełen sympatii, życzliwy; pełen zrozumienia (dla drugich); *med.* współczulny; (*o atramencie*) sympatyczny, niewidoczny; (*o działaniu*) solidarny

**sym·pa·thize** [ˋsɪmpəθaɪz] *vi* sympatyzować, współczuć, wyrażać współczucie; wzajemnie się rozumieć

**sym·pa·thy** [ˋsɪmpəθɪ] *s* współczucie, sympatia; wzajemne zrozumienie; **letter of ~** list kondolencyjny; **in ~** na znak współczucia; harmonijnie, solidarnie

**sym·pho·ny** [ˋsɪmfənɪ] *s* symfonia

**sym·po·si·um** [sɪmˋpəuzɪəm] *s* sympozjum; sesja, konferencja

**symp·tom** [ˋsɪmptəm] *s* symptom, objaw

**symp·to·mat·ic** [ˏsɪmptəˋmætɪk] *adj* symptomatyczny

**syn·a·gogue** [ˋsɪnəgog] *s* synagoga

**syn·chro·nize** [ˋsɪŋkrənaɪz] *vt* synchronizować; *vi* zbiegać się w czasie, przebiegać równocześnie

**syn·co·pe** [ˋsɪŋkəpɪ] *s gram. muz.* synkopa

**syn·di·cate** [ˋsɪndɪkət] *s* syndykat

**syn·o·nym** [ˋsɪnənɪm] *s* synonim

**syn·on·y·mous** [sɪˋnonɪməs] *adj* synonimiczny

**syn·op·sis** [sɪˋnopsɪs] *s* (*pl* **synopses** [sɪˋnopsiz]) zwięzły przegląd, zarys; zestawienie; *film* skrót scenariusza

**syn·tac·tic·(al)** [sɪnˋtæktɪk(l)] *adj gram.* składniowy

**syn·tax** [ˋsɪntæks] *s gram.* składnia

**syn·the·sis** [ˋsɪnθəsɪs] *s* (*pl* **syntheses** [ˋsɪnθəsiz]) synteza

**syn·thet·ic** [sɪnˋθetɪk] *adj* syntetyczny

**sy·phon** [ˋsaɪfən] = **siphon**

**syr·inge** [sɪˋrɪndʒ] *s* strzykawka; *vt* wstrzykiwać, przepłukać strzykawką

**syr·up** [ˋsɪrəp] *s* syrop

**sys·tem** [ˋsɪstəm] *s* system; metoda; organizm (człowieka); ustrój

**sys·tem·at·ic** [ˏsɪstəˋmætɪk] *adj* systematyczny

# t

**tab** [tæb] *s* pętelka, wieszak (np. płaszcza); język (buta); etykietka

**table** [ˋteɪbl] *s* stół; tablica, tabela; płyta; **at ~** przy stole; *mat.* **multiplication ~** tabliczka mnożenia; **~ of contents** spis rzeczy; *vt* kłaść na stół; układać w tabelę, tabularyzować; poddawać pod dyskusję ⟨do rozpatrzenia⟩

**table·cloth** [ˋteɪbl kloθ] *s* obrus

**table·land** [ˋteɪbl lænd] *s* płaskowzgórze

**tab·let** [ˋtæblət] *s* tabliczka; tabletka, pastylka; bloczek (do notatek)

**ta·boo** [təˋbu] *s* tabu; świętość nietykalna; *adj* zakazany, nietykalny; *vt* objąć nakazem nietykalności, zakazać

**tab·ou·ret** [ˋtæbərət] *s* taboret

**tac·it** [ˋtæsɪt] *adj* milczący, cichy

**tac·i·turn** [ˋtæsɪtɜn] *adj* milczący, małomówny

**tack** [tæk] *s* sztyft, gwóźdź tapicerski, pluskiewka; *pl* **~s** fastryga; *przen.* linia postępowania, taktyka; *vt* przytwierdzić (sztyftem), przymocować; fastrygować; *vt* lawirować; zmieniać postępowanie

**tack·le** [ˋtækl] *vt* borykać się (**sb, sth** z kimś, czymś); uporać się; zatrzymać; zebrać się, przystąpić (**sth** do czegoś); przymocować; *vi pot.* energicznie wziąć się (**to sth** do czegoś); *s mors.* takielunek; sprzęt (*zw.* rybacki); *sport* złapanie i przytrzymanie przeciwnika

**tack·ling** [ˋtæklɪŋ] *s* sprzęt (*zw.* rybacki); *mors.* takielunek

**tact** [tækt] *s* takt

**tact·ful** [ˋtæktfl] *adj* taktowny

**tac·ti·cal** [ˋtæktɪkl] *adj* taktyczny; zręczny

**tac·tics** [ˋtæktɪks] *s* taktyka

**tact·less** [ˋtæktləs] *adj* nietaktowny

**tad·pole** [ˋtædpəul] *s zool.* kijanka

**tag** [tæg] *s* uchwyt; ucho (buta); pętelka; przyczepka; przyczepiona kartka, nalepka, etykieta; dodatek (np. do przemówienia, tekstu itp.), końcówka; okolicznościowy frazes; gra w berka; *vt* oznaczyć etykietą; dołączyć, doczepić (coś na końcu); śledzić, chodzić za kimś; *vi pot.* deptać po piętach (**after, behind sb** komuś)

**tail** [teɪl] *s* ogon; warkocz (długi); tył; orszak; *vt* sztukować; *vi* natrętnie włóczyć się (**after sb** za kimś)

**tail-coat** [ˋteɪl kəut] *s* frak

**tai·lor** [ˋteɪlə(r)] *s* krawiec

**tai·lor·ing** [ˋteɪlərɪŋ] *s* krawiectwo

**taint** [teɪnt] *s* plama, skaza; **hereditary ~** dziedziczne obciążenie; *vt* splamić, skazić; *vi* ulec skażeniu, zepsuć się

* **take** [teɪk], **took** [tuk], **taken** [ˋteɪkən] *vt* brać, przyjmować; powziąć; spożywać (pokarm), zażywać (lekarstwo); uważać, wychodzić z założenia; wsiadać (do pociągu, tramwaju); zdejmować, robić zdjęcie (fotograficzne); pochwycić, zająć; zarazić się, dostać (kataru, gorączki itd.); obrać (kurs, drogę); **to ~ account** wziąć pod uwagę, uwzględnić (**of sth** coś); **to ~ advantage** wykorzystać (**of sth** coś); **to ~ sb's advice** zasięgnąć czyjejś rady; **to ~ the air** zaczerpnąć powietrza, odetchnąć; **to ~ care** troszczyć się (**of sth** o coś); **to ~ the chair** objąć przewodnictwo; **to ~ courage** nabrać odwagi; **to ~ one's degree** otrzymać stopień naukowy; **to ~ effect** nabrać mocy, wejść w życie; **to ~ an examination** zdawać egzamin; **to ~ a fancy** znaleźć upodobanie, polubić (**to sth** coś); **to ~ fright** przestraszyć się (**at, of sth** czegoś); **to ~ a glance** spojrzeć (**at sth** na coś); **to ~ heart** nabrać ducha; **to ~ hold** pochwycić (**of sth** coś); **to be ~n ill** zachorować; **to ~ interest** interesować się (**in sth** czymś); **~ it easy** nie przejmuj się, nie wysilaj się; **to ~ liberties** pozwalać sobie, nie krępować się (**with sb, sth** kimś, czymś); **to ~ notes ⟨a note⟩** notować (**of sth** coś); **to ~ notice** zauważyć (**of sth** coś); **to ~ an oath** przysiąc; **to ~ offence** obrazić się (**at sth** o coś); **to ~ the offensive** przejść do ofensywy; **to ~ orders** przyjąć święcenia kapłańskie; **to ~ pains** zadać sobie trud; **to ~ part** brać udział; **to ~ a picture ⟨a photograph⟩** zrobić zdjęcie; **to ~ pity** litować się (**on sb** nad kimś); **to ~ place** odbywać się; **to ~ pleasure** znajdować przyjemność; **to ~ possession** brać w posiadanie (**of sth** coś); **to ~ pride** szczycić się (**in sth** czymś); **to ~ prisoner** wziąć do niewoli; **to ~ root** zapuścić korzenie; **to ~ a seat** usiąść; **to ~ sides** opowiedzieć się ⟨stanąć⟩ (**with sb** po czyjejś stronie); **to ~ steps** przedsięwziąć kroki, zastosować środki; **to ~ stock** inwentaryzować; *przen.* zaopatrywać; badać (**of sth** coś); **it ~s time** na to trzeba trochę czasu; **it took me two hours to do this** to zajęło mi dwie godziny czasu; **to ~ trouble** zadawać sobie trud, robić sobie kłopot; *z przysłówkami i przyimkami:* **~ aback** zaskoczyć, przerazić; **~ af-**

ter kształtować się według, upodabniać się do; ~ **away** zabrać, uprowadzić; ~ **down** zdjąć, zerwać; poniżyć; zapisać; zdemontować, rozebrać (np. maszynę); ~ **for** uważać za; **to** ~ **for granted** uważać za rzecz oczywistą, przesądzać; ~ **in** wziąć ⟨wprowadzić⟩ do środka, włączyć; objąć; wciągnąć; przyjmować do domu, wprowadzać, brać do siebie; abonować (gazetę); naciągać, oszukiwać; **to** ~ **into account** brać pod uwagę; **to** ~ **into one's head** ubzdurać sobie; ~ **off** zdjąć; zabrać; odjąć; usunąć; naśladować; wyruszyć; odprowadzić; odbić się (od ziemi, wody); *lotn.* startować; ~ **on** przybrać; przyjąć; wziąć na siebie; podjąć się; ~ **out** wyjąć; wyprowadzić; wywabić; wyciągnąć, wydostać; ~ **over** przejąć; przewieźć; następować z kolei, luzować (**from sb** kogoś); ~ **to** zabrać się do; oddać się (np. nałogowi), poświęcić się czemuś; ustosunkować się; **to** ~ **to the stage** poświęcić się sztuce scenicznej; ~ **up** podnieść; wziąć na siebie, podjąć (się); zająć się (**sth** czymś); wchłaniać; przyjąć (np. zakład); zająć (miejsce, czas); zaprzątać (np. umysł); obcować, zadawać się; zadowalać się (**with sth** czymś)

**take-in** [ˈteɪk ɪn] *s* oszustwo, naciąganie

**taken** *zob.* **take**

**take-off** [ˈteɪk ɔf] *s* naśladownictwo; parodia; *lotn.* start; *sport* odbicie się, odskok

**tak·ing** [ˈteɪkɪŋ] *s* wzięcie, pobieranie; *pl* ~**s** dochód, wpływy kasowe; *adj* pociągający; (*o chorobie*) zaraźliwy

**talc** [tælk], **talcum** [ˈtælkəm] *s* talk

**tale** [teɪl] *s* opowiadanie, powiastka; bajka; † ilość, liczba, rachunek; **fairy** ~**s** bajki; **to tell** ~**s** plotkować; skarżyć

**tal·ent** [ˈtælənt] *s* talent, uzdolnienie

**tal·ent·ed** [ˈtæləntɪd] *adj* utalentowany, zdolny

**tal·is·man** [ˈtælɪzmən] *s* talizman

**talk** [tɔk] *vt vi* mówić, rozmawiać, gadać; **to** ~ **big** chwalić się; ~ **down** nie dać przyjść do słowa (**sb** komuś); ~ **into sth** namówić do czegoś; ~ **over** omówić; ~ **round** omówić wyczerpująco, wyczerpać temat; przekonać; **to** ~ **sense** mówić do rzeczy; **to** ~ **shop** mówić o sprawach zawodowych; *s* rozmowa, gadanie, pogadanka; prelekcja; pogłoska; **small** ~ rozmowa o niczym

**talk·a·tive** [ˈtɔkətɪv] *adj* gadatliwy

**talk·er** [ˈtɔkə(r)] *s* gawędziarz; gaduła

**talk·ie** [ˈtɔkɪ] *s pot.* film dźwiękowy

**talk·ing-pic·ture** [ˈtɔkɪŋ pɪktʃə(r)] *s* film dźwiękowy

**tall** [tɔl] *adj* wysoki, wysokiego wzrostu; *pot.* nieprawdopodobny; niesłychany; przesadny; ~ **talk** przechwałki; **to talk** ~ przechwalać się

**tal·low** [ˈtæləʊ] *s* łój, tłuszcz

**tal·ly** [ˈtælɪ] *s* karb; znak; kartka; rachunek; odpowiednik; duplikat; *vt* oznaczać; liczyć; zestawiać; *vi* zgadzać się, odpowiadać sobie

**tal·on** [ˈtælən] *s* szpon

**tame** [teɪm] *adj* oswojony; łagodny; uległy; *vt* oswoić; poskromić

**tame·less** [ˈteɪmləs] *adj* nieokiełznany, dziki

**tam·er** [ˈteɪmə(r)] *s* poskramiacz

**tam·per** [ˈtæmpə(r)] *vi* wtrącać się (**with sth** do czegoś); dobierać się; manipulować

**tam·pon** [ˈtæmpən] *s* tampon; *vt* tamponować

**tan** [tæn] *s* opalenizna; garbnik; kolor żółtobrązowy; *vt* garbować; brązowić; opalać (się)
**tan·dem** [ˈtændəm] *s* tandem
**tang 1.** [tæŋ] *s* posmak; ostry zapach
**tang 2.** [tæŋ] *s* brzęk, dźwięk; *vi* brzęczeć, dźwięczeć
**tan·gent** [ˈtændʒənt] *adj* styczny; *s mat.* styczna
**tan·gi·ble** [ˈtændʒəbl] *adj* dotykalny, namacalny
**tan·gle** [ˈtæŋgl] *vt vi* gmatwać (się), wikłać (się); *s* gmatwanina, plątanina
**tank** [tæŋk] *s* basen, cysterna; *wojsk.* czołg; *vt* gromadzić w basenie; tankować
**tank·ard** [ˈtæŋkəd] *s* kufel, dzban (z pokrywą)
**tan·ner 1.** [ˈtænə(r)] *s* garbarz
**tan·ner 2.** [ˈtænə(r)] *s pot.* sześciopensówka
**tan·ner·y** [ˈtænərı] *s* garbarnia
**tan·ta·lize** [ˈtæntəlaız] *vt* dręczyć, kusić
**tan·ta·mount** [ˈtæntəmaunt] *adj* równoznaczny (**to sth** z czymś), równowartościowy
**tap 1.** [tæp] *s* kran; szpunt, kurek; zawór; napój z beczki; bar; *vt* otwierać (beczkę), puszczać płyn (kurkiem), czerpać (ze źródła); zaopatrywać w kurek; nawiązać stosunek; napocząć; podsłuchiwać rozmowę telefoniczną
**tap 2.** [tæp] *vt vi* pukać, lekko stukać (**at the door** do drzwi); podkuć (obcas); *s* pukanie, lekkie uderzenie; podkucie (obcasa), flek
**tape** [teıp] *s* wstążka, taśma; *przen.* **red ~** biurokracja; *vt* związać taśmą
**ta·per** [ˈteıpə(r)] *s* cienka świeczka; słabe światło; stożek; *vi* kończyć się ostro, zwężać się ku końcowi
**tape-re·cord·er** [ˈteıp rıkɔdə(r)] *s* magnetofon
**tape-re·cord·ing** [ˈteıp rıkɔdıŋ] *s* nagrywanie na taśmę
**tap·es·try** [ˈtæıpıstrı] *s* dekoracyjne obicie, gobelin
**tape-worm** [ˈteıpwɜm] *s med.* tasiemiec
**ta·pir** [ˈteıpə(r)] *s zool.* tapir
**tap·room** [ˈtæp rum] *s* bar, bufet
**tar** [tɑ(r)] *s* smoła; *pot.* (*także* **Jack ~**) marynarz; *vt* smarować smołą
**tar·dy** [ˈtɑdı] *adj* powolny, ociężały
**tare** [teə(r)] *s* tara, waga opakowania
**tar·get** [ˈtɑgıt] *s* tarcza, cel
**tar·iff** [ˈtærıf] *s* taryfa, system ceł
**tar·nish** [ˈtɑnıʃ] *vt* przyciemnić, zrobić matowym; *vi* ściemnieć, zmatowieć; *s* utrata połysku, zmatowienie
**tar·pau·lin** [tɑˈpɔlın] *s* płótno żaglowe, brezent
**tar·ry** [ˈtærı] *vi* zwlekać, ociągać się
**tart 1.** [tɑt] *s* ciastko ‹placek› z owocami
**tart 2.** [tɑt] *adj* uszczypliwy, cierpki
**tar·tan** [ˈtɑtn] *s* materiał w szkocką kratę, tartan
**Tar·tar** [ˈtɑtə(r)] *s* Tatar
**task** [tɑsk] *s* zadanie, praca, zajęcie; **to set a ~** dać zadanie (**sb** komuś); **to take to ~** zrobić wymówkę (**sb** komuś); *vt* dać pracę do wykonania, obarczyć pracą; zmuszać do wysiłku, męczyć
**tas·sel** [ˈtæsl] *s* pęk ozdobnych frędzli, chwast; zakładka (w książce)
**taste** [teıst] *s* smak; zamiłowanie; *vt vi* próbować (smaku); smakować; mieć smak (**of sth** czegoś); zaznawać, czuć smak
**taste·ful** [ˈteıstfl] *adj* gustowny
**taste·less** [ˈteıstləs] *adj* niesmaczny; niegustowny
**tast·y** [ˈteıstı] *adj* smaczny
**tat·ter** [ˈtætə(r)] *s* (*zw. pl* **~s**) szmata, łachman

**tat·tered** [ˋtætəd] *adj* obdarty, obszarpany
**tat·too 1.** [təˋtu] *s* capstrzyk
**tat·too 2.** [təˋtu] *s* tatuaż; *vt* tatuować
**taught** *zob.* **teach**
**taunt** [tɔnt] *s* złośliwa uwaga, urąganie; *vt* docinać, urągać (**sb with sth** komuś za coś)
**taut** [tɔt] *adj* napięty, mocno naciągnięty
**taut·en** [ˋtɔtn] *vt* napinać
**tav·ern** [ˋtævn] *s* tawerna, karczma
**taw·dry** [ˋtɔdrɪ] *adj* niegustowny; (*o ubiorze*) krzykliwy
**tax** [tæks] *s* podatek (państwowy); cło; ciężar; *vt* szacować; obciążać (podatkiem, cłem itp.); obarczać ciężarem, przemęczać; obciążać winą; wystawiać na próbę
**tax·a·tion** [tækˋseɪʃn] *s* opodatkowanie
**tax-col·lec·tor** [ˋtæks kəlektə(r)] *s* poborca podatkowy; **~'s office** urząd skarbowy
**tax·i** [ˋtæksɪ] *s* taksówka; *vi* jechać taksówką
**tax·i-cab** [ˋtæksɪ kæb] *s* taksówka
**tax-pay·er** [ˋtæks peɪə(r)] *s* podatnik
**tea** [ti] *s* herbata; herbatka (przyjęcie); podwieczorek
* **teach** [titʃ], **taught, taught** [tɔt] *vt* uczyć (**sb sth** kogoś czegoś)
**teach·er** [ˋtitʃə(r)] *s* nauczyciel
**tea·cup** [ˋti kʌp] *s* filiżanka do herbaty
**tea-ket·tle** [ˋti ketl] *s* czajnik, imbryk
**team** [tim] *s* zaprzęg; zespół, drużyna; *vt* zaprzęgać; *vi* **~ up** zespolić się (do wspólnej pracy), pracować zespołowo
**team-work** [ˋtimwɜk] *s* praca zespołowa
**tea-par·ty** [ˋti pɑtɪ] *s* zebranie towarzyskie przy herbacie, herbatka
**tea-pot** [ˋtipɔt] *s* imbryk, czajniczek
**tear 1.** [tɪə(r)] *s* łza
* **tear 2.** [teə(r)], **tore** [tɔ(r)], **torn** [tɔn] *vt vi* rwać (się), szarpać, targać, drzeć (się); **~ along** umykać; **~ away** oderwać; zmykać; **~ in** wpaść; **~ off** oderwać, zerwać; **~ open** rozerwać; **~ out** wyrwać; **~ up** porwać, potargać; wyrwać; rozkopać; *s* rozdarcie, pęknięcie
**tear·ful** [ˋtɪəfl] *adj* zalany łzami
**tea-room** [ˋti rum] *s* herbaciarnia, cukiernia
**tease** [tiz] *vt* drażnić, docinać (**sb** komuś)
**teas·er** [ˋtizə(r)] *s* kpiarz; człowiek dokuczający; *pot.* trudne zadanie, trudne pytanie
**tea-spoon** [ˋtispun] *s* łyżeczka do herbaty
**teat** [tit] *s* sutka, brodawka sutkowa
**tech·ni·cal** [ˋteknɪkl] *adj* techniczny
**tech·nics** [ˋteknɪks] *s* technika, nauki techniczne
**tech·nique** [tekˋnik] *s* technika, sprawność, sposób wykonywania
**tech·nol·o·gy** [tekˋnɔlədʒɪ] *s* technologia; technika
**ted·dy-bear** [ˋtedɪ beə(r)] *s* miś (zabawka)
**ted·dy boy** [ˋtedɪ bɔɪ] *s* bikiniarz; rozrabiacz
**te·di·ous** [ˋtidɪəs] *adj* nudny, męczący
**te·di·um** [ˋtidɪəm] *s* nuda, nudy
**tee** [ti] *s* cel, tarcza (w grze)
**teem** [tim] *vi* roić się (**with sth** od czegoś), obfitować
**teen-ag·er** [ˋtineɪdʒə(r)] *s* nastolatek
**teens** [tinz] *s pl* wiek od 13 do 19 lat; **she is in her ~** ona jeszcze nie ma 20 lat; **to be in one's ~** mieć naście lat
**teeth** *zob.* **tooth**
**tee·to·tal·ler** [tiˋtəutlə(r)] *s* abstynent
**tel·e·cast** [ˋtelɪkɑst] *vi* = **televise**
**tel·e·gram** [ˋtelɪgræm] *s* telegram

**tel·e·graph** [ˋtelɪgraf] *s* telegraf; *vt vi* telegrafować

**te·lep·a·thy** [tɪˋlepəθɪ] *s* telepatia

**tel·e·phone** [ˋteləfəun] *s* telefon; **by ~** telefonicznie; *vt vi* telefonować

**tel·e·pho·to** [ˈtelɪˋfəutəu] *s* fotografia zdalna

**tel·e·pho·tog·ra·phy** [ˈtelɪfəˋtogrəfɪ] *s* telefotografia

**tel·e·scope** [ˋtelɪskəup] *s* teleskop

**te·le·type** [ˋtelɪtaɪp] *s* dalekopis

**tel·e·view·er** [ˋtelɪvjuə(r)] *s* telewidz

**tel·e·vise** [ˋtelɪvaɪz] *vt* nadawać w telewizji ⟨drogą telewizyjną⟩

**tel·e·vi·sion** [ˋtelɪvɪʒn] *s* telewizja; **~ set** telewizor, aparat telewizyjny

**tel·ex** [ˋteləks] *s* dalekopis, teleks

* **tell** [tel], **told, told** [təuld] *vt vi* mówić, powiadać, powiedzieć, opowiadać; poznawać, odróżniać; wywierać wpływ, robić wrażenie; kazać (**sb to do sth** komuś coś zrobić); mieć znaczenie; liczyć; **all told** wszystkiego ⟨wszystkich⟩ razem; **~ over** opowiedzieć na nowo; przeliczyć

**tell·er** [ˋtelə(r)] *s* narrator; kasjer (bankowy)

**tell·ing** [ˋtelɪŋ] *adj* znaczący, wpływowy; skuteczny; *s* mówienie, opowiadanie; nakaz

**tell·tale** [ˋtelteɪl] *s* plotkarz; licznik; wskaźnik; *attr* plotkarski; zdradziecki; ostrzegawczy; kontrolny

**tell·y** [ˋtelɪ] *s pot.* telewizja

**te·mer·i·ty** [tɪˋmerətɪ] *s* śmiałość, zuchwalstwo

**tem·per** [ˋtempə(r)] *s* usposobienie, natura, nastrój, humor; irytacja; opanowanie; stopień twardości (stali); zaprawa (murarska), domieszka; **to get into a ~** wpaść w złość; **to lose one's ~** stracić panowanie nad sobą, rozgniewać się; **out of ~** w gniewie, w stanie irytacji; *vt vi* temperować, łagodzić (się), hamować (się); urabiać (np. glinę); *techn.* hartować (się)

**tem·per·a·ment** [ˋtemprəmənt] *s* temperament, usposobienie

**tem·per·a·men·tal** [ˈtemprəˋmentl] *adj* z temperamentem; wrodzony; pobudliwy, wybuchowy

**tem·per·ance** [ˋtemprəns] *s* umiarkowanie, wstrzemięźliwość, trzeźwość; **~ restaurant** restauracja bezalkoholowa

**tem·per·ate** [ˋtempr̩ət] *adj* umiarkowany, trzeźwy

**tem·per·a·ture** [ˋtemprətʃə(r)] *s* temperatura; **to take one's ~** zmierzyć komuś gorączkę

**tem·pest** [ˋtempɪst] *s* burza

**tem·ple 1.** [ˋtempl] *s* świątynia

**tem·ple 2.** [ˋtempl] *s anat.* skroń

**tem·po** [ˋtempəu] *s* tempo

**tem·po·ral** [ˋtempərl] *adj* czasowy; doczesny; świecki

**tem·po·rar·y** [ˋtempr̩ɪ] *adj* tymczasowy, przejściowy

**tempt** [tempt] *vt* kusić, wabić; **to be ~ed** być skłonnym, mieć ochotę (**to do sth** coś zrobić)

**temp·ta·tion** [tempˋteɪʃn] *s* pokusa, kuszenie

**ten** [ten] *num* dziesięć; *s* dziesiątka

**ten·a·ble** [ˋtenəbl] *adj* dający się utrzymać; (*o urzędzie*) piastowany

**te·na·cious** [təˋneɪʃəs] *adj* trwały, wytrzymały, uporczywy

**te·nac·i·ty** [təˋnæsətɪ] *s* trwałość, wytrzymałość, uporczywość

**ten·an·cy** [ˋtenənsɪ] *s* dzierżawa

**ten·ant** [ˋtenənt] *s* dzierżawca; lokator; *vt* dzierżawić

**tend 1.** [tend] *vi* zmierzać, dążyć; skłaniać się

**tend 2.** [tend] *vt* pilnować, strzec; pielęgnować (chorego)

**tend·en·cy** [ˋtendənsɪ] *s* tendencja, kierunek, skłonność

**ten·der 1.** [ˋtendə(r)] *adj* delikatny, łagodny, czuły; młodociany

**ten·der 2.** [ˋtendə(r)] *vt* podawać, wręczać, przekazywać, oferować, przedkładać; *s* oferta; **legal ~** środek płatniczy

**ten·der** 3. [ˈtendə(r)] *s kolej. mors.* tender; dozorca (np. maszyny)

**ten·don** [ˈtendən] *s anat.* ścięgno

**ten·e·ment** [ˈtenəmənt] *s* parcela dzierżawna; mieszkanie czynszowe; dom czynszowy

**ten·e·ment-house** [ˈtenəmənt haus] *s* dom czynszowy, kamienica

**ten·et** [ˈtenət] *s* zasada; dogmat

**ten·fold** [ˈtenfəuld] *adj* dziesięciokrotny; *adv* dziesięciokrotnie

**ten·ner** [ˈtenə(r)] *s pot.* banknot dziesięciofuntowy, dziesiątka

**ten·nis** [ˈtenɪs] *s sport* tenis

**ten·or** [ˈtenə(r)] *s* treść, istota; brzmienie; przebieg; *muz.* tenor

**tense** 1. [tens] *s gram.* czas

**tense** 2. [tens] *adj* napięty

**ten·sion** [ˈtenʃn] *s* napięcie, naprężenie

**tent** [tent] *s* namiot; *vt* nakryć namiotem; *vi* obozować pod namiotem

**ten·ta·cle** [ˈtentəkl] *s zool.* macka

**ten·ta·tive** [ˈtentətɪv] *adj* próbny; *s* próba; propozycja

**ten·ta·tive·ly** [ˈtentətɪvlɪ] *adv* próbnie, tytułem próby

**tenth** [tenθ] *adj* dziesiąty; *s* dziesiąta (część)

**ten·u·ous** [ˈtenjuəs] *adj* cienki, delikatny, nieznaczny

**ten·ure** [ˈtenjuə(r)] *s* posiadanie, tytuł własności; okres posiadania ⟨użytkowania, urzędowania⟩

**tep·id** [ˈtepɪd] *adj* letni, ciepławy

**ter·e·ben·thene** [ˌterəˈbenθin] *s chem.* terpentyna

**term** [tɜm] *s* termin; semestr (akademicki); kadencja (sądowa, urzędowa itp.); termin, wyraz fachowy; (*zw. pl* **~s**) stosunek; warunek; **to be on good ~s** być w dobrych stosunkach; **to be on speaking ~s with sb** znać się z kimś powierzchownie, ograniczać znajomość do okolicznościowej rozmowy; **to come to ~s** dojść do porozumienia; **in ~s of money** przeliczywszy na pieniądze; *vt* określać, nazywać

**ter·mi·nal** [ˈtɜmɪnl] *adj* końcowy; *s* kres, koniec; stacja końcowa; *gram.* końcówka

**ter·mi·nate** [ˈtɜmɪneɪt] *vt vi* kończyć (się), zakończyć (się)

**ter·mi·nol·o·gy** [ˌtɜmɪˈnolədʒɪ] *s* terminologia

**ter·mi·nus** [ˈtɜmɪnəs] *s* (*pl* **termini** [ˈtɜmɪnaɪ]) stacja końcowa

**ter·race** [ˈterəs] *s* taras

**ter·res·tri·al** [təˈrestrɪəl] *adj* ziemski; lądowy

**ter·ri·ble** [ˈterəbl] *adj* straszny, okropny

**ter·rif·ic** [təˈrɪfɪk] *adj* straszliwy, budzący strach; *pot.* cudowny, wspaniały

**ter·ri·fy** [ˈterɪfaɪ] *vt* napędzić strachu, przerazić

**ter·ri·to·ri·al** [ˌterɪˈtɔrɪəl] *adj* terytorialny

**ter·ri·to·ry** [ˈterɪtrɪ] *s* terytorium

**ter·ror** [ˈterə(r)] *s* terror, groza, przerażenie

**ter·ror·ize** [ˈterəraɪz] *vt* terroryzować

**terse** [tɜs] *adj* zwięzły

**ter·ti·ar·y** [ˈtɜʃərɪ] *adj* trzeciorzędny

**test** [test] *s* próba, test, sprawdzian, egzamin; *vt* próbować, poddawać próbie, badać (**for sth** na coś)

**tes·ta·ment** [ˈtestəmənt] *s* testament

**tes·ti·fy** [ˈtestɪfaɪ] *vt vi* świadczyć (**to sth** o czymś); deklarować (się); stwierdzać

**tes·tily** [ˈtestɪlɪ] *adv* w rozdrażnieniu, z gniewem

**tes·ti·mo·ni·al** [ˌtestɪˈməunɪəl] *s* zaświadczenie, świadectwo

**tes·ti·mo·ny** [ˈtestɪmənɪ] *s* świadectwo, dowód; zeznanie

**test-tube** [ˈtest tjub] *s chem.* probówka

**tes·ty** [ˋtestɪ] *adj* łatwy do rozdrażnienia, gniewny

**teth·er** [ˋteðə(r)] *s* łańcuch, postronek; *przen.* **to be at the end of one's ~** być u kresu wytrzymałości ⟨sił⟩; *vt* przywiązać (np. kozę, krowę), spętać

**text** [tekst] *s* tekst

**text-book** [ˋtekstbuk] *s* wypisy, podręcznik

**tex·tile** [ˋtekstaɪl] *adj* tekstylny; *s* wyrób tekstylny

**tex·ture** [ˋtekstʃə(r)] *s* tkanina; struktura

**than** [ðæn; ðən] *conj* niż, aniżeli

**thank** [θæŋk] *vt* dziękować; *s (zw. pl* **~s**) dzięki, podziękowanie; *praep* **~s to** ... dzięki ..., zawdzięczając ...

**thank·ful** [ˋθæŋkfl] *adj* wdzięczny

**thank·less** [ˋθæŋkləs] *adj* niewdzięczny

**thanks·giv·ing** [θæŋksˋgɪvɪŋ] *s* dziękczynienie

**that** [ðæt] *pron (pl* **those** [ðəuz]) ów, tamten; który, którzy; *conj* że; ażeby

**thatch** [θætʃ] *s* strzecha; *vt* kryć strzechą

**thau·ma·turge** [ˋθɔmətɜdʒ] *s* cudotwórca

**thaw** [θɔ] *vi* tajać, topnieć; *vt* topić, roztapiać; *s* odwilż

**the** [ðə, *przed samogłoską, w pozycji akcentowanej*: ðɪ] *rodzajnik ⟨przedimek⟩ określony*: **what was ~ result?** jaki był wynik?; **~ best way** najlepszy spôsób; *w funkcji zaimka wskazującego*: **call ~ man** zawołaj tego człowieka; *adv przed przymiotnikiem lub przysłówkiem w comp*: **all ~ better** tym lepiej; **~ shorter ~ days ~ longer ~ nights** im krótsze dni, tym dłuższe noce; **~ more he gets, ~ more he wants** im więcej ma, tym więcej chce mieć

**the·a·tre** [ˋθɪətə(r)] *s* teatr

**the·at·ri·cal** [θiˋætrɪkl] *adj* teatralny; *s pl* **~s** przedstawienie teatralne (*zw.* amatorskie)

**theft** [θeft] *s* kradzież

**their** [ðeə(r)] *adj* ich

**theirs** [ðeəz] *pron* ich

**them** *zob.* **they**

**theme** [θim] *s* temat, przedmiot; wypracowanie szkolne; **~ song** *muz. film radio* melodia przewodnia; *am.* sygnał stacji radiowej

**them·selves** [ðmˋselvz] *pron* oni sami, ich samych, się, sobie, siebie

**then** [ðen] *adv* wtedy; następnie; zresztą; *conj* a więc, zatem; **but ~** ale przecież; **by ~** już przedtem; **now ~** otóż; *adj attr* ówczesny

**thence** [ðens] *adv* dlatego, skutkiem tego; † stamtąd, stąd

**the·o·lo·gian** [ˈθɪəˋləudʒən] *s* teolog

**the·olo·gy** [θɪˋolədʒɪ] *s* teologia

**the·o·rem** [ˋθɪərəm] *s* teoremat; *mat.* twierdzenie

**the·o·ret·i·cal** [θɪəˋretɪkl] *adj* teoretyczny

**the·o·ry** [ˋθɪərɪ] *s* teoria; przypuszczenie

**ther·a·peu·tic** [ˈθerəˋpjutɪk] *adj* terapeutyczny; *s* **~s** terapia

**there** [ðeə(r), ðə(r)] *adv* tam; **~ is, ~ are** jest, są; istnieje, istnieją; **from ~** stamtąd; **over ~** tam, po drugiej stronie; *int* no!, otóż to!; **~ now!** otóż to!; *s* to miejsce; ta miejscowość; **near ~** w pobliżu tego miejsca

**there·a·bout(s)** [ˋðeərəbaut(s)] *adv* gdzieś tam, w tamtych okolicach; (*po wymienieniu liczby itp.*) coś koło tego, mniej więcej

**there·af·ter** [ðeərˋɑftə(r)] *adv* następnie, później; według tego

**there·by** [ðeəˋbaɪ] *adv* przez to, przy tym; skutkiem tego

**there·fore** [ˋðeəfɔ(r)] *adv* dlatego

**there·of** [ðeərˋov] † *adv* tego, z tego, o tym

**there·with** [ðeəˋwɪθ] *adv* z tym

**ther·mal** [ˋθɜml] *adj* cieplny

**ther·mic** [ˋθɜmɪk] *adj* termiczny

**ther·mom·e·ter** [θə`momɪtə(r)] *s* termometr

**ther·mos** [`θзmos] *s* (*także* ~ **flask**) termos

**ther·mo·stat·ics** [′θзmə`stætɪks] *s* termostatyka

**the·sau·rus** [θɪ`sɔrəs] *s* (*pl* **the·sau·ri** [θɪ`sɔraɪ], ~**es**) skarbiec; leksykon; zbiór (wyrazów, wyrażeń, cytatów itp.)

**these** *zob.* **this**

**the·sis** [`θisɪs] *s* (*pl* **theses** [`θisiz]) teza; rozprawa, praca pisemna

**they** [ðeɪ] *pron* oni, one; (*przypadek zależny*) **them** [ðem, ðəm, əm]) im, ich, je

**they'd** [ðeɪd] = **they had; they should; they would**

**they'll** [ðeɪl] = **they shall; they will**

**they're** [ðeə(r)] = **they are**

**they've** [ðeɪv] = **they have**

**thick** [θɪk] *adj* gruby, tłusty; gęsty; głupi, tępy; *s* gruba część czegoś; **in the ~ of a forest** w gąszczu leśnym; *przen.* **in the ~ of the fight** w wirze walki

**thick·en** [`θɪkən] *vi* grubieć; gęstnieć; *vt* zagęszczać

**thick·et** [`θɪkɪt] *s* gąszcz, gęstwina

**thick·ness** [`θɪknəs] *s* grubość; gęstość

**thick·set** [′θɪk`set] *adj* gęsto sadzony; (*o człowieku*) przysadzisty

**thick-skinned** [′θɪk `skɪnd] *adj* *przen.* gruboskórny

**thief** [θif] *s* (*pl* **thieves** [θivz]) złodziej

**thieve** [θiv] *vi vt* kraść

**thieves** *zob.* **thief**

**thigh** [θaɪ] *s anat.* udo

**thill** [θɪl] *s* dyszel

**thim·ble** [`θɪmbl] *s* naparstek; *techn.* tulejka

**thin** [θɪn] *adj* cienki; szczupły; słaby; rzadki, rzadko rosnący; *vt* rozcieńczyć; rozrzedzić; pomniejszyć; zwęzić; *vi* (*także* ~ **away**, ~ **down**) zeszczupleć, zmniejszyć się, zrzednąć

**thing** [θɪŋ] *s* rzecz, sprawa, przedmiot; istota; *pl* ~**s** *prawn.* własność; **poor (little) ~!** biedactwo!; **all ~s English** wszystko to, co angielskie; **how are ~s (going)?** co słychać; **I don't feel quite the ~** nie czuję się dobrze, marnie się czuję; **that's the ~** o to chodzi, w tym rzecz; **for one ~** po pierwsze

* **think** [θɪŋk], **thought, thought** [θɔt] *vi* myśleć (**about, of sth** o czymś), sądzić, uważać; zamierzać; **to ~ much** wysoko cenić, być dobrego zdania (**of sb, sth** o kimś, czymś); **to ~ little** nie cenić wysoko, mieć niepochlebne zdanie (**of sb, sth** o kimś, czymś); *vt* mieć na myśli; uważać; **to ~ no harm** nie mieć na myśli nic złego; **to ~ sb silly** uważać kogoś za głupca; ~ **out** wymyślić; przemyśleć do końca; ~ **over** obmyślić; rozważyć ponownie; ~ **through** przemyśleć

**think·er** [`θɪŋkə(r)] *s* myśliciel

**think·ing** [`θɪŋkɪŋ] *s* myślenie; zdanie, opinia

**thin·ness** [`θɪnnəs] *s* cienkość; szczupłość, chudość; rzadkość

**third** [θзd] *adj* trzeci; ~ **degree** trzeci stopień przesłuchania (w sądzie, na policji); *s* trzecia część; *techn.* trzeci bieg

**third·ly** [`θзdlɪ] *adv* po trzecie

**third-rate** [′θзd `reɪt] *adj* trzeciorzędny

**thirst** [θзst] *s* pragnienie; *vi* pragnąć (**after, for sth** czegoś)

**thirst·y** [`θзstɪ] *adj* spragniony, pragnący

**thir·teen** [′θз`tin] *num* trzynaście; *s* trzynastka

**thir·teenth** [′θз`tinθ] *adj* trzynasty; *s* trzynasta część

**thir·ti·eth** [`θзtɪəθ] *adj* trzydziesty; *s* trzydziesta część

**thir·ty** [`θзtɪ] *num* trzydzieści; *s* trzydziestka; **the thirties** lata trzydzieste

**this** [ðɪs] *pron* (*pl* **these** [ðiz]) ten,

ta, to; ~ **morning** ⟨**evening**⟩ **dziś** rano ⟨wieczór⟩; ~ **way** tędy
**this·tle** [ˋθɪsl] *s bot.* **oset**
**thith·er** [ˋðɪðə(r)] *adv* † tam, w ową stronę, do tamtego miejsca
**tho'** [ðəu] = **though**
**thong** [θoŋ] *s* rzemień, kańczug
**thorn** [θɔn] *s* cierń, kolec
**thorn·y** [ˋθɔnɪ] *adj* ciernisty, kolący
**thor·ough** [ˋθʌrə] *adj* całkowity, gruntowny
**thor·ough·bred** [ˋθʌrəbred] *adj* rasowy; *s* koń czystej krwi, zwierzę rasowe
**thor·ough·fare** [ˋθʌrəfeə(r)] *s* przejazd, wolna droga; arteria komunikacyjna
**thor·ough·go·ing** [ˈθʌrə ˋgəuɪŋ] *adj* stanowczy, bezkompromisowy; gruntowny
**thor·ough·ly** [ˋθʌrəlɪ] *adv* gruntownie
**those** *zob.* **that**
**though** [ðəu] *conj* chociaż; **as** ~ jak gdyby; *adv* jednak, przecież
**thought** 1. *zob.* **think**
**thought** 2. [θɔt] *s* myśl; namysł; pomysł; zamiar; **on second** ~**s** po rozważeniu, po namyśle; **he had no** ~ **of ...** nie miał wcale zamiaru ...
**thought·ful** [ˋθɔtfl] *adj* myślący, głęboki, rozważny
**thought·less** [ˋθɔtləs] *adj* bezmyślny, lekkomyślny, nierozważny
**thou·sand** [ˋθauznd] *num* tysiąc
**thou·sandth** [ˋθauznθ] *adj* tysięczny; *s* tysięczna część
**thral·dom** [ˋθrɔldəm] *s* niewolnictwo, niewola
**thrall** [θrɔl] *s* niewolnik (**of sb** czyjś; **to sth** czegoś)
**thrash** [θræʃ] *vt* młócić; chłostać, bić; ~ **out** debatować; dokładnie przedyskutować
**thrash·ing** [ˋθræʃɪŋ] *s* młócenie; lanie, chłosta; **to give sb a good** ~ sprawić komuś solidne lanie
**thread** [θred] *s* nić, nitka; wątek (opowiadania, rozmowy itp.); *vt* nizać, nawlekać; przesuwać się, przeciskać się (**sth** przez coś)
**thread·bare** [ˋθredbeə(r)] *adj* wytarty, przeświecający
**threat** [θret] *s* groźba
**threat·en** [ˋθretn] *vt* grozić; *vi* zagrażać, zapowiadać się groźnie
**three** [θri] *num* trzy; *s* trójka
**three-cor·ner·ed** [ˈθri ˋkɔnəd] *adj* trójkątny
**three-deck·er** [ˈθri ˋdekə(r)] *s* statek trójpokładowy
**three·fold** [ˋθri-fəuld] *adj* trzykrotny; *adv* trzykrotnie
**three-mas·ter** [ˈθri ˋmastə(r)] *s* statek trójmasztowy
**three·pence** [ˋθrepəns] *s* trzy pensy (moneta trzypensowa)
**three·score** [ˈθri ˋskɔ(r)] *num* sześćdziesiąt
**thresh** [θreʃ] = **thrash**
**thresh·old** [ˋθreʃhəuld] *s* próg; *przen.* przedsionek, próg, początek
**threw** *zob.* **throw**
**thrift** [θrɪft] *s* oszczędność, gospodarność
**thrift·y** [ˋθrɪftɪ] *adj* oszczędny, gospodarny
**thrill** [θrɪl] *s* dreszcz, drżenie; *vt* przejmować dreszczem, mocno wzruszać; *vi* drżeć, dygotać
**thrill·er** [ˋθrɪlə(r)] *s* sensacyjny film; przejmująca sztuka ⟨powieść⟩, dreszczowiec
* **thrive** [θraɪv], **throve** [θrəuv], **thriven** [ˋθrɪvən] *vi* pięknie się rozwijać, prosperować, kwitnąć
**thro'** [θru] = **through**
**throat** [θrəut] *s* gardło; gardziel; **sore** ~ ból gardła; **to clear one's** ~ odchrząknąć
**throb** [θrob] *vi* (*o sercu, pulsie*) bić, drgać, tętnić; *s* bicie (serca, pulsu); drganie, dreszcz
**throe** [θrəu] *s* gwałtowny ból; *pl* ~**s** bóle porodowe; (*także* ~**s of death**) agonia
**throne** [θrəun] *s* tron; **to come to the** ~ wstąpić na tron

**throng** [θroŋ] *s* tłum, tłok; *vt vi* tłoczyć (się), tłumnie gromadzić (się)

**thros·tle** [ˋθrosl] *s zool.* drozd

**throt·tle** [ˋθrotl] *s* gardziel; *techn.* przepustnica; *vt* dusić, dławić, tłumić

**through** [θru] *praep* przez, poprzez; z powodu, dzięki; *adv* na wskroś, dokładnie, na wylot, od początku do końca; **~ and ~** całkowicie, najzupełniej; **to be ~** skończyć (**with sb, sth** z kimś, czymś); **to get ~** przebyć; doprowadzić do końca, skończyć; połączyć się telefonicznie; *adj* bezpośredni, tranzytowy; **a ~ train to ...** pociąg bezpośredni do ...

**through·out** [θruˋaut] *praep* przez, poprzez; **~ his life** przez całe jego życie; **~ the year** przez cały rok; *adv* wszędzie; od początku do końca; pod każdym względem

**throve** *zob.* **thrive**

* **throw** [θrəu], **threw** [θru], **thrown** [θrəun] *vt* rzucać, zrzucać, narzucać; **to ~ a glance** rzucić okiem (**at sb** na kogoś); **~ away** odrzucać, wyrzucać; **~ down** porzucić, zrzucić, obalić; **~ in** wrzucić, wtrącić, dorzucić; **to ~ in one's lot with sb** podzielić czyjś los; związać się; **~ off** zrzucić; pozbyć się (**sth** czegoś); **~ on** narzucić, nałożyć; **~ open** rozewrzeć, szeroko otworzyć; udostępnić; **~ out** wyrzucić, wypędzić; wydać; **~ over** porzucić, zarzucić; przewrócić; **~ up** podrzucić, rzucić w górę; podwyższyć; porzucić, zrezygnować; *s* rzut; obalenie

**throw-out** [ˋθrəu aut] *s* rzecz odrzucona; odsiew; odpadki

**thru** [θru] *am.* = **through**

**thrum** [θrʌm] *vt vi* bębnić, rzępolić; *s* bębnienie, rzępolenie

**thrush** [θrʌʃ] *s zool.* drozd

* **thrust** [θrʌst], **thrust, thrust** [θrʌst] *vt* pchnąć, wbić; wtrącić; przebić; *vi* **~ past** przepychać się obok; *s* pchnięcie; *wojsk.* atak, wypad

**thud** [θʌd] *s* głuche stuknięcie, głuchy łomot; *vi* ciężko zwalić się, głucho stuknąć

**thug** [θʌg] *s* skrytobójca, bandyta

**thumb** [θʌm] *s* kciuk; **rule of ~** praktyczna zasada; **~s up!** brawo!; **Tom Thumb** Tomcio Paluch; *vt* przewracać kartki (książki), wertować; brzdąkać

**thump** [θʌmp] *vi* głucho stukać, grzmocić (np. pięścią); *s* głuche stukanie, ciężkie uderzenie

**thun·der** [ˋθʌndə(r)] *s* grzmot; *vi* grzmieć; *vt* ciskać (np. groźbę)

**thun·der·bolt** [ˋθʌndə bəult] *s* piorun, grom

**thun·der·clap** [ˋθʌndə klæp] *s* trzask piorunu, *przen.* piorunująca wiadomość

**thun·der·ous** [ˋθʌndərəs] *adj* grzmiący

**thun·der·storm** [ˋθʌndə stɔm] *s* burza z piorunami

**thun·der·struck** [ˋθʌndə strʌk] *adj* rażony piorunem; oszołomiony

**Thurs·day** [ˋθɜzdɪ] *s* czwartek

**thus** [ðʌs] *adv* tak, w ten sposób; **~ far** dotąd, dotychczas; do tego stopnia; **~ much** tyle

**thwart** [θwɔt] *vt* krzyżować, udaremniać

**thy** [ðaɪ] *pron* twój

**tick** 1. [tɪk] *vt vi* (*o zegarze*) tykać; robić znak kontrolny; odfajkować; *s* tykanie; znak kontrolny; chwilka

**tick** 2. [tɪk] *s pot.* kredyt; **on ~** na kredyt

**tick·et** [ˋtɪkɪt] *s* bilet, karta wstępu; etykieta, znaczek; licencja (np. pilota); *am. polit.* lista kandydatów

**tick·le** [ˋtɪkl] *vt* łaskotać; zabawiać; *vi* swędzić; *s* łaskotanie

**tick·lish** [ˋtɪklɪʃ] *adj* łaskotliwy; drażliwy

**tid·dly-winks** [ˋtɪdlɪ wɪŋks] *s* (gra w) pchełki

**tide** [taɪd] *s* przypływ i odpływ morza; prąd, bieg; *przen.* fala; pora, czas; **high ~** przypływ; **low ~** odpływ; *vi* płynąć z prądem; **~ over** przepłynąć; *przen.* przezwyciężyć (np. trudności)

**ti·dings** [ˋtaɪdɪŋz] *s pl* wiadomości

**ti·dy** [ˋtaɪdɪ] *adj* czysty, schludny, porządny; *vt* (*także* **~ up**) doprowadzić do porządku, oczyścić

**tie** [taɪ] *s* więź, węzeł; krawat; sznurowadło; *sport* remis; *vt* (*p praes* **tying**) wiązać, łączyć; krępować; zobowiązywać (**sb to sth** kogoś do czegoś)

**tier** [tɪə(r)] *s* rząd; piętro; kondygnacja; *teatr* rząd krzeseł

**ti·ger** [ˋtaɪgə(r)] *s zool.* tygrys

**tight** [taɪt] *adj* napięty; obcisły, ciasny; szczelny, spoisty; niewystarczający, skąpy; *pot.* pijany, wstawiony; **to be in a ~ corner** być przyciśniętym do muru; **to sit ~** *przen.* obstawać przy swoim; *s pl* **~s** trykoty; rajstopy; *adv* ciasno, szczelnie

**tight·en** [ˋtaɪtn] *vt vi* ściągnąć (się), ścieśnić (się); napiąć; zacisnąć

**tight-fist·ed** [ˈtaɪt ˋfɪstɪd] *adj* skąpy

**ti·gress** [ˋtaɪgrəs] *s* tygrysica

**tike** [taɪk] = **tyke**

**tile** [taɪl] *s* dachówka; kafel; płyta; *vt* kryć dachówką, wykładać (kaflami itp.)

**till 1.** [tɪl] *praep* do, aż do; *conj* aż, dopóki nie

**till 2.** [tɪl] *s* kasa sklepowa

**till 3.** [tɪl] *vt* uprawiać (ziemię), orać

**till·age** [ˋtɪlɪdʒ] *s* uprawa ziemi

**till·er 1.** [ˋtɪlə(r)] *s* rolnik

**till·er 2.** [ˋtɪlə(r)] *s mors.* rączka steru, sterownica

**tilt 1.** [tɪlt] *vt vi* przechylać (się); rzucić się, atakować (np. lancą); *przen.* napadać (**at sb** na kogoś); *s* nachylenie, przechył; napaść

**tilt 2.** [tɪlt] *s* nakrycie, osłona (z brezentu)

**tim·ber** [ˋtɪmbə(r)] *s* drewno, budulec; belka; *am.* las

**time** [taɪm] *s* czas, pora; termin; raz; tempo; takt; okres kary więziennej; okres służby wojskowej; **a long ~ ago** dawno temu; **at a ~** naraz; **at ~s** czasami; **at any ~** kiedykolwiek; **at one ~** swego czasu, niegdyś; **at the same ~** równocześnie; pomimo tego; **behind one's ~** spóźniony; **behind the ~s** konserwatywny, zacofany; **for the ~ being** na razie, chwilowo; **in due ~** we właściwym czasie, w porę; **in ~** na czas; w takt, do taktu; **in no ~** wkrótce, zaraz, natychmiast; **many a ~** niejednokrotnie; **many ~s** wielokrotnie, często; **most of the ~** przeważnie; najczęściej; **once upon a ~** pewnego razu; dawno temu; **out of ~** nie w porę, nie na czasie; **some ~ or other** kiedyś tam (w przyszłości), przy sposobności; **~ after ~** raz za razem; **~ and again** od czasu do czasu; **~ is up** czas upłynął; **to do ~** odsiadywać karę więzienia; **to gain ~** zyskać na czasie; (*o zegarze*) spieszyć się; **to have a good ~** dobrze się bawić; używać sobie; **to keep ~** tańczyć ⟨grać itp.⟩ do taktu; **to serve one's ~** odbywać (służbę, wyrok, praktykę itp.); **to take one's ~** nie spieszyć się; **what ~ is it?, what is the ~?** która godzina?; *vt* wyznaczać według czasu, dostosować do czasu; określać czas, regulować; zrobić w odpowiedniej chwili; *vi* dostosowywać się, dotrzymywać kroku (**with sb, sth** komuś, czemuś); *adj praed* czasowy; terminowy

**time·bomb** [ˋtaɪm bɒm] *s* bomba zegarowa

**time·ly** [ˋtaɪmlɪ] *adj* będący na czasie, aktualny; dogodny

**ti·mer** [ˋtaɪmə(r)] *s* stoper; regulator czasu
**time·serv·er** [ˋtaɪm sɜvə(r)] *s* oportunista
**time·serv·ing** [ˋtaɪm sɜvɪŋ] *adj* oportunistyczny; *s* oportunizm
**time-ta·ble** [ˋtaɪm teɪbl] *s* rozkład zajęć; rozkład jazdy
**time-work** [ˋtaɪm wɜk] *s* praca dniówkowa
**time-worn** [ˋtaɪm wɔn] *adj* zużyty, sfatygowany; przestarzały; starodawny
**tim·id** [ˋtɪmɪd] *adj* bojaźliwy, nieśmiały
**ti·mid·i·ty** [tɪˋmɪdətɪ] *s* bojaźliwość
**tim·or·ous** [ˋtɪmərəs] *adj* lękliwy
**tin** [tɪn] *s* cyna, blacha; naczynie blaszane; puszka konserwowa; *vt* pobielać; konserwować w puszkach, pakować do puszek
**tinc·ture** [ˋtɪŋktʃə(r)] *s* nalewka; domieszka; odcień, zabarwienie
**ting** [tɪŋ] *vt vi* dzwonić, dźwięczeć; *s* dźwięczenie, dzwonienie
**tinge** [tɪndʒ] *s* lekki odcień, zabarwienie; *vt* zabarwiać, nadawać odcień
**tin·gle** [ˋtɪŋgl] *vt* dźwięczeć, brzmieć; świerzbieć, swędzić; powodować ciarki; *s* dźwięczenie, brzęk; swędzenie; ciarki
**tink·er** [ˋtɪŋkə(r)] *s* naprawiacz kotłów; druciarz
**tin·kle** [ˋtɪnkl] *vi* dzwonić; *s* dzwonienie
**tin·ned** [tɪnd] *pp zob.* **tin**; *adj* konserwowy; **~ food** artykuły żywnościowe w konserwach
**tin-opener** [ˋtɪn əupn̩ə(r)] *s* klucz do konserw
**tin-plate** [ˋtɪn pleɪt] *s* blacha cynowa
**tin·sel** [ˋtɪnsl] *s zbior.* błyskotki; świecidełka; *przen.* fałszywy blask, blichtr
**tint** [tɪnt] *s* zabarwienie, odcień; *vt* lekko barwić, cieniować
**tin·ware** [ˋtɪnweə(r)] *s zbior.* wyroby cynowe ⟨blaszane⟩
**ti·ny** [ˋtaɪnɪ] *adj* drobny, bardzo mały
**tip 1.** [tɪp] *s* koniuszek; szpic (np. buta); skuwka; **on the ~ of one's tongue** na końcu języka; *vt* pokryć koniuszek; obić, okuć
**tip 2.** [tɪp] *vt vi* dotknąć; przechylić (się); skinąć, dać znak; poczęstować; dać napiwek; *s* przechylenie, nachylenie; lekkie dotknięcie; znak, aluzja, wskazówka; napiwek
**tip-car** [ˋtɪp kɑ(r)] *s* wóz-wywrotka
**tip·sy** [ˋtɪpsɪ] *adj* pijany, wstawiony
**tip·toe** [ˋtɪptəu] *adv* (*zw.* **on ~**) na czubkach palców; *vi* chodzić na czubkach palców
**tip·top** [ˈtɪp ˋtɔp] *s pot.* szczyt doskonałości; *adj* doskonały, pierwszorzędny
**ti·rade** [taɪˋreɪd] *s* tyrada
**tire 1.** [ˋtaɪə(r)] *vt vi* męczyć (się); **to be ~d of sth** mieć czegoś dosyć; **to be ⟨get⟩ ~d** zmęczyć się (**of sth** czymś); mieć czegoś dość; uprzykrzyć sobie (**of sth** coś); **~ out** krańcowo wyczerpać
**tire 2.** [ˋtaɪə(r)] *s* obręcz (koła); opona; guma (rowerowa); *vt* nałożyć obręcz; nałożyć oponę ⟨gumę⟩
**tire·less** [ˋtaɪələs] *adj* niezmordowany
**tire·some** [ˋtaɪəsm] *adj* męczący; nudny
**'tis** [tɪz] = **it is**
**tis·sue** [ˋtɪʃu] *s* tkanina (delikatna); *biol.* tkanka
**tis·sue-pa·per** [ˋtɪʃu peɪpə(r)] *s* bibułka
**tit** [tɪt] *s w zwrocie:* **~ for tat** pięknym za nadobne, wet za wet
**tit·bit** [ˋtɪtbɪt] *s* smakołyk; *przen.* interesująca plotka ⟨nowina⟩
**tithe** [ˋtaɪð] *s* dziesięcina
**ti·tle** [ˋtaɪtl] *s* tytuł
**ti·tled** [ˋtaɪtld] *adj* utytułowany
**tit·ter** [ˋtɪtə(r)] *vi* chichotać; *s* chichot
**tit·u·lar** [ˋtɪtjulə(r)] *adj* tytularny
**to** [tu, tə] *praep* (*kierunek*) do, ku;

(*granica przestrzeni lub czasu*) aż, do, po; (*zgodność*) ku, według; **to a man** do ostatniego człowieka; **to my mind** moim zdaniem, według mnie; **to perfection** doskonale; **to this day** po dzień dzisiejszy; **to the right** (w kierunku) na prawo; (*porównanie*) od, niż: **inferior to me** niższy (np. służbowo) ode mnie; (*stosunek*) dla, na, wobec: **he has been very good to me** był dla mnie bardzo dobry; **ten to one** dziesięć do jednego; za dziesięć minut pierwsza; (*wynik*) ku: **to my surprise** ku memu zdziwieniu; *cel*: **man eats to live** człowiek je, ażeby żyć; *tłumaczy się przez 3. przypadek*: **give it to me not to him** daj to mnie, nie jemu; *kwalifikator bezokolicznika*: **to see** widzieć; *zastępuje bezokolicznik*: **he was to have come but forgot to** miał przyjść, ale zapomniał (przyjść); *adv w wyrażeniach*: **to and fro** tu i tam; **the door is to** drzwi są zamknięte

**toad** [təud] *s zool.* ropucha

**toad·y** [ˋtəudɪ] *s* pochlebca, lizus; *vt* płaszczyć się (**sb** przed kimś), wkradać się w łaski (**sb** czyjeś)

**toast** [təust] *s* grzanka, tost; toast; *vt* przypiekać; wznosić toast (**sb** na czyjąś cześć)

**to·bac·co** [təˋbækəu] *s* tytoń

**to·bac·co·nist** [təˋbækənɪst] *s* właściciel sklepu tytoniowego

**to·bog·gan** [təˋbogən] *s sport* toboggan; *vi* jeździć na tobogganie

**to·bog·gan-shoot** [təˋbogən ʃut], **to·bog·gan-slide** [təˋbogən slaɪd] *s sport* tor saneczkowy

**to·day, to-day** [təˋdeɪ] *adv* dziś; *s* dzień dzisiejszy

**tod·dle** [ˋtodl] *vi* chodzić chwiejnym krokiem; *s* chwiejny krok

**tod·dy** [ˋtodɪ] *s* sok z palmy; rodzaj grogu

**to-do** [tə ˋdu] *s* hałas, zamieszanie, krzątanina

**toe** [təu] *s* palec u nogi; **from top to ~** od stóp do głów; *vt w zwrocie*: **to ~ the line** *sport* stanąć na starcie; *przen.* podporządkować się ogółowi, być solidarnym

**tof·fee** [ˋtofɪ] *s* toffi, karmelek

**to·geth·er** [təˋgeðə(r)] *adv* razem; na raz; **for weeks ~** całymi tygodniami; **to get ~** zbierać (się)

**toil** [tɔɪl] *s* trud; *vi* trudzić się, ciężko pracować; (*także* **~ along**) wlec się z trudem

**toil·er** [ˋtɔɪlə(r)] *s* ciężko pracujący człowiek

**toil·et** [ˋtɔɪlət] *s* toaleta

**to·ken** [ˋtəukən] *s* znak; pamiątka; bon; żeton

**told** *zob.* **tell**

**tol·er·a·ble** [ˋtolṛəbl] *adj* znośny, możliwy

**tol·er·ance** [ˋtolərəns] *s* tolerancja, pobłażliwość

**tol·er·ate** [ˋtolәreɪt] *vt* tolerować, znosić

**toll 1.** [təul] *s* myto, opłata; *przen.* **~ of lives** żniwo śmierci

**toll 2.** [təul] *vt vi* dzwonić (przeciągle); *s* głos dzwonu (*zw.* pogrzebowego)

**toll-bar** [ˋtəul bɑ(r)] *s* rogatka

**tom·a·hawk** [ˋtoməhɔk] *s* indiański topór bojowy, tomahawk

**to·ma·to** [təˋmɑtəu] *s* pomidor

**tomb** [tum] *s* grobowiec; grób

**tom·boy** [ˋtombɔɪ] *s* (dziewczyna) urwis ⟨trzpiot⟩

**tomb·stone** [ˋtumstəun] *s* kamień grobowy

**tom·fool** [tomˋful] *s* głupiec; błazen; *vi* błaznować

**tom·my** [ˋtomɪ] *s* żołnierz brytyjski; szeregowiec; *pot.* **~ rot** głupstwa, brednie

**tom·my-gun** [ˋtomɪ gʌn] *s* ręczny karabin maszynowy

**to·mor·row, to-mor·row** [təˋmorəu] *adv* jutro; *s* dzień jutrzejszy; **the day after ~** pojutrze

**ton** [tʌn] *s* tona; *zw. pl* **~s** *pot.* mnóstwo, niezliczona ilość

**tone** [təun] *s* ton, dźwięk; *gram.* akcent toniczny; *vt* stroić, nastrajać; tonować; harmonizować; **~ down** tonować, łagodzić; tonować się, łagodnieć; **~ up** podnieść, wzmocnić; wzmagać się, potężnieć

**tongs** [toŋz] *s pl* szczypce, obcęgi

**tongue** [tʌŋ] *s* język; mowa; sposób mówienia; języczek; serce (dzwonu); **mother ~** język ojczysty; **to find one's ~ again** odzyskać mowę; **to have lost one's ~** zapomnieć języka w gębie; **to hold one's ~** trzymać język za zębami

**ton·ic** [`tonɪk] *adj* wzmacniający, toniczny; *gram.* tonalny, akcentowany; *s* środek wzmacniający ⟨tonizujący⟩

**to·night, to-night** [tə`naɪt] *adv* dziś w nocy ⟨wieczorem⟩; *s* dzisiejsza noc, dzisiejszy wieczór; **~'s paper** dzisiejsza gazeta wieczorna

**too** [tu] *adv* także, prócz tego, w dodatku; doprawdy; wielce, bardzo, aż nadto; **all ~** aż nadto; **none ~ good** niezbyt dobry, nieszczególny; **I'm only ~ glad** jestem bardzo rad

**took** *zob.* **take**

**tool** [tul] *s* narzędzie

**toot** [tut] *s* dźwięk (rogu, klaksonu itp.), sygnał; *vt vi* dąć w róg, buczeć

**tooth** [tuθ] *s* (*pl* **teeth** [tiθ]) ząb; **in the teeth of sth** wbrew czemuś, nie zważając na coś; **~ and nail** energicznie, zawzięcie

**tooth·ache** [`tuθeɪk] *s* ból zębów

**tooth-brush** [`tuθbrʌʃ] *s* szczoteczka do zębów

**tooth-paste** [`tuθpeɪst] *s* pasta do zębów

**tooth-pick** [`tuθpɪk] *s* wykałaczka

**top** 1. [top] *s* szczyt, najwyższy punkt; wierzch, powierzchnia, górna część; głowa (stołu); *mors.* kosz, bocianie gniazdo; pierwsze miejsce w klasie; *adj attr* górny, szczytowy; **~ boy** najlepszy uczeń w klasie; *vt vi* pokrywać od góry; wznosić się; przewyższać; **~ off** zakończyć; **~ up** dopełnić

**top** 2. [top] *s* bąk (zabawka); **to sleep like a ~** spać jak suseł

**top-hat** [`top hæt] *s* cylinder

**to·pi, to·pee** [`təupɪ] *s* hełm tropikalny

**top·ic** [`topɪk] *s* przedmiot, temat

**top·i·cal** [`topɪkl] *adj* miejscowy; dotyczący tematu, aktualny

**top·most** [`topməust] *adj* najwyższy

**to·pog·ra·phy** [tə`pogrəfɪ] *adj* topografia

**top·ping** [`topɪŋ] *adj* wybitny; *pot.* świetny, kapitalny

**top·ple** [`topl] *vt* (*także* **~ down** ⟨**over**⟩) powalić; *vi* zwalić się

**top·sy-tur·vy** [ˈtopsɪ `tɜvi] *adv* do góry nogami; *adj* przewrócony do góry nogami

**torch** [tɔtʃ] *s* pochodnia; latarka elektryczna

**tore** *zob.* **tear** 2.

**tor·ment** [`tɔment] *s* męka, tortury; *vt* [tɔ`ment] męczyć, dręczyć

**torn** *zob.* **tear** 2.

**tor·na·do** [tɔ`neɪdəu] *s* tornado

**tor·pe·do** [tɔ`pidəu] *s* torpeda; *vt* torpedować

**tor·pedo-boat** [tɔ`pidəu bəut] *s* *wojsk.* kuter torpedowy

**tor·pid** [`tɔpɪd] *adj* zesztywniały, zdrętwiały

**tor·por** [`tɔpə(r)], **tor·pid·i·ty** [tɔ`pɪdətɪ] *s* zesztywnienie, odrętwienie

**tor·rent** [`torənt] *s* potok (rwący); ulewa

**tor·ren·tial** [to`renʃl] *adj* wartki; ulewny

**tor·rid** [`torɪd] *adj* wypalony (słońcem); skwarny

**tor·sion** [`tɔʃn] *s* skręt, skręcenie; *mat.* torsja

**tor·toise** [`tɔtəs] *s zool.* żółw

**tor·toise-shell** [ˋtɔtəs ʃel] *s* szylkret

**tor·tu·ous** [ˋtɔtʃuəs] *adj* kręty, wijący się

**tor·ture** [ˋtɔtʃə(r)] *s* tortury, męczarnia; *vt* torturować, dręczyć; przekręcać (np. słowa)

**To·ry** [ˋtɔrɪ] *s polit.* torys

**toss** [tos] *vt* rzucać w górę, podrzucać, potrząsać; niepokoić; *vi* przewracać się, wiercić się; (*o morzu, drzewie*) kołysać się; ~ **off** wypić duszkiem; załatwić od ręki; *s* rzucanie, rzut; potrząsanie

**to·tal** [ˋtəutl] *adj* całkowity, totalny; *s* suma globalna, ogólny wynik; *vt vi* sumować; wynosić w całości

**to·tal·i·ty** [təuˋtælətɪ] *s* całość, ogół

**to·tal·i·za·tor** [ˋtəutḷaɪzeɪtə(r)], *pot.* **tote** [təut] *s* totalizator

**tot·ter** [ˋtotə(r)] *vi* chwiać się, iść na niepewnych nogach

**touch** [tʌtʃ] *vt vi* dotknąć; poruszyć, wspomnieć (**on, upon sth** coś); wzruszyć; (*także* ~ **off**) zarysować, naszkicować; dorównać; natknąć się; **to ~ to the quick** dotknąć do żywego; ~ **up** poprawić (np. obraz), wyretuszować; **to ~ wood** odpukiwać; *s* dotyk, dotknięcie; kontakt; lekki atak (choroby); pociągnięcie (np. pędzlem); posmak; powierzchowna próba; **to get in ~** skontaktować się; **to keep in ~** utrzymywać kontakt; **finishing ~** ostatnie pociągnięcie

**touch·ing** [ˋtʌtʃɪŋ] *adj* wzruszający; *praep* odnośnie do, co się tyczy

**touch·stone** [ˋtʌtʃstəun] *s* kamień probierczy; *przen.* standard, kryterium

**touch·y** [ˋtʌtʃɪ] *adj* drażliwy

**tough** [tʌf] *adj* twardy, oporny, trudny; (*o mięsie*) łykowaty, żylasty; tęgi, mocny, wytrzymały

**tour** [tuə(r)] *s* podróż (*zw.* okrężna), objazd; wycieczka; **on ~** w podróży; **to make a ~ of the world** objechać świat; *vt vi* objeżdżać, zwiedzać

**tour·ism** [ˋtuərɪzm] *s* turystyka

**tour·ist** [ˋtuərɪst] *s* turysta

**tour·na·ment** [ˋtuənəmənt] *s* zawody, rozgrywki; *hist.* turniej

**tou·sle** [ˋtauzl] *vt* targać, mierzwić

**tout** [taut] *vi* kaptować, nachodzić (**for sb** kogoś); czynić starania (**for sth** o coś)

**tow** [təu] *vt* holować, ciągnąć na linie, wlec za sobą; *s* holowany statek; lina do holowania; **to have in ~** holować; **to take in ~** wziąć na hol

**to·ward(s)** [tuˋwɔdz] *praep* ku, w kierunku; w stosunku do; (*o czasie*) pod, około; na; ~ **expenses** na wydatki

**tow·el** [ˋtauḷ] *s* ręcznik (z materiału, papieru itd.)

**tow·er** [ˋtauə(r)] *s* wieża; baszta; **the Tower (of London)** zamek londyński (średniowieczne więzienie); *vi* wznosić się, piętrzyć się

**town** [taun] *s* miasto; **out of ~** na prowincji, (wyjechać itd.) z miasta, za miasto, na wieś

**town·let** [ˋtaunlət] *s* miasteczko

**towns·folk** [ˋtaunzfəuk] *s zbior.* mieszkańcy miasta, mieszczanie

**towns·peo·ple** [ˋtaunzpipl] = **townsfolk**

**tox·ic** [ˋtoksɪk] *adj* trujący

**toy** [tɔɪ] *s* zabawka; *vi* bawić się; igrać

**trace 1.** [treɪs] *s* ślad; *vt* śledzić; iść śladem; zrekonstruować; szkicować, kreślić; ~ **back** wywodzić (**sth to sth** coś od czegoś); ~ **over** kalkować

**trace 2.** [treɪs] *s* postronek; *pl* ~**s** uprząż

**trac·er** [ˋtreɪsə(r)] *s* traser; kreślarz; (*także* ~ **bullet** ⟨**shell**⟩) pocisk smugowy

**track** [træk] *s* ślad, trop; ścieżka, szlak, trakt; tor (kolejowy, wyścigowy); **the beaten ~** wydeptana droga; utarty szlak; **to leave ⟨to come off⟩ the ~** wykoleić się; **to lose ~** zgubić się (**of sth** w czymś); stracić kontakt (**of sb, sth** z kimś, czymś); *vt* śledzić; znaczyć śladami; **~ down** ⟨**out**⟩ wyśledzić

**trac·ta·ble** [`træktəbl] *adj* uległy, podatny

**trac·tion** [`trækʃn] *s* trakcja

**trac·tor** [`træktə(r)] *s* traktor, ciągnik

**trade** [treɪd] *s* rzemiosło; handel; przemysł (budowlany, hotelowy itd.); branża; zawód, zawodowe zajęcie; **home** ⟨**foreign**⟩ **~** handel wewnętrzny ⟨zagraniczny⟩; **~ mark** ochronny znak fabryczny; **~ union** związek zawodowy; **Board of Trade** ministerstwo przemysłu i handlu; *vi* handlować (**in sth** czymś; **with sb** z kimś)

**trad·er** [`treɪdə(r)] *s* handlowiec; statek handlowy

**trades·man** [`treɪdzmən] *s* kupiec

**trade-wind** [`treɪdwɪnd] *s* pasat

**tra·di·tion** [trə`dɪʃn] *s* tradycja

**tra·di·tion·al** [trə`dɪʃnl] *adj* tradycyjny

**traf·fic** [`træfɪk] *s* komunikacja; ruch uliczny; transport; handel; **~ (control) lights** światła regulujące ruch uliczny; **~ regulations** przepisy drogowe; *vi* handlować (**in sth** czymś)

**tra·ge·di·an** [trə`dʒidɪən] *s* autor tragedii; aktor tragiczny

**trag·e·dy** [`trædʒədɪ] *s* tragedia

**trag·i·cal** [`trædʒɪk(l)] *adj* tragiczny

**trail** [treɪl] *s* szlak, ślad, trop; wlokący się ogon, smuga (np. dymu); *vt* wlec za sobą; tropić; deptać; *vi* wlec się

**trail·er** [`treɪlə(r)] *s* tropiciel; przyczepa (do samochodu itd.)

**train** [treɪn] *s* pociąg; wlokący się ogon, tren; sznur (ludzi, wozów); orszak; *vt vi* trenować, uczyć (się), tresować; kształcić, zaprawiać (**for sth** do czegoś)

**train·er** [`treɪnə(r)] *s* trener, instruktor

**train·ing** [`treɪnɪŋ] *s* trening, ćwiczenia, tresura

**trait** [treɪt] *s* rys (np. charakteru)

**trai·tor** [`treɪtə(r)] *s* zdrajca

**trai·tor·ous** [`treɪtərəs] *adj* zdradziecki

**tram** [træm] *s* tramwaj

**tram-car** [`træm kɑ(r)] *s* wóz tramwajowy

**tram·mel** [`træml] *s* (długa) sieć; pętla (dla konia); przeszkoda; (*także pl* ~s) więzy; *vt* łapać, pętać, plątać, przeszkadzać

**tramp** [træmp] *vi vt* włóczyć się; deptać, ciężko stąpać; *s* włóczęga, łazik; wędrówka; ciężkie stąpanie

**tramp·er** [`træmpə(r)] *s* włóczęga

**tram·ple** [`træmpl] *vt* deptać, tratować

**tram·way** [`træmweɪ] *s* tramwaj

**trance** [trɑns] *s* trans

**tran·quil** [`træŋkwɪl] *adj* spokojny

**tran·quil·i·ty** [træŋ`kwɪlətɪ] *s* spokój

**trans·act** [træn`zækt] *vt* przeprowadzić, doprowadzić do skutku; *vi* układać się, pertraktować

**trans·ac·tion** [træn`zækʃn] *s* transakcja

**tran·scribe** [træn`skraɪb] *vt* transkrybować; przepisywać; *radio* nagrywać na taśmę

**tran·scrip·tion** [træn`skrɪpʃn] *s* transkrypcja; przepisywanie; *radio* nagranie ⟨odtwarzanie⟩ na taśmie

**trans·fer** [træns`fɜ(r)] *vt vi* przenosić (się); przekazywać; przewozić; przesiadać się; *handl.* cedować; *s* [`trænsfɜ(r)] przeniesienie; przewóz; przekazanie; przelew; *handl.* cesja

**trans·fig·ure** [træns`fɪgə(r)] *vt* przekształcać

**trans·fix** [træns`fɪks] *vt* przebić, przeszyć, przekłuć; unieruchomić, sparaliżować

**trans·form** [træns`fɔm] *vt* przekształcać
**trans·form·er** [træns`fɔmə(r)] *s elektr.* transformator
**trans·fuse** [træns`fjuz] *vt* przelewać, przetaczać; przepoić
**trans·fu·sion** [træns`fjuʒn] *s* transfuzja
**trans·gress** [trænz`gres] *vt vi* przekroczyć, naruszyć (np. ustawę); popełnić przekroczenie
**trans·gres·sion** [trænz`greʃn] *s* przekroczenie
**tran·ship** *zob.* **trans-ship**
**tran·sient** [`trænzɪənt] *adj* przemijający, przejściowy
**tran·sis·tor** [træn`zɪstə(r)] *s* tranzystor
**tran·sit** [`trænsɪt] *s* tranzyt; przejazd
**tran·si·tion** [træn`zɪʃn] *s* przejście; okres przejściowy
**tran·si·tion·al** [træn`zɪʃnl] *adj* przejściowy
**tran·si·tive** [`trænsətɪv] *adj gram.* przechodni
**tran·si·to·ry** [`trænsɪtrɪ] *adj* przejściowy, efemeryczny, przemijający
**trans·late** [trænz`leɪt] *vt* tłumaczyć (**into English** na angielski)
**trans·la·tion** [trænz`leɪʃn] *s* tłumaczenie
**trans·la·tor** [trænz`leɪtə(r)] *s* tłumacz
**trans·lit·er·ate** [trænz`lɪtəreɪt] *vt* transliterować
**trans·mis·sion** [trænz`mɪʃn] *vt* transmisja
**trans·mit** [trænz`mɪt] *vt* przekazywać, doręczać; przenosić; transmitować
**trans·mit·ter** [trænz`mɪtə(r)] *s* aparat transmitujący, przekaźnik; nadajnik
**trans·par·en·cy** [træn`spærənsɪ] *s* przeźroczystość
**trans·par·ent** [træn`speərnt] *adj* przeźroczysty
**tran·spi·ra·tion** [ˈtrænspɪ`reɪʃn] *s* parowanie; pocenie się
**tran·spire** [træn`spaɪə(r)] *vt vi* wydzielać (się); parować; pocić się; wydychać; *przen.* wychodzić na jaw, okazywać się; zdarzać się
**trans·plant** [træns`plɑnt] *vt* przesadzać, przenosić, przeszczepiać
**trans·plan·ta·tion** [ˈtrænsplɑn`teɪʃn] *s med.* przeszczep, transplantacja
**trans·port** [træn`spɔt] *vt* transportować, przewozić, przenosić; porwać, zachwycić, unieść; *hist.* zesłać (zbrodniarza); *s* [`trɑnspɔt] transport, przewóz, przeniesienie; zachwyt, poryw, uniesienie
**trans·por·ta·tion** [ˈtrænspɔ`teɪʃn] *s* transport, przewóz, przeniesienie; zesłanie
**trans·pose** [træn`spəuz] *vt* przestawiać; *muz.* transponować
**trans-ship** [træns`ʃɪp] *vt* przeładowywać
**trans·ver·sal** [trænz`vɜsl] *adj* poprzeczny; *s* linia poprzeczna
**trans·verse** [trænz`vɜs] *adj* poprzeczny
**trap** [træp] *s* pułapka, potrzask, zasadzka; *przen.* podstęp; *vt* łapać w potrzask, zastawiać pułapkę
**trap-door** [træp`dɔ(r)] *s* zapadnia, klapa
**tra·peze** [trə`piz] *s* trapez (w gimnastyce)
**tra·pe·zi·um** [trə`pizɪəm] *s mat.* trapez
**trap·e·zoid** [`træpɪzɔɪd] *s mat.* trapezoid
**trap·per** [`træpə(r)] *s* traper
**trash** [træʃ] *s* tandeta; szmira; bzdury; *am.* śmieci; *am.* hołota
**trav·el** [`trævl] *vi* podróżować, jeździć, jechać; *s* podróż
**trav·el·ler,** *am.* **trav·el·er** [`træv lə(r)] *s* podróżny; podróżnik; komiwojażer
**trav·erse** [`trævɜs] *s* trawers, poprzeczka; *vt* przecinać w poprzek, przejeżdżać; krzyżować (plany); dokładnie badać
**trav·es·ty** [`trævɪstɪ] *s* trawestacja; *vt* trawestować

**trawl** [trɔl] *s* niewód; *vt* łowić niewodem
**trawl·er** [ˈtrɔlə(r)] *s* *mors.* trawler
**tray** [treɪ] *s* taca
**treach·er·ous** [ˈtretʃərəs] *adj* zdradziecki
**treach·er·y** [ˈtretʃərɪ] *s* zdrada
**trea·cle** [ˈtrikl] *s* melasa, syrop
***tread** [tred] *vi vt* (**trod** [trod], **trod·den** [ˈtrodn]) stąpać, kroczyć (**on sth** po czymś); deptać (**on the grass** trawę); ~ **a measure** tańczyć; ~ **out** zadeptać, zgnieść; *s* chód, kroki
**tread·mill** [ˈtred mɪl] *s* kierat; *przen.* monotonna praca, kierat
**trea·son** [ˈtrizn] *s* zdrada; **high** ~ zdrada stanu
**trea·son·able** [ˈtriznəbl] *adj* zdradziecki
**treas·ure** [ˈtreʒə(r)] *s* skarb; *vt* wysoko szacować; (*zw.* ~ **up**) chować jak skarb; *fin.* tezauryzować
**treas·ur·er** [ˈtreʒərə(r)] *s* skarbnik
**treas·ure-trove** [ˈtreʒə ˈtrəuv] *s* znaleziony skarb
**treas·ur·y** [ˈtreʒrɪ] *s* skarbiec; **the Treasury** skarb państwa; *am.* ministerstwo skarbu
**treat** [trit] *vt* traktować, uważać (**as sth** za coś); rozpatrywać; leczyć (**sb for sth** kogoś na coś); poddawać działaniu; fundować, częstować (**sb to sth** kogoś czymś); gościć, przyjmować; *vi* prowadzić pertraktacje (**with sb for sth** z kimś w sprawie czegoś); rozprawiać (**of sth** o czymś); *s* przyjemność, rozkosz; poczęstunek
**trea·tise** [ˈtritɪz] *s* traktat, rozprawa naukowa
**treat·ment** [ˈtritmənt] *s* traktowanie, obchodzenie się; leczenie; **under** ~ w leczeniu
**trea·ty** [ˈtritɪ] *s* traktat, umowa
**tre·ble** [ˈtrebl] *adj* potrójny; *muz.* sopranowy; *vt vi* potroić (się)
**tree** [tri] *s* drzewo; prawidło (do butów)
**tre·foil** [trɪˈfɔɪl] *s* *bot.* koniczyna
**trel·lis** [ˈtrelɪs] *s* krata drewniana (dla pnączy); altanka (z kraty)
**trem·ble** [ˈtrembl] *vi* drżeć; *s* drżenie
**tre·men·dous** [trɪˈmendəs] *adj* ogromny, kolosalny; *pot.* wspaniały
**trem·or** [ˈtremə(r)] *s* drżenie; trzęsienie
**trem·u·lous** [ˈtremjuləs] *adj* drżący
**trench** [trentʃ] *s* rów; *wojsk.* okop; ~ **coat** trencz; *vi* kopać rowy; wkraczać, wdzierać się (**on sth** w coś); graniczyć (**on sth** z czymś); *vt* przekopywać, przecinać rowem
**trend** [trend] *s* skłonność, kierunek, tendencja; *vi* skłaniać się; dążyć (**towards** ⟨**to**⟩ **sth** ku czemuś); objawiać tendencję
**trep·i·da·tion** [ˈtrepɪˈdeɪʃn] *s* drżenie
**tres·pass** [ˈtrespəs] *vi* popełnić przekroczenie, naruszyć (**on** ⟨**upon**⟩ **the law** prawo); zgrzeszyć (**against sth** przeciwko czemuś); wkroczyć (na zakazany teren); nadużyć (**on** ⟨**upon**⟩ **sth** czegoś); *s* przekroczenie; grzech; wina
**tres·pass·er** [ˈtrespəsə(r)] *s* winny przekroczenia; winowajca; nieprawnie wkraczający na zakazany teren
**tri·al** [ˈtraɪl] *s* próba, doświadczenie; badanie; przesłuchanie; rozprawa sądowa; *sport* rozgrywka eliminacyjna; **on** ~ na próbę; **to put to** ~ poddać próbie
**tri·an·gle** [ˈtraɪæŋgl] *s* trójkąt
**tri·an·gu·lar** [traɪˈæŋgjulə(r)] *adj* trójkątny
**trib·al** [ˈtraɪbl] *adj* plemienny
**tribe** [traɪb] *s* plemię, szczep
**trib·u·la·tion** [ˈtrɪbjuˈleɪʃn] *s* udręka, wielkie zmartwienie
**tri·bu·nal** [traɪˈbjunl] *s* trybunał
**trib·une** [ˈtrɪbjun] *s* trybuna; *hist.* trybun

**trib·u·tar·y** [ˋtrɪbjutərɪ] *adj* zobowiązany do płacenia należności (czynszu, podatku); pomocniczy, wspomagający; poddany; hołdowniczy; (*o rzece*) wpadający; *s* płatnik; hołdownik; dopływ (rzeki)

**trib·ute** [ˋtribjut] *s* przyczynek; danina, podatek, należność; uznanie, hołd; **to pay ~** płacić daninę; wyrażać uznanie, składać hołd

**trick** [trɪk] *s* figiel, sztuczka, chwyt; przyzwyczajenie, *uj.* nawyk; spryt; lewa (w kartach); **to play a ~** spłatać figla (**on sb** komuś); **to play ~s** pokazywać sztuczki; *vt* podejść, oszukać, zwieść; *vi* figlować

**trick·er·y** [ˋtrɪkərɪ] *s* nabieranie, oszustwo

**trick·le** [ˋtrɪkl] *vi* kapać, sączyć się; *vt* przesączać

**trick·ster** [ˋtrɪkstə(r)] *s* kawalarz; oszust, naciągacz

**tri·col·our** [ˋtrɪkələ(r)] *adj* trójbarwny; *s* flaga trójbarwna

**tri·cy·cle** [ˋtraɪsɪkl] *s* rower na trzech kółkach

**tried** [traɪd] *pp zob.* **try**; *adj* wypróbowany, wierny

**tri·fle** [ˋtraɪfl] *s* drobnostka, bagatela; *vi* żartować sobie; swawolić; postępować niepoważnie; *vt* (*zw.* **~ away**) marnować, trwonić

**tri·fling** [ˋtraɪflɪŋ] *adj* mało znaczący, drobny, błahy

**trig·ger** [ˋtrɪgə(r)] *s* cyngiel, spust

**trill** [trɪl] *s* trel; *vi* wywodzić trele; *vt* wymawiać z wibracją

**tril·lion** [ˋtrɪlɪən] *num* trylion

**tril·o·gy** [ˋtrɪlədʒɪ] *s* trylogia

**trim** [trɪm] *adj* schludny, utrzymany w porządku, prawidłowy; *vt* czyścić, porządkować; wygładzać, wyrównywać; przycinać; przybierać; *s* stan, kondycja; porządek

**trim·ming** [ˋtrɪmɪŋ] *s* uporządkowanie; wykończenie; przycięcie; (*zw. pl* **~s**) przyprawa, dodatek (do potrawy); obszywka; dodatkowa ozdoba

**trin·i·ty** [ˋtrɪnətɪ] *s* trójca, trójka

**trin·ket** [ˋtrɪŋkɪt] *s* błyskotka, ozdóbka

**trip** [trɪp] *s* lekki chód; (krótka) wycieczka, przejażdżka; potknięcie; *vi* iść drobnym, szybkim krokiem; potknąć się; pomylić się; odbyć krótką podróż; (*także* **~ up**) podstawić nogę

**tripe** [traɪp] *s* wnętrzności wołowe; flaki; *pot.* bzdura; lichota; szmira

**tri·ple** [ˋtrɪpl] *adj* potrójny; *vt vi* potroić (się)

**tri·plet** [ˋtrɪplɪt] *s* zespół trzech jednakowych rzeczy ⟨osób⟩; *pl* **~s** trojaczki

**tri·pod** [ˋtraɪpod] *s* trójnóg; *fot.* statyw

**trip·ping** [ˋtrɪpɪŋ] *adj* lekki, zwinny

**trite** [traɪt] *adj* oklepany, banalny

**tri·umph** [traɪˋʌmf] *s* triumf; *vi* triumfować

**tri·um·phant** [traɪˋʌmfnt] *adj* triumfujący

**triv·et** [ˋtrɪvɪt] *s* trójnożna podstawka żelazna

**triv·i·al** [ˋtrɪvɪəl] *adj* nieważny, błahy; pospolity, banalny

**trod, trod·den** *zob.* **tread**

**trol·ley** [ˋtrolɪ] *s* drezyna, wózek; odbierak krążkowy (tramwaju, trolejbusu)

**trol·ley-bus** [ˋtrolɪ bʌs] *s* trolejbus

**trom·bone** [tromˋbəun] *s muz.* puzon

**troop** [trup] *s* grupa, gromadka; oddział wojskowy; *teatr* trupa; *pl* **~s** wojsko; *vi* iść grupą, gromadzić się; **~ing the colour** parada wojskowa

**troop·er** [ˋtrupə(r)] *s* kawalerzysta; *am.* policjant konny

**tro·phy** [ˋtrəufɪ] *s* łup wojenny,

trofeum; *sport* nagroda, pamiątka honorowa
**trop·ic** [`tropɪk] *s* zwrotnik; *adj* tropikalny
**trop·i·cal** [`tropɪkl] *adj* tropikalny, podzwrotnikowy
**trot** [trot] *s* kłus; *am. pot.* bryk; *przen.* **to keep on the ~** poppędzać, utrzymywać w ruchu; *vi* kłusować; *vt także* **~ out** puszczać kłusem; popisywać się (**sth** czymś)
**troth** [trəuθ] *s* † wierność; słowo honoru; **to plight one's ~** ręczyć słowem honoru
**trou·ble** [`trʌbl] *s* niepokój, kłopot, troska, trud; zakłócenie; dolegliwość; **to ask for ~** szukać kłopotu, narażać się na kłopoty; **to get into ~** popaść w tarapaty; **to take the ~** zadać sobie trud; *vt vi* niepokoić (się), dręczyć (się); przeszkadzać; fatygować (się); martwić (się); mącić
**trou·ble·some** [`trʌblsəm] *adj* niepokojący, kłopotliwy, uciążliwy
**trough** [trof] *s* koryto
**troupe** [trup] *s teatr* trupa
**trou·sers** [`trauzəz] *s pl* spodnie
**trout** [traut] *s zool.* pstrąg
**trow·el** [trauḷ] *s* kielnia, łopata
**tru·an·cy** [`truənsɪ] *s* absencja; wagary
**tru·ant** [`truənt] *s* opuszczający pracę; uczeń na wagarach; **to play ~** chodzić na wagary
**truce** [trus] *s* rozejm
**truck 1.** [trʌk] *s* wózek ciężarowy, wózek ręczny; lora, platforma; samochód ciężarowy; *vt* przewozić wózkiem ⟨platformą itp.⟩; ładować na wózek ⟨platformę itp.⟩
**truck 2.** [trʌk] *s* wymiana; handel wymienny; wynagrodzenie w naturze; drobne artykuły codziennego użytku; *am.* jarzyny; *vt vi* wymieniać; prowadzić handel wymienny ⟨domokrążny⟩
**truc·u·lent** [`trʌkjulənt] *adj* srogi, dziki, barbarzyński, gwałtowny
**trudge** [trʌdʒ] *vi* wlec się, iść z trudem; *s* uciążliwy marsz
**true** [tru] *adj* prawdziwy; wierny; rzetelny; zgodny (np. z rzeczywistością); **to come ~** sprawdzić się; **(it's) ~!**; **quite ~!** słusznie!, racja!
**true-blue** ['tru `blu] *adj* lojalny
**tru·ly** [`trulɪ] *adv* prawdziwie, wiernie; szczerze; rzeczywiście
**trump** [trʌmp] *s* atut; *vt* przebić atutem; **~ up** zmyślić, sfingować
**trump·er·y** [`trʌmpərɪ] *s zbior.* tandeta, bezwartościowe błyskotki; bzdury; paplanina; *adj* tandetny
**trum·pet** [`trʌmpɪt] *s* trąbka; trąba; dźwięk trąby; **to blow the ~** grać na trąbce; *przen.* **to blow one's own ~** chwalić się; *vt vi* trąbić
**trun·cate** [trʌŋ`keɪt] *vt* obciąć, okaleczyć
**trun·cheon** [`trʌntʃn] *s* pałka (policjanta); buława; *vt* bić pałką
**trun·dle** [`trʌndl] *s* rolka; wózek na rolkach; *vt vi* toczyć (się)
**trunk** [trʌŋk] *s* pień; tułów; kadłub; trąba słonia; kufer, skrzynka; (*także* **~-line**) (telefoniczna) linia międzymiastowa
**trunk-call** [`trʌŋk kɔl] *s* (telefoniczna) rozmowa międzymiastowa
**trunk-line** [`trʌŋk laɪn] *s* (telefoniczna) linia międzymiastowa; magistrala kolejowa
**trunk-road** [`trʌŋk rəud] *s* główna droga
**truss** [trʌs] *s* wiązka; *mors.* więźba; pęk; *med.* pas przepuklinowy; *vt vi* wiązać; pakować (się)
**trust** [trʌst] *s* zaufanie, wiara; trust; *vi* ufać, wierzyć (**sb** komuś); pokładać ufność (**in sb** w kimś); polegać (**to sb, sth** na kimś, czymś); *vi* powierzyć (**sb with sth, sth to sb** coś komuś)
**trus·tee** [trʌ`sti] *s* powiernik; kurator; członek zarządu
**trust·ful** [`trʌstfl] *adj* ufny

**trust·wor·thy** [ˈtrʌst-wɜðɪ] *adj* godny zaufania, pewny
**trust·y** [ˈtrʌstɪ] *adj* † wierny
**truth** [truθ] *s* prawda, prawdziwość; wierność; rzetelność
**truth·ful** [ˈtruθfl] *adj* prawdziwy; prawdomówny
**try** [traɪ] *vt* próbować; doświadczać; sądzić (**sb** kogoś, **for sth** za coś); badać; *vi* starać się (**for sth** o coś); usiłować; **~ on** przymierzać; **~ out** wypróbować; *s* próba; usiłowanie; **to have a ~** spróbować
**try·cycle** [ˈtraɪsɪkl] *s* rower na trzech kołach
**try·ing** [ˈtraɪɪŋ] *adj* męczący; przykry
**tsar, tsarina** *zob.* tzar, tzarina
**tub** [tʌb] *s* kadź; wanna; (*także* **wash-~**) balia
**tuba** [ˈtjubə] *s muz.* tuba
**tube** [tjub] *s* rura; dętka (roweru, opony); tubka; przewód; *pot.* (*w Londynie*) kolej podziemna, metro
**tu·ber·cu·lar** [tjuˈbɜkjulə(r)] *adj* gruźliczy
**tu·ber·cu·lo·sis** [tjuˌbɜkjuˈləusɪs] *s* gruźlica
**tuck** [tʌk] *s* fałda, zakładka; *zbior. pot.* łakocie; *vt* składać w fałdy, podwijać; wtykać, chować; **~ away** schować; **~ in** wpychać; zbierać; owijać; **~ up** podwijać, zakasywać
**Tues·day** [ˈtjuzdɪ] *s* wtorek
**tuft** [tʌft] *s* kiść, pęk
**tug** [tʌg] *vt vi* ciągnąć; holować; szarpać; wysilać się; *s* pociągnięcie; zmaganie; holownik
**tug·boat** [ˈtʌg bəut] *s* holownik
**tu·i·tion** [tjuˈɪʃn] *s* szkolenie, nauka; opłata za naukę
**tu·lip** [ˈtjulɪp] *s bot.* tulipan
**tum·ble** [ˈtʌmbl] *vt vi* przewrócić (się), wywrócić (się); upaść; potoczyć się; *s* upadek; nieład
**tum·bler** [ˈtʌmblə(r)] *s* akrobata; kuglarz; szklanka, kubek
**tum·brel** [ˈtʌmbrəl] *s* wózek, wywrotka
**tu·me·fy** [ˈtjumɪfaɪ] *vi* obrzęknąć; *vt* powodować obrzęk
**tu·mid** [ˈtjumɪd] *adj* nabrzmiały
**tu·mour** [ˈtjumə(r)] *s med.* guz, tumor, nowotwór
**tu·mult** [ˈtjumʌlt] *s* tumult, hałas; zamęt
**tu·mu·lus** [ˈtjumjuləs] *s* (*pl* **tumuli** [ˈtjumjulaɪ]) kurhan, kopiec
**tu·na** [ˈtjunə] *s* = **tunny**
**tune** [tjun] *s* ton; melodia, pieśń; harmonia; *vt vi* harmonizować; stroić; **~ in** nastawić radio (**to a wave** na daną falę); **~ up** nastroć się; zacząć grać, zaintonować; **out of ~** (*o instrumencie*) rozstrojony; (*o dźwięku*) fałszywy
**tune·ful** [ˈtjunfl] *adj* melodyjny
**tu·nic** [ˈtjunɪk] *s* tunika; bluza (wojskowa)
**tun·ing-fork** [ˈtjunɪŋ fɔk] *s muz.* kamerton
**tun·nel** [ˈtʌnl] *s* tunel; przewód, rura
**tun·ny** [ˈtʌnɪ] *s zool.* tuńczyk
**tur·ban** [ˈtɜbən] *s* turban
**tur·bid** [ˈtɜbɪd] *adj* mętny
**tur·bine** [ˈtɜbaɪn] *s* turbina
**tur·bu·lent** [ˈtɜbjulənt] *adj* burzliwy; buntowniczy
**tu·reen** [tjuˈrin] *s* waza (na zupę)
**turf** [tɜf] *s* murawa, darń; torf; **the ~** tor wyścigowy; wyścigi konne
**tur·gid** [ˈtɜdʒɪd] *adj* nabrzmiały; *przen.* (*o stylu*) napuszony
**Turk** [tɜk] *s* Turek
**tur·key** [ˈtɜkɪ] *s zool.* indyk
**Turk·ish** [ˈtɜkɪʃ] *adj* turecki; *s* język turecki
**tur·moil** [ˈtɜmɔɪl] *s* zamieszanie, wrzawa
**turn** [tɜn] *vt vi* obracać (się), przewracać (się), zwracać (się); zmieniać (się), przeistaczać (się); stawać się; tłumaczyć; nicować; **to ~ the corner** skręcić na rogu (ulicy), minąć zakręt; *przen.* przeżyć kryzys; **to ~ loose** wypuścić

na wolność; to ~ a deaf ear puszczać mimo uszu, nie słuchać; to ~ one's coat zmienić przekonania, przejść do przeciwnej partii; to ~ pale zblednąć; to ~ soldier zostać żołnierzem, wstąpić do wojska; *przen. z przysłówkami:* ~ aside odbić (np. cios); odchylić się; ~ away uchylić; usunąć, wypędzić; odstąpić; ~ back odwrócić (się); powrócić; ~ down zagiąć; obalić; ~ in zawinąć, założyć do środka; wejść, wstąpić; pójść spać; ~ off odwrócić (się); odkręcić (się); usunąć (się), odsunąć (się); poniechać; to ~ off the light zgasić światło; ~ on nakręcić; nastawić; to ~ on the light zapalić światło, zaświecić; ~ out wywrócić; wyrzucić, wypędzić; wytrącić; zostać wytrąconym; wystąpić, ukazać się; okazać się; to ~ out well wyjść na dobre, dobrze się skończyć; ~ over przewracać; przekazywać; przejść na drugą stronę; przemyśleć; ~ round obrócić (się); przekręcić (się); kręcić (się); *przen.* zmienić przekonania; ~ up wywracać ku górze; podnosić (się); dziać się, stawać się; zdarzać się; odkrywać (np. zakopany skarb); zjawić się; *s* obrót, zwrot, skręt; skłonność; kierunek; uzdolnienie; właściwość; kształt; kolejność, kolej; turnus; wyczyn, uczynek; cel, korzyść; *pot.* kawał; ~ of mind mentalność; to give ~ for ~ odpłacić pięknym za nadobne; to take a ~ wyjść na przechadzkę; skręcić; to take a ~ of work popracować jakiś czas; it is my ~ teraz na mnie kolej; does it serve your ~? czy to ci się na coś przyda?; at every ~ przy każdej sposobności; in ~, by ~s po kolei

**turn·a·bout** [`tɜnəbaut] *s* zwrot, obrót

**turn·coat** [`tɜnkəut] *s* renegat, sprzeniewierca

**turn·er** [`tɜnə(r)] *s* tokarz

**turn·ing** [`tɜnɪŋ] *s* zakręt, zwrot; to take a ~ skręcić

**turn·ing-point** [`tɜnɪŋ pɔɪnt] *s* punkt zwrotny, przesilenie

**tur·nip** [`tɜnɪp] *s bot.* rzepa; *pot.* (*zegarek*) cebula

**turn·key** [`tɜnki] *s* dozorca więzienny, klucznik

**turn-out** [`tɜn aut] *s* zgromadzenie, publiczność; mundur (*zw.* wojskowy); strajk; zaprzęg; rozjazd (kolejowy); stawienie się; ekwipunek; produkcja, wydajność

**turn·o·ver** [`tɜnəuvə(r)] *s handl.* obrót; zwrot (w stanowisku, poglądach); kapotaż

**turn·pike** [`tɜnpaɪk] *s* rogatka, szlaban

**turn·sole** [`tɜnsəul] *s* roślina heliotropiczna

**turn-up** [`tɜnʌp] *s* mankiet u spodni; *przen.* bijatyka

**tur·pen·tine** [`tɜpəntaɪn] *s* terpentyna

**tur·pi·tude** [`tɜpɪtjud] *s* nikczemność

**tur·quoise** [`tɜkwɔɪz] *s* turkus

**tur·ret** [`tʌrət] *s* wieżyczka

**tur·tle** [`tɜtl] *s zool.* żółw (morski)

**tur·tle-dove** [`tɜtl `dʌv] *s zool.* turkawka

**tusk** [tʌsk] *s* kieł (słonia)

**tu·te·lage** [`tjutlɪdʒ] *s* kuratela

**tu·tor** [`tjutə(r)] *s* guwerner; korepetytor; wychowawca; kierujący pracą studentów

**tux·e·do** [tʌk`sidəu] *s am.* smoking

**twad·dle** [`twodl] *vi* paplać, gadać; *s* paplanie

**twain** [tweɪn] *num poet. dial.* dwa

**twang** [twæŋ] *vt vi* brzdąkać; brzęczeć; mówić przez nos; *s* brzdęk; wymowa nosowa

**'twas** [twəz] = **it was**

**tweed** [twid] *s* tweed

**tweed·le** [`twidl] *vi* brzdąkać

**'tween** [twɪn] *praep poet.* = **between**

**tweez·ers** [`twizəz] *s pl* szczypczyki, pincetka

**twelfth** [twelfθ] *adj* dwunasty
**Twelfth-night** [ˈtwelfθ ˋnaɪt] *s* wigilia Trzech Króli
**twelve** [twelv] *num* dwanaście; *s* dwunastka
**twelve·month** [ˋtwelvmʌnθ] *s* rok; **this day ~** od dziś za rok; od roku
**twen·ti·eth** [ˋtwentɪəθ] *adj* dwudziesty
**twen·ty** [ˋtwentɪ] *num* dwadzieścia
**'twere** [twɜ(r), twə(r)] *poet.* = **it were**
**twice** [twaɪs] *adv* dwa razy
**twid·dle** [ˋtwɪdl] *vt* kręcić, przebierać (palcami)
**twig** [twɪg] *s* gałązka; różdżka; *anat.* żyłka
**twi·light** [ˋtwaɪlaɪt] *s* brzask, zmierzch, półmrok
**'twill** [twɪl] = **it will**
**twin** [twɪn] *s* bliźniak; *attr* bliźniaczy
**twine** [twaɪn] *s* sznur, szpagat; zwój; *vt vi* zwijać (się), splatać (się)
**twinge** [twɪndʒ] *vi* rwać, kłuć, silnie boleć; *s* rwanie, kłucie, silny ból; **~ of conscience** ⟨**remorse**⟩ wyrzuty sumienia
**twin·kle** [ˋtwɪŋkl] *vi* migotać; *s* migotanie
**twirl** [twɜl] *vt vi* wiercić (się), szybko kręcić (się); *s* wirowanie, kręcenie (się)
**twist** [twɪst] *s* skręt, zakręt, skręcenie; splot; zwitek; skłonność, nastawienie; (*taniec*) twist; *vt vi* kręcić (się), wić (się), wikłać (się), splatać (się); wykręcać; przekręcać; **~ off** odkręcić; **~ up** skręcić, zwinąć
**twitch** [twɪtʃ] *vt vi* szarpać, rwać; nerwowo drgać; wykrzywiać (się); *s* szarpnięcie; drgawka
**twit·ter** [ˋtwɪtə(r)] *vi* ćwierkać, świergotać; *s* świergot
**'twixt** [twɪkst] *poet.* = **betwixt**
**two** [tu] *num* dwa; *s* dwójka; **~ and ~, by ~s, in ~s** dwójkami, parami
**two-deck·er** [ˋtu dekə(r)] *s mors.* dwupokładowiec
**two·fold** [ˋtu-fəuld] *adj* podwójny
**two·pence** [ˋtʌpns] *s* dwupensówka, moneta wartości dwóch pensów
**two-piece** [ˈtuˋpis] *s* zestaw dwuczęściowy (np. kostium); *adj attr* dwuczęściowy
**ty·coon** [taɪˋkun] *s pot.* magnat, przemysłowiec
**ty·ing** [ˋtaɪɪŋ] *p praes od* **tie** *vt*
**tyke** [taɪk] *s* kundel
**type** [taɪp] *s* typ; wzór; czcionka, *zbior.* czcionki; druk; **bold ~** tłuste czcionki, tłusty druk; **to be in ~** być złożonym; **to appear in ~** ukazać się w druku; *vt* pisać na maszynie
**type·script** [ˋtaɪpskrɪpt] *s* maszynopis
• **type·write** [taɪp-raɪt], **typewrote** [ˋtaɪp-rəut], **typewritten** [ˋtaɪp--rɪtn] *vt vi* pisać na maszynie
**type·writ·er** [ˋtaɪp-raɪtə(r)] *s* maszyna do pisania
**type·writ·ten** *zob.* **typewrite**
**type·wrote** *zob.* **typewrite**
**ty·phoid** [ˋtaɪfɔɪd] *adj med.* tyfoidalny; **~ fever** tyfus, dur brzuszny
**ty·phoon** [taɪˋfun] *s* tajfun
**ty·phus** [ˋtaɪfəs] *s med.* tyfus plamisty
**typ·i·cal** [ˋtɪpɪkl] *adj* typowy (**of sth** dla czegoś)
**typ·i·fy** [ˋtɪpɪfaɪ] *vt* stanowić typ, być wzorem
**typ·ist** [ˋtaɪpɪst] *s* maszynistka, osoba pisząca na maszynie
**ty·pog·ra·phy** [taɪˋpogrəfɪ] *s* typografia; szata graficzna
**ty·ran·ni·cal** [tɪˋrænɪkl] *adj* tyrański
**tyr·an·nize** [ˋtɪrənaɪz] *vi* być tyranem; *vt* tyranizować
**tyr·an·ny** [ˋtɪrənɪ] *s* tyrania
**ty·rant** [ˋtaɪərənt] *s* tyran
**tyre** *zob.* **tire** 2.
**tzar** [za(r)] *s* car
**tza·ri·na** [zaˋrinə] *s* caryca

# U

**u·biq·ui·tous** [ju`bɪkwətəs] *adj* wszędzie obecny; (*o człowieku*) wszędobylski
**ud·der** [`ʌdə(r)] *s* wymię
**ug·li·fy** [`ʌglɪfaɪ] *vt* szpecić, zeszpecić
**ug·li·ness** [`ʌglɪnəs] *s* brzydota
**ug·ly** [`ʌglɪ] *adj* brzydki
**U·krain·i·an** [ju`kreɪnɪən] *adj* ukraiński; *s* język ukraiński
**ul·cer** [`ʌlsə(r)] *s med.* wrzód
**ul·cer·ate** [`ʌlsəreɪt] *vt* spowodować owrzodzenie; rozjątrzyć; *vi* owrzodzieć
**ul·te·ri·or** [ʌl`tɪərɪə(r)] *adj* dalszy
**ul·ti·mate** [`ʌltɪmət] *adj* ostateczny; podstawowy
**ul·ti·ma·tum** [ˈʌltɪ`meɪtəm] *s* ultimatum
**ul·tra** 1. [`ʌltrə] *adj* krańcowy
**ul·tra-** 2. [`ʌltrə] *praef* ponad-, poza-
**um·brage** [`ʌmbrɪdʒ] *s* uraza; obraza; **to take ~ at sth** obrazić się o coś
**um·brel·la** [ʌm`brelə] *s* parasol, parasolka
**um·pire** [`ʌmpaɪə(r)] *s* arbiter; *sport* sędzia; *vi vt* sędziować, rozstrzygać
**un-** [ʌn-] *praef* nie-, od-, roz-
**un·a·bat·ed** [ˈʌnə`beɪtɪd] *adj* nie zmniejszony, nie słabnący
**un·a·ble** [ʌn`eɪbl] *adj* niezdolny; **to be ~** nie móc
**un·a·bridged** [ˈʌnə`brɪdʒd] *adj* nie skrócony
**un·ac·cept·a·ble** [ˈʌnək`septəbl] *adj* nie do przyjęcia
**un·ac·count·a·ble** [ˈʌnə`kauntəbl] *adj* niewytłumaczalny; nieodpowiedzialny
**un·af·fect·ed** [ˈʌnə`fektɪd] *adj* niewymuszony, niekłamany; niewzruszony
**un·al·loyed** [ˈʌnə`lɔɪd] *adj* nie zmieszany, czysty; bez domieszki
**un·al·ter·a·ble** [ʌn`ɔltərəbl] *adj* niezmienny
**u·na·nim·i·ty** [ˈjunə`nɪmətɪ] *s* jednomyślność
**u·nan·i·mous** [ju`nænɪməs] *adj* jednomyślny
**un·an·swer·a·ble** [ʌn`ansərəbl] *adj* wykluczający odpowiedź; bezsporny
**un·ap·peas·a·ble** [ˈʌnə`pizəbl] *adj* nienasycony; nie zaspokojony; nieubłagany
**un·ap·proach·a·ble** [ˈʌnə`prəutʃəbl] *adj* niedostępny; niedościgniony
**un·as·sail·a·ble** [ˈʌnə`seɪləbl] *adj* nie do zdobycia; nienaruszalny; bezsporny
**un·as·sum·ing** [ˈʌnə`sjumɪŋ] *adj* bezpretensjonalny, skromny
**un·at·tain·a·ble** [ˈʌnə`teɪnəbl] *adj* nieosiągalny
**un·a·vail·ing** [ˈʌnə`veɪlɪŋ] *adj* bezużyteczny; bezskuteczny
**un·a·void·a·ble** [ˈʌnə`vɔɪdəbl] *adj* nieunikniony
**un·a·ware** [ˈʌnə`weə(r)] *adj* nieświadomy, nie wiedzący (**of sth** o czymś)
**un·a·wares** [ˈʌnə`weəz] *adv* nieświadomie; niespodziewanie
**un·bal·ance** [ʌn`bæləns] *vt* wytrącić z równowagi; *s* brak równowagi
**un·bar** [ʌn`ba(r)] *vt* odryglować, otworzyć
**un·bear·a·ble** [ʌn`beərəbl] *adj* nieznośny, nie do wytrzymania
**un·be·com·ing** [ˈʌnbɪ`kʌmɪŋ] *adj* nie na miejscu, nielicujący, niestosowny; **it is ~ of you to ...** nie wypada ci ...
**un·be·liev·a·ble** [ˈʌnbɪ`livəbl] *adj* niewiarygodny, nie do wiary
**un·be·liev·er** [ˈʌnbɪ`livə(r)] *s* człowiek niewierzący, ateista
**un·bend** [ˈʌn`bend] *vt vi* (*formy zob.* **bend**) odgiąć (się), odprężyć (się); wyprostować (się)

**un·bend·ing** [ˈʌnˋbendɪŋ] *adj* nieugięty
**un·bent** *zob.* **unbend**
**un·bi·assed** [ʌnˋbaɪəst] *adj* bezstronny, nieuprzedzony
**un·bid·den** [ʌnˋbɪdn] *adj* nieproszony; spontaniczny
**un·bind** [ʌnˋbaɪnd] *vt* (*formy zob.* bind) rozwiązać, odwiązać; zwolnić (z więzów), rozkuć
**un·blem·ished** [ʌnˋblemɪʃt] *adj* nieskazitelny
**un·born** [ˈʌnˋbɔn] *adj* nie urodzony; (*o pokoleniu*) przyszły
**un·bos·om** [ʌnˋbuzəm] *vt vi* wywnętrzyć (się), wynurzyć (się)
**un·bound** [ʌnˋbaund] *pp zob.* unbind; *adj* (*o książce*) nie oprawiony
**un·bound·ed** [ʌnˋbaundɪd] *adj* nieograniczony, bezgraniczny
**un·bred** [ʌnˋbred] *adj* bez wychowania
**un·bri·dled** [ʌnˋbraɪdld] *adj* nieokiełznany; wyuzdany, rozwydrzony
**un·bro·ken** [ʌnˋbrəukən] *adj* nie złamany; niezłomny; nieprzerwany
**un·bur·den** [ʌnˋb3dn] *vt* zdjąć ciężar (sb, sth z kogoś, czegoś); odciążyć
**un·but·ton** [ʌnˋbʌtn] *vt* rozpiąć
**un·called** [ʌnˋkɔld] *adj* nie wołany; ~ for niepożądany; nie na miejscu; nie sprowokowany; bezpodstawny
**un·can·ny** [ʌnˋkænɪ] *adj* niesamowity
**un·cer·tain** [ʌnˋs3tn] *adj* niepewny, wątpliwy
**un·chain** [ʌnˋtʃeɪn] *vt* uwolnić z więzów, rozkuć, rozpętać; spuścić z łańcucha
**un·chart·ed** [ʌnˋtʃatɪd] *adj* nie oznaczony na mapie; nie zbadany
**un·checked** [ʌnˋtʃekt] *adj* niepowstrzymany, nieposkromiony; nie kontrolowany
**un·civ·il** [ʌnˋsɪvl] *adj* nieuprzejmy; niekulturalny
**un·claimed** [ʌnˋkleɪmd] *adj* nie żądany; nie poszukiwany; (*o przedmiocie itp.*) do którego nikt nie rości pretensji
**un·clasp** [ʌnˋklasp] *vt* rozewrzeć; uwolnić z uścisku; otworzyć (np. scyzoryk)
**un·cle** [ˋʌŋkl] *s* wuj; stryj
**un·close** [ʌnˋkləuz] *vt vi* otworzyć (się); ujawnić (tajemnicę itp.)
**un·cloud** [ʌnˋklaud] *vt* rozproszyć chmury; *przen.* rozchmurzyć (twarz)
**un·cocked** [ʌnˋkɔkt] *adj* (*o strzelbie*) ze spuszczonym kurkiem
**un·coil** [ʌnˋkɔɪl] *vt vi* odwinąć (się), rozwinąć (się)
**un·com·fort·a·ble** [ʌnˋkʌmftəbl] *adj* niewygodny, nieprzytulny; nieprzyjemny; czujący się niedobrze ⟨nieswojo⟩
**un·com·mon** [ʌnˋkɔmən] *adj* niezwykły
**un·com·pro·mis·ing** [ʌnˋkɔmprəmaɪzɪŋ] *adj* bezkompromisowy
**un·con·cern** [ˈʌnkənˋs3n] *s* obojętność, beztroska
**un·con·cerned** [ˈʌnkənˋs3nd] *adj* obojętny, beztroski, nie zainteresowany
**un·con·di·tion·al** [ˈʌnkənˋdɪʃnl] *adj* bezwarunkowy
**un·con·quer·a·ble** [ʌnˋkɔŋkərəbl] *adj* niepokonany
**un·con·scious** [ʌnˋkɔnʃəs] *adj* nieświadomy; nieprzytomny
**un·con·sid·ered** [ˈʌnkənˋsɪdəd] *adj* nierozważny
**un·con·solable** [ˈʌnkənˋsəuləbl] *adj* niepocieszony
**un·con·trol·la·ble** [ˈʌnkənˋtrəuləbl] *adj* nie do opanowania, niepohamowany
**un·cork** [ʌnˋkɔk] *vt* odkorkować
**un·count·a·ble** [ʌnˋkauntəbl] *adj* niezliczony, nie dający się policzyć; *gram.* niepoliczalny
**un·coup·le** [ʌnˋkʌpl] *vt* rozłączyć, odpiąć; spuścić ze smyczy (psa)

**un·couth** [ʌn`kuθ] *adj* nieokrzesany; niezgrabny; dziwny
**un·cov·er** [ʌn`kʌvə(r)] *vt vi* odsłonić (się), odkryć (się); zdjąć (pokrywę, kapelusz)
**unc·tion** [`ʌŋkʃn] *s rel.* namaszczenie; balsam, ukojenie
**unc·tu·ous** [`ʌŋktjuəs] *adj* tłusty; *przen.* namaszczony, napuszony
**un·daunt·ed** [ʌn`dɔntɪd] *adj* nieustraszony
**un·de·ceive** [ˈʌndɪ`siv] *vt* wyprowadzić z błędu
**un·de·cid·ed** [ˈʌndɪ`saɪdɪd] *adj* niezdecydowany
**un·de·liv·ered** [ˈʌndɪ`lɪvəd] *adj* nie uwolniony; nie dostarczony, nie doręczony
**un·de·mon·stra·tive** [ˈʌndɪ`monstrətɪv] *adj* pełen rezerwy, opanowany
**un·de·ni·a·ble** [ˈʌndɪ`naɪəbl] *adj* niezaprzeczalny
**un·der** 1. [`ʌndə(r)] *praep* pod, poniżej; według (np. umowy); w trakcie (np. naprawy); *adv* poniżej, u dołu; *adj* poniższy, dolny
**un·der-** 2. [`ʌndə(r)] *praef* pod-
**un·der·brush** [`ʌndəbrʌʃ] *s* zarośla; podszycie (lasu)
**un·der·car·riage** [`ʌndəkærɪdʒ] *s* podwozie (np. samochodu)
**un·der·clothes** [`ʌndəkləuðz] *s pl*, **un·der·cloth·ing** [`ʌndəkləuðɪŋ] *s* bielizna
**un·der·cur·rent** [`ʌndəkʌrənt] *s* prąd podwodny; *przen.* nurt
**un·der·de·vel·oped** [ˈʌndədɪ`veləpt] *adj* niedostatecznie rozwinięty; gospodarczo zacofany
**un·der·done** [ˈʌndə`dʌn] *adj* (*o mięsie*) nie dosmażony
**un·der·es·ti·mate** [ˈʌndər`estɪmeɪt] *vt* nie doceniać
**un·der·fed** [ˈʌndə`fed] *adj* niedożywiony
**un·der·foot** [ˈʌndə`fut] *adv* pod nogami, u dołu
**un·der·go** [ˈʌndə`gəu] *vt* (*formy zob.* **go**) poddać się, doświadczyć, doznać; być poddanym próbie; przechodzić; (*o egzaminie*) składać
**un·der·grad·u·ate** [ˈʌndə`grædʒuət] *s* student
**un·der·ground** [ˈʌndə`graund] *adv* pod ziemią; **the ~ movement** podziemny ruch oporu; *s* [`ʌndəgraund] podziemie; kolej podziemna; metro; *adj* podziemny
**un·der·growth** [`ʌndəgrəuθ] *s* niepełny wzrost, niedorozwój; podszycie (lasu)
**un·der·hand** [ˈʌndə`hænd] *adj* potajemny, skryty, zakulisowy, podstępny; *adv* potajemnie, skrycie
**un·der·laid** *zob.* **underlay** 2.
**un·der·lain** *zob.* **underlie**
**un·der·lay** 1. *zob.* **underlie**
**un·der·lay** 2. [ˈʌndə`leɪ] *vt* (*formy zob.* **lay**) podkładać
**un·der·lie** [ˈʌndə`laɪ] *vt* (*formy zob.* **lie**) leżeć (**sth** pod czymś); leżeć u podstaw (**sth** czegoś); znajdować się poniżej (**sth** czegoś)
**un·der·line** [ˈʌndə`laɪn] *vt* podkreślać; *s* [`ʌndəlaɪn] podkreślenie; podpis
**un·der·ly·ing** *p praes od* **underlie**; *adj* podstawowy; ukryty
**un·der·mine** [ˈʌndə`maɪn] *vt* podkopać (fundament, zaufanie itd.)
**un·der·most** [`ʌndəməust] *adj* najniższy, znajdujący się u samego dołu
**un·der·neath** [ˈʌndə`niθ] *praep* pod; *adv* poniżej, u dołu
**un·der·paid** *zob.* **underpay**
**un·der·pay** [ˈʌndə`peɪ] *vt* (*formy zob.* **pay**) niedostatecznie opłacać, źle wynagradzać
**un·der·plot** [`ʌndəplot] *s lit.* wątek uboczny
**un·der·rate** [ˈʌndə`reɪt] *vt* nie doceniać
**un·der·score** [`ʌndə`skɔ(r)] *vt* podkreślać
**un·der·sec·re·tar·y** [ˈʌndə`sekrətrɪ] *s* podsekretarz (stanu), wiceminister

**un·der·sell** ['ʌndə`sel] *vt* (*formy zob.* **sell**) sprzedawać poniżej ceny
**un·der·sign** ['ʌndə`saɪn] *vt* podpisać
**un·der·sized** [`ʌndəsaɪzd] *adj* wzrostu ⟨rozmiarów⟩ poniżej normy, drobny
**un·der·sold** *zob.* **undersell**
**un·der·stand** ['ʌndə`stænd] *vt vi* (*formy zob.* **stand**) rozumieć; słyszeć, dowiadywać się; znać się (sth na czymś); **to make oneself understood** porozumieć się; **it is understood** zakłada się; rozumie się samo przez się
**un·der·stand·ing** ['ʌndə`stændɪŋ] *s* rozum; rozumienie; porozumienie; założenie; *adj* rozumny; wyrozumiały
**un·der·state·ment** ['ʌndə`steɪtmənt] *s* niedomówienie
**un·der·stood** *zob.* **understand**
**un·der·stud·y** [`ʌndəstʌdɪ] *s teatr* aktor dublujący rolę ⟨zastępujący innego aktora⟩
**un·der·take** ['ʌndə`teɪk] *vt vi* (*formy zob.* **take**) brać na siebie, zobowiązywać się, podejmować się
**un·der·tak·er** [`ʌndəteɪkə(r)] *s* właściciel zakładu pogrzebowego
**un·der·tak·ing** ['ʌndə`teɪkɪŋ] *s* przedsięwzięcie; przedsiębiorstwo; zobowiązanie
**un·der·tone** [`ʌndətəun] *s* przytłumiony ton, półgłos
**un·der·took** *zob.* **undertake**
**un·der·val·ue** ['ʌndə`vælju] *vt* nie doceniać, nisko cenić
**un·der·wear** [`ʌndəweə(r)] *s* bielizna
**un·der·went** *zob.* **undergo**
**un·der·world** [`ʌndəwɜld] *s* świat zmarłych, zaświaty; podziemie (przestępcze)
**un·der·write** ['ʌndə`raɪt] *vt* (*formy zob.* **write**) podpisywać; podpisywać polisę, ubezpieczać
**un·der·writ·er** [`ʌndəraɪtə(r)] *s* agent ubezpieczeniowy, asekurator
**un·der·writ·ten** *zob.* **underwrite**
**un·der·wrote** *zob.* **underwrite**
**un·de·sir·a·ble** ['ʌndɪ`zaɪərəbl] *adj* niepożądany; *s* człowiek niepożądany
**un·did** *zob.* **undo**
**un·dig·ni·fied** [ʌn`dɪgnɪfaɪd] *adj* niegodny; bez godności
**un·di·vid·ed** [`ʌndɪ`vaɪdɪd] *adj* niepodzielny, całkowity
**un·do** ['ʌn`du] *vt* (*formy zob.* **do**) rozewrzeć, otworzyć; rozpuścić; rozpiąć; zniweczyć; skasować
**un·doubt·ed** [ʌn`dautɪd] *adj* niewątpliwy
**un·dreamed** [ʌn`drimd], **un·dreamt** [ʌn`dremt] *adj* (*zw.* **~-of**) niesłychany, nieprawdopodobny, nie do pomyślenia
**un·dress** [ʌn`dres] *vt vi* rozbierać (się); zdejmować opatrunek; *s* strój domowy; negliż
**un·due** [ʌn`dju] *adj* nie należący; niesłuszny; niewłaściwy; nadmierny
**un·du·late** [`ʌndjuleɪt] *vi* falować; być falistym; *vt* powodować falowanie, nadawać wygląd falisty
**un·du·la·tion** ['ʌndju`leɪʃn] *s* falowanie
**un·dy·ing** [ʌn`daɪɪŋ] *adj* nieśmiertelny
**un·earth** [ʌn`ɜθ] *vt* odkopać, odgrzebać; wydobyć na światło dzienne
**un·earth·ly** [ʌn`ɜθlɪ] *adj* nieziemski; niesamowity
**un·eas·y** [ʌn`izɪ] *adj* niewygodny; przykry; niespokojny; nieswój
**un·em·ployed** ['ʌnɪm`plɔɪd] *adj* bezrobotny; nie wykorzystany
**un·em·ploy·ment** ['ʌnɪm`plɔɪmənt] *s* bezrobocie
**un·end·ing** [ʌn`endɪŋ] *adj* nie kończący się, wieczny
**un·e·qual** [ʌn`ikwəl] *adj* nierówny; niewyrównany
**un·e·quiv·o·cal** ['ʌnɪ`kwɪvəkl] *adj* niedwuznaczny

**un·err·ing** [ʌnˋɜrɪŋ] *adj* nieomylny
**un·es·sen·tial** [ˈʌnɪˋsenʃ] *adj* nieistotny
**un·e·ven** [ʌnˋivən] *adj* nierówny; nieparzysty
**un·ex·am·pled** [ˈʌnɪgˋzampld] *adj* bezprzykładny
**un·ex·cep·tion·a·ble** [ˈʌnɪkˋsepʃnəbl] *adj* nienaganny, bez zarzutu
**un·fail·ing** [ʌnˋfeɪlɪŋ] *adj* niezawodny
**un·fair** [ʌnˋfeə(r)] *adj* nieuczciwy; niesprawiedliwy; (*o grze*) nieprzepisowy
**un·faith·ful** [ʌnˋfeɪθfl] *adj* niewierny (to sb komuś)
**un·fa·mil·iar** [ˈʌnfəˋmɪlɪə(r)] *adj* nie zaznajomiony, nie przyzwyczajony; obcy, nieznany
**un·fashion·able** [ʌnˋfæʃnəbl] *adj* niemodny
**un·fas·ten** [ʌnˋfasn] *vt* rozluźnić; rozpiąć, otworzyć
**un·fath·omed** [ʌnˋfæðəmd] *adj* niezgłębiony, niezbadany
**un·fa·vour·a·ble** [ʌnˋfeɪvṛəbl] *adj* nieprzychylny, niepomyślny
**un·feas·i·ble** [ʌnˋfizəbl] *adj* niewykonalny
**un·feel·ing** [ʌnˋfilɪŋ] *adj* nieczuły, bez serca
**un·fet·ter** [ʌnˋfetə(r)] *vt* uwolnić z więzów, rozpętać
**un·fit** [ʌnˋfɪt] *adj* nieodpowiedni, nie nadający się; niezdolny (for sth do czegoś)
**un·flinch·ing** [ʌnˋflɪntʃɪŋ] *adj* niezachwiany
**un·fold** [ʌnˋfəuld] *vt* rozwijać, rozchylać, odsłaniać; ujawniać
**un·for·get·ta·ble** [ˈʌnfəˋgetəbl] *adj* niezapomniany
**un·for·giv·able** [ˈʌnfəˋgɪvəbl] *adj* niewybaczalny
**un·for·tu·nate** [ʌnˋfɔtʃunət] *adj* niefortunny, nieszczęśliwy
**un·found·ed** [ʌnˋfaundɪd] *adj* bezpodstawny
**un·fre·quent·ed** [ˈʌnfrɪˋkwentɪd] *adj* nie odwiedzany, samotny
**un·fruit·ful** [ʌnˋfrutfl] *adj* bezpłodny; daremny; bezowocny
**un·furl** [ʌnˋfɜl] *vt* rozwijać, rozpościerać
**un·gain·ly** [ʌnˋgeɪnlɪ] *adj* niezgrabny
**un·gov·ern·a·ble** [ʌnˋgʌvṇəbl] *adj* niesforny, nie do opanowania
**un·grate·ful** [ʌnˋgreɪtfl] *adj* niewdzięczny
**un·grudg·ing** [ʌnˋgrʌdʒɪŋ] *adj* hojny, szczodry
**un·guard·ed** [ʌnˋgadɪd] *adj* nie strzeżony; niebaczny; nierozważny
**un·hand·y** [ʌnˋhændɪ] *adj* niezgrabny; nieporęczny; niezdarny
**un·hap·py** [ʌnˋhæpɪ] *adj* nieszczęśliwy; niepomyślny, nieudany
**un·harmed** [ʌnˋhamd] *adj* nie uszkodzony, nietknięty, bez szwanku
**un·health·y** [ʌnˋhelθɪ] *adj* niezdrowy
**un·heard** [ʌnˋhɜd] *adj* nie słyszany; ~ of niesłychany, niebywały
**un·heed·ing** [ʌnˋhidɪŋ] *adj* nieuważny, niebaczny (of sth na coś)
**un·hes·i·tat·ing** [ʌnˋhezɪteɪtɪŋ] *adj* nie wahający się, stanowczy
**un·hinge** [ʌnˋhɪndʒ] *vt* wysadzić z zawiasów, wyważyć; wytrącić z równowagi
**uni-** [ˋjunɪ] *praef* jedno-
**u·ni·cel·lu·lar** [ˈjunɪˋseljulə(r)] *adj* *biol.* jednokomórkowy
**u·ni·corn** [ˋjunɪkɔn] *s* (mityczny) jednorożec
**u·ni·form** [ˋjunɪfɔm] *adj* jednolity; *s* mundur
**u·ni·form·i·ty** [ˈjunɪˋfɔmətɪ] *s* jednolitość
**u·ni·fy** [ˋjunɪfaɪ] *vt* jednoczyć, ujednolicać
**u·ni·lat·er·al** [ˈjunɪˋlætrl] *adj* jednostronny
**un·im·por·tant** [ˈʌnɪmˋpɔtənt] *adj* mało ważny
**un·in·vit·ing** [ˈʌnɪnˋvaɪtɪŋ] *adj* nie zachęcający, nie ujmujący

**un·ion** [ˋjunɪən] *s* unia, związek, zjednoczenie; **the Union Jack** narodowa flaga brytyjska; **the Union of Soviet Socialist Republics** Związek Socjalistycznych Republik Radzieckich; **trade** ~ związek zawodowy

**un·ion·ist** [ˋjunɪənɪst] *s* członek związku zawodowego

**u·nique** [juˋnik] *adj* jedyny (w swoim rodzaju); *s* unikat

**u·ni·son** [ˋjunɪzn] *s* zgodne brzmienie, zgoda

**u·nit** [ˋjunɪt] *s* jednostka; *techn.* zespół

**u·nite** [juˋnaɪt] *vt vi* jednoczyć (się), łączyć (się)

**u·ni·ty** [ˋjunətɪ] *s* jedność

**u·ni·ver·sal** [ˈjunɪˋvɜsl] *adj* uniwersalny, powszechny

**u·ni·verse** [ˋjunɪvɜs] *s* wszechświat

**u·ni·ver·si·ty** [ˈjunɪˋvɜsətɪ] *s* uniwersytet

**un·just** [ʌnˋdʒʌst] *adj* niesprawiedliwy, niesłuszny

**un·jus·ti·fi·a·ble** [ʌnˋdʒʌstɪfaɪəbl] *adj* nieuzasadniony

**un·kempt** [ʌnˋkempt] *adj* nieuczesany; zaniedbany, niechlujny

**un·kind** [ʌnˋkaɪnd] *adj* nieuprzejmy; nieżyczliwy

**un·lace** [ʌnˋleɪs] *vt* rozsznurować

**un·lade** [ʌnˋleɪd] *vt* (*formy zob.* **lade**) rozładować, wyładować

**un·learn** [ʌnˋlɜn] *vt* (*formy zob.* **learn**) oduczyć się

**un·leash** [ʌnˋliʃ] *vt* spuścić (psa) ze smyczy; *przen.* rozpętać

**un·less** [ənˋles] *conj* jeśli nie, chyba, że

**un·let·tered** [ʌnˋletəd] *adj* niewykształcony

**un·like** [ʌnˋlaɪk] *adj* niepodobny; *praep* niepodobnie, nie tak, jak

**un·like·ly** [ʌnˋlaɪklɪ] *adj* nieprawdopodobny; **he is ~ to come** on prawdopodobnie nie przyjdzie

**un·load** [ʌnˋləʊd] *vt* rozładować, wyładować

**un·lock** [ʌnˋlok] *vt* otworzyć (zamek)

**un·loose** [ʌnˋlus], **unloosen** [ʌnˋlusn] *vt* rozluźnić (się), rozwiązać (się)

**un·luck·y** [ʌnˋlʌkɪ] *adj* nieszczęśliwy, niefortunny

**un·mask** [ʌnˋmask] *vt* demaskować

**un·matched** [ʌnˋmæʃt] *adj* niezrównany

**un·mean·ing** [ʌnˋminɪŋ] *adj* nie mający znaczenia, nic nie mówiący

**un·meant** [ʌnˋment] *adj* mimowolny, nie zamierzony

**un·mis·tak·a·ble** [ˈʌnmɪˋsteɪkəbl] *adj* niewątpliwy, oczywisty

**un·moved** [ʌnˋmuvd] *adj* niewzruszony

**un·named** [ʌnˋneɪmd] *adj* nie nazwany, bezimienny

**un·nat·u·ral** [ʌnˋnætʃərl] *adj* nienaturalny

**un·nec·es·sary** [ʌnˋnesəsrɪ] *adj* niepotrzebny, zbyteczny

**un·nerve** [ʌnˋnɜv] *vt* zniechęcić, odebrać odwagę

**un·no·ticed** [ʌnˋnəutɪst] *adj* nie zauważony; zlekceważony

**un·ob·jec·tion·a·ble** [ˋʌnəbˋdʒekʃnəbl] *adj* nienaganny, bez zarzutu

**un·of·fend·ing** [ˈʌnəˋfendɪŋ] *adj* nieszkodliwy, niewinny

**un·pack** [ʌnˋpæk] *vt vi* rozpakować (się)

**un·paid** [ʌnˋpeɪd] *adj* nie zapłacony; nieodpłatny

**un·pal·at·a·ble** [ʌnˋpælətəbl] *adj* niesmaczny; nieprzyjemny

**un·par·al·leled** [ʌnˋpærəleld] *adj* niezrównany; bezprzykładny

**un·par·don·a·ble** [ʌnˋpadnəbl] *adj* niewybaczalny

**un·pen·e·tra·ble** [ʌnˋpenɪtrəbl] *adj* nie do przebycia

**un·pleas·ant** [ʌnˋpleznt] *adj* nieprzyjemny

**un·prec·e·dent·ed** [ʌnˋpresɪdəntɪd] *adj* bez precedensu

**un·prej·u·diced** [ʌnˋpredʒədɪst] *adj* nieuprzedzony, bezstronny

**un·pre·ten·tious** ['ʌnprɪ'tenʃəs] *adj* bezpretensjonalny
**un·pro·duc·tive** ['ʌnprə'dʌktɪv] *adj* nieproduktywny
**un·prof·it·a·ble** [ʌn'profɪtəbl] *adj* niekorzystny
**un·qual·i·fied** [ʌn'kwolɪfaɪd] *adj* nie mający kwalifikacji; bezwarunkowy, bezwzględny
**un·ques·tion·a·ble** [ʌn'kwestʃənəbl] *adj* nie ulegający wątpliwości, bezsporny
**un·quote** [ʌn'kwəut] *vt* skończyć cytat
**un·rav·el** [ʌn'rævl] *vt vi* rozpleść; rozplątać (się); strzępić (się)
**un·read** [ʌn'red] *adj* nie przeczytany; nieoczytany, niewykształcony
**un·rea·son·a·ble** [ʌn'riznəbl] *adj* nierozsądny; niedorzeczny; (*o cenie*) wygórowany, nadmierny
**un·re·mit·ting** ['ʌnrɪ'mɪtɪŋ] *adj* nie słabnący; nieustanny
**un·re·served** ['ʌnrɪ'zɜvd] *adj* nie zastrzeżony; nieograniczony; bezwzględny; otwarty, szczery
**un·rest** [ʌn'rest] *s* niepokój; wzburzenie
**un·rid·dle** [ʌn'rɪdl] *vt* rozwiązać zagadkę, wyjaśnić
**un·ri·valled** [ʌn'raɪvld] *adj* niezrównany, bezkonkurencyjny
**un·roll** [ʌn'rəul] *vt vi* rozwinąć (się), odsłonić (się)
**un·ru·ly** [ʌn'rulɪ] *adj* niesforny
**un·safe** [ʌn'seɪf] *adj* niebezpieczny, niepewny
**un·said** [ʌn'sed] *adj* nie powiedziany
**un·say** [ʌn'seɪ] *vt* (*formy zob.* **say**) cofnąć słowo, odwołać
**un·scru·pu·lous** [ʌn'skrupjələs] *adj* nie mający skrupułów, bez skrupułów
**un·seal** [ʌn'sil] *vt* odpieczętować
**un·sea·son·a·ble** [ʌn'siznəbl] *adj* nie będący na czasie, niewczesny; niestosowny
**un·seem·ly** [ʌn'simlɪ] *adj* niestosowny, nieprzyzwoity
**un·seen** [ʌn'sin] *adj* nie widziany; nie oglądany; *s* tłumaczenie tekstu (bez przygotowania)
**un·set·tle** [ʌn'setl] *vt* zdezorganizować, zakłócić, zachwiać
**un·set·tled** [ʌn'setld] *adj* zakłócony; niespokojny; niepewny; bezdomny; nie załatwiony
**un·sew** [ʌn'səu] *vt* (*formy zob.* **sew**) rozpruć
**un·shak·en** [ʌn'ʃeɪkn] *adj* niewzruszony
**un·sight·ly** [ʌn'saɪtlɪ] *adj* brzydki
**un·skilled** [ʌn'skɪld] *adj* nie mający wprawy; niewykwalifikowany (robotnik)
**un·so·phis·ti·cat·ed** ['ʌnsə'fɪstɪkeɪtɪd] *adj* naturalny, prostolinijny, szczery; nieskomplikowany, prosty
**un·sound** [ʌn'saund] *adj* niezdrowy; zepsuty; wadliwy; niepewny
**un·spar·ing** [ʌn'speərɪŋ] *adj* nie szczędzący; bezlitosny (**of sb** dla kogoś)
**un·speak·a·ble** [ʌn'spikəbl] *adj* niewypowiedziany
**un·stead·y** [ʌn'stedɪ] *adj* nietrwały, chwiejny, niepewny
**un·stick** [ʌn'stɪk] *vt* (*formy zob.* **stick**) odkleić, rozkleić
**un·stitch** [ʌn'stɪtʃ] *vt* rozpruć
**un·stuck** *zob.* **unstick**
**un·suc·cess·ful** ['ʌnsək'sesfl] *adj* nie mający powodzenia; nieudany, niepomyślny
**un·suit·a·ble** [ʌn'sjutəbl] *adj* nieodpowiedni, nie nadający się
**un·sur·passed** ['ʌnsə'past] *adj* nieprześcigniony
**un·ten·a·ble** [ʌn'tenəbl] *adj* (*o teorii, pozycji itp.*) nie do utrzymania
**un·think·a·ble** [ʌn'θɪŋkəbl] *adj* nie do pomyślenia
**un·thought** [ʌn'θɔt] *adj* nie pomyślany; ~ **of** przechodzący wszelkie wyobrażenie, nieoczekiwany, nieprzewidziany
**un·ti·dy** [ʌn'taɪdɪ] *adj* nieporządny; niechlujny

**un·tie** [ʌn`taɪ] *vt vi* rozwiązać (się), odwiązać (się)
**un·til** [ʌn`tɪl] = till
**un·time·ly** [ʌn`taɪmlɪ] *adj* nie na czasie, nie w porę, niewczesny; przedwczesny
**un·tir·ing** [ʌn`taɪərɪŋ] *adj* niezmordowany
**un·to** [`ʌntu] *praep* = to
**un·told** [ʌn`təʊld] *adj* niewypowiedziany, niesłychany; niepoliczony
**un·to·ward** [ˈʌntʊ`wɔd] *adj* niepomyślny, niefortunny; niewczesny, niestosowny; oporny
**un·true** [ʌn`tru] *adj* niezgodny z prawdą
**un·truth** [ʌn`truθ] *s* nieprawda
**un·truth·ful** [ʌn`truθfl] *adj* nieprawdziwy, kłamliwy
**un·u·su·al** [ʌn`juʒʊəl] *adj* niezwykły
**un·ut·ter·a·ble** [ʌn`ʌtrəbl] *adj* niewypowiedziany; nie do wymówienia
**un·veil** [ʌn`veɪl] *vt* odsłonić; wyjawić (np. tajemnicę)
**un·voic·ed** [ˈʌn`vɔɪst] *adj* nie wypowiedziany; *gram.* bezdźwięczny
**un·wel·come** [ʌn`welkəm] *adj* niepożądany, niemile widziany
**un·well** [ʌn`wel] *adj praed* niezdrowy
**un·wield·y** [ʌn`wildɪ] *adj* nieporadny; nieporęczny
**un·will·ing** [ʌn`wɪlɪŋ] *adj* niechętny
**un·wise** [ʌn`waɪz] *adj* niemądry
**un·wit·ting** [ʌn`wɪtɪŋ] *adj* nieświadomy (**of sth** czegoś)
**un·wom·an·ly** [ʌn`wʊmənlɪ] *adj* niekobiecy
**un·wont·ed** [ʌn`wəʊntɪd] *adj* nieprzywykły; niezwykły
**un·world·ly** [ʌn`wɜdɪ] *adj* nie z tego świata, nieziemski
**un·wor·thy** [ʌn`wɜðɪ] *adj* niegodny, niewart
**un·wrap** [ʌn`ræp] *vt* rozwinąć, rozpakować
**un·yield·ing** [ʌn`jildɪŋ] *adj* nieustępliwy
**up** [ʌp] *adv* w górze, w górę; do góry; w pozycji stojącej ⟨podniesionej⟩; **up and down** w górę i w dół; ze zmiennym szczęściem; **up there** tam, w górze; **up to** aż do, do samego (szczytu itp.), po (np. kolana); do (czasów, okresu itp.); **up to date** na czasie, w modzie; **this side up** tą stroną do góry; **up with sth** na równi, na równym poziomie; **to be up** być na nogach; być w stanie wzburzenia ⟨wrzenia, buntu⟩; **to be up against sth** mieć trudności z czymś; **to be up for sth** sprostać czemuś; zajmować się czymś; być skłonnym do czegoś; **to be up for an examination** zdawać egzamin; **there is sth up** coś się dzieje; **what's up?** co się dzieje?; **what are you up to here?** co porabiasz?; **the road is up** droga jest rozkopana; **up (with you)!** wstawaj!; **up with ...!** niech żyje ...!; *po niektórych czasownikach oznacza zakończenie czynności, np.*: **to burn up** spalić doszczętnie; **to eat up** zjeść; **our time is up** nasz czas upłynął; *praep* w górę (po czymś) **up the stairs** w górę po schodach; **up the river** w górę rzeki; **up the stream** przeciw prądowi; *adj* idący ⟨prowadzący⟩ w górę; **up train** pociąg w kierunku stolicy; *s pl* **ups and downs** wzniesienia i spadki, góry i doliny; *przen.* wzloty i upadki, powodzenia i klęski
**up·braid** [ʌp`breɪd] *vt* ganić, robić wyrzuty
**up·bring·ing** [`ʌpbrɪŋɪŋ] *s* wychowanie
**up·heav·al** [ʌp`hivl] *s* wstrząs; *polit.* przewrót
**up·held** *zob.* **uphold**
**up·hill** [ˈʌp`hɪl] *adv* w górę; *adj* [`ʌphɪl] prowadzący w górę, stromy; *przen.* żmudny

**up·hold** [ʌp`həuld] *vt* (*formy zob.* **hold**) podtrzymywać; popierać
**up·hol·ster** [ʌp`həulstə(r)] *vt* wyściełać (meble), tapetować (pokój), zdobić (np. firankami)
**up·hol·ster·er** [ʌp`həulstərə(r)] *s* tapicer
**up·hol·ster·y** [ʌp`həulstərɪ] *s* tapicerstwo
**up·keep** [`ʌpkip] *s* utrzymanie, koszty utrzymania
**up·land** [`ʌplənd] *s* wyżyna; okolice górskie; **the ~s** okolice górskie; podhale
**up·lift** [ʌp`lɪft] *vt* podnieść; *s* [`ʌp lɪft] wzniesienie, podniesienie
**up·on** [ə`pon] = **on**
**up·per** [`ʌpə(r)] *adj* górny, wyższy; **~ hand** przewaga (**of sb** nad kimś)
**up·per·most** [`ʌpəməust] *adj* najwyższy, górujący; *adv* na (samej) górze, na górę
**up·raise** [ʌp`reɪz] *vt* podnieść
**up·right** [`ʌp-raɪt] *adj praed* prosty, wyprostowany, pionowy; *przen.* prostolinijny, rzetelny; **~ piano** pianino; *s* pion; *adv* prosto, pionowo
**up·rise** ['ʌp`raɪz] *vi* (*formy zob.* **rise**) powstać, podnieść się; *s* [`ʌpraɪz] podniesienie się; wschód; awans
**up·ris·en** *zob.* **uprise**
**up·ris·ing** ['ʌp`raɪzɪŋ] *s* podniesienie się; *polit.* powstanie
**up·roar** [`ʌp-rɔ(r)] *s* hałas, zamieszanie, rozruchy
**up·root** [ʌp`rut] *vt* wyrwać z korzeniem, wykorzenić
**up·rose** *zob.* **uprise**
**up·set** ['ʌp`set] *vt vi* (*formy zob.* **set**) przewrócić (się); zdezorganizować (się); wyprowadzić z równowagi; zdenerwować; udaremnić; *s* [ʌp`set] przewrócenie; dezorganizacja; nieporządek; niepokój; rozstrój (żołądka); *adj* ['ʌp`set] przewrócony; zaniepokojony; zdenerwowany; **to become** ⟨**to get**⟩ **~** zdenerwować się
**up·shot** [`ʌpʃot] *s* wynik, rezultat
**up·side** [`ʌpsaɪd] *s* górna strona; **~ down** do góry nogami
**up·stairs** ['ʌp`steəz] *adv* w górę (po schodach); na górze; na piętrze
**up·start** [`ʌpstat] *s* parweniusz
**up·stream** ['ʌp`strim] *adv* pod prąd
**up-to-date** ['ʌp tə `deɪt] *adj* nowoczesny, modny, aktualny
**up·turn** ['ʌp`tɜn] *vt* przewrócić; *s* [`ʌptɜn] przewrót
**up·ward** [`ʌpwəd] *adj* zwrócony ku górze; *adv* = **upwards**
**up·wards** [`ʌpwədz] *adv* w górę, ku górze; **~ of** ponad, powyżej
**u·ra·ni·um** [ju`reɪnɪəm] *s chem.* uran
**ur·ban** [`ɜbən] *adj* miejski
**ur·bane** [ɜ`beɪn] *adj* wytworny, grzeczny, uprzejmy
**ur·ban·i·ty** [ɜ`bænətɪ] *s* ogłada, wytworność, uprzejmość
**ur·chin** [`ɜtʃɪn] *s* urwis
**urge** [ɜdʒ] *vt* nalegać, przynaglać, popędzać; mocno podkreślać; *s* popęd, bodziec
**ur·gen·cy** [`ɜdʒənsɪ] *s* naleganie; nagła potrzeba, nagląca konieczność, nagłość
**ur·gent** [`ɜdʒənt] *adj* nagły, naglący; natarczywy
**u·rine** [`juərɪn] *s* mocz
**urn** [ɜn] *s* urna; dzbanek (na herbatę itp.)
**us** *zob.* **we**
**us·age** [`juzɪdʒ] *s* zwyczaj; sposób używania; stosowanie (np. wyrazu); traktowanie
**use** [juz] *vt* używać, stosować; traktować; **~ up** zużyć, wyczerpać; zniszczyć; **~d** [`just]+*bezokolicznik oznacza powtarzanie się czynności, np.*: **I ~d to** miałem zwyczaj; **he ~d to say** miał zwyczaj mówić, mawiał; *s* [jus] użytek, zastosowanie, używalność, użyteczność; zwyczaj; **to be of ~** być pożytecznym, przydać się; **to have no ~ for a thing** nie potrzebować czegoś; **it's no ~ (of) going there** nie ma sensu tam

chodzić; **what's the ~ (of) doing it?** na co się to przyda?; **in ~** w użyciu; **out of ~** nie używany, wycofany z użycia, przestarzały
**used** *adj* [`juzd] używany; **~ up** zużyty, wyczerpany, skończony; [`just] przyzwyczajony (**to sth** do czegoś); **to get ⟨to become⟩ ~** przyzwyczaić się
**use·ful** [`jusfl] *adj pot.* pożyteczny
**use·less** [`jusləs] *adj* bezużyteczny
**ush·er** [`ʌʃə(r)] *s* odźwierny, woźny sądowy; bileter; *uj.* **belfer**; *vt* (*zw.* **~ in**) wprowadzać, inicjować
**u·su·al** [`juʒuəl] *adj* zwyczajny, zwykły
**u·su·rer** [`juʒərə(r)] *s* lichwiarz
**u·surp** [ju`zɜp] *vt* uzurpować; przywłaszczać sobie
**u·su·ry** [`juʒərɪ] *s* lichwa
**u·ten·sil** [ju`tensl] *s* naczynie; narzędzie; *pl* **~s** naczynia, przybory, utensylia
**u·til·i·tar·i·an** [ju'tɪlɪ`teərɪən] *adj* utylitarny
**u·til·i·ty** [ju`tɪlətɪ] *s* użyteczność; (*także* **public ~**) zakład użyteczności publicznej
**u·til·i·za·tion** ['jutɪlaɪ`zeɪʃn] *s* użytkowanie
**u·ti·lize** [`jutɪlaɪz] *vt* użytkować
**ut·most** [`ʌtməust] *adj* krańcowy, najdalszy; najwyższego stopnia; *s* kraniec; ostateczna możliwość; najwyższy stopień; **I'll do my ~** uczynię, co w mej mocy
**u·to·pi·a** [ju`təupɪə] *s* utopia
**ut·ter 1.** [`ʌtə(r)] *adj* krańcowy; całkowity
**ut·ter 2.** [`ʌtə(r)] *vt* wydawać (np. okrzyk), wyrażać, wypowiadać; puszczać w obieg
**ut·ter·ance** [`ʌtərəns] *s* wypowiedzenie, wypowiedź; wyrażenie (np. uczuć), wyraz; wymowa
**ut·ter·most** [`ʌtəməust] = **utmost**

# V

**va·can·cy** [`veɪkənsɪ] *s* próżnia, pustka; bezmyślność; wolny etat
**va·cant** [`veɪkənt] *adj* próżny, wolny, wakujący; bezmyślny
**va·cate** [və`keɪt] *vt* opróżnić, zwolnić, opuścić
**va·ca·tion** [və`keɪʃn] *s* opróżnienie, zwolnienie; wakacje
**vac·ci·nate** [`væksɪneɪt] *vt med.* szczepić
**vac·ci·na·tion** ['væksɪ`neɪʃn] *s med.* szczepienie
**vac·cine** [`væksin] *s med.* szczepionka
**vac·il·late** [`væsəleɪt] *vi* chwiać się, wahać się
**vac·il·la·tion** ['væsə`leɪʃn] *s* chwianie się, wahanie się
**vac·u·um** [`vækjuəm] *s* próżnia; **~ bottle ⟨flask⟩** termos; **~ cleaner** odkurzacz
**vag·a·bond** [`vægəbond] *adj* włóczęgowski, wędrowny; *s* włóczęga
**va·gar·y** [`veɪgərɪ] *s* grymas, kaprys
**va·grant** [`veɪgrənt] *adj* włóczęgowski, wędrowny; *s* włóczęga
**vague** [veɪg] *adj* nieokreślony, niejasny, mglisty
**vain** [veɪn] *adj* próżny; daremny; **in ~** na próżno
**vale** [veɪl] *s poet.* dolina
**val·et** [`vælɪt] *s* służący; *vt* usługiwać
**val·e·tu·di·nar·i·an** ['vælɪ'tjudɪ`neərɪən] *adj* chorowity, słabowity; *s* cherlak; chuchro
**val·iant** [`vælɪənt] *adj* dzielny

**val·id** [ˋvælɪd] *adj* ważny; mający prawne ⟨naukowe⟩ podstawy
**va·lid·i·ty** [vəˋlɪdətɪ] *s* ważność; moc prawna ⟨naukowa⟩
**va·lise** [vəˋliz] *s* waliza
**val·ley** [ˋvælɪ] *s* dolina
**val·or·ous** [ˋvælərəs] *adj* waleczny
**val·our** [ˋvælə(r)] *s* waleczność
**val·u·a·ble** [ˋvæljubl] *adj* cenny, wartościowy; *s pl* **~s** kosztowności
**val·ue** [ˋvælju] *s* wartość, cena; **of little ~** małowartościowy; **of no ~** bezwartościowy; *vt* cenić, szacować
**valve** [vælv] *s techn.* zawór; klapa, wentyl; *elektr.* lampa elektronowa
**vamp** [væmp] *s* wamp, uwodzicielka; *vt* uwodzić
**vam·pire** [ˋvæmpaɪə(r)] *s* wampir
**van 1.** [væn] *s* wóz ciężarowy (kryty); *kolej.* wagon (służbowy); **luggage ~** wagon bagażowy
**van 2.** [væn] *s wojsk.* straż przednia; *przen.* awangarda
**vane** [veɪn] *s* chorągiewka (na dachu)
**van·guard** [ˋvængad] *s wojsk.* awangarda
**va·nil·la** [vəˋnilə] *s* wanilia
**van·ish** [ˋvænɪʃ] *vi* znikać
**van·i·ty** [ˋvænətɪ] *s* próżność, marność; **~ bag ⟨case⟩** kosmetyczka
**van·quish** [ˋvæŋkwɪʃ] *vt* zwyciężyć
**van·tage** [ˋvantɪdʒ] *s* korzystna pozycja; *sport* przewaga
**van·tage-ground** [ˋvantɪdʒ graund] *s* korzystna pozycja (*zw.* obserwacyjna)
**vap·id** [ˋvæpɪd] *adj* zwietrzały; mdły; jałowy; bezduszny
**va·por·ize** [ˋveɪpəraɪz] *vt* (wy)parować; *vt* odparowywać
**va·pour** [ˋveɪpə(r)] *s* para; mgła; *vi* parować; *przen.* przechwalać się
**var·i·a·ble** [ˋveərɪəbl] *adj* zmienny; *s mat.* zmienna; *mors.* wiatr zmienny
**var·i·ance** [ˋveərɪəns] *s* niezgodność, sprzeczność; zmienność; **to be at ~** nie zgadzać się, być w sprzeczności
**var·i·ant** [ˋveərɪənt] *s* odmiana, wariant
**var·i·a·tion** [ˌveərɪˋeɪʃn] *s* zmiana, zmienność; odchylenie
**var·i·ces** *zob.* **varix**
**va·ried** [ˋveərɪd] *adj* różnorodny
**var·i·e·gate** [ˋveərɪgeɪt] *vt* urozmaicać; rozmaicie barwić, pstrzyć
**va·ri·e·ty** [vəˋraɪətɪ] *s* rozmaitość; wybór; bogactwo (np. towarów); odmiana (np. rośliny); **a ~ of books** rozmaite książki
**var·i·ous** [ˋveərɪəs] *adj* różny, rozmaity; **at ~ times** kilkakrotnie
**var·ix** [ˋværɪks] *s* (*pl* **varices** [ˋværɪsiz]) *med.* żylak
**var·nish** [ˋvanɪʃ] *s* lakier, politura; werniks; *vt* lakierować, politurować
**var·si·ty** [ˋvasətɪ] *s pot.* uniwerek, uniwersytet
**var·y** [ˋveərɪ] *vt vi* zmieniać (się), urozmaicać, różnić się
**vase** [vaz] *s* waza, wazon
**vas·e·line** [ˋvæsḷin] *s* wazelina
**vast** [vast] *adj* obszerny, rozległy
**vast·ly** [ˋvastlɪ] *adv* wybitnie, niezmiernie
**vat** [væt] *s* kadź
**vault 1.** [vɔlt] *s* sklepienie; podziemie, piwnica; krypta
**vault 2.** [vɔlt] *vi* skoczyć; *vt* przeskoczyć
**vaunt** [vɔnt] *vt* wychwalać; *vi* przechwalać się; *s* samochwalstwo
**'ve** [v] = **have**
**veal** [vil] *s* cielęcina
**ve·dette** [vɪˋdet] *s wojsk.* czujka
**veer** [vɪə(r)] *vi* skręcać, zmieniać kierunek; *przen.* zmieniać przekonania
**veg·e·ta·ble** [ˋvedʒtəbl] *adj* roślinny; *s* roślina; jarzyna

**veg·e·tar·i·an** [ˈvedʒɪˋteərɪən] *adj* wegetariański; *s* wegetarianin
**veg·e·tate** [ˋvedʒɪteɪt] *vi* wegetować; rosnąć
**veg·e·ta·tion** [ˈvedʒɪˋteɪʃn] *s* wegetacja; roślinność; *med.* narośl
**veg·e·ta·tive** [ˋvedʒɪtətɪv] *adj* wegetacyjny; roślinny
**ve·he·ment** [ˋviəmənt] *adj* gwałtowny
**ve·hi·cle** [ˋviɪkl] *s* wóz, pojazd, środek lokomocji; *przen.* narzędzie, środek; *med.* nosiciel (choroby)
**veil** [veɪl] *s* welon; zasłona; *przen.* maska; **to take the ~** wstąpić do klasztoru (żeńskiego); *vt* zasłaniać; *przen.* ukrywać, maskować
**vein** [veɪn] *s* żyła; warstwa; *przen.* wena, nastrój
**ve·loc·i·ty** [vəlˋosətɪ] *s* szybkość, prędkość
**ve·lum** [ˋviləm] *s* (*pl* **vela** [ˋvilə]) *biol.* błona; *anat.* podniebienie miękkie
**vel·vet** [ˋvelvɪt] *s* welwet, aksamit
**ve·nal** [ˋvinl] *adj* sprzedajny
**vend·ing-ma·chine** [ˋvendɪŋ məʃɪn] automat do sprzedaży (np. papierosów)
**ven·dor** [ˋvendə(r)] *s* sprzedawca
**ve·neer** [vɪˋnɪə(r)] *s* fornir; *vt* fornirować; *przen.* nadawać polor
**ven·er·a·ble** [ˋvenṛəbl] *adj* czcigodny
**ven·er·a·tion** [ˈvenəˋreɪʃn] *s* cześć, szacunek
**ve·ne·re·al** [vɪˋnɪərɪəl] *adj* *med.* weneryczny
**venge·ance** [ˋvendʒəns] *s* zemsta
**ve·ni·al** [ˋvinɪəl] *adj* przebaczalny; *rel.* powszedni (grzech)
**ven·i·son** [ˋvenɪsn] *s* dziczyzna
**ve·nom** [ˋvenəm] *s* jad
**ven·om·ous** [ˋvenəməs] *adj* jadowity
**vent** [vent] *s* otwór; wentyl, wylot; **to give ~** dać folgę ⟨upust⟩ (**to sth** czemuś); *vt* wiercić otwór; wypuszczać, dawać upust
**vent-hole** [ˋvent həul] *s* lufcik, wywietrznik
**ven·ti·late** [ˋventɪleɪt] *vt* wentylować; *przen.* roztrząsać
**ven·ti·la·tion** [ˈventɪˋleɪʃn] *s* wentylacja
**ven·ture** [ˋventʃə(r)] *s* ryzykowny krok, ryzyko; impreza (handlowa), przedsięwzięcie; **at a ~** na chybił trafił, na los szczęścia; *vt vi* ryzykować, odważyć się (**sth, on sth** na coś)
**ve·ra·cious** [vəˋreɪʃəs] *adj* prawdomówny; zgodny z prawdą
**ve·rac·i·ty** [vəˋræsətɪ] *s* prawdomówność; zgodność z prawdą
**ve·ran·da(h)** [vəˋrændə] *s* weranda
**verb** [v3b] *s gram.* czasownik
**ver·bal** [ˋv3bl] *adj* słowny; dosłowny; ustny; *gram.* czasownikowy; **~ noun** rzeczownik odsłowny
**ver·ba·tim** [v3ˋbeɪtɪm] *adv* dosłownie; *adj* dosłowny
**ver·bos·i·ty** [v3ˋbosətɪ] *s* wielomówność, rozwlekłość
**ver·dict** [ˋv3dɪkt] *s prawn.* werdykt
**ver·di·gris** [ˋv3dɪgrɪs] *s* grynszpan
**ver·dure** [ˋv3dʒə(r)] *s* zieleń
**verge 1.** [v3dʒ] *s* kraniec, krawędź; pręt; berło
**verge 2.** [v3dʒ] *vi* chylić się, zbliżać się (**to, towards sth** ku czemuś); graniczyć (**on, upon sth** z czymś)
**ver·i·fy** [ˋverɪfaɪ] *vt* sprawdzić; potwierdzić
**ver·i·ta·ble** [ˋverɪtəbl] *adj* prawdziwy, istny
**ver·i·ty** [ˋverətɪ] *s* prawda, prawdziwość
**ver·mil·ion** [vəˋmɪlɪən] *s* cynober; *vt* malować na kolor cynobrowy
**ver·min** [ˋv3mɪn] *s zbior.* robactwo, szkodniki
**ver·nac·u·lar** [vəˋnækjulə(r)] *adj* rodzimy, miejscowy, tubylczy; *s* język rodzimy, mowa ojczysta

**ver·sa·tile** [ˋvɜsətaɪl] *adj* (*o umyśle*) bystry; wszechstronny
**ver·sa·til·i·ty** [ˈvɜsəˋtɪlətɪ] *s* bystrość (umysłu); wszechstronność
**verse** [vɜs] *s* wiersz; poezja; zwrotka
**versed** [vɜst] *adj* obeznany (**in sth** z czymś), biegły
**ver·si·fy** [ˋvɜsɪfaɪ] *vt vi* układać wierszem; pisać wiersze
**ver·sion** [ˋvɜʃn] *s* wersja; przekład
**ver·sus** [ˋvɜsəs] *praep łac.* przeciw
**ver·te·bra** [ˋvɜtɪbrə] *s* (*pl* **vertebrae** [ˋvɜtɪbri]) *anat.* kręg
**ver·ti·bral** [ˋvɜtɪbrəl] *adj* kręgowy
**ver·tex** [ˋvɜteks] *s* (*pl* **vertices** [ˋvɜtɪsiz]) szczyt; *mat.* wierzchołek
**ver·ti·cal** [ˋvɜtɪkl] *adj* pionowy; szczytowy; *mat.* wierzchołkowy
**ver·y** [ˋverɪ] *adv* bardzo; prawdziwie; bezpośrednio, zaraz; **on the ~ next day** zaraz następnego dnia; *adj* istotny, prawdziwy, tenże sam; **to the ~ end** do samego końca; **the ~ thought of it** już sama myśl o tym
**ves·i·cle** [ˋvesɪkl] *s anat.* pęcherzyk
**ves·sel** [ˋvesl] *s* naczynie; statek
**vest 1.** [vest] *s* kamizelka; kaftanik
**vest 2.** [vest] *vt* nadawać, przekazywać (**sb with sth** komuś coś)
**vest·ed** [ˋvestɪd] *adj* prawnie nabyty, ustalony; *handl.* inwestowany
**ves·tige** [ˋvestɪdʒ] *s* ślad
**vest·ment** [ˋvestmənt] *s* strój (oficjalny, uroczysty)
**ves·try** [ˋvestrɪ] *s* zakrystia; rada parafialna
**vet 1.** [vet] *s bryt. pot.* weterynarz; *vt* badać (zwierzę)
**vet 2.** [vet] *s am. pot.* weteran
**vet·er·an** [ˋvetərən] *s* weteran; *adj* wysłużony; zahartowany w boju
**vet·er·i·nar·y** [ˋvetrɪnərɪ] *adj* weterynaryjny; *s* weterynarz
**ve·to** [ˋvitəʊ] *s* weto; *vt* zakładać weto (**sth** przeciw czemuś)
**vex** [veks] *vt* dręczyć
**vex·a·tion** [vekˋseɪʃn] *s* udręka; strapienie; przykrość
**via** [ˋvaɪə] *praep łac.* przez (daną miejscowość)
**vi·a·duct** [ˋvaɪədʌkt] *s* wiadukt
**vi·al** [ˋvaɪəl] *s* fiolka, flaszeczka
**vi·ands** [ˋvaɪəndz] *s pl* wiktuały
**vi·brant** [ˋvaɪbrənt] *adj* wibrujący, drgający
**vi·brate** [vaɪˋbreɪt] *vi* wibrować, drgać
**vi·bra·tion** [vaɪˋbreɪʃn] *s* wibracja, drganie
**vic·ar** [ˋvɪkə(r)] *s* proboszcz (anglikański); wikary (rzymskokatolicki)
**vice 1.** [vaɪs] *s* wada; nałóg; występek
**vice 2.** [vaɪs] *s techn.* imadło
**vice 3.** [vaɪs] *praef* wice-
**vice·roy** [ˋvaɪsrɔɪ] *s* wicekról
**vi·ce·ver·sa** [ˈvaɪsɪ ˋvɜsə] *adv łac.* na odwrót; vice versa
**vi·cin·i·ty** [vɪˋsɪnətɪ] *s* sąsiedztwo, najbliższa okolica
**vi·cious** [ˋvɪʃəs] *adj* występny; wadliwy, błędny
**vi·cis·si·tude** [vɪˋsɪsɪtjud] *s* zmienność, nietrwałość
**vic·tim** [ˋvɪktɪm] *s* ofiara
**vic·tim·ize** [ˋvɪktɪmaɪz] *vt* składać w ofierze; gnębić; oszukiwać
**vic·tor** [ˋvɪktə(r)] *s* zwycięzca
**vic·to·ri·ous** [vɪkˋtɔrɪəs] *adj* zwycięski
**vic·to·ry** [ˋvɪktr̩ɪ] *s* zwycięstwo
**vic·tuals** [ˋvɪtlz] *s pl* wiktuały
**vi·de·li·cet** [vɪˋdilɪset] *adv* mianowicie; to znaczy
**vie** [vaɪ] *vi* współzawodniczyć (**for sth** o coś)
**view** [vju] *s* widok; pole widzenia; pogląd; przegląd; zamiar; **to be in ~** być widocznym; **to have in ~** mieć na oku ⟨widoku⟩; **the end in ~** powzięty zamiar, za-

mierzony cel; **point of ~** punkt widzenia; **on ~** wystawiony; **private ~** prapremiera, wernisaż (wystawy); **in my ~** moim zdaniem; **in ~ of sth** biorąc coś pod uwagę, wobec czegoś; **with a ~ to sth** w zamiarze czegoś; *vt* oglądać, rozpatrywać
**view·er** [ˋvjuə(r)] *s* widz
**view-point** [ˋvju pɔɪnt] *s* punkt widzenia; zapatrywanie (**of sth** na coś)
**vig·il** [ˋvɪdʒɪl] *s* czuwanie; wigilia
**vig·i·lance** [ˋvɪdʒɪləns] *s* czujność
**vig·or·ous** [ˋvɪgərəs] *adj* pełen wigoru, energiczny
**vig·our** [ˋvɪgə(r)] *s* wigor; siła, energia
**vile** [vaɪl] *adj* podły; *pot.* wstrętny
**vil·i·fy** [ˋvɪlɪfaɪ] *vt* oczernić; upodlić
**vil·la** [ˋvɪlə] *s* willa
**vil·lage** [ˋvɪlɪdʒ] *s* wieś
**vil·lag·er** [ˋvɪlɪdʒə(r)] *s* wieśniak; prostak
**vil·lain** [ˋvɪlən] *s* łajdak, nikczemnik
**vil·lain·y** [ˋvɪlənɪ] *s* łajdactwo, nikczemność
**vin·di·cate** [ˋvɪndɪkeɪt] *vt* brać w obronę; oczyszczać z zarzutu, usprawiedliwiać; dochodzić
**vin·dic·tive** [vɪnˋdɪktɪv] *adj* mściwy
**vine** [vaɪn] *s* winna latorośl
**vin·e·gar** [ˋvɪnɪgə(r)] *s* ocet
**vine·yard** [ˋvɪnjəd] *s* winnica
**vin·tage** [ˋvɪntɪdʒ] *s* winobranie
**vint·ner** [ˋvɪntnə(r)] *s* winiarz
**vi·o·late** [ˋvaɪəleɪt] *vt* naruszyć; pogwałcić
**vi·ola** [vɪˋəulə] *s muz.* altówka
**vi·o·la·tion** [ˈvaɪəˋleɪʃn] *s* naruszenie; pogwałcenie
**vi·o·lence** [ˋvaɪələns] *s* gwałt; gwałtowność; naruszenie; **by ~** gwałtem
**vi·o·let** [ˋvaɪələt] *s bot.* fiołek; *adj* fioletowy
**vi·o·lin** [ˈvaɪəˋlɪn] *s muz.* skrzypce
**vi·per** [ˋvaɪpə(r)] *s zool.* żmija
**vir·gin** [ˋvɜdʒɪn] *s* dziewica; *attr* dziewiczy
**vir·ile** [ˋvɪraɪl] *adj* męski
**vir·tu·al** [ˋvɜtʃuəl] *adj* faktyczny, właściwy; potencjalny
**vir·tue** [ˋvɜtʃu] *s* cnota; zaleta; wartość; skuteczność; **by ⟨in⟩ ~ of** na mocy
**vir·tu·os·i·ty** [ˈvɜtʃuˋosətɪ] *s* wirtuozostwo; zamiłowanie do sztuk pięknych
**vir·tu·ous** [ˋvɜtʃuəs] *adj* cnotliwy, moralny
**vir·u·lent** [ˋyɪrələnt] *adj* jadowity; zjadliwy
**vi·rus** [ˋvaɪərəs] *s* jad; *med.* wirus; *przen.* trucizna (moralna)
**vi·sa** [ˋvizə] *s* wiza; *vt* wizować
**vis·age** [ˋvɪzɪdʒ] *s* oblicze
**vis·cer·a** [ˋvɪsərə] *s pl anat.* wnętrzności
**vis·cos·i·ty** [vɪsˋkosətɪ] *s* lepkość
**vis·count** [ˋvaɪkaunt] *s* wicehrabia
**visé** [ˋvizeɪ] *s* wiza
**vis·i·bil·i·ty** [ˈvɪzəˋbɪlətɪ] *s* widzialność; widoczność
**vis·i·ble** [ˋvɪzəbl] *adj* widzialny; widoczny
**vi·sion** [ˋvɪʒn] *s* widzenie, wzrok; wizja
**vi·sion·ar·y** [ˋvɪʒnrɪ] *adj* wizjonerski; *s* wizjoner
**vis·it** [ˋvɪzɪt] *s* wizyta; pobyt; wizytacja; **to be on a ~** być z wizytą; **to pay a ~** złożyć wizytę; *vt* odwiedzać, zwiedzać; nawiedzać, doświadczać
**vis·it·a·tion** [ˈvɪzɪˋteɪʃn] *s* odwiedziny, wizytacja; nawiedzenie, dopust
**vis·i·tor** [ˋvɪzɪtə(r)] *s* gość
**vi·sor** [ˋvaɪzə(r)] *s hist.* przyłbica; daszek (u czapki)
**vis·ta** [ˋvɪstə] *s* widok, perspektywa; aleja
**vis·u·al** [ˋvɪʒuəl] *adj* wzrokowy
**vis·u·al·ize** [ˋvɪʒuəlaɪz] *vt* unaoczniać, uzmysłowić sobie
**vi·tal** [ˋvaɪtl] *adj* życiowy, żywotny; istotny, niezbędny

**vi·tal·i·ty** [vaɪˋtælətɪ] *s* żywotność
**vit·a·min** [ˋvɪtəmɪn] *s* witamina
**vi·ti·ate** [ˋvɪʃɪeɪt] *vt* zepsuć, skazić; unieważnić
**vit·re·ous** [ˋvɪtrɪəs] *adj* szklany, szklisty
**vi·tu·per·ate** [vɪˋtjupəreɪt] *vt* lżyć, pomstować (**sb** na kogoś)
**vi·va·cious** [vɪˋveɪʃəs] *adj* żywy, pełen życia
**vi·vac·i·ty** [vɪˋvæsətɪ] *s* żywość
**viv·id** [ˋvɪvɪd] *adj* żywy
**viv·i·sect** [ˌvɪvɪˋsekt] *vt* dokonywać wiwisekcji
**vix·en** [ˋvɪksn] *s* jędza; *zool.* lisica
**viz.** *skr. łac.* = **videlicet**
**vo·cab·u·lar·y** [vəˋkæbjulərɪ] *s* słowniczek; słownictwo, zasób słów
**vo·cal** [ˋvəukl] *adj* wokalny, głosowy; *gram.* samogłoskowy
**vo·ca·tion** [vəuˋkeɪʃn] *s* powołanie; zawód
**vo·cif·er·ate** [vəˋsɪfəreɪt] *vt vi* krzyczeć, wrzeszczeć
**vodka** [ˋvodkə] *s* wódka
**vogue** [vəug] *s* popularność; moda; **to be the ~ ⟨in ~⟩** być w modzie; **to have a great ~** cieszyć się dużą popularnością
**voice** [vɔɪs] *s* głos; *gram.* strona; *vt* głosić, wypowiadać
**voiced** [vɔɪst] *adj gram.* dźwięczny
**voice·less** [ˋvɔɪsləs] *adj* niemy; *gram.* bezdźwięczny
**void** [vɔɪd] *adj* pusty, próżny; bezwartościowy; *prawn.* nieważny; pozbawiony (**of sth** czegoś); *s* próżnia, pustka; *vt* opróżnić; *prawn.* unieważnić
**vol·a·tile** [ˋvolətaɪl] *adj chem.* lotny; przelotny, zmienny
**vol·can·ic** [volˋkænɪk] *adj* wulkaniczny
**vol·ca·no** [volˋkeɪnəu] *s* wulkan
**vo·li·tion** [vəˋlɪʃn] *s* wola
**vol·ley** [ˋvolɪ] *s* salwa; *przen.* potok (np. słów, przekleństw); *sport* wolej
**vol·ley-ball** [ˋvolɪ bɔl] *s sport* siatkówka
**volt·age** [ˋvəultɪdʒ] *s elektr.* woltaż, napięcie
**vol·u·ble** [ˋvoljubl] *adj* (*o mowie*) płynny, pełen swady
**vol·u·me** [ˋvoljum] *s* tom; objętość; zwój; siła (głosu, dźwięku itd.)
**vo·lu·mi·nous** [vəˋlumɪnəs] *adj* wielkich rozmiarów; obszerny
**vol·un·tar·y** [ˋvoləntrɪ] *adj* dobrowolny
**vol·un·teer** [ˌvolənˋtɪə(r)] *s* ochotnik; *attr* ochotniczy; *vt* ochotniczo podjąć się (**sth** czegoś); *vi* zgłosić się na ochotnika
**vo·lup·tu·ar·y** [vəˋlʌptʃuərɪ] *s* lubieżnik
**vo·lup·tu·ous** [vəˋlʌptʃuəs] *adj* lubieżny
**vom·it** [ˋvomɪt] *vt vi* wymiotować; zwracać; *s* wymioty
**vo·ra·cious** [vəˋreɪʃəs] *adj* żarłoczny
**vor·tex** [ˋvɔteks] *s* (*pl* **vortices** [ˋvɔtɪsiz]) wir
**vote** [vəut] *s* głosowanie; głos; wotum; *vt* uchwalać; *vi* głosować (**for sb, sth** za kimś, czymś; **against sb, sth** przeciwko komuś, czemuś)
**vot·er** [ˋvəutə(r)] *s* głosujący, wyborca
**vouch** [vautʃ] *vt vi* ręczyć, gwarantować
**vouch·er** [ˋvautʃə(r)] *s* poręczyciel; poświadczenie, kwit, bon
**vouch·safe** [vautʃˋseɪf] *vi vt* raczyć; łaskawie udzielić
**vow** [vau] *s* ślub, ślubowanie; **to take ⟨to make⟩ a ~** ślubować; **to take ~s** złożyć śluby zakonne; *vt* ślubować; *vi* składać śluby
**vow·el** [ˋvauḷ] *s gram.* samogłoska
**voy·age** [ˋvɔɪdʒ] *s* podróż (*zw.* morska); **to go on a ~** wyruszyć w podróż
**vul·can·ize** [ˋvʌlkənaɪz] *vt* wulkanizować

**vul·gar** [ˋvʌlgə(r)] *adj* wulgarny; pospolity
**vul·gar·i·ty** [vʌlˋgærətɪ] *s* wulgarność
**vul·gar·ize** [ˋvʌlgəraɪz] *vt* wulgaryzować
**vul·ner·a·ble** [ˋvʌlnr̥əbl] *adj* podatny na zranienie, narażony na ciosy; wrażliwy; (*w brydżu*) po partii
**vul·ture** [ˋvʌltʃə(r)] *s zool.* sęp
**vul·tur·ine** [ˋvʌltʃəraɪn], **vul·tur·ish** [ˋvʌltʃərɪʃ] *adj* sępi

# W

**wab·ble** = **wobble**
**wad** [wod] *s* wałek, (miękka) zatyczka, podkład (z miękkiego materiału); *vt* wypychać, upychać, nabijać; podkładać, watować
**wad·ding** [ˋwodɪŋ] *s* wata (do upychania); watolina, podkład
**wad·dle** [ˋwodl] *vi* chodzić kołysząc się
**wade** [weɪd] *vt vi* brnąć, brodzić
**wa·fer** [ˋweɪfə(r)] *s* wafel; opłatek
**waft** [woft] *vi* unosić się, bujać, sunąć (po wodzie, w powietrzu); *vt* nieść, posuwać, *s* powiew, podmuch; śmignięcie
**wag 1.** [wæg] *s* filut, żartowniś
**wag 2.** [wæg] *vt vi* kiwać (się), ruszać (się), machać; *s* poruszenie, kiwnięcie
**wage** [weɪdʒ] *s* (*zw. pl* **~s**) zarobek, płaca (*zw.* tygodniowa); **living ~** minimum środków utrzymania; *vt* prowadzić (wojnę)
**wa·ger** [ˋweɪdʒə(r)] *s* zakład; **to lay ⟨to make⟩ a ~** założyć się; *vt vi* zakładać się
**wag·on, wag·gon** [ˋwægən] *s* wóz, platforma
**waif** [weɪf] *s* mienie bezpańskie; *zbior.* porzucone rzeczy; porzucone dziecko; zabłąkane zwierzę; **~s and strays** bezdomne dzieci
**wail** [weɪl] *s* żałosny płacz, lament; *vi* żałośnie płakać, zawodzić; *vt* opłakiwać
**wain·scot** [ˋweɪnskət] *s* boazeria; *vt* okładać boazerią
**waist** [weɪst] *s* kibić, talia, pas
**waist·coat** [ˋweɪstkəʊt] *s* kamizelka
**wait** [weɪt] *vi* czekać (**for sb** na kogoś); usługiwać (**on, upon sb** komuś); czyhać (**for sb** na kogoś); *s* czekanie; zasadzka; *pl* **the ~s** kolędnicy
**wait·er** [ˋweɪtə(r)] *s* kelner; taca
**wait·ing-room** [ˋweɪtɪŋ rʊm] *s* poczekalnia
**wait·ress** [ˋweɪtrəs] *s* kelnerka
**waive** [weɪv] *vt* zaniechać, zrezygnować
**waiv·er** [ˋweɪvə(r)] *s* zrzeczenie się (praw, przywilejów itd.)
* **wake 1.** [weɪk], **woke** [wəʊk] *lub* **waked** [weɪkt], **woken** [ˋwəʊkən] *lub* **waked** [weɪkt] *vt vi* budzić (się); † czuwać, nie spać; *s* (*w Irlandii*) czuwanie (przy zwłokach); *bryt.* odpust
**wake 2.** [weɪk] *s mors.* kilwater; *przen.* ślad; **to follow in sb's ~** iść czyimś śladem; **in the ~ of sth** w ślad za czymś
**wake·ful** [ˋweɪkfl] *adj* czuwający, czujny
**wak·en** [ˋweɪkən] *vt vi* budzić (się); ożywiać (się)
**walk** [wɔk] *vi* chodzić, kroczyć, przechadzać się; *vt* przechodzić, chodzić (po czymś); **~ away ⟨off⟩** odchodzić; *pot.* **~ away ⟨off⟩**

with sth porwać, ukraść coś; **~ out** wychodzić; *am.* strajkować; *sport* **~ over** wygrać walkowerem; *s* spacer; chód; **~ of life** zawód, zajęcie

**walk-out** [`wɔk ɑut] *s am.* strajk

**walk-o·ver** [`wɔk əuvə(r)] *s sport* walkower

**wall** [wɔl] *s* ściana, mur; *vt* otoczyć murem; (*także* **~ up**) zamurować

**wal·let** [`wolɪt] *s* portfel; † torba

**wal·low** [`woləu] *vi* tarzać się

**wall·pa·per** [`wɔlpeɪpə(r)] *s* tapeta

**wal·nut** [`wɔlnʌt] *s bot.* orzech włoski

**wal·rus** [`wɔlrəs] *s zool.* mors

**waltz** [wɔls] *s* walc; *vi* tańczyć walca

**wan** [won] *adj* blady, mizerny

**wand** [wond] *s* różdżka

**wan·der** [`wondə(r)] *vi* wędrować; **~ away** odbiegać; *s* wędrówka

**wan·der·er** [`wondərə(r)] *s* wędrowiec

**wan·der·ing** [`wondərɪŋ] *s* wędrówka; *pl* **~s** majaki; *adj* wędrowny; wędrujący; tułaczy

**wane** [weɪn] *vi* zanikać, ubywać; marnieć

**want** [wont] *s* potrzeba; brak; *vt vi* potrzebować; chcieć; odczuwać brak; brakować

**want-ad** [`wont æd] *s pot.* drobne ogłoszenie (w gazecie)

**want·ing** [`wontɪŋ] *adj* brakujący; pozbawiony (**in sth** czegoś); **to be ~** brakować; **she is ~ in intelligence** brak jej rozumu

**wan·ton** [`wontən] *adj* swawolny, wesoły; nieokiełznany; złośliwy

**war** [wɔ(r)] *s* wojna; **at ~** w stanie wojny; **to make ~** wojować; **War Office**, *am.* **War Department** ministerstwo wojny; **~ criminal** przestępca wojenny; *vi* wojować

**war·ble** [`wɔbl] *s* szczebiot; *vi* szczebiotać

**ward** [wɔd] *s* straż, nadzór, opieka; podopieczny, wychowanek; cela więzienna; sala szpitalna; dzielnica; *vt* opiekować się; umieścić (np. w sali szpitalnej); **~ off** odbić, odparować (cios); uchylić (niebezpieczeństwo)

**ward·en** [`wɔdn] *s* stróż; opiekun; przełożony; kustosz

**ward·er** [`wɔdə(r)] *s* strażnik więzienny

**ward·robe** [`wɔ-drəub] *s* szafa (na ubranie)

**ward·ship** [`wɔdʃɪp] *s* kuratela

**ware** [weə(r)] *s* towar, wyrób

**ware·house** [`weəhaus] *s* magazyn; dom towarowy; *vt* magazynować

**war·fare** [`wɔfeə(r)] *s* prowadzenie wojny, wojna

**war·i·ness** [`weərɪnəs] *s* ostrożność

**war·like** [`wɔ laɪk] *adj* wojowniczy, wojenny

**warm** [wɔm] *adj* ciepły; gorliwy; ożywiony; *vt vi* grzać, nagrzewać (się); **~ up** rozgrzać, podgrzać (się); ożywić (się)

**war·mong·er** [`wɔmʌŋgə(r)] *s* podżegacz wojenny

**warmth** [wɔmθ] *s* ciepło; gorliwość, zapał

**warn** [wɔn] *vt* ostrzegać, przypominać; uprzedzać (**sb of sth** kogoś o czymś)

**warn·ing** [`wɔnɪŋ] *s* ostrzeżenie; uprzedzenie; wypowiedzenie (posady)

**warp** [wɔp] *vt vi* paczyć (się), wykrzywiać (się), zniekształcać (się); *mors.* holować; *s* wypaczenie, osnowa (tkacka); *mors.* lina holownicza

**war·rant** [`worənt] *s* pełnomocnictwo, uprawnienie; rękojmia; zabezpieczenie; nakaz sądowy; *vt* uprawnić; gwarantować; uzasadnić; usprawiedliwić

**war·ri·or** [`worɪə(r)] *s* wojak, żołnierz

**war·ship** [`wɔʃɪp] *s* okręt wojenny

**wart** [wɔt] *s* brodawka

**war·y** [`weərɪ] *adj* ostrożny, czujny

**was** [woz, wəz] *p sing od* **to be**

**wash** [woʃ] *vt vi* myć (się); prać; płukać, oblewać; ~ **away** zmyć; ~ **down** spłukać; ~ **off** zmyć; dać się zmyć; ~ **out** wymyć, wypłukać; skasować; zejść (w praniu); zalać; zatuszować; ~ **up** wymyć, zmywać (naczynia); (*o morzu*) wyrzucić na brzeg; *s* mycie (się), pranie; płyn do płukania; pomyje; namuł

**wash·a·ble** [ˋwoʃəbl] *adj* nadający się do prania

**wash-basin** [ˋwoʃ beɪsn] *s* miednica; umywalka

**wash-board** [ˋwoʃ bɔd] *s* tara (do prania)

**wash-bowl** [ˋwoʃ bəul] *s am.* = = **wash-basin**

**wash·er** [ˋwoʃə(r)] *s* pomywacz; płuczka; *techn.* uszczelka

**wash·er·wom·an** [ˋwoʃə wumən] *s* praczka

**wash·ing** [ˋwoʃɪŋ] *s* mycie, pranie; bielizna do prania; ~ **machine** pralka

**wash-out** [ˋwoʃ aut] *s* podmycie ⟨zapadnięcie⟩ terenu; *pot.* pech, klapa; bankrut życiowy, pechowiec

**wash·stand** [ˋwoʃ stænd] *s* umywalka

**wash·tub** [ˋwoʃ tʌb] *s* balia

**wasn't** [ˋwoznt] = **was not**

**wasp** [wosp] *s zool.* osa

**wast·age** [ˋweɪstɪdʒ] *s* marnotrawstwo; *zbior.* straty; wybrakowany towar; *zbior.* odpadki

**waste** [weɪst] *adj* pusty, pustynny; jałowy; zużyty; niepotrzebny; ~ **land** teren nieuprawny; nieużytki; ~ **paper** makulatura; ~ **products** odpadki; **to go** ~ marnować się, niszczeć; **to lie** ~ leżeć odłogiem; **to lay** ~ pustoszyć; *s* marnowanie, marnotrawstwo; nieużytek; strata; ubytek; pustynia, pustkowie; *zbior.* odpadki; *vt* pustoszyć; marnować, niszczyć; *vi* niszczeć, psuć się; ubywać; ~ **away** marnieć, zanikać, niszczeć

**waste·ful** [ˋweɪstfl] *adj* marnotrawny

**watch** [wotʃ] *s* czuwanie; straż; zegarek; **to be on the** ~ wypatrywać, oczekiwać (**for sth** czegoś), czatować; **to keep** ~ być na straży; pilnować (**on, over sth** czegoś); *vi* czuwać; wyglądać (**for sth** czegoś); czatować (**for sth** na coś); pilnować (**over sth** czegoś); *vt* uważać; obserwować, oglądać; śledzić

**watch·ful** [ˋwotʃfl] *adj* czujny, uważny

**watch·mak·er** [ˋwotʃ meɪkə(r)] *s* zegarmistrz

**watch·man** [ˋwotʃmən] *s* stróż

**watch·tow·er** [ˋwotʃ tauə(r)] *s* strażnica

**watch·word** [ˋwotʃwɜd] *s wojsk.* hasło; slogan

**wa·ter** [ˋwɔtə(r)] *s* woda; ślina; *pl* ~**s** fale; wody lecznicze; **high** ~ przypływ; **low** ~ odpływ; **by** ~ drogą wodną; **to get into hot** ~ popaść w tarapaty; **in deep** ~**s** w opałach; **still** ~**s run deep** cicha woda brzegi rwie; *vt* polać, nawodnić; rozwodnić; poić (zwierzę itp.); *vi* ciec, ślinić się; łzawić

**wa·ter-clos·et** [ˋwɔtə klozɪt] *s* klozet

**wa·ter-col·our** [ˋwɔtə kʌlə(r)] *s* akwarela

**wa·ter·fall** [ˋwɔtəfɔl] *s* wodospad

**wa·ter·glass** [ˋwɔtə glɑs] *s* klepsydra wodna

**wa·ter·ing-can** [ˋwɔtrɪŋ kæn] *s* polewaczka

**wa·ter·li·ly** [ˋwɔtə lɪlɪ] *s bot.* grzybień biały

**wa·ter·man** [ˋwɔtəmən] *s* przewoźnik; wioślarz

**wa·ter·mark** [ˋwɔtəmɑk] *s* znak wodny; wodowskaz

**wa·ter·mel·on** [ˋwɔtə melən] *s bot.* arbuz

**wa·ter·proof** [ˋwɔtəpruf] *adj* wodoszczelny, nieprzemakalny; *s* tkanina nieprzemakalna, płaszcz nieprzemakalny; *vt* impregnować; uszczelnić

**wa·ter·shed** [ˋwɔtəʃəd] *s* dział wód

**wa·ter·side** [ˋwɔtəsaɪd] *s* brzeg

**wa·ter-sup·ply** [ˋwɔtə səplaɪ] *s* sieć wodociągowa, zaopatrzenie w wodę

**wa·ter·tight** [ˋwɔtə taɪt] *adj* wodoszczelny

**wa·ter-tow·er** [ˋwɔtə tauə(r)] *s* wieża ciśnień

**wa·ter-wave** [ˋwɔtə weɪv] *s* ondulacja wodna; *vt* robić ondulację wodną

**wa·ter·way** [ˋwɔtəweɪ] *s* droga wodna

**wa·ter·works** [ˋwɔtəwɜks] *s* zakład wodociągowy; wodociągi

**wa·ter·y** [ˋwɔtərɪ] *adj* wodnisty

**wat·tle** [ˋwotl] *s* pręt; plecionka z prętów; *bot.* akacja australijska

**wave** [weɪv] *s* fala; falistość; machnięcie ręką, skinienie; *vi* falować; machnąć, skinąć (**to sb** na kogoś); *vt* witać, żegnać (**one's hand** machnięciem ręki), powiewać (**one's handkerchief** chusteczką)

**wave-band** [ˋweɪv bænd] *s* (*w radiu*) zakres fal

**wa·ver** [ˋweɪvə(r)] *vi* chwiać się, wahać się

**wav·y** [ˋweɪvɪ] *adj* falisty

**wax 1.** [wæks] *vi* (*o księżycu*) przybywać; † stawać się

**wax 2.** [wæks] *s* wosk; *vt* woskować

**wax·en** [ˋwæksn] *adj* woskowy

**way** [weɪ] *s* droga; kierunek; sposób; właściwość, zwyczaj, sposób postępowania; ~ **in** wejście; ~ **out** wyjście; **by (the)** ~ **of London** przez Londyn; **by** ~ **of** za pomocą; zamiast; w charakterze; w celu; w formie; **by the** ~ à propos, mówiąc nawiasem; **any** ~ w jakikolwiek sposób; w każdym razie; **this** ~ tędy; w ten sposób; **that** ~ tamtędy; **to clear the** ~ usuwać przeszkody; **to have one's** ~ postawić na swoim; **let him have his** ~ niech robi, co chce; **to keep out of the** ~ trzymać się na uboczu; **to make ⟨to give⟩** ~ ustąpić; **to make one's** ~ odbywać drogę; **to stand ⟨to be⟩ in the** ~ przeszkadzać, zawadzać; **over the** ~ po drugiej stronie drogi; **some** ~ **or other** tym czy innym sposobem; **under** ~ w trakcie, w przygotowaniu

**way·far·er** [ˋweɪfeərə(r)] *s* wędrowiec, podróżnik

**way·lay** [weɪˋleɪ] *vt* (*formy zob.* **lay**) czaić się, napaść z zasadzki (**sb** na kogoś)

**way·side** [ˋweɪ-saɪd] *s* brzeg drogi; *adj attr* przydrożny

**way·ward** [ˋweɪwəd] *adj* przewrotny; kapryśny; krnąbrny

**way·worn** [ˋweɪwɔn] *adj* znużony podróżą

**we** [wi] *pron pl* my; *przypadek zależny:* **us** [ʌs, əs] nam, nas

**weak** [wik] *adj* słaby, wątły

**weak·en** [ˋwikən] *vt* osłabić; *vi* osłabnąć

**weak·ling** [ˋwiklɪŋ] *s* cherlak, chuchro

**weak·ly** [ˋwiklɪ] *adj* słabowity

**weak·ness** [ˋwiknəs] *s* słabość

**weal** [wil] = **wale**

**wealth** [welθ] *s* bogactwo

**wealth·y** [ˋwelθɪ] *adj* bogaty

**wean** [win] *vt* odłączyć od piersi (dziecko); odsunąć, odzwyczaić (**from sth** od czegoś)

**weap·on** [ˋwepən] *s* broń; **nuclear** ~ broń nuklearna

* **wear** [weə(r)], **wore** [wɔ(r)], **worn** [wɔn] *vt vi* nosić (na sobie, np. odzież, ozdobę), nosić się; znosić (się); zużyć (się); wyczerpać, zmęczyć; (*o czasie*) upływać; ~ **away ⟨off, out⟩** zużyć (się), znosić (się), zniszczyć (się), wyczerpać (się); skończyć (się); ~ **down** zedrzeć, zniszczyć; *s* noszenie; odzież, strój; trwałość (materia-

łu); zużycie; ~ **and tear** zużycie, zniszczenie

**wea·ri·ness** [`wɪərɪnəs] *s* zmęczenie; nuda

**wea·ri·some** [`wɪərɪsʌm] *adj* męczący; nudny

**wea·ry** [`wɪərɪ] *adj* zmęczony; męczący, nużący; *vt vi* męczyć (się), nużyć (się)

**wea·sel** [`wizl] *s zool.* łasica

**weath·er** [`weðə(r)] *s* pogoda; *vt* wystawiać na działanie atmosferyczne; przetrwać, wytrzymać (burzę); *przen.* stawić czoło; *vi* wietrzeć

**weath·er-beat·en** [`weðə bitn] *adj* zahartowany; (*o cerze*) ogorzały

**weath·er-cock** [`weðəkok] *s* chorągiewka (na dachu, wieży itp.), kurek

**weath·er-fore·cast** [`weðə fɔkast] *s* prognoza pogody

**weath·er-glass** [`weðəglas] *s* barometr

**weath·er-sta·tion** [`weðə steɪʃn] *s* stacja meteorologiczna

* **weave** [wiv], **wove** [wəuv], **woven** [`wəuvn] *vt* tkać; *przen.* snuć, układać wątek; knuć (spisek)

**weav·er** [`wivə(r)] *s* tkacz

**web** [web] *s* tkanina; pajęczyna; tkanka; płetwa

**wed** [wed] *vt* poślubić; połączyć, skojarzyć; *vi* ożenić się, wyjść za mąż

**we'd** [wid] = **we had, we should, we would**

**wed·ding** [`wedɪŋ] *s* ślub, wesele

**wedge** [wedʒ] *s* klin; *vt* zaklinować; rozbić klinem

**wed·lock** [`wedlok] *s* małżeństwo

**Wednes·day** [`wenzdɪ] *s* środa

**weed** [wid] *s* chwast; *pot.* tytoń, papieros; *vt* (*także* ~ **out**) plewić, oczyszczać z chwastów

**weeds** [widz] *s pl* (*zw.* **widow's** ~) żałoba wdowia

**week** [wik] *s* tydzień; **by the** ~ tygodniowo

**week·day** [`wik deɪ] *s* dzień powszedni

**week-end** [wik `end] *s* koniec tygodnia, weekend

**week·ly** [`wiklɪ] *adj* tygodniowy; *adv* tygodniowo; *s* tygodnik

* **weep** [wip], **wept, wept** [wept] *vi* płakać; *vt* opłakiwać

**weft** [weft] *s* wątek (tkaniny)

**weigh** [weɪ] *vt vi* ważyć; ~ **down** przeważać, przygniatać; ~ **out** rozważać; *mors.* ~ **anchor** podnieść kotwicę

**weight** [weɪt] *s* (*także przen.*) waga; znaczenie, doniosłość; ciężar; odważnik; **to put on** ~ tyć; *vt* obciążać

**weight·y** [`weɪtɪ] *adj* ciężki; ważny, ważki; przekonywający

**weir** [wɪə(r)] *s* grobla, tama

**weird** [wɪəd] *adj* fatalny; niesamowity, tajemniczy, dziwny; *s lit.* fatum; niesamowite zdarzenie; czary

**wel·come** [`welkəm] *adj* mile widziany; **to make** ~ gościnnie przywitać ⟨przyjąć⟩; **you are** ~ **to do do as you please** rób, co ci się żywnie podoba; **to be** ~ **to do sth** mieć swobodę w zrobieniu czegoś, móc korzystać z upoważnienia; **you are** ~ bardzo proszę; nie ma za co (dziękować); *s* przywitanie, gościnne przyjęcie; **to bid** ~ serdecznie witać; *vt* powitać, gościnnie przyjąć; *int* witaj!, witajcie!

**weld** [weld] *vt vi* spawać (się); *s* spawanie; spoina

**wel·fare** [`welfeə(r)] *s* dobrobyt, powodzenie; ~ **work** dobroczynność; praca społeczna; **social** ~ opieka społeczna; ~ **State** państwo z rozbudowanym systemem opieki społecznej

**well 1.** [wel] *adv* (*comp* **better**, *sup* **best**) dobrze; odpowiednio; chętnie; **as** ~ równie dobrze, również; **as** ~ **as** zarówno jak; ~ **read** oczytany; ~ **done!** brawo!, doskonale!; *adj praed* zdrowy; pomyślny; w porządku; **to be** ~

być zdrowym; mieć się dobrze; **to be ~ off** żyć dostatnio, być zamożnym; **to get ~ ⟨better⟩** wyzdrowieć; **~ up in sth** dobrze z czymś obeznany, dobrze opanowany; *int* no, no!; nareszcie!; a więc, otóż; **~ then?** a więc?

**well** 2. [wel] *s* studnia, źródło; szyb; *vi* (*zw.* **~ up, ~ out**) tryskać, buchać

**we'll** [wil] = **we shall, we will**

**well-ad·vised** ['wel əd`vaɪzd] *adj* rozsądny, roztropny

**well-bal·anced** ['wel `bælənst] *adj* zrównoważony

**well-be·haved** ['wel bɪ`heɪvd] *adj* dobrze wychowany, układny

**well-be·ing** ['wel `biɪŋ] *s* powodzenie, pomyślność; dobre samopoczucie

**well-bred** ['wel `bred] *adj* dobrze wychowany

**well-nigh** ['wel `naɪ] *adv poet.* nieomal, prawie

**well-off** ['wel `ɔf] *adj* dobrze sytuowany, zamożny

**well-to-do** ['wel tə `du] *adj* zamożny

**well-worn** ['wel `wɔn] *adj* znoszony; oklepany

**Welsh** [welʃ] *adj* walijski; *s* język walijski

**Welsh·man** [`welʃmən] *s* Walijczyk

**wel·ter** [`weltə(r)] *vi* przewalać się, tarzać się; *s* zamieszanie, chaos

**wench** [wentʃ] *s* dziewka

**went** [went] *zob.* **go**

**wept** [wept] *zob.* **weep**

**were** [wɜ(r), wə(r)] *zob.* **be**

**we're** [wɪə(r)] = **we are**

**weren't** [wɜnt] = **were not**

**west** [west] *s* zachód; *adj* zachodni; *adv* na zachód

**west·er·ly** [`westəlɪ] *adj* (*o kierunku*) zachodni; (*o wietrze*) z zachodu; *adv* na zachód

**west·ern** [`westən] *adj* zachodni; *s* człowiek z zachodu; film z życia Dzikiego Zachodu, western

**west·ward** [`westwəd] *adj* (*o kierunku*) zachodni, zwrócony ku zachodowi; *adv* ku zachodowi

**west·wards** [`westwədz] *adv* ku zachodowi, na zachód

**wet** [wet] *adj* mokry; dżdżysty; *am.* używający alkoholu; *s* wilgoć; dżdżysta pogoda; *vt* moczyć, zwilżać

**we've** [wiv] = **we have**

**whack** [wæk] *vt* grzmotnąć; *s* głośne uderzenie; *pot.* próba; udział, cząstka

**whale** 1. [weɪl] *s* wieloryb; *vi* polować na wieloryby

**whale** 2. [weɪl] *vt* bić, grzmocić

**whale·bone** [`weɪlbəun] *s* fiszbin

**whal·er** [`weɪlə(r)] *s* łowca wielorybów; statek do połowu wielorybów

**wharf** [wɔf] *s* (*pl* **~s** *lub* **wharves** [wɔvz]) przystań, nadbrzeże

**what** [wot] *adj* co; jaki; ile; to co, ten, który; co za; **~ for?** po co?; **~ are these apples?** ile kosztują te jabłka?; **~ is he like?** jak on wygląda?, jaki on jest?; **~ if ...** cóż, że ..., co z tego, że ...; **~'s up?** co się dzieje?; **~ use is it?** na co się to przyda?

**what·ev·er** [wot`evə(r)] *adj* cokolwiek, jakikolwiek; **not any ~** w ogóle żaden; **I'll tell you ~** coś ci powiem; **not anything ~** w ogóle nic

**what's** [wots] = **what is**

**what·so·ev·er** ['wotsəu`evə(r)] = **whatever**

**wheat** [wit] *s* pszenica

**wheat·en** [`witn] *adj* pszenny

**whee·dle** [`widl] *vt* przypochlebiać się, wdzięczyć się; skłonić

**wheel** [wil] *s* koło; kierownica; *mors.* ster; *vt vi* toczyć (się), kręcić (się); wozić (np. na taczkach)

**wheel·bar·row** [`wil bærəu] *s* taczki

**wheeze** [wiz] *vi* sapać; *s* sapanie

**whelp** [welp] *s* szczenię; *vi* oszczenić się

**when** [wen] *adv* kiedy; *pron* gdy, kiedy; **since ~** odkąd; **till ~** dokąd, do czasu, gdy

**whence** [wens] *adv* skąd; *pron rel.* skąd, z którego (*także* from ~); w następstwie czego
**where** [weə(r)] *adv conj pron* gdzie, dokąd; from ~ skąd
**where·a·bouts** [ˈweərəˋbauts] *adv* gdzie mniej więcej; *s* miejsce pobytu
**where·as** [weərˋæz] *conj* podczas gdy
**where·by** [weəˋbaɪ] *adv conj* przez co; *rel.* za pomocą czego (którego)
**where·fore** [ˋweəfɔ(r)] *adv* dlaczego, dlaczego to; dlatego
**wher·ev·er** [weərˋevə(r)] *adv* gdziekolwiek, dokądkolwiek
**where·with** [weəˋwɪð] = **with what, with which**
**whet** [wet] *vt* ostrzyć; podniecać, pobudzać
**wheth·er** [ˋweðə(r)] *conj* czy
**whet·stone** [ˋwetstəun] *s* kamień do ostrzenia
**whey** [weɪ] *s* serwatka
**which** [wɪtʃ] *pron* który; co
**which·ev·er** [wɪtʃˋevə(r)], **which·so·ev·er** [ˈwɪtʃsəuˋevə(r)] *pron* którykolwiek
**whiff** [wɪf] *s* podmuch, dmuchnięcie; kłąb dymu; *vt vi* pykać
**whig** [wɪg] *s polit.* wig
**while** [waɪl] *s* chwila; **for a ~** na chwilę; chwilowo; **for the ~** tymczasem; na razie; **it's worth ~** warto, opłaci się; *adj conj* podczas gdy, gdy; *vt* **~ away** spędzać beztrosko (**the time** czas)
**whilst** [waɪlst] *conj* (podczas) gdy
**whim** [wɪm] *s* grymas, zachcianka
**whim·per** [ˋwɪmpə(r)] *vi* kwilić, skomleć; *s* kwilenie, skomlenie
**whim·si·cal** [ˋwɪmzɪkl] *adj* kapryśny; dziwaczny
**whim·sy** [ˋwɪmzɪ] *s* kaprys; urojenie
**whine** [waɪn] *vi* jęczeć, skomleć; jęk, skomlenie
**whin·ny** [ˋwɪnɪ] *vi* rżeć; *s* rżenie
**whip** [wɪp] *s* bicz; woźnica; naganiacz (w parlamencie); *vt* biczować, bić batem; ubijać; *vi* szybko umknąć
**whir** [wɜ(r)] *vi* warkotać; *s* warkot
**whirl** [wɜl] *s* wir; *vt vi* wirować, krążyć, kręcić się
**whirl·pool** [ˋwɜpul] *s* wir (wodny)
**whirl·wind** [ˋwɜlwɪnd] *s* trąba powietrzna
**whirr** [wɜ(r)] = **whir**
**whisk** [wɪsk] *s* kosmyk; miotełka; trzepaczka; machnięcie; śmignięcie; *vt* zmiatać; machać; śmigać; *vi* zniknąć, umknąć
**whisk·ers** [ˋwɪskəz] *s pl* bokobrody, baczki; wąsy (u zwierząt)
**whis·ky, whis·key** [ˋwɪskɪ] *s* whisky, wódka (angielska)
**whis·per** [ˋwɪspə(r)] *vt vi* szeptać; *s* szept
**whis·tle** [ˋwɪsl] *s* gwizd, świst; gwizdek; *vt vi* gwizdać, świstać
**whit** [wɪt] *s* † odrobina; **no ⟨not a⟩ ~** ani krzty, wcale
**white** [waɪt] *adj* biały; *s* biel, biały kolor; biały człowiek; białko; *vt* bielić
**whit·en** [ˋwaɪtn] *vt* bielić; *vi* bieleć
**white·wash** [ˋwaɪtwoʃ] *s* wapno do bielenia; wybielanie; *vt* bielić, wybielać
**whith·er** [ˋwɪðə(r)] *adv pron* (*zw. rel.*) dokąd
**whit·ing** [ˋwaɪtɪŋ] *s* bielidło
**whit·tle** [ˋwɪtl] *vt* strugać; *przen.* stopniowo zmniejszać
**whiz(z)** [wɪz] *vi* świszczeć; *s* świst
**who** [hu] *pron przypadek dzierżawczy*: **whose** [huz]; *przypadek zależny*: **whom** [hum] kto, który, którzy
**who·ev·er** [huˋevə(r)] *pron* ktokolwiek
**whole** [həul] *adj* cały; *mat.* całkowity; *s* całość; **as a ~** w całości
**whole·sale** [ˋhəul-seɪl] *s* hurt, sprzedaż hurtowa; *adj* hurtowy; *adv* hurtem

**whole·some** [`həul-səm] *adj* (*o klimacie itp.*) zdrowy
**who'll** [hul] = **who will**
**whol·ly** [`həullı] *adv* całkowicie
**whom** *zob.* **who**
**whoop·ing-cough** *zob.* = **hooping cough**
**whose** *zob.* **who**
**why** [waı] *adv* dlaczego; *int* przecież!, jak to!, oczywiście!
**wick** [wık] *s* knot
**wick·ed** [`wıkıd] *adj* zły, niegodziwy
**wick·er** [`wıkə(r)] *s* łozina; wyrób koszykarski
**wick·et** [`wıkıt] *s* furtka; okienko (kasowe); *sport* bramka (w krykiecie)
**wide** [waıd] *adj* szeroki, obszerny; daleki (**of sth** od czegoś); *adv* szeroko; daleko
**wide-awake** [/waıd ə`weık] *adj* czujny, uważny
**wid·en** [`waıdn] *vt vi* rozszerzyć (się)
**wide-spread** [waıd `spred] *adj* rozpowszechniony
**wid·ow** [`wıdəu] *s* wdowa
**wid·ow·er** [`wıdəuə(r)] *s* wdowiec
**width** [wıtθ] *s* szerokość
**wield** [wild] *vt* dzierżyć, władać
**wife** [waıf] *s* (*pl* **wives** [waıvz]) żona; † kobieta
**wig** [wıg] *s* peruka
**wig·wam** [`wıgwæm] *s* wigwam, szałas (indiański)
**wild** [waıld] *adj* dziki; szalony; pustynny; fantastyczny; *pot.* zły, rozgniewany; *s* dzika okolica; pustynia
**wil·der·ness** [`wıldənəs] *s* dzika przestrzeń; puszcza
**wild·fire** [`waıldfaıə(r)] *s* ogień grecki; *przen.* (*o wiadomości itp.*) **to spread like ~** szerzyć się lotem błyskawicy
**wile** [waıl] *s* podstęp, fortel; *vt* podstępnie zwabić, zwieść
**wil·ful** [`wılfl] *adj* umyślny; samowolny, uparty
**will** [wıl] *s* wola; testament; energia; zapał; *v aux służy do tworzenia czasu przyszłego, np.*: **he ~ do it on** to zrobi; *vt* chcieć
**will·ing** [`wılıŋ] *adj* chętny
**will-o'-the-wisp** [/wıl ə ðə `wısp] *s* błędny ognik
**wil·low** [`wıləu] *s bot.* wierzba
**wil·low·y** [`wıləuı] *adj* porosły wierzbami; giętki
**wil·ly-nil·ly** [/wılı `nılı] *adv* chcąc nie chcąc
**wil·y** [`waılı] *adj* chytry
* **win** [wın], **won, won** [wʌn] *vt vi* zyskać; wygrać; zwyciężyć; zdobyć; **~ over** pozyskać sobie (kogoś); **to ~ the day** odnieść zwycięstwo
**wince** [wıns] *vi* drgnąć, skrzywić się (z bólu); *s* drgnięcie
**winch** [wıntʃ] *s* dźwig; korba
**wind** 1. [wınd] *s* wiatr; dech; **to get ~** zwęszyć (**of sth** coś); *vt* węszyć; *vt* [waınd] dąć (**the horn** w róg)
* **wind** 2. [waınd], **wound, wound** [waund] *vt vi* wić (się), kręcić (się), nawijać, nakręcać; **~ off** odwinąć (się); **~ up** nawinąć, nakręcić; zlikwidować
**wind·fall** [`wındfɔl] *s* strącony owoc; niespodziewane szczęście, gratka
**wind-in·stru·ment** [`wınd ınstrumənt] *s muz.* instrument dęty
**wind·lass** [`wındləs] *s* kołowrót, wyciąg
**wind·mill** [`wındmıl] *s* wiatrak
**win·dow** [`wındəu] *s* okno
**win·dow-dres·sing** [`wındəu dresıŋ] *s* urządzenie wystawy sklepowej; *przen.* gra pozorów, poza, obłuda
**win·dow-pane** [`wındəu peın] *s* szyba okienna
**win·dow-shop·ping** [`wındəu ʃɔpıŋ] *s* oglądanie wystaw sklepowych
**wind·screen** [`wındskrin] *s* szyba ochronna (przed kierownicą)
**wind·y** [`wındı] *adj* wietrzny
**wine** [waın] *s* wino
**wing** [wıŋ] *s* skrzydło; *lotn.* dywizjon; *teatr pl* **~s** kulisy; *vt* u-

skrzydlić; *vi* lecieć; ~ **the air** (*o ptaku*) unosić się w powietrzu

**wink** [wɪŋk] *vt vi* mrugać; patrzeć przez palce (**at sth** na coś); *s* mrugnięcie

**win·ner** [ˋwɪnə(r)] *s* wygrywający, zwycięzca

**win·ning** [ˋwɪnɪŋ] *adj* zwycięski, wygrywający; ujmujący; *s* wygrana

**win·now** [ˋwɪnəu] *vt* wiać (ziarno, zboże); przesiewać; przebierać

**win·ter** [ˋwɪntə(r)] *s* zima; *vi* zimować; *vt* żywić przez zimę

**win·try** [ˋwɪntrɪ] *adj* zimowy; *przen.* chłodny, nieprzyjazny

**wipe** [waɪp] *vt* (*także* ~ **off** ⟨**out**⟩) ścierać, wycierać

**wire** [ˋwaɪə(r)] *s* drut; *pot.* depesza; **to pull the** ~**s** wpłynąć na bieg sprawy, poruszyć wszystkie sprężyny; *vt* zaopatrzyć w drut; depeszować

**wire·less** [ˋwaɪələs] *adj* bez drutu; radiowy; ~ **station** radiostacja; *s* radio; *vt* komunikować przez radio

**wir·y** [ˋwaɪərɪ] *adj* druciany; muskularny, żylasty

**wis·dom** [ˋwɪzdəm] *s* mądrość

**wise 1.** [waɪz] *adj* mądry; *lit. poet.* ~ **man** czarodziej; ~ **woman** czarownica; **to be** ⟨**get**⟩ ~ dowiedzieć się (**to sth** o czymś); zmądrzeć, mądrze postąpić

**wise 2.** [waɪz] *s* sposób

**wise·a·cre** [ˋwaɪzeɪkə(r)] *s* mędrek

**wise·crack** [ˋwaɪzkræk] *s* dowcip

**wish** [wɪʃ] *vt vi* życzyć (sobie), pragnąć, czekać z utęsknieniem (**for sth** na coś); *s* życzenie; ochota

**wish·ful** [ˋwɪʃfl] *adj* pragnący; ~ **thinking** pobożne życzenia

**wisp** [wɪsp] *s* wiązka, kosmyk

**wist·ful** [ˋwɪstfl] *adj* zadumany; tęskny

**wit** [wɪt] *s* rozum; dowcip; dowcipniś; człowiek inteligentny; *pl* ~**s** zdrowy rozum, zdolności; **to be at one's** ~**'s end** nie wiedzieć co robić; **to have slow** ~**s** być tępym; *vt* † wiedzieć; **to** ~ mianowicie, to znaczy

**witch** [wɪtʃ] *s* czarownica, wiedźma

**witch·craft** [ˋwɪtʃkrɑft] *s* czary; czarnoksięstwo

**with** [wɪð] *praep* z, przy, u, za pomocą

* **with·draw** [wɪðˋdrɔ] *vt vi* (*formy zob.* **draw**) cofać (się); odchodzić; odwoływać; odsuwać; zabierać

**with·draw·al** [wɪðˋdrɔl] *s* wycofanie (się); odwołanie; zabranie

**with·er** [ˋwɪðə(r)] *vi* usychać, zamierać, zanikać; *vt* wysuszać, powodować zanik

* **with·hold** [wɪðˋhəuld] *vt* (*formy zob.* **hold**) wstrzymać; odmówić; wycofać

**with·in** [wɪðˋɪn] *praep* wewnątrz; w obrębie; w zasięgu; w granicach (czasu, przestrzeni); *adv* wewnątrz, w środku; w domu

**with·out** [wɪðˋaut] *praep* bez; na zewnątrz; *adv* na zewnątrz; na dworze

**with·stand** [wɪðˋstænd] *vt* (*formy zob.* **stand**) opierać się, oponować; wytrzymywać

**wit·ness** [ˋwɪtnəs] *s* świadectwo; świadek; zeznanie; **to bear** ~ świadczyć (**to sth** o czymś); *vt* poświadczać; być świadkiem (**sth** czegoś); potwierdzać

**wit·ti·cism** [ˋwɪtɪsɪzm] *s* dowcip, bystra uwaga

**wit·ty** [ˋwɪtɪ] *adj* dowcipny

**wives** *zob.* **wife**

**wiz·ard** [ˋwɪzəd] *s* czarodziej

**wob·ble** [ˋwobl] *vi* chwiać się, kiwać się

**woe** [wəu] *s poet.* nieszczęście, niedola; ~ **to ...!** biada ...!

**woke, woken** *zob.* **wake**

**wolf** [wulf] *s* (*pl* **wolves** [vulvz]) wilk; **to cry** ~ podnieść fałszywy alarm

**wolf-cub** [`wulf kʌb] *s* wilczę; (*w harcerstwie*) zuch

**wolf·ish** [`wulfɪʃ] *adj* wilczy

**wolves** *zob.* **wolf**

**wom·an** [`wumən] *s* (*pl* **women** [`wɪmɪn]) kobieta

**wom·an·hood** [`wumənhud] *s* kobiecość; *zbior.* kobiety

**wom·an·ish** [`wumənɪʃ] *adj* kobiecy; zniewieściały

**wom·an·kind** [ˈwumən`kaɪnd] *s zbior.* kobiety, ród kobiecy

**wom·an·ly** [`wumənlɪ] *adj* kobiecy

**womb** [wum] *s anat.* macica; (*także przen.*) łono

**wom·en** *zob.* **woman**

**wom·en·folk** [`wɪmɪnfəuk] *s zbior. pot.* kobiety

**won** *zob.* **win**

**won·der** [`wʌndə(r)] *s* cud; dziwo; zdziwienie; **no ⟨small⟩ ~** nic dziwnego; *vt* dziwić się (**at sth** czemuś); być ciekawym, chcieć wiedzieć; **I ~ where he is** ciekaw jestem, gdzie on jest

**won·der·ful** [`wʌndəfl] *adj* cudowny; zadziwiający

**wont** [wəunt] *s* przyzwyczajenie, zwyczaj; *adj praed* przyzwyczajony, mający zwyczaj; **to be ~** mieć zwyczaj; *vt* mieć zwyczaj

**won't** [wəunt] = **will not**

**wont·ed** [`wəuntɪd] *adj* zwyczajny, zwykły

**woo** [wu] *vt* zalecać się, umizgać się (**sb** do kogoś); *przen.* ubiegać się (**sth** o coś)

**wood** [wud] *s* drzewo, drewno; (*także* **~s**) las; *vt* zalesiać

**wood·cut** [`wudkʌt] *s* drzeworyt

**wood·cut·ter** [`wudkʌtə(r)] *s* drwal; drzeworytnik

**wood·en** [`wudn] *adj* drewniany; *przen.* głupi, tępy

**wood-en·grav·er** [`wud ɪngreɪvə(r)] *s* drzeworytnik

**wood·land** [`wudlənd] *s* lesista okolica

**wood·man** [`wudmən] *s* gajowy; drwal

**wood·peck·er** [`wudpekə(r)] *s zool.* dzięcioł

**wood-pulp** [`wudpʌlp] *s* miazga drzewna; masa papiernicza

**wood·work** [`wudw3k] *s* wyroby z drewna

**wood·y** [`wudɪ] *adj* lesisty; drzewny

**woof** [wuf] = **weft**

**wool** [wul] *s* wełna; **to loose one's ~** rozzłościć się; **much cry and little ~** dużo hałasu o nic

**wool·len** [`wulən] *adj* wełniany

**wool·ly** [`wulɪ] *adj* wełnisty; *przen.* mętny, mglisty

**wool·sack** [`wul-sæk] *s* worek z wełną; poduszka z wełny

**word** [w3d] *s* wyraz, słowo; wiadomość; rozkaz; hasło; **a play upon ~s** gra słów; **to keep ⟨break⟩ one's ~** dotrzymywać ⟨nie dotrzymywać⟩ słowa; **upon my ~!** słowo daję!; **by ~ of mouth** ustnie; **to have a ~ with sb** zamienić z kimś parę słów; *vt* ująć w słowa, wyrazić

**word·ing** [`w3dɪŋ] *s* słowne ujęcie, sformułowanie

**word·y** [`w3dɪ] *adj* wielosłowny, rozwlekły

**wore** *zob.* **wear**

**work** [w3k] *s* praca; dzieło, utwór; uczynek; **at ~** czynny; przy pracy; **out of ~** nieczynny; bezrobotny; **to make short ~** szybko uporać się (**of sth** z czymś); **to set to ~** zabrać się do roboty; zaprząc do roboty; *pl* **~s** fabryka, warsztat; zakłady (przemysłowe); mechanizm; *wojsk.* fortyfikacja; *vt vi* pracować, odpracowywać; odrabiać; działać; manipulować; wprawiać w ruch; zmuszać do pracy, eksploatować; **~ off** oderwać się; pozbyć się; **~ out** wypracować; wyjść, okazać się; rozwiązać (*np.* zadanie); zrealizować; **~ over** przerobić, obrobić; **~ up** wypracować; podnosić (się); podniecić

**work·a·ble** [`w3kəbl] *adj* nadający się do obróbki; wykonalny

**work·day** [`w3kdeɪ] *s* dzień powszedni

**work·er** [`w3kə(r)] *s* pracownik, robotnik

**work·house** [`w3khaus] *s* dom dla ubogich, przytułek; *am.* dom poprawczy (z przymusową pracą)

**work·ing** [`w3kɪŋ] *adj* pracujący; czynny; **the ~ class** klasa pracująca; świat pracy; **in ~ order** w stanie używalności; **~ capital** kapitał obrotowy; **~ costs** koszty eksploatacji; **~ knowledge of English** praktyczna znajomość angielskiego; *s* działanie; obróbka; eksploatacja

**work·man** [`w3kmən] *s* robotnik, pracownik (fizyczny)

**work·man·ship** [`w3kmənʃɪp] *s* sztuka, umiejętność, zręczność; wykonanie, wyrób (fachowy)

**work·people** [`w3k pipl] *s pl* pracownicy, świat pracy

**work·shop** [`w3kʃop] *s* warsztat

**work·wom·an** [`w3kwumən] *s* pracownica (fizyczna)

**world** [w3ld] *s* świat; ziemia, kula ziemska; sfery (naukowe itp.); mnóstwo; **the next ~, the ~ to come** tamten świat; **to go out of this ~** zejść z tego świata; **a ~ of trouble** cała masa kłopotu; **not for all the ~** za nic w świecie

**world·ly** [`w3ldlɪ] *adj* światowy; świecki; ziemski

**worm** [w3m] *s* robak; dżdżownica; *vt* **to ~ one's way** przekradać się; *vr* **~ oneself** wkręcić się

**worm-gear** [`w3m gɪə(r)] *s techn.* przekładnia ślimakowa

**worm-wheel** [`w3m wil] *s techn.* koło ślimakowe

**worm·wood** [`w3mwud] *s bot.* piołun

**worm·y** [`w3mɪ] *adj* robaczywy

**worn** *zob.* **wear**

**wor·ry** [`wʌrɪ] *vt vi* martwić (się), niepokoić (się), dręczyć (się); *s* zmartwienie, troska, niepokój

**worse** [w3s] *adj* (*comp od* **bad, ill**) gorszy; bardziej chory; **to be ~** czuć się gorzej; *adv* gorzej; *s* gorsza rzecz, coś gorszego

**wors·en** [`w3sn] *vt vi* pogorszyć (się)

**wor·ship** [`w3ʃɪp] *s* kult, oddawanie czci, nabożeństwo; *vt* czcić, wielbić; *vi* być na nabożeństwie

**worst** [w3st] *adj* (*sup od* **bad, ill**) najgorszy; *adv* najgorsze; *s* to, co najgorsze; **at the ~** w najgorszym razie; *vt* pokonać

**worth** [w3θ] *adj* wart; zasługujący; **it is ~ reading** warto to przeczytać; **it isn't ~ while** nie warto; to niewarte zachodu; *s* wartość

**wor·thy** [`w3ðɪ] *adj* godny, zasługujący (**of sth** na coś); *s* człowiek godny, wybitna jednostka

**would** [wud] *p i conditional od* **will**

**would-be** [`wud bi] *attr* rzekomy; niedoszły

**wound** 1. *zob.* **wind** 2.

**wound** 2. [wund] *s* rana; *vt* ranić

**wove, woven** *zob.* **weave**

**wrack** [ræk] = **wreck**; **to go to ~ and ruin** ulec zagładzie; wykoleić się

**wran·gle** [`ræŋgl] *s* kłótnia, spór; *vi* spierać się

**wrap** [ræp] *vt* (*także* **~ up**) owijać, pakować; *s* szal, chusta

**wrap·per** [`ræpə(r)] *s* opakowanie; narzutka; szlafrok; futerał; obwoluta

**wrath** [roθ] *s lit.* gniew

**wreath** [riθ] *s* (*pl* **~s** [riðz]) wieniec, girlanda; kłąb (np. dymu)

**wreathe** [rið] *vt* pleść, zwijać; *vi* kłębić się

**wreck** [rek] *s* rozbicie (statku); szczątki, wrak; rozbitek; *vt vi* rozbić (się), zniszczyć

**wreck·age** [`rekɪdʒ] *s* rozbicie; szczątki rozbitego okrętu

**wrench** [rentʃ] *s* skręt; zwichnięcie; szarpnięcie; *techn.* klucz (nakrętkowy); *vt* skręcić; zwichnąć; szarpnąć; ~ **out** wyrwać

**wrest** [rest] *vt* skręcić, przekręcić (np. fakty); wyrwać (**sth from sb** coś komuś); *s* wykręcanie; *muz.* klucz do strojenia

**wres·tle** [ˋresl] *vt* wyrywać, wydzierać; *vi* borykać się, zmagać się (w zapasach); *s* zapasy; zmaganie, walka

**wres·tler** [ˋreslə(r)] *s* zapaśnik

**wretch** [retʃ] *s* nieszczęśliwy człowiek; łajdak, nikczemnik

**wretch·ed** [ˋretʃɪd] *adj* nieszczęśliwy, godny pożałowania; nędzny; lichy

**wrig·gle** [ˋrɪgl] *vt vi* wywijać (się), skręcać (się), wyginać (się)

* **wring** [rɪŋ], **wrung, wrung** [rʌŋ] *vt* wyciskać, wyżymać; wymuszać; skręcać; **to ~ one's hands** załamywać ręce

**wring·er** [ˋrɪŋə(r)] *s* wyżymaczka

**wrin·kle** [ˋrɪŋkl] *s* zmarszczka, fałd; *vt vi* marszczyć (się)

**wrist** [rɪst] *s* przegub

**wrist·band** [ˋrɪstbænd] *s* mankiet

**wrist·watch** [ˋrɪst wotʃ] *s* zegarek na rękę

* **write** [raɪt], **wrote** [rəut], **written** [ˋrɪtn] *vt vi* pisać, wypisywać; **to ~ a good hand** mieć ładny charakter pisma; ~ **back** odpisać; ~ **down** zapisać; ~ **out** napisać w całości, przepisać, wypisać; ~ **over** przepisać; ~ **up** doprowadzić do dnia bieżącego (np. pamiętnik); chwalić, napisać pochwałę

**writ·er** [ˋraɪtə(r)] *s* pisarz

**writhe** [raɪð] *vt vi* wić (się), skręcać (się)

**writ·ing** [ˋraɪtɪŋ] *s* pismo; utwór; dokument

**writ·ten** *zob.* **write**

**wrong** [roŋ] *adj* niesłuszny; niewłaściwy; fałszywy; niesprawiedliwy; nieodpowiedni, nie w porządku, niedobry; ~ **side** lewa strona (materiału); **to be ~** nie mieć racji; **to go ~** chybić; popsuć się; **sth is ~** coś nie w porządku; *adv* niesłusznie, źle, nie w porządku; *s* krzywda, niesprawiedliwość; zło; błąd; wina; wykroczenie; **to be in the ~** nie mieć racji; być winnym; **to do sb ~** wyrządzić komuś krzywdę; **to do ~** źle postępować; *vt* krzywdzić, szkodzić, być niesprawiedliwym

**wrong-doer** [ˋroŋ duə(r)] *s* winowajca, grzesznik

**wrong·ful** [ˋroŋfl] *adj* niesprawiedliwy, szkodliwy, krzywdzący

**wrote** *zob.* **write**

**wrought** [rɔt] *adj* obrobiony; (*o metalu*) kuty

**wrung** *zob.* **wring**

**wry** [raɪ] *adj* krzywy, skręcony; **to make a ~ face** skrzywić się, zrobić kwaśną minę

**xe·rog·ra·phy** [zəˋrogrəfɪ] *s* kserografia

**Xmas** [ˋkrɪsməs] = **Christmas**

**X-ray** [ˋeks-reɪ] *vt* prześwietlać (promieniami Roentgena); *adj* [ˋeksreɪ] rentgenowski; *s pl* **~s** [ˈeksˋreɪz] promienie rentgenowskie

**xy·log·ra·phy** [zaɪˋlogrəfɪ] *s* drzeworytnictwo

# Y

**yacht** [jot] *s* jacht; *vi* pływać jachtem

**Yale-lock** [ˈjeɪllok] *s* zatrzask, zamek automatyczny

**Yan·kee** [ˈjæŋkɪ], *pot.* **Yank** [ˈjæŋk] *s* Jankes

**yard 1.** [jɑd] *s* jard, *mors.* reja

**yard 2.** [jɑd] *s* dziedziniec

**yarn** [jɑn] *s* przędza

**yawl** [jɔl] *s* jolka (łódź żaglowa)

**yawn** [jɔn] *vi* ziewać; zionąć; *s* ziewanie

**yea** [jeɪ] = **yes**; *s* głos za wnioskiem (w głosowaniu); twierdzenie

**year** [jɜ(r)] *s* rok; **~ by ~** rok za rokiem; **~ in ~ out** jak rok długi, rokrocznie; **to grow in ~s** starzeć się

**year·book** [ˈjɜbuk] *s* rocznik (np. statystyczny)

**year·ly** [ˈjɜlɪ] *adj* roczny, coroczny; *adv* corocznie; raz na rok

**yearn** [jɜn] *vi* tęsknić (**for** ⟨**after**⟩ **sb, sth** za kimś, za czymś)

**yearn·ing** [ˈjɜnɪŋ] *s* tęsknota

**yeast** [jist] *s* drożdże

**yell** [jel] *vt vi* wyć (**with pain** z bólu); wykrzykiwać; *s* wycie

**yel·low** [ˈjeləu] *adj* żółty; *przen.* zazdrosny; *s* żółta barwa; żółtko; *vt* barwić na żółto; *vi* żółknąć

**yel·low·back** [ˈjeləu bæk] *s* tania powieść sensacyjna

**yel·low·ish** [ˈjeləuɪʃ] *adj* żółtawy

**yelp** [jelp] *vi* skomleć; *s* skomlenie

**yeo·man** [ˈjəumən] *s* chłop średniorolny; *hist.* drobny właściciel ziemski; *hist.* konny ochotnik; **Yeoman of the Guard** żołnierz królewskiej straży przybocznej

**yeo·man·ry** [ˈjəumənrɪ] *s* klasa chłopów średniorolnych; *hist.* drobni właściciele ziemscy; *hist.* królewska gwardia przyboczna; *hist.* konna formacja wojskowa

**yes** [jes] *adv* tak

**yes·ter·day** [ˈjestədɪ] *adv* wczoraj; *s* dzień wczorajszy; **the day before ~** przedwczoraj

**yet** [jet] *adv* jeszcze; (*w pytaniach*) już; dotychczas, do tej pory; przecież, jednak; **as ~** jak dotąd, na razie; **nor ~** ani nawet, także nie

**yew** [ju] *s bot.* cis

**yield** [jild] *vt* wytwarzać, wydawać; dostarczać; dać (wynik itd.); przyznawać; oddawać; *vi* ulegać, poddawać się, ustępować; *s* produkcja; wynik; wydajność; plon

**yoke** [jəuk] *s* jarzmo; *przen.* władza; *vt* ujarzmić, zaprzęgnąć

**Yo·kel** [ˈjəukl] *s uj.* chłopek, kmiotek; prostak

**yolk** [jəuk] *s* żółtko

**yon·der** [ˈjondə(r)] *adv lit.* tam, po tamtej stronie; *pron adj* tamten

**you** [ju] *pron* ty, wy, pan, pani, państwo; *tłumaczy się bezosobowo, np.*: **~ can never tell** nigdy nie wiadomo

**you'd** [jud] = **you had, you would**

**you'll** [jul] = **you will**

**young** [jʌŋ] *adj* młody, młodzieńczy; niedoświadczony; *s zbior.* (*o zwierzętach*) młode, potomstwo

**young·ster** [ˈjʌŋstə(r)] *s* chłopak, młodzik

**your** [jɔ(r), juə(r)] *pron* twój, wasz, pański itd.

**you're** [jɔ(r), juə(r)] = **you are**

**yours** [jɔz, juəz] *pron* twój, wasz, pański itd.

**your·self** [jɔˈself] *pron* ty sam, pan sam itd.; siebie, sobie, się; *pl* **yourselves** [jɔˈselvz] wy sami, państwo sami itd.; siebie, sobie, się

**youth** [juθ] *s* młodość; młodzież; (*pl* ~s [juðz]) młodzieniec
**youth·ful** [ˋjuθfl] *adj* młodzieńczy
**you've** [juv] = **you have**
**Yu·go·slav** [ˋjugəʊslɑv] *s* Jugosłowianin; *adj* jugosłowiański
**Yu·go·slav·ian** [ˌjugəʊˋslɑvɪən] = **Yugoslav** *adj*

# Z

**zeal** [zil] *s* gorliwość
**zeal·ot** [ˋzelət] *s* gorliwiec
**zeal·ous** [ˋzeləs] *adj* gorliwy
**ze·bra** [ˋzibrə] *s zool.* zebra
**ze·nith** [ˋzenɪθ] *s* zenit
**zeph·yr** [ˋzefə(r)] *s* zefir
**ze·ro** [ˋzɪərəʊ] *s* zero; *fiz.* **absolute ~** zero bezwzględne ⟨absolutne⟩; *wojsk.* **~ hour** godzina rozpoczęcia działania ⟨ataku⟩
**zest** [zest] *s* przyprawa, aromat; pikanteria; chęć, zapał
**zig·zag** [ˋzɪgzæg] *s* zygzak
**zinc** [zɪŋk] *s* cynk
**zip** [zɪp] *s* suwak, zamek błyskawiczny; świszczący dźwięk (np. pocisku)
**zip-fas·ten·er** [ˌzɪp ˋfɑsnə(r)], **zip·per** [ˋzɪpə(r)], **zip** [zɪp] *s* zamek błyskawiczny
**zith·er** [ˋzɪθə(r)] *s muz.* cytra
**zlo·ty** [ˋzlotɪ] *s* (*pl* ~s) złoty (polski)
**zo·di·ac** [ˋzəʊdɪæk] *s astr.* zodiak
**zone** [zəʊn] *s* pas, strefa
**zoo** [zu] *s* ogród zoologiczny
**zo·o·log·i·cal** [ˌzəʊəˋlodʒɪkl] *adj* zoologiczny; **~ garden** ogród zoologiczny
**zo·ol·o·gy** [zəʊˋolədʒɪ] *s* zoologia

## A LIST OF IRREGULAR VERBS

## CZASOWNIKI Z ODMIANĄ TZW. NIEREGULARNĄ *

| Infinitive<br>Bezokolicznik | Past<br>Czas przeszły | Past Participle<br>Imiesłów czasu przeszłego |
|---|---|---|
| abide [ə`baɪd] | abode [ə`bəud]<br>abided [ə`baɪdɪd] | abode [ə`bəud]<br>abided [ə`baɪdɪd] |
| arise [ə`raɪz] | arose [ə`rəuz] | arisen [ə`rɪzn] |
| awake [ə`weɪk] | awoke [ə`wəuk] | awoke [ə`wəuk] |
| be [bi] | was [woz, wəz]<br>*pl* were [wɜ(r), wə(r)] | been [bin] |
| bear [beə(r)] | bore [bɔ(r)] | borne [bɔn]<br>born [bɔn] |
| beat [bit] | beat [bit] | beaten [`bitn] |
| become [bɪ`kʌm] | became [bɪ`keɪm] | become [bɪ`kʌm] |
| beget [bɪ`get] | begot [bɪ`got] | begotten [bɪ`gotn] |
| begin [bɪ`gɪn] | began [bɪ`gæn] | begun [bɪ`gʌn] |
| behold [bɪ`həuld] | beheld [bɪ`held] | beheld [bɪ`held] |
| bend [bend] | bent [bent] | bent [bent]<br>bended [`bendɪd] |
| bereave [bɪ`riv] | bereaved [bɪ`rivd]<br>bereft [bɪ`reft] | bereaved [bɪ`rivd]<br>bereft [bɪ`reft] |
| beseech [bɪ`sitʃ] | besought [bɪ`sɔt] | besought [bɪ`sɔt] |
| bet [bet] | bet [bet]<br>betted [`betɪd] | bet [bet]<br>betted [`betɪd] |
| bid [bid] | bade [beɪd, bæd]<br>bid [bɪd] | bidden [`bɪdn]<br>bid [bɪd] |
| bind [baɪnd] | bound [baund] | bound [baund] |
| bite [baɪt] | bit [bɪt] | bitten [`bɪtn]<br>bit [bɪt] |
| bleed [blid] | bled [bled] | bled [bled] |
| blend [blend] | blended [`blendɪd]<br>blent [blent] | blended [`blendɪd]<br>blent [blent] |
| blow [bləu] | blew [blu] | blown [bləun] |
| break [breɪk] | broke [brəuk] | broken [`brəukən] |
| breed [brid] | bred [bred] | bred [bred] |

---

* Czasowników ułomnych (defective verbs) o jednej tylko formie, jak np. ought, lub dwóch formach, jak np. can, could, należy szukać w odpowiednich miejscach słownika.

| Infinitive<br>Bezokolicznik | Past<br>Czas przeszły | Past Participle<br>Imiesłów czasu przeszłego |
|---|---|---|
| bring [brɪŋ] | brought [brɔt] | brought [brɔt] |
| build [bɪld] | built [bɪlt] | built [bɪlt] |
| burn [bɜn] | burnt [bɜnt]<br>burned [bɜnd] | burnt [bɜnt]<br>burned [bɜnd] |
| burst [bɜst] | burst [bɜst] | burst [bɜst] |
| buy [baɪ] | bought [bɔt] | bought [bɔt] |
| cast [kɑst] | cast [kɑst] | cast [kɑst] |
| catch [kætʃ] | caught [kɔt] | caught [kɔt] |
| chide [tʃaɪd] | chid [tʃɪd] | chid [tʃɪd]<br>chidden [`tʃɪdn] |
| choose [tʃuz] | chose [tʃəuz] | chosen [`tʃəuzn] |
| cleave [kliv] | clove [kləuv]<br>cleft [kleft] | cloven [`kləuvn]<br>cleft [kleft] |
| cling [klɪŋ] | clung [klʌŋ] | clung [klʌŋ] |
| clothe [kləuð] | clothed [kləuðd]<br>clad [klæd] | clothed [kləuðd]<br>clad [klæd] |
| come [kʌm] | came [keɪm] | come [kʌm] |
| cost [kost] | cost [kost] | cost [kost] |
| creep [krip] | crept [krept] | crept [krept] |
| cut [kʌt] | cut [kʌt] | cut [kʌt] |
| dare [deə(r)] | dared [deəd]<br>† durst [dɜst] | dared [deəd] |
| deal [dil] | dealt [delt] | dealt [delt] |
| dig [dɪg] | dug [dʌg] | dug [dʌg] |
| do [du] | did [dɪd] | done [dʌn] |
| draw [drɔ] | drew [dru] | drawn [drɔn] |
| dream [drim] | dreamt [dremt]<br>dreamed [drimd] | dreamt [dremt]<br>dreamed [drimd] |
| drink [drɪŋk] | drank [dræŋk] | drunk [drʌŋk]<br>drunken [`drʌŋkən] |
| drive [draɪv] | drove [drəuv] | driven [`drɪvn] |
| dwell [dwel] | dwelt [dwelt]<br>dwelled [dweld] | dwelt [dwelt]<br>dwelled [dweld] |
| eat [it] | ate [et, *am.* eɪt] | eaten [`itn] |
| fall [fɔl] | fell [fel] | fallen [`fɔlən] |
| feed [fid] | fed [fed] | fed [fed] |
| feel [fil] | felt [felt] | felt [felt] |
| fight [faɪt] | fought [fɔt] | fought [fɔt] |
| find [faɪnd] | found [faund] | found [faund] |
| flee [fli] | fled [fled] | fled [fled] |
| fling [flɪŋ] | flung [flʌŋ] | flung [flʌŋ] |
| fly [flaɪ] | flew [flu] | flown [fləun] |
| forbear [fə`beə(r)] | forbore [fɔ`bɔ(r)] | forborne [fɔ`bɔn] |
| forbid [fə`bɪd] | forbade [fə`beɪd]<br>forbad [fə`bæd] | forbidden [fə`bɪdn] |
| forget [fə`get] | forgot [fə`got] | forgotten [fə`gotn] |
| forgive [fə`gɪv] | forgave [fə`geɪv] | forgiven [fə`gɪvn] |

| Infinitive<br>Bezokolicznik | Past<br>Czas przeszły | Past Participle<br>Imiesłów czasu przeszłego |
|---|---|---|
| forsake [fə`seɪk] | forsook [fə`sʊk] | forsaken [fə`seɪkən] |
| freeze [friz] | froze [frəuz] | frozen [`frəuzn] |
| get [get] | got [got] | got [got]<br>† i *am.* gotten [`gotn] |
| gird [g3d] | girded [`g3dɪd]<br>girt [g3t] | girded [`g3dɪd]<br>girt [g3t] |
| give [gɪv] | gave [geɪv] | given [`gɪvn] |
| go [gəʊ] | went [went] | gone [gon] |
| grind [graɪnd] | ground [graʊnd] | ground [graʊnd] |
| grow [grəʊ] | grew [gru] | grown [grəun] |
| hang [hæŋ] | hung [hʌŋ]<br>hanged [hæŋd] | hung [hʌŋ]<br>hanged [hæŋd] |
| have [hæv] | had [hæd] | had [hæd] |
| hear [hɪə(r)] | heard [h3d] | heard [h3d] |
| heave [hiv] | heaved [hivd]<br>hove [həuv] | heaved [hivd]<br>hove [həuv] |
| hew [hju] | hewed [hjud] | hewn [hjun]<br>hewed [hjud] |
| hide [haɪd] | hid [hɪd] | hidden [`hɪdn]<br>hid [hɪd] |
| hit [hɪt] | hit [hɪt] | hit [hɪt] |
| hold [həuld] | held [held] | held [held] |
| hurt [h3t] | hurt [h3t] | hurt [h3t] |
| keep [kip] | kept [kept] | kept [kept] |
| kneel [nil] | knelt [nelt] | knelt [nelt] |
| knit [nɪt] | knit [nɪt]<br>knitted [`nɪtɪd] | knit [nɪt]<br>knitted [`nɪtɪd] |
| know [nəʊ] | knew [nju] | known [nəun] |
| lade [leɪd] | laded [`leɪdɪd] | laden [`leɪdn] |
| lay [leɪ] | laid [leɪd] | laid [leɪd] |
| lead [lid] | led [led] | led [led] |
| lean [lin] | leant [lent]<br>leaned [lind] | leant [lent]<br>leaned [lind] |
| leap [lip] | leapt [lept]<br>leaped [lipt, lept] | leapt [lept]<br>leaped [lipt, lept] |
| learn [l3n] | learnt [l3nt]<br>learned [l3nd] | learnt [l3nt]<br>learned [l3nd] |
| leave [liv] | left [left] | left [left] |
| lend [lend] | lent [lent] | lent [lent] |
| let [let] | let [let] | let [let] |
| lie [laɪ] | lay [leɪ] | lain [leɪn] |
| light [laɪt] | lighted [`laɪtɪd]<br>lit [lɪt] | lighted [`laɪtɪd]<br>lit [lɪt] |
| lose [luz] | lost [lost] | lost [lost] |
| make [meɪk] | made [meɪd] | made [meɪd] |
| mean [min] | meant [ment] | meant [ment] |
| meet [mit] | met [met] | met [met] |

| Infinitive<br>Bezokolicznik | Past<br>Czas przeszły | Past Participle<br>Imiesłów czasu przeszłego |
|---|---|---|
| mistake [mɪˋsteɪk] | mistook [mɪˋstuk] | mistaken [mɪˋsteɪkn] |
| mow [məu] | mowed [məud] | mown [məun], *am.* mowed [məud] |
| pay [peɪ] | paid [peɪd] | paid [peɪd] |
| put [put] | put [put] | put [put] |
| read [rid] | read [red] | read [red] |
| rend [rend] | rent [rent] | rent [rent] |
| rid [rɪd] | rid [rɪd]<br>ridded [ˋrɪdɪd] | rid [rɪd]<br>ridded [ˋrɪdɪd] |
| ride [raɪd] | rode [rəud] | ridden [ˋrɪdn] |
| ring [rɪŋ] | rang [ræŋ] | rung [rʌŋ] |
| rise [raɪz] | rose [rəuz] | risen [ˋrɪzn] |
| run [rʌn] | ran [ræn] | run [rʌn] |
| saw [sɔ] | sawed [sɔd] | sawn [sɔn]<br>sawed [sɔd] |
| say [seɪ] | said [sed] | said [sed] |
| see [si] | saw [sɔ] | seen [sin] |
| seek [sik] | sought [sɔt] | sought [sɔt] |
| sell [sel] | sold [səuld] | sold [səuld] |
| send [send] | sent [sent] | sent [sent] |
| set [set] | set [set] | set [set] |
| sew [səu] | sewed [səud] | sewed [səud]<br>sewn [səun] |
| shake [ʃeɪk] | shook [ʃuk] | shaken [ˋʃeɪkən] |
| shear [ʃɪə(r)] | sheared [ʃɪəd]<br>shore [ʃɔ(r)] | sheared [ʃɪəd]<br>shorn [ʃɔn] |
| shed [ʃed] | shed [ʃed] | shed [ʃed] |
| shine [ʃaɪn] | shone [ʃon] | shone [ʃon] |
| shoe [ʃu] | shod [ʃod] | shod [ʃod] |
| shoot [ʃut] | shot [ʃot] | shot [ʃot] |
| show [ʃəu] | showed [ʃəud] | shown [ʃəun]<br>showed [ʃəud] |
| shrink [ʃrɪŋk] | shrank [ʃræŋk] | shrunk [ʃrʌŋk] |
| shrive [ʃraɪv] | shrived [ʃraɪvd]<br>shrove [ʃrəuv] | shrived [ʃraɪvd]<br>shriven [ˋʃrɪvn] |
| shut [ʃʌt] | shut [ʃʌt] | shut [ʃʌt] |
| sing [sɪŋ] | sang [sæŋ] | sung [sʌŋ] |
| sink [sɪŋk] | sank [sæŋk] | sunk [sʌŋk] |
| sit [sit] | sat [sæt] | sat [sæt] |
| slay [sleɪ] | slew [slu] | slain [sleɪn] |
| sleep [slip] | slept [slept] | slept [slept] |
| slide [slaɪd] | slid [slɪd] | slid [slɪd]<br>slidden [ˋslɪdn] |
| sling [slɪŋ] | slung [slʌŋ] | slung [slʌŋ] |
| slink [slɪŋk] | slunk [slʌŋk] | slunk [slʌŋk] |
| slit [slɪt] | slit [slɪt] | slit [slɪt] |

| Infinitive<br>Bezokolicznik | Past<br>Czas przeszły | Past Participle<br>Imiesłów czasu przeszłego |
|---|---|---|
| smell [smel] | smelt [smelt]<br>smelled [smeld] | smelt [smelt]<br>smelled [smeld] |
| smite [smaɪt] | smitten [ˋsmɪtn] | smote [sməut] |
| sow [səu] | sown [səun]<br>sowed [səud] | sowed [səud] |
| speak [spik] | spoken [ˋspəukən] | spoke [spəuk] |
| speed [spid] | sped [sped]<br>speeded [ˋspidɪd] | sped [sped]<br>speeded [ˋspidɪd] |
| spell [spel] | spelt [spelt]<br>spelled [speld] | spelt [spelt]<br>spelled [speld] |
| spend [spend] | spent [spent] | spent [spent] |
| spill [spɪl] | spilt [spɪlt]<br>spilled [spɪld] | spilt [spɪlt]<br>spilled [spɪld] |
| spin [spɪn] | spun [spʌn]<br>span [spæn] | spun [spʌn] |
| spit [spɪt] | spit [spɪt]<br>spat [spæt] | spit [spɪt]<br>spat [spæt] |
| split [splɪt] | split [splɪt] | split [splɪt] |
| spoil [spɔɪl] | spoilt [spɔɪlt]<br>spoiled [spɔɪld] | spoilt [spɔɪlt]<br>spoiled [spɔɪld] |
| spread [spred] | spread [spred] | spread [spred] |
| spring [sprɪŋ] | sprung [sprʌŋ] | sprang [spræŋ]<br>sprung [sprʌŋ] |
| stand [stænd] | stood [stud] | stood [stud] |
| stave [steɪv] | staved [steɪvd]<br>stove [stəuv] | staved [steɪvd]<br>stove [stəuv] |
| steal [stil] | stole [stəul] | stolen [ˋstəulən] |
| stick [stɪk] | stuck [stʌk] | stuck [stʌk] |
| sting [stɪŋ] | stung [stʌŋ] | stung [stʌŋ] |
| stink [stɪŋk] | stunk [stʌŋk]<br>stank [stæŋk] | stunk [stʌŋk] |
| strew [stru] | strewed [strud] | strewn [strun]<br>strewed [strud] |
| stride [straɪd] | strode [strəud] | stridden [ˋstrɪdn] |
| strike [straɪk] | struck [strʌk] | struck [strʌk]<br>† stricken [ˋstrɪkən] |
| string [strɪŋ] | strung [strʌŋ]<br>† stringed [strɪŋd] | strung [strʌŋ]<br>† stringed [strɪŋd] |
| strive [straɪv] | strove [strəuv] | striven [ˋstrɪvn] |
| swear [sweə(r)] | swore [swɔ(r)] | sworn [swɔn] |
| sweep [swip] | swept [swept] | swept [swept] |
| swell [swel] | swelled [sweld] | swelled [sweld]<br>swollen [ˋswəulən] |
| swim [swɪm] | swam [swæm] | swum [swʌm]<br>† swam [swæm] |
| swing [swɪŋ] | swung [swʌŋ] | swung [swʌŋ] |
| take [teɪk] | took [tuk] | taken [ˋteɪkən] |

| Infinitive<br>Bezokolicznik | Past<br>Czas przeszły | Past Participle<br>Imiesłów czasu przeszłego |
|---|---|---|
| teach [titʃ] | taught [tɔt] | taught [tɔt] |
| tear [teə(r)] | tore [tɔ(r)] | torn [tɔn] |
| tell [tel] | told [təuld] | told [təuld] |
| think [θɪŋk] | thought [θɔt] | thought [θɔt] |
| thrive [θraɪv] | throve [θrəuv]<br>thrived [θraɪvd] | thriven [ˈθrɪvən]<br>thrived [θraɪvd] |
| throw [θrəu] | threw [θru] | thrown [θrəun] |
| thrust [θrʌst] | thrust [θrʌst] | thrust [θrʌst] |
| tread [tred] | trod [trod] | trodden [ˈtrodn]<br>trod [trod] |
| understand [ˈʌndə-ˈstænd] | understood [ˈʌndəˈstud] | understood [ˈʌndəˈstud] |
| wake [weɪk] | woke [wəuk]<br>waked [weɪkt] | woken [ˈwəukən]<br>waked [weɪkt] |
| wear [weə(r)] | wore [wɔ(r)] | worn [wɔn] |
| weave [wiv] | wove [wəuv] | woven [ˈwəuvn]<br>wove [wəuv] |
| weep [wip] | wept [wept] | wept [wept] |
| win [wɪn] | won [wʌn] | won [wʌn] |
| wind [waɪnd] | wound [waund] | wound [waund] |
| wring [rɪŋ] | wrung [rʌŋ] | wrung [rʌŋ] |
| write [raɪt] | wrote [rəut] | written [ˈrɪtn] |

# GEOGRAPHICAL NAMES

# NAZWY GEOGRAFICZNE*

**Aden** [ˋeɪdn] Aden
**Adriatic** [ˊeɪdrɪˋætɪk] Adriatyk; **Adriatic Sea** [ˊeɪdrɪˋætɪk ˋsi] Morze Adriatyckie
**Afghanistan** [æfˊgænɪˋstæn] Afganistan
**Africa** [ˋæfrɪkə] Afryka
**Alabama** [ˊæləˋbæmə] Alabama
**Alaska** [əˋlæskə] Alaska
**Albania** [ælˋbeɪnɪə] Albania; **People's Socialist Republic of Albania** [ˊpiplz ˊsəuʃlɪst riˋpʌblɪk əv ælˋbeɪnɪə] Ludowa Socjalistyczna Republika Albanii
**Algeria** [ælˋdʒɪərɪə] Algieria (*kraj*)
**Algiers** [ælˋdʒɪəz] Algier (*miasto*)
**Alps** [ælps] Alpy
**Amazon** [ˋæməzn] Amazonka
**America** [əˋmerɪkə] Ameryka
**Amsterdam** [ˋæmstədæm] Amsterdam
**Andes** [ˋændiz] Andy
**Ankara** [ˋæŋkərə] Ankara
**Antarctic** [ænˋtɑktɪk], **Antarctic Continent** [ˋkontɪnənt] Antarktyda
**Antilles** [ænˋtɪliz] Antyle
**Appenines** [ˋæpɪnaɪnz] Apeniny
**Arabian Sea** [əˋreɪbɪən si] Morze Arabskie
**Arctic** [ˋɑktɪk] Arktyka; **Arctic Ocean** [ˋɑktɪk əuʃn] Ocean Lodowaty Północny, Morze Arktyczne
**Argentina** [ˋɑdʒənˋtinə] Argentyna
**Arizona** [ˊærɪˋzəunə] Arizona
**Arkansas** [ˋɑkənsɔ] Arkansas
**Athens** [ˋæθnz] Ateny
**Atlantic, Atlantic Ocean** [ətˋlæntɪk əuʃn] Atlantyk, Ocean Atlantycki
**Atlas Mts** [ˋætləs mɑuntɪnz] góry Atlas
**Auckland** [ˋɔklənd] Auckland
**Australia** [oˋstreɪlɪə] Australia
**Austria** [ˋostrɪə] Austria
**Azerbaijan** [ɑˊzɜbɑɪˋdʒɑn] Azerbejdżan
**Azores** [əˋzɔz] Azory

**Baghdad, Bagdad** [bægˋdæd] Bagdad
**Balkans** [ˋbɔlkənz] Bałkany; **Balkan Peninsula** [ˋbɔlkən pənɪnsjulə] Półwysep Bałkański
**Baltic** [ˋbɔltɪk] Bałtyk; **Baltic Sea** [ˋbɔltɪk si] Morze Bałtyckie
**Bangladesh** [ˊbængləˋdeʃ] Bangladesz
**Barents Sea** [ˋbɑrents si] Morze Barentsa
**Bath** [bɑθ] Bath
**Beirut** [beɪˋrut] Bejrut
**Belfast** [ˋbelfɑst] Belfast
**Belgium** [ˋbeldʒəm] Belgia
**Belgrade** [ˊbelˋgreɪd] Belgrad
**Bengal** [beŋˋgɔl] Bengalia
**Bering Sea** [ˋberɪŋ si] Morze Beringa; **Bering Strait** [ˋberɪŋ strɜɪt] Cieśnina Beringa
**Berlin** [bɜˋlɪn] Berlin; **West Berlin** [ˊwest bɜˋlɪn] Berlin Zachodni

---

* *Uwaga: skróty* „Ils" *i* „Mts" *odpowiadają wyrazom* „Islands" i „Mountains".

**Bern, Berne** [bɜn] Berno
**Birmingham** [ˈbɜmɪŋəm] Birmingham
**Black Sea** [ˈblæk si] Morze Czarne
**Bolivia** [bəˈlɪvɪə] Boliwia
**Bombay** [bomˈbeɪ] Bombaj
**Bonn** [bon] Bonn
**Borneo** [ˈbɔnɪəʊ] Borneo
**Bosphorus** [ˈbosfərəs], **Bosporus** [ˈbospərəs] Bosfor
**Boston** [ˈbostən] Boston
**Brazil** [brəˈzɪl] Brazylia
**Brighton** [ˈbraɪtn] Brighton
**Britain** = **Great Britain**
**British Columbia** [ˈbrɪtɪʃ kəˈlʌmbɪə] Kolumbia Brytyjska
**British Commonwealth (of Nations)** [ˈbrɪtɪʃ ˈkomənwelθ (əv neɪʃənz)] Brytyjska Wspólnota Narodów
**Brooklyn** [ˈbruklɪn] Brooklyn
**Brussels** [ˈbrʌslz] Bruksela
**Bucharest** [ˈbjukəˈrest] Bukareszt
**Buckingham** [ˈbʌkɪŋəm] Buckingham
**Budapest** [ˈbjudəˈpest] Budapeszt
**Buenos Aires** [ˈbweɪnəs ˈeəriz] Buenos Aires
**Bulgaria** [bʌlˈgeərɪə] Bułgaria; **People's Republic of Bulgaria** [ˈpiplz rɪˈpʌblɪk əv bʌlˈgeərɪə] Ludowa Republika Bułgarii
**Burma** [ˈbɜmə] Birma

**Cairo** [ˈkaɪərəʊ] Kair
**Calcutta** [kælˈkʌtə] Kalkuta
**California** [ˈkælɪˈfɔnɪə] Kalifornia
**Cambodia** [kæmˈbəudɪə] Kambodża
**Cambridge** [ˈkeɪmbrɪdʒ] Cambridge
**Canada** [ˈkænədə] Kanada
**Canary Ils** [kəˈneərɪ ɑɪləndz] Wyspy Kanaryjskie
**Canberra** [ˈkænbərə] Canberra
**Capetown, Cape Town** [ˈkeɪptaun] Kapsztad, Capetown
**Cardiff** [ˈkɑdɪf] Cardiff
**Caribbean Sea** [ˈkærɪˈbɪən si] Morze Karaibskie
**Carpathians** [kɑˈpeɪθɪənz], **Carpathian Mts** [kɑˈpeɪθɪən mɑuntɪnz] Karpaty
**Caspian Sea** [ˈkæspɪən si] Morze Kaspijskie
**Caucasus, the** [ˈkɔkəsəs] Kaukaz
**Celebes** [səˈlibiz] Celebes
**Ceylon** [sɪˈlon] Cejlon
**Channel Ils** [ˈtʃænl ɑɪləndz] Wyspy Normandzkie
**Chelsea** [ˈtʃelsi] Chelsea (w Londynie)
**Chicago** [ʃɪˈkɑgəʊ] Chicago
**Chile** [ˈtʃɪlɪ] Chile
**China** [ˈtʃɑɪnə] Chiny; **Chinese People's Republic** [tʃaɪˈniz ˈpiplz rɪˈpʌblɪk] Chińska Republika Ludowa
**Cleveland** [ˈklivlənd] Cleveland
**Colorado** [ˈkoləˈrɑdəʊ] Kolorado
**Columbia** [kəˈlʌmbɪə] Kolumbia
**Congo** [ˈkoŋgəʊ] Kongo
**Connecticut** [kəˈnetɪkət] Connecticut
**Constantinople** [ˈkonstəntɪˈnəupl] *hist.* Konstantynopol, Stambuł
**Copenhagen** [ˈkəupnheɪgən] Kopenhaga
**Cordilleras** [ˈkɔdɪlˈjeərəz] Kordyliery
**Cornwall** [ˈkɔnwl] Kornwalia
**Corsica** [ˈkɔsɪkə] Korsyka
**Cracow** [ˈkrɑkəʊ] Kraków
**Crete** [krit] Kreta
**Crimea** [kraɪˈmɪə] Krym
**Cuba** [ˈkjubə] Kuba
**Cyprus** [ˈsaɪprəs] Cypr
**Czechoslovakia** [ˈtʃekəusləˈvækɪə] Czechosłowacja; **Socialist Republic of Czechoslovakia** [ˈsəuʃəlɪst rɪˈpʌblɪk əv ˈtʃekəusləˈvækɪə] Czechosłowacka Republika Socjalistyczna

**Damascus** [dəˈmæskəs] Damaszek
**Danube** [ˈdænjub] Dunaj
**Dardanelles** [ˈdɑdəˈnelz] Dardanele
**Delaware** [ˈdeləweə(r)] Delaware
**Delhi** [ˈdelɪ] Delhi
**Denmark** [ˈdenmɑk] Dania
**Djakarta** [dʒəˈkatə] Djakarta
**Dover** [ˈdəuvə(r)] Dover; **Strait of Dover** [ˈstreɪt əv ˈdəuvə(r)] Cieśnina Kaletańska
**Dublin** [ˈdʌblɪn] Dublin

**Edinburgh** [`ednbrə] Edynburg
**Egypt** [`idʒɪpt] Egipt
**Eire** [`eərə] Irlandia (Republika Irlandzka)
**England** [`ɪŋglənd] Anglia
**English Channel** [`ɪŋglɪʃ `tʃænl] kanał La Manche
**Erie** [`ɪəri] Erie
**Ethiopia** [ˌiθɪ`əupɪə] Etiopia
**Europe** [`juərəp] Europa
**Everest** [`evərɪst] Everest

**Federal Republic of Germany** [ˌfedṛl rɪˌpʌblɪk əv `dʒɜmənɪ] Republika Federalna Niemiec
**Finland** [`fɪnlənd] Finlandia
**Florida** [`florɪdə] Floryda
**France** [frans] Francja

**Geneva** [dʒɪ`nivə] Genewa
**Georgia** [`dʒɔdʒə] Georgia
**German Democratic Republic** [ˌdʒɜmən deməˌkrætɪk rɪ`pʌblɪk] Niemiecka Republika Demokratyczna
**Gibraltar** [dʒɪ`brɔltə(r)] Gibraltar
**Glasgow** [`glazgəu] Glasgow
**Great Britain** [ˌgreɪt `brɪtn] Wielka Brytania
**Greece** [gris] Grecja
**Greenland** [`grinlənd] Grenlandia
**Greenwich** [`grɪnɪdʒ] Greenwich
**Guinea** [`gɪnɪ] Gwinea

**Hague, the** [heɪg] Haga
**Haiti** [`heɪtɪ] Haiti
**Hanoi** [hæ`nɔɪ] Hanoi
**Havana** [hə`vænə] Hawana
**Hawaii** [hə`waɪi], **Hawaiian Ils** [hə`waɪən aɪləndz] Hawaje, Wyspy Hawajskie
**Hebrides** [`hebrədiz] Hebrydy
**Helsinki** [`helsɪŋkɪ] Helsinki
**Himalayas** [ˌhɪmə`leɪəz] Himalaje
**Hiroshima** [ˌhɪrə`ʃimə] Hiroszima
**Holland** [`holənd] Holandia
**Houston** [`hjustən] Houston
**Hudson Bay** [`hʌdsn beɪ] Zatoka Hudsona
**Hull** [hʌl] Hull
**Hungary** [`hʌŋgərɪ] Węgry; **Hungarian People's Republic** [hʌŋˌgeərɪən ˌpiplz rɪ`pʌblɪk] Węgierska Republika Ludowa

**Iceland** [`aɪslənd] Islandia
**Idaho** [`aɪdəhəu] Idaho
**Illinois** [ˌɪlɪ`nɔɪ] Illinois
**India** [`ɪndɪə] Indie (*państwo*); Półwysep Indyjski
**Indiana** [ˌɪndɪ`ænə] Indiana
**Indian Ocean** [`ɪndɪən əuʃn] Ocean Indyjski
**Indonesia** [ˌɪndə`nizɪə] Indonezja
**Iowa** [`aɪəwə] Iowa
**Iran** [ɪ`ran] Iran
**Iraq** [ɪ`rak] Irak
**Ireland** [`aɪələnd] Irlandia
**Israel** [`ɪzreɪl] Izrael
**Italy** [`ɪtəlɪ] Włochy

**Jamaica** [dʒə`meɪkə] Jamajka
**Japan** [dʒə`pæn] Japonia
**Java** [`dʒavə] Jawa
**Jerusalem** [dʒə`rusələm] Jerozolima
**Jordan** [`dʒɔdn] Jordan; Jordania
**Jugoslavia** = **Yugoslavia**

**Kansas** [`kænzəs] Kansas
**Kentucky** [ken`tʌkɪ] Kentucky
**Korea** [kə`rɪə] Korea; **Democratic People's Republic of Korea** [deməˌkrætɪk ˌpiplz rɪˌpʌblɪk əv kə`rɪə] Koreańska Republika Ludowo-Demokratyczna; **South Korea** [ˌsauθ kə`rɪə] Korea Południowa

**Labrador** [`læbrədo(r)] Labrador
**Laos** [`la-us] Laos
**Lebanon** [`lebənən] Liban
**Leeds** [lidz] Leeds
**Leicester** [`lestə(r)] Leicester
**Leningrad** [`lenɪngræd] Leningrad
**Libya** [`lɪbɪə] Libia
**Lisbon** [`lɪzbən] Lizbona
**Liverpool** [`lɪvəpul] Liverpool
**London** [`lʌndən] Londyn
**Londonderry** [ˌlʌndən`derɪ] Londonderry
**Los Angeles** [ˌlos ændʒəliz] Los Angeles

**Luisiana** [lu'izɪ`ænə] Luisiana
**Luxemburg** [`lʌksmbɜg] Luksemburg

**Madagascar** ['mædə`gæskə(r)] Madagaskar
**Madrid** [mə`drɪd] Madryt
**Magellan** [mə`gelən], **Strait of Magellan** ['streɪt əv mə`gelən] Cieśnina Magellana
**Maine** [meɪn] Maine
**Malay Archipelago** [mə'leɪ ɑkɪ`pel ɪgəu] Archipelag Malajski
**Malay Peninsula** [mə'leɪ pɪ`nɪnsjulə] Półwysep Malajski
**Malaysia** [mə`leɪzɪə] Malezja
**Manchester** [`mæntʃɪstə(r)] Manchester
**Manitoba** ['mænɪ`təubə] Manitoba
**Maryland** [`meərɪlænd] Maryland
**Massachusetts** ['mæsə`tʃusɪts] Massachussets
**Mediterranean Sea** ['medɪtə`reɪnɪən si] Morze Śródziemne
**Melanesia** ['melə`nizɪə] Melanezja
**Melbourne** [`melbən] Melbourne
**Mexico** [`meksɪkəu] Meksyk
**Miami** [mɑɪ`æmɪ] Miami
**Michigan** [`mɪʃɪgən] Michigan
**Minnesota** ['mɪnɪ`səutə] Minnesota
**Mississippi** ['mɪsɪ`sɪpɪ] Missisipi
**Missouri** [mɪ`zuərɪ] Missouri
**Mongolia** [moŋ`gəulɪə] Mongolia; **Mongolian People's Republic** [moŋ'gəulɪən 'piplz rɪ`pʌblɪk] Mongolska Republika Ludowa
**Montana** [mon`tænə] Montana
**Mont Blanc** ['mõ`blõ] Mont Blanc
**Montevideo** ['montɪvɪ`deɪəu] Montevideo
**Montreal** ['montrɪ`ɔl] Montreal
**Morocco** [mə`rokəu] Maroko
**Moscow** [`moskəu] Moskwa
**Munich** [`mjunɪk] Monachium

**Nebraska** [nɪ`bræskə] Nebraska
**Netherlands** [`neðələndz] Niderlandy, Holandia
**Nevada** [nɪ`vɑdə] Nevada
**New Delhi** ['nju`delɪ] Nowe Delhi
**Newfoundland** ['njufənd`lænd] Nowa Fundlandia
**New Guinea** ['nju `gɪnɪ] Nowa Gwinea
**New Hampshire** [nju `hæmpʃə(r)] New Hampshire
**New Jersey** [`nju `dʒ3zɪ] New Jersey
**New Mexico** [nju `meksɪkəu] Nowy Meksyk
**New Orleans** ['nju ɔ`lɪənz] Nowy Orlean
**New South Wales** ['nju sauθ `weɪlz] Nowa Południowa Walia
**New York** ['nju `jɔk] Nowy Jork
**New Zealand** ['nju `zilənd] Nowa Zelandia
**Niagara Falls** [nɑɪ`ægrə fɔlz] Wodospad Niagara
**Niger** [`nɑɪdʒə(r)] Niger
**Nigeria** [nɑɪ`dʒɪərɪə] Nigeria
**Nile** [nɑɪl] Nil
**North America** ['nɔθ ə`merɪkə] Ameryka Północna
**North Carolina** ['nɔθ 'kærə`lɑɪnə] Karolina Północna
**North Dakota** ['nɔθ də`kəutə] Dakota Północna
**Northern Ireland** ['nɔðən `ɑɪələnd] Irlandia Północna
**Northern Territory** ['nɔðən `terɪtərɪ] Terytorium Północne
**North Sea** [`nɔθ si] Morze Północne
**Norway** [`nɔweɪ] Norwegia
**Nova Scotia** ['nəuvə `skəuʃə] Nowa Szkocja

**Oder** [`əudə(r)] Odra
**Ohio** [əu`hɑɪəu] Ohio
**Oklahoma** ['əuklə`həumə] Oklahoma
**Ontario** [on`teərɪəu] Ontario
**Oregon** [`orɪgən] Oregon
**Oslo** [`ozləu] Oslo
**Ottawa** [`otəwə] Ottawa
**Oxford** [`oksfəd] Oksford, Oxford

**Pacific Ocean** [pə`sɪfɪk əuʃn] Pacyfik, Ocean Spokojny
**Pakistan** ['pɑkɪ`stɑn] Pakistan
**Panama** ['pænə`mɑ] Panama; **Panama Canal** ['pænə`mɑ kənæl] Kanał Panamski

**Paris** [ˋpærɪs] Paryż
**Peking** [ˈpiˋkɪŋ] Pekin
**Pennsylvania** [ˈpenslˋveɪnɪə] Pensylwania
**Persia** [ˋpɜʃə] Persja; **Persian Gulf** [ˋpɜʃən gʌlf] Zatoka Perska
**Peru** [pəˋru] Peru
**Philadelphia** [ˈfɪləˋdelfɪə] Filadelfia
**Philippines** [ˋfɪlɪpinz] Filipiny
**Plymouth** [ˋplɪməθ] Plymouth
**Poland** [ˋpəulənd] Polska; **Polish People's Republic** [ˈpəulɪʃ ˈpiplz rɪˋpʌblɪk] Polska Rzeczpospolita Ludowa
**Polynesia** [ˈpolɪˋnizɪə] Polinezja
**Portugal** [ˋpɔtʃugl] Portugalia
**Prague** [prɑg] Praga
**Pyrenees** [ˈpɪrəˋniz] Pireneje

**Quebec** [kwɪˋbek] Quebec
**Queensland** [ˋkwinzlənd] Queensland

**Reading** [ˋredɪŋ] Reading
**Red Sea** [ˋred si] Morze Czerwone
**Republic of South Africa** [rɪˋpʌblɪk əv ˈsɑuθ ˋæfrɪkə] Republika Południowej Afryki
**Reykjavik** [ˋreɪkɪəvik] Reykjavik
**Rhine** [raɪn] Ren
**Rhode Island** [ˋrəud ɑɪlənd] Rhode Island
**Rhodesia** [rəuˋdiʃə] Rodezja
**Rio de Janeiro** [ˈrɪəu dɪ dʒəˋneərəu] Rio de Janeiro
**Rockies** [ˋrokɪz], **Rocky Mts** [ˋrokɪ mɑuntɪnz] Góry Skaliste
**Rome** [rəum] Rzym
**Rumania** [ruˋmeɪnɪə] Rumunia; **Socialist Republic of Rumania** [ˈsəuʃəlɪst rɪˈpʌblɪk əv ruˋmeɪnɪə] Socjalistyczna Republika Rumunii
**Russia** [ˋrʌʃə] Rosja

**Sahara** [səˋhɑrə] Sahara
**Saigon** [saɪˋgon] Sajgon
**San Francisco** [ˈsæn frənˋsɪskəu] San Francisco
**Santiago** [ˈsæntɪˋɑgəu] Santiago
**Sardinia** [sɑˋdɪnɪə] Sardynia
**Saskatchewan** [səsˋkætʃəwən] Saskatchewan
**Saudi Arabia** [ˈsɑudɪ əˋreɪbɪə] Arabia Saudyjska
**Scandinavia** [ˈskændɪˋneɪvɪə] Skandynawia
**Scotland** [ˋskotlənd] Szkocja
**Seine** [seɪn] Sękwana
**Seoul** [səul] Seul
**Shanghai** [ʃæŋˋhɑɪ] Szanghaj
**Siam** [sɑɪˋæm] = **Thailand**
**Sicily** [ˋsɪslɪ] Sycylia
**Singapore** [ˈsɪŋgəˋpɔ(r)] Singapur
**Sofia** [ˋsəufɪə] Sofia
**South America** [ˈsɑuθ əˋmerɪkə] Ameryka Południowa
**Southampton** [sɑuˋθæmptən] Southampton
**South Australia** [ˈsɑuθ ɔsˋtreɪlɪə] Australia Południowa
**South Carolina** [ˈsɑuθ ˈkærəˋlɑɪnə] Karolina Południowa
**South Dakota** [ˈsɑuθ dəˋkəutə] Dakota Południowa
**Southern Yemen** [ˈsʌðɜn jemən] Jemen Południowy
**Spain** [speɪn] Hiszpania
**Stamboul** [stæmˋbul] Stambuł
**Stockholm** [ˋstokhəum] Sztokholm
**Sudan** [suˋdæn] Sudan
**Suez** [ˋsuɪz] Suez; **Suez Canal** [ˋsuɪz kənæl] Kanał Sueski
**Sumatra** [suˋmɑtrə] Sumatra
**Sweden** [ˋswidn] Szwecja
**Switzerland** [ˋswɪtsələnd] Szwajcaria
**Sydney** [ˋsɪdnɪ] Sydney
**Syria** [ˋsɪrɪə] Syria

**Taiwan** [ˋtɑɪwɑn] Taiwan
**Tatra Mts** [ˋtætrə mɑuntɪnz] Tatry
**Teheran** [teəˋrɑn] Teheran
**Tel-Aviv** [ˋteləviv] Tel-Awiw
**Tennessee** [ˈtenəˋsi] Tennessee
**Texas** [ˋteksəs] Teksas
**Thailand** [ˋtɑɪlænd] Tajlandia; *hist.* Syjam
**Thames** [temz] Tamiza
**Tiber** [ˋtɑɪbə(r)] Tyber
**Tibet** [tɪˋbet] Tybet
**Tirana** [tɪˋrɑnə] Tirana

**Tokyo** [ˋtəukɪəu] Tokio
**Toronto** [təˋrontəu] Toronto
**Tunis** [ˋtjunɪs] Tunis (*miasto*)
**Tunisia** [tjuˋnɪzɪə] Tunezja (*kraj*)
**Turkey** [ˋtɜkɪ] Turcja

**Ulan-Bator** [ˈulɑn bɑtɔ(r)] Ułan Bator
**Ulster** [ˋʌlstə(r)] Ulster
**Union of Soviet Socialist Republics** [ˈjunɪən əv ˈsəuvɪət ˈsəuʃəlɪst rɪˋpʌblɪks] Związek Socjalistycznych Republik Radzieckich
**United Kingdom of Great Britain and Northern Ireland** [juˈnaɪtɪd ˈkɪŋdəm əv ˈgreɪt ˋbrɪtən ənd ˈnɔðən ˋaɪələnd] Zjednoczone Królestwo Wielkiej Brytanii i Północnej Irlandii
**United States of America** [juˈnaɪtɪd ˈsteɪts əv əˋmerɪkə] Stany Zjednoczone Ameryki
**Ural** [ˋjuərəl] Ural
**Uruguay** [ˋjuərəgwaɪ] Urugwaj
**Utah** [ˋjutə] Utah

**Venezuela** [ˈvenɪˋzweɪlə] Wenezuela
**Venice** [ˋvenɪs] Wenecja
**Vermont** [vəˋmont] Vermont
**Victoria** [vɪkˋtɔrɪə] Wiktoria
**Vienna** [vɪˋenə] Wiedeń
**Vietnam** [vɪətˋnæm] Wietnam; **Socialist Republic of Vietnam** [ˋsəuʃəlɪst rɪˈpʌblɪk əv vɪətˋnæm] Socjalistyczna Republika Wietnamu
**Virginia** [vəˋdʒɪnɪə] Wirginia
**Vistula** [ˋvɪstʃulə] Wisła
**Volga** [ˋvolgə] Wołga

**Wales** [weɪlz] Walia
**Warsaw** [ˋwɔsɔ] Warszawa
**Washington** [ˋwoʃŋtən] Waszyngton
**Wellington** [ˋwelɪŋtən] Wellington
**Wembley** [ˋwemblɪ] Wembley
**West Virginia** [ˈwest vəˋdʒɪnɪə] Wirginia Zachodnia
**Wisconsin** [wɪsˋkonsɪn] Wisconsin
**Wyoming** [waɪˋəumɪŋ] Wyoming

**Yangtze-Kiang** [ˋjæŋtse kjɑŋ] Jangcy-ciang, Jangcy
**Yemen** [ˋjemən] Jemen
**Yugoslavia** [ˈjugəuˋslɑvɪə] Jugosławia; **Socialist Federative Republic of Yugoslavia** [ˈsəuʃəlɪst ˈfedərətɪv rɪˈpʌblɪk əv ˈjugəuˋslɑvɪə] Socjalistyczna Federacyjna Republika Jugosławii
**Yukon** [ˋjukon] Yukon

**Zaire** [zɑˋɪə(r)] Zair
**Zambia** [ˋzæmbɪə] Zambia

# A LIST OF PROPER NAMES
# SPIS IMION WŁASNYCH

**Abigail** [ˋæbɪgeɪl] Abigail
**Adam** [ˋædəm] Adam
**Adrian** [ˋeɪdrɪən] Adrian
**Agatha** [ˋægəθə] Agata
**Agnes** [ˋægnɪs] Agnieszka
**Alan** [ˋælən] Alan
**Alastair** [ˋæləstə(r)] Alastair
**Albert** [ˋælbət] Albert
**Alec, Alex** [ˋælɪk, ˋælɪks] *zdrob. od* **Alexander**
**Alexander** [ˌælɪgˋzandə(r)] Aleksander
**Alexandra** [ˌælɪgˋzandrə] Aleksandra
**Alfred** [ˋælfrɪd] Alfred
**Alice** [ˋælɪs] Alicja
**Alison** [ˋælɪsn] *zdrob. od* **Alice**
**Amanda** [əˋmændə] Amanda
**Amelia** [əˋmilɪə] Amelia
**Andrew** [ˋændru] Andrzej
**Andy** [ˋændɪ] *zdrob. od* **Andrew**
**Angus** [ˋæŋgəs] Angus
**Ann** [æn], **Anna** [ˋænə] Anna
**Anthony** [ˋæntənɪ] Antoni
**Archibald** [ˋatʃɪbɔld] Archibald
**Arnold** [ˋanld] Arnold
**Arthur** [ˋaθə(r)] Artur
**Audrey** [ˋɔdrɪ] Audrey

**Barbara** [ˋbabrə] Barbara
**Barry** [ˋbærɪ] Barry
**Bartholomew** [baˋθoləmju] Bartłomiej
**Basil** [ˋbæzl] Bazyli
**Beatrice** [ˋbɪətrɪs] Beatrycze, Beatriks
**Becky** [ˋbekɪ] *zdrob. od* **Rebecca**
**Belinda** [bəˋlɪndə] Belinda
**Ben** [ben] *zdrob. od* **Benjamin**
**Benjamin** [ˋbendʒəmɪn] Beniamin
**Bernard** [ˋbɜnəd] Bernard
**Bert** [bɜt] *zdrob. od* **Bertram, Albert, Gilbert, Herbert, Robert**
**Bertram** [ˋbɜtrəm] Bertram
**Beryl** [ˋberl] Beryl
**Betty** [ˋbetɪ] *zdrob. od* **Elisabeth**
**Bill** [bɪl] *zdrob. od* **William**
**Bob** [bob] *zdrob. od* **Robert**
**Brenda** [ˋbrendə] Brenda
**Brian, Bryan** [ˋbraɪən] Brian
**Bridget** [ˋbrɪdʒɪt] Brygida
**Bruce** [brus] Bruce

**Carol** [ˋkærl] *zdrob. od* **Caroline**
**Caroline** [ˋkærəlaɪn] Karolina
**Catherine** [ˋkæθrɪn] Katarzyna
**Cecil** [ˋsesl] Cecyl
**Cecilia** [səˋsɪlɪə], **Cecily** [ˋsesəlɪ] Cecylia
**Charles** [tʃalz] Karol
**Chris** [krɪs] *zdrob. od* **Christopher**
**Christina** [krɪˋstinə], **Christine** [ˋkrɪstin] Krystyna
**Christopher** [ˋkrɪstəfə(r)] Krzysztof
**Clara** [ˋkleərə], **Clare** [kleə(r)] Klara
**Clarence** [ˋklærəns] Clarence
**Clive** [klaɪv] Clive
**Colin** [ˋkolɪn] *zdrob. od* **Nicholas**
**Connie** [ˋkonɪ] *zdrob. od* **Constance**
**Constance** [ˋkonstəns] Konstancja
**Constantine** [ˋkonstəntaɪn] Konstanty
**Cynthia** [ˋsɪnθɪə] Cynthia
**Cyril** [ˋsɪrl] Cyryl

**Daisy** [ˋdeɪzɪ] Daisy
**Daniel** [ˋdænɪəl] Daniel
**Danny** [ˋdænɪ] *zdrob. od* **Daniel**

**Daphne** [ˈdæfnɪ] Dafne
**Dave** [deɪv] *zdrob. od* **David**
**David** [ˈdeɪvɪd] Dawid
**Deborah** [ˈdebərə] Debora
**Denis** [ˈdenɪs] Denis
**Derek** [ˈderɪk] Derek
**Diana** [daɪˈænə] Diana
**Dick** [dɪk] *zdrob. od* **Richard**
**Dinah** [ˈdaɪnə] Dinah
**Dolly** [ˈdolɪ] *zdrob. od* **Dorothy**
**Donald** [ˈdonld] Donald
**Dora** [ˈdɔrə] *zdrob. od* **Dorothy**
**Doris** [ˈdorɪs] *zdrob. od* **Dorothy**
**Dorothy** [ˈdorəθɪ] Dorota
**Douglas** [ˈdʌgləs] Douglas

**Edgar** [ˈedgə(r)] Edgar
**Edith** [ˈidɪθ] Edyta
**Edmund** [ˈedmənd] Edmund
**Edward** [ˈedwəd] Edward
**Eleanor** [ˈelɪnə(r)] Eleonora
**Elisabeth, Elizabeth** [ɪˈlɪzəbəθ] Elżbieta
**Emily** [ˈemǝlɪ] Emilia
**Eric** [ˈerɪk] Eryk
**Ernest** [ˈɜnɪst] Ernest
**Esther** [ˈestə(r)] Estera
**Ethel** [ˈeθəl] Ethel
**Eugene** [juˈdʒin] Eugeniusz
**Eve** [iv] Ewa
**Evelyn** [ˈivlɪn] Ewelina

**Fanny** [ˈfænɪ] *zdrob. od* **Frances**
**Felix** [ˈfilɪks] Feliks
**Florence** [ˈflorns] Florentyna
**Frances** [ˈfrɑnsɪs] Franciszka
**Frank** [fræŋk] Franciszek
**Frieda** [ˈfridə] *zdrob. od* **Winifred**

**Gabriel** [ˈgeɪbrɪəl] Gabriel
**Gay** [geɪ] Gay
**Gene** [dʒin] *zdrob. od* **Eugene**
**Geoffrey** [ˈdʒefrɪ] Geoffrey
**George** [dʒɔdʒ] Jerzy
**Georgie, Georgy** [ˈdʒɔdʒɪ] *zdrob. od* **George**
**Gerald** [ˈdʒerld] Gerald
**Gerard** [ˈdʒerəd] Gerard
**Gilbert** [ˈgɪlbət] Gilbert
**Giles** [dʒaɪlz] Giles, Idzi
**Gladys** [ˈglædɪs] Gladys
**Gloria** [ˈglɔrɪə] Gloria
**Gordon** [ˈgɔdn] Gordon
**Grace** [greɪs] Gracja
**Graham(e)** [ˈgreɪəm] Graham
**Gregory** [ˈgregərɪ] Grzegorz
**Guy** [gaɪ] Guy

**Harold** [ˈhærld] Harold
**Harriet** [ˈhærɪət] Henryka
**Harry** [ˈhærɪ] *zdrob. od* **Henry**
**Hazel** [ˈheɪzl] Hazel
**Helen** [ˈhelɪn], **Helena** [ˈhelənə] Helena
**Henry** [ˈhenrɪ] Henryk
**Herbert** [ˈhɜbət] Herbert
**Horace** [ˈhorɪs] Horacy
**Hugh** [hju] Hugo
**Ian** [ˈiən] *zdrob. od* **John**
**Irene** [aɪəˈrinɪ] Irena
**Isabel** [ˈɪzəbel] Izabela
**Ivan** [ˈaɪvən] *zdrob. od* **John**

**Jack** [dʒæk] *zdrob. od* **John**
**James** [dʒeɪmz] Jakub
**Jane** [dʒeɪn] Janina
**Janet** [ˈdʒænɪt] *zdrob. od* **Jane**
**Jean** [dʒin] *zdrob. od* **Joan**
**Jen(n)ifer** [ˈdʒenɪfə(r)] Jennifer
**Jenny** [ˈdʒenɪ] *zdrob. od* **Jane**
**Jessica** [ˈdʒesɪkə] Jessica
**Jessie** [ˈdʒesɪ] *zdrob. od* **Jessica**
**Jill** [dʒɪl] *zdrob. od* **Julia**
**Jim** [dʒɪm] *zdrob. od* **James**
**Joan** [dʒəun], **Joanna** [dʒəuˈænə] Joanna
**Jocelyn** [ˈdʒoslɪn] Jocelyn
**Joe** [dʒəu] *zdrob. od* **Joseph**
**John** [dʒon] Jan
**Johnny** [ˈdʒonɪ] *zdrob. od* **John**
**Jonathan** [ˈdʒonəθən] Jonatan
**Joseph** [ˈdʒəuzɪf] Józef
**Josephine** [ˈdʒəuzɪfin] Józefina
**Joy** [dʒɔɪ] Joy
**Joyce** [dʒɔɪs] Joyce
**Judith** [ˈdʒudɪθ] Judyta
**Judy** [ˈdʒudɪ] *zdrob. od* **Judith**
**Julia** [ˈdʒulɪə] Julia
**Julian** [ˈdʒulɪən] Julian
**Juliet** [ˈdʒulɪət] *zdrob. od* **Julia**
**June** [dʒun] June

**Kate** [keɪt] *zdrob. od* **Catherine**
**Katherine** = **Catherine**

**Kathleen** [ˋkæθlin] *zdrob. od* **Catherine**
**Keith** [kiθ] Keith
**Kenneth** [ˋkenɪθ] Kenneth
**Kit** [kɪt] *zdrob. od* **Christopher**
**Kitty** [ˋkɪtɪ] *zdrob. od* **Catherine**

**Larry** [ˋlærɪ] *zdrob. od* **Laurence**
**Laura** [ˋlɔrə] Laura
**Laurence, Lawrence** [ˋlorns] Laurenty, Wawrzyniec
**Leonard** [ˋlenəd] Leonard
**Leslie, Lesley** [ˋlezlɪ] Leslie
**Lewis** [ˋluɪs] Leon
**Lil(l)ian** [ˋlɪlɪən] Liliana
**Linda** [ˋlɪndə] Linda
**Lionel** [ˋlɑɪənl] Lionel
**Lisa, Liza** [ˋlɑɪzə], **Liz** [lɪz] *zdrob. od* **Elisabeth**
**Lucy** [ˋlusɪ] Łucja
**Luke** [luk] Łukasz
**Lydia** [ˋlɪdɪə] Lidia

**Mabel** [ˋmeɪbl] Mabel
**Magdalene** [ˋmægdəlin] Magdalena
**Margaret** [ˋmɑgrət] Małgorzata
**Maria** [məˋrɪə] Maria
**Marjorie, Marjory** [ˋmɑdʒərɪ] *zdrob. od* **Margaret**
**Mark** [mɑk] Marek
**Martha** [ˋmɑθə] Marta
**Martin** [ˋmɑtɪn] Marcin
**Mary** [ˋmeərɪ] Maria
**Matthew** [ˋmæθju] Mateusz
**Maud** [mɔd] Maud
**Michael** [ˋmɑɪkl] Michał
**Micky** [ˋmɪkɪ] *zdrob. od* **Michael**
**Mike** [mɑɪk] *zdrob. od* **Michael**
**Miles** [ˋmɑɪlz] Miles
**Moll** [mol], **Molly** [ˋmolɪ] *zdrob. od* **Mary**
**Muriel** [ˋmjuərɪəl] Muriel

**Nan** [næn], **Nancy** [ˋnænsɪ] *zdrob. od* **Ann**
**Ned** [ned] *zdrob. od* **Edgar, Edmund, Edward**
**Nell** [nel], **Nelly** [ˋnelɪ] *zdrob. od* **Eleonor, Helen**
**Nicholas** [ˋnɪkləs] Mikołaj
**Nick** [nɪk] *zdrob. od* **Nicholas**

**Oliver** [ˋolɪvə(r)] Oliwier
**Oscar** [ˋoskə(r)] Oskar
**Owen** [ˋəuən] Owen

**Pamela** [ˋpæmlə] Pamela
**Pat** [pæt] *zdrob. od* **Patrick**
**Patricia** [pəˋtrɪʃə] Patrycja
**Patrick** [ˋpætrɪk] Patrycy
**Paul** [pɔl] Paweł
**Pauline** [pɔˋlin] Paulina
**Pearl** [pɜl] Pearl
**Peggy** [ˋpegɪ] *zdrob. od* **Margaret**
**Penelope** [pəˋneləpɪ] Penelopa
**Peter** [ˋpitə(r)] Piotr
**Phil** [fɪl] *zdrob. od* **Philip**
**Philip** [ˋfɪlɪp] Filip
**Polly** [ˋpolɪ] *zdrob. od* **Mary**
**Prudence** [ˋprudəns] Prudence

**Quentin** [ˋkwentɪn] Quentin

**Rachel** [ˋreɪtʃl] Rachela
**Ralph** [rælf] Ralf
**Ray** [reɪ] *zdrob. od* **Raymond**
**Raymond** [ˋreɪmənd] Rajmund
**Rebecca** [rəˋbekə] Rebeka
**Reginald** [ˋredʒɪnld] Reginald
**Richard** [ˋrɪtʃəd] Ryszard
**Rick** [rɪk] Rick
**Rob** [rob] *zdrob. od* **Robert**
**Robert** [ˋrobət] Robert
**Robin** [ˋrobɪn] *zdrob. od* **Robert**
**Roger** [ˋrodʒə(r)] Roger
**Roland** [ˋrəulənd] Roland
**Ronald** [ˋronld] Ronald
**Rose** [rəuz] Róża
**Rosemary** [ˋrəuzmərɪ] Rosemary
**Ruby** [ˋrubɪ] Ruby
**Ruth** [ruθ] Ruth

**Sally** [ˋsælɪ] *zdrob. od* **Sarah**
**Salomon** [ˋsoləmən] Salomon
**Sam** [sæm], **Sammy** [ˋsæmɪ] *zdrob. od* **Samuel**
**Samuel** [ˋsæmjuəl] Samuel
**Sandra** [ˋsændrə] *zdrob. od* **Alexandra**
**Sara(h)** [ˋseərə] Sara
**Sean** [ʃɔn] Jan
**Sheila** [ˋʃilə] Sheila
**Shirley** [ˋʃɜlɪ] Shirley
**Sidney** [ˋsɪdnɪ] Sidney

**Simon** [ˈsaɪmən] Szymon
**Sophia** [səˈfaɪə], **Sophie** [ˈsəʊfɪ] Zofia
**Stella** [ˈstelə] Stella
**Stephen** [ˈstivn] Stefan
**Steve** [stiv] *zdrob. od* **Stephen**
**Stewart** [ˈstjuət] Stewart
**Sue** [su] *zdrob. od* **Susan**
**Susan** [ˈsuzn] Zuzanna
**Sybil** [ˈsɪbl] Sybilla
**Sylvia** [ˈsɪlvɪə] Sylwia

**Ted** [ted] *zdrob. od* **Theodore, Edward**
**Terence** [ˈterns] Terence
**Teodore** [ˈθɪədɔ(r)] Teodor
**Teresa** [təˈreɪzə] Teresa
**Thomas** [ˈtoməs] Tomasz
**Timothy** [ˈtɪməθɪ] Tymoteusz
**Tom** [tom], **Tommy** [ˈtomɪ] *zdrob. od* **Thomas**
**Tony** [ˈtəunɪ] *zdrob. od* **Anthony**

**Ursula** [ˈɜsjulə] Urszula

**Valentine** [ˈvæləntaɪn] Walenty
**Vanessa** [vəˈnesə] Vanessa
**Veronica** [vəˈronɪkə] Weronika
**Victor** [ˈvɪktə(r)] Wiktor
**Victoria** [vɪkˈtɔrɪə] Wiktoria
**Vincent** [ˈvɪnsnt] Wincenty
**Viola** [ˈvaɪələ] Wioletta
**Virginia** [vəˈdʒɪnɪə] Wirginia
**Vivian, Vivien** [ˈvɪvɪən] Vivian, Vivien

**Wa(l)t** [wɔt] *zdrob. od* **Walter**
**Walter** [ˈwɔltə(r)] Walter
**Wendy** [ˈwendɪ] Wendy
**Will** [wɪl] *zdrob. od* **William**
**William** [ˈwɪlɪəm] Wilhelm
**Winifred** [ˈwɪnɪfrəd] Winifreda
**Winston** [ˈwɪnstən] Winston

**Yvonne** [ɪˈvon] Iwona

## A LIST OF ABBREVIATIONS IN COMMON USE

## SPIS NAJCZĘŚCIEJ UŻYWANYCH SKRÓTÓW

| | |
|---|---|
| **a/a** | **for account of** — na rachunek |
| **A.A.** | **Automobile Association** — Związek Automobilowy |
| **abbr., abbrev.** | **abbreviated** — skrócony; **abbreviation** — skrót, skrócenie |
| **ABC** | **atomic, biological and chemical (weapons)** — (broń) atomowa, biologiczna i chemiczna |
| **A.B.C.** | **the alphabet** — abecadło; **alphabethical train time-table** — alfabetyczny rozkład jazdy pociągów; **American Broadcasting Company** — Amerykańskie Radio |
| **A-bomb** | **atomic bomb** — bomba atomowa |
| **a/c; A/c, A/C** | **account/current** — *bank.* rachunek bieżący |
| **A.C.** | **ante Christum** *łac.* = **before Christ** — przed narodzeniem Chrystusa |
| **acc.** | **account** — rachunek |
| **A.D.** | **Anno Domini** *łac.* — w roku Pańskim, po narodzeniu Chrystusa, n.e. |
| **adm., Adm.** | **Administration** — administracja |
| **adv., advt** | **advertisement** — ogłoszenie |
| **Adv.** | **advance** — zaliczka; **advice** — awiz; **advised** — awizowany |
| **AEC** | **Atomic Energy Commission** — Komisja do spraw Energii Atomowej |
| **Afr.** | **Africa** — Afryka; **African** — afrykański |
| **aft.** | **afternoon** — popołudnie |
| **agr., agric.** | **agricultural** — rolny; **agriculture** — rolnictwo |
| **A.L.P.** | **Australian Labour Party** — Australijska Partia Pracy |
| **a.m.** | **ante meridiem** *łac.* = **before noon** — przed południem; **above mentioned** — wyżej wspomniany |
| **Am.** | **America** — Ameryka; **American** — amerykański |
| **A.M.** | **Artium Magister** — magister nauk humanistycznych |
| **A.P.** | **Associated Press** — amerykańska agencja prasowa |
| **Apr.** | **April** — kwiecień |
| **arr.** | **arrives** — przyjeżdża (*w rozkładzie jazdy pociągów itp.*) |
| **AR** | **Agency Reuter** — Agencja Reutera (*w Wielkiej Brytanii*) |
| **Ass., Assoc.** | **association** — stowarzyszenie, związek |
| **Asst** | **assistant** — asystent |
| **Att.** | **Attorney** — adwokat |
| **Austral.** | **Australian** — australijski |

| | |
|---|---|
| **Av., Ave** | **Avenue** — aleja, ulica |
| **avdp.** | **avoirdupois** — system wag handlowych |
| **b.** | **bachelor** — niższy od stopnia magistra naukowy stopień uniwersytecki, bakalaureus; **born** — urodzony |
| **B.A.** | **Bachelor of Arts** — bakalaureus nauk humanistycznych; **British Academy** — Akademia Brytyjska; **British Airways** — Brytyjskie Linie Lotnicze |
| **B.Agr(ic).** | **Bachelor of Agriculture** — bakalaureus rolnictwa |
| **b.b.b.** | **bed, breakfast and bath** — pokój ze śniadaniem i kąpielą |
| **B.B.C.** | **British Broadcasting Corporation** — Brytyjskie Radio |
| **B.C.** | **Before Christ** — przed Chrystusem; p.n.e.; **Bachelor of Chemistry** — bakalaureus chemii; **British Council** — Brytyjska Rada Wymiany Kulturalnej |
| **B.Com.** | **Bachelor of Commerce** — bakalaureus nauk ekonomicznych |
| **B.E.** | **Bachelor of Engineering** — bakalaureus nauk technicznych |
| **BEA, B.E.A.** | **British European Airways** — Brytyjskie Europejskie Linie Lotnicze |
| **B.Ed.** | **Bachelor of Education** — bakalaureus nauk pedagogicznych |
| **B/H** | **Bill of Health** — świadectwo zdrowia |
| **B.L.** | **Bachelor of Law** — bakalaureus prawa |
| **bldg, Bldg** | **building** — budynek |
| **B.Litt.** | **Bachelor of Letters** — bakalaureus literatury |
| **blvd, Blvd** | **boulevard** — bulwar |
| **B.M.** | **Bachelor of Medicine** — bakalaureus medycyny |
| **B.O.A.C.** | **British Overseas Airways Corporation** — Towarzystwo Brytyjskich Zamorskich Linii Lotniczych |
| **B.O.T.** | **Board of Trade** — Ministerstwo Handlu |
| **B.P.** | **Bachelor of Philosophy** — bakalaureus filozofii |
| **B.R.** | **British Railways** — Koleje Brytyjskie |
| **Brit.** | **Britain** — Wielka Brytania; **British** — brytyjski |
| **Bros** | **Brothers** — bracia |
| **B.Sc.** | **Bachelor of Science** — bakalaureus nauk matematyczno-przyrodniczych |
| **bush. (bu., bus.)** | **bushel** — buszel (*miara*) |
| **c.** | **cent; centime; central; chapter; circa** — cent; centym; centralny; rozdział; około |
| **Can.** | **Canada** — Kanada |
| **Care, CARE** | **Co-operative American Remittance for Europe** — Amerykańskie Spółdzielcze Towarzystwo Przesyłek do Europy |
| **c.c.** | **cubic centimetre** — centymetr sześcienny |
| **C.C.** | **Chamber of Commerce** — Izba Handlowa; **Consular Corps** — Korpus Konsularny; **Concentration Camp** — obóz koncentracyjny; **continuous current** — prąd stały |
| **cent.** | **century** — stulecie, wiek |
| **Cent.** | **centigrade** — stopień (*w skali Celsjusza*) |

| | |
|---|---|
| **cert.** | **certificate** — zaświadczenie |
| **c.g.s., C.G.S.** | **centimetre-gramme-second-system** — system metryczny centymetr-gram-sekunda |
| **c.h., C.H.** | **central heating** — centralne ogrzewanie |
| **C.H.** | **Custom House** — Urząd Celny |
| **ch., chap.** | **chapter** — rozdział |
| **C.I.** | **Channel Islands** — Wyspy Normandzkie |
| **C/I** | **Certificate of Insurance** — polisa ubezpieczeniowa |
| **CIA** | **Central Intelligence Agency** — Centralna Agencja Wywiadowcza (*w USA*) |
| **C.I.D.** | **Criminal Investigation Department** — Wydział Śledczy do spraw Kryminalnych (Scotland Yard) |
| **C.-in-C.** | **Commander-in-Chief** — naczelny wódz |
| **cit.** | **citation** — cytat |
| **C.J.** | **Chief Justice** — Prezes Sądu Najwyższego |
| **cm.** | **centimetre** — centymetr |
| **CMEA** | **Council for Mutual Economic Assistance** — Rada Wzajemnej Pomocy Gospodarczej |
| **CN** | **Commonwealth of Nations** — Wspólnota Narodów |
| **Co.** | **Company** — kompania; towarzystwo, spółka |
| **c/o** | **care of** — z listami ... (w adresie) |
| **C.O.** | **Commanding Officer** — dowódca |
| **C.O.D.** | **Concise Oxford Dictionary** — Oksfordzki Słownik Podręczny |
| **Coll.** | **College** — szkoła wyższa; szkoła średnia |
| **Comecon** | *zob.* **CMEA** |
| **Co.-op.** | **Co-operative Society** — spółdzielnia, towarzystwo spółdzielcze |
| **Corn.** | **Cornwall** — Kornwalia |
| **cp.** | **compare** — porównaj |
| **CP** | **Conservative and Unionist Party** — Partia Konserwatywna (*w Wielkiej Brytanii*) |
| **CPC** | **Communist Party of Canada** — Komunistyczna Partia Kanady |
| **C.P.S.U.** | **Communist Party of the Soviet Union** — Komunistyczna Partia Związku Radzieckiego |
| **C.P.U.S.** | **Communist Party of the United States** — Komunistyczna Partia Stanów Zjednoczonych |
| **cwt** | **hundredweight** — cetnar (*waga*) |
| **d.** | **penny** (*łac.* **denarius**); **died; date; daughter; degree** — pens; zmarł; data; córka; stopień |
| **D.** | **department; deputy; district; doctor** — departament; deputowany; okręg; doktor |
| **d.c.** | **direct current** *elektr.* prąd stały |
| **D.C.** | **District of Columbia** — Okręg Kolumbii (*obszar Kolumbii z Waszyngtonem, stolicą St. Zjednoczonych*) |
| **d-d** | **damned** — przeklęty |
| **Dec.** | **December** — grudzień |
| **deg.** | **degree** — stopień temperatury |
| **dep.** | **departs** — odjeżdża (*w rozkładzie jazdy pociągów itp.*) |
| **dept** | **department** — dział, oddział; *uniw.* katedra |

| | |
|---|---|
| **D.M.** | **Doctor of Medicine** — doktor medycyny |
| **doc.** | **doktor** |
| **dol. (dols)** | **dollar(s)** — dolar(y) |
| **doz.** | **dozen** — tuzin |
| **D.P.** | **Democratic Party** — Partia Demokratyczna (*w USA*) |
| **d.p.** | **displaced person** — wysiedlony uchodźca |
| **D.Phil.** | **Doctor of Philosophy** — doktor filozofii |
| **Dr** | **Doctor** — doktor |
| **D.Sc.** | **Doctor of Science** — doktor nauk przyrodniczych |
| **D.S.O.** | **Distinguished Service Order** — order za wybitne zasługi |
| **E.** | **East; England; English** — wschód, wschodni okręg pocztowy w Londynie; Anglia; angielski |
| **E.C.** | **East Central** — wschodni okręg pocztowy w śródmieściu Londynu |
| **EEC** | **European Economic Community** — Europejska Wspólnota Gospodarcza (EWG) |
| **E.F.T.A.** | **European Free Trade Association** — Europejskie Stowarzyszenie Wolnego Handlu |
| **e.g.** | **exempli gratia** *łac.* = **for example** — na przykład |
| **Eng., Engl.** | **England** — Anglia; **English** — angielski |
| **E.R.** | **Elizabeth Regina** *łac.* = **Queen Elizabeth** — Królowa Elżbieta |
| **Esq.** | **Esquire** — Wielmożny Pan (*tytuł w adresie, po nazwisku*) |
| **etc.** | **et cetera** *łac.* = **and so on** — i tak dalej |
| **EURATOM** | **European Atomic Energy Community** — Europejska Wspólnota Energii Atomowej |
| **eve.** | **evening** — wieczorem |
| **exc.** | **except** — z wyjątkiem |
| **ext.** | **extension (telephone)** — telefon wewnętrzny |
| **f.** | **foot, feet** — stopa, stopy; **franc** — frank |
| **F.A.** | **Football Association** — Związek Piłki Nożnej |
| **FAO, F.A.O.** | **Food and Agriculture Organization** — Organizacja do spraw Wyżywienia i Rolnictwa (ONZ) |
| **F.B.I.** | **Federal Bureau of Investigation** — *am.* Federalne Biuro Śledcze (*kontrwywiad USA*); **Federation of British Industries** *bryt.* — Związek Przemysłów Brytyjskich |
| **F.C.** | **Football Club** — Klub Piłki Nożnej |
| **Feb.** | **February** — luty |
| **F.I.F.A.** | **Fédération Internationale de Football Associations** *fr.* = **International Football Federation** — Międzynarodowa Federacja Związków Piłki Nożnej |
| **F.O.** | **Foreign Office** — Ministerstwo Spraw Zagranicznych (*w Wielkiej Brytanii*) |
| **fr.** | **franc(s)** — frank(i) |
| **Fr** | **Father** — ksiądz |
| **Fr.** | **French** — francuski |
| **Fr., Fahr.** | **Fahrenheit** — w skali Fahrenheita |
| **FRG, F.R.G.** | **Federal Republic of Germany** — Republika Federalna Niemiec |
| **Fri.** | **Friday** — piątek |

| | |
|---|---|
| **g.** | **gram(me)** — gram; **guinea** — gwinea (21 szylingów) |
| **G.A.** | **General Assembly** — Zgromadzenie Ogólne |
| **gal., gall.** | **gallon** — galon |
| **G.A.T.T.** | **General Agreement on Tariffs and Trade** — Układ Ogólny w sprawie Ceł i Handlu |
| **GB, G.B.** | **Great Britain** — Wielka Brytania |
| **GDR, G.D.R.** | **German Democratic Republic** — Niemiecka Republika Demokratyczna |
| **Ger.** | **German** — niemiecki |
| **G.H.Q.** | **General Headquarters** — główna kwatera |
| **G.I.** | **government issue** — „emisja rządowa" (*popularna nazwa żołnierza amerykańskiego*) |
| **G.M.T.** | **Greenwich Mean Time** — średni czas zachodnioeuropejski (Greenwich) |
| **gn(s)** | **guinea(s)** — gwinea, gwinee |
| **Gov., Govt.** | **Government** — rząd |
| **G.P.O.** | **General Post Office** — *bryt.* Główny Urząd Pocztowy |
| **G.S.** | **General Secretary** — Sekretarz Generalny |
| | |
| **h.** | **hour(s)** — godzina, godziny |
| **H** | **hard** — twardy (*ołówek o twardym graficie*) |
| **h. and c.** | **hot and cold (water)** — gorąca i zimna woda |
| **H.C.** | **House of Commons** — Izba Gmin |
| **Hi-Fi, hi-fi** | **high fidelity** — wysoka wierność (*odtwarzania*) |
| **H.L.** | **House of Lords** — Izba Lordów |
| **H.M.S.** | **His ⟨Her⟩ Majesty's Service** — w służbie Jego ⟨Jej⟩ Królewskiej Mości; **His ⟨Her⟩ Majesty's Ship** — okręt Jego ⟨Jej⟩ Królewskiej Mości |
| **H.O.** | **Home Office** — Ministerstwo Spraw Wewnętrznych (*w Wielkiej Brytanii*) |
| **hosp.** | **hospital** — szpital; szpitalny |
| **h.p., H.P.** | **horse power** — *techn.* koń mechaniczny |
| **H.P.** | **Houses of Parliament** — Parlament Brytyjski |
| **H.R.** | **House of Representatives** — *am.* Izba Reprezentantów |
| **H.R.H.** | **His ⟨Her⟩ Royal Highness** — Jego ⟨Jej⟩ Królewska Wysokość |
| | |
| **I.A.F.** | **International Automobile Federation** — Międzynarodowa Federacja Automobilowa |
| **ib., ibid.** | **ibidem** *łac.* = **in the same place** — tamże |
| **I.C.J.** | **International Court of Justice** — Międzynarodowy Trybunał Sprawiedliwości |
| **I.C.R.C.** | **International Committee of the Red Cross** — Międzynarodowy Komitet Czerwonego Krzyża |
| **id.** | **idem** *łac.* = **also, likewise** — (*o autorze*) tenże |
| **I.D.** | **Intelligence Department** — oddział wywiadowczy |
| **i.e.** | **id est** *łac.* = **that is** — to jest |
| **IMF** | **International Monetary Fund** — Międzynarodowy Fundusz Walutowy |
| **in.** | **inch** — cal |
| **inc.** | **incorporated** — zarejestrowany; *am.* (**~ company**) spółka akcyjna |

| | |
|---|---|
| **incl.** | **including** — włącznie |
| **I.N.S.** | **International News Service** — Międzynarodowa Agencja Informacyjna (*U.S.A.*) |
| **inst.** | **instant (of the current month)** — bieżącego miesiąca |
| **INTERPOL** | **International Criminal Police Commission** — Międzynarodowa Organizacja Policji Kryminalnej |
| **IOC** | **International Olympic Committee** — Międzynarodowy Komitet Olimpijski |
| **IOU** | **I owe you** — rewers, *dosł.* jestem ci winien |
| **I.Q.** | **Intelligence Quotient** — współczynnik inteligencji |
| **I.R.A.** | **Irish Republican Army** — Irlandzka Armia Republikańska |
| **I.R.C.** | **International Red Cross** — Międzynarodowy Czerwony Krzyż |
| **I.S.** | **Intelligence Service** — Tajna Służba Wywiadowcza |
| **I.S.C.** | **International Students' Council** — Międzynarodowa Rada Studencka |
| **I.T.A.** | **International Touring Alliance** — Międzynarodowy Związek Turystyczny |
| **I.T.V.** | **Independent Television** telewizja niezależna (*w W. Brytanii*) |
| **I.U.S.** | **International Union of Students** — Międzynarodowy Związek Studentów |
| **I.U.S.Y.** | **International Union of Socialist Youth** — Międzynarodowy Związek Młodzieży Socjalistycznej |
| **I.Y.H.F.** | **International Youth Hostel Federation** — Międzynarodowa Federacja Schronisk Młodzieżowych |
| **Jan.** | **January** — styczeń |
| **Jul.** | **July** — lipiec |
| **Jun.** | **June** — czerwiec |
| **jun., junr** | **junior** — junior |
| **kg.** | **kilogram** — kilogram |
| **K.K.K.** | **Ku-Klux-Klan** — tajna organizacja amerykańska (*skrajnie reakcyjna*) |
| **km.** | **kilometre** — kilometr |
| **k.o., K.O.** | **knock-out; knocked out** — nokaut; znokautowany |
| **kw., kW.** | **kilowatt** — kilowat |
| **l.** | **litre** — litr |
| **L., Lab.** | **Labour** — Partia Pracy; świat pracy |
| **L., £** | **libra** *łac.* = **sovereign, pound sterling** — suweren, funt szterling |
| **lb.** | **libra** *łac.* = **pound** — funt (*waga*) |
| **Lb.P.** | **Liberal Party** — Partia Liberalna (*w Wielkiej Brytanii*) |
| **Ld** | **limited** — ograniczony |
| **L.h., L.H.** | **left-hand** — lewy, lewostronny |
| **Lon., Lond.** | **London** — Londyn |
| **LP** | **longplay** — *muz.* płyta długogrająca |
| **L.P.** | **Labour Party** — Partia Pracy (*w Wielkiej Brytanii*) |

| | |
|---|---|
| L.P.A. | **Liberal Party of Australia** — Partia Liberalna Australii |
| Ltd | **Limited (Company)** — spółka (z ograniczoną odpowiedzialnością) |
| £.s.d., £.S.D. | **librae, solidi, denari** *łac.* = **pounds, shillings and pence** — funty, szylingi i pensy |
| | |
| m, m. | **metre** — metr; **mile** — mila |
| M.A. | **Master of Arts** — magister nauk humanistycznych |
| mar. | **maritime** — morski |
| Mar. | **March** — marzec |
| max. | **maximum** — maksimum |
| M.C. | **Member of Congress** — *am.* Członek Kongresu; **Military Cross** — Krzyż Wojenny |
| M.D. | **Medicinae Doctor** *łac.* = **Doctor of Medicine** — doktor medycyny |
| memo. | **memorandum** — memorandum |
| Messrs | **Messieurs** — Panowie |
| mg. | **milligram(s)** — miligram(y) |
| m.g. | **machine gun** — karabin maszynowy |
| M.G.M. | **Metro Goldwyn Mayer** — nazwa amerykańskiej wytwórni filmowej |
| M.O. | **money order** — przekaz pieniężny; **Medical Officer** — lekarz wojskowy |
| Mon. | **Monday** — poniedziałek |
| M.P. | **Member of Parliament** — członek parlamentu, poseł |
| m.p.h. | **miles per hour** — mil na godzinę |
| Mr | **Mister** — pan (*przed nazwiskiem*) |
| Mrs | **Mistress** — pani (*przed nazwiskiem*) |
| Ms., MS. | **manuscript** — rękopis |
| M/S, M.S. | **Motor Ship** — statek motorowy |
| M.Sc. | **Master of Science** — magister nauk matematyczno-przyrodniczych |
| Mt. | **mountain** — góra |
| | |
| N. | **North** — północ; północny okręg pocztowy w Londynie |
| NASA | **National Aeronautics and Space Administration** — Narodowa Agencja do spraw Aeronautyki i Przestrzeni Kosmicznej (*w U.S.A.*) |
| N.A.T.O. | **North Atlantic Treaty Organization** — Organizacja Paktu Północnego Atlantyku |
| NBC | **National Broadcasting Company** — Radio Amerykańskie |
| N.E. | **North East** — północny wschód; **New England** — Nowa Anglia |
| N.E.D. | **New English Dictionary** — Nowy Słownik Angielski (*wielki słownik oksfordzki*) |
| No. | **number** — liczba |
| Nov. | **November** — listopad |
| N.S.W. | **New South Wales** — Nowa Południowa Walia (*w Australii*) |

N.W. North-West — północny zachód; North-Western — północno-zachodni okręg pocztowy w Londynie

N.Y.(C) New York City — miasto Nowy Jork

N.Z. New Zealand — Nowa Zelandia

N.Z.L.P. New Zealand Labour Party — Partia Pracy Nowej Zelandii

N.Z.N.P. New Zealand National Party — Nowozelandzka Partia Narodowa

OAS Organization of American States — Organizacja Państw Amerykańskich

Oct. October — październik

O.E. Old English — język staroangielski

O.E.C.D. Organization for Economic Co-operation and Development — Organizacja Współpracy Gospodarczej i Rozwoju

O.E.D. Oxford English Dictionary — (Wielki) Słownik Oksfordzki Języka Angielskiego

O.H.M.S. On His ⟨Her⟩ Majesty's Service — w służbie Jego ⟨Jej⟩ Królewskiej Mości

O.K. Okay = all correct — wszystko w porządku, bardzo dobrze

oz, ozs ounce, ounces — uncja, uncje

p. page; pint — strona; pinta, kwarta (*miara*)

P. (car) park; pedestrian (crossing); police; post; president — postój; parking; przejście dla pieszych; policja; poczta; prezydent

p.c. postcard — karta pocztowa

P.E.N.(-Club) International Association of Poets, Playwrights, Essayists, Editors and Novelists — Pen Club, Międzynarodowy Związek Poetów, Dramaturgów, Eseistów, Wydawców i Powieściopisarzy

ph. per hour — na godzinę

Ph.D. Philosophiae Doctor *łac.* = Doctor of Philosophy — doktor filozofii

p.m. post meridiem *łac.* — po południu, po godz. 12 w południe, do północy

P.O. Post Office — urząd pocztowy; postal order — przekaz pocztowy

P.O.B. post-office box — skrzynka pocztowa

P.O.S.B. Post Office Savings Bank — Pocztowa Kasa Oszczędności

P.O.W. Prisoner of War — jeniec wojenny

pp. pages — stronice

prof., Prof. professor — profesor

prox. proximo *łac.* = next month — następnego miesiąca

p.s. per second — na sekundę

P.S. Police Sergeant; postscript — policjant; dopisek (*w liście*)

pt. pint — pinta, kwarta (*miara*)

P.T.O. please turn over — proszę odwrócić, verte

| | |
|---|---|
| **q., qr.** | **quarter; quarterly — kwartał; kwartalnik, kwartalny** |
| **Q.** | **Queen — królowa** |
| **qual.** | **quality — jakość** |
| **R.** | **River; Réaumur; Rex, Regina — rzeka; w skali Réaumura; król, królowa** |
| **R.A.** | **Royal Academy — Akademia Królewska** |
| **R.A.F.** | **Royal Air Force — Królewskie Lotnictwo Wojskowe** |
| **R.C.** | **Red Cross — Czerwony Krzyż; Roman Catholic — wyznania rzymskokatolickiego** |
| **R.C.A.** | **Radio Corporation of America — Radio Amerykańskie** |
| **rd, Rd** | **road — droga, ulica** |
| **reg., regd** | **registered — zarejestrowany, polecony** |
| **r.h.** | **right hand — prawy, prawostronny** |
| **R.N.** | **Royal Navy — Królewska Marynarka Wojenna** |
| **R.P.** | **Republican Party — Partia Republikańska (*w U.S.A.*)** |
| **R.R.** | **railroad — *am.* kolej** |
| **R.S.P.C.A.** | **Royal Society for the Prevention of Cruelty to Animals — Królewskie Towarzystwo Ochrony Zwierząt** |
| **Ry** | **railway — *bryt.* kolej** |
| **s.** | **second; shilling; singular; son — sekunda; szyling; pojedynczy; syn** |
| **S.** | **South — południe** |
| **$** | **dollar — dolar** |
| **S.A.** | **Salvation Army — Armia Zbawienia** |
| **SALT** | **Strategic Armaments Limitation Talks — Rokowania w sprawie Ograniczenia Zbrojeń Strategicznych** |
| **SAS** | **Scandinavian Airlines System — Skandynawskie Linie Lotnicze** |
| **Sat.** | **Saturday — sobota** |
| **sch.** | **school — szkoła** |
| **scil.** | **scilicet [ˈsailiset] *łac.* = namely — mianowicie** |
| **S.D.** | **State Department — ministerstwo spraw zagranicznych (*w U.S.A.*)** |
| **SE, S.E.** | **South-East — południowy wschód; South-Eastern — południowo-wschodni okręg pocztowy w Londynie** |
| **S.E.A.T.O.** | **South-east Asian Treaty Organization — Organizacja Paktu Południowo-Wschodniej Azji** |
| **Sec.** | **Secretary — sekretarz** |
| **Sep., Sept.** | **September — wrzesień** |
| **sh.** | **shilling(s) — szyling(i)** |
| **Soc.** | **society — towarzystwo** |
| **SOS, S.O.S.** | **save our souls — wezwanie pomocy (*na morzu*)** |
| **sq.** | **square — kwadrat, plac** |
| **Sr** | **Senior — senior** |
| **s/s, s.s.** | **steamship — statek parowy** |
| **St** | **Saint — święty; street — ulica** |
| **stg** | **sterling — szterling** |
| **Sov. Un.** | **Soviet Union — Związek Radziecki** |
| **Sun.** | **Sunday — niedziela** |

| | |
|---|---|
| **SW, S.W.** | **South-West** — południowy zachód; **South-western** — południowo-zachodni okręg pocztowy w Londynie |
| **syn.** | synonym — synonim |
| **t.** | ton — tona |
| **tel.** | telegram; telegraph; telephone — telegram; telegraf; telefon |
| **temp.** | temperature — temperatura |
| **Thurs.** | Thursday — czwartek |
| **t.m.** | trade mark — fabryczna marka ochronna |
| **T.U.** | Trade Union — związek zawodowy |
| **T.U.C.** | Trades Union Congress — Kongres Związków Zawodowych |
| **Tues.** | Tuesday — wtorek |
| **T.V.** | television — telewizja |
| **UEFA** | Union of European Football Associations — Unia Europejskich Związków Piłki Nożnej |
| **uhf, UHF, U.H.F.** | ultra-high frequency — fale ultrakrótkie (UKF) (*o dużych częstotliwościach drgań*) |
| **U.K.** | United Kingdom (of Great Britain and Northern Ireland) — Zjednoczone Królestwo (Wielkiej Brytanii i Irlandii Północnej) |
| **ult.** | ultimo *łac.* = last month — ostatniego miesiąca |
| **U.N.** | United Nations — Narody Zjednoczone |
| **U.N.E.S.C.O.** | United Nations Educational Scientific and Cultural Organization — Organizacja Narodów Zjednoczonych do spraw Nauki i Kultury |
| **UNGA** | United Nations General Assembly — Zgromadzenie Ogólne Narodów Zjednoczonych |
| **UNICEF** | United Nations Children's Fund — Fundusz Narodów Zjednoczonych Pomocy Dzieciom |
| **U.N.O.** | United Nations Organization — Organizacja Narodów Zjednoczonych |
| **U.N.R.R.A.** | United Nations Relief and Rehabilitation Administration — Organizacja Narodów Zjednoczonych do spraw Pomocy i Odbudowy |
| **U.P.** | United Press — *am.* Prasa Zjednoczona (*agencja prasowa*) |
| **U.P.I.** | United Press International — *am.* Zjednoczona Prasa Międzynarodowa (*agencja prasowa*) |
| **U.S.A.** | United States of America — Stany Zjednoczone Ameryki |
| **U.S.A.F.** | United States Air Force — Lotnictwo Wojskowe Stanów Zjednoczonych |
| **U.S.N.** | United States Navy — Marynarka Wojenna Stanów Zjednoczonych |
| **U.S.S.R.** | Union of Soviet Socialist Republics — Związek Socjalistycznych Republik Radzieckich |
| **usu.** | usually — zwykle |
| **v.** | versus *łac.* = against — przeciw; verse; volt; volume — wiersz; wolt; tom |

| | |
|---|---|
| V.-Day | Victory Day — Dzień Zwycięstwa |
| vet. | veterinary surgeon — weterynarz |
| v.g. | very good — bardzo dobry, bardzo dobrze |
| V.I.P. | Very Important Person — bardzo ważna osobistość |
| viz | videlicet *łac.* = namely — mianowicie |
| vol., vols | volume, volumes — tom, tomy |
| v.v. | vice versa [ˋvaɪsɪˋvɜsə] *łac.* — na odwrót |
| W. | Welsh — walijski; West — zachód; zachodni okręg pocztowy w Londynie |
| W.C. | West Central — zachodni okręg pocztowy w śródmieściu Londynu |
| w.c. | water closet — ustęp |
| W.C.P. | World Council of Peace — Światowa Rada Pokoju |
| Wed. | Wednesday — środa |
| W.F.D.Y. | World Federation of Democratic Youth — Światowa Federacja Młodzieży Demokratycznej |
| W.F.T.U. | World Federation of Trade Unions — Światowa Federacja Związków Zawodowych |
| W.H.O. | World Health Organization — Światowa Organizacja Zdrowia |
| wt | weight — ciężar, waga |
| Xmas | Christmas — Boże Narodzenie |
| y., yd | yard — jard |
| Y.H.A. | Youth Hostels Association — Stowarzyszenie Schronisk Młodzieżowych |
| Y.M.C.A. | Young Men's Christian Association — Chrześcijańskie Stowarzyszenie Młodzieży Męskiej |
| yr | year — rok; your — wasz |
| yrs | yours — wasz |
| Y.W.C.A. | Young Women's Christian Association — Chrześcijańskie Stowarzyszenie Młodzieży Żeńskiej |
| Z.G. | Zoological Gardens — Ogród Zoologiczny |
| zl. | zloty — złoty |

## MONEY
## PIENIĄDZE

### I. British Brytyjskie
**£1 (1 pound) = 100 p (100 pence)**

#### Notes Banknoty

**£ 20 — twenty pounds** ['twentɪ 'paundz]
**£ 10 — ten pounds** ['ten 'paundz]
**£ 5 — five pounds** ['faɪv 'paundz]
**£ 1 — a pound** [ə'paund]

#### Coins Monety

**50p — fifty pence** ['fɪftɪ 'pens]
**10p — ten pence** ['ten 'pens]
**5p — five pence** ['faɪv 'pens]
**2p — twopence** ['tʌpəns], **two pence** ['tu 'pens]
**1p — a penny** [ə'penɪ]
**1/2p — a halfpenny** [ə'heɪpnɪ], **half a penny** ['haf ə'penɪ]

### II. American (USA) Amerykańskie (St. Zjednoczone)
**$1 (1 dollar) = 100c (100 cents)**

#### Notes Banknoty

**$ 20 — twenty dollars** ['twentɪ 'doləz]
**$ 10 — ten dollars** ['ten 'doləz]
**$ 5 — five dollars** ['faɪv 'doləz]
**$ 1 — a dollar** [ə'dolə(r)]

#### Coins Monety

**50 c — half-dollar** ['haf dolə(r)]
**25 c — twenty five cents** ['twentɪ 'faɪv 'sents], *pot.* **a quarter** [ə 'kwɔtə(r)]
**10 c — ten cents** ['ten 'sents], *pot.* **a dime** [ə 'daɪm]
**5 c — five cents** ['faɪv 'sents], *pot.* **a nickel** [ə'nɪkl]
**1 c — a cent** [ə 'sent], *pot.* **a penny** [ə'penɪ]

## WEIGHTS AND MEASURES

## MIARY I WAGI

# I. British Brytyjskie

### a) Measures of length and surface
### Miary długości i powierzchni

| | |
|---|---|
| 1 mile [maɪl] = 1 760 yards [jɑdz] . . . . . . . . | 1 609,3 m |
| 1 yard [jɑd] = 3 feet [fit] . . . . . . . . . . | 91,44 cm |
| 1 foot [fʊt] = 12 inches [ˈɪntʃɪz] | 30,48 cm |
| 1 inch [ɪntʃ] . . . . . . . . . . . . . . . | 2,54 cm |
| 1 square [skweə(r)] mile = 640 acres [ˈeɪkəz] . . . . | 258,99 ha |
| 1 acre [ˈeɪkə(r)] = 4 840 square yards . . . . . . | 0,40 ha |
| 1 square yard = 9 square feet . . . . . . . . . | 0,836 m² |
| 1 square foot = 144 square inches . . . . . . . | 929 cm² |
| 1 square inch . . . . . . . . . . . . . . | 6,45 cm² |

### b) Measures of capacity
### Miary pojemności

| | |
|---|---|
| 1 quarter [ˈkwɔtə(r)] = 8 bushels [ˈbʊʃlz] . . . . . | 290,941 l |
| 1 bushel [ˈbʊʃl] = 8 gallons [ˈgælənz] . . . . . . | 36,368 l |
| 1 gallon [ˈgælən] = 4 quarts [kwɔts] . . . . . . . | 4,546 l |
| 1 quart [kwɔt] = 2 pints [paɪnts] . . . . . . . . | 1,136 l |
| 1 pint [paɪnt] . . . . . . . . . . . . . . | 0,568 l |

### c) Weights (avoirdupois)
### Wagi (handlowe, tzw. avoirdupois)

| | |
|---|---|
| 1 ton [tʌn] = 20 hundredweight [ˈhʌndrədweɪt] . . . . | 1 016,047 kg |
| 1 hundredweight [ˈhʌndrədweɪt] = 112 pounds [paʊndz] | 50,802 kg |
| 1 pound [paʊnd] = 16 ounces [ˈaʊnsɪz] . . . . . . | 453,59 g |
| 1 ounce [aʊns] = 16 drams [dræmz] . . . . . . . | 28,35 g |
| 1 dram [dræm] = 3 scruples [skruplz] . . . . . . . | 1,77 g |
| 1 scruple [skrupl] . . . . . . . . . . . . . | 0,59 g |
| 1 grain [greɪn] . . . . . . . . . . . . . . | 64,7989 mg |

Poza tym istnieją jeszcze następujące układy wag:

1) troy weight, używany w handlu kruszcami oraz
2) apothecaries weight, używany w aptekach. "Grain" we wszystkich powyższych układach jest identyczny.

## II. American Amerykańskie (U.S.A.)

### a) Measures of length and surface, as British
Miary długości i powierzchni — jak brytyjskie

### b) Measures of capacity
Miary pojemności

| | |
|---|---|
| 1 bushel [ˈbuʃl] = 8 gallons [ˈgælənz] . . . . . . . | 35,238 l |
| 1 gallon [ˈgælən] = 4 quarts [kwɔts] . . . . . . . | 3,785 l |
| 1 quart [kwɔt] = 2 pints [paɪnts] . . . . . . . . | 0,946 l |
| 1 pint [paɪnt] . . . . . . . . . . . . | 0,473 l |

### c) Weights (avoirdupois)
Wagi (handlowe, tzw. avoirdupois)

| | |
|---|---|
| 1 ton [tʌn] = 20 hundredweight [ˈhʌndrədweɪt] . . . | 907,185 kg |
| 1 hundredweight [ˈhʌndrədweɪt] = 100 pounds [paundz] | 45,359 kg |
| 1 pound [paund] = 16 ounces [ˈaunsɪz] . . . . . . | 453,59 g |
| 1 ounce [ˈauns] = 16 drams [dræmz] . . . . . . . | 28,35 g |
| 1 dram [dræm] = 3 scruples [skruplz] . . . . . . | 1,77 g |
| 1 scruple [skrupl] . . . . . . . . . . . | 0,59 g |

# POLISH - ENGLISH

## ADVICE TO THE USER

## WSKAZÓWKI DLA KORZYSTAJĄCYCH ZE SŁOWNIKA

### 1. Headwords

The headwords are printed in bold-faced type in strictly alphabetical order. They are labelled by pertinent abbreviations indicating their grammatical categories, the others denoting the respective branches of learning or the special walks of life.

Homonyms are grouped under separate entries and marked with successive Arabic ciphers, e.g.:

### 1. Hasła

Wyrazy hasłowe podano pismem półgrubym w ścisłym porządku alfabetycznym. Objaśniano je, zależnie od przynależności do poszczególnych części mowy lub do specjalnych dziedzin życia, odpowiednimi skrótami umownymi.

Homonimy podano jako osobne hasła oznaczone kolejnymi cyframi arabskimi, np.:

**muł 1.** *m* slime, ooze
**muł 2.** *m zool.* mule

If a Polish headword contains various English meanings or denotes different grammatical functions, the particular lexical units on the Polish side are separated by means of a semicolon and, besides, they are provided with a pertinent grammatical label, e.g.:

Jeżeli poszczególne wyrazy hasłowe zawierają odpowiedniki o różnych znaczeniach, albo pełnią różne funkcje gramatyczne — oddzielono je średnikiem oraz odpowiednim kwalifikatorem gramatycznym, np.:

**palący** *p praes i adj* burning; *(tytoń)* smoking; *sm* smoker;...

If an entry, or a part of it, or an explanatory note, is provided with the abbreviation *zob.* the reader is asked to refer to some other entry, or to some information found elsewhere in the Dictionary.

Jeżeli wyraz hasłowy opatrzony jest skrótem *zob.* oznacza to, że hasła tego wraz z odpowiednikami należy szukać w artykule hasłowym, do którego wyraz ten odesłano.

#### Nouns

Some Polish nouns of feminine gender have been omitted since their masculine and feminine

#### Hasła rzeczownikowe

Ze względu na rozmiary słownika pominięto pewną ilość rzeczowników żeńskich, które w języku

equivalents are identical in English, e.g.: **nauczyciel** t e a c h e r, **nauczycielka** t e a c h e r, **Niemiec** G e r m a n, **Niemka** G e r m a n.

Most Polish diminutives have been omitted as they have no lexical equivalents in English; so their diminutive nouns are usually formed by means of adjectives "l i t t l e" or "s m a l l".

But if a Polish diminutive has evolved a distinct additional meaning, its inclusion has been considered necessary. E.g.

angielskim mają formę identyczną z odpowiednimi rzeczownikami męskimi, np.: **nauczyciel** t e a c h e r, **nauczycielka** t e a c h e r, **Niemiec** G e r m a n, **Niemka** G e r m a n itp.

Pominięto też większość rzeczowników zdrobniałych. W takich wypadkach odpowiedniki angielskie tworzy się zastępczo, stosując przymiotniki „l i t t l e" i „s m a l l".

Uwzględniono jednak te polskie rzeczowniki zdrobniałe, których znaczenia różnią się od form pierwotnych, np.:

**rączka** *f* l i t t l e h a n d; (*uchwyt*) h a n d l e; (*steru*) t i l l e r; (*obsadka do pióra*) p e n h o l d e r

Most verbal nouns have been left out, too, e.g.: **pisanie**, which is derived from the infinitive **pisać**, writing ⟨to write⟩ (*zob.* **maszyna do pisania, pisanie na maszynie**).

But if there are no English derivatives in -ing, other equivalents have been, of necessity, inserted, e.g.:

Dla oszczędności miejsca wyeliminowano większość rzeczowników odsłownych, gdyż znajomość form bezokolicznikowych odpowiedników angielskich wystarcza do utworzenia odpowiednich form rzeczownikowych.

Wyjątek stanowią te wypadki, gdy angielskie odpowiedniki nie posiadają końcówki słowotwórczej, np.:

**głosować** *vi* v o t e, (*tajnie*) b a l l o t; ...
**głosowanie** *n* v o t i n g, p o l l, (*tajne*) b a l l o t

## Adjectives

Polish adjectives which correspond to English nouns used attributively here are not included, e.g.: the noun **kamień** = t h e s t o n e is being also used as an adjective: **kamienny** = s t o n e. But if there are two variant adjectival forms, both of them are given as equivalents of the Polish headwords, but used in a different meaning. E.g.:

## Hasła przymiotnikowe

Ponieważ w języku angielskim zasadniczo nie ma formalnej różnicy pomiędzy przymiotnikiem a rzeczownikiem, np. **kamień** *m* = t h e s t o n e i **kamienny** *adj* = s t o n e, haseł przymiotnikowych nie zamieszczamy. Uwzględniono jednak te formy oboczne, które różnią się pod względem znaczenia, np.:

**złoty** 1. *adj* gold, *przen.* golden; ~ **wiek** golden age
**złoty** 2. *m (jednostka monetarna)* zloty

**Verbs**

The reader is sometimes faced with very serious difficulties whenever he may occasionally have to deal with verbal aspects we find in English as compared with those in Polish, e.g.: **siadać** and **siedzieć** and **usiąść** — to sit and to be sitting and to sit down, **padać** and **upaść** — to be falling and to fall (down), **myć się** and **umyć się** — to wash and to have a wash etc. The above and similar verbs may be rendered by means of a variety of forms.

Most verbs, with regard to their aspects, are neutral: **pisać** — to write, **napisać** — to write.

As a rule, in the present Dictionary the verbs ought to be looked up in their imperfect form.

If the Polish headword is a verb, its syntactic function in a sentence is shown, between round brackets, alongside of the corresponding function of its English equivalent.

The same refers to transitive verbs which require the direct object in either language; so their use in a sentence will hardly present any difficulties. E.g.:

**Hasła czasownikowe**

Brak analogii w tworzeniu postaci dokonanej i niedokonanej czasownika w języku polskim i angielskim nastręcza wiele trudności. Tak np. dokonana postać czasownika **paść, upaść** — to fall zmienia się w niedokonaną przez zastosowanie *Continuous Form* — to be falling. W innych wypadkach czasownik o postaci niedokonanej **siadać** — to sit, zmienia postać przez dodanie przysłówka down: **siąść** — to sit down. Stosuje się także formę opisową: **umyć się** — to have a wash itp. Polską formę dokonaną można też czasami oddać przez angielską formę gramatyczną.

W większości wypadków angielskie postaci czasownikowe są z natury neutralne: **pisać** — to write, **napisać** — to write.

Czasowników należy szukać pod ich formą podstawową w jej postaci zasadniczo niedokonanej.

Różnice w składni czasowników zaznaczamy za pomocą odpowiednich zaimków i przyimków, umieszczonych w nawiasach okrągłych, tuż po czasowniku.

Takie przykłady użycia związków składniowych stosuje się zarówno w przypadku, gdy czasownik polski i jego angielski odpowiednik występują w tej samej funkcji przechodniej lub nieprzechodniej, np.:

**reagować** *vi* react (**na coś** to sth)
**darzyć** *vt* present (**kogoś czymś** sb with sth)...

But if the English verb is transitive and its Polish equivalent intransitive or vice versa, grammatical information is a necessity, e.g.:

jak też i wówczas, gdy polskiemu czasownikowi w funkcji przechodniej odpowiada angielski czasownik w funkcji nieprzechodniej, lub odwrotnie. Np.:

**operować** *vt* o p e r a t e (kogoś o n, u p o n s b)
**zbliżać ... się** *vr* a p p r o a c h (do kogoś s b) ...

## 2. Equivalents

The English equivalents of the Polish headwords and their expressions are given in light type. Their synonyms printed along with them, if any, are separated by commas, those more distant in meaning are marked off by semicolons. In case of need the given synonyms have been provided with explanations, placed in round brackets, concerning their meaning and usage. E.g.:

## 2. Odpowiedniki

Angielskie odpowiedniki wyrazów, wyrażeń i zwrotów podano pismem jasnym. Odpowiedniki bliskoznaczne oddzielono przecinkami; odpowiedniki dalsze — średnikami. W wypadkach koniecznych — przed angielskimi odpowiednikami — umieszczono w nawiasach okrągłych objaśnienia, drukowane kursywą, dotyczące zakresu, znaczenia i zastosowania wyrazu, np.:

**chować** *vt* (*ukrywać*) h i d e, c o n c e a l; (*przechowywać*) k e e p; (*wkładać, np. do szuflady*) p u t (u p); (*grzebać zwłoki*) b u r y; (*hodować*) b r e e d, r e a r; (*wychowywać*) b r i n g u p, e d u c a t e; ...

## EXPLANATORY SIGNS

## ZNAKI OBJAŚNIAJĄCE

| | | |
|---|---|---|
| | The angled stress mark denotes that the syllable following it is the principal stressed syllable. | Pochylony znak akcentu (w formie transkrybowanej wyrazu hasłowego) poprzedza główną akcentowaną sylabę. |
| [ ] | Square brackets enclose the pronunciation of some Polish words (e.g. **marznąć** [r-z]) or that of loanwords. | W nawiasach kwadratowych zaznaczono wymowę niektórych wyrazów polskich, np. **marznąć** [r-z] oraz wymowę wyrazów pochodzenia obcego. |
| ( ) | Round brackets enclose the explanatory informations, irregular forms of the headwords, words and letters which can be omitted. | W nawiasach okrągłych umieszczono objaśnienia, nieregularne formy wyrazu hasłowego, wyrazy i litery, które mogą być opuszczone. |
| ⟨ ⟩ | Angular brackets enclose words and parts of the expressions which are interchangeable. | W nawiasach trójkątnych umieszczono wymienne wyrazy lub człony związków frazeologicznych. |
| † | Archaism. | Krzyżykiem oznaczono wyrazy przestarzałe. |
| ~ | The tilde replaces the headword, or as much of it as has been cut off by a vertical line. | Tzw. tylda zastępuje w zwrotach hasło lub tę jego część, która jest odcięta pionową kreską. |
| \| | The vertical line separates that part of the headword which has been replaced in phrases by the tilde. | Kreska pionowa oddziela część hasła zastąpioną w zwrotach tyldą. |
| 1., 2. ... | The Arabic ciphers denote the sequence of the headwords having the same spelling, but differing in etymology and meaning. | Cyfry arabskie po hasłach objaśniają odrębność znaczenia i pochodzenia wyrazów o tej samej pisowni, podanych jako osobne hasła. |

The semicolon is used to denote a distinct shade of difference in the meaning of two or more equivalents of the headword and to separate particular items of grammatical informations.

Średnik oddziela odpowiedniki o całkowicie różnym znaczeniu, związki frazeologiczne oraz objaśnienia gramatyczne.

The comma is used to separate equivalents close in meaning.

Przecinek oddziela odpowiedniki bliskie pod względem znaczeniowym.

## ABBREVIATIONS

## SKRÓTY

| | | |
|---|---|---|
| *adj* | — adjective | przymiotnik |
| *adv* | — adverb | przysłówek |
| *am.* | — American | amerykański |
| *anat.* | — anatomy | anatomia |
| *arch.* | — architecture | architektura |
| *astr.* | — astronomy | astronomia |
| *attr* | — attribute, attributive | przydawka, przydawkowy |
| *bank.* | — banking | bankowość |
| *biol.* | — biology | biologia |
| *bot.* | — botany | botanika |
| *bryt.* | — British | brytyjski |
| *chem.* | — chemistry | chemia |
| *comp* | — comparative (degree) | stopień wyższy |
| *conj* | — conjunction | spójnik |
| *dent.* | — dentistry | dentystyka |
| *dial.* | — dialect | dialekt |
| *dod.* | — positive (meaning) | znaczenie dodatnie |
| *dosł.* | — literal, literally | dosłowny, dosłownie |
| *druk.* | — printing | drukarstwo |
| *elektr.* | — electricity | elektryczność |
| *f* | — feminine (gender) | (rodzaj) żeński |
| *filat.* | — philately | filatelistyka |
| *filoz.* | — philosophy | filozofia |
| *fin.* | — finances | finansowość |
| *fiz.* | — physics | fizyka |
| *fot.* | — photography | fotografia |
| *fut* | — future tense | czas przyszły |
| *genit* | — genitive | dopełniacz |

| | | |
|---|---|---|
| *geogr.* | — geography | geografia |
| *geol.* | — geology | geologia |
| *górn.* | — mining | górnictwo |
| *gram.* | — grammar | gramatyka |
| *handl.* | — commerce | handlowość |
| *hist.* | — history | historia |
| *imp* | — impersonal form | forma nieosobowa |
| *inf* | — infinitive | bezokolicznik |
| *itp.* | — and so on | i tym podobne |
| *int* | — interjection | wykrzyknik |
| *inter* | — interrogation, interrogative | pytajnik, pytający |
| *kin.* | — cinematography | kinematografia |
| *kolej.* | — railway system | kolejnictwo |
| *lit.* | — literature | literatura |
| *lotn.* | — aviation | lotnictwo |
| *łac.* | — Latin word | wyraz łaciński |
| *m* | — masculine (gender) | (rodzaj) męski |
| *mal.* | — painting | malarstwo |
| *mors.* | — marine | morski |
| *mat.* | — mathematics | matematyka |
| *med.* | — medicine | medycyna |
| *miner.* | — mineralogy | mineralogia |
| *muz.* | — music | muzyka |
| *n* | — neuter (gender) | (rodzaj) nijaki |
| *neg* | — negative form | forma przecząca |
| *nieodm.* | — indeclinable word | wyraz nieodmienny |
| *np.* | — for example | na przykład |
| *num* | — numeral | liczebnik |
| *p* | — past tense, preterite | czas przeszły |
| *part* | — particle | partykuła |
| *pl* | — plural | liczba mnoga |
| *poet.* | — word used in poetry | wyraz poetycki |
| *polit.* | — politics, policy | polityka |
| *pot.* | — colloquialism | wyraz potoczny |
| *pp* | — past participle | imiesłów przeszły |
| *p praes* | — present participle | imiesłów czasu teraźniejszego |
| *praed* | — predicative | orzecznik, orzecznikowy |
| *praef* | — prefix | przedrostek |
| *praep* | — preposition | przyimek |
| *praes* | — present tense | czas teraźniejszy |
| *prawn.* | — law term | termin prawniczy |
| *pron* | — pronoun | zaimek |
| *przen.* | — metaphorically | przenośnie |
| *przysł.* | — proverb | przysłowie |
| *reg.* | — regular | regularny |
| *rel.* | — religion | religia |
| *rów.* | — also | również |
| *s* | — substantive | rzeczownik |
| sb, sb's | — somebody, somebody's | ktoś, kogoś, komuś |
| *sing* | — singular | liczba pojedyncza |
| *skr.* | — abbreviation | skrót |
| *s pl* | — noun plural | rzeczownik w liczbie mnogiej |

| | | |
|---|---|---|
| *sport* | — sport, sports | sport, sportowy |
| sth | — something | coś |
| *suf* | — suffix | przyrostek |
| *sup* | — superlative | stopień najwyższy |
| *teatr* | — theatre | teatr |
| *techn.* | — technical | techniczny |
| *uj.* | — pejorative | ujemny |
| *uż.* | — used | używany |
| *v* | — verb | czasownik |
| *v aux* | — auxiliary verb | czasownik posiłkowy |
| *vi* | — intransitive verb | czasownik nieprzechodni |
| *v imp* | — impersonal verb | czasownik nieosobowy |
| *vr* | — reflexive verb | czasownik zwrotny |
| *vt* | — transitive verb | czasownik przechodni |
| *wojsk.* | — military term | termin wojskowy |
| *wyj.* | — exception | wyjątek |
| *zam.* | — instead of | zamiast |
| *zbior.* | — collective word | wyraz zbiorowy |
| *zdrob.* | — diminutive | wyraz zdrobniały |
| *znacz.* | — meaning | znaczenie |
| *zob.* | — see | zobacz |
| *zool.* | — zoology | zoologia |
| *zw.* | — usually | zwykle |

## THE POLISH ALPHABET

The order of the letters in the Polish alphabet is as follows:

a [a]
ą [ɔ̃]
b [b]
c [ts], ch [x], cz [tʃ]
ć [tɕ]
d [d], dz [dz], dź [dʑ], dż [dʒ]
e [ɛ, e]
ę [ɛ̃]
f [f]
g [g]
h [x]
i [i]
j [j]
k [k]
l [l]
ł [w]
m [m]
n [n]
ń [ɲ]
o [ɔ]
ó [u]
p [p]
r [r], rz [ʒ,ʃ]
s [s], sz [ʃ]
ś [ɕ]
t [t]
u [u]
w [v]
y [ɨ]
z [z]
ź [ʑ]
ż [ʒ]

# a

**A, a** pierwsza litera alfabetu; **od „a" do „z"** from beginning to end; **gdy się powiedziało „a", trzeba powiedzieć i „b"** in for a penny, in for a pound; *conj* and; but; *int* ah!
**abażur** *m* lampshade
**abdykacja** *f* abdication (**z czegoś** of sth)
**abdykować** *vi* abdicate (**z czegoś** sth)
**abecadło** *n* A.B.C., ABC, alphabet
**aberracja** *f* aberration
**Abisyńczyk** *m* Abyssinian
**abisyński** *adj* Abyssinian
**abiturient** *m* school-leaving pupil
**abnegacja** *f* abnegation
**abonament** *m* subscription (**czegoś, na coś** to sth); (*w teatrze, tramwaju, na kolei*) season-ticket
**abonent** *m* subscriber (**czegoś** to sth)
**abonować** *vt* subscribe (**coś** to sth); (*w teatrze*) buy a season-ticket
**absencja** *f* absence
**absolucja** *f* absolution (**czegoś** of sth; **od czegoś** from sth)
**absolut** *m* absolute
**absolutny** *adj* absolute, complete
**absolutorium** *n* absolution, release; school-leaving ⟨university-leaving⟩ certificate
**absolutyzm** *m* absolutism
**absolwent** *m* school-leaving student ⟨pupil⟩, alumnus
**absorbować** *vt* absorb
**absorpcja** *f* absorption
**absorpcyjny** *adj* absorptive
**abstrah|ować** *vi* abstract; (*pomijać*) take no account (**od czegoś** of sth); **~ując od tego, że ...** without counting that ...
**abstrakcja** *f* abstraction
**abstrakcyjny** *adj* abstract
**abstynencja** *f* abstinence, temperance; **~ całkowita (od alkoholu)** teetotalism
**abstynent** *m* abstainer, teetotaller
**absurd** *m* absurdity; **sprowadzić do ~u** reduce to absurdity
**absurdalność** *f* absurdity
**absurdalny** *adj* absurd
**aby** *conj* that, in order that; (*przed bezokolicznikiem*) to, in order to; **~ wrócić wcześniej** (in order) to come back soon; **~ nie** lest; in order not to; **~m mógł** so that I may
**aceton** *m chem.* acetone
**acetylen** *m chem.* acetylene
**ach!** *int* ah!, oh!
**achromatyczny** *adj fiz.* achromatic
**a conto** *adv handl.* on account
**aczkolwiek** *conj* though, although
**adamaszek** *m* damask
**adaptacja** *f* adaptation
**adapter** *m* pick-up; record player
**adaptować** *vt* adapt
**adiunkt** *m* (*uniwersytecki*) senior assistant ⟨lecturer⟩
**adiutant** *m wojsk.* adjutant; (*generała*) aide-de-camp
**administracja** *f* administration, management
**administracyjny** *adj* administrative
**administrator** *m* administrator, manager

**administrować** *vi* administer, manage (czymś sth)
**admiralicja** *f* admiralty
**admirał** *m* admiral
**adnotacja** *f* annotation
**adopcja** *f* adoption
**adoptować** *vt* adopt
**adoracja** *f* adoration
**adorator** *m* adorer
**adorować** *vt* adore
**adres** *m* address; **pod ~em** to ⟨at⟩ the address
**adresat** *m* addressee
**adresować** *vt* address
**adwent** *m* advent
**adwokacki** *adj* lawyer's, barrister's, solicitor's
**adwokat** *m* lawyer, barrister, (*niższy*) solicitor; *przen.* advocate
**adwokatura** *f* legal profession, bar
**aerodynamiczny** *adj* aerodynamic
**aerodynamika** [-'na-] *f* aerodynamics
**aeroklub** *m* flying club
**aerometr** *m* aerometer
**aeronauta** *m* aeronaut
**aeronautyczny** *adj* aeronautic
**aeronautyka** [-'nau-] *f* aeronautics
**aeroplan** *m* aeroplane; *am.* airplane
**aerostatyczny** *adj* aerostatic
**aerostatyka** [-'sta-] *f* aerostatics
**afek|t** *m* affection, emotion; **działać w ~cie** act in severe mental strain
**afektacja** *f* affectation
**afektowany** *adj* affected
**afera** *f* bad job, shady transaction, scandal
**aferzysta** *m* swindler, bad jobber
**Afgańczyk** *m* Afghan
**afgański** *adj* Afghan
**afisz** *m* poster, bill
**afiszować się** *vr* make a show (z czymś of sth), show off
**aforyzm** *m* aphorism
**afront** *m* affront, insult; **zrobić komuś ~** affront sb
**Afrykanin** *m* African
**afrykański** *adj* African
**agat** *m* *miner.* agate
**agencja** *f* agency; **~ prasowa** news agency
**agenda** *f* branch of business; (*terminarz*) agenda
**agent** *m* agent; (*giełdowy*) broker; (*podróżujący*) commercial traveller; **~ obcego wywiadu** intelligencer
**agentura** *f* agency; **~ wywiadu** intelligence agency
**agitacja** *f* agitation; (*wyborcza*) canvassing, campaign
**agitator** *m* agitator; (*wyborczy*) canvasser
**agitować** *vi* agitate; (*w wyborach*) canvass, campaign
**agnostycyzm** *m* agnosticism
**agnostyk** *m* agnostic
**agonia** *f* agony of death, death--agony
**agrafka** *f* safety-pin, clasp
**agrarn|y** *adj* agrarian; **reforma ~a** land reform
**agresja** *f* aggression
**agresor** *m* aggressor
**agrest** *m* gooseberry
**agresywny** *adj* aggressive
**agronom** *m* agronomist
**agronomia** *f* agronomy
**agronomiczny** *adj* agronomic
**agrotechnika** *f* agrotechnics
**ajencja, ajent** *zob.* **agencja, agent**
**akacja** *f* *bot.* acacia
**akademia** *f* academy; (*uroczyste zebranie*) session of celebration, commemorative meeting
**akademicki** *adj* academic(al); **dom ~** students' hostel
**akademik** *m* (*członek akademii*) academician; (*student*) (university) student; *pot.* (*dom akademicki*) hostel
**akcelerator** *m* accelerator
**akcent** *m* accent, stress
**akcentować** *vt* accent, accentuate, stress
**akcentowanie** *n* accentuation
**akcept** *m* *handl.* acceptance, accepted draft
**akceptacja** *f* acceptance
**akceptować** *vt* accept
**akces** *m* accession
**akcesoria** *s pl* accessories *pl*

**akcj|a** *f* action; *handl.* share; **~a ratunkowa** rescue action; **~a powieści, sztuki** plot, action; **~a wyborcza** election campaign; **~a żniwna** harvesting campaign; **prowadzić ~ę** carry on a campaign; **wszcząć ~ę** launch a compaign

**akcjonariusz** *m handl.* shareholder, stockholder

**akcyjn|y** *adj handl.* **bank ~y** joint-stock bank; **kapitał ~y** joint stock; **spółka ~a** joint-stock company

**akcyza** *f* excise, (*miejska*) toll

**aklamacj|a** *f* acclamation; **uchwalić przez ~ę** carry by acclamation

**aklimatyzacja** *f* acclimatization

**aklimatyzować** *vt* acclimatize; **~ się** *vr* become acclimatized

**akomodacja** *f* accomodation, adjustment

**akomodować** *vt* accomodate, adjust

**akompaniamen|t** *m* accompaniment; **przy ~cie** accompanied (**czegoś** by sth)

**akompaniator** *m* accompanist

**akompaniować** *vt* accompany (**komuś** sb)

**akord** *m muz.* chord, harmony; **praca na ~** piece-work, job-work; **pracować na ~** do piece-work, work by the job

**akordeon** *m muz.* accordion

**akordow|y** *adj muz.* accordant; **praca ~a** piece-work, job-work; **robotnik ~y** piece-worker, jobber

**akr** *m* acre

**akredytować** *vt* accredit (**przy rządzie** to a government)

**akredytywa** *f fin.* letter of credit

**akrobata** *m* acrobat

**akrobatyczny** *adj* acrobatic

**akrobatyka** *f* acrobatics

**aksamit** *m* velvet

**aksjomat** *m* axiom

**aksjomatyczny** *adj* axiomatic

**akt** *m* act, deed; (*w malarstwie, rzeźbie*) nude; **~ kupna** purchase deed; **~ oskarżenia** bill of indictment; **~ zgonu** death certificate; *pl* **~a** deeds, records

**aktor** *m* actor

**aktorka** *f* actress

**aktorski** *adj* histrionic; **zespół ~** troupe, company of actors; (*objazdowy*) touring company

**aktorstwo** *n* stage-playing, histrionics; staging

**aktualnoś|ć** *f* reality, present-day interest; **~ci dnia** current events

**aktualny** *adj* current, topical

**aktyw** *m* active body, action group

**aktywa** *s pl* holdings, *fin.* assets

**aktywista** *m* active member, activist

**aktywizować** *vt* activate

**aktywność** *f* activity

**aktywny** *adj* active

**akumulacja** *f* accumulation; **~ pierwotna** primary ⟨primitive⟩ accumulation

**akumulator** *m elektr.* accumulator, (storage) battery

**akumulować** *vt* accumulate; **~ się** *vr* accumulate

**akurat** *adv* just, exactly

**akuratny** *adj* accurate

**akustyczny** *adj* acoustic

**akustyka** [-'ku-] *f* acoustics

**akuszer** *m* obstetrician

**akuszerka** *f* midwife

**akuszerstwo** *n* obstetrics, midwifery

**akwaforta** *f* etching

**akwarela** *f* water colour

**akwarium** *n* aquarium

**akwatynta** *f* aquatint

**akwedukt** *m* aqueduct

**akwizycja** *f* (*nabywanie*) acquisition; (*zjednywanie klienteli*) solicitation

**akwizytor** *m* solicitor; (*ubezpieczeniowy*) insurance-agent

**alabaster** *m* alabaster

**alarm** *m* alarm; (*zw. lotn.*) alert; **uderzyć na ~** sound the alarm

**alarmować** *vt* alarm

**alarmowy** *adj* alarm *attr*; **dzwonek ~** alarm-bell

**Albańczyk** *m* Albanian

**albański** *adj* Albanian
**albatros** *m zool.* albatross
**albinos** *m* albino
**albo** *conj* or; **~, ... ~ ...** either ... or ...; **~ ten, ~ tamten** either of them ⟨of the two⟩; **~ tędy, ~ tamtędy** either this way or that; either way; **~ też** or else
**albowiem** *conj* for, because
**album** *m* album; **~ do znaczków pocztowych** stamp-album
**alchemia** *f* alchemy
**alchemik** *m* alchemist
**ale** *conj* but; however, yet; *int* **~!** there now!
**alegoria** *f* allegory
**alegoryczny** *adj* allegoric(al)
**aleja** *f* avenue, alley
**alembik** *m* alembic
**alergia** *f med.* allergy
**ależ** *conj* but; **~ tak!** why yes!; why of course!
**alfabet** *m* alphabet
**alfabetyczny** *adj* alphabetical
**algebra** *f* algebra
**algebraiczny** *adj* algebraic(al)
**alians** *m* alliance
**aliant** *m* ally
**alibi** *n nieodm.* alibi; **udowodnić ⟨wykazać⟩ swoje ~** to establish one's alibi
**alienacja** *f* alienation
**alienować** *vt* alienate
**aligator** *m zool.* alligator
**alimenty** *s pl* alimony
**alkalia** *s pl chem.* alkali(e)s
**alkaliczny** *adj chem.* alkaline
**alkaloid** *m* alkaloid
**alkohol** *m* alcohol; **~ skażony** denaturated alcohol
**alkoholik** *m* alcoholic
**alkoholizm** *m* alcoholism
**alkoholowy** *adj* alcoholic
**alkowa** *f* alcove
**almanach** *m* almanac
**aloes** *m bot.* aloe
**alopatia** *f* allopathy
**al pari** *adv handl.* at par
**alpejski** *adj* alpine; *bot.* **fiołek ~** cyclamen
**alpinista** *m* alpinist
**alt** *m muz.* alto
**altana** *f* bower
**alternatywa** *f* alternative
**alternatywny** *adj* alternative
**altówka** *f muz.* viola
**altruista** *m* altruist
**altruistyczny** *adj* altruistic
**altruizm** *m* altruism
**aluminium** *n* aluminium
**aluwialny** *adj* alluvial
**aluwium** *n* alluvium
**aluzj|a** *f* allusion, hint; **robić ~ę** allude **(do czegoś** to sth), hint **(do czegoś** at sth)
**Alzatczyk** *m* Alsatian
**ałun** *m chem.* alum
**amalgamat** *m* amalgam
**amant** *m* lover
**amarant** *m* amaranth
**amator** *m* amateur, lover, fan
**amatorski** *adj* amateurish, amateur; **teatr ~** amateur theatricals
**amatorstwo** *n* amateurism
**amazonka** *f* Amazon; (*ubiór*) (woman's) riding-habit
**ambaras** *m* embarrassment; **być w ~ie** be embarrassed
**ambasada** *f* embassy
**ambasador** *m* ambassador **(w Polsce** to Poland)
**ambicja** *f* ambition
**ambitny** *adj* ambitious
**ambona** *f* pulpit
**ambrozja** *f* ambrosia
**ambulans** *m* ambulance
**ambulatorium** *n* out-patients' department, dispensary (for out-patients), infirmary
**ambulatoryjny** *adj*, **pacjent ~** out-patient
**ameba** *f zool.* amoeba
**amen** *nieodm.* amen; *pot.* **na ~** completely, most surely; **już ~** it's finished; **pewne jak ~ w pacierzu** as sure as fate, dead sure
**Amerykanin** *m* American
**amerykanizm** *m* Americanism

**Amerykanka** *f* American
**amerykański** *adj* American
**ametyst** *m* amethyst
**amfibia** *f zool.* amphibian; (*czołg*) amphibious tank
**amfilada** *f* suite of rooms
**amfiteatr** *m* amphitheatre
**amfora** *f* amphora
**amnestia** *f* amnesty
**amnestiować** *vt* amnesty
**amon** *m chem.* ammonium
**amoniak** *m chem.* ammonia
**amortyzacja** *f handl. prawn.* amortization, sinking; *techn.* shock-absorption
**amortyzacyjny** *adj* sinking
**amortyzator** *m techn.* shock-absorber
**amortyzować** *vt handl. prawn.* amortize, sink; *techn.* absorb shocks
**amper** *m elektr.* ampere
**ampułka** *f* ampoule
**amputacja** *f* amputation
**amputować** *vt* amputate
**amulet** *m* amulet
**amunicja** *f* ammunition, munition
**anachroniczny** *adj* anachronistic
**anachronizm** *m* anachronism
**analfabeta** *m* illiterate
**analfabetyzm** *m* illiteracy
**analityczny** *adj* analytical
**analityka** [-ˋli-] *f* analytics
**analiza** *f* analysis
**analizować** *vt* analyse
**analogi|a** *f* analogy; (*odpowiednik*) analogue; **przez ~ę** by (way of) analogy; **przeprowadzić ~ę** analogize (**czegoś** sth)
**analogiczny** *adj* analogous
**ananas** *m* pineapple
**anarchia** *f* anarchy
**anarchiczny** *adj* anarchic(al)
**anarchista** *m* anarchist
**anatom** *m* anatomist
**anatomia** *f* anatomy
**anatomiczny** *adj* anatomical
**androny** *pl pot.* foolish talk; **pleść ~** talk nonsense
**andrus** *m pot.* street Arab, urchin
**andrut** *m* wafer cake
**anegdota** *f* anecdote
**anegdotyczny** *adj* anecdotical
**aneks** *m* annex
**aneksja** *f* annexation
**anektować** *vt* annex
**anemia** *f* anaemia
**anemiczny** *adj* anaemic
**aneroid** *m* aneroid
**anewryzm** *m* aneurism
**angażować** *vt* engage; **~ się** *vr* engage (**do czegoś** for sth, **w coś** in sth), be engaged (**w czymś** in sth), commit oneself (**w coś** to sth)
**angażowanie** *n* engagement; **~ się** commitment
**Angielka** *f* Englishwoman
**angielsk|i** *adj* English; *med.* **choroba ~a** (*krzywica*) rickets; **mówić po ~u** speak English; **ulotnić się po ~** take French leave
**angielszczyzna** *f* English
**angina** *f* angina
**Anglik** *m* Englishman
**anglikanin** *m* Anglican
**anglikański** *adj* Anglican; **kościół ~** Church of England
**anglista** *m* student of English; (*naukowiec*) anglist, anglicist
**anglistyka** *f* English studies; English philology
**Anglosas** *m* Anglo-Saxon
**anglosaski** *adj* Anglo-Saxon
**ani** *conj* not even, not a, neither; **~ nawet** not even; **~ razu** not even once; **~ to, ~ tamto** neither this nor that; **~ więcej, ~ mniej** neither more nor less; **~ żywej duszy** not a living soul; **~ jeden człowiek nie widział** not a man saw; **~ mi się śni** never in my life
**anielski** *adj* angelic(al)
**anilana** *f* aniline
**animozja** *f* animosity
**anioł** *m* angel
**aniżeli** *conj* than
**ankieta** *f* questionnaire; public opinion poll
**ano** *part* well then, now then
**anoda** *f elektr.* anode

**anomalia** *f* anomaly
**anonim** *m* anonym; (*list*) anonymous letter
**anonimowy** *adj* anonymous
**anons** *m* announcement
**anonsować** *vt* announce
**anormalność** *f* anomaly, abnormality
**anormalny** *adj* abnormal
**ans|a** *f* grudge; **czuć ~ę do kogoś** bear sb a grudge
**antagonista** *m* antagonist
**antagonistyczny** *adj* antagonistic
**antagonizm** *m* antagonism
**antałek** *m* barrel, cask
**antarktyczny** *adj* Antarctic
**antena** *f* (*zewnętrzna*) aerial; **~ pokojowa** indoor antenna
**antenat** *m* ancestor
**antologia** *f* anthology
**antracen** *m* anthracene
**antracyt** *m* anthracite
**antrakt** *m* interval
**antresola** *f* entresol
**antropolog** *m* anthropologist
**antropologia** *f* anthropology
**antropologiczny** *adj* anthropological
**antropometria** *f* anthropometry
**antybiotyk** *m* antibiotic
**antyczny** *adj* antique
**antydatować** *vt* antedate
**antyk** *m* antique, old curiosity, antiquity
**antykwa** *f druk.* roman (type)
**antykwariat** *m* old curiosity shop; (*książkowy*) second-hand bookshop
**antykwariusz** *m* antiquary; (*handlujący książkami*) second-hand bookseller
**antykwarski** *adj* antiquarian
**antykwaryczn|y** *adj* antiquarian; **książka ~a** second-hand book
**antylopa** *f zool.* antelope
**antymon** *m chem.* antimony
**antypatia** *f* antipathy
**antypatyczny** *adj* repugnant
**antysemicki** *adj* anti-Semitic
**antysemita** *m* anti-Semite
**antysemityzm** *m* anti-Semitism
**antyseptyczny** *adj* antiseptic
**antyteza** *f* antithesis
**anulować** *vt* annul, cancel
**anulowanie** *n* annulment
**a nuż** *conj* and if
**anyż** *m* anise
**aorta** *f anat.* aorta
**apanaż** *m* ap(p)anage
**aparat** *m* apparatus; appliance; **~ fotograficzny** camera; **~ nadawczy** broadcasting apparatus; **~ odbiorczy** receiver; **~ radiowy** wireless (set), radio set
**apartament** *m* apartment, suite of rooms
**apatia** *f* apathy
**apatyczny** *adj* apathetic
**apel** *m* appeal; (*odczytanie obecności*) roll-call, call-over; **stanąć do ~u** turn out for roll-call
**apelacj|a** *f* appeal; **wnieść ~ę** appeal (**do kogoś** to sb)
**apelacyjny** *adj* appealing; **sąd ~** court of appeal
**apelować** *vi* appeal (**do kogoś** to sb, **w sprawie czegoś** for sth)
**apetyczny** *adj* appetizing
**apetyt** *m* appetite
**aplauz** *m* applause; **przyjąć z ~em** applaud; **spotkać się z ~em** meet with applause
**aplikacja** *f* application; (*staż*) probation, practice
**aplikant** *m* probationer, apprentice
**aplikować** *vt* apply; *vi* (*odbywać staż*) practise, undergo training
**apodyktyczny** *adj* peremptory
**apolityczny** *adj* non-political
**apologia** *f* apology
**apopleksja** *f med.* apoplexy
**apoplektyczny** *adj med.* apoplectic
**apostolski** *adj* apostolic; **Stolica Apostolska** Holy See
**apostolstwo** *n* apostolate
**apostoł** *m* apostle
**apostrof** *m* apostrophe
**apostrofa** *f* apostrophe
**apoteoza** *f* apotheosis
**apretura** *f* dressing, finishing
**aprioryczny** *adj* a priori

**aprobat|a** *f* approval; spotkać się z ~ą approve (kogoś, czegoś of sb, sth)
**aprobować** *vt* approve (coś sth, of sth)
**aprowizacja** *f* provisioning, food supply
**apteczka** *f* medicine chest
**apteka** *f* chemist's (shop), *am.* druggist's (shop), pharmacy, (*w szpitalu*) dispensary
**aptekarstwo** *n* pharmacy
**aptekarz** *m* chemist, *am.* druggist
**Arab** *m* Arab
**arabski** *adj* Arabian, Arabic; język ~ Arabic
**arak** *m* arrack
**aranżer** *m* organizer; *muz.* arranger
**aranżować** *vt* organize, *także muz.* arrange
**arbiter** *m* arbiter
**arbitralność** *f* arbitrariness
**arbitralny** *adj* arbitrary
**arbitraż** *m* arbitration
**arbitrażowy** *adj* arbitral
**arbuz** *m bot.* watermelon
**archaiczny** *adj* archaic
**archaizm** *m* archaism
**archaizować** *vt* archaize
**archanioł** *m* archangel
**archeolog** *m* archaeologist
**archeologia** *f* archaeology
**archeologiczny** *adj* archaeological
**archipelag** *m* archipelago
**architekt** *m* architect
**architektoniczny** *adj* architectonic, architectural
**architektonika** *f* architectonics
**architektura** *f* architecture; ~ wnętrz interior decoration
**archiwista** *m* archivist
**archiwum** *n* archive(s)
**arcy-** *praef* arch-
**arcybiskup** *m* archbishop
**arcydzieło** *m* masterpiece
**arcykapłan** *m* high priest
**aren|a** *f także przen.* arena, ring; ~ polityczna arena of politics; *przen.* wkraczać na ~ę come into prominence
**areometr** *m* areometer
**areszt** *m* arrest; (*więzienie*) prison; położyć ~ seize (na coś sth)
**aresztant** *m* prisoner
**aresztować** *vt* arrest, imprison
**aresztowani|e** *n* arrest, imprisonment; nakaz ~a writ of arrest; capias
**Argentyńczyk** *m* Argentine
**argentyński** *adj* Argentine
**argument** *m* argument; wysuwać, przytaczać ~y put forward arguments (na coś for sth)
**argumentacja** *f* argumentation
**argumentować** *vi* argue
**aria** *f muz.* aria, air
**arianin** *m* Arian
**ariański** *adj* Arian
**arka** *f* ark
**arkada** *f* arcade
**arkana** *s pl* arcana
**arktyczny** *adj* Arctic
**arkusz** *m* sheet
**armata** *f* gun, cannon
**armatni** *adj* gun; ogień ~ gun-fire; *przen.* mięso ~e cannon fodder
**armator** *m* shipowner
**armatura** *f* fitting; *elektr.* armature
**Armeńczyk** *m* Armenian
**armeński** *adj* Armenian
**armia** *f* army
**arogancja** *f* arrogance
**arogancki** *adj* arrogant
**arogant** *m* arrogant fellow
**aromat** *m* aroma, flavour
**aromatyczny** *adj* aromatic, fragrant
**arras** *m* arras
**arsen** *m chem.* arsenic
**arsenał** *m* arsenal
**arszenik** *m* arsenic trioxide, *pot.* arsenic
**arteria** *f* artery
**artezyjski** *adj* artesian
**artretyczny** *adj med.* arthritic
**artretyzm** *m med.* arthritis
**artykulacja** *f* articulation
**artykuł** *m* article; commodity; ~ wstępny (*do gazety*) leader, editorial; ~y spożywcze articles of consumption

**artyleria** *f* artillery; ~ **przeciwlotnicza** anti-aircraft
**artylerzysta** *m* artillerist, gunner
**artysta** *m* artist
**artystyczn|y** *adj* artistic; **rzemiosło ~e** artistic handicraft
**artyzm** *m* artistry
**Aryjczyk** *m* Aryan
**aryjski** *adj* Aryan
**arystokracja** *f* aristocracy
**arystokrata** *m* aristocrat
**arystokratyczny** *adj* aristocratic
**arytmetyczny** *adj* arithmetical
**arytmetyka** *f* arithmetic
**arytmometr** *m* arithmometer
**as** *m także przen.* ace; **największy ~** the ace of aces
**asceta** *m* ascetic
**ascetyczny** *adj* ascetic(al)
**ascetyzm** *m* asceticism
**asekuracja** *f* insurance
**asekurować** *vt* insure; ~ **się** *vr* insure (oneself)
**aseptyczny** *adj* aseptic
**aseptyka** *f* asepsis
**asfalt** *m* asphalt
**asocjacja** *f* association
**asortyment** *m* assortment
**aspekt** *m* aspect; **rozważyć coś we wszystkich ~ach** consider a thing in all its bearings; **sprawa ma inny ~** the problem has another complexion
**aspiracja** *f* aspiration
**aspirować** *vi* aspire (**do czegoś** to, after sth)
**aspiryna** *f* aspirin
**aster** *m bot.* aster
**astma** *f med.* asthma
**astmatyczny** *adj* asthmatic
**astmatyk** *m* asthmatic
**astrofizyka** *f* astrophysics
**astrologia** *f* astrology
**astrologiczny** *adj* astrological
**astronauta** *m* astronaut
**astronautyka** [-'nau-] *f* astronautics
**astronom** *m* astronomer
**astronomia** *f* astronomy
**astronomiczny** *adj także przen.* astronomic(al)
**asygnata** *f* assignation, allocation
**asygnować** *vt* assign
**asymetria** *f* asymmetry
**asymilacja** *f* assimilation
**asymilacyjny** *adj* assimilative
**asymilować** *vt* assimilate; ~ **się** *vr* assimilate, become assimilated
**asy|sta** *f* attendance, escort, assistance; **w ~ście** attended by (**kogoś** sb)
**asystent** *m* assistant
**asystować** *vi* assist (**komuś** sb, **przy czymś** at sth)
**atak** *m* attack; (*choroby*) fit; *sport* (*w piłce nożnej*) the forwards; *med.* ~ **serca** heart attack
**atakować** *vt* attack
**atawizm** *m* atavism
**ateista** *m* atheist
**ateistyczny** *adj* atheistic
**ateizm** *m* atheism
**atlantycki** *adj* Atlantic
**atlas** *m* atlas
**atleta** *m* athlete; (*w zapasach*) wrestler; (*w cyrku*) strong man
**atletyczny** *adj* athletic
**atletyka** *f sport zw.* **lekka ~** athletics
**atłas** *m* satin
**atmosfera** *f* atmosphere
**atmosferyczny** *adj* atmospheric(al)
**atol** *m geogr.* atoll
**atomow|y** *adj* atomic; **bomba ~a** atomic bomb, A-bomb; **broń ~a** nuclear weapon; *chem.* **ciężar ~y** atomic weight; **stos ~y** atomic pile
**atrakcja** *f* attraction
**atrakcyjny** *adj* attractive
**atrament** *m* ink
**atramentowy** *adj*, **ołówek ~** ink-pencil
**atrofia** *f med.* atrophy
**atrybut** *m* attribute
**atut** *m* trump
**atutować** *vt* trump
**audiencj|a** *f* audience; **przyjąć na ~i** receive in audience
**audycja** *f* broadcast (service), programme
**audytorium** *n* (*sala*) auditorium; (*słuchacze*) audience

**aukcja** *f* auction
**aula** *f* hall, aula
**aureola** *f* halo, aureole
**auspicj|e** *pl* auspices; **pod ~ami** ... under the auspices of ...
**Australijczyk** *m* Australian
**australijski** *adj* Australian
**austriacki** *adj* Austrian
**Austriak** *m* Austrian
**autentyczność** *f* authenticity
**autentyczny** *adj* authentic
**auto** *n* auto
**autobiografia** *f* autobiography
**autobiograficzny** *adj* autobiographical
**autobus** *m* bus; coach; **jechać ~em** go by bus
**autochton** *m* native, aboriginal, autochthon
**autochtoniczny** *adj* autochthonous
**autograf** *m* autograph
**autokar** *m* (motor-)coach
**autokracja** *f* autocracy
**automacja** *f* automation
**automat** *m* automatic device ⟨machine⟩; (*do sprzedaży biletów itp.*) slot-machine; **~ telefoniczny** public telephone
**automatyczny** *adj* automatic
**automatyzacja** *f* automation
**automobilista** *m* motorist
**autonomia** *f* autonomy, self-government; (*miejska*) local government
**autonomiczny** *adj* autonomous, self-governing
**autoportret** *m* self-portrait
**autopsja** *f* autopsy
**autor** *m* author
**autorka** *f* authoress
**autorstwo** *n* authorship
**autorytatywny** *adj* authoritative
**autorytet** *m* authority
**autoryzacja** *f* authorization
**autoryzować** *vt* authorize
**autostop** *m* hitch-hike, hitch-hiking; **podróżować ~em** hitch-hike
**autostopowicz** *m* hitch-hiker
**autostrada** *f* motorway; *am.* superhighway
**autożyro** *m* autogyro
**awangarda** *f* vanguard
**awans** *m* promotion, advancement; (*zaliczka*) advance; **dać ~** promote (**komuś** sb); **dostać ~** be promoted; **~ społeczny** social advancement
**awansować** *vt* promote; *vi* be promoted (**na wyższe stanowisko** to a higher rank)
**awantur|a** *f* brawl, row; **zrobić ~ę** make a scene, *pot.* kick up a row
**awanturniczy** *adj* rowdy
**awanturnik** *m* brawler, rowdy fellow
**awanturować się** *vr* brawl, make a row
**awaria** *f* damage
**awaryjn|y** *adj* damage (report etc.); **wyjście ~e** emergency exit
**awersja** *f* aversion
**awionetka** *f* babyplane, aviette
**awitaminoza** *f* avitaminosis
**awizacja** *f* letter of advice
**awizo** *n* advice (note)
**awizować** *vt* advice
**azalia** *f bot.* azalea
**azbest** *m* asbestos
**azbestowy** *adj* asbestic
**Azjata** *m* Asiatic
**azjatycki** *adj* Asiatic
**azot** *m* nitrogen
**azotan** *m* nitrate
**azotawy** *adj chem.* nitrous
**azotowy** *adj chem.* nitrogenous, nitric
**azyl** *m* asylum, refuge, sanctuary; **prawo ~u** right of sanctuary; **skorzystać z prawa ~u** take refuge; **szukać ~u** seek refuge; **udzielić komuś ~u** grant asylum
**azymut** *m mat. geogr.* azimuth
**aż** *conj* till, until; *part z praep* a) (*o czasie*) **aż do, aż po** till, until; as late as; **aż do 1965 r.** till 1965; **aż dotąd ⟨do tej chwili⟩** till now, up to now; b) (*o przestrzeni*) **aż do** as far as; **aż do Warszawy** as far as Warsaw; **aż dotąd ⟨do tego miejsca⟩** up to here; c) (*o ilości*) as much as, as

many as; **aż tysiąc książek** as many as one thousand books; **aż za dużo** only too much
**ażeby** *conj* = aby

**ażio** *n fin.* agio, premium
**ażur** *m* open ⟨pierced⟩ work
**ażurow|y** *adj* open-work, pierced; **~a robota** open work

# b

**ba!** *int* really!, indeed!, well!
**baba** *f pot.* old woman; (*wieśniaczka*) peasant woman
**babka** *f* grandmother; *pot.* old woman; (*ciasto*) brioche
**babrać się** *vr* puddle, dabble
**babski** *adj* womanly, old woman's; **~e gadanie** old wives' tale
**bachor** *m pot.* brat
**bacznoś|ć** *f* attention; (*ostrożność*) caution; **mieć się na ~ci** stand on one's guard, look out; **stać na ~ć** stand at attention; **stanąć na ~ć** come to attention
**baczny** *adj* attentive (**na coś** to sth); (*ostrożny*) cautious
**baczyć** *vi* pay attention (**na coś** to sth); **~ ażeby** mind ⟨watch out⟩ that
**bać się** *vr* be afraid (**kogoś, czegoś** of sb, of sth), fear (**kogoś, czegoś** sb, sth, **o kogoś, o coś** for sb, for sth); (*bardzo się bać*) dread; **nie bój się!** never fear!
**badacz** *m* investigator, explorer, research worker
**badać** *vt* investigate, explore, study, do research work; (*chorego, świadka itp.*) examine
**badanie** *n* investigation, exploration, research, study; (*chorego, świadka itp.*) examination
**badawcz|y** *adj* searching, scrutinizing; **praca ~a** research work; **zakład ~y** research institution
**badyl** *m* stalk
**bagatela** *f* trifle
**bagatelizować** *vt* slight, disregard; **~ sobie** make nothing (**coś** of sth)
**bagaż** *m* luggage, *am.* baggage; **oddać na ~** register one's luggage; **przechowalnia ~u** left-luggage office
**bagażnik** *m* (luggage-)container; (*w samochodzie*) boot
**bagażowy** *adj*, **wagon (wóz) ~** luggage-van; *m* porter
**bagnet** *m* bayonet
**bagnisty** *adj* marshy, swampy, boggy
**bagno** *n* marsh, swamp, bog
**bajdurzyć** *vi pot.* twaddle
**bajeczka** *f* fairy-tale, fable
**bajeczny** *adj* fabulous
**bajka** *f* fable, fairy-tale
**bajkopisarz** *m* fabulist
**bajoro** *n* puddle
**bak** *m* tank
**bakalie** *s pl* sweetmeats, dainties
**bakcyl** *m* bacillus
**baki** *s pl* side-whiskers
**bakier, na ~** *adv* crossways, slantwise, awry; **w kapeluszu na ~** with one's hat cocked; *przen.* **być z kimś na ~** be cross with sb
**bakteria** *f* bacterium
**bakteriobójczy** *adj* bactericidal
**bakteriolog** *m* bacteriologist
**bakteriologia** *f* bacteriology
**bakteriologiczny** *adj* bacteriological
**bal 1.** *m* (*zabawa*) ball; **~ kostiumowy** fancy-dress ball; **~ maskowy** masked ball
**bal 2.** *m* (*belka*) beam, log

**balast** *m* ballast; **obciążyć ~em** ballast
**baldachim** *m* canopy, baldachin
**baleron** *m* ham in bladder
**balet** *m* ballet
**baletmistrz** *m* ballet-master
**baletnica** *f* ballerina
**balia** *f* wash-tub
**balistyczny** *adj* ballistic
**balistyka** *f* ballistics
**balkon** *m* balcony
**ballada** *f* ballad
**balon** *m* balloon; (*sterowy*) dirigible (balloon); (*wywiadowczy*) blimp; **~ na uwięzi** captive balloon
**balotować** *vi* ballot
**balotowanie** *n* ballot(ing)
**balować** *vi* attend balls
**balsam** *m* balsam, balm
**balsamiczny** *adj* balsamic
**balsamować** *vt* embalm
**balustrada** *f* balustrade, rail
**bałagan** *m pot.* mess, muddle; **narobić ~u** make a mess (**w czymś** of sth)
**bałamucić** *vt* seduce; confuse; muddle; embarrass; mislead
**bałamut** *m* seducer; (*kobieciarz*) ladies' man
**bałamutny** *adj* muddling; misleading; confusing
**bałkański** *adj* Balcan
**bałtycki** *adj* Baltic
**bałwan** *m* (*fala*) billow; (*bożyszcze*) idol; (*głupiec*) blockhead; (*ze śniegu*) snowman
**bałwochwalca** *m* idolater
**bałwochwalczy** *adj* idolatrous
**bałwochwalstwo** *n* idolatry
**bambus** *m* bamboo
**banalność** *f* banality
**banalny** *adj* hackneyed, banal, commonplace, trite
**banał** *m* banality, commonplace
**banan** *m* banana
**banda** *f* (*grupa*) gang, band; *sport* (*krawędź*) border
**bandaż** *m* bandage
**bandażować** *vt* bandage, dress
**bander|a** *f* flag; **podnieść** ⟨**opuścić**⟩ **~ę** hoist ⟨haul down⟩ a flag
**banderola** *f* banderole
**bandycki** *adj* bandit's; **napad ~** robbery with assault
**bandyta** *m* bandit
**bandytyzm** *m* banditry
**bania** *f* (*naczynie*) receptacle; (*kula*) ball, globe; *bot.* gourd
**banicj|a** *f* banishment; **skazać na ~ę** banish, outlaw
**banita** *m* outlaw
**bank** *m* bank; **~ emisyjny** bank of issue; **~ handlowy** commercial bank
**bankier** *m* banker
**bankrut** *m* bankrupt
**banknot** *m* (bank-)note
**bankowiec** *m* banker, bank employee
**bankowość** *f* banking
**bankructwo** *n* bankruptcy; **ogłosić czyjeś ~** to adjudge sb bankrupt
**bankrut** *m* bankrupt
**bankrutować** *vi* go bankrupt, fail
**bańk|a** *f* (*naczynie*) can; *med.* cupping glass, cup; (*powietrzna, mydlana itp.*) bubble; (*kula*) ball, globe; **puszczać ~i** blow bubbles; *med.* **stawiać ~i** cup (**komuś** sb)
**bar** 1. *m* bar; **~ kawowy** coffee bar; **~ samoobsługowy** snack--bar
**bar** 2. *m chem.* barium
**barak** *m* barrack
**baran** *m* ram; *przen.* **wziąć na ~a** take pick-a-back
**baranek** *m* lamb
**baranina** *f* mutton
**baraszkować** *vi* dally, trifle, frivol
**barbarzyńca** *m* barbarian
**barbarzyński** *adj* barbarian, barbarous
**barbarzyństwo** *n* barbarity
**barchan** *m* fustian
**barczysty** *adj* broad-shouldered
**barć** *f* wild beehive
**bardz|o** *adv* very; (*z czasownikiem*) much, greatly; **~iej** more, better; **coraz ~iej** more and more; **tym ~iej** all the more; **najbar-**

dziej most, best; **nie ~o** not quite, hardly
**bariera** *f* bar, barrier
**bark** *m* *anat.* shoulder
**barka** *f* barge
**barkarola** *f* *muz.* barcarole
**barkowy** *adj* *anat.* scapular, shoulder-(joint etc.)
**barłóg** *m* pallet
**barman** *m* barman, bartender
**barmanka** *f* barmaid
**barok** *m* baroque
**barometr** *m* barometer
**barometryczny** *adj* barometric(al); **niż ~** depression; low pressure; **wyż ~** high pressure
**baron** *m* baron
**baronowa** *f* baroness
**baronowski** *adj* baronial
**barszcz** *m* borsch, beetroot soup
**bartnictwo** *n* wild-bee rearing
**bartnik** *m* wild-bee keeper
**barwa** *f* colour, hue; (*farba*) dye; **~ ochronna** protective colouring
**barwić** *vt* colour, dye
**barwnik** *m* colouring matter, dye; pigment
**barwny** *adj* coloured
**barykada** *f* barricade
**barykadować** *vt* barricade
**baryłka** *f* barrel
**baryton** *m* baritone
**bas** *m* bass
**basen** *m* basin; tank; **~ pływacki** ⟨**kąpielowy**⟩ swimming pool
**basista** *m* (*grający*) bass-player; (*śpiewak*) bass-singer
**basta!** *int* enough! that'll do!
**bastion** *m* bastion
**baszta** *f* dungeon
**baśniowy** *adj* fabulous, fairy
**baśń** *f* fable, fabulous tale
**bat** *m* whip; **dać** ⟨**dostać**⟩ **~y** give ⟨get⟩ a licking; **trzaskać ~em** crack the whip
**batalion** *m* battalion
**batalista** *m* battle-painter
**bateria** *f* battery
**batog** *m* whip
**batut|a** *f* baton; **pod ~ą** conducted by
**batyst** *m* cambric, batiste
**bawełn|a** *f* cotton; *przen.* **owijać w ~ę** beat about the bush
**bawialnia** *f* drawing-room, parlour
**bawić** *vt* amuse, entertain; **~ się** *vr* amuse oneself, enjoy oneself; play (**w coś** at sth); toy, trifle (**czymś** with sth); **dobrze się ~** have a good time; *vi* (*przebywać*) stay
**bawół** *m* buffalo
**baza** *f* basis, base
**bazalt** *m* basalt
**bazar** *m* bazaar
**bazgrać** *vt* scrawl, scribble
**bazgranina** *f* scrawl, scribble
**bazia** *f* *bot.* catkin
**bazować** *vt vi* base, rely (**na czymś** on, upon sth)
**bazylika** *f* basilica
**bazyliszek** *m* *zool.* basilisk
**bażant** *m* *zool.* pheasant
**bąbel** *m* bubble; *med.* blister
**bądź** *imp od* **być** be; **~ co ~** at any rate; **~ ... ~ ...** either ... or ...
**bąk** *m* (*owad*) bumble-bee; (*zabawka*) (humming) top; *pot.* (*dziecko*) brat; *pot.* **strzelić ~a** make a bloomer; **zbijać ~i** idle time away
**bąkać** *vt vi* mumble, mutter
**beczeć** *vi* bleat; *pot.* (*o człowieku*) blubber
**beczk|a** *f* cask, barrel; *lotn.* barrel-roll; **piwo z ~i** beer on draft; **~a wina** caskful of wine
**beczkować** *vt* barrel
**beczułka** *f* keg
**bednarstwo** *n* coopery
**bednarz** *m* cooper
**befsztyk** *m* beefsteak
**bejca** *f* mordant
**bejcować** *vt* mordant; (*mięso*) pickle
**bek** *m* bleat; (*płacz*) blubber
**bekas** *m* *zool.* snipe
**bekon** *m* bacon
**beksa** *m f* *pot.* blubberer

**bela** *f* log; (*materiału*) bale; **~ papieru** ten reams of paper
**beletrysta** *m* belletrist
**beletrystyka** *f* belles-lettres
**belfer** *m pot.* usher
**Belg** *m* Belgian
**belgijski** *adj* Belgian
**belka** *f* beam; *pot. wojsk.* (*naszywka*) bar; **~ stropowa** tie-beam
**bełkot** *m* (*o mowie*) gabble; mumble
**bełkotać** *vi vt* (*o mowie*) gabble; mumble
**bełtać** *vt* stir
**bemol** *m muz.* flat
**bengalski** *adj* Bengal(i)
**beniaminek** *f* favourite
**benzen** *m*, **benzol** *m chem.* benzene
**benzyna** *f* (*czysta*) benzine; (*paliwo*) petrol, *am.* gasolene
**benzynow|y** *adj* benzine, petrol, *am.* gasolene; **stacja ~a** filling-station, *am.* gas station
**berek** *m* (*zabawa*) tag
**beret** *m* beret
**berlinka** *f* barge
**berło** *n* sceptre; **dzierżyć ~** hold the sceptre
**bernardyn** *m* Bernardine; (*pies*) St. Bernard's dog
**bessa** *f handl.* slump
**bestia** *f* beast
**bestialski** *adj* bestial
**bestialstwo** *n* bestiality
**besztać** *vt* scold
**beton** *m* concrete; **~ zbrojony** reinforced concrete
**betonować** *vt* concrete
**bez 1.** *m bot.* lilac; (*dziki*) elder
**bez 2.** *praep* without; **~ butów ⟨kapelusza⟩** with no shoes ⟨hat⟩ on; **~ deszczu, słońca** rainless, sunless; **~ grosza** penniless; **~ ogródek** without mincing words; **~ wątpienia** doubtless; **~ względu na coś** regardless of sth; **~ ustanku** unceasingly, incessantly
**beza** *f* meringue
**bezalkoholowy** *adj* non-alcoholic; (*o napoju*) soft
**bezapelacyjny** *adj* unappealable, beyond appeal
**bezbarwny** *adj* colourless
**bezbłędny** *adj* faultless
**bezbolesny** *adj* painless
**bezbożnik** *m* atheist
**bezbożny** *adj* atheistic, impious
**bezbronność** *f* defencelessness
**bezbronny** *adj* defenceless
**bezbrzeżny** *adj* boundless, limitless
**bezcelowość** *f* aimlessness, uselessness
**bezcelowy** *adj* aimless, useless, to no purpose
**bezcen, za ~** *adv* dirt-cheap, *pot.* for a mere song
**bezcenny** *adj* priceless, invaluable
**bezceremonialnie** *adv* in a free and easy way; roughly; off-hand
**bezceremonialność** *f* free and easy way; unceremoniousness; informality; bluntness
**bezceremonialny** *adj* free and easy, unceremonious; informal; downright; blunt
**bezchmurny** *adj* cloudless
**bezcielesny** *adj* incorporeal, fleshless, immaterial
**bezczelność** *f* insolence, impertinence, *pot.* cheek
**bezczelny** *adj* insolent, impertinent, *pot.* cheeky, outrageous
**bezcześcić** *vt* desecrate, profane
**bezczynność** *f* inactivity, inaction, idleness
**bezczynny** *adj* inactive, idle
**bezdenny** *adj* bottomless, fathomless, abysmal
**bezdeszczowy** *adj* rainless
**bezdomny** *adj* homeless
**bezdroż|e** *n* impassable way, unbeaten track; *przen.* **zejść na ~a** go astray
**bezdrzewny** *adj* treeless, woodless; **papier ~** rag paper
**bezduszny** *adj* soulless, lifeless, dull

**bezdymny** *adj* smokeless
**bezdzietny** *adj* childless
**bezdźwięczny** *adj* soundless, hollow; *gram.* surd, unvoiced
**bezecność** *f* villainy, infamy
**bezecny** *adj* villainous, infamous
**bezgorączkowy** *adj* feverless
**bezgraniczny** *adj* boundless, infinite
**bezgrzeszny** *adj* sinless, impeccable
**bezhołowie** *n pot.* confusion, mess
**bezimienność** *f* namelessness, anonymousness
**bezimienny** *adj* nameless, anonymous
**bezinteresowność** *f* disinterestedness
**bezinteresowny** *adj* disinterested
**bezkarnie** *adv* with impunity; **ujść ~** go unpunished, *pot.* get off scot-free, get away with it
**bezkarność** *f* impunity
**bezkarny** *adj* unpunished
**bezklasow|y** *adj* classless; **społeczeństwo ~e** classless society
**bezkompromisowy** *adj* uncompromising
**bezkonkurencyjny** *adj* unrivalled
**bezkresny** *adj* boundless
**bezkrólewie** *n* interregnum
**bezkrwawy** *adj* bloodless
**bezkrwisty** *adj* anaemic
**bezkrytyczny** *adj* uncritical, indiscriminate
**bezksiężycowy** *adj* moonless
**bezkształtność** *f* shapelessness
**bezkształtny** *adj* shapeless
**bez liku** *adv* no end (**czegoś** of sth)
**bezlitosny** *adj* merciless, ruthless
**bezludny** *adj* desolate, uninhabited
**bezludzie** *n* wilderness, waste
**bezład** *m* confusion, disorder, chaos
**bezładny** *adj* confused, disorderly; (*np. o mowie*) disconnected, incoherent
**bez mała** *adv* nearly, almost, all but
**bezmiar** *m* immensity, infinity
**bezmierny** *adj* immense, infinite, immeasurable
**bezmięsny** *adj* fleshless; emaciated; (*postny*) meatless
**bezmyślność** *f* thoughtlessness, carelessness
**bezmyślny** *adj* thoughtless, careless
**beznadziejnie** *adv* hopelessly, beyond hope
**beznadziejność** *f* hopelessness
**beznadziejny** *adj* hopeless, desperate
**beznamiętny** *adj* dispassionate
**beznogi** *adj* legless, footless
**bezokolicznik** *m gram.* infinitive
**bezosobowy** *adj* impersonal
**bezowocny** *adj* fruitless, unproductive, ineffectual
**bezpańsk|i** *adj* ownerless, masterless, unclaimed; **~i pies** stray dog; **ziemia ~a** no man's land
**bezpartyjny** *adj* non-party *attr*; independent
**bezpieczeństw|o** *n* safety, security; **klapa ~a** safety-valve; **środki ~a** measures of precaution, precautionary measures; **Rada Bezpieczeństwa** Security Council
**bezpiecznik** *f* safety-cock, safety-tap; *elektr.* fuse
**bezpieczny** *adj* safe, secure
**bezpieniężny** *adj* moneyless
**bezplanowy** *adj* planless
**bezpłatnie** *adv* gratuitously, gratis, free (of charge)
**bezpłatny** *adj* gratuitous, free (ticket, instruction etc.)
**bezpłciowość** *f* sexlessness
**bezpłciowy** *adj* sexless, *biol.* asexual
**bezpłodność** *f* barrenness, sterility, infertility
**bezpłodny** *adj* barren, sterile, infertile
**bezpodstawność** *f* groundlessness, baselessness
**bezpodstawny** *adj* groundless, baseless
**bezpostaciowy** *adj* amorphous

**bezpośredni** *adj* direct, immediate; (*o człowieku*) straightforward; **pociąg** ⟨**bilet**⟩ ~ through train ⟨ticket⟩
**bezpośrednio** *adv* directly, immediately
**bezpośredniość** *f* directness, immediateness
**bezpotomnie** *adv* without issue ⟨progeny⟩
**bezpotomny** *adj* heirless, issueless
**bezpowrotnie** *adv* irretrievably, beyond retrieve
**bezpowrotny** *adj* irretrievable, irredeemable, irreparable
**bezprawie** *n* lawlessness; illegal action
**bezprawny** *adj* lawless, unlawful, illegal
**bezpretensjonalny** *adj* unpretentious, unpretending, unassuming
**bezprocentowy** *adj* without interest
**bezprzedmiotowy** *adj* insubstantial, matterless, purposeless
**bezprzykładny** *adj* unexampled, unprecedented
**bezradność** *f* helplessness, perplexity
**bezradny** *adj* helpless, perplexed
**bezręki** *adj* handless, armless
**bezrobocie** *n* unemployment
**bezrobotn|y** *adj* unemployed, out of work; *pl* ~**i** the unemployed
**bezrolny** *adj* landless
**bezruch** *m* immobility, standstill; **w** ~**u** at a standstill
**bezsenność** *f* sleeplessness
**bezsenny** *adj* sleepless
**bezsens** *m* nonsense, absurdity
**bezsensowny** *adj* absurd
**bezsilnikowy** *adj* motorless
**bezsilność** *f* impotence
**bezsilny** *adj* powerless, impotent
**bezskutecznie** *adv* to no avail, in vain
**bezskuteczność** *f* ineffectiveness
**bezskuteczny** *adj* ineffective, unavailing
**bezspornie** *adv* undeniably, beyond dispute
**bezsporność** *f* incontestability
**bezsporny, bezsprzeczny** *adj* incontestable, undisputed
**bezstronnie** *adv* impartially, dispassionately
**bezstronność** *f* impartiality
**bezstronny** *adj* impartial, dispassionate
**bezterminowo** *adv* without time-limit
**bezterminowy** *adj* termless
**beztreściowy** *adj* void of substance, empty
**beztroska** *f* unconcern
**beztroski** *adj* unconcerned, careless
**bezustannie** *adv* incessantly, without intermission
**bezustanny** *adj* incessant
**bezużyteczność** *f* uselessness
**bezużyteczny** *adj* useless, (of) no use
**bezwartościowy** *adj* worthless
**bezwarunkowo** *adv* unconditionally; absolutely
**bezwarunkowy** *adj* unconditional; absolute
**bezwiednie** *adv* unknowingly; involuntarily
**bezwiedny** *adj* unknowing, unconscious; involuntary
**bezwład** *m* inertia; *med.* paralysis
**bezwładnoś|ć** *f* inertness, inertia; *fiz.* **siła** ~**ci** force of inertia
**bezwładny** *adj* inert; (*np. o inwalidzie*) disabled
**bezwłasnowolny** *adj* (*prawnie*) legally incapable, disabled
**bezwodny** *adj* waterless; *chem.* anhydrous
**bezwolny** *adj* involuntary; passive; undecided
**bezwonny** *adj* inodorous
**bezwstyd** *m* impudence, shamelessness
**bezwstydnie** *adv* impudently
**bezwstydnik** *m* impudent fellow
**bezwstydny** *adj* impudent, shameless
**bezwyznaniowiec** *m* irreligionist
**bezwyznaniowy** *adj* irreligious; (*o szkole*) undenominational

**bezwzględność** *f* absoluteness; peremptoriness; positiveness
**bezwzględny** *adj* absolute; peremptory; positive
**bezzębny** *adj* toothless
**bezzwłocznie** *adv* immediately, instantly, without delay
**bezzwłoczny** *adj* immediate, instant
**bezzwrotny** *adj* unrepayable, unredeemable
**bezżenny** *adj s m* celibate
**bezżeństwo** *n* celibacy
**beż** *m* beige
**beżowy** *adj* beige
**bęben** *m* drum
**bębenek** *m muz.* tambourine; *anat.* tympanum
**bębnić** *vi* drum
**bęcwał** *m* dolt, dullard
**bękart** *m* bastard
**biada** *int* woe!
**biadać** *vi* wail, groan and moan; deplore (**nad czymś** sth)
**białaczka** *f med.* leukaemia
**białawy** *adj* whitish
**białko** *n* (*oka, jajka*) white; *chem.* albumen
**Białorusin** *m* Byelorussian
**białoruski** *adj* Byelorussian
**białość** *f* whiteness
**białowłosy** *adj* white-haired
**biał|y** *adj* white; **~a broń** cold steel; **~y dzień** broad daylight; **~y wiersz** blank verse; **czarno na ~ym** black and white
**biblia** *f* Bible
**biblijny** *adj* biblical
**bibliofil** *m* bibliophile
**bibliograf** *m* bibliographer
**bibliografia** *f* bibliography
**biblioteka** *f* library; (*szafa*) bookcase
**bibliotekarz** *m* librarian
**bibularz** *m* blotting-pad
**bibuła** *f* blotting-paper; *pot.* (*prasa nielegalna*) illegal press
**bibułka** *f* tissue-paper
**bicz** *m* whip; **~ boży** scourge; **trzaskać z ~a** crack the whip
**biczować** *vt* lash, whip, flagellate
**biczowanie** *n* flagellation
**bić** *vt vi* beat, strike; **~ brawo** applaud (**komuś** sb); **~ czołem** prostrate oneself; **~ w dzwony** ring the bells; **~ kogoś po twarzy** slap sb's face; **~ pieniądze** mint coins; coin (money); **~ rekordy** break records; **~ z działa** fire the gun; **biją pioruny** lightning bolts strike; **~ się** *vr* fight; (*na pięści*) box; **~ się z myślami** be in two minds; **~ się w piersi** beat one's breast; **to bije w oczy** this strikes the eyes
**biec** *zob.* **biegać**
**bied|a** *f* poverty, misery; want, need; (*zły los*) adversity, distress; (*kłopot*) embarrassment; **klepać ~ę** *pot.* bite on the bit; **narobić sobie ~y** get into a mess
**biedactwo** *n* poor devil ⟨soul, thing⟩
**biedak** *m* poor man, pauper
**biedny** *adj* poor, miserable; *s m* poor man
**biedota** *f zbior.* (*biedacy*) poor people, the poor, the destitute
**biedować** *vi* suffer want, eke out one's existence
**biedronka** *f zool.* ladybird
**biedzić się** *vr* take pains (**nad czymś** with, over sth), toil (**nad czymś** at, on sth)
**bieg** *m* run, race; (*życia, czasu, rzeki*) course; *techn.* gear; **pierwszy ~** first gear; **najwyższy ~** top gear; **skrzynka ~ów** gearbox; **włączyć ~** engage the gear; *sport* **krótki ~** sprint; **~ sztafetowy** relay-race; **~ z przeszkodami** obstacle race; **w pełnym ~u** at full speed; **z ~iem lat** in the course of years
**biegacz** *m* runner, racer
**biegać** *vi* run (**za czymś** after sth); **~ na posyłki** run errands
**biegle** *adv* fluently
**biegłość** *f* (*w mowie*) fluency; (*zręczność*) skill, dexterity; (*wprawa*) routine

**biegły** *adj* skilful, skilled, expert (w czymś in sth); *s m* expert
**biegnąć** *zob.* biegać
**biegun** *m fiz. geogr.* pole; (*np. kołyski*) rocker; **koń na ~ach** rocking-horse; **krzesło na ~ach** rocking-chair
**biegunka** *f med.* diarrhoea; **krwawa ~** dysentery
**biegunowo** *adv* diametrically
**biegunowy** *adj* polar
**biel** *f* white; **~ cynkowa** zink white; **~ ołowiowa** white lead; **~ do malowania ścian** whitewash
**bielić** *vt* whiten; (*naczynia metalowe*) tin; (*ściany*) whitewash; (*bieliznę*) bleach
**bielidło** *n* whitewash
**bielizna** *f* linen, underwear; **~ pościelowa** bed-linen; **~ damska** lingerie
**bielmo** *n med.* leucoma, film; **~ na oku** web eye
**biernie** *adv* passively
**biernik** *m gram.* accusative (case)
**bierność** *f* passivity
**bierny** *adv* passive; **~ opór** non-cooperation; *handl.* **~ stan** (*rachunków*) liabilities
**biesiada** *f* feast
**biesiadnik** *m* feaster
**biesiadować** *vi* feast, banquet
**bieżący** *adj* running, current; (*o miesiącu w dacie*) instant; **dług ~** floating debt; **rachunek ~** current account
**bieżnia** *f* running track; (*na torze wyścigowym*) race-course
**bigamia** *f* bigamy
**bigamista** *m* bigamist
**bigos** *m* sauerkraut stew; *przen.* mess, jumble; **narobić ~u** make a mess (z czymś of sth)
**bijatyka** *f* scrimmage, scuffle
**bikiniarz** *m* Teddy boy
**bilans** *m* balance; **~ handlowy** balance of trade; **~ płatniczy** balance of accounts; **sporządzić ~** make up the balance, balance; **zestawić ~** strike the balance
**bilansow|y** *adj*, **zestawienie ~e** balance sheet
**bilard** *m* billiards
**bilet** *m* ticket; (*wizytowy*) visiting card; **~ ulgowy** reduced ticket; **~ w jedną stronę** ⟨**powrotny**⟩ single ⟨return⟩ ticket
**bileter** *m* ticket-collector
**bilion** *m* billion
**bilon** *m* coins; small change
**binokle** *pl* eye-glasses
**biochemia** *f* biochemistry
**biodro** *n* hip, haunch
**biograf** *m* biographer
**biografia** *f* biography
**biograficzny** *adj* biographic(al)
**biolog** *m* biologist
**biologia** *f* biology
**biologiczny** *adj* biologic(al)
**biret** *m* beret; (*księży*) biretta
**bis** *int i s m* encore
**biskup** *m* bishop
**biskupstwo** *n* bishopric
**bisować** *vt vi* encore
**biszkopt** *m* sponge-cake
**bitka** *f* scuffle, scrimmage
**bitny** *adj* warlike, brave
**bitw|a** *f* battle; **pole ~y** battle-field; **wydać ~ę** give battle
**biuletyn** *m* bulletin
**biuralista** *m* official, clerk
**biurko** *n* writing-table, desk
**biuro** *n* office; **~ informacyjne** information office; **~ podróży** travel agency
**biurokracja** *f* bureaucracy, *przen.* red tape
**biurokrata** *m* bureaucrat, *przen.* red tapist
**biust** *m* breast; bust
**biustonosz** *m* brassière, *pot.* bra
**biwak** *m* bivouac
**biwakować** *vi* bivouac
**bizantyjski** *adj* Byzantine
**bizmut** *m* bismuth
**biżuteria** *f* jewellery
**blacha** *f* (*biała*) tin plate; (*ciemna*) sheet iron; (*kuchenna*) (kitchen-) range
**blacharnia** *f* sheet-iron works ⟨shop⟩

**blacharz** *m* tinsmith
**bladoczerwony** *adj* pale-red, pink
**bladoróżowy** *adj* pale-pink
**bladość** *f* paleness
**blady** *adj* pale, pallid
**blaga** *f* blague, hoax
**blagier** *m* liar, hoaxer
**blagować** *vi* blague, hoax
**blaknąć** *vi* discolour, fade
**blamować się** *vr* ridicule oneself, discredit oneself
**blankiet** *m* (blank) form
**blanko, czek in ~** *handl.* blank cheque
**blask** *m* brilliance, brightness, splendour; (*np. słońca*) glare
**blaszanka** *f* can
**blaszany** *adj* tin, tinplate
**blaszka** *f* metal plate; *bot.* lamina, blade
**blat** *m* sheet, plate; **~ stołu** table top
**blednąć** *vi* grow pale; (*o barwach*) fade
**blednica** *f* *med.* chlorosis, greensickness
**blenda** *f* *geol.* blende; *fot.* diaphragm
**blichtr** *m* tinsel, false show
**bliski** *adj* near, close; (*zbliżający się — np. o nieszczęściu*) imminent; **~ śmierci** on the point ⟨on the verge⟩ of death; **~ znajomy** close ⟨intimate⟩ acquaintance; **pozostawać w ~ch stosunkach** be in close ⟨intimate⟩ relations; **~e podobieństwo** close resemblance
**blisko** *adv* near(ly), close(ly); **~ spokrewniony** closely related; **~ dwa miesiące** nearly two months; **być ~ czegoś** be quite close to sth; **daleko i ~** far and near; *praep* **~ rzeki** near the river; **~ siebie** close to each other
**bliskość** *f* nearness, proximity; (*w czasie*) imminence
**bliskoznaczny** *adj* synonymous
**blizna** *f* scar
**bliźni** *m* fellow creature, neighbour
**bliźniaczy** *adj* twin
**bliźniak** *m* twin
**bliżej** *adv* nearer, closer, more nearly ⟨closely⟩
**bliższy** *adj* nearer, closer
**bloczek** *m* pad, (small) notebook; *filat.* miniature-sheet
**blok** *m* block; *techn.* pulley; **~ kasowy** cash-block; **~ mieszkalny** block of flats; **~ rysunkowy** drawing-block
**blokada** *f* blockade
**blokować** *vt* block
**blond** *adj* *nieodm.* fair(-haired), blond
**blondyn** *m* blond (man)
**blondynka** *f* blond woman, blonde
**blotka** *f* (*w kartach*) low card
**bluszcz** *m* *bot.* ivy
**bluza** *f* blouse; *wojsk.* tunic
**bluzgać** *vi* spout, squirt
**bluzka** *f* blouse
**bluźnić** *vi* blaspheme
**bluźnierca** *m* blasphemer
**bluźnierstwo** *n* blasphemy
**błagać** *vt* implore, beseech, supplicate
**błagalny** *adj* imploring, beseeching, suppliant
**błaganie** *n* imploration; entreaty
**błahostka** *f* trifle
**błahy** *adj* trifling, futile
**błam** *m* fur-lining
**bławatek** *m* *bot.* cornflower
**błazen** *m* fool, buffoon, clown
**błazeńsk|i** *adj* clownish; **czapka ~a** fool's cap
**błazeństwo** *n* foolery, buffoonery
**błaznować** *vi* play the fool, fool around
**błąd** *m* mistake, error, fault; **~ drukarski** misprint
**błądzić** *vi* err, blunder; wander, roam
**błąkać się** *vr* stray, roam
**błędn|y** *adj* faulty, incorrect, erroneous; **~e koło** vicious circle; **~y rycerz** knight errant; **~e oczy** wild look; **~y ognik** jack-o'-lantern, will-o'-the-wisp; **na ~ej drodze** on the wrong track
**błękit** *m* sky-blue, azure

**błękitnooki** *adj* blue-eyed
**błękitny** *adj* sky-blue
**błogi** *adj* blissful, happy
**błogosławić** *vt* bless
**błogosławieństwo** *n* blessing
**błogostan** *m* blissfulness
**błona** *f* membrane; film
**błoniasty** *adj* membraneous, filmy
**błonica** *f med.* diphtheria
**błonie** *n* pasturage; (*wiejskie*) village green
**błonka** *f* pellicle, film
**błotnik** *m* mudguard, wing, *am.* fender
**błotnisty** *adj* muddy, swampy
**błoto** *n* mud, muck, dirt
**błysk** *m* glitter, flash; (*rażący*) glare
**błyska|ć** *vt* flash, glitter; ~ **się** it lightens
**błyskawica** *f* (flash of) lightning
**błyskawicznie** *adv* like lightning, in no time at all; *pot.* like a streak
**błyskawiczn|y** *adj* swift, rapid; **wojna** ~**a** blitz; **zamek** ~**y** zip fastener, zipper
**błyskotk|a** *f* gewgaw; *zbior.* ~**i** tinsel
**błyskotliwość** *f* brightness; *uj.* gaudiness
**błyskotliwy** *adj* flashy; *uj.* gaudy
**błysnąć** *vi* flash
**błyszczący** *adj* brilliant, shining
**błyszczeć** *vi* shine, glitter
**bo** *conj* because, for
**boazeria** *f* wainscot(ing)
**bobkow|y** *adj* **liście** ~**e** bay leaves
**bobo** *n nieodm. pot.* babe, kiddy
**bobslej** *m sport.* bobsleigh
**bochen(ek)** *m* loaf
**bocian** *m zool.* stork
**boczek** *f* flank, side; (*wędlina*) flitch of bacon
**bocznica** *f* siding (track)
**boczn|y** *adj* lateral, side *attr*; ~**e światło** side-light; ~**a ulica** by-street, off street
**boczyć się** *vr pot.* be sulky (**na kogoś** with sb)
**boćwina** *f* red-beet leaves; (*zupa*) red-beet soup
**bodaj** *part* may...; ~**by tak było** may it be so
**bodziec** *m* stimulus, incentive, goad; **dodać bodźca** stimulate (**komuś** sb)
**bogacić** *vt* enrich; ~ **się** *vr* enrich oneself, grow rich
**bogactwo** *n* wealth, riches
**bogacz** *m* rich man
**bogaty** *adj* rich, wealthy
**bogini** *f* goddess
**boginka** *f* nymph
**bogobojny** *adj* godly, pious
**bohater** *m* hero
**bohaterka** *f* heroine
**bohaterski** *adj* heroic
**bohaterstwo** *n* heroism
**bohomaz** *m* daub
**boisko** *n sport* sports field, playground; (*szkolne*) close
**boja** *f* buoy; ~ **świetlna** beacon-buoy
**bojaźliwość** *f* shyness, timidity
**bojaźliwy** *adj* shy, timid
**bojaźń** *f* awe, fear
**bojer** *m sport* ice boat
**bojkot** *m* boycott
**bojkotować** *vt* boycott
**bojler** *m* boiler
**bojownik** *m* fighter; champion; ~ **o pokój** peace-fighter
**bojow|y** *adj* pugnacious, combative; **gotowość** ~**a** alert; **okrzyk** ~**y** battle-cry; **szyk** ~**y** battle-array; **siły** ~**e** striking force
**bojówka** *f* fighting group, armed band
**bok** *m* side, flank; ~**iem** sidelong; **patrzeć** ~**iem** look askance (**na kogoś** at sb); **pod** ~**iem** near by, at hand; *przen.* **to mi** ~**iem wychodzi** I'm fed up with it; **zrywać** ~**i ze śmiechu** split one's sides with laughing; **robić** ~**ami** be one one's last legs; **przy czyimś** ~**u** at sb's side; **na** ~, **na** ~**u** aside, apart; **uwaga na** ~**u** side note; **zarobić coś na** ~**u** earn sth on the side; **kłucie w** ~**u** stitch in the side; **stać na** ~**u**

stand aloof; z ~u from the side; widok z ~u side-view; uderzenie z ~u side-blow, by-blow
**bokobrody** *s pl* sidewhiskers
**boks 1.** *m* (*pięściarstwo*) boxing
**boks 2.** *m* (*skóra*) box-calf
**bokser** *m* boxer
**boksować** *vt* box; ~ **się** *vr* box
**bolący** *adj* painful, aching
**bolączka** *f* pain; grief, worry
**bol|eć** *vi* ache, hurt, pain; (*żałować*) regret, grieve; **~i mnie głowa ⟨ząb⟩** I have a headache ⟨a toothache⟩; **~i mnie palec** my finger hurts, I have a sore finger; **~i mnie gardło** I have a sore throat; **co cię ~i?** what ails ⟨hurts⟩ you?; **~eję nad jego śmiercią** I mourn over his death
**bolesny** *adj* painful, sore; (*moralnie*) grievous
**boleś|ć** *f* (*moralna*) grief; *pl* **~ci** pains
**bolszewicki** *adj* Bolshevist, Bolshevik
**bolszewik** *adj* Bolshevik
**bolszewizm** *m* Bolshevism
**bomba** *f* bomb; (*czekoladowa*) ball; (*kufel*) pint; (*sensacja*) startling piece of news, sensation; **~ atomowa** atomic bomb, A-bomb; **~ wodorowa** hydrogen bomb, H--bomb; **wpaść jak ~** rush in, burst in; **~ pękła** it has come off
**bombardować** *vt* bombard
**bombardowanie** *n* bombardment
**bombastyczny** *adj* bombastic
**bombonierka** *f* bonbonnière
**bombowiec** *m* *wojsk. lotn.* bomber
**bon** *m* bill, bond, ticket, coupon; *fin.* **~ skarbowy** treasury bond
**bonifikacja** *f* compensation, indemnity, allowance
**bonifikować** *vt* compensate (**komuś coś** sb for sth)
**boraks** *m* *chem.* borax
**bordo** *n i adj nieodm.* (*kolor*) crimson-dark red; (*wino*) Bordeaux
**borny** *adj* **kwas ~** boric acid
**borówka** *f* bilberry, whortleberry
**borsuk** *m* *zool.* badger
**borykać się** *vr* wrestle, grapple
**bosak** *m* boat-hook; fire-hook; **na ~a** barefoot
**bosk|i** *adj* divine, godlike; **oddawać cześć ~ą** worship; **na litość ~ą!** for goodness' sake!; **rany ~ie!** good heavens!
**boskość** *f* divinity
**bosman** *m* *mors.* boatswain
**boso** *adv* barefoot
**bosy** *adj* barefooted
**bot** *m* (high) overshoe
**botaniczny** *adj* botanical
**botanika** *f* botany
**bowiem** *conj* for
**bożek** *m* idol, god
**boż|y** *adj* divine; **~a krówka** ladybird; **Boże Ciało** Corpus Christi; **Boże Narodzenie** Christmas
**bożyszcze** *n* idol
**bób** *m* (broad) beans
**bóbr** *m* beaver; **płakać jak ~** melt into tears
**Bóg** *m* God; **mój Boże!** good God!, dear me!; **chwała Bogu!** thank God!; **nie daj Boże!** God forbid!; **szczęść Boże!** God speed you!
**bój** *m* fight, battle; **prowadzić ~** fight, battle
**bójka** *f* scrimmage, scuffle
**ból** *m* pain, ache; **~ głowy** headache; **~ gardła** sore throat; **~ zębów** toothache
**bór** *m* forest
**bóstwo** *n* deity
**bóść** *vt* gore
**bóżnica** *f* synagogue
**bractwo** *n* confraternity
**brać** *vt* take; **~ do wojska** enlist; **~ górę** get the upper hand (**nad kimś, czymś** of sb, sth); **~ na serio** take seriously; **~ na siebie obowiązek** take on duty; **~ pod uwagę** take into consideration; **~ ślub** get married (**z kimś** to sb), wed (**z kimś** sb); **~ udział** take part; **~ w rachubę** take into account; **~ za dobrą monetę**

take in good part; ~ za złe take amiss; bierze mnie chęć I feel inclined, I have a mind; bierze mróz it begins to freeze; ~ się do dzieła set about one's work

**brak** *m* lack, deficiency, absence, want; (*wada*) fault, shortcoming; (*o towarze*) defective article; ~ mi pieniędzy I lack money; cierpieć na ~ czegoś lack sth; suffer from the lack of sth; nie ~ mu odwagi he abounds in courage; z ~u czasu for lack of time; zaspokoić ~ supply a want

**brakarz** *m* sorter

**brakoróbb** *m* defective worker, bungler

**brakoróbstwo** *n* defective work, bungling

**brakować** 1. *vt* (*sprawdzać jakość*) cast off, reject, sort

**brak|ować** 2. *vi* be wanting, be missing, be deficient; ~uje wielu książek many books are missing; ~uje pieniędzy there is lack of money, money is lacking; ~uje mi pieniędzy I lack money; ~uje mi słów words fail me; ~uje mi sił my power fails me; nic mi nie ~uje nothing is the matter with me

**brama** *f* gate; ~ wjazdowa gateway

**bramk|a** *f sport* goal; zdobyć ~ę score a goal

**bramkarz** *m sport* goalkeeper

**branka** *f* (*pobór*) impressment; † (*kobieta*) (female) captive

**bransolet(k)a** *f* bracelet

**branża** *f* line (of business); branch; craft

**brat** *m* brother; (*zakonny*) brother (*pl* brethren); bracia czescy Moravian Brethren; ~ cioteczny first cousin; ~ przyrodni stepbrother; być za pan ~ be on easy terms (z kimś with sb)

**bratać się** *vr* fraternize

**bratanck** *m* nephew

**bratanica** *f* niece

**bratanie się** *n* fraternization

**bratek** *m bot.* pansy

**braterski** *adj* brotherly, fraternal

**braterstwo** *n* brotherhood, fraternity; (*brat i bratowa*) brother and his wife

**bratni** *adj* = braterski

**bratowa** *f* sister-in-law

**brawo** *int* bravo; applause; bić ~ applaud (komuś sb)

**brawura** *f* gallantry, bravery; *muz.* bravura

**Brazylijczyk** *m* Brazilian

**brazylijski** *adj* Brazilian

**brąz** *m* bronze; (*kolor*) brown

**brązownik** *m* brazier

**brązowy** *adj* bronze; (*o kolorze*) brown

**bredni|a** *f* (*zw. pl* ~e) bosh

**bredzić** *vi* rave, maunder

**brelok** *m* trinket

**brew** *f* brow

**brewerie** *s pl* uproar, row; wyprawiać ~ make a row

**brewiarz** *m* breviary

**brezent** *m* canvas, tarpaulin

**brnąć** *vi* flounder, wade; ~ w długi incur debts over head and ears

**broczyć** *vi* (*ociekać*) ~ krwią bleed, drip with blood

**brod|a** *f* chin; (*zarost*) beard; zapuścić ~ę grow a beard

**brodaty** *adj* bearded

**brodawka** *f* wart; (*sutkowa*) nipple

**brodzić** *vi* wade

**broić** *vi* be up to mischief, skylark

**brokat** *m* brocade

**brom** *m chem.* bromine

**brona** *f* harrow

**bronchit** *m med.* bronchitis

**bronić** *vt* defend (przed kimś, czymś against ⟨from⟩ sb, sth);' (*pokoju, kraju*) guard, protect; (*poglądów, honoru itp.*) vindicate; (*praw, sprawy itp.*) assert; (*orędować*) advocate (za czymś sth); ~ czyjejś sprawy plead sb's cause; ~ się *vr* defend oneself

**bronować** *vt* harrow

**broń** *f* weapon, arms; ~ **biała** cold weapon; ~ **boczna** side-arms; ~ **palna** fire-arms; **pod bronią** in arms; **chwycić za** ~ take up arms; **składać** ~ lay down arms
**broszka** *f* brooch
**broszura** *f* pamphlet; (*prospekt, ulotka*) folder
**broszurowan|y** *adj* stitched, unbound; **książka** ~**a** paperback
**browar** *m* brewery
**bród** *m* ford; **przechodzić w** ~ ford
**bródka** *f* little beard; **kozia** ~ goatee
**bróg** *m* (hay-)rick
**brud** *m* dirt; filth; *pl* ~**y** (*brudna bielizna*) dirty linen
**brudas** *m* sloven
**brudn|y** *adj* dirty, filthy; **pisać na** ~**o** make a rough copy
**brudzić** *vt* soil, make dirty; ~ **sobie twarz, ręce** soil one's face, hands; ~ **się** *vr* get soiled, become dirty
**bruk** *m* pavement, paved road; *przen.* **szlifować** ~**i** loaf about; **wyrzucić na** ~ turn out adrift
**brukać** *vt* soil, make dirty
**brukiew** *f* *bot.* (Swedish) turnip
**brukować** *vt* pave, cobble
**brukowiec** *m* paving-stone, cobble; (*gazeta*) gutter paper
**brukow|y** *adj* paving; **prasa** ~**a** gutter press
**brukselka** *f* *bot.* Brussels sprouts
**brulion** *m* rough copy <notebook>
**brunatny** *adj* brown
**brunet** *m* dark-haired man
**brunetka** *f* brunette
**brusznica** *f* *bot.* cranberry
**brutal** *m* brute
**brutalność** *f* brutality; (*w grze*) roughness
**brutaln|y** *adj* brutal; (*o grze*) rough
**brutto** *adv* (in) gross; **cena** ~ gross price; **waga** ~ gross weight
**bruzda** *f* furrow
**bruździć** *vt* furrow; *vi pot.* make difficulties, muddle, obstruct
**bryczka** *f* britzka
**brydż** *m* bridge
**brydżysta** *m* bridge-player
**brygada** *f* brigade
**brygadier** *m* brigadier
**brygadzista** *m* foreman
**brygadzistka** *f* forewoman
**bryk** *m* *pot.* crib; *am.* pony
**brykać** *vi* (*o koniu*) rear, kick; (*swawolić*) frolic, gambol, jump about
**brykiet** *m* briquette; *zbior.* ~**y** patent fuel
**brylant** *m* brilliant, diamond
**bryła** *f* block, lump, (*ziemi*) clod; *mat.* solid
**bryłka** *f* lump, clot
**bryłkowaty** *adj* cloddy, clotty
**bryłowaty** *adj* lumpy, massive
**bryndza** *f* ewe's cheese
**brystol** *m* Bristol board
**brytan** *m* mastiff
**brytfanna** *f* frying-pan
**Brytyjczyk** *m* British subject, *am.* Britisher
**brytyjski** *adj* British
**bryza** *f* breeze
**bryzg** *m* splash
**bryzgać** *vi* splash (**wodą** water)
**brzask** *m* dawn, daybreak; **z** ~**iem** at daybreak
**brzdąc** *m* brat
**brzdąkać** *vi* strum
**brzdęk** *int* twang!
**brzeg** *m* bank, riverside; (*morza, jeziora*) shore, coast; seaside, seashore; (*plaża*) beach; (*przepaści*) brink; (*krawędź*) edge; (*stronicy*) margin; (*sukni, lasu*) skirt; (*kapelusza, kubka itp.*) brim; **na** ~, **na** ~**u** ashore; **wyrzucić na** ~ strand; **osiąść na** ~**u** run ashore
**brzemienność** *f* pregnancy
**brzemienny** *adj* pregnant
**brzemię** *n* burden, *lit.* burthen
**brzezina** *f* birchwood
**brzęcz|eć** *vi* ring; (*o metalu*) thinkle, clink, chink; (*o pieniądzach*) jingle; (*o owadach*) buzz, hum; (*o talerzach*) clatter; ~**ąca moneta** hard cash
**brzęczyk** *m* buzzer

**brzęk** *m* ring, clink, jingle; buzz

**brzmi|eć** *vi* (re)sound, ring; (*o tekście, ustawie itp.*) purport; **tekst ~ jak następuje** the text runs as follows; **to ~ dziwnie** this rings ⟨sounds⟩ strange

**brzmienie** *n* sound; (*tekstu, umowy itp.*) purport, tenor, wording

**brzoskwinia** *f* peach

**brzoza** *f* birch

**brzuch** *m* belly, stomach, *pot.* paunch

**brzuchacz** *m* *pot.* pot-belly, paunchy man

**brzuchaty** *adj* big-bellied

**brzuchomówca** *m* ventriloquist

**brzuszny** *adj* abdominal; *med.* **dur ~** enteric ⟨typhoid⟩ (fever)

**brzydactwo** *n* ugliness; ugly thing ⟨person⟩

**brzydal** *m* ugly man

**brzydki** *adj* ugly

**brzydnąć** *vi* become ugly

**brzydota** *f* ugliness

**brzydzić się** *vr* abhor, loathe (czymś sth), have an aversion (czymś to sth)

**brzytw|a** *f* razor; *przysł.* **tonący ~y się chwyta** a drowning man catches at a straw

**buchać** *vi* (*o płynach*) gush; (*o dymie, ogniu*) belch; *pot.* (*kraść*) pinch, lift, filch; **~ płomieniem** blaze forth

**buchalter** *m* book-keeper

**buchalteria** *f* book-keeping

**bucik** *m* shoe, boot

**buczeć** *vi* buzz, drone

**buczyna** *f* beech-wood, beech-grove

**buda** *f* shed, shack; (*jarmarczna*) booth; **psia ~** kennel

**budka** *f* shelter, cabin; (*np. strażnika*) box; **~ telefoniczna** telephone ⟨call⟩ box; telephone booth

**budow|a** *f* construction, structure; building; **biuro ~y** building-office; **plac ~y** building-site; **~a ciała** structure of the body, build; **~a zdania** sentence structure

**budować** *vt* build, construct; (*moralnie oddziaływać*) edify; *przen.* **~ zamki na lodzie** build castles in the air

**budowla** *f* building, edifice

**budowlan|y** *adj* building, architectural; **przedsiębiorca ~y** builder, building contractor; **przedsiębiorstwo ~e** building enterprise

**budownictwo** *n* architecture; **~ socjalistyczne** socialist public work; **~ wielkopłytowe** system-building

**budowniczy** *m* builder

**budulec** *m* timber, *am.* lumber

**budynek** *m* building

**budyń** *m* pudding

**budzić** *vt* wake (up), waken, awake, awaken, rouse, call; (*uczucie*) prompt; (*sympatię, podejrzenia*) arouse; (*zaufanie*) inspire; **~ się** *vr* wake (up), awake, start up

**budzik** *m* alarm-clock; **nastawić ~ na siódmą (godzinę)** set the alarm-clock for seven (o'clock)

**budżet** *m* budget

**budżetowy** *adj* budgetary; **rok ~** financial year

**bufet** *m* (*mebel*) sideboard, cupboard; (*w restauracji*) bar; (*w teatrze, szkole itp.*) refreshment room

**bufetowa** *f* barmaid

**bufetowy** *m* barman

**bufon** *m* buffoon

**bufonada** *f* buffoonery

**bufor** *m* buffer

**buhaj** *m* bull

**bujać** *vi* (*unosić się*) float, hover, soar; (*wałęsać się*) roam; (*kiełkować*) sprout, shoot; pullulate; *vt* (*huśtać*) rock, swing; *pot.* (*nabierać*) spoof, hoax

**bujak** *m* rocking-chair

**bujda** *f* *pot.* spoof, hoax

**bujny** *adj* exuberant, abundant, luxuriant; (*o włosach*) bushy; (*o fantazji, pomyśle*) fertile

**buk** *m* beech

**bukiecik** *m* posy, nosegay
**bukiet** *m* bouquet; bunch of flowers
**bukmacher** *m* bookmaker
**bukmacherstwo** *n* booking
**bukszpan** *m* boxtree, box-wood
**buldog** *m* bulldog
**buldozer, buldożer** *zob.* **spychacz**
**bulgot** *m* bubble, gurgle
**bulgotać** *vi* bubble, gurgle
**bulier** *m techn.* boiler
**bulion** *m* bouillon, broth, beef-tea
**bulla** *f* bull
**bulwa** *f bot.* bulb, tuber
**bulwar** *m* boulevard, avenue; (*nad rzeką*) embankment
**bulwiasty** *adj* bulbous, tuberous
**bułanek** *m* dun horse
**buława** *f* mace, truncheon; (*marszałkowska*) baton
**Bułgar** *m* Bulgarian
**bułgarski** *adj* Bulgarian
**bułka** *f* roll; **~ tarta** (bread) crumbs; **słodka ~** bun
**bumelanctwo** *n* loafing, shirking, absenteeism
**bumelant** *m* loafer, shirker, absentee; *am. pot.* bummer
**bumelować** *vi* shirk
**bumerang** *m* boomerang
**bunkier** *m wojsk.* pill-box
**bunt** *m* rebellion, revolt, sedition, mutiny; **podnieść ~** rise in revolt
**buntować** *vt* stir (up), rouse to revolt; **~ się** *vr* revolt, rebel
**buntowniczy** *adj* rebellious, seditious
**buntownik** *m* rebel, mutineer
**buńczuczny** *adj* cocky, perky
**bur|a** *f pot.* reprimand, scolding; **dać ~ę** reprimand (**komuś** sb), give a scolding; scold, *pot.* give it hot; **dostać ~ę** get a scold, *pot.* get it hot
**burak** *m* beet (root); **~ cukrowy** white beet; **~ ćwikłowy** red beet
**burczeć** *vi* rumble; (*gderać*) grumble (**na kogoś** at sb)
**burda** *f* brawl
**burgund** *m* (*wino*) Burgundy
**burmistrz** *m* mayor
**burnus** *m* burnoose
**bursa** *f* pupils' hostel
**bursztyn** *m* amber
**burt|a** *f mors.* (ship's) side, (ship) board; **lewa ~a** port side; **prawa ~a** starboard side; **wyrzucić za ~ę** throw overboard
**bury** *adj* dark-grey, grizzly
**burza** *f* storm, tempest; *przen.* **~ w szklance wody** a storm in a teacup
**burzliwy** *adj* stormy, tempestuous, turbulent
**burzyciel** *m* destroyer
**burzycielski** *adj* destructive
**burzyć** *vt* destroy, demolish; (*rozebrać, np. dom, maszynę*) pull down; (*podburzać*) stir up, raise; **~ się** *vr* rebel, rise in revolt
**burżuazja** *f* bourgeoisie
**burżuazyjny** *adj* bourgeois
**burżuj** *m pog.* bourgeois
**busola** *f* compass
**buszować** *vi* rummage
**but** *m* boot, shoe; **głupi jak ~** as dull as ditch water
**buta** *f* haughtiness, insolence
**butelka** *f* bottle
**butelkować** *vt* bottle
**butla** *f* demijohn, (*oplectona*) carboy
**butny** *adj* haughty, overbearing, insolent
**butonierka** *f* buttonhole
**butwieć** *vi* rot, moulder
**by** *zob.* **aby**; *part warunkowa*: **on by to zrobił** he would do it
**byczek** *m* bull calf
**byczy** *adj* bull, bull's, taurine; *pot.* capital, glorious; *pot.* **~ chłop** brick
**być** *vi, v aux* be; **~ dobrej myśli** be of good cheer; **~ może** perhaps, maybe; **niech będzie, co chce** come what may; **niech i tak będzie** let it be so; **~ u siebie** be at home; **co z nim będzie?** what will become of him?
**bydlę** *n* beast, brute
**bydło** *n* cattle

**byk** *m* bull; (*gafa*) bloomer, howler; **walka ~ów** bullfight; **wziąć ~a za rogi** take the bull by the horns; **palnąć ⟨strzelić⟩ ~a** make a bloomer; **jak czerwona płachta na ~a** like a red rag to a bull
**byle** *adv* **~ co** anything; **~ kto** anybody; **~ jak** anyhow; **~ gdzie** anywhere; **~ jaki** any, any... whatever; **~ jaka odzież** any dress whatever; **to nie ~ jaki uczeń** he is no mean pupil; **nie ~ jak** in no mean fashion
**bylina** *f bot.* perennial
**były** *adj* former, past, old, ex-, late; **~ prezydent** ex-president, late president
**bynajmniej** *adv* not at all, by no means, not in the least; (*z oburzeniem*) I should say ⟨think⟩ not
**bystrość** *f* (*szybkość*) rapidity, quickness; (*bystrość umysłu*) keenness, shrewdness, acuteness
**bystry** *adj* (*szybki*) rapid, quick; (*umysłowo*) keen, keenwitted, acute; (*o wzroku*) sharp, keen
**byt** *m* existence; **walka o ~** struggle for existence ⟨life⟩; **mieć zapewniony ~** have one's existence ⟨living⟩ secured
**bytność** *f* sojourn, stay
**bytow|y** *adj* existential; **warunki ~e** living conditions
**bywa|ć** *vi* frequent (**w pewnym miejscu** some place); to be ⟨to go⟩ often ...; frequently call (**u kogoś** on sb); (*zdarzać się*) happen; **~j zdrów!** farewell!
**bywalec** *m* frequenter, habitué
**bywały** *adj* experienced
**bzdur|a** *f* nonsense, absurdity, silly talk, rubbish; **pleść ~y** talk nonsense
**bzdurny** *adj* nonsensical, absurd
**bzik** *m pot.* eccentricity, craze; oddity; (*wariat*) crank, loony; **mieć ~a** be crazy, *przen.* have a screw loose, have a bee in one's bonnet
**bzykać** *vi* buzz, hiss

# C

**cacko** *n* knick-knack, trinket
**cal** *m* inch
**calówka** *f* folding rule
**całka** *f mat.* integral
**całkiem** *adv* quite, entirely, completely
**całkować** *vt mat.* integrate
**całkowicie** *adv* altogether, throughout, entirely, completely
**całkowit|y** *adj* entire, total, complete; **liczba ~a** integer
**całkowy** *adj mat.* integral; **rachunek ~** integral calculus
**cało** *adv* safely, unharmed; **wyjść ~** get off safe and sound
**całodzienny** *adj* full day's, daylong
**całokształt** *m* totality, the whole
**całonocny** *adj* full night's, nightlong
**całopalenie** *n* holocaust
**całoroczny** *adj* full year's
**całoś|ć** *f* totality, entirety, whole, bulk, (complete) body; **w ~ci** on the whole
**całować** *vt* kiss, embrace; **~ się** *vr* kiss
**całun** *m* shroud
**całus** *m* kiss
**cał|y** *adj* whole, all, entire; (*zdrów*) safe; **~y rok** all the year (round); **~a Europa** all ⟨the whole of⟩ Europe; **przez ~y**

dzień all day long; **~ymi godzinami** for hours and hours; **zdrów i ~y** safe and sound

**cap** *m* male goat, buck
**capstrzyk** *m* tattoo
**car** *m* tsar, tzar, czar
**carat** *m* tsarism, tsardom
**carowa** *f* tsarina, tzarina, czarina
**ceb|er** *m* tub; *przen.* **leje jak z ~ra** it rains cats and dogs
**cebula** *f* onion
**cebulka** *f* onion; (*np. kwiatowa, włosowa*) bulb
**cebulkowaty** *adj* bulbous
**cech** *m* guild, corporation
**cecha** *f* feature, character, quality; stamp, seal, mark; (*stempel probierczy*) hallmark
**cechować** *vt* characterize, brand; (*znaczyć*) mark, stamp
**cedować** *vt* cede (**coś na kogoś** sth to sb), transfer
**cedr** *m bot.* cedar
**ceduła** *f* schedule, list; **~ giełdowa** list of quotations
**cedzak** *m* strainer, cullender
**cedzić** *vt* filter; *przen.* **~ słówka** drawl one's words
**cegielnia** *f* brick-yeard, brick-field
**cegiełka** *f* (little) brick; (*składka*) share
**ceglasty** *adj* brick-coloured
**cegła** *f* brick
**cel** *m* aim, purpose, end, object, goal; (*tarcza strzelnicza i przen.*) target; (*środek tarczy*) bull's eye; **brać na ~** take aim (**coś** at sth); **mieć na ~u** have in view; **osiągnąć swój ~** gain one's end; **trafić do ~u** hit the mark; **chybić ~u** miss the mark; **~em** for the purpose (**czegoś** of sth); **w tym ~u** for this purpose, with this end in view; **to nie ma ~u** that's of no avail; **strzelanie do ~u** target practice; **~ podróży** destination; **~ pośmiewiska** laughing-stock
**cela** *f* cell
**celebracja** *f* celebration
**celebrować** *vt* celebrate
**celibat** *m* celibacy
**celnik** *m* custom-house ⟨customs⟩ officer
**celność** *f* accuracy (of aiming), precision; (*dobre strzelanie*) marksmanship
**celny 1.** *adj* (*trafny*) accurate, accurately-aimed
**celn|y 2.** *adj* custom, relating to customs; **deklaracja ~a** custom-house declaration; **opłata ~a** (customs) duty; **rewizja ~a** customs inspection; **urząd ~y** custom-house; **odprawa ~a** customs clearance
**celofan** *m* cellophane
**celować** *vi* aim, take aim (**do czegoś** at sth); (*z karabinu*) level one's gun (**do czegoś** at sth); (*przodować*) excel (**w czymś** in sth)
**celownik** *m gram.* dative
**celowo** *adv* on purpose, intentionally
**celowość** *f* suitableness, purposefulness, expediency
**celowy** *adj* suitable, purposeful, expedient; *gram.* (*o zdaniu*) final
**Celsjusz,** $x$ **stopni ~a** $x$ degrees centigrade
**Celt** *m* Celt, Kelt
**celtycki** *adj* Celtic, Keltic
**celujący** *adj* excellent
**celuloza** *f* cellulose
**cembrować** *vt* board, frame with boards
**cembrowina** *f* boarding
**cement** *m* cement
**cementować** *vt* cement
**cen|a** *f* price, value; **~a stała** fixed price; **~a zniżona** reduced price; **po tej ~ie** at that price; **za wszelką ~ę** at any price
**ceni|ć** *vt* (*wyceniać*) price; (*wysoko sobie cenić*) prize
**cennik** *m* price-list
**cenny** *adj* valuable, precious
**cent** *m* cent
**centrala** *f* head-office, headquar-

ters; (*techniczna*) central station; (*telefoniczna*) exchange
**centralizacja** *f* centralization
**centralizować** *vt* centralize
**centralny** *adj* central
**centrum** *n sing nieodm.* centre, *am.* center; ~ **handlowe miasta** city ⟨town⟩ centre
**centryfuga** *f* centrifugal machine
**centymetr** *m* centimetre
**cenzor** *m* censor
**cenzura** *f* (*urząd*) censorship; (*krytyka*) censure; (*szkolna*) school report
**cenzurować** *vt* (*przeprowadzać cenzurę*) censor; (*ganić*) censure
**cenzus** *m* (*spis*) census; ~ **naukowy** degree of education; ~ **majątkowy** property requirement
**cep** *m* flail
**cera 1.** *f* (*twarzy*) complexion
**cera 2.** *f* (*cerowane miejsce*) darn, darning
**ceramiczny** *adj* ceramic
**ceramika** *f* ceramics, pottery
**cerata** *f* oilcloth
**ceregiele** *s pl* fuss, ceremony; **robić** ~ stand on ⟨upon⟩ ceremony (**z kimś** with sb), make a fuss (**z kimś, czymś** of sb, sth)
**ceremonia** *f* ceremony, fuss
**ceremonialny** *adj* ceremonial, ceremonious
**ceremoniał** *m* ceremonial
**cerkiew** *f* Orthodox church
**cerować** *vt* darn
**cesarski** *adj* imperial
**cesarstwo** *n* empire
**cesarz** *m* emperor
**cesarzowa** *f* empress
**cesja** *f prawn.* cession
**cetnar** *m* centner, hundredweight, quintal
**cewka** *f* reel, bobbin; *techn.* spool; *elektr.* coil; *anat.* duct; ~ **moczowa** urethra
**cęgi** *s pl* tongs
**cętka** *f* speckle, spot
**cętkować** *vt* speckle, spot
**cętkowany** *adj* spotted
**chaber** *m bot.* cornflower
**chałupa** *f* hut, cabin
**chałupnictwo** *n* outwork, domestic work
**chałupnik** *m* outworker
**chałwa** *f* halva(h)
**cham** *m* cad, boor
**chamski** *adj* caddish, boorish
**chamstwo** *n* caddishness, boorishness
**chan** *m* khan
**chandr|a** *f* doldrums, blues; **mieć** ~**ę** have ⟨get⟩ the blues
**chaos** *m* chaos
**chaotyczny** *adj* chaotic
**charakte|r** *m* character; (*rola, funkcja*) capacity; ~**r pisma** handwriting; **człowiek z** ~**rem** man of character; **brak** ~**ru** lack of principle, want of backbone; **w** ~**rze dyrektora** in the capacity of director
**charakterystyczny** *adj* characteristic (**dla kogoś, czegoś** of sb, sth)
**charakterystyka** *f* (description of the) character
**charakteryzacja** *f* characterization; *teatr* make-up
**charakteryzować** *vt* characterize; *teatr* make up (**na kogoś** for sb); ~ **się** *vr* make up
**charczeć** *vi* rattle in one's throat
**charkać** *vi* cough up, expectorate
**charkot** *m* rattling in the throat, rattle
**chart** *m* greyhound
**charytatywny** *adj* charitable, charity *attr*
**chaszcze** *s pl* brushwood, thicket
**chata** *f* hut, cabin
**chcąc|y** *adj* willing; *przysł.* **dla** ~**ego nie ma nic trudnego** where there's a will there's a way
**chcieć** *vt vi* want, be willing, intend, desire, wish; **chce mi się** I want, I have (half) a mind (**czegoś** to do sth); **chce mi się spać** I want to sleep, I feel as if I could sleep, I have (half) a mind to go to sleep; **chce mi się pić**

I am thirsty; **chciałbym** I should like; **chcę, żeby wrócił** I want him to come back; **on sam nie wie, czego chce** he does not know his own mind
**chciwiec** *m* greedy man
**chciwość** *f* greed, covetousness
**chciwy** *adj* greedy, covetous
**chełpić się** *vr* boast (**czymś** of sth), pride oneself (**czymś** on sth)
**chełpliwy** *adj* boastful
**chemia** *f* chemistry
**chemiczny** *adj* chemical; **ołówek ~** indelible pencil; **związek ~** chemical compound
**chemik** *m* chemist
**cherlak** *m* cachectic creature, valetudinarian
**cherlawy** *adj* cachectic
**cherubin** *m* cherub
**chęć** *f* (*wola*) will, willingness; (*życzenie*) desire, inclination; (*zamiar*) intention; **dobre ~ci** good intentions; **mieć ~ć** have a mind; **~ć mnie bierze** I have a mind ⟨a wish⟩; **z miłą ~cią** with pleasure
**chętk|a** *f* fancy, desire; *pot.* itch; **nabrać ~i** take a fancy (**do czegoś** for, to sth); **mam ~ę** I itch (**na coś** for sth)
**chętnie** *adv* willingly, readily
**chętny** *adj* willing, ready; **~ do nauki** eager to learn
**chichot** *m* chuckle, giggle
**chichotać** *vi* chuckle, giggle
**Chilijczyk** *m* Chilean
**chilijski** *adj* Chilean
**chimera** *f* (*w mitologii*) chimera; (*przywidzenie*) phantom, fancy; (*kaprys*) caprice, whim
**chimeryczny** *adj* chimerical; capricious, whimsical; fanciful
**chinina** *f* quinine
**Chińczyk** *m* Chinese
**chiński** *adj* Chinese
**chiromancja** *f* chiromancy, palmistry
**chirurg** *m* surgeon
**chirurgia** *f* surgery
**chirurgiczny** *adj* surgical
**chlapać** *vi* splash
**chlasnąć** *vt* whack, flap, slap
**chleb** *m* bread; **~ z masłem** bread and butter; **~ powszedni** daily bread; **zarabiać na ~** earn one's daily bread
**chlebodawca** *m* employer, master
**chlew** *m* sty, pigsty
**chlipać** *vt* lap up; *vi* (*szlochać*) sob
**chlor** *m chem.* chlorine
**chloran** *m chem.* chlorate
**chlorek** *m chem.* chloride
**chlorofil** *m bot.* chlorophyll
**chloroform** *m* chloroform
**chloroformować** *vt* chloroform
**chlorować** *vt* chlorinate
**chlorowy** *adj* chloric
**chlub|a** *f* glory, pride; **to mu przynosi ~ę** this does him credit
**chlubić się** *vr* boast (**czymś** of sth), glory (**czymś** in sth)
**chlubny** *adj* glorious; (*o opinii*) honourable, excellent
**chlupać** *vi* splash; gurgle
**chlustać** *vi* spout, splash
**chłeptać** *vt* lap up
**chłodnia** *f* refrigerator
**chłodnica** *f* radiator
**chłodnieć** *vi* cool (down), become cool
**chłodnik** *m* cold borsch
**chłodno** *adv* coolly; **jest ~** it is cool; **jest mi ~** I am ⟨I feel⟩ cool
**chłodny** *adj* cool; (*oschły*) reserved
**chłodzić** *vt* chill, cool; (*zamrażać*) refrigerate; **~ się** *vr* cool (down), become cool
**chłonąć** *vt* absorb, suck in
**chłonność** *f* absorbency, power of absorption
**chłonny** *adj* absorbent, absorptive
**chłop** *m* peasant; *pot.* fellow, chap
**chłopak, chłopiec** *m* boy, lad
**chłopięctwo** *n* boyhood
**chłopięcy** *adj* boyish; boy's, boys'
**chłopka** *f* peasant (woman)
**chłopski** *adj* peasant, rustic
**chłopstwo** *n* peasantry

**chłost|a** *f* flogging, lashing; **kara ~y** lash
**chłostać** *vt* flog, lash
**chłód** *m* cool, coolness, cold
**chłystek** *m* greenhorn
**chmara** *f* (*wielka ilość*) swarm, (*ludzi*) crowd
**chmiel** *m bot.* hop; (*artykuł przemysłowy*) hops *pl*
**chmur|a** *f* cloud; *przysł.* **z wielkiej ~y mały deszcz** much cry and little wool
**chmurka** *f* cloudlet
**chmurny** *adj* cloudy; *przen.* gloomy
**chmurzyć** *vt*, **~ czoło** frown, knit the brow; **~ się** *vr* become cloudy, cloud up
**chochla** *f* ladle
**chochlik** *m* sprite, imp, brownie; **~ drukarski** the printer's imp
**chochoł** *m* straw-cover
**cho|ciaż, cho|ć** *conj* though, although, as; *adv* even so; at least; **~ć trochę** even so little; **~ć 5 pensów** fivepence at least
**choćby** *conj* even if; *adv* at the very least; **~ jeden fakt** a single fact; **~ nie wiem jak (się starał)** no matter how (hard he tried)
**chodak** *m* clog
**chodnik** *m* pavement, footpath, *am.* sidewalk; (*dywan*) carpet, rug
**chodzić** *vi* walk, go; (*w kartach*) lead; (*o pociągach*) run; **~ do szkoły** go to school; **~ na wykłady** attend lectures; **~ na medycynę** study medicine; **~ koło czegoś** busy oneself with sth ⟨about sth⟩; **~ w czymś** (*np.* **w mundurze**) wear sth (e.g. uniform); **~ za kimś** follow sb; **o co chodzi?** what is the matter?; **chodzi o twoje życie** your life is at stake; **o ile o mnie chodzi** as far as I am concerned
**choina** *f* pine
**choinka** *f* Christmas tree
**choler|a** *f* cholera; *pot.* **idź do ~y!** go to hell!
**cholerny** *adj pot.* bloody, damned
**choleryczny** *adj* choleric
**cholewa** *f* bootleg; **buty z ~mi** top boots
**chomąto** *n* horse-collar
**chomik** *m zool.* hamster
**chorągiew** *f* banner, flag; (*kościelna*) gonfalon
**chorągiewka** *f* pennon, banderole; (*na dachu*) weathercock
**chorąży** *m* standard-bearer; † *wojsk.* ensign
**choreografia** *f* choreography
**chorob|a** *f* illness, ailment, (*trwała*) disease; **~a morska** seasickness; **~a umysłowa** mental deficiency; insanity; **złożony ~ą** bedridden
**chorobliwość** *f* morbidity
**chorobliwy** *adj* morbid, sickly
**chorobowy** *adj* morbid; **urlop ~** sick leave; **zasiłek ~** sick benefit
**chorować** *vt* be ill (**na coś** with sth), suffer (**na coś** from sth), be afflicted (**na coś** with sth)
**chorowity** *adj* sickly
**chory** *adj* ill (**na coś** with sth), sick, unwell; **izba ~ch** sick-ward; **lista ~ch** sick-list
**chować** *vt* (*ukrywać*) hide, conceal; (*przechowywać*) keep; (*wkładać, np. do szuflady*) put (up); (*grzebać zwłoki*) bury; (*hodować*) breed, rear; (*wychowywać*) bring up, educate; **~ do kieszeni** pocket; **~ się** *vr* hide (**przed kimś** from sb), conceal oneself (**przed kimś** from sb); (*rosnąć, dobrze się trzymać*) grow, thrive
**chowan|y** *pp od* **chować**; *s m* **bawić się w ~ego** play (at) hide-and-seek
**chód** *m* gait, walk; (*o koniu*) pace; (*o maszynie*) action, going, working order; **na chodzie** in action, in working order; *pot.* **mieć chody** have connexions
**chór** *m* chorus; (*zespół śpiewaczy*

*i chór kościelny*) choir; ~em in chorus
**chóralny** *adj* choral
**chórzysta** *m* chorister
**chów** *m* rearing, breeding
**chrabąszcz** *m zool.* chafer
**chrapać** *vi* snore
**chrapliwy** *adj* raucous, hoarse
**chrobotać** *vi* grate
**chrom** *m* chrome; *chem.* chromium; (*skóra*) box-calf
**chromać** *vi* † limp, halt
**chromatyczny** *adj* chromatic
**chromow|y** *adj* chromic; **skóra ~a** box-calf
**chromy** *adj* † limping, lame
**chronicznie** *adv* chronically
**chroniczny** *adj* chronic
**chronić** *vt* protect, preserve, shelter (**przed czymś** from sth), guard (**przed czymś** against sth); **~ się** *vr* protect oneself, guard (oneself); (*chować się*) shelter, take shelter; (*szukać bezpiecznego miejsca*) take refuge
**chronologia** *f* chronology
**chronologiczny** *adj* chronological
**chronometr** *m* chronometer
**chropawy** *adj* rough, harsh, coarse
**chropowaty** *adj* rough, rugged
**chrupać** *vt* crunch
**chrupki** *adj* crisp
**chrupot** *m* crunch, crackle
**chrust** *m* faggots *pl*, brushwood; (*ciasto*) cracknel
**chrypieć** *vi* speak in a hoarse voice
**chrypka** *f* hoarseness, hoarse voice
**chrypliwy** *adj* hoarse, husky
**chrystianizm** *m* Christianity
**chryzantema** *f* chrysanthemum
**chrzan** *m* horse-radish
**chrząkać** *vi* hawk, (*ironicznie lub znacząco*) hem, (*o świni*) grunt
**chrząstka** *f* cartilage
**chrząstkowy** *adj* cartilaginous
**chrząszcz** *m* beetle, chafer
**chrzciciel** *m* baptist
**chrzcić** *vt* baptize, christen; **~ się** *vr* be ⟨become⟩ christened
**chrzcielnica** *f* font
**chrzciny** *s pl* baptism; christening-party
**chrzest** *m* baptism, christening
**chrzestn|y** *adj* baptismal; **ojciec ~y** godfather; **matka ~a** godmother; **rodzice ~i** godparents
**chrześcijanin** *m* Christian
**chrześcijański** *adj* Christian
**chrześcijaństwo** *n* (*religia*) Christianity, Christianism; (*ogół chrześcijan*) Christendom
**chrześniaczka** *f* goddaughter
**chrześniak** *m* godson
**chrzęst** *m* rattle, rattling, clank
**chrzęścić** *vi* rattle, clank
**chuchać** *vi* puff, blow
**chuchro** *n* weakling, valetudinarian
**chuć** *f* concupiscence, lust
**chuderlawy** *adj* weakly, sickly, meagre
**chudeusz** *m* lean fellow
**chudnąć** *vi* become lean, lose flesh
**chudoba** *f* live stock; meagre property
**chudy** *adj* lean, meagre
**chuligan** *m* hooligan, rowdy
**chusta** *f* wrap, shawl; **zbladł jak ~** he grew pale as death
**chustka** *f* kerchief; **~ do nosa** handkerchief
**chwalebny** *adj* glorious, praiseworthy
**chwalić** *vt* praise, extol; **~ się** *vr* boast (**czymś** of sth)
**chwała** *f* glory; praise
**chwast** *m* (*ziele*) weed; (*frędzla*) tassel
**chwat** *m* valiant fellow; *pot.* brick of a fellow
**chwiać** *vt* shake, sway; **~ się** *vr* shake, sway, totter, reel, rock; (*wahać się*) hesitate; (*o cenach*) fluctuate
**chwiejność** *f* shakiness, tottering position; unsteadiness; hesitation, indecision; (*cen*) fluctuation
**chwiejny** *adj* shaky, tottering; unsteady; hesitating
**chwil|a** *f* moment, instant, while;

**co ~a** every moment, every now and again; **do tej ~i** up to this moment, until now; **lada ~a, każdej ~i** any moment ⟨minute⟩; **na ~ę** for a moment; **od tej ~i** from this time onward, from now on; **przed ~ą** a while ago; **przez ~ę** for a while; **w danej ~i** at the given moment; **w jednej ~i** at once; **w ostatniej ~i** at the last moment; **w wolnych ~ach** at one's leisure, in leisure hours; **nie mieć wolnej ~i** not to have a moment to spare; **za ~ę** in a moment; **z ~ą** on, upon; **z ~ą jego przybycia** on his arrival

**chwilowy** *adj* momentary, temporary

**chwyt** *m* grip, grasp, seizure; (*sposób, zabieg*) catch, trick; (*w zapasach*) grapple, catch; **mocny ~** firm grasp

**chwytać** *vt* catch, seize; (*mocno*) grasp, grip; catch ⟨get⟩ hold (**coś** of sth); **~ za broń** take up arms; **~ za serce** go to sb's heart; **~ się** *vr* catch (**czegoś** at sth), seize (**czegoś** on, upon sth); **~ się za głowę** clutch one's head

**chyba** *part i adv* probably, maybe; **~ tak** I think so; **~ tego nie zrobił** he can scarcely have done it; *conj* **~ że** unless

**chybi|ć** *vi* miss, fail, miscarry; **na ~ł trafił** at random, at a venture

**chybiony** *adj* abortive; **~ cios ⟨krok⟩** miss

**chylić** *vt* incline, bow; **~ czoło** do reverence (**przed kimś** to sb); **~ się** *vr* incline; (*ku upadkowi*) decline; verge (**ku starości** towards old age)

**chyłkiem** *adv* furtively, sneakingly

**chytrość** *f* cunning, slyness, astuteness

**chytry** *adj* cunning, sly, astute, crafty

**chyży** *adj* swift, brisk

**ciałko** *n* little body; *biol.* corpuscle; **białe ~ krwi** leucocyte; **czerwone ~ krwi** erythrocyte

**ciało** *n* (*korpus*) body; (*żywe mięso*) flesh; *przen.* (*grono*) staff; **jędrne ~** firm flesh; **budowa ciała** physique; *fiz.* **~ stałe** solid; *astr.* **~ niebieskie** celestial body

**ciarki** *pl* creeps; **przechodzą mnie ~** my flesh creeps, it makes my flesh creep

**ciasno** *adv* tightly, closely; **~ nam w tym pokoju** we are cramped in this room

**ciasnota** *f* narrowness, tightness; **~ mieszkaniowa** housing shortage; *przen.* **~ umysłowa** narrow-mindedness

**ciasny** *adj* narrow, tight; (*o mieszkaniu*) cramped; (*o butach*) tight; (*o umyśle*) narrow

**ciastko** *n* cake, (*owocowe, z kremem*) tart, tarlet

**ciast|o** *n* dough, paste; *pl* **~a** pastry

**ciąć** *vt* cut (**na kawałki** into pieces), (*posiekać, porozcinać*) cut up

**ciąg** *m* draught, (*pociągnięcie*) draw; (*bieg*) course; (*wędrówka ptaków*) flight (of birds); *mat.* sequence; **~ dalszy** continuation; **~ dalszy** (*poprzedniego tekstu*) continued; **~ dalszy nastąpi** to be continued; **jednym ~iem** at a stretch; **w ~u roku** in (the) course of the year; **w dalszym ~u coś robić** continue to do sth

**ciągle** *adv* continually

**ciągłość** *f* continuity

**ciągły** *adj* continuous, continued

**ciągnąć** *vt* draw; pull; (*wlec*) drag, haul; (*pociągać, nęcić*) attract; (*korzyści*) derive; **~ dalej** continue, carry ⟨go⟩ on; **tu ciągnie** there is a draught here; **~ się** *vr* (*rozciągać się*) extend, stretch; (*w czasie*) continue, last, drag on

**ciągnienie** *n* (*loterii*) drawing
**ciągnik** *m* tractor
**ciąż|a** *f* pregnancy; **być w ~y** be pregnant
**ciążenie** *n* inclination; *fiz.* gravitation
**ciąż|yć** *vi* weigh, lie heavy, press heavily; (*skłaniać się*) incline, lean (**do czegoś** to sth); *fiz.* gravitate; **na domu ~ą długi** the house is encumbered with debts; **~y na mnie obowiązek** it is incumbent on me; **~y na nim zarzut ...** he is charged with ...
**cichaczem** *adv* furtively, stealthily
**cichnąć** *vi* calm down, become still
**cicho** *adv* in a low voice, softly; **bądź ~!** silence!; *pot.* hush!; **~ mówić** speak in a low voice; **~ siedzieć ⟨stać⟩** sit ⟨stand⟩ still
**cich|y** *adj* still, silent, quiet; **~a zgoda** tacit consent; *przysł.* **~a woda brzegi rwie** still waters run deep
**ciec** *vi* flow, stream; (*kapać*) drip; (*przeciekać*) leak
**ciecz** *f* liquid, fluid
**ciekawość** *f* curiosity; **przez ~** out of curiosity
**ciekawy** *adj* curious, inquisitive; (*interesujący*) interesting, curious; **jestem ~** I wonder
**ciekły** *adj* liquid, fluid
**cieknąć** *zob.* **ciec**
**cielec** *m*, *przen.* **złoty ~** golden calf
**cielesny** *adj* carnal, bodily, corporeal; (*o karze*) corporal
**cielę** *n* calf; *pot.* (*głuptas*) fool, simpleton
**cielęcina** *f* veal
**cielęc|y** *adj* calf, calf's; **pieczeń ~a** roast veal; **skóra ~a** calf skin
**cielisty** *adj* flesh-coloured
**ciemię** *n* crown (of the head), *anat.* top, vertex; *przen.* **on jest nie w ~ bity** he is nobody's fool, he is no fool
**ciemięga** *m* gawk, lout
**ciemięzca** *m* oppressor
**ciemiężyć** *vt* oppress
**ciemnia** *f* dark chamber
**ciemnica** *f* dark cell
**ciemnieć** *vi* darken, grow dark
**ciemno** *adv* darkly; **jest ~** it is dark; **robi się ~** it's getting dark
**ciemnobłękitny** *adj* dark-blue
**ciemnoskóry** *adj* dark-skinned, swarthy
**ciemność** *f* darkness, dark
**ciemnota** *f* obscurity; ignorance
**ciemnowłosy** *adj* dark-haired
**ciemny** *adj* dark; obscure; (*o chlebie*) brown; *przen.* **~ typ** shady person
**cieniować** *vt* shade off, gradate
**cienisty** *adj* shady, shadowy
**cienki** *adj* thin, slender, (*o tkaninie*) fine
**cienkość** *f* thinness, fineness
**cie|ń** *m* shade; (*odbicie człowieka, drzewa itp.*) shadow; **chodzić za kimś jak ~ń** to shadow sb; **pozostawać w ~niu** keep in the background
**cieplarnia** *f* hothouse
**cieplеć** *vi* grow warm
**cieplн|y** *adj* thermic, thermal; **energia ~a** thermal ⟨heat⟩ energy
**ciepło** *n* warmth, heat; *fiz.* **~ utajone** latent heat; **trzymać w cieple** keep warm; *adv* warmly; **jest ~** it is warm; **jest mi ~** I am warm; **ubierać się ~** dress warmly
**ciepłota** *f* temperature
**ciepły** *adj* warm
**ciernisty** *adj* thorny
**cierń** *m* thorn
**cierpi|eć** *vt vi* suffer (**coś** sth, **na coś, z powodu czegoś** from sth); (*znosić*) bear; **~eć głód** starve; **~eć na ból zębów** have a toothache; **nie ~ę tego** I cannot bear it
**cierpienie** *n* suffering, pain; (*dolegliwość*) ailment
**cierpki** *adj* tart, acrid, harsh; **~e słowa** harsh words

**cierpkość** *f* tartness, acridness; harshness
**cierpliwość** *f* patience; **straciłem** ~ I'm out of patience (**do niego** with him)
**cierpliwy** *adj* patient
**cierpnąć** *vi* grow numb, become torpid
**ciesielstwo** *n* carpentry
**cieszyć** *vt* gladden, delight, give pleasure; ~ **się** *vr* be glad (**czymś** of sth), rejoice (**czymś** at sth); ~ **się dobrym zdrowiem** enjoy good health
**cieśla** *m* carpenter
**cieśnina** *f* strait (*zw. pl* straits)
**cietrzew** *m zool.* black-cock
**cięcie** *n* cut, cutting; *med.* **cesarskie** ~ caesarean section
**cięciwa** *f* (*łuku*) string; *mat.* chord
**cięgi** *pl* sound cudgelling, licking; **dostać** ~ get a licking
**cięt|y** *pp* cut; *adj* (*ostry, bystry*) smart, quick-witted; (*zgryźliwy*) pungent, caustic; **~y dowcip** ready wit; **~e pióro** ready pen
**ciężar** *m* burden, load, weight; ~ **właściwy** ⟨**gatunkowy**⟩ specific gravity; ~ **własny** dead load; *lotn.* ~ **całkowity** all-up weight; **być ~em** encumber (**dla kogoś** sb), be a burden (**dla kogoś** to sb)
**ciężar|ek** *m* weight; *pl* **~ki gimnastyczne** dumb-bells
**ciężarna** *adj f* pregnant
**ciężarowy** *adj*, **wóz** ~ goods van; **samochód** ~ lorry, *am.* truck
**ciężarówka** *f* lorry, *am.* truck
**ciężki** *adj* heavy, weighty; (*o pracy, sytuacji*) hard; (*o chorobie*) serious; (*o ranie*) dangerous; (*trudny*) difficult; **~e roboty** hard labour; (*o bokserze*) **~ej wagi** heavy-weight
**ciężko** *adv* heavily; hard; with difficulty; ~ **pracować** work hard; ~ **strawny** hard to digest, indigestible; ~ **mi na sercu** I have a heavy heart; ~ **mu idzie w życiu** it goes hard with him; ~ **mu idzie praca** he finds it hard to work; ~ **myślący** slow of wit; ~ **chory** seriously ill
**ciężkoś|ć** *f* heaviness, weight; **siła ~ci** gravity; **środek ~ci** centre of gravity
**ciołek** *m* bull-calf
**cios** *m* blow, stroke; **zadać** ~ strike ⟨deal⟩ a blow
**ciosać** *vt* hew
**cioteczn|y** *adj*, **brat ~y, siostra ~a** first cousin
**ciotka** *f* aunt
**cis** *m* yew
**ciskać** *vt* hurl, throw; ~ **się** *vr* fret and fume
**cisnąć** *vt* press; (*o bucie*) pinch; ~ **się** *vr* press, crowd; *zob.* **ciskać**
**cisz|a** *f* stillness, calm, peace; **głęboka ~a** dead silence; **proszę o ~ę!** silence, please!
**ciśnienie** *n* pressure; ~ **krwi** blood pressure
**ciuciubabk|a** *f* blindman's buff; **bawić się w ~ę** play blindman's buff
**ciułać** *vt* scrape together, economize
**ciupaga** *f* hatchet; (*kij alpinistyczny*) alpenstock
**ciura** *m* lout, bumpkin
**ciżba** *f* throng, crowd
**ckliwość** *f* mawkishness, nausea
**ckliwy** *adj* mawkish, nauseating
**clić** *vt* lay duty (**coś** on, upon sth)
**cło** *n* duty, customs, custom-duty; **opłacanie cła** clearance; **wolny od cła** duty-free; **podlegający cłu** dutiable
**cmentarz** *m* cemetery, burial-ground, graveyard; (*przy kościele*) churchyard
**cmokać** *vi* smack; ~ **językiem** smack one's tongue
**cnota** *f* virtue
**cnotliwość** *f* virtuousness
**cnotliwy** *adj* virtuous
**co** *pron* what; **co do** as regards; **co do mnie** as for me; **co mie-**

siąc every month; **dopiero co** just now; **co za pożytek z tego?** what's the use of it?, what use is it?; **co za widok!** what a sight!; **co z tego?** what of that?; **co mu jest?** what's the matter with him?
**codziennie** *adv* every day, daily
**codzienny** *adj* everyday, daily; (*powszedni*) commonplace
**cofać** *vt* retire, withdraw; (*odwoływać*) repeal, recall, retract; (*zegarek*) put back; **~ słowo** go back on one's word; **~ się** *vr* draw back, withdraw, retreat, retire
**cofnięcie (się)** *n* withdrawal, retraction
**cokolwiek** *pron* anything; whatever; (*nieco*) some, something; **~ bądź** no matter what; **~ on zrobi** whatever he may do; **~ się stanie** whatever may happen
**cokół** *m* socle, base
**comber** *m* saddle (of venison)
**coraz** *adv*, **~ lepiej** better and better; **~ więcej** more and more
**corocznie** *adv* every year, yearly, annually
**coroczny** *adj* yearly, annual
**coś** *pron* something, anything; **~ w tym rodzaju** something like that; **~ niecoś** a little, something, somewhat
**córka** *f* daughter
**cóż** *pron* what; **~ to?** what is it?; **no i ~?** what now?; **więc ~ z tego?** well, what of it?; **~ z tego, że** what if, what though
**cuchnąć** *vi* stink (**czymś** of sth), smell nasty
**cucić** *vt* bring back to consciousness, try to revive
**cud** *m* miracle, wonder, prodigy; **dokazywać ~ów** work wonders; **~em** by a miracle, miraculously
**cudaczny** *adj* queer, odd
**cudak** *m* odd man, crank
**cudny** *adj* wonderfully fine, wonderful
**cudo** *n* wonder, marvel, prodigy
**cudotwórca** *m* miracle worker, thaumaturge
**cudotwórstwo** *n* thaumaturgy
**cudown|y** *adj* prodigious, miraculous; (*niezwykle piękny, dobry*) wonderful, marvellous; **~y obraz** miraculous image; **~e dziecko** prodigy
**cudzołożyć** *vi* commit adultery
**cudzołóstwo** *n* adultery
**cudzoziemiec** *m* foreigner, alien
**cudzoziemski** *adj* foreign, alien
**cudzy** *adj* somebody else's; other's, another's, others'; alien; strange
**cudzysłów** *m* inverted commas *pl*, quotation marks *pl*
**cugl|e** *s pl* reins; **popuścić ~i** give reins
**cukier** *m* sugar; **~ kryształowy** crystal sugar; **~ miałki** caster sugar; **~ w kostkach** lump sugar; **głowa cukru** loaf of sugar; **kostka cukru** lump of sugar
**cukierek** *m* sweet, sweetmeat, *am.* candy
**cukiernia** *f* confectioner's (shop), confectionery
**cukiernica** *f* sugar-basin
**cukiernik** *m* confectioner
**cukrownia** *f* sugar-works
**cukrownictwo** *n* sugar industry
**cukrzyca** *f med.* diabetes
**cukrzyć** *vt* sugar
**cumować** *vt mors.* moor
**cumy** *s pl mors.* moorings
**cwał** *m* full gallop
**cwałować** *vi* ride at full gallop
**cwaniak** *m pot.* slyboots
**cybernetyka** *f* cybernetics
**cyfra** *f* cipher, digit
**Cygan** *m* gipsy; **cygan** (*oszust*) cheat, trickster
**cyganeria** *f* Bohemia
**cyganić** *vt vi pot.* cheat, trick
**cygański** *adj* gipsy; Bohemian
**cygarniczka** *f* cigarette holder
**cygaro** *n* cigar
**cyjanek** *m* cyanide
**cykl** *m* cycle
**cykliczny** *adj* cyclic

**cyklista** *m* cyclist
**cyklon** *m* cyclone
**cykoria** *f* chicory
**cykuta** *f bot.* (water) hemlock
**cylinder** *m* (*walec*) cylinder; (*kapelusz*) top hat
**cymbał** *m pot.* (*dureń*) duffer, blockhead; *muz. pl* **~y** dulcimer
**cyna** *f* tin
**cynadry** *s pl* kidneys
**cynamon** *m* cinnamon
**cynfolia** *f* tin-foil
**cyngiel** *m* trigger
**cyniczny** *adj* cynical
**cynik** *m* cynic
**cynizm** *m* cynicism
**cynk** *m* zinc
**cynkować** *vt* zinc, coat with zinc
**cynober** *m* cinnabar, Chinese red, vermillion
**cynować** *vt* tin, coat with tin
**cypel** *m* jut, point; (*przylądek*) promontory; (*wierzchołek*) peak
**cyprys** *m bot.* cypress
**cyrk** *m* circus
**cyrkiel** *m* a pair of compasses, compasses *pl*
**cyrkowiec** *m*, **cyrkówka** *f* circus performer
**cyrkulacja** *f* circulation
**cyrkulacyjny** *adj* circulatory
**cysterna** *f* cistern, tank; **statek ⟨samochód⟩ ~** tanker
**cytadela** *f* citadel
**cytat** *m* quotation
**cytować** *vt* quote, cite
**cytra** *f muz.* zither
**cytryna** *f* lemon
**cywilizacja** *f* civilization
**cywilizować** *vt* civilize
**cywiln|y** *adj* civil; civilian; **stan ~y** status; **urząd stanu ~ego** registry office
**cyzelować** *vt* chase, chisel; *przen.* smooth
**czad** *m* coal smoke; *chem.* carbon oxide
**czaić się** *vr* lurk
**czajka** *f zool.* pe(e)wit
**czajnik** *m* tea-kettle; (*do zaparzania herbaty*) teapot
**czako** *n* shako
**czambuł, w ~** *adv* altogether, in the bulk, wholesale
**czapka** *f* cap
**czapla** *f zool.* heron
**czapnik** *m* capmaker
**czaprak** *m* horse-rug
**czar** *m* charm, spell; *pl* **~y** witchcraft, sorcery, magic
**czara** *f* bowl
**czarci** *adj* diabolical, devilish, devil's
**czarno** *adv* blackly; **ubierać się na ~** dress in black; **malować na ~** paint black; **~ na białym** down in black and white
**czarnobrunatny** *adj* brownish black
**czarnogiełdziarz** *m* black marketeer
**czarnoksięsk|i** *adj* magic; **różdżka ~a** sorcerer's wand
**czarnoksiężnik** *m* sorcerer
**czarnooki** *adj* black-eyed
**czarnowłosy** *adj* black-haired
**czarnoziem** *m* humus, (black) mould
**czarn|y** *adj* black; *przen.* **~y rynek** black market; **na ~ą godzinę** against a rainy day
**czarodziej** *m* sorcerer, wizard
**czarodziejka** *f* sorceress
**czarodziejski** *adj* magic(al)
**czarować** *vt* charm
**czarownica** *f* witch, hag
**czarownik** *m* sorcerer, wizard
**czarowny** *adj* charming, enchanting
**czart** *m †* devil
**czarujący** *adj* charming, fascinating
**czas** *m* time; *gram.* tense; **~ przeszły** preterite, past; **~ przyszły** future; **~ teraźniejszy** present; **~ miejscowy ⟨lokalny⟩** local time; **wolny ~** leisure ⟨spare⟩ time; **~em** sometimes; **do ~u aż** till, until; **na ~** in (good) time; **na ~ie** timely, well-timed; **nie na ~ie** untimely, ill-timed; **na jakiś ~** for a time; **od ~u do ~u** from time to time; **od ~u jak...**

since...; **od jakiegoś ~u** for some time now; **od owego ~u** ever since; **po pewnym ~ie** after a while; **przez cały ten ~** all the time; **w sam ~** just in time; **z ~em** in course of time; **za ~ów** at the time; **za moich ~ów** at my time
**czasem** *adv* sometimes
**czasopismo** *n* periodical
**czasownik** *m gram.* verb
**czasowy** *adj* temporal; temporary
**czasza** *f* bowl
**czaszka** *f* skull
**czatować** *vi* lurk (**na kogoś** for sb), lie in wait (**na kogoś** for sb)
**czat|y** *s pl* lying in wait, look-out; **być na ~ach** be on the look-out; keep (a good) watch
**cząsteczka** *f* particle; *chem. fiz.* molecule
**cząstka** *f* particle, small part; share
**cząstkowy** *adj* partial, fractional
**czciciel** *m* adorer, worshipper
**czcić** *vt* adore, worship; (*np. rocznicę*) celebrate; (*pamięć*) commemorate
**czcigodny** *adj* venerable, honourable
**czcionk|a** *f* letter, type; *pl* **~i** letters, *zbior.* type
**czczo, na czczo** *adv* on ⟨with⟩ an empty stomach; **jestem na ~** I have not had my breakfast
**czczość** *f* emptiness of the stomach; (*daremność*) vanity, futility
**czczy** *adj* (*pusty*) empty; (*daremny*) vain, futile
**Czech** *m* Czech
**czek** *m* cheque, *am.* check; **~iem** by cheque; **honorować ~** meet a cheque
**czekać** *vi* wait (**na kogoś** for sb), expect (**na kogoś** sb)
**czekolada, czekoladka** *f* chocolate
**czekow|y** *adj*, **książka ~a** cheque-book; **rachunek ~y** cheque account, *am.* checking account; **obrót ~y** cheque system, transactions in cheques
**czeladnik** *m* journeyman
**czeladź** *f* † domestics *pl*, household
**czelność** *f* insolence, impudence
**czelny** *adj* insolent, impudent
**czeluść** *f* chasm, abyss, gulf
**czemu** *adv* why
**czep|ek** *m* bonnet, cap; *przen.* **urodzić się w ~ku** be born with a silver spoon in one's mouth
**czepiać się** *vr* cling, hang on (**czegoś** to sth), catch (**czegoś** at sth); (*szykanować, zaczepiać*) pick (**kogoś** at sb)
**czepiec** *m* hood, cap
**czerep** *m* shell, sherd; *pot.* (*czaszka*) skull
**czereśnia** *f* cherry; (*drzewo*) cherry-tree
**czernić** *vt* blacken, black; paint black
**czernidło** *n* blacking; *druk.* printing-ink
**czernić** *vt* blacken, become black
**czernina** *f* black soup
**czerń** *f* blackness, black (colour); (*motłoch*) mob, rabble
**czerpać** *vt* draw; (*wygarniać*) scoop
**czerpak** *m* scoop
**czerstwieć** *vi* (*o chlebie*) become stale; (*krzepnąć*) become ruddy, grow vigorous
**czerstwość** *f* staleness; vigour
**czerstwy** *adj* (*o chlebie*) stale; (*krzepki*) hale, ruddy; **mieć ~ wygląd** look hale
**czerwiec** *m* June
**czerwienić się** *vr* redden, become red; (*na twarzy*) blush
**czerwienieć** *vi* redden, turn red
**czerwień** *f* red (colour), redness; (*w kartach*) hearts *pl*
**czerwonka** *f med.* dysentery
**czerwony** *adj* red
**czesać** *vt* comb; (*len*) hackle; (*wełnę*) card; **~ się** *vr* to comb one's hair
**czesanka** *f* worsted, carded wool
**czeski** *adj* Czech
**czesne** *n* school-fees *pl*, tuition fee

**cześć** *f* honour, reverence; **oddawać ~ do** honour, pay reverence; **ku czci, na ~** in honour (**kogoś** of sb)
**często** *adv* often, frequently
**częstokół** *m* palisade
**częstokroć** *adv* frequently, repeatedly
**częstokrotny** *adj* frequent, repeated
**częstotliwość** *f* frequency
**częstotliwy** *adj* frequent; reiterative; *gram.* frequentative
**częstować** *vt* treat (**kogoś czymś** sb to sth); **~ się** *vr* treat oneself (**czymś** to sth); help oneself (**czymś** to sth)
**częsty** *adj* frequent
**częściowo** *adv* partly, in part
**częściow|y** *adj* partial, part *attr*; **~y etat** part-time work; **~a spłata** part-payment
**częś|ć** *f* part, portion; (*udział*) share; **~ć składowa** component (part); **~ć zamienna** spare (part); **lwia ~ć** lion's share; **pięć ~ci świata** five continents; **po ~ci** partly; **po największej ~ci** for the most part, mostly; *gram.* **~ci mowy** parts of speech
**czkawka** *f* hiccup
**człek** *m* = **człowiek**
**człon** *m* member
**członek** *m* member; (*kończyna*) limb
**członkini** *f* woman member
**członkostwo** *n* membership
**człowieczek** *m* little fellow, homuncule
**człowieczeństwo** *n* humanity; human nature
**człowieczy** *adj* human
**człowiek** *m* (*pl* **ludzie**) man (*pl* people), human being
**czmychać** *vi pot.* scamper off, bolt
**czołg** *m* tank
**czołgać się** *vr* crawl, creep
**czoł|o** *n* forehead, brow; (*pochodu, oddziału wojskowego*) head; **marszczyć ~o** frown; **stawić ~o** face, brave; **wysunąć się na ~o** come to the front; **na czele** at the head; **w pocie ~a** in the sweat of the brow
**czołobitny** *m* servile
**czołowy** *adj* frontal; (*przodujący*) leading, chief
**czołówka** *f* forefront; *wojsk.* spearhead
**czop** *m* tap, plug
**czopek** *m* stopper; *techn.* spigot; *med.* suppository
**czopować** *vt* stop up, plug; tampon
**czosnek** *m* garlic
**czółenko** *n* small boat; (*tkackie*) shuttle
**czółno** *n* boat, canoe
**czterdziestka** *f* forty
**czterdziestoletni** *adj* (*o wieku*) forty years old; (*o okresie czasu*) forty years'
**czterdziesty** *num* fortieth
**czterdzieści** *num* forty
**czternasty** *num* fourteenth
**czternaście** *num* fourteen
**czterokrotny** *adj* fourfold
**czteroletni** *adj* (*o wieku*) four years old; (*o okresie czasu*) four years'
**czterowiersz** *m* quatrain
**cztery** *num* four
**czterysta** *num* four hundred
**czub** *m* tuft; (*hełmu, koguta*) crest; *przen.* **brać się za ~y** come to blows; *pot.* **mieć w ~ie** be tipsy
**czubaty** *adj* tufted, crested
**czubić się** *vr* bicker, squabble
**czuci|e** *n* feeling; **paść bez ~a** fall senseless
**czuć** *vt* feel; smell; **~ do kogoś urazę** bear sb a grudge; **~ czosnkiem** it smells of garlic; **~ się** *vr* feel; **~ się dobrze** feel well ⟨all right⟩; **~ się szczęśliwym** feel happy
**czujka** *f wojsk.* vedette
**czujność** *f* vigilance, watchfulness; **zmylić (czyjąś) ~** put (sb) off guard
**czujny** *adj* vigilant, watchful

**czule** *adv* tenderly, affectionately

**czułość** *f* tenderness, sensitiveness

**czuły** *adj* tender, affectionate; sensitive (**na coś** to sth)

**czupryna** *f* crop of hair

**czupurny** *adj* pugnacious

**czuwać** *vi* watch (**nad kimś, czymś** over sb, sth); keep vigilance; (*nie spać*) wake; sit up (**przy chorym** by a sick person)

**czuwanie** *n* watch, wake

**czwartek** *m* Thursday; **Wielki Czwartek** Maundy Thursday

**czwart|y** *num* fourth; **jedna ~a** one fourth; **wpół do ~ej** half past three; **o ~ej** at four

**czworak** *m*, **na ~ach** on all fours

**czworaki** *adj* fourfold

**czworo** *num* four (children etc.)

**czworobok** *m* quadrilateral

**czworokąt** *m* quadrangle

**czworonożny** *adj* quadrupedal

**czworonóg** *m* quadruped

**czwórka** *f* four

**czy** *conj w zdaniach pytających podrzędnych*: if, whether; *w zdaniach pytających głównych nie tłumaczy się*: **~ wierzysz w to?** do you believe that?; **~ ... ~** whether ... or; **~ tu ~ tam** whether here or there; **~ chcesz tego ~ nie?** do you want it or not?

**czyhać** *vi* lurk, lie in wait (**na kogoś** for sb)

**czyj** *pron* whose

**czyjś** *pron* somebody's, anybody's

**czyli** *conj* or

**czyn** *m* deed, act, action, feat; **~ bohaterski** heroic deed, exploit; **~ pierwszomajowy** First-May deed; **wprowadzić w ~** carry into effect; **człowiek ~u** man of action

**czynić** *vt* do, act

**czynieni|e** *n* doing, acting; **mieć z kimś do ~a** have to do with sb

**czynnik** *m* factor, agent; **~ miarodajny** competent authority

**czynność** *f* activity, function, action; operation

**czynn|y** *adj* active; (*pełniący obowiązki*) acting; (*o maszynie, automacie*) in operation; **sklep jest ~y** the shop is open; *gram.* **strona ~a** active voice

**czynsz** *m* rent

**czynszowy** *adj*, **dom ~** tenement-house

**czyrak** *m* furuncle

**czystka** *f* purge

**czysto** *adv* cleanly, purely, neatly; **dochód na ~** net profit; **mówić ~ po polsku** speak good Polish; **przepisać na ~** make a fair copy (**coś** of sth); **wyjść na ~** get off clear

**czystopis** *m* fair copy

**czystość** *f* purity, cleanness, tidiness; (*moralna*) chastity

**czyst|y** *adj* clean, pure, neat; (*schludny*) tidy; (*moralnie*) chaste; *handl.* net; *filat.* mint; **~a angielszczyzna** good English; **~a prawda** plain truth; **~e sumienie** clear conscience; **~y arkusz** blank sheet; **~y dochód** net profit

**czyszczenie** *n* cleaning; *med.* purgation; (*biegunka*) diarrhoea

**czyścibut** *m* shoeblack

**czyścić** *vt* clean; purify; *przen. i med.* purge; (*rafinować*) refine

**czyściec** *m* purgatory

**czytać** *vt vi* read (**coś** sth, **o czymś** of, about sth); **~ po angielsku** read English

**czytani|e** *n* reading; **książka do ~a** reading-book; **nauka ~a** instruction in reading

**czytanka** *f* piece for reading, piece of reading-matter; (*podręcznik*) reader

**czytelnia** *f* reading-room

**czytelnik** *m* reader

**czytelny** *adj* legible

**czyż** *conj* = **czy**

**czyżyk** *m zool.* siskin

# Ć

**ćma** *f zool.* moth
**ćmi|ć** *vt* (*przyciemniać*) obscure, darken; *vi* (*dymić*) reek, smoke; **~ mi się w oczach** my head swims
**ćwiartka** *f* quarter, one fourth (part); (*mięsa*) joint
**ćwiartować** *vt* quarter
**ćwiczenie** *n* exercise, drill; (*na fortepianie, skrzypcach itp.*) practising; (*trening*) training; (*na wyższej uczelni*) class
**ćwiczyć** *vt vi* exercise, drill, instruct; (*na fortepianie, skrzypcach itp.*) practise; (*trenować*) train; (*bić*) flog
**ćwiek** *m* nail
**ćwierć** *f* quarter, one fourth (part)
**ćwierkać** *vi* twitter, chirp
**ćwikła** *f* beetroot salad

# D

**dach** *m* roof; **bez ~u nad głową** without shelter; **mieć ~ nad głową** have a shelter
**dachówka** *f* tile
**dać** *vt* give; **~ do zrozumienia** give to understand; **~ komuś spokój** let ⟨leave⟩ sb alone; **~ komuś w twarz** slap sb's face; **~ możność** enable (**komuś** sb); **~ wiarę** give credit; **~ za wygraną** give up; **~ znać** give information, inform; **daj mi znać o sobie** let me hear from you; **dano mi znać** word came to me; **~ żyć** let live; **~ przykład** set an example; **~ ognia** fire; **~ ognia do papierosa** give a light; **dajmy na to** suppose
**daktyl** *m bot.* date; (*miara wiersza*) dactyl
**daktyloskopia** *f* finger-printing
**dal** *f* distance, remoteness; **w ~i** far away, in the distance; **z ~a** from afar; **z ~a od** off, away from
**dalece** *adv* greatly, by far; **tak ~, że ...** so far ⟨so much⟩ that ...; to such an extent that ...
**dalej** *adv* farther, further; **i tak ~** and so on
**daleki** *adj* far, far-off, distant, remote
**daleko** *adv* far (off), a long way off; **tak ~, że** so far as; **~ idący** far-reaching
**dalekobieżny** *adj* long-distance *attr*
**dalekonośny** *adj* long-range *attr*
**dalekowidz** *m* far-sighted person; *med.* presbyope
**dalekowzroczność** *f* far-sightedness; *med.* prebyopia
**dalekowzroczny** *adj* far-sighted
**dalia** *f bot.* dahlia
**dalszy** *adj comp* farther, further; (*następny*) next, following
**daltonizm** *m* daltonism
**dama** *f* lady; dame; (*w kartach*) queen; **~ serca** lady-love
**damasceński** *adj* damask
**damski** *adj* ladies'
**dane** *s pl* data *pl*, evidence; (*możliwości, kwalifikacje*) makings, chance; **bliższe ~** description; **~ osobiste** personal details; **mieć wszelkie ~** have every chance
**danie** *n* dish, course
**danina** *f* tribute
**danser** *m*, **danserka** *f* dancer
**dansing** *m* dancing

**dantejski** *adj* Dantean

**dany** *adj i pp* given; **w ~ch warunkach** under the given conditions

**dar** *m* gift, present; **w darze** as a gift

**darcie** *n* tearing, rending; (*w kościach*) pains; (*pierza*) picking

**daremnie** *adv* in vain

**daremny** *adj* vain, futile

**darmo** *adv* gratis, gratuitously, for nothing; (*bezpłatnie*) free of charge; **na ~** in vain

**darmozjad** *m* sponger

**darnina** *f* turf; *poet.* sward, sod

**darować** *vt* give; present (**komuś coś** sb with sth); (*przebaczyć*) pardon, forgive; **~ komuś dług** remit sb's debt; **~ komuś winę ⟨grzechy⟩** absolve sb from guilt ⟨sins⟩; **~ komuś życie** spare sb's life

**darowizna** *f* donation, gift

**darwinizm** *m* Darwinism

**darzyć** *vt* present (**kogoś czymś** sb with sth); (*względami*) favour; **~ kogoś zaufaniem** put one's trust in sb

**daszek** *m* roofiet; (*osłona*) screen; (*u czapki*) peak

**dat|a** *f* date; **świeżej ~y** of recent date; *pot.* **być pod dobrą ~ą** be in one's cups, be tipsy

**datować** *vt*, **~ się** *vr* date

**datownik** *m* date-stamp, dater; *filat.* postmark

**dawać** *zob.* **dać**

**dawca** *m* giver, donor; **~ krwi** blood donor

**dawka** *f* dose

**dawkować** *vt* dose

**dawniej** *adv* formerly, in former times

**dawno** *adv* long ago, in times past; **jak ~ tu jesteś?** how long have you been here?

**dawny** *adj* old, old-time *attr*; (*poprzedni*) former; **za ~ch dni** in the old days; **od dawna** for ⟨since⟩ a long time

**dąb** *m* oak; **stawać dęba** (*o koniu*) rear; jib; *przen.* **włosy stają mu dęba** his hair stands on end

**dąć** *vi* blow; **~ w róg** blow a horn

**dąsać się** *vr* sulk (**na kogoś** with sb), be in the sulks

**dąsy** *pl* sulks

**dążenie** *n* aspiration, endeavour, pursuit

**dążność** *f* tendency

**dążyć** *vi* aspire (**do czegoś** to sth, after sth), strive (**do czegoś** after sth), aim (**do czegoś** at sth); (*podążać*) make one's way, proceed

**dbać** *vi* care (**o coś** for sth), take care (**o coś** of sth), be concerned (**o coś** about sth), look (**o coś** after sth)

**dbałość** *f* care, solicitude (**o coś** for sth)

**dbały** *adj* careful (**o coś** of sth), solicitous (**o coś** for, about sth)

**debata** *f* debate

**debatować** *vi* debate (**nad czymś** sth, on sth)

**debet** *m handl.* debit

**debit** *m* the right to sell (periodicals)

**debiut** *m* début

**debiutant** *m* débutant

**debiutantka** *f* débutante

**debiutować** *vi* make one's début

**decentralizacja** *f* decentralization

**decentralizować** *vt* decentralize

**dech** *m* breath; **bez tchu** out of breath; **co tchu** as fast as possible, in all haste; **wypić jednym tchem** drink at one gulp; **zaczerpnąć tchu** draw one's breath

**decydować** *vi* determine, decide (**o czymś** sth); **~ na korzyść kogoś, czegoś** decide in favour of sb, sth; **~ się** *vr* determine; decide (**na coś** on sth)

**decydujący** *adj* decisive; **~ moment** decisive moment

**decyzj|a** *f* decision; **powziąć ~ę** come to ⟨arrive at⟩ a decision

**dedykacja** *f* dedication

**dedykować** *vt* dedicate

**defekt** *m* defect
**defensyw|a** *f* defensive; **w ~ie** on the defensive
**deficyt** *m* deficit
**defilada** *f* march past
**defilować** *vi* march past (**przed kimś** sb)
**definicja** *f* definition
**definiować** *vt* define
**definitywny** *adj* decisive, final
**deformować** *vt* deform, disfigure
**defraudacja** *f* embezzlement
**defraudant** *m* embezzler
**degeneracja** *f* degeneration
**degenerować się** *vr* degenerate
**degradacja** *f* degradation
**degradować** *vt* degrade
**deka** *n nieodm. zob.* **dekagram**
**dekada** *f* decade
**dekadencja** *f* decadence
**dekagram** *m* decagramme
**dekatyzować** *vt* shrink
**deklamacja** *f* declamation, recitation
**deklamator** *m* reciter
**deklamować** *vt* recite, declaim
**deklaracja** *f* declaration
**deklarować** *vt* declare
**deklinacja** *f gram.* declension
**deklinować** *vt gram.* decline
**dekompletować** *vt* render incomplete
**dekoracja** *f* decoration; *teatr* scenery; (*wystawy sklepowej*) window-dressing
**dekoracyjny** *adj* decorative
**dekorator** *m* decorator; *teatr* scene-painter
**dekorować** *vt* decorate
**dekret** *m* decree
**dekretować** *vt* decree
**delegacja** *f* delegation; (*z pełnomocnictwem*) commission; *pot.* (*wyjazd służbowy*) business trip
**delegat** *m* delegate
**delegować** *vt* delegate, depute
**delektować się** *vr* relish (**czymś** sth), delight (**czymś** in sth)
**delfin** *m zool.* dolphin
**delicje** *s pl* delicacies, dainties; pleasures
**delikatesy** *s pl* dainties; (*sklep*) delicatessen
**delikatność** *f* delicacy, subtlety
**delikatny** *adj* delicate, subtle
**delikwent** *m* delinquent
**demagog** *m* demagogue
**demagogia** *f* demagogy
**demarkacyjn|y** *adj*, **linia ~a** line of demarcation
**demaskować** *vt* unmask, show up, expose
**demobilizacja** *f* demobilization
**demobilizować** *vt* demobilize
**demokracja** *f* democracy
**demokrata** *m* democrat
**demokratyczny** *adj* democratic
**demokratyzować** *vt* democratize
**demolować** *vt* demolish
**demon** *m* demon
**demoniczny** *adj* demonic
**demonstracja** *f* demonstration
**demonstracyjny** *adj* demonstrative
**demonstrować** *vt* demonstrate
**demontować** *vt* dismantle
**demoralizacja** *f* demoralization
**demoralizować** *vt* demoralize; **~ się** *vr* become demoralized
**denat** *m* defunct
**denaturat** *m* methylated spirit
**denerwować** *vt* get on sb's nerves, irritate, excite; **~ się** *vr* get excited, become flustered (**czymś** about sth)
**denko** *n* (*kapelusza*) crown
**dentysta** *m* dentist
**dentystyczny** *adj* dental, dentist's
**dentystyka** *f* dentistry
**denuncjacja** *f* denunciation, information
**denuncjant** *m*, **denuncjator** *m* informer, denouncer
**denuncjować** *vt* inform (**kogoś** against sb), denounce (**kogoś** sb)
**departament** *m* department
**depesza** *f* telegram, wire; **~ radiowa** radiogram
**depeszować** *vi* telegraph, wire
**deponować** *vt prawn.* deposit
**deportacja** *f* deportation
**deportować** *vt* deport

**depozyt** *m* deposit; **do ~u** on deposit
**deprawacja** *f* depravation
**deprawować** *vt* deprave
**deprecjacja** *f* depreciation
**deprecjonować** *vt* depreciate; **~ się** *vr* become depreciated
**depresja** *f* depression
**deprymować** *vt* depress
**deptać** *vt vi* trample, tread (**coś** sth, **po czymś** upon sth)
**deptak** *m* promenade
**deputacja** *f* deputation
**deputat** *m* (*przydział*) allowance, ration
**derka** *f* rug, blanket
**dermatolog** *m* dermatologist
**dermatologia** *f* dermatology
**desant** *m* descent; *wojsk.* landing, landing-operation
**desantowy** *adj wojsk.* landing; **oddział ~** landing party
**deseń** *m* design, pattern; (*szablon*) stencil
**deser** *m* dessert
**desk|a** *f* board, plank; *pot.* **od ~i do ~i** from cover to cover, from beginning to end; **do grobowej ~i** till death itself
**desperować** *vi* despair
**despota** *m* despot
**despotyczny** *adj* despotic
**despotyzm** *m* despotism
**destrukcja** *f* destruction
**destrukcyjny** *adj* destructive
**destylacja** *f* distillation
**destylarnia** *f* distillery
**destylować** *vt* distil
**desygnować** *vt* designate
**desygnat** *m* referent, designation
**deszcz** *m* rain; **pada ~** it rains; *przen.* **z ~u pod rynnę** out of the frying pan into the fire
**deszczówka** *f* rain-water
**deszczułka** *f* lath
**detal** *m* detail
**detalicznie** *adv handl.* by ⟨at⟩ retail; **sprzedawać ~** sell by retail
**detaliczny** *adj* retail *attr*; **handel ~** retail trade; **kupiec ~** retailer
**detektyw** *m* detective
**detektywistyczny** *adj* detective
**determinować** *vt* determine
**detonacja** *f* detonation
**detonować** *vt* abash, disconcert; *vi* (*eksplodować*) detonate; **~ się** *vr* lose countenance
**detronizacja** *f* dethronement
**detronizować** *vt* dethrone
**dewaluacja** *f* devaluation
**dewaluować** *vt* devaluate; **~ się** *vr* become devaluated
**dewiz|a** *f* device, motto; *pl* **~y** *fin.* foreign bills ⟨exchange⟩
**dewocja** *f* devotion, piety
**dewotka** *f* devotee, bigot
**dezercja** *f* desertion
**dezerter** *m* deserter
**dezerterować** *vi* desert
**dezorganizacja** *f* disorganization
**dezorganizować** *vt* disorganize
**dezorientacja** *f* disorientation, confusion
**dezorientować** *vt* disorientate, confuse; **~ się** *vr* become confused, lose one's way
**dezynfekcja** *f* disinfection
**dezynfekować** *vt* disinfect
**dębczak** *m* oakling
**dębieć** *vi* be taken aback, stand dumbfounded
**dębina** *f* oakwood
**dętka** *f* tire, tyre
**dęt|y** *adj* blown; hollow; **instrument ~y** wind-instrument; **orkiestra ~a** brass band
**diabelski** *adj* diabolical, devilish
**diabeł** *m* devil
**diabełek** *m* devilkin, imp
**diagnostyka** *f* diagnosis
**diagnoz|a** *f* diagnosis; **postawić ~ę** to diagnose, to make a diagnosis
**diagram** *m* diagram
**dialekt** *m* dialect
**dialektyczny** *adj* dialectical; **materializm ~** dialectical materialism
**dialektyk** *m* dialectician
**dialektyka** *f* dialectics
**dialog** *m* dialogue
**diament** *m* diamond
**diametralny** *adj* diametrical
**diatermia** *f* diathermy

**diecezja** *f* diocese
**diecezjalny** *adj* diocesan
**diet|a** *f* diet; (*pieniężna*) *zw. pl* **~y** expense ⟨travelling⟩ allowance
**dietetyczny** *adj* dietetic
**dla** *praep* for, in favour of, for the sake of; **uprzejmy ⟨dobry⟩ ~ kogoś** kind ⟨good⟩ to sb
**dlaczego** *adv* why, what for
**dlatego** *adv* therefore, for that reason, that's why; **~ że** *conj* because, for
**dławić** *vt* strangle, suffocate, choke; *techn.* throttle; **~ się** *vr* suffocate
**dławik** *m techn.* throttle
**dło|ń** *f* palm; **jasne jak na ~ni** as clear as daylight
**dłubać** *vt vi* dig, bore; (*w zębach*) pick
**dług** *m* debt; **wpaść w ~i** incur debts; **zaciągnąć ~** contract a debt; **spłacić ~** pay off a debt
**długi** *adj* long; **upadł jak ~** he fell down flat
**długodystansowiec** *m sport* long-distance runner
**długo** *adv* long, for a long time; **jak ~** as long as; **jak ~?** how long?
**długofalowy** *adj* long-wave *attr*; *przen.* long-range *attr*
**długoletni** *adj* long-time, of long standing
**długonogi** *adj* long-legged
**długopis** *m* ball-point pen
**długoś|ć** *f* length; *geogr.* longitude; **mieć** *x* **metrów ~ci** be *x* meters long
**długoterminowy** *adj* long-term *attr*
**długotrwały** *adj* lasting, durable
**długowieczność** *f* longevity
**długowieczny** *adj* longeval; long-lived
**dłuto** *n* chisel
**dłużnik** *m* debtor
**dłużny** *adj* owing; **jestem mu ~** I owe him
**dłużyć się** *vr* (*o czasie*) pass slowly
**dmuchać** *vi* blow, puff
**dnieć** *vi* dawn
**dniówk|a** *f* daywork, day's work; **pracować na ~ę** work by the day
**dno** *n* bottom
**do** *praep* to, into; (*o czasie*) till, until; **aż do granicy** as far as the frontier; **co do mnie** as for me; **do cna** through and through; **do piątku** till ⟨until⟩ Friday; **łyżeczka do herbaty** teaspoon; **raz do roku** once a year; **idę do apteki** I go to the chemist's; **idę do przyjaciela** I go to see my friend; **iść do domu** go home; **przybyć do Londynu** arrive at ⟨in⟩ London; **wyjechać do Londynu** leave for London; **wejść do pokoju** enter the room; **wsadzić do więzienia** put into prison
**dob|a** *f* day (and night), twenty-four hours; **całą ~ę** the clock round; **w dzisiejszej ~ie** at present, at the present time
**dobiegać** *vi* approach, be coming near
**dobierać** *vt* select, choose; assort (**coś do czegoś** sth with sth); **być dobranym** match (**do czegoś** sth); **~ się** *vr* try to get (**do czegoś** at sth); **dobrali się** they are well matched
**dobijać** *vt* deal (**kogoś** sb) a death-blow; **~ targu** strike a bargain; *vi* **~ do lądu** reach land; **~ się** *vr* try to enter; (*osiągnąć*) contend, scramble (**czegoś** for sth); **~ się do drzwi** batter the door
**dobitk|a** *f*, **na ~ę** on top of all that
**dobitny** *adj* distinct, emphatic
**doborowy** *adj* choice, select
**dobosz** *m* drummer
**dobór** *m* selection, assortment; *biol.* **~ naturalny** natural selection
**dobrać** *zob.* **dobierać**
**dobranoc** *int* good night!

**dobrnąć** *vi* wade through (**do czegoś** to sth)
**dobr|o** *n* good; **~o społeczne** public welfare; *handl.* **na moje ~o** to my credit; **dla mojego ~a** for my good; *pl* **~a** fortune, riches; (*ziemskie*) landed property; **~a ruchome** movable property, personalty
**dobrobyt** *m* well-being, prosperity
**dobroczynność** *f* beneficence, charitableness; charity
**dobroczynn|y** *adj* beneficent, charitable; **cele ~e** charities
**dobroczyńca** *m* benefactor
**dobroć** *f* goodness
**dobroduszność** *f* kind-heartedness, good nature
**dobroduszny** *adj* kind-hearted, good-natured
**dobrodziej** *m* benefactor
**dobrodziejstwo** *n* benefaction, boon; *prawn.* benefit (of the law)
**dobrotliwy** *adj* kind-hearted, good-natured
**dobrowolnie** *adv* of one's own free will, voluntarily
**dobrowoln|y** *adj* voluntary; free-will *attr*; **umowa ~a** amicable agreement
**dobr|y** *adj* good, kind; **nie wyjdzie z tego nic ~ego** no good will come of it; **to jest warte ~e 10 tysięcy** it is well worth 10 thousand; **to wyjdzie na ~e** this will come to good, this will take a good turn; **to mu nie wyjdzie na ~e** it will turn out badly for him; **w tej sprawie jedno jest ~e** there is one good part in this; **życzyć wszystkiego ~ego** to give one's best wishes; **a to ~e!** I like this!; **co ~ego?** what is the best news?; **przez ~e dwie godziny** for a good two hours
**dobrze** *adv* well, all right; **czuję się ~** I'm (feeling) well; **~ czy źle** right or wrong; **to ci ~ zrobi** this will do you good; **~ ci tak!** it has served you right
**dobudować** *vt* build an annex, build on
**dobudówka** *f* annex
**dobyć** *zob.* **dobywać**
**dobytek** *m sing* property, goods (and chattels); (*inwentarz*) cattle
**dobywać** *vt* take out, get out, produce
**doceniać** *vt* (duly) appereciate
**docent** *m* docent
**dochodowy** *adj* profitable, payable; **podatek ~** income tax
**dochodzenie** *n* investigation, research, inquiry
**dochodzi|ć** *vi* approach, get near, reach; come about; (*badać*) investigate (**czegoś** sth), inquire (**czegoś** into sth), claim; (*ścigać sądownie*) prosecute; **~ trzecia godzina** it is getting on to three o'clock; **on ~ siedemdziesiątki** he is getting on for seventy, he is close on seventy; **rachunek ~ do 100 funtów** the bill amounts to **£ 100**; **jak do tego doszło?** how did it come about?
**dochować** *vt* preserve; (*tajemnicy, wiary*) keep; **~ się** *vr* (*dzieci*) manage to bring up; (*inwentarza*) manage to rear (breed)
**dochód** *m* income, profit, proceeds *pl*; **~ państwowy** revenue
**dociągać** *vt vi* draw (**do czegoś** as far as sth); reach; tighten; **~ do końca** reach the end
**dociekać** *vt* investigate (**czegoś** sth), inquire (**czegoś** into sth)
**dociekanie** *n* investigation, inquiry, enquiry
**dociekliwy** *adj* inquisitive
**docierać** *vi* reach (**dokądś** a place), advance (**dokądś** to a place); get (**do czegoś** at sth); reach (**do czegoś** sth); *vt* (*silnik, samochód*) run in, *am.* break in
**docinać** *vi* taunt, sting (**komuś** sb)
**docinek** *m* taunt
**doczeka|ć się** *vr* live to see; **nie ~sz się go** no use waiting for him; **~ć się późnej starości** live

to an old age; nie mogę się ~ć ... I can hardly wait to ...

**doczepiać** *vt* attach, append

**doczesny** *adj* temporal, earthly

**dodać** *zob.* dodawać

**dodatek** *m* addition; appendix, supplement; *pl* dodatki accessories; (*krawieckie itp.*) materials, furnishings; ~ do pensji, wynagrodzenia extra pay; ~ drożyźniany cost-of-living bonus; ~ mieszkaniowy residence allowance; ~ nadzwyczajny (*do gazety*) extra edition; ~ rodzinny family bonus; na ~ in addition, besides

**dodatkowo** *adj* additionally, in addition, extra

**dodatkowy** *adj* additional, supplementary, extra

**dodatni** *adj* positive, advantageous; *fin.* (*o bilansie*) favourable, active; strona ~a good side

**dodawać** *vt* add; (*sumować*) add up, sum up; give in addition; ~ ducha cheer up; ~ odwagi encourage

**dodawanie** *n* addition

**dogadać się** *vr* come to an understanding; (*w obcym języku*) make oneself understood

**dogadza|ć** *vi* gratify, satisfy; pamper; indulge; ~ć sobie indulge oneself, do oneself well; to mi ~ this suits me, this is convenient to me

**doglądać** *vi* look (kogoś, czegoś after sb, sth), watch (kogoś, czegoś over sb, sth); (*pielęgnować chorego*) tend, nurse; (*pilnować trzody*) tend

**dogmat** *m* dogma

**dogmatyczny** *adj* dogmatic

**dogmatyka** *f* dogmatics

**dogmatyzm** *m* dogmatism

**dogodnie** *adv* conveniently; jak ci będzie ~ at your convenience

**dogodność** *f* convenience

**dogodny** *adj* convenient; na ~ch warunkach on easy terms

**dogodzić** *zob.* dogadzać

**dogonić** *vt* catch up (kogoś sb, with sb), overtake

**dogorywać** *vi* be in death-agony, be dying away, be breathing one's last

**dogrzewa|ć** *vi* warm additionally; scorch; słońce ~ the sun is scorching

**doić** *vt* milk

**dojadać** *zob.* dojeść; nie ~ starve, not eat enough

**dojazd** *m* approach, access; (*przed domem*) drive; (*dojeżdżanie*) regular travel

**dojechać** *vi* arrive (dokądś at ⟨in⟩ a place), reach (dokądś a place), (*konno, na motorze*) come riding (dokądś to a place)

**dojeść** *vt* finish eating, eat up the rest; nie ~ not to eat up one's fill

**dojeżdżać** *vi* travel regularly; *zob.* dojechać

**dojeżdżający** *adj i m* non-resident

**dojmujący** *adj* painful, penetrating; (*o bólu*) acute

**dojn|y** *adj*, krowa ~a milch cow

**dojrzałoś|ć** *f* maturity; egzamin ~ci secondary school-leaving examination

**dojrzały** *adj* ripe, mature

**dojrzeć** 1. *zob.* dojrzewać

**dojrzeć** 2. *vt* (*zobaczyć*) catch sight (kogoś, coś of sb, sth); *lit.* behold

**dojrzewać** *vi* ripen, grow ripe, mature; (*osiągnąć dojrzałość*) reach the age of manhood ⟨womanhood⟩

**dojście** *n* access, approach; (*do władzy*) accession

**dojść** *vi* arrive (dokądś at ⟨in⟩ a place), reach (dokądś a place); ~ do skutku come off ⟨about⟩; ~ do sławy win fame; ~ do władzy arrive at a power; ~ do wniosku arrive at ⟨to⟩ a conclusion; ~ w czymś do doskonałości bring sth to perfection; doszedłem do przekonania I came to believe; doszło do porozumienia an understanding has been established, an agreement has been reached; **jak do tego doszło?** how did this come about?; *zob.* **dochodzić**

**dok** *m* dock

**dokarmiać** *vt* nourish additionally

**dokazać** *vi* achieve, perform; **~ cudu** work a miracle; **~ swego** accomplish one's design, have one's way

**dokazywać** *vi* (*swawolić*) skylark, romp; *zob.* **dokazać**

**dokąd** *adv* where; † whither; **~ bądź** anywhere, wherever

**doker** *m* docker

**dokładać** *vt* add, throw in; **~ do interesu** have a losing business; **~ wszelkich starań** do one's best

**dokładnie** *adv* exactly, precisely

**dokładność** *f* exactitude, precision

**dokładn|y** *adj* exact, precise; **~e badanie** close examination

**dokoła** *adv praep* round (about), around

**dokonać** *vt* achieve, accomplish, bring about; **~ żywota** end one's days; **~ się** *vr* take place ⟨effect⟩, come off ⟨about⟩

**dokonanie** *n* achievement

**dokonany** *adj* (*o fakcie*) accomplished; *gram.* perfect

**dokończenie** *n* conclusion, end(ing)

**dokończyć** *vt* finish up, conclude

**dokształca|ć** *vt* impart further instruction; **~ć się** *vr* acquire ⟨receive⟩ further instruction; **szkoła ~jąca** continuation school

**doktor** *m* doctor

**doktorat** *m* doctorate; **zrobić ~** take the doctor's degree

**doktorsk|i** *adj* doctor's, doctoral; **praca ~a** doctor's thesis

**doktoryzować się** *vr* take one's doctor's degree

**doktryna** *f* doctrine

**dokuczać** *vi* vex, harass, annoy

**dokuczliwy** *adj* vexing, annoying, grievous

**dokument** *m* document; record; **~ urzędowo poświadczony** legalized deed

**dokumentalny, dokumentarny** *adj* documentary

**dokumentować** *vt* document

**dol|a** *f* lot, destiny; **w ~i i niedoli** through thick and thin

**dolat|ywać** *vi* come flying, reach; **~uje zapach** the smell makes itself felt

**dolega|ć** *vi* pain, ail; **co ci ~?** what's the matter with you?, what ails you?; **~ mi artretyzm** I am troubled with arthritis; **nic mi nie ~** nothing is the matter with me

**dolegliwość** *f* suffering, pain, ailment

**dolewać** *vt* pour additionally; **~ sobie herbaty** help oneself to more tea

**doliczy|ć** *vt* add; throw in, include (in a sum); *vr* **~łem się tylko pięciu** I could count five only; **nie mogłem się ~ć** I could not make up the sum

**dolina** *f* valley; *lit.* dale

**dolny** *adj* lower

**dołączyć** *vt* annex, attach, enclose; **~ się** *vr* join (**do kogoś** sb)

**dołek** *m* pit, hole; (*na twarzy*) dimple

**dołożyć** *zob.* **dokładać**

**dom** *m* house; home; **do ~u** home; **poza ~em** abroad, away from home, out of doors; **w ~u** at home; **czuć się jak u siebie w ~u** feel at home

**domagać się** *vr* demand, claim

**domator** *m* stay-at-home

**domek** *m* little house; **~ jednorodzinny** cottage, bungalow

**domena** *f* domain

**domiar** *m* (*podatkowy*) supertax; **na ~ wszystkiego** to crown all

**domierzyć** *vt* fill the measure; (*podatek*) assess additionally

**domieszać** *vt* admix

**domieszka** *f* admixture

**dominium** *n sing nieodm.* dominion

**domino** *n* domino; (*gra*) dominoes *pl*
**dominować** *vi* prevail, predominate (**nad kimś, czymś** over sb, sth)
**dominujący** *adj* predominant
**domniemany** *adj* conjectural
**domokrążca** *m* pedlar, hawker
**domorosły** *adj* homeborn
**domostwo** *n* homestead
**domownik** *m* housemate
**domow|y** *adj* domestic, home ⟨house, indoor⟩ *attr*; **gospodarstwo ~e** housekeeping; **wojna ~a** civil war
**domysł** *m* conjecture, presumption
**domyślać się** *vr* conjecture, surmise; guess
**domyślny** *adj* quick to understand, quick-witted
**doniczka** *f* flower-pot
**doniesienie** *n* (*wiadomość*) report, communication; (*denuncjacja*) denunciation; *handl.* (*komunikat*) advice
**donieść** *vt* comunicate, report, announce; denounce (**na kogoś** sb), inform (**na kogoś** against sb); *handl.* advise; **donoszą nam, że ...** we are informed that ...
**doniosłość** *f* importance, weightiness
**doniosły** *adj* important, weighty
**donosiciel** *m* denunciator, denouncer, informer
**donosić** *zob.* **donieść**
**donośność** *f* (*głosu*) sonority; (*strzału*) range
**donośny** *adj* (*o głosie*) sonorous; (*o strzale*) of long range
**dookoła** = **dokoła**
**dopadać** *vi* get (**czegoś** at sth), reach (**czegoś** sth)
**dopalać** *vt* burn the rest, finish burning; **~ się** *vr* be burning out
**dopasować** *vt* fit, adapt, adjust; **~ się** *vr* adapt oneself, conform oneself
**dopasowanie** *n* adjustment, adaptation
**dopełniacz** *m gram.* genitive (case)
**dopełniać** *vi* complete, fill up; fulfil; **~ zobowiązań** meet one's obligations; **~ ślubu** keep one's vow
**dopełniający** *adj* complementary, supplementary
**dopełnienie** *m* completion; fulfilment; *gram.* object; **~ bliższe ⟨dalsze⟩** direct ⟨indirect⟩ object
**dopędzić** *vt* catch up (**kogoś** sb, with sb), overtake
**dopiąć** *vt* buckle up, button up; (*osiągnąć*) attain, achieve; **~ swego** gain one's end
**dopiero** *adv* only; **~ co** only just, just now; **~ wtedy** not till then; **a co ~** let alone
**dopiln|ować** *vi* see (**czegoś** to sth); **~uj, żeby to było zrobione** see that it is done
**dopingować** *vt* spur on, incite, stimulate
**dopis|ać** *vt* write in addition, add in writing; *vi* (*sprzyjać*) favour, be favourable; **pogoda ~uje** the weather is fine; **szczęście mu ~ało** he met with success; he was successful ⟨lucky⟩; **zdrowie mi ~uje** I'm well; **pamięć mi nie ~uje** my memory fails me; **szczęście mi nie ~ało** I have failed
**dopisek** *m* postscript, footnote
**dopłacać** *vt* pay in addition
**dopłata** *f* additional payment, extra charge; (*do biletu*) excess fare; *filat.* postage due
**dopłynąć** *vi* reach (swimming, sailing, floating)
**dopływ** *m* (*rzeki*) tributary, affluent; (*ludzi, pieniędzy*) influx, inflow; (*krwi*) afflux; (*towarów, prądu*) supply
**dopływać** *vi* flow in; *zob.* **dopłynąć**
**dopomagać** *vi* help, aid, assist
**dopominać się** *vr* claim (**o coś** sth, **u kogoś** from sb)
**dopóki** *conj* as long as; **dopóty ~** as long as, till
**doprawdy** *adv* really, truly
**doprowadzać** *vt* conduct, conduce,

lead, bring; ~ **do doskonałości** bring to perfection; ~ **do nędzy** reduce to misery; ~ **do końca** bring to an end; ~ **do rozpaczy** drive into despair; ~ **do skutku** carry into effect; ~ **do porządku** put in order; ~ **do szału** drive (sb) mad

**dopuszczać** *vt vi* admit; permit; ~ **się** *vr* commit (**czegoś** sth)

**dopuszczalny** *adj* admissible; permissible

**dopuszczenie** *n* admission

**dopytywać się** *vr* inquire, make inquiries (**o kogoś, coś** after ⟨for, about⟩ sb, sth)

**dorabiać** *vt vi* work in addition, make additionally; ~ **muzykę do słów** set the words to music; ~ **się** *vr* make one's way; grow more prosperous

**doradca** *m* adviser

**doradczy** *adj* advisory

**doradzać** *vi* advise (**komuś** sb)

**dorastać** *vi* grow up; rise (**do zadania, sytuacji** to the task, situation)

**doraźnie** *adv* immediately, on the spot

**doraźny** *adj* immediate; extemporary; (*o postępowaniu sądowym*) summary

**doręczać** *vt* hand, deliver

**doręczenie** *n* delivery

**dorob|ek** *m* acquisition, property; (*np. naukowy*) attainments *pl*, production; **być na ~ku** make one's way

**dorobkiewicz** *m* upstart, parvenu

**doroczny** *adj* annual, yearly

**dorodny** *adj* handsome

**dorosły** *adj i m* adult, grown-up

**dorożka** *f* cab

**dorożkarz** *m* cabman

**dorównywać** *vi* equal (**komuś** sb), be equal, come up (**komuś** to sb)

**dorsz** *m zool.* cod

**dorywczo** *adv* occasionally, irregularly, by fits and starts

**dorywcz|y** *adj* occasional, improvised; **~a praca** odd job

**dorzecze** *n* (river-)basin

**dorzucać** *vt* throw in, add

**dosadny** *adj* forcible, emphatic

**dosiadać** *vi* mount (**konia** a horse, on a horse)

**dosięgać** *vi* reach

**doskonale** *adv* perfectly, splendidly

**doskonalić** *vt* perfect; ~ **się** *vr* perfect oneself

**doskonałość** *f* perfection

**doskonały** *adj* perfect, excellent

**dosłowny** *adj* literal

**dosłużyć się** *vr* gain through service; be promoted (**stopnia pułkownika** to the rank of colonel)

**dosłyszalny** *adj* audible

**dosłyszeć** *vt* hear, catch; **nie** ~ mishear; be hard of hearing

**dostać** *vt* get, receive, obtain, attain, reach; ~ **kataru** catch cold; ~ **się** *vr* get; ~ **się do domu** get home; ~ **się do środka** get in; ~ **się do niewoli** be taken prisoner; ~ **się gdzieś** arrive at a place; ~ **się w czyjeś ręce** fall ⟨get⟩ into sb's hands; ~ **się do czegoś** get at sth

**dostarczać** *vt* supply, provide (**komuś czegoś** sb with sth)

**dostateczny** *adj* sufficient; satisfactory; (*o stopniu*) passable; fair; **stopień** ~ passing grade

**dostat|ek** *m* abundance; **pod ~kiem** in abundance, in plenty, enough

**dostatni** *adj* abundant; (*zamożny*) wealthy, well-to-do

**dostawa** *f* supply, delivery

**dostawca** *m* supplier, provider; purveyor

**dostawiać** *vt* supply, deliver; (*np. więźnia*) convoy, escort

**dostąpić** *vi* approach (**do kogoś** sb); ~ **łaski** find favour (**czyjejś** with sb); ~ **zaszczytów** gain ⟨obtain⟩ honours

**dostęp** *m* access, approach

**dostępny** *adj* accessible, easy of approach; (*o książce, wykładzie*) popular

**dostojeństwo** *n* dignity

**dostojnik** *m* dignitary

**dostojny** *adj* dignified, worthy
**dostosować** *vt* adapt, adjust, fit; **~ się** *vr* adapt oneself, conform
**dostosowanie** *n* adaptation, adjustment
**dostroić** *vt* tune (up), attune; **~ się** *vr* adapt oneself, conform
**dostrzec** *vt* catch sight (**coś** of sth), perceive
**dostrzegalny** *adj* perceptible
**dostrzeganie** *m* perception
**dosyć** *adv* enough, sufficiently; **~ tego** enough of it, that's enough, that will do
**dosypać** *vt* add, strew additionally
**do syta** *adv* amply; **najeść się ~** eat one's fill
**doszczętnie** *adv* completely, utterly, down to the ground
**doszczętny** *adj* through, complete
**dosztukować** *vt* piece on, eke out
**doścignąć** *vt* overtake, catch up
**dość** *zob.* **dosyć**
**dośrodkowy** *adj* centripetal
**doświadcz|ać** *vt* (*doznawać*) experience (**czegoś** sth), go (**czegoś** through sth); (*próbować, robić doświadczenie*) test, put to the test, try; **~yć nieszczęścia** undergo a misfortune; **los go ciężko ~ył** fate has severely tried him
**doświadczalny** *adj* experimental
**doświadczenie** *n* (*życiowe*) experience; (*naukowe*) experiment; **robić ~** experiment, make an experiment
**doświadczony** *adj* experienced, expert
**doświadczyć** *zob.* **doświadczać**
**dotacja** *f* donation, endowment; allowance
**dotąd** *adv* (*o miejscu*) up to here; thus far; (*o czasie*) up to now, so far
**dotkliwy** *adj* keen, acute, severe
**dotknąć** *vt* touch, feel; affect; (*urazić*) hit, hurt; **~ ważnej sprawy** touch upon an important question
**dotknięcie** *n* touch
**dotrwać** *vi* persevere, hold out
**dotrzeć** *zob.* **docierać**
**dotrzymywać** *vt* keep (**obietnicy, słowa, tajemnicy** a promise, one's word, a secret); **~ komuś kroku** keep pace with sb, keep up with sb; **~ komuś towarzystwa** keep sb company; **~ placu** hold one's ground; **~ warunków** stand by ⟨keep⟩ the terms
**dotychczas** *adv* up to now, so far
**dotychczasow|y** *adj* hitherto prevailing; **~e wiadomości** the news received up to now
**dotycz|yć** *vi* concern (**kogoś, czegoś** sb, sth), relate (**kogoś, czegoś** to sb, to sth), regard (**kogoś, czegoś** sb, sth); **co ~y** with regard to, in respect of, relative to; as far as sth is concerned; **co mnie ~y** as for me; **to mnie nie ~y** it is no concern of mine; **~ący** relative (**kogoś, czegoś** to sb, to sth), concerning
**dotyk** *m* feeling, touch
**dotykać** *zob.* **dotknąć**
**dotykalny** *adj* tangible, palpable
**douczać** *zob.* **dokształcać**
**dowcip** *m* joke, witticism; (*humor, bystrość*) wit
**dowcipkować** *vi* display one's wit
**dowcipniś** *m* wit
**dowcipny** *adj* witty
**dowiadywać się** *vr* inquire (**o kogoś, coś** after sb, sth, **od kogoś** of sb)
**do widzenia** *int* good-bye!
**dowiedzieć się** *vr* get to know, learn
**dowierzać** *vi* trust (**komuś** sb, in sb); (*polegać*) rely, trust (**komuś, czemuś** to sb, sth); **nie ~** to distrust, to mistrust (**komuś** sb)
**dowieść** *vt* (*doprowadzić*) bring, lead; (*udowodnić*) prove; *zob.* **dowodzić**
**dowlec** *vt* drag as far as; **~ się** *vr* come dragging along
**dowodowy** *adj* evidential, demonstrative, conclusive; **materiał ~** evidence

**dowodzenie** *n* demonstration; (*dowództwo*) command
**dowodzić** *vi* prove, demonstrate (**czegoś** sth), be demonstrative (**czegoś** of sth); (*argumentować*) argue; (*komenderować*) command
**dowolnie** *adv* (*samowolnie*) arbitrarily; (*według woli*) at will, at discretion
**dowolność** *f* (*samowola*) arbitrariness; (*własne uznanie*) discretion
**dowolny** *adj* (*samowolny*) arbitrary; (*do uznania*) discretional, optional; (*bezpodstawny*) unfounded; (*jakikolwiek*) any, whatever; **w ~m kolorze** of any colour you choose; **w ~m kierunku** in any direction
**dowozić** *vt* bring, supply
**dowód** *m* proof, evidence; (*pamięci, wdzięczności*) token, sign; (*dokument*) certificate; **na ~** in proof ⟨token⟩; **~ osobisty** identity card; **~ odbioru** receipt; **~ rzeczowy** legal instrument
**dowódca** *m* commander
**dowództwo** *n* command; **objąć ~** take command
**dowóz** *m* supply
**doza** *f* dose
**dozbroić** *vt* rearm
**dozbrojenie** *n* rearmament
**dozgonny** *adj* lifelong
**doznać** *vi* experience, go through; (*straty, krzywdy*) suffer; **~ rozczarowania** meet with disappointment; **~ wrażenia** get an impression
**dozorca** *m* guard, overseer; (*domowy*) housekeeper, doorkeeper, porter; (*więzienny*) gaoler, jailer
**dozorować** *vt* oversee, supervise
**dozować** *vt* doze
**dozór** *m* supervision; (*policyjny*) surveillance
**dozwalać** *vi* allow, permit
**dożycie** *n*, **ubezpieczenie na ~** life insurance
**dożyć** *vi* live till, live to see; **~ późnego wieku** live to an old age; **~ stu lat** live to be a hundred years old
**dożynki** *s pl* harvest home
**dożywiać** *vt* give supplementary alimentation
**dożywienie** *n* supplementary alimentation; extra food
**dożywocie** *n* life-estate; (*renta*) life-annuity; **na ~** for life
**dożywotni** *adj* lifelong; **kara ~ego więzienia** imprisonment for life, life sentence
**dół** *m* pit, hole; lower part; bottom; **na dole** below, down; **z dołu** from below; **na ~, w ~** downstairs; down hill; **schodzić na ~** go down ⟨downstairs, downhill⟩
**drab** *m pot.* rascal, scoundrel
**drabina** *f* ladder; **~ sznurowa** rope-ladder
**dragon** *m wojsk.* dragoon
**dramat** *m* drama
**dramaturg** *m* dramatist, playwright
**dramaturgia** *f* dramaturgy
**dramatyczny** *adj* dramatic
**dramatyzować** *vt* dramatize
**drań** *m pot.* scoundrel, rascal
**drapacz** *m* scraper; **~ chmur** skyscraper
**drapać** *vt* scrape, scratch; **~ się** *vr*, **~ się w głowę** scratch one's head; (*piąć się*) clamber, scramble
**draperia** *f* drapery; (*ścienna*) hanging(s)
**drapichrust** *m* scamp
**drapieżnik** *m* beast ⟨bird⟩ of prey
**drapieżność** *f* rapacity
**drapieżn|y** *adj* rapacious; **zwierzę ~e** beast of prey
**drapować** *vt* drape
**drasnąć** *vt* scratch, graze; *przen.* (*dotknąć*) hurt
**drastyczny** *adj* drastic; (*drażliwy*) ticklish; indecent
**dratwa** *f* (shoemaker's) thread
**drażetka** *f* dragée; *farm.* dragée, pill

**drażliwość** *f* susceptibility, ticklishness
**drażliwy** *adj* susceptible, ticklish, touchy
**drażnić** *vt* irritate, gall, tease
**drąg** *m* pole, bar
**drąż|ek** *m* bar, rod; **~ki gimnastyczne** bars
**drążyć** *vt* hollow out
**drelich** *m* drill(ing)
**dren** *m* drain
**drenować** *vt* drain
**dreptać** *vi* trip
**dreszcz** *m* shudder; *pl* **~e** fit of shivers, cold fits
**dreszczyk** *m* thrill
**drewniak** *m* (*but*) clog; (*budynek*) wooden house
**drewniany** *adj* wooden
**drewnieć** *vi* lignify
**drewno** *n* log, piece of wood; timber
**drezyna** *f* trolley
**dręczyć** *vt* torment, harass, vex; **~ się** *vr* worry, be vexed
**drętwieć** *vi* stiffen, grow stiff
**drętwy** *adj* stiff, numb, rigid
**drgać** *vi* shiver, tremble; (*o sercu, pulsie*) palpitate; (*o głosie, strunie itp.*) vibrate; (*o mięśniach, twarzy*) twitch
**drganie** *n* trembling; palpitation; vibration
**drgawka** *f* spasm, convulsion
**drobiazg** *m* trifle, detail
**drobiazgowość** *f* pedantry, punctiliousness
**drobiazgowy** *adj* pedantic, punctilious
**drobić** *vt* (*kruszyć*) crumble; (*drobno siekać*) mince; (*nogami*) trip
**drobina** *f* particle; *fiz.* molecule
**drobnica** *f* piece-goods
**drobnostka** *f* trifle
**drobnostkowy** *adj* punctilious, pedantic
**drobnoustrój** *m* microbe, microorganism
**drobn|y** *adj* tiny, minute; (*kupiec, rolnik*) small; (*pomniejszy*) petty; **~e wydatki** pocket expenses; **~a suma** petty sum; **~e** *s pl* small change
**droczyć się** *vr* tease (**z kimś** sb)
**dro|ga** *f* way, road, track, route; **~ga dla pieszych** footpath; **~ga powietrzna** airway; **~ga wodna** waterway; **krótsza ~ga** (*na przełaj*) short cut; **wolna ~ga** the way **is** clear; **rozstajne ~gi** cross-roads; **być na dobrej ~dze** be on the right path; **iść tą samą ~gą** go the same way; **wejść komuś w ~gę** get in sb's way; **wybrać się w ~gę** set out on one's way; **zejść z ~gi** (*ustąpić*) give way; **~gą lądową** by land; **~gą na ⟨przez⟩ Warszawę** by way of Warsaw; **~gą wodną** by water, by sea; **~gą służbową** through official channels; **nie po ~dze** out of the way; **po ~dze** on the way; **pół godziny ~gi** half-an-hour's walk ⟨drive, ride⟩; **w pół ~gi** half-way; **w ~dze wyjątku** by way of exception; **szczęśliwej ~gi!** good-bye!; † farewell!
**drogeria** *f* druggist's (shop), *am.* drugstore
**drogista** *m* druggist
**drogo** *adv* dear(ly), at a high price
**drogocenny** *adj* precious
**drogowskaz** *m* signpost, guidepost
**drogow|y** *adj* road *attr;* **przepisy ~e** traffic regulations; **przewodnik ~y** road-book; **znaki ~e** road signs
**dromader** *m zool.* dromedary
**drozd** *m zool.* thrush
**drożdże** *s pl* leaven, yeast
**drożeć** *vi* grow dear
**drożyć się** *vr* sell at a high price; (*robić ceremonie*) stand on ⟨upon⟩ ceremony
**drożyzna** *f* dearness, high prices, expensive cost of living
**drożyźniany** *adj*, **dodatek ~** cost-of-living bonus
**drób** *m* poultry
**dróżka** *f* path
**dróżnik** *m* lineman, railway watchman

**druczek** *m* (blank) form; (*ulotka*) leaflet; (*drobny druk*) small print
**drugi** *num* second, other; **książka z ~ej ręki** second-hand book; **kupować z ~ej ręki** buy second-hand; **co ~** every other ⟨second⟩; **co ~ dzień** every other ⟨second⟩ day; **~e tyle** twice as much; **jeden po ~m** one after another, one after each other; **po ~e** in the second place; **po ~ej stronie** on the other side; **z ~ej strony ...** on the other hand ...
**drugorzędny** *adj* second-class, second-rate, secondary
**druh** *m* friend, *pot.* crony; (*harcerz*) boy scout
**druhna** *f* bridesmaid; (*harcerka*) Girl Guide
**druk** *m* print(ing); (*przesyłka pocztowa*) printed matter; **w ~u** in the press; **drobny ~** small type; **tłusty ~** bold type; **omyłka ~u** misprint
**drukarnia** *f* printing-office
**drukarsk|i** *adj* printer's; typographical; **farba ~a** printer's ⟨printing⟩ ink; **błąd ~i** misprint; **maszyna ~a** printing machine
**drukarz** *m* printer
**drukować** *vt* print
**drut** *m* wire; *elektr.* (*sznur*) cord; **telegraf bez ~u** wireless; **~ do robienia pończoch itp.** knitting-needle; **robić na ~ach** knit
**drutować** *vt* wire; fasten with wire
**druzgotać** *vt* smash, shatter
**drużba** *m* bridesman, best man
**drużyna** *f* team, crew, troop; **~ ratownicza** relief party
**drużynowy** *m* group leader
**drwa** *s pl* wood, firewood
**drwal** *m* woodcutter
**drwić** *vi* mock (**z czegoś** at sth)
**drwiny** *s pl* mockery, raillery
**dryblas** *m pot.* tall fellow
**dryfować** *vi mors.* drift
**dryg** *m pot.* knack (**do czegoś** of sth); inclination
**dryl** *m* drill
**drylować** *vt* (*owoce*) seed, stone
**drynda** *f pot.* hackney, cab
**dryndziarz** *m pot.* cabby
**drzazga** *f* splinter
**drzeć** *vt* (*rwać*) tear; (*ubranie, buty*) wear out, use; **~ się** *vr* (*o ubraniu, butach*) wear out; (*krzyczeć*) scream
**drzemać** *vi* doze, nap
**drzemka** *f* doze, nap
**drzewce** *n* shaft
**drzewko** *n* little tree; (*choinka*) Christmas tree
**drzewny** *adj* wooden, wood-; **papier ~** wood-paper; **spirytus ~** wood-spirit; **węgiel ~** charcoal
**drzewo** *n* tree; (*ścięte*) wood, timber
**drzeworyt** *m* woodcut
**drzwi** *s pl* door; (*podnoszone*) trap; **~ wejściowe** front door
**drzwiczki** *s pl* little door; (*u pieca*) fire-door; (*u powozu, samochodu*) door
**drżeć** *vi* tremble, shiver; **~ o kogoś** tremble for sb; **~ z zimna** shiver with cold
**drżenie** *n* trembling, tremor
**dubeltówka** *f* double-barrelled gun
**dublet** *m* duplicate; double
**dublować** *vt* double
**duch** *m* ghost, spirit; **dodać ~a** cheer up, encourage; **podnosić na ~u** encourage, brisk up; **upadać na ~u** lose heart; **wyzionąć ~a** breathe one's last; expire; **nie ma żywego ~a** there is not a living soul; **zły ⟨dobry⟩ ~** evil ⟨good⟩ genius
**duchowieństwo** *n* clergy
**duchowny** *adj* spiritual; ecclesiastical; **stan ~** clerical state; *s m* clergyman
**duchowy** *adj* spiritual, mental, psychical
**dud|ek** *m zool.* hoopoe; *przen.* dupe; **wystrychnąć na ~ka** make a dupe (**kogoś** of sb), dupe
**dudnić** *vi* resound, drone; (*o wodzie*) brawl
**dudy** *s pl muz.* bagpipes

**dukat** *m* ducat
**duma** *f* pride, haughtiness
**dumka** *f lit.* elegiac ditty
**dumny** *adj* proud (**z czegoś** of sth)
**Duńczyk** *m* Dane
**duński** *adj* Danish
**duplikat** *m* duplicate
**dur 1.** *m med.* typhus; **~ brzuszny** typhoid fever
**dur 2.** *m nieodm. muz.* major
**dureń** *m* fool
**durny** *adj* silly, foolish
**durszlak** *m* colander
**durzyć się** *vr pot.* be infatuated (**w kimś** with sb)
**dusiciel** *m* strangler; *zool.* **boa ~** boa constrictor
**dusić** *vt* strangle, stifle; **~ się** *vr* stifle, suffocate; (*o potrawie*) stew
**dusz|a** *f* soul; (*do żelazka*) heater; **z całej ~y** with all my soul; **nie ma tu żywej ~y** there is not a living soul here; *pot.* **nie mam grosza przy ~y** I have not a farthing to bless myself with
**duszkiem** *adv* at a draught
**dusznica** *f med.* asthma
**dusznoś|ć** *f* sultriness; *pl* **~ci** oppression
**duszny** *adj* sultry, close
**duszpasterski** *adj* pastoral
**duszpasterstwo** *n* pastoral office
**duszpasterz** *m* pastor, clergyman
**dużo** *adv* much, many
**duży** *adj* great, big, large
**dwa** *num* two
**dwadzieścia** *num* twenty
**dwakroć** *num* twice
**dwieście** *num* two hundred
**dwoi|ć** *vt* double; **~ć się** *vr* double; **~ mu się w oczach** he sees double
**dwoistość** *f* doubleness, duality
**dwoisty** *adj* double, dual
**dwojaczki** *s pl* twins
**dwanaście** *num* twelve
**dwoje** *num* two
**dworak** *m* courtier
**dworek** *m* country house, cottage
**dworować** *vi* make fun (**sobie z kogoś, czegoś** of sb, sth)
**dworski** *adj* courtlike, courtly, court *attr*
**dworskość** *f* courtliness, courtly manners
**dworzanin** *m* courtier
**dworzec** *m* railway station
**dwója** *f pot.* (*nota szkolna*) bad mark
**dwójka** *f* couple, pair, two; = **dwója**
**dwójnasób, w ~** *adv* doubly
**dwór** *m* court; (*wiejski, szlachecki*) manor-house, country-house; (*dziedziniec*) yard; **na dworze** out, outside, out of doors; **na ~** out
**dwudniowy** *adj* two days'
**dwudziestka** *f* twenty, score
**dwudziesty** *num* twentieth
**dwugłoska** *f gram.* diphthong
**dwugodzinny** *adj* two hours'
**dwujęzyczny** *adj* bilingual
**dwukropek** *m* colon
**dwukrotnie** *adv* twice
**dwukrotny** *adj* twofold
**dwuletni** *adj* two years'
**dwulicowość** *f* duplicity
**dwulicowy** *adj* double-faced, hypocritical
**dwumasztowiec** *m mors.* two--master
**dwumasztowy** *adj mors.* two-masted
**dwumian** *m mat.* binomial
**dwumiesięcznik** *m* bimonthly
**dwumiesięczny** *adj* bimonthly
**dwunastka** *f* twelve
**dwunastnica** *f anat.* duodenum
**dwunasty** *num* twelfth
**dwunożn|y** *adj* two-legged; **~e stworzenie** biped
**dwuosobowy** *adj* for two persons; (*o grze*) two-handed
**dwupiętrowy** *adj* three-storied
**dwupłatowiec** *m* biplane
**dwuręczny** *adj* two-handed
**dwurzędowy** *adj* double-rowed; (*o marynarce*) double-breasted
**dwustronny** *adj* two-sided; (*o umowie*) bilateral

**dwutlenek** *m chem.* dioxide
**dwutomowy** *adj* two-volume *attr*
**dwutorowy** *adj* double-track *attr*
**dwutygodnik** *m* biweekly
**dwutygodniowy** *adj* fortnightly
**dwuwiersz** *m* couplet
**dwuzgłoskowy** *adj gram.* disyllabic
**dwuznacznik** *m* quibble, equivoke
**dwuznaczność** *f* ambiguity
**dwuznaczny** *adj* equivocal, ambiguous
**dwużeństwo** *n* bigamy
**dychawica** *f med.* asthma
**dychawiczny** *adj med.* asthmatic
**dydaktyczny** *adj* didactic
**dydaktyka** *f* didactics
**dyfteryt** *m med.* diphtheria
**dyfuzja** *f fiz.* diffusion
**dyg** *m* curtsy
**dygnitarz** *m* dignitary (*zw. kościelny*); *pot.* topman
**dygotać** *vi* shiver
**dygresja** *f* digression
**dykcja** *f* diction
**dykta** *f* plywood
**dyktando** *n* dictation
**dyktator** *m* dictator
**dyktatorski** *adj* dictatorial
**dyktatura** *f* dictatorship; **~ proletariatu** dictatorship of the proletariat
**dykteryjka** *f* anecdote
**dyktować** *vt* dictate
**dylemat** *m* dilemma
**dyletancki** *adj* dilettantish
**dyletant** *m* dilettante
**dyliżans** *m* stage-coach
**dym** *s* smoke; **puścić z ~em** send up in smoke; **pójść z ~em** go up in smoke ⟨flames⟩
**dymić** *vi* smoke, reek
**dymisj|a** *f* dismissal; resignation; **podać się do ~i** hand in one's resignation, resign
**dymisjonować** *vt* dismiss
**dymny** *adj* smoky
**dynamiczny** *adj* dynamic
**dynamika** *f* dynamics
**dynamit** *m* dynamite
**dynia** *f bot.* pumpkin
**dyplom** *m* diploma
**dyplomacja** *f* diplomacy
**dyplomata** *m* diplomat
**dyrekcja** *f* management
**dyrektor** *m* director, manager
**dyrygent** *m* conductor
**dyscyplina** *f* discipline
**dysk** *m* disc; *sport* discus
**dyskretny** *adj* discreet
**dyskryminacja** *f* discrimination
**dyskusja** *f* discussion
**dyskwalifikować** *vt* disqualify
**dyspozycj|a** *f* disposition; disposal; **być do czyjejś ~i** be at sb's disposal
**dysproporcja** *f* disproportion
**dysputa** *f* dispute, disputation
**dysputować** *vi* dispute (o czymś on, about sth)
**dystans** *m* distance
**dystansować** *vt* outdistance
**dystrakcja** *f* distraction, distractedness
**dystrybucja** *f* distribution
**dystyngowany** *adj* distinguished
**dystynkcja** *f* distinction
**dysydent** *m* dissident, dissenter
**dyszeć** *vi* gasp, pant
**dyszel** *m* thill
**dyszkant** *m muz.* treble
**dywan** *m* carpet, rug
**dywersja** *f* diversion
**dywidenda** *f* dividend
**dywizja** *f* division
**dywizjon** *m lotn.* wing
**dyzenteria** *f med.* dysentery
**dyżu|r** *m* duty; **mieć ~r** be on duty; **nie być na ~rze** be off duty
**dyżurny** *adj* on duty; *s m* officer ⟨clerk etc.⟩ on duty
**dzban** *m* jug, pitcher
**dzbanek** *m* jug
**dziać** *vt vi* knit
**dziać się** *vi* go on, happen, take place, occur; **co się tu dzieje?** what's up here?; **niech się dzieje, co chce** happen ⟨come⟩ what may; **co się z nim dzieje?** what's happening to him?
**dziad** *m* grandfather; old man; (*żebrak*) beggar; **zejść na ~y** go to the dogs

**dziadek** *m* grandpapa; (*żebrak*) beggar; ~ **do orzechów** nut-cracker(s)
**dziadowski** *adj* (*żebraczy*) beggarly; (*tandetny*) rotten
**dział** *m* section, division, part, sphere; *geogr.* ~ **wód** watershed
**działacz** *m* man of action; ~ **społeczny** social worker; ~ **polityczny** activist; ~ **partyjny** party worker
**działać** *vi* act, be active, operate; (*o leku*) be effective; (*o wrażeniu*) affect; ~ **komuś na nerwy** get on sb's nerves; **zacząć** ~ come into operation; ~ **cuda** work wonders
**działalność** *f* activity
**działanie** *n* activity; effect; operation; *mat.* rule
**działka** *f* lot, allotment, parcel
**działo** *n* cannon, gun
**dzian|y** *adj* knitted; **wyroby** ~**e** knitted goods
**dziarski** *adj* brisk, brave
**dziąsło** *n* gum
**dzicz** *f* savages, rabble, riff-raff
**dziczeć** *vi* become savage, grow wild
**dziczyzna** *f* venison
**dzida** *f* spear
**dzieciak** *m* kid
**dzieciarnia** *f* children, *zbior.* small fry
**dziecięcy** *adj* child's, children's; *med.* **paraliż** ~ infantile paralysis
**dziecinada** *f* childishness
**dziecinnieć** *vi* become childish
**dziecinny** *adj* childish
**dzieciństwo** *n* childhood
**dziecko** *n* child; (*do 7 lat*) infant; (*niemowlę*) baby
**dziedzic** *m* heir
**dziedzictwo** *n* inheritance, heritage
**dziedziczka** *f* heiress
**dziedziczn|y** *adj* hereditary; **obciążenie** ~**e** taint
**dziedziczyć** *vt* inherit
**dziedzina** *f* domain, sphere
**dziedziniec** *m* court, yard, courtyard
**dziegieć** *m* tar
**dzieje** *s pl* history
**dziejopisarstwo** *n* historiography
**dziejopisarz** *m* historian
**dziejowy** *adj* historic(al)
**dziekan** *m* dean
**dziekanat** *m* dean's office, deanery
**dzielenie** *n* division
**dzieli|ć** *vt* divide; distribute; separate; (*podzielić*) share; *mat.* ~**ć przez** divide by; ~ **się** *vr* be divided; share (**czymś z kimś** sth with sb); **15** ~ **się przez 3** 15 can be divided by 3; **ta książka** ~ **się na 3 części** this book is divided into 3 parts
**dzielna** *f mat.* dividend
**dzielnica** *f* quarter; district
**dzielnik** *m mat.* divisor
**dzielność** *f* bravery
**dzielny** *adj* brave
**dzieło** *n* work, act, deed
**dziennie** *adv* daily, a day; **2 razy** ~ twice a day
**dziennik** *m* (*gazeta*) daily; (*pamiętnik*) diary; ~ **buchalteryjny** day-book; ~ **lekcyjny** class book ⟨register⟩
**dziennikarski** *adj* journalistic
**dziennikarstwo** *n* journalism
**dziennikarz** *m* journalist
**dzienn|y** *adj* daily, day's; **praca** ~**a** (*całodzienna*) day's work, (*wykonywana w dzień*) day-work; **światło** ~**e** daylight
**dzień** *m* day; ~ **po dniu** day by day; ~ **powszedni** workday, weekday; **cały** ~ the whole day long; **co drugi** ~ every other day; **na drugi** ~ on the next day; **raz na** ~ once a day; **z dnia na** ~ from day to day; **za dnia** by day, in the day-time; **pewnego dnia** one day; **któregoś dnia** some day, the other day
**dzierżawa** *f* lease, tenancy
**dzierżawca** *m* tenant, leaseholder, lessee
**dzierżawczy** *adj gram.* possessive
**dzierżawić** *vt* lease, take on lease, hold by lease

**dzierżawn|y** *adj*, **czynsz ~y** rental, rent-charge; **umowa ~a** leasehold deed
**dzierżyć** *vt* hold, keep
**dziesiątka** *f* ten
**dziesiątkować** *vt* decimate
**dziesiąty** *num* tenth
**dziesięcina** *f* tithe
**dziesięciokrotny** *adj* tenfold
**dziesięciolecie** *n* tenth anniversary
**dziesięć** *num* ten
**dziesięciokroć** *num* ten times
**dziesiętny** *adj* decimal
**dziewczę** *n* girl, maiden
**dziewczęcy** *adj* girl's, girlish, maidenly
**dziewczyna** *f* girl
**dziewczynka** *f* girl, *pot.* (*podlotek*) flapper
**dziewiątka** *f* nine
**dziewiąty** *num* ninth
**dziewica** *f* virgin, maiden
**dziewictwo** *n* virginity, maidenhood
**dziewicz|y** *adj* virgin(al), maiden; **~a gleba** virgin soil; **las ~y** virgin forest
**dziewięć** *num* nine
**dziewięćdziesiąt** *num* ninety
**dziewięćdziesiąty** *num* ninetieth
**dziewięćset** *num* nine hundred
**dziewiętnastka** *f* nineteen
**dziewiętnasty** *num* nineteenth
**dziewiętnaście** *num* nineteen
**dziewka** *f* maid; *uj.* wench
**dzięcioł** *m* woodpecker
**dziękczynienie** *n* thanksgiving
**dziękczynny** *adj* thankful; **list ~** letter of thanks
**dzięki** *s pl* thanks; *praep* thanks to, owing to
**dziękować** *vi* thank
**dzik** *m* (wild) boar
**dziki** *adj* wild, savage; *s m* savage
**dziobać** *vt* peck
**dziobaty** *adj* (*po ospie*) pock-marked
**dziobek** *m* (*np. imbryka*) spout, nozzle
**dziób** *m* beak, bill; (*okrętu*) prow
**dzisiaj, dziś** *adv* today; **~ rano** this morning; **~ wieczór** this evening; **od ~ za tydzień** this day week
**dzisiejszy** *adj* today's, present, present-day; **w ~ch czasach** nowadays, these days
**dziura** *f* hole, opening, cavity
**dziurawić** *vt* hole, make holes
**dziurawy** *adj* leaky, full of holes
**dziurkować** *vt* perforate
**dziw** *m* marvel, wonder
**dziwactwo** *n* eccentricity, peculiarity
**dziwaczeć** *vi* become eccentric
**dziwaczny** *adj* eccentric, odd
**dziwak** *m* eccentric
**dziwić** *vt* astonish; **~ się** *vr* wonder, be astonished (**komuś, czemuś** at sb, sth); **nie ma się czemu ~** it is no wonder
**dziwn|y** *adj* strange, queer; **nic ~ego, że ...** no wonder that ...; **cóż ~ego, że ...** what wonder that
**dziwo** *n* marvel, wonder; prodigy
**dziwoląg** *m* monster, deformed creature, monstrosity, oddity
**dzwon** *m* bell; **bić w ~y** ring the bells
**dzwonek** *m* (hand-)bell; (*dzwonienie*) ring; (*telefoniczny*) call
**dzwoni|ć** *vi* ring; (*telefonować*) ring up (**do kogoś** sb); **~ć do drzwi** ring at the door; **~ mi w uszach** my ears tingle
**dzwonko** *n* (*ryby*) slice
**dzwonnica** *f* belfry
**dzwonnik** *m* bell-ringer
**dźwięczeć** *vi* sound, resound, ring
**dźwięczność** *f* sonority
**dźwięczny** *adj* sonorous
**dźwięk** *m* sound
**dźwiękowy** *adj* sound; **film ~** sound film; *pot.* talkies
**dźwig** *m* (*winda*) lift, *am.* elevator; (*żuraw*) crane
**dźwigać** *vt* (*nosić*) carry; (*podnosić*) lift, heave; **~ się** *vr* raise oneself, rise
**dźwignia** *f* lever
**dżdżownica** *f* *zool.* rainworm

**dżdżysty** *adj* rainy
**dżem** *m* jam
**dżentelmen** *m* gentleman
**dżinsy** *s pl* jeans, denims
**dżokej** *m* jockey
**dżonka** *f* junk
**dżuma** *f med.* plague
**dżungla** *f* jungle

# e

**ebonit** *m* ebonite
**echo** *n* echo; *przen.* response
**edukacja** *f* education, instruction
**edycja** *f* edition
**edykt** *m* edict
**efekt** *m* effect
**efektowny** *adj* effective, showy
**efektywny** *adj* efficient, effective
**efemeryczny** *adj* ephemeral
**efemeryda** *f* ephemera
**Egipcjanin** *m* Egyptian
**egipski** *adj* Egyptian
**egoista** *m* egoist
**egoistyczny** *adj* egoistic, selfish
**egoizm** *m* egoism
**egzaltacja** *f* exaltation
**egzaltować się** *vr* go into ecstasies (**czymś** over sth)
**egzamin** *m* examination, *pot.* exam; **zdawać ~** sit for an examination; **zdać ~** pass an examination; **nie zdać ~u** fail in an examination
**egzaminując|y** *adj* examinational; **komisja ~a** board of examiners
**egzaminator** *m* examiner
**egzaminować** *vt* examine
**egzekucja** *f* execution
**egzekucyjny** *adj* executive; **pluton ~** firing squad
**egzekutor** *m* executor
**egzekutywa** *f* executive (power)
**egzekwować** *vt* execute; (*pieniądze, należność itp.*) exact (**coś od kogoś** sth from sb)
**egzema** *f med.* eczema
**egzemplarz** *m* copy
**egzotyczność** *f* exotism
**egzotyczny** *adj* exotic
**egzystencja** *f* existence
**egzystencjalizm** *m* existentialism
**egzystować** *vi* exist
**ekierka** *f* set-square
**ekipa** *f* crew, team
**eklektyczny** *adj* eclectic
**ekonom** *m* (land) steward
**ekonomia** *f* economy; (*nauka*) economics
**ekonomiczny** *adj* economic(al)
**ekonomika** *f* economics
**ekonomista** *m* economist
**ekran** *m* screen
**ekscelencja** *f* excellency
**ekscentryczność** *f* eccentricity
**ekscentryczny** *adj* eccentric, quaint
**eksces** *m* (*zw. pl* **~y**) excesses, disturbances
**ekshumacja** *f* exhumation
**ekshumować** *vt* exhume
**ekskluzywny** *adj* exclusive
**ekskomunika** *f* excommunication
**eksmisja** *f* eviction
**eksmitować** *vt* evict
**ekspansja** *f* expansion
**ekspansywny** *adj* expansive
**ekspedient** *m* (*w sklepie*) shop-assistant, salesman
**ekspediować** *vt* dispatch, forward; sell
**ekspedycja** *f* dispatch; expedition; (*biuro*) forwarding department
**ekspedycyjny** *adj* expeditionary
**ekspedytor** *m* forwarding agent
**ekspert** *m* expert (**w czymś** at, in sth)
**ekspertyza** *f* expert's report ⟨inquiry⟩
**eksperyment** *m* experiment

**eksperymentować** *vi* experiment
**eksploatacja** *f* exploitation
**eksploatować** *vt* exploit; (*robotnika*) sweat
**eksplodować** *vi* explode
**eksplozja** *f* explosion
**eksponat** *m* exhibit
**eksponować** *vt* expose, exhibit
**eksport** *m* export, exportation
**eksporter** *m* exporter
**eksportować** *vt* export
**ekspress** *m* express (train); (*list*) express letter
**ekspresja** *f* expression
**ekstaza** *f* ecstasy
**eksterminacja** *f* extermination
**eksternista** *m* extramural student 〈pupil〉
**eksterytorialny** *adj* extraterritorial
**ekstrakt** *m* extract
**ekstrawagancja** *f* extravagance
**ekstrawagancki** *adj* extravagant
**ekwipować** *vt* equip, fit out
**ekwipunek** *m* equipment, outfit
**ekwiwalent** *m* equivalent
**elastyczność** *f* elasticity
**elastyczny** *adj* elastic
**elegancja** *f* elegance
**elegancki** *adj* elegant, smart
**elegant** *m* dandy
**elegia** *f* elegy
**elektroda** *f* electrode
**elektroliza** *f* electrolysis
**elektroluks** *m* vacuum-cleaner; Hoover
**elektromagnes** *m* electromagnet
**elektrometr** *m* electrometer
**elektron** *m* *fiz.* electron
**elektronika** *f* electronics
**elektrotechnik** *m* electrician
**elektrotechnika** *f* electrical engineering
**elektrownia** *f* power-station
**elektryczność** *f* electricity
**elektryczny** *adj* electric
**elektryfikacja** *f* electrification
**elektryfikować** *vt* electrify
**elektryk** *m* electrician
**elektryzacja** *f* electrisation
**elektryzować** *vt* electrify; *przen.* galvanize
**element** *m* element
**elementarny** *adj* elementary
**elementarz** *m* primer, ABC
**elewacja** *f* elevation
**elewator** *m* elevator, grain elevator
**eliksir** *m* elixir
**eliminacja** *f* elimination
**eliminacyjn|y** *adj* eliminating; **zawody ~e** trial heats
**eliminować** *vt* eliminate
**elipsa** *f* *mat.* ellipse; *gram.* ellipsis
**elita** *f* élite
**emalia** *f* enamel
**emaliować** *vt* enamel
**emancypacja** *f* emancipation
**emancypantka** *f* suffragette, *pot.* new woman
**emancypować** *vt* emancipate
**emblemat** *m* emblem
**embrion** *m* embryo
**emeryt** *m* pensioner, retired (officer, teacher etc.)
**emerytować** *vt* pension off
**emerytowany** *adj* retired
**emerytur|a** *f* retiring pension, retired pay; **przejść na ~ę** retire
**emfatyczny** *adj* emphatic
**emfaza** *f* emphasis
**emigracja** *f* emigration, exile
**emigracyjny** *adj* emigration *attr*; **rząd ~** government in exile
**emigrant** *m* emigrant; (*polityczny*) émigré
**emigrować** *vi* emigrate
**eminencja** *f* eminence
**emisariusz** *m* emissary
**emisja** *f* emission, issue; *radio* broadcast
**emitować** *vt* emit, issue; *radio* broadcast
**emocja** *f* emotion
**empiryczny** *adj* empirical
**empiryzm** *m* empiricism
**emulsja** *f* emulsion
**encyklika** *f* encyclical

**encyklopedia** *f* encyclopaedia
**encyklopedyczny** *adj* encyclopaedic
**energetyka** *f* energetics
**energia** *f* energy
**energiczny** *adj* energetic, active, vigorous
**entuzjastyczny** *adj* enthusiastic
**entuzjazm** *m* enthusiasm
**entuzjazmować się** *vr* be enthusiastic (**czymś** about sth)
**enuncjacja** *f* enunciation
**epiczny, epicki** *adj* epic(al)
**epidemia** *f* epidemic
**epika** *f* epic poetry
**epilepsja** *f med.* epilepsy
**epileptyk** *m* epileptic
**epilog** *m* epilogue
**episkopat** *m* episcopate
**epitet** *m* epithet
**epizod** *m* episode
**epoka** *f* epoch
**epokowy** *adj* epoch-making
**epopeja** *f* epic, epopee
**epos** *m* epos
**era** *f* era
**erotyczny** *adj* erotic
**erotyzm** *m* eroticism
**erudycja** *f* erudition
**erudyta** *m* erudite (person)
**erupcja** *f geol. med.* eruption
**esencja** *f* essence
**eskadra** *f mors. lotn.* squadron
**eskapada** *f* escapade
**eskorta** *f* escort
**eskortować** *vt* escort
**esteta** *m* aesthete
**estetyczny** *adj* aesthetic
**estetyka** *f* aesthetics
**Estończyk** *m* Estonian
**estoński** *adj* Estonian
**estrada** *f* platform
**etap** *m* stage
**eta|t** *m* permanency, permanent post; **być na ~cie** hold a regular post
**etatowy** *adj* permanent
**etatyzm** *m* State control
**etażerka** *f* what-not, shelf; (*na książki*) bookstand
**eter** *m* ether
**etniczny** *adj* ethnic
**etnograf** *m* ethnographer
**etnografia** *f* ethnography
**etnograficzny** *adj* ethnographic
**etnolog** *m* ethnologist
**etnologia** *f* ethnology
**etyczny** *adj* ethical
**etyka** *f* ethics
**etykieta** *f* etiquette; (*napis, kartka*) label, tag
**etymologia** *f* etymology
**etymologiczny** *adj* etymologic(al)
**eugenika** *f* eugenics
**eukaliptus** *m bot.* eucalyptus
**Europejczyk** *m* European
**europejski** *adj* European
**ewakuacja** *f* evacuation
**ewakuować** *vt* evacuate
**ewangelia** *f* gospel
**ewangelicki** *adj* Protestant
**ewangeliczny** *adj* evangelic(al)
**ewangelik** *m* Protestant
**ewentualnie** *adv* possibly, in case
**ewentualność** *f* contingency, eventuality
**ewentualny** *adj* contingent, possible, likely
**ewidencj|a** *f* register, registry; record; file; **biuro ~i** registry office
**ewolucja** *f* evolution; **~ drogą doboru naturalnego** the survival of the fittest
**ewolucjonizm** *m* evolutionism
**ewolucyjny** *adj* evolutionary

# f

**fabryczny** *adj* manufactured, *attr* factory; znak ~ trade mark
**fabryka** *f* factory, works, ⟨*tekstylna, papieru*⟩ mill, plant
**fabrykant** *m* manufacturer
**fabrykat** *m* manufacture, manufactured article
**fabrykować** *vt* manufacture, make, produce
**fabularny** *adj*: film ~ feature film
**fabuła** *f* contents, plot
**facet** *m pot.* fellow, guy
**fach** *m* occupation, profession
**fachowiec** *m* expert, specialist
**fachowy** *adj* professional, expert
**facjata** *f* garret, attic; *pot.* (*twarz*) phiz
**fagot** *m muz.* bassoon
**fajans** *m* common china, faience
**fajerka** *f* fire-disk, fire-pan
**fajerwerk** *m* firework (*zw. pl*)
**fajka** *f* pipe
**fajny** *adj pot.* tip-top
**fajtłapa** *m pot.* galoot
**fakt** *m* fact
**faktor** *m* agent, broker
**faktura** *f handl.* invoice
**faktycznie** *adv* in fact, actually
**faktyczny** *adj* actual, real
**fakultatywny** *adj* optional
**fakultet** *m* faculty
**fal|a** *f* wave; (*bałwan*) billow; (*duża i długa*) roller; ~a zimna ⟨gorąca⟩ cold ⟨heat⟩ wave; (*radio*) zakres ~ wave-band
**falanga** *f* (*szyk*) phalanx; *polit.* Falange
**falbana** *f* flounce
**falisty** *adj* wavy, undulating
**falochron** *m* breakwater
**falować** *vi* wave, undulate
**falset** *m muz.* falsetto
**falsyfikat** *m* forgery, counterfeit
**falsyfikować** *vt* falsify, forge, counterfeit
**fałda** *f* fold, pleat
**fałsz** *m* falsehood, deceit
**fałszerstwo** *n* falsification, forgery
**fałszerz** *m* falsifier, forger
**fałszować** *vt* falsify, forge, counterfeit
**fałszywy** *adj* false; (*podrobiony*) spurious, forged
**fanatyczny** *adj* fanatical
**fanatyk** *m* fanatic
**fanatyzm** *m* fanaticism
**fanfara** *f* flourish (of trumpets)
**fanfaron** *m* swaggerer
**fant** *m* pawn, pledge; gra w ~y game of forfeits
**fantasta** *m* dreamer, visionary
**fantastyczny** *adj* fantastic(al)
**fantazja** *f* fantasy, phantasy; fancy
**fara** *f* parish church
**faraon** *m* Pharaoh
**farba** *f* dye, paint, colour; ~ drukarska printer's ink; ~ olejna oil-colour; ~ wodna water-colour
**farbiarnia** *f* dyer's, dye-works
**farbować** *vt* dye, paint, colour; ~ na czarno dye black
**farmaceuta** *m* pharmacist
**farmacja** *f* pharmacy
**farmakologia** *f* pharmacology
**farmakopea** *f* pharmacopoeia
**farsa** *f* farce
**farsz** *m* stuffing
**fartuch** *m* apron
**fartuszek** *m* pinafore
**faryzeusz** *m rel.* Pharisee
**fasada** *f* façade
**fascynować** *vt* fascinate, charm
**fasola** *f* bean (*zw. pl* beans); ~ szparagowa French beans
**fason** *m* pattern, fashion; (*szyk*) style, chic
**fastryga** *f* tacks
**fastrygować** *vt* tack
**faszerować** *vt* stuff
**faszyna** *f* fascine

**faszysta** *m* fascist
**fatalista** *m* fatalist
**fatalizm** *m* fatalism
**fatalny** *adj* fatal
**fatyg|a** *f* fatigue, trouble; **zadać sobie ~ę** take the trouble
**fatygować** *vt* fatigue, trouble; **~ się** *vr* take trouble, trouble
**fauna** *f* fauna; **~ wodna** aquatic fauna
**faworek** *m* crisped cake
**faworyt** *m* favourite
**faworyzować** *vt* favour
**faza** *f* phase
**febra** *f med.* ague, fever
**federacja** *f* federation
**federacyjny** *adj* federal
**felczer** *m* assistant surgeon
**felieton** *m* feuilleton
**feminista** *m* feminist
**feniks** *m* phoenix
**fenomen** *m* phenomenon
**fenomenalny** *adj* phenomenal
**feralny** *adj* disastrous, ominous
**ferie** *s pl* holiday, vacation
**ferma** *f* farm
**ferment** *m* ferment
**fermentacja** *f* fermentation
**fermentować** *vi* ferment
**festiwal** *m* festival
**festyn** *m* festive garden-party, feast
**fetor** *m* stench
**fetysz** *m* fetish
**feudalizm** *m* feudalism
**feudalny** *adj* feudal
**fiask|o** *n* fiasco; **skończyć się ~iem** come to grief, go by the board
**figa** *f* fig
**fig|iel** *m* joke, trick; **spłatać ~la** play a trick (**komuś** on sb)
**figlarz** *m* jester, joker
**figlować** *vi* joke, play tricks; (*o dzieciach*) romp
**figow|y** *adj* fig *attr*; **drzewo ~e** fig-tree; **listek ~y** fig-leaf
**figura** *f* figure; statue; shape; **~ przydrożna** roadside image; *przen.* **wielka ~** big shot
**fikać** *vi vt* strike out (legs), gambol, kick up; **~ koziołki** turn somersaults
**fikcj|a** *f* fiction, sham; **podtrzymywać ~ę** keep up the sham
**fikcyjny** *adj* fictitious
**fiksować** *vt* † (*utrwalać*) fix; *vi* (*wariować*) go mad
**filantrop** *m* philanthropist
**filantropia** *f* philanthropy
**filar** *m* pillar
**filatelista** *m* stamp-collector, philatelist
**filatelistyka** *f* philately
**filc** *m* felt
**filharmonia** *f* Philharmonic Hall
**filia** *f* branch (office)
**filister** *m* Philistine
**filisterstwo** *m* Philistinism
**filiżanka** *f* cup
**film** *m* film, moving picture; movie; **~ dokumentalny** documentary; **~ długometrażowy** full-length film; **~ fabularny** feature film; **~ krótkometrażowy** short subject, short film; **~ rysunkowy** cartoon film; **nakręcać ~** shoot a film; **wyświetlanie ~u** projection, screening
**filmow|y** *adj* film *attr*; **atelier ~e** film-studio; **gwiazda ~a** film star; **kronika ~a** news-reel
**filolog** *m* philologist
**filologia** *f* philology
**filologiczny** *adj* philological
**filozof** *m* philosopher
**filozofia** *f* philosophy
**filozoficzny** *adj* philosophic(al)
**filtr** *m* filter
**filtrować** *vt* filter
**filut** *m* wag, jester
**filuterny** *adj* waggish
**Fin** *m* Finn
**finalizować** *vt* finish (up)
**finał** *m* final; *muz.* finale
**finans|e** *s pl* finances; **minister ~ów** *bryt.* Chancellor of the Exchequer, *am.* Secretary of the Treasury; **ministerstwo ~ów** *bryt.* Exchequer, *am.* Treasury
**finansista** *m* financier
**finansować** *vt* finance
**finansowy** *adj* financial
**fiński** *adj* Finnish

**fiolet** *m* violet
**fioletowy** *adj* violet
**fiołek** *m bot.* violet
**fiord** *m geogr.* fiord
**firanka** *f* curtain
**firma** *f* firm
**firmament** *m* firmament
**fisharmonia** *f muz.* harmonium
**fiszbin** *m* whalebone
**fiszka** *f* label, slip; (*żeton*) counter; (*w kartotece*) card
**fizjolog** *m* physiologist
**fizjologia** *f* physiology
**fizjologiczny** *adj* physiological
**fizjonomia** *f* physiognomy
**fizyczn|y** *adj* physical; **pracownik ~y** manual worker; **wychowanie ~e** physical training
**fizyk** *m* physicist
**fizyka** *f* physics
**flaga** *f* flag, banner
**flak** *m* (*zw. pl* ~i) intestines, guts; (*potrawa*) tripe
**flakon** *m* bottle, phial; (*do kwiatów*) flower-glass
**Flamandczyk** *m* Fleming
**flamandzki** *adj* Flemish
**flanca** *f* seedling
**flanela** *f* flannel
**flank|a** *f wojsk.* flank; **uderzyć z ~i** flank
**flaszeczka** *f* phial; (*na ocet, oliwę*) cruet
**flaszka** *f* bottle
**flądra** *f zool.* flounder
**flegma** *f* phlegm
**flegmatyczny** *adj* phlegmatic
**flek** *m* heel-tap
**flet** *m muz.* flute
**flirciarka** *f*, **flirciarz** *m* flirt
**flirt** *m* flirt, flirtation
**flirtować** *vi* flirt
**flisak** *m* raftsman
**flora** *f* flora
**flota** *f* fleet; ~ **wojenna** navy; ~ **handlowa** merchant marine
**flotylla** *f* flotilla
**fluid** *m* fluid
**fluktuacja** *f* fluctuation
**fochy** *s pl pot.* sulks; **stroić ~** sulk, be in the sulks
**foka** *f zool.* seal
**foksterier** *m* fox-terrier
**fokstrot** *m* foxtrot
**folgować** *vi* indulge (**komuś w jego kaprysach** sb in his whims); slacken, relax; (*np. o deszczu, chłodzie*) abate; (*zelżeć*) ease off; ~ **swym namiętnościom** indulge one's passions
**foliał** *m* folio
**folklor** *m* folklore
**folwark** *m* (manorial) farm
**fonem** *m* phoneme
**fonetyczny** *adj* phonetic(al)
**fonetyka** *f* phonetics
**fonoteka** *f* record ⟨tape⟩ library
**fontanna** *f* fountain
**foremny** *adj* well-shaped, shapely
**form|a** *f* shape; (*w odlewnictwie*) mould; **~y towarzyskie** good form, conventions; *zbior.* **być w ~ie** be in due form; **nie być w ~ie** be out of form
**formacja** *f* formation
**formalista** *m* formalist
**formalizm** *m* formalism
**formalność** *f* formality
**formaln|y** *adj* formal; **kwestia ~a** point of order
**format** *m* size
**formować** *vt* form, shape, mould; ~ **się** *vr* form
**formularz** *m* form
**formuł(k)a** *f* formula
**formułować** *vt* formulate, word
**fornir** *m* veneer
**fornirować** *vt* veneer
**forsa** *f pot.* (*pieniądze*) dough
**forsować** *vt* force; ~ **się** *vr* exert oneself
**forsowny** *adj* forced, intense
**fort** *m wojsk.* fort
**forteca** *f wojsk.* fortress
**fortel** *m* subterfuge
**fortepian** *m* (grand) piano
**fortuna** *f* fortune
**fortyfikacja** *f wojsk.* fortification
**fortyfikować** *vt wojsk.* fortify
**fosa** *f* ditch; *wojsk.* moat
**fosfor** *m chem.* phosphorus
**fotel** *m* arm-chair
**fotogeniczny** *adj* photogenic

**fotograf** *m* photographer
**fotografia** *f* (*technika*) photography; (*zdjęcie*) photograph, picture
**fotograficzny** *adj* photographic
**fotografować** *vt* photograph
**fotokomórka** *f* photo-cell
**fotokopia** *f* photocopy
**fotometr** *m* photometer
**fotomontaż** *m* (*technika*) photo-montage; (*obraz*) montage (photograph)
**fotoreporter** *m* camera-man
**fotos** *m* photo
**fracht** *m* freight
**fragment** *m* fragment
**fragmentaryczny** *adj* fragmentary
**frak** *m* dress-coat, tail-coat
**frakcja** *f* fraction; *polit.* faction
**francuski** *adj* French
**Francuz** *m* Frenchman
**Francuzka** *f* Frenchwoman
**frank** *m* franc
**franko** *adj adv* post-paid
**frant** *m* sly-boots; sly dog playing a fool
**frasobliwy** *adj* uneasy, sorrowful
**fraszka** *f* trifle; *lit.* limerick
**fraza** *f* phrase
**frazeologia** *f* phraseology
**frazeologiczny** *adj* phraseological
**frazes** *m* hollow phrase, cliché; *zbior.* ~y claptrap
**fregata** *f* *mors.* frigate
**frekwencja** *f* (*w szkole, na zebraniu itp.*) attendance
**fresk** *m* fresco
**frędzla** *f* fringe
**front** *m* front; *wojsk.* front, fighting line; **pójść** na ~ to go ⟨to be sent⟩ to the front; *przen.* zmiana ~u change of front
**froterować** *vt* polish
**fruwać** *vi* flitter, flutter; (*latać*) fly
**frykas** *m* delicacy, dainty (bit)
**frywolny** *adj* frivolous
**fryz** *m* *arch.* frieze
**fryzjer** *m* hairdresser, barber
**fujara** *f* pipe; *przen.* (*niedołęga*) galoot
**fujarka** *f* (rural) pipe
**fundacja** *f* foundation
**fundament** *m* foundation; (*podstawa*) groundwork
**fundamentalny** *adj* fundamental
**fundator** *m* founder
**fundować** *vt* found, establish; (*częstować*) treat (komuś coś sb to sth), stand (szklankę piwa glass of beer)
**fundusz** *m* fund
**funkcja** *f* function
**funkcjonalny** *adj* functional
**funkcjonariusz** *m* functionary
**funkcjonować** *vi* function, act
**funt** *m* pound; ~ szterling pound sterling
**fura** *f* cart
**furażerka** *f* forage-cap
**furgon** *m* baggage-cart
**furi|a** *f* fury, rage; dostać ~i fly into a fury
**furiat** *m* raging fellow
**furman** *m* carter
**furor|a** *f* furore; zrobić ~ę make a furore
**furta** *f* gate
**furtka** *f* wicket
**fusy** *s pl* (*np. w kawie*) grounds
**fuszer** *m* bungler, botcher
**fuszerka** *f* bungle, botch
**fuszerować** *vt vi* bungle, botch; make a bungle (coś of sth)
**futbol** *m* (association) football, soccer
**futbolista** *m* football player, footballer
**futerał** *m* case, cover
**futro** *n* fur
**futryna** *f* window-frame, door-frame
**fuzja** *f* fusion; (*strzelba*) rifle, gun

# g

**gabardyna** *f* gabardine
**gabinet** *m* cabinet; (*pokój do pracy*) study
**gablota** *f* glass-case, show-case
**gad** *m* *zool.* reptile
**gadać** *vt vi pot.* talk, prattle; **~ od rzeczy** talk nonsense
**gadanie** *n pot.* talk, prattle
**gadatliwość** *f* talkativeness
**gadatliwy** *adj* talkative
**gaduła** *m pot.* clapper
**gadzina** *f* reptile, viper
**gafa** *f* bloomer
**gaj** *m* grove
**gajowy** *m* gamekeeper
**galaktyka** *f* galaxy
**galanteria** *f* fancy-goods; (*uprzejmość*) gallantry
**galar** *m* scow
**galaret(k)a** *f* jelly
**galera** *f hist.* galley
**galeria** *f* gallery; **~ obrazów** picture-gallery, gallery of pictures
**galernik** *m* galley-slave
**galimatias** *m pot.* muddle, jumble
**galon** *m* (*miara*) gallon; (*ozdoba*) galloon
**galop** *m* gallop; **~em** at a gallop
**galopować** *vi* gallop
**galowy** *adj* gala; **strój ~** gala-suit, gala-dress, gala-uniform
**galwanizować** *vt* galvanize
**gałązka** *f* twig
**gałąź** *f* branch
**gałgan** *m* rag; *pot.* (*łajdak*) rascal, scamp
**gałganiarz** *m* rag-and-bone man
**gałka** *f* ball, globe; (*u drzwi, laski*) knob
**gama** *f muz. i przen.* gamut, scale
**gamoń** *m pot.* lout, galoot
**ganek** *m* porch, veranda(h)
**gangrena** *f* gangrene
**gangrenować** *vt* gangrene
**ganić** *vt* blame
**gap** *m* gaper
**gap|a** *m f* gull, dupe; **pasażer na ~ę** stowaway; **jechać na ~ę** stow away
**gapić się** *vr* gape (**na coś** at sth)
**garaż** *m* garage
**garb** *m* hunch, hump
**garbarnia** *f* tannery
**garbarz** *m* tanner
**garbaty** *adj* hunch-backed
**garbić się** *vr* stoop
**garbnik** *m* tannin
**garbować** *vt* tan
**garbus** *m* hunchback
**garderoba** *f* (*szafa*) wardrobe; (*szatnia*) cloakroom; (*odzież*) stock of clothes, clothing
**gardlany** *adj* throat *attr*
**gard|ło** *n* throat; *przen.* **wąskie ~ło** bottle-neck; **mieć ból ~ła** have a sore throat; **mieć nóż na ~le** have the knife at one's throat
**gardzić** *vi* despise, scorn (**czymś** sth)
**gardziel** *f* gullet
**garkuchnia** *f* soup-kitchen
**garnąć** *vt* gather up; **~ do siebie** hug; **~ się** *vr* cling (**do kogoś, czegoś** to sb, sth); strive (**do czegoś** after sth); hunger (**do nauki itd.** after learning etc.); apply oneself (**do czegoś** to sth)
**garncarnia** *f* pottery
**garncarstwo** *n* pottery, ceramics
**garncarz** *m* potter
**garnek** *m* pot
**garnirować** *vt* trim, garnish
**garnitur** *m* (*ubranie*) suit (of clothes), clothes; *zbior.* set, fittings, mountings
**garnizon** *m* garrison; **stać ⟨obsadzić⟩ ~em** garrison
**garnuszek** *m* little pot, mug
**garstka** *f* handful; small number
**garś|ć** *f* handful; *przen.* **trzymać w ~ci** hold under one's thumb; **wziąć się w ~ć** pull oneself together

**gasić** *vt* extinguish, put out; (*pragnienie*) quench; (*wapno*) slake
**gasnąć** *vi* go out; (*umierać*) die away, expire
**gastronomia** *f* gastronomy
**gastronomiczny** *adj* gastronomical, catering
**gaśnica** *f* (fire-)extinguisher
**gatunek** *m* kind, sort; *biol.* species
**gatunkowy** *adj* specific, generic; **ciężar ~** specific gravity
**gawęda** *f* chat; story, tale
**gawędziarz** *m* story-teller
**gawędzić** *vt* chat
**gawiedź** *f* rabble
**gawron** *m zool.* rook
**gaz** *m* gas; **~ świetlny** lighting gas; **~ trujący** poison-gas; **~ ziemny** natural gas; **zatruć ~em** gas; **zatruć się ~em** be gassed
**gaza** *f* gauze
**gazda** *m* highland farmer
**gazeciarz** *m* newsman, newspaper-boy
**gazela** *f zool.* gazelle
**gazeta** *f* newspaper
**gazetka** *f* news-sheet; (*tajna*) underground paper
**gazolina** *f techn.* gasolene
**gazomierz** *m* gas-meter
**gazownia** *f* gas-works
**gazow|y** *adj* gaseous, gas *attr*; **maska ~a** gas-mask; **kuchenka ~a** gas-range
**gaźnik** *m* carburettor
**gaża** *f* salary, pay
**gąbczasty** *adj* spongy
**gąbka** *f* sponge
**gąsienica** *f zool.* caterpillar
**gąsienicow|y** *adj*, **koło ~e** caterpillar-wheel
**gąsior** *m zool.* gander; (*butla*) demijohn
**gąszcz** *m* (*gęstwina*) thicket; (*gęsty osad*) sediment
**gbur** *m* rude fellow, boor
**gburowaty** *adj* rude, coarse, boorish
**gdakać** *vi* cackle
**gderać** *vi* grumble (**na kogoś, coś** at sb, sth)
**gdy** *conj* when, as
**gdyby** *conj* if; **jak ~** as if; **~ nie to** but for that
**gdyż** *conj* for, because
**gdzie** *adv conj* where; **~ indziej** elsewhere
**gdziekolwiek** *adv* anywhere
**gdzieniegdzie** *adv* here and there
**gdzieś** *adv* somewhere, someplace
**gejzer** *m* geyser
**gen** *m biol.* gene
**genealogia** *f* genealogy
**genealogiczny** *adj* genealogic(al)
**generacja** *f* generation
**generalizować** *vt vi* generalize
**generał** *m* general
**generator** *m elektr.* generator
**genetyczny** *adj* genetic
**genetyka** *f* genetics
**geneza** *f* genesis, origin
**genialn|y** *adj* full of genius; **człowiek ~y** man of genius; **myśl ~a** stroke of genius
**geniusz** *m* genius, man of genius
**geodezja** *f* geodesy
**geograf** *m* geographer
**geografia** *f* geography
**geograficzny** *adj* geographic(al)
**geolog** *m* geologist
**geologia** *f* geology
**geologiczny** *adj* geological
**geometra** *m* geometrician, (land) surveyor
**geometria** *f* geometry; **~ wykreślna** descriptive geometry
**geometryczny** *adj* geometric(al)
**georginia** *f bot.* dahlia
**germanista** *m* student of German philology; Germanist
**germanizm** *m* germanism
**germański** *adj* Germanic
**gerontologia** *f* gerontology
**gest** *m* gesture
**gestykulacja** *f* gesticulation
**gestykulować** *vi* gesticulate
**getry** *s pl* (*długie*) gaiters, (*krótkie*) spats
**getto** *n* ghetto
**gęb|a** *f pot.* mug; *wulg.* **stulić ~ę** shut up
**gęgać** *vi* gaggle
**gęsi** *adj* goose *attr*; **~e pióro**

goose quill; iść ~ego walk in Indian file
**gęsina** *f* roast goose
**gęstnieć** *vi* thicken
**gęstość** *f* thickness, density
**gęstwina** *f* thicket
**gęsty** *adj* thick, dense; (*np. o tkaninie*) close
**gęś** *f* *zool.* goose
**gęślarz** *m* rebeck player
**gęśle** *s pl* rebeck
**giąć** *vt* bend, bow; **~ się** *vr* bend, bow (down)
**gibki** *adj* flexible, pliant
**gibkość** *f* flexibility, pliability
**giełda** *f* stock exchange; **czarna ~** black market
**giełdow|y** *adj*, **ceduła ~a** list of quotations, stock-exchange list; **makler ~y** stock-broker
**giełdziarz** *m* stock-exchange operator, stock-jobber
**giemza** *f* chamois-leather
**giermek** *m* *hist.* shield-bearer, squire; (*w szachach*) bishop
**giez** *m* gadfly
**giętki** *adj* flexible, pliant
**giętkość** *f* flexibility, pliability
**gięt|y** *adj*, **meble ~e** bentwood furniture
**gigant** *m* giant
**gigantyczny** *adj* gigantic, giant
**gilotyna** *f* guillotine
**gimnastyczny** *adj* gymnastic
**gimnastyk** *m* gymnast
**gimnastyka** *f* gymnastics
**gimnastykować się** *vr* do gymnastics
**gimnazjalista** *m* grammar-school boy
**gimnazjum** *n sing nieodm.* grammar school
**ginąć** *vi* perish; go lost
**ginekolog** *m* gynaecologist
**ginekologia** *f* gynaecology
**gips** *m* plaster
**gipsować** *vt* plaster
**girlanda** *f* garland
**giser** *m* founder, moulder
**gisernia** *f* foundry
**gitara** *f* *muz.* guitar
**glansować** *vt* glaze
**glazura** *f* glaze; (*materiał*) glazing
**glazurować** *vt* glaze
**gleba** *f* soil
**ględzić** *vi* *pot.* twaddle
**gliceryna** *f* glycerine
**glin** *m* *chem.* aluminium
**glina** *f* clay
**glinianka** *f* clay-pit
**glinian|y** *adj* earthen; **naczynia ~e** earthenware *zbior.*
**gliniasty** *adj* clayey
**glinka** *f* potter's clay, argil
**glista** *f* (earth-)worm; (*ludzka*) ascarid
**glob** *m* globe
**globalnie** *adv* in the gross, in bulk
**globalny** *adj* total
**globus** *m* globe
**gloria** *f* glory; (*aureola*) halo
**gloryfikować** *vt* glorify
**glosa** *f* gloss
**glukoza** *f* *chem.* glucose
**gładki** *adj* smooth; plain; (*o włosach, futrze*) sleek; (*o manierach*) polished, refined; **~ materiał** (*bez wzoru*) plain fabric
**gładkość** *f* smoothness, ease; (*obejścia*) refinement
**gładzić** *vt* smoothe, polish
**głaskać** *vt* stroke
**głaz** *m* rock; (*otoczak*) boulder
**głąb 1.** *f* = **głębia**
**głąb 2.** *m* (*np. kapusty*) stump
**głębi|a** *f* depth, deep; *przen.* profundity; **w ~ lasu** in the heart of the forest; **z ~ serca** from the bottom of one's heart
**głębinowy** *adj* deep-sea *attr*
**głębok|i** *adj* deep; *przen.* profound; **w ~ą noc** in the dead of night
**głębokość** *f* depth; profundity
**głodny** *adj* hungry
**głodomór** *m* starveling
**głodować** *vi* starve, hunger
**głodow|y** *adj* hunger *attr*; **kuracja ~a** hunger-cure; **strajk ~y** hunger-strike
**głodówka** *f* (*protestacyjna*) hunger-strike; (*lecznicza*) hunger-cure

**głodzić** *vt* starve, famish; ~ **się** *vr* starve, famish; ~ **się na śmierć** starve oneself to death

**głos** *m* voice; (*w głosowaniu*) vote; (*dzwonka*) sound; **prawo ~u** right of vote; **większość ~ów** majority of votes; **czytać na ~** read aloud; **dopuścić do ~u** give permission to speak; **mieć ~** have a voice; **oddać ~ na kogoś** give sb one's vote; **prosić o ~** ask for permission to speak; **udzielić ~u** give permission to speak, give the floor; **zabrać ~** begin to speak, stand up to speak, take the floor

**głosiciel** *m* proclaimer

**głosić** *vt* proclaim, propagate

**głoska** *f gram.* sound

**głosować** *vi* vote, (*tajnie*) ballot; ~ **nad czymś** put sth to the vote; ~ **na kogoś** vote for sb

**głosowanie** *n* voting, poll, (*tajne*) ballot

**głosownia** *f gram.* phonetics

**głosowy** *adj* vocal

**głosujący** *m* voter

**głośnia** *f anat.* glottis

**głośnik** *m* megaphone, loud-speaker

**głośno** *adv* loud(ly), aloud, in loud voice

**głośny** *adj* loud; (*sławny*) famous

**głow|a** *f* head; **~a kapusty** head of cabbage; **w kapeluszu na ~ie** with one's hat on; **z obnażoną ~ą** bare-headed; *przen.* **łamać sobie ~ę** rack one's brains (**nad czymś** about sth); **mieć coś na ~ie** have sth on one's hands; **on ma przewrócone w ~ie** he has a queer head; **on ma źle w ~ie** there is sth wrong in his head; **pobić na ~ę** rout, defeat thoroughly; **przychodzi mi do ~y** it occurs to me; **zmyć komuś ~ę** take sb to task; **co ~a to rozum** so many men, so many minds; **od stóp do głów** from top to toe

**głowica** *f* head; *arch.* capital

**głowić się** *vr* rack one's brains (**nad czymś** about sth)

**głownia** *f* firebrand

**głód** *m* hunger (**czegoś** for sth); (*powszechny*) famine; **poczuć ~** become hungry; *przen.* **~ mieszkaniowy** scarcity of lodgings; **~ ziemi** land hunger

**głóg** *m bot.* hawthorn

**główka** *f* (small) head; **~ maku** poppy-head

**głównodowodzący** *m* commander-in-chief

**główn|y** *adj* main, chief, principal, cardinal; (*o stacji, zarządzie*) central; (*o poczcie*) general; **~a wygrana** first prize

**głuchnąć** *vi* grow deaf

**głuchoniemy** *adj* deaf and dumb, deaf-mute

**głuchota** *f* deafness

**głuch|y** *adj* deaf (**na lewe ucho** in the left ear); (*o dźwięku*) hollow, dull; **~a cisza** dead silence; **~a wieść** vague news; **być ~ym na prośby** turn a deaf ear to entreaties

**głupi** *adj* silly, stupid, foolish

**głupiec** *m* fool, blockhead

**głupieć** *vi* grow stupid

**głupkowaty** *adj* half-witted, dull

**głupota** *f* stupidity

**głupstw|o** *n* silly stuff, nonsense; (*drobnostka*) trifle; **pleść ~a** talk nonsense ⟨rot⟩

**głusz|a** *f* solitude, dead silence

**głuszec** *m zool.* capercaillie, wood-grouse

**głuszyć** *vt* deafen; (*przyciszać*) damp; *zob.* **zagłuszać**

**gmach** *m* edifice

**gmatwać** *vt* tangle, embroil

**gmatwanina** *f* tangle, imbroglio

**gmerać** *vi* fumble (**w czymś** at, in, with sth; **za czymś** after, for sth)

**gmina** *f* community; (*wiejska*) parish; (*miejska*) municipality, municipal corporation; **Izba Gmin** House of Commons

**gminn|y** *adj* communal; (*pospolity*) vulgar; **rada ~a** parish council

**gnać** *vt* drive; *vi* run
**gnat** *m pot.* bone
**gnębiciel** *m* oppressor
**gnębić** *vt* oppress; (*dręczyć*) worry; (*dokuczać*) harass
**gniady** *adj* bay
**gniazdko** *n* (little) nest; *elektr.* socket
**gniazdo** *n* nest; *przen.* ~ **rodzinne** hearth, home
**gnici|e** *n* rotting, decay, putrefaction; **podlegający ~u** liable to decay
**gnić** *vt* rot, decay, putrefy
**gnida** *f* nit
**gnieść** *vt* press, squeeze; (*ciasto*) knead; ~ **się** *vr* press, crush
**gniew** *m* anger; **wpaść w ~** get angry, burst out in anger
**gniewać** *vt* anger; ~ **się** *vr* be angry (**na kogoś** with sb, **na coś** at sth)
**gniewliwy** *adj* irritable, irascible
**gniewny** *adj* angry, irritated
**gnieździć się** *vr* nest, nestle (down)
**gnoić** *vt* (*nawozić*) dung, manure; ~ **się** *vr* (*jątrzyć się*) fester
**gnojówka** *f* liquid manure
**gnom** *m* gnome
**gnój** *m* dung, manure
**gnuśnieć** *vi* stagnate, be slothful
**gnuśność** *f* stagnation, sloth
**gnuśny** *adj* stagnant, slothful
**gobelin** *m* gobelin
**godło** *n* device; ~ **Polski** Polish ensign
**godność** *f* dignity
**godny** *adj* worthy; (*pełen godności*) dignified; ~ **podziwu** admirable; ~ **polecenia** recommendable; ~ **pożałowania** lamentable; ~ **szacunku** respectable; ~ **widzenia** worth seeing
**gody** *s pl* feast; (*weselne*) nuptials
**godzić** *vt* (*najmować*) engage, hire; (*jednać*) conciliate; *vi* hit (**w coś** sth), aim (**w coś** at sth); ~ **na czyjeś życie** attempt sb's life; ~ **się** *vr* agree, consent (**na coś** to sth); reconcile oneself (*np.* **z losem** to one's lot)
**godzin|a** *f* hour; **~y nadliczbowe** overtime; **~y przyjęć** reception, office-hours, consulting-hours; **~y urzędowe** office hours; **pracować poza ~ami urzędowymi** work overtime; **pół ~y** half-an-hour; **która ~?** what time is it?; **jest ~a trzecia** it is three o'clock; **co dwie ~y** every second hour; *przen.* **na czarną ~ę** for a rainy day; **całymi ~ami** by the hours
**godziwy** *adj* suitable, fair
**goić** *vt* heal, cure; ~ **się** *vr* heal (up), be cured
**goleni|e** *n* shave; **maszynka do ~a** safety-razor
**goleń** *m* shin(-bone), *anat.* tibia
**golić** *vt* shave; ~ **się** *vr* shave, have a shave
**golonka** *f* pig's feet, pettitoes
**gołąb** *m* pigeon; **siwy jak ~** snow-white
**gołąbek** *m* (*także przen.*) dove
**gołębi** *adj* dove-like
**gołębiarz** *m* pigeon-keeper
**gołębica** *f* dove
**gołębnik** *m* pigeon-house
**gołoledź** *f* glazed frost
**gołosłowny** *adj* unfounded, groundless
**gołowąs** *m* youngster
**goł|y** *adj* naked; (*ogołocony*) bare; (*obnażony*) nude; **~ym okiem** with the naked eye; **na ~ej ziemi** on the bare ground; **z ~ą głową** bare-headed; **pod ~ym niebem** under the open sky; **z ~ymi rękoma** empty-handed; *pot.* **~y jak święty turecki** as poor as a church mouse
**gomółka** *f* lump
**gondola** *f* gondola; *lotn.* nacelle
**gong** *m* gong
**gonić** *vt* chase, drive, pursue; *vi* run, chase, be after; ~ **ostatkami** be short (**czegoś** of sth); ~ **się** *vr* chase one another; race
**goniec** *m* messenger; (*w hotelu*) bell-boy; (*w szachach*) bishop
**goniometr** *m* goniometer
**gonitwa** *f* run, chase

**gont** *m* shingle
**gończy** *adj*, **list ~** warrant of arrest; **pies ~** hound
**gorąco** 1. *adv* hot(ly); **jest mi ~** I am ⟨feel⟩ hot; **~ dziękować** thank warmly; *przen.* **na ~** without a moment's delay
**gorąco** 2. *n* heat
**gorąc|y** *adj* hot; (*o strefie*) torrid; *przen.* (*płomienny*) ardent, (*żarliwy*) fervent; *przen.* **w ~ej wodzie kąpany** hot-blooded; **złapać na ~ym uczynku** catch red-handed ⟨in the very act⟩
**gorączka** *f* fever; *przen.* excitement, passion; **biała ~** delirium tremens; **~ złota** gold fever ⟨rush⟩
**gorączkować** *vi* have a fever; **~ się** *vr* be excited
**gorączkowy** *adj* feverish; **stan ~** temperature
**gorczyca** *f* *bot.* mustard
**gorczyczny** *adj* mustard *attr*
**gordyjski** *adj* Gordian; *przen.* **przeciąć węzeł ~** cut the Gordian knot
**gorliwiec** *m* zealot
**gorliwość** *f* zeal, fervour
**gorliwy** *adj* zealous, fervent
**gors** *m* breast; plastron
**gorset** *m* corset; stays *pl*
**gorszy** *adj* *comp* worse
**gorszyć** *vt* scandalize, demoralize; **~ się** *vr* be scandalized (**czymś** at sth)
**gorycz** *f* bitterness
**goryczka** *f* bitter taste; *bot.* gentian
**goryl** *m* *zool.* gorilla
**gorzałka** *f* vodka
**gorzeć** *vi* burn, be ablaze
**gorzej** *adv* *comp* worse; **tym ~** so much the worse; **~ się czuję** I am worse
**gorzelnia** *f* distillery
**gorzki** *adj* bitter
**gorzknieć** *vi* become bitter
**gospoda** *f* inn, public house, tavern
**gospodarczy** *adj* economic
**gospodarka** *f* economy; (*domowa*) housekeeping, management
**gospodarny** *adj* economical
**gospodarować** *vi* farm; manage, administer; (*w domu*) keep house
**gospodarstwo** *n* (*rolne*) farm, farming; (*domowe*) household
**gospodarz** *m* (*rolnik*) farmer; landlord; (*właściciel*) master (of the house); (*pan domu*) host; (*zarządca*) manager
**gospodyni** *f* mistress (of the house); (*pani domu*) hostess; manageress; landlady
**gosposia** *f* housekeeper
**gościć** *vt* receive, entertain; (*przyjąć na nocleg*) put up; *vi* stay (**u kogoś** with sb)
**gościec** *m* *med.* gout
**gościna** *f* stay, visit
**gościniec** *m* highroad; † (*podarunek*) present, gift
**gościnność** *f* hospitality
**gościnny** *adj* hospitable; **pokój ~** guest-room
**gość** *m* guest, visitor; (*klient*) customer, patron; (*w pensjonacie*) boarder
**gotować** *vt* cook, boil; (*przygotowywać*) prepare; **~ się** *vr* (*o wodzie, mleku*) boil, (*o potrawach*) be cooking; (*przygotowywać się*) prepare (**do czegoś, na coś** for sth)
**gotowość** *f* readiness
**gotow|y** *adj* ready, prepared (**na coś, do czegoś** for sth); finished; **~e ubranie** ready-made clothes
**gotówk|a** *f* cash, ready money; **płacić ~ą** pay (in) cash
**gotycki** *adj* Gothic
**gotyk** *m* Gothic (style); (*pismo*) Gothic letters
**goździk** *m* *bot.* carnation, pink
**gór|a** *f* mountain; (*szczyt, górna część*) top; **~a lodowa** iceberg; **do ~y nogami** upside down; **na górze** up, above, at the top, (*na piętrze*) upstairs; **z ~y** down, downwards, downstairs, from above; **u ~y stronicy** at the top of the page; **płacić z ~y** pay in

advance; **ręce do ~y!** hands up!; **traktować z ~y** look down (**kogoś** upon sb); **z ~ą** (*ponad*) over; **brać ~ę** get the upper hand (**nad kimś** of sb); **w ~ę rzeki** upstream; **zbocze ~y** hillside; **pod ~ę** uphill

**góral** *m* mountaineer, highlander

**górka** *f* hill

**górnictwo** *n* mining (industry)

**górniczy** *adj* mining

**górnik** *m* miner; **inżynier ~** mining-engineer

**górnolotny** *adj* highflown

**górn|y** *adj* upper, superior; **~a granica** upper ⟨top⟩ limit

**górować** *vi* prevail (**nad kimś** over sb), be superior (**nad kimś to sb**)

**górski** *adj* mountain *attr*; **łańcuch ~** mountain-chain

**górujący** *adj* prevalent, predominant

**górzysty** *adj* mountainous

**gra** *f* play; game; *teatr* acting; (*hazard*) gamble; **~ słów** play upon words, pun; **wchodzić w grę** come into play

**grab** *m bot.* hornbeam

**grabarz** *m* grave-digger

**grabić** *vt* (*np. siano*) rake; (*rabować*) rob, plunder

**grabie** *s pl* rake

**grabieć** *vi* grow numb

**grabież** *f* plunder

**grabieżca** *m* plunderer

**grabieżczy** *adj* rapacious

**graca** *f* hoe

**gracja** *f* grace, charm

**gracować** *vt* hoe

**gracz** *m* player; (*hazardowy*) gambler; **~ na giełdzie** stock-exchange speculator; **~ na wyścigach** betting-man; (*w tenisie*) **~ podający** server, **~ przyjmujący** striker

**grać** *vi* play; **~ na giełdzie** operate on Change; **~ na loterii** play in the lottery; **~ na skrzypcach** play (on) the violin; **~ na wyścigach** bet in horse-racing; **~ w karty** ⟨**w szachy**⟩ play cards ⟨chess⟩

**grad** *m* hail; **~ pada** it hails

**gradacja** *f* gradation

**gradobicie** *n* hailstorm

**graficzny** *adj* graphic

**grafik** *m* graphic artist

**grafika** *f* graphic art

**grafit** *m miner.* graphite

**grafologia** *f* graphology

**grafoman** *m* scribbler

**grafomania** *f* mania for scribbling

**grajek** *m* player, fiddler

**gram** *m* gram, gramme

**gramatyczny** *adj* grammatical

**gramatyka** *f* grammar

**gramofon** *m* gramophone

**granat** *m* (*kolor*) navy-blue; (*owoc*) pomegranate; (*pocisk*) grenade, shell; (*kamień*) garnet

**granatnik** *m wojsk.* howitzer

**granatowy** *adj* navy-blue

**graniastosłup** *m* prism

**graniasty** *adj* angular

**granic|a** *f* (*kres, zakres*) limit; (*geograficzna, polityczna*) border, frontier; (*demarkacja*) boundary; **za ~ą, za ~ę** abroad; **przekroczyć ~e przyzwoitości** transgress the laws of propriety; **wszystko ma swoje ~e** there is a limit to everything

**graniczn|y** *adj* border(ing), frontier *attr*; **kamień ~y** borderstone, landmark; **kordon ~y** military cordon, patrolled border; **linia ~a** boundary(-line)

**graniczyć** *vi* border (**z czymś** on sth)

**granit** *m* granite

**granulacja** *f* granulation

**granulować** *vt* granulate; **~ się** *vr* granulate

**grań** *f* ridge

**grasica** *f anat.* thymus

**grasować** *vi* maraud, prowl; (*o chorobach*) spread, prevail

**grat** *m pot.* stick; *przen.* (*o starym człowieku*) fogey

**gratis** *adv* gratis, free of charge

**gratisowy** *adj* free of charge, gratuitous

**gratka** *f* windfall

**gratulacja** *f* congratulation
**gratulować** *vt* congratulate (**komuś czegoś** sb on sth)
**gratyfikacja** *f* gratuity, extra pay
**grawer** *m* engraver
**grawerować** *vt* engrave
**grawerstwo** *n* engraving
**grawerunek** *m* engraving
**grawitacja** *f* gravitation
**grawitować** *vi* gravitate (**ku komuś, czemuś** towards sb, sth)
**grawiura** *f* engraving
**grdyka** *f anat.* Adam's apple
**grecki** *adj* Greek
**Grek** *m* Greek
**gremialnie** *adv* in a body, in a mass
**gremialny** *adj* general
**gremium** *n sing nieodm.* staff, body
**grenadier** *m* grenadier
**gręplel** *m* card
**gręplować** *vt* card
**grobla** *f* dam
**grobowiec** *m* tomb, sepulchre
**grobow|y** *adj* sepulchral; **kamień ~y** tomb-stone; *przen.* **cisza ~a** dead silence
**groch** *m* pea; (*potrawa*) peas *pl*; *pot.* **~ z kapustą** hotch-potch
**grochówka** *f* pea-soup
**grodzić** *vt* hedge, fence
**grodzki** *adj* municipal
**grom** *f* thunderbolt; **~ z jasnego nieba** bolt from the blue
**gromada** *f* crowd, throng; troop, group
**gromadny** *adj* numerous, collective
**gromadzić** *vt* accumulate, amass, heep up; **~ się** *vr* assemble, gather
**gromadzki** *adj* communal, common
**gromić** *vt* thunder, storm (**kogoś** at sb); (*rozbijać, niszczyć*) rout, smash
**gromki** *adj* resonant, thunderous
**gromnica** *f rel.* blessed wax-candle
**gromniczny** *adj*, **dzień Matki Boskiej Gromnicznej** Candlemas
**grono** *n* bunch of grapes; (*grupa*) circle, company, staff
**gronostaj** *m zool.* ermine
**gronostajow|y** *adj*, **futro ~e** ermine
**grosz** *m* grosh; *przen.* penny; **bez ~a** penniless; **co do ~a** to a penny; **~ wdowi** widow's mite
**grot** *m* pike, dart, bolt, arrow-head
**grota** *f* grotto, cave
**groteska** *f* grotesque
**groz|a** *f* horror, terror; **przejąć ~ą** strike with awe, terrify
**grozi|ć** *vi* threaten (**komuś czymś** sb with sth), menace; **~ nam burza** we are threatened with a storm; **~ epidemia** an epidemic is imminent
**groźba** *f* menace, threat
**groźny** *adj* threatening; terrible, dangerous, severe
**grożący** *adj* threatening, imminent
**grób** *m* grave; (*grobowiec*) tomb; *lit. i rel.* sepulchre
**gród** *m lit.* town; (fortified) castle
**grubas** *m* fatty
**grubianin** *m* boor
**grubiański** *adj* boorish, rude
**grubiaństwo** *n* boorishness, rudeness
**grubieć** *vi* grow stout, become thick, thicken
**gruboskórny** *adj* coarse-skinned, thick-skinned, coarse
**grubość** *f* thickness, stoutness; (*objętość*) bulk
**gruby** *adj* thick, stout, big, bulky; (*o suknie, rysach twarzy*) coarse; (*o błędzie*) gross; (*o głosie*) low, deep
**gruchać** *vi* coo
**gruchn|ąć** *vi* tumble down, bump; **wieść ~ęła** the rumour has been set afloat
**gruchot** *m* crash, rattle; (*o człowieku*) decrepit creature
**gruchotać** *vt* smash, shatter
**gruczoł** *m anat.* gland
**gruczołowy** *adj* glandular
**gruda** *f* clod (of earth)
**grudka** *f* (*np. zakrzepłej krwi*) clot; (*kulka*) globule

**grudzień** *m* December
**grun|t** *m* ground; (*rolny*) soil; (*dno*) bottom; (*istota rzeczy*) essence; **do ~tu** thoroughly, to the core; **w ~cie rzeczy** as a matter of fact, at bottom, essentially; **na mocnym ~cie** on solid ground
**gruntować** *vt* (*opierać, bazować*) ground; (*sondować*) fathom, sound; *vi* bottom, touch bottom
**gruntownie** *adv* thoroughly
**gruntowny** *adj* solid, well--grounded; through
**gruntowy** *adj*, **podatek ~** land--tax
**grupa** *f* group
**grupować** *vi* group; **~ się** *vr* group
**grusza** *f* pear-tree
**gruszk|a** *f* pear; *przen.* **~i na wierzbie** castles in the air
**gruz** *m* rubbish, rubble; *pl* **~y** debris *zbior.*, ruin; **rozpadać się w ~y** fall to ruin; **leżeć w ~ach** lie in ruin
**gruzeł** *m* clot
**Gruzin** *m* Georgian
**gruziński** *adj* Georgian
**gruźlica** *f* *med.* tuberculosis, consumption
**gruźliczy** *adj* tuberculous
**gruźlik** *m* consumptive
**gryczan|y** *adj*, **kasza ~a** buckwheat groats *pl*
**gryf** *m* *muz.* fingerboard
**gryka** *f* *bot.* buckwheat
**grymas** *m* grimace, caprice
**grymasić** *vi* be fastidious; (*przy jedzeniu*) be particular
**grymaśny** *adj* fastidious, capricious; (*przy jedzeniu*) particular
**grynszpan** *m* *chem.* verdigris
**grypa** *f* *med.* influenza, *pot.* flu(e), grippe
**grysik** *m* semolina
**gryzący** *adj* mordant, corrosive
**gryzipiórek** *m* *uj.* ink-slinger
**gryzmolić** *vt* scribble, scrawl
**gryzoń** *m* *zool.* rodent
**gryźć** *vt* bite, gnaw, nibble; (*np. o pieprzu*) burn; (*o sumieniu, troskach*) prick, sting; **~ się** *vr* bicker, wrangle; (*martwić się*) worry, be grieved (**czymś** about sth)
**grzać** *vt* warm, heat; **~ się** *vr* warm (oneself); (*na słońcu*) bask
**grzałka** *f* heater; **~ nurkowa** immersion heater
**grzanka** *f* toast
**grządka** *f* bed
**grząski** *adj* quaggy
**grzbiet** *m* back; (*góry, fali*) crest
**grzebać** *vt* bury, inter; rake (up); *vi* fumble (**w czymś** at sth); dig (*np.* **w kieszeni** in the pocket)
**grzebieniasty** *adj* comblike
**grzebień** *m* comb; (*górski*) crest; **~ koguci** cock's comb, crest
**grzech** *m* sin
**grzechotać** *vi* rattle
**grzechotka** *f* rattle
**grzechotnik** *m* *zool.* rattlesnake
**grzeczność** *f* politeness, kindness, courtesy; **wyświadczyć ~** render a (kind) service
**grzeczny** *adj* polite, kind; (*o dziecku*) good
**grzejnik** *m* heater, radiator
**grzesznik** *m* sinner
**grzeszny** *adj* sinful
**grzeszyć** *vi* sin
**grzęda** *f* bed; (*dla kur*) perch
**grzęznąć** *vi* sink, get stuck
**grzmi|eć** *vi* thunder; **~** it thunders
**grzmocić** *vt* thrash, thump
**grzmot** *m* thunder
**grzyb** *m* mushroom, fungus
**grzybnia** *f* mushroom spawn
**grzywa** *f* mane
**grzywn|a** *f* fine; **ukarać ~ą** fine
**gubernator** *m* governor
**gubernia** *f* government
**gubić** *vt* lose; (*niszczyć*) destroy; **~ się** *vr* lose oneself, lose one's way, go lost; **~ się w domysłach** be lost in conjectures
**guma** *f* gum; (*na koła itp.*) rubber; (*elastyczna*) india-rubber; (*żywiczna*) resin; (*do wycierania*)

eraser, india-rubber; ~ arabska gum arabic
**gumować** *vt* gum
**gusła** *s pl* sorcery, witchcraft
**gust** *m* taste; **w moim guście** to my taste
**gustować** *vi* take delight (**w czymś** in sth), relish (**w czymś** sth), like
**gustowny** *adj* in good taste, graceful, elegant
**guwernantka** *f* governess
**guwerner** *m* tutor, private instructor
**guz** *m* bump, bruise; *med.* tumour
**guzdrać się** *vr* dawdle, dillydally
**guzik** *m* button; **zapiąć na ~** button (on)
**gwałcić** *vt* violate, rape
**gwałt** *m* violence; **~em** forcibly
**gwałtowny** *adj* violent
**gwar** *m* clatter, murmur
**gwara** *f* dialect; slang
**gwarancja** *f* guarantee, security, *prawn.* guaranty
**gwarant** *m* guarantee
**gwarantować** *vt vi* guarantee
**gwardia** *f* guard (*także pl*); **~ przyboczna** body-guard; (*królewska*) Life Guards
**gwardzista** *m* guardsman
**gwarny** *adj* noisy
**gwarzyć** *vi* chat
**gwiazda** *f* star
**gwiazdka** *f* starlet; (*w druku*) asterisk; (*wigilia*) Christmas Eve; (*podarunek świąteczny*) Christmas gift
**gwiazdor** *m* (film) star
**gwiazdozbiór** *m* constellation
**gwiaździsty** *adj* (*oświetlony gwiazdami*) starlit; (*ozdobiony gwiazdami*) starry
**gwint** *m* screw-thread
**gwizd** *m* whistle
**gwizdać** *vi* whistle
**gwizdek** *m* whistle
**gwoździk** *m* little nail; *zob.* **goździk**
**gwóźdź** *m* nail; **przybić gwoździami** nail
**gzyms** *m* cornice

# h

**habit** *m* frock
**haczyk** *m* hook
**hafciarka** *f* embroiderer
**haft** *m* embroidery
**haftka** *f* clasp
**haftować** *vt vi* embroider
**hak** *m* hook
**hala** *f* hall; **~ targowa** market-hall; **~ maszyn** engine-room
**halka** *f* petticoat
**halucynacja** *f* hallucination
**hałas** *m* noise, fuss; **wiele ~u o nic** much ado about nothing
**hałasować** *vi* make a noise
**hałastra** *f* rabble
**hałaśliwy** *adj* noisy
**hałda** *f* heap, pile (of ore, coal)
**hamak** *m* hammock
**hamować** *vt* brake; (*wstrzymywać*) check, slacken; (*tłumić*) repress; **~ się** *vr* restrain oneself
**hamulec** *m* brake; *przen.* restraint
**handel** *m* trade; commerce; **~ winem, zbożem itd.** trade in wine, corn etc.; **~ wymienny** barter; **~ zagraniczny** foreign trade; **prowadzić ~** carry on trade
**handlarz** *m* trader, dealer (**winem, zbożem itd.** in wine, corn etc.); **~ wędrowny** pedlar

**handlować** *vt* trade, deal (**czymś** in sth)
**handlowiec** *m* tradesman, merchant
**handlowość** *f* commercial affairs
**handlow|y** *adj* commercial, mercantile; **izba ~a** chamber of commerce; **korespondencja ~a** commercial correspondence; **marynarka ~a** merchant marine; **statek ~y** merchant ship; **księga ~a** account book; **spółka ~** partnership; **towarzystwo ~e** trading company
**hangar** *m* hangar
**haniebny** *adj* shameful, disgraceful
**hańba** *f* shame, disgrace, dishonour
**hańbić** *vt* disgrace, dishonour
**haracz** *m* tribute
**harce** *s pl* (*swawola*) frolics, pranks; **wyprawiać ~** frolic, play pranks
**harcerka** *f* Girl Guide, *am.* girl scout
**harcerstwo** *n* scouting, boy scouts movement
**harcerz** *m* boy scout
**harcmistrz** *m* scoutmaster, scout leader
**harcować** *vi* (*swawolić*) frolic, romp
**hardość** *f* haughtiness
**hardy** *adj* haughty
**harfa** *f muz.* harp
**harfiarz** *m* harpist
**harmonia** *f* harmony; (*instrument*) concertina
**harmoniczny** *adj* harmonic
**harmonijka** *f* harmonica, mouth organ
**harmonijny** *adj* harmonious
**harmonizować** *vi* harmonize
**harmonogram** *m* plan of work, timetable
**harować** *vi pot.* sweat, drudge
**harówka** *f pot.* sweat, drudgery
**harpun** *m* harpoon
**hart** *m* hardness; *techn.* temper; (*charakteru*) fortitude
**hartować** *vt* harden; inure; *techn.* temper; *zob.* zahartowany; **~ się** *vr* harden, inure oneself
**hasło** *n* watchword; slogan; *wojsk.* password
**haszysz** *m* hashish
**haubica** *f wojsk.* howitzer
**haust** *m* draught; **jednym ~em** at a draught
**hazard** *m* hazard; (*w grze*) gamble
**hazardować się** *vr* gamble
**heban** *m* ebony
**hebel** *m* plane
**heblować** *vt* plane
**hebrajski** *adj* Hebrew
**heca** *f pot.* fun
**hegemonia** *f* hegemony
**hej** *int* heigh!, ho!
**hejnał** *m* trumpet-call
**hektar** *m* hectare
**helikopter** *m* helicopter
**hellenista** *m* Hellenist, Greek scholar
**hełm** *m* helmet
**hemoglobina** *f biol.* haemoglobin
**hemoroidy** *s pl med.* haemorhoids
**heraldyka** *f* heraldry, heraldic art
**herb** *m* coat-of-arms; (*na sygnecie*) crest
**herbaciarnia** *f* tea-shop
**herbata** *f* tea
**herbatnik** *m* biscuit
**heretycki** *adj* heretical
**heretyk** *m* heretic
**herezja** *f* heresy
**hermetyczny** *adj* hermetic, air-tight, water-tight
**heroiczny** *adj* heroic
**heroizm** *m* heroism
**herold** *m hist.* herald
**herszt** *m* ringleader
**hetman** *m hist.* commander-in-chief; (*w szachach*) queen
**hiacynt** *m bot.* hyacinth
**hiena** *f zool.* hyena
**hierarchia** *f* hierarchy
**hierarchiczny** *adj* hierarchic
**hieroglif** *m* hieroglyph
**higiena** *f* hygiene
**higieniczny** *adj* hygienic
**Hindus** *m* Hindu
**hinduski** *adj* Hindu

**hiobow|y** *adj*, **~a wieść** Job's ⟨dismal⟩ news
**hiperbola** *f* hyperbole; *mat.* hyperbola
**hipnotyczny** *adj* hypnotic
**hipnotyzer** *m* hypnotist
**hipnotyzować** *vt* hypnotize
**hipnoza** *f* hypnosis
**hipochondria** *f* hypochondria
**hipochondryk** *m* hypochondriac
**hipokryta** *m* hypocrite
**hipokryzja** *f* hypocrisy
**hipopotam** *m zool.* hippopotamus
**hipoteczn|y** *adj* mortgage *attr*; **bank ~y** mortgage bank; **dłużnik ~y** mortgager; **pożyczka ~a** mortgage loan
**hipoteka** *f* mortgage
**hipotetyczny** *adj* hypothetic
**hipoteza** *f* hypothesis
**histeria** *f* hysterics
**histeryczny** *adj* hysterical
**histeryk** *m* hysteric
**historia** *f* history; story
**historyczny** *adj* (*dotyczący historii*) historical; (*doniosły, epokowy*) historic
**Hiszpan** *m* Spaniard
**hiszpański** *adj* Spanish
**hodować** *vt* rear, breed, raise; (*uprawiać*) cultivate; (*o jarzynach*) grow
**hodowca** *m* (*bydła*) breeder; (*jarzyn itp.*) grower
**hodowla** *f* breeding, growth, culture
**hojność** *f* liberality, generosity, open-handedness
**hojny** *adj* liberal, generous, open-handed
**hokej** *m* hockey
**Holender** *m* Dutchman
**holenderski** *adj* Dutch
**holować** *vt* haul, tow, have in tow, tug
**holownik** *m* tugboat
**hołd** *m* homage; **składać ~** pay ⟨do⟩ homage
**hołdować** *vi* pay ⟨do⟩ homage; (*wyznawać, np. zasady*) profess (**czemuś** sth)
**hołota** *f* rabble
**hołysz** *m* † pauper, have-not
**homar** *m zool.* lobster
**honor** *m* honour, *am.* honor
**honorarium** *n sing nieodm.* fee; (*autorskie*) royalty
**honorować** *vt* honour, respect
**honorowy** *adj* honourable
**horda** *f* horde
**hormon** *m biol.* hormone
**horoskop** *m* horoscope
**horrendalny** *adj* horrible, scandalous
**horyzont** *m* horizon
**horyzontalny** *adj* horizontal
**hossa** *f* boom
**hotel** *m* hotel
**hoży** *adj* brisk, spirited
**hrabia** *m* count, (*angielski*) earl
**hrabina** *f* countess
**hrabstwo** *n* county
**hreczka** *f bot.* buckwheat
**huba** *f* touchwood
**hubka** *f* tinder
**huczeć** *vi* roar, resound; make a noise
**huczny** *adj* resonant, clamorous; (*okazały*) sumptuous, pompous
**huk** *m* roar, bang; (*trzask*) crash
**hulać** *vi* carouse; run wild
**hulajnoga** *f* scooter
**hulaka** *m* carouser
**hulanka** *f* carousal
**hulaszczy** *adj* debauched, dissolute
**hultaj** *m* rogue, scamp
**humanista** *m* humanist
**humanistyczn|y** *adj* humanistic, humane; **studia ~e** humane studies; **literatura ~a** humanistic literature
**humanistyka** *f* humanities *pl*
**humanitarny** *adj* humanitarian, humane
**humanizm** *m* humanism
**humor** *m* humour, mood; (*kaprys*) whim, fancy
**humoreska** *f* humorous story; *muz.* humoresque
**humorystyczny** *adj* humoristic, humorous
**humus** *m geol.* humus

**hura** *int* hurrah!
**huragan** *m* hurricane
**hurt** *m* wholesale; **~em** wholesale, in (the) gross
**hurtownik** *m* wholesaler
**hurtow|y** *adj*, **handel ~y** wholesale trade; **sprzedaż ~a** wholesale
**huśtać** *vt*, **~ się** *vr* rock, swing
**huśtawka** *f* swing; (*podparta w środku*) seesaw
**huta** *f* foundry, steel-works, smelting-works; **~ szkła** glass-works
**hutnictwo** *n* metallurgy
**hutniczy** *adj* metallurgic(al)
**hutnik** *m* founder
**hybryda** *f* hybrid
**hydra** *f* hydra
**hydrant** *m* hydrant; hose
**hydraulika** *f* hydraulics
**hydropatia** *f* hydropathy
**hydroplan** *m* seaplane
**hydroskop** *m* hydroscope
**hydrostatyka** *f* hydrostatics
**hydroterapia** *f* hydrotherapy
**hymn** *m* hymn; **~ narodowy** national anthem

# I

**i** *conj* and; also, too; **i tak dalej** and so on
**idea** *f* idea
**idealista** *m* idealist
**idealistyczny** *adj* idealistic
**idealizm** *m* idealism
**idealizować** *vt* idealize
**idealny** *adj* ideal
**ideał** *m* ideal
**identyczność** *f* identity
**identyczny** *adj* identical
**identyfikować** *vt* identify
**ideolog** *m* ideologist
**ideologia** *f* ideology
**ideologiczny** *adj* ideological
**ideowiec** *m* idealist
**ideowy** *adj* ideological, attached to an idea
**idiom** *m* idiom
**idiomatyczny** *adj* idiomatic(al)
**idiosynkrazja** *f* idiosyncrasy
**idiota** *m* idiot
**idiotyczny** *adj* idiotic
**idiotyzm** *m* idiotism, idiocy
**idylla** *f* idyl(l)
**iglast|y** *adj*, **drzewo ~e** coniferous tree
**iglica** *f* needle; (*u broni palnej*) pin; (*na wieży*) spire
**igł|a** *f* needle; **nawlec ~ę** thread a needle; *przen.* **prosto z ~y** brand-new
**ignorancja** *f* ignorance
**ignorant** *m* ignoramus
**ignorować** *vt* ignore, disregard
**igrać** *vt* play, sport
**igraszka** *f* frolic, play; toy, plaything
**igrzysk|o** *n* play, spectacle; *pl* **~a olimpijskie** Olympic games
**ikra** *f* *zool.* roe; *pot.* spirit
**ile** *adv* how much, how many; **tyle ... ~** as much ⟨many⟩ ... as; **~ masz lat?** how old are you?; **o ~** how far, so far as, in so far as, as long as; **o ~ wiem** for all I know
**ilekroć** *adv* how many times; *conj* whenever, as often as
**iloczas** *m* quantity (of a vowel)
**iloczyn** *m* *mat.* product
**iloraz** *m* *mat.* quotient
**ilościowy** *adj* quantitative
**ilość** *f* quantity
**iluminacja** *f* illumination
**iluminować** *vt* illuminate
**ilustracja** *f* illustration, picture
**ilustrator** *m* illustrator
**ilustrować** *vt* illustrate
**iluzja** *f* illusion

**ił** *m* loam
**im** *adv* the; **im ... tym ...** the ... the ...; **~ więcej tym lepiej** the more the better
**imać się** *vr* take up
**imadło** *n* (hand-)vice, handle
**imaginacja** *f* imagination
**imaginacyjny** *adj* imaginary
**imbir** *m* ginger
**imbryk** *m* tea-pot
**imieniny** *s pl* name-day
**imiennik** *m* namesake
**imienny** *adj* nominal
**imiesłów** *m gram.* participle
**imi|ę** *n* name, first ⟨Christian⟩ name; denomination; **z ~enia, na ~ę** by name; **w ~eniu** in the name (**kogoś** of sb); **dobre ~ę** good reputation; **jak ci na ~ę?** what's your name?
**imigracja** *f* immigration
**imigrować** *vi* immigrate
**imitacja** *f* imitation
**imitować** *vt* imitate
**immatrykulacja** *f* matriculation
**immatrykulować** *vt*, **~ się** *vr* matriculate
**impas** *m* deadlock, blind alley; (*w kartach*) finesse
**imperialista** *m* imperialist
**imperialistyczny** *adj* imperialistic
**imperializm** *m* imperialism
**imperium** *n sing nieodm.* empire
**impertynencja** *f* impertinence
**impertynencki** *adj* impertinent
**impertynent** *m* impertinent person
**impet** *m* impetus, impulse
**implikować** *vt* imply
**imponować** *vt* impress (**komuś** sb)
**imponujący** *adj* impressive, imposing
**import** *m* import, importation
**importować** *vt* import
**impregnować** *vt* impregnate
**impresjonizm** *m* impressionism
**impreza** *f* enterprise; (*widowisko*) spectacle, show
**improwizacja** *f* improvisation
**improwizować** *vt* improvise
**impuls** *m* impulse
**impulsywny** *adj* impulsive
**inaczej** *adv* otherwise, differently; **tak czy ~** one way or another; **bo ~** or else
**inauguracja** *f* inauguration
**inauguracyjny** *adj* inaugural
**inaugurować** *vt* inaugurate
**in blanko** *adv* in blank
**incydent** *m* incident
**indagacja** *f* examination
**indagować** *vt* examine, interrogate
**indeks** *m* index
**indemnizacja** *f prawn.* indemnity, indemnification
**Indianin** *m* Indian
**indiański** *adj* Indian
**Indonezyjczyk** *m* Indonesian
**indonezyjski** *adj* Indonesian
**indukcja** *f* induction
**indukcyjny** *adj* inductive
**indyczka** *f* turkey-hen
**indyjski** *adj* Indian, Hindu
**indyk** *m* turkey
**indywidualista** *m* individualist
**indywidualizm** *m* individualism
**indywidualność** *f* individuality; (*osoba*) personality
**indywidualny** *adj* individual
**indywiduum** *n sing nieodm.* individual
**inercja** *f* inertia, inertness
**infekcja** *f* infection
**inflacja** *f* inflation
**informacja** *f* information (**o czymś** on ⟨about⟩ sth)
**informacyjn|y** *adj* informative; **biuro ~e** inquiry-office, intelligence-office
**informator** *m* informant; (*publikacja*) guide-book
**informować** *vt* inform; **~ się** *vr* inquire (**u kogoś** of sb, **w sprawie czegoś** for ⟨after⟩ sth), get information (**u kogoś** from sb, **w sprawie czegoś** about sth)
**ingerencja** *f* interference
**ingerować** *vi* interfere (**w coś** with sth)
**inhalacja** *f* inhalation
**inicjał** *m* initial
**inicjator** *m* initiator
**inicjatyw|a** *f* initiative; **wystąpić z**

~ą take the initiative; z ~y on the initiative
**inicjować** *vt* initiate
**iniekcja** *f med.* injection
**inkasent** *m* collector
**inkaso** *n* encashment
**inkasować** *vt* encash
**innowacja** *f* innovation
**innowierca** *m hist.* dissenter
**inny** *adj* other, different; **kto ~** somebody else; **~m razem** another time
**inscenizacja** *f* staging, mise-en--scene
**inscenizować** *vt* stage
**inspekcja** *f* inspection
**inspektor** *m* inspector
**inspekty** *s pl* hothouse, hotbed
**inspiracja** *f* inspiration
**inspirować** *vt* inspire
**instalacja** *f* installation; (*gazowa, hydrauliczna*) plumbery
**instalować** *vt* install; put in; (*wodę, gaz, elektryczność*) lay on
**instancj|a** *f* instance, authority; (*sądowa*) court; **niższa ~a** inferior court; **wyższa ~a** superior court; **w ostatniej ~i** in the last resort
**instrukcj|a** *f* instruction; *pl* **~e** (*dyrektywy, wskazówki*) directions
**instruktor** *m* instructor
**instrument** *m* instrument; appliance
**instrumentalny** *adj* instrumental
**instynkt** *m* instinct
**instyktowny** *adj* instinctive
**instytucja** *f* institution
**instytut** *m* institute
**insygnia** *s pl* insignia
**insynuacja** *f* insinuation
**insynuować** *vt* insinuate
**integracja** *f* integration
**integralny** *adj* integral
**integrować** *vt* integrate
**intelekt** *m* intellect
**intelektualista** *m* intellectualist
**intelektualny** *adj* intellectual
**inteligencja** *f* intelligence; (*warstwa społeczna*) the intellectuals *pl*, intelligentsia
**inteligent** *m* intellectual; (*pracownik umysłowy, urzędnik*) white--collar worker
**inteligentny** *adj* intelligent
**intencja** *f* intention
**intendent** *m* superintendent, manager; *wojsk.* commissary
**intendentura** *f* board of management, supply department; *wojsk.* commissariat
**intensywność** *f* intensity
**intensywny** *adj* intensive
**interes** *m* interest, business, affair; **człowiek ~u** business man; **dobry ~** good bargain; **mieć ~ do kogoś** have business with sb; **przyjść w ~ie** come on business; **robić wielkie ~y** do a great business; **to nie twój ~** it is no business of yours; **to leży w moim ~ie** it is in my own interest
**interesant** *m* (interested) party, client
**interes|ować** *vt* interest, concern; **to mnie wcale nie ~uje** it is not of any interest to me; **~ować się** *vr* be interested (**czymś** in sth), be concerned (**czymś** about, with, in sth), take interest (**czymś** in sth)
**interesowny** *adj* self-interested, selfish
**interesujący** *adj* interesting
**internacjonalizm** *m* internationalism
**internat** *m* boarding-establishment; (*szkoła*) boarding-school
**internować** *vt* intern
**internowany** *m* internee; **obóz ~ch** internment camp
**interpelacja** *f* interpellation
**interpelować** *vt* interpellate
**interpolacja** *f* interpolation
**interpolować** *vt* interpolate
**interpretacja** *f* interpretation
**interpretować** *vt* interpret
**interpunkcja** *f* punctuation
**interwencja** *f* intervention
**interweniować** *vi* intervene
**intonacja** *f* intonation

**intonować** *vt* strike up (a tune); (*wymawiać z intonacją*) intone
**intratny** *adj* lucrative
**introligator** *m* bookbinder
**introligatornia** *f* bookbinder's (shop)
**introligatorstwo** *n* bookbinding
**introspekcja** *f* introspection
**introspekcyjny** *adj* introspective
**intruz** *m* intruder
**intryga** *f* intrigue, scheme
**intrygant** *m* intriguer, schemer
**intrygować** *vt* intrigue, scheme
**intuicja** *f* intuition, insight
**intuicyjny** *adj* intuitive
**intymny** *adj* intimate
**inwalida** *m* invalid; (*żołnierz*) disabled soldier ⟨sailor⟩
**inwazja** *f* invasion
**inwektywa** *f* invective
**inwentaryzować** *vt* take stock (**coś** of sth)
**inwentarz** *m* inventory, stock-book; **żywy ~** livestock
**inwersja** *f* inversion
**inwestować** *vt* invest
**inwestycja** *f* investment
**inwigilacja** *f* invigilation
**inwigilować** *vt* invigilate; watch (**kogoś, coś** over sb, sth)
**inżynier** *m* engineer
**inżynieria** *f* engineering
**Irlandczyk** *m* Irishman
**irlandzki** *adj* Irish
**ironia** *f* irony
**ironiczny** *adj* ironical
**ironizować** *vi* speak with irony
**irracjonalny** *adj* irrational
**irygacja** *f* irrigation
**irygator** *m med.* irrigator
**irys** *m bot.* iris
**irytacja** *f* irritation
**irytować** *vt* irritate; **~ się** *vr* become irritated (**czymś** at sth)
**ischias** *m med.* sciatica
**iskra** *f* spark
**iskrzyć się** *vr* sparkle
**Islandczyk** *m* Icelander
**islandzki** *adj* Icelandic
**istnieć** *vi* exist
**istnienie** *n* existence
**istny** *adj* real; **~ łajdak** a very rogue
**istota** *f* being, creature; (*to, co zasadnicze*) essence, substance; **~ rzeczy** heart of the matter; **w istocie rzeczy** as a matter of fact
**istotnie** *adv* in reality, really
**istotny** *adj* real, essential (**dla kogoś, czegoś** to sb, sth), substantial
**iście** *adv* really, truly
**iść** *vi* go, walk; **~ dalej** go on; **~ po coś** go and fetch ⟨get⟩ sth; **~ za kimś, czymś** follow sb, sth; **~ w czyjeś ślady** follow in sb's steps; **jak ci idzie?** how are you doing?; **o co idzie?** what's the matter?; **interes idzie dobrze** the business is a going concern; **idzie o życie** life is at stake
**iwa** *f bot.* sallow
**izba** *f* apartment, room; (*parlamentu, sala*) chamber; **~ handlowa** Chamber of Commerce; **Izba Gmin ⟨Lordów⟩** House of Commons ⟨of Lords⟩; **~ chorych** sick-room
**izolacja** *f* isolation; (*elektryczna, cieplna*) insulation
**izolacjonizm** *m* isolationism
**izolacyjny** *adj* insulating
**izolator** *m* insulator
**izolować** *vt* isolate; *fiz.* insulate
**izoterma** *f fiz.* isotherm
**izotop** *m* isotope
**Izraelita** *f* Israelite
**izraelski** *adj* Israeli
**iż** *conj* that

# j

**ja** *pron* I; **to ja** it's me, it is I; **własne ja** self
**jabłecznik** *m* cider
**jabłko** *n* apple; ~ **Adama** Adam's apple
**jabłoń** *f* apple-tree
**jacht** *m* yacht
**jachtklub** *m* yacht-club
**jad** *m* venom
**jadalnia** *f* dining-room
**jadalny** *adj* eatable, edible
**jadło** *n* food, fare
**jadłodajnia** *f* eating-house, restaurant
**jadłospis** *m* bill of fare
**jadowity** *adj* venomous
**jaglan|y** *adj*, **kasza** ~**a** millet-groats
**jaglica** *f* *med.* trachoma
**jagnię** *n* lamb
**jagoda** *f* berry; **czarna** ~ bilberry
**jajecznica** *f* scrambled eggs
**jajk|o** *n* egg; ~**o na miękko** ⟨**na twardo**⟩ soft ⟨hard⟩ boiled egg; ~**a sadzone** fried eggs; ~**o święcone** Easter egg
**jajnik** *m* *anat.* ovary
**jak** *adv conj part* how, as; ~ **to?** how is that?; ~ **najprędzej** as soon as possible; ~ **najwięcej** as much ⟨many⟩ as possible; ~ **tylko** as soon as; ~ **bądź** anyhow; **tak ... ~ ...** as ... as ...; **nie tak ... ~ ...** not so ... as ...; ~ **gdyby** as if; ~ **również** as well as; **on jest taki ~ ja** he is like me
**jakby** *adv conj* as if
**jak|i** *pron* what; ~**a to książka?** what book is this?; ~**i bądź** any one; ~**im sposobem** in what way, how; ~**im bądź sposobem** in any way; ~**iś ty dobry!** how good are you!; ~**i ojciec taki syn** like father like son
**jakikolwiek** *pron* any, whatever
**jakiś** *pron* some
**jakkolwiek** *conj* (al)though; *adv* anyhow, somehow, in any ⟨some⟩ way
**jako** *adv conj* as; ~ **też** also, as well as; ~ **tako** in a fashion, tolerably
**jakoś** *adv* somehow; ~ **to będzie** things will work out
**jakościowy** *adj* qualitative
**jakość** *f* quality
**jałmużna** *f* alms
**jałowiec** *m* *bot.* juniper
**jałowieć** *vi* grow barren, become sterile
**jałowy** *adj* barren, sterile; *przen.* futile, vain
**jałówka** *f* heifer
**jama** *f* pit, burrow; ~ **ustna** oral cavity
**jamnik** *m* badgerdog
**Jankes** *m* Yankee
**Japończyk** *m* Japanese
**japoński** *adj* Japanese
**jar** *m* ravine
**jarmark** *m* fair
**jarosz** *m* vegetarian
**jarski** *adj* vegetarian
**jar|y** *adj*, **zboże** ~**e** summer corn, spring crops
**jarząbek** *m* *zool.* hazelhen
**jarzeniówka** *f* *elektr.* glow-tube lamp
**jarzębiak** *m* rowan vodka
**jarzębina** *f* *bot.* sorb, rowan
**jarzmo** *n* yoke
**jarzyn|a** *f* vegetable, *zw. pl* ~**y** greens, vegetables
**jarzynow|y** *adj*, **zupa** ~**a** vegetable-soup
**jasełka** *s pl* Christmas play ⟨puppet-show⟩
**jasiek** *m* small pillow
**jaskier** *m* *bot.* buttercup
**jaskinia** *f* cave, cavern
**jaskiniowy** *adj*, **człowiek** ~ cave-man

**jaskółka** *f zool.* swallow
**jaskrawy** *adj* glaring; (*o kolorze*) garish; (*wierutny*) arrant, rank; (*rażący*) crass
**jasno** *adv* clearly, brightly; **~ mówić** speak plain; **zrobiło się ~** it downed
**jasność** *f* clearness, brightness
**jasnowidz** *m* seer
**jasny** *adj* bright, clear, light; (*o cerze, włosach*) fair
**jastrząb** *m zool.* hawk
**jasyr** *m hist.* slavery, captivity
**jaszcz** *m wojsk.* caisson
**jaszczur** *m zool.* salamander
**jaszczurka** *f zool.* lizard
**jaśmin** *m bot.* jasmine
**jaśnieć** *vi* shine
**jatka** *f* butcher's shop; *przen.* (*rzeź*) shambles
**jaw** *m*, **wyjść na ~** come to light; **wydobyć na ~** bring to light
**jaw|a** *f* waking; **sen na ~ie** day-dream
**jawnie** *adv* openly, evidently
**jawność** *f* publicity, evidence, openness
**jawny** *adj* manifest, evident, open, public
**jawor** *m bot.* sycamore
**jaz** *m* weir
**jazd|a** *f* ride, drive; (*podróż*) journey; (*krótka podróż*) trip; (*statkiem*) sail, voyage; **~a konna** horsemanship; **prawo ~y** driver's ⟨driving⟩ license
**jaźń** *f* ego, self
**jądro** *n* kernel; *biol. fiz.* nucleus
**jądrowy** *adj* nuclear
**jąkać się** *vr* stammer
**jąkała** *m* stammerer
**jątrzyć** *vt* irritate, excite, chafe; (*podjudzać*) instigate; **~ się** *vr* (*o ranie*) suppurate, fester
**jechać** *vi* go (**pociągiem** by train, **statkiem** by boat); ride (**konno** on horseback, **autobusem** in a bus, **samochodem** in a motor-car, **rowerem** a bicycle, on a bicycle); drive; travel
**jed|en** *num* one, a; **ani ~en** not a single; **co do ~nego** to the last man ⟨thing⟩; **~en po drugim** one after another; **sam ~en** alone, all by himself; **wszystko ~no** all the same, no matter; **co to za ~en?** who is he?; **na ~no wychodzi** makes no difference
**jedenasty** *num* eleventh
**jedenaście** *num* eleven
**jedlina** *f* fir-wood; fir-grove
**jednać** *vt* conciliate, reconcile; (*sobie*) win; **~ się** *vr* become reconciled
**jednak** *conj adv* but yet, still; however, nevertheless, after all, for all that
**jednaki, jednakowy** *adj* the same, equal, identical
**jednakowo** *adv* equally, alike, in the same way
**jednoaktówka** *f* one-act play
**jednobarwny** *adv* one-coloured, plain
**jednoczesny** *adj* simultaneous
**jednocześnie** *adv* simultaneously, at the same time
**jednoczyć** *vt*, **~ się** *vr* unite, consolidate
**jednodniowy** *adj* one day's
**jednogłośny** *adj* unanimous
**jednokierunkowy** *adj*, **ruch ~** one-way traffic
**jednokomórkowy** *adj* unicellular
**jednokrotny** *adj* single
**jednolitość** *f* uniformity
**jednolity** *adj* uniform
**jednomyślnie** *adv* unanimously, with one consent
**jednomyślność** *f* unanimity
**jednomyślny** *adj* unanimous
**jednonogi** *adj* one-legged
**jednoosobowy** *adj* single, one-man *attr*
**jednopiętrowy** *adj* one-storied
**jednopłatowiec** *m* monoplane
**jednorazowy** *adj* single
**jednoręczny** *adj* one-handed
**jednoroczny** *adj* one-year *attr*, one year's
**jednorodny** *adj* homogeneous
**jednostajność** *f* monotony

**jednostajny** *adj* monotonous
**jednostk|a** *f* unit, individual; **kult ~i** personality cult
**jednostronność** *f* unilaterality, one-sidedness
**jednostronny** *adj* unilateral, one--sided
**jedność** *f* unity
**jednotorowy** *adj* single-track, single-line
**jednozgłoskowy** *adj* monosyllabic
**jednoznaczny** *adj* synonymous
**jedwab** *m* silk
**jedwabnik** *m zool.* silkworm
**jedynaczka** *f* only daughter
**jedynak** *m* only son
**jedynie** *adv* only, solely, merely
**jedynka** *f* one
**jedynowładca** *m* autocrat
**jedynowładztwo** *n* autocracy
**jedyny** *adj* only, sole, single; (*wyjątkowy*) unique
**jedzeni|e** *n* eating; meal, food; **po ~u** after meal(s)
**jeleń** *m* deer; (*samiec*) stag
**jelit|o** *n* intestine; *pl* **~a** intestines, bowels
**jełczeć** *vi* become rancid
**jemioła** *f bot.* mistletoe
**jeniec** *m* prisoner, captive; **~ wojenny** prisoner of war
**jesienny** *adj* autumnal, (*o modzie, porze*) autumn *attr*
**jesień** *f* autumn, *am.* fall
**jesion** *m bot.* ash(-tree)
**jesionka** *f* overcoat
**jesiotr** *m zool.* sturgeon
**jestestwo** *n* being
**jeszcze** *adv* still, yet; beside; else; more; **~ długo** for a long time to come; **~ do niedawna** until quite recently; **~ dwie mile** another two miles; **~ do dzisiaj** to this very day; **~ jedna szklanka** one more glass; **~ pięć minut** another five minutes; **~ raz** once more; **czego ~ chcesz?** what more ⟨else⟩ do you want?; **czy (chcesz) ~ trochę chleba?** a little more bread?
**jeść** *vt vi* eat; **chce mi się ~** I'm hungry; **~ śniadanie** have breakfast; **~ obiad** have dinner, dine; **~ kolację** have supper, sup
**jeśli** *conj* if; **~ nie** unless
**jezdnia** *f* road, roadway
**jezioro** *n* lake
**jezuicki** *adj* Jesuit; *przen.* (*podstępny*) Jesuitical
**jezuita** *m* Jesuit
**jeździć** *vi* travel, go; **~ po Polsce** travel about Poland; *zob.* **jechać**
**jeździec** *m* horseman, rider
**jeż** *m zool.* hedgehog
**jeżeli** *zob.* **jeśli**
**jeżyć się** *vr* bristle
**jeżyna** *f bot.* blackberry
**jęczeć** *vi* groan, moan; (*utyskiwać*) grumble (**na coś** at, about sth)
**jęczmień** *m bot.* barley; (*na oku*) stye
**jędrny** *adj* pithy, sappy; vigorous
**jędza** *f* shrew, vixen
**jęk** *m* groan, moan
**języczek** *m* little tongue; (*u wagi*) cock
**język** *m* tongue; language; **~ ojczysty** mother tongue; vernacular; **pokazać ~** put out one's tongue; *przen.* **zapomnieć ~a w gębie** lose one's tongue
**językowy** *adj* linguistic; *anat.* lingual
**językoznawstwo** *n* linguistics
**jod** *m* iodine
**jodełk|a** *f* small fir; **wzór w ~ę** herring-bone pattern
**jodła** *f bot.* fir(-tree)
**jodoform** *m* iodoform
**jodyna** *f* tincture of iodine, *pot.* iodine
**jolka** *f mors.* yawl
**jon** *m fiz.* ion
**jowialność** *f* joviality
**jowialny** *adj* jovial
**jubilat** *m* man celebrating his jubilee
**jubiler** *m* jeweller
**jubileusz** *m* jubilee
**jucht** *m* Russian leather
**juczny** *adj*, **koń ~** packhorse
**judzić** *vt* instigate, abet

**Jugosłowianin** *m* Yugoslav
**jugosłowiański** *adj* Yugoslav(ian)
**junak** *m* brave
**junior** *m* junior
**juta** *f bot.* jute
**jurysdykcja** *f* jurisdiction
**juta** *f* jute
**jutr|o** *adv* tomorrow; *n* next day, *lit.* morrow; **do ~a** till <see you> tomorrow
**jutrzejszy** *adj* tomorrow's
**jutrzenka** *f* morning star; (*brzask*) dawn
**już** *adv* already; **~ nie** no more; **~ niedługo** very soon; not any longer; **~ nigdy** nevermore; **~ o piątej godzinie** as early as 5 o'clock

# K

**kabał|a** *f* (*wróżenie*) fortune-telling; (*trudne położenie*) scrape; **wpaść w ~ę** get oneself into a bad fix
**kabaret** *m* cabaret
**kabel** *m* cable
**kabina** *f* cabin; (*telefoniczna*) telephone booth; (*w samolocie*) cockpit
**kabłąk** *m* bow, arch
**kabłąkowaty** *adj* arched
**kabotyn** *m* buffoon
**kabotyński** *adj* buffoonish
**kabura** *f* holster
**kabz|a** *f pot.* purse; **nabić ~ę** load the purse
**kacerz** *m rel.* heretic
**kacyk** *m* cacique; *uj.* (*samowolny dygnitarz*) princeling, petty boss
**kaczan** *m* stump
**kaczk|a** *f zool.* duck; *przen.* (*fałszywa pogłoska*) canard, hoax; **puszczać ~i na wodzie** play ducks and drakes
**kaczor** *m zool.* drake
**kadencj|a** *f* cadence, rhythm; (*czas urzędowania*) term (of office); **pełnić obowiązki przez jedną ~ę** serve one term
**kadet** *m* cadet
**kadłub** *m* trunk; (*statku*) hull; (*rozbitego statku*) hulk; (*samolotu*) fuselage
**kadra** *f* staff; *wojsk.* cadre
**kaduk** *m*, **prawem ~a** illegally, lawlessly; **do ~a!** the duce!
**kadzić** *vt* incense
**kadzidło** *n* incense
**kadź** *f* tub
**kafar** *m* rammer, pile-driver
**kafel** *m* tile
**kaftan** *m* jacket; **~ bezpieczeństwa** strait-jacket
**kaftanik** *m* bodice; (*dla dziecka*) vest
**kaganek** *m* oil-lamp
**kaganiec** *m* muzzle; (*pochodnia*) torch; **nałożyć psu ~** muzzle the dog
**kajać się** *vr* repent (**z powodu czegoś** sth, of sth), do penance
**kajak** *m* canoe, kayak; **płynąć ~iem** canoe
**kajdany** *s pl* chains, fetters; (*na ręce*) handcuffs; **zakuć w ~** put in chains <handcuff> (**kogoś** sb), put handcuffs (**kogoś** on sb), to handcuff; **skruszyć ~** throw off the chains
**kajuta** *f* cabin
**kakao** *n nieodm.* cocoa
**kakofonia** *f* cacophony
**kaktus** *m* cactus
**kalać** *vt* foul, pollute
**kalafior** *m* cauliflower
**kalafonia** *f* colophony
**kalambur** *m* quibble, pun
**kalarepa** *f* kohl-rabi

**kalectwo** *n* crippledom, deformity; lameness
**kaleczyć** *vt* maim, mutilate; *przen.* **~ angielski** murder one's English
**kalejdoskop** *m* kaleidoscope
**kaleka** *m f* cripple
**kalendarz** *m* calendar; **~ kartkowy** block calendar
**kalesony** *s pl* drawers, *pot.* pants
**kaliber** *m* calibre
**kaligrafia** *f* calligraphy
**kaligraficzny** *adj* calligraphic
**kalina** *f bot.* guelder-rose
**kalka** *f* carbon-paper; (*kopia przez kalkę*) carbon-copy
**kalkomania** *f* transfer, decalcomania
**kalkować** *vt* calk, trace over
**kalkulacja** *f* calculation, computation
**kalkul|ować** *vt* calculate, compute; **to się nie ~uje** this is a losing deal
**kaloria** *f* calorie
**kaloryczny** *adj* caloric
**kaloryfer** *m* radiator, heater
**kalosz** *m* (rubber) overshoe, galosh
**kalumni|a** *f* calumny; **rzucać ~e** calumniate (**na kogoś** sb)
**kalwin** *m* Calvinist
**kalwiński** *adj* Calvinist
**kał** *m* excrement
**kałamarz** *m* inkstand
**kałuża** *f* puddle
**kamasz** *m* gaiter; (*płytki*) spat
**kamea** *f* cameo
**kameleon** *m zool.* chameleon
**kamelia** *f bot.* camellia
**kamera** *f fot.* camera
**kameraln|y** *adj*, **muzyka ~a** chamber music
**kamerton** *m muz.* tuning-fork
**kamfora** *f* camphor
**kamieniarstwo** *n* stone-cutting
**kamieniarz** *m* stone-cutter
**kamienica** *f* tenement-house, block of flats, *am.* apartment-house
**kamieniołom** *m* quarry
**kamienisty** *adj* stony
**kamienn|y** *adj* stone; **węgiel ~y** (black) coal; **sól ~a** rock-salt; *przen.* **~e serce** heart of stone
**kamienować** *vt* stone
**kamień** *m* stone; **drogi ~** precious stone; **~ graniczny** landmark; **~ młyński** millstone; **~ węgielny** corner-stone; **~ do zapalniczek** flint
**kamizelka** *f* waistcoat
**kampania** *f* campaign; **~ siewna** sowing compaign; **~ wyborcza** electioneering campaign; **~ żniwna** harvest campaign
**kamrat** *m pot.* chum, pal
**kamyk** *m* pebble stone; (*do zapalniczki*) flint
**Kanadyjczyk** *m* Canadian
**kanadyjski** *adj* Canadian
**kanalia** *f wulg.* scoundrel, rascal
**kanalizacja** *f* (*budowa kanałów*) canalization; (*urządzenie*) sewerage, sewage works
**kanalizować** *vt* provide with a sewage system
**kanał** *m* canal; (*morski*) channel; (*miejski*) sewer; *anat.* duct
**kanapa** *f* sofa, settee
**kanapka** *f* couch; (*przekąska*) snack, sandwich
**kanarek** *m* canary
**kancelaria** *f* office
**kancelaryjn|y** *adj* office *attr*; **papier ~y** foolscap paper; **praca ~a** office duties
**kancelista** *m* clerk
**kanciarz** *m pot.* crook, swindler, trickster
**kanclerz** *m* chancellor
**kandelabr** *m* chandelier
**kandydat** *m* candidate
**kandydatura** *f* candidature
**kandydować** *vi* be a candidate (**do czegoś** for sth); (*do parlamentu*) contest a seat (in Parliament)
**kangur** *m zool.* kangaroo
**kanikuła** *f* dog-days
**kanon** *m* standard; (*także muz.*) canon
**kanonada** *f* cannonade
**kanoniczny** *adj* canonic(al)
**kanonier** *m* gunner

**kanonierka** *f wojsk.* gunboat
**kanonik** *m* canon
**kanonizacja** *f* canonization
**kanonizować** *vt* canonize
**kant** *m* edge; angle; (*u spodni*) crease; *pot.* (*oszustwo*) swindle, take-in, fraud
**kantor 1.** *m* (*kontuar, lada*) counter; (*biuro*) counting-house
**kantor 2.** *m* (*śpiewak*) chanter
**kantyna** *f* canteen
**kanwa** *f* canvas
**kańczug** *m* whip, scourge
**kapa** *f* covering, bed-cover; (*szata*) cope
**kapać** *vi* dribble, trickle
**kapce** *s pl* snowboots
**kapeć** *m* slipper
**kapela** *f* orchestra, band
**kapelan** *m* chaplain
**kapelmistrz** *m* bandmaster
**kapelusz** *m* hat; **bez ~a** with no hat on
**kapelusznik** *m* hatter
**kaperować** *vt hist.* privateer, go privateering; *vt* capture, win over
**kaperstwo** *n* privateering
**kapiszon** *m* hood; (*spłonka*) percussion cap
**kapitalista** *m* capitalist
**kapitalistyczny** *adj* capitalistic
**kapitalizm** *m* capitalism
**kapitalny** *adj* capital; **remont ~** general overhaul
**kapitał** *m* capital; **~ zakładowy ⟨akcyjny⟩** capital stock; **~ obrotowy** acting ⟨circulating⟩ capital
**kapitan** *m* captain
**kapitel** *m arch.* capital
**kapitulacja** *f* capitulation, surrender
**kapitulować** *vi* capitulate, surrender
**kapituła** *f* chapter
**kaplica** *f* chapel
**kapłan** *m* priest
**kapłański** *adj* priestly, sacerdotal
**kapłaństwo** *n* priesthood
**kapłon** *m* capon
**kapota** *f* (long) coat
**kapral** *m wojsk.* corporal
**kaprys** *m* caprice, whim, fad, fancy
**kapryśny** *adj* capricious, whimsical
**kapsla** *f* (*u butelki*) cap; (*u broni*) percussion cap; (*okucie*) capping
**kapsułka** *f* capsule
**kaptować** *vt* win (**sobie kogoś** sb to oneself); (*wyborców, klientów*) canvass
**kaptur** *m* hood; (*mnisi, u komina*) cowl
**kapturek** *m* hood; **Czerwony Kapturek** Red Riding Hood
**kapusta** *f* cabbage; **~ kiszona** sauerkraut
**kapuśniak** *m* sauerkraut soup
**kar|a** *f* punishment; (*sądowa*) penalty; (*pieniężna*) fine; (*śmierci*) capital punishment, death-penalty; **podlegać karze** be punishable: **ponieść ~ę** undergo a punishment; **skazać na ~ę pieniężną** fine; **wymierzyć ~ę** inflict a penalty (**komuś** on sb); **pod ~ą** under ⟨on⟩ pain (np. **śmierci** of death)
**karabin** *m* rifle, gun; **~ maszynowy** machine-gun
**karać** *vt* punish; (*sądownie, w sporcie*) penalize; **~ grzywną** fine; **~ śmiercią** inflict the capital punishment (**kogoś** on sb)
**karafka** *f* water-bottle; (*na alkohol*) decanter
**karakuły** *s pl* (*futro*) astrakhan
**karalny** *adj* punishable
**karaluch** *m zool.* cockroach
**karambol** *m* collision, clash
**karaś** *m zool.* crucian
**karat** *m* carat
**karawan** *m* hearse
**karawana** *f* caravan
**karawaniarz** *m* bearer, undertaker's man
**karb** *m* notch, score; **kłaść na ~** put it down (**kogoś, czegoś** to sb, sth); **trzymać w ~ach** keep a tight hand (**kogoś** on sb)
**karbid** *m chem.* carbide

**karbol** *m chem.* carbolic acid
**karbować** *vt* notch, score; (*fałdować*) crease, fold; (*o włosach*) curl
**karburator** *m* carburettor
**karcer** *m* lock-up, detention
**karciarz** *m* gambler
**karcić** *vt* reprimand, reprove
**karczma** *f* tavern, inn
**karczmarz** *m* innkeeper
**karczoch** *m bot.* artichoke
**karczować** *vt* (*pnie, krzaki*) grub out; (*ziemię*) clear
**kardiografia** *f* cardiography
**kardynalny** *adj* cardinal, fundamental
**kardynał** *m* cardinal
**kareta** *f* carriage, coach
**karetka** *f* chaise; ~ **pogotowia** ambulance
**kariera** *f* career
**karierowicz** *m* pushing person, *pot.* climber
**kark** *m* neck; **chwycić za** ~ collar, seize by the neck; **mieć na** ~**u** have on one's hands; **pędzić na złamanie** ~**u** drive at a breakneck speed; **siedzieć komuś na** ~**u** be on sb's hand; **skręcić** ~ break one's neck
**karkołomny** *adj* breakneck *attr*
**karłowaty** *adj* dwarfish
**karmazyn** *m* crimson
**karmel** *m* caramel
**karmelek** *m* caramel, bonbon
**karmić** *vt* feed, nourish; (*piersią*) suckle; ~ **się** *vr* feed, live (**czymś** on sth)
**karmin** *m* carmine
**karnawał** *m* carnival
**karność** *f* discipline
**karny** *adj* disciplined, docile; (*o prawie*) penal; (*o sądzie*) criminal; (*karzący*) punitive (expedition etc.)
**kar|o** *n* (*w kartach*) *zw. pl* ~**a** diamonds
**karoseria** *f* body
**karp** *m* carp
**kart|a** *f* card; (*książki*) leaf, page; (*dokument*) charter; (*do gry*) playing-card; ~**a tożsamości** identity card; ~**a tytułowa** title-page; **(roz)dawać** ~**y** deal cards; **mieć dobrą** ~**ę** have a good hand; *przen.* **odkrycie** ~ show-down; **grać w otwarte** ~**y** show down; **odkryć** ~**y** show down; **stawiać na jedną** ~**ę** stake all on one card
**kartel** *m* cartel
**kartka** *f* leaf, slip (of paper); (*na bagażu, towarze*) label; ~ **żywnościowa na chleb** bread coupon; ~ **pocztowa** postcard
**kartofel** *m* potato
**kartografia** *f* cartography
**karton** *m* cardboard, pasteboard; (*pudło tekturowe*) carton
**kartoteka** *f* card-index
**karuzela** *f* merry-go-round
**karygodny** *adj* punishable, culpable
**karykatura** *f* caricature, cartoon
**karykaturzysta** *m* cartoonist
**karzeł** *m* dwarf
**kasa** *f* cash-desk, cashier's window; (*podręczna*) cash-box, cash-drawer; (*kolejowa*) booking-office, *am.* ticket-office; (*teatralna*) box-office; ~ **oszczędności** savings-bank
**kasacja** *f* cassation
**kasacyjny** *adj*, **sąd** ~ court of cassation ⟨of appeal⟩
**kasetka** *f* casket; cash-box
**kasjer** *m* cashier, (*bankowy*) teller
**kask** *m* helmet
**kaskada** *f* cascade
**kasować** *vt* cancel, annul
**kasownik** *m muz.* natural; *filat.* postmark, cancellation; (*datownik*) dater
**kasta** *f* caste
**kastowość** *f* caste system
**kastrować** *vt* castrate
**kasyno** *n* casino, club
**kasza** *f* groats
**kaszel** *m* cough
**kaszka** *f* gruel
**kaszkiet** *m* cap
**kaszleć** *vi* cough

**kasztan** *m* chestnut(-tree); (*koń*) chestnut
**kat** *m* executioner, hangman
**katafalk** *m* catafalque
**kataklizm** *m* cataclysm
**katalizator** *m* *chem.* catalyst, catalyser
**katalog** *m* catalogue
**katalogować** *vt* catalogue
**katar** *m* cold; catarrh; **nabawić się ~u** catch a cold
**katarakta** *f* cataract
**katarynka** *f* barrel-organ
**katastrofa** *f* catastrophe, calamity; (*np. kolejowa*) crash
**katastrofalny** *adj* catastrophic
**katechizm** *m* catechism
**katedra** *f* cathedral; (*na uniwersytecie*) chair
**kategoria** *f* category
**kategoryczny** *adj* categorical
**katoda** *f* *elektr.* cathode
**katolicki** *adj* Catholic
**katolicyzm** *m* Catholicism
**katolik** *m* Catholic
**katorga** *f* forced labour, penal servitude
**katować** *vt* torment, torture
**katusze** *s pl* torture
**kaucj|a** *f* security, deposit; (*sądowa*) bail; **za ~ą** on bail
**kauczuk** *m* caoutchouc
**kaukaski** *adj* Caucasian
**kaw|a** *f* coffee; **młynek do ~y** coffee-mill
**kawaler** *m* (*nieżonaty*) bachelor; (*galant*) gallant; (*orderu*) knight; *hist.* cavalier
**kawaleria** *f* cavalry
**kawalerka** *f* bachelor's flat
**kawalerski** *adj* bachelor's; **stan ~** celibacy; **pokój ~** bachelor's room
**kawalerzysta** *m* cavalry man, trooper
**kawalkada** *f* cavalcade
**kawał** *m* piece, lump; (*dowcip*) joke; **brzydki ~** foul trick; **zrobić komuś ~** play sb a trick, (*okpić*) bamboozle sb
**kawał|ek** *m* bit, morsel, piece; **~ek cukru** lump of sugar; **po ~ku** piece by piece
**kawiarnia** *f* coffee-house, café
**kawior** *m* caviar
**kawka** *f* *zool.* jackdaw
**kazać** *vi* bid, order, let
**kazanie** *n* sermon
**kazić** *vt* pollute, corrupt, contaminate; (*alkohol*) denature
**kazirodztwo** *n* incest
**kaznodzieja** *m* preacher
**kazuistyka** *f* casuistry
**kaźń** † *f* torture; (*stracenie*) execution
**każdy** *pron* every, each, everybody, everyone; **~ z dwóch** either
**kącik** *m* nook
**kądziel** *f* distaff; **po ~i** on the distaff side
**kąkol** *m* cockle
**kąpać** *vt* bathe; **~ się** *vr* bathe, (*w łazience*) have a bath, (*w rzece, morzu*) have a bathe
**kąpiel** *f* (*w łazience*) bath, (*w rzece, morzu*) bathe; **~ słoneczna** sun-bath
**kąpielisko** *n* (*miejscowość*) spa, watering place; (*zakład*) bath-house
**kąpielowy** *adj*, **strój ~** bathing costume
**kąsać** *vt* bite
**kąsek** *m* bit, morsel
**kąt** *m* corner; *mat.* angle; **~ prosty** right angle; **~ ostry** acute angle; **~ rozwarty** obtuse angle; **~ przeciwległy** alternate angle; **~ przyległy** contiguous angle; **~ załamania światła** angle of refraction; **pod ~em widzenia** from the point of view
**kątomierz** *m* protractor
**kątowy** *adj* *mat.* angular
**kciuk** *m* thumb
**kelner** *m* waiter
**kelnerka** *f* waitress
**keson** *m* *techn.* *wojsk.* caisson
**kędzierzawy** *adj* curly, crisp
**kędzior** *m* curl, lock
**kępa** *f* (*drzew*) clump; (*pęk*) cluster; (*wysepka*) holm

**kępka** *f* cluster, (*np. włosów*) tuft
**kęs** *m* bit, morsel
**kibic** *m* looker-on; *am. pot.* kibitzer
**kibić** *f* waist, figure
**kichać** *vi* sneeze
**kicz** *m* daub; kitsch
**kiecka** *f pot.* skirt, frock
**kiedy** *conj* when, as; *adv* ever; **~ wrócisz?** when will you be back?; **rzadko ~** hardly ever; **~ indziej** some other time
**kiedykolwiek** *conj* whenever; *adv* **~ indziej** some other time
**kiedyś** *adv* once, at one time, (*w przyszłości*) some day
**kielich** *m* goblet, cup
**kieliszek** *m* glass
**kielnia** *f* trowel
**kieł** *m* (*u człowieka*) canine tooth; (*u słonia*) tusk; (*u psa*) fang
**kiełbasa** *f* sausage
**kiełek** *m* sprout, shoot
**kiełkować** *vi* sprout, shoot (forth)
**kiełznać** *vt* bit, bridle
**kiep** *m* simpleton, blockhead
**kiepski** *adj* mean, good for nothing
**kier** *m* (*w kartach*) *zw. pl* **~y** hearts
**kierat** *m* treadmill
**kiermasz** *m* fair; **~ książki** book-fair
**kierować** *vi vt* lead, direct, govern (**czymś** sth); drive (**samochodem** a car); (*zarządzać*) manage; **~ się** *vr* proceed in the direction; be guided (**czymś** by sth); act (**czymś** according to sth)
**kierowca** *m* driver
**kierownica** *f* steering-wheel; (*u roweru*) handle bar
**kierownictwo** *n* management, administration, direction
**kierowniczy** *adj* managing, directive
**kierownik** *s* manager, director, head
**kierunek** *s* direction, course; *przen.* trend, tendency
**kierunkow|y** *adj* directional; (*radio*) antena **~a** beam antenna
**kiesa** † *f* purse
**kieszeń** *f* pocket
**kieszonka** *f* small pocket
**kieszonkowe** *n* pocket money
**kieszonkowiec** *m* pickpocket
**kij** *m* stick, cane; **dostać ~e** get a good beating
**kijanka** *f zool.* tadpole
**kikut** *m* stump
**kilim** *m* rug, carpet
**kilka, kilku** *num* some, a few
**kilkakrotnie** *adv* several times, repeatedly
**kilkakrotny** *adj* repeated
**kilkudniowy** *adj* several days'
**kilkuletni** *adj* several years'
**kilof** *m* pickaxe
**kilogram** *m* kilogram(me)
**kilometr** *m* kilometre
**kinematograf** † *m* cinematograph; (*kino*) cinema
**kinematografia** *f* cinematography
**kinetyka** *f* kinetics
**kino** *n* cinema, pictures *pl*, *pot.* movies *pl*
**kiosk** *m* booth, stall, kiosk; (*z gazetami*) news stall ⟨stand⟩
**kipieć** *vi* boil
**kir** *m* pall, shroud
**kisić** *vt* (*kwasić*) sour; (*marynować*) pickle
**kisiel** *m* jelly, fruit cream
**kisnąć** *vi* sour, ferment
**kiszk|a** *f* intestine, gut; (*wędlina*) pudding, sausage; *pot.* **zapalenie ślepej ~i** appendicitis
**kiść** *f* bunch, tuft
**kit** *m* putty
**kitel** *m* smock-frock
**kitować** *vt* putty
**kiwać** *vi* wag, shake; beckon (**na kogoś** to sb); **~ głową** nod; **~ ręką** wave one's hand (**na kogoś** to sb); **~ się** *vr* wag, totter
**klacz** *f* mare
**klajster** *m* glue, paste
**klaka** *f* claque
**klakson** *m* hooter
**klamka** *f* (door-)handle, latch

**klamra** *f* clasp, buckle; (*nawias*) bracket

**klan** *m* clan

**klapa** *f* flap; *techn.* valve; (*marynarki*) lapel; *pot.* (*niepowodzenie*) flop; ~ **bezpieczeństwa** safety-valve

**klarnet** *m* *muz.* clarinet; ~ **basowy** bass-clarinet

**klarować** *vt* clear, clarify; (*wyjaśniać*) explain

**klarowny** *adj* limpid, clear

**klasa** *f* class; (*sala szkolna*) classroom; (*rocznik szkolny*) form; ~ **pracująca** working class

**klaskać** *vi* clap (**w ręce** one's hands), (*bić brawo*) applaud

**klasow|y** *adj* class; **świadomość ~a** class consciousness; **walka ~a** class struggle

**klasówka** *f* school-work

**klasycyzm** *m* classicism

**klasyczny** *adj* classic(al)

**klasyfikować** *vt* classify

**klasyk** *m* classic

**klasztor** *m* cloister, monastery

**klasztorny** *adj* monastic

**klatka** *f* cage; *anat.* ~ **piersiowa** chest; ~ **schodowa** staircase

**klauzula** *f* clause

**klawiatura** *f* keyboard

**klawisz** *m* key; ~ **biały** natural

**kląć** *vi* swear (**kogoś** at sb); (*przeklinać, złorzeczyć*) curse (**na kogoś** sb); ~ **się** *vr* swear (**na coś** by sth)

**klątwa** *f* anathema, curse

**klecić** *vt* *pot.* botch up, concoct

**kleić** *vt* stick, glue (together), paste; ~ **się** *vr* stick

**kleik** *m* gruel

**kleisty** *adj* sticky

**klej** *m* glue, gum, paste

**klejnot** *m* jewel

**klekot** *m* rattle, clatter

**klekotać** *vi* rattle, clatter

**kleks** *m* blot

**klepać** *vt* hammer, beat; (*ziemię*) stamp; (*po plecach*) slap, clap

**klepisko** *n* threshing-floor

**klepk|a** *f* stave; *przen. pot.* **brak mu piątej ~i** he is crackbrained; he has a screw loose

**klepsydra** *f* hourglass; (*ogłoszenie żałobne*) obituary notice

**kler** *m* clergy

**kleryk** *m* seminarist

**klerykalizm** *m* clericalism

**klerykalny** *adj* clerical; (*o kraju, instytucji*) priest-ridden

**klerykał** *m* clericalist

**kleszcz** *m* *zool.* tick

**kleszcze** *s pl* (*instrument*) pincers, pliers

**klęczeć** *vi* kneel, be on one's knees

**klękać** *vi* kneel down (**przed kimś** to sb)

**klęsk|a** *f* defeat, calamity, disaster; **ponieść ~ę** be defeated; **zadać ~ę** defeat

**klient** *m* client; *handl.* customer, patron

**klientela** *f* customers *pl*

**klika** *f* clique

**klimat** *m* climate

**klimatyczn|y** *adj* climatic; **miejscowość ~a** health-resort

**klimatyzacja** *f* air conditioning

**klimatyzować** *vt* condition

**klin** *m* wedge; **wbijać ~em** wedge in

**klinga** *f* (sword-)blade

**kliniczny** *adj* clinic

**klisza** *f* cliché; *fot.* plate

**kloaka** *f* sewer

**kloc** *m* log, block

**klocek** *m* block

**klomb** *m* flowerbed

**klon** *m* *bot.* maple

**klops** *m* meat-ball

**klosz** *m* glass-cover, glass-bell; (*abażur*) globe; lampshade

**kloszow|y** *adj*, **~e spodnie** bell-bottomed trousers

**klown** *m* clown

**klozet** *m* water-closet

**klub** *m* club

**klucz** *m* key; *muz.* clef; ~ **do nakrętek** spanner; ~ **francuski** wrench; **zamknąć na** ~ lock

**kluczow|y** *adj* key, fundamental; **nuta ~a** keynote

**kluć się** *vr* hatch
**kluska** *f* dumpling
**kładka** *f* foot-bridge
**kłak** *m* flock, wisp; *pl* **~i** (*pakuły*) oakum, wadding
**kłam** † *m*, **zadać komuś ~** give sb the lie
**kłamać** *vi* lie (**przed kimś** to sb)
**kłamca** *m* liar
**kłamliwy** *adj* lying, deceitful, mendacious
**kłamstwo** *n* lie
**kłania|ć się** *vr* greet (**komuś** sb), bow (**komuś** to sb); **~j mu się ode mnie** present him my compliments, give him my regards
**kłaść** *vt* lay, set, put; **~ się** *vr* lie down
**kłąb** *m* clew, ball, roll; **kłęby dymu** wreaths of smoke
**kłębek** *m* ball, roll; *przen.* **~ nerwów** bundle of nerves
**kłębiasty** *adj* billowy; (*o chmurze*) cumulous
**kłębić się** *vr* swell, surge; (*o dymie*) wreathe
**kłoda** *f* log, block; clog
**kłopo|t** *m* embarassment, trouble, bother; **być w ~cie** be at a loss; **mieć ~ty pieniężne** have money troubles; **narobić sobie ~tu** get into trouble; **narobić komuś ~tu** get sb into trouble; **wprawiać w ~t** embarass, give trouble
**kłopotać** *vt* embarass, trouble; **~ się** *vr* be troubled, bother (**o coś** about sth)
**kłopotliwy** *adj* troublesome, embarassing
**kłos** *m* ear; **zbierać ~y** glean
**kłócić się** *vr* quarrel (**o coś** about sth); (*np. o kolorach, poglądach*) clash
**kłódk|a** *f* padlock; **zamknąć na ~ę** padlock
**kłótliwy** *adj* quarrelsome
**kłótnia** *f* quarrel
**kłucie** *n* (*w boku*) stitch
**kłuć** *vt vi* sting, prick; **~ w oczy** be an eyesore (**kogoś** to sb)
**kłus** *m* trot; **~em** at a trot
**kłusować** 1. *vi* (*jechać kłusem*) trot
**kłusować** 2. *vi* (*uprawiać kłusownictwo*) poach
**kłusownictwo** *n* poaching
**kłusownik** *m* poacher
**kmieć** † *m* peasant, farmer
**kmin(ek)** *m* cumin
**knajpa** *f pot.* pub, tavern
**knebel** *m* gag
**kneblować** *vt* gag (**komuś usta** sb)
**knedel** *m* dumpling
**knocić** *vt pot.* bungle, botch
**knot** *m* wick
**knuć** *vt* plot, conspire
**koalicja** *f* coalition
**kobiałka** *f* wicker-basket
**kobieciarz** *m* ladies' man
**kobiecość** *f* womanhood
**kobiec|y** *adj* womanly, womanlike; (*o płci*) female; **prawa ~e** women's rights
**kobierzec** *m* carpet
**kobieta** *f* woman
**kobra** *f zool.* cobra
**kobyła** *f* mare
**kobza** *f muz.* bagpipe
**kobziarz** *m* bagpiper
**koc** *m* blanket, rug
**kochać** *vt* love; **~ się** *vr* be in love (**w kimś** with sb)
**kochanek** *m* lover, love; paramour
**kochanka** *f* lover, love; mistress, paramour
**koci** *adj* catty, catlike; feline
**kociak** *m* kitten; (*dziewczyna*) sweet-and-twenty
**kocię** *n* kitten
**kocioł** *m* kettle, cauldron; *muz.* kettle-drum; **~ parowy** steam-boiler
**kocur** *m* tomcat
**koczować** *vi* nomadize, migrate
**koczownictwo** *n* nomadism
**koczowniczy** *adj* nomadic, migratory
**kod** *m* code
**kodeks** *m* code
**kodyfikacja** *f* codification
**kodyfikować** *vt* codify
**koedukacja** *f* co-education

**koegzystencja** *f* co-existence
**kogut** *m* cock
**koić** *vt* soothe
**koja** *f* berth
**kojarzenie** *n* association
**kojarzyć** *vt* match; (*pojęcia*) associate; ~ **się** *vr* associate, be associated; pair
**kojący** *adj* soothing, alleviative
**kojec** *m* coop
**kokarda** *f* cockade
**kokieteria** *f* coquetry
**kokietka** *f* coquette
**kokietować** *vt* coquet (**kogoś** with sb)
**koklusz** *m med.* (w)hooping-cough
**kokon** *m* cocoon
**kokos** *m* coco-nut
**kokoszka** *f* (brood-)hen
**koks** *m* coke
**koksownia** *f* coking-plant
**kolaboracja** *f* collaboration
**kolaborant** *m* collaborator
**kolaborować** *vi* collaborate
**kolacj|a** *f* supper; **jeść ~ę** have supper, sup
**kolano** *n* knee; (*rury*) joint; (*rzeki*) bend, turn
**kolarstwo** *n* cycling
**kolarz** *m* cyclist
**kolący** *adj* stinging, thorny
**kolba** *f* (*strzelby*) butt-end; *chem.* flask; (*do lutowania*) soldering-iron
**kolczasty** *adj* prickly, thorny; **drut ~** barbed wire
**kolczyk** *m* ear-ring; (*u zwierząt*) ear-mark
**kolebka** *f* cradle
**kolec** *m* prick, thorn; (*u sprzączki*) tongue
**kolega** *m* comrade, mate, companion; (*z pracy*) colleague; (*szkolny*) schoolmate, classmate
**kolegialny** *adj* collegiate
**kolegium** *n sing nieodm.* college; (*grono*) staff, board, committee
**koleina** *f* rut
**kole|j** *f* railway, *am.* railroad; (*następstwo*) turn, succession; **po ~i** in turn, by turns; **~j na mnie** it is my turn
**kolejarz** *m* railwayman
**kolej|ka** *f* narrow-gauge railway; (*ludzi*) queue, line; (*dań, kieliszków*) round; turn; **stać w ~ce** queue up, line up
**kolejno** *adv* in turn, by turns, successively
**kolejnoś|ć** *f* succession, rotation; **w ~ci** by rotation
**kolejny** *adj* successive, next
**kolekcja** *f* collection
**kolekcjoner** *m* collector
**kolekcjonować** *vt* collect
**kolektura** *f* lottery office
**kolektyw** *m* collective body
**kolektywizacja** *f* collectivization
**kolektywizm** *m* collectivism
**kolektywn|y** *adj* collective; **gospodarka ~a** collective farming; **gospodarstwo ~e** collective farm
**koleżanka** *f* girl friend, colleague
**koleżeński** *adj* friendly
**koleżeństwo** *n* comradeship
**kolęda** *f* Christmas carol
**kolędni|k** *m* carol-singer, caroller; *pl* **~cy** waits
**kolędować** *vi* carol
**kolia** *f* necklace
**kolidować** *vi* collide, clash
**koligacja** *f* affinity, connection
**kolisty** *adj* circular
**kolizj|a** *f* collision; **popaść w ~ę** come into collision
**kolka** *f* colic
**kolokwium** *n sing nieodm.* colloquy, examination
**kolonia** *f* colony, settlement; (*wakacyjna*) summer camp
**kolonialny** *adj* colonial; **kupiec ~** grocer
**kolonista** *m* colonist
**kolonizacja** *f* colonization
**kolonizator** *m* colonizer
**koloński|i** *adj*, **woda ~a** eau de Cologne
**kolor** *m* colour; (*w kartach*) suit; **dać do ~u** follow suit
**koloratura** *f* coloratura
**kolorować** *vt* colour
**kolorowy** *adj* coloured

**koloryt** *m* colour, colouring
**koloryzować** *vt* colour
**kolos** *m* colossus; *przen.* giant
**kolosalny** *adj* colossal
**kolportaż** *m* distribution, hawking
**kolporter** *m* distributor, hawker
**kolportować** *vt* distribute, hawk
**kolumna** *f* column, pillar; *wojsk.* column
**kolumnada** *f* colonnade
**kołatać** *vi* rattle; knock (**do drzwi** at the door); *przen.* solicit (**do kogoś o coś sb for sth** ⟨**sth from sb**⟩)
**kołchoz** *m* kolkhoz
**kołczan** *m* quiver
**kołdra** *f* counterpane, coverlet
**kołek** *m* peg
**kołnierz** *m* collar
**koło** 1. *praep* by, near; about
**koło** 2. *n* wheel; (*obwód; stowarzyszenie*) circle; (*do tortur*) rack; ~ **napędowe** driving wheel; ~ **zębate** cog-wheel
**kołodziej** *m* wheelwright
**kołowacizna** *f* dizziness
**kołować** *vi* move round, circle
**kołowrotek** *m* spinning-wheel
**kołowrót** *m* windlass
**kołow|y** *adj* circular; **ruch ~y** vehicular traffic
**kołtun** *m med.* plica; (*człowiek zacofany*) fogey, stick-in-the--mud
**kołysać** *vt* rock, lull; ~ **się** *vr* rock, sway
**kołysanka** *f* cradle-song, lullaby
**kołyska** *f* cradle
**komandor** *m* commander; *mors.* commodore
**komandos** *m* commando
**komar** *m zool.* mosquito
**kombajn** *m* combine(-harvester)
**kombatant** *m* combatant
**kombinacja** *f* combination
**kombinat** *m* combine
**kombinator** *m* speculator, dodger
**kombinezon** *m* overalls
**kombinować** *vt* combine; speculate
**komedia** *f* comedy
**komediant** *m* pretender
**komediopisarz** *m* comedist
**komenda** *f* command
**komendant** *m* commander, commandant
**komenderować** *vi* command
**komentarz** *m* commentary
**komentować** *vt* comment (**coś** on ⟨upon⟩ sth), annotate
**kometa** *f* comet
**komfort** *m* comfort
**komfortowy** *adj* luxurious
**komiczny** *adj* comic, funny
**komik** *m* comedian
**komin** *m* chimney; (*na dachu*) chimney-pot; (*lokomotywy, statku*) funnel
**kominek** *m* fire-place
**kominiarz** *m* chimney-sweep
**komis** *m* commission; (*sklep*) commission-house; **wziąć w ~** take on commission
**komisariat** *m* commissary's office; (*ludowy*) commissariat; ~ **policji** police-station
**komisarz** *m* commissary; (*ludowy*) commissar
**komisja** *f* commission, committee, board
**komitet** *m* committee
**komityw|a** *f* intimacy, friendly terms; **w dobrej ~ie** on good terms
**komiwojażer** *m* travelling agent
**komnata** † *f* apartment
**komoda** *f* chest of drawers
**komora** *f* chamber; cabin; (*spiżarnia*) larder; ~ **celna** custom--house
**komorne** *n* rent
**komórka** *f* closet; *biol. elektr.* cell
**kompan** *m pot.* chum, pal
**kompania** *f* company
**kompas** *m* compass
**kompendium** *n sing nieodm.* compendium, digest
**kompensata** *f* compensation
**kompensować** *vt* compensate (**coś** for sth)
**kompetencja** *f* competence
**kompetentny** *adj* competent

**kompilacja** *f* compilation
**kompilator** *m* compiler
**kompilować** *vt* compile
**kompleks** *m* complex
**komplement** *m* complement; **prawić ~y** pay compliments
**komplet** *m* full number ⟨assembly⟩; set; **~ stołowy** dinner-set; **~ do herbaty** tea-set; **~ ubrania** suit of clothes
**kompletny** *adj* complete, thorough
**kompletować** *vt* complete
**komplikacja** *f* complication
**komplikować** *vt* complicate
**komponować** *vt* compose
**kompost** *m* compost
**kompot** *m* compote, stewed fruit
**kompozycja** *f* composition
**kompozytor** *m* composer
**kompres** *m* compress
**kompresja** *f* compression
**kompresor** *m* compressor
**kompromis** *m* compromise; **iść na ~y** compromise (**w czymś** on sth)
**kompromisowy** *adj* compromising
**kompromitacja** *f* discredit
**kompromitować** *vt* discredit, compromise; **~ się** *vr* discredit oneself
**kompromitujący** *adj* compromising, disgraceful
**komuna** *f* commune; *hist.* **Komuna Paryska** Commune of Paris
**komunalny** *adj* communal
**komunał** *m* commonplace
**komunard** *m hist.* Communard
**komunia** *f* communion
**komunikacja** *f* communication; traffic
**komunikat** *m* announcement, news report
**komunikować** *vt* announce (**komuś coś** sth to sb), inform (**komuś coś** sb about sth); **~ się** *vr* communicate; have intercourse
**komunista** *m* communist
**komunistyczny** *adj* Communist(ic); **Manifest Komunistyczny** Communist Manifesto; **Komunistyczna Partia Związku Radzieckiego** Communist Party of the Soviet Union
**komunizm** *m* communism
**konać** *vi* die away
**konar** *m* bough
**koncentracja** *f* concentration
**koncentracyjny** *adj* concentrative; **obóz ~** concentration camp
**koncentrować** *vt* concentrate
**koncepcja** *f* conception
**koncept** *m* concept, idea; (*zarys*) draft
**koncern** *m* concern
**koncert** *m* concert; (*utwór*) concerto
**koncesja** *f* concession, licence
**koncesjonować** *vt* licence, grant a concession
**koncha** *f* conch, shell
**kondensator** *m techn.* condenser
**kondensować** *vt* condense
**kondolencj|a** *f* condolence; **składać ~e** condole (**komuś z powodu czegoś** with sb on ⟨upon⟩ sth
**kondor** *m zool.* condor
**kondukt** *m*, **~ pogrzebowy** funeral procession
**konduktor** *m* (*kolejowy*) guard, (*tramwajowy*) conductor
**konduktorka** *f* conductress
**kondycja** *f* condition
**kondygnacja** *f* level, tier
**koneksja** *f* connexion
**konewka** *f* watering-can
**konfederacja** *f* confederacy, confederation
**konfederat** *m* confederate
**konfekcja** *f* ready-made clothes
**konferencja** *f* conference
**konferować** *vi* confer
**konfesjonał** *m* confessional
**konfident** *m* informer, intelligencer
**konfiskata** *f* confiscation
**konfiskować** *vt* confiscate
**konfitura** *f* jam
**konflikt** *m* conflict
**konfrontacja** *f* confrontation
**konfrontować** *vt* confront
**konfuzja** *f* confusion
**kongregacja** *f* congregation
**kongres** *m* congress
**koniak** *m* cognac, brandy
**koniczyna** *f bot.* clover, trefoil

**koniec** *m* end, conclusion, close; **dobiegać końca** to draw near the end; **położyć ~** put an end; **wiązać ~ z końcem** make both ends meet; **aż do końca** up to the end; **bez końca** no end; **do samego końca** to the very end; **na ~** finally; **na końcu języka** on the tip of one's tongue; **w końcu** at ⟨in⟩ the end
**koniecznoś|ć** *f* necessity; **z ~ci** of necessity
**konieczny** *adj* necessary, indispensable
**konik** *m* pony; (*mania*) hobby; *pot.* (*spekulujący biletami*) scalper; *zool.* **~ polny** grass-hopper
**koniokrad** *m* horse-thief
**koniugacja** *f jęz.* conjugation
**koniunktura** *f* juncture, tide of the market; opportunity
**koniuszek** *m* tip
**konkluzja** *f* conclusion
**konkretny** *adj* concrete, real
**konkurencja** *f* competition
**konkurencyjny** *adj* competitive
**konkurent** *m* competitor, rival; (*zalotnik*) suitor
**konkurować** *vi* compete; (*zalecać się*) court (**do kogoś** sb)
**konkurs** *m* competition; **ogłaszać ~ na coś** offer sth for competition
**konkursowy** *adj* competitive
**konnica** *f* cavalry
**konno** *adv* on horseback
**konn|y** *adj* mounted; (*o zaprzęgu*) horse-drawn; **jazda ~a** horse-riding; **wyścigi ~e** horse-race
**konopie** *s pl* hemp
**konosament** *m handl.* bill-of-lading
**konsekwencja** *f* consequence, consistency
**konsekwentnie** *adv* in a consistent way, consistently
**konsekwentny** *adj* consistent, consequent
**konserwa** *f* preserve, tinned ⟨*am.* canned⟩ meat ⟨milk, fruit etc.⟩
**konserwacja** *f* conservation
**konserwatorium** *n sing nieodm.* conservatory, conservatoire
**konserwatysta** *m* conservative
**konserwatywny** *adj* conservative
**konserwatyzm** *m* conservatism
**konserwować** *vt* conserve; (*o żywności*) preserve
**konserwowy** *adj*, **przemysł ~** canning industry
**konsolidacja** *f* consolidation
**konsolidować** *vt* consolidate
**konspekt** *m* draft; conspectus
**konspiracja** *f* conspiracy, plot
**konspirator** *m* conspirator
**konspirować** *vi vt* conspire, plot
**konstatować** *vt* state, ascertain
**konstelacja** *f* constellation
**konsternacja** *f* consternation, dismay
**konstrukcja** *f* construction
**konstrukcyjny** *adj* constructional
**konstruktor** *m* constructor
**konstruktywny** *adj* constructive
**konstruować** *vt* construct
**konstytucja** *f* constitution
**konstytucyjny** *adj* constitutional
**konstytuować** *vt* constitute
**konsul** *m* consul
**konsularny** *adj* consular
**konsulat** *m* consulate
**konsultacja** *f* consultation
**konsultant** *m* consultant; (*o lekarzu*) consulting physician
**konsultować** *vt* consult; **~ się** *vr* consult, confer
**konsum** *m* co-operative shop
**konsument** *m* consumer
**konsumować** *vt* consume
**konsumpcja** *f* consumption
**konsumpcyjn|y** *adj* consumptive; **towary ~e** consumers' goods
**konsylium** *n sing nieodm.* consultation
**konsystorz** *m* consistory
**konszachty** *s pl* collusion; **wchodzić w ~** enter into collusion
**kontakt** *m* contact; **nawiązać ~** contact (**z kimś** sb), come into contact (**z kimś** with sb); **stracić ~** be out of contact
**kontaktować** *vt vi* bring into contact, contact; **~ się** *vr* be in contact, keep in touch

**kontekst** *m* context
**kontemplacja** *f* contemplation
**kontentować** *vt* content; ~ **się** *vr* be contented (**czymś** with **sth**)
**konto** *n* account; **na** ~ on account
**kontrabanda** *f* smuggling, contraband
**kontrabas** *m* double bass
**kontradmirał** *m* rear admiral
**kontrahent** *m* contracting party
**kontrakt** *m* contract (**w sprawie czegoś** for ⟨of⟩ sth); ~ **o pracę** contract for work; ~ **sprzedaży** contract of sale
**kontraktować** *vt vi* contract
**kontrapunkt** *m muz.* counterpoint
**kontrast** *m* contrast
**kontrastować** *vi* contrast
**kontratak** *m* counter-attack
**kontrofensywa** *f* counteroffensive
**kontrola** *f* control
**kontroler** *m* controller
**kontrolować** *vt* control
**kontrować** *vi* (*w kartach*) double
**kontrowersja** *f* controversy
**kontrowersyjny** *adj* controversial
**kontrrewolucja** *f* counter-revolution
**kontrrewolucjonista** *m* counter-revolutionary
**kontrrewolucyjny** *adj* counter-revolutionary
**kontrtorpedowiec** *m mors.* destroyer
**kontrwywiad** *m* counter-espionage
**kontrybucj|a** *f* contribution; **nałożyć na kraj** ~**ę** lay a country under contribution
**kontuar** *m* counter
**kontur** *m* outline, contour
**kontuzja** *f* contusion
**kontuzjować** *vt* contuse
**kontynent** *m* continent
**kontynentalny** *adj* continental
**kontyngent** *m* contingent, quota; (*żołnierzy*) levy
**kontynuować** *vt* continue
**konwalia** *f bot.* lily of the valley
**konwenans** *m* conventionality, convention
**konwencja** *f* convention
**konwencjonalny** *adj* conventional
**konwent** *m* convention, assembly; (*klasztor*) convent
**konwersacja** *f* conversation
**konwersacyjny** *adj* conversational
**konwojent** *m* escort
**konwojować** *vt* convoy, escort
**konwój** *m* convoy, escort
**konwulsja** *f* convulsion
**konwulsyjny** *adv* convulsive
**koń** *m* horse; (*w szachach*) knight; ~ **gimnastyczny** vaulting-horse; ~ **mechaniczny** metric horse-power; ~ **parowy** horse-power; ~ **pociągowy** draught-horse; ~ **wierzchowy** saddle-horse; ~ **na biegunach** rocking-horse; **jechać na koniu** go on horseback; **wsiąść na konia** get ⟨mount⟩ on horseback
**końcow|y** *adj* final, ultimate; **stacja** ~**a** terminus
**końcówka** *f* ending, end; (*np. węża gumowego*) nozzle
**kończyć** *vt* end, finish, conclude, close; ~ **się** *vr* end, come to a close
**kończyna** *f* limb
**kooperacja** *f* co-operation
**kooperacyjny** *adj* co-operative
**kooperatywa** *f* co-operative society
**kooptować** *vt* co-opt
**koordynacja** *f* co-ordination
**koordynować** *vt* co-ordinate
**kopa** *f* three-score; (*stos*) pile; ~ **siana** haycock
**kopać** *vt* dig; (*nogą*) kick
**kopalnia** *f* mine; ~ **węgla** coal-mine; ~ **soli** salt-mine
**koparka** *f* excavator
**kopcić** *vi* smoke, give off soot
**kopeć** *m* soot, black
**koper** *m* dill
**koperta** *f* envelope
**kopia 1.** *f* (*odbitka*) copy, transcript
**kopia 2.** *f* (*broń*) lance
**kopiec** *m* mound; (*mogiła*) tumulus; (*kupa, stos*) pile; **kreci** ~ mole-hill

**kopiować** *vt* copy
**kopuła** *f* cupola, dome
**kopyto** *n* hoof; (*szewskie*) last
**kor|a** *f* bark; **odzierać drzewo z ~y** bark the tree; *anat.* **~a mózgowa** cortex
**koral** *m* coral
**koralik** *m* bead
**korba** *f* crank
**korcić** *vt* tempt
**kordon** *m* cordon; **otaczać ~em** cordon off
**Koreańczyk** *m* Korean
**koreański** *adj* Korean
**korek** *m* cork; *elektr.* fuse; (*w bucie*) lift
**korekt|a** *f druk.* proof; **~a kolumnowa** page-proof; **robienie ~y** proof-reading
**korektor** *m* proof-reader
**korektura** *f* correction
**korepetycja** *f* private lesson
**korepetytor** *m* tutor, coach
**korespondencja** *f* correspondence
**korespondent** *m* correspondent
**korespondować** *vi* correspond
**korkociąg** *m* corkscrew; *lotn.* spin
**korkować** *vt* cork
**kornet 1.** *m* (*strój głowy zakonnicy*) coif, cornet
**kornet 2.** *m muz.* cornet
**korniszon** *m* gherkin
**koron|a** *f* crown; *dent.* cap; *dent.* **nałożyć ~ę** cap
**koronacja** *f* coronation
**koronka** *f* lace
**koronować** *vt* crown
**korowód** *m* procession
**korporacja** *f* corporation
**korpulentny** *adj* corpulent
**korpus** *m* trunk, body; *wojsk.* corps; **~ dyplomatyczny** diplomatic corps; **~ kadetów** corps of cadets
**korsarstwo** *n* piracy
**korsarz** *m* pirate
**kort** *m sport.* court
**korupcja** *f* corruption
**koryfeusz** *m* coryphaeus, leader
**korygować** *vt* correct
**korytarz** *m* corridor
**koryto** *n* trough; (*rzeki*) bed
**korzec** *m* bushel
**korze|ń** *m* root; **zapuszczać ~nie** take ⟨strike⟩ root
**korzyć się** *vr* humble oneself
**korzystać** *vi* profit (**z czegoś** by ⟨from⟩ sth), avail oneself (**z czegoś** of sth), use (**z czegoś** sth), have the use (**z czegoś** of sth)
**korzystny** *adj* profitable
**korzyść** *f* profit, advantage; **na ~** to the advantage (**czyjąś** of sb); **na moją ~** to my advantage
**kos** *m zool.* blackbird
**kosa** *f* scythe
**kosiarka** *f* mower
**kosiarz** *m* mower
**kosić** *vt* mow
**kosmaty** *adj* shaggy, hairy
**kosmetyczka** *f* (*torebka*) vanity--bag; (*kobieta*) cosmetologist; *am.* beautician
**kosmetyczny** *adj* cosmetic; **gabinet ~** beauty parlour
**kosmetyk** *m* cosmetic
**kosmetyka** *f* cosmetics
**kosmiczny** *adj* cosmic
**kosmografia** *f* cosmography
**kosmonauta** *m* cosmonaut
**kosmopolita** *m* cosmopolite
**kosmopolityzm** *m* cosmopolitism
**kosmyk** *m* tuft, wisp
**kosodrzewina** *f* dwarf mountain pine
**kostium** *m* costume
**kostka** *f* small bone; (*w grze*) die; (*u ręki*) knuckle; (*u nogi*) ankle; (*sześcian*) cube; (*brukowa*) flag--stone; (*cukru*) lump
**kostnica** *f* ossuary
**kostnieć** *vi* grow stiff
**kostny** *adj* osseous
**kosz** *m* basket; **~ do śmieci** waste--paper basket, dustbin; (*na ulicy*) litter-bin
**koszary** *s pl* barracks
**koszmar** *m* nightmare
**koszt** *m* cost, expense; **~em czegoś** at the cost of sth; **~y podróży** travelling expenses
**kosztorys** *m* estimate

**koszt|ować** *vt* cost; (*próbować*) taste; **to mnie ~owało dużo pracy** this cost me a lot of work; **ile to ~uje?** how much does it cost ⟨is it⟩?
**kosztowny** *adj* expensive
**koszula** *f* shirt; (*damska*) chemise
**koszulka** *f* (*podkoszulek*) undershirt
**koszyk** *m* basket
**koszykarstwo** *n* basketry
**koszykarz** *m* basket-maker; *sport.* basketball player
**koszykówka** *f sport* basketball
**kościec** *m* skeleton; **~ moralny** backbone
**kościelny** *adj* ecclesiastical, church- (rate etc.); *m* sexton
**kościotrup** *m* skeleton
**kościół** *m* church
**kościsty** *adj* bony
**kość** *f* bone; (*do gry*) die; **~ słoniowa** ivory; *przen.* **~ niezgody** bone of contention
**koślawić** *vt* distort, deform
**koślawy** *adj* deformed; (*kulawy*) lame; (*np. o meblach*) rickety
**kot** *m zool.* cat
**kotara** *f* curtain
**kotek** *m* kitten
**koteria** *f* coterie, clique
**kotlet** *m* cutlet, chop
**kotlina** *f* dell, hollow
**kotłować się** *vr pot.* boil, whirl
**kotłownia** *f* boiler-room; (*na statku*) stakehold
**kotwic|a** *f* anchor; **podnieść ~ę** weigh anchor; **zarzucić ~ę** cast anchor
**kowadło** *n* anvil
**kowal** *m* smith
**koza** *f zool.* goat
**Kozak** *m* Cossack
**kozetka** *f* settee
**kozioł** *m* (he-)goat, buck; (*u wozu*) box; *przen.* **~ ofiarny** scapegoat
**koziołe|k** *m* (*w zabawie i gimnastyce*) somersault; **robić ⟨fikać⟩ ~ki** turn somersaults
**Koziorożec** *m astr., geogr.* Capricorn
**kożuch** *m* sheepskin fur
**kół** *m* pale, stake
**kółko** *n* little wheel; circle; (*rolka*) truckle; (*obręcz do zabawy*) hoop; (*do kluczy itp.*) ring; (*towarzyskie*) circle
**kpiarz** *m* scoffer
**kpić** *vi* scoff, mock (**z kogoś, czegoś** at sb, sth)
**kpiny** *s pl* mockery
**kra** *f* floe, floating ice
**krab** *m zool.* crab
**krach** *m* crash, slump
**kraciasty** *adj* chequered
**kradzież** *f* theft
**kraina** *f* land, region
**kraj** *m* country, land; home; (*skraj*) verge, edge
**krajać** *vt* cut; (*o mięsie*) carve
**krajobraz** *m* landscape
**krajowiec** *m* native
**krajowy** *adj* native; home-made; home; **przemysł ⟨rynek, wyrób⟩ ~** home industry ⟨market, product⟩
**krakać** *vi* croak
**krakowiak** *m* (*taniec*) Cracovienne
**krakowianin** *m* man of Cracow
**kram** *m* (*stoisko*) booth, stand; *pot.* (*zamieszanie*) mess
**kran** *m* tap, cock; (*żuraw*) crane; **otworzyć ⟨zamknąć⟩ ~** turn on ⟨turn off⟩ the cock ⟨the tap⟩
**kraniec** *m* extremity, extreme, border
**krańcowość** *f* extremism
**krańcowy** *adj* extreme
**krasa** *f poet.* beauty
**krasić** *vt* season; *poet.* (*zdobić*) embellish, adorn, colour
**krasnoludek** *m* brownie
**krasomówca** *m* orator, rhetorician
**krasomówstwo** *n* oratory, rhetoric
**kraść** *vt* steal
**krata** *f* grate, grating, bars *pl*; (*drewniana*) lattice; (*deseń*) chequer
**krater** *m* crater
**kratk|a** *zob.* **krata**; **materiał w ~ę** chequered cloth
**kratkować** *vt* chequer
**kratować** *vt* grate

**krawat** *m* (neck)tie
**krawcowa** *f* dressmaker
**krawędź** *f* edge, verge, border; (*górska*) ridge
**krawężnik** *m* kerb-stone
**krawiec** *m* tailor
**krawiectwo** *n* tailoring
**krąg** *m* circle; ring; disk; **w kręgu przyjaciół** in the circle of friends
**krążek** *m* disk
**krążenie** *n* circulation
**krążownik** *m* cruiser
**krążyć** *vi* circulate, go round; (*o słońcu, planetach*) revolve; (*po morzu*) cruise; (*wędrować*) ramble
**kreacja** *f* creation, production
**kreatura** *f* *pog.* low creature
**kreci** *adj* mole, mole's; *przen.* **~a robota** underhand dealings *pl*
**kreda** *f* chalk
**kredens** *m* cupboard
**kredka** *f* crayon; (*szminka*) lipstick
**kredyt** *m* credit; **na ~** on credit
**kredytować** *vt* credit, give on credit
**krem** *m* cream
**krematorium** *n* crematorium
**kremowy** *adj* cream-coloured
**kreować** *vt* create; *teatr* (*rolę*) act
**krepa** *f* crape
**kres** *m* end, term, limit; **położyć ~** put an end (**czemuś** to sth)
**kreska** *f* stroke; (*myślnik*) dash
**kreskować** *vt* line
**kresy** *s pl* borderland
**kreślarz** *m* draughtsman
**kreślić** *vt* draw, sketch
**kret** *m* *zool.* mole
**kretowisko** *n* molehill
**krew** *f* blood; **rozlew krwi** bloodshed; **puszczać ~** bleed (**komuś** sb); **związki krwi** blood ties; **przelewać ~** bleed, shed blood; **zachować zimną ~** keep cool; **pełnej krwi** (*rasowy*) thorough--bred; **z zimną krwią** in cold blood
**krewki** *adj* sanguine, impetuous
**krewny** *m* relative, relation
**kręci|ć** *vt vi* turn, twist; (*włosy*) curl; *pot.* (*wykręcać się*) use crooked ways, quibble; **~ć głową** shake one's head; **~ć się** *vr* turn; (*wiercić się*) fidget, fuss about; **~ mi się w głowie** my head turns
**kręcony** *adj* twisted; (*o włosach*) curly; (*o schodach*) winding
**kręg** *m* *anat.* vertebra
**kręgle** *s pl* ninepins
**kręgosłup** *m* spine, spinal column, backbone
**kręgowiec** *m* *zool.* vertebrate
**krępować** *vt* (*wiązać*) tie, bind; (*utrudniać*) constrain, hamper; (*żenować*) embarrass, make uneasy; **~ się** *vr* be embarrassed, feel uneasy (**czymś** about sth)
**krępy** *adj* thickset
**krętacki** *adj* tricky
**krętactwo** *n* crooked ways *pl*, quibbling
**krętacz** *m* quibbler, shuffler
**kręty** *adj* winding, tortuous, crooked
**krnąbrny** *adj* refractory, intractable
**krochmal** *s* starch
**krochmalić** *vt* starch
**krocie** *s pl* heaps
**kroczyć** *vi* stride, pace
**kroić** *vt* cut
**krojczy** *s* cutter
**krok** *m* step, pace; **dotrzymać ~u** keep up (**komuś** with sb); **przedsięwziąć ~i** take steps; **~ za ~iem** step by step; **na każdym ~u** at every step; **równym ~iem** in step; **nierównym ~iem** out of step
**krokodyl** *m* *zool.* crocodile
**krokus** *m* *bot.* crocus
**kromka** *f* slice
**kronika** *f* chronicle
**kronikarz** *m* chronicler, annalist
**kropi|ć** *vt vi* (be)sprinkle; drip; **~ deszcz** it drizzles
**kropidło** *n* sprinkler
**kropielnica** *f* font
**kropka** *f* point, dot; (*znak przestankowy*) full stop

**kropkować** *vt* dot
**kropla** *f* drop
**krosn|o** *n, zw. pl* ~a loom
**krosta** *f* pimple
**krotochwila** *f lit.* farce, burlesque
**krowa** *f zool.* cow
**krój** *m* cut
**król** *m* king
**królestwo** *n* kingdom
**królewicz** *m* king's son, prince royal
**królewna** *f* king's daughter, princess royal
**królewski** *adj* kingly, royal
**królik** *m zool.* rabbit
**królikarnia** *f* warren
**królowa** *f* queen; ~ **piękności** beauty queen
**królować** *vi* reign (**nad kimś, czymś** over sb, sth)
**krót|ki** *adj* short; (*zwięzły, krótkotrwały*) brief
**krótko** *adv* shortly; (*zwięźle*) in brief, in short
**krótkofalowy** *adj* short-wave *attr*
**krótkofalówka** *f pot.* short-wave set
**krótkometrażówka** *f pot.* short
**krótkoterminowy** *adj* short-term *attr*
**krótkotrwały** *adj* brief, short-lived *attr*
**krótkowidz** *m* myope
**krótkowzroczność** *f* myopia, short-sightedness
**krótkowzroczny** *adj* short-sighted
**krówka** *f* small cow; **boża** ~ lady-bird
**krtań** *f* larynx
**kruchość** *f* fragility, frailty
**kruchta** *f* church-porch
**kruch|y** *adj* fragile, frail, brittle; (*chrupiący*) crisp; (*o mięsie*) tender; ~**e ciasto** shortcake, shortbread
**krucjata** *f* crusade
**krucyfiks** *m* crucifix
**kruczek** *m pot.* (*wybieg, sztuczka*) trick, shift
**krucz|y** *adj* raven's; ~**e włosy** raven hair
**kruk** *m zool.* raven
**krup|a** *f, zw. pl* ~**y** groats; ~**y jęczmienne** barley-groats
**kruszec** *m* ore; (*pieniądz metalowy*) specie
**kruszeć** *vi* become brittle; crumble; (*o mięsie*) become tender
**kruszyć** *vt* crush, crumb; ~ **się** *vr* crumble
**kruszyna** *f* crumb
**krużganek** *m* gallery
**krwawica** *f* hard-earned money
**krwawić** *vi*, ~ **się** *vr* bleed
**krwawy** *adj* sanguinary, bloodthirsty
**krwinka** *f biol.* blood corpuscle
**krwiobieg** *m biol.* circulation of the blood
**krwiodawca** *m* blood-donor
**krwionośn|y** *adj*, **naczynie** ~**e** blood vessel
**krwiożerczy** *adj* bloodthirsty
**krwisty** *adj* sanguineous, blood-red
**krwotok** *m* haemorrhage
**kry|ć** *vt* (*pokrywać*) cover; (*ukrywać*) hide, conceal; ~**ć się** *vr* hide; **za tymi słowami coś się** ~**je** there is sth behind these words
**kryjówka** *f* hiding-place
**kryminalista** *m* criminal
**kryminalny** *adj* criminal
**kryminał** *m* jail
**krynica** *f poet.* spring, fount
**krynolina** *f* crinoline
**krypta** *f* vault
**kryptonim** *m* cryptonym
**krystaliczny** *adj* crystalline
**krystalizować** *vt*, ~ **się** *vr* crystallize
**kryształ** *m* crystal
**kryterium** *n* criterion
**krytycyzm** *m* criticism
**krytyczny** *adj* critical
**krytyk** *m* critic
**krytyka** *f* criticism, critique; (*recenzja*) review
**krytykować** *vt* criticise; (*recenzować*) review
**kryza** *f* ruff, frill

**kryzys** *m* crisis
**krzaczasty** *adj* bushy
**krzak** *m* bush, shrub
**krzątać się** *vr* busy oneself, bustle (**koło czegoś** about sth)
**krzątanina** *f* bustle
**krzem** *m chem.* silicon
**krzemień** *m* flint
**krzemionka** *f* silica
**krzepić** *vt* refresh, strengthen
**krzepki** *adj* vigorous
**krzepnąć** *vi* solidify; (*np. o krwi*) coagulate; (*mężnieć*) become vigorous
**krzesać** *vt* (*ogień*) strike
**krzesiwo** *n* flint; ~ **z hubką** tinder-box
**krzesło** *n* chair
**krzew** *m* shrub
**krzewić** *vt* spread, propagate; ~ **się** *vr* spread, multiply
**krzt|a** *f*, **ani ~y** not a whit
**krztusić się** *vr* choke, stifle
**krzyczący** *adj* clamorous; (*o kolorze*) glaring, loud; (*o niesprawiedliwości*) burning, gross
**krzyczeć** *vi* shout (**na kogoś** at sb); cry, shriek; ~ **z bólu** shout with pain; ~ **z radości** shout for joy
**krzyk** *m* cry, scream, shriek
**krzykacz** *m* crier, bawler
**krzykliwy** *adj* noisy
**krzywd|a** *f* wrong, harm, prejudice; **wyrządzić ~ę** wrong, do wrong (**komuś** sb); **z moją ~ą** to my prejudice; **spotkała mnie ~a** a harm has come to me
**krzywdzący** *adj* prejudicial, harmful, injurious (**dla kogoś, czegoś** to sb, sth)
**krzywdzić** *vt* wrong, harm, do wrong ⟨harm⟩
**krzywica** *f med.* rickets, rachitis
**krzywić** *vt* crook, bend; ~ **się** *vr* make a wry face (**na kogoś, na coś** at sb, sth)
**krzywo** *adv* awry; (*pisać*) aslant, slantwise; (*patrzeć*) askance
**krzywoprzysięgać** *vt* perjure oneself
**krzywoprzysięstwo** *n* perjury
**krzywoprzysięzca** *m* perjurer
**krzyw|y** *adj* crooked; (*o minie, uśmiechu itp.*) wry; *mat.* **~a (linia)** curve
**krzyż** *m* cross; *pl* **~e** *anat.* loins
**krzyżacki** *adj*, **zakon** ~ Teutonic Order
**Krzyżak** *m* Teutonic Knight, Knight of the Cross
**krzyżować** *vt* (*układać na krzyż*) cross; (*rozpinać na krzyżu*) crucify; (*psuć plany*) thwart
**krzyżowiec** *m hist.* crusader
**krzyżow|y** *adj* cross, crossed, cross-shaped; *wojsk.* **ogień ~y** cross-fire; *hist.* **wojna ~a** crusade; *przen.* **~y ogień pytań** cross-questions; **badanie w ~ym ogniu pytań** cross-examination
**krzyżówka** *f* crossword puzzle
**krzyżyk** *m* small cross, crosslet; *muz.* sharp
**ksiądz** *m* priest, clergyman
**książeczka** *f* booklet; ~ **oszczędnościowa** savings-bank book
**książę** *m* prince, duke
**książęcy** *adj* princely, ducal
**książka** *f* book; ~ **szkolna** school-book; ~ **do czytania** reading-book; ~ **z obrazkami** picture-book
**księga** *f* book; (*urzędowa, rejestracyjna*) register; (*główna w buchalterii*) ledger
**księgarnia** *f* bookseller's shop
**księgarz** *m* bookseller
**księgować** *vt* enter, book
**księgowość** *f* book-keeping
**księgowy** *m* book-keeper
**księgozbiór** *m* library
**księstwo** *n* duchy, principality
**księżna, księżniczka** *f* duchess, princess
**księżyc** *m* moon; **przy świetle ~a** by moonlight
**ksylofon** *m muz.* xylophone
**kształcący** *adj* instructive
**kształcić** *vt* educate, instruct
**kształt** *m* form, shape
**kształtny** *adj* shapely
**kształtować** *vt* form, shape
**kto** *pron* who; ~ **inny** who else;

somebody else; ~ **bądź** anybody, anyone
**ktokolwiek** *pron* = **kto bądź** *zob.* **kto**
**ktoś** *pron* somebody, someone; ~ **inny** somebody else
**którędy** *pron* which way
**który** *pron* who, which, that
**któryś** *pron* some
**ku** *praep* towards, to
**Kubańczyk** *m* Cuban
**kubański** *adj* Cuban
**kubatura** *f* cubature, cubic volume
**kubek** *m* cup
**kubeł** *m* pail, bucket
**kubizm** *m* cubism
**kucharka** *f* cook
**kucharsk|i** *adj* culinary; **książka ~a** cookery-book
**kucharz** *m* cook
**kuchenka** *f* (*urządzenie*) cooker
**kuchnia** *f* (*pomieszczenie*) kitchen; (*urządzenie do gotowania*) stove, range; (*jakość potraw*) **dobra ~** good cooking
**kucnąć** *vi* squat down
**kucyk** *m* pony
**kuć** *vt* forge, hammer; (*konia*) shoe; *pot.* (*uczyć się na pamięć*) cram
**kudłaty** *adj* shaggy
**kudły** *s pl* shaggy hair
**kufel** *m* (beer-)mug, tankard
**kufer** *m* box, trunk
**kuglarstwo** *n* jugglery
**kuglarz** *m* juggler
**kukiełka** *f* puppet
**kukiełkowy** *adj*, **teatr ~** puppet-show
**kukła** *f* puppet
**kukułka** *f* cuckoo
**kukurydza** *f* maze
**kula** *f* ball; (*rewolwerowa itp.*) bullet; (*geometryczna*) sphere; (*proteza*) crutch; (*do gry*) bowl; **~ śnieżna** snowball; **~ ziemska** globe
**kulawy** *adj* lame
**kulbaczyć** *vt* saddle
**kuleć** *vi* limp, hobble
**kulić się** *vr* cower, squat
**kulig** *m* sleighing party
**kulinarny** *adj* culinary
**kulis** *m* coolie
**kulis|y** *s pl* scenes, wings; *przen.* **za ~ami** behind the scenes
**kulisty** *adj* spherical, round
**kulka** *f* small ball, globule; (*z papieru, chleba*) pellet
**kulminacyjny** *adj*, **punkt ~** culminating point, climax
**kult** *m* cult, worship
**kultura** *f* culture, civilization; (*uprawa*) cultivation
**kulturalny** *adj* cultural, civilized; (*o umyśle, manierach*) cultured
**kultywować** *vt* cultivate
**kuluar** *m* corridor, lobby
**kułak** *m* (*pięść*) fist; (*uderzenie*) punch; **bić ~iem** punch
**kum** *m* godfather; *pot.* crony
**kuma** *f* godmother; *pot.* crony
**kumkać** *vi* croak
**kumoszka** *f* *pot.* gammer, gossip
**kumoterstwo** *n* favouritism, backing for family reasons; *przen.* log-rolling
**kumulacja** *f* cumulation
**kumulować** *vt*, **~ się** *vr* cumulate
**kuna** *f* *zool.* marten
**kundel** *m* cur
**kunktator** *m* cunctator
**kunszt** *m* art
**kunsztowny** *adj* artful, artistic
**kup|a** *f* heap, pile; **składać na ~ę** heap up; *przen.* **wziąć się do ~y** pull oneself together
**kupić** *vt* buy, purchase
**kupiec** *m* merchant, tradesman, dealer; (*drobny handlarz*) shopkeeper
**kuplet** *m* cabaret song; (*dwuwiersz*) couplet
**kupn|o** *m* purchase; **dobre ~o** bargain; **siła ~a** purchasing power
**kupny** *adj* (*kupowany*) purchased, bought; ready-made
**kupon** *m* coupon
**kupować** *vt* = **kupić**
**kura** *f* hen
**kuracja** *f* cure, treatment
**kuracjusz** *m* patient; (*np. w uzdrowisku*) visitor

**kuracyjn|y** *adj* curative; **miejscowość ~a** health-resort
**kuratela** *f* guardianship, trusteeship
**kurator** *m* trustee; administrator, curator
**kuratorium** *n* board of trustees; school-board
**kurcz** *m* cramp, spasm
**kurczę** *n* chicken
**kurczowo** *adv* spasmodically
**kurczowy** *adj* spasmodic
**kurczyć** *vt*, **~ się** *vr* shrink; *fiz.* contract
**kurek** *m* cock; (*kran*) tap; (*na wieży*) weather-cock; **odwieść ~ u karabinu** cock a gun
**kurhan** *m* tumulus, barrow
**kuria** *f* curia
**kurier** *m* courier; (*pociąg*) express-train
**kuriozum** *n* curiosity
**kuropatwa** *f* *zool.* partridge
**kurować** *vt* treat, cure (**na daną chorobę** for a disease)
**kurs** *m* course; **~ dewizowy** rate of exchange
**kursować** *vi* run, circulate
**kursywa** *f* italics
**kurtka** *f* jacket
**kurtuazja** *f* courtesy
**kurtuazyjny** *adj* courteous
**kurtyna** *f* curtain
**kurz** *m* dust
**kurzajka** *f* wart
**kurzawa** *f* dust-storm; (snow-)drift
**kurzyć** *vi* raise dust; *pot.* (*palić papierosa itp.*) smoke; **~ się** *vr* be ⟨get⟩ dusty; (*dymić się*) smoke, reek
**kusiciel** *m* tempter, seducer
**kusić** *vt* tempt, seduce; **~ się** *vr* seek to obtain, attempt
**kustosz** *m* custodian, keep, trustee
**kusy** *adj* short-tailed; shortish; (*nie wystarczający*) scanty
**kusza** *f* cross-bow
**kuśnierz** *m* furrier
**kuter** *m* *mors.* cutter
**kutwa** *m* miser, niggard
**kuty** *adj* wrought, forged; (*o koniu*) shod; (*chytry*) cunning
**kuzyn** *m* cousin
**kuźnia** *f* forge, smithy
**kwadra** *f* *astr.* quarter
**kwadrans** *m* quarter of an hour; **~ na szóstą** a quarter past 5; **za ~ szósta** a quarter to 6
**kwadrat** *m* square
**kwadratow|y** *adj* square; **liczba ~a** square number; **5 stóp ~ych** 5 square feet
**kwakać** *vi* quack
**kwakier** *m* Quaker
**kwalifikacja** *f* qualification
**kwalifikować** *vt* qualify; **~ się** *vr* be qualified, qualify (**do czegoś** for sth)
**kwalifikowany** *adj* (*o pracowniku*) skilled
**kwapić się** *vr* be eager (**do czegoś** for, after sth; to do sth)
**kwarantanna** *f* quarantine
**kwarc** *m* *miner.* quartz
**kwarta** *f* quart
**kwartalnie** *adv* quarterly
**kwartalnik** *m* quarterly
**kwartalny** *adj* quarterly
**kwartał** *m* quarter
**kwartet** *m* quartet
**kwas** *m* acid; (*zaczyn*) leaven; *pl* **~y** (*w żołądku*) acidity; *przen.* (*niezadowolenie, dąsy*) ill-humour
**kwasić** *vt* sour; ferment; (*np. ogórki*) pickle
**kwaskowaty** *adj* sourish, acidulous
**kwasota** *f* acidity
**kwaszon|y** *adj*, **kapusta ~a** sauerkraut
**kwaśnieć** *vi* sour, become sour
**kwaśn|y** *adj* sour, acid; **~a mina** wry face
**kwatera** *f* lodging; *wojsk.* billet; **~ główna** headquarters *pl*
**kwatermistrz** *m* quartermaster
**kwaterować** *vt* quarter; *wojsk.* billet; *vi* be quartered ⟨billeted⟩
**kwaterunek** *m* quartering; *wojsk.* billeting
**kwesta** *m* collection
**kwestarz** *m* collector
**kwesti|a** *f* question; **~a pieniężna**

money matter; ~a gustu matter of taste; to nie ulega ~i there is no doubt about it
**kwestionariusz** *m* inquiry-sheet, questionnaire
**kwestionować** *vt* question, call in question
**kwestor** *m* bursar
**kwestować** *vi* collect (money)
**kwestura** *f* bursary
**kwiaciarka** *f* florist; (*uliczna*) flower-girl
**kwiaciarnia** *f* florist's shop
**kwiat** *m* flower; (*drzewa owocowego*) blossom; *przen.* **w kwiecie wieku** in the prime of life
**kwiczeć** *vi* squeak
**kwiczoł** *m zool.* fieldfare
**kwiecień** *m* April
**kwiecisty** *adj* flowery; (*o stylu*) florid
**kwietnik** *m* flower-bed
**kwik** *m* squeak
**kwilić** *vi* whimper
**kwintesencja** *f* quintessence
**kwit** *m* receipt; **~ bagażowy** check; **~ celny** certificate of clearance; **~ zastawny** pawn-ticket
**kwitariusz** *s* receipt-book
**kwitnąć** *vi* bloom, blossom, flower; *przen.* flourish
**kwitować** *vt* receipt; **~ odbiór przesyłki** acknowledge the receipt of a parcel
**kwoka** *f* sitting hen
**kworum** *n nieodm.* quorum
**kwota** *f* (sum) total, amount

# l

**labirynt** *m* labyrinth, maze
**laborant** *m* laboratory assistant
**laboratorium** *n* laboratory
**laboratoryjny** *adj* laboratorial
**lać** *vt vi* (*nalewać*) pour; (*wylewać*) shed; (*odlewać np. metal*) cast; **deszcz leje** it pours; **~ się** *vr* pour; (*strumieniem*) gush, flow, stream; **krew się leje** blood is being shed; **pot leje mu się z czoła** sweat trickles from his brow
**lada** 1. *f* chest, box, (*stół sklepowy*) counter
**lada** 2. *part* any, whatever; **~ chwila** any minute; **~ dzień** any day; **~ kto** anybody; **to zawodnik nie ~** he is far from being an average competitor
**ladacznica** *f* harlot
**laguna** *f* lagoon
**laik** *m* layman
**lakier** *m* varnish
**lakierki** *s pl* patent shoes
**lakierować** *vt* varnish
**lakmus** *m chem.* litmus
**lakoniczny** *adj* laconic
**lakować** *vt* seal
**lalka** *f* doll
**lament** *m* lament, lamentation
**lamentować** *vi* lament (**nad kimś, czymś** for, over sb, sth)
**lamować** *vt* border
**lamówka** *f* border, (*do ubrań*) lace
**lampa** *f* lamp; (*radiowa*) valve
**lampart** *m* leopard
**lampas** *m* (trouser-)galloon
**lampion** *m* lampion, Chinese lantern
**lampa** *f* lamp; (*radiowa*) valve; **~ nocna** night-lamp; **~ wina** glass of wine
**lamus** *m* lumber-room
**lanca** *m* lance
**lancet** *m* lancet
**landrynka** *f* fruit drop
**lanie** *n* pouring; (*odlewanie*) cast-

ing; *pot.* (*bicie*) good thrashing, flogging
**lanolina** *f* lanolin
**lansować** *vt* launch
**lapidarny** *adj* pointed, concise
**lapis** *m* lunar caustic, lapis infernalis
**lapsus** *m* lapse
**larwa** *f* *zool.* larva
**las** *m* wood, forest; **dziewiczy ~** virgin forest
**laseczka** *f* wand, (small) stick
**lasecznik** *m* *biol.* bacillus
**lasek** *m* grove
**lask|a** *f* stick, cane; **~a marszałkowska** speaker's staff, *bryt.* mace; **złożyć wniosek do ~i marszałkowskiej** table a motion
**laskowy** *adj*, **orzech ~** hazel-nut
**lasować** *vt* slake
**latać** *vi* fly; (*biegać*) run about
**latarka** *f* lantern; **~ elektryczna** (electric) torch, flashlight
**latarnia** *f* lantern, lamp; **~ morska** lighthouse; **~ projekcyjna** projection lantern
**latarnik** *m* lighthouse-keeper
**lataw|iec** *m* kite; **puszczać ~ca** fly a kite
**lato** *n* summer; **babie ~** (*okres*) Indian summer; (*pajęczyna*) gossamer
**latorośl** *f* shoot, offshoot; *przen.* offspring; **winna ~** vine
**laufer** *m* (*w szachach*) bishop
**laur** *m* laurel
**laureat** *m* laureate, prize-winner; **~ nagrody Nobla** Nobel-Prize winner
**lawa** *f* lava
**lawenda** *f* *bot.* lavender
**laweta** *f* gun-carriage
**lawina** *f* avalanche
**lawirować** *vi* *mors.* tack, beat about; *przen.* veer
**lazaret** *m* † hospital
**lazur** *m* azure, sky-blue
**ląd** *m* land; **~ stały** continent; **~em** by land
**lądować** *vi* land
**lądowisko** *m* *lotn.* landing-ground
**lecieć** *vi* fly; (*pędzić*) run, hurry; (*o czasie*) pass, slip away; **~ z góry** drop, fall down
**leciwy** *adj* advanced in years
**lecz** *conj* but
**leczeni|e** *n* treatment; **~e się** cure; **poddać się ~u** try a cure, follow a course of treatment
**lecznica** *f* clinic, nursing home
**lecznictwo** *n* therapeutics; health service
**leczniczy** *adj* medicinal; **środek ~** medicine
**leczyć** *vt* treat (**kogoś na coś** sb for sth); (*kurować*) cure (**kogoś z czegoś** sb of sth); (*goić*) heal; **~ się** *vr* undergo a treatment, take a cure
**ledwie, ledwo** *adv* hardly, scarcely; **~ dyszy** he can hardly breathe; **~ nie umarł** he nearly died; *conj* no sooner... than...; **~ wyszliśmy, zaczęło padać** no sooner had we left than it started to rain
**legalizować** *vt* legalize
**legalny** *adj* legal, rightful
**legat** *n* (*zapis*) legacy, bequest; (*papieski*) nuncio, legate
**legawiec** *m* pointer; (*długowłosy*) setter
**legenda** *f* legend
**legendarny** *adj* legendary
**legia** *f* legion; **~ cudzoziemska** foreign legion
**legion** *m* legion
**legionista** *m* legionary
**legitymacja** *f* identity card, certificate
**legitymować** *vt* indentify, establish sb's identity; **~ się** *vr* prove one's identity
**legować** *vt* *prawn.* bequeath
**legowisko** *n* couch, bed; (*dzikich zwierząt*) lair
**legumina** *f* pudding, sweet
**lej** *m* funnel; (*w ziemi*) crater
**lejce** *s pl* reins
**lejek** *m* funnel
**lek** *m* medicine

**lekarski** *adj* medical; **wydział ~** faculty of medicine
**lekarstwo** *n* medicine, remedy; **zażyć ~** take a medicine
**lekarz** *m* physician, doctor; (*urzędowy*) medical officer; **~ ogólnie praktykujący** general practitioner; **~ wojskowy** army surgeon
**lekceważący** *adj* disregardful, disdainful
**lekceważenie** *n* disregard, disdain, slight(ing)
**lekceważyć** *vt* disregard, disdain, slight
**lekcj|a** *f* lesson; **pobierać ~e angielskiego** take English lessons; **udzielać ~i angielskiego** give English lessons
**lekk|i** *adj* light; *sport* **~a atletyka** (light-weight) athletics; (*w boksie*) **waga ~a** light weight
**lekkoatleta** *m* (light-weight) athlete
**lekkomyślność** *f* light-mindedness, recklessness
**lekkomyślny** *adj* light-minded, reckless
**lekkość** *f* lightness; (*łatwość*) easiness
**leksykografia** *f* lexicography
**lektor** *m* lector, reader; (*prowadzący lektorat*) teacher
**lektorium** *n* reading-room
**lektura** *f* (*czytanie*) reading; (*materiał do czytania*) reading-matter
**lemiesz** *m* ploughshare
**lemoniada** *f* lemonade
**len** *m* flax
**lenić się** *vr* laze, idle
**lenieć** *vi* moult, shed one's hair; (*o gadach*) slough
**leninizm** *m* Leninism
**leninowski** *adj* Leninist
**lenistwo** *n* idleness, laziness
**leniuch** *m* lazy bones, idler, sluggard
**leniuchować** *vi* laze, idle one's time away
**leniwiec** *m zool.* sloth
**leniwy** *adj* idle, lazy
**lennik** *m hist.* vassal
**lenno** *n hist.* fief
**leń** *m* lazy-bones, idler
**lep** *m* glue; **~ na muchy** fly-paper
**lepianka** *f* mud-hut
**lepić** *vt* glue, stick; **~ z gliny** loam, make of loam; **~ się** *vr* stick, be sticky
**lepiej** *adv comp* better; **tym ~** all the better, so much the better; **~ byś poszedł sobie** you had better go
**lepki** *adj* sticky; (*przylepny*) adhesive
**lepszy** *adj comp* better; **kto pierwszy, ten ~** first come first served
**lesisty** *adj* wooded, woody
**leszcz** *m zool.* bream
**leszczyna** *f bot.* hazel
**leśnictwo** *n* forestry, forest district
**leśniczówka** *f* forester's cottage
**leśniczy, leśnik** *m* forester
**leśny** *adj* forest- (law etc.); wood- (nymph etc.)
**letarg** *m med.* lethargy; *przen.* torpor
**letni** *adj* (*niegorący*) tepid, lukewarm; *attr* (*dotyczący lata*) summer
**letnik** *m* summer-visitor, holiday-maker
**letnisko** *n* health-resort, summer-resort
**leukocyt** *m biol.* leucocyte
**lew** *m* lion
**lew|a** *f* (*w kartach*) trick; **wziąć ~ę** take ⟨win⟩ a trick
**lewar** *m* lever; (*hydrauliczny*) siphon
**lewatywa** *f med.* enema
**lewica** *f* left hand ⟨side⟩; *polit.* the left, left wing
**lewicowiec** *m* leftist
**lewkonia** *f bot.* stock
**lew|y** *adj* left; **~a strona** wrong side; (*monety*) reverse; **na ~o** on the left, to the left

**leźć** *vi pot.* (*wspinać się*) climb, creep upwards; (*wlec się*) drag (oneself) along, shuffle
**leżak** *m* folding-chair, deck-chair
**leże** *n* couch, lodging, resting--place; *wojsk.* camp, quarters *pl*; **~ zimowe** winter-quarters *pl*
**leżeć** *vi* lie; (*znajdować się*) be placed, be situated; (*o ubraniu*) **dobrze ~** sit ⟨fit⟩ well; **źle ~** sit badly
**lędźwie** *s pl* loins
**lęgnąć się** *vr* come out of the shell, hatch
**lęk** *m* fear; (*groza*) awe
**lękać się** *vr* fear (**o kogoś, coś** for sb, sth), be anxious (**o kogoś, coś** about sb, sth)
**lękliwy** *adj* timid
**lgnąć** *vi* adhere, stick; *przen.* cling, be attached
**libacja** *f* libation, *pot.* booze
**liberalizm** *m* liberalism
**liberalny** *adj* liberal
**liberał** *m* liberal
**liberia** *f* livery
**libertyn** *m* libertine
**libra** *f druk.* quire
**libretto** *n* libretto
**licencja** *f* licence
**liceum** *n* secondary ⟨grammar⟩ school
**licho 1.** *adv* poorly, meanly, shabbily
**lich|o 2.** *n* evil, devil; *pot.* **co u ~a!** what the deuce!
**lichota** *f* rubbish, trash
**lichtarz** *m* candlestick
**lichwa** *m* usury
**lichwiarz** *m* usurer
**lichy** *adj* poor, mean, miserable, shabby
**lic|ować** *vi* harmonize (**z czymś** with sth), become (**z kimś, czymś** sb, sth); **to nie ~uje z tobą** it does not become you
**licytacj|a** *f* auction; (*w brydżu*) bid; **oddać na ~ę** put up to auction; **sprzedać na ~i** sell by auction
**licytator** *m* auctioneer
**licytować** *vt* sell by auction, put to auction; (*w brydżu*) bid
**liczba** *f* number; figure; *gram.* **~ pojedyncza** ⟨**mnoga**⟩ singular ⟨plural⟩ (number); *mat.* **~ wymierna** rational number
**liczbowy** *adj* numerical
**liczebnie** *adv* numerically, in number
**liczebnik** *m gram.* numeral, number
**liczebny** *adj* numerous; numerical
**liczeni|e** *n* calculation; **maszyna do ~a** calculating machine, calculator
**licznik** *m mat.* numerator; (*automat*) counter, meter; **~ elektryczny** electrometer; **~ gazowy** gas-meter; **~ w taksówce** taximeter
**liczny** *adj* numerous
**liczy|ć** *vt* (*obliczać*) count, reckon, compute; (*wynosić*) number, count; (*podawać cenę*) charge; **~ć na kogoś** depend ⟨rely⟩ on ⟨upon⟩ sb; **klasa ~ 20 uczniów** the class numbers 20 pupils; **on ~ sobie około 60 lat** he may be some 60 years old; **~ć się** *vr* count; **to się nie ~** that does not count; **~ć się z kimś, czymś** take sb, sth into account; **on się nie ~ z pieniędzmi** he holds his money of no account
**liczydło** *n* abacus
**liga** *f* league
**lignina** *f* lignin
**likier** *m* liqueur
**likwidacja** *f* liquidation
**likwidować** *vt* liquidate, wind up
**lila** *adj nieodm.* lilac, pale violet
**lilia** *f bot.* lily
**liliowy** *adj* lily *attr*, lily-white; pale violet
**liliput** *m* Lilliputian, pygmy
**limfa** *f biol.* lymph
**limfatyczny** *adj* lymphatic
**limit** *m* limit
**limuzyna** *f* limousine
**lin** *m zool.* tench
**lina** *f* rope, line, cord
**lincz** *m* lynch law

**linczować** *vt* lynch
**lingwista** *m* linguist
**lingwistyka** *f* linguistics
**lini|a** *f* line; (*liniał*) rule, ruler; **cienkie ~e** (*na papierze*) faint lines
**linijka** *f* (*liniał*) ruler; (*wiersz*) line
**liniowa|ć** *vt* rule, line; (*o papierze*) **cienko ~ny** ruled ⟨lined⟩ faint
**liniow|y** *adj wojsk. mors.* line *attr*, of the line; **pułk ~y** line regiment; **oddziały ~e** troups of the line; **okręt ~y** (*pasażerski*) liner; (*wojskowy*) ship of the line
**linoleum** *n nieodm.* linoleum
**linoskoczek** *m* rope-dancer
**linotyp** *m druk.* linotype
**linow|y** *adj*, **kolejka ~a** funicular railway
**lipa** *f bot.* lime, linden; *pot.* humbug
**lipiec** *m* July
**lira** *f muz.* lyre
**liryczny** *adj* lyrical
**liryk** *m* lyrist
**liryka** *f* lyric poetry
**lis** *m zool.* fox
**list** *m* letter; **~ polecony** registered letter; **~ żelazny** safe-conduct; **~y uwierzytelniające** credentials
**lista** *f* list, register; **~ obecności** attendance record; **~ płacy** pay-sheet; **~ zmarłych** death-roll
**listek** *m* leaflet
**listonosz** *m* postman
**listopad** *m* November
**listownie** *adv* by letter, in writing
**listowny** *adj* by letter, in writing
**listowy** *adj*, **papier ~** letter-paper, note-paper
**listwa** *f* fillet, batten; (*mała, cienka*) slat
**liszaj** *m med.* herpes
**liszka 1.** *f* (*gąsienica*) caterpillar
**liszka 2.** *f* (*samica lisa*) vixen
**liściasty** *adj* leafy
**liść** *m* leaf
**litania** *f* litany
**litera** *f* letter
**literacki** *adj* literary
**literalny** *adj* literal
**literat** *m* man of letters
**literatura** *f* literature
**litewski** *adj* Lithuanian
**litograf** *m* lithographer
**litografia** *f* lithography
**litościwy** *adj* merciful
**litość** *f* mercy, pity
**litować się** *vr* take pity (**nad kimś** on sb)
**litr** *m* litre
**liturgia** *f* liturgy
**liturgiczny** *adj* liturgical
**lity** *adj* massive, solid; (*lany*) molten, cast
**lizać** *vt* lick; *pot.* **liznął trochę angielskiego** he has a smattering of English
**lizol** *m* lysol
**lizus** *m pot.* toady
**lnian|y** *adj* linen; **siemię ~e** linseed; **płótno ~e** linen
**loch** *m* dungeon
**lodowaty** *adj* glacial, icy
**lodowiec** *m* glacier
**lodowisko** *n* ice field; (*tor łyżwiarski*) skating-rink
**lodownia** *f* ice-chamber, ice-house
**lodow|y** *adj* ice *attr*, glacial; *geol.* **epoka ~a** Ice Age; **góra ~a** iceberg
**lodówka** *f* refrigerator, ice-box, *pot.* fri(d)ge
**lody** *s pl* ice-cream
**lodziarz** *m* iceman
**logarytm** *m mat.* logarithm
**logiczny** *adj* logical
**logika** *f* logic
**lojalność** *f* loyalty
**lojalny** *adj* loyal
**lok** *m* lock
**lokaj** *m* lackey
**lokal** *m* premises *pl*, place, room(s), apartment(s); **~ rozrywkowy** place of entertainment
**lokalizować** *vt* localize, locate
**lokalny** *adj* local
**lokata** *f* investment
**lokator** *m* lodger; **dziki ~** squalter

**lokaut** *m* lock-out
**lokomocja** *f* locomotion
**lokomotywa** *f* (railway-)engine, locomotive
**lokować** *vt* place, locate; (*inwestować*) invest
**lombard** *m* pawnshop
**londyńczyk** *m* Londoner
**lont** *m* fuse
**lora** *f* lorry
**lornetka** *f* (*polowa*) field-glasses *pl*; (*teatralna*) opera-glasses *pl*
**los** *m* lot, fate; (*na loterii*) lottery-ticket; (*wybrana na loterii*) prize; **ciągnąć ⟨rzucać⟩ ~y** draw ⟨cast⟩ lots; **na ~ szczęścia** at venture, at hazard; **zdać się na ~ szczęścia** chance one's luck
**losować** *vi* draw lots
**losowanie** *n* drawing of lots, lottery-drawing
**lot** *m* flight; **widok z ~u ptaka** bird's eye view
**loteri|a** *f* lottery; **wygrana na ~i** prize
**lotka** *f zool.* pinion; *lotn.* aileron
**lotnictwo** *n* aviation, aircraft: air force; **~ wojskowe** Air Force; (*w Anglii*) Royal Air Force
**lotnicz|y** *adj*, **baza ~a** air-base; **linia ~a** air-line, airway; **poczta ~a** air-mail
**lotnik** *m* airman, flyer, flier
**lotnisko** *n* (*cywilne*) airport, aerodrome
**lotniskowiec** *m* aircraft carrier
**lotny** *adj* quick, bright; *chem.* volatile; *wojsk.* **~ oddział** flying squad; **piasek ~** quick ⟨shifting⟩ sand
**lotos** *m bot.* lotus
**loża** *f* box; (*masońska*) lodge
**lód** *m* ice
**lśniący** *adj* brilliant, lustrous
**lśnić** *vi* shine, glitter
**lub** *conj* or
**lubić** *vt* like, (*bardzo*) love; **nie ~** dislike
**lubieżnik** *m* voluptuary
**lubować się** *vr* take pleasure, delight (**w czymś** in sth)
**lud** *m* people, folk
**ludność** *f* population
**ludny** *adj* populous
**ludobójca** *m* genocide
**ludobójstwo** *n* genocide
**ludow|y** *adj* people's *attr*; popular; **pieśń ~a** folksong; **stronnictwo ~e** peasant party; **Polska Ludowa** People's Poland; **republika ~a** people's republic
**ludożerca** *m* cannibal
**ludzie** *s pl* people, persons, men
**ludzki** *adj* human; **ród ~** mankind
**ludzkość** *f* mankind; (*człowieczeństwo*) humanity; human nature
**luf|a** *f* barrel; **otwór ~y** muzzle
**lufcik** *m* vent-hole
**luk** *m mors.* scuttle, hatch; (*okienko*) porthole
**luka** *f* gap, breach
**lukier** *m* sugar-icing
**lukratywny** *adj* lucrative
**luksus** *m* luxury
**luksusow|y** *adj* luxury *attr*, luxurious; **artykuły ~e** fancy articles, articles of luxury
**lunatyk** *m* sleep-walker
**lunąć** *vi* (*o deszczu*) come down in a torrent; *pot.* (*uderzyć*) slap, hit
**luneta** *f* telescope
**lupa** *f* magnifying glass
**lusterko** *m* pocket-glass, hand-glass; **~ wsteczne** rear-view mirror
**lustracja** *f* inspection; review
**lustro** *n* looking-glass, mirror
**lustrować** *vt* review, pass in review; inspect
**lut** *m techn.* solder
**luteranin** *m* Lutheran
**lutnia** *f muz.* lute
**lutnista** *m* lutenist
**lutować** *vt* solder
**luty** *m* February
**luz** *m* gap, breach; **~em** loosely; separately
**luzować** *vt* replace, relay; *wojsk.* relieve
**luźny** *adj* loose
**lwi** *adj* lion's, leonine; *przen.* **~a część** lion's share
**lżyć** *vi* insult (**kogoś** sb)

Ł

**łabę|dź** *m* swan; *przen.* **~dzi śpiew** swan song
**łach** *m pot.* rag, tatter; *pl* **~y** duds
**łachman** *m* rag, tatter
**łacina** *f* Latin
**ład** *m* order
**ładny** *adj* pretty, nice; neat
**ładować** *vt* load, charge
**ładownica** *f wojsk.* pouch
**ładunek** *m* load; (*okrętowy*) cargo; (*kolejowy*) freight; (*nabój*) cartridge; (*elektryczny*) charge
**łagodnieć** *vi* become mild, soften
**łagodność** *f* mildness, softness
**łagodny** *adj* mild, soft, gentle
**łagodząc|y** *adj* soothing; alleviating; **okoliczności ~e** extenuating circumstances
**łagodzić** *vt* appease, alleviate; soothe
**łajać** *vt* scold, chide
**łajdacki** *adj* roguish, villainous
**łajdactwo** *n* villainy
**łajdak** *m* villain
**łaknąć** *vi* be hungry; (*pożądać*) be desirous (**czegoś** of sth)
**łakocie** *s pl* sweets, dainties
**łakomić się** *vr* covet (**na coś** sth)
**łakomstwo** *n* greediness, gluttony
**łakomy** *adj* greedy (**na coś** of sth)
**łamacz** *m* breaker; **~ fal** breakwater; **~ lodów** icebreaker
**łamać** *vt* break; **~ głowę** rack one's brains (**nad czymś** about sth); **~ się** *vr* break
**łamigłówka** *f* puzzle, riddle, poser
**łamistrajk** *m* strike-breaker
**łamliwy** *adj* brittle, fragile
**łan** *m* corn-field
**łania** *f* hind
**łańcuch** *m* chain; **~ gór** mountain range
**łańcuchow|y** *adj*, **most ~y** chain bridge; *chem.* **reakcja ~a** chain reaction
**łańcuszek** *m* little chain; (*u zegarka*) watch-chain
**łapa** *f* paw
**łapać** *vt* catch, seize
**łapczywość** *f* greed
**łapczywy** *adj* greedy (**na coś** for, of sth)
**łapka 1.** *f* little paw
**łapka 2.** *f* (*pułapka*) trap; **~ na myszy** mouse-trap
**łapownictwo** *n* bribery
**łapówk|a** *f* bribe; **dać ~ę** bribe
**łapserdak** *m pot.* ragamuffin
**łasica** *f zool.* weasel
**łasić się** *vr* fawn (**do kogoś** on, upon sb)
**łas|ka** *f* grace, favour; **akt ~ki** act of grace; **na ~ce** at the mercy
**łaskawość** *f* kindness
**łaskaw|y** *adj* kind (**dla kogoś** to sb); gracious; **bądź ~ to zrobić** be so kind as to do it
**łaskotać** *vt* tickle
**łaskotki** *s pl* tickling
**łasy** *adj* greedy (**na coś** for, of sth)
**łata 1.** *f* patch
**łata 2.** *f* (*deska*) lath, batten
**łatać** *vt* patch, piece together
**łatanina** *f pot.* patch-work
**łatwopalny** *adj* inflammable
**łatwość** *f* easiness, ease, facility
**łatwowierność** *f* credulity
**łatwowierny** *adj* credulous
**łatwy** *adj* easy
**ław|a** *f* bench; **~a przysięgłych** jury; **kolega z ~y szkolnej** schoolmate
**ławica** *f* bank; **~ ryb** shoal of fish
**ławka** *f* bench; (*kościelna*) pew; (*szkolna*) desk
**ławnik** *m* alderman
**łazić** *vi* crawl, tramp, loaf; **~ po drzewach** climb trees
**łazienka** *f* bathroom
**łazik** *m pot.* tramp, vagabond
**łaźnia** *f* vapour-bath
**łączący** *adj* binding, joining; *gram.* **tryb ~** subjunctive mood

**łącznica** *f techn.* (*kolejowa*) junction; (*telefoniczna*) exchange
**łącznie** *adv* together
**łącznik** *m* link; *wojsk.* liaison officer; *gram.* hyphen
**łącznoś|ć** *f* connexion, union; **służba ~ci** signal-service; *wojsk.* **oficer ~ci** signal officer
**łączn|y** *adj* joint; **~a suma** sum total
**łączyć** *vt* join, unite, connect; **~ się** *vr* unite, combine
**łąka** *f* meadow
**łeb** *m pot.* pate; **na ~, na szyję** headlong, head over heels
**łechtać** *f* tickle
**łęk** *m* saddle-bow
**łgać** *vi* lie, tell lies
**łgarstwo** *n* lie
**łkać** *vi* sob
**łobuz** *m* rogue, villain; urchin
**łobuzerstwo** *n* petty villainy; knavery
**łodyga** *f* stalk
**łojówka** *f* (*świeca*) tallow-candle
**łok|ieć** *m* elbow; (*miara*) ell; **trącać ~ciem** elbow
**łom** *m* crowbar; (*złodziejski*) jemmy, *am.* jimmy
**łomot** *m* crack, din
**łono** *n* bosom; womb; (*podołek*) lap
**łopata** *f* spade, shovel
**łopatka** *f* little shovel, spatula; *anat.* shoulder-blade
**łopotać** *vi* flap ⟨flutter⟩ (**skrzydłami, żaglami** the wings, the sails)
**łoskot** *m* crash, crack
**łosoś** *m zool.* salmon
**łoś** *m zool.* elk
**łowca** *m* hunter
**łowczy** *adj* hunting; **pies ~** hound; *m* huntsman, master of the chase
**łowić** *vt* catch; **~ ryby** fish, (*na wędkę*) angle
**łowiectwo** *n* hunting, huntsmanship
**łowy** *s pl* hunting, chase
**łoza** *f bot.* osier, wicker
**łoż|e** *n* bed; **~e małżeńskie** marriage-bed; **~e śmierci** death-bed; **dziecko z nieprawego ~a** illegitimate child
**łożyć** *vt* lay out, bestow; *vi* (*ponosić koszty*) bear expenses
**łożysko** *n* bed; *techn.* bearing; **~ kulkowe** ball-bearing; **~ rzeki** river-bed
**łódka** *f* (small) boat
**łódź** *f* boat
**łój** *m* tallow; (*barani etc.*) suet
**łów** *m* hunting, chase
**łóżeczko** *n* cot
**łóżk|o** *n* bed; (*bez materaca i pościeli*) bedstead; **leżeć w ~u** (*chorować*) keep to one's bed; **położyć się do ~a** go to bed; **słać ~o** make the bed
**łubin** *m bot.* lupine
**łucznictwo** *n* archery
**łucznik** *m* archer, bowman
**łuczywo** *n* resinous wood
**łudzący** *adj* delusive
**łudzenie się** *n* delusion
**łudzić** *vt* delude; **~ się** *vr* be deluded, deceive oneself
**ług** *m* lye
**łuk** *m* bow; *arch.* (*sklepienie*) arch; *mat. fiz. elektr.* arc
**łukow|y** *adj, elektr.* **lampa ~a** arc lamp; **światło ~e** arc-light
**łuna** *f* glow
**łup** *m* booty, spoil; **paść ~em** fall a prey (**kogoś, czegoś** to sb, sth)
**łupać** *vt* split, cleave; chip
**łupek** *m miner.* slate
**łupić** *vt* plunder, loot
**łupież** *m* dandruff
**łupieżca** *m* plunderer, looter
**łupina** *f* peel, hull, husk, shell
**łuska** *f* (*ryby*) scale; (*owocu*) husk; (*orzecha, grochu, naboju*) shell; *przen.* **~ spadła komuś z oczu** the scale fell from sb's eyes
**łuskać** *vt* (*kukurydzę*) husk, peel, (*groch, fasolę*) hull, (*migdały itp.*) scale, (*groch, orzechy*) shell
**łuszczyć się** *vr* scale off
**łydka** *f* calf
**łyk** *m* draught, gulp; **jednym ~iem** at one gulp

**łykać** *vt* swallow, gulp
**łyko** *n* bast
**łykowaty** *adj* (*o mięsie*) tough, sinewy
**łysek** *m pot.* (*człowiek łysy*) baldpate
**łysieć** *vi* become bald
**łysina** *f* bald head
**łysy** *adj* bald
**łyżeczka** *f* (little) spoon, teaspoon
**łyżka** *f* spoon; (*zawartość*) spoonful; **~ do butów** shoe-horn; **~ wazowa** ladle; **~ zupy** spoonful of soup
**łyżwa** *f* skate
**łyżwiarstwo** *n* skating
**łyżwiarz** *m* skater
**łza** *f* tear; **lać gorzkie łzy** shed bitter tears; **zalewać się łzami** be all in tears
**łzawi|ć** *vi* water; **gaz ~ący** tear-gas
**łzawy** *adj* tearful; (*ckliwy*) maudlin

# m

**macać** *vt* touch, feel; **~ po ciemku** grope
**macerować** *vt* macerate
**machać** *vi* wave (**ręką** one's hand); wag (**ogonem** the tail); brandish (**szablą** the sword); **~ ręką na przywitanie** ⟨**pożegnanie**⟩ wave welcome ⟨farewell⟩ (**kogoś** to sb); **machnąć na coś ręką** wave sth aside
**machina** *f* machine
**machinacja** *f* machination
**machnąć** *zob.* **machać**
**macica** *f anat.* uterus; **~ perłowa** mother-of-pearl
**macierz** † *f* mother
**macierzanka** *f bot.* thyme
**macierzyński** *adj* maternal
**macierzyństwo** *n* maternity, motherhood
**macierzysty** *adj* mother *attr*; **kraj ~** mother country; **port ~** port of registry; home port
**mącka** *f* tentacle, feeler
**macocha** *f* step-mother
**maczać** *vt* soak, steep, dip
**maczuga** *f* mace, club
**magazyn** *m* store, storehouse; *wojsk.* magazine; (*czasopismo*) magazine
**magazynier** *m* store-keeper
**magazynować** *vt* store up, keep in store
**magia** *f* magic, sorcery; **czarna ~** black art
**magiczny** *adj* magic(al)
**magiel** *m* mangle
**magik** *m* magician
**magister** *m* master
**magisterium** *n* (*stopień*) master's degree
**magistracki** *adj* municipal
**magistrant** *m* candidate for the master's degree
**magistrat** *m* (*budynek*) town-hall; (*władza*) municipality
**maglować** *vt* mangle
**magnat** *m* magnate
**magnes** *m* magnet
**magnetofon** *m* tape-recorder
**magnetyzować** *vt* magnetize
**magnez** *m chem.* magnesium
**magnezja** *f chem.* magnesia
**magnificencja** *f* magnificence
**magnolia** *f bot.* magnolia
**mahometanin** *m* Mohammedan
**mahometański** *adj* Mohammedan
**mahoń** *m* mahogany
**maić** *vt* decorate with leaves
**maj** *m* May
**majaczeć** *vi* loom, appear dimly in the distance

**majaczenie** *n* hallucinations; ravings
**majaczyć** *vi* (*mówić od rzeczy*) talk deliriously, rave
**majątek** *m* property, fortune, estate
**majeranek** *m bot.* marjoram
**majestat** *m* majesty
**majestatyczny** *adj* majestic
**majętność** *f* property, estate
**majętny** *adj* wealthy, well-to-do
**majolika** *f* majolica
**majonez** *m* mayonnaise
**major** *m* major
**majówka** *f* May-party
**majster** *m* foreman, master; *sl* boss; ~ **do wszystkiego** jack of all trades
**majstersztyk** *m* masterpiece
**majstrować** *vi pot.* tamper (**koło czegoś** with sth)
**majtek** *m* sailor, mariner
**majtki** *s pl* drawers; *pot.* panties
**mak** *m* poppy; (*ziarno*) poppy-seed; **jest cicho jak ~iem zasiał** one might hear a pin drop
**makaron** *m* macaroni
**makat|a** *f* piece of tapestry; *pl* ~y tapestry *zbior.*
**makieta** *f* model
**makler** *m handl.* broker
**makówka** *f* poppy-head
**makrela** *f* mackerel
**maksimum** *n nieodm. sing* maximum
**maksyma** *f* maxim
**maksymalny** *adj* maximum
**makuch** *m* oil-cake
**makulatura** *f* waste-paper
**malaria** *f med.* malaria
**malarstwo** *n* painting
**malarz** *m* painter
**malec** *m* small boy, *pot.* nipper
**maleć** *vi* grow small, dwindle
**maleństwo** *n* little thing
**malina** *f* raspberry
**malkontent** *m* malcontent
**malować** *vt* paint; (*na szkle*) stain; (*na porcelanie*) enamel; ~ **się** *vr* (*szminkować się*) make up
**malowidło** *n* painting, picture
**malowniczy** *adj* picturesque
**maltretować** *vt* maltreat, ill-treat
**malwa** *f bot.* mallow
**malwersacja** *f* malversation, embezzlement
**mało** *adv* little, few; ~ **kiedy** very seldom; **o** ~ nearly; **mieć** ~ **pieniędzy** be short of money
**małoduszność** *f* pusillanimity
**małoduszny** *adj* pusillanimous
**małoletni** *adj* under age, minor
**małoletniość** *f* minority
**małomówność** *f* taciturnity
**małomówny** *adj* taciturn
**małostkowość** *f* petty-mindedness
**małostkowy** *adj* petty-minded
**małowartościowy** *adj* of little worth
**małpa** *f* (*człekokształtna*) ape; (*niższego rzędu*) monkey
**małpować** *vt* ape
**mały** *adj* small, little; (*drobny*) tiny
**małż** *m zool.* crustacean
**małżeńsk|i** *adj* matrimonial, marital, conjugal; **para** ~a married couple
**małżeństwo** *n* marriage; married couple
**małżonek** *m* husband, spouse
**małżonka** *f* wife, spouse
**mama** *f* mamma, mummy, mammy
**mamić** *vt* delude, allure
**mamona** *f* mammon
**mamrotać** *vt* mumble, mutter
**mamut** *m zool.* mammoth
**manatki** *s pl pot.* goods and chattels, bag and baggage
**mandat** *m* mandate
**mandolina** *f muz.* mandolin(e)
**manekin** *m* mannequin, manikin, model
**manewr** *m* manoeuvre
**manewrować** *vi* manoeuvre
**maneż** *m* manege, riding-school
**mangan** *m chem.* manganese
**mania** *f* mania, obsession; ~ **prześladowcza** persecution mania; ~ **wielkości** megalomania
**maniak** *m* maniac
**manicure** [-kiur] *m* manicure; **robić** ~ to manicure

**maniera** *f* manner; (*zmanierowanie*) mannerism
**manierka** *f* flask; (*żołnierska*) canteen
**manifest** *m* manifesto
**manifestacja** *f* demonstration
**manifestować** *vi* demonstrate
**manipulacja** *f* manipulation
**manipulacyjn|y** *adj* manipulative; **opłaty ~e** handling charges
**manipulować** *vi* manipulate, handle
**mankiet** *m* cuff, wristband
**manko** *n* deficit, deficiency
**manna** *f* manna; **kasza ~** semolina
**manow|iec** *m, zw. pl* **~ce** wrong ways, impracticable tracts; **sprowadzić na ~ce** lead astray; **zejść na ~ce** go astray
**mansarda** *f* attic
**manufaktura** *f hist.* linen-drapery; manufacture
**manuskrypt** *m* manuscript
**mańkut** *m* left-handed person
**mapa** *f* map; (*morska*) chart
**mara** *f* spectre, phantom
**maratoński** *adj*, **bieg ~** Marathon race
**marcepan** *m* marchpane
**marchew** *f* carrot
**margaryna** *f* margarine
**margines** *m* margin
**margrabia** *m* margrave
**marionetka** *f* marionette, puppet
**marka** *f* mark; **~ fabryczna** trademark
**markiz** *m* marquis
**markiza** *f* (*żona markiza*) marchioness; (*osłona*) awning, marquee
**markotny** *adj* grumbling, discontent
**marksista** *m* Marxist
**marksistowski** *adj* Marxist, Marxian
**marksizm** *m* Marxism
**marmolada** *f* jam, (*zw. z pomarańcz*) marmalade
**marmur** *m* marble
**marnieć** *vi* languish, waste away, perish
**marność** *f* vanity
**marnotrawca** *m* spendthrift
**marnotrawić** *vt* waste, squander
**marnotrawny** *adj* prodigal
**marnotrawstwo** *n* prodigality
**marnować** *vt* waste, trifle away; **~ się** *vr* be wasted, go to waste
**marn|y** *adj* miserable, meagre, mean; **wszystko poszło na ~e** it all dissolved into thin air
**marsowy** *adj* martial
**marsz** *m* march; *int* **~!** *wojsk.* forward march!; (*wynoś się!*) clear off!, clear out!
**marszałek** *m* marshal
**marszczyć** *vt* wrinkle; **~ brwi** knit one's brows; **~ się** *vr* wrinkle, become wrinkled
**marszruta** *f* itinerary, route
**martwica** *f med.* necrosis
**martwić** *vt* vex, grieve, worry; **~ się** *vr* worry (**o kogoś, o coś** about, over sb, sth), grieve, be grieved (**o kogoś, o coś** at, for sb, sth)
**martw|y** *adj* lifeless, dead; **~a natura** still life; **~y sezon** slack season; **~y punkt** deadlock; **stanąć na ~ym punkcie** come to a deadlock
**martyrologia** *f* martyrology
**maruder** *m* marauder
**marudzić** *vt* (*guzdrać się*) loiter; (*gderać*) grumble
**mary** *s pl* bier
**marynarka** *f* marine; (*wojenna*) navy; (*część ubrania*) coat
**marynarz** *m* sailor, mariner
**marynata** *f* pickle, marinade
**marynować** *vt* pickle, marinade
**marzanna** *f bot.* madder
**marzec** *m* March
**marzenie** *n* dream, reverie
**marznąć** [-r-z-] *vi* freeze, feel ⟨be⟩ cold
**marzyciel** *m* dreamer
**marzyć** *vi* dream (**o kimś, o czymś** of sb, sth)
**masa** *f* mass; (*wielka ilość*) a lot, a great deal; *fiz.* **~ atomowa** atomic ratio ⟨weight, mass⟩; *chem.* **~ cząsteczkowa** molecular mass ⟨weight⟩; **~ drzewna** wood

pulp; ~ papiernicza paper-pulp; *prawn.* ~ upadłościowa bankrupt's estate
**masakra** *f* massacre
**masakrować** *vt* massacre
**masaż** *m* massage
**masażysta** *m* masseur
**masażystka** *f* masseuse
**maselniczka** *f* butter-box
**maska** *f* mask
**maskarada** *f* masquerade
**maskować** *vt* mask, disguise
**masło** *n* butter
**masoneria** *f* freemasonry
**masować** *vt* massage
**masowo** *adv* in a mass
**masow|y** *adj* massy, mass *attr*; ~a produkcja mass production
**masówka** *f* mass meeting
**masyw** *m* massif
**masywny** *adj* massive, solid
**maszerować** *vi* march
**maszkara** *f* (*poczwara*) monster; (*maska*) mask
**maszt** *m* mast
**maszyn|a** *f* machine, engine; ~a do pisania typewriter; pisać na ~ie typewrite; ~a do szycia sewing-machine; ~a parowa steam-engine
**maszynista** *m* engineer; (*kolejowy*) engine-driver
**maszynistka** *f* typist
**maszynka** *f*, ~ do golenia safety-razor; ~ do mięsa mincing-machine; ~ do gotowania cooker; ~ spirytusowa spirit lamp
**maszynopis** *m* typescript
**maść** *f* ointment; (*konia*) colour
**maślanka** *f* buttermilk
**mat** *m* (*barwa*) dull colour; (*w szachach*) mate; dać ~a checkmate (komuś sb)
**mata** *f* mat
**matactwo** *n* fraudulence, trickery, machination
**matczyny** *adj* maternal
**matematyczny** *adj* mathematical
**matematyk** *m* mathematician
**matematyka** *f* mathematics
**materac** *m* matress
**materia** *f* matter; stuff
**materialista** *m* materialist
**materialistyczny** *adj* materialistic
**materializm** *m* materialism; ~ dialektyczny dialectical materialism
**materialn|y** *adj* material; środki ~e material means, pecuniary resources
**materiał** *m* material, stuff; *przen.* makings
**matka** *f* mother; ~ chrzestna god-mother
**matni|a** *f* trap, snare; złapać w ~ę ensnare, entrap
**matowy** *adj* dull, mat
**matrona** *m lit.* matron
**matryca** *f* matrix; (*w mennicy*) die
**matrymonialny** *adj* matrimonial
**matura** *f* secondary-school leaving examination; matriculation
**maturzysta** *m* secondary-school graduate
**maurytański** *adj* Moorish; (*styl*) Moresque
**mazać** *vt* smear, daub
**mazgaj** *m pot.* sniveller, noodle
**mazur** *m* (*muz. i taniec*) mazurka
**mazurek** *m muz.* mazurka
**maź** *m* grease
**mąci|ć** *vt* trouble, disturb; ~ mi się w głowie my head reels
**mączka** *f* fine flour
**mądrość** *f* wisdom
**mądry** *adj* wise, sage
**mąka** *f* flour
**mątwa** *f zool.* cuttle-fish
**mąż** *m* man; husband; ~ stanu statesman; wychodzić za ~ marry, get married; jak jeden ~ to a man
**mdleć** *vi* faint, swoon away
**mdli|ć** *v impers* ~ mnie I feel sick
**mdłości** *s pl* sickness, qualm, nausea
**mdły** *adj* insipid, dull
**meb|el** *m* piece of furniture; *pl* ~le (*umeblowanie*) *zbior.* furniture
**meblować** *vt* furnish
**mecenas** *m* Maecenas; (*adwokat*) lawyer, barrister

**mech** *m* moss
**mechaniczny** *adj* mechanical
**mechanik** *m* mechanic
**mechanika** *f* mechanics
**mechanizacja** *f* mechanization
**mechanizm** *m* mechanism
**mecz** *m sport* match; **~ sparingowy** spar
**meczet** *m* mosque
**medal** *m* medal
**medium** *n* medium
**meduza** *f zool.* jelly-fish
**medycyna** *f* medicine
**medyczny** *adj* medical
**medyk** *m* medical student
**medykament** *m* medicine, medicament
**megafon** *m* loud-speaker
**megaloman** *m* megalomaniac
**megalomania** *f* megalomania
**Meksykanin** *m* Mexican
**meksykański** *adj* Mexican
**melancholia** *f* melancholy
**melancholijny** *adj* melancholy
**melancholik** *m* melancholiac
**melasa** *f* molasses *pl*
**meldować** *vt* report, announce; **~ się** *vr* report oneself; (*zgłaszać urzędowo przyjazd*) register
**meldunek** *m* report, notification; (*meldowanie*) registration
**melioracja** *f* melioration
**meliorować** *vt* meliorate
**melodia** *f* melody
**melodramat** *m* melodrama
**melodyjny** *adj* melodious
**melon** *m* melon; (*kapelusz*) bowler
**memorandum** *n* memorandum
**memoriał** *m* memorial
**menażeria** *f* menagerie
**menażka** *f* mess-tin
**mennica** *f* mint
**menstruacja** *f* menstruation, menses
**mentalność** *f* mentality
**mentol** *m* menthol
**menu** [meniu] *n nieodm.* menu, bill of fare
**menuet** *m* minuet
**mer** *m* mayor
**merdać** *vi pot.* wag (**ogonem** the tail)
**mereżka** *f* hemstitch
**merynos** *m zool.* merino
**merytoryczny** *adj* essential, substantial; **rozważać sprawę pod względem ~m** consider a matter on its merits
**meszek** *m* fine moss; (*puszek*) down
**met|a** *f* goal, terminus; **na dalszą ~ę** in the long run, at long-range
**metafizyczny** *adj* metaphysical
**metafizyka** *f* metaphysics
**metal** *m* metal
**metaliczny** *adj* metallic
**metalowy** *adj* metal *attr*
**metalurgia** *f* metallurgy
**metamorfoza** *f* metamorphosis
**meteor** *m* meteor
**meteorolog** *m* meteorologist
**meteorologia** *f* meteorology
**metoda** *f* method
**metodyczny** *adj* methodical
**metr** *m* metre
**metraż** *m* surface in square metres
**metro** *n* underground (railway), *pot.* tube; *am.* subway (railway)
**metropolia** *f* metropolis
**metropolita** *m* metropolitan
**metrum** *n nieodm. lit.* metre, measure
**metryczny** *adj* (**system**) metric; (*w prozodii*) metrical
**metryka** *f* birth ⟨marriage⟩ certificate
**metyl** *m chem.* methyl
**mewa** *f* (sea-)mew, sea-gull
**mezalians** *m* misalliance
**męczarnia** *f* torment, torture
**męczennica** *f*, **męczennik** *m* martyr
**męczeński** *adj* martyr's
**męczeństwo** *n* martyrdom
**męczyć** *vt* torment, torture; (*dokuczać*) vex; (*nużyć*) tire; **~ się** *vr* take pains, exert oneself, labour; (*umysłowo*) rack one's brains
**mędrek** *m pot.* wiseacre
**mędrzec** *m* sage

**męka** *f* pain, fatigue, toil, torment

**męski** *adj* male; masculine; (*pełen męskości, mężny*) manful; **chór ~** chorus of men; **garnitur ~** men's suit; **obuwie ~e** men's boots; *gram.* **rodzaj ~** masculine gender

**męskość** *f* manhood, manliness

**męstwo** *n* bravery, valour

**mętniactwo** *n pot.* woolliness

**mętny** *adj* dull; (*nieprzejrzysty*) troubled, turbid

**męty** *s pl* grounds, dregs; **~ społeczne** *zbior.* scum of society

**mężatka** *f* married woman

**mężczyzna** *m* man, male

**mężny** *adj* brave, valiant

**mgiełka** *f* haze

**mglisty** *adj* hazy, misty, foggy

**mgła** *f* fog, mist

**mgławica** *f* mist; *astr.* nebula

**mgnieni|e** *n* twinkling; **w ~u oka** in the twinkling of an eye

**miał** *m* dust

**miałki** *adj* fine

**miano** *n* name

**mianować** *vt* name, appoint

**mianowicie** *adv* namely; (*w piśmie*) viz.

**mianownik** *m mat.* denominator; *gram.* nominative

**miar|a** *f* measure; (*skala*) gauge; **ubranie na ~ę** suit to measure; **brać ~ę** measure (**z kogoś** sb); **w ~ę jak się zbliżał** as he was approaching; **w jakiej mierze?** to what extent?; **w ~ę możności** as far as possible, to the best of my ⟨your itd.⟩ ability; **w pewnej mierze** in some measure, to a certain extent; **żadną ~ą** by no means

**miarka** *f* gauge; (*menzura*) burette

**miarkować** *vt* moderate; (*domyślać się*) guess, infer

**miarodajny** *adj* competent, authoritative

**miarowy** *adj* measured; (*rytmiczny*) rhytmic

**miasteczko** *n* little town; **wesołe ~** amusement park

**miasto** *n* town, city

**miauczeć** *vi* mew

**miazga** *f* (*miąższ*) pulp; (*wyciśnięta masa*) squash

**miażdżyć** *vt* crush, squash

**miąć** *vt* rumple, crumple; **~ się** *vr* crumple, get crumpled

**miąższ** *m* pulp

**miech** *m* (pair of) bellows

**miecz** *m* sword

**mieć** *vt* have; **~ kogoś za coś** take sb for sth; **~ się dobrze** be (feel) well; **~ zamiar** intend, have the intention; **ma się na deszcz** it is going to rain, it looks like rain; **mam na sobie palto** I have my overcoat on; **miałem wyjechać** I was going to leave; **co miałem robić?** what was I to do?; **czy mam to zrobić?** shall I do it?; **ile masz lat?** how old are you?; **mam 30 lat** I am 30 years old; **jak się masz?** how do you do?, how are you?; **nie ma gdzie pójść** there's no place ⟨there's nowhere⟩ to go; **nie mam przy sobie pieniędzy** I have no money about me; **nie masz się czego bać** you needn't be afraid of anything; **nie ma jak Zakopane** there's nothing like Zakopane

**miednica** *f* (wash-) basin, *am.* washbowl; *anat.* pelvis

**miedza** *f* balk

**miedziak** *m* copper

**miedzioryt** *m* copper-plate

**miedź** *f* copper

**miejsc|e** *n* place; sport; (*przestrzeń*) room; (*posada*) situation, employment; **~e pobytu** residence; **~e przeznaczenia** destination; **~e siedzące ⟨stojące⟩** sitting, ⟨standing⟩ room; **~e urodzenia** birthplace; **płatne na ~u** payable on the spot; **jest dużo ~a** there is plenty of room; **zająć ~e (siedzące)** take one's seat; **zrobić ~e** make room (**dla kogoś, czegoś** for sb, sth); **nie na**

~u out of place; na ~e in place, instead (kogoś, czegoś of sb, sth)
**miejscownik** *m gram* locative (case)
**miejscowość** *f* locality
**miejscowy** *adj* local
**miejscówka** *f* reserved seat ticket
**miejsk|i** *adj* municipal, town- *attr*, city- *attr*; rada ~a town-council, city-council
**mieli|zna** *f* shallow water, shoal; osiąść na ~źnie run aground
**mielony** *adj pp* ground; *zob.* **mleć**
**mienić się** *vr* change colour, shimmer
**mienie** *n* property
**miernictwo** *n* geodesy, surveying
**mierniczy** *adj* geodetic, surveying; *s m* (land-)surveyor
**miernota** *f* mediocrity
**mierny** *adj* mediocre, mean
**mierzić** [-r-z-] *vt* disgust, sicken
**mierznąć** [-r-z-] *vi* become disgusting
**mierzwić** *vt* tousle
**mierzyć** *vt* measure; *vi* (*celować*) aim (do kogoś, czegoś at sb, sth)
**miesiąc** *m* month; † (*księżyc*) moon; od dziś za ~ this day month
**miesić** *vt* knead
**miesięcznie** *adv* monthly, a month
**miesięcznik** *m* monthly
**miesięczny** *adj* monthly
**mieszać** *vt* mix; (*np. zupę*) stir; (*karty*) shuffle; (*peszyć, wprowadzać w zakłopotanie*) confuse; ~ się *vr* mix, become mixed; (*wtrącać się*) interfere, meddle (do czegoś with sth)
**mieszanina** *f* mixture
**mieszanka** *f* blend, mixture
**mieszczanin** *m* townsman, burgher, bourgeois
**mieszczanka** *f* middle-class woman, bourgeoise
**mieszczański** *adj* middle-class *attr*, bourgeois; stan ~ middle class, bourgeoisie
**mieszczaństwo** *n* middle class, bourgeoisie
**mieszek** *m* bag; hand-bellows *pl*
**mieszkać** *vi* live, stay, reside; *poet.* dwell
**mieszkalny** *adj* habitable; dom ~ dwelling-house
**mieszkanie** *n* flat, lodgings *pl*
**mieszkaniec** *m* inhabitant, resident
**mieszkaniow|y** *adj*, problem ~y housing problem; urząd ~y housing office; dzielnica ~a residential district
**mieścić** *vt* comprise, contain; ~ się *vr* be comprised; be included; (*zmieścić się*) find enough room
**mieścina** *f* little ⟨paltry⟩ town
**mięczak** *m zool.* mollusc
**międlić** *vt* crush
**między** *praep* (*o dwóch osobach, rzeczach*) between; (*o większej liczbie*) among(st), amid(st)
**międzymiastow|y** *adj*, rozmowa ~a trunk call
**międzynarodowy** *adj* international
**międzynarodówka** *f* (*organizacja*) International; (*hymn*) Internationale
**międzyplanetarny** *adj* interplanetary
**miękczyć** *vt* make soft, soften, mollify
**miękisz** *m* pulp, flesh
**miękki** *adj* soft; (*o mięsie*) tender
**miękko** *adv* softly; jajka na ~ soft-boiled eggs
**miękkość** *f* softness
**mięknąć** *vi* soften, become soft
**mięsień** *m* muscle
**mięsisty** *adj* fleshy; (*muskularny*) barwny
**mięsiwo** *n* meat
**mięso** *n* flesh; (*jadalne*) meat
**mięsożerny** *adj* carnivorous
**mięta** *f* mint
**miętosić** *vt* knead, crumple
**miętówka** *f* peppermint (liqueur)
**mig** *m* twinkling; w ~, ~iem in a twinkling; mówić na ~i speak by signs
**migać** *vi* twinkle, glimmer
**migawka** *f fot.* shutter; ~ sekto-

rowa diaphragm shutter; ~ szczelinowa focal-plane shutter
**migawkow|y** *adj, fot.* **zdjęcie ~e** snapshot
**migdał** *m* almond
**migotać** *vi* twinkle, shimmer
**migracja** *f* migration
**migrena** *f* migraine
**mijać** *vt* pass, go past; *vi (przemijać)* pass away; **~ się** *vr* pass ⟨cross⟩ each other; **~ się z prawdą** swerve from the truth
**mikrob** *m* microbe
**mikrofon** *m* microphone
**mikroskop** *m* microscope
**mikroskopijny** *adj* microscopic
**mikstura** *f* mixture
**mila** *f* mile
**milczący** *adj* silent
**milczeć** *vi* be ⟨keep⟩ silent
**milczenie** *n* silence; **pominąć ~m** pass over in silence
**milczkiem** *adv* stealthily, secretly
**miliard** *m* milliard; *am.* billion
**milicja** *m* militia
**milicjant** *m* militiaman
**miligram** *m* milligramme
**milimetr** *m* millimeter
**milion** *m* million
**milioner** *m* millionaire
**milionowy** *adj* millionth
**militarny** *adj* military
**militarysta** *m* militarist
**militaryzm** *m* militarism
**militaryzować** *vt* militarize
**milknąć** *vi* become silent; *(cichnąć)* become quiet, calm down
**milowy** *adj,* **kamień ~** milestone
**miło** *adv* agreeably; **~ mi pana spotkać** I'm glad to see you; **~ to usłyszeć** it's a pleasure to hear
**miłosierdzi|e** *n* mercy, charity; **siostra ~a** Sister of Mercy
**miłosierny** *adj* merciful, charitable
**miłosny** *adj* love *attr*, amatory, amorous; **list ~** love letter
**miłostka** *f* love affair
**miłość** *f* love; **~ własna** self-love; self-respect
**miłośnik** *m* amateur, lover
**miłować** *vt* love
**miły** *adj* pleasant, agreeable, dear, beloved
**mimiczny** *adj* mimic
**mimika** *f* mimics, mimic art
**mimo** *praep* in spite of; *(obok)* by; *adv* past, by; **~ to** nevertheless; **~ woli** involuntarily; **~ wszystko** after all
**mimochodem** *adv* by the way, in passing
**mimowolny** *adj* involuntary
**mimoza** *f bot.* sensitive plant
**min|a** 1. *f (wyraz twarzy)* air, countenance; **kwaśna ~a** wry face; **robić ~y** pull ⟨make⟩ faces
**mina** 2. *f wojsk.* mine
**minąć** *vi* pass, be past, be over; **dawno minęła 5 godzina** it is long past 5 o'clock; **burza minęła** the storm is over; **~ się** *vr* pass ⟨cross⟩ each other; **~ się z powołaniem** miss one's calling; *zob.* **mijać**
**mineralny** *adj* mineral
**mineralogia** *f* mineralogy
**minerał** *m* mineral
**minia** *f* minium
**miniatura** *f* miniature
**minimalny** *adj* minimal
**minimum** *n nieodm.* minimum
**miniony** *adj* past, bygone
**minister** *m* minister; **~ handlu** President of the Board of Trade; **~ oświaty** Minister of Education; **~ skarbu** Chancellor of the Exchequer, *am.* Secretary of the Treasury; **~ spraw wewnętrznych** Home Secretary; **~ spraw zagranicznych** Foreign Secretary, *am.* Secretary of State; **~ opieki społecznej** Minister of Social Welfare
**ministerialny** *adj* ministerial
**ministerstwo** *n* ministry
**minuta** *f* minute
**miodownik** *m* honey-cake
**miodowy** *adj* honey *attr*, honeyed; **miesiąc ~** honeymoon
**miotacz** *m* thrower; *wojsk.* **~ bomb** bomb-thrower; **~ min** mine-thrower; **~ płomieni** flame-projector
**miotać** *vt* throw, fling, launch

**miotła** *f* broom
**miód** *m* honey; (*pitny*) mead
**mirra** *f* myrrh
**mirt** *m* myrtle
**misa** *f* bowl
**misja** *f* mission
**misjonarz** *m* missionary
**miska** *f* pan, bowl
**misterium** *n nieodm.* mystery
**misterny** *adj* fine
**mistrz** *m* master
**mistrzostwo** *n* mastership, mastery
**mistrzowski** *adj* masterly; master's, master *attr*
**mistycyzm** *m* mysticism
**mistyczny** *adj* mystic(al)
**mistyfikacja** *f* mystification
**mistyfikować** *vt* mystify
**mistyk** *m* mystic
**miś** *m* bear; (*z bajki*) Bruin; (*zabawka*) Teddy bear
**mit** *m* myth
**mitologia** *f* mythology
**mitologiczny** *adj* mythologic(al)
**mitra** *f* mitre
**mitręga** *f pot.* waste of time
**mityczny** *adj* mythical
**mizantrop** *m* misanthrope
**mizantropia** *f* misanthropy
**mizdrzyć się** *vr pot.* ogle (**do kogoś** at sb)
**mizerak** *m pot.* poor devil
**mizeria** *f* cucumber salad
**mizernieć** *vi* grow meagre ⟨wan⟩
**mizerny** *adj* meagre, wan
**mknąć** *vi* flit, fleet
**mlaskać** *vi* smack (**językiem** one's tongue)
**mlecz** *m* marrow; (*rybi*) soft roe
**mleczarnia** *f* dairy
**mleczarstwo** *n* dairying
**mleczko** *n* milk
**mleczn|y** *adj* milk *attr*, milky; *chem.* lactic; *astr.* **Droga Mleczna** Milky Way; **bar ~y** milk-bar; **gospodarstwo ~e** dairy-farm; **ząb ~y** milk-tooth
**mleć** *vt* grind, mill
**mleko** *n* milk; **~ zbierane** skimmed milk
**młockarnia** *f* trashing-machine
**młocka** *f* thrashing

**młode** *adj zob.* **młody**; *s n* young ⟨little⟩ one
**młodociany** *adj* youthful; (*nieletni*) juvenile; **sąd dla ~ch** juvenile court
**młodość** *f* youth
**młod|y** *adj* young; **pan ~y** bridegroom; **panna ~a** bride; **~e drzewo** sapling
**młodzian** *m* young man, youth
**młodzieniaszek** *m* stripling
**młodzieniec** *m* young man, youth
**młodzieńczy** *adj* youthful, adolescent; **wiek ~** adolescence
**młodzież** *f* youth
**młodzieżowy** *adj* juvenile
**młodzik** *m* youngster, sapling
**młokos** *m* stripling
**młot** *m* hammer
**młotek** *m* hammer; (*drewniany*) mallet
**młócić** *vt* thrash
**młyn** *m* mill
**młynek** *m* (*ręczny*) handmill; (*do kawy*) coffee-mill
**młyński** *adj* mill *attr*; **kamień ~** millstone, grindstone
**mnemotechnika** *f* mnemotechnics
**mnich** *m* monk
**mniej** *adv* less, fewer; **~ więcej** more or less; **~sza o to** never mind
**mniejszość** *f* minority
**mniejszy** *adj* smaller, less, minor
**mniemać** *vi* think, believe
**mniemanie** *n* opinion
**mniszka** *f* nun
**mnog|i** *adj* numerous; *gram.* **liczba ~a** plural (number).
**mnogość** *f* plurality, multitude
**mnożeni|e** *n* multiplication; **tabliczka ~a** multiplication table
**mnożnik** *m mat.* factor, multiplier
**mnożyć** *vt* multiply; **~ się** *vr* multiply, increase in number
**mnóstwo** *n* multitude, a lot, lots; **całe ~ ludzi** lots of people
**mobilizacja** *f* mobilization
**mobilizować** *vt* mobilize
**moc** *f* might, power; *pot.* a lot; **~ prawna** legal force, **na ~y** in virtue of, on the strength of;

**w mojej ~y** in ⟨within⟩ my power

**mocarstwo** *f* (great) power

**mocarz** *m* potentate, powerful man

**mocno** *adv* fast, firmly; **~ bić** strike hard; **~ spać** sleep fast; **~ stać na nogach** stand firm on one's legs; **~ trzymać** hold tight; **~ przekonany** firmly convinced; **~ zobowiązany** deeply obliged

**mocny** *adj* strong, vigorous, firm

**mocować się** *vr* wrestle

**mocz** *m* urine

**moczar** *m* marsh, bog

**moczopędny** *adj* diuretic

**moczowy** *adj* urinary; (*o kwasie*) uric; **pęcherz ~** urinary bladder

**moczyć** *vt* wet, drench

**mod|a** *f* fashion; **wchodzić w ~ę** come into fashion; **wychodzić z ~y** grow out of fashion

**model** *m* model, pattern

**modelarz** *m* modeller, pattern--maker

**modelka** *f* model

**modelować** *vt* model, shape, fashion

**modernizm** *m* modernism

**modernizować** *vt* modernize

**modlić się** *vr* pray, say one's prayers

**modlitewnik** *m* prayer-book

**modlitwa** *f* prayer

**modł|a** *f* mould, form, fashion; **na ~ę** after the fashion

**modniarka** *f* milliner, modiste

**mogiła** *f* tomb, grave; **~ zbiorowa** common grave

**moknąć** *vi* become moist, grow wet

**mokry** *adj* moist, wet

**molekularny** *adj fiz.* molecular

**molekuła** *f fiz.* molecule

**molestować** *vt* molest, torment, annoy

**molo** *n* mole, pier, jetty

**moment** *m* moment

**momentalny** *adj* instantaneous

**monarcha** *m* monarch

**monarchia** *f* monarchy

**monarchiczny** *adj* monarchic(al)

**monarchista** *m* monarchist

**monet|a** *f* coin; **~a zdawkowa** small ⟨token⟩ coin; *przen.* **brzęcząca ~a** hard cash; **przyjmować za dobrą ~ę** accept at face value

**monetarny** *adj* monetary

**mongolski** *adj* Mongolian

**Mongoł** *m* Mongolian

**monitor** *m* monitor

**monitować** *vt* admonish

**monizm** *m filoz.* monism

**monografia** *f* monograph

**monograficzny** *adj* monographic

**monogram** *m* monogram

**monokl** *m* eye-glass

**monolog** *m* monologue, soliloquy

**monologować** *vi* soliloquize

**monopol** *m* monopoly

**monopolizować** *vt* monopolize

**monoteizm** *m filoz.* monotheism

**monotonia** *f* monotony

**monotonny** *adj* monotonous

**monstrualność** *m* monstrosity

**monstrualny** *adj* monstrous

**monstrum** *n* monster

**montaż** *m* mounting, fitting up; (*składanie np. maszyny*) assembly

**monter** *m* mechanic, fitter; (*gazowy, wodociągowy*) plumber; (*liniowy, elektryk*) lineman

**montować** *vt* mount, fit up; (*składać, np. maszynę*) assemble

**monumentalny** *adj* monumental

**moralizator** *m* moralizer

**moralizować** *vi* moralize (**na temat czegoś** on sth)

**moralnoś|ć** *f* (*etyka*) morality; (*moralne postępowanie, obyczaje*) morals *pl*; **nauka ~ci** moral teaching ⟨science⟩; **świadectwo ~ci** certificate of conduct; **upadek ~ci** corruption of morals ⟨manners⟩

**moralny** *adj* moral

**morał** *m* moral

**mord** *m* murder, manslaughter

**morda** *f pot.* muzzle

**morderca** *m* murderer

**morderczy** *adj* murderous
**morderstwo** *n* murder
**mordęga** *f* *pot.* toil, drudge
**mordować** *vt* murder; (*dręczyć*) torment; ~ **się** *vr* toil, drudge
**morela** *f* apricot; (*drzewo*) apricot-tree
**morfina** *f* morphia, morphine
**morfologia** *f* morphology
**morganatyczny** *adj* *prawn.* morganatic
**morow|y** *adj* pestilential; **~e powietrze** pestilence; *pot.* **~y chłop** a brick
**mors** *m* *zool.* walrus
**morsk|i** *adj* maritime; sea- *attr*; **bitwa ~a** sea-fight; **brzeg ~i** sea-coast; **choroba ~a** seasickness; **podróż ~a** voyage
**morwa** *f* mulberry; (*drzewo*) mulberry-tree
**morz|e** *n* sea; **na ~u** at sea; **na pełnym ~u** on the high seas; **nad ~em** at the seaside; **za ~em** oversea
**morzyć** *vt* starve; *vr* ~ **się (głodem)** starve
**mosiądz** *m* brass
**mosiężny** *adj* brass *attr*; brazen
**moskit** *m* *zool.* mosquito
**most** *m* bridge
**mostek** *m* little bridge, footbridge; *anat.* sternum; (*rodzaj protezy*) bridge
**moszcz** *m* must
**motać** *vt* (*nawijać*) reel, wind
**motek** *m* reel, ball
**motel** *m* motel
**motłoch** *m* mob, rabble
**motocykl** *m* motor-cycle
**motor** *m* motor
**motorowy, motorniczy** *m* motor driver, *am.* motorman
**motorówka** *f* motor-boat
**motoryzacja** *f* motorization, mechanization
**motoryzować** *vi* motorize, mechanize
**motyka** *f* hoe
**motyl** *m* *zool.* butterfly
**motyw** *m* motif; (*bodziec*) motive
**motywować** *vt* motive, motivate, substantiate; give reasons (**coś** for sth)
**mow|a** *f* speech; *gram.* **~a zależna ⟨niezależna⟩** indirect ⟨direct⟩ speech; **wygłosić ~ę** make a speech
**mozaika** *f* mosaic
**mozolić się** *vr* toil, drudge (**nad czymś** at sth)
**mozolny** *adj* toilsome
**mozół** *m* pains *pl*, exertion
**moździerz** *m* mortar
**może** *adv* maybe, perhaps
**możliwość** *f* possibility, chance
**możliwy** *adj* possible
**można** *impers* it is possible, it is allowed, one can; **jak ~ najlepiej** as well as possible; **czy ~ usiąść?** may I sit down?; **jeśli ~** if possible
**możność** *f* power; possibility
**możny** *adj* potent, powerful
**móc** *vi aux* can; be able; **mogę** I can; I may
**mój** *pron* my, mine
**mól** *m* *zool.* moth; *przen.* ~ **książkowy** bookworm
**mór** *m* pestilence
**mórg** *m* land measure
**mówca** *m* speaker, orator
**mówić** *vt* speak, say, tell, talk; **nie ma o czym ~** nothing to speak of
**mównica** *f* platform
**mózg** *m* brain
**mózgowy** *adj* cerebral
**mroczny** *adj* gloomy, dusky
**mrok** *m* gloom, dusk
**mrowić się** *vr* teem, swarm (**od czegoś** with sth)
**mrowie** *n* swarm, teeming multitude
**mrowisko** *n* ant-hill
**mrozić** *vt* freeze, congeal, refrigerate
**mroźny** *adj* frosty
**mrówka** *f* ant
**mróz** *m* frost
**mruczeć** *vi* murmur, mumble, mutter

**mrugać** *vi* wink (**na kogoś** at sb), twinkle
**mruk** *m* mumbler, grumbler
**mrukliwy** *adj* mumbling, grumbling
**mrużyć** *vt* blink
**mrzonka** *f* fancy, reverie
**msz|a** *f* mass; **odprawiać ~ę** say mass
**mszał** *m* missal
**mściciel** *m* avenger
**mścić** *vt* avenge; **~ się** *vr* revenge oneself, take revenge (**na kimś** on sb)
**mściwy** *adj* revengeful, vindictive
**mucha** *f* fly
**mufka** *f* muff
**mularstwo** *n* masonry
**Mulat** *m* mulatto
**mulisty** *adj* slimy, oozy
**muł 1.** *m* slime, ooze
**muł 2.** *m zool.* mule
**mułła** *m* mullah
**mumia** *f* mummy
**mundur** *m* uniform
**municypalny** *adj* municipal
**munsztuk** *m* mouthpiece
**mur** *m* wall; *przen.* **przyprzeć do ~u** drive into a corner
**murarz** *m* bricklayer, mason
**murawa** *f* lawn
**murowa|ć** *vt* mason, build in stone ⟨in bricks⟩; **dom ~ny** house of stone ⟨of bricks⟩
**Murzyn** *m* Negro
**mus 1.** *m* necessity, compulsion; **z ~u** of necessity, forcibly
**mus 2.** *m* (*pianka*) mousse, froth
**musieć** *v aux* be obliged; have to; **muszę** I must, I am obliged
**muskać** *vt* stroke
**muskularny** *adj* muscular, brawny; sinewy
**muskuł** *m* muscle
**musować** *vi* effervesce, froth; (*o winie*) sparkle
**muszka** *f* fly; (*na twarzy*) beauty-spot; (*na lufie*) bead
**muszkat** *m* (*gałka muszkatołowa*) nutmeg
**muszkiet** *m* musket
**muszkieter** *m* musketeer
**muszla** *f* shell, conch; **~ klozetowa** lavatory pan
**musztarda** *f* mustard
**musztra** *f* drill
**musztrować** *vt* drill
**muślin** *m* muslin
**mutacja** *f* mutation
**muza** *m* Muse
**muzealny** *adj*, **przedmiot ~** museum-piece
**muzeum** *n* museum
**muzułmanin** *m* Moslem
**muzułmański** *adj* Moslem
**muzyczny** *adj* musical
**muzyk** *m* musician
**muzyka** *f* music
**muzykalność** *f* musicality
**muzykalny** *adj* musical
**muzykant** *m* musician, bandsman
**my** *pron* we
**myć** *vt* wash; **~ się** *vr* wash; (*dokładnie*) wash oneself
**mydlarnia** *f* soap-store
**mydlarstwo** *n* soap-trade
**mydlarz** *m* soap-boiler
**mydlić** *vt* soap; (*twarz do golenia*) lather; **~ się** *vr* soap
**mydliny** *s pl* (soap-)suds
**mydło** *m* soap
**mylić** *vt* mislead, misguide; **~ się** *vr* be mistaken (**co do czegoś** about sth), make a mistake, be wrong
**mylny** *adj* erroneous, wrong
**mysz** *f* mouse
**myszkować** *vi* mouse about (**za czymś** for sth)
**myśl** *f* thought, idea; **dobra ~** bright idea; **być dobrej ~i** be of good cheer; **mieć na ~i** mean, have in mind; **przychodzi mi na ~** it occurs to me; **na samą ~** at the mere thought (**o czymś** of sth); **po mojej ~i** after my heart; **z ~ą o czymś** with a view to sth
**myślący** *adj* thinking, thoughtful, reflective

**myśl|eć** *vt vi* think; (*mniemać, zamierzać*) mean; **co o tym ~isz?** what do you think of it?; **~ę, że tak** I think so; **nie ~ę tego robić** I do not mean to do it; **o czym ~isz?** what are you thinking about?
**myśliciel** *m* thinker
**myślistwo** *n* hunting
**myśliwiec** *m lotn.* fighter
**myśliwy** *m* hunter, huntsman
**myślnik** *m gram.* dash
**myślowy** *adj* mental
**myto** *n* (*opłata*) toll
**mżawka** *f* drizzle
**mżyć** *vi* drizzle

# n

**na** *praep* on, upon; at; by; for; in; **na dole** down; **na dworze** out of doors; **na górze** up; **na końcu** at the end; **na moją prośbę** at my request; **na pamięć** by heart; **na piśmie** in writing; **na sprzedaż** for sale; **na stare lata** in ⟨for⟩ one's old age; **na wiosnę** in spring; **na zawsze** for ever; **cóż ty na to?** what do you say to it?; **raz na tydzień** once a week; **na mój koszt** at my expense; **na ulicy** in the street; **głuchy na lewe ucho** deaf in his left ear; **na całe życie** for life; **na pierwszy rzut oka** at first sight; **iść na obiad** go to dinner; **umrzeć na tyfus** die of typhus
**nabawić się** *vr* bring upon oneself, incur; **~ choroby** contract a disease; **~ kataru** catch a cold; **~ kłopotów** get into trouble
**nabiał** *m* dairy-goods, dairy-products
**nabierać** *vt* take; draw in; *pot.* (*oszukiwać*) take in; (*drażnić, żartować złośliwie*) tease
**nabijać** *vt* (*np. gwoździami*) stud; (*broń*) charge, load; *pot.* **~ sobie głowę czymś** get an idea into one's head
**nabożeństwo** *n* divine service
**nabożny** *adj* pious
**nabój** *m* (*jednostka amunicji*) cartridge; *elektr.* charge; **ślepy ~** blank cartridge
**nabrać** *zob.* **nabierać**
**nabrzmiały** *adj* swollen
**nabytek** *m* acquisition
**nabywać** *vt* acquire, obtain, purchase
**nabywca** *m* purchaser
**nabywczy** *adj* purchasing
**nachodzić** *vt* importune by coming; intrude (**kogoś** upon **sb**); *przen.* (*o myślach itp.*) invade, haunt
**nachylać** *vt* bend, bow, incline; **~ się** *vr* bow, incline, stoop, lean
**nachylenie** *n* inclination, slope
**naciągać** *vt* stretch, strain; (*o łuku*) bend; *pot.* (*nabierać*) tease, take in; *vi* (*o herbacie*) draw
**naciek** *m* infiltration; deposit
**nacierać** *vt* (*trzeć*) rub; *vi* (*atakować*) attack (**na kogoś** sb)
**nacięcie** *n* notch, cut
**nacinać** *vt* notch, cut
**nacisk** *m* pressure, stress; **kłaść ~** stress, lay stress; **z ~iem** emphatically
**naciskać** *vt vi* press (**na coś** sth, on sth)
**nacjonalista** *m* nationalist
**nacjonalizacja** *f* nationalization
**nacjonalizm** *m* nationalism
**nacjonalizować** *vt* nationalize
**na czele** *adv* at the head
**naczelnik** *m* head, chief, manager; **~ stacji** station-master
**naczeln|y** *adj* head-, chief; paramount; **~y dowódca** commander-

-in-chief; ~e **dowództwo** command-in-chief, supreme command; *zool.* ~e *pl* primates

**naczyni|e** *n* vessel; ~a **gliniane** *zbior.* earthenware, pottery; ~a **kuchenne** kitchen untensils; *anat.* ~a **krwionośne** blood-vessels

**nać** *f* top, leaves *pl*

**nad** *praep* over, above, on, upon, beyond; ~ **chmurami** above the clouds; ~ **miarę** beyond measure; **Londyn leży** ~ **Tamizą** London is situated on the Thames; **niebo jest** ~ **naszymi głowami** the sky is over our heads

**nadal** *adv* still; ~ **coś robić** continue to do sth ⟨doing sth⟩; **on** ~ **pracuje** he continues working

**nadaremnie** *adv* in vain

**nadaremny** *adj* vain

**nadarz|ać się** *vr* present itself, occur; ~**yła się okazja** an opportunity presented itself, an occasion arose

**nadawać** *vt* bestow, confer (**coś, komuś** sth on, upon sb); grant; (*na poczcie*) dispatch, post, send off; ~ **czemuś wygląd czegoś** make sth look like sth; ~ **się** *vr* be fit ⟨fitted⟩, be suited (**do czegoś** for sth)

**nadawca** *m* scnder, consigner

**nadążać** *vi* keep pace (**za kimś** with sb)

**nadbałtycki** *adj* Baltic, situated on the Baltic

**nadbiec** *vi* come running

**nadbrzeże** *n* coast; embankment

**nadbrzeżn|y** *adj* coastal; **miasto** ~**e** river-side ⟨sea-side⟩ town

**nadbudowa** *f* superstructure

**nadbudować** *vt* raise a structure (**na czymś** above sth)

**nadchodzi|ć** *vi* approach, come round; ~ **zima** winter is drawing on; **nadszedł pociąg** the train is in

**nadciągać** *vi* draw near, approach

**nadciśnienie** *n* high blood-pressure

**nadczłowiek** *m* superman

**nadejście** *n* arrival

**nadepnąć** *vi* tread, step

**nader** *adv* excessively

**nadesłać** *vt* send (in)

**nadetatowy** *adj* supernumerary, not permanent, not on a permanent basis

**nade wszystko** *adv* above all

**nadęty** *adj* inflated, puffed up; (*zarozumiały*) bumptious

**nadgraniczny** *adj* border *attr*, frontier *attr*

**nadjechać** *vi* arrive, come driving

**nadlecieć** *vi* come flying

**nadleśniczy** *m* chief forester

**nadliczbow|y** *adj* supernumerary, overtime; **godziny** ~**e** overtime hours; **praca** ~**a** overtime work

**nadludzki** *adj* superhuman

**nadmiar** *m* excess, surplus

**nadmienić** *vt* mention

**nadmiernie** *adv* in ⟨to⟩ excess, excessively

**nadmierny** *adj* excessive

**nadmorski** *adj* maritime, coastal, sea-side

**nadobny** *adj* † handsome, pretty, fair

**nadobowiązkowy** *adj* optional, facultative

**nadpłacić** *vt* overpay, surcharge

**nadpłata** *f* overpay

**nadpłynąć** *vi* come swimming ⟨sailing⟩

**nadprodukcja** *f* overproduction

**nadprogramow|y** *adj* extra; **praca** ~**a** extra ⟨overtime⟩ work

**nadprzyrodzony** *adj* supernatural

**nadpsuty** *adj* a little spoiled

**nadrabiać** *vt* make up (**coś** for sth); *vi* work additionally; ~ **czas** make up for lost time; *przen.* ~ **miną** put on a good face to a bad business

**nadruk** *m* (*drukowany napis*) letter-head, overprint; *filat.* surcharge

**nadskakiwać** *vi* court (**komuś** sb); dance attendance (**komuś** on sb)

**nadspodziewany** *adj* unexpected, above all expectation

**nadstawiać** *vt* hold out; *przen.* ~

uszu prick up one's ears; *pot.* ~ **karku** risk one's neck
**nadto** *adv* moreover, besides; **aż ~** too much, more than enough
**nadużycie** *vt* abuse, misuse; malversation
**nadwartość** *f* surplus value
**nadwątlić** *vt* impair
**nadwerężyć** *vt* impair
**nadwodny** *adj* situated on ‹near› the water, waterside-; (*np. o ptaku, roślinie*) aquatic, water *attr*
**nadworny** *adj* court *attr*; **~ dostawca** court-purveyor
**nadwozie** *n* body (of a car)
**nadwyżka** *f* surplus
**nadymać** *vt* inflate, puff up; (*np. policzki*) blow out; **~ się** *vr* swell
**nadymić** *vi* fill with smoke
**nadziej|a** *f* hope; **mieć ~ę** hope (**na coś** for sth), have good hope (**na coś** of sth)
**nadziemny** [d-z] *adj* above-ground
**nadziemski** [d-z] *adj* supermundane
**nadzienie** *n* stuffing
**nadziewać** *vt* (*np. na rożen*) stick; (*np. gęś*) stuff, fill
**nadzór** *m* superintendence; **~ policyjny** police control
**nadzwyczajn|y** *adj* extraordinary; **wydanie ~e** extra edition; **poseł ~y** envoy extraordinary
**nafta** *f* oil; (*ropa*) petroleum; (*oczyszczona*) kerosene
**naftalina** *f* naphthaline
**nagabywać** *vt* importune, molest
**nagana** *f* blame, reprimand
**nagi** *adj* naked, bare
**naginać** *vt* bend
**naglący** *adj* urgent
**naglić** *vt* urge, press
**nagłość** *f* urgency, suddenness
**nagłówek** *m* heading; (*w gazecie*) headline
**nagły** *adj* urgent, sudden; **w ~m wypadku** in case of emergency
**nagminny** *adj* (*powszechny*) common, universal; (*epidemiczny*) epidemic
**nagniotek** *m* corn
**nagonka** *f* battue, drive
**nagrać** *vt* record
**nagranie** *n* recording
**nagradzać** *vt* reward, recompense; indemnify (**komuś stratę** sb for a loss)
**nagrobek** *m* tombstone, tomb
**nagroda** *f* reward; (*w sporcie, na konkursie itp.*) prize
**nagrodzić** *zob.* **nagradzać**
**nagromadzenie** *n* amassment, accumulation
**nagromadzić** *vt* heap up, accumulate
**nagrzewać** *vt* warm, heat
**naigrawać się** *vr* mock (**z kogoś** at sb), make fun (**z kogoś** of sb)
**naiwność** *f* naivety, simple-mindedness
**naiwny** *adj* naive, simple-minded
**najazd** *m* invasion, raid
**najbardziej** *adv* most (of all)
**najecha|ć** *vt* (*wtargnąć*) invade, overrun; *vi* (*wpaść*) dash (**na kogoś, coś** against sb, sth), run (**na kogoś, coś** into sb, sth); **wóz ~ł na drzewo** the car has struck against the tree
**najem** *m* hire
**najemnik** *m* hireling
**najemny** *adj* hired, mercenary
**naje|ść się** *vr* eat one's fill; **~dzony** full
**najeźdźca** *m* invader
**najeżdżać** *zob.* **najechać**
**najgorszy** *adj* worst
**najlepiej** *adv* best
**najlepszy** *adj* best
**najmniej** *adv* least; **co ~** at least
**najmniejszy** *adj* least, smallest
**najmować** *vt* hire, let
**najpierw** *adv* first, first of all
**najście** *n* invasion (**na coś** of sth)
**najść** *vi* invade (**na dom, kraj** a house, a country); come (**na kogoś** upon sb); *zob.* **nadchodzić**
**najwięcej** *adv* most
**najwyżej** *adv* highest; (*w najlepszym razie*) at most, at best
**najwyższy** *adj* highest; (*o sądzie,*

*mądrości*) supreme; (*o władzy*) sovereign; ~ **czas** high time; *gram.* **stopień** ~ superlative (degree)
**nakaz** *m* order, command
**nakazywać** *vt* order, command
**nakleić** *vt* stick, paste up
**nakład** *m* (*koszt*) expenditure; (*książki*) edition, issue, impression
**nakładać** *vt* lay on, put on; (*podatek, obowiązek*) impose; (*karę*) inflict
**nakłaniać** *vt* induce
**nakręcać** *vt* wind up, turn; (*film*) shoot; ~ **numer telefonu** dial
**nakrętka** *f* nut (of a screw), female screw
**nakrycie** *n* cover(ing); (*serwis*) service; ~ **głowy** head-gear
**nakrywać** *vt* cover; lay (**do stołu** the table)
**nakrywka** *f* cover, lid
**nalega|ć** *vi* insist (**na coś** on sth); press, urge (**na kogoś** sb); ~**ł na mnie, żebym to zrobił** he urged me to do this
**naleganie** *n* insistence, solicitation
**nalepiać** *vt* stick, paste up
**nalepka** *f* label
**naleśnik** *m* pancake
**nalewać** *vt* pour (out)
**należ|eć** *vi* belong; ~**y** (*wypada*) it becomes; (*trzeba*) it is necessary; ~**eć się** *vr* be due
**należnoś|ć** *f* due, amount due; **cała moja** ~**ć** the whole amount due to me; **zaległe** ~**ci** *pl* arrears; ~**ć nadal nie uregulowana** the arrears still outstanding
**należny** *adj* due
**należycie** *adv* duly, properly
**należyty** *adj* fit, proper
**nalot** *m* raid; ~ **powietrzny** air-raid; *med.* rash, eruption
**nałogowiec** *m* addict
**nałogowy** *adj* habitual, addicted (to a habit); ~ **pijak** habitual drunkard
**nałóg** *m* addiction, (bad) habit
**namaszczać** *vt* grease; (*olejami*) anoint
**namaszczenie** *n* anointment, unction
**namawiać** *vt* induce, persuade
**namazać** *vt* besmear, daub over
**namiastka** *f* substitute
**namiestnictwo** *n* regency
**namiestnik** *m* regent, governor-general
**namiętność** *f* passion
**namiętny** *adj* passionate
**namiot** *m* tent
**namoczyć** *vt* steep, soak
**namoknąć** *vi* become soaked
**namow|a** *f* persuasion; instigation; **za** ~**ą** persuaded (**czyjąś** by sb)
**namulić** *vt* slime, cover with slime
**namydlić** *vt* soap; (*twarz*) lather
**namy|sł** *m* reflexion, consideration; **bez** ~**słu** inconsiderately; **po** ~**śle** on consideration
**namyślać się** *vr* reflect (**nad czymś** on sth)
**na nowo** *adv* anew
**naocznie** *adv* with one's own eyes
**naoczny** *adj* ocular; ~ **świadek** eye-witness
**naokoło** *adv* round, all round, round about; *praep* round
**na opak** *adv* contrariwise, amiss
**na oścież** *adv*, **otwarty** ~ wide open; **otworzyć** ~ fling open
**na oślep** *adv* blindly; **strzelać** ~ shoot wild
**naówczas** *adv lit.* then, at that time
**napad** *m* attack, assault; (*o chorobie, gniewie*) fit; ~ **rabunkowy** robbery by assault
**napadać** *vt* attack, assail
**napar** *m* infusion
**naparstek** *m* thimble
**naparzyć** *vt* infuse
**napastliwość** *f* aggressiveness
**napastliwy** *adj* aggressive
**napastnik** *m* aggressor; *sport* forward
**napastować** *vt* attack; (*molestować*) importune, pester
**napaść** *f* attack, assault
**napawać** *vt* impregnate; imbue fill; ~ **się** *vr* become imbued;

(*rozkoszować się*) delight (**czymś** in sth)
**napełniać** *vt* fill (up); ~ **ponownie** refill; ~ **się** *vr* fill, become filled
**na pewno** *adv* certainly, to be sure
**napęd** *m* propulsion
**napędow|y** *adj* propulsive; **siła** ~**a** motive power
**napędzać** *vt* propel; (*wprawiać w ruch maszynę*) drive, run; (*przynaglać*) press, urge; *przen.* ~ **strachu** frighten
**napić się** *vr* have a drink; ~ **kawy** have a cup of coffee
**napierać** *vi* press; ~ **się** *vr* insist (**czegoś** on sth)
**napięcie** *n* tension, strain; *elektr.* voltage
**napiętek** *m* heel
**napięty** *adj* tense, taut; (*o stosunkach*) strained
**napinać** *vt* strain; (*łuk*) string
**napis** *m* inscription
**napitek** *m pot.* drink
**napiwek** *m* tip
**napływ** *m* inflow, influx; (*np. krwi, wody*) flush
**napływać** *vi* flow in; rush; (*przybyć gromadnie*) flock
**napływowy** *adj* inflowing, immigrant
**napoczynać** *vt* (*butelkę*) open; (*beczkę*) broach; make the first cut
**napominać** *vt* admonish
**napomknąć** *vt* mention
**napomnienie** *n* admonishment
**napotykać** *vt* meet (**coś** with sth), come (**coś** across sth)
**napowietrzny** *adj* aerial, air *attr*
**napój** *m* drink; ~ **bezalkoholowy** soft drink; ~ **alkoholowy** strong drink, alcoholic liquor; ~ **chłodzący** refreshing drink
**napór** *m* pressure
**napraw|a** *f* repair, reparation; **muszę dać zegarek do** ~**y** I must have my watch repaired
**naprawdę** *adv* indeed, really
**naprawiać** *vt* mend, repair, put right; make good; (*nadrabiać*) make up (**coś** for sth); ~ **krzywdę** redress the wrong
**naprędce** *adv* hurriedly
**naprężenie** *n* tension, strain
**naprężony** *adj* = **napięty**
**naprężyć** *vt* ~ **się** *vr* stretch, strain; tauten
**naprowadzać** *vt* lead; (*myślowo*) suggest (**kogoś na coś** sth to sb)
**naprzeciw** *adv* opposite; *praep* opposite, against
**na przekór** *adv praep* in spite (**komuś, czemuś** of sb, sth)
**na przemian** *adv* alternately
**naprzód** *adv* forward, on; (*najpierw*) first, in the first place
**na przykład** *adv* for instance, for example
**naprzykrzać się** *vr* importune (**komuś** sb)
**napuszony** *adj* inflated, puffed; (*o stylu*) bombastic; (*zarozumiały*) bumptious
**napychać** *vt* cram, stuff, pack
**narad|a** *f* consultation, conference; **odbywać** ~**ę** hold a conference
**naradzać się** *vr* confer; (*radzić się*) take counsel (**z kimś** with sb)
**naramiennik** *m* armlet
**narastać** *vi* grow, augment; (*o procentach, dochodach, korzyściach*) accrue
**naraz** *adv* at once, suddenly
**na razie** *adv* for the present, for the time being
**narażać** *vt* expose (**na coś** to sth); ~ **na niebezpieczeństwo** endanger; ~ **na niewygody** put to inconvenience; ~ **się** *vr* risk (**na coś** sth), run the risk (**na coś** of sth); ~ **się na kłopoty** ask for trouble, get oneself into trouble; lay oneself open (**na plotki** to gossip); expose oneself (**na coś** to sth); ~ **się komuś** incur sb's displeasure
**narciarstwo** *n* skiing
**narciarz** *m* skier
**narcyz** *m bot.* narcissus
**nareszcie** *adv* at last
**naręcze** *n* armful
**narkotyczny** *adj* narcotic

**narkotyk** *m* narcotic
**narkotyzować** *vt* narcotize
**narkoza** *f* narcosis
**narobić** *vt* make, do; ~ **długów** get into debts; ~ **hałasu** ⟨**zamieszania**⟩ make a noise ⟨trouble⟩, *pot.* kick up a row ⟨a fuss⟩; ~ **komuś kłopotu** get sb into trouble; ~ **sobie kłopotu** get oneself into trouble
**narodowościowy** *adj* national, concerning nationality
**narodowość** *f* nationality
**narodowy** *adj* national
**narodzenie** *n* birth; **Boże Narodzenie** Christmas
**narodzić się** *vr* be born
**narośl** *f* excrescence, overgrowth
**narowisty** *adj* (*o koniu*) restive
**narożnik** *m* corner
**narożny** *adj* corner *attr*; **dom** ~ corner-house
**naród** *m* nation
**nart|a** *f* ski; *pl* ~**y** skis; a pair of skis; **jeździć na** ~**ach** ski
**naruszać** *vt* violate; (*np. honor, uczucie*) injure; (*np. spokój*) trouble, disturb; (*np. zapasy*) broach; (*np. gotówkę*) touch; ~ **czyjeś interesy** prejudice sb's interests; ~ **czyjeś prawa** encroach on ⟨upon⟩ sb's rights; ~ **prawo** ⟨**regulamin itp.**⟩ offend against the law ⟨the rules etc.⟩; ~ **terytorium** encroach on ⟨upon⟩ a territory
**naruszenie** *n* violation; (*zasady, umowy, obowiązków itp.*) breach; (*spokoju publicznego*) disturbance; prejudice, injury (**czegoś** to sth, **czyjejś reputacji** to sb's reputation); ~ **prawa** offence against the law
**narwany** *adj* crazy
**narybek** *m* fry
**narząd** *m* organ
**narzecze** *n* dialect
**narzeczona** *f* fiancée
**narzeczony** *m* fiancé
**narzekać** *vi* complain (**na coś** of sth)
**narzekanie** *n* complaint
**narzędnik** *m gram.* instrumental (case)
**narzędzie** *n* instrument, tool
**narzucać** *vt* throw in, cast up, put on; force, obtrude (**coś komuś** sth on sb); ~ **się** *vr* obtrude oneself (*komuś* on sb)
**narzucanie się** *n* obtrusion
**narzuta** *f* cover
**narzutka** *f* cape
**nasenny** *adj* soporific; **środek** ~ sleeping-draught
**nasiadówka** *f* hip-bath
**nasiąkać** *vi* imbibe (**czymś** sth), become imbued (**czymś** with sth)
**nasienie** *n* seed; *biol.* sperm
**nasilenie** *n* intensification, intensity
**naskórek** *m* epidermis
**nasłuch** *m* (*radiowy*) monitoring
**nasłuchiwać** *vi* listen intently (**czegoś** to sth); (*drogą radiową*) monitor
**nastać** *vi* set in, come on, ensue
**nastarczyć** *vt* supply sufficiently, satisfy; ~ **potrzebom** meet the needs
**nastawać** *vi* insist (**na coś** on sth); attempt (**na czyjeś życie** sb's life)
**nastawiać** *vt* set (right), put, put on ⟨right⟩; (*umysłowo, moralnie*) dispose; (*radio*) tune in (**na dany program** to a programme); *przen.* ~ **uszu** prick up one's ears
**nastawienie** *n* disposition; (*postawa*) attitude
**następca** *m* successor (**tronu** to the throne)
**następnie** *adv* next, subsequently, then
**następny** *adj* following, next, subsequent
**następować** *vi* follow (**po kimś, czymś** sb, sth); take place, set in
**następstwo** *n* succession; result; *gram.* ~ **czasów** sequence of tenses

**następujący** *adj* following; (*kolejny*) consecutive, subsequent
**nastraszyć** *vt* frighten; ~ **się** *vr* be frightened, take fright (**czymś** at sth)
**nastręczać** *vt* procure; afford; (*sposobność*) offer; (*trudności*) present; (*wątpliwości*) cause; ~ **się** *vr* occur, be present, present itself
**nastroić** *vt* tune (up); (*usposobić kogoś*) predispose
**nastroszyć** *vt* creet, bristle up; ~ **się** *vr* bristle up
**nastr|ój** *m* mood, disposition, spirits; **w dobrym ~oju** in high spirits; **mieć ~ój do czegoś** be in the mood for sth; **nie mieć ~oju** be in no mood
**nasturcja** *f bot.* nasturtium
**nasuwać** *vt* shove, push; (*myśl*) suggest; (*wątpliwości*) cause; ~ **się** *vr* occur, arise
**nasycać** *vt* satiate; saturate; (*głód*) satisfy
**nasycenie** *n* satiation; *chem.* saturation; *handl.* (*rynku*) glut
**nasycony** *adj* satiate, satiated; *chem.* saturated
**nasyłać** *vt* send on
**nasyp** *m* embankment
**nasypać** *vt* strew, pour (in)
**naszpikować** *vt* lard, stuff
**naszyć** *vt* sew on, trim (**czymś** with sth)
**naszyjnik** *m* necklace
**naśladować** *vt* imitate
**naśladowca** *m* imitator
**naśladownictwo** *n* imitation; (*w przyrodzie*) mimicry
**naśladowczy** *adj* imitative
**naświetlać** *vt* enlighten, light up; (*wyjaśniać*) throw light (**coś** on sth); elucidate; *med.* irradiate; *fot.* expose
**naświetlanie** *n*, **naświetlenie** *n* elucidation; *med.* irradiation; *fot.* exposure
**natarcie** *n* rubbing, friction; (*atak*) attack, charge
**natarczywość** *f* importunity
**natarczywy** *adj* importunate
**natchnąć** *vt* inspire
**natchnienie** *n* inspiration
**natężać** *vt* strain
**natężenie** *n* intensity
**natężony** *adj* strained, intense
**natknąć się** *vr* meet (**na kogoś, coś** with sb, sth), come (**na kogoś, coś** across sb, sth)
**natłoczyć** *vt* crowd, cram
**natomiast** *adv* but, on the contrary, yet
**natrafić** *vt* meet (**na kogoś, coś** with sb, sth), encounter (**na kogoś, coś** sb, sth)
**natręctwo** *n* importunity
**natręt** *m* importuner
**natrętny** *adj* importunate
**natrysk** *m* shower-bath
**natrząsać się** *vr* scoff (**z kogoś** at sb)
**natu|ra** *f* nature; **z ~ry** by nature; (*malować*) **z ~ry** from nature; **płacić w ~rze** pay in kind
**naturalizacja** *f* naturalization
**naturalizm** *m* naturalism
**naturalizować** *vt* naturalize; ~ **się** *vr* naturalize, become naturalized
**naturalnie** *adv* naturally; (*oczywiście*) of course
**naturaln|y** *adj* natural; **rzecz ~a** matter of course; **portret ~ej wielkości** life-size portrait
**natychmiast** *adv* at once, instantly; immediately, straight off
**natychmiastowy** *adj* instantaneous
**nauczać** *vt* teach, instruct
**nauczanie** *n* teaching, instruction
**nauczk|a** *f* lesson; **dać ~ę** teach a lesson (**komuś** sb)
**nauczyciel** *m* teacher
**nauczyć się** *vr* learn
**nauka** *f* (*szkolna*) instruction, lessons; (*wyższa*) study; (*wiedza*) learning, science
**naukowiec** *m* scholar
**naukowość** *f* scientific character; (*wiedza*) erudition, scholarship
**naukow|y** *adj* scientific; **stopień ~y** academic degree; **praca ~a**

research work; **towarzystwo ~e** learned society
**naumyślnie** *zob.* **umyślnie**
**nauszniki** *s pl* ear-flaps
**nawa** *f arch.* nave; *przen.* **~ państwowa** ship of State
**nawadniać** *vt* irrigate
**nawalić** *vt* pile up, heap; *vi pot.* (*zawieść, nie dopisać*) conk
**nawał** *m* mass, *pot.* heaps
**nawała** *f* crowd, invasion
**nawałnica** *f* tempest, hurricane
**nawet** *adv* even
**nawias** *m* parenthesis, brackets *pl*; **~em mówiąc** by the way
**nawiasowy** *adj* parenthetical
**nawiązać** *vt* tie (up); **~ do czegoś** refer to sth; **~ korespondencję** enter into correspondence; **~ rozmowę** engage in conversation; **~ stosunki** enter into relations; **~ znajomość** strike up an acquaintance
**nawiązani|e** *n* reference; **w ~u do czegoś** with reference to sth
**nawiedzać** *vt* frequent; (*o myślach, o duchach*) haunt
**nawierzchnia** *f* toplayer, surface
**nawijać** *vt* wind up, reel
**nawlekać** *vt* (*igłę*) thread; (*np. korale*) string
**nawodnienie** *n* irrigation
**nawoływać** *vt* call; (*wzywać*) exhort; (*przynaglać*) urge (**kogoś do czegoś** sb to do sth)
**nawozić** *vt* manure
**nawóz** *m* manure
**nawracać** *vt* (*konie*) wheel; (*na inną wiarę*) convert; *vi* return; **~ się** *vr* become converted (**na coś** to sth)
**nawrócenie** *n* conversion
**nawrót** *m* relapse, return
**na wskroś** *adv* throughout, clean through
**nawyk** *m* habit
**nawykać** *vi* become accustomed
**nawykły** *adj* accustomed
**nawzajem** *adv* mutually, one another, each other
**nazajutrz** *adv* on the next day
**nazbyt** *adv* too, excessively
**naznaczyć** *vt* mark; (*ustalić*) fix; (*mianować*) appoint
**nazwa** *f* name, designation
**nazwisk|o** *n* name, surname, family name; **~iem Smith** Smith by name
**nazywa|ć** *vt* call, name; **~ć kogoś osłem** call sb an ass; **~ się** *vr* be called, be named; **~m się X. Y.** my name is X.Y.; **jak się ~sz?** what is your name?; **to się ~ szczęście!** that's really good luck!
**negacja** *f* negation
**negatyw** *m* negative
**negatywny** *adj* negative
**negliż** *m* undress
**negocjacje** *s pl* negotiations
**negować** *vt* deny, disavow
**nekrolog** *m* obituary
**nektar** *m* nectar
**neofita** *m* neophyte
**neologizm** *m* neologism
**neon** *m chem.* neon; (*reklama*) neon sign; (*lampa*) neon lamp
**ner|ka** *f* kidney; *med.* **zapalenie ~ek** nephritis
**nerw** *m* nerve
**nerwica** *f* neurosis
**nerwoból** *m* neuralgia
**nerwowość** *f* nervousness
**nerwowy** *adj* nervous
**neseser** *m* dressing-case
**netto** *adv* net
**neurastenia** *f* neurasthenia
**neurastenik** *m* neurasthenic
**neutralizować** *vt* neutralize
**neutralność** *f* neutrality
**neutralny** *adj* neutral
**neutron** *m chem. fiz.* neutron
**newralgia** *f med.* neuralgia
**newroza** *f med.* neurosis
**nęcić** *vt* allure, entice
**nędza** *f* misery
**nędzarz** *m* pauper
**nędznik** *m* villain
**nędzny** *adj* miserable, wretched
**nękać** *vt* torment, molest
**ni** *conj, adv, praef zob.* **ani; ~ stąd ~ zowąd** without any reason
**niańczyć** *vt* nurse

**niańka** *f* nurse
**niby** *conj* as if; (*rzekomo*) apparently; *praef* (*pseudo-*) sham-, would-be; **~-doktor** sham-doctor, would-be doctor
**nic** *pron* nothing; **~ a ~** nothing whatever; **~ podobnego** nothing of the sort; **~ z tego** this amounts to nothing; **mnie ~ do tego** it's no business of mine; **~ mi nie jest** nothing is the matter with me; **~ mi po tym** I have no use for it; **~ nie szkodzi** it does not matter; **nie mam ~ więcej do powiedzenia** I have no more to say; **odejść z niczym** go away empty-handed; **skończyć się na niczym** come to nothing; **to na ~** it's no use
**nicość** *f* nothingness
**nicować** *vt* turn
**nicpoń** *m* good-for-nothing
**niczyj** *adj* nobody's, no man's
**nić** *f* thread
**nie** *part* not; (*zaprzeczenie całej wypowiedzi*) no; **jeszcze ~** not yet; **już ~** no more; **także ~** neither, not... either; **ja tego także ~ wiem** I do not know it either; **wcale ~** not at all; **~ mniej** no less; **~ więcej** no more
**nieagresj|a** *f* non-aggression; **pakt o ~i** non-aggression pact
**niebaczny** *adj* inconsiderate, imprudent
**niebawem** *adv* shortly, before long
**niebezpieczeństwo** *n* danger; **narazić na ~** endanger
**niebezpieczny** *adj* dangerous
**niebiański** *adj* celestial, heavenly
**niebieskawy** *adj* bluish
**niebieski** *adj* blue; *zob.* **niebiański**
**niebieskooki** *adj* blue-eyed
**niebiosa** *s pl rel.* Heavens
**nieb|o** *n* (*firmament*) sky; *rel.* Heaven; **na ~ie** in the sky; *rel.* in Heaven; **pod gołym ~em** under the open sky
**nieborak** *m* poor soul
**nieboszczyk** *m* deceased; **jego ojciec ~** his late father
**niebotyczny** *adj* sky-high
**niebożę** *n* poor thing
**niebyły** *adj* bygone; *prawn.* null and void
**niebywale** *adv* uncommonly
**niebywały** *adj* uncommon, unheard-of
**niecał|y** *adj* incomplete, not all; **~a godzina** a short hour; **~e 10 minut** a short ten minutes; **~e pół arkusza** not so much as half a sheet
**niech** *part* let; **~ sobie idzie** let him go
**niechcąco** *adv*, **niechcący** *adj* unintentionally
**niechęć** *f* unwillingness, reluctance (**do czegoś** to do sth); **czuć ~ do kogoś** bear sb a grudge
**niechętny** *adj* unwilling, reluctant; ill-disposed (**komuś** towards sb)
**niechlujny** *adj* dirty, slovenly
**niechybny** *adj* infallible
**nieciekawy** *adj* uninteresting
**niecierpliwić** *vt* try sb's patience; **~ się** *vr* grow impatient
**niecierpliwość** *f* impatience
**niecierpliwy** *adj* impatient
**niecka** *f* kneading trough
**niecny** *adj* infamous, vile
**nieco** *adv* a little, somewhat
**niecodzienny** *adj* uncommon
**nieczułość** *f* insensibility (**na coś** to sth)
**nieczuły** *adj* insensible (**na coś** to sth); (*nie reagujący*) unresponsive (**na coś** to sth)
**nieczynny** *adj* inactive, inoperative
**nieczystość** *f* uncleanness, impurity, unchastity
**nieczysty** *adj* unclean, impure, unchaste
**nieczytelność** *f* illegibility
**nieczytelny** *adj* illegible
**niedaleki** *adj* not far distant; **w ~ej przyszłości** in the near future
**niedaleko** *adv* not far (away)
**niedawno** *adv* recently; (*onegdaj*)

the other day; of late; ~ **temu** not long ago
**niedbalstwo** *n* negligence, carelessness
**niedbały** *adj* negligent, careless
**niedelikatność** *f* indelicacy
**niedelikatny** *adj* indelicate
**niedługi** *adj* not long
**niedługo** *adv* soon, before long; not long
**niedobitki** *s pl* wrecks; remains; survivors
**niedobór** *m* deficit
**niedobrany** *adj* ill-suited
**niedobry** *adj* not good, bad; wicked
**niedobrze** *adv* not well, badly, ill; **czuć się** ~ feel sick
**niedociągnięcie** *n* shortcoming
**niedogodność** *f* inconvenience
**niedogodny** *adj* inconvenient
**niedojadać** *vi* underfeed
**niedojrzałość** *f* immaturity
**niedojrzały** *adj* immature; (*o owocach*) unripe
**niedokładność** *f* inaccuracy
**niedokonany** *adj*, **czas** ~ *gram.* imperfect (tense)
**nie dokończony** *adj* unfinished
**niedokrwistość** *f med.* anaemia
**niedola** *f* adversity
**niedołęga** *m pot.* galoot, noodle
**niedołęstwo** *n* awkwardness, inefficiency
**niedołężny** *adj* awkward, inefficient
**niedomagać** *vi* be suffering (**na coś** from sth), be indisposed
**niedomaganie** *n* indisposition; defect, imperfection, deficiency
**niedomówienie** *n* reticence
**niedomyślny** *adj* slow-witted, slow, dull
**niedopałek** *m* cigarette-end; (*świecy*) candle-end
**niedopatrzenie** *n* oversight; **przez** ~ through oversight
**niedopełnienie** *n* non-fulfilment
**niedopuszczalność** *f* inadmissibility
**niedopuszczalny** *adj* inadmissible
**niedorostek** *m* stripling, greenhorn
**niedorozwinięty** *adj* underdeveloped; (*umysłowo*) mentally deficient
**niedorozwój** *m* underdevelopment; undergrowth; (*umysłowy*) underdevelopment
**niedorzeczność** *f* absurdity
**niedorzeczny** *adj* absurd
**niedoskonałość** *f* imperfection
**niedoskonały** *adj* imperfect
**niedosłyszalny** *adj* inaudible
**niedostateczność** *f* insufficiency
**niedostateczny** *adj* insufficient, inadequate; **stopień** ~ bad mark, *am.* failure
**niedostatek** *m* indigence, penury; (*brak*) deficiency, shortness; ~ **artykułów spożywczych** dearth of provisions
**niedostępność** *f* inaccessibility
**niedostępny** *adj* inaccessible
**niedostrzegalny** *adj* imperceptible
**niedościgły** *adj* unattainable, unsurpassable
**niedoświadczenie** *n* inexperience
**niedoświadczony** *adj* inexperienced
**niedotykalny** *adj* intangible
**niedowarzony** *adj* (*niedojrzały*) immature
**niedowiarek** *m* unbeliever
**niedowidzieć** *vi* be weak-sighted
**niedowierzanie** *n* distrust, mistrust
**niedowład** *m med.* paresis
**niedozwolony** *adj* prohibited, illicit
**niedrogi** *adj* inexpensive
**nieduży** *adj* small, little
**niedwuznaczny** *adj* unequivocal
**niedyskrecja** *f* indiscretion
**niedyskretny** *adj* indiscreet
**niedyspozycja** *f* indisposition
**niedziela** *f* Sunday
**niedźwiadek** *m* whelp (of a bear)
**niedźwiedzica** *f* she-bear; *astr.* **Wielka Niedźwiedzica** Great Bear
**niedźwiedź** *m* bear
**nieestetyczny** *adj* unaesthetic
**niefachowy** *adj* unprofessional, incompetent

**nieformalny** *adj* not formal, informal
**niefortunny** *adj* unfortunate, unsuccessful
**niefrasobliwy** *adj* carefree, unconcerned
**niegdyś** *adv* once, at one time
**niegodny** *adj* unworthy, undignified
**niegodziwość** *f* wickedness, villainy
**niegodziwy** *adj* wicked, villainous
**niegościnny** *adj* inhospitable
**niegramatyczny** *adj* ungrammatical, incorrect
**niegrzeczność** *f* (*nieuprzejmość*) unkindness, impoliteness; (*o dzieciach*) naughtiness
**niegrzeczny** *adj* (*nieuprzejmy*) unkind, impolite; (*o dzieciach*) naughty
**niegustowny** *adj* tasteless, in bad taste
**nieharmonijny** *adj* unharmonious
**niehonorowy** *adj* dishonourable, dishonest
**nieistotny** *adj* inessential
**niejaki** *adj* certain, a, some; **~ p. Smith** a certain Mr. Smith, a Mr. Smith; **od ~ego czasu** for some time past
**niejasność** *f* dimness, vagueness, obscurity
**niejasny** *adj* dim, vague, obscure
**niejed|en** *adj* many a; **~na dobra książka** many a good book
**niejednokrotny** *adj* repeated
**niekarny** *adj* undisciplined
**niekiedy** *adv* sometimes, now and then
**niekompetentny** *adj* incompetent
**niekonsekwentny** *adj* inconsistent
**niekorzystny** *adj* unprofitable, disadvantageous
**niekorzyść** *f* disadvantage, detriment; **na ~** to the detriment (**kogoś, czegoś** of sb, sth)
**niekształtny** *adj* unshapely
**niektóry** *adj* some
**niekulturalny** *adj* uncultured
**nieledwie** *adv* all but
**nielegalny** *adj* illegal
**nieletni** *adj* under age, minor
**nieliczn|y** *adj* not numerous; **~e wyjątki** a few exceptions
**nielitościwy** *adj* unmerciful
**nielogiczność** *f* illogicality
**nielogiczny** *adj* illogical
**nieludzki** *adj* inhuman
**nieludzkość** *f* inhumanity
**nieład** *m* disorder, confusion
**nieładnie** *adv* unhandsomely; **to ~** it is not nice
**niełaska** *f* disfavour
**niełaskawy** *adj* unkind, unfavourable
**niemal** *adv* almost, nearly
**niemało** *adv* not a little, not a few, pretty much ⟨many⟩
**niemały** *adj* pretty big ⟨great, large⟩
**niematerialny** *adj* immaterial
**niemądry** *adj* unwise
**Niemiec** *m* German
**niemiecki** *adj* German
**niemiłosierny** *adj* unmerciful, merciless
**niemiły** *adj* unpleasant
**niemniej** *adv*, **~ jednak** nevertheless, none the less
**niemoc** *f* impotence, infirmity
**niemodny** *adj* out of fashion, unfashionable, outmoded
**niemoralność** *f* immorality
**niemoralny** *adj* immoral
**niemota** *f* dumbness
**niemowa** *m, f* mute
**niemowlę** *n* infant, baby
**niemożliwość** *f* impossibility
**niemożliwy** *adj* impossible
**niemrawy** *adj* sluggish, tardy
**niemy** *adj* dumb; (*o filmie*) silent
**nienaganny** *adj* blameless, irreproachable
**nienaruszalny** *adj* inviolable
**nienaruszony** *adj* intact
**nienasycony** *adj* insatiable; *chem.* unsaturated
**nienaturalny** *adj* unnatural, affected
**nienawidzić** *vt* hate, detest
**nienawistny** *adj* hateful, detestable
**nienawiść** *f* hatred

**nienormalny** *adj* abnormal, anomalous
**nieobecność** *f* absence
**nieobecny** *adj* absent
**nieobliczalny** *adj* incalculable; (*niepoczytalny*) unreliable
**nieobowiązkowy** *adj* optional
**nieobyczajność** *f* immorality
**nieobyczajny** *adj* immoral
**nieoceniony** *adj* inestimable
**nieoczekiwany** *adj* unexpected
**nieodłączny** *adj* inseparable
**nieodmienny** *adj* invariable; *gram.* indeclinable
**nieodparty** *adj* irresistible; (*np. argument*) irrefutable
**nieodpowiedni** *adj* inadequate; unsuitable; unfit
**nieodpowiedzialność** *f* irresponsibility
**nieodpowiedzialny** *adj* irresponsible
**nieodstępny** *adj* inseparable
**nieodwołalny** *adj* irrevocable
**nieodwracalny** *adj* irreversible
**nieodzowny** *adj* indispensable
**nieodżałowan|y** *adj* ever memorable; **~ej pamięci** the late lamented
**nieoględność** *f* inconsideration
**nieoględny** *adj* inconsiderate
**nieograniczony** *adj* unlimited
**nieokiełznany** *adj* unmanageable, unbridled
**nieokreślony** *adj* indefinite
**nieokrzesany** *adj* uncouth, rude
**nieomal** *adv* nearly, all but
**nieomylność** *f* infallibility
**nieomylny** *adj* infallible
**nieopatrzność** *f* improvidence, inconsideration
**nieopatrzny** *adj* improvident, inconsiderate
**nieopisany** *adj* indescribable
**nieopłacalny** *adj* unprofitable
**nie opodal** *adv praep* near by
**nieoprawiony** *adj* (*o książce*) unbound
**nieorganiczny** *adj* inorganic
**nieosobowy** *adj* impersonal
**nieostrożność** *f* incaution, inadvertence
**nieostrożny** *adj* incautious, inadvertent
**nieoswojony** *adj* (*dziki*) untamed
**nieoświecony** *adj* uneducated, ignorant
**nie oznaczony** *pp i adj* indefinite, indeterminate
**niepalący** *adj* not smoking; *s m* non-smoker
**niepalny** *adj* incombustible
**niepamięć** *f* oblivion
**niepamiętny** *adj* immemorable; forgetful (**czegoś** of sth); **od ~ch czasów** from times immemorial
**nieparlamentarny** *adj* unparliamentary
**nieparzysty** *adj* odd
**niepełnoletni** *adj* under age, minor
**niepełnoletność** *f* minority
**niepełny** *adj* incomplete
**niepewność** *f* uncertainty
**niepewny** *adj* uncertain; unreliable
**niepiśmienny** *adj* illiterate; *s m* illiterate
**niepłatny** *adj* unpaid, gratuitous
**niepłodność** *f* sterility
**niepłodny** *adj* sterile, barren
**niepłonny** *adj* infallible, certain
**niepochlebny** *adj* unflattering
**niepocieszony** *adj* inconsolable
**niepoczytalność** *f* irresponsibility
**niepoczytalny** *adj* irresponsible
**niepodejrzany** *adj* unsuspected
**niepodległość** *f* independence
**niepodległy** *adj* independent
**niepodobieństwo** *n* unlikelihood; improbability, impossibility
**niepodobn|y** *adj* unlike (**do kogoś, czegoś** sb, sth); **oni są do siebie ~i** they are dissimilar; they are unlike each other
**niepodzielny** *adj* indivisible
**niepogoda** *f* bad weather
**niepohamowany** *adj* unrestrained, irrepressible
**niepojętny** *adj* dull, unintelligent
**niepojęty** *adj* unintelligible, inconceivable
**niepokalany** *adj* unspotted, immaculate
**niepokaźny** *adj* inconspicuous

**niepokoić** *vt* disturb, disquiet; ~ **się** *vr* be alarmed, feel uneasy (**czymś** about sth)
**niepokonany** *adj* unconquerable, invincible
**niepokój** *m* anxiety, uneasiness (**o kogoś, coś** about **sb, sth**); trouble, disorder
**niepolityczny** *adj* impolitic
**niepomierny** *adj* incommensurable
**niepomny** *adj* oblivious, forgetful (**na coś** of sth)
**niepomyślność** *f* adversity
**niepomyślny** *adj* adverse, unfavourable, unsuccessful
**niepopłatny** *adj* unprofitable
**niepoprawność** *f* incorrigibility; incorrectness
**niepoprawny** *adj* incorrigible; incorrect
**niepopularność** *f* unpopularity
**niepopularny** *adj* unpopular
**nieporadny** *adj* awkward, unpractical
**nieporęczny** *adj* unhandy, inconvenient
**nieporozumienie** *n* misunderstanding
**nieporównany** *adj* incomparable
**nieporuszony** *adj* immovable
**nieporządek** *m* disorder
**nieporządny** *adj* disorderly, untidy
**nieposłuszeństwo** *n* disobedience
**nieposłuszny** *adj* disobedient
**niepospolity** *adj* uncommon
**nieposzlakowany** *adj* unblemished, unspotted
**niepotrzebny** *adj* unnecessary
**niepowetowany** *adj* irreparable, irretrievable
**niepowodzenie** *n* adversity, failure
**niepowołany** *adj* incompetent
**niepowstrzymany** *adj* unrestrainable, uncontrollable
**niepowszedni** *adj* uncommon
**niepowściągliwość** *f* incontinence
**niepowściągliwy** *adj* incontinent
**niepozorny** *adj* inconspicuous
**niepożądany** *adj* undesirable
**niepożyteczny** *adj* useless
**niepraktyczny** *adj* unpractical
**nieprawda** *f* untruth, falsehood; **to** ~ this is not true
**nieprawdopodobny** *adj* improbable
**nieprawdziwy** *adj* untrue
**nieprawidłowość** *f* irregularity, anomaly
**nieprawidłowy** *adj* irregular, abnormal
**nieprawny** *adj* illegal
**nieprawomyślność** *f* unorthodoxy
**nieprawomyślny** *adj* unorthodox
**nieprawość** *f* iniquity
**nieprawy** *adj* iniquitous
**nieproporcjonalny** *adj* disproportionate
**nieproszony** *adj* unbidden, uncalled-for
**nieprzebaczalny** *adj* unpardonable
**nieprzebłagany** *adj* implacable
**nieprzebrany** *adj* inexhaustible
**nieprzebyty** *adj* impassable
**nieprzechodni** *adj gram.* intransitive
**nieprzejednany** *adj* irreconcilable
**nieprzejrzysty** *adj* untransparent
**nieprzekupny** *adj* incorruptible
**nieprzemakalny** *adj* impermeable, waterproof, rainproof; **płaszcz** ~ raincoat
**nieprzenikniony** *adj* impenetrable
**nieprzepuszczalny** *adj* impermeable, impervious
**nieprzerwany** *adj* uninterrupted, continuous; (*o locie, jeździe*) *attr* non-stop
**nieprześcigniony** *adj* unsurpassable
**nieprzewidziany** *adj* unforeseen
**nieprzezorność** *f* improvidence
**nieprzezorny** *adj* improvident
**nieprzezroczysty** *adj* untransparent
**nieprzezwyciężony** *adj* invincible, insuperable
**nieprzychylność** *f* disfavour
**nieprzychylny** *adj* unfavourable, unfriendly
**nieprzydatność** *f* uselessness
**nieprzydatny** *adj* useless
**nieprzyjaciel** *m* enemy, *lit.* foe
**nieprzyjacielski** *adj* inimical; *attr* enemy; **siły** ~**e** enemy forces; **działanie** ~**e** hostilities

**nieprzyjazny** *adj* unfavourable, unfriendly
**nieprzyjaźń** *f* enmity
**nieprzyjemność** *f* disagreeableness
**nieprzyjemny** *adj* disagreeable, unpleasant
**nieprzymuszony** *adj* unconstrained
**nieprzystępność** *f* inaccessibility
**nieprzystępny** *adj* inaccessible; (*o cenach*) prohibitive
**nieprzytomność** *f* unconsciousness; (*roztargnienie*) absent-mindedness
**nieprzytomny** *adj* unconscious; (*roztargniony*) absent-minded
**nieprzyzwoitość** *f* indecency
**nieprzyzwoity** *adj* indecent
**niepunktualność** *f* unpunctuality
**niepunktualny** *adj* unpunctual
**nierad** *adj* reluctant, disinclined; **rad** ~ willy-nilly
**nieraz** *adv* many a time
**nierdzewny** *adj* rustless, rustproof; (*o stali*) stainless
**nierealność** *f* unreality
**nierealny** *adj* unreal
**nieregularność** *f* irregularity
**nieregularny** *adj* irregular
**niereligijny** *adj* irreligious
**nierogacizna** *f* *zbior.* swine
**nierozdzielny** *adj* inseparable
**nierozerwalny** *adj* indissoluble
**nierozgarnięty** *adj* dull
**nierozłączny** *adj* inseparable
**nierozmyślny** *adj* unpremeditated
**nierozpuszczalność** *f* indissolubility
**nierozpuszczalny** *adj* indissoluble
**nierozsądny** *adj* unreasonable, imprudent
**nierozwaga** *f* inconsideration, imprudence
**nierozważny** *adj* inconsiderate, imprudent
**nierozwiązalny** *adj* insoluble; (*o zagadnieniu*) irresolvable
**nierozwinięty** *adj* undeveloped; (*opóźniony w rozwoju*) backward
**nierówność** *f* inequality
**nierówny** *adj* unequal, uneven
**nieruchliwy** *adj* slow, impassive
**nieruchomoś|ć** *f* immobility; (*o majątku*) real estate; *pl* **~ci** *prawn.* immovables
**nieruchomy** *adj* immovable, motionless; **majątek** ~ real estate
**nierzadko** *adv* often, not infrequently
**nierząd** *m* prostitution
**nierzeczywisty** *adj* unreal
**nierzetelność** *f* dishonesty
**nierzetelny** *adj* dishonest, unreliable
**niesamowity** *adj* uncanny
**niesforność** *f* unruliness, indocility
**niesforny** *adj* unruly, indocile
**nieskalany** *adj* immaculate, stainless
**nieskazitelność** *f* spotlessness; integrity
**nieskazitelny** *adj* unblemished, stainless
**nieskładny** *adj* awkward
**nieskończenie** *adv* infinitely; ~ **mały** infinitesimal
**nieskończoność** *f* infinity
**nieskończony** *adj* infinite
**nieskromny** *adj* immodest
**nieskuteczność** *f* inefficacy
**nieskuteczny** *adj* ineffective, inefficacious
**niesława** *f* disrepute, dishonour
**niesławny** *adj* disreputable
**niesłowny** *adj* false to one's word, unreliable
**niesłuszność** *f* injustice, unfairness
**niesłuszny** *adj* unjust, unfair
**niesłychany** *adj* unheard-of
**niesmaczny** *adj* tasteless
**niesmak** *m* distaste (**do czegoś** for sth), disgust (**do czegoś** at, for sth)
**niesnaski** *s pl* dissension
**niespełna** *adv* nearly; ~ **rozumu** crack-brained
**niespodzianka** *f* surprise
**niespodziewany** *adj* unexpected
**niespokojny** *adj* unquiet
**nie sposób** *adv* it's impossible
**niespożyty** *adj* (*niestrudzony*) indefatigable; (*trwały*) everlasting
**niesprawiedliwość** *f* injustice
**niesprawiedliwy** *adj* unjust
**nie sprzyjający** *adj* unfavourable, adverse

**niestałość** *f* inconstancy, instability
**niestały** *adj* inconstant, unstable
**niestawiennictwo** *n* non-appearance
**niestety** *adv* unfortunately, *lit.* alas; **~ on nie wróci** I'm afraid he will not come back; **~ nie mogę tego zrobić** I'm sorry I can't do it
**niestosowny** *adj* unsuitable, improper
**niestrawność** *f* indigestion
**niestrawny** *adj* indigestible
**niestrudzony** *adj* indefatigable
**niestworzon|y** *adj, pot.* **opowiadać ~e rzeczy** tell tall stories
**niesumienność** *f* dishonesty, unscrupulousness
**niesumienny** *adj* dishonest, unscrupulous
**nieswojo** *adj* not at ease; **czuć się ~** feel uneasy
**nieswój** *adj* strange; uneasy, ill at ease
**niesymetryczny** *adj* asymmetrical
**niesympatyczny** *adj* uncongenial
**nieszczególny** *adj* not peculiar, mediocre, tolerable, moderate
**nieszczelny** *adj* leaky, not tight
**nieszczerość** *f* insincerity
**nieszczery** *adj* insincere
**nieszczęsny** *adj* ill-fated, unfortunate; disastrous
**nieszczęście** *n* misfortune; disaster; bad luck; **na ~** unfortunately; **na moje ~** to my misfortune
**nieszczęśliwy** *adj* unfortunate, unhappy, unlucky
**nieszkodliwy** *adj* harmless
**nieszpory** *s pl* vespers
**nieścisłość** *f* inexactitude, inaccuracy
**nieścisły** *adj* inexact, inaccurate
**nieść** *vt* carry, bear, bring; (*o kurze*) lay
**nieślubny** *adj* illegitimate
**nieśmiałość** *f* timidity, shyness
**nieśmiały** *adj* timid, shy
**nieśmiertelność** *f* immortality
**nieśmiertelny** *adj* immortal
**nieświadomość** *f* unconsciousness, ignorance
**nieświadomy** *adj* unconscious, ignorant
**nietakt** *m* tactlessness
**nietaktowny** *adj* tactless
**nietknięty** *adj* intact, untouched
**nietolerancja** *f* intolerance
**nietolerancyjny** *adj* intolerant
**nietoperz** *m* bat
**nietrafny** *adj* improper, wrong; (*strzał*) missing the mark
**nietrzeźwy** *adj* inebriate; *pot.* tipsy, tight; **w stanie ~m** under the influence of drink
**nietykalność** *f* inviolability; (*posłów*) privilege; *prawn.* immunity
**nietykalny** *adj* inviolable; *prawn.* enjoying immunity
**nie tyle** *adv* not so much
**nie tylko** *adv* not only
**nieubłagany** *adj* implacable
**nieuchronny** *adj* unavoidable, inevitable
**nieuchwytny** *adj* unseizable
**nieuctwo** *n* ignorance
**nieuczciwość** *f* dishonesty
**nieuczciwy** *adj* unfair, dishonest
**nieuczynny** *adj* disobliging
**nieudany** *adj* unsuccessful, abortive
**nieudolność** *f* inability, incompetence, clumsiness
**nieudolny** *adj* incapable, incompetent, clumsy
**nieufnoś|ć** *f* mistrust; **wotum ~ci** vote of censure
**nieufny** *adj* distrustful
**nieugaszony** *adj* unquenchable, inextinguishable
**nieugięty** *adj* inflexible
**nieuk** *m* ignoramus
**nieukojony** *adj* unappeasable, unappeased, inconsolable
**nieuleczalny** *adj* incurable
**nieumiarkowany** *adj* immoderate, intemperate
**nieumiejętność** *f* inability, unskilfulness
**nieumiejętny** *adj* incapable, unskilful
**nieumyślny** *adj* unintentional
**nieuniknionу** *adj* unavoidable

**nieuprzedzony** *adj* unprejudiced
**nieuprzejmość** *adj* unkind, impolite
**nieurodzaj** *adj* sterile, infertile, barren
**nieusprawiedliwiony** *adj* unjustified; inexcusable
**nieustanny** *adj* incessant, unceasing
**nieustraszony** *adj* fearless
**nieusuwalność** *f* irremovability
**nieusuwalny** *adj* irremovable
**nieutulony** *adj* inconsolable
**nieuwag|a** *f* inattention, inadvertence; **przez ~ę** through inadvertence, by oversight
**nieuważny** *adj* inattentive, inadvertent
**nieuzasadniony** *adj* unfounded
**nieuzbrojony** *adj* unarmed
**nieużyteczny** *adj* useless
**nieużyty** *adj* disobliging
**niewart** *adj* unworthy
**nieważki** *adj* imponderable
**nieważność** *f* invalidity
**nieważny** *adj* unimportant, trivial; (*np. dokument*) invalid
**niewątpliwie** *adv* undoubtedly, no doubt
**niewątpliwy** *adv* indubitable, undoubted
**niewczesny** *adj* inopportune, improper; unseasonable, untimely
**niewdzięczność** *f* ingratitude
**niewdzięczny** *adj* ungrateful
**niewesoły** *adj* joyless; unpleasant
**niewiadom|y** *adj* unknown; **~a** *s f mat.* unknown quantity
**niewiara** *f* disbelief, unbelief
**niewiarygodny** *adj* incredible
**niewiasta** *f* woman
**niewidomy** *adj* blind; *s m* blind man
**niewidzialn|y** *adj* invisible, unseen; *fiz.* **promienie ~e** obscure rays
**niewiedza** *f* ignorance
**niewiele** *adv* little, few
**niewielki** *adj* small, little
**niewierność** *f* unfaithfulness, faithlessness, disloyalty
**niewierny** *adj* faithless, unfaithful, disloyal
**niewiniątko** *n* innocent
**niewinność** *f* innocence
**niewinny** *adj* innocent
**niewłaściwość** *f* impropriety
**niewłaściwy** *adj* improper
**niewol|a** *f* slavery, captivity; **wziąć kogoś do ~i** take sb prisoner
**niewolić** *vt* force, constrain
**niewolniczy** *adj* slavish
**niewolnik** *m* slave
**niewód** *m* drag-net
**niewprawny** *adj* unskilled, inexpert
**niewspółmierność** *f* incommensurability
**niewspółmierny** *adj* incommensurable
**niewyczerpany** *adj* inexhaustible
**niewygoda** *f* inconvenience, discomfort
**niewygodny** *adj* inconvenient, uncomfortable
**niewykonalny** *f* impracticable, unfeasible
**niewymierny** *adj mat.* irrational
**niewymowny** *adj* ineffable, unspeakable; ineloquent
**niewymuszony** *adj* unaffected, unconstrained, free and easy
**niewypał** *m* blind shell, live shell; *pot.* dud
**niewypłacalność** *f* insolvency
**niewypłacalny** *adj* insolvent
**niewypowiedziany** *adj* unspeakable, unutterable
**niewyraźny** *adj* indistinct
**niewyrobiony** *adj* unwrought; (*niewprawny*) unskilled, inexperienced
**niewyrozumiały** *adj* intolerant, not indulgent, ruthless
**niewysłowiony** *adj* ineffable, unspeakable
**niewystarczający** *adj* insufficient
**niewytłumaczony** *adj* inexplicable
**niewytrwały** *adj* unenduring, not persistent
**niewytrzymały** *adj* = **niewytrwały**
**niewzruszony** *adj* unmoved, imperturbable

**niezachwiany** *adj* unshaken
**niezadowalający** *adj* unsatisfactory
**niezadowolenie** *n* discontent, dissatisfaction (**z czegoś** with sth)
**niezadowolony** *adj* discontented, dissatisfied (**z czegoś** with sth)
**niezależność** *f* independence (**od czegoś, kogoś** of sth, sb)
**niezależny** *adj* independent (**od kogoś, czegoś** of sb, sth)
**niezamężna** *adj* unmarried, single
**niezamożny** *adj* not well-to-do, indigent, of limited means
**niezapominajka** *f* forget-me-not
**niezapomniany** *adj* unforgotten
**niezaprzeczalny** *adj* incontestable, undeniable
**niezaradny** *adj* helpless, unpractical
**niezasłużony** *adj* ineffaceable
**niezawisłość** *f* independence (**od kogoś, czegoś** of sb, sth)
**niezawisły** *adj* independent (**od kogoś, czegoś** of sb, sth)
**niezawodnie** *adv* without fail, unfailingly
**niezawodny** *adj* unfailing, infallible
**nieząbkowany** *adj filat.* imperforate
**niezbadany** *adj* inexplorable, inscrutable
**niezbędność** *f* indispensability
**niezbędny** *adj* indispensable
**niezbity** *adj* irrefutable
**niezbyt** *adv* not all too
**niezdarny** *adj* awkward, clumsy
**niezdatny** *adj* unfit
**niezdecydowany** *adj* undecided
**niezdolność** *f* inability, incapability; ~ **do pracy** incapacity for work
**niezdolny** *adj* incapable, unable; ~ **do służby wojskowej** unfit for military service; ~ **do pracy** incapable of work
**niezdrowy** *adj* unhealthy, unwell; (*szkodliwy dla zdrowia*) unwholesome
**niezdyscyplinowany** *adj* undisciplined
**niezgłębiony** *adj* unfathomable, inscrutable
**niezgoda** *f* disagreement, discord, dissent
**niezgodność** *f* discordance; inconformity; (*charakterów*) incompatibility
**niezgodny** *adj* disagreeing, discordant; incompatible, inconsistent
**niezgrabność** *f* clumsiness, awkwardness
**niezgrabny** *adj* clumsy, awkward
**nieziszczalny** *adj* unrealizable, unattainable
**niezliczony** *adj* unnumerable, countless
**niezłomny** *adj* inflexible, unshaken
**niezmącony** *adj* untroubled, unruffled
**niezmienność** *f* immutability
**niezmienny** *adj* immutable, unchanging, invariable
**niezmierność** *f* immensity
**niezmierny** *adj* immense
**niezmordowany** *adj* indefatigable, tireless
**nieznaczny** *adj* insignificant, trivial, slight
**nieznajomość** *f* ignorance (**czegoś** of sth), unacquaintance (**czegoś** with sth)
**nieznajomy** *adj* unknown; *s m* unknown person, stranger
**nieznany** *adj* unknown, unfamiliar
**nieznośny** *adj* unsupportable, unbearable, intolerable
**niezręczność** *f* awkwardness
**niezręczny** *adj* awkward
**niezrozumiałość** *f* unintelligibility
**niezrozumiały** *adj* unintelligible, incomprehensible
**niezrównany** *adj* incomparable, matchless, unrivalled; **człowiek ⟨przedmiot⟩** ~ nonsuch
**niezrównoważony** *adj* unbalanced
**niezupełny** *adj* incomplete
**niezwłocznie** *adv* immediately, without delay
**niezwłoczny** *adj* immediate, instant
**niezwyciężony** *adj* invincible

**niezwykły** *adj* uncommon, unusual
**nieżonaty** *adj* unmarried, single
**nieżyczliwość** *adj* unfriendliness; unkindness
**nieżyczliwy** *adj* unfriendly, ill-disposed (**dla kogoś** towards sb)
**nieżyt** *m med.* catarrh, inflammation
**nieżywotny** *adj* inanimate
**nieżywy** *adj* lifeless, dead
**nigdy** *adv* never, not ... ever
**nigdzie** *adv* nowhere, not ... anywhere
**nijak** *adv* nowise
**nijaki** *adj* indeterminate; no ... whatever; *gram.* **rodzaj ~** neuter
**nijako** *adv* indeterminately; **czuć się ~** feel queer
**nikczemnik** *m* villain
**nikczemność** *f* villainy, meanness
**nikczemny** *adj* villainous, mean; vile
**nikiel** *m* nickel
**niklować** *vt* nickel
**nikły** *adj* exiguous, scanty
**niknąć** *vi* vanish, disappear; (*marnieć*) waste away
**nikotyna** *f* nicotine
**nikt** *pron* none, no one, nobody, not anybody
**nim** *conj* = **zanim**
**nimfa** *f* nymph
**niniejszy** *adj* present; **~m zaświadczam** I hereby testify
**niski** *adj* low; (*o wzroście*) short
**nisko** *adv* low; **~ mierzyć** aim low; **~ kłaniać się** bow low
**nisza** *f* niche
**niszczący** *adj* destructive
**niszczeć** *vi* waste away, decay
**niszczyć** *vt* destroy, spoil, ruin; (*ubranie, obuwie*) wear; **~ się** *vr* spoil, deteriorate; (*o ubraniu, obuwiu*) wear
**nit** *m techn.* rivet
**nitka** *f* thread
**niwa** *f poet.* corn-field
**niweczyć** *vt* destroy, frustrate
**niwelacja** *f* levelling
**niwelować** *vt* level
**nizać** *vt* thread, string
**nizina** *f* lowland
**niż 1.** *conj* than
**niż 2.** *m* lowland; (*barometryczny*) depression
**niżej** *adv* lower; down, below; **~ podpisany** the undersigned
**niższość** *f* inferiority
**niższy** *adj* lower; (*gatunkowo, służbowo*) inferior
**no** *part* well, now, (well) then
**noc** *f* night; **~ą** by night, at night; **przez ~** overnight; **dziś w ~y** to-night; **całą ~** all night long
**nocleg** *m* night's rest; (*miejsce*) place to sleep in
**nocnik** *m* chamber-pot
**nocn|y** *adj* night(ly); **koszula ~a** night-shirt; **służba ~a** night-duty; **spoczynek ~y** night's rest
**nocować** *vi* stay overnight, stay for the night
**nog|a** *f* leg; (*stopa*) foot; **być na ~ach** be up; **do góry ~ami** upside down; **podstawić komuś ~ę** trip sb up
**nogawica** *f* leg
**nokturn** *m muz.* nocturne
**nomenklatura** *f* nomenclature
**nominacja** *f* appointment
**nominalny** *adj* nominal
**nonsens** *m* nonsense
**nora** *f* burrow, hole
**norka** *f zool.* mink
**norma** *f* standard, norm
**normalizacja** *f* normalization
**normalizować** *vt* normalize, standardize
**normalny** *adj* normal
**normować** *vt* regulate
**Norweg** *m* Norwegian
**norweski** *adj* Norwegian
**nos** *m* nose; **wycierać ~** blow one's nose; **zadzierać ~a** put up one's nose high; *pot.* **mieć ~a** have a sharp nose; **wodzić za ~** lead by the nose
**nosacizna** *f med.* glanders
**nosić** *vt* (*dźwigać*) carry, bear; (*mieć na sobie*) wear; (*brodę, wąsy*) grow; **~ się** *vr* (*o ubraniu*)

wear; ~ **się z myślą** entertain an idea
**nosorożec** *m zool.* rhinoceros
**nostalgia** *f* nostalgia, homesickness
**nosze** *s pl* stretcher
**nota** *f* note
**notarialny** *adj* notarial
**notariusz** *m* notary public
**notatka** *f* note
**notatnik** *m*, **notes** *m* notebook
**notoryczny** *adj* notorious
**notować** *vt* take notes (**coś** of sth), put down; (*rejestrować na giełdzie*) quote
**notowanie** *n* record; (*kurs na giełdzie*) quotation
**nowator** *m* innovator
**nowela** *f* short-story; *prawn.* novel; (*dodatkowa ustawa*) amendment
**nowelista** *m* short-story writer
**nowicjat** *m* novitiate, probation time
**nowicjusz** *m* novice, probationer
**nowina** *f* news
**nowoczesny** *adj* modern, up-to-date
**nowo narodzony** *adj* new-born
**noworoczny** *adj* New Year's
**nowość** *f* novelty
**nowotwór** *m med.* tumour; *gram.* neologism
**nowo wstępujący** *adj i s m* (*do uczelni, zawodu itp.*) entrant
**nowożytny** *adj* modern
**nowy** *adj* new
**nozdrze** *n* nostril
**nożownik** *m* (*bandyta*) cutthroat; † (*rzemieślnik*) cutler
**nożyce** *s pl* shears, clippers
**nożyczki** *s pl* scissors
**nożyk** *m* knife, pocket-knife; (*do golenia*) blade
**nów** *m* new moon
**nóż** *m* knife
**nucić** *vt vi* hum; (*o ptakach*) warble
**nuda** *f* boredom
**nudności** *s pl* nausea, qualm
**nudny** *adj* tedious, wearisome, dull, boring; nauseating
**nudziarz** *m* bore
**nudzi|ć** *vt* bore; *imp* **mnie to** ~ I am tired of this; ~ **się** *vr* feel bored
**numer** *m* number
**numeracja** *f* numeration
**numerować** *vt* number
**numerek** *m* (*np. w szatni*) check
**numizmatyka** *f* numismatics
**nuncjusz** *m* nuncio
**nurek** *m* diver
**nurkować** *vi* dive; *lotn.* nose-dive
**nurkowanie** *n* diving; *lotn.* nose-dive
**nurkowiec** *m lotn.* dive-bomber
**nurkowy** *adj*, *lotn.* **lot** ~ nose-dive
**nurt** *m* current
**nurt|ować** *vt* penetrate, pervade; **to mnie ~uje** I feel uneasy about it
**nurzać** *vt* plunge, immerse; ~ **się** *vr* plunge, welter
**nut|a** *f* note; melody, tune; *pl* ~**y** music *zbior.*
**nuż** *part* there now; **a** ~ and if; **a** ~ **przyjdzie** suppose he comes; **a** ~ **wygram** what if I win?; **a** ~ **mi się uda** what if I succeed?
**nużący** *adj* tiring
**nużyć** *vt* tire (out), weary; ~ **się** *vr* grow weary, get tired
**nylon** *m* nylon

# O

**o** *praep* of, for, at, by, about, with; **boję się o twoje bezpieczeństwo** I fear for your safety; **chodzić o lasce** walk with a stick; **powiększyć o połowę** increase by one-half; **prosić o coś** ask for sth; **o co chodzi?** what's the matter?; **o czym mówisz?** what are you speaking of ⟨about⟩?; **o 5 godzinie** at 5 o'clock

**oaza** *f* oasis

**oba, obaj, obie, oboje** *num* both

**obalenie** *n* overthrow; (*zniesienie*) abolition; *prawn.* (*wyroku*) reversal

**obalić** *vt* overthrow, upset; (*znieść*) abolish

**obarcz|yć** *vt* burden, charge; **~ony smutkiem** laden with sorrow; **~ony troską** care-laden

**obaw|a** *f* fear, anxiety; **z ~y** for fear (**przed czymś** of sth, **o coś** of sth); **żywić ~ę** be anxious (**o coś** about sth)

**obawiać się** *vr* fear (**czegoś** sth, **o coś** for sth), be afraid (**czegoś** of sth), be anxious (**o coś** about sth)

**obcas** *m* heel

**obcesowo** *adv* outright

**obcęgi** *s pl* tongs

**obchodzenie się** *n* dealing (**z kimś, czymś** with sb, sth), treatment (**z kimś, czymś** of sb, sth)

**obchodzi|ć** *vt* walk ⟨go⟩ round; (*prawo*) evade; (*święto, urodziny*) celebrate, observe; **to ciebie nic nie ~** it is no concern of yours; **to mnie szczególnie ~** it is of great concern to me; **to mnie nic nie ~** it is no concern of mine; **~ć się** *vr* do (**bez czegoś** without sth), dispense (**bez czegoś** with sth), spare (**bez czegoś** sth); deal (**z kimś** with sb), treat (**z kimś** sb); **źle się ~ć** ill-treat (**z kimś** sb)

**obchód** *m* (*okrążenie*) round; (*obchodzenie święta*) observation; (*rocznicy*) celebration

**obciągać** *vt* pull down, make tight; (*np. fotel*) cover; *techn.* (*ostrzyć*) whet

**obciąża|ć** *vt* burden, charge; (*rachunek*) debit; **okoliczności ~jące** aggravating circumstances

**obciążenie** *n* charge, burden, ballast; (*rachunku*) debit

**obcierać** *vt* wipe (away, off); (*np. skórę do krwi*) rub (off)

**obcinać** *vt* cut; (*pensję, wydatki*) cut down; (*gałęzie*) lop; (*nożyczkami*) clip; (*paznokcie*) pare

**obcisły** *adj* tight, close-fitting

**obcokrajowiec** *m* foreigner, alien

**obcokrajowy** *adj* foreign, alien

**obcować** *vi* keep up intercourse, associate

**obcowanie** *n* intercourse

**obcy** *adj* strange, foreign; *s m* stranger

**obczyzna** *f* foreign country

**obdarowywać** *vt* present (**kogoś czymś** sb with sth)

**obdartus** *m pot.* ragamuffin

**obdarty** *adj* ragged

**obdarzyć** *vt* present (**kogoś czymś** sb with sth); (*nadać*) bestow (**czymś kogoś** sth upon sb); **~ łaską** favour (**kogoś** sb), bestow favour (**kogoś** upon sb)

**obdukcja** *f* post-mortem examination

**obdzielić** *vt* give everybody his share; distribute

**obdzierać** *vt* take ⟨pull⟩ off; rob (**z czegoś** of sth); **~ ze skóry** skin; **~ z kory** bark

**obecnie** *adv* at present

**obecnoś|ć** *f* presence; **lista ~ci** attendance record, roll; **odczytać listę ~ci** call the roll; **odczytanie listy ~ci** roll-call

**obecny** *adj* present; **być ~m na zebraniu** attend a meeting
**obejmować** *vt* embrace; (*zawierać*) comprise, contain; (*przejmować, brać na siebie*) take over; **~ obowiązki** enter on ⟨upon⟩ one's duties; **~ coś w posiadanie** take possession of sth
**obejrzeć** *vt* have a glance (**coś** at sth), inspect
**obejście** *n* premises *pl*, homestead; (*sposób bycia*) manners *pl*, behaviour
**obelga** *f* insult, outrage
**obelżywy** *adj* insulting, outrageous
**oberża** † *f* tavern, inn
**obezwładnić** *vt* render unable, disable
**obfitoś|ć** *f* abundance, profusion, plenty; **róg ~ci** horn of plenty
**obfitować** *vi* abound (**w coś** with, in sth)
**obfity** *adj* abundant, plentiful, profuse
**obiad** *m* dinner; **jeść ~** dine, have dinner
**obicie** *n* (*tapeta*) wallpaper, tapestry; (*pokrycie mebli itp.*) covering
**obiecywać** *vt* promise
**obieg** *m* circulation; **puścić w ~** circulate; **wycofać z ~u** withdraw from circulation
**obiegać** *vi* circulate; run round
**obiegowy** *adj* circulating; **pieniądz ~** currency; **środek ~** circulating medium
**obiekcja** *f* objection
**obiekt** *m* object
**obiektyw** *m* objective; *fot.* lens
**obiektywizm** *m* objectivism
**obiektywny** *adj* objective
**obierać** *vt* (*wybierać*) elect, choose; (*zawód*) embrace; (*ziemniaki*) peel; (*owoce*) pare
**obieralny** *adj* elective, eligible
**obietnic|a** *f* promise; **dotrzymać ~y** keep the promise
**obijać** *vt* beat; (*materiałem*) cover, line; **~ gwoździami** nail
**objadać się** *vr* overeat oneself
**objaśniać** *vt* explain, (*ilustrować*) illustrate
**objaśniający** *adj* explanatory
**objaśnienie** *n* explanation
**objaw** *m* symptom
**objawiać** *vt* show, reveal
**objawienie** *n* revelation
**objazd** *m* circuit, round
**objazdow|y** *adj*, **droga ~a** by-pass; **sądowa sesja ~a** circuit
**objeżdżać** *vt* go ⟨ride⟩ round; tour; (*omijać*) by-pass
**objęcie** *n* (*ramionami*) embrace; (*zajęcie, przejęcie*) taking over; (*w posiadanie*) taking possession; **~ obowiązków** entering ⟨entrance⟩ on ⟨upon⟩ one's duties
**objętość** *f* volume, circumference, bulk
**oblegać** *vt* besiege, beleaguer
**oblekać** *vt* water, sprinkle, pour on; **~ się** *vr* put on; **~ się potem** be bathed in sweat; **~ się rumieńcem** flush, blush
**oblężenie** *n* siege
**obliczać** *vt* count, calculate
**oblicze** *n* face
**obliczenie** *n* calculation, computation
**obligacja** *f* (*zobowiązanie*) obligation; (*papier wartościowy*) bond
**oblizywać** *vt* lick
**oblubienica** *f* bride, betrothed
**oblubieniec** *m* bridegroom, betrothed
**obładow|ywać** *vt* charge, (over)load, (over)burden; **ciężko ~any** heavy-laden
**obława** *f* chase, raid, round-up; (*myśliwska*) battue
**obłąkanie** *n* = **obłęd**
**obłąkan|y** *adj* insane, mad, *pot.* loony; *s m* madman; *s f* **~a** madwoman; **szpital dla ~ych** lunatic asylum, madhouse
**obłęd** *m* insanity, madness
**obłędny** *adj* insane, mad
**obłok** *m* cloud
**obłowić się** *vr* make one's pile, enrich oneself

**obłożnie** *adv*, **~ chorować** be bedridden

**obłoż|yć** *vr* cover, overlay; (*warstwą czegoś*) layer; **~ony język** coated tongue

**obłuda** *f* hypocrisy

**obłudnik** *m* hypocrite

**obłudny** *adj* hypocritical

**obły** *adj* oval

**obmacać** *vt* feel about, finger; *pot.* paw

**obmawiać** *vt* gossip (**kogoś** about sb), backbite, slander

**obmierzły** [-r-z-] *adj* disgusting, detestable

**obmierz|nąć** [-r-z-] *vi* become disgusting; **to mi ~ło** I am disgusted with it

**obmowa** *f* backbiting, slander

**obmurować** *vt* surround with a wall, wall in

**obmyślać** *vt* reflect (**coś** on, upon sth), turn over in one's mind; (*planować, knuć*) contrive, devise

**obnażać** *vt* bare, lay bare, uncover, strip; **~ się** *vr* strip

**obnażony** *adj* bare, naked, nude

**obniżać** *vt* lower, abate; (*cenę*) reduce; (*zarobki*) cut down; (*wartość*) depreciate; **~ się** *vr* sink, go down, decrease

**obniżenie** *n* lowering, abatement, reduction

**obniżka** *f* abatement, decrease; (*cen*) reduction, (*wartości*) depreciation; (*potrącenie*) deduction

**obojczyk** *m anat.* collar-bone

**obojętnieć** *vi* grow indifferent

**obojętność** *f* indifference

**obojętn|y** *adj* indifferent, impassive; (*nieważny*) unimportant; **to mi jest ~e** I don't care for it

**obok** *adv praep* near, by, near by

**obopóln|y** *adj* reciprocal, common; **za ~ą zgodą** by common consent

**obora** *f* cow-shed

**obosieczny** *adj* two-edged

**obowiąz|ek** *m* duty, (*zobowiązanie*) obligation; **spełnić swój ~ek** do one's duty; **pełniący ~ki** acting (np. **kierownika** manager); **mieć ~ki (moralne) w stosunku do kogoś** be under an obligation to sb

**obowiązkowość** *f* dutifulness

**obowiązkowy** *adj* (*wierny obowiązkom*) dutiful; (*urzędowo obowiązujący*) obligatory, compulsory

**obowiązując|y** *adj* obliging, obligatory; **mieć moc ~ą** be in force; **nabrać mocy ~ej** come into force

**obowiązywać** *vt vi* oblige, bind in duty; be in force

**obozować** *vi* encamp, be encamped; (*nocować w namiotach*) camp out

**obozowisko** *n* encampment

**obozowy** *adj* camp *attr*; **sprzęt ~** camping outfit

**obój** *m muz.* oboe

**obóz** *m* camp; **stanąć obozem** encamp; **rozbić ~** pitch a camp; **zwinąć ~** decamp; break up a camp

**obrabiać** *vt* work; *pot.* **~ sprawę ⟨interes⟩** settle an affair ⟨a business⟩

**obracać** *vt* turn (over); **~ się** *vr* turn; (*na osi*) revolve; (*przebywać*) move; **gdzie on się teraz obraca?** where may he be now?

**obrachować** *vt* calculate, sum up

**obrachunek** *m* calculation, settlement

**obradować** *vi* deliberate (**nad czymś** upon sth), confer; be in session

**obramować** *vt* frame, border; (*oblamować*) hem

**obrastać** *vi* overgrow

**obraz** *m* picture, painting; (*wizerunek, podobizna*) image

**obraza** *f* offence; **~ majestatu** lese-majesty

**obraz|ek** *m* picture; illustration; **książka z ~kami** picture-book

**obrazić** *vt* offend, give offence; **nie chciałem** ~ I meant no offence; ~ **się** *vr* take offence (**o coś** at sth)
**obrazowy** *adj* pictorial, picturesque; (*o stylu*) figurative
**obraźliwy** *adj* offensive; susceptible, touchy
**obrażeni|e** *n* offence; (*uszkodzenie ciała*) injury; ~**a cielesne** bodily injuries
**obrąbek** *m* hem
**obrączka** *f* ring; ~ **ślubna** wedding ring
**obręb** *m* compass; **w** ~**ie miasta** within the town
**obrębiać** *vt* hem
**obręcz** *f* hoop; (*u koła*) tyre
**obrok** *m* fodder
**obrona** *f* defence; *sport zbior.* backs *pl*
**obronność** *f* defensive power
**obronny** *adj* defensive
**obrońca** *m* defender; (*sądowy*) lawyer, counsel for the defence; *sport* back
**obrośnięty** *adj* overgrown; hairy
**obrotność** *f* activity, adroitness
**obrotny** *adj* active, adroit
**obrotowy** *adj* rotative; **podatek** ~ turnover tax
**obroża** *f* (dog-)collar
**obróbka** *f* treatment, working
**obrócić** *zob.* **obracać**
**obrót** *m* rotation, turn; *handl.* turnover, return; ~ **czekowy** business in cheques; ~ **gotówkowy** cash transactions; **przybrać pomyślny** ~ take a favourable turn; *przen.* **na pełnych obrotach** in full swing
**obrus** *m* table-cloth
**obrywać** *vt* pluck, tear off
**obrządek** *m* rite, ritual
**obrzęd** *m* ceremony; rite
**obrzędowy** *adj* ceremonial, ritual
**obrzęk** *m* swell(ing), tumour
**obrzękły** *adj* swollen
**obrzucać** *vt* throw (**kogoś czymś** sth on sb), cover (**czymś** with sth), pelt (**obelgami, kamieniami** with abuse, with stones)
**obrzydliwość** *f* abomination
**obrzydliwy** *adj* abominable, disgusting
**obrzyd|nąć** *vi* become abominable; **to mi** ~**ło** I'm disgusted with it
**obrzydzenie** *n* aversion, abomination
**obrzydzić** *vt* make disgusting
**obsada** *f* stock, fitting; (*uchwyt*) handle; (*oprawka*) holder; (*załoga*) crew; (*personel*) staff; *teatr* cast
**obsadka** *f* penholder
**obsadzać** *vt* (*ogród*) plant; (*miejsce*) fill, occupy; (*personelem*) staff, man; ~ **kimś urząd** nominate sb for an office; *wojsk.* ~ **załogą** garrison
**obserwacja** *f* observation
**obserwator** *m* observer
**obserwatorium** *n* observatory
**obserwować** *vt* watch, observe
**obsługa** *f* service, attendance
**obsług|iwać** *vt* wait (**kogoś** on, upon sb), serve (**kogoś** sb), attend (**kogoś** to sb); (*w sklepie*) **czy pana ktoś** ~**uje?** are you being attended to?
**obstalować** *vt* order
**obstalunek** *m* order
**obstawać** *vi* insist (**przy czymś** on sth)
**obstrukcja** *f* obstruction; *med.* constipation
**obsypywać** *vt* strew (**czymś kogoś** sth upon sb); ~ **pudrem** powder
**obszar** *m* space, area
**obszarnik** *m* landowner
**obszerny** *adj* extensive, ample, spacious
**obszycie** *n* border, trimming
**obszywać** *vt* border, trim, sew round
**obudzić** *zob.* **budzić**
**obumarły** *adj* half-dead
**obumierać** *vi* die away, mortify
**oburzać** *vt* fill with indignation; revolt; ~ **się** *vr* become indignant (**na kogoś** with sb, **na coś** at sth)
**oburzenie** *n* indignation

**oburzony** *adj* indignant (**na kogoś** with sb, **na coś** at sth)
**obustronn|y** *adj* two-sided, bilateral; **~a korzyść** mutual advantage
**obuwie** *n* footwear, shoes *pl*
**obwieszczać** *vt* proclaim, make known, announce
**obwieszczenie** *n* proclamation, announcement
**obwiniać** *vt* accuse (**kogoś o coś** sb of sth), charge (**kogoś o coś** sb with sth)
**obwisać** *vi* hang down, droop
**obwoluta** *f* wrapper; (*książki*) book-jacket
**obwołać** *vt* proclaim
**obwód** *m* circumference; *mat.* perimeter; (*okręg*) district
**obwódka** *f* border
**oby** *part,* **~ on wyzdrowiał** may he recover; **~ tak było** may it be so
**obycie** *n* good manners *pl*
**obyczaj** *m* custom, manner, way
**obyczajny** † *adj* moral, decent
**obydwaj** *num* both
**obyty** *adj* experienced, familiar
**obywać się** *zob.* **obchodzić się; bez tego nie mogło się obyć** this could not be spared
**obywatel** *m* citizen; (*członek danego państwa*) national; † **~ ziemski** squire, landowner
**obywatelsk|i** *adj* civic, civil; **komitet ~i** civic committee; **prawa ~ie** civil rights; **straż ~a** civic guard
**obywatelstwo** *n* citizenship; nationality; **nadać ~** nationalize, naturalize; **przyjąć ~** naturalize
**obżarstwo** *n* gluttony
**ocaleć** *vi* remain safe, survive, be rescued
**ocalenie** *n* salvation, rescue
**ocalić** *vt* save, rescue
**ocean** *m* ocean
**oceaniczny** *adj* oceanic
**ocena** *f* estimate, estimation; opinion; (*recenzja*) review
**oceniać** *vt* estimate, appreciate, value (**na pewną sumę** at a certain sum)
**ocet** *m* vinegar
**ochładzać** *vt,* **~ się** *vr* cool (down)
**ochłonąć** *vi* calm down, compose oneself, recover
**ochoczy** *adj* willing, eager, ready
**ochot|a** *f* desire, willingness; **mam ~ę** I would like, I have a mind (**coś zrobić** to do sth)
**ochotniczy** *adj* voluntary
**ochotnik** *m* volunteer
**ochraniać** *vt* protect, shelter, preserve (**przed czymś** from sth)
**ochrona** *f* protection, shelter; **~ przyrody** conservancy
**ochronny** *adj* protective, preventive
**ochrypły** *adj* hoarse
**ochrypnąć** *vi* become hoarse
**ociągać się** *vr* tarry, linger; **~ z robieniem czegoś** do sth reluctantly
**ociekać** *vi* drip (**czymś** with sth)
**ociemnia|ły** *adj* blind; *s m* blind man; *pl* **~li** the blind
**ocieniać** *vt* shade
**ocieplać** *vt* warm, make warm; **~ się** *vr* grow warm
**ocierać** *vt* wipe (off); (*ścierać naskórek*) gall
**ociężałość** *f* heaviness, dullness
**ociężały** *adj* heavy, dull
**ocknąć się** *vr* awake
**oclenі|e** *n* clearance; **podlegający ~u** dutiable; **dać do ~a** declare; **mieć coś do ~a** have sth to declare
**ocl|ić** *vt* impose duty (**coś** on sth); **~ony** duty-paid
**octowy** *adj* acetic
**ocukrzyć** *vt* sugar
**oczarować** *vt* charm, enchant
**oczekiwać** *vi* wait (**kogoś, czegoś** for sb, sth), look forward (**czegoś** to sth), await, expect (**kogoś, czegoś** sb, sth)
**oczekiwani|e** *n* expectation; **wbrew ~om** contrary to expectations
**oczerniać** *vt* slander, defame
**oczko** *n* eyelet; (*igły, rośliny*) eye;

(**sieci**) mesh; **spuszczone ~** (*w pończosze*) ladder, *am.* runner
**oczyszczać** *vt* clean, cleanse, clear; (*np. wodę, powietrze*) purify; **~ z kurzu** dust; **~ z zarzutów** clear of blame
**oczytany** *adj* well-read
**oczywistość** *f* evidence, obviousness
**oczywisty** *adj* evident, obvious
**oczywiście** *adv* evidently, obviously, of course; **~!** absolutely!, most certainly!
**od** *praep* from; off; of; for; (*począwszy od*) since; **na wschód od Warszawy** to the East of Warsaw; **od czasu do czasu** from time to time; **już od dawna go nie widziałem** I have not seen him for a long time now; **od dwóch miesięcy** for the last two months; **od niedzieli** since Sunday; **od owego dnia** from that day on; **odpaść od ściany** fall off the wall; **od ręki** directly, extempore, on the spot; **od stóp do głów** from top to toe; **starszy od brata** older than his brother
**oda** *f* ode
**odbarwić się** *vr* discolour
**odbici|e** *n* beating back; (*odzwierciedlenie*) picture, image; (*np. w wodzie*) shadow; (*światła*) reflexion; (*uwolnienie*) relief, rescue; **kąt ~a** angle of reflexion; **~e się** (*piłki*) bounce; (*kuli*) ricochet
**odbić** *zob.* **odbijać**
**odbiegać** *vi* run away; (*zbaczać*) deviate, stray (**od czegoś** from sth)
**odbierać** *zob.* **odebrać**
**odbijać** *vt* beat away ⟨back⟩; (*o druku*) print; (*o świetle*) reflect; (*o statku*) put off; (*o samolocie*) take off; (*uwolnić*) relieve, rescue; **~ się** *vr* rebound; (*o głosie*) resound; (*kontrastować*) contrast (**od czegoś** with sth); (*w lustrze*) be reflected
**odbiorca** *m* receiver; (*nabywca*) buyer, purchaser
**odbiorczy** *adj* receiving; **aparat ~** receiver
**odbiornik** *m* receiver; (*radio*) receiving ⟨wireless⟩ set, (radio) receiver
**odbiór** *m* receipt; **~ radiowy** reception; **potwierdzić ~** acknowledge the receipt
**odbitka** *f* copy, reprint
**odblask** *m* reflex
**odbudowa** *f* rebuilding, reconstruction
**odbudować** *vt* rebuild, reconstruct
**odbywać** *vt* execute, perform, do, make; **~ zebranie** hold a meeting; **~ studia** follow one's studies; **~ podróż** make a journey; **~ wykład** deliver a lecture; **~ się** *vr* take place, go on, come off, proceed, be held
**odchodzi|ć** *vi* go away, leave, withdraw; **~ć od zmysłów** be out of one's senses; **pociąg ~ o godz. 10** the train leaves at 10
**odchudzać się** *vr* reduce weight, slim
**odchylać** *vt* draw aside, remove; **~ się** *vr* deviate
**odchylenie** *n* deviation
**odciągać** *vt* draw away
**odciążać** *vt* relieve, alleviate
**odcień** *m* shade, hue
**odcięcie** *n* cutting off; *med.* amputation
**odcinać** *vt* cut off; *med.* amputate; (*oddzielać*) detach; **~ się** *vr* (*ostro odpowiadać*) retort; (*kontrastować*) contrast (**od czegoś** with sth)
**odcinek** *m* sector; (*kupon*) coupon; (*koła*) segment; **~ kontrolny** counterfoil
**odcisk** *m* impression; (*nagniotek*) corn; **~ palca** finger-print
**odciskać** *vt* impress, imprint
**odcyfrować** *vt* decipher
**odczepić** *vt* detach, untie; **~ się** *vr* become detached; *pot.* get rid (**od kogoś** of sb)
**odczucie** *n* feeling
**odczuć** *zob.* **odczuwać; to daje się ~** it makes itself felt

**odczuwać** *vt* feel; notice; (*boleśnie*) suffer
**odczyn** *m chem.* reaction
**odczynnik** *m chem.* reagent
**odczyt** *m* lecture; **mieć ~** lecture, give a lecture
**odczytać** *vt* read over; (*dorozumieć się*) make out
**oddać** *vt* give back, render; (*dług*) pay back; (*np. list*) deliver; *hist.* **~ hołd** pay homage; **~ przysługę** do ⟨render⟩ service; **~ sprawiedliwość** do justice; **~ wizytę** pay a visit; **~ życie** give life; **~ się** *vr* (*poświęcić się*) devote oneself; **~ się rozpaczy** abandon oneself to despair
**oddalać** *vt* remove; (*zwolnić*) dismiss; **~ się** *vr* retire, withdraw
**oddaleni|e** *n* (*odległość*) distance; (*wydalenie*) dismissal; (*odsunięcie*) removal; **w ~u** in the distance, a long way off; **w pewnym ~u** at a distance; **z ~a** from afar
**oddalony** *adj* distant, remote
**oddany** *adj* devoted; given
**oddawać** *zob.* **oddać**
**oddech** *m* breath, respiration
**oddychać** *vi* breathe, respire
**oddychanie** *n* breathing, respiration
**oddział** *m* section; (*dział instytucji*) department; *wojsk.* detachment; (*filia*) branch (office)
**oddziaływać** *vi* affect (**na kogoś, coś** sb, sth), influence (**na kogoś, coś** sb, sth), act (**na kogoś, coś** on, upon sb, sth)
**oddziaływanie** *n* influence, action
**oddzielać** *vt* separate; **~ się** *vr* separate, become separated
**oddzielny** *adj* separate
**oddźwięk** *m* echo; (*odzew*) response
**odebrać** *vt* take away ⟨back⟩, withdraw; (*otrzymać*) receive; **~ sobie życie** take one's own life
**odechci|eć się** *vr*, **~ało mi się** I have lost the liking (**robić to** to do this), I no longer care (**tego** for it)
**odegrać się** *vr* win back, recover (one's money); (*zemścić się, zrewanżować się*) to get one's own back
**odejmować** *vt* take away; deduct; *mat.* subtract
**odejmowanie** *n* deduction; *mat.* subtraction
**odejście** *n* departure
**odejść** *zob.* **odchodzić**
**odemknąć** *vt* open; (*zamek*) unlock
**odepchnąć** *vt* push away ⟨back⟩, beat off; *zob.* **odpychać**
**odeprzeć** *zob.* **odpierać**
**oderwać** *zob.* **odrywać**
**oderwani|e** *n* tearing away; **w ~u od czegoś** apart from sth
**odesłać** *zob.* **odsyłać**
**odetchnąć** *vi* take breath; *przen.* **~ z ulgą** heave a sigh of relief
**odezwa** *f* proclamation, address
**odezwać się** *zob.* **odzywać się**
**odgadywać** *vt* guess, unriddle, make out
**odgałęzienie** *n* branch
**odganiać** *vt* drive away
**odgarniać** *vt* shove away
**odginać** *vt* unbend
**odgłos** *m* echo, report; **~ strzału** report; **~y dzwonów** chime, ringing
**odgrażać się** *vr* threaten (**komuś** sb), utter threats
**odgrodzić** *vt* separate; (*np. parkanem*) fence off; (*ścianką*) partition off
**odgrywać** *vt* play, (*w teatrze*) act, perform
**odgryzać** *vt* bite off
**odgrzebywać** *vt* dig up
**odgrzewać** *vt* warm up again, warm over
**odjazd** *m* departure
**odjeżdżać** *vi* leave (**do Warszawy** for Warsaw), depart
**odkażać** *vt* disinfect
**odkażający** *adj*, **środek ~** disinfectant
**odkażanie** *n* disinfection

**odkąd** *conj* since; *adv* since when, since what time
**odkleić** *vt* unglue, unstick; **~ się** *vr* come unstuck
**odkładać** *vt* set aside, put away; (*pieniądze*) lay by ⟨up⟩; (*odraczać*) delay, put off, defer, postpone
**odkłonić się** *vr* return the bow
**odkopać** *vt* dig up, unearth
**odkorkować** *vt* uncork
**odkręcić** *vt* unwind; (*śrubę*) unscrew; (*kurek*) turn on
**odkroić** *vt* cut off
**odkrycie** *n* discovery; (*odsłonięcie*) uncovering
**odkrywać** *vt* discover, find out, detect; (*odsłonić*) uncover; (*karty*) show down
**odkupiciel** *m* redeemer
**odkupić** *vt* repurchase; *rel.* redeem
**odkupienie** *n* repurchase; *rel.* redemption
**odkurzacz** *m* vacuum-cleaner, Hoover
**odlatywać** *vi* fly away
**odległoś|ć** *f* distance; **na ~ć, w pewnej ~ci** at a distance
**odległy** *adj* distant, remote
**odlepiać** *vt* unstick, unglue
**odlew** *m* cast
**odlewać** *vt* (*płyn*) pour off; *techn.* (*metal*) cast; mould
**odlewnia** *f* foundry
**odliczać** *vt* deduct, discount; (*przeliczyć*) count off
**odliczenie** *n* deduction, discount
**odlot** *m* flight, departure
**odludek** *m* recluse
**odludny** *adj* solitary
**odłam** *m* fraction, fragment
**odłamać** *m* break away ⟨off⟩
**odłazić** *vi* come off
**odłączyć** *vt* separate, set apart, disconnect; **~ dziecko od piersi** to wean the baby; **~ się** *vr* separate, sever oneself, go apart; (*wystąpić*) secede
**odłożyć** *zob.* **odkładać**
**odł|óg** *m* (*zw. pl* **~ogi**) fallow; **leżeć ~ogiem** lie fallow
**odłupać** *vt*, **~ się** *vr* split off
**odma** *f med.* pneumothorax
**odmarznąć** [-r-z] *vi* thaw, melt off, unfreeze
**odmawiać** *vt* refuse, deny; (*modlitwę*) say
**odmęt** *m* whirlpool, eddy; *przen.* trouble, confusion
**odmiana** *f* change; variety; *gram.* declension, (*czasowników*) conjugation
**odmieniać** *vt* change, alter; *gram.* decline, (*czasowniki*) conjugate
**odmienność** *f* dissimilarity, difference; mutability
**odmienny** *adj* dissimilar (**od kogoś, czegoś** to sb, sth), different (**od kogoś, czegoś** from sb, sth); mutable
**odmierzać** *vt* measure off
**odmłodzić** *vt* make younger, rejuvenate; **~ się** *vr* grow younger, rejuvenate, become rejuvenated
**odmowa** *f* refusal
**odmowny** *adj* negative
**odmówić** *zob.* **odmawiać**
**odmrozi|ć** *vt* thaw; **~łem sobie palec** my finger has been frost-bitten, I have a frozen finger; (*spowodować odmarznięcie*) defrost
**odmrożenie** *n* frost-bite; (*np. mięsa zamrożonego*) defrosting
**odmrożony** *adj* frost-bitten
**odmykać** *zob.* **odemknąć**
**odnająć** *vt* let; hire
**odnawiać** *vt* renew, renovate
**od niechcenia** *adv* carelessly, negligently
**odniesieni|e** *n* carrying back; (*aluzja, zwrócenie się*) reference; **w ~u** with reference ⟨regard⟩ (**do czegoś** to sth)
**odnieść** *vt* bring back, carry; **~ korzyść** derive profit (**z czegoś** from sth); **~ wrażenie** get the impression; **~ zwycięstwo** win a victory, *zob.* **odnosić**
**odnoga** *f* branch; (*kolejowa*) branch-line
**odnosić** *vt zob.* **odnieść**; **~ się** *vr* (*traktować*) treat (**do kogoś** sb),

behave (**dobrze do kogoś** well towards sb, **źle do kogoś** badly, shamefully towards sb); *tylko 3 pers* (*dotyczyć*) refer, apply (**do kogoś, czegoś** to sb, sth)
**odnośnie** *adv praep* respecting, with reference (**do czegoś** to sth)
**odnośnik** *m* mark of reference; (*przypisek*) footnote
**odnośny** *adj* relative, respective
**odnowa** *f* renewal, restoration
**odosobnić** *vt* isolate
**odosobnienie** *n* isolation
**odór** *m* smell
**odpadać** *vi* fall off; (*zerwać, odstąpić*) break away
**odpadki** *s pl* waste, refuse, offal *zbior.*
**odparcie** *n* (*ataku*) repulse; (*zarzutu, argumentu*) refutation
**odparować** *vt* repel, parry; *chem.* evaporate
**odparzenie** *n* scalding, gall
**odparzyć** *vt* scald, gall
**odpędzać** *vt* drive away
**odpiąć** *vt* unbutton, undo
**odpieczętować** *vt* unseal
**odpierać** *vt* (*atak*) repel; (*zarzut, argument*) refute; (*atak słowny, oskarżenie*) retort
**odpis** *n* copy, duplicate
**odpisać** *vt* (*przepisać*) copy; (*odpowiedzieć pisemnie*) answer (in writing), write back
**odpłacić** *vt vi* repay, recompense; **~ niewdzięcznością** repay with ingratitude; **~ pięknym za nadobne** give tit for tat
**odpłynąć** *vi* (*o cieczy*) flow away; (*odjechać okrętem*) sail away; (*oddalić się wpław*) swim away; *przen.* (*ubywać*) drop away
**odpływ** *m* outflow; (*morza*) ebb
**odpoczynek** *m* rest, repose
**odpoczywać** *vi* rest, take a rest
**odpokutować** *vt* atone (**coś** for sth), expiate; *przen.* pay dearly
**odporność** *f* resistance (**na coś** to sth); (*o chorobie*) immunity (np. **na ospę** from smallpox)
**odporny** *adj* resistant (**na coś** to sth); (*o chorobie*) immune (np. **na ospę** from smallpox); (*o przymierzu*) defensive
**odpowiada|ć** *vi* answer (**na coś** sth), reply (**na coś** to sth); (*być odpowiednim*) suit; **~ć celowi** to answer the purpose; **to mi nie ~** this does not suit me
**odpowiedni** *adj* adequate; suitable (**do kogoś, czegoś** to ⟨for⟩ sb, sth); **w ~m czasie** in due time
**odpowiedzialnoś|ć** *f* responsibility, liability; **pociągnąć do ~ci** call to account; **pociągnąć do ~ci sądowej** arraign; **ponosić ~ć** bear the responsibility
**odpowiedzialny** *adj* responsible (**przed kimś** to sb, **za coś** for sth)
**odpowiedź** *f* answer, reply (**na coś** to sth)
**odpór** *m* resistance
**odprasować** *vt* iron
**odprawa** *f* dispatch; (*np. pracownika*) discharge, dismissal; (*zapłata*) separation pay; (*udzielenie instrukcji*) briefing; (*ostra odpowiedź*) retort, rebuff
**odprawiać** *vt* dispatch; (*zwalniać*) discharge, dismiss; (*np. nabożeństwo*) celebrate
**odprężać** *vt* relax
**odprężenie** *n* relaxation
**odprowadzać** *vt* (*towarzystwo*) accompany, escort, see off; (*np. wodę*) drain off; **~ kogoś do domu** see sb home; **~ kogoś do drzwi** see sb to the door
**odpruć** *vt* unsew, rip; **~ się** *vr* come unsewn
**odsprzedać** *vt* resell
**odsprzedaż** *f* resale
**odpust** *m* indulgence; (*uroczystość kościelna*) kermess
**odpuszczenie** *n* remission, forgiveness
**odpuścić** *vt* remit, forgive, pardon
**odpychać** *vt* repulse; (*odtrącić*) repel; *zob.* **odepchnąć**
**odpychający** *adj* repulsive, repellent

**odpychanie** *n* repulsion
**odra** *f med.* measles *pl*
**odrabiać** *vt* do, perform; (*np. zaległości*) work off; **~ stracony czas** make up for lost time; **~ lekcje** do one's lessons ⟨homework⟩
**odraczać** *vt* put off, postpone, adjourn
**odradzać** *vt* dissuade (**komuś coś** sb from sth)
**odrastać** *vi* grow anew
**odraza** *f* repugnance (**do czegoś** to sth), disgust (**do czegoś** at, for sth)
**od razu** *adv* on the spot, at once
**odrażający** *adj* repulsive
**odrąbać** *vt* chop off
**odrębność** *f* separateness, peculiarity
**odrębny** *adj* separate, peculiar
**odręczny** *adj* autographic; (*natychmiastowy, od ręki*) off-hand *attr*; (*o rysunku*) free-hand *attr*
**odrętwiały** *adj* torpid, benumbed
**odrętwienie** *n* torpor
**odrobin|a** *f* bit; **ani ~y** not a bit
**odroczenie** *n* postponement; adjournment
**odrodzenie** *n* revival, regeneration; (*okres*) Renaissance
**odrodzić się** *vr* regenerate
**odróżniać** *vt* distinguish; **~ się** *vr* differ
**odróżnieni|e** *n* distinction; **w ~u** in contradistinction (**od czegoś** to sth)
**odruch** *m* reflex, instinctive reaction
**odruchowy** *adj* instinctive
**odrywać** *vt* tear off; (*uwagę, od nauki itp.*) divert, distract; (*siłą*) rend; **~ wzrok** turn one's sight away (**od czegoś** from sth); **~ się** *vr* tear oneself away (**od kogoś** from sb); (*o guziku itp.*) come off
**odrzec** *vi* reply
**odrzucać** *vt* reject; throw away; drive back; (*nie przyjmować*) decline
**odrzutowiec** *m* jet-plane, *pot.* jet
**odrzutowy** *adj* jet-propelled; **napęd ~** jet propulsion
**odrzwia** *s pl arch.* door-frame
**odrzynać** *vt* cut off
**odsetek** *m* percentage
**odsetki** *s pl* interest; **~ składane** compound interest
**odsiadywać** *vt* sit out; **~ karę w więzieniu** serve a sentence
**odsiecz** *f* relief, rescue; **przybyć na ~** come to the rescue (**miastu** of the town), relieve (**miastu** the town)
**odsiew** *m* throw-out
**odskocznia** *f* spring-board, jumping-off ground
**odskoczyć** *vi* jump off, bounce
**odskok** *m* bounce
**odsłona** *f teatr* scene
**odsłonić** *vt* put aside, set apart
**odstąpić** *vi* step ⟨draw⟩ off; desist (**od czegoś** from sth); depart (**od zasady** from a rule); (*odpaść*) secede; *vt* (*kogoś*) leave, (*coś*) cede; **~ komuś miejsca** resign one's place to sb
**odstęp** *m* interval, margin, distance; (*w druku*) space; **w pewnych ~ach** at intervals; **w krótkich ~ach** at short intervals
**odstępca** *m* apostate
**odstępne** *n* compensation
**odstępstwo** *n* apostasy; (*odstąpienie, odchylenie*) departure
**odstraszyć** *vt* deter (**od czegoś** from sth), frighten away
**odstręczyć** *vt* estrange, alienate; (*odwieść, odradzić*) dissuade
**odsunąć** *vt* shove ⟨put⟩ away, draw aside
**odsyłacz** *m* mark of reference
**odsyłać** *vt* send (back), convey
**odsypać** *vt* pour off
**odszkodowani|e** *n* indemnity, compensation, damages *pl*; **~a wojenne** reparations; **dać ~e** indemnify (**komuś za coś** sb for sth)
**odszukać** *vt* find out
**odśrodkowy** *adj* centrifugal

**odświeżyć** *vt* refresh, renew; **~ się** *vr* refresh oneself
**odświętny** *adj zob.* **świąteczny; w ~m stroju** in one's Sunday best
**odtąd** *adv* from now on, from then on, ever since
**odtrącać** *vt* knock off, push away; (*odstręczać*) repel; (*nie przyjmować*) repudiate
**odtrutka** *f* antidote, counterpoison
**odtwarzać** *vt* reproduce, reconstruct, perform
**odtwórca** *m* reproducer, performer, (*zw. muzyczny*) executant
**oduczać** *vt* unteach; (*odzwyczajać*) disaccustom (**kogoś od czegoś** sb to do sth); **~ się** *vr* unlearn; (*odzwyczajać się*) get out of the habit (**od czegoś** of sth)
**odurzać** *vt* dizzy, stupefy, intoxicate
**odurzenie** *n* stupor, stupefaction, intoxication
**odwach** *m* guardhouse
**odwadniać** *vt* drain; *chem. med.* dehydrate
**odwag|a** *f* courage; **dodać ~i** encourage (**komuś** sb); **nabrać ~i** pluck up heart
**odwalić** *vt* roll away, remove; *pot.* (*pozbyć się*) get over (**coś** with sth)
**odwar** *m* decoction
**odważnik** *m* weight
**odważny** *adj* courageous, brave
**odważyć** *vt* (*odmierzyć*) weigh out; **~ się** *vr* (*ośmielić się*) dare, venture
**odwdzięczyć się** *vr* repay (np. **za przysługę** the service), show oneself grateful
**odwet** *m* retaliation, reprisal, revenge; **w ~ za coś** in revenge ⟨reprisal⟩ for sth
**odwetowy** *adj* retaliatory
**odwiązać** *vt* untie, unbind, detach; **~ się** *vr* come loose, get detached
**odwieczny** *adj* eternal
**odwiedzać** *vt* call (**kogoś** on sb), visit, come to see; (*uczęszczać*) frequent (**jakieś miejsce** a place)
**odwiedziny** *s pl* call, visit; **przyjść w ~** make a call (**do kogoś** on sb)
**odwijać** *vt* unroll, unwrap, unwind
**odwilż** *f* thaw; **jest ~** it thaws
**odwlekać** *vt* put off, delay
**odwodnić** *zob.* **odwadniać**
**odwodnienie** *n* drainage; *chem. med.* dehydration
**odwodzić** *vt* divert, draw off; (*odradzać*) dissuade (**od czegoś** from sth); **~ kurek u karabinu** cock the gun
**odwołać** *vt* recall, repeal; (*cofnąć*) withdraw, retract; (*zamówienie*) countermand; **~ się** *vr* appeal
**odwołani|e** *n* repeal, recall; withdrawal; retractation; **~ się** appeal; **aż do ~a** until further notice
**odwód** *m wojsk.* reserve
**odwracać** *vt* turn back, reserve; (*niebezpieczeństwo*) avert; (*uwagę*) divert; **~ się** *vr* turn round
**odwracalny** *adj* reversible
**odwrotność** *f* reverse; *mat.* reciprocal
**odwrotn|y** *adj* inverse, inverted, contrary, reverse; **~a strona** back, reverse
**odwrót** *m* retreat; (*odwrotna strona*) back, reverse; **na ~** on the contrary, inversely
**odwykać** *zob.* **odzwyczajać się**
**odwzajemniać się** *vr* requite, repay (**komuś za usługę** sb's service), reciprocate (**komuś przyjaźnią** sb's friendship)
**odyniec** *m* boar
**odzew** *m* echo; *przen.* (*reakcja*) response; *wojsk.* countersign
**odziedziczyć** *vt* inherit
**odzienie** *n* clothing, clothes *pl*
**odzież** *f* clothes *pl*, dress, garments *pl*
**odzieżowy** *adj* clothing *attr*; **przemysł ~** clothing trade
**odznaczenie** *n* distinction; (*o egzaminie*) **z ~m** with honours
**odznaczyć** *vt* distinguish; (*orde-*

*rem*) decorate; ~ **się** *vr* distinguish oneself
**odznaka** *f* badge
**odzwierciedlać** *vt* reflect, mirror
**odzwierciedlenie** *n* reflex, mirror, image
**odzwyczajać** *vt* disaccustom (**kogoś czegoś** sb to sth); ~ **się** *vr* get out of the habit (**od czegoś** of sth, of doing sth)
**odzyskać** *vt* regain, recover, retrieve; ~ **przytomność** recover one's senses
**odzywać się** *vr* make oneself heard, reply; (*przemówić*) address (**do kogoś** sb); **nie odezwałem się ani słowem** I did not so much as utter one word
**odźwierny** *m* porter, doorkeeper
**odżałować** *vt* put up (**coś** with the loss of sth)
**odżyć** *vi* revive, come to life again
**odżywczy** *adj* nutritive, nutritious
**odżywiać** *vt* nourish, feed; ~ **się** *vr* nourish oneself, feed
**odżywianie** *n* nutrition
**ofensyw|a** *f* offensive; **w** ~**ie** on the offensive
**ofensywny** *adj* offensive
**oferować** *vt* offer
**oferta** *f* offer, tender
**ofiar|a** *f* offering; (*datek*) contribution, charity; (*osoba ulegająca przemocy*) victim; (*poświęcenie*) sacrifice; **paść** ~**ą** fall a victim (**czegoś** to sth)
**ofiarność** *f* generosity, liberality; (*poświęcenie*) self-sacrifice
**ofiarny** *adj* sacrificial; (*gotowy do ofiar*) generous, liberal; (*pełen poświęcenia*) self-sacrificing
**ofiarodawca** *m* donor
**ofiarować** *vt* offer; ~ **usługi** render services
**oficer** *m* officer
**oficjalny** *adj* official
**oficyna** *f* back-premises *pl*, outhouse
**ofuknąć** *vt pot.* snub, rebuke
**ogar** *m* hound
**ogarek** *m* candle-end
**ogarniać** *vt* embrace; (*przeniknąć*) pervade; (*o strachu*) seize
**ogień** *m* fire; (*płomień*) flame; (*światło, płonący przedmiot*) light; **sztuczne ognie** fire-works; **dać ognia** (*do papierosa*) give a light; **otworzyć** ~ open fire; **podłożyć** ~ set fire (**pod coś** to sth); **zaprzestać ognia** cease fire
**ogier** *m* stallion
**oglądać** *vt* look (**kogoś, coś** at sb, sth), see; inspect; ~ **się** *vr* look back ⟨round⟩
**oględność** *f* circumspection
**oględny** *adj* cautious, circumspect
**oględziny** *s pl* examination, inspection; ~ **zwłok** post-mortem examination
**ogłada** *f* good manners *pl*, polish
**ogładzać** *vt* polish, refine
**ogłaszać** *vt* publish, make known; announce; (*w gazecie*) advertise
**ogłoszenie** *n* announcement; (*w gazecie*) advertisement
**ogłuchnąć** *vi* become deaf
**ogłupiały** *adj* stupefied
**ogłupieć** *vi* become stupid
**ogłuszyć** *vt* deafen, stun
**ognik** *m*, **błędny** ~ will-o'-the-wisp
**ogniotrwał|y** *adj* fireproof; **kasa** ~**a** safe
**ogniow|y** *adj* fire *attr*; **straż** ~**a** fire-brigade; *przen.* **próba** ~**a** ordeal
**ognisko** *n* fire, hearth; (*impreza pod gołym niebem*) bonfire; (*punkt centralny*) centre, focus; *fiz.* focus; ~ **domowe** hearth, home; ~ **kowalskie** forge; ~ **obozowe** camp-fire
**ogniskować** *vt* focus; ~ **się** *vr* centre, be focused
**ognisty** *adj* fiery, ardent
**ogniwo** *n* link; *elektr.* element
**ogolić** *vt* shave; ~ **się** *vr* shave, have a shave
**ogołocić** *vt* lay bare, denude (**z czegoś** of sth); (*pozbawić*) deprive (**z czegoś** of sth)
**ogon** *m* tail; (*u sukni*) train
**ogon|ek** *m* tail; (*kolejka*) queue; **stać w** ~**ku** queue up

**ogorzały** *adj* sunburnt
**ogólnik** *m* generality
**ogólnikowy** *adj* general, vague
**ogólny** *adj* general, universal
**ogół** *m* generality, totality, the whole; **~em, na ~** on the whole, in general; **w ogóle** generally, in general
**ogórek** *m* cucumber
**ogórkowy** *adj* cucumber *attr*; *przen.* **sezon ~** silly season
**ograbić** *vt* rob (**kogoś z czegoś** sb of sth)
**ograniczenie** *n* restraint, limitation, restriction
**ograniczony** *adj* limited, restricted; **~ umysłowo** narrow-minded
**ograniczyć** *vt* limit, confine, restrain, restrict
**ogrodnictwo** *n* gardening
**ogrodnik** *m* gardener
**ogrodzenie** *n* fence, enclosure
**ogrodzić** *vt* fence in, enclose
**ogrom** *m* immensity
**ogromny** *adj* immense, huge
**ogród** *m* garden; **~ warzywny** kitchen-garden
**ogródek** *m* little garden; **~ dziecięcy** kindergarten
**ogryzać** *vt* gnaw away
**ogryzek** *m* fag-end, (*owocu*) core
**ogrzewacz** *m* heater
**ogrzewać** *vt* heat, warm
**ogrzewanie** *n* heating; **centralne ~** central heating
**ohyda** *f* abomination
**ohydny** *adj* abominable
**o ile** *conj* as far as
**ojciec** *m* father; **~ chrzestny** godfather
**ojcostwo** *n* fatherhood, paternity
**ojcowizna** *f* patrimony
**ojcowski** *adj* fatherly, paternal, father's
**ojczym** *m* step-father
**ojczysty** *adj* paternal; (*np. kraj, miasto*) native; **język ~** mother tongue
**okalać** *vt* surround, encircle
**okaleczenie** *n* mutilation
**okaleczyć** *vt* mutilate, maim
**okamgnieni|e** *n*, **w ~u** in the twinkling of an eye
**okap** *m* eaves *pl*
**okaz** *m* specimen
**okazały** *adj* showy, magnificent, stately
**okazanie** *n* showing, demonstration; **za ~m** on presentation; *handl.* **płatny za ~m** payable at sight
**okaziciel** *m* holder; *handl.* (*czeku*) bearer
**okazj|a** *f* occasion; (*sposobność*) opportunity; (*okazyjne kupno*) bargain; **z ~i czegoś** on the occasion of sth; **przy tej ~i** on that occasion
**okazowy** *adj* model, specimen *attr*
**okazyjnie** *adv* occasionally, on occasion
**okazyjn|y** *adj* occasional; **~e kupno** bargain
**okazywać** *vt* show; **~ się** *vr* appear; turn out, prove; **on okazał się oszustem** he turned out ⟨proved⟩ to be an impostor
**okiełznać** *vt* bridle
**okienko** *n* window; (*przerwa między zajęciami*) break; (*biletowe*) booking-office window
**okiennica** *f* shutter
**oklaski** *s pl* applause
**oklaskiwać** *vt* applaud
**okleić** *vt* paste over
**oklepany** *adj* well-worn, trite
**okład** *m* cover, coating; (*leczniczy*) compress; **z ~em** and more than that; **50 lat z ~em** 50 odd years
**okładać** *vt* cover, overlay; (*bić*) thrash
**okładka** *f* cover
**okłamywać** *vt* lie (**kogoś** to sb)
**okno** *n* window; **~ wystawowe** show-window
**oko** *n* eye; (*w sieci*) mesh; (*gra w karty*) pontoon, twenty-one; **mieć na oku** have in view; **mieć otwarte oczy** be alive (**na coś** to sth); **patrzeć komuś w oczy** look sb in the face; **stracić z oczu** lose sight (**kogoś, coś** of

sb, sth); **zejdź mi z oczu** get out of my sight; **na czyichś oczach** in the eyes of sb; **na pierwszy rzut oka** at first sight; **w cztery oczy** face to face

**okolica** *f* environs *pl*, neighbourhood

**okolicznik** *m gram.* adverbial

**okolicznościowy** *adj* occasional

**okoliczność|ć** *f* circumstance; **zbieg ~ci** coincidence; **w tych ~ciach** under such circumstances

**okoliczny** *adj* adjacent, neighbouring

**około** *praep* about, near

**okop** *m* trench, entrenchment

**okopać** *vt* dig up; entrench; (*jarzyny*) hoe; **~ się** *vr* entrench oneself

**okopcić** *vt* smoke, blacken with soot

**okostna** *f anat.* periosteum

**okowy** *s pl* fetters; chains

**okólnik** *m* circular

**okólny** *adj* circular, circuitous

**okpić** *vt* cheat, *pot.* bamboozle

**okradać** *vt* steal (**kogoś z czegoś** sth from sb), rob (**kogoś z czegoś** sb of sth)

**okrakiem** *adv* astraddle

**okrasa** *f* fat, grease; (*ozdoba*) ornament

**okrasić** *vt* season with grease; (*ozdobić*) adorn

**okratować** *vt* rail ⟨wire⟩ in, grate

**okratowanie** *n* grating

**okrąg** *m* circuit, circumference, circle; (*obszar*) district

**okrągły** *adj* round

**okrążać** *vt* surround, encircle

**okrążenie** *n* encirclement

**okres** *m* period; (*szkolny, kadencja*) term; *mat.* (*ułamka*) recurring decimals *pl*

**okresowy** *adj* periodical

**określać** *vt* define, determine

**określenie** *n* definition, designation

**określony** *adj* definite

**okręcać** *vt* wind round

**okręg** *zob.* **okrąg**

**okręgowy** *adj* district *attr*

**okręt** *m* ship, vessel, boat; **~ bojowy** ⟨**liniowy**⟩ battleship; **~ handlowy** merchantman; **~ parowy** steamship; **~ wojenny** warship, man-of-war; **wsiąść na ~** go on board, embark; **wziąć towar na ~** take goods on board, embark goods; **~em** by ship; *zob.* **statek**

**okrętow|y** *adj* naval, ship *attr*, ship's *attr*; **agent ~y** shipping agent; **budownictwo ~e** naval constructions; **dziennik ~y** log-book; **lekarz ~y** naval surgeon, ship's doctor; **papiery ~e** ship's papers; **warsztaty ~e** dockyard; **załoga ~a** crew

**okrężn|y** *adj* circular; roundabout *attr*; **iść drogą ~ą** go a roundabout way

**okroić** *vt* cut around; (*płacę, wydatki*) cut down

**okropność** *f* horror

**okropny** *adj* horrible, terrible, awful

**okruch** *m* crumb, fragment, bit

**okrucieństwo** *n* cruelty

**okruszyna** *f* crumb

**okrutnik** *m* cruel man

**okrutny** *adj* cruel

**okrycie** *n* covering; (*wierzchnie ubranie*) overcoat

**okrywać** *vt* cover

**okrzepnąć** *vi* recover, become vigorous

**okrzesać** *vt* (*ociosać*) rough-hew; (*ogładzić*) polish

**okrzyczany** *adj* famous; notorious, (ill-)reputed

**okrzyk** *m* outcry, shout; **~i uznania** applause; **~ wojenny** battle-cry

**okrzyknąć** *vt* acclaim (**wodzem** leader)

**oktawa** *f muz. lit.* octave

**okucie** *n* ironwork, metal fitting; (*konia*) shoeing

**okuć** *vt* cover with metal; (*konia*) shoe; **~ w kajdany** fetter, chain, put in chains

**okular** *m* eyeglass, eye-piece; *pl* **~y** spectacles, eyeglasses

**okularnik** *m zool.* cobra, spectacle snake
**okulista** *m* oculist
**okulistyka** *f* ophtalmology
**okultyzm** *m* occultism
**okup** *m* ransom
**okupacja** *f* occupation
**okupant** *m* occupant
**okupić** *vt* ransom; ~ **się** *vr* buy oneself off
**okupować** *vt* occupy
**olbrzym** *m* giant
**olbrzymi** *adj* gigantic, giant *attr*; ~**a siła** giant strength
**olcha** *f bot.* alder(-tree)
**oleander** *m bot.* oleander
**oleisty** *adj* oily, oleaginous
**olej** *m* oil; ~ **lniany** linseed oil; ~ **lotniczy** aeroplane oil; ~ **skalny** rock oil
**oligarcha** *m* oligarch
**oligarchia** *f* oligarchy
**olimpijski** *adj* Olympic, Olympian
**oliwa** *f* olive-oil
**oliwić** *vt* oil
**oliwka** *f* olive(-tree)
**oliwn|y** *adj* olive *attr*; **gałązka** ~**a** olive-branch
**olszyna** *f* alder-forest
**olśniewać** *vt* dazzle
**ołów** *m* lead
**ołówek** *m* (lead-) pencil
**ołtarz** *m* altar
**omack|iem** *adv* gropingly; **iść po** ~**u** grope one's way
**omal** *adv* nearly
**omamić** *vt* delude, deceive
**omamienie** *n* delusion
**omasta** *f* grease
**omaścić** *vt* grease
**omawiać** *vt* discuss
**omdlały** *adj* faint(ed)
**omdlenie** *n* faint, swoon
**omen** *m* omen; **zły** ~ ill omen
**omieszka|ć** *vi* (*zw.* **nie** ~**ć**) fail; **nie** ~**m zawiadomić cię o tym** I shall not fail to let you know about it
**omijać** *vt* pass (**coś** by sth), evade, omit
**omlet** *m* omelette
**omłot** *m* thrashing; thrashed corn
**omłócić** *vt* thrash out
**omnibus** *m* omnibus, bus; (*specjalista od wszystkiego*) Jack of all trades
**omotać** *vt* entangle
**omówić** *zob.* **omawiać**
**omówienie** *n* discussion
**omylić** *vt* mislead; ~ **się** *vr* make a mistake, be mistaken (**co do czegoś** about sth)
**omylność** *f* fallibility
**omylny** *adj* fallible
**omyłk|a** *f* error, mistake; ~**a drukarska** misprint; **przez** ~**ę** by mistake
**omyłkowy** *adj* erroneous
**on, ona, ono** *pron* he, she, it; *pl* **oni, one** they
**ondulacja** *f* (*włosów*) wave; **trwała** ~ permanent wave
**one** *zob.* **on**
**onegdaj** *adv* the other day
**ongiś** *adv* once, at one time
**oni** *zob.* **on**
**oniemiały** *adj* dumb, stupefied
**onieśmielać** *vt* intimidate, make feel uneasy
**ono** *zob.* **on**
**onuca** *f* foot-clout
**opactwo** *n* abbey; (*godność opata*) abbacy
**opaczny** *adj* wrong, perverse
**opad** *m* fall; ~**y deszczowe** rainfall; ~**y śnieżne** snowfall; *med.* ~ **krwi** blood sedimentation
**opadać** *vi* fall, sink, drop; (*o wodzie*) subside; ~ **z sił** break down
**opak, na** ~ *adv* contrariwise, awry
**opakować** *vt* pack up
**opakowanie** *n* packing; container
**opal** *m miner.* opal
**opalać** *vt* scorch; (*ogrzewać*) heat; ~ **się** *vr* (*na słońcu*) sunburn, become sunburnt
**opalanie** *n* (*ogrzewanie*) heating; ~ **się** sun-bathing, sun-burning
**opalenizna** *f* sunburn
**opalony** *pp i adj* scorched; (*na słońcu*) sunburnt

**opał** *m* fuel
**opamiętać się** *vr* come to one's senses, collect oneself
**opancerzyć** *vt* armour
**opanować** *vt* master, subdue, control
**opanowanie** *n* mastery, control; (*np. języka*) command; ~ **się** self-control
**opanowany** *adj* (*panujący nad sobą*) self-possessed
**opar** *m* vapour; *pl* ~**y** fumes
**oparci|e** *n* support; **punkt** ~**a** footing, hold; (*u dźwigni*) fulcrum
**oparzelina** *f* scald
**oparzyć** *vt* burn, scorch
**opasać** *vt* gird; encircle
**opaska** *f* band
**opasły** *adj* obese
**opatentować** *vt* take out a patent (**coś** for sth), patent
**opatrunek** *m* dressing
**opatrunkowy** *adj* dressing *attr*; **punkt** ~ dressing-station
**opatrywać** *vt* provide (**w coś** with sth); (*ranę*) dress
**opatrznościowy** *adj* providential
**opatrzność** *f* providence
**opera** *f* opera
**operacj|a** *f* operation; **poddać się** ~**i** undergo an operation
**operator** *m* operator; (*chirurg*) operating surgeon; ~ **filmowy** film camera man, projectionist
**operatywny** *adj* operative
**operetka** *f* operetta
**operować** *vt* operate (**kogoś** on, upon sb)
**opędzać** *vt* drive away ⟨back⟩; ~ **potrzeby** supply one's needs; ~ **wydatki** defray the expenses; ~ **się** *vr* try to get rid (**przed kimś, czymś** of sb, sth)
**opęta|ć** *vt* ensnare; possess; **co cię** ~**ło?** what possesses you?; **być** ~**nym myślą** be possessed with an idea; **być** ~**nym przez diabła** be possessed by the devil
**opętanie** *n* possession
**opieka** *f* protection, custody; (*kuratela*) tutelage, guardianship; ~ **społeczna** social welfare
**opiekować się** *vr* protect, guard (**kimś** sb; have the custody (**kimś** of sb); take care (**kimś, czymś** of sb); ~ **się chorym** nurse a patient
**opiekun** *m* guardian, protector
**opiekuńczy** *adj* tutelary
**opierać** *vt* lean, rest; (*uzasadniać*) found, base; ~ **się** *vr* lean (**o coś** on ⟨upon, against⟩ sth); (*polegać*) rely, depend (**na kimś, czymś** on ⟨upon⟩ sb, sth); (*przeciwstawiać się*) resist (**komuś** sb); **ten zarzut na niczym nie jest oparty** this accusation is unfounded
**opieszałość** *f* sloth, sluggishness
**opieszały** *adj* sluggish
**opiewa|ć** *vt* praise (in song), chant; *vi* (*brzmieć, orzekać*) run, be worded, read; **rachunek** ~ **na 10 funtów** the bill amounts to £ 10; **umowa** ~ **na 2 lata** the contract runs for 2 years; **ustawa** ~ **następująco** the law reads as follows
**opięty** *adj* close-fitting
**opilstwo** *n* (habitual) drunkenness
**opiłki** *s pl* file-dust; (*trociny*) saw-dust
**opinia** *f* opinion
**opiniować** *vt vi* pronounce one's opinion (**coś, o czymś, o kimś** on sth, sb)
**opis** *m* description
**opisać** *vt* describe; *mat.* circumscribe
**opisowy** *adj* descriptive
**opium** *n nieodm.* opium
**oplatać** *vt* wreathe, entwine; (*np. butelkę*) cover with basket-work
**oplątać** *vt* entangle
**opluć** *vt* bespit
**opłacać** *vt* pay (**coś** for sth); ~ **z góry** prepay; ~ **się** *vr* pay
**opłacony** *pp i adj* (*o liście, przesyłce*) post-paid; **z góry** ~ prepaid

**opłakany** *adj* deplorable, lamentable
**opłakiwać** *vt* deplore, lament
**opłata** *f* charge; (*urzędowa*) duty; (*składka członkowska itp.*) fee; (*za przejazd*) fare; **jaka jest ~ za przejazd?** what is the fare?
**opłatek** *f* wafer
**opłotek** *m* (wicket-)fence, hurdle
**opłucna** *f anat.* pleura
**opływać** *vt* swim ⟨sail⟩ round, flow round; *vi* (*mieć pod dostatkiem*) abound (**w coś** in ⟨with⟩ sth)
**opływow|y** *adj*, **linia ~a** streamline
**opodal** *adv* at some distance, near by
**opodatkować** *vt* tax, (*w samorządzie*) rate
**opodatkowanie** *n* taxation, (*lokalne*) rating
**opoka** *f* rock
**opon|a** *f* (*u koła*) tyre; *anat.* **~y mózgowe** meninges
**oponent** *m* opponent
**oponować** *vi* oppose (**przeciwko czemuś** sth), object (**przeciwko czemuś** to sth)
**opornie** *adv* with difficulty
**oporny** *adj* refractory
**oportunista** *m* opportunist; time-server
**oportunizm** *m* opportunism
**opowiadać** *vt vi* tell, relate; **~ się** *vr* declare (**za kimś, czymś** for sb, sth)
**opowiadanie** *n* narrative, tale, story
**opowieść** *f* tale, story
**opozycja** *f* opposition
**opozycyjny** *adj* opposing
**opój** *m* drunkard
**opór** *m* resistance; **ruch oporu** resistance movement; **iść po linii najmniejszego oporu** take the line of least resistance; **stawiać ~** offer resistance, resist
**opóźnia|ć** *vt* retard, delay; **~ć się** *vr* be late, be slow; lag behind
**opóźnienie** *n* delay, retardation
**opóźniony** *pp i adj* retarded; **~ w rozwoju** backward; (*gospodarczo*) under-developed
**opracować** *vt* work out, elaborate
**opracowanie** *n* elaboration; (*szkolne*) paper
**oprawa** *f* frame; (*okładka książki*) binding; (*oprawianie*) mount
**oprawca** *m* hangman
**oprawiać** *vt* (*książkę*) bind; (*obraz w ramy*) frame; (*dawać oprawę*) mount
**oprawka** *f* collet; **~ żarówki** lamp-socket
**opresja** *f* oppression
**oprocentować** *vt bank. fin.* pay interest
**oprocentowanie** *n bank. fin.* interest
**oprowadzać** *vt* guide ⟨show⟩ round
**oprócz** *praep* except, save; **~ tego** besides
**opróżniać** *vt* empty; (*mieszkanie*) quit, leave; (*miasto, obóz*) evacuate; (*posadę, tron*) vacate
**opryskać** *vt* splash; **~ drzewa ⟨rośliny⟩** spray trees ⟨plants⟩
**opryskliwość** *f* brusqueness, abruptness
**opryskliwy** *adj* brusque, abrupt
**opryszek** *m* brigand
**oprzeć** *zob.* **opierać**
**oprzęd** *m* cocoon
**oprzytomnieć** *vi* become conscious; recover (oneself)
**optyczny** *adj* optical
**optyk** *m* optician
**optyka** *f* optics
**optymalny** *adj* best; optimum *attr*
**optymista** *f* optimist
**optymizm** *m* optimism
**opuchlina** *f* swelling
**opuchły** *adj* swollen
**opuchnąć** *vi* swell
**opukiwać** *vt* sound; *med.* percuss
**opustoszały** *adj* deserted, desolate
**opustoszyć** *vt* desolate, lay waste
**opuszczać** *vt* (*pozostawiać*) leave; abandon; (*np. wyraz w zdaniu*) omit, leave out; (*lekcję, wykład*)

miss; (*kurtynę, głowę itp.*) lower, drop; (*cenę*) abate; ~ **się** *vr* go down, let oneself down; (*zaniedbywać się*) grow remiss, become negligent
**opuszczenie** *n* omission; (*pozostawienie*) abandonment
**oracz** *m* ploughman
**orać** *vt* plough, till
**orangutan** *m zool.* orang-outang
**oranżada** *f* orangeade
**oranżeria** *f* hothouse, orangery
**oraz** *conj* and, as well as
**orbita** *f* orbit
**order** *m* order; decoration
**ordynacja** *f* regulation; system; (*majątek*) fee-tail
**ordynans** *m* orderly
**ordynarny** *adj* vulgar
**ordynator** *m* (*lekarz*) head of a ward
**orędownik** *m* intercessor
**orędzie** *n* proclamation, message
**oręż** *m* weapon, arms
**orężny** *adj* armed
**organ** *m* organ; ~**y sądowe** magistrates, magistracy; ~**y władzy** administrative board, police authorities, powers
**organiczny** *adj* organic
**organista** *m* organist
**organizacja** *f* organization
**organizator** *m* organizer
**organizm** *m* organism
**organizować** *vt* organize
**organki** *pl* mouth organ, harmonica
**organy** *s pl muz.* organ
**orgia** *f* orgy
**orientacja** *f* orientation
**orientalny** *adj* oriental
**orientować** *vt* orient, orientate; ~ **się** *vr* orient oneself; find one's way
**orka** *f* tillage, ploughing; *przen.* (*ciężka praca*) drudgery
**orkiestra** *f* orchestra, band
**orlę** *n* eaglet
**orli** *adj* (*o nosie*) aquiline; (*o wzroku*) eagle *attr*, eagle's *attr*
**ornament** *m* ornament
**ornamentacja** *f* ornamentation
**orny** *adj* arable
**orszak** *m* train; (*świta*) retinue; (*pogrzebowy itp.*) procession
**ortodoksja** *f* orthodoxy
**ortodoksyjny** *adj* orthodox
**ortografia** *f* orthography, right spelling
**ortograficzny** *adj* orthographical
**ortopedia** *f* orthopaedy
**oryginalność** *f* originality
**oryginalny** *adj* original, authentic; (*dziwaczny*) eccentric
**oryginał** *m* original; (*dziwak*) eccentric
**orzech** *m* nut; ~ **kokosowy** coconut
**orzeczenie** *n* pronouncement, statement; *gram.* predicate
**orzecznik** *m gram.* predicate
**orzekać** *vt vi* pronounce, state
**orzeł** *m zool.* eagle
**orzeźwiać** *vt* refresh
**osa** *f zool.* wasp
**osaczyć** *vt* drive to bay, beset
**osad** *m* sediment
**osada** *f* settlement
**osadnictwo** *n* colonization
**osadnik** *m* settler
**osadzać** *vt* settle; set, put; (*powodować osad*) deposit; ~ **się** *vr* settle; be deposited; *chem.* precipitate
**osamotnienie** *n* isolation, estrangement
**osąd** *m* judgment
**osądzić** *vt* judge; (*skazać*) sentence, condemn (**na coś** to sth)
**oschły** *adj* arid, dry
**osełka** *f* whetstone; (*masła*) piece
**oset** *m* thistle
**osiadać** *zob.* **osiąść**
**osiadły** *adj* settled; (*zamieszkały*) resident
**osiągnąć** *vt* reach, attain, obtain, aquire, achieve
**osiągnięcie** *n* attainment, achievement
**osiąść** *vi* settle; (*opaść*) sink, subside; (*o ptakach*) alight
**osiedlać** *vt* settle; ~ **się** *vr* settle, establish oneself

**osiedle** *n* settlement; ~ **mieszkaniowe** housing estate; residential district
**osiedleniec** *m* settler
**osiem** *num* eight
**osiemdziesiąt** *num* eighty
**osiemdziesiąty** *num* eightieth
**osiemnasty** *num* eighteenth
**osiemnaście** *num* eighteen
**osiemset** *num* eight hundred
**osierocić** *vt* orphan
**osiodłać** *vt* saddle
**osioł** *m* ass, donkey
**oskarżać** *vt* accuse (**o coś** of sth), charge (**o coś** with sth)
**oskarżenie** *n* accusation, charge; **wystąpić z ~m** bring an accusation (**przeciw komuś** against sb)
**oskarżony** *m* the accused
**oskarżyciel** *m* accuser; ~ **publiczny** public prosecutor
**oskrzel|e** *n anat.* bronchus; *pl* **~a** bronchi; *med.* **zapalenie ~i** bronchitis
**oskrzydlać** *vt wojsk.* outflank
**osłabiać** *vt* weaken, enfeeble
**osłabienie** *n* weakness
**osłaniać** *vt* cover, protect, shelter
**osławiony** *adj* ill-reputed, notorious (**z powodu czegoś** for sth)
**osłoda** *f* solace, consolation
**osłodzić** *vt* sweeten
**osłona** *f* cover, shelter, protection
**osłupiały** *adj* stupefied
**osłupieć** *vi* become stupefied
**osłupienie** *n* stupor; **wprawić w ~** stupefy
**osmalić** *vt* singe
**osmarować** *vt* besmear; *przen.* (*oczernić*) libel
**osnowa** *f* (*tkacka*) warp; (*treść*) tenor, contents *pl*
**osoba** *f* person; (*osobistość*) personage
**osobistość** *f* personality, personage
**osobisty** *adj* personal; **dowód ~** identity card
**osobiście** *adv* personally, in person
**osobliwość** *f* singularity, particularity; curiosity
**osobliwy** *adj* singular, particular, strange
**osobnik** *m* individual
**osobny** *adj* separate, isolated
**osobowość** *f* personality, individuality
**osobowy** *adj* personal; **pociąg ~** passenger-train
**osowiały** *adj* depressed; **być ~m** mope
**ospa** *f med.* smallpox; ~ **wietrzna** chicken pox
**ospały** *adj* drowsy, sluggish
**ospowaty** *adj* pockmarked
**ostatecznoś|ć** *f* finality; (*krańcowość*) extremity, extreme; **w ~ci** in the end, ultimately; **wpadać w ~ć** go to extremes
**ostateczny** *adj* final, ultimate
**ostatek** *m* remainder, rest; **na ~** finally, at last
**ostatni** *adj* last; (*najświeższy, niedawno miniony*) latest, recent; **~a moda** latest fashion; **~a wola** last will; **~e wiadomości** latest news
**ostatnio** *adv* lately, recently
**ostemplować** *zob.* **stemplować**
**ostentacja** *f* ostentation
**ostoja** *f* mainstay
**ostroga** *f* spur
**ostrokrzew** *m bot.* holly
**ostrosłup** *m mat.* pyramid
**ostrożność** *f* caution, prudence
**ostrożny** *adj* cautious, careful
**ostr|y** *adj* sharp; (*o bólu, kącie itp.*) acute; (*spiczasty*) pointed; (*o zimie itp.* — *przenikliwy*) keen; **~e pogotowie** instant readiness; **~e strzelanie** ball-firing; *przen.* **~y język** bitter tongue
**ostryga** *f* oyster
**ostrze** *n* blade; (*ostry brzeg*) edge
**ostrzegać** *vt* warn (**kogoś przed kimś, czymś** sb against ⟨of⟩ sb, sth)
**ostrzeżenie** *n* warning (**przed kimś, czymś** of sb, sth)
**ostrzyc** *vt zob.* **strzyc**; **muszę dać**

sobie **~ włosy** I must have a haircut
**ostrzyć** *vt* sharpen, whet, (*na pasku*) strop
**osunąć się** *vr* sink
**oswobodzenie** *n* liberation
**oswobodziciel** *m* liberator
**oswobodzić** *vt* liberate, free (**od kogoś, czegoś** from sb, sth)
**oswoić** *vt* tame, domesticate; (*przyzwyczajać*) accustom (**z czymś** to sth); **~ się** *vr* become domesticated; become familiar (**z czymś** with sth), become accustomed (**z czymś** to sth)
**oswojony** *adj* tame; (*przyzwyczajony*) accustomed (**z czymś** to sth), familiar (**z czymś** with sth)
**oszczep** *m* spear; *sport.* javelin
**oszczerca** *m* calumniator, slanderer
**oszczerczy** *adj* slanderous, calumnious
**oszczerstw|o** *n* calumny, slander; **rzucać ~a** slander (**na kogoś** sb)
**oszczędnościow|y** *adj* economical; **akcja ~a** economy drive
**oszczędnoś|ć** *f* thrift, parsimony, economy; *pl* **~ci** savings; **kasa ~ci** savings bank; **robić ~ci** economize, practise economy
**oszczędny** *adj* frugal, economical (**w czymś, pod względem czegoś** of sth), thrifty
**oszczędz|ać, oszczędz|ić** *vt* save, spare, economize; **~ć pieniędzy ⟨wydatków, czasu, trudu⟩** save money ⟨expenses, time, trouble⟩; **~ić komuś nieprzyjemności** spare sb an unpleasantness
**oszołomić** *vt* stun, stupefy, benumb; (*np. alkoholem*) intoxicate
**oszołomienie** *n* stupor, stupefaction; (*np. alkoholowe*) intoxication
**oszukać** *vt* cheat, swindle
**oszukańczy** *adj* fraudulent
**oszust** *m* swindler, impostor
**oszustwo** *n* swindle, fraud
**oś** *f* (*koła*) axle; *mat. astr. przen.* axis
**ościenny** *adj* adjacent
**oścież, na ~** *adv*, **otwarty na ~** wide open; **otworzyć na ~** fling open
**ość** *f* (fish-)bone
**oślep, na ~** *adv* blindly, at random
**oślepiać** *vt* blind; (*o słońcu, świetle*) dazzle
**oślepnąć** *vi* become blind
**ośmielać** *vt* embolden, encourage; **~ się** *vr* venture, dare, make bold
**ośmieszać** *vt* ridicule; **~ się** *vr* make oneself ridiculous
**ośnieżyć** *vt* snow over, cover with snow
**ośrodek** *m* centre
**oświadczać** *vt vi* declare; **~ się** *vr* declare (**za kimś** for sb); propose (**kobiecie** to a woman)
**oświadczenie** *n* declaration
**oświadczyny** *s pl* proposal, declaration of love
**oświat|a** *f* education, civilization; **minister ~y** Minister of Education
**oświatowy** *adj* educational
**oświecać** *vt* (*oświetlać*) light; (*kształcić*) enlighten
**oświecenie** *n* enlightenment; **Oświecenie** (*epoka*) Enlightenment
**oświetlenie** *n* lighting, illumination
**oświetlić** *vt* light up
**otaczać** *vt* surround; *wojsk.* (*okrążać*) envelop
**otchłań** *f* abyss
**oto** *part i int* here, there, behold!; **~ on** here he is; **~ jestem** here I am
**otoczenie** *n* surroundings *pl*, environment
**otoczyć** *zob.* **otaczać**
**otok** *m* circumference; **~ czapki** cap band
**otomana** *f* ottoman, couch
**otóż** *adv i part* now; **~ słuchaj!** now listen!

**otręby** *s pl* bran *zbior.*
**otrucie** *n* poisoning
**otruć** *vt* poison
**otrzaskać się** *vr* become at home (**z czymś** with, in sth)
**otrząsnąć** *vt* shake down; **~ się** *vr* shake oneself free (**z czegoś** from sth)
**otrzewna** *f anat.* peritoneum
**otrzeźwić** *vi* sober down, become sober
**otrzymać** *vt* get, receive, obtain
**otuch|a** *f* courage; **dodać ~y** encourage, hearten up (**komuś** sb); **nabrać ~y** take heart
**otulić** *vt,* **~ się** *vr* wrap up
**otwarcie** *adv* frankly, openly, outright
**otwartość** *f* openness, frankness
**otwarty** *adj* open; (*szczery*) frank, plain
**otwierać** *vt,* **~ się** *vr* open
**otw|ór** *m* opening, aperture; (*wylot*) orifice; (*podłużny*) slot; **stać ~orem** lie open
**otyłość** *f* obesity
**otyły** *adj* fat, obese
**owa** *zob.* **ów**
**owacja** *f* ovation
**owad** *m* insect
**owadobójczy** *adj* insecticide
**owal** *m* oval
**owalny** *adj* oval
**owca** *f* sheep
**owczarek** *m zool.* sheep-dog
**owczarnia** *f* sheepfold
**owczarz** *m* shepherd
**owdowiały** *adj* widowed
**owdowieć** *vi* become a widow ⟨a widower⟩
**owieczka** *f* lamb
**owies** *m* oat(s)
**owijać** *vt* wrap up; (*okręcać*) wind; **~ się** *vr* wrap up ⟨oneself⟩; (*okręcać się*) wind round
**owładnąć** *vi* take possession (**czymś** of sth)
**owo** *zob.* **ów**
**owoc** *m* fruit; **~e konserwowe** tinned ⟨*am.* canned⟩ fruit
**owocarnia** *f* fruitshop
**owocny** *adj* fruitful
**owocować** *vi* fruit, fructify
**owrzodzenie** *n med.* ulceration
**owrzodziały** *adj med.* ulcerous
**owrzodzieć** *vi* ulcerate, become ulcerous
**owsianka** *f* (*zupa*) porridge
**owszem** *adv* quite (so), certainly
**ozdabiać** *vt* adorn, decorate
**ozdoba** *f* adornment; decoration
**ozdobny** *adj* decorative, ornamental
**oziębić** *vt* chill, cool down; **~ się** *vr* cool down, become cool
**oziębłość** *f* frigidity, coolness
**oziębły** *adj* frigid
**ozimina** *f* winter corn
**oznaczać** *vt* mark; (*znaczyć, wyrażać*) signify, mean
**oznajmiać** *vt* announce, make known
**oznajmienie** *n* announcement
**oznaka** *f* sign, token, mark, (*numer np. bagażowego*) badge
**ozór** *m* tongue
**ożenek** *m* marriage
**ożenić się** *vr* marry (**z kimś** sb), get married (**z kimś** to sb)
**ożyć** *vi* come to life, revive
**ożywczy** *vt* vivifying
**ożywiać** *vt* vivify, enliven, animate; **~ się** *vr* become animated, brisk up
**ożywienie** *n* animation
**ożywiony** *adj* animated, brisk; (*żyjący*) animate

# Ó

**ósemka** *f* eight
**ósmy** *num* eighth
**ów, owa, owo** *pron* that
**ówczesny** *adj* then *attr*; **~ prezydent** the then president
**ówcześnie** *adv* at that time

# P

**pach|a** *f* arm-pit; **pod ~ą** under one's arm
**pachnący** *adj* fragrant
**pachnieć** *vi* smell, smell sweet (**czymś** of sth)
**pachołek** *m* fellow, groom, servant
**pachwina** *f* *anat.* groin
**pacierz** *m* prayer; **odmawiać ~** say one's prayer
**pacierzowy** *adj* *anat.* spinal; **rdzeń ~** spinal column
**paciorek** *m* bead
**pacjent** *m* patient
**pacyfikacja** *f* pacification
**pacyfikować** *vt* pacify
**pacyfista** *m* pacifist
**pacyfizm** *m* pacifism
**paczka** *f* packet, parcel
**paczyć** *vt*, **~ się** *vr* warp
**padaczka** *f* *med.* epilepsy
**pada|ć** *vi* fall; **deszcz ~** it rains; **śnieg ~** it snows; **~ć trupem** drop dead; **~ć na kolana** go down on one's knees; **~ć ofiarą czegoś** fall a victim <a prey> to sth; **padł strzał** a shot was fired; *zob.* **paść**
**padalec** *m* *zool.* slow-worm
**padlina** *f* carrion
**paginacja** *f* pagination
**pagórek** *m* hill
**pagórkowaty** *adj* hilly
**pajac** *m* harlequin
**pająk** *m* spider
**pajęczyna** *f* cobweb
**paka** *f* pack; (*skrzynia*) case
**pakiet** *m* packet
**pakować** *vt*, **~ się** *vr* pack (up)
**pakowani|e** *n* packing; **papier do ~a** wrapping-paper
**pakowny** *adj* capacious; roomy
**pakt** *m* pact
**paktować** *vi* negotiate
**pakuły** *s pl* oakum
**pakunek** *m* package, parcel, bundle
**pal** *m* pale, stake; **wbić na ~** impale
**palacz** *m* stoker; (*palący tytoń*) smoker
**palarnia** *f* smoking-room
**palący** *p praes i adj* burning; (*tytoń*) smoking; *s m* smoker; **przedział dla ~ch** smoking compartment
**palec** *m* finger; (*u nogi*) toe; **~ środkowy** middle finger; **~ wielki** thumb; **~ wskazujący** index; **stać na palcach** stand on tiptoe
**palenie** *n* burning; combustion; (*w piecu*) stoking; (*papierosów*) smoking
**palenisko** *n* hearth
**palestra** *f* bar
**paleta** *f* palette
**palić** *vt vi* burn; (*w piecu domowym*) make fire; (*w piecu fabrycznym, lokomotywie itp.*) stoke; (*papierosy itp.*) smoke; **~ się** *vr* burn, be on fire; *pot.* **~ się do czegoś** be keen on sth
**paliwo** *n* fuel
**palma** *f* palm(-tree)

**palnąć** *vi vt pot.* fire; shoot; (*uderzyć, grzmotnąć*) discharge a shot; strike; **~ głupstwo** put one's foot in it; **~ sobie w łeb** blow out one's brains
**palnik** *m* burner
**paln|y** *adj* combustible; **broń ~a** fire-arms
**palto** *n* overcoat
**pałac** *m* palace
**pałać** *vi* glow, be inflamed (**czymś** with sth); **~ zemstą** breathe nothing but vengeance; **~ żądzą władzy** burn with lust for power
**pałąk** *m* bow, arch
**pałąkowaty** *adj* bowlike, arched
**pałeczka** *f* wand, rod
**pałk|a** *f* stick, club, cudgel; (*policyjna*) truncheon; **bić ~ą** club, cudgel
**pamflet** *m* lampoon, squib
**pamiątk|a** *f* keepsake, souvenir; **na ~ę** in token of remembrance
**pamiątkowy** *adj* memorial, commemorative
**pamięciowy** *adj* memorial, of memory
**pamię|ć** *f* memory; **na ~ć** by heart; **świętej ~ci mój ojciec** my late father
**pamiętać** *vt* remember, keep in mind
**pamiętnik** *m* diary
**pamiętny** *adj* memorable; mindful (**czegoś** of sth)
**pan** *m* gentleman; (*np. domu*) master; (*feudalny*) lord; (*forma grzecznościowa*) you; (*przed nazwiskiem*) mister (*skr. Mr*), **~ Kowalski** Mr Kowalski; **~ młody** bridegroom
**pancernik** *m* armoured cruiser
**pancerny** *adj* armoured
**pancerz** *m* armour
**panegiryk** *m* panegyric
**pani** *f* lady; (*np. domu*) mistress; (*forma grzecznościowa*) madam; you; **~ Kowalska** Mrs Kowalska
**paniczny** *adj* panic, *pot.* panicky
**panienka** *f* miss, maiden
**panieński** *adj* girlish, maiden(ly)
**panieństwo** *n* maidenhood
**panika** *f* panic, scare
**panna** *f* miss, maid; **~ młoda** bride; **stara ~** old maid
**panoszyć się** *vr* boss
**pan|ować** *vi* rule, reign (**nad czymś** over sth); command (**nad czymś** sth); **~ować nad sobą** be master of oneself, be self-possessed; **powszechnie ~ować** prevail; **~ować nad sytuacją** have the situation well in hand; **~uje piękna pogoda** the weather is lovely; **~uje epidemia tyfusu** there is an epidemic of typhus
**panowanie** *n* rule, reign, command; **~ nad sobą** self-control
**pantalony** *s pl* pantaloons
**panteizm** *m filoz.* pantheism
**pantera** *f zool.* panther
**pantof|el** *m* shoe; **ranne ⟨nocne⟩ ~le** slippers; *przen.* **być pod ~lem** be henpecked
**pantomima** *f teatr* pantomime
**panujący** *p praes i adj* reigning, ruling; (*przeważający*) dominant, prevalent
**pański** *adj* lord's, gentleman's; (*w zwrotach grzecznościowych*) your, yours
**państw|o** *n* (*kraj*) state; (*małżeństwo*) Mr and Mrs; **proszę ~a!** ladies and gentlemen!; **~o młodzi** bridal pair
**państwow|y** *adj* state *attr*; public; **przemysł ~y** state-owned industry; **służba ~a** civil service
**pańszczyzna** *f hist.* serfdom; statute-labour
**pańszczyźniany** *adj*, **chłop ~** serf
**papa** 1. *f* tar-board
**papa** 2. *m* (*ojciec*) papa, dad
**papier** *m* paper; **arkusz ~u** sheet of paper; **~ kancelaryjny** foolscap; **~ listowy** note-paper
**papierek** *m* slip
**papieros** *m* cigarette
**papierośnica** *f* cigarette-case
**papiestwo** *n* papacy

**papież** *m* pope
**papilot** *m* curl-paper
**papirus** *m* papyrus
**papka** *f* pulp, mash
**paplać** *vi* prattle
**paproć** *f bot.* fern
**papryka** *f* paprika, red pepper
**papuga** *f zool.* parrot
**par|a** 1. *f* pair, couple; **~a małżeńska** married couple; **do ~y** to match; **rękawiczka nie do ~y** odd glove; **~ę** a few; **za ~ę dni** in a few days; **~ę razy** once or twice
**para** 2. *f* (*wodna*) steam, vapour
**parabola** *f mat.* parabola
**parada** *f* parade
**paradoks** *m* paradox
**paradoksalny** *adj* paradoxical
**paradować** *vi* parade
**parafia** *f* parish
**parafialny** *m* parish *attr*, parochial
**parafianin** *m* parishioner
**parafina** *f* paraffin
**paragraf** *m* paragraph, section
**paralityczny** *adj* paralytic
**paraliż** *m med.* paralysis, palsy
**paraliżować** *vt* paralyse
**parapet** *m* parapet; (*okienny*) window-sill
**parasol** *m* umbrella
**parasolka** *f* umbrella; sunshade, parasol
**parawan** *m* screen
**parcela** *f* lot, parcel
**parcelować** *vt* parcel out
**parcie** *n* pressure, pression
**parias** *m* pariah
**park** *m* park
**parkan** *m* fence, hoarding
**parkiet** *m* parquet
**parking** *m* park, parking-place
**parkować** *vt* park
**parkowanie** *n* parking; **~ wzbronione** no parking
**parlament** *m* parliament
**parlamentarny** *adj* parliamentary
**parlamentariusz** *m* bearer of a white flag, negotiator
**parny** *adj* sultry, close
**parobek** *m* farm-hand
**parodia** *f* parody
**parodiować** *vt* parody
**parokrotny** *adj* repeated
**paroksyzm** *m* paroxysm; attack
**parować** *vi* vaporize, evaporate
**parowanie** *n* evaporation
**parowiec** *m* steamship, steamboat
**parowóz** *m* (steam-)engine, locomotive
**parowy** *adj* steam *attr*; *fiz.* **koń ~** horse-power; **statek ~ = parowiec**
**parów** *m* ravine
**parówka** *f* (*kąpiel*) sweating bath; (*kiełbaska*) frankfurter
**parsk|ać** *vi* snort; **~nąć śmiechem** burst out laughing
**parszywy** *adj* scabby, mangy
**partactwo** *n* botching, bungling; botch, bungle
**partacz** *m* bungler, botcher
**partaczyć** *vt* bungle, botch
**parter** *m* ground-floor; *am.* first floor; *teatr* pit
**parti|a** *f* party; (*część*) part; (*towaru*) lot; (*rola*) role, part; (*w grze*) game; (*w brydżu*) **po ~i** vulnerable; **przed ~ą** invulnerable
**partner** *m* partner
**partyjny** *adj* party (*tylko attr*); *s m* party-man
**partykularyzm** *m* particularism
**partykuła** *f gram.* particle
**partyzant** *m* guerilla
**partyzantka** *f* guerilla war
**parweniusz** *m* upstart, parvenu
**parytet** *m fin.* parity, par; **~ złota** gold parity; **według ~u** at par
**parzyć** *vt* scald; (*np. herbatę*) draw, infuse; (*poddawać działaniu pary*) steam; **~ się** *vr* (*o herbacie*) draw
**parzysty** *adj* even
**pas** *m* belt, girdle; **popuszczać ⟨zaciskać⟩ ~a** loosen ⟨tighten⟩ one's belt; *pot.* **wziąć nogi za ~** take to one's heels
**pasat** *m* trade-wind
**pasaż** *m* passage; (*uliczka*) passage-way

**pasażer** *m* passenger
**pas|ek** *m* belt, girdle; (*do brzytwy*) strop; (*kreska, wzór*) stripe; **materiał w ~ki** striped cloth; (*nielegalny handel*) black-market, profiteering
**paser** *m* receiver ⟨concealer⟩ of stolen goods
**pasieka** *f* apiary
**pasierb** *m* stepson
**pasierbica** *f* stepdaughter
**pasj|a** *f* passion; fury; **wpaść w ~ę** fly into a fury
**paskarz** *m* black-market dealer, profiteer
**pasmo** *n* (*gór*) range; (*przędzy*) skein; strand; (*taśma*) band; *elektr. i radio* band; (*smuga*) streak; *elektr.* **~ częstotliwości** frequency band; *przen.* **~ żywota** thread of life
**pas|ować** 1. *vt vi* fit, suit; (*być do pary*) match; **krawat ~uje do ubrania** the tie matches the suit
**pasować** 2. *vt*, **~ kogoś na rycerza** dub sb a knight
**pasować** 3. *vi* (*w kartach*) pass
**pasożyt** *m* parasite
**pasożytniczy** *adj* parasitic(al)
**pasta** *f* paste; **~ do butów** boot-polish; **~ do podłogi** floor-polish; **~ do zębów** tooth-paste
**pastel** *m* crayon, pastel; **malować ~ami** crayon
**pasterka** *f* shepherdess; (*nabożeństwo*) Christmas midnight mass
**pasterski** *adj* pastoral
**pasterstwo** *n* pastoral life
**pasterz** *m* shepherd
**pastewny** *adj* pasture *attr*, fodder *attr*
**pastor** *m* pastor, minister
**pastuch** *m* herdsman
**pastw|a** *f* † prey; **paść ~ą** fall a prey (**kogoś, czegoś** to sb, sth)
**pastwić się** *vr* treat with cruelty (**nad kimś** sb)
**pastwisko** *n* pasture
**pastylka** *f* tablet
**pasywa** *s pl fin.* liabilities
**pasywny** *adj* passive
**pasza** *f* fodder
**paszcza** *f* jaw
**paszkwil** *m* lampoon, libel
**paszport** *m* passport; **biuro ~ów** passport office
**pasztet** *m* pie, pâté
**paść** 1. *vi* fall down, come down; *zob.* **padać**
**paść** 2. (*bydło*) pasture; **~ się** *vr* (*o bydle*) pasture, graze
**patelnia** *f* frying-pan
**patent** *m* patent
**patetyczny** *adj* pathetic
**patolog** *m* pathologist
**patologia** *f* pathology
**patos** *m* pathos
**patriarcha** *m* patriarch
**patriarchalny** *adj* patriarchal
**patriota** *m* patriot
**patriotyczny** *adj* patriotic
**patriotyzm** *m* patriotism
**patrol** *m* patrol
**patrolować** *vt* patrol
**patron** *m* patron (saint); (*szablon*) stencil
**patronat** *m* patronage, auspices *pl*
**patronka** *f* patroness
**patronować** *vi* patronize (**komuś, czemuś** sb, sth)
**patroszyć** *vt* eviscerate; (*kurę*) draw; (*rybę*) gut; (*zająca*) hulk
**patrycjusz** *m* patrician
**patrzeć** *vi* look (**na kogoś, coś** at sb, sth); **~ na kogoś jak na wroga** look on ⟨upon⟩ sb as a foe; **~ na kogoś z góry** look down upon sb; **~ przez okno** look out of the window; **~ przez palce** connive (**na coś** at sth); **~ spode łba** scowl (**na kogoś, coś** at sb, sth); **~ uporczywie** stare (**na kogoś, coś** at sb, sth); **jest na co ~** it is worth seeing
**patyk** *m* rod
**patyna** *f* patina
**pauza** *f* pause; (*szkolna*) break; *muz.* rest; (*myślnik*) dash
**pauzować** *vi* pause, make a pause
**paw** *m* peacock
**pawilon** *m* pavilion
**paznok|ieć** *m* nail; **obcinać ~cie** pare nails

**pazur** *m* claw, (*szpon, także techn.*) clutch

**paź** *m* page

**październik** *m* October

**październikowy** *adj* October *attr*; Rewolucja Październikowa October Revolution

**pączek** *m* bud; (*ciastko*) doughnut

**pączkować** *vi* bud

**pąk** *m* bud

**pchać** *vt* push, thrust; ~ **się** *vr* push one another, crush

**pchełki** *s pl* (*gra*) tiddly-winks

**pchła** *f* flea

**pchnięcie** *n* push, thrust

**pech** *m* ill-luck

**pedagog** *m* pedagogue

**pedagogia** *f* pedagogy

**pedagogika** *f* pedagogics

**pedał** *m* pedal

**pedant** *m* pedant

**pedanteria** *f* pedantry

**pedantyczny** *adj* pedantic

**pejcz** *m* horsewhip

**pejzaż** *m* landscape

**peleryna** *f* cape; (*damska*) pelerine

**pelikan** *m zool.* pelican

**pelisa** *f* pelisse

**pełni|a** *f* plenty, abundance, fullness; **~a księżyca** full moon; **w ~** completely, fully

**pełnić** *vt* perform, fulfil, accomplish; **~ obowiązek** do one's duty

**pełno** *adv* plenty (**czegoś** of sth); **mieć ~ czegoś** be full of sth

**pełnoletni** *adj* adult, of age

**pełnoletność** *f* majority, full age

**pełnometrażowy** *adj*, **film ~** feature film

**pełnomocnictwo** *n* (*prawo*) power of attorney; (*dokument*) letter of attorney

**pełnomocnik** *m* plenipotentiary; authorized agent

**pełnomocny** *adj* plenipotentiary, authorized

**pełnowartościowy** *adj praed* of full value

**pełny** *adj* full; **na ~m morzu** on the high seas

**pełzać** *vi* (*poruszać się*) crawl, creep

**pełznąć** *vi* (*płowieć*) fade; lose colour; *zob.* **pełzać**

**penicylina** *f* penicillin

**pensja** *f* (*pobory*) salary; † (*szkoła*) girls' boarding-school

**pensjonat** *m* boarding-house

**perfidia** *f* perfidy

**perfidny** *adj* perfidious

**perfumeria** *f* perfumery

**perfumować** *vt* perfume, scent

**perfumy** *s pl* perfume, scent

**pergamin** *m* parchment

**period** *m* (*menstruacja*) periods, menses; † (*okres*) period

**periodyczny** *adj* periodical

**perkal** *m* calico

**perkusja** *f* percussion

**perkusyjny** *adj* percussive; **instrument ~** percussion instrument

**perliczka** *f zool.* guinea-fowl

**perła** *f* pearl

**peron** *m* platform

**peronówka** *f* platform-ticket

**Pers** *m* Persian, Iranien

**perski** *adj* Persian, Iranien

**personalny** *adj* personal

**personel** *m* staff, personnel

**personifikacja** *f* personification

**perspektywa** *f* perspective, prospect, view

**perswadować** *vt* persuade, try to persuade (**komuś, żeby coś zrobił** sb into doing sth, **komuś, żeby czegoś nie zrobił** sb out of doing sth)

**perswazja** *f* persuasion

**pertraktacje** *s pl* negotiations

**pertraktować** *vi* negotiate (**w sprawie czegoś** sth)

**peruka** *f* wig

**perwersja** *f* perversion

**perwersyjny** *adj* perverse

**peryferi|e** *s pl* periphery; **na ~ach** on the outskirts

**peryskop** *m* periscope

**pestka** *f* stone, kernel, (*w jabłku, pomarańczy*) pip

**pesymista** *m* pessimist

**pesymistyczny** *adj* pessimistic

**pesymizm** *m* pessimism
**petarda** *f* petard
**petent** *m* petitioner
**petycja** *f* petition
**pewien** *adj* (*niejaki*) a, one, a certain; **po pewnym czasie** after some time; **przez ~ czas** for some time; *zob.* **pewny**
**pewnik** *m* axiom
**pewno, na ~** *adv* certainly, for sure, assuredly; **on na ~ przyjdzie** he is sure to come
**pewnoś|ć** *f* certitude, certainty; (*bezpieczeństwo*) security; **~ć siebie** self-assurance; **z ~cią** certainly
**pewny** *adj* sure, certain; (*bezpieczny*) safe, secure; **~ siebie** self-assured, self-confident; **czuć się ~m ⟨bezpiecznym⟩** feel sure ⟨safe⟩
**pęcak** *m* peeled barley
**pęcherz** *m anat.* bladder
**pęcherzyk** *m anat.* vesicle; (*bąbel*) blister; (*bańka*) bubble
**pęczek** *m* bunch, tuft
**pęcznieć** *vi* swell
**pęd** *m* (*szybki bieg*) rush, career; (*napęd, impuls*) impulse; (*rozpęd*) impetus; *fiz.* momentum; (*dążenie, zamiłowanie*) aspiration (**do czegoś** after ⟨for⟩ sth); *bot.* shoot, sprout; **puszczać ~y** shoot forth, sprout; **całym ~em** at full speed
**pędzel** *m* brush
**pędzić** *vt* drive; (*życie*) lead; (*czas*) spend; (*wódkę*) distil; *vi* run (**za kimś** after sb), race, hurry, scurry
**pędzlować** *vt* brush
**pęk** *m* (*kwiatów, kluczy*) bunch; (*papierów*) file; (*wiązka*) bundle
**pęka|ć** *vi* burst; (*rozłupać się*) crack; **~ć z zazdrości** burst with envy; **serce mi ~** my heart breaks; **głowa mi ~** my head is splitting
**pękaty** *adj* bulging, bulged; (*przysadkowaty*) dumpy, podgy
**pępek** *m* navel

**pęta** *s pl* fetters, chains; (*końskie*) hobble; **zerwać ~** break the bonds
**pętać** *vt* fetter; (*konia*) hobble
**pętelka, pęt|la** *f* loop, noose; (*o samolocie*) **robić ~lę** loop, (*całą*) loop the loop
**piać** *vi* crow
**piana** *f* froth, foam; **~ mydlana** lather
**pianino** *n* cottage ⟨upright⟩ piano
**pianista** *m* pianist
**pianow|y** *adj* foam *attr*; **gaśnica ~a** foam extinguisher
**piasek** *m* sand
**piaskowiec** *m* sandstone
**piaskownica** *f* sand-pit
**piaskowy** *adj* sandy, sand *attr*
**piasta** *f* nave
**piastować** *vt* (*dzieci*) nurse; (*urząd*) hold
**piastun** *m* guardian, foster-father; (*godności, urzędu*) holder
**piastunka** *f* nurse, foster-mother
**piaszczysty** *adj* sandy, sand-
**piąć się** *vr* climb (**na drzewo** a tree, **po drabinie** a ladder); (*o roślinach*) creep
**piątek** *m* Friday; **Wielki Piątek** Good Friday
**piąty** *num* fifth
**pici|e** *n* drinking; **woda do ~a** drinking water
**pić** *vt vi* drink; **~ mi się chce** I'm thirsty
**piec** 1. *m* stove, fire-place; (*piekarski*) oven; *techn.* furnace; **wielki ~** blast-furnace
**piec** 2. *vt* bake; (*zw. o mięsie*) roast; (*palić*) burn, scorch; **~ się** *vr* bake, roast
**piechota** *f* infantry
**piechotą** *adv* on foot
**piecyk** *m* (little) stove; (*do ogrzewania*) heater; *pot.* (*piekarnik*) oven
**piecz|a** *f* care, charge (**nad kimś, czymś** of sb, sth); **mieć ~ę** take care (**nad kimś, czymś** of sb, sth); **powierzyć coś czyjejś ~y** trust sb with sth; **pod ~ą** in charge

**pieczara** *f* cavern
**pieczarka** *f bot.* champignon
**pieczątka** *f* seal, stamp
**pieczeniarz** *m* sponger
**pieczeń** *f* roast-meat; ~ **cielęca** roast veal; ~ **wołowa** roast beef
**pieczęć** *f* seal, stamp
**pieczętować** *vt* seal, stamp
**pieczołowitość** *f* solicitude
**pieczołowity** *adj* solicitous
**pieczyste** *n* roast-meat, roast
**pieczywo** *n* baker's goods; (*słodkie*) pastry
**pieg** *m* freckle
**piegowaty** *adj* freckled
**piekarnia** *f* bakery, baker's (shop)
**piekarz** *m* baker
**piekieln|y** *adj* hellish, devilish, infernal; **maszyna** ~**a** infernal machine; *przen.* **ogień** ~**y** hellfire
**piekło** *n* hell
**pielęgniarka** *f* nurse
**pielęgniarz** *m* (male) nurse
**pielęgnować** *vt* (*chorych*) nurse; (*rośliny*) cultivate; (*umiejętność*) foster, cultivate; (*ręce, fryzurę*) take care
**pielgrzym** *m* pilgrim
**pielgrzymka** *f* pilgrimage
**pielucha** *f* swaddling-cloth, napkin; *am.* diaper
**pieniacz** *m* litigious person
**pieniądz** *m* coin, piece of money; *pl* ~**e** money; **drobne** ~**e** (small) change
**pienić się** *vr* foam; (*o winie*) sparkle; ~ **ze złości** foam with rage
**pieniężn|y** *adj* pecuniary, money *attr*; **kara** ~**a** fine
**pień** *m* (*trzon, łodyga*) trunk; stem; (*pniak*) stump; **zboże na pniu** standing corn
**pieprz** *m* pepper
**pieprzny** *adj* peppery; (*nieprzyzwoity*) spicy
**piernik** *m* ginger-bread
**pierś** *f* breast; (*klatka piersiowa*) chest
**pierścieniowy** *adj* annular
**pierścień** *m* ring; (*włosów*) ringlet; (*tłoka*) piston-ring
**pierścionek** *m* ring
**pierwej** *adv lit.* (at) first, before
**pierwiastek** *m* element; *chem.* element; *mat.* (*wartość*) root; *mat.* (*znak*) radical; ~ **kwadratowy** ⟨**sześcienny**⟩ square ⟨cube⟩ root; ~ **piątego stopnia** fifth root
**pierwiastkowy** *adj* original, primary; *mat.* radical
**pierwiosnek** *m bot.* primrose
**pierworodny** *adj* first-born; (*o grzechu*) original
**pierwotniak** *m zool.* protozoan
**pierwotność** *f* primordiality; (*prymitywizm*) primitiveness
**pierwotny** *adj* primordial; (*prymitywny*) primitive; (*pierwszy*) primary
**pierwowzór** *m* prototype
**pierwszeństwo** *n* priority
**pierwszorzędny** *adj* first-rate
**pierwsz|y** *num* first; **na** ~**ego stycznia** on the first of January; ~**a pomoc** first aid; ~**y lepszy** just any, at random; ~**a godzina** one o'clock; **po** ~**e** firstly, in the first place
**pierzchać** *vi* flee, take flight
**pierze** *n* feathers *pl*
**pierzyna** *f* eiderdown
**pies** *m* dog; *pot.* **zejść na psy** go to the dogs
**pieszczota** *f* caress
**pieszczotliw|y** *adj* caressing, cuddlesome; ~**e imię** pet name; ~**e słowo** word of endearment
**pieszo** *adv* on foot
**pieścić** *vt* caress, pet, fondle
**pieśń** *f* song
**pietruszka** *f bot.* parsley
**pietyzm** *m* pietism
**pięciobój** *m sport* pentathlon
**pięciokrotny** *adj* fivefold
**pięcioletni** *adj* five-year *attr*; (*o wieku*) five-year old
**pięcioraczki** *s pl* quintuplets
**pięcioraki** *adj* fivefold
**pięć** *num* five
**pięćdziesiąt** *num* fifty
**pięćdziesiąty** *adj* fiftieth

**pięćset** *num* five hundred
**piędź** *f* span
**pięknie** *adv* beautifully, finely; **jest ~** it is fine weather; **wyglądać ~** look fine
**pięknieć** *vi* grow beautiful
**piękno** *n* beauty, the beautiful
**piękność** *f* beauty
**piękn|y** *adj* beautiful, handsome, lovely, fair; **literatura ~a** belles-lettres; **~a pogoda** fine weather; **sztuki ~e** fine arts
**pięściarz** *m* boxer
**pięść** *f* fist
**pięta** *f* heel
**piętnastoletni** *adj* fifteen-year *attr*; (*o wieku*) fifteen-year old
**piętnasty** *num* fifteenth
**piętnaście** *num* fifteen
**piętno** *n* stigma, stamp; **wycisnąć ~** impress a stamp
**piętnować** *vt* stigmatize, stamp
**piętro** *n* stor(e)y, floor
**piętrzyć** *vt* pile up; **~ się** *vr* be piled up; (*wznosić się*) tower
**pigułka** *f* pill
**pijak** *m* drunkard
**pijany** *adj praed* drunk; drunken *attr*
**pijaństwo** *n* drunkenness
**pijatyka** *f* drinking-bout
**pijawka** *f zool.* leech
**pik** *m* spade
**pika 1.** *f* pike
**pika 2.** *f* (*tkanina*) piqué
**pikantny** *adj* piquant; (*nieprzyzwoity*) spicy
**pikling** *m* kipper
**piknik** *m* picnic
**pikować** *vt* (*tkaninę*) quilt; *vi lotn.* dive
**pilnik** *m* file
**pilność** *f* diligence
**pilnować** *vt* look after, watch; **~ swego interesu** mind one's business; **~ się** *vr* be on one's guard
**pilny** *adj* diligent, assidous; (*naglący*) urgent
**pilot** *m* pilot
**pilotować** *vt* pilot
**pilśń** *f* felt
**piła** *f* saw; *przen. pot.* (*nudziarz*) bore
**piłka 1.** *f* (*narzędzie*) hand-saw
**piłka 2.** *f* (*do gry*) ball; *sport* **~ nożna** football, association football, soccer
**piłkarz** *m* football player, footballer
**piłować** *vt* (*piłą*) saw; (*pilnikiem*) file; *pot.* (*nudzić, dręczyć*) bore
**pingwin** *m zool.* penguin
**piołun** *m bot.* wormwood
**piołunówka** *f* absinth
**pion** *m* perpendicular; (*narzędzie*) plummet; *przen.* line
**pionek** *m* pawn
**pionier** *m* pioneer
**pionowy** *adj* vertical
**piorun** *m* lightning; **trzask ~u** thunderclap; **rażony ~em** thunderstruck
**piorunochron** *m* lightning-conductor
**piosenka** *f* ditty
**piórko** *n* feather; (*stalówka*) pen
**piórnik** *m* pencase
**pióro** *m* feather; (*do pisania*) pen; **~ wiosła** blade; **gęsie ~** quill; **wieczne ~** fountain pen
**pióropusz** *m* plume
**pipeta** *f* pipette
**piracki** *adj* piratical
**piractwo** *n* piracy
**piramida** *f* pyramid
**pirat** *m* pirate
**pirotechnik** *m* pyrotechnist
**pirotechnika** *f* pyrotechnics
**pisać** *vt vi* write (**ołówkiem, atramentem** in pencil, in ink); **~ na maszynie** typewrite; **jak się ten wyraz pisze?** how do you spell this word?; **~ się** *vr* be written, be spelt; (*zgadzać się*) subscribe (**na coś** to sth)
**pisarz** *m* (*autor*) writer; † (*niższy urzędnik*) clerk, copyist
**pisemnie** *adv* in writing
**pisemny** *adj* written, in writing; **egzamin ~** written examination
**pisk** *m* squeal, squeak

**pisklę** *n* nestling; (*kurczątko*) chickling
**piskorz** *m zool.* loach
**pismo** *n* writing, letter; (*czasopismo*) newspaper; periodical; (*charakter pisma*) handwriting; **na piśmie** in writing; **Pismo Święte** Holy Scripture
**pisnąć** *vi vt zob.* **piszczeć; nie ~ ani słówka** not breathe a word
**pisownia** *f* spelling
**pistolet** *m* pistol
**piszczałka** *f* pipe, fife
**piszczeć** *vi* squeak, squeal
**piszczel** *m anat.* shinbone, tibia
**piśmidło** *n pog.* scrawl
**piśmiennictwo** *n* letters *pl*, literature
**piśmiennie** *adv* in writing
**piśmienn|y** *adj* literate; (*pisemny*) written; **artykuły ~e** writing-materials, stationery
**piwiarnia** *f* beer-house
**piwnica** *f* cellar
**piwny** *adj* beer *attr*; (*kolor*) brown
**piwo** *n* beer; **~ z beczki** beer on draught; **dać na ~** give a tip
**piwonia** *f bot.* peony
**piwowar** *m* brewer
**piżama** *f* pyjamas *pl*
**piżmo** *n* musk
**piżmowiec** *m zool.* musk-rat
**plac** *m* ground; (*parcela*) lot, parcel; (*okrągły, u zbiegu ulic*) circus, (*kwadratowy*) square; **~ boju** battlefield; **~ budowy** building-ground
**placek** *m* cake
**placówka** *f* outpost
**plaga** *f* plague
**plagiat** *m* plagiarism; **popełnić ~** plagiarize
**plakat** *m* poster, bill
**plakieta** *f* plaque
**plama** *f* spot, stain
**plamić** *vt* spot, stain; **~ się** *vr* spot
**plan** *m* plan, scheme; **pierwszy ~** foreground; **dalszy ~** background
**planeta** *f* planet
**planetarny** *adj* planetary
**planować** *vt* plan; *vi lotn.* plane
**planowanie** *n* planning
**planowo** *adv* according to plan
**planowy** *adj* planned
**plantacja** *f* plantation
**plantator** *m* planter
**plastelina** *f* plasticine
**plaster** *m* plaster; **~ miodu** honeycomb
**plasterek** *m* (*np. szynki*) slice
**plastik** *m* = **plastyk** 2.
**plastycznie** *adv* plastically
**plastyczność** *f* plasticity
**plastyczn|y** *adj* plastic; **sztuki ~e** fine arts
**plastyk** 1. *m* (*artysta*) artist
**plastyk** 2. *m* (*masa plastyczna*) plastic
**platerować** *vt* plate
**platery** *s pl zbior.* plate
**platforma** *f* platform; (*wóz ciężarowy*) lorry
**platoniczny** *adj* Platonic
**platyna** *f chem.* platinum
**plazma** *f* plasm
**plaża** *f* beach
**plądrować** *vt vi* plunder
**pląsać** *vi* hop, toe and heel it
**pląsy** *s pl* dance, dancing
**plątać** *vt* entangle; **~ się** *vr* tangle, become entangled; *pot.* (*łazić*) slouch about
**plątanina** *f* tangle
**plebiscyt** *m* plebiscite
**plecak** *m* knapsack, rucksack
**plecionka** *f* plait; (*wyrób koszykarski*) wickerwork
**plec|y** *s pl* back; **za ~ami** behind one's back; **obrócić się ~ami** turn one's back **(do kogoś on sb)**
**pleć** *zob.* **plewić**
**pled** *m* plaid
**plejada** *f* pleiad
**plemienny** *adj* tribal, racial
**plemię** *n* tribe, race
**plenarny** *adj* plenary; **full**
**plenić się** *vr* multiply
**plenum** *n nieodm.* plenary session
**pleść** *vt* twist, plait; (*gadać*) babble

**pleśnieć** *vi* mould
**pleśń** *f* mould
**plewa** *f* chaff
**plewić** *vt* weed
**plik** *m* bundle
**plisa** *f* pleat
**plisować** *vt* pleat
**plomba** *f* lead, leaden seal; (*w zębie*) filling, stopping
**plombować** *vt* seal up, lead; (*ząb*) fill, stop
**plon** *m* crop, yield
**plotka** *f* gossip
**plotkarka** *f*, **plotkarz** *m* gossip(er)
**plotkować** *vi* gossip
**pluć** *vi* spit
**plugawić** *vt* (be)foul
**plugawy** *adj* foul, filthy
**plus** *m* (*znak*) plus sign; (*zaleta*) plus, advantage; *adv* (*ponadto*) plus
**pluskać** *vi* splash; **~ się** *vr* splash
**pluskiewka** *f* tack, drawing-pin
**plusz** *m* plush
**plutokracja** *f* plutocracy
**pluton** *m* *wojsk.* platoon
**plutonowy** *adj* *wojsk.* lance sergeant
**plwocina** *f* spittle
**płac|a** *f* pay, salary, wages *pl*; **lista ~** pay-sheet, pay-roll
**płachta** *f* sheet
**płacić** *vt* pay; **~ gotówką** pay in cash; **~ z góry** pay in advance, prepay
**płacz** *m* cry; crying, weeping; **wybuchnąć ~em** burst into tears
**płakać** *vi* cry, weep
**płaski** *adj* flat
**płasko** *adv* flatways, flatwise
**płaskorzeźba** *f* bas-relief
**płaskowzgórze** *n* tableland
**płaszcz** *m* overcoat, cloak; **~ nieprzemakalny ⟨deszczowy⟩** raincoat
**płaszczyć** *vi* flatten; **~ się** *vr* become flat; *przen.* fawn (**przed kimś** on, upon sb)
**płaszczyk** *m* cape, mantle; *przen.* **pod ~iem** under the cloak
**płaszczyzna** *f* plain, level; *mat.* plane
**płat** *m* (*kawał, szmat*) slice; (*mięsa*) collop; *anat.* lobe
**płatać** *vi* cut; **~ figle** play tricks (**komuś** on sb)
**płat|ek** *m* shred, piece; (*plasterek*) slice; (*kwiatu*) petal; (*śniegu*) flake; **~ki owsiane** oat flakes
**płatniczy** *adj*, *fin.* **bilans ~** balance of ⟨accounts⟩ payments; **środek ~** legal tender
**płatnik** *m* payer
**płatnoś|ć** *f* maturity; **~ć natychmiastowa** money down; **dzień ~ci** pay-day; *handl.* (*o wekslu*) date ⟨time⟩ of maturity
**płatny** *adj* payable, due; *handl.* (*o wekslu*) mature; (*płacony*) paid
**płaz 1.** *m* *zool.* amphibian
**płaz 2.** *m* the flat of a sabre; *przen.* **puścić coś ~em** pass sth over, connive at sth
**płciow|y** *adj* sexual, sex *attr*; **życie ~e** sexual life; **popęd ~y** sex instinct ⟨urge⟩
**płeć** *f* sex; (*cera*) complexion; **~ piękna** fair sex
**płetwa** *f* fin
**płetwonurek** *m* frogman
**płochliwy** *adj* shy
**płochy** *adj* frivolous
**płodność** *f* fertility
**płodny** *adj* fertile
**płodozmian** *m* rotation of crops
**płodzenie** *n* procreation
**płodzić** *vt* procreate; **~ się** *vr* multiply
**płomienny** *adj* flaming, fiery; (*żarliwy*) ardent
**płomień** *m* flame
**płonąć** *vi* burn, be on fire; *przen.* **~ ze wstydu** burn with shame
**płonica** *f* *med.* scarlet-fever
**płonić się** *vr* blush
**płonny** *adj* vain
**płoszyć** *vt* scare (away); **~ się** *vr* be scared (**czymś** by sth)
**płot** *m* fence, ledge
**płot|ek** *m* *sport* hurdle; **bieg przez ~ki** hurdle-race
**płowieć** *vi* fade (away)

**płow|y** *adj* fallow; **zwierzyna ~a** fallow deer
**płód** *m* fruit, product; *anat.* phoetus
**płótno** *n* linen; (*malarskie, żaglowe*) canvas
**płuc|o** *n* lung; **zapalenie ~** pneumonia
**płucny** *adj* pulmonary
**pług** *m* plough; **~ śnieżny** snow-plough
**płukać** *vt* rinse, wash; **~ gardło** gargle
**płyn** *m* liquid; (*do włosów, apteczny itp.*) lotion
**płynąć** *vi* flow; (*pływać*) swim; (*o statkach*) sail; (*o podróży morskiej*) go by water, sail; **~ łódką** boat
**płynny** *adj* liquid; (*o mowie*) fluent
**płyta** *f* plate, slab; **~ gramofonowa** record; **~ kamienna** (*do brukowania*) flag-stone
**płytki** *adj* shallow; (*np. o talerzu*) flat
**pływać** *vi* swim; (*np. o korku*) float
**pływak** *m* swimmer; (*w zbiorniku, u wędki itp.*) float
**pneumatyczny** *adj* pneumatic
**pniak** *m* stump
**po** *praep* after; to, up to; for; past; **zaraz po** on, upon; **po wykładach** after the lectures; **po dzień dzisiejszy** up to the present day; **po uszy** up to the ears; **posłać po taksówkę** send for a taxi; **kwadrans po piątej** a quarter past five; **zaraz po jego powrocie** on his return; **po co?** what for?; **po czemu?** how much?; **po kolei** by turns; **każdemu po szylingu** one shilling each; **po szylingu za sztukę** one shilling apiece; **po raz pierwszy** for the first time; **po pierwsze** firstly, in the first place; **mówić po angielsku** speak English
**pobić** *vt* beat, defeat; **~ rekord** break ⟨beat⟩ the record; **~ się** *vr* come to blows
**pobielać** *vt* (*metal*) tin; (*ścianę*) whitewash
**pobierać** *vt* (*np. pensję*) receive; (*np. podatek*) collect; (*lekcje*) take; **~ się** *vr* get married
**pobieżny** *adj* superficial
**pobliski** *adj* near
**pobliż|e** *n*, **w ~u** near by
**pobłażać** *vi* be indulgent (**komuś** to sb); connive (**czemuś** at sth); **~ sobie** indulge oneself
**pobłażliwość** *f* indulgence
**pobłażliwy** *adj* indulgent
**poboczny** *adj* lateral; (*o przedmiocie*) secondary
**pobojowisko** *n* battlefield
**poborca** *m* (tax-)collector
**poborowy** *adj* conscript; *s m* conscript
**pobory** *s pl* salary
**pobożn|y** *adj* pious; *pot.* **~e życzenie** wishful thinking
**pobór** *m* (*do wojska*) conscription, levy; (*podatku*) collection, levy
**pobranie** *n*, **za ~m** to be paid on delivery, cash on delivery
**pobrzeże** *n* shoreland, seashore
**pobudka** *f* impulse, stimulus; *wojsk.* reveille
**pobudliwość** *f* excitability
**pobudliwy** *adj* excitable
**pobudzić** *vt* excite, impel; (*zbudzić*) wake up
**pobyt** *m* sojourn, stay; **miejsce stałego ~u** residence; **wiza ~owa** visitor's visa
**pocałunek** *m* kiss
**pochlebca** *m* flatterer
**pochlebiać** *vi* flatter (**komuś** sb)
**pochlebn|y** *adj* flattering; **~a opinia** high opinion
**pochlebstwo** *n* flattery
**pochłania|ć** *vt* absorb, swallow; **~go nauka** he is absorbed in study
**pochmurny** *adj* cloudy; *przen.* (*ponury*) gloomy
**pochodnia** *f* torch
**pochodny** *adj* derivative, secondary
**pochodzenie** *n* origin, descent, extraction
**pochodzić** *vi* descend, be descended (**od kogoś** from sb), derive, be

derived (od **kogoś, czegoś** from sb, sth); (*wynikać*) result (z **czegoś** from sth), proceed (z **czegoś** from sth)
**pochopność** *f* eagerness, hastiness
**pochopny** *adj* eager, hasty
**pochować** *vt* (*pogrzebać*) bury; *zob.* **chować**
**pochód** *m* procession; march
**pochwa** *f* sheath
**pochwalać** *vt* praise; (*uznawać*) approve (**coś** of sth)
**pochwaln|y** *adj* laudatory; **mowa** ~**a** eulogy
**pochwała** *f* praise
**pochylenie** *n* inclination
**pochylić** *vt* bend, bow; ~ **się** *vr* bow down
**pochyłość** *f* slope, slant
**pochyły** *adj* sloping, inclined
**pociąg** *m* train; (*skłonność*) attraction, inclination; (*upodobanie*) liking, fondness; ~ **osobowy** ⟨**towarowy**⟩ passenger ⟨goods⟩ train; ~ **pospieszny** fast ⟨express⟩ train
**pociągać** *vt vi* pull (**coś** sth, **za coś** at sth), draw; (*nęcić*) attract; ~ **do odpowiedzialności** call to account
**pociągający** *adj* attractive
**pociągły** *adj* oblong
**pociągnięcie** *n* draught, pull; (*np. w grze*) move
**pociągowy** *adj*, **koń** ~ draught ⟨draft⟩ horse
**po cichu** *adv* in a low voice; (*w tajemnicy*) tacitly; secretly
**pocić się** *vr* perspire, sweat
**pociecha** *f* consolation, comfort; **niewielka** ~ no great shakes
**po ciemku** *adv* in the dark
**pocierać** *vt* rub
**pocieszać** *vt* console, comfort, cheer up; ~ **się** *vr* console oneself
**pocieszenie** *n* consolation, comfort
**pocieszny** *adj* funny, droll
**pocieszyciel** *m* comforter
**pocisk** *m* missile, projectile; ~ **armatni** shell; ~ **zapalający** fire--ball
**począć** *vt* begin, commence; (*zajść w ciążę*) conceive; **co mam** ~? what am I to do?
**począt|ek** *m* beginning; origin; **na** ~**ek** to start with; **na** ~**ku** at the beginning, at the outset
**początkowo** *adv* at first, initially
**początkowy** *adj* initial, primary
**początkujący** *m* beginner
**poczciwiec** *m* good fellow
**poczciwy** *adj* good, good-hearted
**poczekalnia** *f* waiting-room
**poczekani|e** *n*, **na** ~**u** on the spot; off-hand; there and then
**poczernić** *vt* black(en)
**poczernieć** *vi* blacken, become black
**poczerwienić** *vt* redden, make red
**poczerwienieć** *vi* redden, become red; (*zarumienić się*) blush
**poczesny** *adj* honorable, respectable
**poczęcie** *n* beginning; *biol.* conception
**poczęstunek** *m* treat
**poczt|a** *f* post, mail; (*budynek*) post-office; ~**a lotnicza** air mail; ~**ą** by post; **odwrotną** ~**ą** by return of post
**pocztow|y** *adj* postal, post *attr*; **kartka** ~**a** post-card, *am.* postal card; **opłata** ~**a** postage; **stempel** ~**y** postmark; **unia** ~**a** postal union; **urząd** ~**y** post-office; **znaczek** ~**y** (postage-)stamp
**pocztówka** *f* post-card
**poczucie** *n* feeling; sense; ~ **obowiązku** ⟨**humoru**⟩ sense of duty ⟨humour⟩
**poczuwać się** *vr*, ~ **się do obowiązku** feel it one's duty; ~ **się do winy** admit one's guilt, feel guilty
**poczwarka** *f* chrysalis
**poczwórny** *adj* fourfold
**poczynać** *vt vi* begin, originate; ~ **sobie** behave
**poczytać** *vt* read (a little); *zob.* **poczytywać**
**poczytalny** *adj* accountable
**poczytność** *f* popularity

**poczytny** *adj* widely read, popular
**poczytywać** *vt* regard (**kogoś, coś** sb, sth; **za kogoś, coś** as sb, sth); ~ **się za bardzo ważnego** consider oneself very important; ~ **sobie za wielki zaszczyt** look upon something ⟨esteem sth⟩ as a great honour; ~ **coś komuś za przestępstwo** impute sth to sb as an offence
**pod** *praep* under, beneath, below; ~ **drzwiami** at the door; ~ **karą śmierci** on the penalty of death; ~ **nazwiskiem X.Y.** by the name of X.Y.; ~ **ręką** at hand; ~ **tym względem** in this regard; ~ **Warszawą** near Warsaw; **bitwa** ~ **Warszawą** battle of Warsaw; ~ **warunkiem** on condition; ~ **wieczór** towards the evening
**podać** *zob.* **podawać**
**podagra** *f med.* gout
**podający** *m* (*w tenisie*) server
**podanie** *n* (*prośba*) petition, application; (*legenda*) legend; *sport* service, pass; **wnieść** ~ file an application
**podarek** *m* gift, present
**podarty** *adj* torn, worn
**podatek** *m* (*państwowy*) tax; (*samorządowy*) rate
**podatnik** *m* (*państwowy*) tax-payer; (*samorządowy*) rate-payer
**podatny** *adj* susceptible (**na coś** to sth); subject (**na choroby** to diseases); *przen.* ~ **grunt** favourable conditions
**podawać** *vt* give, hand, pass; ~ **rękę** shake hands (**komuś** with sb); ~ **na stół** serve; ~ **do wiadomości** make known; ~ **w wątpliwość** call into question
**podaż** *f* supply, offer
**podążać** *vi* go, hurry along; ~ **za kimś** follow sb
**podbicie** *n* (*kraju*) conquest; (*podszycie*) lining; (*u stopy*) instep
**podbiegać** *vi* come running
**podbiegunowy** *adj* polar
**podbijać** *vt* run up; (*zawojować*) conquer, subdue
**podbój** *m* conquest
**podbródek** *m* chin
**podburzać** *vt* incite, stir (up)
**podchodzić** *vi* come near, approach
**podchwycić** *vt* catch up
**podciągać** *vt* draw up; (*pod kategorię*) subsume
**podcinać** *vt* undercut; (*np. skrzydła*) clip
**podcyfrować** *vt* initial, sign
**podczas** *praep* during; ~ **gdy** *conj* while; whereas
**podczerwon|y** *adj fiz.* infra-red; **promienie** ~**e** infra-red radiation
**poddać** *vt* subject; (*np. twierdzę*) surrender; (*podsunąć myśl*) suggest; ~ **próbie** put to trial; ~ **się** *vr* surrender; (*operacji, egzaminowi*) undergo (an operation, examination); (*ulec*) submit
**poddanie się** *n* submission
**poddany** *m* subject; *hist.* serf
**poddaństwo** *n hist.* serfdom
**poddasze** *n* attic, garret
**podejmować** *vt* take up, undertake; (*np. gości*) entertain, receive; ~ **kroki** take steps; ~ **pieniądze** raise money; ~ **się** *vr* undertake (**czegoś** sth)
**podejrzany** *adj* suspect(ed); (*budzący podejrzenie*) suspicious
**podejrzenie** *n* suspicion
**podejrzewać** *vt* suspect (**kogoś o coś** sb of sth)
**podejrzliwie** *adv* suspiciously; **patrzeć** ~ look askance
**podejrzliwość** *f* suspiciousness
**podejrzliwy** *adj* suspicious
**podejście** *n* approach
**podejść** *vt* (*podstępnie*) circumvent, deceive; *vi zob.* **podchodzić**
**podeptać** *vt* trample under foot
**poderżnąć** *zob.* **podrzynać**
**podeszły** *adj*, ~ **wiekiem** aged, advanced in years
**podeszwa** *f* sole
**podjazd** *m* approach; (*droga do budynku*) drive(way)
**podjazdow|y** *adj*, **walka** ~**a** guerilla warfare

**podjąć** *vt* pick up; *zob.* **podejmować**
**podjechać** *vi* drive up, come riding
**podjudzać** *vt* abet, stir up
**podkleić** *vt* stick under
**podkład** *m* base, foundation; *kolej.* sleeper
**podkładać** *vt* put ⟨lay⟩ under
**podkładka** *f* pad, bolster
**podkop** *m* sap, subway
**podkopywać** *vt* undermine, sap
**podkowa** *f* (*końska*) horseshoe
**podkradać się** *vr* steal secretly
**podkreślać** *vt* underline; (*uwydatniać*) stress, lay stress
**podkręcać** *vt* twist up, screw up
**podkuwać** *vt* (*konia*) shoe; (*but*) tap
**podlatywać** *vi* fly up
**podlegać** *vi* be subject (**komuś, czemuś** to sb, sth); (*karze, podatkowi itp.*) be liable
**podległy** *adj* subject
**podlewać** *vt* water
**podlizywać się** *vr* fawn (**komuś** on, upon sb)
**podlotek** *m* young girl, *pot.* flapper, teen-ager
**podłoga** *f* floor
**podłość** *f* vileness
**podłoże** *n* substratum; (*podstawa*) base, background
**podłożyć** *zob.* **podkładać**
**podług** *praep* according to, after
**podłużny** *adj* oblong
**podły** *adj* vile, mean
**podmalować** *vt* ground, paint the background
**podmiejski** *adj* suburban
**podminować** *vt* undermine
**podmiot** *m* subject
**podmiotowy** *adj* subjective
**podmuch** *m* blast, puff
**podmywać** *vt* wash away, underwash; (*o rzece, morzu*) sap
**podniebienie** *n* palate
**podniecać** *vt* excite, incite, stir up (**do czegoś** to sth)
**podniecenie** *n* excitement; (*podnieta*) incitement
**podniesienie** *n* lifting, hoisting, elevation
**podnieść** *zob.* **podnosić**
**podnieta** *f* incitement, stimulus, incentive
**podniosłość** *f* sublimity
**podniosły** *adj* sublime, lofty
**podnosić** *vt* raise, lift, take up; (*z ziemi*) pick up; (*ręce*) hold up; (*kotwicę*) weigh; (*pieniądze, ceny, podatki itp.*) raise; (*w banku, zasiłek itp.*) draw; **~ bunt** raise a revolt; **~ na duchu** encourage, *pot.* buoy up; **~ zarzuty** level charges; *mat.* **~ do kwadratu** square, raise to the square; **~ się** *vr* rise, get up
**podnóż|e** *n* (*góry*) foot; **u ~a** at the foot
**podnóżek** *m* footstool
**podoba|ć się** *vr* please; **~ mi się tutaj** I like this place; **on mi się ~** I like him; **jak ci się to ~?** how do you like this?; **rób, jak ci się ~** do as you please; **weź, ile ci się ~** take as much ⟨many⟩ you please
**podobieństwo** *n* resemblance, likeness
**podobizna** *n* photo, image; likeness
**podobnie** *adv* likewise, alike; **~ jak** like
**podobno** *adv* I suppose that, I understand that; **on ~ wraca jutro** he is supposed to come back tomorrow
**podobny** *adj* similar (**do kogoś** to sb), like (**do kogoś** sb); **być ~m** resemble (**do kogoś** sb)
**podoficer** *m* *wojsk.* non-commissioned officer
**podołać** *vi* be up (**czemuś** to sth), manage (**czemuś** sth)
**podówczas** *adv* at that time
**podpadać** *vi* fall (**czemuś, pod coś** under sth)
**podpalacz** *m* incendiary
**podpalać** *vt* set fire (**coś** to sth), set on fire (**coś** sth)
**podpalenie** *n* arson
**podpałka** *f* kindling-wood

**podpatrywać** *vt* watch furtively, spy
**podpierać** *vt* support, prop
**podpinać** *vt* fasten, buckle up
**podpis** *m* signature; **złożyć ~** put one's signature (**na czymś** to sth)
**podpisa|ć** *vt* sign; subscribe (**pożyczkę** to a loan); **niżej ~ny** the undersigned
**podpora** *f* support, prop; *przen.* (*ostoja*) mainstay
**podporucznik** *m wojsk.* second lieutenant
**podporządkować** *vt* subordinate (**komuś, czemuś** to sb, sth); **~ się** *vr* conform, submit
**podpowiadać** *vt* prompt (**komuś** sb)
**podpórka** *f* support, prop
**podpułkownik** *m wojsk.* lieutenant-colonel
**podrabiać** *vt* forge
**podrastać** *vi* grow up
**podrażnić** *vt* excite, irritate
**podrażnienie** *n* excitement, irritation
**podręcznik** *m* handbook
**podręczn|y** *adj* (*znajdujący się pod ręką*) handy, at hand; **książka ~a** reference book
**podróbki** *s pl* pluck *zbior.*
**podróż** *f* travel, journey; (*krótka*) trip; (*morska*) voyage; **odbywać ~** make a journey
**podróżnik** *m* traveller
**podróżny** *m* traveller, passenger; *adj* travelling
**podróżować** *vi* travel
**podrygi** *s pl* gambols
**podrygiwać** *vi* gambol, skip
**podrywać** *vt* pull down; jerk; *przen.* sap; *pot.* (*np. dziewczynę*) pick up
**podrzeć** *vt* tear up
**podrzędny** *adj gram.* subordinate; (*drugorzędny*) second-rate
**podrzucać** *vt* throw up, toss; (*np. ulotkę, dokument*) foist; (*niemowlę*) expose
**podrzutek** *m* foundling
**podrzynać** *vt* undercut; **~ sobie gardło** cut one's throat
**podsądny** *m* accused, defendant
**podsekretarz** *m* undersecretary
**podskakiwać** *vi* jump, leap up, bounce; (*o cenach*) rise, shoot up; **~ z radości** leap for joy
**podskok** *m* jump, leap
**podskórn|y** *adj* subcutaneous, (*o zastrzyku*) hypodermic; **woda ~a** subsoil water
**podsłuch** *m* eavesdropping; (*telefoniczny*) wire-tapping; (*radiowy*) monitoring
**podsłuchiwać** *vt* overhear, eavesdrop; (*w radiu*) monitor
**podstarzały** *adj* aged, elderly
**podstaw|a** *f* base, basis; **na tej ~ie** on this ground; **na ~ie czegoś** on the ground of sth
**podstawić** *vt* put under; substitute (**coś na miejsce czegoś** sth for sth)
**podstawow|y** *adj* fundamental, essential; **szkoła ~a** elementary school
**podstęp** *m* trick
**podstępny** *adj* tricky, trickish
**podsumować** *vt* sum up
**podsunąć** *vt* shove, slip; (*wsunąć ukradkiem*) foist; (*myśl*) suggest
**podsycać** *vt* foment, excite; (*ogień*) feed, blow
**podszeptywać** *vt* whisper furtively; (*podsunąć*) prompt (**komuś pomysł** sb with an idea), suggest
**podszewka** *f* lining
**podszycie** *n* (*lasu*) undergrowth
**podszyć** *vt* (*ubranie*) line; **~ się** *vr* pretend to be (**pod kogoś** sb), assume the character (**pod kogoś** of sb)
**podścielić** *vt* underlay, litter
**podściółka** *f* underlay, litter
**podświadomość** *f* subconsciousness
**podświadomy** *adj* subconscious
**podtrzymywać** *vt* support; (*stosunki, poglądy itp.*) maintain; (*życie, nastrój*) sustain; *przen.* (*bronić kogoś, czyjejś sprawy*) advocate
**podupad|ać** *vi* decline, go down;

~**ać na siłach** break up; ~**ł na zdrowiu** his health broke down
**poduszczeni|e** *n* abetment, instigation; **z czyjegoś** ~**a** at sb's instigation
**poduszka** *f* (*pościelowa*) pillow; (*ozdobna*) cushion; ~ **do stempli** ink-pad
**podwalina** *f* foundation
**podważyć** *vt* lever; (*łomem*) lift up; *przen.* (*osłabić*) weaken, sap, shake
**podwiązać** *vt* tie up, bind up
**podwiązka** *f* garter, suspender
**podwieczorek** *m* afternoon tea
**podwieźć** *vt* (*dostarczyć*) supply; ~ **kogoś (samochodem, autem)** give sb a lift
**podwinąć** *vt* turn up, tuck up
**podwładny** *adj i sm* subordinate
**podwodn|y** *adj* underwater *attr*, submarine; *mors.* **łódź** ~**a** submarine
**podwoić** *vt* double
**podwozie** *n* chassis
**podwójnie** *adv* doubly, twofold
**podwójn|y** *adj* double, twofold; ~**a gra** double-dealing
**podwórze** *n* (court-)yard
**podwyżka** *f* augmentation; (*cen*) rise; (*płacy*) increase
**podwyższać** *vt* raise, heighten; lift; (*powiększać*) increase
**podwyższenie** *n* elevation
**podzelować** *vt* sole
**podzia|ć** *vt* put somewhere, misplace, lose; ~**ć się** *vr* be misplaced, go lost; **gdzie się to** ~**ło?** what's become of it?
**podział** *m* division, partition; ~ **godzin** timetable
**podziałka** *f* scale
**podzielać** *vt* share
**podzielić** *vt* divide; ~ **się** *vr* share; ~ **się z kimś wiadomościami** impart news to sb
**podzielny** *adj* divisible
**podziemie** *n* underground
**podziemny** *adj* underground, subterranean
**podziękować** *zob.* **dziękować**
**podziękowanie** *n* thanks *pl*
**podziw** *m* admiration
**podziwiać** *vt* admire
**podzwrotnikowy** [-d-z-] *adj* tropical
**podżegacz** *m* abetter; ~ **wojenny** war-monger
**podżegać** *vt* abet, instigate
**poemat** *m* poem
**poeta** *m* poet
**poetka** *f* poet, poetess
**poetycki** *adj* poetic(al)
**poezja** *f* poetry
**pogadać** *vi pot.* (*także* ~ **sobie**) have a chat
**pogadanka** *f* chat; (*popularny wykład*) talk
**poganiacz** *m* driver
**poganiać** *vt* drive; urge, push on
**poganin** *m* heathen, pagan
**pogański** *m* heathen, pagan
**pogaństwo** *n* paganism
**pogard|a** *f* contempt, disdain; **godny** ~**y** contemptible
**pogardliwy** *adj* contemptuous, disdainful
**pogardzać** *vt* despise, disdain
**pogarszać** *zob.* **pogorszyć**
**pogawędka** *f* chat, talk
**pogawędzić** *vi* (*także* ~ **sobie**) have a chat
**pogląd** *m* view, opinion
**poglądow|y** *adj*, **lekcja** ~**a** object-lesson
**pogłaskać** *vt* stroke, caress
**pogłębiać** *vt* deepen
**pogłosk|a** *f* rumour; **chodzą** ~**i** it is rumoured
**pogoda** *f* weather; *przen.* (*ducha*) serenity
**pogodny** *adj* fair; (*na duchu*) serene, cheerful
**pogodzenie (się)** *n* conciliation, reconciliation
**pogodzić** *vt* reconcile; ~ **się** *vr* reconcile oneself (**z kimś** with sb, **z czymś** to sth), become reconciled
**pogoń** *f* chase (**za kimś** after sb), pursuit (**za kimś** of sb)
**pogorszenie** *n* change for worse, deterioration

**pogorszyć** *vt* make worse, worsen, deteriorate; ~ **się** *vr* become worse, deteriorate

**pogorzelec** *m* victim of a fire

**pogotowi|e** *n* readiness; (*instytucja*) emergency service; **karetka ~a** ambulance; **~e milicyjne** emergency police squad; **~e ratunkowe** medical emergency service; **być w ~u** be on the alert

**pogranicze** *n* borderland

**pograniczn|y** *adj* border-, frontier-, bordering; **miasto ~e** frontier-town; **teren ~y** border-territory

**pogrążyć** *vt* sink, plunge; ~ **się** *vr* sink, plunge; *przen.* become absorbed; ~ **się w żalu** be overwhelmed by sorrow

**pogrobowiec** *m* posthumous child

**pogrom** *m* pogrom; (*rozbicie wojsk*) rout

**pogromca** *m* conqueror; (*zwierząt*) tamer

**pogróżka** *f* threat

**pogrzeb** *m* funeral, interment, burial

**pogrzebacz** *m* poker

**pogrzebać** *zob.* **grzebać**

**pogrzebowy** *adj* funeral; **orszak ~** funeral procession

**pogwałcenie** *n* violation

**pogwałcić** *vt* violate

**poić** *vt* drink; (*konie*) water

**pojawić się** *vr* appear, turn up, make one's appearance

**pojazd** *m* vehicle, conveyance

**pojąć** *vt* comprehend, grasp; ~ **za męża** ⟨**za żonę**⟩ take as a husband ⟨as a wife⟩; take in marriage

**pojechać** *vi* go (**dokądś** to a place), leave (**dokądś** for a place)

**pojednać** *vt* reconcile; ~ **się** *vr* reconcile oneself, become reconciled

**pojednanie** *n* reconciliation

**pojednawczy** *adj* conciliatory

**pojedynczo** *adv* singly, one by one

**pojedynczy** *adj* single; *gram.* singular

**pojedynek** *m* duel; **wyzwać na ~** challenge to a duel

**pojedynkować się** *vr* duel, fight a duel

**pojemnik** *m* container

**pojemność** *f* capacity

**pojemny** *adj* capacious

**pojęcie** *n* idea, notion; **to przechodzi moje ~** it passes my comprehension

**pojętność** *f* comprehension, apprehension

**pojętny** *adj* quick of apprehension, clever

**pojmać** *vt* seize, catch

**pojmować** *vt* comprehend, apprehend, grasp

**pojmowanie** *n* comprehension, apprehension

**pojutrze** *adv* the day after tomorrow

**pokarm** *m* food, nourishment

**pokarmowy** *adj* alimentary; **przewód ~** alimentary canal

**pokaz** *m* show; display; ~ **lotniczy** air display; **na ~** for show

**pokazywać** *vt* show, display, demonstrate; (*wskazywać*) point (**na kogoś** at sb); ~ **się** *vr* appear, come into sight

**pokaźny** *adj* considerable; showy, stately

**pokątny** *adj* clandestine; (*nielegalny*) unlicensed, illegal

**poker** *m* (*gra*) poker

**poklask** *m* applause

**pokła|d** *m* layer; *mors.* deck; **na ~d, na ~dzie** on board, aboard

**pokładać** *vt* lay, place; *przen.* ~ **nadzieję** set hopes (**w kimś, czymś** on sb, sth)

**pokłon** *m* bow, homage

**pokło|nić się** *vr* bow; **~ń mu się ode mnie** present him my compliments, give him my regards

**pokłosie** *n* gleaning; *przen.* (*plon*) aftermath

**pokłócić** *vt* set at variance; ~ **się** *vr* fall out (**z kimś** with sb), *pot.* fall to ⟨at⟩ loggerheads

**pokochać** *vt* fall in love (**kogoś** with sb), become fond (**kogoś, coś** of sb, of sth)

**pokojowy** *adj* peace *attr*, peaceful; (*znajdujący się w pokoju*) indoor; **okres ~** peace-time; **układ ~** peace treaty; **piesek ~** lap dog
**pokojówka** *f* chamber-maid
**pokolenie** *n* generation
**pokonać** *vt* (*pobić*) defeat; (*przemóc*) overcome, (*trudności*) surmount; **~ odległość** cover a distance
**pokora** *f* humility
**pokorny** *adj* humble
**pokost** *m* varnish
**pokostować** *vt* varnish
**pokój** *f* peace; (*pomieszczenie*) room; **~ stołowy** dining-room; **~ sypialny** bedroom; **pokoje do wynajęcia** rooms to let; **Światowa Rada Pokoju** World Peace Council; **światowy ruch pokoju** world peace movement; **zawierać ~** make peace
**pokrewieństwo** *n* relationship, affinity
**pokrewny** *adj* related (**komuś** to sb), (*duchowo*) congenial (**komuś** sb, with sb)
**pokrowiec** *m* cover, dust-cloth
**pokr|ój** *m*; **innego ~oju** of another cast; **tego ~oju** of this stamp
**pokrótce** *adv* in short, briefly
**pokrycie** *n* (*także fin.*) cover, covering; **~ w złocie** gold backing
**pokryć** *vt* cover; (*koszty*) defray
**po kryjomu** *adv* stealthily, secretly
**pokrywa** *f* cover, lid
**pokrywać** *vt zob.* **pokryć**; **~ się** *vr* be covered; *przen.* (*zbiegać się*) coincide
**pokrzepiać** *vt* invigorate, strengthen; refresh; **~ na duchu** fill with high spirits, cheer; **~ się** *vr* refresh oneself
**pokrzepienie** *n* refreshment; invigoration; (*duchowe*) encouragement
**pokrzywa** *f bot.* nettle
**pokrzywka** *f med.* nettle-rash
**pokupny** *adj* saleable, in great demand
**pokusa** *f* temptation; **~ mnie bierze** I fell tempted
**pokusić się** *vr* attempt, venture (**o coś** sth)
**pokut|a** *f* penance, penitance; **odprawiać ~ę** do penance
**pokutować** *vi* do penance; *przen.* (*trwać nadal*) linger on
**pokwitować** *vt* receipt
**pokwitowanie** *n* receipt
**Polak** *m* Pole
**polana** *f* glade, clearing
**polano** *n* billet
**polarn|y** *adj* polar; **gwiazda ~a** pole-star
**polaryzacja** *f* polarization
**pole** *n* field; **~ bitwy** battlefield; **~ widzenia** field of vision; *przen.* **wywieść w ~** jockey, hoax
**polec** *vi* fall, be killed
**polec|ać** *vt* recommend; (*powierzać*) commend; *handl.* (*zlecać*) command; **list ~ający** letter of introduction; **list ~ony** registered letter
**polecenie** *n* recommendation; *handl.* (*zlecenie*) command; **~ wypłaty** order of payment
**polega|ć** *vi* consist (**na czymś** in sth); rely, depend (**na kimś, czymś** on sb, sth); **na nim można ~ć** he can be relied upon; **nasze zadanie ~ na wspólnym wysiłku** our task consists in a common effort; **rzecz ~ na czymś innym** the matter consists in sth else, the point of the matter is different
**polemiczny** *adj* polemic(al)
**polemika** *f* polemics
**polepsz|ać** *vi* improve, make better; **~ać się** *vr* improve, grow better; (*o zdrowiu*) **~yło mu się** he is better
**polerować** *vt* polish
**polewa** *f* glaze, enamel
**polewaczka** *f* watering-can
**polewać** *vt* (*wodą*) water; (*pokrywać glazurą*) glaze

**polędwica** *f* loin
**policja** *f* police
**policjant** *m* policeman
**policzek** *m* cheek, face; (*uderzenie w twarz*) slap; **wymierzyć komuś ~** slap sb's face
**polisa** *f* insurance policy
**politechniczny** *adj* polytechnic(al)
**politechnika** *f* polytechnical school, engineering college
**politowanie** *n* pity, mercy
**politura** *f* polish
**politurować** *vt* polish
**polityczny** *adj* political
**polityk** *m* politician
**polityka** *f* (*taktyka*) politics; (*kierunek postępowania, dyplomacja*) policy
**polka** *f* (*taniec*) polka; **Polka** Pole, Polish woman
**polon** *m chem.* polonium
**polonez** *m* (*taniec*) polonaise
**polor** *m* lustre, gloss; (*ogłada*) refinement
**polot** *m* imaginativeness, enthusiasm
**polować** *vi* hunt, chase (**na zwierzynę** the deer); shoot; *pot.* (*poszukiwać*) hunt (**na kogoś, coś** sb, sth)
**polowanie** *n* chase, hunting; **iść na ~** go hunting
**polski** *adj* Polish
**polszczyzn|a** *f* Polish (language); **mówić i pisać dobrą ~ą** speak and write good Polish
**polubić** *vt* take a liking (**kogoś, coś** for ⟨to⟩ sb, sth)
**polubowny** *adj* arbitral; **sąd ~** arbitration
**poła** *f* skirt
**połać** *f* stretch of land, expanse
**poławiacz** *m* fisherman, diver; **~ pereł** pearl-diver; **~ min** mine-sweeper
**połączeni|e** *n* connexion (*także kolejowe*); union; fusion; **w ~u z czymś** in connexion with sth
**połączyć** *vt* connect; unite; (*telefonicznie*) put through (**z kimś** to sb); **~ się** *vr* unite; become connected; (*telefonicznie*) get through (**z kimś** to sb)
**połow|a** *f* half; (*środek*) middle; **~a roku** half a year; **w ~ie marca** in the middle of March; **na ~ę** by half; **za ~ę ceny** at half price
**połowica** *f, pot.* **moja ~** my better half
**połowiczny** *adj* half; partial
**położeni|e** *n* situation; (*zw. trudne*) plight; **w ciężkim ~u** in sad ⟨sorry⟩ plight
**położna** *f* midwife
**położyć** *vt* lay (down), place, put; *przen.* **~ koniec** put an end (**czemuś** to sth); **~ trupem** kill; **~ życie** sacrifice one's life; **~ się** *vr* lie down, go to bed; *zob.* **kłaść**
**połóg** *m* delivery, childbirth
**połów** *m* catch (**ryb** of fish), fishing; (*wynik połowu, ryby w sieci*) haul; **~ pereł** pearl-fishing; *przen.* **obfity ~** large booty
**południe** *n* midday, noon; **w ~** at noon; (*strona świata*) south; **na ~ od ...** to the south of ...; **przed ~m** in the morning, in the forenoon
**południk** *m* meridian
**południowo-wschodni** *adj* south-eastern
**południowo-zachodni** *adj* south-western
**południow|y** *adj* southern, south; **~a pora** noontide
**połykać** *vt* swallow
**połysk** *m* lustre, glitter, gloss, polish
**połyskiwać** *vi* glitter
**pomadka** *f* chocolate cream; **~ do ust** lipstick
**pomagać** *vi* help, aid, assist; be good, be of use (**na coś** for sth); **co to pomoże?** what's the use of it?; **płacz nic nie pomoże** it's no use crying
**pomału** *adv* slowly, little by little
**pomarańcza** *f* orange

**pomarszczony** *adj* wrinkled
**pomawiać** *vt* impute (**kogoś o coś** sth to sb), charge (**kogoś o coś** sb of sth)
**pomazać** *vt* smear over, besmear
**pomiar** *m* measurement; (*geodezyjny*) survey
**pomiarkować się** *vr* become aware (**co do czegoś** of sth)
**pomiatać** *vi* disdain, spurn (**kimś** sb)
**pomidor** *m* tomato
**pomieszać** *vt* mix up, stir up; (*wprowadzić zamęt*) confuse; ~ **komuś szyki** thwart sb's designs; *zob.* **mieszać**
**pomieszani|e** *n* confusion; ~**e zmysłów** insanity; **dostać** ~**a zmysłów** go mad
**pomieszczenie** *n* place, lodging, accomodation
**pomieścić** *vt* put, place; (*mieścić w sobie*) contain; (*dać mieszkanie, nocleg*) lodge, accomodate
**pomiędzy** *zob.* **między**
**pomija|ć** *vt* pass over, omit, overlook; ~**ć milczeniem** pass over in silence; ~**jąc ...** apart from ...
**pomimo** *praep* in spite of
**pomniejszać** *vt* diminish, belittle
**pomniejszy** *adj* minor, petty
**pomnik** *m* monument
**pomny** *adj* mindful (**czegoś** of sth)
**pomoc** *f* help, aid, assistance; *sport* half-back; ~ **domowa** maid-servant; ~**e naukowe** instructional aids; **udzielenie pierwszej** ~**y** first-aid treatment; **przyjść komuś z** ~**ą** come to sb's help; **wzywać kogoś na** ~ call on sb for help; **przy** ~**y** ⟨**za** ~**ą**⟩ **czegoś** with the aid ⟨by means, through the medium⟩ of sth; **przy** ~**y kogoś** with aid ⟨help⟩ of sb
**pomocnica** *f* (female) assistant
**pomocniczy** *adj* auxiliary
**pomocnik** *m* assistant
**pomocny** *adj* helpful
**pomorski** *adj* Pomeranian
**pomost** *m* platform; (*ze statku*) gangway
**pomóc** *zob.* **pomagać**
**pomór** *m* pestilence; (*u bydła*) murrain
**pompa** 1. *f techn.* pump; ~ **ssąca** suction pump
**pomp|a** 2. *f* (*wystawność*) pomp; **z wielką** ~**ą** in great state
**pompatyczny** *adj* pompous
**pompować** *vt* pump
**pomsta** *f* revenge
**pomstować** *vi* swear (**na coś** at sth)
**pomyje** *spl* slops
**pomylić się** *vr* make a mistake, commit an error, be mistaken (**co do kogoś, czegoś** about sb, sth)
**pomyłk|a** *f* mistake, error; **przez** ~**ę** by mistake
**pomysł** *m* idea
**pomysłowość** *f* ingenuity
**pomysłowy** *adj* ingenious
**pomyślność** *f* prosperity, success
**pomyślny** *adj* successful, favourable; (*o wietrze*) fair; ~ **skutek** good effect
**pomywaczka** *f* scullery-maid
**ponad** *praep* above; ~ **miarę** beyond measure; ~ **moje siły** beyond my power
**ponadto** *adv* moreover; besides; in addition
**ponaglać** *vt* urge, press
**ponaglenie** *n* urgency; (*pismo*) reminder
**poncz** *m* punch
**ponętny** *adj* alluring, enticing, attractive
**poniechać** *vt* give up, abandon
**poniedziałek** *m* Monday
**poniekąd** *adv* to some degree
**ponieść** *zob.* **ponosić**
**ponieważ** *conj* because, as, since
**poniewczasie** *adv* too late
**poniewierać** *vt* disregard; maltreat
**poniewierka** *f* miserable life; neglect
**poniżać** *zob.* **poniżyć**
**poniżej** *praep* under, below; *adv* underneath, below
**poniżenie** *n* humiliation, abasement
**poniższy** *adj* undernamed, undermentioned

**poniżyć** *vt* bring down, lower; degrade; abase, humble; **~ się** *vr* degrade oneself, humble oneself

**ponosić** *vt* carry (away); (*o uczuciach, namiętnościach*) transport; **~ koszty ⟨odpowiedzialność⟩** bear the expenses ⟨the responsibility⟩; **~ karę śmierci ⟨śmierć, stratę⟩** suffer the death penalty ⟨death, a loss⟩; **~ klęskę** sustain ⟨suffer⟩ a defeat

**ponowić** *vt* renew; (*powtarzać*) repeat

**ponownie** *adv* anew, again

**ponowny** *adj* repeated, new, another

**ponton** *m* pontoon

**ponury** *adj* gloomy

**pończoch|a** *f* stocking; **~y bez szwu** seamless stockings

**pończosznictwo** *n* hosiery

**poobiedni** *adj* after-dinner *attr*

**po omacku** *adv* gropingly; **iść ~** grope one's way; **szukać ~** grope (**czegoś** for sth)

**poparcie** *n* support; **na ~** in support (**czegoś** of sth)

**popas** *m* bait

**popaść** *vi* fall; **~ w kłopoty ⟨długi⟩** get into trouble ⟨debts⟩; **~ w nieszczęście** fall into misfortune

**popelina** *f* poplin

**popełnić** *vt* commit

**popęd** *m* impulse; inclination; **~ płciowy** sex instinct; **z własnego ~u** of one's own free will

**popędliwość** *f* impetuosity

**popędliwy** *adj* impetuous

**popędzać** *vt* drive on, urge

**popielaty** *adj* ashen, grey

**popielec** *m* Ash-Wednesday

**popielniczka** *f* ash-tray

**popierać** *vt* support, back

**popiersie** *n* bust

**popijać** *vt vi* (*małymi łykami*) sip; (*nałogowo*) tipple

**popiół** *m* ashes *pl*, cinders *pl*

**popis** *m* display, show

**popisowy** *adj* exemplary, show *attr*, model *attr*

**popisywać się** *vr* display (**czymś** sth), show off (**czymś** sth)

**poplecznik** *m* supporter, adherent

**popłaca|ć** *vi* pay; **to nie ~** it does not pay, there is no money in it

**popłatny** *adj* profitable, paying

**popłoch** *m* panic

**popołudni|e** *n* afternoon; **po ~u** in the afternoon

**poprawa** *f* improvement

**poprawczy** *adj* corrective; **dom ~** penitentiary, reformatory

**poprawiać** *vt* correct, improve; (*ustawę, tekst*) amend; **~ się** *vr* improve; (*moralnie*) mend one's ways; (*na zdrowiu*) get better, improve

**poprawka** *f* correction; *prawn.* amendment; (*egzamin*) repeated examination

**poprawność** *f* correctness

**poprawny** *adj* correct

**po prostu** *adv* simply; plainly; **mówiąc ~** to be plain

**poprzeczka** *f sport* cross-bar

**poprzecznie** *adv* crosswise

**poprzeczny** *adj* transversal

**poprzedni** *adj* previous, preceding; **~ego dnia** the day before

**poprzednik** *m* predecessor

**poprzednio** *adv* previously, formerly

**poprzedzać** *vt* precede, go before; **~ przedmową** preface

**poprzek, w ~** *adv* crosswise, athwart, across

**poprzestać** *vi* be satisfied (**na czymś** with sth); **na tym nie można ~** the matters cannot rest there

**poprzez** *praep* across, through

**popularność** *f* popularity

**popularny** *adj* popular

**popularyzować** *vt* popularize

**popuszczać** *vt* slacken, loosen, let loose; relax; (*folgować*) indulge (**komuś w zachciankach** sb in his whims); **~ wodze swej fantazji** give reins ⟨give full rein⟩ to one's imagination; **~ pasa** loosen one's belt

**popychać** *vt* push; **~ się** *vr* push on, jostle

**popychadło** *n* drudge

**popyt** *m* demand (na coś for sth); ~ **i podaż** demand and supply
**por 1.** *m anat.* pore
**por 2.** *m bot.* leek
**por|a** *f* season, time; **~a obiadowa** dinner time; **4 ~y roku** 4 seasons of the year; **do tej ~y** till now, up to this time; **o każdej porze** at any time; **w ~ę** in good time
**porabia|ć** *vi*, **co ~sz?** what are you doing?
**porachunek** *m* reckoning, settling of accounts
**porad|a** *f* advice, counsel; **udzielić ~y** give advice; **zasięgnąć czyjejś ~y** take sb's advice; **za czyjąś ~ą** on sb's advice
**poradnia** *f* (*lekarska*) clinic for outpatients, dispensary
**poradnik** *m* guide-book, vade-mecum
**poranek** *m* morning
**poranny** *adj* morning *attr*
**porastać** *vi* get overgrown, become grown over; *przen.* ~ **w pierze** feather one's nest
**porazić** *vt* strike; paralyze; defeat
**porażenie** *n* stroke, paralysis; ~ **słoneczne** sunstroke
**porażka** *f* defeat
**porcelana** *f* china
**porcja** *f* portion, share
**poręcz** *f* banister, handrail; (*u krzesła*) arm; *pl* **~e** *sport* parallel bars
**poręczenie** *n* surety, guarantee
**poręczny** *adj* handy
**poręczyciel** *m* guarantee, guarantor; *prawn.* guaranty
**poręczyć** *zob.* **ręczyć**
**poręka** *zob.* **poręczenie**
**pornografia** *f* pornography
**poronienie** *n med.* abortion, miscarriage
**poroniony** *adj* abortive
**porost** *m* growth
**porowaty** *adj* porous
**porozbiorowy** *adj* post-partition *attr*
**porozumieć się** *vr* come to an understanding (**z kimś** with sb); make oneself understood (**z kimś** by sb); combine (**żeby coś zrobić** to do sth); (*kontaktować* **się**) communicate (**z kimś** with sb)
**porozumieni|e** *n* understanding, agreement; **dojść do ~a** come to an agreement
**poród** *m* childbirth, delivery
**porównać, porównywać** *vt* compare
**porównanie** *n* comparison
**porównawczy** *adj* comparative
**poróżnić** *vt* set at variance; ~ **się** *vr* fall out (**z kimś** with sb)
**port** *m* port, harbour; ~ **lotniczy** airport; **komendant ~u** harbour-master
**porter** *m* porter, stout
**portfel** *m* wallet; *handl.* (*wekslowy*) portfolio
**portier** *m* porter, door-keeper
**portiernia** *f* porter's quarters
**portmonetka** *f* purse
**porto** *n* (*opłata*) postage
**portret** *m* portrait
**portretować** *vr* portray
**Portugalczyk** *m* Portuguese
**portugalski** *adj* Portuguese
**portyk** *m* portico
**poruczać** † *vt* charge (**komuś coś** sb with sth); entrust (**komuś coś** sb with sth, sth to sb); ~ **czyjejś opiece** commit to sb's care
**poruczenie** *n* commission, charge
**porucznik** *m* lieutenant
**poruszać** *vt* move; stir; touch (**kwestię** upon a question); ~ **się** *vr* move, stir
**poruszenie** *n* movement, stir
**poryw** *m* impulse; (*zapał*) enthusiasm, rapture; ~ **wiatru** gust
**porywać** *vt* seize; snatch; carry off; (*kobietę*) ravish, rape; (*zw. dziecko*) kidnap; (*zachwycać*) enrapture; ~ **się** *vr* (*z miejsca*) start up; attempt (**na coś** sth)
**porywający** *adj* ravishing
**porywczy** *adj* rash
**porząd|ek** *m* order; **w ~ku** in (good) order; **nie w ~ku** out of order; **coś nie jest w ~ku** something is wrong with it; **przywo-**

**łać do ~ku** call to order; **zrobić ~ek** put in order
**porządkować** *vt* order, put in order
**porządkowy** *adj* ordinal
**porządny** *adj* well-ordered, neat; (*uczciwy*) honest, decent
**porzeczka** *f* currant
**porzucać** *vt* abandon, give up, leave
**posada** *f* situation, employment, post; (*podstawa*) foundation
**posadzić** *vt* set, seat; (*roślinę*) plant
**posadzka** *f* (parquet) floor
**posąg** *m* dowry
**posądzać** *vt* suspect (**kogoś o coś** sb of sth)
**posądzenie** *n* suspicion (**o coś** of sth)
**posąg** *m* statue
**posążek** *m* statuette
**poselstwo** *n* legation; mission
**poseł** *m* (*pełnomocny*) envoy; (*członek deputacji*) deputy; (*posłaniec*) messenger; **~ do parlamentu** *bryt.* member of Parliament; *am.* representative
**posesja** *f* property, real estate
**posępny** *adj* gloomy
**posiadacz** *m* owner, man of property
**posiada|ć** *vt* possess, own; **nie ~ć się z radości** ⟨**z wściekłości**⟩ be beside oneself with joy ⟨fury⟩
**posiadłość** *f* property, possession
**posiąść** *vt* come into possession (**coś** of sth), get possession (**coś** of sth)
**posiedzenie** *n* sitting; **odbywać ~** hold a sitting
**posiew** *m* sowing; grain sown; *przen.* seeds *pl*
**posilać się** *vr* refresh oneself, get refreshed
**posił|ek** *m* meal, refreshment; (*pomoc*) *pl* **~ki** reinforcements
**posiłkować się** *vr* make use (**czymś** of sth)
**posiłkowy** *adj* auxiliary (*także gram.*)
**poskramiać** *vt* tame; (*konia*) break; (*wroga, namiętności*) subdue
**poskromiciel** *m* tamer
**posłać 1.** *vt* send, convey, dispatch
**posłać 2.** *vt*, **~ łóżko** make bed
**posłanie** *m* message, mission; (*pościel*) bed clothes, bedding
**posłaniec** *m* messenger
**posłuch** *m* obedience; **dać ~** give ear (**czemuś** to sth)
**posłuchać** *vi* (*usłuchać*) obey; (*przysłuchiwać się*) listen (**czegoś** to sth); (*o audycji*) listen in (**czegoś** to sth)
**posłuchanie** *n* audience; **otrzymać ~** be received in audience
**posługa** *f* service; (*domowa*) housework
**posługacz** *m* servant
**posługiwać się** *vr* make use (**czymś** of sth), use
**posłuszeństwo** *n* obedience
**posłuszny** *adj* obedient; **być ~m** obey
**posmak** *f* aftertaste
**pospolity** *adj* vulgar, common
**pospólstwo** *n* populace, mob
**posrebrzać** *vt* silver
**post** *m* fast; **Wielki Post** Lent
**posta|ć** *f* form, shape; figure; (*osoba*) person; (*kreacja*) character; **przybrać ~ć** take the form ⟨shape⟩; **w ~ci** in the shape (**czegoś** of sth)
**postanawiać** *vt vi* resolve, determine (**coś** on sth), make up one's mind
**postanowienie** *n* decision, resolution
**postawa** *f* (*pozycja, prezencja*) stature; (*ustosunkowanie się*) attitude
**postawić** *vt* set (up); (*budynek*) erect; (*np. warunek*) impose; (*pytanie*) put; **~ na swoim** carry one's point; **~ sobie zadanie** set oneself the task
**posterunek** *m* post, outpost; *wojsk.* sentry
**postęp** *m* progress, advance
**postępek** *m* act, action

**postępować** *vi* proceed, go on; (*zachowywać się*) behave (**w stosunku do kogoś** towards sb); deal (**z kimś** with sb); act (**zgodnie z czymś** up to sth)
**postępowanie** *n* advance; (*zachowanie się*) behaviour (**z kimś** towards sb), action; **~ sądowe** legal proceedings
**postępowy** *adj* progressive
**postny** *adj* fasten, fast, meatless
**postój** *m* stay, stop, halting-place; **~ taksówek** taxi-stand
**postrach** *m* terror, scare
**postradać** *vt* lose
**postronek** *m* rope; (*stryczek*) halter
**postronny** *adj* side *attr*, outside *attr*; alien, strange
**postrzał** *m* shot, gunshot-wound; (*ból*) crick
**postrzelić** *vt* wound by a shot
**postrzelony** *adj* wounded by a shot; (*szalony*) crazy
**postscriptum** *n nieodm.* postscript
**postulat** *m* postulate, demand
**postument** *m* pedestal
**posucha** *f* drought
**posunięcie** *n* move
**posuwać** *vt* move (forward), push on; *przen.* advance; **~ się** *vr* move (forward), go along; *przen.* advance, make progress
**posyłać** *zob.* **posłać**
**posyłk|a** *f* parcel, packet; (*sprawunek*) errand; **chodzić na ~i** run errands; **chłopiec na ~i** errand-boy
**posypywać** *vt* strew over, powder
**poszanowanie** *n* respect, esteem
**poszarpany** *adj* rugged, (*strzępiasty*) jagged; *zob.* **szarpać**
**poszczególnie** *adv* individually, one by one
**poszczególny** *adj* individual; respective; separate; particular; **każdy ~ wypadek** each particular case
**poszczerbiony** *adj* jagged; *zob.* **szczerbić**
**poszerzać** *vt* widen
**poszewka** *f* pillow-case
**poszkodowany** *adj* injured, damaged; **zostać ~m** incur damage
**poszlaka** *f* trace, indication
**poszlakowy** *adj*, **materiał ~** circumstantial evidence
**poszukiwacz** *m* searcher, researcher; prospector; **~ złota** gold-digger, gold-prospector
**poszukiwa|ć** *vt* search (**czegoś** for sth); seek (**czegoś** after sth), be in search (**czegoś** of sth); (*badać*) inquire (**czegoś** into sth); *prawn.* **~ć na kimś szkody** sue sb for damages; **~ny** sought after; wanted; (*o towarze*) in demand
**poszukiwanie** *n* search; (*naukowe*) research; **udać się na ~** go in search
**poszycie** *n* cover(ing); (*dachu*) thatch
**pościć** *vi* fast
**pościel** *f* bed-clothes
**pościg** *m* chase, pursuit
**pośladek** *m* buttock
**pośledni** *adj* inferior, mean
**poślizg** *m* slip, skid; **wpaść w ~** skid
**pośliznąć się** *vr* slip
**poślubić** *vt* marry
**pośmiertny** *adj* posthumous
**pośmiewisk|o** *n* derision; **przedmiot ~a** laughing-stock
**pośpiech** *m* haste, hurry, speed
**pośpieszyć (się)** *vi vr* hasten, hurry
**pośpiesznie** *adv* hurriedly
**pośpieszny** *adj* hasty; **pociąg ~** fast ⟨express⟩ train
**pośredni** *adj* indirect, mediate, middle
**pośrednictw|o** *n* mediation; **za ~em** through the medium
**pośredniczyć** *vi* mediate
**pośrednik** *m* mediator, intermediary; *handl.* middleman
**pośrodku** *adv* in the middle
**pośród** *praep* among(st), amid(st)
**poświadczać** *vt* attest, testify
**poświadczenie** *n* attestation, certificate
**poświęcać** *vt* devote; dedicate; (*czynić ofiary*) sacrifice; (*święcić*

*cić, wyświęcać*) consecrate; **~ się** *vr* sacrifice oneself; devote oneself
**poświęcenie** *n* devotion; (*ofiara*) sacrifice
**pot** *m* sweat, perspiration; **lekarstwo na ~y** sudorific; **w pocie czoła** by the sweat of one's brow
**potajemny** *adj* secret, clandestine
**potakiwać** *vi* say yes
**potas** *m chem.* potassium
**potaż** *m chem. techn.* potash
**potąd** *adv* (*o czasie*) till now; (*o miejscu*) down to here
**potem** *adv* afterwards
**potencjalny** *adj* potential
**potencjał** *m* potential
**potentat** *m* potentate
**potęga** *f* power, might; *mat.* power; **druga ~** second power, square
**potęgować** *vt* augment, heighten, raise; **~ się** *vr* increase, intensify
**potępiać** *vt* condemn; (*skazać na potępienie*) damn
**potępienie** *n* condemnation; damnation
**potężny** *adj* powerful, mighty
**potknąć się** *vr* stumble; *przen.* (*postąpić niewłaściwie*) make a slip
**potknięcie się** *n* stumbling; *przen.* (*niewłaściwy krok*) slip, lapse
**potoczny** *adj* current, common, familiar; **język ~** colloquial speech
**potoczysty** *adj* flowing, fluent
**potok** *m* stream; *przen.* **~ słów ⟨łez⟩** flood of words ⟨tears⟩
**potomek** *m* descendant
**potomność** *f* posterity
**potomstwo** *n* progeny, issue
**potop** *m* flood, deluge
**potrafić** *vi* know how to do, manage
**potraw|a** *f* dish, fare; **spis ~** bill of fare
**potrawka** *f* fricasseé
**potrącać** *vt* push, jostle; (*pieniądze*) knock off, deduct
**potrącenie** *n* push; (*sumy pieniężnej*) deduction
**po trochu** *adv* little by little
**potroić** *vt*, **~ się** *vr* treble
**potrójnie** *adv* threefold
**potrójny** *adj* threefold
**potrzask** *m* trap; **wpaść w ~** to be caught in a trap
**potrząsać** *vt* shake
**potrzeb|a 1.** *f* need, want; (*konieczność*) necessity; **nagła ~a** emergency; **~y życiowe** necessaries of life; **nie ma ~y** there is no need; **w razie ~y** in case of need
**potrzeba 2.** *v imper* it is needed, it is necessary; **tego mi ~** I need it; **nie ~ mówić** it is needless to say; **~ będzie dużo czasu, aby to skończyć** it will take long to finish it
**potrzebny** *adj* needed, wanted, necessary
**potrzeb|ować** *vt* need, want, be in need of; **będę ~ował dwóch godzin, aby to skończyć** it will take me two hours to finish it; **pociąg ~ uje dwóch godzin, aby tam dojechać** the train needs two hours to get there
**po trzecie** *adv* in the third place
**potulność** *f* submissiveness, docility
**potulny** *adj* submissive, docile
**poturbować** *vt* drub
**potwarca** *m* slanderer
**potwarz** *f* slander, calumny
**potwierdzać** *vt* confirm, corroborate; (*odbiór czegoś*) acknowledge
**potwierdzenie** *n* confirmation, corroboration; **~ odbioru** receipt, acknowledgement of the receipt
**potworność** *f* monstrosity
**potworny** *adj* monstrous
**potwór** *m* monster
**potyczka** *f* skirmish
**potykać się** *vr* (*walczyć*) skirmish; *zob.* **potknąć się**
**potylica** *f anat.* occiput
**pouczać** *vt* instruct
**pouczający** *adj* instructive
**pouczenie** *n* instruction

**poufałość** *f* intimacy, familiarity
**poufały** *adj* intimate, familiar
**poufny** *adj* confidential
**powabny** *adj* attractive, charming
**powaga** *f* gravity, seriousness; (*autorytet*) authority
**powalać** *vt* soil, dirty, make dirty; **~ się** *vr* dirty oneself, become dirty; soil (one's hands, face)
**powalić** *vt* knock down, overthrow, bring to the ground; **~ się** *vr* collapse
**powała** *f* ceiling
**poważać** *vt* respect, esteem
**poważanie** *m* respect, esteem; (*w liście*) **z ~m** yours truly, yours sincerely ⟨faithfully⟩; **z głębokim ~m** yours respectfully
**poważny** *adj* grave, serious, earnest; (*znaczny*) considerable; (*autorytatywny*) authoritative; (*o wieku*) advanced; **~ człowiek** (*wpływowy*) man of consequence; (*o kobiecie*) **w ~m stanie** in the family way
**powątpiewać** *vt* doubt (**o czymś** sth, about sth), be in doubt (**o czymś** about sth)
**powetować** *vt* make up (**sobie coś** for sth), compensate; **~ sobie stracony czas** make up for lost time
**powiadamiać** *vt* inform, let know
**powiadomienie** *n* information
**powiastka** *f* tale, story
**powiat** *m* district
**powić** *vt lit.* be delivered (**dziecko** of a child)
**powidła** *s pl* (plum) jam
**powiedzenie** *n* saying
**powie|dzieć** *vt* say; **że tak ~m, ~dzmy** so to say, say
**powieka** *f* eye-lid
**powielacz** *m techn.* mimeograph, duplicator; *elektr.* multiplier
**powielać** *vt* mimeograph, duplicate
**powiernica** *f* confidante
**powiernik** *m* confidant; *prawn.* trustee
**powierzać** *vt* confide, entrust
**powierzchnia** *f* surface; (*teren*) area
**powierzchowność** *f* superficiality; (*prezencja*) outward appearance
**powierzchowny** *adj* superficial; *przen.* shallow
**powiesić** *vt* hang (up); **~ się** *vr* hang oneself
**powieściopisarz** *m* novelist
**powieść 1.** *f* novel
**powieść 2.** *vt zob.* **wieść 2.**; **~ się** *vr*, **jemu się powiodło** he has been successful
**powietrz|e** *n* air; **na wolnym ~u** in the open air
**powietrzn|y** *adj* aerial; air; **droga ~a** airway; **linia ~a** airline; **drogą ~ą** by air
**powiew** *m* breath of wind, breeze; (*silny*) blast
**powiewać** *vi* blow; (*na wietrze*) stream; (*pomachać*) wave
**powiększać** *vt* enlarge, augment, increase, magnify; **~ się** *vr* increase; (*zw. o dochodach, majątku*) accrue
**powiększenie** *n* enlargement, increase
**powijaki** *s pl* swaddling-clothes
**powikłać** *vt* entangle, complicate
**powikłanie** *n* entanglement, complication
**powinien** *praed* **on ~** he should, he ought to; **ja ~em** I should, I ought to
**powinność** *f* duty
**powinowactwo** *n* affinity
**powinowaty** *adj* related; *s m* relation
**powinszowanie** *n* congratulation; **z ~m Nowego Roku** a happy New Year; **z ~m imienin ⟨urodzin⟩** many happy returns of this day
**powitanie** *n* welcome, salutation
**powlekać** *vt* cover
**powłoczka** *f* pillow-case
**powłoka** *f* cover; (*warstwa*) coat(ing)
**powodować** *vt* cause, bring about, effect; (*wywoływać*) provoke
**powodzenie** *n* success, prosperity
**powodzi|ć się** *vr* get on, prosper;

dobrze mi się ~ I am prospering, I am getting on well; nie ~ mu się he is not prospering, he is not doing well; źle mu się ~ he is doing badly; jak ci się ~? how are you doing?; how are you getting on?

**powojenny** *adj* post-war *attr*

**powolny** *adj* slow; (*uległy*) submissive, compliant

**powołanie** *n* call; (*pobór*) conscription; vocation (np. **do stanu duchownego** for the ministry)

**powoływać** *vt* call; (*na stanowisko*) appoint; (*do wojska*) call up; ~ **się** *vr* refer (**na kogoś, coś** to sb, sth)

**powonienie** *n* (sense of) smell

**powozić** *vt* drive

**powód** *m* cause, reason (**czegoś** of sth, **do czegoś** for sth); (*w sądzie*) plaintiff; **z powodu** by reason of, on account of, because of; **bez żadnego powodu** for no reason whatever

**powództwo** *n* complaint

**powódź** *f* flood

**powój** *m bot.* bindweed

**powóz** *m* carriage

**powracać** *vi* return, come back; ~ **do zdrowia** recover

**powrotny** *adj* recurrent; **bilet** ~ return ticket

**powroźnik** *m* rope-maker

**powr|ót** *m* return; **~ót do zdrowia** recovery; **na ~ót, z ~otem** back, again; **tam i z ~otem** to and fro

**powróz** *m* rope, cord

**powstanie** *n* coming into existence, formation, origin; (*zbrojne*) rising, insurrection; *biol.* ~ **gatunków** origin of species

**powstaniec** *m* insurgent

**powstawać** *vi* stand up, rise; (*zacząć istnieć*) come into existence, arise; ~ **zbrojne** rise up in arms; ~ **przeciw komuś** (*z inwektywą*) inveigh against sb

**powstawanie** *n* formation

**powstrzymanie** *m* repression, suppression, check

**powstrzymywać** *vt* restrain, keep back, check; ~ **kogoś od czegoś** keep sb from (doing) sth; ~ **się** *vr* refrain (**od czegoś** from sth, from doing sth)

**powszechny** *adj* universal, general; (*o szkole*) primary

**powszedni** *adj* every-day, daily, common; **chleb** ~ daily bread, **dzień** ~ workday

**powściągliwość** *f* restraint, temperance

**powściągliwy** *adj* restrained, temperate, self-controlled

**powtarzać** *vt* repeat

**po wtóre** *adv* secondly, in the second place

**powtórka** *f* repetition

**powtórnie** *adv* anew, again

**powtórny** *adj* repeated, second

**powtórzenie** *n* repetition

**powyżej** *adv* above

**powyższ|y** *adj* above, above-mentioned; **~a klauzula** the above clause

**powziąć** *vt* take, take up; form, frame, conceive; ~ **myśl** form ⟨conceive⟩ an idea; ~ **postanowienie** arrive at a decision; ~ **uchwałę** pass a resolution

**poza** 1. *f* pose, attitude

**poza** 2. *praep* beyond, behind; (*oprócz*) except, apart from; ~ **szkołą** away from school; ~ **tym** *adv* besides; **nikt** ~ **tym** nobody else

**pozagrobow|y** *adj*, **życie ~e** after-life, life hereafter

**pozbawiać** *vt* deprive (**kogoś czegoś** sb of sth); ~ **majątku** dispossess

**pozbywać się** *vr* get rid (**czegoś** of sth); (*strachu*) banish; (*nałogu*) abandon

**pozdr|awiać** *vt* greet, hail, salute; **~ów go ode mnie** give him my kind regards ⟨my love⟩

**pozdrowieni|e** *n* greeting, salutation; **serdeczne ~a** love

**pozew** *m* summons, writ

**poziom** *m* level

**poziomka** *f* (wild) strawberry

**poziomy** *adj* horizontal; *przen.* (*pospolity*) low, common

**pozłacać** *vt* gild

**pozłota** *f* gilding

**pozna|ć** *vt* become acquainted (**kogoś, coś** with sb, sth); (*rozpoznać*) recognize; **~ć się** *vr* (**z kimś**) make sb's acquaintance, become acquainted with sb; **~łem się z nim** I made his acquaintance; **~łem się na nim** I saw him through

**poznajomić** *vt* acquaint (**kogoś z kimś** sb with sb); **~ się** *vr* become acquainted

**poznani|e** *n* recognition, perception, knowledge; **zdolność ~a** perceptive faculty; **nie do ~a** out of all recognition

**poznawać** *zob.* **poznać**

**pozorny** *adj* apparent, seeming

**pozostać** *zob.* **pozostawać**

**pozostały** *adj* remaining, left; *chem.* residual; **~ przy życiu** surviving

**pozosta|wać** *vi* remain; stay behind; be left; **~wać przy swoim zdaniu** persist in one's opinion; **~wać w domu** stay at home; **~wać w łóżku** keep to one's bed; **nie ~je mi nic innego jak tylko...** there is nothing left for me but...; **niewiele mi ~je** I have not much left

**pozostawiać** *vt* leave; **~ za sobą** leave behind

**pozować** *vi* pose (**na kogoś** as sb), set oneself up (**na kogoś** as sb); **~ malarzowi do portretu** sit to a painter for one's portrait

**poz|ór** *m* appearance, pretence, pretext; **zachowywać ~ory** keep up appearances; **na ~ór** seemingly; **pod ~orem** under the pretence; **pod żadnym ~orem** under no account; **według wszelkich ~orów** to all appearances

**pozwać** *vt* summon

**pozwalać** *vt* allow, permit, let; **~ sobie** allow oneself; (*folgować sobie*) indulge (**na coś** in sth); **~ sobie na poufałość** take liberties (**z kimś** with sb); **mogę sobie na to pozwolić** I can afford it

**pozwany** *m prawn.* defendant

**pozwolenie** *n* permission

**pozycja** *f* position; (*zapis*) item, entry

**pozyskać** *vt* gain, win

**pozytyw** *m fot.* positive

**pozytywizm** *m* positivism

**pozytywny** *adj* positive

**pożałować** *vt* (*zlitować się*) take pity (**kogoś** on sb); (*odczuć żal*) regret, repent; (*poskąpić*) begrudge (**komuś czegoś** sb sth)

**pożar** *m* fire

**pożarn|y** *adj*, **straż ~a** fire-brigade

**pożądać** *vt* desire, covet

**pożądanie** *n* desire; (*żądza*) lust

**pożądany** *adj* desirable

**pożegnać** *vt* take leave (**kogoś** of sb); **~ się** *vr* say goodbye (**z kimś** to sb)

**pożegnalny** *adj* farewell *attr*, parting

**pożegnanie** *n* leave-taking, leave, farewell

**pożerać** *vt* devour

**pożoga** *f* fire, conflagration

**pożreć** *zob.* **pożerać**

**pożyci|e** *n* life; **~e małżeńskie** married life; **~e z ludźmi** social life; **trudny w ~u** hard to live with

**pożyczać** *vt* (*komuś*) lend; (*od kogoś*) borrow

**pożyczk|a** *f* loan; **udzielać ~i** grant a loan

**pożyteczność** *f* utility, usefulness

**pożyteczny** *adj* useful

**pożyt|ek** *m* use, utility, profit; **odnosić ~ek** derive an advantage (**z czegoś** from sth); **jaki z tego ~ek?** what's the use of it?

**pożywić** *vt* nourish, feed; **~ się** *vr* refresh oneself

**pożywienie** *n* nourishment, refreshment food

**pożywka** *f* nutrient, nourishing substance

**pożywny** *adj* nutritious, nourishing
**pójść** *zob.* **iść**
**póki** *zob.* **dopóki**
**pół** *num* half; demi-, semi-; **~ ceny** half-price; **~ do drugiej** half past one; **~ na ~** half-and-half; **~ roku** half a year; **~żywy** half-alive; **dzielić się na ~** go halves
**półbucik** *m* low shoe
**półfabrykat** *m* half-finished product, semifacture
**półfinał** *m sport* semifinal
**półgłosem** *adv* half aloud
**półgłówek** *m* half-wit
**półinteligent** *m* half-educated man
**półka** *f* shelf; (*na bagaż, narzędzia*) rack; **~ na książki** book-shelf
**półkole** *n* semi-circle
**półksiężyc** *m* half-moon; *poet.* crescent; (*godło islamu*) crescent
**półkula** *f* hemisphere
**półmisek** *m* dish
**półmrok** *m* twilight
**północ** *f geogr.* north; (*pora doby*) midnight; **na ~** to the north (**od Warszawy** of Warsaw); **na ~y** in the north; **o ~y** at midnight
**północno-wschodni** *adj* north-eastern
**północno-zachodni** *adj* north-western
**północny** *adj* north, northern; midnight
**półroczny** *adj* half-yearly
**półświatek** *m* demi-monde
**półtora** *num* one and a half
**półurzędowy** *adj* semi-official
**półwysep** *m* peninsula
**póty** *zob.* **dopóki**
**później** *adv* later (on), afterwards; **prędzej czy ~** sooner or later
**późno** *adv* late
**późny** *adj* late
**prababka** *f* great grandmother
**prac|a** *f* work; (*zatrudnienie*) job; (*trud*) labour; **~a akordowa** piece-work; **~a dniówkowa** time-work; **partia ~y** Labour Party; **świat ~y** labour; **warunki ~y** working conditions; **bez ~y** out of work; *przen.* **syzyfowa ~a** Sisyphean labours
**pracodawca** *m* employer
**pracować** *vi* work
**pracowitość** *f* industry
**pracowity** *adj* industrious, laborious
**pracownia** *f* workshop; laboratory
**pracownik** *m* worker; **~ fizyczny ⟨umysłowy⟩** manual ⟨intellectual⟩ worker
**praczka** *f* washerwoman
**prać** *vt* wash
**pradziad** *m* great grandfather; (*przodek*) ancestor
**pragnący** *adj* desirous (**czegoś** of sth); (*spragniony*) thirsty
**pragnąć** *vt vi* desire; be desirous (**czegoś** of sth); † (*być spragnionym*) be thirsty
**pragnienie** *n* desire; thirst; **mieć ~** be thirsty
**praktyczny** *adj* practical
**praktyk** *m* practitioner
**praktyk|a** *f* practice; training, apprenticeship; **odbywać ~ę** serve one's apprenticeship, undergo training
**praktykant** *m* apprentice; (*kandydat przyjęty na próbę*) probationer
**praktykować** *vt vi* (*uprawiać praktykę*) practise; (*odbywać praktykę*) get practical training, be bound apprentice
**pralinka** *f* praline
**pralka** *f* washing-machine
**pralnia** *f* wash-house; (*pomieszczenie*) laundry; **~ chemiczna** dry-cleaning shop, dry-cleaner's
**prałat** *m* prelate
**pranie** *n* washing
**praojciec** *m* ancestor
**prasa** *f* press; (*drukarnia*) printing-machine
**prasować** *vt* press; (*bieliznę, ubranie*) iron, press

**prasow|y** *adj*, **kampania ~a** press campaign
**prawda** *f* truth; **to ~** that's true
**prawdomówność** *f* truthfulness, veracity
**prawdomówny** *adj* truthful, veracious
**prawdopodobieństw|o** *n* probability; **według wszelkiego ~a** in all probability
**prawdopodobnie** *adv* probably; **on ~ powróci** he is likely to come back
**prawdopodobny** *adj* probable, likely
**prawdziwie** *adv* indeed, truly
**prawdziwość** *f* genuineness, authenticity, reality, truth
**prawdziwy** *adj* true, genuine, real, authentic
**prawica** *f* right hand; *polit.* the Right
**prawić** *vt vi* discourse, talk; **~ kazanie** sermonize, lecture (**komuś** sb); **~ komplementy** pay compliments
**prawidło** *n* rule; (*do butów*) boot-tree
**prawidłowość** *f* regularity
**prawidłowy** *adj* regular, correct
**prawie** *adv* almost, nearly; **praca jest ~ skończona** the work is as well as done; **~ nigdy** hardly ever; **~ tej samej wielkości** about the same size
**prawniczy** *adj* juridical; **wydział ~** Faculty of Law
**prawnie** *adv* (*na mocy prawa*) by right; by law; rightfully, lawfully
**prawnik** *m* lawyer
**prawnuczka** *f* great granddaughter
**prawnuk** *m* great grandson
**prawny** *adj* legal, lawful; (*prawnie należny*) rightful
**prawo 1. na ~** *adv* on the right, to the right
**prawo 2.** *n* right; (*przedmiotowe, ustawa*) law; **~ autorskie** copyright; **~ głosowania** voting right; **~ jazdy** driving-licence; **~ własności** right of possession; **~ zwyczajowe** common law; **mieć ~** have the right; **odwołać się do prawa** go to law; **studiować ~** read law; **wyjąć spod prawa** outlaw
**prawodawczy** *adj* legislative
**prawodawstwo** *n* legislation
**prawomocność** *f* validity, legal force
**prawomocny** *adj* valid
**prawomyślny** *adj* orthodox
**praworządny** *adj* law-abiding
**prawosławny** *adj* orthodox
**prawość** *f* righteousness, honesty
**prawować się** *vr* litigate (**o coś** about sth)
**prawowierność** *f* orthodoxy
**prawowierny** *adj* orthodox
**prawowity** *adj* legitimate
**prawoznawstwo** *n* jurisprudence
**praw|y** *adj* right; (*uczciwy*) honest, righteous; **po ~ej stronie** on the right hand ⟨side⟩
**prawzór** *m* prototype
**prażyć** *vt* grill, burn
**prąd** *m* current; (*strumień*) stream; (*kierunek, dążność*) tendency, trend; *elektr.* **~ stały ⟨zmienny⟩** direct ⟨alternating⟩ current; **pod ~** against the stream, upstream; **z ~em** with the stream, downstream
**prątek** *m med.* bacillus
**prąż|ek** *m* stripe; **w ~ki** striped
**prążkowany** *adj* striped
**precedens** *m* precedent
**precyzja** *f* precision
**precyzyjny** *adj* precision *attr*; **instrument ~** precision instrument
**precyzować** *vt* define precisely
**precz** *adv* away; *int* begone!, out of my sight!; **~ z wojną!** down with war!
**predestynacja** *f* predestination
**prefabrykat** *m* prefabricated article
**prefabrykować** *vt* prefabricate
**prefekt** *m* prefect
**prefiks** *m gram.* prefix
**prehistoryczny** *adj* prehistoric
**prelegent** *m* lecturer

**prelekcja** *f* lecture
**preliminaria** *s pl polit.* preliminaries
**preliminarz** *m* preliminary estimate; ~ **budżetowy** budget estimates *pl*
**preludium** *n muz. i przen.* prelude
**premedytacja** *f* premeditation
**premia** *f* premium; (*nagroda*) prize; (*dodatek do płacy*) bonus
**premier** *m* prime minister, premier
**premiera** *f* first night, première
**premiować** *vt* pay a premium; pay a bonus; award a prize
**prenumerata** *f* subscription
**prenumerator** *m* subscriber
**prenumerować** *vt* subscribe (**coś** to sth)
**preparat** *m* preparation; *med.* microscopic section
**prerogatywa** *f* prerogative, privilege
**presj|a** *f* pressure; **wywierać ~ę na kogoś** to bring pressure, to bear on sb; **pod ~ą** under pressure
**pretekst** *m* pretext; **pod ~em** on the pretext
**pretendent** *m* claimant; (*do tronu, tytułu itp.*) pretender
**pretendować** *vi* claim (**do czegoś** sth); pretend (**do czegoś** to sth)
**pretensj|a** *f* pretense, pretension; (*roszczenie*) claim; **występować z ~ami** lay claims; **mieć ~ę** have a grudge (**do kogoś** against sb)
**pretensjonalność** *f* pretentiousness
**pretensjonalny** *adj* pretentious
**prewencja** *f prawn.* prevention (**przed czymś** of sth)
**prewencyjny** *adj* preventive
**prezencja** *f* presence
**prezent** *m* present, gift
**prezentować** *vt* present; (*przedstawiać*) introduce; **dobrze się** ~ have a good presence
**prezes** *m* chairman, president
**prezydent** *m* president
**prezydium** *n* presidium, board
**prezydować** *vi* preside (**czemuś** over sth)
**prędki** *adj* quick, swift, fast
**prędko** *adv* quickly, fast
**prędkość** *f* quickness, fastness; *fiz.* velocity, speed; ~ **dźwięku** speed of sound; ~ **jazdy** travelling speed; rate of travel
**prędzej** *adv* quicker, more quickly; (*wcześniej*) sooner, rather; **czym** ~ as soon as possible; ~ **czy później** sooner or later
**pręg|a** *f* stripe; **w ~i** striped
**pręgierz** † *m* pillory; *przen.* **być pod ~em** be pilloried; **stawiać pod ~em** pillory
**pręgowany** *adj* striped
**pręt** *m* rod, stick
**prężność** *f* elasticity; *przen.* expansiveness; *techn.* tension
**prężny** *adj* elastic; *przen.* (*dynamiczny*) expansive
**probierczy** *adj* test *attr*, testing; *techn.* **kamień** ~ touchstone
**problem** *m* problem
**problematyczny** *adj* problematic
**probostwo** *n* parsonage
**proboszcz** *m* parson
**probówka** *f* test-tube
**proca** *f* sling
**proceder** *m* proceeding; † (*interes*) business, trade
**procedura** *f* procedure
**procent** *m* percentage; (*odsetki*) interest; **na 5** ~ at 5 per cent; **na wysoki** ~ at a high rate of interest; **przynosić** ~ bear interest
**proces** *m* process; (*sądowy*) lawsuit, action; **wytoczyć** ~ bring an action (**komuś** against sb)
**procesja** *f* procession
**procesować się** *vr* be at law, litigate
**proch** *m* powder; (*pył*) dust; ~ **strzelniczy** gunpowder
**prochownia** *f* powder magazine
**producent** *m* producer
**produkcj|a** *f* production, output; **~a sceniczna** performance; **środki ~i** means of production
**produkcyjność** *f* productivity
**produkcyjny** *adj* productive
**produkować** *vt* produce; ~ **się** *vr*

perform (**czymś** sth), display (**czymś** sth)
**produkt** *m* product; *pl* **~y** products, *zbior.* produce; **~ uboczny** by-product; **~y spożywcze** provisions, victuals
**produktywny** *adj* productive
**profanacja** *f* profanation
**profanować** *vt* profane
**profesor** *m* professor
**profesorski** *adj* professorial, professor's
**profesura** *f* professorship
**profil** *m* profile
**profilaktyczny** *adj* prophylactic, preventive
**prognoza** *f* prognosis; **~ pogody** weather-forecast
**program** *m* programme, program; **~ studiów** curriculum
**programowy** *adj* programmatic, according to programme
**progresja** *f* progression
**progresywny** *adj* progressive; (*o podatku*) graduated
**prohibicja** *f* prohibition
**projekcja** *f* projection
**projekcyjn|y** *adj*, **aparat ~y** projector; **kabina ~a** projection room
**projekt** *m* project; plan; design; (*zarys, szkic*) draft; (*ustawy*) bill
**projektować** *vt* project, design, plan
**proklamacja** *f* proclamation
**proklamować** *vt* proclaim
**prokurator** *m* public prosecutor
**prokuratura** *f* public prosecutor's office
**proletariacki** *f* proletarian
**proletariat** *m* proletariat
**proletariusz** *m* proletarian
**prolog** *m* prologue
**prolongata** *f* prolongation, extension of the term
**prolongować** *vt* prolong, extend the term
**prom** *m* ferry, ferry-boat
**promienieć** *vi* beam, radiate
**promieniotwórczość** *f* radioactivity
**promieniotwórczy** *adj* radioactive
**promieniować** *vi* radiate, beam forth
**promieniowanie** *n* radiation; **~ kosmiczne** cosmic rays; **~ słoneczne** solar radiation
**promienny** *adj* radiant, beaming
**promie|ń** *m* beam, ray; *mat.* radius; **~ń słoneczny** sunbeam; **~nie Roentgena** x-rays *pl*
**promocja** *f* promotion, advancement
**promować** *vt* promote, advance
**propaganda** *f* propaganda
**propagować** *vt* propagate
**propeller** *m* *techn.* propeller
**proponować** *vt* offer, propose
**proporcja** *f* proportion
**proporcjonalność** *f* proportionality
**proporcjonaln|y** *adj* proportional; *mat.* **odwrotnie ⟨wprost⟩ ~y** inversely ⟨directly⟩ proportional; **średnia ~a** mean proportional
**proporzec** *m* banner
**propozycja** *f* proposal, suggestion
**prorektor** *m* prorector
**proroctwo** *n* prophecy
**prorok** *m* prophet
**prorokować** *vt* prophesy
**prosić** *vt vi* ask, beg (**kogoś o coś** sb for sth); request (**o łaskę, odpowiedź** a favour, a reply); **~ kogoś, ażeby coś zrobił** ask sb to do sth; **~ na obiad** invite for dinner; **~ o pozwolenie zrobienia czegoś** request permission to do sth; **proszę przyjść!** come please!; **proszę wejść!** please come in!
**prosię** *n* young pig
**proso** *n* millet
**prospekt** *n* (*publikacja*) prospectus; *f* (*widok*) prospect
**prosperować** *vi* prosper
**prostacki** *adj* boorish, rude
**prostactwo** *n* boorishness, rudeness
**prostaczek** *m* simpleton
**prostak** *m* boor
**prost|o** *adv* directly, straight; **po ~u** simply
**prostoduszność** *f* uprightness, candidness

**prostoduszny** *adj* upright, candid
**prostokąt** *m mat.* rectangle
**prostokątny** *adj mat.* rectangular
**prostolinijny** *adj* rectilinear; (*prostoduszny*) simple-minded, candid
**prostopadła** *f mat.* perpendicular
**prostopadłościan** *m mat.* parallelepiped
**prostopadły** *adj mat.* perpendicular
**prostota** *f* simplicity
**prostować** *vt* straighten, make straight; (*błąd*) rectify, correct
**prostownica** *f techn.* straightener
**prostownik** *m elektr.* rectifier
**prost|y** *adj* direct, straight, right; simple, plain; **linia ~a** straight ⟨right⟩ line
**proszek** *m* powder; **~ do zębów** tooth-powder; **~ do prania** washing-powder
**prośb|a** *f* request, demand; (*pisemna*) petition; **wnosić ~ę** apply (**o coś** for sth); **zwracać się z ~ą** address a request (**do kogoś** to sb); **na jego ~ę** at his request
**protegowa|ć** *vt* patronize; **~ny** protégé; **~na** protégée
**protekcja** *f* patronage, protection
**protekcjonizm** *m* protectionism
**protekcyjny** *adj* protective
**protektor** *m* protector, patron
**protektorat** *m* protectorate
**protest** *m* protest; **założyć ~** lodge a protest
**protestancki** *adj* Protestant
**protestant** *m* Protestant
**protestantyzm** *m* Protestantism
**protestować** *vi vt* protest
**proteza** *f* (*kończyny*) artificial limb; (*dentystyczna*) denture
**protokół** *m* record, report; (*dyplomatyczny*) protocol; (*z posiedzenia*) minutes; **prowadzić ~** draft the report; **pisać ~** (*z posiedzenia*) draw up the minutes; (*policyjny*) take down the evidence
**prototyp** *m* prototype
**prowadzenie** *n* (*przedsiębiorstwa*) management; **~ się** behaviour, conduct; **złe ~ się** misbehaviour, misconduct
**prowadzić** *vt* lead, guide, conduct; (*przedsiębiorstwo, gospodarstwo itp.*) manage, keep, run; (*rozmowę itp.*) carry on, hold; **~ handel** carry on trade; *handl.* **~ książki** keep books; **~ wojnę** wage war; **~ wóz** drive a car; **~ się** *vr* behave; **źle się ~** misbehave
**prowiant** *m* provisions *pl*
**prowiantować** *vt* provision
**prowincja** *f* province; (*w przeciwieństwie do stolicy*) provinces *pl*, country
**prowincjonalny** *adj* provincial, *attr* country
**prowizja** *f* commission, percentage; *handl.* brokerage
**prowizoryczny** *adj* provisional
**prowodyr** *m* ringleader
**prowokacja** *f* provocation
**prowokacyjny** *adj* provocative
**prowokator** *m* provocateur
**prowokować** *vt* provoke, incite
**proz|a** *f* prose; **~ą** in prose
**prozaiczny** *adj* prosaic
**prozaik** *m* prosaist
**prozodia** *f* prosody
**prób|a** *f* trial, test, proof; (*kandydata do zawodu*) probation; *teatr* rehearsal; (*usiłowanie*) attempt; **ciężka ~a** ordeal; *teatr* **~a generalna** dress rehearsal; **~a ogniowa** trial by fire; **~a złota** assay of gold; **na ~ę** by way of trial; *handl.* on approval; *teatr* **odbywać ~ę** rehearse (**czegoś** sth); **wystawić na ~ę** put to trial, put to the test; **wytrzymać ~ę** stand the test
**próbka** *f* sample, pattern
**próbny** *adj* tentative; (*o okresie próby*) probationary
**próbować** *vt* try, test; (*usiłować*) attempt; (*kosztować*) taste; **~ szczęścia** try one's luck
**próchnica** *f med.* (*zębów*) caries
**próchnieć** *vi* moulder, decay, rot
**próchno** *n* rotten wood, rot
**prócz** *praep* save, except

**próg** *m* threshold, doorsill
**prószyć** *vi* powder; (*o śniegu*) flake; (*o deszczu*) drizzle
**próżnia** *f* void; *fiz.* vacuum
**próżniactwo** *n* idleness, laziness
**próżniaczy** *adj* idle, lazy
**próżniak** *m* idler
**próżno** *adj* vainly; **na ~** in vain
**próżność** *f* vanity
**próżnować** *vi* idle away one's time
**próżny** *adj* empty, void; (*zarozumiały, daremny*) vain
**pruć** *vt* unsew, unstitch; **~ się** *vr* get ⟨come⟩ unsewn
**pruski** *adj* Prussian; *chem.* **kwas ~** prussic acid
**prycza** *f* plank-bed
**prym** *m*, **wieść ~** have the lead
**prymas** *m* primate
**prymitywny** *adj* primitive
**prymus** *m* (*uczeń*) top-boy; (*maszynka*) primus (stove)
**pryskać** *vi* splash, sputter; (*łamać się*) burst
**pryszcz** *m* pimple
**prysznic** *m* shower-bath
**prywatka** *f* private dancing-party, party
**prywatny** *adj* private
**pryzmat** *m* prism
**przaśny** *adj* unleavened
**prządka** *f* spinner
**prząść** *vt* spin
**przebaczać** *vt* pardon, forgive
**przebaczenie** *n* pardon; **prosić kogoś o ~** beg sb's pardon
**przebicie** *n* piercing, perforation; (*np. opony*) puncture
**przebieg** *m* course, run
**przebiegać** *vt vi* run across, cross; (*np. o czasie*) pass; (*o sprawie*) take a course
**przebiegłość** *f* cunning, slyness
**przebiegły** *adj* cunning, sly
**przebiera|ć** *vt vi* (*starannie wybierać*) pick and choose, sort; (*zmieniać komuś ubranie*) dress anew, change sb's clothes; **~ miarę** exceed all bounds, overdo sth; **nie ~ w środkach** not to be particular about one's means; **~ się** *vr* change one's clothes; disguise oneself
**przebijać** *vt* pierce, cut through; (*w kartach*) take; **~ atutem** trump; **~ się** *vr* force one's way through, break through
**przebitka** *f* copy, duplicate
**przebitkowy** *adj*, **papier ~** onion-skin
**przebłysk** *m* glimmer, flash; **~ nadziei** flash of hope
**przebój** *m* (*sukces, szlagier*) hit; best-seller; **iść przebojem** fight one's way through
**przebrać** *zob.* **przebierać**
**przebranie** *n* disguise
**przebrnąć** *vi* muddle through
**przebrzmiał|y** *adj* extinct; **rzecz ~a** a has been
**przebrzmieć** *vi* die away, expire, blow over
**przebudowa** *f* reconstruction
**przebudować** *vt* reconstruct, rebuild
**przebudzenie** *n* awakening
**przebudzić** *vt* wake up, rouse; **~ się** *vr* wake, wake up
**przebyć** *vt* cross, pass; (*przestrzeń*) cover; (*doświadczyć*) experience; **~ chorobę** pass through an illness; **~ próbę** go through a trial
**przebywać** *vi* stay, live; *zob.* **przebyć**
**przecedzać** *vt* strain, filter
**przeceniać** *vt* overestimate; (*zmieniać cenę*) lower the price
**przechadzać się** *vr* walk, take a walk, stroll
**przechadzk|a** *f* walk; **pójść na ~ę** go for a walk
**przechodni** *adj* transitional; *gram.* transitive; **pokój ~** connecting room
**przechodzić** *vt vi* pass (by), cross, go over; (*mijać*) pass away ⟨by⟩; (*doświadczyć*) experience, undergo; **~ć przez ulicę** cross the street; **to ~ moje oczekiwania** it surpasses my expectations
**przechodzień** *m* passer-by

**przechowanie** *n* preservation, keeping; na ~ for safe keeping
**przechowywać** *vt* preserve, keep
**przechwalać** *vt* overpraise; ~ **się** *vr* boast, brag (czymś of, about sth)
**przechwycić** *vt* intercept
**przechylić** *vt* incline; *przen.* ~ szalę turn the balance; ~ się *vr* incline
**przeciąg** *m* draught, current of air; (*okres trwania*) space of time; na ~ tygodnia for a week; w ~u tygodnia within a week, in the course of a week
**przeciągać** *vt vi* draw; move, march along; (*przedłużać*) prolong, delay, protract; ~ na swoją stronę win over; ~ się *vr* drag on, be protracted; stretch oneself
**przeciążać** *vt* overburden, overcharge
**przeciążenie** *n* overcharge; (*pracą*) overwork
**przeciekać** *vi* leak, percolate
**przecierać** *vt* rub, wipe clear; ~ się *vr* (*przejaśniać się*) clear up; (*o materiale*) become threadbare
**przecierpieć** *vt* endure
**przecież** *adv* yet, still, after all; ~ to mówiłeś you did say it
**przecięcie** *n* cut, cutting; section, intersection
**przeciętnie** *adv* on an average
**przeciętność** *f* average; mediocrity
**przeciętn|y** *adj* average; (*średni*) mediocre; ~a *s f* average; powyżej ~ej above the average
**przecinać** *vt* cut through; intersect; (*np. rozmowę*) cut short; ~ się *vr* intersect
**przecinek** *m* comma
**przeciw** *praep* against; nie mam nic ~ temu I have no objections to it; I don't mind it; *praef* anti-, counter-
**przeciwdziałać** *vi* counteract (czemuś sth)
**przeciwdziałanie** *n* counteraction
**przeciwieństw|o** *n* opposition, contrast, contradistinction; być ~em be opposed (do czegoś to sth); w ~ie do czegoś in contradistinction to sth
**przeciwko** *zob.* **przeciw**
**przeciwległy** *adj* opposite (czemuś to sth)
**przeciwlotnicz|y** *adj* anti-aircraft *attr*; działo ~e anti-aircraft gun; obrona ~a air defence
**przeciwnie** *adv* on the contrary, just the opposite
**przeciwnik** *m* adversary, opponent
**przeciwność** *f* adversity
**przeciwny** *adj* contrary, opposite; (*przeciwstawny*) adverse; opposed; jestem temu ~ I am against it, I object to it; w ~m razie otherwise
**przeciwprostokątna** *f mat.* hypotenuse
**przeciwstawiać** *vt* oppose, set against; ~ się *vr* set one's face (czemuś against sth), oppose (czemuś sth)
**przeciwstawienie** *n* opposition, antithesis
**przeciwwaga** *f* counterpoise, counterweight
**przecząco** *adv* negatively, in the negative
**przeczący** *adj* negative
**przeczenie** *n* negation
**przecznica** *f* cross-street
**przeczucie** *n* foreboding, presentiment, misgiving
**przeczulenie** *n* oversensitiveness, hyperaesthesia
**przeczulony** *adj* oversensitive
**przeczuwać** *vt* forebode, have a presentiment
**przeczyć** *vi* deny (czemuś sth)
**przeczyszczać** *vt* cleanse; *med.* purge
**przeczyszczający** *adj med.* purgative
**przeć** *vt vi* press (on), push
**przed** *praep* before, in front of; ~ tygodniem a week ago
**przedawnienie** *n prawn.* negative prescription

**przedawniony** *adj prawn.* prescribed, lost by prescription
**przeddzień** *m* eve; **w ~** on the eye
**przede wszystkim** *adv* first of all, above all
**przedhistoryczny** *adj* prehistoric
**przedimek** *m gram.* article
**przedkładać** *vt* submit, present; (*woleć*) prefer (**coś nad coś** sth to sth)
**przedłużać** *vt* lengthen, extend, prolong
**przedłużenie** *n* prolongation, extension
**przedmieście** *n* suburb
**przedmiot** *m* object; (*temat, zagadnienie*) subject, subject-matter
**przedmiotowość** *f* objectivity
**przedmiotowy** *adj* objective
**przedmowa** *f* preface
**przedmówca** *m* last ⟨previous⟩ speaker
**przedni** *adj* frontal, *attr* front, fore; (*lepszy gatunkowo*) fine, choice; **~a noga** foreleg; **plan ~** foreground; **straż ~a** vanguard
**przednówek** *m* time before the harvest
**przedostać się** *vr* penetrate (**do czegoś** into sth), get through, come through
**przedobiedni** *adj attr* before-dinner
**przedostatni** *adj* last but one; penultimate; **~ej nocy** the night before last
**przedpłata** *f* subscription, payment in advance
**przedpokój** *m* antechamber, waiting-room
**przedpole** *n* foreground
**przedpołudnie** *n* forenoon; morning
**przedpotopowy** *adj* antediluvian
**przedramię** *n* forearm
**przedrostek** *m gram.* prefix
**przedrozbiorow|y** *adj*, **Polska ~a** Poland before the partitions
**przedruk** *m* reprint
**przedrzeźniać** *vt* mock, mimic
**przedsiębiorca** *m* contractor
**przedsiębiorczość** *f* (spirit of) enterprise
**przedsiębiorczy** *adj* enterprising
**przedsiębiorstwo** *n* undertaking, business
**przedsiębrać** *vt* undertake
**przedsięwzięcie** *n* undertaking, enterprise
**przedsionek** *m* vestibule
**przedsmak** *m* foretaste
**przedstawia|ć** *vt* present, represent; (*wystawiać na scenie*) stage; (*przedkładać*) submit; (*np. sprawę*) describe; (*osobę*) introduce; **~ć sobie** imagine; **~ć się** *vr* present oneself, (*nieznanej osobie*) introduce oneself; **jak ~ się sprawa?** how does the matter stand?; **to się ~ inaczej** the matter is different
**przedstawiciel** *m* representative
**przedstawicielstwo** *n* agency; representation
**przedstawienie** *n* presentation; (*teatralne*) performance; (*osoby*) introduction
**przedszkole** *n* infant school, kindergarten
**przedświt** *m* dawn
**przedtem** *adv* before, formerly
**przedterminowo** *adv handl.* in anticipation; **zapłacić ~** anticipate a payment
**przedterminow|y** *adj handl.* anticipated, anticipatory, anticipating; premature; **~e dokonanie zapłaty** anticipation of payment
**przedwczesny** *adj* premature; (*zbyt wczesny*) precocious
**przedwcześnie** *adv* prematurely, before time; **~ dojrzały** precocious
**przedwczoraj** *adv* the day before yesterday
**przedwojenny** *adj* pre-war *attr*
**przedział** *m* partition, division; (*we włosach*) parting; (*w pociągu*) compartment; **~ dla palących, dla niepalących** smoker, non-smoker
**przedzielić** *vt* divide, part

**przedzierać** *vt* tear up, rend; ~ **się** *vr* force one's way through, break through
**przedziurawić** *vt* make a hole (**coś** in sth), pierce, perforate; (*bilet*) punch; (*oponę*) puncture
**przeforsować** *vt* force through
**przegapić** *vt* overlook, miss, let slip
**przeginać** *vt* bend
**przegląd** *m* review; (*sprawdzenie*) revision; inspection, survey
**przeglądać** *vt* review; (*sprawdzać*) revise; (*np. gazetę*) skim through; ~ **się** *vr* see oneself
**przegłosować** *vt* carry by vote; (*pokonać większością głosów*) outvote
**przegrać** *vt* loss at play, gamble away; (*bitwę, sprawę sądową*) lose; *muz.* play over
**przegradzać** *vt* separate, partition
**przegrana** *f* lost battle; (*strata*) loss
**przegroda** *f* partition
**przegrupować** *vt* regroup
**przegryzać** *vt* bite through; (*przekąsić*) have a snack
**przegub** *m anat.* wrist, joint
**przeholować** *vi* overshoot oneself
**przeistoczyć** *vt* transform
**przejaśnić się** *vr* clear up
**przejaw** *s* symptom, sign
**przejawiać** *vt* manifest; ~ **się** *vr* manifest oneself, show
**przejazd** *m* passage, thoroughfare; (*kolejowy*) crossing; **w przejeździe, ~em** on one's way
**przejażdżka** *f* drive, ride; (*wycieczka*) trip
**przejecha|ć** *vi vt* pass, ride, travel (np. **przez Warszawę** through Warsaw); (*rozjechać*) run over; **~ć cały kraj** travel all over the country; **~ł go samochód** he was run over by a car
**przejezdny** *m* passer-by; *adj* non-resident, transient
**przejęcie** *n* taking over; (*przechwycenie*) interception; ~ **się** high emotion, exaltation
**przejęzyczenie (się)** *n* slip of the tongue
**przejmować** *vt* take over; (*przechwycić*) intercept; ~ **podziwem** fill with admiration; ~ **strachem** seize with fear; ~ **się** *vr* be impressed, be moved (**czymś** by sth)
**przejmujący** *adj* impressive; (*o mrozie*) piercing; (*o bólu itp.*) keen
**przejrzeć** *vt vi* (*przeniknąć*) see through; (*odzyskać wzrok*) regain one's sight; *zob.* **przeglądać**
**przejrzystość** *f* transparency; (*wyrazistość*) clarity
**przejrzysty** *adj* transparent; clear
**przejście** *n* passage; (*przez jezdnię*) crossing; (*stadium przejściowe*) transition; (*doświadczenie*) experience, trial
**przejść** *vt vi zob.* **przechodzić**; ~ **się** *vr* take a walk
**przekaz** *m* transfer; (*historyczny*) record; (*bankowy*) draft; (*pocztowy*) order
**przekazywać** *vt* transfer, pass on, send, hand down, transmit
**przekąs** *m*, **z ~em** ironically, sneeringly
**przekąska** *f* snack, refreshment
**przekąsić** *vt* have a snack
**przekątna** *f mat.* diagonal
**przekleństwo** *n* curse
**przeklęty** *adj* cursed, damned
**przeklinać** *vt* curse (**kogoś** sb) swear (**kogoś** at sb)
**przekład** *m* translation
**przekładać** *vt* displace, transpose; (*przesuwać*) shift; (*układać na zmianę*) interlay; (*tłumaczyć*) translate; (*woleć*) prefer (**coś nad coś** sth to sth)
**przekładnia** *f techn.* gear
**przekłuć** *vt* pierce
**przekomarzać się** *vr* tease each other
**przekonanie** *n* conviction; **mam ~** I am convinced
**przekon|ywać** *vt* convince, persuade (**kogoś o czymś** sb of sth);

jestem ~any I am convinced; mocno ~any confident (o czymś of sth); ~ywać się *vr* convince oneself
**przekonywający** *adj* convincing, persuasive, weighty, potent
**przekop** *m* trench, ditch
**przekor|a** *f* contradictoriness; przez ~ę from ⟨out of⟩ spite
**przekorny** *adj* contradictory, contradictious
**przekraczać** *vt* cross; (*miarę, uprawnienia*) exceed; (*prawo*) infringe, violate
**przekradać się** *vr* steal through
**przekreślać** *vt* cross (out); (*skasować*) cancel, annul
**przekręcać** *vt* twist; (*przeinaczać*) distort
**przekręcenie** *n* twist; (*słów, faktów*) distortion
**przekroczenie** *n* crossing; (*prawa*) offence, trespass; *handl.* (*rachunku*) overdraft
**przekroić** *vt* cut (into two pieces)
**przekrój** *m* section; ~ podłużny longitudinal section; ~ poprzeczny cross-section
**przekrwienie** *n med.* congestion
**przekształcać** *vt* transform
**przekształcenie** *n* transformation
**przekupić** *vt* bribe
**przekupień** *m* huckster
**przekupka** *f* huckstress
**przekupny** *adj* venal, corruptible
**przekupstwo** *n* bribery, corruption
**przekwitać** *vi* cease blooming, fade
**przekwitanie** *n* fading; *med.* climacteric
**przelać** *zob.* **przelewać**
**przelatywać** *vi* fly by, flit by, pass
**przelew** *m* transfusion; *bank.* transfer; ~ krwi bloodshed
**przelewać** *vt* pour over; pour into another vessel; transfuse; *bank.* transfer; (*krew, łzy*) shed; (*przekazywać władzę*) devolve
**przelękły** *adj* frightened
**przelęknąć się** *vr* take fright (czegoś at sth)
**przeliczyć** *vt* count over again; ~ się *vr* miscalculate
**przelot** *m* flight, passage
**przelotn|y** *adj* fleeting, passing, fugitive; *zool.* ptaki ~e birds of passage
**przelotowość** *f* (*ulic*) traffic capacity
**przeludnienie** *n* overpopulation
**przeludniony** *adj* overpopulated
**przeładować** *vt* (*przeciążyć*) overload; (*przenieść ładunek*) tranship
**przeładowanie** *n* (*przeciążenie*) overloading; *zob.* **przeładunek**
**przeładunek** *m* transhipment, transfer
**przełaj** *m*, na ~ athwart, across; droga na ~ short cut; iść na ~ take a short cut
**przełamać** *vt* break through; (*opór*) surmount
**przełączyć** *vt* switch over
**przełęcz** *f* pass
**przełknąć** *vt* swallow
**przełom** *m* crisis, (*punkt zwrotny*) turning-point; (*wyłom, przerwa*) break-through; (*wyrwa*) breach
**przełomowy** *adj* critical, crucial
**przełożona** *f* schoolmistress, lady-superior
**przełożony** *m* principal, superior
**przełożyć** *zob.* **przekładać**
**przełyk** *m anat.* gullet, oesophagus
**przemakać** *zob.* **przemoknąć**
**przemarsz** *m* march past, march through, passage
**przemarznąć** [-r-z-] *vi* be penetrated with cold
**przemawiać** *vi vt* address; (*publicznie*) harangue (do kogoś sb); speak; advocate (za czymś sth)
**przemądrzały** *adj* sophisticated
**przemęczać** *vt* overstrain; ~ się *vr* overwork
**przemęczenie** *n* overwork, overstrain
**przemian** *m*, na ~ alternately, by turns, taking it in turn
**przemiana** *f* transformation; *biol.* ~ materii metabolism
**przemianować** *vt* rename

**przemienić** *vt* transform, turn (**coś w coś** into sth)
**przemieszczać** *vt* displace
**przemieszczenie** *n* displacement
**przemijać** *vi* pass away, be over
**przemijający** *adj* passing, fleeting, transitory
**przemilczeć** *vt* pass over in silence, suppress, conceal
**przemoc** *f* superior force, violence; **ulec ~y** yield to a superior force
**przemoczyć** *vt* soak, drench; **~ sobie nogi** get one's feet wet
**przemoknąć** *vi* be soaked, get wet; **~ do nitki** get a nice soaking
**przemowa** *f* address, (*publiczna*) harangue
**przemożny** *adj* predominant, overpowering
**przem|óc** *vt* overpower, overwhelm; (*przezwyciężyć*) surmount, overcome; *vi* (*odnieść przewagę*) prevail; **~óc się** *vr* control oneself
**przemówić** *zob.* **przemawiać**
**przemówienie** *n* speech, address, (*publiczne*) harangue
**przemycać** *vt* smuggle
**przemysł** *m* industry; **drobny ~** small industry; **wielki ~** large-scale industry; **~ chałupniczy** domestic industry; **~ kluczowy** basic ⟨key⟩ industry; **~ lekki ⟨ciężki⟩** light ⟨heavy⟩ industry; **odbudowa ~u** industrial rehabilitation; *przen.* **żyć własnym ~em** live by one's wits
**przemysłowiec** *m* industrialist, industrial producer
**przemysłow|y** *adj* industrial; **akcje ~e** industrials; **wyroby ⟨towary⟩ ~e** industrial goods
**przemyśleć** *vt* think over
**przemyślny** *adj* ingenious
**przemyt** *m* smuggling, contraband
**przemytnik** *m* smuggler
**przenicować** *vt* turn
**przeniesienie** *n* transfer; transmission
**przenieść** *vt* transfer; transport; remove; (*w księgowości*) carry over ⟨forward⟩; **~ się** *vr* move (**do innego mieszkania** to another flat)
**przenigdy** *adv* nevermore
**przenikać** *vt vr* penetrate; pervade; pierce
**przenikliwość** *f* penetrability; (*bystrość*) sagacity, perspicacity
**przenikliwy** *adj* penetrating; pervasive, pervading; (*bystry*) perspicacious, acute; (*o głosie*) shrill; (*o mrozie*) biting, bitter
**przenocować** *vt* put up for the night; *vi* stay overnight
**przenosić** *vt* (*światło, ciepło, dźwięk*) transmit; (*udzielać*) convey; (*woleć*) prefer (**coś nad coś** sth to sth); **~ się** *vr* shift (**z miejsca na miejsce** from place to place); *zob.* **przenieść**
**przenośnia** *f* metaphor
**przenośny** *adj* portable; (*obrazowy*) metaphorical
**przeobrażać** *vt* transform (**w coś** into sth); **~ się** *vr* be transformed, change
**przeobrażenie** *n* transformation, change
**przeoczenie** *n* oversight
**przeoczyć** *vt* overlook, omit
**przeor** *m* prior
**przeorysza** *f* prioress
**przepadać** *vi* be lost, go lost; (*przy egzaminie*) fail; *przen.* **~ za kimś, czymś** be crazy about sb, sth
**przepalić** *vt* burn through
**przepasać** *vt* girdle
**przepaska** *f* band
**przepaścisty** *adj* precipitous
**przepaść** *f* precipice, abyss
**przepełniać** *vt* overfill, cram; (*ludźmi*) overcrowd
**przepełnienie** *n* overfilling; overcrowding
**przepędzać** *vt* drive away; (*spędzać czas*) spend
**przepierzenie** *n* partition-wall
**przepiękny** *adj* most beautiful
**przepijać** *vt* spend on drink
**przepiłować** *vt* saw through; (*pilnikiem*) file through

**przepiórka** *f zool.* quail
**przepis** *m* prescription, regulation; (*kucharski*) recipe; **~y drogowe** traffic regulations
**przepisać** *vt* (*lekarstwo*) prescribe; (*tekst*) rewrite, copy, write over again; **~ na czysto** make a fair copy (**coś** of sth)
**przepisowo** *adv* according to regulations
**przepisowy** *adj* regular; *attr* regulation; **strój ~** regulation dress; **~ rozmiar** regulation size
**przeplatać** *vt* interlace
**przepłacać** *vt* overpay
**przepływać** *vt vi* (*o wodzie*) flow over ⟨across, through⟩; (*o człowieku*) swim over ⟨across⟩; (*o statku*) cross (**przez morze** the sea)
**przepona** *f anat.* diaphragm
**przepowiadać** *vt* prophesy, predict, foretell
**przepowiednia** *f* prophecy, prediction
**przepracować się** *vr* overwork oneself
**przepracowanie** *n* overwork
**przeprasza|ć** *vt* beg (sb's) pardon, apologize (**kogoś za coś** to sb for sth); **~m!** excuse me!, I beg your pardon!, (I'm) sorry!
**przeprawa** *f* passage; (*np. przez rzekę, morze*) crossing; *przen.* (*przykre zajście*) hard business, misadventure
**przeprawiać** *vt* carry over; **~ się** *vr* cross (np. **przez rzekę** a river); **~ się na drugi brzeg** cross over to the other side
**przeproszenie** *n* apology, excuse; **za ~m** by your leave
**przeprowadzać** *vt* carry over, convey, lead across; (*wykonywać*) carry out, carry into effect; **~ się** *vr* move, remove
**przeprowadzka** *f* removal
**przepuklina** *f med.* hernia
**przepustka** *f* pass, permit
**przepuszczać** *vt* let through; allow to pass; (*marnować np. okazję*) let out, miss
**przepuszczalny** *adj* permeable
**przepych** *m* luxury, pomp
**przepychać** *vt* push through; **~ się** *vr* push through, force one's way
**przerabiać** *vt* do over again, refashion; (*opracować powtórnie*) revise; **~ lekcje** do one's lessons; **~ sztukę na film** adapt a play to the screen; **~ temat egzaminacyjny** prepare a subject for the examination
**przerachować** *zob.* **przeliczyć**
**przeradzać się** *vr* undergo a change, be transformed
**przerastać** *vt* outgrow, grow over; rise above
**przeraźliwy** *adj* terrifying; (*o głosie*) shrill
**przerażać** *vt* appal, horrify; **~ się** *vr* be appalled (**czymś** at sth)
**przerażenie** *n* terror
**przeróbka** *f* recast, revision, adaptation
**przerw|a** *f* break, pause, interruption, intermission; **bez ~y** without intermission
**przerywać** *vt* interrupt, break off; rend, tear asunder
**przerzedzić** *vt* thin, make thin; **~ się** *vr* thin, become thinner
**przerzucać** *vt* throw over; shift; (*przeglądać*) look over
**przerżnąć** [r-ż] *vt* saw, cut in two
**przesada** *f* exaggeration
**przesadzać** *vt* exaggerate; (*roślinę*) transplant
**przesączać** *vt*, **~ się** *vr* filter
**przesąd** *m* prejudice, superstition
**przesądny** *adj* superstitious
**przesądzać** *vt* prejudge, foreclose
**przesiada|ć się** *vr* (*z pociągu na pociąg*) change (trains); **gdzie się ~my?** where do we change?
**przesiąkać** *vi* be soaked, soak through, be imbued
**przesiedlać** *vt* remove, displace; **~ się** *vr* migrate, move
**przesiedlenie** *n* displacement; **~ się** migration

**przesiedleniec** *m* emigrant
**przesieka** *f* glade, clearing
**przesiewać** *vt* sift, sieve
**przesilać się** *vr* pass through a crisis
**przesilenie** *n* crisis; *pot.* **~ dnia z nocą** solstice
**przeskoczyć** *vi vt* jump over; (*podpierając się rękami*) vault (**przez coś** over sth, sth)
**przeskok** *m* jump
**przesłaniać** *vt* screen (off)
**przesłanka** *f* premise
**przesłona** *f* screen; *fot.* shutter
**przesłuchanie** *n* examination, interrogation
**przesłuchiwać** *vt* examine, interrogate
**przesmyk** *m* (*przełęcz*) pass, defile; *geogr.* isthmus
**przestać** *vi* cease, stop, discontinue
**przestankowanie** *n* punctuation
**przestarzały** *adj* out of date, out of fashion, obsolete
**przestawać** *vi* associate (**z kimś** with sb); be satisfied (**na czymś** with sth); *zob.* **przestać**
**przestawiać** *vt* displace, transpose
**przestawienie** *n* displacement, transposition
**przestąpić** *vt* cross, step over
**przestępca** *m* criminal
**przestępczość** *f* criminality, delinquency; **~ wśród młodocianych** juvenile delinquency
**przestępczy** *adj* criminal
**przestępny** *adj* criminal; *astr.* **rok ~** leap-year
**przestępstwo** *n* offence; **~ dewizowe** foreign currency offence; **~ walutowe** currency offence
**przestrach** *m* fright
**przestraszyć** *vt* frighten; **~ się** *vr* be frightened, take fright (**czegoś** at sth)
**przestroga** *f* warning, caution
**przestronny** *adj* spacious, roomy
**przestrzegać** *vt* (*ostrzegać*) warn (**przed czymś** of sth), caution (**przed czymś** against sth); (*zachowywać np. prawa, tradycję*) observe; (*stosować np. zasady, przepisy*) keep
**przestrzenny** *adj* spatial
**przestrzeń** *f* space, room; **~ kosmiczna** cosmic space
**przestworze** *n* infinite expanse
**przesunięcie** *n* shift, displacement
**przesuwać** *vt* shift, shove, move; (*wagony*) shunt; **~ się** *vr* move, shift
**przesycać** *vt* surfeit, glut; *techn.* impregnate
**przesyłać** *vt* send, forward
**przesyłka** *f* parcel; (*wysyłanie*) dispatch; (*towarowa*) consignment; (*pieniężna*) remittance
**przesyt** *m* surfeit
**przeszczep** *m med.* transplantation
**przeszczepiać** *vt* transplant
**przeszeregować** *vt* regroup
**przeszkadzać** *vi* hinder, disturb, trouble (**komuś** sb); (*zawadzać*) obstruct (**komuś, czemuś** sb, sth); **~ komuś pisać** prevent sb from writing; **~ komuś w odpoczynku** disturb sb's rest
**przeszko|da** *f* hindrance, obstacle, impediment; *sport* **bieg z ~dami** obstacle race; **wyścigi z ~dami** steeplechase; **stać na ~dzie** stand in the way
**przeszkolenie** *n* schooling, training; re-education
**przeszkolić** *vt* school, train; re-educate
**przeszło** *adv* more than, beyond
**przeszłość** *f* past
**przeszły** *adj* past; *gram.* **czas ~** past tense, preterite
**przeszukać** *vt* search
**przeszyć** *vt* sew through, stitch; (*przekłuć*) pierce, transfix
**prześcieradło** *n* sheet
**prześcignąć** *vt* outrun; *przen.* (*przewyższyć*) outdo; *dosł. i przen.* get ahead (**kogoś** of sb)
**prześladować** *vt* persecute; *przen.* (*nie dawać spokoju*) haunt, obsess
**prześladowanie** *n* persecution

**prześladowcz|y** *adj* persecutive; mania ~a persecution mania
**prześliczny** *adj* most beautiful
**prześliznąć się** *vr* glide through, slip through
**przeświadczenie** *n* conviction
**przeświadczony** *adj* convinced
**przeświecać** *vi* shine through
**prześwietl|ać** *vt fot.* overexpose; *med.* x-ray; ~ono mi płuca I had my lungs x-rayed
**prześwietlenie** *n med.* x-ray examination
**przetaczać** *vt* roll over; *kolej.* shunt; *med.* ~ krew transfuse
**przetapiać** *vt* recast, melt
**przetarg** *m* auction
**przetarty** *pp adj* (*o tkaninie*) threadbare
**przeterminowany** *adj* overdue
**przeto** *adv* therefore
**przetoka** *f med.* fistula
**przetrawić** *vt* digest
**przetrwać** *vt* outlast, survive
**przetrząsnąć** *vt* shake up; (*przeszukać*) search; (*teren*) comb out
**przetrzymać** *vt* keep (waiting); (*przetrwać*) outlast; (*ból, ciężkie położenie itp.*) endure
**przetwarzać** *vt* transform; turn into; manufacture
**przetwór** *m* manufacture, produce; *pl* przetwory preserves
**przetwórczy** *adj* manufacturing
**przetwórnia** *f* factory
**przetykać** *vt* (*przepychać, przewlekać*) pierce, pass through; (*o tkaninie*) interweave
**przewag|a** *f* superiority, preponderance; (*górowanie*) advantage; mieć ~ę have an advantage (nad kimś over sb); zyskać ~ę gain an advantage (nad kimś over sb)
**przeważać** *vt* outweigh, outbalance; *vt* prevail (nad kimś over sb); ~ szalę turn the scale
**przeważający** *adj* prevailing, prevalent
**przeważnie** *adv* for the most part, mostly
**przeważny** *adj* predominant, prevalent
**przewiązać** *vt* bind up; (*ranę*) dress
**przewidywać** *vt* foresee, anticipate
**przewidywanie** *n* foresight, anticipation
**przewiercić** *vt* bore through, pierce
**przewiesić** *vt* hang over, sling
**przewietrzyć** *vt* ventilate, air
**przewiew** *m* draught
**przewiewny** *adj* airy
**przewieźć** *zob.* przewozić
**przewijać** *vt* swathe, wrap up; (*ranę*) dress
**przewinienie** *n* offence, guilt
**przewlekać** *vt* (*opóźnić*) protract, delay; ~ nitkę przez igłę thread the needle; ~ pościel change the bedlinen; ~ się *vr* drag on
**przewlekły** *adj* protracted; *med.* chronic
**przewodni** *adj* leading
**przewodnictwo** *n* leadership; (*posiedzenia*) chairmanship; *fiz.* conductivity
**przewodniczący** *m* chairman
**przewodniczyć** *vi* preside (zebraniu over the meeting)
**przewodnik** *m* guide, leader; (*książka*) guide-book; *fiz.* (*ciepła*) conductor
**przewodzić** *vi* lead, command (czemuś sth), be at the head
**przewozić** *vt* bring over, transport, convey
**przewozow|y** *adj* transport *attr*, freight; list ~y bill of consignment, (okrętowy) bill of lading; środki ~e means of conveyance
**przewoźnik** *m* carrier; (*na promie, łodzi*) ferryman, boatman
**przewód** *m* channel, conduit; (*kominowy*) flue; (*gazowy*) pipe; *elektr.* wire; *prawn.* procedure; *anat.* ~ pokarmowy alimentary canal
**przewóz** *m* conveyance, carriage, transport
**przewracać** *vt* overturn, turn over, upset; ~ kartki książki thumb the book; ~ się *vr* overturn, tumble down

**przewrotność** *f* perversity
**przewrotny** *adj* perverse
**przewrotowy** *adj* subversive
**przewrót** *m* subversion, upheaval, revolution
**przewyższać** *vt* surpass, exceed
**przez** *praep* through, by, across, over; (*o czasie*) during, for, within, in; ~ **cały dzień** all the day long; ~ **cały rok** all the year round; ~ **dwa miesiące** for two months; ~ **drogę** across the road; ~ **telefon** on the telephone; ~ **wdzięczność** out of gratitude
**przeziębić się** *vr* catch cold
**przeziębienie** *n* cold
**przeziębiony** *adj*, **jestem** ~ I have a cold
**przeznacz|ać** *vt* destine (**na coś, do czegoś** for ⟨to⟩ sth); devote (**coś na coś** sth to sth); intend (**coś na coś** sth for sth, **kogoś na coś** sb to be sth, **coś dla kogoś** sth for sb); **te książki ~one są do biblioteki** these books are intended for the library
**przeznaczenie** *n* destination; (*los*) destiny, fate
**przezorność** *f* prudence, caution, providence
**przezorny** *adj* prudent, cautious, provident
**przeźrocze** *n fot.* slide
**przeźroczystość** *f* transparency
**przeźroczysty** *adj* transparent
**przezwisko** *n* nickname
**przezwyciężać** *vt* surmount, overcome
**przezywać** *vt* (**kogoś**) call sb names
**przeżegnać** *vt* cross; ~ **się** *vr* cross oneself, make the sign of the cross
**przeżuwać** *vt* chew
**przeżycie** *n* (*przetrwanie*) survival; (*doświadczenie*) experience
**przeży|ć** *vt* (*przetrwać*) survive, outlive; (*doświadczyć*) experience; (*spędzić okres czasu*) live through; **on tego nie ~je** this will be the death of him; **~łem okres biedy** I lived through a period of poverty; **~ł niejedną ciężką chwilę** he experienced many a hardship; **~ł swego starszego brata** he survived his elder brother
**przeżytek** *m* survival, relic (of the past)
**przędza** *f* yarn
**przędzalnia** *f* spinning-mill
**przęsło** *n* bay, span
**przodek** *m* ancestor; (*część przednia*) forepart, front
**przodować** *vt* lead, be ahead
**przodownictwo** *n* leadership, primacy
**przodownik** *m* leader; foreman; ~ **pracy** front-rank worker
**przód** *m* forepart, front; **na przedzie** at the head, in the front; **z przodu** in front; **iść przodem** go before
**przy** *praep* (near) by, at; with; on; about; ~ **filiżance kawy** over a cup of coffee; ~ **pracy** at work; ~ **świetle księżyca** by moonlight; ~ **tej sposobności** on that occasion; ~ **twej pomocy** with your help; ~ **tym** besides, too; ~ **wszystkich swoich wadach** with all his faults; **nie mam ~ sobie pieniędzy** I have no money about ⟨on⟩ me; **usiądź ~ mnie** sit by me
**przybić** *vt* fasten; (*gwoździami*) nail; *vi* ~ **do brzegu** land
**przybiec** *vi* come running
**przybierać** *vt* (*zdobić*) adorn; (*przyjmować*) assume; ~ **wygląd ⟨imię⟩** assume a look ⟨a name⟩; *vi* (*o wodzie*) rise; ~ **na wadze** put on weight
**przybliżać** *vt* bring near(er); ~ **się** *vr* come near, approach (**do kogoś** sb)
**przybliżeni|e** *n* approximation, approach; **w ~u** approximately
**przyboczn|y** *adj*, **straż ~a** bodyguard
**przyb|ór** *m* (*wody*) rise; *pl* **~ory** (*komplet użytkowy*) outfit, equipment, fittings *pl*; **~ory do**

pisania writing-materials, stationary *zbior.*
**przybrać** *vt zob.* **przybierać**
**przybrzeżn|y** *adj* coast *attr*, riverside *attr*; **straż ~a** coast guard
**przybudówka** *f* annex, penthouse
**przybycie** *n* arrival
**przybysz** *m* newcomer, arrival
**przybytek** *m* (*przyrost*) accruement, increase; (*budynek, miejsce*) haunt, abode; (*święty*) sanctuary
**przyby|wać** *vi* arrive (**do Warszawy** at ⟨in⟩ Warsaw), come (**do Warszawy** to Warsaw); (*powiększać się, narastać*) be added, increase; (*o wodzie w rzece*) rise; **~wa dnia** the days are longer and longer; **~ło dużo pracy** there is much additional work
**przychodnia** *f* clinic for outpatients, dispensary
**przychodzi|ć** *vi* come (**dokądś** to a place), arrive (**dokądś** at ⟨in⟩ a place); **~ć do kogoś (w odwiedziny)** come to see sb; **~ć do siebie** come to, recover; **~ mi do głowy ⟨na myśl⟩** it occurs to me; **~ mi ochota** I feel the desire (**na coś** of sth, **zrobić coś** to do sth), I feel like (**zrobić coś** doing sth); **~ mi z trudnością** I find it difficult
**przychód** *m* income
**przychylać** *vt* incline; **~ się** *vr* incline, feel inclined (**do czegoś** to sth); (*skłaniać się*) comply (**do czyjejś prośby** with sb's request)
**przychylność** *f* favourable disposition, goodwill, favour
**przychylny** *adj* favourable, friendly, favourably disposed (**dla kogoś** towards sb)
**przyciągać** *vt* draw; (*pociągać*) attract; *vi* draw ⟨come⟩ near
**przyciąganie** *n* attraction; *astr. fiz.* **~ ziemskie** gravitation
**przyciemniać** *vt* darken, dim
**przycinać** *vt* cut, clip; *vi* taunt (**komuś** sb)
**przycisk** *m* (*akcent*) stress, accent; (*dzwonka*) button; (*do papierów*) weight
**przyciskać** *vt* press
**przycupnąć** *vt* squat down
**przyczaić się** *vr* lie in ambush (**na kogoś** for sb)
**przyczepić** *vt* affix, attach; **~ się** *vr* cling, stick (**do kogoś, czegoś** to sb, sth)
**przyczepka** *f* trailer; (*motocyklista*) side-car
**przyczółek** *m* abutment; *arch.* pediment; *wojsk.* **~ mostowy** bridgehead
**przyczyn|a** *f* cause, reason; **z tej ~y** for that reason
**przyczynek** *m* contribution
**przyczynić się** *vr* contribute (**do czegoś** to sth)
**przyczynowość** *f* causality
**przyczynowy** *adj* causal
**przyćmiewać** *vt* dim, darken
**przyda|ć** *vt* add; **~ć się** *vr* be of some use; **na co się to ~?** what's the use of it?
**przydatność** *f* usefulness, utility
**przydatny** *adj* useful, to the purpose
**przydawka** *f gram.* attribute
**przydech** *m* aspiration
**przydeptać** *vt* tread under foot
**przydługi** *adj* lengthy
**przydomek** *m* assumed name, by-name
**przydrożny** *adj* wayside *attr*
**przydusić** *vt* stifle, smother
**przydymiony** *adj* smoky
**przydział** *m* allotment; assignment, (*np. chleba*) allowance
**przydzielić** *vt* allot, assign
**przyganiać** *vt* blame (**komuś** sb), find fault (**komuś** with sb)
**przygarnąć** *vt* (*przytulić*) cuddle, snuggle; *przen.* (*dać schronienie*) shelter
**przygasać** *vi* go out; *przen.* become stifled, subside, abate
**przyglądać się** *vr* look (**komuś, czemuś** at sb, sth), observe
**przygłuszać** *vt* (*przytłumiać*) stifle, muffle

**przygnębiać** *vt* depress, deject
**przygnębienie** *n* depression, low spirits *pl*, dejection
**przygnębiony** *adj* depressed, downcast, *praed* in low spirits
**przygniatać** *vt* press down; oppress; (*ciążyć*) weigh heavy (**coś** on, upon sth)
**przygoda** *f* adventure, accident
**przygodny** *adj* accidental, casual
**przygotowanie** *n* preparation, arrangement
**przygotowawczy** *adj* preparatory
**przygotowywać** *vt* prepare, make ⟨get⟩ ready; **~ do egzaminu** coach for the examination; **~ się** *vr* make ready, prepare (oneself); **~ się do egzaminu** prepare ⟨read⟩ for the examination; **~ się na najgorsze ⟨na niespodziankę⟩** prepare oneself for the worst ⟨for a surprise⟩
**przygrywać** *vi* play the accompaniment (**komuś** to sb); accompany (**komuś** sb)
**przygrywka** *f* prelude, accompaniment; (*gra*) play
**przyimek** *m gram.* preposition
**przyjaciel** *m* friend
**przyjacielski** *adj* friendly
**przyjaciółka** *f* friend, girl-friend, lady-friend
**przyjazd** *m* arrival
**przyjazny** *adj* friendly
**przyjaźnić się** *vr* be on friendly terms
**przyjaźń** *f* friendship
**przyjechać** *zob.* **przyjeżdżać**
**przyjemnie** *adv* agreeably; **jest mi ~** I am pleased; **~ mi Pana poznać** I am glad ⟨pleased⟩ to make your acquaintance ⟨to meet you⟩; **tu jest ~** it is nice here
**przyjemność** *f* pleasure; **znajdować ~** take pleasure (**w czymś** in sth); **zrób mi ~** do me the pleasure
**przyjemny** *adj* pleasant, agreeable
**przyjezdny** *adj* strange; *s m* stranger, arrival
**przyjeżdżać** *vi* come (**do pewnego miejsca** to some place), arrive (**do pewnego miejsca** at ⟨in⟩ some place)
**przyję|cie** *n* reception; (*zebranie towarzyskie*) party; (*np. do szkoły*) admission; (*do pracy*) engagement; (*daru, weksla*) acceptation; (*wniosku*) carrying; **godziny ~ć** reception-hours; office-hours; (*u lekarza*) consulting hours; **możliwy do ~cia** acceptable
**przyjęty** *adj* (*zwyczajem uznany*) received, customary
**przyjmować** *vt* receive; (*np. dar, weksel*) accept; (*np. do szkoły, towarzystwa*) admit; (*do pracy*) engage; **~ wniosek** carry a motion; **~ się** *vr* take root; be successful, prove a success; (*o roślinie, szczepionce*) take; (*o zwyczaju, modzie*) catch on
**przyjście** *n* arrival (**do pewnego miejsca** at ⟨in⟩ some place)
**przyjść** *vi zob.* **przychodzić; ~ na umówione spotkanie** keep an appointment
**przykazać** *vt* order, command
**przykazanie** *n rel.* commandment
**przyklaskiwać** *vi* applaud (**komuś** sb)
**przykleić** *vt* stick, glue
**przyklęknąć** *vi* kneel down
**przykład** *m* example, instance; **na ~** for instance ⟨example⟩; **brać ~ z kogoś** take example by sb; **dawać ~** set an example; **ilustrować ~em** exemplify; **iść za ~em** follow an example
**przykładać** *vt* apply, put on; **~ się** *vr* apply oneself
**przykładny** *adj* exemplary
**przykręcać** *vt* screw on
**przykro** *adv*, **~ mi** I'm sorry, it pains me; **~ mi to mówić** I regret to say this
**przykrość** *f* annoyance, pain, trouble; (*ciężka*) tribulation; **zrobić komuś ~** cause sb pain
**przykry** *adj* annoying, painful, disagreeable
**przykrycie** *n* cover
**przykrywać** *vt* cover
**przykrywka** *f* cover, lid

**przykrzy|ć się** *vr*, ~ **mi się** I am bored
**przykucnąć** *vi* squat down
**przykuwać** *vt* chain, nail; (*np. uwagę*) fix, arrest; ~ **czyjąś uwagę** fix ⟨draw, absorb⟩ one's attention
**przylądek** *m* cape, promontory
**przylecieć** *vi* come flying; *pot.* (*przybiec*) come running
**przylegać** *vi* lie close; fit close; adhere; (*o pokoju, domu*) be contiguous
**przyleganie** *n fiz.* adhesion
**przyległość** *f* contiguity; (*majątku, terytorium*) dependency
**przyległy** *adj* contiguous, adjacent (**do czegoś** to sth)
**przylepić** *vt* stick, glue; ~ **się** *vr* stick
**przylepiec** *m* (*plaster*) adhesive tape
**przylgnąć** *vi* stick, cling
**przylot** *m* arrival
**przylutować** *vt* solder
**przyłączenie** *n* annexation
**przyłączyć** *vt* annex, attach; ~ **się** *vr* join (**do kogoś, do towarzystwa** sb, a company)
**przyłbica** *f hist.* visor
**przymawiać** *vi* taunt (**komuś** sb); ~ **się** *vr* allude (**o coś** to sth)
**przymiarka** *f* (*u krawca*) fitting
**przymierać** *vi* (*głodem*) starve
**przymierzać** *vt* (*ubranie*) try on
**przymierze** *n* alliance
**przymiot** *m* quality
**przymiotnik** *m gram.* adjective
**przymocować** *vt* fasten, fix
**przymówka** *f* allusion, hint
**przymrozek** *m* light frost
**przymrużon|y** *pp i adj*, ~**e oczy** half-closed eyes
**przymus** *m* compulsion, constraint; **pod** ~**em** on ⟨under⟩ compulsion; ~ **szkolny** compulsory education
**przymusow|y** *adj* compulsory; *lotn.* ~**e lądowanie** forced landing
**przynaglać** *vt* urge, press
**przynajmniej** *adv* at least
**przynależeć** *vi* belong
**przynależnoś|ć** *f* appurtenance; (*partyjna*) membership; (*państwowa*) nationality; *pl* ~**ci** belongings; (*o majątku ziemskim*) appendages
**przynależny** *adj* belonging, appurtenant
**przynęta** *f* bait; *przen.* lure, enticement
**przynosić** *vt* bring; (*dochód*) bring in; (*plon*) yield; (*stratę, szkodę*) cause
**przyobiecać** *vt* promise
**przypadać** *vi* fall, come; (*o terminie płatności*) be due; ~ **do gustu** suit one's taste
**przypadek** *m* event, accident, case; *gram.* case
**przypadkiem** *adv* by chance, accidentally; **spotkałem go** ~ I happened to meet him
**przypadkowo** *adv* accidentally, by accident; **czy masz** ~ **tę książkę?** do you happen to have this book?; **natknąć się** ~ chance (**na kogoś, coś** on ⟨upon⟩ sb, sth)
**przypadkowy** *adj* accidental, casual
**przypadłość** *f* ailment, indisposition
**przypalić** *vt* singe; ~ **się** *vr* singe, become singed
**przypasać** *vi* gird on
**przypatrywać się** *vr* look (**czemuś** at sth), observe
**przypędzić** *vt* drive in; *vi* come hurrying
**przypieczętować** *vt* seal up
**przypinać** *vt* pin, fasten
**przypisek** *m* footnote; note, annotation
**przypisywać** *vt* assign, attribute, ascribe
**przypłynąć** *vi* come swimming ⟨sailing, flowing⟩; ~ **do brzegu** come to shore
**przypływ** *m* flow; ~ **i odpływ** flow and ebb, tide
**przypodobać się** *vr* endear oneself
**przypominać** *vt* remind (**komuś coś**

sb of sth); ~ **sobie** recall, recollect

**przypomnienie** *n* (*zwrócenie uwagi*) admonition; (*monit*) reminder; ~ **sobie** recollection

**przypowieść** *f* parable

**przyprawa** *f* condiment, spice

**przyprawiać** *vt* (*nadawać smak*) season; (*przymocować*) attach, fix; ~ **o utratę** cause a loss

**przyprowadzać** *vt* bring; ~ **do porządku** put in order

**przypuszczać** *vt* suppose, admit; ~ **szturm** assault (**do fortecy** a fortress)

**przypuszczalnie** *adv* supposedly, presumably

**przypuszczalny** *adj* supposed, presumable

**przypuszczenie** *n* supposition, admission

**przyroda** *f* nature

**przyrodni** *adj*, **brat** ~ step-brother; **siostra** ~**a** step-sister

**przyrodniczy** *adj* natural

**przyrodnik** *m* naturalist

**przyrodoznawstwo** *n* natural science

**przyrodzony** *adj* natural, innate

**przyrost** *m* increment; ~ **naturalny** birthrate

**przyrostek** *m gram.* suffix

**przyrząd** *m* apparatus, instrument

**przyrządzać** *vt* prepare, make ready; (*potrawę*) season, dress

**przyrzeczenie** *n* promise

**przyrzekać** *vt* promise

**przysadka** *f*, *med.* ~ **mózgowa** pituitary gland

**przysiad** *m sport* crouch, squat

**przysiadać** *vt* sit down, crouch; ~ **się** *vr* sit down close (**do kogoś** to sb), join (**do kogoś** sb)

**przysięg|a** *f* oath; **złożyć** ~**ę** take an oath; **pod** ~**ą** upon oath

**przysięgać** *vi* swear

**przysięgły** *adj* sworn; *s m* juryman; **sąd** ~**ch** jury

**przysłaniać** *vt* veil, shade

**przysłowie** *n* proverb

**przysłowiowy** *adj* proverbial

**przysłówek** *m gram.* adverb

**przysłuchiwać się** *vr* listen (**czemuś** to sth)

**przysług|a** *f* service; **wyświadczyć** ~**ę do** ⟨render⟩ a service

**przysług|iwać** *vi* have right, be entitled; ~**uje mi prawo** I have a right, I am entitled

**przysłużyć się** *vr* render a good service

**przysmak** *m* dainty, delicacy

**przysmażać** *vr* fry

**przysparza|ć** *vt* augment, add to, increase; cause; **to mi** ~ **kłopotu** this adds to my trouble

**przyspieszać** *vt* accelerate, hasten, speed up

**przyspieszenie** *n astr. fiz.* acceleration

**przysporzyć** *zob.* **przysparzać**

**przysposabiać** *vt* prepare, make fit ⟨ready⟩; adapt; *prawn.* adopt

**przysposobienie** *n* preparation; adaptation; *prawn.* adoption; ~ **wojskowe** military training, cadet corps

**przyst|ać** *vi* join (**do kogoś, do partii** sb, the party); ~**ać na służbę** enter into service; **to nie** ~**oi** it is unbecoming; ~**ać na coś** comply with sth; ~**ać na warunki** accept conditions

**przystanąć** *vi* stop short, halt

**przystanek** *m* stop, halt

**przystań** *f* harbour

**przystawać** *vi* adhere

**przystawiać** *vt* put close, place near

**przystępność** *f* accessibility

**przystępny** *adj* accessible, easy of approach; (*o cenie*) moderate

**przystępować** *vi* join (**do kogoś** sb); come near; accede (**do organizacji** to organization)

**przystojny** *f* good-looking, handsome, well-shaped

**przystrajać** *vt* adorn

**przysuwać** *vt* move ⟨shove, push⟩ nearer; ~ **się** *vr* draw ⟨move⟩ nearer

**przyswajać** *vt* assimilate; (*wiedzę*,

*języki*) acquire; (*poglądy, metody*) adopt; (*przywłaszczać sobie*) appropriate
**przysyłać** *vt* send (in); *vi* send (**po kogoś, coś** for sb, sth)
**przysypywać** *vt* (*np. ziemią*) cover; (*cukrem*) powder
**przyszłoś|ć** *f* future; **w ~ci** in future; **na ~ć** for the future
**przyszły** *adj* future; **~ tydzień itp.** next week etc.
**przyszywać** *vt* sew on
**przyśnić się** *vr* appear in a dream
**przyśpieszać** *zob.* **przyspieszać**
**przyśrubować** *vt* screw on
**przytaczać** *vt* (*cytować*) quote, cite; (*toczyć*) roll
**przytakiwać** *vi* say yes (**komuś** to sb); assent (**czemuś** to sth)
**przytępić** *vt* blunt, dull
**przytknąć** *vt* set, apply (**coś do czegoś** sth to sth)
**przytłaczać** *vt* press down, overwhelm
**przytłumiać** *vt* damp, suppress
**przytoczyć** *zob.* **przytaczać**
**przytomnie** *adv* with presence of mind, consciously
**przytomność** *f* consciousness; **~ umysłu** presence of mind; **stracić ~** lose consciousness; **odzyskać ~** recover
**przytomny** *adj* conscious
**przytrafić się** *vr* happen
**przytrzymać** *vt* detain, hold up; hold down; (*zatrzymywać*) keep back
**przytulić** *vt* snuggle, cuddle, hug (**do piersi** to one's breast); **~ się** *vr* cuddle, cling close; **~ się do siebie** cuddle together
**przytułek** *m* shelter, asylum; **~ dla ubogich** almshouse; **dawać ~** shelter (**komuś** sb)
**przytwierdzić** *vt* fasten, fix
**przytyk** *m* allusion
**przytykać** *vi* adjoin (**do czegoś** sth); (*graniczyć*) border (**do czegoś** on sth); *zob.* **przytknąć**
**przywara** *f* fault
**przywiązanie** *n* attachment
**przywiązywać** *vt* bind, tie (up), fasten; **~ się** *vr* attach oneself, become attached (**do kogoś, czegoś** to sb, sth)
**przywidzenie** *n* illusion, fancy
**przywieźć** *zob.* **przywozić**
**przywilej** *m* privilege
**przywitać** *vt* welcome, greet
**przywitanie** *n* welcome, greeting
**przywłaszczać** *vt* (*sobie*) appropriate; (*władzę, tytuł itp.*) usurp
**przywłaszczenie** *n* appropriation
**przywoływać** *vt* call
**przywozić** *vt* bring; convey; import
**przywódca** *m* leader
**przywóz** *m* import, importation; (*dostawa*) delivery
**przywracać** *vt* restore
**przywrócenie** *n* restoration
**przywyknąć** *vi* get accustomed ⟨used⟩ (**do kogoś, czegoś** to sb, sth)
**przyznać** *vt* (*np. nagrodę*) award; (*uznać rację*) admit; (*wyznaczyć*) assign; **muszę ~, że ...** I have to admit that ...; **~ się** *vr* confess, avow (**do czegoś** sth); *prawn.* **~ się do winy** plead guilty
**przyzwalać** *vi* consent (**na coś** to sth), concede (**na coś** sth)
**przyzwoitość** *f* decency
**przyzwoity** *adj* decent
**przyzwolenie** *n* consent (**na coś** to sth)
**przyzwyczajać** *vt* accustom (**do czegoś** to sth); **~ się** *vr* become accustomed, get used (**do czegoś** to sth)
**przyzwyczajeni|e** *n* habit; **nabrać złego ~a** fall into a bad habit; **nabrać dobrego ~a** form a good habit
**przyzwyczajony** *pp i adj* accustomed, used (**do czegoś** to sth)
**przyzywać** *vt* call
**psalm** *m* psalm
**psałterz** *m* psalter
**pseudonim** *m* pseudonym
**psi** *adj* dog's, dog; *attr* **~e życie** dog's life

**psiakrew** *int* damn it!, dash it!
**psiarnia** *f* kennel; (*sfora*) pack of hounds
**psikus** *m* trick; spłatać ~a play a trick (komuś on sb)
**psocić** *vi* play tricks
**psota** *f* trick
**psotnik** *m* wag
**pstrąg** *m zool.* trout
**pstry** *adj* motley; (*o koniu*) piebald
**psuć** *vt* spoil; (*pogarszać*) make worse, worsen; (*uszkadzać*) damage; ~ **się** *vr* spoil, get spoilt
**psychiatra** *m* psychiatrist
**psychiatria** *f* psychiatry
**psychiczny** *adj* psychical
**psychika** *f* psyche
**psycholog** *m* psychologist
**psychologia** *f* psychology
**psychologiczny** *adj* psychological
**pszczelarz** *m* bee-keeper
**pszczelarstwo** *n* bee-keeping
**pszczoła** *f zool.* bee
**pszenica** *f* wheat
**ptactwo** *n* birds *pl*; (*wodne, dzikie*) fowl; (*domowe*) poultry
**ptak** *m* bird; *pot.* **niebieski** ~ spiv
**ptasi** *adj* bird, bird's *attr*; ~**e gniazdo** bird's nest; *przen.* **brak mu** ~**ego mleka** he lives in clover
**publicysta** *m* journalist
**publicystyka** *f* journalism
**publicznie** *adv* in public
**publiczność** *f* public; (*na sali*) audience
**publiczny** *adj* public
**publikacja** *f* publication
**publikować** *vt* publish
**puch** *m* (*ptasi*) down; (*meszek*) fluff
**puchacz** *m zool.* eagle-owl
**puchar** *m* beaker, bowl; *sport* ~ **przechodni** challenge cup
**puchlina** *f* swelling; (*wodna*) dropsy
**puchnąć** *vi* swell
**pucołowaty** *adj* chubby
**pucybut** *m* bootblack
**pucz** *m* putsch
**pudełko** *m* box
**puder** *m* powder
**puderniczka** *f* compact, powder-box
**pudło** *n* box
**pudrować** *vt* powder
**pugilares** *m* wallet
**pukać** *vi* knock, rap (**do drzwi** at the door)
**pukanie** *n* knock
**pukiel** *m* curl, lock
**pula** *f* pool
**pularda** *f* fattened pullet
**pulchny** *adj* plump; (*o cieście*) crumby; (*o glebie*) friable
**pulower** *m* pull-over
**pulpit** *m* desk, writing-desk; (*do nut*) music-stand, music-desk
**puls** *m* pulse; **mierzyć** ~ feel the pulse
**pulsować** *vi* pulsate
**pułap** *m* ceiling
**pułapka** *f* trap; ~ **na myszy** mouse-trap
**pułk** *m wojsk.* regiment
**pułkownik** *m* colonel
**pumeks** *m* pumice-stone
**punkt** *m* point; (*inwentarza, programu itp.*) entry, item; ~ **ciężkości** centre of gravity; ~ **oparcia** point of support; ~ **widzenia** point of view; ~ **wyjścia** starting point; ~ **zborny** rallying point
**punktualność** *f* punctuality
**punktualny** *adj* punctual
**pupil** *m* favourite
**purchawka** *f* puff-ball
**purpura** *f* purple
**purytanin** *m* Puritan
**pustelnia** *f* hermitage
**pustelnik** *m* hermit
**pustk|a** *f* solitude, desert; vacancy; **były** ~**i w teatrze** the house was empty, there was a thin audience in the theatre; **mieć** ~**ę w głowie** be empty-headed; **stać** ~**ami** be abandoned ⟨empty⟩
**pustkowie** *n* desert
**pustoszyć** *vt* devastate, lay waste

**pusty** *adj* empty
**pustynia** *f* desert
**pustynny** *adj* desert; waste
**puszcza** *f* wilderness; primeval forest
**puszczać** *vt* let; let fall, let go; (*o pogłosce*) set afloat; *vi* (*o farbie*) come off; (*o szwach*) come apart; (*o mrozie*) break; **~ coś płazem** pass sth over; *med.* **~ krew** bleed; **~ latawca** fly a kite; **~ pieniądze** make ducks and drakes of one's money; **~ pąki** bud; **~ w obieg** circulate, put into circulation; **~ w ruch** set going, set in motion; **~ wolno** set free
**puszek** *m* down; (*do pudru*) powder-puff; (*meszek*) fluff
**puszka** *f* box; (*blaszana*) tin, *am.* can; **~ na pieniądze** money-box
**puszysty** *adj* downy, fluffy
**puścić** *zob.* **puszczać**
**puzon** *m muz.* trombone
**pycha** *f* pride, haughtiness
**pykać** *vt vi* puff
**pylić** *vi* raise ⟨make⟩ dust
**pył** *m* dust
**pyłek** *m* mote; *bot.* pollen
**pysk** *m* muzzle, snout
**pyskować** *vt pot.* bark
**pyszałek** *m* conceited fellow
**pyszałkowaty** *adj* conceited, bloated
**pysznić się** *vr* pride oneself (**czymś** on sth)
**pyszny** *adj* proud; (*wyborny*) excellent
**pyta|ć** *vt* ask (**o drogę** one's way; **o kogoś, coś** about sb, sth; **kogoś o zdrowie** after sb's health); inquire (**o kogoś, coś** after ⟨for⟩ sb, sth); (*wypytywać*) interrogate; (*egzaminować*) examine; **kto ~ł się o mnie?** who has asked for me?
**pytajnik** *m* mark of interrogation; question-mark, question-stop
**pytanie** *n* question; inquiry (**o kogoś** after sb); (*stawianie pytań, badanie*) interrogation; **trudne ⟨podchwytliwe⟩ ~** poser; **zadać komuś ~** ask sb a question, put a question to sb
**pytel** *m* bolter
**pyzaty** *adj* chubby

# r

**rabarbar** *m bot.* rhubarb
**rabat** *m* discount
**rabin** *m* rabbi
**rabować** *vt* rob (**komuś coś** sb of sth), plunder
**rabunek** *m* robbery, plunder
**rabunkowy** *adj* predatory; **napad ~** hold-up
**rabuś** *m* robber, plunderer
**rachityczny** *adj* rickety
**rachmistrz** *m* accountant, calculator
**rachować** *vt* count, reckon, calculate
**rachuba** *f* calculation; (*rachunkowość*) accountancy, book-keeping
**rachun|ek** *m* reckoning; account; (*w sklepie, restauracji*) bill; **~ek bieżący** current account; **~ek bankowy** banking account; *mat.* **~ek różniczkowy** differential calculus; *pl* **~ki** (*lekcja*) arithmetic; (*gospodarskie*) house-keeping accounts
**rachunkowość** *f* accountancy, book-keeping
**racj|a** *f* reason; (*żywnościowa*) ration; **mieć ~ę** be right; **nie mieć ~i** be wrong

**racjonalista** *m* rationalist
**racjonalizacja** *f* rationalization
**racjonalizm** *m* rationalism
**racjonalizować** *vt* rationalize
**racjonalność** *f* rationality, reasonableness
**racjonalny** *adj* rational, reasonable
**raczej** *adv* rather, sooner
**raczek** *m* (small) crab, crayfish
**raczkować** *vi* crawl on all fours
**raczyć** *vi* deign, condescend; **~ usiąść** be pleased to sit down; *vt* (*częstować*) treat (**kogoś czymś** sb to sth); **~ się** *vr* treat oneself
**rad 1.** *adj* glad (**z czegoś** of sth); pleased (**z czegoś** with sth); **~ bym wiedzieć** I should like to know; **~ nie rad** *pot.* willy-nilly
**rad 2.** *m chem.* radium
**rad|a** *f* (*porada*) advice, counsel; (*zespół*) council, board; **~a miejska** city council; **~a zakładowa** factory ⟨institution⟩ council; **dać sobie ~ę** manage (**z czymś** sth); **nie ma na to ~y** there's no help for it; **pójść za czyjąś ~ą** follow ⟨take⟩ sb's advice; **zasięgać czyjejś ~y** ask sb's advice, consult sb; **jaka na to ~a?** what can be done about it?
**radar** *m* radar
**radca** *m* counsellor; (*prawny*) counsel
**radio** *n* radio; (*aparat*) wireless set; **przez ~** on the air, by wireless; **nadawać przez ~** broadcast
**radioaktywny** *adj* radioactive
**radiofonia** *f* broadcasting
**radionadawca** *m* broadcaster
**radioodbiornik** *m* radio(-set), radio receiver
**radioskopia** *f* radioscopy
**radiosłuchacz** *m* listener, listener-in
**radiostacja** *f* broadcasting station
**radiotelegrafista** *m* wireless operator
**radioterapia** *f* radiotherapy
**radiowy** *adj attr* radio; **aparat ~** wireless set; **program ~** radio programme
**radny** *m* city ⟨town⟩ councillor, alderman
**radosny** *adj* joyous, joyful, cheerful
**radoś|ć** *f* joy; **nie posiadać się z ~ci** be transported with joy; **sprawić komuś ~ć** make sb glad
**radować** *vt* gladden; **~ się** *vr* rejoice (**czymś** at ⟨in⟩ sth)
**radykalizm** *m* radicalism
**radykalny** *adj* radical
**radykał** *m* radical
**radzić** *vt vi* advise (**komuś** sb); (*obradować*) deliberate (**nad czymś** on sth); **~ się** *vr* consult (**kogoś** sb)
**radziecki** *adj* Soviet; **Związek Radziecki** the Soviet Union
**rafa** *f* reef
**rafineria** *f* refinery
**raj** *m* paradise
**rajd** *m* raid
**rak** *m zool.* crab, crayfish; *med.* cancer
**rakieta 1.** *f* rocket; **~ międzyplanetarna** interplanetary rocket
**rakieta 2.** *f sport* racket
**ram|a** *f* frame; **~a okienna** sash, window-frame; **oprawić w ~ę** frame; *przen.* **w ~ach czegoś** within the limits of sth
**rami|ę** *n* arm; (*bark*) shoulder; **wzruszać ~onami** shrug one's shoulders
**rampa** *f* ramp; (*towarowa*) platform; *teatr* footlights *pl*
**rana** *f* wound
**randka** *f* rendezvous, *pot.* date
**ranga** *f* rank
**ranić** *vt* wound, hurt
**ranny 1.** *adj* wounded
**ranny 2.** (*poranny*) *attr* morning
**rano** *adv* in the morning; **dziś ~** this morning; **wczoraj ⟨jutro⟩ ~** yesterday ⟨tomorrow⟩ morning; **z rana** in the morning
**raport** *m* report; account; **stanąć do ~u** appear to account; **wezwać do ~u** call to account
**raportować** *vt* report

**rapsodia** *f* rhapsody
**raptem** *adv* all of a sudden, abruptly
**raptowny** *adj* abrupt
**rasa** *f* race; *zool.* breed
**rasizm** *m* racialism
**rasow|y** *adj* racial; (*o zwierzętach czystej rasy*) thorough-bred; **dyskryminacja ~a** colour bar
**raszpla** *f* rasp
**rat|a** *f* instalment, part payment; **na ~y** by instalments, in part payments; **sprzedaż ⟨kupno⟩ na ~y** hire-purchase
**ratować** *vt* save, rescue; **~ się** *vr* save oneself; **~ się ucieczką** take to flight
**ratownictwo** *n* life-saving
**ratownik** *m* rescuer, *am.* life-guard
**ratun|ek** *m* rescue, salvation; **wołać o ~ek** cry for help; **~ku!** help!
**ratunkow|y** *adj* saving, life-saving; **łódź ~a** life-boat; **pas ~y** life-belt
**ratusz** *m* town hall
**ratyfikacja** *f* ratification
**ratyfikować** *vt* ratify
**raut** *n* evening party
**raz** *s* (*cios*) blow; (*kroć*) time; **jeden ~** once; **dwa ~y** twice; **trzy ~y** three times; **innym ~em** some other time; **jeszcze ~** once more; **na ~ie** for the time being; **od ~u** at once; **pewnego ~u** once upon a time; **po ~ pierwszy** for the first time; **~ na zawsze** once for all; **~ po ~** repeatedly, again and again; **tym ~em** this time; **w każdym ~ie** at any rate, in any case; **w najgorszym ~ie** if the worst comes to the worst, at worst; **w najlepszym ~ie** at best; **w przeciwnym ~ie** or else, otherwise; **w ~ie jego śmierci** in the event of his death; **w ~ie potrzeby** in case of need; **w takim ~ie** in such a case, so; **za każdym ~em** every time; *adv* once, at one time
**razem** *adv* together
**razić** *vt* strike; offend; shock; **~ oczy** dazzle; **~ strzałami** pelt with arrows; **rażony piorunem** thunderstruck; **rażony paraliżem** stricken with paralysis
**razowy** *adj* **chleb ~** brown bread
**raźny** *adj* brisk
**rażący** *adj* striking, shocking; (*o świetle*) dazzling; (*o błędzie, postępku*) gross
**rąbać** *vt* hew; (*drzewo*) chop; (*rozłupywać*) split
**rąbek** *m* hem, border
**rączka** *f* little hand; (*uchwyt*) handle; (*steru*) tiller; (*obsadka do pióra*) penholder
**rączy** *adj* nimble, brisk
**rdza** *f* rust
**rdzawy** *adj* rusty
**rdzenny** *adj* original, true-borne, native
**rdzeń** *m* pith, marrow; core; **~ wyrazu** root; *anat.* **~ pacierzowy** spinal marrow
**rdzewieć** *vi* grow rusty
**reagować** *vi* react (**na coś** to sth)
**reakcja** *f* reaction
**reakcjonista** *m* reactionary
**reakcyjny** *adj* reactionary
**reaktor** *m* *fiz.* reactor
**realia** *s pl* realities *pl*
**realista** *m* realist
**realistyczny** *adj* realistic
**realizm** *m* realism
**realizować** *vt* realize, make real; (*czek, rachunek*) cash
**realność** *f* (*rzeczywistość*) reality; (*majątek nieruchomy*) real estate
**realny** *adj* real
**reasekuracja** *f* reinsurance
**reasumować** *vt* recapitulate
**rebus** *m* rebus
**recenzent** *m* reviewer
**recenzja** *f* review, critique
**recenzować** *vt* review
**recepcja** *f* reception; (*np. w hotelu*) reception desk ⟨office⟩
**recepcyjny** *adj* receptive; **pokój ~** reception-room
**recepta** *f* prescription
**rechot** *m* croaking

**recital** [-czi-, -c-i-] *m muz.* recital
**recydywa** *f* relapse
**recydywista** *m* recidivist
**recytować** *vt* recite
**redagować** *vt* (*szkicować*) draw up; (*opracowywać*) redact; (*gazetę, czasopismo*) edit
**redakcja** *f* (*czynność*) redaction, composition; (*szkic*) draft; (*biuro*) editor's office
**redakcyjny** *adj* editorial
**redaktor** *m* redactor; (*gazety, czasopisma*) editor; **~ naczelny** editor in chief
**redukcja** *f* reduction; (*zwolnienie z pracy*) discharge; **~ zarobków** wage-cut
**redukować** *vt* reduce; (*zwolnić z pracy*) discharge; dismiss; (*wydatki, ceny itp.*) cut (down)
**reduta** *f wojsk.* redoubt
**refektarz** *m* refectory
**referat** *m* report
**referencja** *f* reference
**referent** *m* reporter; clerk
**referować** *vt* report
**refleks** *m* reflex
**refleksja** *f* reflection
**refleksyjny** *adj* reflexive, reflective
**reflektant** *m* (*np. na posadę*) applicant; (*na kupno*) prospective buyer
**reflektor** *m* reflector
**reflektować** *vi* have in view (**na coś** sth); intend; **~ się** *vr* come to one's senses, sober down
**reforma** *f* reform
**reformacja** *f* Reformation
**reformować** *vt* reform
**refren** *m* refrain
**regał** *m* book-shelf
**regaty** *s pl sport* regatta, boat-race
**regencja** *f* regency
**regeneracja** *f* regeneration
**regenerować** *vt* regenerate; **~ się** *vr* regenerate, become regenerated
**regent** *m* regent
**regionalny** *adj* regional
**regulacja** *f* regulation
**regulamin** *m* regulations *pl*
**regularność** *f* regularity
**regularny** *adj* regular
**regulator** *m* regulator
**regulować** *vt* regulate; (*zegarek*) put right; (*ruch uliczny*) control; (*rachunek*) settle
**reguł|a** *f* rule; **z ~y** as a rule
**rehabilitacja** *f* rehabilitation
**rehabilitować** *vt* rehabilitate
**reja** *f mors.* yard
**rejent** *m* notary (public)
**rejestr** *m* register, record
**rejestracja** *f* registration
**rejestrować** *vt* register, record; *wojsk.* enroll; **~ się** *vr* register
**rejon** *n* region
**rejs** *m* cruise
**rekapitulować** *vt* recapitulate, sum up
**rekin** *m zool.* shark
**reklama** *f* publicity, advertising
**reklamacja** *f* claim
**reklamować** *vt* claim; (*ogłaszać*) advertise
**rekolekcje** *s pl* retreat
**rekomendacja** *f* recommendation
**rekomendować** *vt* recommend; (*o liście*) register
**rekompensata** *f* compensation
**rekontrować** *vi* (*w brydżu*) redouble
**rekonwalescencja** *f* recovery, convalescence
**rekonwalescent** *m* convalescent
**rekord** *m* record; **pobić ‹ustanowić› ~** break a record
**rekordzista** *m* record-holder
**rekreacja** *f* recreation, pastime
**rekrut** *m* recruit; **pobór ~ów** conscription
**rekrutacja** *f* recruitment
**rekrutować** *vt* recruit
**rektor** *m* rector; chancellor, president
**rektyfikacja** *f* rectification
**rektyfikować** *vt* rectify
**rekwirować** *vt* requisition
**rekwizycja** *f* requisition
**rekwizyt** *m* requisite; *teatr pl* **~y** property *zbior.*, props

**relacja** *f* report, relation
**relaks** *m* relax
**relatywizm** *m* relativism, relativity
**relegować** *vt* (*z uniwersytetu*) rusticate
**relief** *m* relief
**religia** *f* religion
**religijność** *f* religiosity
**religijny** *adj* religious
**relikwia** *f* relic
**remanent** *m* remainder, remaining stock; **sporządzanie ~u** stock-taking; **sporządzać ~** take stock
**reminiscencja** *f* reminiscence
**remis** *m sport* tie; draw
**remisow|y** *adj*, **gra ~a** tie game
**remiza** *f* shed, *am.* barn
**remont** *m* renovation, repair
**remontować** *vt* renovate, repair
**ren** *m zool.* reindeer
**renegat** *m* renegade
**renesans** *m* Renaissance
**renifer** *m* = **ren**
**renkloda** *f bot.* greengage
**renoma** *f* renown
**renomowany** *adj* renowned
**renons** *m* (*w kartach*) renounce
**renta** *f* income, annuity; (*starcza*) old-age pension; (*inwalidzka*) disability payment
**rentgen** *m* x-ray apparatus; *pot.* (*prześwietlenie*) radiograph
**rentgenolog** *m* Roentgenologist, radiologist
**rentgenologia** *f* Roentgenology, radiology
**rentować się** *vr* pay one's way, yield an income
**rentowny** *adj* paying, profitable
**reorganizacja** *f* reorganization
**reperacj|a** *f* reparation; repair; **muszę dać buty do ~i** I must have my shoes repaired
**reperować** *vt* repair, mend
**repertuar** *m* repertoire, repertory
**repetent** *m* repeater
**repetować** *vt* repeat
**repetycja** *f* repetition
**replika** *f* rejoinder, repartee; (*obrazu, rzeźby*) replica
**replikować** *vi* retort, rejoin
**reportaż** *m* reportage
**reporter** *m* reporter
**represja** *f* reprisal
**reprezentacja** *f* representation
**reprezentacyjny** *adj* representative
**reprezentant** *m* representative
**reprezentować** *vt* represent
**reprodukcja** *f* reproduction
**reprodukować** *vt* reproduce
**republika** *f* republic
**republikanin** *m* republican
**republikański** *adj* republican
**reputacja** *f* reputation, repute
**resor** *m* spring
**resort** *m* department, province; **to nie należy do mojego ~u** this is beyond my province
**respekt** *m* respect
**respektować** *vt* respect
**restauracja** *f* (*jądłodajnia*) restaurant; (*odnowienie, przywrócenie*) restoration
**restaurator** *m* restaurant-keeper; (*konserwator*) restorer
**restaurować** *vt* restore, renovate, repair
**restrykcja** *f* restriction
**restytucja** *f* restitution
**reszt|a** *f* rest, remainder; (*pieniądzy*) change; (*osad*) residue; **do ~y** utterly, to the last
**reszt|ka** *f* remnant; *pl* **~ki** relics, remains
**retorta** *f* retort
**retoryczny** *adj* rhetorical
**retoryka** *f* rhetoric
**retusz** *m* retouch
**retuszować** *vt* retouch
**reumatyczny** *adj* rheumatic
**reumatyzm** *m* rheumatism
**rewanż** *m* (*odwet*) revenge; (*odwzajemnienie*) reciprocation, requital; *sport* **return match**, revenge; **dać komuś możność ~u** give sb his revenge
**rewanżować się** *vt* requite, reciprocate
**rewelacja** *f* revelation, sensation
**rewelacyjny** *adj* revelational, sensational

**rewers** *m* receipt; (*biblioteczny*) lending form
**rewia** *f wojsk.* review; *teatr* revue
**rewident** *m* controller
**rewidować** *vt* revise; (*obszukiwać*) search
**rewizja** *f* revision; (*obszukiwanie*) search
**rewizjonista** *m* revisionist
**rewizjonizm** *m* revisionism
**rewizor** *m* controller
**rewizyta** *f* return ⟨reciprocated⟩ visit
**rewizytować** *vt* return ⟨repay⟩ a visit
**rewolucja** *f* revolution
**rewolucyjny** *adj* revolutionary
**rewolwer** *m* revolver
**rezeda** *f bot.* reseda
**rezerwa** *f* reserve
**rezerwat** *m* reserve; (*łowiecki, rybny*) preserve; (*dla Indian itp.*) reservation
**rezerwista** *m* reservist
**rezerwować** *vt* reserve; (*miejsce w pociągu, teatrze itp.*) book
**rezerwow|y** *adj* reserve *attr*; (*zapasowy*) spare *attr*; **części ~e** spare parts
**rezerwuar** *m* reservoir
**rezolucja** *f* resolution
**rezolutny** *adj* resolute, determined
**rezonans** *m* resonance
**rezultat** *m* result
**rezurekcja** *f* resurection
**rezydencja** *f* residence
**rezydent** *m* resident
**rezydować** *vi* reside
**rezygnacja** *f* resignation
**rezygnować** *vi* resign (**z czegoś** sth, **na rzecz kogoś** to sb)
**reżim** *m* régime
**reżyser** *m* stage-manager; (*filmowy*) director
**reżyseria** *f* stage-management; (*filmowa*) direction
**reżyserować** *vt* stage-manage; (*film*) direct
**ręcznie** *adv* by hand; **~ robiony** handmade
**ręcznik** *m* towel
**ręczn|y** *adj* hand *attr*, manual; **bagaż ~y** portable luggage; **robota ~a** handiwork; **wózek ~y** hand-barrow
**ręczyć** *vt* guarantee, warrant
**ręk|a** *f* hand; **dać komuś wolną ~ę** allow sb free play; **iść komuś na ~ę** play into sb's hands; **to jest mi na ~ę** this suits me; **trzymać za ~ę** hold by the hand; **na swoją ~ę** on one's own account; **od ~i** on the spot, offhand; **pod ~ą** at hand; **pod ~ę** arm in arm; **~a w ~ę** hand in hand
**rękaw** *m* sleeve
**rękawica** *f* glove; (*bokserska*) boxing-glove; *hist.* (*rycerska*) gauntlet
**rękawiczka** *f* glove; (*z jednym palcem*) mitten
**rękodzielnik** *m* handicraftsman
**rękodzieło** *n* handicraft
**rękojeść** *f* handle; (*u szabli*) hilt
**rękojmia** *f* guaranty
**rękopis** *m* manuscript
**robactwo** *n* vermin
**robaczywy** *adj* worm-eaten
**robak** *m* worm
**rober** *m* (*w kartach*) rubber
**robi|ć** *vt* make, do; **~ć swoje** do one's duty; **~ć na drutach** knit; **mało sobie z tego ~ę** I make little of it; **to mi dobrze ~** it does me good; **~ć się** *vr tylko impers*: **~ się ciepło ⟨zimno, późno itp.⟩** it is getting warm ⟨cold, late etc.⟩
**robocizna** *f* working power, labour; (*zapłata*) wages *pl*; (*pańszczyźniana*) statute labour
**robocz|y** *adj* work, working *attr*; **dzień ~y** working day; **siła ~a** manpower; **ubranie ~e** working clothes; **wół ~y** draught-ox
**robot** *m* robot
**robot|a** *f* work, labour, job; **~y polne** field-labour; **~y przymusowe** forced labour; **~y ziemne** earth works; **ciężkie ~y** (*karne*) hard labour, penal servitude; **nie**

mieć nic do ~y have nothing to do
**robotniczy** *adj* workman's, workman *attr*
**robotnik** *m* (*pracownik*) worker; (*pracownik fizyczny*) workman; (*wyrobnik*) labourer
**robótki** *s pl* needle-work, fancy-work
**rocznica** *f* anniversary
**rocznie** *adv* yearly, annually
**rocznik** *m* year-book; *wojsk.* class; *pl* ~i (*naukowe, literackie*) annals
**roczny** *adj* yearly, annual
**rodaczka** *f* (fellow-)countrywoman
**rodak** *m* (fellow-)countryman
**rodowity** *adj* true-born, native; ~ Anglik Englishman by birth
**rodowód** *m* pedigree
**rodow|y** *adj* (*dziedziczny*) ancestral; clan *attr*; clannish; (*plemienny*) tribal; **majątek ~y** patrimony; **szlachta ~a** hereditary nobility
**rodzaj** *m* kind, species, sort; *biol.* genus; *gram.* gender; ~ **ludzki** mankind; **coś w tym ~u** something of the kind; **najgorszego ~u** of the worst description; **wszelkiego ~u** of every description
**rodzajnik** *m gram.* article
**rodzajowy** *adj* generic
**rodzeństwo** *n* brothers and sisters
**rodzice** *s pl* parents
**rodzicielski** *adj* parental; parents' *attr*
**rodzić** *vt* bear, generate, produce
**rodzimy** *adj* native
**rodzina** *f* family
**rodzinn|y** *adj* family *attr*; natal, native; **majątek ~y** family estate; **miasto ~e** native town; **dodatek ~y** family allowance
**rodzony** *adj* full born, german; ~ **brat** brother german
**rodzynek** *m* raisin
**rogacz** *m* stag; *przen. pot.* (*zdradzony mąż*) cuckold
**rogatka** *f* turnpike; toll-bar
**rogaty** *adj* horned
**rogatywka** *f* four-cornered cap
**rogowacieć** *vi* become horny
**rogowaty** *adj* horny, corneous
**rogowy** *adj* horn *attr*, horny
**rogoża** *f* (*mata*) (door-)mat
**rogówka** *f anat.* cornea
**roi|ć** *vi* dream; **~ć sobie** imagine, fancy; **~ć się** *vr* swarm, team; **coś mu się ~** he fancies sth, sth runs through his head
**rojalista** *m* royalist
**rojny** *adj* swarming, teaming
**rok** *s* (*pl* **lata**) year; ~ **przestępny** leap-year; ~ **szkolny** school-year; **co drugi** ~ every second year; **w przyszłym** ⟨**w zeszłym**⟩ **~u** next ⟨last⟩ year; **przed laty** many years ago; **mam 18 lat** I am 18 years old
**rokosz** *m* mutiny
**rokować** *vi* (*pertraktować*) negotiate (**w sprawie traktatu, pożyczki** a treaty, a loan); (*zapowiadać*) augur; ~ **nadzieje** bid fair, give fair promise; **można ~ nadzieje, że on będzie miał powodzenie** he bids fair to succeed
**rokowani|e** *n* prognosis; *pl* **~a** (*pertraktacje*) negotiations
**rola 1.** *f* (*pole*) arable land, field, soil
**rol|a 2.** *f* (*teatr i przen.*) part, role; **odgrywać ~ę** play a part
**roleta** *f* window-blind
**rolka** *f* (*szpulka*) reel; (*zwój*) roll; (*wałek*) roller
**rolnictwo** *n* agriculture
**rolniczy** *adj* agricultural
**rolnik** *m* farmer; agriculturist
**roln|y** *adj* agrarian; agricultural; land *attr*; **reforma ~a** agrarian reform; **bank ~y** land bank
**romans** *m* (*powieść*) romance, novel; (*miłostka*) love-affair
**romansować** *vi* flirt, carry a love-affair
**romantyczność** *f* romanticism
**romantyczny** *adj* romantic
**romantyk** *m* romantic; (*przedstawiciel romantyzmu*) romanticist

**romantyzm** *m* romanticism
**romański** *adj* (*język*) Romance; (*styl*) Romanesque
**romb** *m mat.* rhomb
**rondel** *m* stew-pan
**rondo** 1. *n* (*u kapelusza*) brim; *muz.* rondo
**rondo** 2. *m* (*plac*) circus
**ronić** *vt* (*np. łzy*) shed; *med.* miscarry
**ropa** *f med.* pus; ~ **naftowa** rock-oil, petroleum
**ropieć** *vi* fester, suppurate
**ropień** *m med.* abscess
**ropucha** *f zool.* toad
**rosa** *f* dew
**Rosjanin** *m* Russian
**rosły** *adj* tall
**rosnąć** *vi* grow
**rosochaty** *adj* forked
**rosół** *m* buillon, beef-soup
**rostbef** *m* roast beef
**rosyjski** *adj* Russian
**roszad|a** *f* (*w szachach*) castling; **robić ~ę** to castle
**roszczenie** *n* claim (**o coś** to sth, **pod czyimś adresem** on sb)
**rościć** *vt* (*np. prawo, pretensje*) claim (**do czegoś** sth), lay claim (**do czegoś** to sth)
**roślina** *f* plant; ~ **pnąca** creeper
**roślinność** *f* flora, vegetation
**roślinny** *adj* vegetable, vegetal
**rotmistrz** *m wojsk.* cavalry-captain
**rowek** *m* (small) channel; *techn.* groove
**rower** *m* (bi)cycle
**rowerzysta** *m* cyclist
**rozbestwić** *vt* make furious, enrage; ~ **się** *vr* become furious
**rozbicie** *n* disruption; (*wrogich sił*) defeat; ~ **okrętu** shipwreck
**rozbić** *vt* crush, smash, disrupt; (*wroga*) defeat; ~ **się** *vr* be crushed ⟨smashed⟩; (*o statku*) be shipwrecked; (*o planie*) be frustrated ⟨thwarted⟩
**rozbierać** *vt* undress: (*rozkładać*) decompose; (*dom*) pull down; (*kraj*) partition; (*rozczłonkowywać*) dismember; (*np. maszynę*) dismantle, dismount; (*np. zegarek*) take apart; ~ **się** *vr* undress, strip; (*zdejmować wierzchnie odzienie*) take off (one's overcoat, hat etc.)
**rozbieżność** *f* divergence
**rozbieżny** *adj* divergent
**rozbijać** *zob.* **rozbić**
**rozbiór** *m* dismemberment; (*tekstu*) analysis; (*kraju*) partition
**rozbiórka** *f* (*domu, maszyny itp.*) demolition
**rozbitek** *m* castaway; *przen.* (*życiowy*) wreck
**rozbój** *m* robbery, piracy
**rozbójnik** *m* robber, highwayman; (*morski*) pirate
**rozbrajać** *vt*, ~ **się** *vr* disarm
**rozbrat** *m* rupture, disunion; **wziąć** ~ break, fall out (**z kimś** with sb), become divorced (**z rozumem** from one's senses)
**rozbrojenie** *n* disarmament
**rozbrzmiewać** *vi* resound
**rozbudowa** *f* extension, enlargement
**rozbudowywać** *vt* extend, enlarge; (*np. praktykę, stosunki*) build up; ~ **się** *vr* extend
**rozbudzić** *vt* awaken, arouse
**rozchmurzyć** *vt* clear up; *przen.* (*rozweselić*) cheer one's thoughts
**rozchodzić się** *vr* (*o towarzystwie*) break up, part; (*o zgromadzeniu, grupie uczniów itp.*) disperse; *wojsk.* break ranks; (*rozłączyć się*) separate, come apart; (*o wiadomościach itp.*) spread abroad; (*o towarze*) sell well
**rozchód** *m* expense, expenditure
**rozchwiać** *vt* shake, make loose; ~ **się** *vr* be shaken, become loose
**rozchwytać** *vt* snatch up; (*rozkupić*) buy up
**rozchylać** *vt*, ~ **się** *vr* open, draw apart; ~ **usta** part one's mouth
**rozciągać** *vt*, ~ **się** *vr* extend, stretch, expand
**rozciągłoś|ć** *f* expansion, extent; **w całej ~ci** at full length; to the full extent
**rozciągły** *adj* extensive

**rozcieńczyć** *vt* dilute
**rozcierać** *vt* grind (**na proch** to powder); (*np. ciało*) rub
**rozcinać** *vt* cut up
**rozczarować** *vt* disillusion, disappoint; ~ **się** *vr* become disappointed
**rozczarowanie** *n* disillusionment, disappointment
**rozczesać** *vt* comb off
**rozczłonkować** *vt* dismember
**rozczłonkowanie** *n* dismemberment
**rozczulać** *vt* move (to pity), touch, affect; ~ **się** *vr* be moved, be touched; (*bawić się w sentymenty*) sentimentalize (**nad kimś, czymś** over sb, sth)
**rozczyn** *m* solution
**rozdarcie** *n* rent, tear; *przen.* (*wewnętrzne skłócenie*) disruption
**rozdawać** *vt* distribute; (*karty*) deal
**rozdmuchiwać** *vt* (*nadymać*) blow up, inflate; (*podsycać płomień*) fan
**rozdrabniać** *vt* fritter
**rozdrapywać** *vt* scratch; (*rozranić*) lacerate
**rozdrażniać** *vt* irritate
**rozdrażnienie** *n* irritation
**rozdroże** *n* crossroad(s)
**rozdwoić** *vt* divide, split, disunite
**rozdwojenie** *n* division, disunion, split
**rozdymać** *vt* blow up, inflate
**rozdział** *m* (*oddzielenie*) separation; (*podział*) division; (*rozdzielenie*) distribution; (*w książce*) chapter; (*we włosach*) parting
**rozdzielać** *vt* (*oddzielać*) separate, sever; (*podzielić*) divide; (*rozdawać*) distribute; (*wydzielać*) deal ⟨share⟩ out; (*nagrody*) give away ⟨out⟩
**rozdzielcz|y** *adj* distributive; **punkt ~y** distributing point; **tablica ~a** *elektr.* switchboard, (*w samochodzie*) dash-board
**rozdziera|ć** *vt* rend, tear up, split; (*otwierać np. list*) tear open; **~jący serce** heart-rending
**rozdźwięk** *m* dissonance, discord
**rozebrać** *zob.* **rozbierać**
**rozedma** *f med.* *także* ~ **płuc** emphysema
**rozejm** *m* armistice, truce
**rozejść się** *zob.* **rozchodzić się**
**rozerwać się** *vr* (*zabawić się*) divert oneself; (*pęknąć*) become ⟨get⟩ torn up
**roześmiać się** *vr* burst into laughter
**rozeta** *f* rosette
**rozeznać** *vt* discern; distinguish
**rozgałęziacz** *m elektr.* branch-joint, cluster
**rozgałęziać się** *vr* branch out, ramify
**rozgałęzienie** *n* ramification
**rozgarniać** *vt* pull apart, unroll, rake aside; (*ogień*) stir
**rozgarnięty** *adj* intelligent, clever
**rozglądać się** *vr* look round (**za kimś, czymś** for sb, sth)
**rozgłaszać** *vt* blaze, divulge, spread abroad
**rozgłos** *m* publicity, renown; resonance; **nabrać ~u** become renowned
**rozgłośnia** *f* broadcasting station
**rozgłośny** *adj* resounding; renowned
**rozgnieść** *vt* crush
**rozgniewać** *vt* anger, make angry; ~ **się** *vr* become angry (**na kogoś** with sb, **na coś** at ⟨about sth⟩)
**rozgoryczenie** *n* embitterment
**rozgoryczyć** *vt* embitter
**rozgraniczenie** *n* delimitation, demarcation
**rozgraniczyć** *vt* delimit, demarcate
**rozgromić** *vt* rout, defeat
**rozgryźć** *vt* bite through; *pot.* (*odgadnąć*) unriddle
**rozgrzebywać** *vt* dig up, rake up
**rozgrzeszenie** *n* absolution
**rozgrzeszyć** *vt* absolve
**rozgrzewać** *vt* warm up; ~ **się** *vr* warm oneself, get warm, warm up

**rozhukany** *adj* unbridled, unruly
**rozhuśtać** *vt* set swinging, set in motion
**roziskrzony** *adj* sparkling
**roziskrzyć się** *vi* begin to sparkle
**rozjaśnić** *vt*, ~ **się** *vr* clear up, brighten
**rozjątrzyć** *vt* irritate, exacerbate; chafe, rankle; ~ **się** *vr* become irritated, get exacerbated; rankle; *med.* suppurate
**rozjechać się** *vr* (*o towarzystwie, zgromadzeniu itp.*) break up, part
**rozjemca** *m* arbiter; *sport* umpire
**rozjuszyć** *vt* enrage, infuriate
**rozkaprysić** *vt* make capricious; ~ **się** *vr* become capricious
**rozkapryszony** *adj* capricious, whimsical
**rozkaz** *m* order, command; **na** ~ by order
**rozkazujący** *adj* imperious, imperative; *gram.* **tryb** ~ imperative
**rozkazywać** *vi* order, command
**rozkiełznać** *vt* unbridle
**rozkleić** *vt* unglue; (*rozlepić, np. afisze*) post up; ~ **się** *vr* unglue, come unglued; *pot.* (*stać się nieodpornym*) weaken, be moved
**rozkład** *m* disposition; (*psucie się*) decay, disintegration; (*jazdy, godzin*) time-table
**rozkładać** *vt* (*rozstawiać*) dispose, place apart; (*np. mapę*) spread open ⟨out⟩; (*rozwijać*) unfold; (*np. na wystawie*) display, lay out; (*rozbierać na części*) decompose, take to pieces; ~ **się** *vr* (*wyciągać się*) stretch out, spread; (*psuć się*) decay, decompose; (*rozpadać się*) disintegrate
**rozkochać** *vt* inspire with love; ~ **się** *vr* fall in love (**w kimś** with sb)
**rozkołysać** *vt* set swinging
**rozkopać** *vt* dig up
**rozkosz** *f* delight
**rozkoszny** *adj* delightful
**rozkręcać** *vt* unwind, unscrew
**rozkruszać** *vt* crumble, crush
**rozkrzewić** *vt* propagate, multiply
**rozkuć** *vt* unchain, unbind
**rozkulbaczyć** *vt* unsaddle
**rozkupić** *vt* buy up
**rozkwit** *m* flowering, efflorescence, bloom; **w pełni** ~**u** in full bloom
**rozkwitać** *vi* blossom, flourish
**rozkwitły** *adj* full-blown
**rozlegać się** *vr* spread, extend; (*o głosie*) resound, ring
**rozległy** *adj* extensive, vast
**rozleniwiać** *vt* make lazy; ~ **się** *vr* become lazy
**rozlepiać** *vt* (*np. afisze*) post up
**rozlew** *m* (*powódź*) flood; ~ **krwi** bloodshed
**rozlewać** *vt* (*np. mleko na podłogę*) spill; (*wlewać do naczyń*) pour out; (*krew, łzy*) shed; ~ **się** *vr* (*o rzece*) overflow; (*o płynie*) spill
**rozliczać się** *vr* settle accounts
**rozliczenie** *n* settling (of accounts), settlement; *handl.* clearing
**rozliczny** *adj* diverse, various
**rozlokować** *vt* accommodate, quarter; ~ **się** *vr* put up (**w hotelu** at a hotel), find accommodation
**rozlosować** *vt* dispose by lots (**coś** of sth)
**rozluźnić** *vt* loosen, relax; ~ **się** *vr* loosen, come loose
**rozluźnienie** *n* loosening, relaxation; (*obyczajów*) laxity
**rozładować** *vt* discharge, unload
**rozłam** *m* split, disruption
**rozłamać** *vt* break asunder, disrupt, split; ~ **się** *vr* be broken, go asunder
**rozłazić się** *vr* straggle, disperse; (*rozpadać się*) fall to pieces
**rozłączać** *vt* disjoin, disconnect; (*także techn.*) separate; (*np. telefon*) switch off; ~ **się** *vr* become disconnected; separate; (*telefonicznie*) switch off
**rozłączenie** *n* separation; (*także techn.*) disconnection

**rozłożyć** *zob.* **rozkładać; ~ się obozem** encamp
**rozłupać** *vt* split, cleave; (*orzech*) crack
**rozmach** *m* impetus, swing
**rozmaitoś|ć** *f* variety; *pl* **~ci** miscellany *zbior.*
**rozmaity** *adj* various, diverse
**rozmaryn** *m bot.* rosemary
**rozmawiać** *vi* talk, chat, converse
**rozmia|r** *m* (*wymiar*) size; (*zakres*) dimension, extent; **w wielkim ~rze** to a great extent, in a large measure
**rozmienić** *vt* (*pieniądze*) change
**rozmieszczać** *vt* dispose, arrange; locate; (*rozlokować*) quarter, accommodate
**rozmieszczenie** *n* disposition, arrangement; location; (*zakwaterowanie*) quartering, accommodation
**rozmiękczać** *vt* soften, make soft, mollify
**rozmiękczenie** *n* softening, emollescence; *med.* **~ mózgu** encephalomalacia
**rozmięknąć** *vi* soften, become soft
**rozminąć się** *vr* miss (**z kimś, czymś** sb, sth) cross one another; **~ się z celem** go wide ⟨fall short⟩ of the mark; **~ się z powołaniem** miss one's calling; **~ z prawdą** deviate from the truth
**rozminować** *vt* clear of mines
**rozmnażać** *vt*, **~ się** *vr* multiply, breed
**rozmnażanie się** *n* multiplication
**rozmoczyć** *vt* wet, soak
**rozmoknąć** *vi* become wet, soak
**rozmow|a** *f* conversation; **prowadzić ~ę** carry on a conversation
**rozmowny** *adj* conversational
**rozmówca** *m* interlocutor
**rozmówić się** *vr* have a talk
**rozmównica** *f* (*także* **~ telefoniczna**) telephone booth ⟨box⟩
**rozmysł** *m*, **z ~em** deliberately
**rozmyślać** *vi* meditate, reflect (**nad czymś** on ⟨upon⟩ sth)
**rozmyślanie** *n* meditation
**rozmyślić się** *vr* change one's mind
**rozmyślnie** *adj* deliberately
**rozmyślny** *adj* deliberate, premeditated
**roznamiętnić** *vt* impassion; **~ się** *vr* become impassioned
**rozniecić** *vt* (*rozpalić*) kindle; *przen.* (*wywołać żywe uczucie*) stir up, inflame
**roznosiciel** *m* carrier; **~ gazet** newspaper boy
**roznosić** *vt* carry; (*rozpowszechniać*) spread, distribute
**rozochocić** *vt* make merry; **~ się** *vr* become merry, cheer up
**rozognić** *vt* inflame
**rozpacz** *f* despair; **doprowadzić do ~y** drive to despair
**rozpaczać** *vi* despair
**rozpaczliwy** *adj* desperate
**rozpad** *m* decay, decomposition
**rozpadać się** *vr* fall to pieces, collapse, break down
**rozpadlina** *f* crevice, cleft
**rozpakować** *vt*, **~ się** *vr* unpack
**rozpalać** *vt* (*ogień*) make fire; **~ piec** fire a stove; *przen.* (*wzmagać*) inflame; (*wyobraźnię*) fire
**rozpamiętywać** *vt* meditate (**coś** on sth)
**rozpaplać** *vt pot.* blab out
**rozparcelować** *vt* parcel out, break up
**rozpasanie** *n* profligacy
**rozpasany** *adj* dissolute, profligate
**rozpatrywać** *vt* consider, examine
**rozpęd** *m* impetus, start
**rozpędzić** *vt* disperse; (*tłum*) break up; (*rozruszać*) start, set in motion; **~ się** *vr* break into a run
**rozpętać** *vt* unchain, unfetter; *pot.* (*np. wojnę*) unleash
**rozpiąć** *zob.* **rozpinać**
**rozpieczętować** *vt* unseal
**rozpierać** *vt* distend, extend; **~ się** *vr* spread oneself
**rozpierzchnąć się** *vr* disperse
**rozpieszczać** *vt* pamper
**rozpiętość** *f* spread; (*mostu, łuku*) span; *przen.* (*zakres*) extent
**rozpinać** *vt* (*ubranie*) unbutton,

undo; (*rozciągać*) stretch out; (*żagiel*) spread
**rozplatać** *vt* untwist, untwine
**rozplątać** *vt* disentangle
**rozplenić** *vt*, ~ **się** *vr* multiply
**rozpłakać się** *vr* burst into tears
**rozpłaszczyć** *vt* flatten
**rozpłatać** *vt* split, cleave
**rozpłomienić** *vt* inflame
**rozpływać się** *vr* melt away, vanish; (*o pieniądzach*) melt; *przen.* descant (**nad czymś** on ⟨upon⟩ sth)
**rozpoczynać** *zob.* **zaczynać**
**rozpogodzić się** *vr* clear up
**rozporek** *m* fly
**rozporządzać** *vi* dispose (**czymś** of sth); (*dawać rozporządzenie*) order, decree
**rozporządzeni|e** *n* disposal (**czymś** of sth); (*dekret*) order, decree; **do twego ~a** at your disposal
**rozpościerać** *vt*, ~ **się** *vr* spread (out)
**rozpowiadać** *vt* talk abroad, divulge
**rozpowszechniać** *vt* spread, diffuse, propagate; ~ **się** *vr* spread
**rozpowszechnienie** *n* spread
**rozpowszechniony** *adj* wide-spread
**rozpoznanie** *n* discernment; *med.* diagnosis; *wojsk.* (*terenu*) reconnaissance
**rozpoznawać** *vt* recognize; discern; *med.* diagnose
**rozpraszać** *vt*, ~ **się** *vr* disperse
**rozprawa** *f* dissension, debate; (*np. naukowa*) treatise, dissertation; *prawn.* (*sądowa*) case; (*załatwienie sporu*) settlement
**rozprawia|ć** *vi* debate, discuss (**o czymś** sth); **~ć się** *vr* settle matters; **szybko ~ć się** make short work (**z czymś** of sth)
**rozprężać** *vt* distend
**rozprężenie** *n* distension; (*odprężenie*) relaxation
**rozpromienić** *vt*, ~ **się** *vr* brighten up
**rozprostować się** *vr* straighten
**rozproszenie** *n* dispersion, dispersal
**rozproszyć** *zob.* **rozpraszać**
**rozprowadzać** *vt* lead; (*smar, farbę*) lay on; (*rozcieńczać*) dilute; (*towar, bilety itp.*) distribute
**rozpruwać** *vt* unsew, unstitch; (*rozrywać*) rip open
**rozprzedawać** *vt* sell
**rozprzedaż** *f* selling out, sale
**rozprzestrzeniać** *vt* spread, extend
**rozprzestrzenianie** *n* spread
**rozprzęgać** *vt* unharness; *przen.* (*rozluźniać*) dissolve, relax
**rozprzężenie** *n* dissoluteness, relaxation; ~ **obyczajów** laxity of morals
**rozpusta** *f* debauchery
**rozpustnik** *m*, **rozpustnica** *f* debauchee
**rozpustny** *adj* debauched
**rozpuszczać** *vt* (*płyn*) dissolve; (*odprawiać, zwalniać*) dismiss; (*wojsko*) disband, dismiss; (*puszczać wolno*) let go, dismiss; (*pogłoski*) spread; ~ **się** *vr* dissolve, (*topnieć*) melt
**rozpuszczalnik** *m chem.* solvent
**rozpuszczalny** *adj* soluble
**rozpychać się** *vr* jostle
**rozpylacz** *m* pulverizer
**rozpylać** *vt* pulverize
**rozpytywać się** *vr* inquire (**o kogoś, coś** after ⟨for⟩ sb, sth)
**rozrabiacz** *m pot.* troublemaker, stirrer
**rozrabiać** *vt* (*farbę, pastę itp.*) mix, dilute; (*rozbełtywać*) stir up; *vi pot.* make trouble, intrigue
**rozrachunek** *zob.* **rozliczenie**; *handl.* clearance
**rozradzać się** *vr* multiply, breed
**rozrastać się** *vr* grow larger, develop
**rozrąbać** *vt* cut asunder, split
**rozrodczy** *adj* genital, generative, procreative
**rozróżniać** *vt* distinguish; (*wyodrębniać*) discern
**rozruch** *m* start, setting in motion; *pl* **~y** (*zamieszki*) uproar, riot
**rozruszać** *vt* set in motion, start; (*ożywić*) stir up; ~ **się** *vr* be roused, begin to stir

**rozrywać** *vt* tear; rend; (*np. związek*) disrupt; (*list itp.*) tear open
**rozrywka** *f* amusement, pastime
**rozrzedzać** *vt* rarefy; (*rozcieńczać*) dilute
**rozrzewnić** *vt* move, affect; ~ **się** *vr* be moved, become affected
**rozrzewnienie** *n* emotion, touch of tenderness
**rozrzucać** *vt* scatter; (*pieniądze*) squander
**rozrzutność** *f* extravagance
**rozrzutny** *adj* extravagant
**rozsada** *f* seedlings *pl*
**rozsadnik** *m* seed-plot
**rozsadzać** *vt* plant apart; (*rozstawiać*) space; (*rozdzielać*) separate; seat separately; (*prochem*) blow up
**rozsądek** *m* sense; **zdrowy** ~ common sense
**rozsądny** *adj* sensible, reasonable
**rozsiewać** *vt* sow; *przen.* (*rozpraszać*) disseminate
**rozsławiać** *vt* render famous
**rozstaj** *m*, **na** ~**u** at the parting of the ways
**rozstajn|y** *adj*, ~**e drogi** crossroads
**rozstanie** *n* parting, separation
**rozstawać się** *vr* part (**z kimś** from ⟨with⟩ sb, **z czymś** with sth)
**rozstawiać** *vt* place apart, space; (*np. nogi*) spread
**rozstąpić się** *vr* step asunder, get apart; part; (*o ziemi*) burst, open up
**rozstęp** *m* spread, space, gap
**rozstroić** *vt* put out of order, derange; (*nerwy*) shatter; (*instrument*) put out of tune
**rozstrój** *m* disharmony, discord; disorganization; (*umysłowy*) mental derangement; *med.* ~ **nerwowy** nervous breakdown; ~ **żołądka** dyspepsia, upset stomach
**rozstrzelać** *vt* shoot dead, execute
**rozstrzel|ić** *vt* (*druk.*) space out; ~**one głosy** scattered votes
**rozstrzygać** *vt* decide (**coś** sth), determine (**o czymś** sth); ~ **kwestię** decide the question; ~ **o wyniku** determine the result
**rozstrzygający** *p praes adj* decisive
**rozstrzygnięcie** *n* decision
**rozsuwać** *vt* draw aside; (*zasłonę*) draw; (*stół*) pull out
**rozsyłać** *vt* send out, distribute
**rozsyłka** *f* distribution
**rozsypać** *vt* scatter; ~ **się** *vr* be scattered, disperse; (*rozpadać się*) crumble
**rozszarpać** *vt* tear to pieces
**rozszczepiać** *vr* split, cleave
**rozszczepienie** *n* split
**rozszerzać** *vt* widen, broaden; enlarge; (*szerzyć*) diffuse, spread; ~ **się** *vr* widen, broaden; extend
**rozszerzenie** *n* extension, enlargement
**rozsznurować** *vt* unlace
**rozszyfrować** *vt* decode
**rozścielać** *vt*, ~ **się** *vr* spread
**rozśmieszać** *vt* make laugh
**rozświecać** *vt* light up
**roztaczać** *vt*, ~ **się** *vr* spread, extend; ~ **opiekę** keep guard (**nad kimś, czymś** over sb, sth)
**roztajać** *vi* thaw, melt away
**roztapiać** *vt* melt; (*metal*) smelt
**roztargnienie** *n* distractedness
**roztargniony** *adj* distracted
**rozstawać się** *vr* part company (**z kimś** with sb)
**rozterka** *f* distraction; discord; uneasiness
**roztkliwiać** *vt* move to pity; ~ **się** *vr* be moved to pity, sentimentalize (**nad kimś, czymś** over sb, sth)
**roztłuc** *vt* smash
**roztoczyć** *zob.* **roztaczać**; ~ **opiekę nad kimś, czymś** take sb, sth under one's protection
**roztopić** *zob.* **roztapiać**
**roztopy** *s pl* thawing snow
**roztratować** *vt* trample under foot
**roztrąbić** *vt* blaze abroad, divulge
**roztrącić** *vt* push asunder; (*rozbić*) smash
**roztropność** *f* prudence

**roztropny** *adj* prudent
**roztrwonić** *vt* squander away
**roztrzaskać** *vt* smash
**roztrzepanie** *n* distractedness
**roztrzepany** *adj* distracted, scatter-brained
**roztwarzać** *vt* dissolve; (*rozcieńczać*) dilute
**roztwór** *m* solution; (*nalewka*) tincture
**roztyć się** *vr* grow fat
**rozum** *m* (*zdolność pojmowania*) understanding; (*władze umysłowe*) reason; (*umysł*) intellect; (*rozsądek, spryt*) wit; **chłopski ~** common sense; **to przechodzi ludzki ~** this is beyond human understanding; **on ma ~ w głowie** he has his wits about him
**rozumie|ć** *vt* understand; (*pojmować*) comprehend; **~ się** *vr* understand (**nawzajem** each other); (*znać się*) understand thoroughly, know thoroughly (**na czymś** sth); **co przez to ~sz?** what do you mean by it?; **ma się ~ć** of course; **to ~ się samo przez się** it stands to reason
**rozumny** *adj* reasonable, sensible
**rozumować** *vi* reason
**rozumowanie** *n* reasoning
**rozumowy** *adj* rational
**rozwadniać** *vt* dilute
**rozwag|a** *f* prudence; (*rozważanie*) consideration; **wziąć pod ~ę** take into consideration
**rozwarty** *adj* open; *mat.* (*o kącie*) obtuse
**rozważać** *vt* (*rozpatrywać*) consider; (*zastanawiać się*) reflect (**coś** on <upon> sth); (*ważyć częściami*) weigh out
**rozważny** *adj* prudent
**rozweselać** *vt* gladden, cheer up, exhilarate; **~ się** *vr* cheer up, become exhilarated
**rozwiać** *zob.* **rozwiewać**
**rozwiązalny** *adj* (*o zagadce, zagadnieniu*) solvable; (*o umowie, stowarzyszeniu itp.*) dissoluble
**rozwiązanie** *n* (*zagadki*) solution; (*zebrania, małżeństwa, umowy itp.*) dissolution; (*przedsiębiorstwa*) winding up; *med.* (*poród*) delivery
**rozwiązły** *adj* dissolute
**rozwiązywać** *vt* untie, undo; (*zagadki, problemy*) solve; (*stowarzyszenie, małżeństwo, umowę*) dissolve; (*zgromadzenie*) dismiss, dissolve; (*przedsiębiorstwo*) wind up
**rozwidniać się** *vr* dawn
**rozwiedziony** *adj* divorced
**rozwierać** *vt* open
**rozwieszać** *vt* hang about
**rozwiewać** *vt* blow away, scatter; *przen.* (*obawy, wątpliwości*) dispel; **~ się** *vr* be blown away; *przen.* vanish; (*przemijać*) blow over
**rozwijać** *vt* (*np. paczkę*) unwrap; (*np. gazetę*) unfold; (*np. zwój sukna, papieru*) unroll; (*skrzydła, żagiel*) spread; (*np. umysł, nowy gatunek rośliny*) develop; (*np. działalność*) display; **~ się** *vr* develop; unroll; (*o pączkach, krajobrazie*) unfold
**rozwikłać** *vt* disentangle
**rozwlekły** *adj* prolix, diffuse
**rozwodnić** *zob.* **rozwadniać**
**rozwodnik** *m* divorcee
**rozwodzić** *vt* divorce; **~ się** *vr* divorce (**z kimś** sb); enlarge, dilate (**nad czymś** on sth)
**rozwojowy** *adj* evolutionary
**rozwolnienie** *n pot.* diarrhoea
**rozwozić** *vt* convey, distribute
**rozwód** *m* divorce; **wziąć ~** divorce (**z kimś** sb)
**rozwój** *m* development, evolution
**rozwydrzony** *adj* unbridled, wild
**rozzłościć** *vt* make angry, irritate; **~ się** *vr* become angry
**rozżalenie** *n* resentment
**rozżalony** *adj* resentful
**rozżarzyć** *vt* make red-hot; **~ się** *vr* become red-hot
**rożen** *m* spit
**ród** *m* (*pochodzenie*) origin, stock; (*rasa*) race; (*szczep*) tribe, (*w Szkocji*) clan; **~ ludzki** mankind; **rodem z Warszawy** a native of

Warsaw; **rodem z Polski** Pole ⟨Polish⟩ by birth

**róg** *m* horn; (*myśliwski*) bugle; (*zbieg ulic, kąt*) corner; **rogi jelenie** antlers; **~ obfitości** horn of plenty; **na rogu** at the corner; **za rogiem** round the corner; *przen.* **przytrzeć komuś rogów** take sb down a peg or two

**rój** *m* swarm

**róść** *zob.* **rosnąć**

**rów** *m* ditch; *wojsk.* **~ łączący** communication-trench; **~ strzelecki** entrenchment, trench

**rówieśnik** *m* coeval; **on jest moim ~iem** he is of my age

**równać** *vt* (*wyrównywać*) even, make even; level; (*porównywać*) compare; *vi wojsk.* dress; **~ się** *vr* be equal (**komuś, czemuś** to sb, sth)

**równanie** *n mat.* equation; **~ pierwszego ⟨drugiego⟩ stopnia** linear ⟨quadratic⟩ equation; (*zrównanie*) equalization

**równi|a** *f* plane, level surface; **~a pochyła** inclined plane; **na ~ z kimś, czymś** on a level with sb, sth; on the same level as sb, sth

**równie** *adv* equally

**również** *adv* also, too, as well; **jak ~** as well as

**równik** *m geogr.* equator

**równina** *f* plain

**równo** *adv* even

**równoboczny** *adj* equilateral

**równoczesny** *adj* simultaneous; (*współczesny*) contemporary

**równoległobok** *m mat.* parallelogram

**równoległy** *adj* parallel

**równoleżnik** *m geogr.* parallel

**równomierny** *adj* equal, uniform

**równoramienny** *adj mat.* isosceles

**równorzędny** *adj* of equal rank, equivalent

**równość** *f* equality; (*gładkość*) evenness

**równouprawnienie** *n* equality of rights

**równouprawniony** *adj* having the same rights

**równowag|a** *f* equilibrium, balance; **odzyskać ~ę** recover one's balance; **stracić ~ę** lose one's balance, be off one's balance; **utrzymać ~ę** be in equilibrium, keep one's balance; **wyprowadzić z ~i** throw out of balance, unbalance

**równowartościowy** *adj* equivalent

**równowartość** *f* equivalence; (*rzecz konkretna*) equivalent

**równoważnik** *m* equipoise, equivalent

**równoważny** *adj* equiponderant

**równoważyć** *vt* balance

**równoznaczny** *adj* synonymous

**równ|y** *adj* (*gładki, płaski, prosty*) even, flat, level; (*taki sam, jednakowy*) equal; *gram.* **stopień ~y** positive degree; **~y krok** steady pace; **nie mający ~ego sobie** unparalleled; **żyć jak ~y z ~ym** live as equals; **przestawać z ~ymi sobie** mix with one's equals

**rózga** *f* rod

**róż** *m* rouge

**róża** *f* rose; (*polna*) sweet briar; *med.* erysipelas

**różaniec** *m* rosary

**różdżka** *f* wand; **~ czarodziejska** magician's wand

**różnica** *f* difference; **~ zdań** diversity of opinions

**różnicować** *vt* differentiate

**różniczka** *f mat.* differential

**różniczkować** *vt mat.* differentiate

**różni|ć się** *vr* differ (**od kogoś, czegoś** from sb, sth; **pod względem czegoś** in sth)

**różnobarwny** *adj* many-coloured

**różnojęzyczny** *adj* many-tongued

**różnolity** *adj* various, multiform

**różnoraki** *adj* manifold, diverse

**różnorodność** *f* heterogeneity; variety

**różnorodny** *adj* heterogeneous; various

**różnoznaczny** *adj* ambiguous, having a different meaning

**różn|y** *adj* (*odmienny*) different (**od czegoś** from sth); (*różniący się, przeciwstawny*) distinct (**od czegoś** from sth); (*rozmaity*) various; sundry; **~e drobiazgi** sundries

**różować** *vt* put on rouge

**różowy** *adj* pink, rosy

**rtęć** *f chem.* mercury, quicksilver

**rubaszność** *f* coarseness

**rubaszny** *adj* coarse

**rubin** *m* ruby

**rubryka** *f* (*szpalta*) column; (*wolne miejsce w formularzu*) blank

**ruch** *m* movement; (*posunięcie, np. w szachach*) move; (*chód, np. maszyny*) motion; **~ jednokierunkowy** one-way road; **~ oporu** resistance movement; **~ pasażerski** passenger-traffic; **~ towarowy** goods-traffic; **puszczać w ~** put in motion; **wprawić w ~** put in motion, start; **w ~u** on the move

**ruchliwość** *f* mobility

**ruchliw|y** *adj* mobile, active; **~a ulica** busy street; **~e życie** busy life

**ruchomości** *s pl* movables, personalty, personal property

**ruchom|y** *adj* movable; **~e schody** escalator

**ruczaj** *m poet.* brook

**ruda** *f* ore

**rudera** *f* hovel, dilapidated house

**rudy** *adj* brownish-red, rusty; (*rudowłosy*) red-haired

**rufa** *f mors.* stern

**rugować** *vt* (*ze służby*) dismiss; (*z miejsca*) eject

**ruina** *f* ruin

**ruleta** *f* roulette

**rulon** *m* roll

**rum** *m* rum

**rumak** *m lit.* steed

**rumianek** *m* camomile

**rumiany** *adj* ruddy, rosy

**rumienić się** *vr* become ruddy; (*na twarzy*) blush

**rumieniec** *m* blush, high colour

**rumor** *m* noise

**rumowisko** *n* debris

**Rumun** *m* Rumanian

**rumuński** *adj* Rumanian

**runąć** *vi* collapse, tumble down

**runiczny** *adj* runic

**runo** *n* fleece

**rupiecie** *s pl* lumber *zbior.* trash *zbior.*

**ruptura** *f med.* hernia

**rura** *f* pipe, tube

**rurka** *f* tube, tubule

**rurociąg** *m* pipe-line

**rusałka** *f* naiad

**ruszać** *vt vi* move, stir; (*dotykać*) touch; (*w drogę*) start (**dokądś** for a place); **~ się** *vr* move, stir; (*być czynnym*) be busy, *pot.* be up and doing

**ruszenie** *n*, **pospolite ~** *hist.* general levy

**ruszt** *m* (fire-)grate

**rusztowanie** *n* scaffolding

**rutyna** *f* routine

**rutynowany** *adj* practised

**rwać** *vt* tear; (*owoce, kwiaty*) pluck, pick; (*zęby*) draw; *vi* (*o bólu*) shoot; **~ się** *vr* (*np. o ubraniu*) tear; (*mocno chcieć*) be eager (**do czegoś** for ⟨after⟩ sth, to do sth), *pot.* be keen (**do czegoś** on sth)

**rwący** *adj* (*o rzece*) rapid; (*o bólu*) stabbing, shooting

**rwetes** *m* bustle

**ryb|a** *f* fish; **łowić ~y** fish, catch fish, (*na wędkę*) angle; **iść na ~y** go fishing; *przen.* **gruba ~a** big shot

**rybak** *m* fisher, fisherman, (*wędkarz*) angler

**rybołówstwo** *n* fishing, fishery

**rycerski** *adj* chivalrous

**rycerskość** *f* chivalry

**rycerstwo** *n* chivalry, knighthood

**rycerz** *m* knight; **błędny ~** knight-errant

**rychło** *adv* soon

**rychły** *adj* early, speedy

**rycina** *f* illustration, picture; (*sztych*) print

**rycyna** *f* (*olej*) castor-oil
**ryczałt** *m* lump sum; **~em** in the lump
**ryczeć** *vi* roar; (*o krowie*) low; (*o ośle*) bray
**ryć** *vt vi* (*kopać*) dig; (*rylcem*) engrave; (*w drzewie*) carve
**rydel** *m* spade
**rydwan** *m poet.* chariot
**rydz** *m bot.* orange-agaric
**rygiel** *m* bolt
**ryglować** *vt* bolt
**rygor** *m* rigour
**rygorystyczny** *adj* rigorous
**ryj** *m* snout
**ryk** *m* roar; (*krowy*) low; (*osła*) bray
**rylec** *m* chisel
**rym** *m* rime, rhyme
**rymarz** *m* saddler
**rymować** *vt* rime, rhyme; **~ się** *vr* rime
**rynek** *m* market, market-place
**rynna** *f* gutter-pipe, rain-pipe
**rynsztok** *m* gutter, sewer
**rynsztunek** *m* equipment, armour
**ryps** *m* rep(s)
**rys** *m* (*twarzy*) feature; (*charakteru*) trait
**rysa** *f* flaw, crack
**rysopis** *m* description
**rysować** *vt* draw; (*szkicować*) sketch; (*planować*) design; **~ się** *vr* (*na tle*) be outlined, appear; (*pękać, np. o ścianie*) crack
**rysownica** *f* drawing-board
**rysownik** *m* draughtsman; (*kreślarz*) sketcher, designer
**rysun|ek** *m* drawing, (*szkic*) sketch; (*plan*) design; **lekcja ~ków** drawing-lesson; **nauczyciel ~ków** drawing-master
**rysunkowy** *adj*, **film ~** cartoon-film; **papier ~** drawing-paper
**ryś** *m zool.* lynx
**rytm** *m* rhytm
**rytmiczny** *adj* rhythmic
**rytownictwo** *n* engraving
**rytownik** *m* engraver
**rytuał** *m* ritual
**rywal** *m* rival
**rywalizacja** *f* rivalry
**rywalizować** *vt* rival (**z kimś** sb), compete (**z kimś** with sb)
**ryza** *f* (*papieru*) ream; **trzymać kogoś w ~ch** keep a tight hand on sb
**ryzyko** *n* risk; **narażać się na ~** run the risk
**ryzykować** *vt* risk, hazard
**ryzykowny** *adj* risky
**ryż** *m* rice
**ryży** *adj* red, red-haired
**rzadki** *adj* rare; (*nieliczny*) scarce; (*o włosach*) thin; (*o zupie*) clear; (*o tkaninie*) loose
**rzadko** *adv* seldom, rarely
**rzadkość** *f* rarity; (*niewystarczalna ilość*) scarcity
**rząd 1.** *m* row, rank, file; *biol.* order; **drugi z rzędu** next, successive; **8 godzin z rzędu** 8 hours at a stretch; **rzędem** in a row ⟨line⟩; **ustawić się rzędem** line up; **w pierwszym rzędzie** in the first place, first of all
**rząd 2.** *m* government, *am.* administration; management; (*panowanie*) rule; *pl* **~y** government, management; **~ ludowy** People's Government
**rządca** *m* governor, manager
**rządowy** *adj* government *attr*, state *attr*; governmental
**rządzić** *vi* govern; manage (**czymś** sth); rule (**czymś** over sth)
**rzecz** *f* thing; (*sprawa*) matter; **do ~y** to the point; **przystąpić do ~y** come to the point; **na jego ~** on his behalf; **to nie twoja ~** it is no business of yours; **twoją ~ą jest to zrobić** it is up to you to do it; **w samej ~y** in point of fact; **jasna ~** of course; **mówić od ~y** talk nonsense; **to jest nie do ~y** it is beside the question, it is off the point
**rzecznik** *m* representative; (*orędownik*) advocate, spokesman
**rzeczownik** *m gram.* substantive, noun
**rzeczowo** *adv* to the point, positively
**rzeczowy** *adj* real, positive, essen-

tial; **człowiek ~** matter-of-fact man; **dowód ~** material proof; **materiał ~** evidence
**rzeczoznawca** *m* expert
**rzeczpospolita** *f* republic
**rzeczułka** *f* rivulet
**rzeczywistość** *f* reality
**rzeczywisty** *adj* real, actual
**rzednąć** *vt* become rare; (*o włosach, mgle*) thin *vi*, become thin
**rzeka** *f* river
**rzekomo** *adv* allegedly; **on ~ ma talent** he is supposed to have a talent
**rzekomy** *adj* supposed, pretended, sham; (*niedoszły*) would-be; **~ bohater** would be hero; **~ lekarz** sham doctor
**rzemień** *m* strap
**rzemieślnik** *m* artisan, craftsman
**rzemiosło** *n* craft, trade
**rzemyk** *m* strap
**rzepa** *f* turnip
**rzepak** *m* rape
**rzesza** *f* crowd; *hist.* **Rzesza Niemiecka** German Reich
**rzeszoto** *n* sieve
**rześki** *adj* brisk, lively
**rzetelność** *f* honesty, integrity
**rzetelny** *adj* honest, fair
**rzewny** *adj* plaintive
**rzezimieszek** *m* pick-pocket
**rzeź** *f* slaughter, massacre
**rzeźba** *f* (*sztuka*) sculpture; (*dzieło*) piece of sculpture
**rzeźbiarstwo** *n* sculpture
**rzeźbiarz** *m* sculptor
**rzeźbić** *vt* carve, sculpture
**rzeźnia** *f* slaughter-house
**rzeźnik** *m* butcher
**rzeźwy** *adj* hale, brisk
**rzępolić** *vi pot.* fiddle
**rzęsa** *f* eye-lash
**rzęsist|y** *adj* abundant, copious, profuse; **~e łzy** flood of tears; **~e oklaski** thunder of applause; **~y deszcz** heavy rain
**rzęzić** *vi* rattle
**rznąć** *zob.* **rżnąć**
**rzodkiew** *f bot.* radish
**rzodkiewka** *f bot.* radish
**rzucać** *vt* throw, cast; (*opuszczać*) leave; (*poniechać*) give up; **~ okiem** have a glance (**na coś** at sth); **~ rękawicę** challenge (**komuś** sb); **~ myśl** make a suggestion; **~ się** *vr* rush (**na kogoś, coś** at sb, sth); fling oneself; (*nerwowo*) toss; (*w wodę*) plunge
**rzut** *m* throw, cast; (*plan*) projection; **na pierwszy ~ oka** at first glance
**rzutki** *adj* brisk, lively, enterprising
**rzutkość** *f* briskness, activity
**rzutować** *vt vi* project
**Rzymianin** *m* Roman
**rzymski** *adj* Roman
**rżnąć** *vt* cut, carve; (*zabijać*) slaughter
**rżeć** *vi* neigh
**rżenie** *n* neigh
**rżysko** *n* stubble-field

# S

**sabotaż** *m* sabotage
**sabotażysta** *m* saboteur
**sabotować** *vt* sabotage
**sacharyna** *f* saccharine
**sad** *m* orchard
**sadło** *n* grease, fat
**sadowić** *vt* seat, place; **~ się** *vr* seat oneself, take a seat
**sadownictwo** *n* pomicultura
**sadyba** *f* abode, habitation
**sadysta** *m* sadist
**sadyzm** *m* sadism

**sadza** *f* soot
**sadzać** *vt* seat, place
**sadzawka** *f* pool
**sadzić** *vt* plant, set
**sadzonka** *f* seedling
**safanduła** *m* galoot
**safian** *m* morocco
**sagan** *m* kettle
**sak** *m* sack; (*sieć*) drag-net
**sakrament** *m* sacrament
**sakwa** *f* bag
**sala** *f* hall; (*w szpitalu*) ward
**salaterka** *f* salad-plate
**saldo** *n* balance
**saletra** *f* saltpetre
**salina** *f górn.* salt-mine
**salmiak** *m chem.* ammonium chloride
**salon** *m* drawing-room
**salonka** *f, bryt.* saloon-carriage, *am.* parlour-car
**salutować** *vt* salute
**salwa** *f* volley
**sałata** *f* (*roślina*) lettuce; (*surówka*) salad
**sam** *adj* alone; -self (myself, yourself itd.); same; very; **~ jeden** all alone; **~ na ~** all alone, all by oneself; **na ~ym końcu** at the very end; **już na ~ą myśl** at the very thought; **rozumie się ~o przez się** it is a matter of course; **tak ~o** likewise, as well; **ten ~** the same; **w ~ą porę** (just) in time; **on ~ to powiedział** he said it himself
**samica** *f* female
**samiec** *m* male
**samobójca** *m* suicide
**samobójczy** *adj* suicidal
**samobójstwo** *n* suicide; **popełnić ~** commit suicide
**samochód** *m* car, motor-car; **~ ciężarowy** motor-lorry, truck; **~ turystyczny** touring-car
**samochwalstwo** *n* boastfulness
**samochwał** *m* braggart
**samodział** *m* homespun
**samodzielność** *f* independence, self-reliance
**samodzielny** *adj* independent, self-reliant
**samogłoska** *f* wovel
**samogon** *m* home-brew
**samoistny** *adj* self-existent, independent
**samokrytyka** *f* self-criticism
**samokształcenie** *n* self-instruction, self-education
**samolot** *m* (aero)plane, *am.* airplane
**samolub** *m* egoist
**samolubny** *adj* egoistic
**samoobsługowy** *adj* (*o barze, o sklepie, o stacji benzynowej*) *attr* self-service
**samolubstwo** *n* egoism
**samoobrona** *f* self-defence
**samopas** *adv* all by oneself, loosely, at large
**samopoczucie** *n* feeling; **dobre ~** (feeling of) comfort; **złe ~** (feeling of) discomfort
**samopomoc** *f* self-help
**samorodek** *m* (*złota*) nugget
**samorodny** *adj* autogenous; original, spontaneous
**samorząd** *m* autonomy, self-government; **~ gminny ⟨miejski itp.⟩** local government
**samostanowienie** *n polit.* self-determination
**samotnik** *m* recluse, solitary
**samotność** *f* solitude
**samotny** *adj* solitary
**samouctwo** *n* self-education, self-instruction
**samouczek** *m* handbook for self-instruction; **~ języka angielskiego** English self-taught
**samouk** *m* self-taught person
**samowładca** *m* autocrat
**samowładztwo** *n* autocracy
**samowola** *f* arbitrariness
**samowolny** *adj* arbitrary
**samowystarczalność** *f* self-sufficiency
**samowystarczalny** *adj* self-sufficient
**samozachowawczy** *adj*, **instynkt ~** instinct of self-preservation
**samozapalanie się** *n* spontaneous combustion

**samozwaniec** *m* usurper, false pretender
**samozwańczy** *adj* self-styled, false
**sanatorium** *n* sanatorium
**sandał** *m* sandal
**sanie** *s pl* sleigh, sledge
**sanitariusz** *m* nurse, hospital attendant ⟨orderly⟩
**sanitariuszka** *f* nurse
**sanitarny** *adj* sanitary; **wóz ~** ambulance
**sankcja** *f* sanction
**sankcjonować** *vt* sanction
**sanki** *s pl* sledge, sled, toboggan
**sanna** *f* (*droga*) sleigh-road; (*jazda*) drive in a sleigh
**sanskryt** *m* Sanskrit
**sapać** *vt* pant, gasp
**saper** *m wojsk.* sapper
**sardynka** *f* sardine
**sarkać** *vi* grumble (**na coś** at sth)
**sarkastyczny** *adj* sarcastic
**sarkazm** *m* sarcasm
**sarkofag** *m* sarcophagus
**sarna** *f* roe, deer; (*samiec*) buck; (*samica*) doe
**sarni** *adj*, **~a pieczeń** roast venison; **~a skóra** buckskin, doeskin
**Sas** *m* Saxon
**saski** *adj* Saxon
**satelita** *m* satellite
**satrapa** *m przen.* tyrant
**satyna** *f* satin
**satyra** *f* satire
**satyryczny** *adj* satirical
**satyryk** *m* satirist
**satysfakcja** *f* satisfaction
**sączek** *m chem.* filter
**sączyć** *vt*, **~ się** *vr* trickle, drip
**sąd** *m* judgement; (*ocena*) opinion; (*instytucja*) court, law-court; **~ przysięgłych** jury; **~ wojenny** court-martial; **~ ostateczny** Last Judgement
**sądownictwo** *n* judicature
**sądow|y** *adj* judicial; **koszty ~e** court fees; **postępowanie ~e** legal procedure; **sprawa ~a** lawsuit; **wytoczyć sprawę ~ą** bring a suit (**komuś** against sb); **wyrok ~y** sentence of the court
**sądzić** *vt* judge; **~ sprawę** try a case; *vi* (*mniemać*) think
**sąsiad** *m* neighbour
**sąsiadować** *vi* neighbour
**sąsiedni** *adj* neighbouring; (*przyległy*) adjacent
**sąsiedztwo** *n* neighbourhood
**scalić** *vt* integrate
**scena** *f* scene; *teatr* stage
**scenariusz** *m* scenario; script
**sceneria** *f* scenery
**sceniczny** *adj* scenic
**sceptycyzm** *m* scepticism
**sceptyczny** *adj* sceptical
**sceptyk** *m* sceptic
**schab** *m* pork-chop
**schadzka** *f* rendezvous, *am. pot.* date
**scheda** *f* inheritance
**schemat** *m* scheme, plan
**schematyczny** *adj* schematic
**schizma** *f* schism
**schlebiać** *vi* flatter
**schludny** *adj* cleanly, neat
**schnąć** *vi* dry, become dry; (*usychać*) wither; (*marnieć*) wane, waste
**schodek** *m* step
**schodow|y** *adj*, **klatka ~a** staircase
**schody** *s pl* stairs; **ruchome ~** escalator
**schodzić** *vi* go ⟨come⟩ down; (*z chodnika, ze sceny itp.*) get off; (*o czasie*) pass; **~ się** *vr* come together, meet
**scholastyczny** *adj* scholastic
**scholastyk** *m* scholastic
**scholastyka** *f* scholasticism
**schorowany** *adj* sickly, poorly
**schować** *zob.* **chować**
**schowek** *m* hiding-place; (*bankowy*) safe
**schron** *m* shelter; (*betonowy*) pill-box
**schronić** *vt* shelter; **~ się** *vr* shelter (oneself); take shelter
**schronisko** *n* shelter; (*w górach*) refuge; (*azyl*) asylum
**schwytać** *vt* seize, catch
**schylać** *vt*, **~ się** *vr* bend, bow, incline

**schyłek** *m* decline
**scyzoryk** *m* penknife
**seans** *m* (*w kinie*) picture-show; (*spirytystyczny*) séance
**secesja** *f* secession
**sedno** *n* core, gist; **trafić w ~** hit the mark
**sejf** *m* safe
**sejm** *m* Seym, Sejm
**sekciarski** *adj* sectarian
**sekciarz** *m* sectarian
**sekcja** *f* section; *med.* dissection; **~ pośmiertna** post-mortem examination
**sekcyjny** *adj* sectional
**sekre|t** *m* secret; **zachować coś w ~cie** keep sth secret; **pod ~tem** in secret
**sekretariat** *m* secretariat
**sekretarz** *m* secretary; **~ stanu ⟨partii⟩** secretary of state ⟨party⟩
**seksualny** *adj* sexual
**sekta** *f* sect
**sektor** *m* sector
**sekunda** *f* second
**sekundant** *m* second
**sekundować** *vi* second (**komuś** sb)
**sekutnica** *f* shrew
**sekwestr** *m* *prawn.* sequestration
**seledynowy** *adj* sea-green
**selekcja** *f* selection
**seler** *m* *bot.* celery
**semafor** *m* semaphore
**semantyka** *f* semantics
**semestr** *m* semester, term
**semicki** *adj* Semitic
**seminarium** *n* (*duchowne*) seminary; (*uniwersyteckie*) seminar; (*nauczycielskie*) training-college
**Semita** *m* Semite
**sen** *m* sleep; (*marzenie senne*) dream
**senat** *m* senate
**senator** *m* senator
**senior** *m* senior
**senność** *f* sleepiness
**senn|y** *adj* sleepy; **marzenie ~e** dream
**sens** *m* sense, meaning; **mieć ~** make sense; **nie było ~u tego robić** there was no sense in doing that
**sensacja** *f* sensation
**sensacyjn|y** *adj* sensational; **film ~y, powieść ~a** thriller
**sentencja** *f* maxim
**sentyment** *m* sentiment
**sentymentalność** *f* sentimentalism
**sentymentalny** *adj* sentimental
**separacja** *f* separation
**separować się** *vr* separate
**seplenić** *vi* lisp
**ser** *m* cheese
**serc|e** *n* heart; **przyjaciel od ~a** bosom friend; **~e dzwonu** clapper; **brać do ~a** take to heart; **ciężko mi na ~u** I have a broken heart; **mieć na ~u** have at heart; **bez ~a** heartless; **~em i duszą** heart and soul; **z całego ~a** with all one's heart; **ze złamanym ~em** broken-hearted
**sercow|y** *adj* *med.* cardiac; **choroba ~a** heart disease; **sprawa ~a** love affair
**serdak** *m* (sleeveless) jacket
**serdeczność** *f* cordiality
**serdeczny** *adj* cordial, hearty, heart-felt
**serdelek** *m* sausage
**serduszko** *n* little heart; (*pieszczotliwie*) sweet one, darling
**serenada** *f* serenade
**seria** *f* series; *filat.* issue, set
**serio, na ~** *adv* in (good) earnest, seriously
**serwantka** *f* glass-case
**serwatka** *f* whey
**serweta** *f* table-cloth
**serwetka** *f* napkin; (*papierowa*) serviette
**serwilizm** *m* servilism
**serwis 1.** *m* (dinner, tea etc.) service, set
**serwis 2.** *m* (*w tenisie*) service
**serwować** *vt vi sport* serve
**seryjny** *adj* serial
**sesja** *f* session
**setka** *f* a hundred
**setny** *num* hundredth
**sezon** *m* season
**sędzia** *m* judge; (*polubowny*) arbit-

er; *sport* umpire, referee; **~ śledczy** investigating magistrate
**sędziwy** *adj* aged, old
**sęk** *m* knag, knot
**sękaty** *adj* knaggy
**sęp** *m* vulture
**sfera** *f* sphere; (*np. towarzyska, społeczna*) circle
**sferyczny** *adj* spherical
**sfinks** *m* sphinx
**sfora** *f* pack
**siać** *vt* sow
**siadać** *vi* sit down, take a seat; **~ na konia** mount a horse
**siano** *n* hay
**sianokosy** *s pl* hay-making
**siarczan** *m chem.* sulphate
**siarczysty** *adj*, **mróz ~** bitter frost
**siarka** *f* brimstone, *chem.* sulphur
**siarkowy** *adj chem.* sulphuric
**siatka** *f* net; (*radio*) screen; *elektr.* grid
**siatkówka** *f anat.* retina; *sport* volley-ball
**siąść** *zob.* **siadać**
**sidł|o** *n* (*zw. pl.* **~a**) snare, trap; **zastawiać ~a** lay a trap
**siebie, sobie** *pron* myself, yourself itd.; **mieszkają daleko od siebie** they live far from each other; **blisko siebie** close to each other
**siec** *vt* cut; (*chłostać*) lash; *zob.* **siekać**
**sieczka** *f* chaff
**sieczna** *f mat.* secant
**sieć** *f* net, network; (*pajęcza*) web; *elektr.* grid; **~ kolejowa** railway-system; **~ wodociągowa** water piping
**siedem** *num* seven
**siedemdziesiąt** *num* seventy
**siedemdziesiąty** *num* seventieth
**siedemnasty** *num* seventeenth
**siedemnaście** *num* seventeen
**siedemset** *num* seven hundred
**siedlisko** *n* seat; abode
**siedmioletni** *adj* seven years old; lasting seven years; **plan ~** seven-year plan
**siedzenie** *n* seat
**siedziba** *f* seat
**siedzieć** *vi* sit; **~ cicho** keep quiet; **~ w domu** stay at home; **~ w więzieniu** be in prison
**siejba** *f* sowing
**siekacz** *m* (*ząb*) incisor; (*narzędzie*) chopper
**sieka|ć** *vt* chop; (*mięso*) hash; **mięso ~ne** hash; minced meat
**siekanina** *f* hash
**siekiera** *f* axe
**sielanka** *f* idyll
**sielski** *adj* rural
**siemię** *n* seed
**siennik** *m* strawbed
**sień** *f* entrance-hall, *am.* hall-way
**sierociniec** *m* orphanage, orphan-asylum
**sieroctwo** *n* orphanhood, orphanage
**sierota** *m* orphan
**sierp** *m* sickle
**sierpień** *m* August
**sierść** *f* hair, bristle
**sierżant** *m* sergeant
**siew** *m* sowing
**siewca** *m* sower
**siewnik** *m* sowing-machine
**się** *pron* oneself; *nieosobowo*: one, people, you, they; **musi ~ przestrzegać reguł** one must observe the rules; **jeśli ~ chce coś zrobić natychmiast, najlepiej ~ to zrobi samemu** if one wants a thing done immediately, one had best do it oneself; **nic ~ o tym nie wie** there is no knowing; **mówi ~, że ...** people ⟨you, they⟩ say that ...; **mówi ~, że zanosi się na bardzo mroźną zimę** people ⟨they⟩ say it's going to be a very frosty winter; **mówi ~, że on jest chory ⟨zachorował⟩** he is said to be ill ⟨to have been taken ill⟩
**sięga|ć** *vi* reach (**po coś** for sth); **łąka ~ aż do rzeki** the meadow reaches as far as the river
**sikawka** *f* quirt; (*strażacka*) fire-hose; (*pompa strażacka*) fire-engine
**silić się** *vr* make efforts, exert oneself

**silnik** *m* motor
**silny** *adj* strong
**silos** *m* silo
**sił|a** *f* strength; *także elektr.* power; force; **~a dośrodkowa ‹odśrodkowa›** centripetal ‹centrifugal› force; **~a kupna** purchasing power; **~a robocza** man-power; **~a woli** will power; **~y zbrojne** armed forces; **ponad moje ~y** beyond my power; **~ą** by force; **w sile wieku** in the prime of life; **zabrakło mi ~** my strength failed me
**siłacz** *m* athlete, strong man
**siłownia** *f elektr.* power-station
**siniak** *m* bruise
**sinus** *m mat.* sine
**siny** *adj* livid; blue
**siodlarstwo** *n* saddlery
**siodłać** *vt* saddle
**siodło** *n* saddle
**sioło** *n lit.* hamlet
**siostra** *f* sister
**siostrzenica** *f* niece
**siostrzeniec** *m* nephew
**siódemka** *f* seven
**siódmy** *num* seventh
**sito** *n* sieve
**siwek** *m* grey horse
**siwieć** *vi* grow grey
**siwowłosy** *adj* grey-haired
**siwy** *adj* grey
**skafander** *m* diving-dress; *lotn.* pressure suit
**skakać** *vi* jump, leap, (*podskakiwać*) skip
**skakanka** *f* skipping-rope
**skala** *f* scale
**skaleczenie** *n* wound, injury, hurt
**skaleczyć** *vt* wound, injure, hurt
**skal|isty, ~ny** *adj* rocky
**skalp** *m* scalp
**skała** *f* rock
**skamielina** *f geol.* fossil
**skamienieć** *vi* petrify; *przen.* become petrified
**skandal** *m* scandal
**skandaliczny** *adj* scandalous
**skarb** *m* treasure; (*państwowy*) *bryt.* Exchequer, *am.* Treasury
**skarbiec** *m* treasury
**skarbnik** *m* treasurer
**skarbonka** *f* money-box
**skarg|a** *f* complaint (**na kogoś** against sb, **z powodu czegoś** about sth); (*sądowa*) charge; **wnieść ~ę** bring a charge (**na kogoś** against sb)
**skarłowaciały** *adj* dwarfish
**skarpa** *f* scarp
**skarpetka** *f* sock
**skarżyć** *vt* accuse (**kogoś o coś** sb of sth); (*do sądu*) sue (**kogoś o coś** sb for sth), bring a suit (**kogoś** against sb, **o coś** for sth); *vi* (*w szkole*) denounce (**na kogoś** sb); **~ się** *vr* complain (**na coś** of sth)
**skaza** *f* blemish, flaw
**skazać** *vt* condemn, sentence (**na coś** to sth); **~ na karę pieniężną** fine
**skazaniec** *m* convict
**skazić** *vt* corrupt, contaminate; (*żywność, napój*) denaturate
**skąd** *adv* from where, where ... from
**skądinąd** *adv* from elsewhere; on the other hand; otherwise
**skąpić** *vi* stint (**komuś czegoś** sb of sth); begrudge (**komuś czegoś** sb sth)
**skąpiec** *m* miser, niggard
**skąpstwo** *n* avarice, miserliness, stinginess
**skąpy** *adj* avaricious, miserly, stingy; (*o posiłku*) meagre; (*niewystarczający*) scanty; **~ w słowach** scanty of words
**skiba** *f* ridge
**skinąć** *vi* nod, beckon (**na kogoś** to sb)
**skinienie** *n* nod; **na czyjeś ~** at sb's beck and call
**sklejka** *f* ply-wood
**sklep** *m* shop, *am.* store
**sklepienie** *n* vault; **~ niebieskie** firmament
**sklepikarz** *m* shopkeeper
**sklepiony** *adj* vaulted
**skleroza** *f med.* sclerosis

**skład** *m* composition; (*magazyn*) store, warehouse; **~ apteczny** chemist's shop, *am.* drugstore; **~ główny** staple storehouse; **~ osobowy** personnel

**składać** *vt* put together; (*np. list, gazetę*) fold; (*przedstawiać np. dokumenty, dowody*) submit; (*broń*) lay down; (*pieniądze*) lay by, save; (*pieniądze do banku*) deposit; (*jaja*) lay; (*czcionki*) compose; (*wizytę*) pay; (*egzamin*) undergo; **~ narzędzia** (*po pracy*) down tools; **~ ofiarę** (*poświęcać się*) make a sacrifice; **~ ofiarę pieniężną** offer a money-gift; **~ oświadczenie** make a statement; **~ przysięgę** take an oath (**na coś** upon sth); **~ sprawozdanie** render an account (**z czegoś** of sth); **~ uszanowanie** pay one's respects; **~ się** *vr* be composed; consist (**z czegoś** of sth); compose (**na coś** sth), go into the making (**na coś** of sth)

**składany** *adj* (*o odsetkach*) compound; (*o krześle, łóżku*) folding; **nóż ~** clasp knife

**skład|ka** *f* contribution; (*zbiórka*) collection; **lista ~ek** collecting list

**składnia** *f gram.* syntax

**składnica** *f* store

**składnik** *m* component; (*potrawy, lekarstwa*) ingredient

**składniowy** *adj gram.* syntactical

**skłaniać** *vt* incline; (*głowę*) bow; induce (**kogoś do czegoś** sb to do sth); **~ się** *vr* be ⟨feel⟩ inclined (**do czegoś** to do sth)

**skłon** *m* bend; bow; (*terenu*) slope

**skłonność** *f* inclination, disposition (**do czegoś** to sth, to do sth)

**skłonny** *adj* inclined, disposed

**skłócić** *vt* (*zmącić*) trouble, stir up; (*poróżnić*) set at variance

**sknera** *m* miser, niggard

**sknerstwo** *n* avarice, stinginess

**skobel** *m* hasp

**skoczek** *m* jumper, leaper; (*w szachach*) knight

**skoczny** *adj* brisk, lively

**skoczyć** *vi* make a dash; *zob.* **skakać**

**skok** *m* leap, jump; **~ do wody** dive; *sport* **~ w dal** long jump; **~ o tyczce** pole-jump; **~ wzwyż** high jump; *techn.* **~ tłoka** stroke of a piston

**skołatany** *adj* shattered

**skomleć** *vi* whine

**skomplikowany** *adj* complicated, intricate

**skonać** *vi* die, expire

**skonfederować** *vt* confederate

**skończony** *adj* (*wytrawny, doskonały*) accomplished, consummate; *zob.* **skończyć**

**skończy|ć** *vt* finish; get through (np. **pracę** with work); **~ć się** *vr* be finished, come to an end; be over; **lekcje się ~ły** the lessons are over; **~ć się na niczym** come to nothing

**skoro** *adv* soon; *conj* (*w zdaniu czasowym*) as soon as; (*w zdaniu przyczynowym*) as, now that

**skorowidz** *m* index

**skorpion** *m* scorpion

**skorup|a** *f* crust; (*np. jajka, żółwia, orzecha*) shell; (*naczynia glinianego*) shard; *pl* **~y** broken glass

**skory** *adj* quick, speedy

**skośny** *adj* oblique, slanting

**skowronek** *m* lark

**skowyczeć** *vi* whine

**skowyt** *m* whine

**skóra** *f* (*żywa na ciele*) skin; (*zwierzęca surowa*) hide; (*garbowana*) leather

**skórka** *f* skin; (*szynki, sera, owocu, kiełbasy*) rind; (*owocu, ziemniaka*) peel; (*chleba*) crust; (*na futro*) pelt; (*na buty, rękawiczki*) leather

**skórn|y** *adj*, **choroba ~a** skin disease

**skórzany** *adj* leather *attr*

**skracać** *vt* shorten, cut short; (*mowę, tekst*) abbreviate; (*książkę*) abridge

**skradać się** *vr* steal

**skraj** *m* (*przepaści, ruiny itp.*)

verge, brink; (*granica, kres*) border; (*miasta*) outskirts *pl*

**skrajność** *f* extremism

**skrajny** *adj* extreme

**skrapiać** *vt* besprinkle, water

**skraplać** *vt* liquefy; (*gaz, parę*) condense; ~ **się** *vr* liquefy; condense

**skrawek** *m* cutting; (*ziemi*) strip; (*papieru*) slip, scrap

**skreślić** *vt* (*skasować*) cancel, cross out, erase; ~ **z listy** strike off the list

**skręcać** *vt* twist, turn; (*kark*) break; *vi* turn (**na prawo** to the right)

**skrępować** *vt* pinion, tie up

**skrępowany** *adj* restricted; (*zażenowany*) embarrassed

**skręt** *m* twirl, torsion; (*zakręt*) turning; *med.* (*kiszek*) twisting

**skrobaczka** *f* scraper

**skrobać** *vt* scrape, rub, erase; (*ryby*) scale

**skromność** *f* modesty

**skromny** *adj* modest

**skroń** *f* temple

**skropić** *zob.* **skrapiać**

**skrócić** *zob.* **skracać**

**skrót** *m* abbreviation; shortening

**skrucha** *f* contrition

**skrupi|ć się** *vr*, **to się** ~ **na mnie** I shall smart for it

**skrupulatność** *f* scrupulosity

**skrupulatny** *adj* scrupulous

**skrupuł** *m* scruple

**skruszony** *pp* (*pokruszony*) crumbled; *adj* contrite

**skruszyć** *vt* crumble; ~ **się** *vr* crumble; (*poczuć skruchę*) become contrite

**skrypt** *m* script; (*szkolny*) mimeographed text

**skrytka** *f* hiding-place; ~ **pocztowa** post-office box

**skrytobójca** *m* assassin

**skryty** *adj* (*tajny*) secretive, clandestine; (*powściągliwy w mowie*) reticent

**skrzeczeć** *vi* scream, screech; (*o żabie, wronie*) croak

**skrzep** *m* clot; *med.* blood clot

**skrzętność** *f* industry

**skrzętny** *adj* industrious

**skrzydlaty** *adj* winged

**skrzydło** *n* wing; (*np.* **stołu**) leaf; (*wiatraka*) sail

**skrzynia** *f* chest, coffer

**skrzynka** *f* box, case

**skrzypaczka** *f* violinist, fiddler

**skrzypce** *s pl* violin, fiddle

**skrzypek** *m* violinist, fiddler

**skrzypieć** *vi* creak

**skrzyżowanie** *m* (*dróg*) cross-roads *pl*; *zool. bot.* crossbreeding

**skubać** *vt* pick, plume, pull; *pot.* (*kogoś z pieniędzy*) fleece, drain; ~ **ptaka** pluck a bird; ~ **trawę** crop grass

**skuć** *vt* fetter, chain

**skulić się** *vr* cower, squat

**skup** *m* purchase

**skupiać** *vt* assemble, bring together; (*uwagę*) concentrate; (*wojsko*) mass; ~ **się** *vr* assemble, come together; become concentrated; (*duchowo*) collect oneself

**skupienie** *n* concentration

**skupiony** *adj* collected, concentrated

**skupować** *vt* buy up, purchase

**skurcz** *m* *med.* cramp, convulsion

**skurczyć** *vt*, ~ **się** *vr* shrink

**skuteczność** *f* efficacy

**skuteczny** *adj* efficacious

**skut|ek** *m* result, effect; **bez** ~**ku** to no purpose, of no effect; **na** ~**ek tego** as a result of it; **dojść do** ~**ku** take effect; **doprowadzić do** ~**ku** bring about, bring into effect; **nie odnosić żadnego** ~**ku** have no effect

**skuter** *m* (motor-)scooter

**skutkować** *vi* have effect

**skwapliwy** *adj* eager

**skwar** *m* oppresive heat

**skwaśniały** *adj* sour

**skwer** *m* square; (*ogród publiczny*) green

**slawistyka** *f* Slavic studies

**słabnąć** *vi* become weak, weaken; (*o kursach walut*) decline, go down

**słabostka** *f* foible

**słabość** *f* (*niedomaganie*) illness; (*skłonność*) weakness (**do czegoś** for sth)
**słabowity** *adj* sickly
**słaby** *adj* weak, feeble
**słać** *vt* (*wysyłać*) send; (*rozpościerać*) spread; ~ **łóżko** make a bed
**słaniać się** *vr* totter, faint away
**sława** *f* glory, fame, repute; **dobra** ⟨**zła**⟩ ~ good ⟨bad⟩ name
**sławić** *vt* glorify
**sławny** *adj* famous, renowned
**słodkawy** *adj* sweetish
**słodk|i** *adj* sweet; **~a woda** fresh water
**słodycz** *f* sweetness; *pl* **~e** sweets *pl*, confectionery *zbior.*; *am.* candies *pl*
**słodzić** *vt* sweeten, sugar
**słoik** *m* jar
**słoma** *f* straw
**słomianka** *f* straw-mat
**słomian|y** *adj* straw *attr*, grass *attr*; **~a wdowa** grass-widow; **~y wdowiec** grass-widower
**słomka** *f* straw; (*łodyga, źdźbło*) halm
**słomkowy** *adj*, **kapelusz ~** straw-hat
**słonecznik** *m* sunflower
**słoneczny** *adj* sunny, sun *attr*; **zegar ~** sun-dial; **promień ~** sunbeam
**słonina** *f* lard
**słoniow|y** *adj* elephantine; **kość ~a** ivory
**słoność** *f* saltness; salinity
**słony** *adj* salt(y)
**słoń** *m* elephant
**słońc|e** *n* sun; **leżeć na ~u lie** in the sun
**słota** *f* foul weather
**słotny** *adj* rainy
**słowacki** *adj* Slovakian
**Słowak** *m* Slovak
**Słoweniec** *m* Slovene
**słoweński** *adj* Slovenian
**Słowianin** *m* Slav
**słowiański** *adj* Slav, Slavonic
**słowik** *m* nightingale
**słownictwo** *n* vocabulary
**słownie** *adv fin.* say
**słownik** *m* dictionary
**słowny** *adj* verbal; (*dotrzymujący słowa*) reliable; dependable
**słow|o** *n* word; **cierpkie** ⟨**gorzkie**⟩ **~a** bitter words; **gra słów** pun, play upon words; **piękne ~a** fair words; **~o wstępne** foreword; **wielkie ~a** big words; **innymi ~y** in other words; **na te ~a** at these words; **~em** in short, in a word; **~o w ~o** word for word; (*o narzeczeństwie*) **być po ~ie** be engaged; **cofnąć dane ~o** come back upon one's word; **dać ~o** pledge one's word; **daję ~o!** upon my word!; **dotrzymać ~a** keep one's word; **łapać za ~o** take sb at his word; **mieć ostatnie ~o** get the last word; **napisz mi parę słów** drop me a line or two; *pot.* **nie pisnąć ani ~a** not to breathe a word; **on nie mówi ani ~a po angielsku** he can't speak a word of English; **popamiętasz moje ~a!** mark my words!; **wyjął mi te ~a z ust** he took these words out of my mouth; **zamienić z kimś parę słów** have a word with sb; **złamać dane ~o** break one's word
**słowotwórstwo** *n gram.* word-formation
**słód** *m* malt
**słój** *m* jar; (*drzewa*) vein, stratum
**słówko** *n* word
**słuch** *m* hearing; *pl* **~y** (*pogłoski*) reports, rumours *pl*; **chodzą ~y** it is rumoured
**słuchacz** *m* hearer, listener (*także radiowy*); (*student*) student; **liczni ~e** a numerous audience
**słuchać** *vt* hear (**kogoś, czegoś** sb, sth), listen (**kogoś, czegoś** to sb, sth); (*być posłusznym*) obey (**kogoś** sb); **~ czyjejś rady** take ⟨follow⟩ sb's advice; **~ radia** listen to the radio; **~ wykładu** attend a lecture
**słuchawka** *f* headphone; ear-

phone; (*telefoniczna*) receiver; (*lekarska*) stethoscope
**sługa** *m* servant; *f* maid-servant
**słup** *m* pillar, column, post, pole; **~ graniczny** landmark; boundary-post; **~ telegraficzny** telegraph-pole
**słupek** *m bot.* pistil; (*np. rtęci, wody*) column
**słusznie** *adv* rightly, with reason; (*racja*) that's right
**słusznoś|ć** *f* reasonableness, legitimacy; **mieć ~ć** be right; **masz ~ć** right you are; **nie mieć ~ci** be wrong
**słuszny** *adj* right, fair, reasonable, rightful
**służalczość** *f* servility
**służalczy** *adj* servile
**służąca** *f* maid-servant
**służący** *m* servant
**służb|a** *f* service; *zbior.* (*personel*) servants *pl*; **na ~ie** on duty; **po ~ie, poza ~ą** off duty; **w czynnej ~ie** on active duty; **odbywać ~ę wojskową** serve one's time in the army; **pełnić ~ę** be on duty
**służbistość** *f* officiousness
**służbow|y** *adj* service *attr*, official; **droga ~a** official channels *pl*; **podróż ~a** trip of duty, (*dłuższa*) tour of duty
**służy|ć** *vi* serve (**komuś** sb), be in the service (**komuś, u kogoś** of sb); (*być pożytecznym*) be of use ⟨service⟩ (**komuś** to sb); agree; **tutejszy klimat mi nie ~** the climate here does not agree with me
**słychać** *vi* it is rumoured, they say; **co ~?** what's the news?
**słynąć** *vi* be renowned ⟨famous⟩ (**jako** as, **z powodu czegoś** for sth)
**słynny** *adj* renowned, famous
**słyszalny** *adj* audible
**słyszeć** *vt* hear
**smaczn|y** *adj* savoury, tasty; **~ego!** I hope you'll enjoy your lunch ⟨dinner, tea⟩
**smagać** *vt* lash
**smagły** *adj* swarthy
**smak** *m* taste, flavour; **bez ~u** tasteless, insipid
**smakołyk** *m* dainty
**smak|ować** *vi* taste; **jak ci to ~uje?** how do you like it?
**smalec** *m* lard, fat
**smar** *m* grease
**smarkacz** *m pot.* whipper-snapper
**smarkaty** *adj pot.* snotty
**smarować** *vt* smear; (*masłem*) butter
**smażyć** *vt*, **~ się** *vr* fry
**smecz** *m sport* smash
**smętny** *adj* melancholic
**smoczek** *m* dummy
**smok** *m* dragon
**smoking** *m* dinner-jacket, *am.* tuxedo
**smolny** *adj* pitchy
**smoła** *f* pitch
**smrodliwy** *adj* stinking, smelly
**smród** *m* stench
**smucić** *vt* make sad, sadden; **~ się** *vr* be sad; sorrow (**z powodu czegoś** at ⟨over⟩ sth)
**smukły** *adj* slim, slender
**smutek** *m* sorrow, sadness
**smutny** *adj* sad, sorrowful
**smycz** *f* leash, lead
**smyczek** *m* bow
**smyczkow|y** *adj*, **instrument ~y** stringed instrument; **orkiestra ~a** string-orchestra
**snop** *m* sheaf; **~ światła** shaft of light
**snuć** *vt* spin; **~ domysły** conjecture; **~ marzenia** spin dreams
**snycerstwo** *n* sculpture
**snycerz** *m* sculptor, carver
**sobek** *m pot.* egoist
**sobie** *zob.* siebie
**sobota** *f* Saturday
**sobowtór** *m* double
**soból** *m zool.* sable
**sobór** *m* synod
**sobótka** *f* St. John's eve
**socjalista** *m* socialist
**socjalistyczny** *adj* socialist
**socjalizacja** *f* socialization
**socjalizm** *m* socialism

**socjalizować** *vt* socialize
**socjolog** *m* sociologist
**socjologia** *f* sociology
**socjologiczny** *adj* sociological
**soczewica** *f bot.* lentil
**soczewka** *f* lens
**soczysty** *adj* juicy
**soda** *f* soda
**sodow|y** *adj*, **woda ~a** soda-water
**sofa** *f* sofa, couch
**soja** *f bot.* soy-bean
**sojusz** *m* alliance
**sojuszniczy** *adj* allied
**sojusznik** *m* ally
**sok** *m* juice; (*drzewa, rośliny*) sap
**sokół** *m zool.* falcon
**solanka** *f* (*pieczywo*) salt roll; (*źródło*) salt-spring
**solenny** *adj* solemn
**solić** *vt* salt
**solidarność** *f* solidarity
**solidarny** *adj* solidary, unanimous
**solidny** *adj* solid, reliable
**solista** *m* soloist
**soliter** *m* tape-worm
**solniczka** *f* salt-cellar
**solny** *adj*, **kwas ~** hydrochloric acid
**solo** *adv* solo
**sołtys** *m* village administrator
**sonata** *f* sonata
**sonda** *f* plummet, sound
**sondować** *vt* sound
**sonet** *m* sonnet
**sopel** *m* icicle
**sopran** *m* soprano
**sortować** *vt* sort
**sos** *m* sauce; (*od pieczeni*) gravy
**sosna** *f bot.* pine
**sośnina** *f* pine-wood
**sowa** *f zool.* owl
**sowity** *adj* copious, lavish
**sód** *m chem.* sodium
**sól** *f* salt; **~ kamienna** rock salt
**spacer** *m* walk
**spacerować** *vi* take a walk
**spacja** *f druk.* space
**spacjować** *vt druk.* space out
**spaczenie** *n* distortion; (*drzewa*) warping; *przen.* perversion
**spać** *vi* sleep; **chce mi się ~** I am sleepy; **iść ~** go to bed; **dobrze ⟨źle⟩ spałem** I had a good ⟨a bad⟩ night's rest
**spad** *m* fall; (*pochyłość*) slope
**spadać** *vi* fall (down), drop
**spad|ek** *m* fall, drop (**cen, temperatury** in prices, in temperature); (*pochyłość*) slope; (*scheda*) inheritance, legacy; **zostawić w ~ku** bequeath
**spadkobierca** *m* heir
**spadkobierczyni** *f* heiress
**spadochron** *m* parachute
**spadochroniarz** *m* parachutist
**spadochronow|y** *adj*, **wojska ~e** paratroops
**spadzisty** *adj* steep
**spajać** *vt* weld; (*lutować*) solder
**spalać** *vt* burn (out, up); (*zwłoki*) cremate; **~ się** *vr* burn (away, out); *elektr.* (*o żarówce*) burn out; (*o korkach*) blow
**spalanie** *n* combustion
**spalinow|y** *adj*, **gazy ~e** combustion gases; **silnik ~y** internal combustion engine
**spalony** *adj sport* off-side
**sparzyć** *vt* scald, burn; (*pokrzywą*) sting; **~ sobie palce** burn one's fingers; **~ się** *vr* burn oneself
**spawacz** *m* welder, solderer
**spawać** *vt* weld, solder
**spawanie** *n* welding
**spazm** *m* spasm
**spazmatyczny** *adj* spasmodic
**specjalista** *m* specialist
**specjalizować się** *vr* specialize
**specjalność** *f* speciality
**specjalny** *adj* special
**specyficzny** *adj* specific
**spekulacja** *f* speculation
**spekulant** *m* speculator, *pot.* spiv
**spekulatywny** *adj* speculative
**spekulować** *vi* speculate
**spelunka** *f* den
**spełniać** *vt* (*obowiązek*) fulfil, do; (*wymagania, życzenia, prośby*) satisfy
**spełznąć** *vi zob.* **pełznąć; ~ na niczym** come to nothing

**spędzać** *vt* drive (up, down); (*czas*) spend; *med.* **~ płód** procure abortion
**spichlerz** *m* granary
**spiczasty** *adj* pointed
**spiec** *vt* parch, scorch; *przen.* **~ raka** blush
**spieniężyć** *vt* sell; (*czek, weksel itp.*) realize
**spieniony** *adj* foaming
**spierać się** *vr* contend (**z kimś o coś** with sb about sth)
**spieszny** *adj* hasty, speedy; (*naglący*) urgent
**spieszy|ć się** *vr* hurry, be in a hurry; *pot.* bustle up; **zegarek ~ się** the watch is fast
**spięcie** *n, elektr.* **krótkie ~** short-circuit
**spiętrzyć** *vt* pile up; **~ się** *vr* pile up, be piled up
**spiker** *m* (*radiowy*) announcer; *polit.* (*w Anglii*) speaker
**spinacz** *m* (paper-)fastener
**spinać** *vt* buckle, clasp, fasten
**spinka** *f* (*do mankietów*) stud; (*do włosów*) clasp
**spirala** *f* spiral; *techn.* coil
**spiralny** *adj* spiral
**spirytus** *m* spirit; **~ skażony** methylated spirit
**spis** *m* list, catalogue, register; **~ inwentarza** inventory; **~ ludności** census; (*w książce*) **~ rzeczy** (table of) contents; **~ potraw** bill of fare
**spisać** *vt* list, catalogue, register; write down; **~ się** *vr* (*odznaczyć się*) make one's mark, distinguish oneself
**spisek** *m* conspiracy, plot
**spiskować** *vi* conspire, plot
**spiskowiec** *m* conspirator
**spiż** *m* bronze
**spiżarnia** *f* pantry
**splatać** *vt* intertwine, interlace; (*włosy*) plait, braid; (*np. linę*) splice
**spleśniały** *adj* mouldy, musty
**splot** *m* (*włosów*) braid, plait; (*liny*) splice; (*okoliczności*) coincidence; *anat.* plexus; (*węża*) coil
**splunąć** *vi* spit
**spluwaczka** *f* spittoon
**spłacać** *vt* pay off, repay
**spłaszczać** *vt* flatten
**spłata** *f* repayment
**spłatać** *vt,* **~ figla** play a trick (**komuś** on sb)
**spław** *m* floating, (*tratwą*) rafting
**spławiać** *vt* float, (*tratwą*) raft
**spławny** *adj* navigable
**spłodzić** *zob.* **płodzić**
**spłonąć** *vi* go up in flames
**spłonka** *f techn.* percussion cap
**spłowiały** *adj* faded
**spłowieć** *vi* fade
**spłukiwać** *vt* rinse, (*silnym strumieniem*) flush
**spływać** *vi* flow down
**spocić się** *vr* be all of a sweat
**spocząć** *vi* take a rest, repose oneself
**spoczyn|ek** *m* rest; **w stanie ~ku** (*na rencie*) retired
**spoczywać** *vi* rest, repose
**spod** *praep* from under
**spodek** *m* saucer
**spodlenie** *n* debasement
**spodlić** *vt* debase
**spodnie** *s pl* trousers; (*bryczesy*) breeches; (*krótkie sportowe*) plus-fours; (*pumpy*) knickerbockers
**spodoba|ć się** *vr* take sb's fancy; **to mi się ~ło** I liked ⟨enjoyed⟩ it
**spodziewać się** *vr* hope (**czegoś** for sth), expect (**czegoś** sth)
**spoglądać** *vi* look (**na kogoś, coś** at sb, sth), regard (**na kogoś, coś** sb, sth)
**spoić** *vt* (*np. alkoholem*) make drunk; *zob.* **spajać**
**spoistość** *f* compactness, coherence
**spoisty** *adj* compact, coherent
**spojówka** *f anat.* conjunctiva
**spojrzeć** *vi* have a glance (**na kogoś, coś** at sb, sth)
**spojrzenie** *n* glance; **jednym ~m** at a glance
**spokojny** *adj* quiet, calm, peaceful;

**bądź o to ~!** make your mind easy about that!
**spokój** *m* peace, calm; **~ umysłu** peace of mind, composure; **daj mi ~!** let ⟨leave⟩ me alone!
**spokrewnić się** *vr* become related (**z kimś** to sb)
**spoliczkować** *vt* slap (**kogoś** sb's face)
**społeczeństwo** *n* society
**społeczność** *f* community
**społeczn|y** *adj* social; **opieka ~a** social welfare
**społem** *adv* in common
**spomiędzy** *praep* from among
**sponad** *praep* from above
**spontaniczny** *adj* spontaneous
**sporadyczny** *adj* sporadic
**sporny** *adj* controversial, disputable
**sporo** *adv* pretty much ⟨many⟩
**sport** *m* sport(s); **~ wodny** aquatic sport, aquatics; **~y zimowe** winter sports
**sportow|y** *adj* sporting, sports *attr*; (*lekkoatletyczny*) athletic; **plac ~y** sports field; **przybory ~e** sports kit; **marynarka ~a** sports jacket; **~e zachowanie się** (*godne sportowca*) sporting conduct; **klub ~y** athletic club
**sportsmen** *m* sportsman
**sportsmenka** *f* sportswoman
**spory** *adj* pretty large, considerable
**sporządzać** *vt* make, prepare; (*bilans, dokument*) draw up; (*lekarstwo*) make up
**sposobić** *vt*, **~ się** *vr* prepare (**do czegoś** for sth)
**sposobnoś|ć** *f* (*sprzyjająca okoliczność*) opportunity; (*okazja, powód*) occasion; **mam mało ~ci mówienia po angielsku** I have little opportunity of speaking English; **przy tej ~ci** on this occasion
**sposobny** *adj* fit, convenient
**sposób** *m* means, way; **~ób myślenia** way of thinking; **tym ~obem** by this means, in this way; **w taki czy inny ~ób** somehow or other; **w żaden ~ób** by no means
**spostrzegać** *vt* perceive, notice; catch sight (**coś** of sth)
**spostrzegawczość** *f* perceptiveness
**spostrzegawczy** *adj* perceptive, quick to perceive
**spostrzeżenie** *n* perception; (*uwaga*) observation, remark
**spośród** *praep* from among(st)
**spotkanie** *n* meeting; **umówione ~** appointment; **przyjść na ~** keep an appointment
**spotwarzać** *vt* calumniate
**spot|ykać** *vt* meet (**kogoś** sb); **~ykać się** *vr* meet (**z kimś** sb); (*napotykać*) meet (**z czymś** with sth); **~kać się z trudnościami** meet with difficulties
**spowiadać** *vt* confess; **~ się** *vr* confess (**z czegoś** sth, **przed kimś** to sb)
**spowiedź** *f* confession
**spowinowacić się** *vr* become related (**z kimś** to sb)
**spowodować** *vt* cause, bring about
**spowszednieć** *vi* become common
**spoza** *praep* from behind
**spożycie** *n* consumption
**spożywać** *vt* consume
**spożywca** *m* consumer
**spożywcz|y** *adj* consumable; **artykuły ~e** consumer ⟨consumers'⟩ goods, articles of consumption
**spód** *m* bottom; **u spodu** at the bottom
**spódnica** *f* skirt
**spójnia** *f* union
**spójnik** *m gram.* conjunction
**spółdzielca** *m* co-operator
**spółdzielczość** *f* co-operation, co-operative movement
**spółdzielczy** *adj* co-operative
**spółdzielnia** *f* co-operative society
**spółgłoska** *f gram.* consonant
**spółk|a** *f* partnership, company; **do ~i** in common
**spór** *m* dispute, contention
**spóźniać się** *vr* be late; (*o zegarze*) be slow
**spóźnienie** *n* delay

**spóźniony** *adj* late, belated
**spracowany** *adj* overworked
**spragniony** *adj* thirsty; *przen.* eager (**czegoś** for sth, to do sth)
**spraw|a** *f* affair, matter; (*sądowa*) lawsuit, case, action; **~a honorowa** affair of honour; **~a pieniężna** money matter; **ministerstwo ~ wewnętrznych** Home Office; **ministerstwo ~ zagranicznych** Foreign Office; **w ~ie czegoś** in the matter of sth, about sth; **to nie twoja ~a** it is no business of yours; **wytoczyć ~ę** bring an action (**komuś** against sb); **załatwić ~ę** settle the matter; **zdawać ~ę** report (**komuś z czegoś** to sb about sth), give an account (**komuś z czegoś** sb of sth); **zdawać sobie ~ę** be aware (**z czegoś** of sth); realize (**z czegoś** sth)
**sprawca** *m* author
**sprawdzać** *vt* verify, test, check; **~ się** *vr* come ⟨prove⟩ true
**sprawdzian** *m* test, criterion
**sprawiać** *vt* effect, bring about; (*ulgę, przyjemność*) afford; (*przykrość, ból*) cause; (*wrażenie*) make; **~ sobie** procure, buy; **~ się** *vr* behave
**sprawiedliwość** *f* justice; **oddać ~** do justice; **wymierzać ~** administer justice
**sprawiedliwy** *adj* just, righteous
**sprawka** *f* doing
**sprawność** *f* skill, dexterity, efficiency
**sprawny** *adj* skilful, dexterous, efficient
**sprawować** *vt* do, perform; (*władzę*) exercise; (*urząd*) hold, fill; (*obowiązek*) discharge, perform; **~ się** *vr* behave
**sprawowanie** *n* (*obowiązku*) discharge, exercise; (*władzy, urzędu*) exercise; (*zachowanie*) conduct, behaviour
**sprawozdanie** *n* report, account; **~ radiowe** running commentary; **składać ~** report (**z czegoś** sth), render an account (**z czegoś** of sth)
**sprawozdawca** *m* reporter; (*radiowy*) commentator
**sprawun|ek** *m* purchase; *pl* **~ki** shopping; **iść ⟨pójść⟩ po ~ki, załatwiać ~ki w sklepach** go shopping
**sprężać** *vt* compress
**sprężenie** *n* compression
**sprężyna** *f* spring
**sprężysty** *adj* elastic
**sprostać** *vi* be equal, be up (**czemuś** to sth)
**sprostować** *vt* rectify, correct
**sprostowanie** *n* rectification
**sproszkować** *vt* pulverize
**sprośność** *f* obscenity
**sprośny** *adj* obscene
**sprowadzać** *vt* bring (in); lead down; (*towar*) procure, convey; (*z zagranicy*) import; (*np. nieszczęście*) bring about, cause; (*np. do absurdu*) reduce; **~ się** *vr* (*do mieszkania*) take up one's quarters, move in
**spróchniały** *adj* rotten, (*np. o zębie*) decayed
**spróchnieć** *vi* become rotten
**spryskać** *vt* splash
**spryt** *m* cleverness, shrewdness; **mieć ~** *pot.* have a knack (**do czegoś** for sth)
**sprytny** *adj* clever, shrewd
**sprzączka** *f* buckle, clasp
**sprzątaczka** *f* charwoman
**sprzątać** *vt* (*usuwać*) remove, carry off; (*gruzy*) cart away; (*porządkować*) put ⟨set⟩ in order; (*pokój*) do up, tidy up; **~ ze stołu** clear the table
**sprzątanie** *n* tidying up, clearing
**sprzeciw** *m* objection
**sprzeciwiać się** *vr* object (**czemuś** to sth), oppose (**czemuś** sth)
**sprzeczać się** *vr* contend (**o coś** about sth), squabble
**sprzeczka** *f* contention, squabble
**sprzecznoś|ć** *f* contradiction; **być w ~ci** contradict each other
**sprzeczny** *adj* contradictory

**sprzed** *praep* from before
**sprzedać** *vt zob.* **sprzedawać**
**sprzedajność** *f* venality
**sprzedajny** *adj* venal
**sprzedawać** *vt* sell
**sprzedawca** *m* seller, (*ekspedient*) shop-assistant
**sprzedaż** *f* sale; **na ~** for sale; **w ~y** on sale
**sprzeniewierzenie** *n* embezzlement
**sprzeniewierzyć** *vt* embezzle; **~ się** *vr* become faithless
**sprzęgać** *vt* couple, join
**sprzęgło** *n techn.* coupling, clutch; **włączyć ~** put in the clutch; **wyłączyć ~** declutch
**sprzęt** *m* piece of furniture; implement; (*żęcie zboża*) harvest; **~ kuchenny** kitchen utensils *pl*; **~ wojenny** war material
**sprzyjać** *vi* favour (**komuś, czemuś** sb, sth), be favourable (**komuś, czemuś** to sb, sth)
**sprzyjający** *adj* favourable
**sprzykrzy|ć** *vt*, **~ć sobie coś** become fed up with sth, be sick of sth; **~ć się** *vr*, **to mi się ~ło** I am fed up with it ⟨sick of it⟩
**sprzymierzeniec** *m* ally
**sprzymierzon|y** *adj* allied; **państwa ~e** Allied Powers
**sprzymierzyć się** *vr* enter into an alliance
**sprzysięgać się** *vr* conspire
**sprzysiężenie** *n* conspiracy, plot
**spuchnąć** *vi* swell up
**spuchnięty** *adj* swollen
**spust** *m techn.* slip; (*u strzelby*) trigger
**spustoszenie** *n* devastation
**spustoszyć** *zob.* **pustoszyć**
**spuszczać** *vt* let down, lower, drop; (*wodę*) let off; (*oczy*) cast down; (*głowę*) droop; (*psa ze smyczy*) unleash; **~ się** *vr* go down, descend; (*polegać*) rely (**na kimś** on sb)
**spuścizna** *f* inheritance
**spychacz** *m* bulldozer
**spychać** *vt* push down, shift back
**srebrnik** † *m* piece of silver, silver coin
**srebro** *n* silver; **~ stołowe** plate; *pot.* **żywe ~** quicksilver, mercury
**srebrzyć** *vt* silver, plate with silver
**srebrzysty** *adj* silvery
**srogi** *adj* cruel, severe, fierce
**srogość** *f* severity, fierceness
**sroka** *f zool.* (mag)pie
**srokaty** *adj* piebald
**sromotny** *adj* shameful, disgraceful
**srożyć się** *vr* rage
**ssać** *vt* suck
**ssak** *m* mammal
**ssanie** *n* suction
**ssąc|y** *p praes i adj* sucking; suction *attr*; **pompa ~a** suction pump
**stabilizacja** *f* stabilization
**stacja** *f* station
**staczać** *vt* roll down; **~ bój** fight a battle; **~ się** *vr* tumble ⟨roll⟩ down; *przen.* get low
**sta|ć** *vi* stand; **~ć mnie na to** I can afford it; **~ć na czele** be at the head; **~ć na kotwicy** lie ⟨ride⟩ on the anchor; **~ć na warcie** stand sentry; **~ć się** *vr* happen, occur; become; **co się ~ło?** what happened?, what's up here?; **co się z nim ~ło?** what has become of him?; **on ~ł się sławny** he became famous; **gdyby mu się coś ~ło** should anything happen to him
**stadion** *m* stadium; sports ground
**stadium** *n* stage
**stadło** *n* couple
**stado** *n* herd, flock
**stagnacja** *f* stagnation
**stajnia** *f* stable
**stal** *f* steel
**stale** *adv* constantly, always
**stalownia** *f* steel-works
**stalówka** *f* nib
**stałość** *f* constancy, stability
**stały** *adj* constant, stable; (*o cenie*) fixed; (*o pogodzie*) settled; *fiz.* solid; **ląd ~** continent; **~ mieszkaniec** resident

**stamtąd** *praep* from there
**stan** *m* state, condition; (*kibić*) waist; (*część państwa*) state; **~ cywilny** legal status; **urząd ~u cywilnego** registry-office; **~ kawalerski, panieński** single state; **~ małżeński** married state; **~ liczebny** strength; **~ oblężenia** state of siege; **~ prawny** status; **~ wojenny** state of war; *fin.* **~ bierny** liabilities *pl*; **~ czynny** assets *pl*; **mąż ~u** statesman; **zamach ~u** coup d'état; **zdrada ~u** high treason; **ludzie wszystkich ~ów** persons in every state of life; **być w ~ie** be able (**coś zrobić** to do sth); **w dobrym ~ie** in good condition
**stan|ąć** *vi* (*powstać*) stand up; (*zatrzymać się*) stop, halt, come to a standstill; **praca ~ęła** work has stopped; **~ąć komuś na przeszkodzie** get in sb's way; **na tym ~ęło** there the matter was dropped
**stancja** *f* lodging
**standard** *m* standard
**standaryzować** *vt* standardize
**stanik** *m* bodice; (*biustonosz*) brassière, *pot.* bra
**staniol** *m* tinfoil
**stanowczo** *adv* decidedly; absolutely, definitely
**stanowczość** *f* firmness, peremptoriness
**stanowczy** *adj* firm, decided, peremptory
**stanowi|ć** *vt vi* (*ustanawiać*) establish, institute; (*wyjątek, prawa, różnice itp.*) make; (*decydować*) decide, determine (**o czymś** sth); **to ~ 5 funtów** this amounts to 5 pounds
**stanowisk|o** *n* post, position; (*społeczne*) standing; (*pogląd*) standpoint, opinion; (*postawa*) attitude; **człowiek na wysokim ~u** man of high standing; **zająć przyjazne ~o** take a friendly attitude (**w stosunku do kogoś, czegoś** towards sb, sth); **zajmować ~o nauczyciela** fill the position ⟨post⟩ of teacher
**starać się** *vr* endeavour, make efforts, take pains, try; (*troszczyć się*) take care (**o kogoś, coś** of sb, sth); (*zabiegać*) solicit (**o coś** sth); **~ się o posadę** apply for a job; **~ się o rękę** court a woman
**starani|e** *n* (*troska*) care; (*zabiegi*) solicitation, endeavour; **robić ~a** make efforts; apply (**np. o posadę** for a job)
**staranność** *f* carefulness; accuracy
**staranny** *adj* careful, solicitous; accurate
**starcie** *n* rubbing, friction; (*skóry*) abrasion; (*walka*) collision, conflict; *wojsk.* engagement
**starczy** *adj* senile
**starczy|ć** *vi* suffice; **jeśli mi tylko sił ~** to the best of my power; **to ~** that will do
**starodawny** *adj* ancient, antique; old-time *attr*
**staromodny** *adj* old-fashioned; out-of-date *attr*
**starosta** *m* prefect (of a district); (*kierownik grupy*) senior
**starość** *f* old age
**staroświecki** *adj* old-fashioned; old-world *attr*
**starożytność** *f* antiquity
**starożytn|y** *adj* ancient, antique; *s pl* **~i** the ancients
**starszeństwo** *n* seniority
**star|szy** *adj* older, elder; senior; *s* senior, superior; *pl* **~si** (*starszyzna*) the elders
**starszyzna** *f* the elders
**start** *m* start; *lotn. sport* take off
**starter** *m* starter, self-starter
**startować** *vi* start; *lotn., sport* take off
**staruszek, starzec** *m* old man
**stary** *adj* old, aged
**starzeć się** *vr* grow old
**stateczność** *f* steadiness; gravity
**stateczny** *adj* steady; (*zrównoważony*) staid; (*poważny*) grave
**stat|ek** *m* vessel, ship; **~ek handlowy** merchantman; **~ek parowy** steamship, steamer; **~ek**

rybacki fishing boat ⟨vessel⟩; ~ek wojenny man-of-war; ~ek pocztowy mail boat ⟨ship⟩; ~kiem by ship; podróżować ~kiem sail, go by ship; wysyłać ~kiem ship, send by ship; wsiadać na ~ek take ship, go on board (a ship); na ~ek, na ~ku on shipboard, on board ship
**statua** *f* statue
**statuetka** *f* statuette
**statut** *m* charter; (*regulamin, przepisy*) statute; *handl.* articles of association
**statyczny** *adj* static
**statyka** *f* statics
**statysta** *m teatr* mute, supernumerary
**statystyczny** *adj* statistic(al)
**statystyk** *m* statistician
**statystyka** *f* statistics
**statyw** *m* tripod, stand
**staw** *m* pond; *anat.* joint
**stawać** *zob.* stanąć
**stawiać** *vt* set, put (up); (*np. butelkę, szklankę, drabinę*) stand; (*budować*) build, erect; (*pomnik*) raise; ~ czoło make a stand (komuś, czemuś against sb, sth), brave (komuś, czemuś sb, sth); ~ opór offer resistance (komuś, czemuś to sb, sth); ~ (wszystko) na jedną kartę stake everything on one card; ~ na konia back a horse; ~ 10 funtów na konia bet £ 10 on a horse; ~ się *vr* defy (komuś sb), show fight (komuś to sb); (*np. w sądzie*) appear, turn up
**stawiennictwo** *n* appearance
**stawka** *f* (*w grze*) stake; (*taryfa*) rate
**staż** *m* probation
**stażysta** *m* probationer
**stąd** *praep* (*z tego miejsca*) from here; (*dlatego*) hence
**stąpać** *vi* stride, step, tread
**stchórzyć** *vi* prove a coward, *pot.* show the white feather
**stearyna** *f* stearin
**stempel** *m* stamp; (*sztanca*) die; (*podpora*) prop; (*pocztowy*) postmark
**stemplować** *vt* stamp, cancel; (*datownikiem pocztowym*) postmark; *filat.* obliterate; (*podpierać*) prop (up)
**stenograf** *m* stenographer, shorthand-writer
**stenografia** *f* shorthand, shorthand-writing
**stenografować** *vt* write in shorthand
**stenotypist|a** *m*, ~ka *f* stenotypist, shorthand-typist
**step** *m* steppe
**ster** *m* rudder; (*koło sterowe*) helm; u ~u at the helm
**sterczeć** *vi* stand ⟨stick⟩ out, (*ku górze*) stick up
**stereoskop** *m* stereoscope
**stereotypowy** *adj* stereotyped
**sterling** *zob.* funt
**sternik** *m* pilot, steersman
**sterować** *vi* steer (okrętem the ship)
**sterowanie** *n* control
**sterta** *f* stack; (*stos*) pile, heap
**sterylizować** *vt* sterilize
**stębnować** *vi* stitch
**stęchlizna** *f* fustiness
**stęchły** *adj* fusty
**stękać** *vi* moan, groan
**stępić** *vt* blunt; ~ się *vr* become blunt
**stęskniony** *pp i adj* pining, yearning (za kimś, czymś for sb, sth); ~ za ojczyzną homesick
**stężać** *vt chem.* concentrate
**stężenie** *n* hardening; *chem.* concentration
**stłoczyć** *vt* compress, cram
**stłuc** *vt* smash, break; (*np. kolano*) bruise
**sto** *num* one hundred
**stocznia** *f* shipyard
**stodoła** *f* barn
**stoicyzm** *m* stoicism
**stoik** *m* stoic
**stoisko** *n* stand
**stojak** *m* stand
**stok** *m* slope, hillside

**stokrotka** *f* daisy
**stokrotny** *adj* hundredfold
**stolarz** *m* carpenter, joiner
**stolec** *m med.* stool; **oddawać ~** move one's bowels
**stolica** *f* capital; *rel.* **Stolica Apostolska** Holy See
**stolnica** *f* moulding-board
**stołeczny** *adj* metropolitan
**stołek** *m* stool
**stołować** *vt* board; **~ się** *vr* board (**u kogoś** with sb)
**stołownik** *m* boarder
**stołówka** *f* canteen
**stomatologia** *f* stomatology
**stonoga** *f zool.* centipede
**stop** *m* (*metalowy*) alloy
**stop|a** *f* foot; **~a procentowa** rate of interest; **~a życiowa** standard of life; **na ~ie wojennej** on war footing; **na przyjacielskiej ~ie** on a friendly footing; **od stóp do głów** from top to toe; **u stóp góry** at the foot of the hill
**stopić** *vt* melt
**stop|ień** *m* degree, grade; (*np. schodów*) step; **mający ~ień akademicki** graduate; **uzyskać ~ień (akademicki)** graduate; **w wysokim ~niu** to a high degree
**stopniały** *adj* (*o metalu*) molten; (*np. o śniegu*) melted
**stopnieć** *vi* melt down
**stopniować** *vt* gradate, graduate
**stopniowanie** *n* gradation
**stopniowo** *adv* gradually, by degrees
**stopniowy** *adj* gradual
**stora** *f* (window-)blind
**storczyk** *m bot.* orchid
**stos** *m* pile, heap; (*całopalny*) stake; *fiz.* **~ atomowy** atomic pile; **ułożyć w ~** heap (up), pile (up)
**stosowa|ć** *vt* apply, adapt; **~ć się** *vr* comply (np. **do prośby** with a request), conform (np. **do przepisów, zwyczajów** to rules, to usages); (*odnosić się*) refer (**do czegoś** to sth); **sztuki ~ne** applied arts
**stosownie** *adv* accordingly; **~ do czegoś** according to sth
**stosowny** *adj* suitable, appropriate (**do kogoś, czegoś** to sb, sth)
**stosun|ek** *m* relation; proportion; (*związek*) connexion; (*postawa*) attitude; (*obcowanie*) intercourse; *pl* **~ki** (*majątkowe itp.*) means, circumstances; (*polityczne, towarzyskie*) relations
**stosunkowy** *adj* relative; proportional; comparative
**stowarzyszenie** *n* association
**stożek** *m* cone
**stożkowaty** *adj* conical
**stóg** *m* stack, rick
**stół** *m* table; (*wikt, utrzymanie*) board; **nakrywać do stołu** lay the table; **przy stole** at table
**stracenie** *n* execution
**straceniec** *m* desperado
**strach** *m* fear, fright; **napędzać ~u** alarm, terrify (**komuś** sb); **ze ~u** for fear (**przed czymś** of sth, **o coś** for sth)
**stracić** *vt* (*ponieść stratę*) lose; (*pozbawić życia*) execute
**stragan** *m* (huckster's) stand
**straganiarka** *f* huckstress
**straganiarz** *m* huckster
**strajk** *m* strike; **~ powszechny** general strike
**strajkować** *vi* strike, go on strike
**strajkujący** *m* striker
**strapienie** *n* affliction, grief
**strapiony** *adj* afflicted, heartsick
**straszak** *m* toy pistol; (*straszydło*) bugbear
**straszliwy** *adj* horrible
**straszny** *adj* terrible, awful
**straszy|ć** *vt* frighten; (*o duchach*) haunt; **w tym domu ~** this house is haunted
**straszydło** *n także i przen.* scarecrow
**strat|a** *f* loss; **ponieść ~ę** suffer a loss; **ze ~ą** at a loss
**strategia** *f* strategy
**strategiczny** *adj* strategic
**stratny** *adj*, **być ~m** be a loser
**stratosfera** *f* stratosphere
**strawa** *f* food, fare
**strawny** *adj* digestible

**straż** *f* guard, watch; **być na ~y** be on guard, keep guard; **pod ~ą** under guard
**strażak** *m* fireman
**strażnica** *f* watch-tower
**strażnik** *m* guard, (*nocny*) watchman
**strącić** *vt* throw ⟨hurl⟩ down; precipitate (*także chem.*), deduct; (*o samolocie*) bring down; **~ z tronu** dethrone
**strączek, strąk** *m* pod
**strefa** *f* zone; **~ podzwrotnikowa** torrid zone; **~ umiarkowana** temperate zone; **~ zimna** frigid zone
**streszczać** *vt* make a summary (**coś** of sth), summarize; **~ się** *vr* be brief
**streszczenie** *n* summary, précis
**stręczyciel** *m* (*pośrednik*) jobber; (*do nierządu*) procurer
**stręczyć** *vt* procure
**strofa** *f* stanza
**strofować** *vt* reprimand
**stroić** *vt* (*ubierać*) attire, deck; (*fortepian*) tune; **~ żarty** make fun (**z kogoś, czegoś** of sb, sth); **~ się** *vr* dress oneself, deck oneself out
**strojny** *adj* smart, dressy
**stromy** *adj* steep, abrupt
**stron|a** *f* side; (*stronica*) page; *gram.* voice; (*okolica*) region, part; **~a zawierająca umowę** contracting party; **~y świata** quarters of the globe, cardinal points; **stanąć po czyjejś ~ie** take sides with sb; **w tych ~ach** in these parts; **z jednej ~y... z drugiej ~y** on the one hand... on the other hand; **z mojej ~y** for ⟨on⟩ my part; **z prawej ~y** on the right hand; **z tej ~y** on this side; **ze wszystkich ~** on all sides
**stronnictwo** *n* party
**stronniczość** *f* partiality
**stronniczy** *adj* partial, biassed
**stronnik** *m* partisan
**strop** *m* ceiling
**stropić** *vt* put out of countenance; **~ się** *vr* be put out of countenance
**stroskany** *adj* afflicted, careworn
**strój** *m* attire, dress; *muz.* pitch
**stróż** *m* guard, guardian; (*strażnik*) watchman; (*dozorca*) door--keeper: (*portier*) porter; **anioł ~** guardian angel
**strudzony** *adj* wearied
**strug** *m* plane
**struga** *f* rill, stream
**strugać** *vt* whittle
**struktura** *f* structure
**strumień** *m* stream
**struna** *f* string, chord; **~ głosowa** vocal cord
**strup** *m* crust
**struś** *m zool.* ostrich
**strych** *m* attic
**strychnina** *f* strychnin(e)
**stryczek** *m* halter, rope
**stryj** *m* uncle
**stryjeczn|y** *adj*, **brat ~y, siostra ~a** cousin
**strzał** *m* shot
**strzała** *f* arrow
**strzaskać** *vt* smash
**strząsać** *vt* shake off
**strzec** *vt* guard, protect (**przed kimś, czymś** from ⟨against⟩ sb, sth); **~ się** *vr* be on one's guard (**kogoś, czegoś** against sb, sth)
**strzecha** *f* thatch
**strzelać** *vi* shoot, fire (**do kogoś, czegoś** at sb, sth)
**strzelanina** *f* firing
**strzelba** *f* rifle, gun
**strzelec** *m* shot, rifleman
**strzelnica** *f* shooting-galery; *wojsk.* shooting-range
**strzelniczy** *adj*, **proch ~** gunpowder
**strzemienne** *n* parting drink
**strzemię** *n* stirrup
**strzęp** *m* tatter, shred
**strzępić** *vt* shred, fray; **~ się** *vr* fray, become frayed
**strzyc** *vt* shear, clip, (*włosy*) cut, crop; **~ sobie włosy** have a haircut; **~ włosy krótko** crop the

hair close; ~ **uszami** prick up one's ears
**strzykać** *vt vi* squirt; (*boleć*) twinge
**strzykanie** *n* twinge
**strzykawka** *f* syringe
**strzyżenie** *n* shearing; ~ **włosów** haircut
**student** *m* student
**studiować** *vt* study
**studium** *n* study
**studnia** *f* well
**studzić** *vt* cool (down)
**stuk** *m* knocking, noise
**stulecie** *n* century; (*setna rocznica*) centenary
**stuletni** *adj* (*człowiek*) hundred years old; **wojna ~a** Hundred Years' War
**stulić** *vt* press close ⟨together⟩
**stwardniałość** *f* hardening, callosity
**stwardniały** *adj* hardened, callous
**stwarzać** *vt* create; make; (*np. sytuację, warunki*) bring about
**stwierdzać** *vt* confirm, corroborate; state
**stwierdzenie** *n* corroboration; statement
**stworzenie** *n* (*czyn*) creation; (*istota*) creature; **jak nieboskie ~** like a wretched creature
**stworzyciel, stwórca** *m* creator
**stworzyć** *zob.* **stwarzać, tworzyć**
**styczeń** *m* January
**styczna** *f mat.* tangent
**styczność** *f* contact, contiguity; **utrzymywać ~** keep in touch (**z kimś** with sb)
**stygmat** *m* stigma
**stygnąć** *vi* cool down
**stykać się** *vr* contact (**z kimś** sb), meet (**z kimś** sb), be in touch (**z kimś** with sb)
**styl** *m* style; ~ **pływacki** stroke; ~ **życia** way of life
**stylista** *m* stylist
**stylistyczny** *adj* stylistic
**stylistyka** *f* stylistics
**stylowy** *adj* stylish
**stypa** *f* wake
**stypendium** *n* sholarship
**stypendysta** *f* scholarship-holder
**subiekcja** *f* trouble, inconvenience
**subiektywizm** *m* subjectivism
**subiektywny** *adj* subjective
**sublimat** *m chem.* sublimate
**sublokator** *m* lodger
**subordynacja** *f* subordination
**subskrybent** *m* subscriber
**subskrybować** *vt* subscribe (**coś** to sth)
**subskrypcja** *f* subscription (**czegoś** to sth)
**substancja** *f* substance
**subsydiować** *vt* subsidize
**subsydium** *n* subsidy
**subtelność** *f* subtlety
**subtelny** *adj* subtle
**subwencja** *f* subvention, subsidy
**subwencjonować** *vt* subsidize
**suchar** *m* biscuit, *am.* cracker
**sucharek** *m* rusk
**suchotniczy** *adj* consumptive
**suchotnik** *m* consumptive
**suchoty** *s pl* consumption
**suchy** *adj* dry
**sufiks** *m gram.* suffix
**sufit** *m* ceiling
**sufler** *m* prompter
**sugerować** *vt* suggest
**sugestia** *f* suggestion
**sugestywny** *adj* suggestive
**suka** *f* bitch
**sukces** *m* success
**sukcesja** *f* succession; (*dziedzictwo*) inheritance
**sukcesor** *m* successor; inheritor
**sukienka** *f* frock
**sukiennice** *s pl* drapers' hall
**sukiennictwo** *n* cloth-manufacture
**sukiennik** *m* draper
**suknia** *f* frock, gown
**sukno** *n* cloth
**sułtan** *m* sultan
**sułtanka** *f* sultana
**sum** *m* sheat-fish
**suma** *f* sum, total; (*msza*) High Mass
**sumaryczny** *adj* summary
**sumienie** *n* conscience; **czyste ~** good ⟨clear⟩ conscience; **nieczyste ~** bad ⟨guilty⟩ conscience
**sumienność** *f* conscientiousness

**sumienny** *adj* conscientious
**sumować** *vt* sum up
**sunąć** *vi* glide; *vt zob.* **suwać**
**supeł** *m* knot
**supremacja** *f* supremacy
**surdut** *m* frock-coat
**surogat** *m* surrogate, substitute
**surowica** *f* serum
**surowiec** *m* raw material
**surowość** *f* severity, crudeness
**surowy** *adj* raw; *przen.* severe, stern
**surówka** *f* raw stuff; *techn.* pig-iron; (*potrawa*) salad
**susza** *f* drought
**suszarnia** *f* drying-shed
**suszka** *f* blotter
**suszyć** *vt* dry; *przen.* **~ komuś głowę** pester sb; *vi* (*pościć*) fast
**sutanna** *f* cassock
**suterena** *f* basement
**sutka** *f* nipple, teat
**suwać** *vt* shove, shuffle, slide
**suwak** *m* slide; *mat.* **~ logarytmiczny** slide-rule; **~ rachunkowy** calculating rule
**swada** *f* eloquence
**swar** *m* squabble, quarrel
**swat** *m* match-maker; (*zawodowy*) matrimonial agent
**swatać** *vt* make a match
**swaty** *s pl* match-making
**swawola** *f* licence, wantonness
**swawolić** *vi* wanton
**swawolny** *adj* wanton
**swąd** *m* reek
**sweter** *m* sweater, jersey; (*zapinany*) cardigan
**swędzenie** *n* itch
**swędzić** *vi* itch
**swoboda** *f* liberty, freedom; (*wygoda*) ease; (*lekkość ruchów, obejścia*) easiness
**swobodny** *adj* free; (*wygodny, lekki w obejściu*) easy, (*niewymuszony, powolny*) leisurely
**swoisty** *adj* specific, peculiar
**swojski** *adj* homely, familiar, congenial
**sworzeń** *m* bolt
**swój** *pron* his, her, my, our, your, their; **postawić na swoim** have one's will; **po swojemu** in one's own way; **swego czasu** at one time
**sybaryta** *m* sybarite
**sybarytyzm** *m* sybaritism
**syberyjski** *adj* Siberian
**sycić** *vt* satiate
**syczeć** *vi* hiss
**syfon** *m* siphon
**sygnalizacja** *f* signalling
**sygnalizacyjny** *adj* signal *attr*; **system ~** code of signals
**sygnalizować** *vt vi* signal
**sygnał** *m* signal; **~ świetlny** signal-light
**sygnatura** *f* signature
**sygnet** *m* signet
**syk** *m* hiss
**sylaba** *f* syllable
**sylogizm** *m* syllogism
**sylwet(k)a** *f* silhouette
**symbioza** *f* symbiosis
**symbol** *m* symbol
**symboliczny** *adj* symbolic
**symbolika** *f* symbolism
**symbolizować** *vt* symbolize
**symetria** *f* symmetry
**symetryczny** *adj* symmetrical
**symfonia** *f* symphony
**symfoniczny** *adj* symphonic
**sympati|a** *f* sympathy; *pot.* (*o dziewczynie*) flame; **czuć ~ę** have a liking (**do kogoś** for sb)
**sympatyczny** *adj* lovable, likable; (*ujmujący*) winning; (*swojski*) congenial
**sympatyk** *m* sympathizer
**sympatyzować** *vi* sympathize
**symptom** *m* symptom
**symptomatyczny** *adj* symptomatic
**symulacja** *f* simulation, malingering
**symulant** *m* simulator; (*symulujący chorobę*) malingerer
**symulować** *vi* simulate; (*udawać chorego*) malinger
**syn** *m* son
**synagoga** *f* synagogue
**synchronizacja** *f* synchronization
**synchronizm** *m* synchronism
**synchronizować** *vt vi* synchronize
**syndyk** *m* syndic

**syndykat** *m* syndicate
**synekura** *f* sinecure
**synod** *m* synod
**synonim** *m* synonym
**synowa** *f* daughter-in-law
**syntaktyczny** *adj gram.* syntactic
**syntetyczny** *adj* synthetic
**synteza** *f* synthesis
**sypać** *vt* strew, pour, scatter; (*np. kopiec, okopy*) throw up; ~ **się** *vr* pour
**sypialnia** *f* bedroom
**sypialny** *adj* sleeping *attr*; **wagon** ~ sleeping-car, sleeper
**sypki** *adj* loose; **ciała** ~**e** dry goods
**syrena** *f* (*mitologiczna*) siren, mermaid; (*alarmowa, fabryczna*) hooter; (*okrętowa, mgłowa*) fog-horn; (*okrętowa*) ship's siren
**syrop** *m* syrup
**Syryjczyk** *m* Syrian
**syryjski** *adj* Syrian
**system** *m* system
**systematyczny** *adj* systematic
**sytny** *adj* substantial, nutritious
**sytość** *f* satiety
**sytuacja** *f* situation
**sytuować** *vt* situate
**syt|y** *adj* satiated, satiate; **do** ~**a** to satiety
**szabla** *f* sabre, sword
**szablon** *m* model, pattern; (*malarski*) stencil
**szach** *m* (*panujący*) Shah; (*w szachach*) check; ~ **i mat** checkmate
**szachista** *m* chessplayer
**szachować** *vt* check; *przen.* hold at bay
**szachownica** *f* chess-board
**szachraj** *m* cheat, swindler
**szachrajstwo** *m* cheat, swindle
**szachrować** *vi* cheat, swindle
**szachy** *s pl* chess
**szacować** *vt* estimate, rate (**na 5 funtów** at £ 5), appraise
**szacunek** *m* (*ocena*) estimate, appraisal; (*uszanowanie*) esteem, respect
**szafa** *f* (*na ubranie*) wardrobe; (*na książki*) bookcase; (*biurowa, lekarska*) cabinet
**szafir** *m* sapphire
**szafka** *f* (*oszklona*) case; (*na papiery itp.*) cabinet; (*nocna*) night-table
**szafot** *m* scaffold
**szafować** *vi* lavish
**szafran** *m* saffron
**szajka** *f* gang
**szakal** *m zool.* jackal
**szal** *m* shawl
**szal|a** *f* scale; **przeważyć** ~**ę** turn the scale
**szalbierstwo** *n* fraudulence, swindle
**szalbierz** *m* swindler
**szaleć** *vi* rage; be crazy (**za kimś, czymś** about sb, sth)
**szaleniec** *m* madman
**szaleństwo** *n* madness, folly
**szalet** *m* earth closet, latrine
**szalik** *m* scarf, (*wełniany*) comforter
**szalka** *f* scale; bowl
**szalony** *adj* mad
**szalować** *vt* board
**szalupa** *f* shallop
**szał** *m* fury, frenzy; **wpaść w** ~ fly into a fury; **doprowadzić kogoś do** ~**u** drive sb mad
**szałas** *m* shed, shanty
**szambelan** *m* chamberlain
**szamotać się** *vr* scuffle
**szampan** *m* champagne
**szaniec** *m* rampart
**szanować** *vt* esteem, respect; (*zdrowie, książki itp.*) be careful (**coś** of sth)
**szanowny** *adj* respectable, honourable
**szansa** *f* chance
**szantaż** *m* blackmail
**szantażować** *vt* blackmail
**szantażysta** *m* blackmailer
**szarada** *f* charade
**szarańcza** *f* locust
**szarfa** *f* sash, scarf
**szargać** *vt* foul, soil
**szarlatan** *m* quack, charlatan
**szarotka** *f bot.* edelweiss
**szarpać** *vt* tear, pull (**coś** sth, **za coś** at sth)

**szaruga** *f* foul weather
**szary** *adj* grey; *przen.* **~ człowiek** man in the street; **~ koniec** lower end, lowest place
**szarzeć** *vi* become grey; (*zmierzchać się*) grow dusky
**szarża** *f* charge; (*ranga*) rank
**szarżować** *vt* (*atakować*) charge
**szastać** *vi* squander
**szata** *f* garment, dress
**szatan** *m* satan
**szatański** *adj* satanic(al), fiendish
**szatkować** *vt* slice
**szatnia** *f* cloak-room
**szczapa** *f* splint, chip
**szczaw** *m* sorrel
**szczątek** *m* remnant, rest
**szczebel** *m* (*drabiny*) rung; (*stopień*) degree, level
**szczebiot** *m* chirrup
**szczebiotać** *vi* chirrup
**szczecina** *f* bristle
**szczególnoś|ć** *f* peculiarity; **w ~ci** in particular
**szczególny** *adj* peculiar, particular
**szczegół** *m* detail
**szczegółowo** *adv* in detail
**szczegółowy** *adj* detailed, particular
**szczekać** *vi* bark
**szczelina** *f* cleft, crevice, chink
**szczelny** *adj* close, tight
**szczeniak** *m* whelp, cub
**szczep** *m* (*ogrodniczy*) graft, shoot; (*plemię*) tribe
**szczepić** *vt* (*drzewko*) graft; *med.* vaccinate; *med. i przen.* inoculate
**szczepienie** *n* (*drzewka*) graft, grafting; *med.* vaccination; *med. i przen.* inoculation
**szczepionka** *f med.* vaccine
**szczerba** *f* jag, notch
**szczerbaty** *adj* jagged; (*wyszczerbiony*) indented, notched; (*o zębach*) gap-toothed
**szczerbić** *vt* jag; (*nacinać*) indent
**szczerość** *f* sincerity
**szczery** *adj* sincere, plain; (*np. o złocie*) genuine
**szczędzić** *vt vi* spare
**szczęk** *m* jingle, clang
**szczęka** *f anat.* jaw; **sztuczna ~** denture
**szczękać** *vi* clink, clang, jingle
**szczęści|ć się** *vr*, **jemu się ~** he has good luck, he is successful ⟨prosperous⟩
**szczęści|e** *n* (*zdarzenie*) good luck; (*stan*) happiness; **na ~e** fortunately; **mieć ~e** be lucky, have good luck; **próbować ~a** try a chance
**szczęśliwy** *adj* happy; fortunate, lucky
**szczodrość** *f* liberality, generosity
**szczodry** *adj* liberal, generous
**szczoteczka** *f* (*do zębów*) tooth-brush
**szczotka** *f* brush
**szczotkować** *vt* brush
**szczuć** *vt* bait; *przen.* (*judzić*) abet
**szczudło** *n* stilt
**szczupak** *m zool.* pike
**szczupleć** *vi* become slim, reduce
**szczupły** *adj* slim; (*niedostateczny*) scarce, scanty
**szczur** *m* rat
**szczycić się** *vr* boast (**czymś** of sth)), glory (**czymś** in sth)
**szczypać** *vt* pinch
**szczypce** *s pl* (*obcęgi*) tongs, (*kleszcze*) pincers, (*płaskie*) pliers
**szczypta** *f* pinch
**szczyt** *m* top, summit, peak; (*np. ambicji, sławy*) height; **godziny ~u** rush hours
**szczytny** *adj* sublime
**szef** *m* principal, chief, *pot.* boss
**szeląg** *m hist.* farthing
**szelest** *m* rustle
**szeleścić** *vi* rustle, (*np. o jedwabiu*) swish
**szelki** *s pl* braces, *am.* suspenders
**szelma** *m pot.* rogue
**szelmowski** *adj pot.* roguish
**szemrać** *vi* murmur; (*narzekać*) grumble (**na coś** at sth)
**szeplenić** *zob.* **seplenić**
**szept** *m* whisper
**szeptać** *vt vi* whisper
**szereg** *m* row, file, series; (*np. nie-*

*szczęść*) succession; (*ilość*) number; **w ~u wypadków** in a number of cases
**szeregować** *vt* rank
**szeregowiec** *m* private (soldier)
**szeregow|y** *adj*, *techn*. **połączenie ~e** connexion in series; *s* **~y** *wojsk*. private; *pl* **~i** ranks and file
**szermierka** *f* fencing
**szermierz** *m* fencer; *przen*. champion
**szeroki** *adj* wide, broad
**szerokość** *f* width, breadth; *geogr*. latitude; (*toru*) gauge
**szerokotorow|y** *adj*, **kolej ~a** broad-gauge railway
**szerszeń** *m* *zool*. hornet
**szerzyć** *vt*, **~ się** *vr* spread
**szesnastka** *f* sixteen
**szesnasty** *num* sixteenth
**szesnaście** *num* sixteen
**sześcian** *m* cube; *mat*. **podnosić do ~u** cube
**sześcienny** *adj* cubic
**sześć** *num* six
**sześćdziesiąt** *num* sixty
**sześćdziesiąty** *num* sixtieth
**sześćset** *num* six hundred
**szew** *m* seam; *med*. suture
**szewc** *m* shoemaker
**szewiot** *m* cheviot
**szkalować** *vt* slander
**szkapa** *f* jade
**szkaradny** *adj* hideous
**szkarlatyna** *f* *med*. scarlet-fever
**szkarłat** *m* scarlet
**szkatuła** *f* casket
**szkic** *m* sketch, outline
**szkicować** *vt* sketch, outline
**szkicownik** *m* sketch-book
**szkielet** *m* skeleton, frame, framework; (*statku, budowli*) carcass
**szkiełko** *n* glass; (*mikroskopowe*) slide
**szklanka** *f* glass
**szklarz** *m* glazier
**szklisty** *adj* glassy
**szkliwo** *n* glaze
**szkło** *n* glass
**szkocki** *adj* Scotch, Scots, Scottish
**szkod|a** *f* damage, detriment, harm; **~a, że** ... it's a pity that ...; **~a o tym mówić** it's no use talking about it; **wyrządzić ~ę** do harm (**komuś** sb, **to** sb); **na czyjąś ~ę** to the detriment of sb; **jaka ~a!** what a pity!
**szkodliwość** *f* harmfulness
**szkodliwy** *adj* injurious, harmful, detrimental
**szkodnik** *m* wrong-doer, mischief-maker; *pl* **~i** *zool*. vermin *zbior*.
**szkodzi|ć** *vi* do harm, injure; **nie ~!** never mind!; it doesn't matter
**szkolić** *vt* school, train
**szkolnictwo** *n* school-system, education
**szkoln|y** *adj* school *attr*; **kolega ~y** schoolmate; **książka ~a** school-book; **sala ~a** school-room; **wiek ~y** school age
**szko|ła** *f* school; **~ła morska** school of navigation; nautical school; **~ła podstawowa** ⟨**powszechna**⟩ elementary school; **~ła średnia** secondary school; **~ła wyższa** high school; **~ła zawodowa** school of engineering; **chodzić do ~y** go to school; **w ~le** at school
**szkopuł** *m* obstacle
**szkorbut** *m* *med*. scurvy
**Szkot** *m* Scotchman, Scotsman
**Szkotka** *f* Scotchwoman, Scotswoman
**szkółka** *f* (*drzew*) nursery
**szkwał** *m* *mors*. squall
**szlaban** *m* turnpike
**szlachcic** *m* (country) gentleman, one of the gentry
**szlachetny** *adj* noble, gentle
**szlachta** *f* gentry
**szlafrok** *m* dressing-gown
**szlak** *m* border; (*droga*) track, trail
**szlakowy** *m* *sport* stroke
**szlam** *m* slime
**szlem** *m* (*w kartach*) (grand) slam
**szlemik** *m* (*w kartach*) (little) slam
**szlifierz** *m* grinder, polisher

**szlifować** *vt* grind, polish
**szlochać** *vi* sob
**szmaragd** *m* emerald
**szmat** *m*, ~ **czasu** a very long time; ~ **drogi** long way
**szmata** *f* clout, rag
**szmelc** *m* scrap, scrap-iron; **nadający się na** ~ fit for scrap
**szmer** *m* murmur, rustle
**szminka** *f* paint, (*kredka*) lipstick
**szmugiel** *m* smuggle
**szmuglować** *vt* smuggle
**sznur** *m* rope, cord; string; ~ **pereł** ⟨**korali itp.**⟩ string of pearls ⟨beads etc.⟩
**sznurek** *m* string
**sznurowadło** *n* shoe-lace
**szofer** *m* chauffeur, driver
**szopa** *f* shed
**szopka** *f* puppet theatre; (*gwiazdkowa*) crib
**szorować** *vt* scour, scrub
**szorstki** *adj* rough, coarse
**szorty** *s pl* shorts
**szosa** *f* high road, highway
**szowinista** *m* jingoist
**szowinizm** *m* jingoism
**szóstka** *f* six
**szósty** *num* sixth
**szpada** *f* sword
**szpagat** *m* string; (*w tańcu, akrobacji*) splits *pl*
**szpaler** *m* lane, double row
**szpalta** *f* column
**szpara** *f* slit, (*w automacie*) slot; (*szczelina*) chink
**szparag** *m bot.* asparagus
**szpecić** *vt* uglify, disfigure
**szpetny** *adj* ugly
**szpic** *m* point; (*sztyft, kolec*) spike
**szpicel** *m pog.* sleuth, *pot.* tee
**szpieg** *m* spy
**szpiegować** *vt* spy (**kogoś** on sb)
**szpik** *m* marrow
**szpikować** *vt* lard
**szpilka** *f* pin; **siedzieć jak na** ~**ch** be on pins and needles
**szpinak** *m* spinach
**szpital** *m* hospital
**szpon** *m* claw, talon; (*także techn.*) clutch
**szprot** *m*, *pot.* **szprotka** *f* sprat
**szpryca** *f* syringe
**szprycha** *f* spoke
**szprycować** *vt* sprinkle
**szpulka** *f* spool, bobbin
**szpunt** *m* plug, stopper, (*w beczce*) bung
**szrama** *f* scar
**szranki** *s pl hist.* lists
**szron** *m* hoar-frost
**sztab** *m* staff
**sztaba** *f* bar; (*złota*) ingot
**sztachety** *s pl* fence, railing
**sztafeta** *f* courier; *sport* relay
**sztaluga** *f* easel
**sztanca** *f* die
**sztandar** *m* banner
**szterling** *m* = **sterling** *zob.* **funt**
**sztokfisz** *m* stockfish
**sztolnia** *f górn.* adit
**sztucer** *m* (*strzelba*) rifle
**sztuczka** *f* small piece; (*fortel*) trick
**sztuczny** *adj* artificial; (*nienaturalny*) affected
**sztućce** *s pl* cutlery *zbior.*; table-requisites
**sztuk|a** *f* art; (*kawałek, jednostka*) piece; (*bydła*) head; (*teatralna*) play; (*fortel*) artifice, trick; ~**a mięsa** boiled beef; ~**i piękne** fine arts
**sztukateria** *f* stucco
**sztukować** *vt* piece out, patch
**szturchać** *vt* jostle, prod
**szturm** *m* storm, attack; **przypuścić** ~ **do twierdzy** storm a fortress
**szturmować** *vt* storm, attack
**sztych** *m* (*uderzenie*) stab, thrust; (*rycina*) engraving
**sztyft** *m* pin, spike
**sztygar** *m górn.* foreman
**sztylet** *m* dagger
**sztywnieć** *vi* stiffen
**sztywny** *adj* stiff; (*np. o zapasach, postępowaniu*) rigid; (*o cenach*) fixed
**szubienica** *f* gallows
**szubrawiec** *m* scoundrel, rascal
**szufla** *f* shovel
**szuflada** *f* drawer

**szuja** *m pot.* scoundrel
**szukać** *vt* look (**kogoś, czegoś** sb, sth; for ⟨after⟩ sb, sth); (*w słowniku itp.*) look up (**czegoś** sth)
**szuler** *m* gambler
**szum** *m* roar, noise
**szumieć** *vi* roar
**szumny** *adj* roaring, boisterous
**szumowiny** *s pl* scum *zbior.*
**szuter** *m* gravel
**szuwary** *s pl* bulrush
**szwaczka** † *f* seamstress
**szwadron** *m wojsk.* squadron
**szwagier** *m* brother-in-law
**szwagierka** *f* sister-in-law
**Szwajcar** *m*, **~ka** *f* Swiss
**szwajcarski** *adj* Swiss
**Szwed** *m*, **~ka** *f* Swede
**szwedzki** *adj* Swedish
**szyb** *m* shaft
**szyba** *f* pane; (*w samochodzie*) wind-screen
**szybki** *adj* quick, swift, speedy, fast
**szybko** *adv* quick(ly), fast
**szybkoś|ć** *f* speed, velocity; **z ~cią 60 mil na godzinę** at the rate of 60 miles per hour
**szybować** *vi* soar; *lotn.* glide
**szybowiec** *m lotn.* glider
**szychta** *f* shift, relay
**szyci|e** *n* sewing; **maszyna do ~a** sewing-machine
**szyć** *vt* sew
**szydełko** *n* crochet-needle
**szydełkow|y** *adj*, **robota ~a** crochet
**szyderca** *m* scoffer
**szyderczy** *adj* scoffing
**szyderstwo** *n* scoff
**szydło** *n* awl
**szydzić** *vi* scoff (**z kogoś, czegoś** at sb, sth)
**szyfr** *m* code, cipher
**szyfrować** *vt* code, cipher
**szyj|a** *f* neck; **pędzić na łeb na ~ę** rush headlong; **rzucać się komuś na ~ę** fall upon somebody's neck
**szyk 1.** *m* (*porządek*) order; *wojsk.* **~ bojowy** battle-array; *gram.* **~ wyrazów** word order
**szyk 2.** *m* (*wytworność*) elegance, chic
**szykanować** *vt* annoy, vex
**szykany** *s pl* annoyances
**szykowny** *adj* elegant, smart
**szyld** *m* signboard
**szyling** *m* shilling
**szylkret** *m* tortoise-shell
**szympans** *m zool.* chimpanzee
**szyna** *f* rail; *med.* splint
**szynk** *m* pub
**szynka** *f* ham
**szynkarz** *m* publican
**szyper** *m mors.* skipper
**szyszak** *m hist.* helmet
**szyszka** *f* cone

**ściana** *f* wall
**ścianka** *f* (*przepierzenie*) partition
**ściągaczka** *f pot.* crib
**ściągać** *vt* draw down; pull down; (*zaciskać*) draw together, tighten; (*brwi, mięśnie*) contract; (*ludzi*) assemble; (*zdejmować buty*) pull off; (*ubranie*) take off; (*podatek*) raise, levy; (*pieniądze*) collect (**od kogoś** from sb); (*wartę*) withdraw; *pot.* (*odpisywać*) crib; **~ się** *vr* contract, (*kurczyć się*) shrink
**ścieg** *m* stitch
**ściek** *m* sewer, drain
**ściekać** *vi* flow down ⟨off⟩, drip off
**ściemniać się** *vr* darken, grow dark

**ścienny** *adj* wall *attr*; mural
**ścierać** *vt* wipe ⟨rub⟩ off; ~ **kurz** dust
**ścierka** *f* clout, duster
**ściernisko** *n* stubble-field
**ścierpły** *adj* benumbed, numb
**ścierpnąć** *vi* get numb
**ścieśniać** *vt* tighten; ~ **się** *vr* tighten; stand ⟨sit⟩ closer
**ścieżka** *f* path, footpath
**ścięcie** *n* cutting off; ~ **głowy** beheading, execution
**ścięgno** *n anat.* sinew, tendon
**ścigać** *vt* pursue, chase; ~ **się** *vr* race, run a race
**ścinać** *vt* cut off ⟨down⟩; *(drzewo)* fell; *(głowę)* behead; *sport* smash; *pot. (przy egzaminie)* plough; ~ **się** *vr* congeal, coagulate
**ścisk** *m* press, crush
**ściskać** *vt* compress, press, squeeze, tighten; *(obejmować)* embrace; ~ **komuś rękę** clasp sb's hand; ~ **się** *vr* press, embrace
**ścisłość** *f (dokładność)* exactness, preciseness; *(zwartość)* compactness
**ścisły** *adj (dokładny)* exact, precise, strict; *(zwarty)* compact, close
**ściśle** *adv* closely; *(ciasno)* tightly; *(dokładnie)* exactly, precisely, strictly; ~ **mówiąc** strictly speaking
**ślad** *m* trace, track, vestige; ~ **stopy** footmark, footprint; **iść ~em czegoś** trace sth; **iść w czyjeś ~y** walk ⟨follow⟩ in sb's steps; **nie ma ani ~u ...** not the least trace ... is left; **trafić na ~ czegoś** get a clue to sth
**ślamazara** *m f* sluggard
**ślamazarny** *adj* sluggish
**śląski** *adj* Silesian
**Ślązak** *m*, **Ślązaczka** *f* Silesian
**śledczy** *adj* inquiry *attr*; inquiring, examining; **sąd ~** court of inquiry
**śledzić** *vt (obserwować)* watch; *(tropić)* trace; investigate
**śledziona** *f anat.* milt, spleen
**śledztwo** *n* inquiry, investigation
**śledź** *m zool.* herring
**ślepiec** *m* blind man
**ślepnąć** *vi* grow blind
**ślepo** *adv* blindly; **na ~** blindly, at random
**ślepota** *f* blindness
**ślep|y** *adj* blind; **~y nabój** blank cartridge; **~y zaułek** blind alley; *med.* **zapalenie ~ej kiszki** appendicitis
**ślęczeć** *vi* pore **(nad czymś** over sth)
**śliczny** *adj* lovely, most beautiful
**ślimacznica** *f techn.* worm-wheel; spiral
**ślimak** *m zool.* snail; *techn.* worm-gear
**ślimakowaty** *adj* spiral
**ślina** *f* spittle, saliva
**ślinić** *vt*, ~ **się** *vr* slaver
**ślinka** *f* spittle; ~ **mi idzie do ust** my mouth waters **(na widok czegoś** at sth)
**śliski** *adj* slippery
**śliwa** *f* plum-tree
**śliwka** *f* plum; *(drzewo)* plum-tree
**śliwowica** *f* plum-brandy
**ślizgacz** *m* scooter, gliding-boat
**ślizgać się** *vr* slide, glide; *(na łyżwach)* skate
**ślizgawica** *f* glazed frost
**ślizgawka** *f (tor)* skating-rink
**ślub** *m* wedding, marriage-ceremony; *(ślubowanie)* vow; **brać ~** get married; **czynić ~** make a vow, take a pledge
**ślubny** *adj* wedding *attr*, nuptial
**ślubować** *vt vi* vow, make a vow
**ślusarz** *m* locksmith
**śluz** *m* slime
**śluza** *f* sluice
**śmiać się** *vr* laugh **(z czegoś** at sth), make fun **(z czegoś** of sth); **chce mi się z tego ~** that makes me laugh; *pot.* ~ **się do rozpuku** split one's sides with laughing; *pot.* ~ **się w kułak** laugh in one's sleeve
**śmiałek** *m* daredevil

**śmiałość** *f* boldness
**śmiały** *adj* bold
**śmiech** *m* laughter; **wybuchnąć ~em** burst out laughing
**śmiecić** *vt* litter, clutter
**śmiecie** *s pl* litter, sweepings *pl*
**śmieć** *vi* dare, venture
**śmier|ć** *f* death; **wyrok ~ci** death sentence; **patrzeć ~ci w oczy** look death in the face; **skazać na ~ć** sentence to death; *przysł.* **raz kozie ~ć** man can die but once
**śmierdzieć** *vi* stink, smell (**czymś** of sth)
**śmiertelnik** *m* mortal
**śmiertelność** *f* mortality
**śmiertelny** *adj* (*o człowieku*) mortal; (*o grzechu, truciźnie itp.*) deadly
**śmieszność** *f* ridiculousness, the ridiculous
**śmieszny** *adj* ridiculous, funny
**śmieszyć** *vt* make laugh
**śmietana** *f* sour-cream
**śmietank|a** *f* cream; **zbierać ~ę** skim milk
**śmietnik** *m* dump, dust-heap
**śmiga** *f* (*wiatraka*) sail
**śmigło** *n* propeller, airscrew
**śmigłowiec** *m* helicopter
**śmigły** *adj* swift, speedy
**śniadanie** *n* breakfast; **jeść ~** breakfast, have breakfast
**śniady** *adj* swarthy
**śni|ć** *vt* dream; **~ło mi się** I dreamt
**śnieg** *m* snow; **pada ~** it snows
**śniegowce** *s pl* snow-boots
**śnieżka** *f* snow-ball
**śnieżny** *adj* snowy
**śnieżyca** *f* snow-storm
**śpiączka** *f* sleepiness; *med.* **~ (afrykańska)** sleeping-sickness
**śpieszny** *zob.* **spieszny**
**śpieszyć** *zob.* **spieszyć**
**śpiew** *m* song, singing; **~ kościelny** chant; **nauczyciel ~u** singing-master
**śpiewać** *vt vi* sing; (*intonować*) chant
**śpiewak** *f* singer
**śpiewnik** *m* song-book
**śpiewny** *adj* melodious
**śpioch** *m* sleepyhead
**śpiwór** *m* sleeping-bag
**średni** *adj* middle, average, middling, medium; **~a szkoła** secondary school; **~ wzrost** medium height, middle size; *radio* **~e fale** medium waves; **wieki ~e** Middle Ages
**średnica** *f* diameter
**średnik** *m* semicolon
**średnio** *adv* on the average; tolerably, *pot.* middling
**średniowiecze** *n* Middle Ages *pl*
**średniowieczny** *adj* medi(a)eval
**średniówka** *f lit.* caesura
**środa** *f* Wednesday
**środ|ek** *m* middle, centre; (*sposób*) means; *fiz.* **~ek ciężkości** centre of gravity; **~ek drogi** midway; **~ek leczniczy** remedy; *handl. fin.* **~ek płatniczy** legal tender, circulating medium; **~ki do życia** means; **~ki ostrożności** measures of precaution; **złoty ~ek** golden mean
**środkowy** *adj* central, middle
**środowisko** *n* environment
**śródmieście** *n* centre (of a town)
**śródziemny** *adj* mediterranean
**śrub|a** *f* screw; **przykręcić ~ę** put on the screw; **zwolnić ~ę** loosen the screw
**śrubokręt** *m* screwdriver
**śrubować** *vt* screw (up)
**śrut** *m* shot
**świadczeni|e** *n* service; **~a społeczne** social services; **~a lekarskie** medical benefits; **~a w pieniądzach i naturze** disbursements in money and in kind
**świadczyć** *vi* attest, testify; bear witness (**o czymś** to sth); (*składać zeznania*) depose; **~ usługi** render services
**świadectwo** *n* testimonial, certificate; testimony; (*szkolne*) report; **~ pochodzenia** certificate of origin; **~ dojrzałości** secondary-school certificate

**świad|ek** *m* witness; **~ek naoczny** eye-witness; **być ~kiem** witness (**czegoś** sth)
**świadomość** *f* consciousness
**świadomy** *adj* conscious
**świat** *m* world; **tamten ⟨drugi⟩ ~** next world; **przyjść na ~** come into the world; **na świecie** in the world; **po całym świecie** all over the world
**światło** *n* light; **~ drogowe** traffic light; **~ dzienne** daylight; **~ księżyca** moonlight; **~ słoneczne** sunlight; **przy świetle księżyca** by moonlight
**światłość** *f* brightness
**światły** *adj* bright; (*o umyśle*) enlightened
**światopogląd** *m* world outlook, philosophy of life
**światowiec** *m* man of the world
**świąteczny** *adj* festive, festival; (*np. o ubraniu*) holiday *attr*
**Świątki** *s pl*, **Zielone ~** Whitsuntide
**świątynia** *f* temple
**świder** *m* drill
**świdrować** *vt* drill, bore
**świeca** *f* candle; *techn.* **~ zapłonowa** sparking-plug
**świecić** *vi* shine; *vt* (*zapalać*) light; **~ się** *vr* shine, glitter
**świecidełko** *n* tinsel
**świecki** *adj* lay, secular
**świeczka** *f* candle
**świecznik** *m* candlestick
**świergot** *m* chirp
**świergotać** *vi* chirp
**świerk** *m* *bot.* spruce
**świerszcz** *m* *zool.* cricket
**świerzb** *m* itch, *med.* scabies
**świerzbieć** *vi* itch
**świetlany** *adj* luminous
**świetlica** *f* club
**świetlik** *m* *zool.* glow-worm
**świetlny** *adj* light *attr*, lighting; **gaz ~** lighting-gas; **rok ~** light-year
**świetność** *f* splendour
**świetny** *adj* splendid, glorious
**świeżość** *f* freshness
**świeży** *adj* fresh; recent, new
**święcić** *vt* consecrate; (*obchodzić*) celebrate
**święcone** *n* Easter repast
**święto** *n* holiday, festivity
**świętojański** *adj* St. John's; *zool.* **robaczek ~** glow-worm
**świętokradztwo** *n* sacrilege
**świętoszek** *m* hypocritical bigot
**świętość** *f* sanctity, holiness
**świętować** *vi* have a holiday
**święt|y** *adj* holy, sacred; (*przed imieniem*) saint; **~y** *s m*, **~a** *s f* saint
**świnia** *f* swine
**świnka** *f* pig; *med.* mumps; *zool.* **~ morska** guinea-pig
**świński** *adj* swine *attr*; swinish
**świństwo** *n* dirty trick
**świsnąć** *vi* *zob.* **świstać**; (*porwać*) *pot.* pinch
**świst** *m* whistle, whizz
**świstać** *vt vi* whistle
**świstak** *m* *zool.* marmot; *am.* groundhog
**świstawka** *f* whistle
**świstek** *m* scrap of paper
**świ|t** *m* daybreak, dawn; **o ~cie** at daybreak
**świtać** *vi* dawn

# t

**tabaka** *f* snuff
**tabakierka** *f* snuff-box
**tabela** *f* schedule, table, list
**tabletka** *f* tablet
**tablica** *f* board; (*szkolna*) blackboard; (*tabela*) table; *techn.* ~ **rozdzielcza** switch-board
**tabliczka** *f* tablet; (*np. czekolady*) cake; ~ **mnożenia** multiplication table
**tabor** *m wojsk.* retrenched camp; army service columns *pl*; train; ~ **kolejowy** rolling-stock
**taboret** *m* tabouret
**taca** *f* tray, salver
**taczać się** *vr* wallow, roll; (*zataczać się*) stagger, reel
**taczki** *s pl* wheel-barrow
**tafla** *f* sheet, plate
**taić** *vt* hide, conceal (**przed kimś** from sb)
**tajać** *vi* thaw
**tajemnic|a** *f* secret, mystery; **w ~y** in secret, secretly
**tajemniczość** *f* mysteriousness
**tajemniczy** *adj* mysterious
**tajemny** *adj* secret, clandestine
**tajność** *f* secrecy
**tajny** *adj* secret
**tak** *part* yes; *adv* thus, so, as; ~ ..., **jak** as ... as, **nie** ~ ..., **jak** not so ... as; ~ **sobie** so-so; ~ **czy owak** anyhow; **i** ~ **dalej** and so on; **czy** ~? is that so?; **bądź** ~ **dobry i poinformuj mnie** be so kind as to inform me
**taki** *adj* such; **co ~ego?** what's the matter?; **nic ~ego** nothing of the sort; ~ **biedny,** ~ **mądry** so poor, so wise; ~ **sam** just the same; **on jest** ~ **jak ty** he is like you
**takielunek** *m mors.* rigging
**taksa** *f* rate, tariff, fee; ~ **za przejazd** fare
**taksować** *vt* estimate, rate (**na sumę** ... at the sum ...)
**taksówk|a** *f* taxi; **jechać ~ą** travel ⟨go⟩ by taxi, taxi
**takt** *m* tact; (*w muzyce*) time; (*odstęp w pięciolinii*) bar, measure; **trzymać** ~ keep time; **wybijać** ~ beat time
**taktowny** *adj* tactful
**taktyczny** *adj* tactical
**taktyka** *f* tactics
**także** *adv* also, too, as well; ~ **nie** neither, not ... either
**talent** *m* talent
**talerz** *m* plate
**talia** *f* waist; (*kart*) pack
**talizman** *m* talisman
**talk** *m* talcum
**talon** *m* coupon
**tam** *adv* there; (*wskazując*) over there; **co mi** ~ I don't care; **kto** ~? who's there?; ~ **i z powrotem** to and fro
**tam|a** *f* dam; *przen.* check, stop; **położyć ~ę** put a stop (**czemuś** to sth)
**tamować** *vt* dam; (*np. ruch*) obstruct; *przen.* check; (*krew*) staunch
**tampon** *m* tampon
**tamtejszy** *adj* from there, of that place
**tamten** *pron* that
**tamtędy** *adv* that way
**tance|rz** *m*, **~rka** *f* dancer
**tancmistrz** *m* dancing-master
**tandem** *m* tandem
**tandeta** *f* rubbish, trash
**tandetny** *adj* shoddy, trashy
**tangens** *m mat.* tangent
**tani** *adj* cheap
**taniec** *m* dance
**tanieć** *vi* become cheap
**tantiema** *f* bonus
**tańczyć** *vi* dance, *pot.* hop
**tapczan** *m* couch, sofa-bed
**tapeta** *f* wall-paper
**tapetować** *vt* cover with wall-paper, paper
**tapicer** *m* upholsterer
**tapicerka** *f* upholstery

**tara** *f handl.* tare
**taran** *m hist.* battering-ram
**taras** *m* terrace
**tarasować** *vt* block, barricade
**tarcie** *n* friction
**tarcza** *f* target; (*osłona*) shield; (*np. słońca*) disk; (*np. zegarka*) dial
**tarczyca** *f med.* thyroid gland
**targ** *m* market
**targać** *vt* tear, pull
**targnąć się** *vr* attempt (**na czyjeś życie** sb's life)
**targować** *vt* sell, fetch by sale; **~ się** *vr* bargain, haggle (**o coś** about sth)
**tarka** *f* grater, rasp
**tarnina** *f* blackthorn
**tartak** *m* sawmill
**taryfa** *f* tariff
**tarzać się** *vr* wallow, roll
**tasak** *m* chopper
**tasiemiec** *m zool.* tapeworm
**tasiemka** *f* tape
**tasować** *vt* shuffle
**taśma** *f* band; *techn.* tape; **~ filmowa** band, film-band; **~ izolacyjna** insulating tape; **~ karabinu maszynowego** cartridge belt; **~ miernicza** measuring tape
**Tatar** *m* Tartar
**taternictwo** *n* mountain-climbing
**taternik** *m* mountain-climber
**tatuować** *vt* tattoo
**tatuś** *m zdrob.* dad
**tchawica** *f anat.* trachea
**tchnąć** *vt vi* breathe, inspire
**tchnienie** *n* breath
**tchórz** *m zool.* polecat; (*człowiek*) coward
**tchórzliwy** *adj* cowardly
**teatr** *m* theatre
**teatraln|y** *adj* theatrical; **sztuka ~a** play
**techniczny** *adj* technical
**technik** *m* technician
**technika** *f* technics
**technologia** *f* technology
**teczka** *f* brief-case, (*na dokumenty*) folder
**tegoroczny** *adj* this year's
**teka** *f* brief-case; (*ministerialna, bankowa itp.*) portfolio
**tekst** *m* text
**tekstylny** *adj* textile
**tektura** *f* cardboard
**telefon** *m* telephone; **przez ~** on the telephone
**telefonicznie** *adv* telephonically; (*rozmawiać*) by telephone
**telefoniczn|y** *adj* telephonic, telephone; **rozmowa ~a** telephone call; **międzymiastowa rozmowa ~a** trunk-call; **rozmównica** ⟨**budka**⟩ **~a** telephone booth ⟨box⟩
**telefonistka** *f* telephonist
**telefonować** *vt vi* telephone; *pot.* ring up (**do kogoś** sb)
**telefoto** *n* telephoto
**telegraf** *m* telegraph
**telegraficznie** *adv* telegraphically; *pot.* by wire
**telegraficzn|y** *adj* telegraphical; *pot.* wire *attr*; **~a wiadomość** telegraphical message; **słup ~y** telegraph-pole
**telegrafista** *m* telegraphist, telegrapher
**telegrafować** *vt vi* telegraph, *pot.* wire
**telegram** *m* telegram, *pot.* wire
**telepatia** *f* telepathy
**teleskop** *m* telescope
**teleskopowy** *adj* telescopic
**telewizja** *f* television, TV, *pot.* telly
**telewizor** *m* television ⟨TV⟩ set
**temat** *m* theme, subject, subject-matter
**temblak** *m* sling
**temperament** *m* temperament
**temperatur|a** *f* temperature; **~a topnienia** melting-point; **~a wrzenia** boiling-point; **~a zamarzania** freezing-point; **mierzyć ~ę** take the temperature
**temperować** *vt* temper; (*ołówek*) sharpen
**temp|o** *n* time, measure, rate, tempo; **w szybkim ~ie** at a fast rate
**temu** *adv*, **rok ~** one year ago; **dawno ~** long ago
**ten, ta, to** *pron* this; *pl* **ci, te** these

**tendencja** *f* tendency; (*kierunek*) trend; ~ **zniżkowa** downward tendency
**tendencyjny** *adj* biased
**tender** *m techn.* tender
**tenis** *m* tennis
**tenor** *m* tenor
**tenże** *pron* the (very) same
**teolog** *m* theologian
**teologia** *f* theology
**teoretyczny** *adj* theoretical
**teoretyk** *m* theorist
**teoria** *f* theory
**terakota** *f* terracotta
**terapia** *f* therapeutics
**terasa** *f* terrace, bank
**teraz** *adv* now
**teraźniejszość** *f* present time, the present
**teraźniejszy** *adj* present (day); *gram.* **czas** ~ present tense
**tercet** *m* tercet; *muz.* trio
**teren** *m* area, space, territory, ground, country
**terenowy** *adj* local; country-, (*np. o samochodzie*) crosscountry *attr*
**terenoznawstwo** *n* local knowledge, topography
**terkotać** *vi* rattle
**termin** *m* term; (*rzemieślniczy*) apprenticeship
**terminator** *m* apprentice
**terminologia** *f* terminology
**terminowo** *adv* in time; at a fixed time, at fixed intervals
**terminow|y** *adj* term *attr*; fixed; (*np. egzamin*) terminal; **kalendarz ~y** memorandum; **~a dostawa** delivery on term; **~a zapłata** term payment
**termit** *m zool.* white ant
**termometr** *m* thermometer
**termos** *m* thermos flask
**terpentyna** *f* turpentine
**terror** *m* terror, terrorism
**terrorysta** *m* terrorist
**terrorystyczny** *adj* terrorist
**terroryzować** *vt* terrorize
**terytorialny** *adj* territorial
**terytorium** *n* territory
**testamen|t** *m* testament, will; **zapisać w ~cie** bequeath, leave as a legacy
**testator** *m* testator
**teściowa** *f* mother-in-law
**teść** *m* father-in-law
**teza** *f* thesis
**też** *adv* also, too; ~ **nie** neither, not ... either
**tęcza** *f* rainbow
**tęczówka** *f anat.* iris
**tędy** *adv* this way
**tęgi** *adj* stout; solid; (*mocny*) robust; able
**tępić** *vt* blunt, dull; (*niszczyć*) exterminate
**tępota** *f* dullness, bluntness
**tępy** *adj* dull, blunt
**tęsknić** *vi* long, yearn (**za kimś** for ⟨after⟩ sb); ~ **za krajem** be homesick
**tęsknota** *f* longing, yearning; ~ **za krajem** homesickness
**tęskny** *adj* longing, melancholy
**tętent** *m* tramp (of horses), hoof-beat
**tętnica** *f* artery
**tętnić** *vi* tramp, resound; (*o pulsie*) pulsate
**tętno** *n* pulse, pulsation
**tężec** *m med.* tetanus
**tężeć** *vi* stiffen; (*twardnieć*) solidify
**tężyzna** *f* vigour
**tkacki** *adj* textile
**tkactwo** *n* weaving, textile industry
**tkacz** *m* weaver
**tkać** *vt* weave
**tkanina** *f* tissue, texture, fabric
**tkanka** *f anat. biol.* tissue
**tkliwość** *f* tenderness, affectionateness
**tkliwy** *adj* tender, affectionate
**tknąć** *vt* touch
**tkwić** *vi* stick
**tleć** *vi* smoulder, burn faintly
**tlen** *m chem.* oxygen
**tlenek** *m chem.* oxide
**tlić się** *vr* burn faintly, smoulder
**tło** *n* background
**tłocznia** *f* press
**tłoczyć** *vt* press, crush; (*druko-*

*wać*) impress; ~ **się** *vr* crowd, crush
**tłok** *m* (*ścisk*) crowd, crush; *techn.* piston
**tłuc** *vt* pound, grind; (*rozbijać*) break, smash; (*np. orzechy*) crack; ~ **się** *vr* be smashed, be broken; *pot.* (*np. po świecie*) knock about
**tłuczek** *m* pestle
**tłum** *m* crowd, throng
**tłumacz** *m* translator; (*ustny*) interpreter; ~ **przysięgły** sworn translator
**tłumaczenie** *n* translation; interpretation; (*wyjaśnienie*) explanation
**tłumaczyć** *vt* translate (**z polskiego na angielski** from Polish into English); (*ustnie*) interpret; (*wyjaśniać*) explain; ~ **się** *vr* excuse oneself
**tłumić** *vt* stifle, muffle; (*np. bunt, uczucie*) suppress
**tłumik** *m* *muz.* sordine; *techn.* silencer
**tłumnie** *adv* in crowds
**tłumny** *adj* multitudinous, numerous
**tłumok** *m* bundle
**tłustość** *f* fatness
**tłusty** *adj* fat; (*o plamie, smarze*) greasy; (*gruby*) obese, stout; ~ **druk** fat-faced type, bold letters *pl*
**tłuszcz** *m* fat, grease
**tłuszcza** *f* mob, rabble
**tłuścić** *vt* grease
**to** *pron zob.* **ten; to moja książka** it is my book; **to twoja wina** it's your own fault
**toalet|a** *f* toilet; (*mebel*) toilet-table; (*ubikacja*) lavatory; **robić ~ę** make one's toilet
**toaletow|y** *adj* toilet *attr*; **mydło ~e** toilet soap; **papier ~y** toilet paper; **przybory ~e** articles of toilet
**toast** *m* toast; **wznosić czyjś ~** propose sb's health
**tobół** *m* bundle, baggage
**toczy|ć** *vt* roll; (*nóż*) whet; (*obrabiać w tokarni*) turn; (*płyn z beczki*) draw; (*o robactwie*) gnaw, nibble, eat; (*niszczyć*) wear away; (*sprawę sądową*) carry on; (*wojnę*) wage; **~ć się** *vr* roll; (*o sprawie, akcji itp.*) be in progress; (*o wojnie*) be waged; (*o płynie*) flow, run, gush; **rozmowa ~ła się o pogodzie** conversation was carried on about the weather; **~ły się rokowania** negotiations were held ⟨were proceeding⟩
**toga** *f* gown, robe
**tok** *m* course, progress; **w ~u** in course
**tokarka** *f* turning-lathe
**tokarz** *m* turner
**tolerancja** *f* tolerance
**tolerancyjny** *adj* tolerant
**tolerować** *vt* tolerate
**tom** *m* volume
**ton** *m* tone, sound
**tona** *f* ton
**tonacja** *f* *muz.* key, mode
**tonaż** *m* tonnage
**tonąć** *vi* drown, be drowned; (*o okręcie*) sink
**toniczny** *adj* tonic
**toń** *f* depth, *poet.* deep
**topaz** *m* topaz
**topić** *vt* drown, sink; (*roztapiać*) melt, fuse; ~ **się** *vr* drown, be drowned, sink; (*roztapiać się*) melt (away)
**topiel** *f* whirlpool, abyss (of water), gulf
**topielec** *m* drowned man
**topliwy** *adj* fusible
**topnieć** *vi* melt
**topografia** *f* topography
**topola** *f* *bot.* poplar
**toporek** *m* hatchet
**topór** *m* axe
**tor** *m* track; *wojsk.* (*pocisku*) trajectory; ~ **boczny** side-track; ~ **główny** main-track; ~ **kolejowy** railway-track; ~ **wyścigowy** race-track
**torba** *f* bag
**torebka** *f* (hand-)bag

**torf** *m* peat
**torfowisko** *n* peat-bog
**tornister** *m* knapsack; (*szkolny*) satchel
**torować** *vt* clear; *przen.* **~ komuś drogę** pave the way for sb
**torpeda** *f* torpedo
**torpedować** *vt* torpedo
**torpedowiec** *m* (*statek*) torpedo-boat; (*samolot*) torpedo-plane
**tors** *m* torso
**tort** *m* fancy-cake; (*przekładany*) layer-cake
**tortur|a** *f* torture; **brać na ~y** put to torture
**torturować** *vt* torture
**totalizator** *m* totalisator; **~ sportowy** pool
**totalitarny** *adj* totalitarian
**totalny** *adj* total
**towar** *m* article, commodity; **~y** *pl* goods; **~y codziennego użytku** consumers' ⟨consumer⟩ goods; *pot.* **~y chodliwe** marketable goods
**towarowy** *adj*, **dom ~** department store; **pociąg ~** goods-train, *am.* freight train
**towaroznawstwo** *n* knowledge of mercantile wares
**towarzyski** *adj* social
**towarzystwo** *n* society, company
**towarzysz** *m* comrade, companion
**towarzyszyć** *vi* accompany (**komuś** sb)
**tożsamoś|ć** *f* identity; **dowód ~ci** identity card
**tracić** *vt* lose; (*zadawać śmierć*) execute
**tracz** *m* sawyer
**tradycja** *f* tradition
**tradycjonalizm** *m* traditionalism
**tradycyjny** *adj* traditional
**traf** *m* chance, accident; **~em** by chance, accidentally
**trafiać** *vi* hit (**w coś** sth; **na coś, kogoś** on ⟨upon⟩ sth, sb); **nie ~** miss, fail; **~ do przekonania** convince; **na chybił trafił** at a guess, at random; **~ się** *vr* happen
**trafność** *f* aptness, pertinence, accuracy
**trafny** *adj* (*o strzale*) well-hit; (*odpowiedni*) just, exact; (*o odpowiedzi*) suitable; (*o sądzie, uwadze itp.*) pertinent, to the point
**tragarz** *m* porter
**tragedia** *f* tragedy
**tragiczny** *adj* tragic
**tragikomedia** *f* tragicomedy
**tragizm** *m* tragedy, the tragic
**trakcja** *f* traction
**trak|t** *m* highroad; tract; (*przebieg*) course; **w ~cie działania** in course of action
**traktat** *m* (*układ*) treaty; (*rozprawa*) treatise, tract; **~ pokojowy** peace treaty
**traktor** *m* tractor; **~ gąsienicowy** caterpillar-tractor
**traktorzysta** *m* tractor-driver
**traktować** *vt* handle, treat (**kogoś, coś** sb, sth)
**tramwaj** *m* tram, tramway, *am.* street car; **jechać ~em** go by tram
**tran** *m* cod-liver oil; **~ wielorybi** whale-oil
**trans** *m* trance
**transakcja** *f* transaction
**transatlantycki** *adj* transatlantic
**transformator** *m* transformer
**transfuzja** *f* transfusion
**transkrybować** *vt* transcribe
**transmisja** *f* transmission
**transmitować** *vt* transmit
**transparent** *m* banner, streamer; (*przezrocze*) transparency
**transport** *m* transport; (*środek przewozowy*) conveyance
**transportować** *vt* transport, convey
**tranzyt** *m* transit
**trapez** *m* *mat.* trapezium; *sport* trapeze
**trapić** *vt* vex, molest, pester; **~ się** *vr* worry, grieve (**czymś** about sth)
**trasa** *f* route, track; **~ podróży** itinerary
**trasant** *m* *handl.* drawer
**trasat** *m* *handl.* drawee
**trasować 1.** *vt* trace
**trasować 2.** *vt* *handl.* draw

**trata** *f handl.* draft
**tratować** *vt* trample
**tratwa** *f* raft
**trawa** *f* grass
**trawić** *vt* digest; (*spędzać czas*) waste, expend; *techn.* etch; (*zżerać*) consume, fret
**trawienie** *n* digestion; (*zżeranie*) etching; consumption
**trawnik** *m* lawn, grassplot
**trąba** *f* trumpet; (*słonia*) trunk; (*powietrzna*) whirlwind
**trąbić** *vi* trumpet
**trąbka** *f muz.* trumpet; (*zwój*) roll
**trącać** *vt* push, jostle; (*łokciem*) elbow; **~ się** *vr* knock, jostle; *kieliszkiem*) clink
**trącić** *zob.* **trącać**; *vi* (*pachnieć*) smell (**czymś** of sth)
**trąd** *m med.* leprosy
**trefl** *m* (*karty*) club(s)
**trema** *f* fear, *pot.* jitters *pl*
**tren** 1. *m lit.* elegy, threnody
**tren** 2. *m* (*u sukni*) trail; train
**trener** *m* trainer, coach
**trening** *m* training, coaching
**trenować** *vt* train, coach; *vi* train, practise
**trepanacja** *f med.* trepanation
**trepy** *s pl* sandals
**tresować** *vt* train, drill; (*konia*) break in
**tresura** *f* training
**treściwy** *adj* concise, compendious
**treść** *f* content; (*zawartość książki*) contents *pl*
**trębacz** *m* trumpeter
**trędowaty** *adj* leprous; *s m* leper
**triumf** *m* triumph
**triumfować** *vi* triumph
**trochę** *adv* a little, a few; **ani ~** not a little, not a bit
**trociny** *s pl* sawdust
**trofe|um** *n* trophy, *zw. pl* **~a** trophies
**trojaczki** *s pl* triplets
**trojaki** *adj* triple
**troje** *num* three
**trok** *m* strap, *zw. pl* **~i** straps
**trolejbus** *m* trolley-bus
**tron** *m* throne; **wstąpić na ~** come to the throne; **złożyć z ~u** dethrone
**trop** *m* track, trace
**tropić** *vt* trace; (*śledzić*) shadow
**tropikalny** *adj* tropical
**troska** *f* care, anxiety
**troskliwy** *adj* careful (**o kogoś, coś** of sb, sth); attentive (**o kogoś, coś** to sb, sth)
**troszczyć się** *vr* trouble, be anxious (**o kogoś, coś** about sb, sth)
**trotuar** *m* pavement, *am.* side-walk
**trójbarwny** *adj* three-coloured
**trójca** *f* trinity
**trójka** *f* three
**trójkąt** *m* triangle
**trójkątny** *adj* triangular
**truchleć** *vi* tremble for fear, be chilled with dread
**truciciel** *m* poisoner
**trucizna** *f* poison
**truć** *vt* poison
**trud** *m* pains *pl*, toil; **zadawać sobie ~** take pains
**trudnić się** *vr* be engaged (**czymś** in sth), occupy oneself (**czymś** with sth), work (**czymś** at sth)
**trudno** *adv* with difficulty, hard; (*ledwie*) hardly; **~ mi powiedzieć** I can hardly say; **~ to zrozumieć** it is hard to understand
**trudność** *f* difficulty
**trudny** *adj* difficult, hard
**trudzić** *vt* fatigue, trouble; **~ się** *vr* take pains, toil
**trujący** *adj* poisonous
**trumna** *f* coffin
**trunek** *m* drink
**trup** *m* corpse, dead body; **paść ~em** drop dead
**trupa** *f teatr* company, troupe
**trupi** *adj* cadaverous; **~a główka** death's head
**truskawka** *f* strawberry
**trust** *m* trust
**truteń** *m zool.* drone
**trutka** *f* poisonous bait
**trwać** *vi* last, persist
**trwale** *adv* fast, firmly

**trwałość** *f* durability, fastness
**trwały** *adj* durable, lasting, permanent, fast
**trwoga** *f* fright, awe
**trwonić** *vt* waste, squander
**trwożliwy** *adj* timid
**trwożyć** *vt* alarm; ~ **się** *vr* feel alarmed (**czymś** at sth); be in fear (**czymś** of sth); (*niepokoić się*) be anxious (**o coś** about sth)
**tryb** *m* mode, manner, course; *gram.* mood; *techn.* cog, gear *zbior.*; ~ **życia** mode of life
**trybun** *m* tribune
**trybuna** *f* platform; (*np. na wyścigach*) stand
**trybunał** *m* tribunal
**trychina** *f zool.* trichina
**trychinoza** *f med.* trichinosis
**trygonometria** *f* trigonometry
**trykot** *m* tricot, undershirt
**trykotaże** *s pl* hosiery
**trykotowy** *adj* knitted, tricot *attr*
**trylion** *num bryt.* trillion; *am.* quintillion
**tryskać** *vi* spurt, spout; (*o krwi, łzach*) gush; (*dowcipem*) sparkle
**trywialność** *f* triviality
**trywialny** *adj* trivial
**trzask** *m* crack, crash
**trzaskać** *vi* crack (**z bicza** the whip); crash, bang (**drzwiami** the door)
**trząść** *vt vi* shake; ~ **się** *vr* shake; tremble; (*z zimna*) shiver
**trzcina** *f* reed, cane; ~ **cukrowa** sugar-cane
**trzeba** *v imp* it is necessary; ~ **ci wiedzieć** you ought to know; ~ **to było zrobić** I ought to have done it; ~ **na to dużo pieniędzy** this requires much money; ~ **mi czasu** ⟨**pieniędzy**⟩ I need time ⟨money⟩
**trzebić** *vt* clear
**trzeci** *num* third
**trzeć** *vt* rub
**trzepaczka** *f* dusting-brush; (*do dywanów*) carpet-beater
**trzepać** *vt* dust; (*dywan*) beat; shake
**trzepotać** *vi* flap (**skrzydłami** the wings); ~ **się** *vr* flutter
**trzeszczeć** *vi* crackle
**trzewia** *s pl* bowels
**trzewik** *m* shoe
**trzeźwić** *vt* sober, make sober, refresh
**trzeźwieć** *vi* sober, become sober
**trzeźwość** *f* sobriety
**trzeźwy** *adj* sober
**trzęsawisko** *n* quagmire
**trzęsienie** *n* trembling, shaking; ~ **ziemi** earthquake
**trzmiel** *m zool.* bumble-bee
**trzoda** *f* herd, flock; ~ **chlewna** swine *zbior.*
**trzon** *m* (*podstawowa część*) substance; (*rękojeść*) handle, hilt; *techn.* shaft, stem
**trzonowy** *adj* molar; **ząb** ~ molar
**trzustka** *f anat.* pancreas
**trzy** *num* three
**trzydziesty** *num* thirtieth
**trzydzieści** *num* thirty
**trzykrotny** *adj* threefold
**trzyletni** *adj* three years old, three-years'
**trzymać** *vt* hold, keep; ~ **język za zębami** hold one's tongue; ~ **kogoś za słowo** keep sb to his word; ~ **za rękę** keep by the hand; ~ **z kimś** side with sb; ~ **w szachu** checkmate; ~ **się** *vr* keep (oneself); hold out; ~ **się czegoś** keep to sth, hold to sth, *przen.* abide by sth; ~ **się dobrze** keep well; ~ **się razem** hold together, *pot.* stick together; ~ **się w pobliżu** keep close (**czegoś** to sth); ~ **się z dala** keep away, keep aloof (**od kogoś** from sb)
**trzynasty** *num* thirteenth
**trzynaście** *num* thirteen
**trzysta** *num* three hundred
**tu** *adv* here
**tuba** *f* tube; speaking-trumpet
**tubka** *f* tube
**tubylczy** *adj* indigenous, native
**tuczny** *adj* fat, fattened
**tuczyć** *vt* fatten; ~ **się** *vr* fatten, grow fat

**tulejka** *f* bushing; (*pochewka, gniazdko*) socket
**tulić** *vt* hug, fondle; ~ **się** *vr* hug, cuddle together
**tulipan** *m bot.* tulip
**tułacz** *m* wanderer
**tułaczka** *f* wandering
**tułać się** *vr* wander
**tułów** *m* trunk (of the body)
**tuman** *m* dust-cloud; *pot.* (*głupiec*) blockhead
**tunel** *m* tunnel
**tunika** *f* tunic
**tupać** *vi* stamp (**nogami** one's feet)
**tupet** *m* self-assurance
**turban** *m* turban
**turbina** *f* turbine
**Turczynka** *f* Turkish woman
**turecki** *adj* Turkish
**Turek** *m* Turk
**turkot** *m* rattle
**turkus** *m* turquoise
**turniej** *m* tournament
**turnus** *m* turn
**turysta** *m* tourist
**turystyczn|y** *adj* tourist; **samochód** ~**y** touring car; **biuro** ~**e** tourist agency
**tusz** *m* Indian ink; (*prysznic*) shower-bath
**tusz|a** *f* corpulence; stoutness
**tutaj** *adv* here
**tuzin** *m* dozen
**tuż** *adv* near by
**twardnieć** *vi* harden
**twardo** *adv* hard; **jajko na** ~ hard-boiled egg
**twardość** *f* hardness
**twardy** *adj* hard; (*np. o mięsie*) tough
**twaróg** *m* (cheese-)curds *pl*
**twarz** *f* face; **rysy** ~**y** features; **dostać w** ~ be slapped on the face; **jej jest z tym do** ~**y** this suits her; **uderzyć kogoś w** ~ slap sb's face; **zmieniać się na** ~**y** change one's countenance; ~**ą w** ~ face to face
**twierdza** *f* stronghold
**twierdząco** *adv* affirmatively, in the affirmative
**twierdzący** *adj* affirmative
**twierdzenie** *n* affirmation, assertion; *mat.* theorem
**twierdzić** *vi vt* affirm, assert, maintain
**tworzenie** *n* creation; ~ **się** formation, origin
**tworzyć** *vt* create; form; ~ **się** *vr* form, be formed, arise, rise
**tworzywo** *n* material; (*sztuczne*) plastic
**twój** *pron* your, yours
**twór** *m* creation, creature, piece of work, product
**twórca** *m* creator, author, maker
**twórczość** *f* creation, creative power, production
**twórczy** *adj* creative
**ty** *pron* you
**tyczka** *f* pole, perch
**tyczy|ć się** *vr* concern, regard; **co się** ~ as for, concerning
**tyć** *vi* grow fat, put on weight
**tydzień** *m* week; **dwa tygodnie** fortnight; **za** ~ in a week's time; **od dziś za** ~ this day week
**tyfus** *m med.* typhus; ~ **brzuszny** enteric fever
**tygiel** *m* melting-pot, crucible
**tygodnik** *m* weekly
**tygodniowo** *adv* weekly
**tygodniowy** *adj* weekly
**tygrys** *m zool.* tiger
**tyka** *f* perch, pole
**tykać** *vi* (*o zegarze*) tick
**tykwa** *f bot.* gourd
**tyle** as much ⟨many⟩, so much ⟨many⟩
**tylekroć** *adv* so ⟨as⟩ many
**tylko** *adv* only, solely; ~ **co** just now; **skoro** ~ as soon as
**tyln|y** *adj* back, hind, posterior; ~**a straż** rearguard; ~**e światło** rear-light
**tył** *m* back, rear; **obrócić** ~**em** turn back; **obrócić się** ~**em** turn one's back (**do kogoś** on sb); **do** ~**u** back, backward(s); **z** ~**u** (from) behind
**tym** *w zwrotach:* ~ **więcej** all the more; **im... tym...** the... the...; **im**

**więcej, ~ lepiej** the more the better
**tymczasem** *adv* meanwhile, in the meantime
**tymczasowość** *f* temporariness, provisional state
**tymczasowy** *adj* temporary, provisional
**tymianek** *m bot.* thyme
**tynk** *m* plaster
**tynkować** *vt* plaster
**typ** *m* type; character
**typować** *vt* mark out, destine; *sport* rate
**typowy** *adj* typical
**tyrada** *f* tirade
**tyran** *m* tyrant
**tyrania** *f* tyranny
**tyrański** *adj* tyrannical
**tysiąc** *num* thousand
**tysiąclecie** *n* millenary, millennium
**tysięczny** *num* thousandth
**tytan** *m* titan; *chem.* titanium
**tytoń** *m* tobacco
**tytularny** *adj* titular(y)
**tytuł** *m* title; **z jakiego ~u?** on what ground?
**tytuł|ować** *vt* entitle; address; **~ują go doktorem** he is spoken to as doctor
**tytułow|y** *adj* title *attr*; **strona ~a** title-page

# U

**u** *praep* at, by, beside, with; **u jego boku** by his side; **u krawca** at the tailor's; **u nas w kraju** in this ⟨our⟩ country; **u Szekspira** in Shakespeare; **tu u dołu** down here; **tu u góry** up here; **mam u niego pieniądze** he owes me money; **mieszkam u niego** I stay with him; **zostań u nas** stay ⟨live⟩ with us
**ubawić** *vt* amuse; **~ się** *vr* amuse oneself, have much amusement
**ubezpieczać** *vt* insure (**od ognia** against fire), assure, secure; **~ się** *vr* insure oneself; **~ się na życie** insure one's life
**ubezpieczalnia** *f* (*instytucja*) National Insurance Centre; (*system*) National Health Insurance; (*przychodnia*) dispensary
**ubezpieczenie** *n* insurance, assurance; **~ na życie** life insurance; **~ od ognia** fire insurance; **~ społeczne** National Insurance Scheme; **~ na wypadek choroby** insurance against health risks
**ubezpieczeniow|y** *adj*, **polisa ~a** insurance-policy; **agent ~y** insurance agent
**ubić** *vt* batter ⟨ram⟩ down; kill; (*jajka, śmietanę*) beat; **~ interes** *pot.* strike a bargain
**ubiec** *vt vi* escape, run; (*o czasie*) pass; elapse; (*wyprzedzić*) get the start (**kogoś** of sb); (*uprzedzić*) forestall, anticipate
**ubiegać** *zob.* **ubiec**; **~ się** *vr* contend (**o coś** for sth), solicit (**o coś** sth), compete (**o coś** for sth)
**ubiegły** *adj* past, last
**ubierać** *vt* dress, clothe; **~ się** *vr* dress, be clothed
**ubijać** *zob.* **ubić**
**ubikacja** *f* water-closet, W.C., lavatory
**ubiór** *m* dress, attire
**ubliżać** *vi* offend, disparage (**komuś** sb)
**ubliżający** *adj* offensive
**ubocz|e** *n*, **na ~u** out of the way
**ubocznie** *adv* incidentally
**uboczny** *adj* incidental, accessory; (*boczny*) lateral; **produkt ~** by-product

**ubogi** *adj* poor
**ubolewać** *vi* be sorry; feel sympathy (**nad kimś** for sb); deplore (**nad kimś, czymś** sb, sth)
**ubolewani|e** *n* sympathy, condolence; **godny ~a** deplorable
**ubożeć** *vi* get poor
**ubożyć** *vt* impoverish, pauperize
**ubój** *m* slaughter
**ubóstwiać** *vt* idolize, adore
**ubóstwianie** *n* idolatry, adoration
**ubóstwo** *n* poverty
**ubóść** *vt* gore; *przen.* (*urazić*) hurt
**ubrać** *zob.* **ubierać**
**ubranie** *n* clothes *pl*, dress; (*dekoracja*) decoration
**ubytek** *m* decrease
**ubywać** *vi* decrease, diminish
**uch|o** *n* ear; (*uchwyt*) handle; (*igły*) eye; *przen.* **nadstawiać ~a** prick up one's ears; **słyszeć na własne uszy** hear with one's own ears; **puszczać mimo uszu** turn a deaf ear; **zakochać się po uszy** be in love head over heels; **po uszy w długach** over head and ears in debts
**uchodzi|ć** *vi* go away, escape, flee; pass (**za kogoś** for sth); **to nie ~** it is not becoming
**uchodźca** *m* refugee, emigrant
**uchodźstwo** *n* emigration, exile
**uchować** *vt* preserve, save
**uchronić** *vt* safeguard, protect; **~ się** *vr* protect oneself
**uchwalać** *vt* decree, (*ustawę*) enact; (*powziąć*) carry; **~ przez aklamację** carry by acclamation
**uchwała** *f* decision, resolution
**uchwyt** *m* handle
**uchybiać** *vi* fail (np. **obowiązkom** to do one's duty); offend (np. **czyjejś czci** sb's honour); transgress (**prawu** the law)
**uchybienie** *n* fault; offence
**uchylać** *vt* put aside, remove; (*kapelusza*) raise, lift; (*uchwałę itp.*) abolish, repeal; **~ się** *vr* avoid (**od czegoś, kogoś** sth, sb); (*stronić*) shun (**od czegoś, kogoś** sth, sb); shirk (**od obowiązku, odpowiedzialności** responsibility, duty)
**uciążliwość** *f* difficulty, charge, importunity
**uciążliwy** *adj* burdensome, difficult, onerous
**uciecha** *f* pleasure, delight, joy
**ucieczk|a** *f* flight, escape; **ratować się ~ą** flee for life; **zmusić do ~i** put to flight
**uciekać** *vi* flee, fly, escape; **~ się** *vr* resort, have recourse
**uciekinier** *m* fugitive; deserter
**ucieleśniać** *vt* embody
**ucieleśnienie** *n* embodiment
**ucierać** *vt* rub; (*ścierać*) wipe off; (*rozcierać*) grind
**ucieszny** *adj* funny
**ucieszy|ć** *vt* delight, gladden, make glad; **~ć się** *vr* be ⟨become⟩ glad (**czymś** of ⟨at⟩ sth), find pleasure (**czymś** in sth); **~łem się na jego widok** I was glad to see him
**ucinać** *vt* cut (off)
**ucisk** *m* pressure, oppression
**uciskać** *vt* press, oppress; (*np. o bucie*) pinch
**uciszyć** *vt* appease, calm; silence; **~ się** *vr* calm down; become silent
**uciśniony** *adj* oppressed
**uczciwość** *f* honesty
**uczciwy** *adj* honest
**uczelnia** *f* school, university
**uczennica** *f* school-girl, pupil
**uczeń** *m* school-boy, pupil
**uczepić** *vt* hang on, append, fasten; **~ się** *vr* hang on, become attached (**czegoś** to sth)
**uczesanie** *n* hair-do, hairdressing
**uczestnictwo** *n* participation
**uczestniczyć** *vi* participate, take part
**uczestnik** *m* participant, partner; (*przestępstwa*) accomplice
**uczęszczać** *vi* frequent; attend (np. **na wykłady** lectures); **~ do szkoły** go to school
**uczoność** *f* erudition, learning
**uczony** *adj* erudite, learned; *s m* scholar, erudite
**uczta** *f* feast

**ucztować** *vi* feast
**uczucie** *n* feeling, sentiment; (*doznanie*) sensation; (*przywiązanie*) affection
**uczuciowość** *f* sensibility
**uczuciowy** *adj* sensitive, emotional
**uczulać** *vt* make sensitive; *med. fot.* sensitize
**uczy|ć** *vt vi* teach (**kogoś** sb, **czegoś** sth), instruct (**kogoś** sb, **czegoś** in sth); **~ć się** *vr* learn (np. **angielskiego** English); **jak dawno ~sz się angielskiego?** how long have you been learning English?
**uczyn|ek** *m* deed, act; **złapać na gorącym ~ku** catch red-handed
**uczynność** *f* kindness, obligingness
**uczynny** *adj* obliging, kind
**uda|ć** *zob.* **udawać; robota mu się nie ~ła** his work was not a success; **~ł mu się jego plan** he succeeded in his plan; **~ło mi się to zrobić** I have succeeded ⟨I have been successful⟩ in doing it; **jego plany nie ~ły się** all his plans have failed; **~ło mi się zdać egzamin** I was successful in passing the examination
**udar** *m* stroke; *med.* apoplexy; **~ słoneczny** sunstroke
**udaremnić** *vt* frustrate, baffle
**udatny** *adj* felicitous, well-turned, fine
**udawać** *vt* feign, pretend, assume, sham; **~ chorobę** sham ⟨pretend⟩ sickness; **~ się** *vr* (*iść*) go, proceed, resort, make one's way; (*zwrócić się*) apply (**do kogoś** to sb, **w sprawie czegoś** for sth); (*poszczęścić się*) be successful, succeed, be a success
**uderzać** *vt* strike, hit; attack; **~ pięścią w stół** strike one's fist on the table
**uderzenie** *n* blow, strike; (*np. wiosłem, rakietą*) stroke; attack; **za jednym ~m** at one stroke
**udo** *m* thigh
**udogodnić** *vt* make convenient, facilitate
**udogodnienie** *n* convenience, facilitation
**udoskonalić** *vt* bring to perfection
**udostępnić** *vt* make accessible
**udowodnić** *vt* prove; (*wykazać*) show
**udręczenie** *n* vexation, distress
**uduchowienie** *n* spiritualization; inspiration
**udusić** *vt* strangle, suffocate; (*potrawę*) stew; **~ się** *vr* be choked, become suffocated
**uduszenie** *n* suffocation, strangulation
**udział** *m* share; part; (*w przestępstwie*) complicity; (*los, dola*) lot; **brać ~** take part
**udziałowiec** *m* partner, share-holder
**udzielać** *vt* give, impart, communicate; (*użyczać*) grant; **~ nagany** reprimand; **~ się** *vr* be imparted; spread; (*obcować*) communicate; (*o chorobie*) be contagious
**udzielenie** *n* communication, imparting, giving; (*pozwolenia, pożyczki itp.*) grant
**udzielny** *adj* independent, sovereign
**ufać** *vi* trust (**komuś** sb, in ⟨to⟩ sb), confide (**komuś** in sb)
**ufność** *f* confidence
**ufny** *adj* confident, (*pewny siebie*) self-confident
**uganiać się** *vr* run (**za czymś** after sth)
**uginać** *vt* bend, bow; **~ się** *vr* bow down; (*np. o podłodze*) give in; *przen.* (*pod ciężarem*) strain
**ugłaskać** *vt* wheedle, coax
**ugniatać** *vt* knead; press; (*ziemniaki*) mash
**ugoda** *f* agreement
**ugodowy** *adj* conciliatory
**ugodzić** *vt* hit; *zob.* **godzić**
**ugór** *m* fallow; **leżeć ugorem** lie fallow
**ugruntować** *vt* consolidate
**ugryźć** *vt* bite
**ugrząźć** *vi* stick
**uiścić** *vt* (*dług*) acquit, pay
**ujadać** *vi* bay

**ujarzmić** *vt* subjugate, subdue
**ujawnić** *vt* reveal, disclose
**ująć** *vt* (*objąć*) seize, grasp; (*myślą*) conceive; (*sformułować*) formulate; (*zjednać*) win, captivate; (*odjąć*) deduct, take away; ~ **się** *vr* intercede (**za kimś** in sb's cause), take (**za kimś** sb's part)
**ujednostajnić** *vt* make uniform, standardize
**ujemny** *adj* negative, unfavourable; (*bilans*) adverse, unfavourable
**ujeżdżać** *vt* (*konia*) break in
**ujęcie** *n* seizure, grasp; (*sformułowanie*) expression
**ujma** *f* disparagement, discredit
**ujmować** *vt* *zob.* **ująć**; *przen.* (*przynosić ujmę*) disparage
**ujmujący** *adj* winning, prepossessing
**ujrzeć** *vt* see, perceive
**ujście** *n* escape; (*rzeki*) mouth; *przen.* **znaleźć** ~ find a vent ⟨an outlet⟩
**ujść** *zob.* **uchodzić**; ~ **czyjejś uwagi** escape sb's notice
**ukamienować** *vt* stone to death
**ukartować** *vt* concert; (*podstępnie*) plot, conspire
**ukartowan|y** *adj* concerted; **~a sprawa** put-up affair
**ukazywać** *vt* show; ~ **się** *vr* appear, show
**ukąsić** *vt* bite
**ukąszenie** *n* bite; (*rana*) bite
**układ** *m* disposition; (*ułożenie*) arrangement; (*umowa*) agreement; (*plan*) scheme; (*system*) system; (*rozmieszczenie geogr., terenowe itp.*) configuration, layout; **~y** *pl* (*pertraktacje*) negotiations; **wchodzić w ~y** enter into negotiations (**z kimś w sprawie czegoś** with sb for sth)
**układać** *vt* arrange, dispose; (*np. posadzkę*) lay; (*drzewo, siano itp.*) stack; (*porządkować*) put in order; (*pertraktować w sprawie warunków*) negotiate the terms; (*np. tekst, opowiadanie*) compose, set down; (*planować, ustalać*) make; ~ **się** *vr* settle down; come all right; (*zgadzać się*) agree, come to an arrangement ⟨agreement⟩
**układny** *adj* well-mannered, polite
**ukłon** *m* bow; **~y** *pl* (*pozdrowienia*) regards, respects, *zob.* **pokłon**
**ukłonić się** *vr* bow (**komuś** to sb)
**ukłucie** *n* prick, puncture, sting
**ukłuć** *vt* prick, sting
**ukochać** *vt* take a liking (**kogoś, coś** for sb, sth), become fond (**kogoś, coś** of sb, sth)
**ukochany** *adj* beloved, dear, favourite
**ukoić** *vt* soothe, relieve
**ukojenie** *n* relief, alleviation
**ukończenie** *n* completion; (*wyższych studiów ze stopniem*) graduation
**ukończyć** *vt* complete, finish; (*studia wyższe*) graduate
**ukos** *m* slant, obliquity; **na ~** aslant; **patrzeć z ~a** look askance
**ukośny** *adj* oblique
**ukradkiem** *adv* furtively, stealthily
**Ukrainiec** *m* Ukrainian
**ukraiński** *adj* Ukrainian
**ukraść** *vt* steal, (*porwać*) snatch
**ukręcić** *vt* twist, wring
**ukrop** *m* boiling water
**ukrócić** *vt* repress, check
**ukrycie** *n* concealment, hiding-place
**ukryty** *adj* hidden; disguised; secret; obscure
**ukrywać** *vt* conceal, hide (**przed kimś, czymś** from sb, sth); cover; disguise; suppress; ~ **się** *vr* hide (oneself), conceal oneself; cover oneself
**ukształtować** *vt* shape, form
**ukwiecić** *vt* adorn, embellish with flowers
**ul** *m* beehive

**ula|ć** *vt* pour out; *techn.* cast, mould; *pot.* **pasuje jak ~ł ⟨~ny⟩** fits to a miracle
**ulatniać się** *vr* evaporate, volatilize
**ulatywać** *vi* fly up, soar up
**uleczalny** *adj* curable
**uleczyć** *vt* cure, heal (**z czegoś** of sth)
**ulega|ć** *vi* give way, yield, succumb (**komuś** to sb); (*podporządkować*) submit; undergo (**czemuś** sth); **nie ~ wątpliwości** this is beyond all doubts; **~ć czyimś wpływom** be influenced by sb, undergo sb's influence; **~ć pokusie** yield to temptation; **~ć zepsuciu** be subject to deterioration; **~ć zmianie** undergo a change; **~ć zwłoce** be delayed
**uległość** *f* submission, submissiveness
**uległy** *adj* submissive
**ulepszać** *vt* better, improve
**ulepszenie** *n* betterment, improvement
**ulewa** *f* downpour
**ulewny** *adj* pouring; **~ deszcz** downpour
**ulg|a** *f* relief, ease; (*ułatwienie, zniżka*) facility; **doznać ~i** be relieved, feel relief; **sprawić ~ę** relieve, alleviate
**ulgowy** *adj* reduced
**ulic|a** *f* street; **iść ~ą** go down ⟨up⟩ the street; **boczna ~a** by-street
**uliczka** *f* lane; **boczna ~** by-lane
**ulicznica** *f* streetwalker
**ulicznik** *m* street-boy
**ulotka** *f* leaflet, (*uliczna*) handbill
**ulotnić się** *zob.* **ulatniać się**
**ulotny** *adj* (*zmienny*) volatile; (*przemijający*) passing, transitory
**ultimatum** *n* ultimatum; **postawić ~** deliver an ultimatum
**ultrafioletowy** *adj* ultraviolet
**ultramaryna** *f* ultramarine
**ulubieniec** *m* favourite; darling
**ulubiony** *adj* favourite, beloved
**ulży|ć** *vi* relieve (**komuś** sb); (*złagodzić np. ból*) alleviate; **~ć sumieniu** ease sb's conscience; *pot.* **~ło mi** I'm feeling relieved, I felt relieved
**ułamać** *vt* break off
**ułamek** *m* fragment; *mat.* fraction
**ułamkowy** *adj* fragmentary; *mat.* fractional
**ułan** *m hist.* uhlan
**ułaskawić** *vt* pardon
**ułaskawienie** *n* pardon
**ułatwić** *vt* facilitate, make easier
**ułatwienie** *n* facilitation
**ułomność** *f* infirmity, disability
**ułożenie** *n* arrangement, composition; (*dobre wychowanie*) good manners *pl*
**ułożony** *pp* composed; *adj* well-mannered
**ułożyć** *vt* arrange, put in order; *zob.* **układać**
**ułuda** *f* illusion, delusion
**ułudny** *adj* illusive, delusive
**umacniać** *vt* fortify, confirm; (*utrwalać*) strenghten; **~ się** *vr* consolidate; **~ się w przekonaniu** be confirmed
**umarły** *adj i sm* deceased, dead
**umartwiać** *vt* mortify
**umartwienie** *n* mortification
**umawiać się** *vr* make an arrangement ⟨an appointment⟩; agree (**co do czegoś** on ⟨upon⟩ sth); **~ z kimś** arrange with sb (**co do czegoś** about sth); **~ co do dnia** fix the day; **~ co do spotkania** make a date; **~ o cenę** settle the price
**umeblowanie** *n* furniture
**umiar** *m* moderation
**umiarkowanie** *n* moderation; (*wstrzemięźliwość*) temperance
**umiarkowany** *adj* moderate; (*wstrzemięźliwy*) temperate; (*o cenach*) reasonable
**umie|ć** *vt vi* know, be able, **~m czytać i pisać** I know how to read and write; **czy ~sz czytać?** can you read?; **czy ~sz po angielsku?** do you speak English?;

czy **~sz to na pamięć?** do you know it by heart?
**umiejętność** *f* science; (*zdolność, wprawa*) skill
**umiejscowić** *vt* locate, localize
**umiejscowienie** *n* localization
**umierać** *vi* die (**z choroby, głodu** of an illness, of starvation; **od rany** of a wound); **~ śmiercią naturalną** die a natural death; *przen.* **~ ze strachu ⟨ciekawości⟩** die of fear ⟨curiosity⟩
**umieszczać** *vt* place, locate, put; (*np. ogłoszenie*) put up, set up; (*w gazecie*) insert
**umilać** *vt* render agreeable, make pleasant
**umiłować** *vt* become fond (**coś** of sth)
**umiłowany** *adj* beloved, favourite
**umizgać się** *vr* (*zalecać się*) court, woo (**do kogoś** sb); (*przymilać się*) blandish, wheedle (**do kogoś** sb)
**umizgi** *s pl* (*zaloty*) courtship, wooing; (*przymilanie się*) blandishment(s)
**umknąć** *vi* escape
**umniejszać** *vt* diminish, lessen
**umocnić** *vt zob.* **umacniać**
**umocnieni|e** *n* fixing, consolidation; *pl* **~a** *wojsk.* fortifications, fieldworks
**umocować** *vt* fasten, fix
**umoralnić** *vt* render moral, moralize
**umorzenie** *n* sinking, amortization
**umorzyć** *vt* sink, amortize
**umowa** *f* agreement, contract; convention
**umowny** *adj* conventional
**umożliwiać** *vt* enable; make possible
**umówić się** *zob.* **umawiać się**
**umundurować** *vt* put in uniform
**umundurowanie** *n* supply of uniforms; dressing in uniforms; uniforms *pl* (of soldiers etc.)
**umycie** *n* washing
**umyć** *vt* wash; **~ się** *vr* wash, (*dokładnie*) wash oneself
**umykać** *vi* escape; fly away, flit (away)
**umy|sł** *m* mind; **przytomność ~słu** presence of mind; **zdrowy na ~śle** of sound mind
**umysłowość** *f* mentality
**umysłowy** *adj* mental, intellectual; **pracownik ~** intellectual worker
**umyślnie** *adv* on purpose, intentionally
**umyślny** *adj* intentional; (*specjalny*) special, express
**umywalka** *f*, **umywalnia** *f* wash-basin, *am.* wash-bowl
**unaocznić** *vt* demonstrate, make evident
**unarodowić** *vt* nationalize
**unarodowienie** *n* nationalization
**uncja** *f* ounce
**unia** *f* union
**unicestwić** *vt* annihilate
**uniemożliwić** *vt* make impossible
**unieruchomić** *vt* immobilize
**uniesienie** *n* (*gniew*) burst of passion, fit of anger; (*zachwyt*) enchantment, ecstasy
**unieszczęśliwić** *vt* make unhappy
**unieszkodliwić** *vt* render harmless
**unieść** *vt* lift, carry up ⟨away⟩; **~ się** *vr* (*w górę*) soar up; (*zachwycić się*) become enraptured; **~ się gniewem** fly into a passion
**unieważnić** *vt* annul, nullify, invalidate
**unieważnienie** *n* annulment, nullification, invalidation
**uniewinnić** *vt* acquit (**kogoś od czegoś** sb of sth), (*uwolnić*) exonerate (**kogoś od czegoś** sb from sth)
**uniezależnić** *vt* make independent; **~ się** *vr* become independent (**od kogoś, czegoś** of sb, sth)
**unifikacja** *f* unification
**uniform** *m* uniform
**unikać** *vi* avoid (**kogoś, czegoś** sb, sth); (*stronić*) steer clear (**kogoś, czegoś** of sb, sth), shun
**unikat** *m* unique thing

**uniwersalny** *adj* universal
**uniwersytet** *m* university
**uniżoność** *f* humbleness
**uniżony** *adj* humble
**uniżyć** *vt*, ~ **się** *vr* humble, humiliate
**unosić** *vt zob.* **unieść**; ~ **się** *vr* (*o ciężarze*) heave; (*np. na falach*) float; (*wisieć w powietrzu*) hover
**uodpornić** *vt* make proof, immunize
**uogólnić** *vt* generalize
**uosabiać** *vt* impersonate, personify
**uosobienie** *n* impersonation, personification
**upadać** *vi* fall down, drop; ~ **na duchu** be disheartened; ~ **na kolana** drop on one's knees
**upadek** *m* fall
**upadłość** *f* bankruptcy
**upadł|y** *adj* fallen; *handl.* bankrupt; **do ~ego** to the utmost, *pot.* right to the bitter end; **pracować do ~ego** work oneself to death
**upajać** *zob.* **upoić**
**upalny** *adj* burning, torrid
**upał** *m* heat
**upamiętnić** *vt* render memorable
**upaństwowić** *vt* nationalize
**uparty** *adj* obstinate, stubborn
**upaść** *zob.* **upadać**
**upatrywać** *vt* watch for, track (**kogoś, coś** sb, sth); be on the look-out (**czegoś, coś** for sth); ~ **sposobności** watch for one's opportunity; ~ **sobie następcę** single out a successor
**upełnomocnić** *vt* empower, authorize
**upełnomocnienie** *n* power of attorney
**upewnić** *vt* assure, make sure (**o czymś** of sth); ~ **się** *vr* make sure (**o czymś** of sth)
**upić się** *vr* get drunk
**upierać się** *vr* persist (**przy czymś** in sth)
**upiększenie** *n* embellishment, decoration
**upiększyć** *vt* embellish
**upiorny** *adj* ghostly, ghostlike
**upiór** *m* ghost
**upływ** *m* flow, discharge, flux; ~ **czasu** lapse of time; ~ **krwi** loss of blood
**upływać** *vi* flow away; (*o czasie*) pass, elapse; (*o terminie*) expire, elapse
**upodobanie** *n* liking (**do czegoś** for sth)
**upodobnić** *vt*, ~ **się** *vr* assimilate, conform
**upoić** *vt* make drunk; intoxicate; inebriate; ~ **się** *vr przen.* (*zachwycić się*) enravish, enrapture
**upojenie** *n* intoxication; *przen.* (*zachwyt*) ravishment, rapture
**upokorzenie** *n* humiliation
**upokorzyć** *vt* humiliate, humble; ~ **się** *vr* humiliate oneself
**upominać** *vt* admonish, reprimand, scold; ~ **się** *vr* claim (**o coś** sth)
**upominek** *m* souvenir, keepsake
**upomnienie** *n* admonition, warning
**uporać się** *vr* get through (**z czymś** with sth)
**uporczywość** *f* obstinacy
**uporczywy** *adj* obstinate, stubborn
**uporządkować** *vt* order, put in order, adjust; (*np. ubranie, pokój*) tidy up
**uposażenie** *n* endowment; (*pobory*) salary, pay
**uposażyć** *vt* endow
**upośledzenie** *n* (*fizyczne*) debility; (*umysłowe*) feeble-mindedness, mental handicap, debility
**upośledzić** *vt* wrong (by nature), debilitate
**upośledzony** *adj* debilitated; (*umysłowo*) mentally handicapped
**upoważnić** *vt* authorize, empower
**upoważnienie** *n* authorization
**upowszechniać** *vt* diffuse, generalize, bring into general use
**upowszechnienie** *n* diffusion
**upór** *m* obstinacy
**upragniony** *adj* desired

**upraszać** *vt* request
**upraszczać** *vt* simplify
**uprawa** *f* (*np. roli, zbóż itp.*) cultivation; (*pszczół, jedwabników, bakterii*) culture
**uprawiać** *vt* cultivate; grow; (*gimnastykę, sporty itp.*) practise, exercise; (*praktykę lekarską itp.*) profess
**uprawniać** *vt* legalize; entitle, authorize
**uprawnienie** *n* right, title; authorization
**uprawniony** *pp i adj* entitled, authoritative
**uprawny** *adj* cultivable
**uprawomocnić** *vt* legalize; ~ **się** *vr* come into force, *prawn.* become valid
**uprosić** *vt* obtain by entreaty; (*kogoś*) move by entreaty; *zob.* **upraszać**
**uprościć** *vt* simplify
**uprowadzenie** *n* ravishment, abduction
**uprowadzić** *vt* carry off; (*porwać*) ravish, abduct; (*dziecko*) kidnap
**uprzątać** *vt* remove; (*pokój*) tidy up
**uprząż** *f* harness
**uprzedni** *adj* previous
**uprzedzający** *adj* (*ujmujący*) prepossessing; (*uprzedzająco grzeczny*) obliging, complaisant
**uprzedzenie** *n* (*np. faktu, pytania*) anticipation; (*niechęć*) prejudice; (*ostrzeżenie*) warning
**uprzedzić** *vt* (*poprzedzić*) precede, come before; (*np. fakt, pytanie*) anticipate; (*zapobiec*) avert, prevent; (*ostrzec*) warn; (*ujemnie zainspirować*) prejudice; (*życzliwie usposobić*) prepossess; ~ **się** *vr* become predisposed, become prejudiced
**uprzejmość** *f* kindness; **przez** ~ by courtesy; **prosić o** ~ ask a favour (**kogoś** of sb)
**uprzejmy** *adj* kind, obliging; **bądź tak** ~ **i pomóż mi** be so kind as to help me
**uprzemysłowić** *vt* industrialize
**uprzemysłowienie** *n* industrialization
**uprzykrzyć** *vt* make unpleasant, render annoying; ~ **komuś życie** make life unbearable for sb; ~ **się** *vr* be fed up
**uprzystępnić** *vt* render accessible; facilitate
**uprzytomnić** *vt* bring home (**komuś coś** sth to sb); ~ **sobie** realize (**coś** sth)
**uprzywilejować** *vt* privilege
**upust** *m* letting off, outlet; vent; (*krwi*) bloodletting; (*wody*) drain, drainage, floodgate; **dać** ~ give vent (**czemuś** to sth)
**upuścić** *vt* drop, let fall
**upychać** *vt* stuff, pack
**urabiać** *vt* form, fashion; (*np. glinę, ciasto*) knead, work
**uraczyć** *vt* treat (**czymś** to sth)
**uradować** *vt* make glad, gladden; ~ **się** *vr* become glad (**czymś** at ⟨of⟩ sth)
**uradowany** *adj* glad, delighted
**uradzić** *vt* agree, decide
**uran** *m chem.* uranium
**uratować** *vt* save, rescue
**uraz** *m* (*fizyczny*) hurt, injury; (*moralny*) shock; *med.* complex
**uraza** *f* resentment, grudge
**urazić** *vt* hurt, injure, offend
**urągać** *vi* deride (**komuś** sb), scorn (**komuś** sb)
**urągowisko** *n* derision, scorn
**urlop** *m* leave (of absence); ~ **macierzyński** maternity leave; ~ **zdrowotny** sick leave; **ubiegać się o** ~ apply for leave; **na** ~**ie** on leave
**urna** *f* urn
**uroczy** *adj* charming
**uroczystość** *f* solemnity, festivity
**uroczysty** *adj* solemn, festive
**uroda** *f* beauty, good looks *pl*
**urodzaj** *m* abundance (of crops), good harvest
**urodzajność** *f* fertility
**urodzajny** *adj* fertile

**urodzeni|e** *n* birth; **z ~a** by birth
**urodzi|ć** *vt* beget, bear; **~ć się** *vr* be born; **~łem się w r. 1925** I was born in 1925
**urodziny** *s pl* birthday
**uroić** *vt*, **~ coś sobie** imagine, take sth into one's head
**urojenie** *n* fancy
**urojon|y** *adj* imaginary; *mat.* **liczba ~a** abstract number
**urok** *m* charm, fascination
**uronić** *vt* shed, drop, let fall
**urozmaiceni|e** *n* variety, diversity; **dla ~a** for variety's sake
**urozmaicić** *vt* vary, diversify
**urozmaicony** *adj* varied, variegated
**uruchomić** *vt* put in motion, set going, start
**urwa|ć** *vt* tear off, pluck, pull off; (*np. rozmowę*) break (off), *pot.* snap; **~ć się** *vr* tear away, rush off; (*np. rozmowę*) break (away); **~ł się guzik** the button has come off
**urwis** *m* urchin
**urwisko** *n* precipice
**urwisty** *adj* precipitous, abrupt
**urywek** *m* fragment
**urywkowy** *adj* fragmentary
**urząd** *m* office, charge, function; **piastować ~** hold office; **objąć ~** come into office; **z urzędu** ex officio
**urządzać** *vt* arrange; organize; install; set up; **~ się** *vr* make one's arrangements; set oneself up
**urządzenie** *n* arrangement; organization; installation; appliance, establishment; (*umeblowanie*) furniture
**urzec** *vt* bewitch, enchant
**urzeczenie** *n* bewitchment, enchantment
**urzeczywistnić** *vt* realize, make real; **~ się** *vr* (*o śnie*) come true
**urzędnik** *m* official, (*niższy*) clerk, (*państwowy*) civil servant
**urzędować** *vi* be on duty, work
**urzędowani|e** *n* office work; **godziny ~a** office hours; **koniec ~a** closing time
**urzędowy** *adj* official
**usadowić** *vt* place, settle; **~ się** *vr* (*np. w fotelu*) make oneself comfortable; (*osiąść*) settle down, establish oneself
**usamodzielnić** *vt* render independent; **~ się** *vr* become independent
**uschły** *adj* dry, dried, withered
**uschnąć** *vi* dry, wither
**usiąść** *vi* sit down, take a seat; (*o ptaku*) perch
**usidlać** *vt* ensnare
**usilny** *adj* strenuous, intense
**usiłować** *vi vt* make efforts, endeavour, attempt
**usiłowanie** *n* endeavour, attempt
**uskrzydlić** *vt* wing
**uskutecznić** *vt* effect, bring about
**usłuchać** *vt* obey; **~ czyjejś rady** follow sb's advice
**usług|a** *f* service, favour; **oddać ~ę** do a service; **do twoich ~** at your service
**usługiwać** *vi* serve; wait (**komuś** on sb, **przy stole** at table)
**usłużność** *f* complaisance
**usłużny** *adj* complaisant
**usłużyć** *vi* do a service; *zob.* **usługiwać**
**usnąć** *vi* fall asleep, get to sleep
**uspokoić** *vt* quiet, quiten, appease, calm; **~ się** *vr* become quiet; calm down, ease oneself
**uspokojenie** *n* tranquillization, appeasement (*zw. polit.*)
**uspołecznić** *vt* socialize
**uspołecznienie** *n* socialization
**usposobić** *vt* dispose
**usposobienie** *n* temper, disposition
**usprawiedliwić** *vt* justify; give reasons (**coś** for sth), excuse; **~ się** *vr* excuse oneself; apologize (**z powodu czegoś** for sth, **przed kimś** to sb)
**usprawiedliwienie** *n* justification; excuse (**za coś** for sth); apology
**usprawnić** *vt* render more efficient, rationalize

**usprawnienie** *n* rendering more efficient, rationalization
**usta** *s pl* mouth
**ustalać** *zob.* **ustalić**
**ustalenie** *n* settlement, consolidation, stabilization
**ustalić** *vt* **settle**; (*ustanowić*) establish, consolidate; stabilize; (*utwierdzić, naznaczyć np. termin*) fix; (*np. zasadę*) lay down
**ustanawiać** *vt* constitute; enact; fix, establish; ~ **rekord** set up a record
**ustanowienie** *n* constitution; enaction, establishment
**ustatkować się** *vr* settle down
**ustawa** *f* law
**ustawać** *vi* cease, stop; (*być zmęczonym*) weary
**ustawiać** *vt* set, arrange, place, dispose; ~ **się** *vr* range ⟨place⟩ oneself
**ustawiczny** *adj* incessant, unceasing
**ustawodawca** *m* legislator
**ustawodawcz|y** *adj* legislative; **ciało** ~**e** legislature
**ustawodawstwo** *n* legislation
**ustawowy** *adj* legal
**usterka** *f* fault, blemish, defect
**ustęp** *m* (*w książce*) paragraph, section; (*klozet*) lavatory
**ustępliwy** *adj* yielding
**ustępować** *vi* cede, give way, yield; (*obniżyć cenę*) lower
**ustępstwo** *n* concession
**ustnie** *adv* by word of mouth, orally
**ustnik** *m* mouthpiece
**ustny** *adj* oral, verbal
**ustosunkować się** *vr* take an attitude (**do kogoś, czegoś** towards sb, sth)
**ustosunkowany** *adj* having relations, well-connected
**ustronie** *n* recess, solitude
**ustronny** *adj* secluded, retired
**ustrój** *m* structure, constitution; organization; (*system rządzenia*) policy
**ustrzec** *vt* preserve, guard (**od czegoś** from sth); ~ **się** *vr* guard (**przed czymś** against sth), avoid (**przed czymś** sth)
**usunięcie** *n* removal; (*dymisja*) dismissal
**usuwać** *vt* remove; dismiss; ~ **się** *vr* withdraw
**usychać** *vi* wither, dry, become dry
**usypać** *vt* pour out; (*wznieść*) raise, heap up
**usypiać** *vi* fall asleep; *vt* lull to sleep; *zob.* **uśpić**
**usypiający** *adj* soporific
**uszanować** *vt* respect
**uszanowani|e** *n* respect; **składać** ~**e** pay one's respects; **przesyłać wyrazy** ~**a** send one's respects; **proszę złożyć mu ode mnie wyrazy** ~**a** please give him my respects
**uszczelka** *f* packing; (*np. w kranie*) washer
**uszczerb|ek** *m* detriment; **z** ~**kiem dla kogoś** to the detriment of sb
**uszczęśliwić** *vt* make happy
**uszczknąć** *vt* pluck; pick (up)
**uszczuplić** *vt* curtail, cut short
**uszczypliwość** *f* mordacity, causticity
**uszczypliwy** *adj* mordacious
**uszko** *n* ear; (*igły*) eye
**uszkodzenie** *n* damage, impairment
**uszkodzić** *vt* damage, impair
**uszlachetnić** *vt* ennoble; refine
**uścisk** *m* embrace; grasp; ~ **dłoni** handshake
**uścisnąć** *vt* embrace; grasp; ~ **ręce** shake hands (**komuś** with sb)
**uśmiać się** *vr* have a good many laughs (**z czegoś** over sth)
**uśmiech** *m* smile; **radosny** ~ beam; **szyderczy** ~ sneer
**uśmiech|ać się** *vr* smile (**do kogoś** on ⟨at⟩ sb); **szczęście** ~**nęło się do mnie** fortune has smiled on me
**uśmiercić** *vt* kill, put to death

**uśmierzyć** *vt* appease, alleviate; calm; (*bunt*) suppress
**uśpić** *vt* lull to sleep; make drowsy; (*sztucznie*) narcotize, put to sleep
**uświadomić** *vt* enlighten, instruct, initiate; bring home (**kogoś** to sb); ~ **sobie niebezpieczeństwo** realize the danger
**uświadomienie** *n* enlightening, instruction, initiation; ~ **klasowe** class consciousness; ~ **sobie czegoś** realization ⟨awareness⟩ of sth
**uświetnić** *vt* illuminate, give splendour
**uświęca|ć** *vt* hallow, sanctify; (*przysłowie*) **cel** ~ **środki** the end justifies the means
**utajon|y** *adj* latent, secret; *fiz.* **ciepło** ~**e** latent heat
**utalentowany** *adj* talented, gifted
**utarczka** *f* skirmish, (*słowna*) squabble
**utargować** *vt* gain; make, realize
**utarty** *adj* common, well-worn; *zob.* **ucierać**
**utensylia** *s pl* utensils
**utknąć** *vi* stick, become fixed; (*o rozmowie*) break down; *przen.* ~ **na martwym punkcie** come to a standstill
**utlenić** *vt* oxidize
**utlenienie** *n* oxidation
**utonąć** *vi* be drowned; (*np. o statku*) sink
**utonięcie** *n* drowning; sinking
**utopia** *f* Utopia
**utopić** *vt* drown, sink; ~ **się** *vr* be drowned
**utopijny** *adj* Utopian
**utożsamiać** *vt* identify
**utożsamienie** *n* identification
**utracjusz** *m* spendthrift
**utrapienie** *n* worry, affliction
**utrata** *f* loss
**utrudnić** *vt* make difficult, impede
**utrudnienie** *n* difficulty, impediment
**utrwalić** *vt* consolidate, fix, stabilize; *techn. fot.* fix; ~ **się** *vr* become fixed ⟨consolidated⟩
**utrzeć** *zob.* **ucierać**; *pot.* ~ **nosa** snub (**komuś** sb)
**utrzymani|e** *n* maintenance, livelihood, living; **mieszkanie i** ~**e** room and board; **środki** ~**a** cost of living; **zarabiać na** ~**e** earn one's living
**utrzymywać** *vt vi* keep; (*stosunki*) maintain; hold; (*np. korespondencję*) keep up, entertain; (*twierdzić, podtrzymywać*) maintain; ~ **na wodzy** restrain; ~ **się** *vr* maintain oneself; (*trzymać się mocno*) keep steady, hold one's own; ~ **się z pracy umysłowej** live by intellectual work
**utulić** *vt* hug, (*uspokoić*) appease
**utwierdzić** *vt* confirm, consolidate, fix
**utwór** *m* work, composition; *muz.* tune
**utyć** *vi* put on (weight)
**utykać** *vi* limp; *vt* fill
**utylitarny** *adj* utilitarian
**utylitaryzm** *m* utilitarianism
**utyskiwać** *vi* complain (**na coś** of sth)
**uwag|a** *f* attention; observation; remark; **brać pod** ~**ę** take into consideration; **zwracać** ~**ę** pay attention (**na coś** to sth), mind (**na coś** sth); **nie zwracać** ~**i** take no notice (**na coś** of sth); **z** ~**i na coś** considering sth; ~**a windа!** mind the lift!
**uważa|ć** *vt vi* pay attention (**na coś** to sth), be attentive; regard, count (**za coś** as sth); mind (**na coś** sth); take care (**na coś** of sth); see; think; reckon; ~**m za właściwe** I think it proper; ~**m to za dobry film** I think it is a good film; ~ **go się za najlepszego ucznia** he is reckoned to be the best pupil
**uważny** *adj* attentive
**uwiąd** *m biol.* marasmus, decrepitude
**uwiązać** *vt* bind, attach

**uwidocznić** *vt* make evident, make clear, render conspicuous, exhibit, manifest
**uwiecznić** *vt* immortalize
**uwiedzenie** *n* seduction
**uwielbiać** *vt* adore, worship
**uwielbienie** *n* adoration, worship
**uwieńczyć** *vt* crown
**uwierać** *vt* (*o bucie*) pinch
**uwierzyć** *vt* believe
**uwierzytelniając|y** *adj*, **list ~y** letter of credence; **listy ~e** credentials *pl*
**uwierzytelnić** *vt* legalize
**uwiesić** *vt*, **~ się** *vr* hang on
**uwijać się** *vr* busy oneself, bustle (**dookoła czegoś** about sth)
**uwikłać** *vi* involve
**uwłaczać** *vi* defame (**komuś** sb); derogate (**czemuś** from sth)
**uwłaszczać** *vt* enfranchise; bestow property (**kogoś** on ⟨upon⟩ sb)
**uwłaszczenie** *n* enfranchisement
**uwodziciel** *m* seducer
**uwodzić** *vt* seduce
**uwolnić** *vt* set free (**kogoś** sb, **od czegoś** from ⟨of⟩ sth), set at liberty; deliver (**kogoś** sb, **od czegoś** from sth), release
**uwolnienie** *n* liberation, deliverance, release; *prawn.* acquittal
**uwydatnić** *vt* bring into prominence; enhance, set off
**uwypuklić** *vt* bring into relief, set off
**uwzględnić** *vt* take into consideration
**uwziąć się** *vr* set one's mind (**na coś** on ⟨upon⟩ sth), *pot.* become crazy (**na coś** about sth)
**uzależnić** *vt* make dependent (**od kogoś, czegoś** on ⟨upon⟩ sb, sth)
**uzasadnić** *vt* substantiate, justify; give reasons (**coś** for sth)
**uzasadnienie** *n* substantiation, justification; **na ~** in support (**czegoś** of sth)
**uzbrajać** *vt*, **~ się** *vr* arm
**uzbrojenie** *n* armament, arming, arms *pl*
**uzda** *f* bridle
**uzdolnić** *vt* enable
**uzdolnienie** *n* gift, talent, ability, capability
**uzdolniony** *adj* gifted, talented, able, capable
**uzdrawiać** *vt* heal, cure, restore to health; *przen.* (*np. finanse*) put on a healthy basis
**uzdrowienie** *n* cure, restoration (to health)
**uzdrowisko** *n* health-resort; spa
**uzębienie** *n anat.* dentition; *techn.* toothing
**uzgadniać** *vt* square, agree; (*zharmonizować*) adjust
**uziemiać** *vt elektr.* ground, earth
**uziemienie** *n elektr.* ground, earth
**uzmysłowić** *vt* demonstrate, make clear, objectify; **~ sobie** realize
**uznani|e** *n* acknowledgement, regard, appreciation, recognition; **do twego ~a** at your discretion; **możesz postąpić według własnego ~a** you may use your own discretion; **zasługujący na ~e** worthy of acknowledgment, praiseworthy; **z ~em** appreciatively
**uznawać** *vt* acknowledge, recognize, appreciate; (*potwierdzać*) admit; (*uważać za*) find
**uzupełniający** *adj* supplementary
**uzupełnić** *vt* supplement, complete
**uzupełnienie** *n* supplement, completion
**uzurpator** *m* usurper
**uzurpować** *vt* usurp
**uzwojenie** *n techn.* winding
**uzyskać** *vt* gain, win, obtain
**użądlić** *vt* sting
**użerać się** *vr pot.* bicker (**o coś** about sth)
**użyci|e** *n* use; (*np. życia*) enjoyment; **przepis ~a** directions for use; **wyjść z ~a** go out of use, fall into disuse; **w codziennym ~u** in daily use
**użyczać** *vt* grant, lend
**użyć** *vt* use; **~ sobie** enjoy (**czegoś** sth), indulge (**czegoś** in sth)
**użyteczność** *f* utility
**użyteczny** *adj* useful
**użytek** *m* use

**użytkować** *vt* use, utilize
**używać** *vt* use; (*np. życia*) enjoy; (*np. siły*) exert
**używalność** *f* utilization, use
**używalny** *adj* utilizable
**używany** *adj* used; (*nie nowy*) second-hand
**użyźniać** *vt* fertilize

# W

**w, we** *praep* in, into, at, by, for, on; **w Anglii** in England; **w ogrodzie** in the garden; **w domu** at home; **w Krakowie** in Cracow; **w dzień** by day; **w środę** on Wednesday; **grać w karty, w szachy, w piłkę nożną itd.** play cards, chess, football etc.; **wpaść w długi** get into debts
**wabić** *vt* decoy, allure, lure
**wabik** *m* decoy, allurement
**wachlarz** *m* fan; *przen.* (*np. spraw, zagadnień*) gamut
**wachlować** *vt* fan; ~ **się** *vr* fan (oneself)
**wachmistrz** *m* *wojsk.* sergeant-major (of cavalry)
**wada** *f* fault
**wadliwy** *adj* faulty
**wafel** *m* wafer
**wag|a** *f* weight; *przen.* importance; (*przyrząd*) balance, pair of scales; **na ~ę** by weight; *sport* **~a musza** fly weight; **~a kogucia** bantam-weight; **~a piórkowa** feather-weight; **~a lekka** light-weight; **~a lekkopółśrednia** half-welter-weight; **~a lekkośrednia** half-middle-weight; **~a średnia** middle-weight; **~a półciężka** half-heavy-weight; **~a ciężka** heavy-weight; *przen.* **przykładać ~ę** set store (**do czegoś** by sth)
**wagary** *s pl* *pot.* truancy; **iść na ~** play hookey
**wagon** *m* (*kolejowy*) carriage, *am.* car; wagon, coach; (*towarowy*) truck
**wahać się** *vr* hesitate, waver; *pot.* hang back; (*chwiać się*) shake, totter; (*o cenach, kursach*) fluctuate; *fiz.* oscillate
**wahadło** *n* pendulum
**wahanie** *n* hesitation; (*cen, kursów*) fluctuation
**wakacje** *s pl* holiday(s), vacation
**walać** *vt* soil; ~ **się** *vr* soil; (*tarzać się*) roll, wallow
**walc** *m* waltz
**walcować** *vi* waltz; *vt* roll, (*metal*) flatten
**walcownia** *f* rolling-mill; ~ **blach** plating shop
**walczący** *adj* combatant
**walczyć** *vi* fight, struggle (**o coś** for sth)
**walec** *m* cylinder; (*drogowy*) roller
**waleczność** *f* valour
**waleczny** *adj* valiant, brave
**walet** *m* (*w kartach*) knave, jack
**walić** *vt* (*burzyć*) demolish, pull down, break down; (*uderzać*) strike; pound; ~ **się** *vr* tumble down; (*rozpadać się*) decay, crash down
**Walijczyk** *m* Welshman
**walijski** *adj* Welsh
**walizka** *f* case, suitcase
**walka** *f* struggle, fight
**walny** *adj* general, plenary, complete
**walor** *m* value
**walut|a** *f* currency; **~a złota** gold-standard; **przepisy ~owe** currency regulations
**wał** *m* embankment, rampart; *techn.* shaft
**wałek** *m* roller; *techn.* shaft; ~ **do ciasta** rolling-pin

**wałęsać się** *vr* roam, vagabondize
**wampir** *m* vampire; *zool.* vampire-bat
**wandal** *m* vandal
**wandalizm** *m* vandalism
**wanienka** *f* bathing-tub
**wanna** *f* bathtub
**wapień** *m* limestone
**wapno** *n* lime; **~ lasowane** slaked lime; **~ niegaszone** quick lime; **~ do bielenia** whiting
**wapń** *m chem.* calcium
**warcaby** *pl* draughts
**warchoł** *m* troubler, troublemaker
**warczeć** *vi* growl
**warga** *f* lip; **~ dolna ⟨górna⟩** lower ⟨upper⟩ lip
**wargowy** *adj* labial
**wariacja** *f* variation; (*szaleństwo*) madness
**wariacki** *adj* mad, crazy, insane
**wariant** *m* variant
**wariat** *m* lunatic; **szpital dla ~ów** lunatic asylum
**wariować** *vi* be ⟨go⟩ mad
**warkocz** *m* braid, tress
**warownia** *f* fortress
**warowny** *adj* fortified
**warstwa** *f* layer, stratum
**warszawianin** *m* Varsovian
**warsztat** *m* workshop, (*tkacki*) loom
**wart** *adj* worth; **nie ~e zachodu** it is not worth the trouble
**war|ta** *f* guard; **stać na ~cie** stand guard; **stanąć na ~cie, zaciągnąć ~tę** mount guard
**wartki** *adj* rapid
**warto** *v impers* it is worth; **nie ~ tego czytać** it's not worth reading
**wartościow|y** *adj* valuable; **papiery ~e** securities; **człowiek ~y** man of great worth
**wartość** *f* value, worth; **~ dodatkowa** surplus value; **~ ujemna** negative value; **to ma małą ~** it's of little value
**warun|ek** *m* condition, term; **pod ~kiem** on condition
**warunkowy** *adj* conditional
**warzelnia** *f* (*soli*) salt-works
**warzywa** *s pl* greens, vegetables
**warzywny** *adj*, **ogród ~** kitchen-garden
**wasal** *m* vassal
**wasz** *pron* your, yours
**waśń** *f* quarrel, strife
**wata** *f* cotton-wool
**watować** *vt* wad
**wawrzyn** *m* laurel
**waza** *f* vase
**wazelina** *f* vaseline
**wazon** *m* flower-pot
**ważka** *f zool.* dragon-fly
**ważki** *adj* weighty
**ważność** *f* importance; *prawn.* validity
**ważny** *adj* important; *prawn.* valid; (*ważki*) weighty
**ważyć** *vt vi* (*odważać*) weigh; (*śmieć*) dare; **~ się** *vr* dare
**wąchać** *vt* smell, sniff
**wąs** *m* (*zw. pl* **~y**) moustache
**wąski** *adj* narrow
**wąskotorow|y** *adj* narrow-gauged; **kolej ~a** narrow-gauge railway
**wątek** *m techn.* woof; *przen.* matter, motif
**wątły** *adj* frail
**wątpić** *vi* doubt (**w coś** sth, about ⟨of⟩ sth)
**wątpliwość** *f* doubt
**wątpliwy** *adj* doubtful
**wątroba** *f anat.* liver
**wąwóz** *m* ravine, gorge
**wąż** *m* snake; (*gumowy*) hose, (*pożarniczy*) firehose
**wbiec** *vi* run in ⟨into⟩
**wbijać** *vt* drive in
**wbrew** *praep* in spite of
**w bród** *adv* in abundance; *zob.* **bród**
**wcale** *adv* quite, fairly; **~ nie** not at all
**wchłaniać** *vt* absorb
**wchodzić** *vi* go ⟨come⟩ in, enter; **~ na górę** go up; *przen.* **~ komuś w drogę** cross sb's way; **~ w czyjeś położenie** realize sb's position; **~ w grę** come into

play; ~ w posiadanie czegoś gain possession of sth
**wciągać** *vt* draw in
**wciąż** *adv* continually
**wcielać** *vt* incarnate, embody; (*włączać*) incorporate; (*do szeregów*) enlist
**wcielenie** *n* incarnation; (*włączenie*) incorporation; *wojsk.* enlistment
**wcielony** *adj* incarnate; *pp* (*włączony*) incorporated; *wojsk.* enlisted; **diabeł ~** devil incarnate
**wcierać** *vt* rub in ⟨into⟩; *med.* embrocate
**wcieranie** *n* rubbing in; *med.* embrocation
**wcięcie** *n* incision, notch
**wcinać** *vt* incise
**wciskać** *vt* press in; notch
**wczasowicz** *m* holiday-maker
**wczasy** *s pl* holiday
**wczesny** *adj* early
**wcześnie** *adv* early
**wczoraj** *adv* yesterday; **~ wieczorem** last night
**wdawać się** *vr* meddle (**w coś** with sth), interfere
**wdowa** *f* widow
**wdowiec** *m* widower
**wdrapać się** *vr* climb up (**na coś** sth); (*z trudem*) clamber up
**wdrażać** *vt* inculcate (**jakieś pojęcie komuś** an idea on sb); implant; *prawn.* start; **~ kroki (sądowe)** take steps; **~ się** *vr* get implanted
**wdychać** *vt* inhale
**wdzierać się** *vr* break into; (*na górę*) clamber up
**wdziewać** *vt* put in
**wdzięczność** *f* gratitude; (*uznanie*) appreciation
**wdzięczny** *adj* grateful; (*powabny*) graceful; **być ~m** feel grateful (**za coś** for sth), appreciate (**za coś** sth)
**wdzięk** *m* grace
**według** *praep* after, by, according to
**wegetacja** *f* vegetation; *przen.* hand-to-mouth existence
**wegetować** *vi* vegetate; *przen.* keep body and soul together
**wejrzeć** *vi* glance in; *przen.* investigate
**wejrzenie** *n* glance; **na pierwsze ~** at first sight
**wejście** *n* entrance
**wejść** *vi* enter, go ⟨come⟩ in; **~ w modę ⟨w użycie⟩** come into fashion ⟨into use⟩; (*o ustawie*) **~ w życie** come into force
**weksel** *m fin.* bill (of exchange)
**welon** *m* veil
**wełna** *f* wool
**wełniany** *adj* woolly
**wentyl** *m* air-regulator; vent; (*w instrumencie*) valve
**wentylacja** *f* ventilation
**wentylator** *m* ventilator
**wentylować** *vt* ventilate
**weranda** *f* porch, verandah
**werbel** *m* drum, drum-call
**werbować** *vt*, **~ się** *vr* enrol, enlist
**werbunek** *m* enrollment
**werniks** *m* varnish
**werniksować** *vt* varnish
**wersja** *f* version
**wertować** *vt* (*książkę*) thumb
**werwa** *f* verve
**weryfikacja** *f* verification
**weryfikować** *vt* verify
**wesele** *n* wedding
**weselić się** *vr* make merry
**wesołek** *m* jester, wag
**wesołość** *f* merriment, gaiety
**wesoły** *adj* merry, gay
**westchnąć** *vi* sigh; **ciężko ~** heave a sigh
**westchnienie** *n* sigh
**wesz** *f* louse
**wet** *m w zwrocie*: **~ za ~** tit for tat
**weteran** *m* veteran
**weterynarz** *m* veterinary surgeon
**wetknąć** *vt* stick, thrust; (*do ręki*) slip
**weto** *n* veto; **założyć ~** veto (**przeciwko czemuś** sth)

**wewnątrz** *praep i adv* in, inside, within
**wewnętrzn|y** *adj* inside, internal, inward, inner; **sprawy ~e** home affairs
**wezbrać** *zob.* **wzbierać**
**wezwać** *zob.* **wzywać**
**wezwanie** *n* call; (*sądowe*) summons
**węch** *m* smell, smelling
**wędk|a** *f* fishing-rod; **łowić na ~ę** angle (**na coś** for sth); fish
**wędkarz** *m* angler
**wędlin|a** *f* (*zw. pl* **~y**) pork-meat article(s)
**wędliniarnia** *f* pork-butcher's shop, ham and sausage shop
**wędrować** *vi* wander, stroll
**wędrowiec** *m* wanderer
**wędrowny** *adj* wandering; (*o ptakach*) migratory
**wędrówka** *f* wandering, migration
**wędzić** *vt* smoke; cure
**wędzidło** *n* bit
**wędzonka** *f* cured bacon
**węgiel** *m* coal; *chem.* carbon; **~ kamienny** hard coal
**węgielny** *adj*, **kamień ~** corner-stone
**węgieł** *m* corner
**Węgier** *m* Hungarian
**węgierski** *adj* Hungarian
**węglan** *m chem.* carbonate
**węglarz** *m* coalman, coal-dealer
**węglowodan** *m chem.* carbohydrate
**węglowodór** *m chem.* hydrocarbon
**węglow|y** *adj* coal *attr*, *chem.* carbon *attr*; **pole ~e** coal-field; **zagłębie ~e** coal basin
**węgorz** *m zool.* eel
**węszyć** *vt* scent
**węzeł** *m* knot, tie; *mors.* knot; (*kolejowy*) junction
**węzłow|y** *adj*, **punkt ~y** point of junction; **stacja ~a** junction
**wgląd** *m* inspection, insight
**wglądać** *vi* look into, inspect
**wgryzać się** *vr* eat into; *przen.* penetrate (**w coś** through ⟨into⟩ sth)
**wiać** *vi* blow; (*ziarna*) winnow
**wiadomo** *v impers* it is known; **nic nie ~** there is no knowing; **o ile mi ~** for all I know
**wiadomoś|ć** *f* news, a piece of information; *pl* **~ci** information *zbior.*; **dobra ~ć** a piece of good news
**wiadomy** *adj* known
**wiadro** *n* pail, bucket
**wiadukt** *m* viaduct
**wianek** *m* wreath
**wiara** *f* faith, creed, belief
**wiarogodność** *f* credibility; authenticity
**wiarogodny** *adj* credible; authentic
**wiarołomność** *f* faithlessness, perfidy
**wiarołomny** *adj* faithless, perfidious
**wiatr** *m* wind; **~em podszyty** thinly lined; **rzucać słowa na ~** speak idly; *pot.* **szukać ~u w polu** run a wild-goose chase
**wiatrak** *m* windmill
**wiąz** *m bot.* elm
**wiązać** *vt* bind, tie; *chem.* combine; **~ ręce** pinion
**wiązadł|o** *n* band, link; *anat.* ligament; **~a głosowe** vocal chords
**wiązanie** *n* bond, (*domu*) framing
**wiązanka** *f* burch, nosegay
**wiązka** *f* bundle
**wibracja** *f* vibration
**wibrować** *vi* vibrate
**wice** *praef* vice-, deputy-
**wiceadmirał** *m* vice-admiral
**wiceburmistrz** *m* deputy-mayor
**wiceprezydent** *m* vice-president
**wicher** *m* wind-storm
**wichrzyciel** *m* troubler, trouble-maker
**wichrzyć** *vi* trouble, foment trouble
**wić** *vt* wreathe, twine, writhe
**widelec** *m* fork
**widły** *s pl* pitchfork
**widmo** *n* spectre; *fiz.* spectrum
**widmowy** *adj* spectral
**widnieć** *vi* appear, loom, become visible

**widno** *adv*, **jest ~ it is light**
**widnokrąg** *m* horizon
**widny** *adj* visible, clear
**widocznie** *adv* apparently
**widoczność** *f* visibility
**widoczny** *adj* visible
**widok** *m* view, sight, prospect; **mieć na ~u** have in view
**widokówka** *f* (picture-)postcard
**widowisko** *n* spectacle
**widownia** *f* the house; (*publiczność*) audience; (*teren*) scene
**widywać** *vt* see (frequently etc.)
**widz** *m* spectator, onlooker
**widzeni|e** *n* sight, view; vision; **do ~a** good-bye; **punkt ~a** point of view
**widziadło** *n* apparition, spectre
**widzialność** *f* visibility
**widzialny** *adj* visible
**widzieć** *vt* see; **~ się** *vr* see (**z kimś** sb)
**wiec** *m* meeting
**wiecha** *f* wisp, bunch of straw
**wiecheć** *m* rag, wisp of straw
**wieczerza** *f* supper
**wieczność** *f* eternity
**wieczny** *adj* eternal
**wieczorek** *m* evening-party
**wiecz|ór** *m* evening; **~orem** in the evening
**wieczysty** *adj* perpetual, eternal
**wiedza** *f* knowledge, learning
**wiedzieć** *vt vi* know; **chciałbym ~** I should like to know; **o ile wiem** as far as I know
**wiedźma** *f* witch
**wiejski** *adj* country *attr*, rural
**wiek** *m* age; (*stulecie*) century; **~ dziecięcy** infancy; **~ męski** manhood; **~ młodzieńczy** youth, adolescence; **~ starczy** old age
**wieko** *n* lid, cover
**wiekopomny** *adj* memorable, immortal
**wiekowy** *adj* aged
**wiekuisty** *adj* eternal
**wielbiciel** *m* adorer, admirer
**wielbić** *vt* adore, admire
**wielbłąd** *m* camel
**wielce** *adv* much, greatly, highly
**wiele** *adv* much, many
**wielebny** *adj* reverend
**Wielkanoc** *f* Easter
**wielki** *adj* great, large, big; (*okazały, doniosły*) grand; **~ czas** high time
**wielkoduszność** *f* magnanimity, generosity
**wielkoduszny** *adj* magnanimous
**wielkolud** *m* giant
**wielkość** *f* largeness, greatness; magnitude
**wielmożny** *adj* mighty; (*w tytule*) honourable
**wieloboczny** *adj* multilateral
**wielokąt** *m* polygon
**wielokrotn|y** *adj* manifold; **~a** *s f mat.* multiple
**wieloryb** *m zool.* whale
**wieniec** *m* wreath, crown
**wieńczyć** *vt* crown
**wieprz** *m* hog
**wieprzowina** *f* pork
**wiercić** *vt* drill, bore; **~ się** *vr* fidget
**wierność** *f* fidelity, faithfulness
**wierny** *adj* faithful
**wiersz** *f* (*linijka*) line; (*poemat*) verse
**wierszokleta** *m pot.* poetaster
**wierzba** *f* willow
**wierzch** *m* top, surface; **jechać ~em** ride on horseback
**wierzchni** *adj* upper
**wierzchołek** *m* top, summit; *mat.* vertex
**wierzchowiec** *m* saddle-horse
**wierzgać** *vi* kick up
**wierzyciel** *m* creditor
**wierzyć** *vi* believe (**komuś** sb, **czemuś, w coś** sth)
**wierzytelność** *f* (outstanding) debt
**wieszać** *vt*, **~ się** *vr* hang
**wieszadło** *n* rack, (*kołek*) peg
**wieszak** *m* hanger, rack
**wieszcz** *m* seer, bard
**wieś** *f* village; (*w przeciwieństwie do miasta*) country; **na wsi** in the country; **mieszkaniec wsi** countryman

**wieść** 1. *f* news, a piece of news, information; report; ~ **hiobowa** alarming news
**wieść** 2. *vt* (*prowadzić*) lead, conduct
**wieśniaczka** *f* countrywoman
**wieśniak** *m* countryman
**wietrzeć** *vi* decay, moulder; become vapid, lose smell; (*o skałach*) weather, be weathered; *przen.* (*z głowy*) evaporate
**wietrzyć** *vt* ventilate, aerate; (*np. zwierzynę*) scent, smell
**wiewiórka** *f* squirrel
**wieźć** *vt* carry, convey
**wieża** *f* tower; (*w szachach*) rook
**wieżyczka** *f* turret
**więc** *conj adv* now, well, therefore
**więcej** *adv* more; **mniej lub** ~ more or less; **mniej** ~ some, about, approximately
**więdnąć** *vi* wither, fade
**większość** *f* majority
**większ|y** *adj* greater, bigger, larger; **po ~ej części** for the most part
**więzić** *vt* detain, imprison
**więzienie** *n* prison
**więzień** *m* prisoner
**wigili|a** *f* eve; Christmas Eve; (*posiłek*) Christmas Supper; **w ~ę** on the eve
**wikariusz, wikary** *m* vicar
**wiklina** *f* osier, wicker
**wikłać** *vt* entangle, complicate
**wikt** *m* board
**wiktuały** *s pl* provisions, victuals
**wilgoć** *f* moisture, humidity
**wilgotny** *adj* moist, humid
**wilia** *zob.* **wigilia**
**wilk** *m zool.* wolf
**willa** *f* villa
**win|a** *f* guilt, fault; **poczuwać się do ~y** feel guilty; *prawn.* **przyznać się do ~y** plead guilty
**winda** *f bryt.* lift, *am.* elevator
**windykować** *vt* vindicate
**windziarka** *f*, **windziarz** *m bryt.* lift-attendant, lift-boy
**winiarnia** *f* wine-shop
**winić** *vt* blame (**kogoś** sb, **o coś** for sth), inculpate
**winien** *adj* guilty; (*dłużny*) owing, indebted; **jestem mu ~ pieniądze** I owe him money; ~ **śmierci** worthy of death
**winieta** *f* vigniette
**winnica** *f* vineyard
**winny** 1. *praed* (*winien*) guilty (**czegoś** of sth); (*o należności, szacunku, płatności itp.*) due (**komuś** to sb)
**winn|y** 2. *adj* wine *attr*; **~a latorośl** vine
**wino** *n* wine
**winobranie** *n* vintage
**winogrono** *n* grape
**winowajca** *m* culprit, offender
**winszować** *vi* congratulate (**komuś czegoś** sb on sth)
**wiolonczela** *f muz.* (violon)cello
**wiosenny** *adj* spring *attr*
**wioska** *f* hamlet
**wiosło** *n* oar
**wiosłować** *vi* row
**wiosn|a** *f* spring; **na ~ę** in (the) spring
**wioślarski** *adj* rowing; **wyścigi ~e** boat-race
**wioślarstwo** *n* rowing
**wioślarz** *m* oarsman, rower
**wiotki** *adj* flimsy, frail
**wiór** *m* shaving
**wir** *m* whirl; (*wodny*) whirlpool, eddy
**wiraż** *m* turn(ing), bend
**wirować** *vi* whirl, rotate
**wirówka** *f* centrifugal machine, centrifuge
**wirtuoz** *m* virtuoso
**wirus** *m biol.* virus
**wisieć** *vi* hang
**wisielec** *m* hanged man
**wisiorek** *m* pendant
**wisus** *m pot.* urchin
**wiśnia** *f* cherry; (*drzewo*) cherry-tree
**wiśniak** *m* cherry-brandy
**witać** *vt* greet, welcome
**witamina** *f* vitamin
**witraż** *m* stained glass

**witriol** *m* vitriol
**witryna** *f* shopwindow, glass case
**wiwat** *m* cheer; **~!** long live!
**wiwatować** *vi* cheer
**wiwisekcja** *f* vivisection
**wiz|a** *f* visa, *am.* visé; **otrzymać ~ę** get one's visa ⟨passport visaed⟩; **udzielać ~y** visa
**wizerunek** *m* effigy, portrait, likeness
**wizja** *f* vision
**wizyt|a** *f* call, visit; **złożyć ~ę** pay a visit
**wizytacja** *f* inspection, visitation
**wizytator** *m* inspector, visitor
**wizytować** *vt* inspect, visit; call (**kogoś** on sb)
**wizytowy** *adj*, **bilet ~** visiting card
**wjazd** *m* entrance, gateway, doorway
**wjeżdżać** *vi* drive in, enter
**wkleić** *vt* stick into
**wklęsłość** *f* concavity
**wklęsły** *adj* concave
**wkład** *m* (*inwestycja*) investment; (*depozyt*) deposit; (*przyczynek*) contribution; (*np. do notesu*) filler; *techn.* input
**wkładać** *vt* put ⟨lay⟩ in, inset; (*buty, ubranie itp.*) put on; (*kapitał*) invest; (*deponować*) deposit
**wkładka** *f* insertion; (*pieniężna*) payment; (*dodatek, do książki itp.*) inset; *techn.* insert
**w koło** *adv* round about
**wkoło** *praep* round (about)
**wkradać się** *vr* steal in
**wkręcać** *vt* screw in; **~ się** *vr pot.* (*wciskać się*) sneak ⟨steal⟩ in, insinuate oneself
**wkroczyć** *vi* enter
**wkrótce** *adv* soon
**wkupić się** *vr* pay for admission
**wlać** *vt* pour in
**wlec** *vt* drag; **~ się** *vr* drag, trail along
**wlepić** *vt* stick in; *przen.* **~ oczy** fix eyes
**wlewać** *vt* (*wszczepić*) infuse, inspire; *zob.* **wlać; ~ się** *vr* pour ⟨flow⟩ in
**wleźć** *vi* creep in; (*na drzewo*) climb up
**wliczyć** *vt* include (into an account)
**w lot** *adv* quickly, in a flash
**wlot** *m* inlet
**władać** *vi* be master (**czymś** of sth), have mastery (**czymś** over sth); (*panować*) rule (*czymś* over sth); **~ biegle językiem angielskim** have a good command of English
**władca** *m* ruler, master
**władza** *f* power; (*urząd*) authority; (*fizyczna, umysłowa*) faculty
**włama|ć się** *vr* break (np. **do sklepu** into the shop); **~no się do sklepu** the shop was broken into
**włamanie** *n* burglary
**włamywacz** *m* housebreaker, burglar
**własnoręcznie** *adv* with one's own hand
**własnoręczny** *adj* authentic, written with one's own hand
**własność** *f* property
**własn|y** *adj* own; **miłość ~a** self-love; **na ~ą rękę** on one's own authority; **oddać do rąk ~ych** deliver personally
**właściciel** *m* proprietor, owner
**właściwość** *f* propriety, peculiarity
**właściwy** *adj* proper, peculiar, right, specific
**właśnie** *adj* just, exactly
**włączać** *vt* include; *elektr.* connect, switch on; **~ wtyczkę** plug in
**włącznie** *adv* inclusively; **~ z...** inclusive of...
**Włoch** *m* Italian
**włochaty** *adj* hairy
**włos** *m* hair; **~y** *pl* hair *zbior.*: **jasne ~y** fair hair; **farba do ~ów** hair-dye; **wypadanie ~ów** fall of the hair; **chcę sobie ostrzyc ~y** I want to have my hair cut; *przen.* **nie ustąpić ani na ~** not to yield an inch; **~y od tego stają mi na głowie** it makes my

hair stand on end; o ~ within a hair's breath, narrowly
**włoski** *adj* Italian
**włoskowatość** *f* capillarity
**włoskowaty** *adj* capillary
**włoszczyzna** *f* soup-greens *pl*
**włościanin** *m* farmer, peasant
**włośnica** *f bot.* trichinosis
**włożyć** *vt* put (in); (*buty, ubranie, kapelusz*) put on
**włóczęga** *m* (*wędrówka*) ramble; (*osoba*) tramp, vagabond
**włóczka** *f* woollen yarn
**włócznia** *f* spear
**włóczyć** *vt* drag, shuffle; ~ **się** *vr* vagabondize, roam, stroll
**włókiennictwo** *n* textile industry
**włókienniczy** *adj* textile
**włókniarz** *m* textile worker, weaver
**włóknisty** *adj* fibrous
**włókno** *n* fibre
**wmawiać** *vt* make sb believe sth, suggest (**coś w kogoś** sth to sb)
**wmieszać się** *vr* interfere (**w coś** with sth), involve (**w coś** in sth)
**wnet** *adv* soon
**wnęka** *f* niche
**wnętrze** *n* interior
**wnętrzności** *s pl* bowles, intestines; *anat.* viscera *pl*
**wnieść** *vt* bring in; enter
**wnikać** *vi* penetrate, enter, get in
**wnios|ek** *m* conclusion; (*na posiedzeniu*) motion; petition; **dojść do ~ku** come to ⟨drive at⟩ a conclusion; **przyjąć** ⟨**odrzucić**⟩ **~ek** carry ⟨reject⟩ a motion; **wyciągnąć ~ek** draw a conclusion; **stawiać ~ek, ażeby odroczyć zebranie** move that the meeting be adjourned
**wnioskować** *vt vi* conclude, infer
**wnioskowanie** *n* inference, conclusion
**wniwecz** *adv*, **obrócić ~** annihilate, bring to nothing
**wnosić** *vt zob.* **wnieść**; (*prośbę*) put up; conclude, infer; *vi* (*stawiać wniosek*) move, propose
**wnuczka** *f* granddaughter
**wnuk** *m* grandson
**woal** *m* veil
**wobec** *praep* in the face of, in the presence of, before; ~ **tego, że...** considering that...
**woda** *f* water; ~ **podskórna** ground water; ~ **słodka** fresh water; (*przysłowie*) **cicha ~ brzegi rwie** still waters run deep
**wodewil** *m* vaudeville
**wodnisty** *adj* watery
**wodnopłatowiec** *m lotn.* hydroplane
**wodny** *adj* water *attr*; (*o roztworze*) aqueous; (*o sportach*) aquatic; **znak ~** watermark
**wodociąg** *m* water-pipe; *pl* **~i** (*sieć wodociągowa*) water-supply
**wodolecznictwo** *n* hydrotherapy
**wodorost** *m* water plant; (*morski*) seaweed
**wodorow|y** *adj* hydrogen *attr*, hydrogenous; **bomba ~a** hydrogen bomb, H-bomb
**wodospad** *m* waterfall
**wodoszczelny** *adj* watertight, waterproof
**wodotrysk** *m* fountain
**wodować** *vi lotn.* alight (on water); *mors.* launch (a ship)
**wodowstręt** *m* hydrophobia
**wodór** *m chem.* hydrogen
**wodz|a** *f* rein, bridle; *przen.* **trzymać na ~y** keep a tight rein (**kogoś** on sb); **puścić ~e** give way
**wodzić** *vt* lead, conduct; **~ rej** have the lead
**w ogóle** *adv zob.* **ogół**
**wojak** *m pot.* warrior
**wojenny** *adj* war, military; **sąd ~** court martial; **stan ~** state of war
**województwo** *n* province, voivodeship
**wojłok** *m* felt
**wojn|a** *f* war; **~a domowa** civil war; **prowadzić ~ę** wage war; **wypowiedzieć ~ę** declare war
**wojować** *vi* war
**wojowniczy** *adj* warlike, belligerent

**wojownik** *m* warrior
**wojsk|o** *n* troops *pl*, army; **zaciągnąć się do ~a** enlist
**wojskowość** *f* military system, military questions ⟨affairs⟩ *pl*
**wojskowy** *adj* military; *s m* military man, soldier; **były ~** ex-serviceman
**wokalny** *adj* vocal
**wokoło** *adv praep* round about
**wol|a** *f* will; **siła ~i** will power; **do ~i** at will, freely; **z własnej ~i** of one's own free will
**wol|eć** *vt* prefer (**kogoś, coś** sb, sth; **niż kogoś, niż coś** to sb, to sth), like better; **~ę tańczyć, niż czytać** I'd rather dance than read
**wolno** *adv* slowly; freely; *praed* it is allowed; **każdemu tu ~ wejść** everyone is allowed to come in
**wolnomyśliciel** *m* free-thinker
**wolnomyślność** *f* free-thinking
**wolnomyślny** *adj* free-thinking
**wolnoś|ć** *f* liberty, freedom; **na ~ci** at liberty; **wypuścić na ~ć** set free ⟨at liberty⟩
**wolny** *adj* free; (*o miejscu*) vacant; (*od podatku, obowiązku itp.*) exempt (**od czegoś** from sth); (*powolny*) slow; **dzień ~ od pracy** day off, day off duty; **~ czas** leisure, extra ⟨spare⟩ time; **~ stan** celibacy, single life; **~ od opłaty pocztowej** post-free
**wolt** *m elektr.* volt
**woltametr** *m elektr.* voltameter
**woltomierz** *m elektr.* voltmeter
**wołacz** *m gram.* vocative
**wołać** *vt* call
**wołanie** *n* call
**wołowina** *f* beef
**wonny** *adj* aromatic
**woń** *f* aroma, fragrance
**worek** *m* bag
**wosk** *m* wax
**woskować** *vt* wax
**votum** *n* vote; *rel.* ex voto; *prawn.* **~ zaufania** vote of confidence; **~ nieufności** vote of non-confidence ⟨censure⟩
**wozić** *vt* carry, convey
**woźnica** *m* driver
**wódka** *f* vodka
**wódz** *m* leader, commander; **~ naczelny** commander-in-chief
**wójt** *m* (village-)mayor
**wół** *m* ox
**wór** *m* bag, sack
**wówczas** *adv* at the time, then
**wóz** *m* (*fura*) cart, carriage; (*auto*) car; (*ciężarowy*) truck; (*ciężarowy kryty*) van; *pot.* (*kolejowy*) *bryt.* carriage, *am.* car; **~ meblowy** furniture van; *astr.* **Wielki ⟨Mały⟩ Wóz** Great ⟨Little⟩ Bear
**wózek** *m* hand-cart, (*kolejowy, ręczny*) truck; **~ dziecięcy** perambulator, *pot.* pram
**wpad|ać** *vi* fall in; (*nagle wbiegać*) rush in; (*napotkać*) run (**na kogoś** across sb); (*w oczy*) strike; (*w czyjeś ręce*) get (into sb's hands); (*w długi*) get (into debts), incur (debts); (*w gniew*) fly (into a rage); **~ło mi na myśl** it occurred to me
**wpajać** *vt* inculcate (**coś komuś** sth on sb)
**wpaść** *zob.* **wpadać**; **~ do kogoś** drop in on sb
**wpatrywać się** *vr* stare (**w coś** at sth)
**wpędzać** *vt* drive in
**wpierw** *adv* first
**wpis** *m* registration, inscription
**wpisać** *vt* register, write down; **~ się** *vr* register, enter one's name
**wpisowe** *n* entrance fee, registration (fee)
**wplątać** *vt* entangle; **~ się** *vr* get entangled
**wpłacać** *vt* pay in
**wpłata** *f* payment
**wpław** *adv*, **przebyć rzekę ~** swim across
**wpływ** *m* influence; (*pieniędzy*) income, accruement; **wywierać ~** exert an influence
**wpływać** *vi* flow in; (*do portu*) enter; (*o pieniądzach, listach itp.*) come in; (*wywierać wpływ*) influence (**na kogoś** sb)

**wpływowy** *adj* influential
**w poprzek** *adv* across; crosswise
**wpół** *adv* half, by half; (*w środku*) in the middle; **na ~** half; **~ do trzeciej** half past two
**wprawa** *f* skill, practice
**wprawdzie** *adv* it is true, to be sure
**wprawić** *vt* put in, set in; (*wyćwiczyć*) train; **~ się** *vr* become skilled
**wprawny** *adj* skilled, skillful
**wprost** *adv* straight, directly
**wprowadzać** *vt* introduce, lead in, bring in; **~ się** *vr* (*do mieszkania*) move in
**wprzęgać** *vt* put (**konie do wozu** horses to the cart), yoke, harness
**wprzód** † *adv* first, before
**wpust** *m* entrance, inlet; (*wąski otwór*) slot
**wpuszczać** *vt* let ⟨put⟩ in
**wpychać** *vt* push ⟨stuff⟩ in
**wracać** *vi* return, come back; **~ do zdrowia** recover
**wrastać** *vi* grow (**w coś** into sth)
**wraz** *praep* together with, alongside with
**wrażać** *vt* thrust in; impress (**w pamięć** on sb's memory)
**wrażenie** *n* impression; **robić ~** impress (**na kimś** sb)
**wrażliwość** *f* sensibility
**wrażliwy** *adj* sensitive (**na coś** to sth)
**wreszcie** *adv* at last
**wręcz** *adv* plainly; **walka ~** hand-to-hand fight, close encounter
**wręczać** *vt* hand in, deliver
**wręczenie** *n* delivery
**wrodzony** *adj* innate, inborn
**wrogi** *adj* hostile
**wrogość** *f* hostility
**wrona** *f* crow
**wrota** *s pl* gate, gateway
**wrotki** *s pl* roller skates
**wróbel** *m* sparrow
**wrócić** *zob.* **wracać**
**wróg** *m* foe
**wróżba** *f* omen, augury
**wróżbiarstwo** *n* fortune-telling
**wróżbiarz** *m*, **wróżbiarka** *f* fortune-teller
**wróżyć** *vt vi* augur, tell fortunes
**wryć** *vt* engrave (np. **w pamięć** on memory); sink; **~ się** *vr* sink; become impressed
**wrzask** *m* shriek, scream, uproar
**wrzawa** *f* noise, uproar
**wrzący** *adj* boiling
**wrzątek** *m* boiling water
**wrzeciono** *n* spindle
**wrzeć** *vi* boil
**wrzeni|e** *n* boiling, ebullition; **punkt ~a** boiling point
**wrzesień** *m* September
**wrzeszczeć** *vi* scream, bawl, shriek
**wrzos** *m bot.* heather
**wrzosowisko** *n* heath, moor
**wrzód** *m* abscess, ulcer
**wrzucać** *vt* throw in
**wsadzać** *vt* put in, place; (*np. kapelusz, buty*) put on
**wschodni** *adj* eastern, east
**wschodzić** *vi* rise, come forth
**wschód** *m* east; **na ~ od...** (to the) east of...; **~ słońca** sunrise
**wsiadać** *vi* get (**do pociągu** in ⟨into⟩ the train); mount (**na konia ⟨rower⟩** on a horse ⟨a bicycle⟩); **~ na okręt** go on board
**wsiąkać** *vi* infiltrate, permeate (**w coś** sth, through sth)
**wskakiwać** *vi* leap in ⟨on⟩
**wskazówk|a** *f* index, indication; (*u zegara*) hand; (*rada*) suggestion, hint; *pl* **~i** (*pouczenia*) instructions, directions
**wskazujący** *adj*, **palec ~** forefinger; *gram.* **zaimek ~** demonstrative pronoun
**wskazywać** *vt vi* point (**na coś** at ⟨to⟩ sth), indicate, show
**wskaźnik** *m* index
**w skos** *adv* askew, aslant
**wskroś** *praep*, **na ~** throughout, through and through
**wskrzesić** *vt* revive, resuscitate
**wskrzeszenie** *n* revival, resuscitation
**wskutek** *praep* on account of, in consequence of

**wsławić** *vt* make famous; ~ **się** *vr* become famous
**wspak** *adv*, **na** ~ contrariwise
**wspaniałomyślność** *f* magnanimity
**wspaniałomyślny** *adj* magnanimous
**wspaniałość** *f* magnificence, splendour
**wspaniały** *adj* magnificent, splendid
**wsparcie** *n* support, assistance
**wspierać** *vt* support, assist
**wspinaczka** *f* climbing
**wspinać się** *vr* climb up (**na górę, na drzewo** a hill, a tree)
**wspomagać** *vt* aid, help, assist
**wspominać** *vt* remember; (*robić wzmiankę*) mention
**wspomnienie** *n* remembrance, reminiscence
**wspólnie** *adv* in common, jointly
**wspólnik** *m* partner, co-partner; (*współpracownik*) associate; (*zbrodni, złego uczynku*) accomplice
**wspólnota** *f* community, partnership
**wspólny** *adj* common
**współczesność** *f* contemporaneity, contemporaneousness
**współczesny** *adj* contemporary, contemporaneous
**współcześnie** *adv* at the same time
**współczucie** *n* sympathy, compassion
**współczuć** *vi* have compassion
**współczynnik** *m* (*także gram.*) coefficient
**współdziałać** *vi* co-operate
**współdziałanie** *n* co-operation
**współistnieć** *vi* co-exist
**współistnienie** *n* co-existence
**współmierny** *adj* commensurable
**współobywatel** *m* fellow-citizen
**współpraca** *f* collaboration
**współpracować** *vi* collaborate
**współpracownik** *m* collaborator, (*prasowy, literacki*) contributor
**współrzędność** *f* co-ordination
**współrzędny** *adj* (*także gram.*) co-ordinate
**współuczestnictwo** *n* participation
**współuczestniczyć** *vi* participate
**współudział** *m* participation, co-operation
**współwłaściciel** *m* joint proprietor
**współzawodnictwo** *n* competition, contest
**współzawodniczyć** *vi* compete, contest (**o coś** for sth)
**współzawodnik** *m* competitor
**współżycie** *n* companionship, living together
**współżyć** *vi* live together
**wstawać** *vi* get up, rise
**wstawiać** *vt* put in, set in; insert; ~ **się** *vr* (*orędować*) intercede (**u kogoś za kimś, za czymś** with sb for sb, sth); (*błagać*) plead (**u kogoś o coś** with sb for sth); *pot.* (*upijać się*) get tipsy
**wstawiennictwo** *n* intercession
**wstawka** *f* insertion; (*np. w tekście*) interpolation
**wstąpić** *vi* enter, go in, come in; (*odwiedzić*) call (**do kogoś** on sb); *pot.* drop in (**do kogoś** at sb's place)
**wstąpienie** *n* entrance; (*na tron*) accession (to the throne)
**wstążka** *f* ribbon
**wstecz** *adv* backwards
**wstecznictwo** *n* reaction
**wsteczność** *f* backwardness
**wsteczn|y** *adj* reactionary, backward, retrograde; *techn.* **bieg** ~**y** back ⟨reverse⟩ gear; **lusterko** ~**e** rearview mirror
**wstęga** *f* ribbon
**wstęp** *m* entrance, admission; (*przedmowa*) preface, introduction; ~ **wolny** admission free
**wstepny** *adj* preliminary, introductory; **egzamin** ~ entrance examination
**wstępować** *zob.* **wstąpić**
**wstręt** *m* abomination, aversion
**wstrętny** *adj* abominable
**wstrząs** *m* shock
**wstrząsający** *adj* shocking, stirring
**wstrząsnąć** *vt* shock, stir, shake
**wstrzemięźliwość** *f* temperance, moderation

**wstrzemięźliwy** *adj* temperate, moderate
**wstrzykiwać** *vt* inject
**wstrzymywać** *vt* stop, hold up, keep back, suspend; **~ się** *vr* abstain (**od czegoś** from sth); put off, delay (**z czymś** sth)
**wstyd** *m* shame; disgrace; **~ mi** I am ashamed; **jak ci tego nie ~?** aren't you ashamed of it?; **przynosić ~** bring shame (**komuś** on sb)
**wstydliwość** *f* bashfulness, shyness
**wstydliwy** *adj* bashful, shy
**wstydzić się** *vr* be ashamed (**kogoś, czegoś** of sb, sth)
**wsunąć** *vt* put in, slip
**wsypać** *vt* pour in; *pot.* (*zdekonspirować*) slip, peach (**kogoś** on sb)
**wszakże** *conj adv* however, yet, but
**wszcząć** *vt* begin, start up
**wszczepiać** *vt* (*szczepić*) inoculate; (*np. zasady*) inculcate (**komuś** on sb)
**wszczynać** *zob.* **wszcząć**
**wszechmoc** *f* omnipotence
**wszechmocny** *adj* omnipotent, almighty
**wszechnica** *f* university
**wszechstronność** *f* universality, many-sidedness
**wszechstronny** *adj* universal, many-sided
**wszechświat** *m* universe
**wszechświatowy** *adj* universal, cosmic
**wszechwiedzący** *adj* omniscient
**wszechwładny** *adj* omnipotent, all-powerful
**wszelaki** *adj* diverse, of all kinds
**wszelako** *adv lit.* however, yet, but
**wszelaki** *adj* every, all
**wszerz** *adv* broadwise
**wszędzie** *adv* everywhere
**wszystek** *adj* all, whole
**wścibiać** *vt*, **~ nos** meddle (**w coś** with sth)
**wścibski** *adj* meddling, interfering; *s m* meddler, busybody
**wściekać się** *vr* rage (**na kogoś** at ⟨against⟩ sb), become furious (**na kogoś** with sb)
**wścieklizna** *f med.* rabies
**wściekłość** *f* fury
**wściekły** *adj* furious; (*o psie*) mad, rabid
**wśliznąć się** *vr* sneak in
**wśród** *praep* among, amid
**wtajemniczać** *vt* initiate (**w coś** into sth)
**wtajemniczenie** *n* initiation
**wtargnąć** *vi* invade, make an inroad
**wtedy** *adv* then
**wtoczyć** *vt* roll in
**wtorek** *m* Tuesday
**wtórować** *vi* accompany (**komuś** sb)
**wtrącać** *vt* put in, insert; **~ się** *vr* meddle (**do czegoś** with sth)
**wtyczk|a** *f* (*także elektr.*) plug; **włączyć ~ę** plug in
**wtykać** *vt* put in, insert; *zob.* **wetknąć**
**w tył** *adv* back, backwards
**wuj** *m* uncle
**wujenka** *f* aunt
**wulgarny** *adj* vulgar
**wulkan** *m* volcano
**wulkaniczny** *adj* volcanic
**wulkanizować** *vt* vulcanize
**wwozić** *vt* import
**wy** *pron* you
**wybaczać** *vt* pardon, excuse, forgive
**wybaczalny** *adj* pardonable
**wybaczenie** *n* pardon
**wybaczyć** *zob.* **wybaczać**; **proszę ~** I beg your pardon, excuse me
**wybawca** *m* redeemer, saviour
**wybawić** *vt* redeem, save; deliver (**od czegoś** from sth)
**wybawienie** *n* deliverance, salvation
**wybi|ć** *vt* knock, beat out, strike out; (*np. szybę*) break; (*wytłoczyć*) stamp; (*wychłostać*) thrash; (*wyścielić np. suknem*) line, cover; (*godzinę*) strike; (*ząb, oko*)

knock out; **~ć komuś coś z głowy** put sth out of sb's head; **~ła piąta** it has struck five; **~ć się** *vr* (*dojść do znaczenia*) come to the top, make one's way, distinguish oneself, excel

**wybiec** *vi* run out

**wybieg** *m* evasion, shift, subterfuge

**wybielać** *vt* whiten, bleach

**wybierać** *vt* choose, select; elect; (*np. owoce*) pick out; (*pocztę*) pick up; (*wyjmować*) take out; **~ się** *vr* set out (**w drogę** on one's way); **~ się do kogoś** be going to call on sb, prepare to go on a visit

**wybieralny** *adj* eligible

**wybijać** *zob.* **wybić; ~ takt** beat time

**wybitny** *adj* prominent, remarkable, outstanding

**wybladły** *adj* pale, wan

**wyblakły** *adj* faded, discoloured

**wyblaknąć** *vi* fade, discolour

**wyboisty** *adj* full of holes

**wyborca** *m* elector; (*do parlamentu*) constituent

**wyborcz|y** *adj* electoral; **okręg ~y** constituency; **ordynacja ~a** electoral system

**wyborny** *adj* excellent

**wyborowy** *adj* choice

**wybory** *s pl* election

**wybój** *m* hole

**wybór** *m* choice, selection; election

**wybrakowa|ć** *vt* discard, sort out; **towary ~ne** cast-off goods, refuse *zbior.*

**wybraniec** *m* elect

**wybredny** *adj* fastidious, particular

**wybrnąć** *vi* get out, find a way out

**wybryk** *m* sally; excess

**wybrzeże** *n* seaside, strand, (*plaża*) beach

**wybuch** *m* explosion; outbreak; (*np. wulkanu, epidemii*) eruption

**wybuchnąć** *vi* explode; *przen.* (*o wojnie*) break out; (*o uczuciach*) burst out; **~ płaczem** burst into tears; **~ radością** burst with joy; **~ śmiechem** burst out laughing

**wybuchowy** *adj* explosive; **materiał ~** explosive

**wybujać** *vi* shoot up

**wychodzi|ć** *vi* go out, come out; (*o oknach*) open (**na coś** on sth); **~ć komuś na dobre** turn to sb's account; **~ć na spacer** go out for a walk; **~ć za mąż** marry (**za kogoś** sb); **~ć z mody** go out of fashion; **to na jedno ~** it amounts to the same; **~ć z domu** leave home

**wychodźca** *m* emigrant

**wychodźstwo** *n* emigration

**wychować** *zob.* **wychowywać**

**wychowanek** *m* foster-son; (*uczeń*) pupil

**wychowanie** *n* education, upbringing

**wychowawca** *m* educator, tutor

**wychowawczy** *adj* educational

**wychowawczyni** *f* woman tutor, tutoress

**wychowywać** *vt* bring up, educate; **~ się** *vr* be brought up, be educated

**wychwalać** *vt* praise

**wychylać** *vt* put out; (*wypijać*) empty, drain off; **~ się** *vr* lean out (np. **z okna** of a window) lean forward

**wyciąg** *m* extract; *techn.* hoist, lift; *am.* elevator

**wyciągać** *vt* draw out, stretch out; take out; (*korzyści*) derive (**z czegoś** from sth); (*pieniądze*) extort; (*wniosek*) draw; (*np. ząb, pierwiastek*) extract; (*szufladę*) pull open; (*np. żagiel, flagę*) hoist; **~ naukę moralną** draw a moral; **~ się** *vr* stretch oneself out

**wycie** *n* howl(ing)

**wycieczk|a** *f* excursion, trip; **pójść na ~ę** go on an excursion, take a trip

**wyciek** *m* leak
**wyciekać** *vi* leak, flow out
**wycieńczać** *vt* extenuate, exhaust
**wycieńczenie** *n* extenuation, exhaustion
**wycieraczka** *f* (*do butów*) (door-) mat, shoe-scraper; (*w samochodzie*) wiper
**wycierać** *vt* wipe (off), wipe out; scrape; (*np. buty*) sweep
**wycięcie** *n* cutting out
**wycinać** *vt* cut out; (*żłobić*) carve out; (*las*) clear
**wycinek** *m* cutting; *mat.* ~ **koła** sector; ~ **prasowy** press-cutting, press-clipping
**wyciskać** *vt* squeeze, extort; (*wytłaczać*) impress, imprint
**wycofać** *vt* withdraw, retire; ~ **się** *vr* withdraw; (*z czynnej służby itp.*) retire
**wyczekiwać** *vt* expect
**wyczerp|ać** *vt* exhaust, draw out, wear out; ~**ać się** *vr* wear out; (*np. o zapasie*) run short; **moje zapasy** ~**ują się** my supplies are running short; ~**ała się moja gotówka** I've run short of cash
**wyczuwać** *vt* sense, feel
**wyczyn** *m* stunt, performance, achievement
**wyć** *vi* howl
**wyćwiczony** *adj* trained, skilled
**wyćwiczyć** *vt* train; ~ **się** *vr* get training, acquire skill
**wydać** *zob.* **wydawać**
**wydajność** *f* productivity, yield, efficiency, output
**wydajny** *adj* productive, efficient
**wydalać** *vt* remove; (*np. z posady*) dismiss, *pot.* sack, fire
**wydanie** *n* edition, issue
**wydalenie** *n* removal; (*z posady*) dismissal
**wydarzenie** *n* event, occurrence
**wydarzyć się** *vr* happen, occur
**wydatek** *m* expense
**wydatkować** *vt* expend, lay out
**wydatny** *adj* prominent
**wydawać** *vt* (*pieniądze*) spend; (*płody*) bring forth, produce, yield; (*książki*) publish, issue; (*lekarstwo*) dispense; (*światło, ciepło itp.*) emit; (*np. obiad, przyjęcie*) give; deliver; (*w ręce sprawiedliwości*) deliver; (*zapach*) give out; ~ **resztę** give the change; ~ **za mąż** marry, get married; ~ **się** *vr* seem, appear
**wydawca** *f* publisher
**wydawnictwo** *n* publishing house; (*publikacja*) publication
**wydąć** *vt* (*nadmuchać*) inflate, swell; (*rozszerzyć*) expand; (*usta*) blow out, puff up
**wydech** *m* exhalation, breathing out
**wydeptać** *vt* tread (out)
**wydłużać** *vt* lenghten, prolong
**wydma** *f* dune
**wydmuchać** *vt* blow ⟨puff⟩ out
**wydobrzeć** *vi* recover
**wydobycie** *n górn.* output
**wydobywać** *vt* bring ⟨draw⟩ out, extract, get out; ~ **się** *vr* extricate oneself; get out
**wydostać** *vt* bring out, take out, get out; ~ **się** *vr* get out; extract oneself
**wydra** *f zool.* otter
**wydrapać** *vt* scratch out
**wydrążać** *vt* hollow out; excavate
**wydrążenie** *n* hollow; cavity
**wydrwigrosz** *m pot.* extortioner
**wydusić** *vt pot.* (*wymusić*) squeeze out, extort
**wydychać** *vt vi* breathe out, expire
**wydymać** *vt* swell (out), puff up, inflate, blow out; ~ **się** *vr* swell (out), become inflated
**wydział** *m* department; section; (*uniwersytecki*) faculty
**wydziedziczać** *vt* disinherit
**wydziedziczenie** *n* disinheritance
**wydzielać** *vt* set apart, detach; (*o zapachu, substancji*) secrete; (*przydzielać*) allot; (*rozdzielać*) distribute; ~ **się** *vr* be secreted

**wydzielina** *f* secretion
**wydzierać** *vt* tear out, wrench out
**wyga** *m* cunning fellow, old hand
**wygadać** *vt pot.* blab out; **~ się** *vr* blab out (a secret)
**wygarniać** *vt* rake out; *pot.* speak out one's mind
**wygasać** *vi* go out; (*o terminie*) expire; be extinct
**wygasić** *vt* put out, extinguish
**wygięcie** *n* bend
**wyginać** *vt* bend
**wygląd** *m* appearance
**wyglądа|ć** *vi* look out; (*mieć wygląd*) look, appear; **~ć na coś** look like sth; **~ na deszcz** it looks like rain; **~ć wspaniale** look splendid; **jak on ~?** how does he look?
**wygłodzić** *vt* starve
**wygłosić** *vt* pronounce, express; (*odczyt, mowę*) deliver
**wygnać** *vt* drive out, expel
**wygnanie** *n* exile
**wygnaniec** *m* exile
**wygniatać** *vt* press out; (*ciasto*) knead
**wygod|a** *f* comfort; *pl* **~y** (*urządzenia*) conveniences
**wygodny** *adj* comfortable, convenient
**wygolony** *adj* clean-shaven
**wygon** *m* pasture, common
**wygospodarować** *vt* economize
**wygórowany** *adj* excessive
**wygrać** *vt* win
**wygran|a** *f* win; (*np. na loterii*) prize, (*zwycięstwo*) victory; *przen.* **dać za ~ą** throw up the game
**wygryzać** *vt* bite out; *pot.* (*wyrugować*) oust
**wygrzebywać** *vt* dig out
**wygrzewać się** *vr* warm oneself; (*na słońcu*) bask
**wygwizdać** *vt* hiss off (the stage)
**wyjałowić** *vt* make sterile, sterilize
**wyjałowienie** *n* sterilization
**wyjaśniać** *vt* explain; **~ się** *vr* clear up
**wyjaśnienie** *n* explanation
**wyjawiać** *vt* reveal, disclose
**wyjazd** *m* departure
**wyjąt|ek** *m* exception; **z ~kiem** except, save, but for (**kogoś, czegoś** sb, sth)
**wyjątkowy** *adj* exceptional
**wyjąwszy** *praep* except
**wyjechać** *vi* go out, go away, drive out; leave (np. **do Warszawy** for Warsaw); **~ w podróż** go on a journey
**wyjednać** *vt* obtain
**wyjezdn|e** *n*, **być na ~ym** be on the point of leaving
**wyjmować** *vt* take out
**wyjści|e** *n* (*czynność*) going out, exodus; (*miejsce*) way out, exit; *przen.* issue; (*w kartach*) lead; **punkt ~a** starting-point; **nie mieć ~a** have no way out, *pot.* be in a fix; **przed ~em z domu** before leaving home
**wyjść** *zob.* **wychodzić**
**wykałaczka** *f* tooth-pick
**wykarmić** *vt* breed, feed; (*wychować*) bring up
**wykaz** *m* list, register
**wykazywać** *vt* show, demonstrate; (*udowodnić*) prove, indicate
**wykipieć** *vi* boil over
**wyklarować** *vt* clarify, clear up
**wykląć** *vt* excommunicate; curse
**wykleić** *vt* line
**wyklęcie** *n* excommunication
**wyklinać** *zob.* **wykląć**
**wykluczać** *vt* exclude
**wykluczenie** *n* exclusion
**wykład** *m* lecture; **chodzić na ~y** attend lectures; **prowadzić ~y** give lectures
**wykładać** *vt* (*pieniądze*) lay out, advance; (*np. towar*) display; (*pokrywać*) lay, line; (*nauczać*) lecture (**coś** on sth); (*tłumaczyć*) explain
**wykładnik** *m mat.* exponent; index
**wykładowca** *m* lecturer

**wykładowy** *adj*, język ~ language of instruction
**wykoleić** *vt* derail; ~ się *vr* run off the rails, derail; *przen.* swerve from the right path, go on the wrong track
**wykolejenie** *n* derailment
**wykonać** *zob.* **wykonywać**
**wykonalność** *f* practicability, feasibility
**wykonalny** *adj* practicable, feasible
**wykonanie** *n* execution
**wykonawca** *m* performer; (*testamentu*) executor
**wykonawczy** *adj* executive
**wykonywać** *vt* execute, perform, accomplish; (*zawód itp.*) exercise
**wykończenie** *n* finish
**wykończyć** *vt* finish (off)
**wykopać** *vt* dig out
**wykorzenić** *vt* root out
**wykorzystać** *vt* make the most (coś of sth), utilize
**wykpić** *vt* deride
**wykraczać** *vi* step over, go over; (*naruszać np. prawo, ustawę*) infringe (przeciw czemuś sth, upon sth), offend (przeciw czemuś against sth); ~ przeciw prawu infringe the law
**wykradać** *vt* steal; (*dzieci, ludzi*) kidnap; ~ się *vr* steal out
**wykres** *m* graph, diagram
**wykreślić** *vt* (*nakreślić*) trace, delineate; (*usunąć*) strike out, cross out, cancel
**wykręcić** *vt* turn round; (*np. śrubę*) unscrew; (*skręcać*) twist; distort; ~ się *vr* turn round; *pot.* (*wyłgiwać się*) extricate oneself; ~ się tyłem turn one's back (do kogoś on sb)
**wykręt** *m* shift
**wykrętny** *adj* shifty
**wykroczenie** *n* infringement, offence
**wykroić** *vt* cut out
**wykruszyć** *vt* crumble out
**wykrycie** *n* detection, discovery
**wykryć** *vt* reveal, detect
**wykrzesać** *vt* (*ogień*) strike
**wykrzyczeć** *vt* shout out
**wykrzykiwać** *vi* vociferate
**wykrzyknąć** *vi* cry out
**wykrzyknik** *m gram.* (mark of) exclamation
**wykrzywiać** *vt* twist, curve; ~ twarz make a wry face
**wykształcenie** *n* education
**wykształcić** *vt* educate
**wykształcony** *adj* educated, well-read
**wykup** *m* ransom
**wykusz** *m* bay window
**wykupić** *vt* ransom; (*towar*) buy up; (*zastaw, dług itp.*) redeem
**wykuwać** *vt* forge, beat out; *pot.* (*lekcje*) learn by rote
**wykwintny** *adj* elegant, refined
**wykwit** *m* efflorescence
**wylatywać** *vi* (*wyfrunąć*) fly out ⟨away⟩; (*w powietrze*) blow up; *pot.* (*wybiegać*) run out; (*spadać*) fall out; *pot.* (*być wyrzuconym z pracy*) be fired
**wyląg** *m* brood
**wylecieć** *zob.* **wylatywać**
**wyleczyć** *vt* cure, heal (z czegoś of sth); ~ się *vr* be cured, recover
**wylew** *m* flood, inundation; (*np. krwi*) effusion
**wylewać** *vt* pour out ⟨forth⟩; *vi* (*o rzece*) overflow (its bank)
**wylęgać** *vt*, ~ się *vr* brood, hatch
**wylękły** *adj* frightened
**wyliczać** *vt* enumerate; *sport* count out
**wylosować** *vt* draw out by lot
**wylot** *n* (*odlot*) flight, departure; (*otwór*) orifice, nozzle; (*np. komina*) vent; outlet; na ~ throughout, through and through
**wyludniać** *vt* depopulate; ~ się *vr* become depopulated
**wyludnienie** *n* depopulation
**wyładować** *vt* unload, discharge
**wyłamać** *vt* break open ⟨down⟩
**wyłaniać** *vt* evolve, call into ex-

istence; ~ się *vr* emerge, appear
**wyłączać** *vt* exclude; *elektr.* switch off, disconnect
**wyłączenie** *n* exclusion; *elektr.* disconnection
**wyłącznik** *m elektr.* switch
**wyłączność** *f* exclusiveness
**wyłączny** *adj* exclusive
**wyłogi** *s pl* facings
**wyłom** *m* breach, break
**wyłożyć** *zob.* **wykładać**
**wyłudzić** *vt* trick (**coś od kogoś** sb out of sth)
**wyłuskać** *vt* husk, shell
**wyłuszczyć** *vt zob.* **wyłuskać**; (*przedstawić coś*) explain
**wymagać** *vt* require, exact
**wymaganie** *n* requirement
**wymarcie** *n* extinction
**wymarły** *adj* extinct
**wymarsz** *m* departure
**wymaszerować** *vi* march off
**wymawiać** *vt* pronounce; (*zarzucać*) reproach (**komuś coś** sb with sth); (*służbę, mieszkanie itp.*) give notice; ~ **się** *vr* decline (**od czegoś** sth)
**wymazać** *vt* efface, blot out
**wymeldować** *vt* announce departure; ~ **się** *vr* announce one's departure; *am.* (*w hotelu*) check out
**wymiana** *f* exchange
**wymiar** *m* dimension; measure; (*podatku*) assessment; (*sprawiedliwości*) administration
**wymiatać** *vt* sweep out
**wymieni|ać** *vt* change (**coś na coś** sth for sth), exchange (**coś z kimś** sth with sb); (*przytaczać*) mention; **wyżej ~ony** above-mentioned
**wymienny** *adj* exchangeable, exchange- (copy etc.); **handel ~** barter
**wymierać** *vi* die out, become extinct
**wymierny** *adj* measurable; *mat.* rational
**wymierzać** *vt* measure out; apportion; (*podatek*) assess; (*sprawiedliwość*) administer
**wymię** *n* udder
**wymijać** *vt* pass (**kogoś** by sb), cross; (*uchylać się*) elude, evade
**wymijający** *adj* evasive
**wymiotować** *vt* vomit
**wymłócić** *vt* tresh out
**wymoczki** *s pl zool.* infusoria
**wymowa** *f* (*sposób wymawiania*) pronunciation; (*krasomówstwo*) eloquence
**wymowny** *adj* eloquent; (*wiele znaczący*) expressive, significant
**wymóc** *vt* exort
**wymówka** *f* (*zarzut*) reproach; (*pretekst*) pretext, excuse
**wymuszać** *vt* extort
**wymuszenie** *n* extortion
**wymuszony** *adj* extorted; (*nienaturalny*) affected, constrained
**wymykać się** *vr* escape, elude (**komuś, czemuś** sb, sth)
**wymysł** *m* invention, fiction
**wymyślać** *vt* think out, invent; *vi* (*lżyć*) abuse, revile, (*łajać*) scold (**komuś** sb)
**wymyślić** *vt* think out, find out; (*np. fabułę*) frame
**wymyślny** *adj* (*pomysłowy*) inventive, ingenious; (*wyszukany*) refined, sophisticated
**wynagradzać** *vt* reward
**wynagrodzenie** *n* reward; (*zapłata*) payment, (*pensja*) salary
**wynajdywać** *vt* find out
**wynajmować** *vt* (*coś komuś*) let; (*od kogoś*) hire, rent
**wynalazca** *m* inventor
**wynalazek** *m* invention
**wynaleźć** *zob.* **wynajdywać**; (*wymyślić*) invent; discover
**wynarodowić** *vt* denationalize
**wynarodowienie** *n* denationalization
**wynędzniały** *adj* emaciated
**wynędznieć** *vi* become emaciated
**wynieść** *zob.* **wynosić**
**wynik** *m* result, issue; outcome;

*sport* score; **w ~u czegoś as a** result of sth

**wynikać** *vi* result, follow; arise

**wyniosłość** *f* elevation, height, eminence; (*zarozumiałość*) haughtiness

**wyniosły** *adj* lofty, high, eminent; (*zarozumiały*) haughty

**wyniszczać** *vt* destroy, exterminate, waste

**wyniszczenie** *n* destruction, extermination, waste

**wynos|ić** *vt* carry out; (*podnosić*) elevate; raise; † (*wychwalać*) extol; (*o kosztach*) amount; **koszty wynoszą 1000 funtów** the expenses amount to £1,000; **~ić pod niebiosa** extol to the skies; **~ić się** *vr* (*wyjechać*) depart, *pot.* clear out; (*pysznić się*) elevate oneself

**wynurzać** *vt* bring to the surface; utter; reveal; **~ się** *vr* emerge, come forth; (*zwierzać się*) unbosom oneself (**przed kimś** to sb, **z czymś** with regard to sth); disclose (**z czymś** sth; **przed kimś** to sb)

**wynurzenie** *n* emergence; (*myśli, uczuć*) effusion

**wyobcować** *vt* exclude

**wyobraźnia** *f* imagination

**wyobrażać** *vt* represent, figure; **~ sobie** imagine, *pot.* figure out

**wyobrażalny** *adj* imaginable

**wyobrażenie** *n* idea, notion

**wyodrębniać** *vt* (*oddzielać*) separate; (*wydzielać, wyróżniać*) single out

**wyodrębnienie** *n* (*oddzielenie*) separation; (*wydzielenie, wyróżnienie*) singling out, distinction

**wyolbrzymić** *vt* magnify

**wypaczyć** *vt*, **~ się** *vr* warp

**wypad** *m* *wojsk.* sally

**wypad|ać** *vi* fall out; (*nagle wybiegać*) rush out; turn out; *impers* **~a** (*zdarza się*) it happens, it so falls out; (*godzi się*) it becomes; **ile na mnie ~a?** how much is due to me?; **na jedno ~a** it comes to the same; **to ci nie ~a** this does not become you; **to dobrze ~ło** it turned out well; **to szczęśliwie ~ło** it has turned out fortunately; **to za drogo ~a** it costs too much

**wypad|ek** *m* case, event; (*nieszczęśliwy*) accident; **w każdym ~ku** in any event; **w żadnym ~ku** in no case

**wypadkowa** *f* *fiz. mat.* resultant

**wypalać** *vt* burn; *med.* cauterize; **~ się** *vr* burn out ⟨down⟩

**wypaplać** *vt* *pot.* babble out

**wypaść** *zob.* **wypadać**

**wypatrywać** *vt* watch (**kogoś, czegoś** for sb, sth), look out (**kogoś, czegoś** for sb, sth)

**wypełniać** *vt* fill up; (*polecenie, rozkaz*) fill in; (*spełniać*) fulfil

**wypełnienie** *n* filling up; (*spełnienie*) fulfilment

**wypędzać** *vt* drive out, expel, turn out

**wypić** *vt* drink (off)

**wypiek** *m* baking; (*na twarzy*) flush

**wypierać** *vt* oust, push out; **~ się** *vr* deny (**czegoś** sth)

**wypis** *m* extract

**wypisywać** *vt* write out, extract

**wyplatać** *vt* intertwine, interweave

**wyplątać** *vt* extricate; **~ się** *vr* extricate oneself, become disentangled

**wyplenić** *vt* weed out

**wypluć** *vt* spit out

**wypłacać** *vt* pay out; (*gotówką*) pay down; (*np. robotnikom*) pay off

**wypłacalność** *f* solvency

**wypłacalny** *adj* solvent

**wypłat|a** *f* payment; (*np. robotnikom*) paying off; **dzień ~y** pay-day

**wypłoszyć** *vt* scare away

**wypłowieć** *vi* fade, discolour

**wypłukać** *vt* rinse, wash out
**wypływ** *m* outflow, issue
**wypływać** *vi* flow out; (*wypłynąć*) swim out; (*o statku*) sail out; (*na powierzchnię*) emerge; (*wynikać*) result, ensue
**wypoczynek** *m* rest
**wypoczywać** *vi* rest, take a rest
**wypogadzać się** *vr* clear up
**wypominać** *vi vt* reproach (**komuś coś** sb with sth)
**wyporność** *f mors.* displacement
**wyposażenie** *n* endowment; equipment
**wyposażyć** *vt* endow; equip
**wypowiadać** *vt* (*wygłaszać*) pronounce; (*pracę, mieszkanie*) give notice; (*wojnę*) declare; utter; speak; **wypowiedziano mu (pracę, mieszkanie) na miesiąc z góry** he was given a month's notice to quit
**wypowiedzenie** *n* pronouncement; (*wojny*) declaration; (*np. pracy, mieszkania*) notice; **dać ⟨otrzymać⟩ miesięczne ~** give ⟨get⟩ a month's notice
**wypożyczać** *vt* lend out
**wypożyczalnia** *f* lending shop; **~ książek** lending-library
**wypracować** *vt* elaborate, work out
**wypracowanie** *n* elaboration; (*szkolne*) composition
**wyprać** *vt* wash (off); launder
**wypraszać** *vt* obtain by entreaties; **~ za drzwi** show the door
**wyprawa** *f* expedition; outfit, equipment; (*ślubna*) trousseau; (*skóry*) tanning
**wyprawiać** *vt* dispatch, send; (*skórę*) tan; **~ się** *vr* (*wyruszać*) set out
**wyprężać** *vt* stretch out
**wyprostować** *vt* straighten
**wyprowadza|ć** *vt* lead out; (*wywodzić*) trace back (**od czegoś** to sth); **~ć wniosek** draw a conclusion; **~ć w pole** deceive; **~ć z błędu** undeceive; **niejeden Amerykanin ~ swoje pochodzenie od polskich przodków** many an American traces his genealogy back to Polish ancestors; **~ć się** *vr* move (into new quarters)
**wypróbować** *vt* test, try (out)
**wypróbowany** *adj* well-tried
**wypróżniać** *vt* empty
**wyprysk** *m* eczema
**wyprzedawać** *vt* sell out
**wyprzedaż** *f* clearance-sale, sale
**wyprzedzać** *vt* precede, come before; (*np. ubiegać wypadki*) forestall; get ahead (**kogoś** of sb)
**wyprzęgać** *vt* unharness; **~ konie z wozu** take the horses from the cart
**wypukłość** *f* convexity
**wypukły** *adj* convex
**wypuścić** *vt* let out ⟨off⟩, let go; **~ na wolność** set free, set at liberty
**wypychać** *vt* oust, push out; (*wypełniać*) stuff
**wypytywać** *vt* question, examine
**wyrabiać** *vt* manufacture, make; form; (*uzyskiwać*) procure; **~ się** *vr* improve, acquire skill, develop
**wyrachowany** *adj* scheming, calculating, cold-hearted
**wyraz** *m* word; expression
**wyrazisty** *adj* expressive
**wyraźny** *adj* distinct, marked, explicit
**wyrażać** *vt* express; **~ się** *vr* express oneself
**wyrażenie** *n* expression
**wyrąb** *m* cutting; (*lasu*) clearing
**wyrąbać** *vt* cut out; (*las*) clear
**wyręczać** *vt* (*zastąpić*) replace; (*dopomóc*) succour, relieve, help out; **~ się** *vr*, **on się zawsze kimś wyręcza** he always has sb do his work for him
**wyrobnica** *f* charwoman, day-labourer
**wyrobnik** *m* day-labourer
**wyrocznia** *f* oracle
**wyrodny** *adj* degenerate
**wyrodzić się** *vr* degenerate

**wyrok** *m* sentence, verdict; **wydać ~** pass a sentence
**wyrostek** *m* outgrowth; (*starszy chłopak*) stripling; *anat.* **~ robaczkowy** appendix
**wyrozumiałość** *f* indulgence
**wyrozumiały** *adj* indulgent
**wyrozumować** *vt* reason out
**wyr|ób** *m* manufacture, make, article; **~oby krajowe** home-made articles; **~oby żelazne** hardware
**wyrównać** *vt* equalize, level, make even; (*rachunek*) settle, pay; *handl.* balance
**wyrównanie** *n* equalization, levelling; (*rachunku*) settlement, payment; *handl.* balance
**wyróżniać** *vt* distinguish, mark out
**wyrugować** *vt* remove, dislodge
**wyruszyć** *vi* start, set out (**w drogę** on a journey)
**wyrwa** *f* breach, gap
**wyrwać** *vi* pull out, tear out, extract
**wyrządzać** *vt* do, make, administer; **~ krzywdę** do wrong
**wyrzec się** *vr* renounce
**wyrzeczenie** *n* renouncement, renunciation
**wyrzucać** *vt* throw out, expel; (*zarzucać*) reproach (**komuś coś** sb with sth)
**wyrzut** *m* (*zarzut*) reproach; *med.* eruption; **~y sumienia** pangs of conscience; **robić ⟨czynić⟩ ~y** reproach (**komuś z powodu czegoś** sb with sth)
**wyrzutek** *m* outcast
**wyrzynać** *vt* cut out, carve; (*mordować*) slaughter
**wysadzić** *vt* set out; (*podróżnych*) drop, set down; (*na ląd*) land, strand; (*w powietrze*) blow up
**wyschnąć** *vi* dry up, become dry; (*wychudnąć*) become lean
**wysepka** *f* islet
**wysiadać** *vi* get out ⟨off⟩
**wysiedlać** *vt* expel, remove
**wysiedlenie** *n* expulsion, removal
**wysilać** *vt* exert; **~ się** *vr* exert oneself, make efforts
**wysiłek** *m* effort
**wyskakiwać, wyskoczyć** *vi* spring out, jump out
**wyskok** *m* jump; (*wypad*) sally
**wyskrobać** *vt* scratch out, erase
**wyskubać** *vt* pluck out, pull out
**wysłać** *vt* send, dispatch; *zob.* **wysyłać**
**wysłaniec** *m* messenger, envoy
**wysławiać 1.** *vt* (*wychwalać*) extol, glorify
**wysławiać 2.** *vt* express; **~ się** *vr* express oneself
**wysłowienie** *n* expression; elocution
**wysłuchać** *vt* give ear, hear
**wysługiwać się** *vr* lackey (**komuś** sb)
**wysłużyć** *vt* serve; render services
**wysmażony** *adj* fried, well-done
**wysmukły** *adj* slender
**wysnuwać** *vt* spin out, unravel; (*wnioski*) draw, deduce
**wysoki** *adj* high; (*o wzroście*) tall
**wysokogórski** *adj* high-mountain *attr*
**wysokoś|ć** *f* highness, height, altitude; (*sumy*) amount; (*zapłata*) **w ~ci ...** (payment) to the amount of ...; **stanąć na ~ci zadania** rise to the occasion
**wyspa** *f* island
**wyspać się** *vr* get enough sleep
**wyspiarski** *adj* insular
**wyspiarz** *m* islander
**wyssać** *vt* suck out
**wystarać się** *vr* procure (**o coś** sth)
**wystarczający** *adj* sufficient
**wystarczyć** *vi* suffice, be enough
**wystawa** *f* exhibition; (*pokaz*) display, show; (*sklepowa*) shop-window
**wystawać** *vi* stand out, jut
**wystawca** *m* exhibitor; (*np. czeku*) drawer
**wystawiać** *vt* put out; (*pokazać*) exhibit; (*w oknie sklepowym*) display; (*narażać*) expose; (*sztukę*) stage; (*czek*) draw; (*budować*) erect

**wystawność** *f* splendour, pomp
**wystawny** *adj* pompous, ostentatious, showy
**wystawow|y** *adj*, **okno ~e** show-window
**wystąpić** *vi* step ⟨come⟩ forward, step out; (*ukazać się*) appear; (*w sądzie*) bring an action ⟨accusation⟩; (*np. z organizacji*) withdraw, retire; **~ w teatrze** appear on the stage
**występ** *m* (*coś wystającego*) projection; (*publiczne wystąpienie*) appearance; **gościnny ~** guest performance
**występek** *m* transgression; vice, depravity
**występny** *adj* transgressional; vicious, depraved
**wystosować** *vt* (*np. pismo*) address
**wystraszyć** *vt* frighten; **~ się** *vr* take fright (**czegoś** at sth)
**wystroić** *vt* attire, dress up; **~ się** *vr* dress oneself up
**wystrzał** *m* shot
**wystrzegać się** *vr* guard (**czegoś** against sth), avoid
**wystrzelić** *vt vi* fire, shoot
**wysuszyć** *vt* dry up
**wysuwać** *vt* move forward, push out; (*np. szufladę*) pull open; **~ się** *vr* draw ahead, put oneself forward
**wyswobodzenie** *n* liberation, deliverance
**wyswobodzić** *zob.* **oswobodzić**
**wysyłać** *vt* forward; *fiz.* emit; *zob.* **wysłać**
**wysypać** *vt* pour out
**wysypka** *f med.* rash
**wyszczególnienie** *n* specification
**wyszczerbić** *vt* jag
**wyszukać** *vt* find out; search out; (*np. w słowniku*) look up
**wyszukany** *adj* (*wykwintny*) choice, exquisite; (*wymyślny*) elaborate, sophisticated
**wyszydzać** *vt* deride
**wyszynk** *m* retail of alcoholic drinks; (*miejsce*) *pot.* pub, *am.* saloon
**wyszywać** *vt* embroider
**wyścielać** *vt* line, bolster up; (*np. ściółkę*) litter
**wyścig** *m* race; (*ubieganie się o pierwszeństwo*) competition, contest; **~i konne** horse races ⟨racing⟩; **~ zbrojeń** armament-race; *przen.* **robić na ~i** try to outdo (**z kimś** each other)
**wyśledzić** *vt* trace out, find out, discover
**wyśliznąć się** *vr* slip out
**wyśmiać** *vt* deride
**wyśmienity** *adj* excellent, exquisite
**wyświadczyć** *vt* do, render
**wyświetlać** *vt* (*np. sprawę*) clear up; (*film*) project, screen
**wytarty** *adj* threadbare, worn-out
**wytchnąć** *vi* take breath ⟨rest⟩
**wytchnienie** *n* rest, repose
**wytępić** *vt* exterminate
**wytępienie** *n* extermination
**wytężać** *vt* strain
**wytężenie** *n* strain, exertion
**wytężony** *adj* intense, strained
**wytknąć** *vt* put out; (*błąd*) expose, point out
**wytłaczać** *vt* (*wyciskać*) squeeze out, extract; (*drukować*) imprint, impress; (*nadawać kształt*) emboss
**wytłumaczyć** *vt* explain; **~ się** *vr* excuse oneself
**wytoczyć** *vt* roll out; (*sprawę sądową*) bring a law-suit (**komuś** against sb), sue; (*płyn z beczki*) tap off
**wytrawny** *adj* experienced, consummate; (*o winie*) dry
**wytrącić** *vt* push out, knock out; **~ kogoś z równowagi** throw sb out of balance
**wytropić** *vt* track, trace, search out
**wytrwać** *vi* hold out
**wytrwałość** *f* perseverance, endurance
**wytrwały** *adj* enduring, persevering

**wytrysk** *m* spout, jet; ejaculation
**wytryskać** *vt vi* spout, jet
**wytrząść** *vt* shake out
**wytrzebić** *vt* exterminate; (*las*) clear
**wytrzeszczyć** *vi*, ~ **oczy** goggle
**wytrzeźwić** *vt* make sober, sober down
**wytrzeźwieć** *vi* become sober, sober down
**wytrzyma|ć** *vt* (*znieść*) stand, endure; *vi* (*przetrzymać*) hold out, last (out); **to nie** ~ **przez zimę** this will not last out the winter
**wytrzymałość** *f* endurance
**wytrzymały** *adj* resistant; durable; (*zahartowany*) enduring; (*o rzeczach*) fast, lasting
**wytrzymani|e** *n*, **nie do** ~**a** unbearable, past all bearing
**wytwarzać** *vt* produce, manufacture; (*tworzyć*) form
**wytworność** *f* distinction, exquisiteness
**wytworny** *adj* distinguished, exquisite
**wytwór** *m* product; piece of work
**wytwórczość** *f* productivity, production
**wytwórczy** *adj* productive
**wytwórnia** *f* factory, plant, mill
**wytyczać** *vt* (*granicę*) delimit, delimitate; (*linię*) draw, trace
**wytyczna** *f* directive line
**wytyczny** *adj* directive
**wytykać** *zob.* **wytknąć**
**wyuzdany** *adj* unbridled, licentious
**wywabiać** *vt* lure out, coax away; (*plamy*) take out
**wywalczyć** *vi* fight out, obtain by fighting
**wywalić** *vt pot.* (*np. drzwi*) break open; (*wyrzucić*) shove out
**wywar** *m* decoction
**wyważyć** *vt* weigh; (*np. drzwi*) force, unhinge
**wywdzięczyć się** *vr* express thanks, return
**wywiad** *m* interview; *polit.* i *wojsk.* intelligence; *wojsk.* (*zwiad*) reconnaissance
**wywiadywać się** *vr* inquire (**o kogoś, coś** after sb, about sth)
**wywiązać się** *vr* acquit oneself (**z czegoś** of sth); (*o chorobie, rozmowie*) set in, develop
**wywierać** *vt* (*np. wpływ*) exert; (*np. zemstę, złość*) wreak
**wywieść** *zob.* **wywodzić**; ~ **w pole** deceive
**wywietrzeć** *vi* evaporate, volatilize
**wywietrzyć** *vt* air, ventilate
**wywijać** *vi* wave, flourish, brandish; ~ **się** *vr* elude
**wywlekać** *vt* drag out, draw out
**wywłaszczać** *vt* expropriate
**wywłaszczenie** *n* expropriation
**wywnętrzać się** *vr* unbosom oneself (**przed kimś** to sb, **z czymś** regarding sth)
**wywnioskować** *vt* infer, conclude
**wywodzić** *vt* (*wyprowadzać*) lead out; (*np. pochodzenie*) derive; (*wywnioskować*) infer, deduce; (*dowodzić*) argue; ~ **się** *vr* be derived, originate
**wywołać** *zob.* **wywoływać**
**wywoływać** *vt* call out ⟨forth⟩; (*powodować*) evoke, cause, bring about; *fot.* develop
**wywozić** *vt* carry out; export
**wywód** *m* deduction, inference
**wywóz** *m* removal, carrying out; export
**wywracać** *vt* overturn, upset; ~ **się** *vr* overturn; (*o łodzi*) capsize
**wywyższać** *vt* elevate, raise; extol
**wywyższenie** *n* elevation
**wyzbyć się** *vr* get rid (**czegoś** of sth); deprive oneself (**czegoś** of sth)
**wyzdrowieć** *vi* recover
**wyzdrowienie** *n* recovery
**wyziew** *m* exhalation
**wyznaczać** *vt* (*mianować*) appoint; (*zaznaczać*) mark out; (*przydzielać*) allot
**wyznacznik** *m mat.* determinant
**wyznać** *zob.* **wyznawać**
**wyznanie** *n* (*przyznanie*) avowal;

(*religijne*) denomination; (*wiary*) confession; (*miłości*) declaration

**wyznawać** *vt* (*przyznawać*) avow, confess; (*np. religię*) profess; (*miłość*) declare

**wyznawca** *m* confessor, believer

**wyzuć** *vt* deprive, bereave (**kogoś z czegoś** sb of sth)

**wyzwać** *vt* challenge, provoke, defy

**wyzwalać** *vt* liberate, free; emancipate

**wyzwanie** *n* challenge, defiance; **rzucić ~** throw down the gauntlet

**wyzwolenie** *n* liberation, deliverance

**wyzwolić** *vt* liberate, free; **~ się** *vr* free oneself; **~ się na czeladnika** qualify as a journeyman

**wyzysk** *m* exploitation

**wyzyskiwacz** *m* exploiter

**wyzyskiwać** *vt* exploit

**wyzywać** *zob.* **wyzwać**; (*przezywać*) call names (**kogoś** sb), abuse

**wyzywający** *adj* provocative

**wyżebrać** *vt* obtain by begging

**wyżej** *adv* higher; above

**wyżeł** *m* pointer

**wyżłobić** *vt* hollow out, groove

**wyższość** *f* superiority

**wyższy** *adj* higher; (*rangą itp.*) superior

**wyżyć** *vi* manage to live; **~ się** *vr* live a full life

**wyżymaczka** *f* wringer

**wyżymać** *vt* wring

**wyżyna** *f* upland

**wyżywić** *vt* feed, nourish; **~ się** *vr* make a living

**wyżywienie** *n* living, maintęnace

**wzajemność** *f* mutuality, reciprocity

**wzajemny** *adj* mutual, reciprocal

**w zamian** *adv* in exchange, in return (**za coś** for sth)

**wzbić się** *vr* rise, soar up

**wzbierać** *vi* swell; rise

**wzbogacać** *vt* enrich; **~ się** *vr* become rich

**wzbogacenie** *n* enrichment

**wzbraniać** *vt* forbid; **~ się** *vr* refuse, decline (**przed czymś** sth)

**wzbudzać** *vt* excite, cause, inspire

**wzbudzenie** *n* excitement, inspiration; *fiz.* excitation

**wzburzenie** *n* stir, excitement

**wzburzony** *adj* stirred, troubled; (*o morzu*) rough

**wzburzyć** *vt* stir up, agitate, trouble

**wzdąć** *zob.* **wzdymać**

**wzdłuż** *praep* along; *adv* alongside, lengthwise

**wzdrygać się** *vr* shrink (**przed czymś** from sth)

**wzdychać** *vi* sigh (**za kimś, czymś** for sb, sth)

**wzdymać** *vt* inflate, puff up

**wzgarda** *f* contempt (**dla kogoś, czegoś** for sb, sth)

**wzgardliwy** *adj* contemptuous, scornful

**wzgardzić** *vt* despise, spurn

**wzgl|ąd** *m* regard, respect; consideration; **pod ~ędem** with regard (**czegoś** to sth); **przez ~ąd** in regard (**na coś** of sth); **ze ~ędu** with regard (**na kogoś, na coś** to ⟨for⟩ sb, to ⟨for⟩ sth)

**względność** *f* relativity

**względny** *adj* relative; (*stosunkowy*) considerate, indulgent

**wzgórek** *m* hillock

**wzgórze** *n* hill

**wziąć** *vt* take; *zob.* **brać**; **~ do niewoli** take prisoner; **~ górę** get the upper hand; **~ za złe** take amiss; **~ się** *vr*, **~ się do pracy** set to work

**wziewanie** *n* inhalation

**wziętość** *f* popularity

**wzięty** *adj* popular, fashionable

**wzlot** *m* flight, ascent

**wzmacniać** *vt* strengthen, reinforce; intensify; *radio* amplify; **~ się** *vr* gather strength

**wzmagać** *vt* increase, intensify; **~ się** *vr* increase, grow more intense

**wzmianka** *f* mention (**o czymś** of sth)

**wzmożenie** *n* increase
**wzmożony** *adj* increased
**wznak, na ~** *adv* on the back
**wzniecić** *vt* stir up, excite
**wzniesienie** *n* elevation
**wznieść** *zob.* **wznosić**
**wzniosłość** *f* sublimity; loftiness; (*wzniesienie*) elevation
**wzniosły** *adj* sublime; elevated, lofty
**wznosić** *vt* raise, lift, elevate, erect; **~ toast** propose a toast; **~ się** *vr* rise, ascend; *lotn.* climb
**wznowić** *vt* revive, renew; resume; (*np.* **książkę**) reprint
**wznowienie** *n* revival; resumption; (*np. książki*) reprint
**wzorować** *vt* pattern; (*modelować*) model; **~ się** *vr* model oneself (**na kimś, czymś** on sb, sth); pattern (**według czegoś** after sth); follow the example
**wzorow|y** *adj* exemplary; model *attr*; **~a szkoła** model school
**wzorzec** *m* pattern, standard
**wzorzysty** *adj* figured; **~ materiał** fancy cloth
**wzór** *m* pattern, model; design; *mat.* formula
**wzrastać** *vi* grow up
**wzrok** *m* sight; (*spojrzenie*) look
**wzrokowy** *adj* optical; visual
**wzrost** *m* growth, development; (*cen, kosztów*) rise, increase; (*człowieka*) stature, height; **człowiek średniego ~u** man of medium height
**wzruszać** *vt* move, affect, touch; **~ się** *vr* be moved, be affected
**wzruszający** *adj* moving, touching
**wzruszenie** *n* emotion, affection
**wzwyż** *adv* up, upwards
**wzywać** *vt* bid, order, call; (*np. lekarza do domu*) call in; (*urzędowo, np. do sądu*) summon; **~ pomocy** call for help

# Z

**z, ze** *praep* with; from, off, out of; through, by; of; **razem z kimś** together with sb; **jeden z wielu** one out of many; **jedno z dzieci** one of the children; **zrobiony z drzewa** made of wood; **pić ze szklanki** drink out of a glass; **przychodzę ze szkoły** I am coming from school; **wyjść z domu** leave home; **zdjąć obraz ze ściany** take the picture off the wall; **zejść ⟨zboczyć⟩ z drogi** go out of one's way; **żyć z hazardu** live by gambling; **ze strachu** for fear; **z nieświadomości** through ignorance; **to uprzejmie z twojej strony** it is kind of you; *adv* (*około*) about
**za** *praep* for; behind; after; by; in; on; **biegać za kimś** run after sb; **mieć kogoś za nic** have no regard for sb; **trzymać za rękę** hold by the hand; **wyjść za mąż** get married; **dzień za dniem** day by day; **za czasów** at ⟨in⟩ the time; **za dnia** by day; **za godzinę** in an hour; **za gotówkę** for cash; **za każdym krokiem** at each step; **za miastem** outside the town; **za pokwitowaniem** on receipt; **za ścianą** behind the wall; **za zapłatą** on payment; **co to za człowiek?** what (kind of) man is he?; **co to za książki?** what (kind of) books are these?
**zabarwienie** *n* hue, stain, dye
**zabawa** *f* amusement, entertainment, play; fun; **~ taneczna** dance
**zabawiać** *vt* amuse; **~ się** *vr* amuse oneself, have some fun
**zabawka** *f* toy, plaything

**zabawny** *adj* amusing, funny
**zabezpieczenie** *n* guarantee, security, protection; providing (**kogoś** for sb); placing in safety (**czegoś** sth)
**zabezpiecz|yć** *vt* safeguard, secure, place in safety; guarantee; **~yć rodzinę** provide for one's family; **~yć się** *vr* assure oneself, secure oneself, take measures of precaution; **być ~onym** be provided for; be placed in safety
**zabić** *zob.* **zabijać**
**zabieg** *m* measure, resource, endeavour; (*lekarski*) intervention; **czynić ~i** take measures; take pains
**zabiegać** *vi* strive (**o coś** for sth); make great endeavours (**o coś** towards sth); **~ komuś drogę** cross sb's path
**zabierać** *vt* take, take off ⟨away⟩; **~ dużo czasu** take much time; **~ głos** begin to speak; **~ się** *vr* get off, clear out; set (**do czegoś** about sth); **~ się do roboty** set to work
**zabijać** *vt* kill; (*np. beczkę*) bung; (*gwoździami*) fix, provide with nails
**zabliźnić się** *vr* cicatrize, close up
**zabłądzić** *vi* go astray, lose one's way
**zabłocić** *vt* splash ⟨cover⟩ with mud; soil, make dirty
**zabobon** *m* superstition
**zabobonny** *adj* superstitious
**zabol|eć** *vi* begin to ache; *przen.* **to mnie ~ało** this has hurt me
**zaborca** *m* conqueror, invader
**zaborczy** *adj* rapacious; predatory; grasping; invasive
**zabójca** *m* killer, homicide, murderer
**zabójczy** *adj* murderous, killing, homicidal; destructive
**zabójstwo** *n* manslaughter, murder
**zabór** *m* conquest, occupation, annexation; annexed territory
**zabrak|nąć** *vi* fall short, run short (**czegoś** of sth); **~ło nam benzyny** we ran short of petrol
**zabrania|ć** *vt* forbid, prohibit, interdict; **~ się pod karą...** it is forbidden on ⟨under⟩ penalty ⟨on pain⟩ of...
**zabudowa|ć** *vt* cover with buildings, build upon; close a passage with brick and mortar; **plac został ~ny** the plot has been built upon
**zabudowani|e** *n* building; *pl* **~a** premises
**zaburzenie** *n* disorder, trouble
**zabytek** *m* monument, relic
**zachcianka** *f* fancy, caprice
**zachęcać** *vt* encourage
**zachęta** *f* encouragement
**zachłanność** *f* greed
**zachłanny** *adj* greedy
**zachłysnąć się** *vr* be choked
**zachmurz|yć** *vt* cloud; **~yć się** *vr* cloud, be covered with clouds; become gloomy; **~one czoło** frown
**zachodni** *adj* western, west
**zachodzić** *vi* arrive; (*o wypadku*) happen, occur; (*o słońcu*) set; (*o kwestii*) arise; **~ do kogoś** call on sb; **~ komuś drogę** cross sb's path
**zachorować** *vi* fall ill, be taken ill (**na coś** of, with sth)
**zachowanie (się)** *n* behaviour, conduct
**zachowawczy** *adj* conservative
**zachowywać** *vt* preserve, keep; **~ ciszę** keep silent; **~ ostrożność** be on one's guard, be cautious; **~ pozory** keep up appearances; **~ obyczaje** observe customs; **~ się** *vr* behave, deport oneself, bear oneself
**zachód** *m* west; (*trud*) pains *pl*, endeavour; **~ słońca** sunset; **na ~** west of
**zachrypnąć** *vi* get ⟨grow⟩ hoarse
**zachrypnięty** *adj* hoarse
**zachwalać** *vt* praise
**zachwiać** *vt* shake, cause to tremble; **~ się** *vr* shake, be shaken, reel
**zachwycać** *vt* charm, enchant, fascinate; **~ się** *vr* be charmed, be

enraptured (**czymś** with sth), rave (**czymś** about sth)
**zachwyt** *m* enchantment, rapture
**zaciąg** *m* *wojsk.* enrollment, recruitment
**zaciąg|ać** *vt* (*do wojska*) enroll, recruit; (*ciągnąć*) draw, drag; **~ać dług** contract ⟨incur⟩ a debt; **~nąć się** *vr* enlist, join up; **~ać się papierosem** inhale the smoke
**zaciekawić** *vt* intrigue, puzzle, arouse curiosity, pique
**zaciekły** *adj* embittered; rapid; (*o wrogu*) sworn
**zaciemnić** *vt* obscure, eclipse; (*np. okna*) black out
**zaciemnienie** *n* obscurity; (*przeciwlotnicze*) black-out
**zacierać** *vt* efface, obliterate
**zacieśnić** *vt* tighten up
**zacięty** *adj* obstinate, stubborn
**zacinać** *vt* notch, slit, cut; **~ się** *vr* (*w mowie*) hesitate, falter; (*o zamku, maszynie itp.*) jam, get jammed
**zaciskać** *vt* press together, compress, tighten up; **~ pięść** clench one's fist; *przen.* **~ pasa** tighten one's belt
**zacisze** *n* retreat, solitude
**zacny** *adj* honest, good
**zacofanie** *n* backwardness
**zacofany** *adj* backward, reactionary, rusty; **~ gospodarczo** underdeveloped
**zaczadzenie** *n* asphyxia, suffocation
**zaczadzieć** *vi* become asphyxiated
**zaczaić się** *vr* lie in ambush; **~ na kogoś** lay an ambush for sb
**zaczarować** *vt* enchant, bewitch
**zacząć** *zob.* **zaczynać**
**zaczepiać** *vt* hook on; (*podejść do kogoś*) accost; (*napaść*) attack
**zaczepk|a** *f* attack; **szukać ~i** pick a quarrel
**zaczepn|y** *adj* aggressive; **przymierze ~o-odporne** offensive and defensive alliance
**zaczerwienić** *vt* redden, make red; **~ się** *vr* redden, (*zarumienić się*) blush
**zaczyn** *m* ferment
**zaczynać** *vt vi* begin, start, commence; **~ się** *vr* begin, start, commence
**zaćmić** *vt* obscure, eclipse
**zaćmienie** *n* eclipse
**zada|ć** *vt* give, put; (*o zadaniu do opracowania*) set a task; **~ć cios** deal a blow; **~ć pytanie** put a question; **~ć sobie trud** take the trouble; **~ne lekcje** home lessons; **mamy dużo ~ne** we have many home lessons to do
**zadanie** *n* task; **dać ~** set a task
**zadatek** *m* earnest, advance payment
**zadatkować** *vt* pay in earnest
**zadawać** *zob.* **zadać**; **~ się** *vr* associate (**z kimś** with sb)
**zadłużony** *adj* (deeply) in debt; indebted
**zadłużyć się** *vr* get into debt
**zadośćuczynić** *vi* give satisfaction, do justice; **~ prośbie** comply with the request
**zadowalający** *adj* satisfactory
**zadowolenie** *n* satisfaction, contentment; **~ z samego siebie** self-complacency
**zadowolić** *vt* satisfy, gratify; **~ się** *vr* content oneself
**zadowolony** *adj* satisfied, content(ed)
**zadrapać** *vt* scratch open, make sore with scratching
**zadrasnąć** *vt* scratch open; *przen.* hurt
**zadrażnienie** *n* irritation
**zadrzewiać** *vt* afforest
**zadrzewienie** *n* afforestation
**zaduch** *m* stifling air
**zaduma** *f* meditation, day-dream
**zadusić** *vt* stifle, choke, smother
**Zaduszki** *s pl* All Souls' Day
**zadymka** *f* snow-drift
**zadyszany** *adj* breathless
**zadzierać** *vt vi* lift ⟨pull⟩ up; tear open, rend; *pot.* **~ nosa** give oneself great airs; **~ z kimś** seek a quarrel with sb
**zadziwiać** *vt* astonish, amaze

**zadzwonić** *vi* ring; ~ **do kogoś** ring sb up
**zagadka** *f* riddle, puzzle
**zagadkowy** *adj* puzzling, enigmatic
**zagadnąć** *vt* address
**zagadnienie** *n* question, problem
**zagaić** *vt* (*np. posiedzenie*) open
**zagajnik** *m* grove
**zagarniać** *vt* take, capture
**zagęszczać** *vt* condense, compress
**zagiąć** *vt* bend, turn down
**zaginąć** *vi* go ⟨be⟩ lost
**zaginiony** *adj* lost
**zaglądać** *vi* peep; look up (**do książki** the book); call (**do kogoś** on sb)
**zagłada** *f* extinction, extermination
**zagłębić** *vt* plunge, sink; ~ **się** *vr* plunge, dive, sink; ~ **się w studiach** be engaged in study
**zagłębie** *n* basin; ~ **naftowe** oil-field; ~ **węglowe** coal-basin, coal-field
**zagłębienie** *n* hollow, cavity
**zagłodzić** *vt* famish
**zagłuszać** *vt* deafen, stun; (*audycję*) jam
**zagmatwać** *vt* entangle
**zagmatwanie** *n* entanglement
**zagniewany** *adj* angry (**na kogoś** with sb)
**zagnieździć się** *vr* nestle; *przen.* get a footing
**zagorzały** *adj* zealous, hot-headed
**zagotować** *vt* boil up; ~ **się** *vr* boil up
**zagrabić** *vt* seize, appropriate by force
**zagranica** *f* countries abroad, foreign countries
**zagraniczny** *adj* foreign
**zagrażać** *vt* threaten, menace
**zagroda** *f* farm-house, cottage
**zagrodzić** *vt* enclose
**zagrożeni|e** *n* menace, threat; **stan ~a** state of emergency
**zagrożony** *adj* menaced
**zagrzebać** *vt* hide in the ground; bury; ~ **się** *vr* (*o zwierzętach, np. o krecie*) burrow; *przen.* ~ **się w książkach** be buried in the books
**zagrzewać** *vt* warm up; *przen.* (*np. do boju*) rouse, inflame
**zagwoździć** *vt* nail up, peg, spike
**zahamowanie** *n* check, stoppage
**zahartowany** *adj* inured (**na coś** to sth)
**zaimek** *m gram.* pronoun
**zainteresowanie** *n* interest
**zaintonować** *vt* strike up (a tune)
**zaiste** *adv* truly, forsooth
**zajadły** *adj* fanatical, furious
**zajaśnieć** *vi* begin to shine
**zajazd** *m* inn; (*najazd*) foray
**zając** *m* hare
**zająć** *zob.* **zajmować**; ~ **się czymś** set about doing sth; ~ **się od ognia** catch fire
**zajechać** *vi* put up (**do gospody** at an inn); drive up
**zajęcie** *n* occupation, business, activities; (*np. mienia*) seizure, arrest
**zajmować** *vt* occupy, take possession (**coś** of sth); (*stanowisko*) fill; ~ **się** *vr* occupy oneself (**czymś** with sth), be engaged (**czymś** in sth)
**zajście** *n* incident
**zajść** *zob.* **zachodzić**; ~ **w ciążę** become pregnant
**zakamieniały** *adj* obdurate
**zakatarzony** *adj* having a cold
**zakaz** *m* prohibition
**zakazić** *vt* infect
**zakazywać** *vt* forbid, prohibit (**czegoś** sth)
**zakaźny** *adj* infectious, contagious
**zakażenie** *n* infection
**zakąsić** *vt vi* have a snack
**zakąska** *f* snack
**zakątek** *m* corner, nook
**zaklęcie** *n* spell; conjuration
**zaklinać** *vt* conjure, charm; (*błagać*) conjure
**zakład** *m* (*instytucja*) establishment, institute, institution; (*założenie się*) bet; ~ **drukarski** printing office; ~ **krawiecki** tailor's

shop; ~ **przemysłowy** industrial plant; ~ **ubezpieczeń** insurance company; **iść o** ~ make a bet
**zakłada|ć** *vt* establish, found, institute; (*np. okulary*) put on; (*ręce*) cross; (*fundament*) lay; *vi* (*logicznie*) presume, assume; **~ć się** *vr* bet, make a bet, stake; **~m się z tobą o 5 funtów** I bet you 5 pounds
**zakładka** *f* tuck, fold, (*w książce*) bookmark
**zakładnik** *m* hostage
**zakłopotanie** *n* embarrassment, uneasiness
**zakłócać** *vt* trouble, disturb
**zakłócenie** *n* trouble, disturbance; ~ **porządku** disorder
**zakochać się** *vr* fall in love (**w kimś** with sb)
**zakochany** *adj* in love, enamoured
**zakomunikować** *vt* communicate
**zakon** *m* order
**zakonnica** *f* nun
**zakonnik** *m* monk
**zakontraktować** *vt* contract (**coś** for sth), arrange by contract; *mors.* (*statek*) charter
**zakończenie** *n* conclusion, end(ing); **na** ~ to end with, at the end
**zakopać** *vt* bury
**zakorkować** *vt* cork up
**zakorzenić się** *vr* strike root; *przen.* become deeply rooted
**zakorzeniony** *adj* deep-rooted, inveterate
**zakradać się** *vr* steel, creep
**zakres** *m* range, sphere, domain, scope
**zakreślić** *vt* (*koło*) circumscribe, (*np. plan*) outline; (*zaznaczyć ołówkiem*) mark
**zakręci|ć** *vt* turn, twist, screw up; ~ **się** *vr* turn round, wheel about; **~ło mi się w głowie** I'm feeling dizzy
**zakręt** *m* turning, bend
**zakryć** *vt* cover
**zakrwawić** *vt* stain with blood
**zakrzątnąć się** *vr* bestir oneself, bustle about; *pot.* buckle (**koło czegoś** to sth)
**zakrzyczeć** *vt* shout down; ~ **kogoś** storm at sb
**zakrzywić** *vt* crook, curve, bend
**zakuć** *vt*, ~ **w kajdany** (en)chain, put in chains
**zakup** *m* purchase
**zakuty** *adj* (*w kajdany*) enchained; *pot.* (*o łbie*) thick-skulled, dull-witted
**zakwitnąć** *vi* (begin to) blossom
**zalążek** *m* germ, embryo
**zalecać** *vt* recommend, commend; ~ **się** *vr* court (**do kogoś** sb), woo (**do kogoś** sb); make love (**do kogoś** to sb)
**zalecenie** *n* recommendation
**zaledwie** *adv* scarcely, hardly, merely
**zalegać** *vi* be behind, be in arrears (**z czymś** with sth); (*o pieniądzach*) remain unpaid
**zaległość** *f* arrears *pl*
**zaległy** *adj* outstanding
**zalepić** *vt* glue over
**zalesienie** *n* afforestation
**zaleta** *f* virtue, advantage
**zalew** *m* inundation, flood; (*zatoka*) fresh-water bay
**zalewać** *vt* pour over; (*o powodzi*) inundate, flood
**zależ|eć** *vi* depend (**od kogoś** on sb); **~y mi na tym** I am anxious about it; **nie ~y mi na tym** it does not matter to me; I don't care for it; **to ~y** it depends; **to ~y od ciebie** it depends on you; it's up to you
**zależność** *f* dependence
**zależny** *adj* dependent (**od czegoś** on sth)
**zaliczać** *vt* reckon, advance, pay in advance; (*szeregować*) classify, class; (*np. semestr*) attest; (*wliczać*) include
**zaliczenie** *n* inclusion; attestation; *handl.* **za ~m** cash on delivery
**zaliczk|a** *f* earnest; **tytułem ~i** in earnest
**zalotnik** *m* wooer, suitor
**zaloty** *s pl* courtship, wooing
**zaludniać** *vt* populate

**zaludnienie** *n* population
**załadować** *vt* load, charge
**załagodzenie** *n* mitigation, softening, appeasement
**załagodzić** *vt* allay, mitigate, compose, appease
**załamać** *vt* break down; (*ręce*) wring; ~ **się** *vr* break down
**załamanie** *n* break-down, collapse; *fiz.* refraction
**załatwiać** *vt* settle, arrange; (*interesy*) transact; ~ **sprawunki** shop; go ⟨do⟩ shopping; ~ **się** *vr* manage (**z czymś** sth); ~ **się szybko** make short work (**z czymś** of sth)
**załatwienie** *n* settlement, arrangement; (*interesów*) transaction
**załącz|ać** *vt* enclose (**do czegoś** with sth); (*dołączać*) annex (**do czegoś** to sth); **w ~eniu do...** enclosed with...
**załącznik** *m* enclosure; (*dodatek*) annex
**załoga** *f* crew, *wojsk.* garrison
**założenie** *n* foundation; (*przesłanka*) presumption, premise; assumption, principle
**założyciel** *m* founder
**założyć** *zob.* **zakładać**
**zamach** *m* stroke; attempt (**na życie** on life); ~ **stanu** coup d'etat; **za jednym ~em** at one stroke
**zamachowiec** *m* assassin
**zamarły** *adj* dead
**zamarzły** [-r-z-] *adj* frozen
**zamarznąć** [-r-z-] *vi* freeze up, get frozen up
**zamaskować** *vt* mask, camouflage
**zamaszysty** *adj* vigorous, brisk
**zamawiać** *vt* (*np. towar*) order; (*rezerwować*) reserve (**sobie** for oneself)
**zamazać** *vt* efface, smear over
**zamącić** *vt* disturb, trouble
**zamążpójście** *n* marriage
**zamek** *m* (*budowla*) castle; (*u drzwi*) lock; ~ **błyskawiczny** zip-fastener, zipper
**zameldować** *vt* report, register; ~ **się** *vr* report oneself, register, *am.* (*w hotelu*) check in
**zamęt** *m* confusion, disturbance
**zamężna** *adj* married
**zamglony** *adj* hazy, foggy, misty; (*szkło, oczy*) cloudy
**zamiana** *f* exchange, change (**na coś** for sth)
**zamiar** *m* purpose, aim, design, intention; **mieć ~** intend, mean
**zamiast** *praep* instead of
**zamiatać** *vt* sweep
**zamieć** *f* (*śnieżna*) snow-drift
**zamienić** *vt* change, exchange (**coś na coś** sth for sth)
**zamienny** *adj* exchangeable; (*zapasowy*) reserve, spare
**zamierać** *vi* die off, expire
**zamierzać** *vt* intend, mean, be going; ~ **się** *vr* raise one's hand to strike
**zamierzchły** *adj* remote, old, immemorial
**zamieszać** *vt* stir ⟨mix⟩ up
**zamieszanie** *n* confusion
**zamieszczać** *vt* place, put; (*w prasie*) insert, have printed
**zamieszkać** *vi* take lodgings; put up; reside
**zamieszkały** *adj* resident, living, domiciled
**zamieszkani|e** *n*, **miejsce ~a** dwelling-place, abode, domicile
**zamieszkiwać** *vi* live; *vt* inhabit
**zamilknąć** *vi* become silent
**zamiłowanie** *n* predilection, love, liking (**do czegoś** for sth)
**zamiłowany** *adj* passionately fond (**w czymś** of sth)
**zamknąć** *vt* close, shut, (*na klucz*) lock; (*w czterech ścianach*) shut in, lock in, lock up
**zamknięcie** *n* closing device; lock; fastener, (*pomieszczenie*) seclusion, (*zakończenie*) close, closing; (*ulicy*) blocking
**zamoczyć** *vt* wet, soak
**zamorski** *adj* oversea
**zamożność** *f* prosperity, wealth
**zamożny** *adj* well-to-do, wealthy
**zamówić** *zob.* **zamawiać**
**zamówienie** *n* order
**zamrażać** *vt* freeze, refrigerate

**zamroczenie** *n* stupefaction, numbness
**zamroczyć** *vt* benumb, stupefy
**zamsz** *m* chamois-leather
**zamulić** *vt* fill with mud
**zamurować** *vt* wall up
**zamydlić** *vt* soap; *przen.* ~ **komuś oczy** throw dust in sb's eyes
**zamykać** *zob.* **zamknąć**
**zamysł** *m* design
**zamyślenie** *n* meditation
**zamyślić** *vt* design; ~ **się** *vr* be lost in thoughts
**zamyślony** *adj* lost in thoughts
**zanadto** *adv* too, too much, too many
**zaniechać** *vt* give up
**zanieczyszczenie** *n* soiling, pollution, impurity
**zanieczyścić** *vt* soil, foul, pollute
**zaniedbanie** *n* neglect, negligence
**zaniedbywać** *vt* neglect; (*np. okazję*) miss
**zaniemóc** *vi* become ill
**zaniemówić** *vi* become dumb
**zaniepokoić** *vt* alarm, make uneasy
**zaniepokojenie** *n* alarm, anxiety, uneasiness
**zanieść** *vt* carry; (*prośbę*) address
**zanik** *m* disappearance, loss, decay, atrophy
**zanikać** *vi* disappear, decline, dwindle
**zanikły** *adj* lost, decayed, atrophic
**zanim** *conj* before, by the time
**zanocować** *vi* stay for the night
**zanosi|ć** *zob.* **zanieść**; ~ **się na deszcz** it is going to rain
**zanotować** *vt vi* make a note (**coś** of sth), note, put down
**zanurzyć** *vt* plunge, (*np. pióro*) dip; ~ **się** *vr* plunge
**zaoczn|y** *adj*, **studia** ~**e** extramural <non-resident> studies; **wyrok** ~**y** judgement by default
**zaognić** *vt* inflame
**zaokrąglić** *vt* round off
**zaopatrywać** *vt* provide, supply (**w coś** with sth), store; protect (**okna na zimę** the windows for the winter); (*na przyszłość*) provide (**kogoś** for sb)
**zaopatrzenie** *n* (*wyposażenie*) equipment; (*aprowizacja*) provision, maintenance; ~ **w środki żywności** victualling
**zaopatrzony** *adj* provided for
**zaorać** *vt* plough over
**zaostrzyć** *vt* sharpen, whet; (*sytuację*) aggravate
**zaoszczędzić** *vt* economize, save
**zapach** *m* smell, odour
**zapadać** *vi* sink, fall in; (*o nocy*) set in; (*o wyroku*) be pronounced, be passed; ~ **na zdrowiu** fall ill; ~ **się** *vr* fall in, sink, decay
**zapadł|y** *adj* sunken; ~**a wieś** out-of-the-way village
**zapakować** *vt* pack up
**zapalczywość** *f* impetuosity, vehemence
**zapalczywy** *adj* impetuous, vehement
**zapalenie** *n* ignition; (*światła*) lighting; *med.* inflammation; *med.* ~ **otrzewnej** peritonitis; ~ **płuc** pneumonia
**zapaleniec** *m* fanatic, enthusiast
**zapalić** *vt* (*światło*) light; (*podpalić*) set on fire; ~ **ogień** make fire; ~ **się** *vr* catch fire; *przen.* become enthusiastic (**do czegoś** about sth)
**zapalniczka** *f* (cigarette-)lighter
**zapalny** *adj* inflammable
**zapał** *m* ardour, enthusiasm
**zapałka** *f* match
**zapamiętać** *vt* retain in memory, note, memorize
**zapamiętałość** *f* frenzy, fury
**zapamiętały** *adj* frantic, furious
**zapanowa|ć** *vi* become prevalent; (*pokonać*) overmaster; (*nastać*) set in; ~**ć nad sobą** master oneself; ~**ła piękna pogoda** a fine weather has set in
**zaparzenie** *n* infusion
**zaparzyć** *vt* infuse
**zapas** *m* stock, store, reserve; ~ **do ołówka** refill; *pl* ~**y** supplies

**zapasowy** *adj* reserve, spare
**zapasy** *s pl sport* contest, wrestling-match
**zapaśnik** *m* wrestler, prize-fighter
**zapatrywać się** *vr* fix one's eyes (**w coś** on sth); be of opinion (**na coś** about sth)
**zapatrywanie** *n* view, opinion
**zapełnić** *vt* fill up
**zapewne** *adv* surely, certainly
**zapewnić** *vt* assure; (*zabezpieczyć*) secure
**zapewnienie** *n* assurance
**zapiąć** *zob.* **zapinać**
**zapieczętować** *vt* seal up
**zapierać się** *vr* deny (**czegoś** sth)
**zapinać** *vt* button up, buckle
**zapis** *m* (*wpis*) registration; (*testament*) legacy, bequest; (*np. w grze*) note, mark
**zapisać** *vt* write down, note; (*lekarstwo*) prescribe; **~ w testamencie** bequeath; *vr* **~ się na uniwersytet** matriculate at a university, enter a university; **~ się na wykłady** subscribe to a course of lectures
**zapity** *adj* sottish
**zaplątać** *vt* entangle
**zapłacić** *vt* pay
**zapłakany** *adj* in tears
**zapłata** *f* payment
**zapłodnić** *vt* fructify, (*kobietę*) impregnate
**zapłodnienie** *n* fructification, impregnation
**zapłon** *m* ignition
**zapłonąć** *vi* flare up
**zapobiegać** *vi* guard (**czemuś** against sth), prevent, obviate (**czemuś** sth)
**zapobieganie** *n* prevention
**zapobiegawczy** *adj* preventive
**zapobiegliwy** *adj* industrious; provident
**zapoczątkować** *vt* inaugurate, start
**zapodziać** *vt* misplace, lose
**zapominać** *vt* forget; **~ się** *vr* forget oneself
**zapomnienie** *n* oblivion
**zapomoga** *f* aid, subsidy
**zapora** *f* (*przeszkoda*) obstacle; (*zagrodzenie*) bar; **~ wodna** barrage; (water) dam
**zaporowy** *adj* barrage; *wojsk.* **ogień ~** barrage, curtain-fire
**zapotrzebować** *vt* demand, require
**zapotrzebowanie** *n* demand, requirement
**zapowiadać** *vt* announce
**zapowiedź** *f* announcement; (*przedślubna*) banns *pl*
**zapoznać** *vt* acquaint; **~ się** *vr* get acquainted
**zapoznanie** *n* acquaintance
**zapożyczyć się** *vr* contract a debt, get into debt
**zapracować** *vt* earn
**zapracowany** *adj* earned; (*przemęczony*) overworked
**zapragnąć** *vt* become desirous (**czegoś** of sth)
**zapraszać** *vt* invite
**zaprawa** *f* (*np. potrawy*) seasoning; (*murarska*) mortar; (*sportowa*) training
**zaprawiać się** *vr* train (**do czegoś** for sth)
**zaprawić** *vt* season
**zaprosić** *zob.* **zapraszać**
**zaproszenie** *n* invitation
**zaprowadzić** *vt* lead, conduct; **~ nową modę** start a new fashion; **~ nowe porządki** establish a new order of things; **~ zwyczaj** introduce a custom
**zaprowiantowanie** *n* provisioning; *zbior.* provisions *pl*
**zaprzeczać** *vi* deny (**czemuś** sth)
**zaprzeczenie** *n* denial
**zaprzeć się** *zob.* **zapierać się**
**zaprzepaścić** *vt* lose, dissipate, waste
**zaprzestać** *vi* desist (**czegoś** from sth), discontinue, stop
**zaprzęg** *m* team, harness
**zaprzęgać** *vt* put (**do wozu** to the cart)
**zaprzyjaźnić się** *vr* make friends
**zaprzyjaźniony** *adj* friendly, intimate
**zaprzysiąc** *vt* swear, confirm by oath

**zaprzysiężenie** *n* (*kogoś*) swearing--in; (*czegoś*) confirmation by oath
**zapusty** *s pl* carnival
**zapuszczać** *vt* let in, throw in; (*brodę*) grow; (*zaniedbywać*) neglect; ~ **się** *vr* plunge, penetrate
**zapychać** *vt* stuff, cram
**zapyt|ać, zapyt|ywać** *vt* ask; **~ać, ~ywać się** *vr* question
**zapytani|e** *n* question; **znak ~a** question-mark
**zarabiać** *vt* earn, gain; **~ na życie** earn one's bread ⟨one's living⟩
**zaradczy** *adj* preventive; **środek ~** preventive (means)
**zaradny** *adj* resourceful
**zaraz** *adv* at once, directly
**zaraza** *f* infection, pestilence
**zarazek** *m* bacillus, virus
**zarazem** *adv* at the same time, at once
**zarazić** *vt* infect; ~ **się** *vr* become infected
**zaraźliwy** *adj* infectious, contagious
**zarażać** *zob.* **zarazić**
**zarażenie** *n* infection
**zardzewieć** *vi* rust
**zaręczyć się** *vr* become engaged (to be married)
**zaręczyny** *s pl* betrothal
**zarobek** *m* gain, earning
**zarobkować** *vi* earn by working
**zarodek** *m* germ, embryo
**zaroić się** *vr* begin to swarm
**zarosły** *adj* overgrown
**zarosnąć** *vi* overgrow
**zarost** *m* hair, beard
**zarośla** *s pl* thicket
**zarozumialec** *m* presumptuous fellow
**zarozumiałość** *f* self-conceitedness
**zarozumiały** *adj* presumptuous, self-conceited, bumptious
**zarówno** *adv*, **~ jak** as well as
**zarumienić się** *vr* redden, become red; (*np. ze wstydu*) blush
**zarys** *m* outline, sketch, draft
**zarysować się** *vr* become delineated; (*pojawiać się*) become visible
**zarząd** *m* administration, management; **~ główny** board, council
**zarządca** *m* administrator, manager
**zarządzać** *vt* administer, manage (**czymś** sth)
**zarządzenie** *n* disposition, order
**zarządzić** *vt* order
**zarzewie** *n* embers *pl*; (*głownia*) firebrand
**zarzucać** *vt* (*zaniechać*) give up; (*coś na siebie*) put on; reproach (**coś komuś** sb with sth); (*zasypywać*) pelt; (*pytaniami*) molest; (*towarem*) flood; *vi* (*o aucie*) skid
**zarzut** *m* reproach, objection; **bez ~u** faultless; **czynić ~y** raise objections (**komuś** to sb)
**zasad|a** *f* principle, maxim; *chem.* alkali, base; **z ~y** as a rule
**zasadniczy** *adj* fundamental, cardinal
**zasadzka** *f* ambush
**zasądzić** *vt* (*skazać*) sentence; (*sądownie przyznać*) adjudge
**zasępić** *vt* depress; **~ się** *vr* become gloomy
**zasępiony** *adj* gloomy, mournful
**zasiadać** *vi* sit down, take a seat, sit; **~ do roboty** set to work
**zasiew** *m* sowing; seed-corn
**zasięg** *m* (*np. ramienia*) reach; (*zakres*) domain, scope, sphere; *wojsk.* (*np. ognia*) range
**zasięgać** *vt* (*czyjejś rady*) consult sb; **~ informacji** inquire
**zasilać** *vt* reinforce; (*np. pieniędzmi*) support
**zasiłek** *m* subsidy; **~ chorobowy** sick benefit
**zaskarbić** *vt* (*sobie*) gain
**zaskarżyć** *vt* accuse, bring an action
**zasklepić** *vt* vault; **~ się** *vr med.* cicatrize; *przen.* shut oneself in
**zaskoczenie** *n* surprise
**zaskoczyć** *vt* surprise
**zaskórny** *adj* (*o wodzie*) subterranean
**zasłabnąć** *vi* become ill
**zasłaniać** *zob.* **zasłonić**

**zasłona** *f* cover, veil, screen, blind, shelter
**zasłonić** *vt* (*zakryć*) cover, veil, cloak, (*osłonić*) screen, shelter
**zasług|a** *f* merit; **położyć ~i** deserve well (**dla kraju** of the country)
**zasługiwać** *vi* deserve, merit (**na coś** sth)
**zasłużon|y** *adj* well-deserved; **~a kara** well-deserved punishment; **~y człowiek** man of merit
**zasłużyć** *vi* deserve, merit (**na coś** sth); **~ się** *vr* render service, make a contribution
**zasłynąć** *vi* become famous
**zasmucić** *vt* make sad, sadden; **~ się** *vr* become sad, sadden
**zasnąć** *vi* fall asleep
**zasobny** *adj* wealthy, well-to-do; well stocked
**zas|ób** *m* store, stock; supply; **~oby pieniężne** pecuniary resources; **~oby żywnościowe** provisions; **~ób wyrazów** vocabulary; stock of words ⟨vocabulary⟩
**zaspa** *f* (**piasku**) dune, (**śnieżna**) snow-drift
**zaspać** *vi* oversleep
**zaspokoić** *vt* satisfy; (*głód, ciekawość*) appease; (*pragnienie*) quench
**zaspokojenie** *n* satisfaction
**zastać** *vt* find
**zastanawiać** *vt* make think; **~ się** *vr* reflect (**nad czymś** on sth)
**zastanowienie** *n* reflection
**zastarzały** *adj* inveterate
**zastaw** *m* pawn, pledge; **dać w ~** put in pawn
**zastawa** *f* (*zapora*) barrage; (**stołowa**) table-service
**zastawić** *vt* bar, block; (**stół**) serve; (*w lombardzie*) pawn, pledge
**zastąpić** *vt* replace; (**drogę**) bar
**zastęp** *m* host
**zastępca** *m* substitute, representative, proxy, deputy
**zastępczo** *adv* in sb's place, temporarily
**zastępczy** *adj* substitutional
**zastępować** *zob.* **zastąpić**
**zastępstwo** *n* replacement, substitution, (*np. handlowe*) representation
**zastosować** *vt* apply, adapt; **~ się** *vr* comply (**do czegoś** with sth), conform (**do czegoś** to sth)
**zastosowanie** *n* adaptation, application
**zastój** *m* stagnation
**zastraszyć** *vt* intimidate, frighten
**zastrzegać** *vt* reserve; **~ się** *vr* stipulate (**, że** that)
**zastrzelić** *vt* shoot dead
**zastrzeżenie** *n* reservation, provision, restriction
**zastrzyk** *m* injection; **~ domięśniowy ⟨dożylny, podskórny⟩** intramuscular ⟨intravenous, hypodermic⟩ injection
**zastrzyknąć** *vt* inject
**zastygnąć** *vi* (*zakrzepnąć*) congeal
**zasunąć** *vt* shove, push
**zasuszyć** *vt* dry up
**zasuwa** *f* bar, bolt
**zasypać** *vt* cover, fill up; (*obsypać*) strew; *przen.* (*towarami*) flood
**zasypiać** *vi* drop off, fall asleep; *zob.* **zaspać**
**zaszczepiać** *vt* graft; *med.* inoculate
**zaszczycać** *vt* honour
**zaszczyt** *m* honour; **przynosić ~** do credit (**komuś** sb)
**zaszczytny** *adj* honourable
**zaszkodzić** *vi* injure, prejudice, do harm
**zasznurować** *vt* lace, tie
**zasztyletować** *vt* stab
**zaszyć** *vt* sew up; **~ się** *vr* hide oneself, shut oneself in
**zaś** *conj* but
**zaślepienie** *n* blindness, *przen.* infatuation
**zaślubić** *vt* marry
**zaśmiecić** *vt* make dirty, muck
**zaświadczenie** *n* certificate, attestation
**zaświadczyć** *vt* certify, attest

**zaświecić** *vt* light, make light; *vi* begin to shine
**zaświta|ć** *vi* dawn; **~ła mu myśl** the idea dawned upon ⟨on⟩ him
**zataczać** *vt* roll; (*koło*) trace, describe; **~ się** *vr* reel, tumble, stagger
**zataić** *vt* conceal
**zatamować** *vt* stop
**zatarasować** *vt* block, barricade
**zatarg** *m* conflict; **popaść w ~** to get into conflict
**zatem** *conj* then, therefore, and, accordingly
**zatęchły** *adj* musty
**zatęsknić** *vi* (begin to) pine ⟨long⟩ (**za kimś** for sb)
**zatkać** *vt* stop; (*szpary*) calk
**zatłuścić** *vt* grease
**zatoka** *f* bay, creek
**zatonąć** *vi* sink
**zatopić** *vt* sink, drown
**zatracenie** *n* ruin, perdition
**zatracić** *vt* lose, waste; **~ się** *vr* be lost
**zatroskać się** *vr* become anxious (**o coś** about sth)
**zatrucie** *n* poisoning
**zatruć** *vt* poison
**zatrudniać** *vt* employ; (*zajmować pracą*) keep busy
**zatrudnienie** *n* employment; (*zajęcie*) occupation
**zatrwożyć** *vt* alarm, frighten; **~ się** *vr* become alarmed
**zatrzask** *m* thumb-lock; (*do drzwi*) safety-lock; (*do ubrania*) (snap)-fastener
**zatrzasnąć** *vt* slam
**zatrzymać** *vt* stop; (*nie oddać*) retain, keep; (*przetrzymać, aresztować*) detain; **~ się** *vr* stop, remain
**zatwardzenie** *n* *med.* constipation
**zatwierdzenie** *n* confirmation; ratification
**zatwierdzić** *vt* confirm, sanction; ratify
**zatyczka** *f* plug
**zatykać** *zob.* **zatkać**
**zaufać** *vi* confide (**komuś** in sb)
**zaufani|e** *n* confidence, credence; **godny ~a** trustworthy; **darzyć ~em** put trust (**kogoś** in sb); **cieszyć się wielkim ~em** be in a position of great trust; **w ~u** confidentially; **wotum ~a** *zob.* **wotum**
**zaufany** *adj* reliable; (*poufały*) intimate
**zaułek** *m* backstreet; *przen.* **ślepy ~** blind alley
**zausznik** *m* sycophant
**zauważyć** *vt* notice; (*napomknąć*) remark; **dający się ~** perceptible
**zawada** *f* hindrance, obstacle
**zawadiaka** *m* brawler, bully
**zawadzać** *vi* (*przeszkadzać*) hinder, impede
**zawalić** *vt* stop, obstruct; **~ się** *vr* collapse, break down
**zawał** *m* *med.* heart failure
**zawartość** *f* capacity, contents *pl*
**zawarty** *pp i adj* contained, closed
**zaważyć** *vi* weigh
**zawczasu** *adv* in good time
**zawdzięczać** *vt* be indebted
**zawezwać** *vt* call, summon
**zawiadamiać** *vt* inform, let know; (*urzędowo*) advise
**zawiadomienie** *n* information, advice, announcement
**zawiadowca** *m*, **~ stacji** station-master
**zawiasa** *f* hinge
**zawiązać** *vt* tie(up), bind; *zob.* **nawiązać**
**zawiązek** *m* germ, bud
**zawieja** *f* turmoil, storm, (*śnieżna*) snowdrift
**zawierać, zawrzeć** *vt* (*mieścić w sobie*) contain, include; (*znajomość*) make; (*małżeństwo*) contract; (*pokój*) conclude
**zawierucha** *zob.* **zawieja**
**zawiesić** *vt* hang up; (*w obowiązkach*) suspend; (*wypłatę*) stop; (*odroczyć*) adjourn
**zawieszenie** *n* suspension; **~ broni** armistice

**zawieść** *zob.* zawodzić
**zawieźć** *zob.* zawozić
**zawijać** *vt vi* wrap up; ~ **do portu** enter a harbour
**zawikłać** *vt* entangle, complicate
**zawikłanie** *n* entanglement, complication
**zawiły** *adj* intricate
**zawiniątko** *n* bundle
**zawini|ć** *vi* be guilty (**w czymś** of sth); **on w tym nie ~ł** this is no fault of his; **w czym on ~ł?** what wrong has he done?
**zawisły** *adj* dependent (**od czegoś** on sth)
**zawistny** *adj* invidious, envious
**zawiść** *f* envy, invidiousness
**zawitać** *vi* call (**do kogoś** on sb)
**zawlec** *vt* drag
**zawładnąć** *vi* come into possession, take possession (**czymś** of sth)
**zawodnik** *m* competitor
**zawodny** *adj* deceptive, delusive; untrustworthy, unreliable
**zawodowiec** *m* professional
**zawodowy** *adj* professional
**zawody** *s pl* competition, contest; games *pl*
**zawodzić** *vt vi* (*prowadzić*) conduct, lead; (*rozczarować*) disillusion, disappoint, deceive; (*nie udać się*) fail; (*rzewnie śpiewać*) sing plaintively, harp; ~ **się** *vr* be deceived ⟨disillusioned⟩
**zawojować** *vt* conquer
**zawołać** *vt* call
**zawołanie** *n* call, appeal; (*hasło*) watch-word; na ~ at call, at any time
**zawozić** *vt* carry, convey
**zawód** *m* occupation, profession; (*rozczarowanie*) disappointment, disillusion, deception; **zrobić ~** disappoint, disillusion
**zawracać** *vi* turn back; *vt* ~ **komuś głowę** bother sb
**zawrócić** *zob.* zawracać
**zawrót** *m* (*głowy*) dizziness
**zawrzeć** *zob.* zawierać
**zawstydzić** *vt* put to shame, make feel ashamed; ~ **się** *vr* feel ashamed
**zawsze** *adv* always, ever; na ~ for ever; raz na ~ once for all
**zawziąć się** *vr* become hot, be bent (**na coś** upon sth), persist (**na coś** in sth)
**zawziętość** *f* persistence
**zawzięty** *adj* persistent; ~ **na coś** keen on sth, crazy about sth
**zazdrosny** *adj* jealous (**o kogoś, o coś** of sb, sth)
**zazdrościć** *vi* envy (**komuś czegoś** sb sth)
**zazdrość** *f* jealousy, envy
**zazębiać się** *vr* overlap (**o coś** sth)
**zazębienie** *n* overlapping
**zaziębić się** *vr* catch cold
**zaziębienie** *n* cold
**zaznaczyć** *vt* mark; (*podkreślić, wspomnieć*) remark
**zaznać** *vt* experience
**zaznajomi|ć** *vt* make acquainted; **~ć się** *vr* become acquainted (**z kimś** with sb); make the acquaintance (**z kimś** of sb); **~łem się z nim** I have made his acquaintance
**zazwyczaj** *adv* usually
**zażalenie** *n* complaint; **wnieść ~** lodge a complaint
**zażarty** *adj* furious
**zażądać** *vt* demand, require
**zażegnać** *vt* ward off, prevent
**zażyłość** *f* intimacy
**zażyły** *adj* intimate
**zażywać** *vt* enjoy; (*lekarstwo*) take
**ząb** *m* tooth; ~ **mądrości** wisdom-tooth; ~ **mleczny** milk-tooth; ~ **trzonowy** molar; **ból zębów** tooth-ache
**ząbkować** *vi* teethe
**ząbkomierz** *m filat.* perforation-gauge
**ząbkowany** *adj* notched; *filat.* perforate
**zbaczać** *vi* deviate
**zbankrutować** *vi* become a bankrupt
**zbankrutowany** *adj* bankrupt
**zbawca, zbawiciel** *m* saviour
**zbawiać** *vt* save, redeem

**zbawienie** *n* salvation
**zbawienny** *adj* salutary
**zbędność** *f* superfluity
**zbędny** *adj* superfluous
**zbić** *vt* beat up ⟨down⟩; compact; nail together; (*stłuc*) break; (*np. twierdzenie*) refute
**zbiec** *vi* run away ⟨down⟩
**zbieg** *m* fugitive, escaped prisoner, escapee; (*zbieżność*) coincidence, concurrence, confluence; ~ **okoliczności** coincidence
**zbiegać** *vi* run away, run down; ~ **się** *vr* come hurriedly together; (*kurczyć się*) shrink; (*o liniach*) converge; (*o wypadkach*) coincide, concur
**zbiegły** *adj* run-away, fugitive
**zbiegowisko** *n* concourse, throng
**zbieracz** *m* collector
**zbierać** *vt* collect, gather, hoard; (*np. owoce*) pick; (*np. płyn gąbką*) sop; ~ **się** *vr* gather, assemble
**zbieżność** *f* convergence
**zbieżny** *adj* convergent
**zbijać** *vt* nail together; compact; (*np. argument*) refute; ~ **pieniądze** hoard money
**zbiornik** *m* reservoir, receptacle
**zbiorowisko** *m* gathering, crowd
**zbiorowy** *adj* collective
**zbiór** *m* collection; (*zboża*) harvest, crop
**zbiórk|a** *f* rally, assembly; (*pieniężna*) collection; **miejsce ~i** rallying-point
**zbir** *m* ruffian
**zbity** *adj* beaten; (*zwarty*) compact
**zblednąć** *vi* turn pale; (*o barwie*) fade away
**z bliska** *adv* from near, closely
**zbliżać** *vt* bring near; ~ **się** *vr* approach (**do kogoś** sb), come ⟨draw⟩ near, near
**zbliżenie** *n* approach; (*w filmie*) close-up
**zbliżony** *adj* approximate; related; (*podobny*) similar
**zbłądzić** *vi* err; (*zabłąkać się*) lose one's way
**zbłąkany** *adj* erring, stray
**zbocze** *n* slope
**zboczenie** *n* deviation; (*psychiczne*) aberration
**zbolały** *adj* aching
**zborny** *adj*, **punkt** ~ rallying-point
**zboże** *n* corn, grain
**zbój** *m* highwayman, brigand
**zbór** *m* Protestant church
**zbroczony** *pp i adj*, ~ **krwią** blood-stained
**zbrodnia** *f* crime; ~ **stanu** high treason
**zbrodniarz** *m* criminal
**zbrodniczy** *adj* criminal
**zbroić** *vt* arm; ~ **się** *vr* arm
**zbroja** *f* armour
**zbroje|nie** *n* (*zw. pl* ~**nia**) armament; **wyścig ~ń** armaments race
**zbrojn|y** *adj* armed; **siły ~e** armed forces
**zbrojony** *adj* (*np. beton*) armoured
**zbrojownia** *f* arsenal, armoury
**zbryzgać** *vt* besprinkle
**zbrzyd|nąć** *vi* become ugly; (*stać się wstrętnym*) become repulsive; **to mi ~ło** I am disgusted with it
**zbudzić** *vt* wake (up), awaken, rouse; ~ **się** *vr* wake (up), awaken
**zburzenie** *n* destruction, demolition
**zburzyć** *vt* destroy, demolish; (*o budynku, rozebrać*) pull down
**zbutwiały** *adj* mouldy
**zbutwieć** *vi* moulder
**zbyć** *vt zob.* **zbywać**; ~ **pięknymi słówkami** put off with fair words
**zbyt** *adv* too, too much; ~ **wiele** too much; *sm* sale
**zbyteczny** *adj* superfluous
**zbytek** *m* luxury
**zbytkowny** *adj* luxurious
**zbytnio** *adv* excessively
**zbywa|ć** *vt* sell, dispose (**coś** of sth); (*brakować*) lack; **na niczym mi nie ~ i** don't lack anything
**z dala** *adv* from afar
**zdalnie** *adv* from afar; ~ **kiero-**

wany telecommanded; (*o pocisku*) guided
**zdanie** *n* opinion, view; *gram.* sentence; **~ główne ⟨podrzędne⟩** main ⟨subordinate⟩ sentence; **moim ~m** in my opinion
**zdarzać się** *vr* happen, occur
**zdarzenie** *n* occurence, event, incident, happening
**zdatny** *adj* fit, suitable, apt
**zdawać** *vt* render, give over; (*egzamin*) pass; **~ się** *vr* (*wydawać się*) appear, seem; surrender (**np. na los** to the fate); rely (**na kogoś** upon sb)
**zdawkowy** *adj* commonplace; **~ pieniądz** small coin, silver and copper
**zdążyć** *vt* come in time; **~ coś zrobić** succeed in making sth in time
**zdechły** *adj* dead
**zdecydować** *vt vi* decide; **~ się** *vr* decide
**zdejmować** *vt* take off, remove; *fot.* take a picture (**kogoś, coś** of sb, sth); **strach go zdjął** he was seized by fear; **zdjęty podziwem** struck with amazement
**zdenerwowany** *adj* nervous, excited, flurried
**zderzak** *m* buffer; (*u samochodu*) bumper
**zderzenie** *n* crash, collision
**zderzyć się** *vr* crash, collide
**zdesperowany** *adj* desperate
**zdjąć** *zob.* **zdejmować**
**zdjęcie** *n* taking away ⟨off⟩; *fot.* photograph, (*migawkowe*) snap; *med.* **~ rentgenowskie** radiograph
**zdmuchnąć** *vt* blow off
**zdobić** *vt* decorate, adorn
**zdobniczy** *adj* decorative
**zdobycz** *f* booty
**zdobywać** *vt* conquer
**zdobywca** *m* conqueror
**zdolność** *f* ability, capacity
**zdolny** *adj* able, capable, clever
**zdołać** *vi* be able
**zdrada** *f* treason, treachery, infidelity
**zdradliwy** *adj* treacherous
**zdradzać** *vt* betray
**zdradziecki** *adj* treacherous, perfidious
**zdrajca** *m* traitor
**zdrapywać** *vt* scratch off
**zdrętwiał|y** *adj* rigid, numb, torpid; (*z zimna*) numb with cold; **~a ręka** numb hand
**zdrętwieć** *vi* stiffen, become torpid
**zdrętwienie** *n* torpor, numbness
**zdrobniały** *adj* diminutive
**zdrojowisko** *n* watering-place, spa
**zdrowie** *n* health; **wznieść czyjeś ~** drink sb's health
**zdrowotny** *adj* salubrious, sanitary
**zdrowy** *adj* healthy, sound; (*służący zdrowiu*) wholesome; **~ rozum** common sense
**zdrożny** *adj* perverse, vicious
**zdrój** *m* spring, well
**zdrów** *adj* healthy; **bądź ~!** good-bye!; **cały i ~** safe and sound
**zdruzgotać** *vt* smash, shatter
**zdrzemnąć się** *vr* have a nap
**zdumienie** *n* astonishment
**zdumiewać się** *vr* be astonished (**czymś** at sth)
**zdumiony** *adj* amazed, astonished (**czymś** at sth)
**zdun** *m* stove-maker
**zdusić** *zob.* **zadusić**
**zdwoić** *vt* double
**zdychać** *vi* die
**zdyszany** *adj* breathless
**zdyszeć się** *vr* pant for breath
**zdziałać** *vt* perform, accomplish
**zdziczeć** *vi* become savage
**zdziecinniały** *adj* dotardly; **~ człowiek** dotard
**zdziecinnienie** *n* dotage
**zdzierać** *vt* tear away; (*skórę*) skin; (*np. odzież*) tear, wear out; *przen.* overcharge, extort
**zdzierstwo** *n pot.* overcharge
**zdziwić** *vt* astonish; **~ się** *vr* be astonished (**czymś** at sth)
**zdziwienie** *n* astonishment

**ze** *praep zob.* **z**
**zebra** *f* zebra
**zebrać** *zob.* **zbierać**
**zebranie** *n* meeting, assembly
**zecer** *m druk.* compositor
**zechc|ieć** *vi* become willing; **czy ~iałbyś to zrobić?** would you like to do this?
**zegar** *m* clock; **~ słoneczny** sun-dial
**zegarek** *m* watch
**zegarmistrz** *m* watch-maker
**zejście** *n* descent; (*ze świata*) decease
**zejść** *vi* descend, go down; (*ze świata*) decease; **~ się** *vr* meet
**zelować** *vt* sole
**zelówka** *f* sole
**zelżeć** *vi* slacken, relent
**zemdleć** *vi* faint away, swoon, pass out
**zemdlenie** *n* fainting, swoon
**zemdlony** *adj* faint, unconscious
**zemst|a** *f* revenge; **przez ~ę** out of revenge
**zepchnąć** *vt* push down
**zepsucie** *n* damage; corruption; depravation
**zepsuć** *vt* spoil, corrupt; deprave; **~ się** *vr* spoil, be spoiled; be corrupted, be depraved
**zepsuty** *adj* (*uszkodzony*) damaged; (*zgniły*) rotten; *przen.* depraved, corrupted
**zerkać** *vi* look askance, cast furtive glances, gaze with twinkling eyes (**na kogoś** at sb)
**zero** *n* zero, nought
**zerwać** *zob.* **zrywać**
**zerwanie** *n* rupture
**zeskoczyć** *vi* leap down
**zeskrobać** *vt* scrape off
**zesłać** *vt* send down; (*wygnać*) deport
**zesłanie** *n* deportation
**zespolenie** *n* amalgamation, union
**zespolić** *vt*, **~ się** *vr* amalgamate, unite
**zespołow|y** *adj* team-, collective; **praca ~a** team-work
**zespół** *m* group, body, team
**zestarzeć się** *vr* grow old
**zestawiać** *vt* compare, confront, put together, combine; (*np. bilans*) draw up
**zestawienie** *n* comparison, combination; computation
**zestrzelić** *vt* shoot down
**zeszłoroczny** *adj* last year's
**zeszpecenie** *n* disfiguration, deformation
**zeszpecić** *vt* disfigure, deform
**zeszyt** *m* copy-book
**ześlizgnąć się** *vr* glide down
**zetknąć** *zob.* **stykać**
**zetknięcie** *n* contact
**zetrzeć** *vt zob.* **ścierać**; **~ kurz** dust; **~ na miazgę** crush; **~ na proch** grind to dust
**zew** *m* call
**zewnątrz** *adv praep* outside, outward; **z ~** from outside; **na ~** outside
**zewnętrzny** *adj* outside, outward, exterior
**zewsząd** *adv* from everywhere, on every side
**zez** *m* squint
**zeznanie** *n* deposition, declaration
**zeznawać** *vt* depose, declare, give evidence
**zezować** *vi* squint
**zezwalać** *vi* allow, permit
**zezwolenie** *n* permission, consent
**zębat|y** *adj* indented, toothed; **kolej ~a** cog-wheel railway; **koło ~e** cog-wheel
**zębowy** *adj* dental
**zgadywać** *vt* guess
**zgadzać się** *vr* consent, agree (**na coś** to sth); harmonize
**zgaga** *f* heartburn
**zgarnąć** *vt* rake together
**zgęszczać** *vt*, **~ się** *vr* thicken, condense
**zgęszczenie** *n* condensation
**zgiełk** *m* bustle, tumult
**zgięcie** *n* bend, turn
**zginać** *vt* bend, turn, bow; **~ się** *vr* bend, bow
**zginąć** *vi* be killed; (*przepaść*) be lost; perish; (*zapodziać się*) get lost

**zgliszcza** *s pl* cinders
**zgładzić** *vt* kill, exterminate
**zgłaszać** *vt* announce, declare, report; offer, present; ~ **się** *vr* come forward, present oneself
**zgłębiać** *vt* sound, probe, fathom
**zgłodniały** *adj* starving
**zgłosić** *zob.* **zgłaszać**
**zgłoska** *f* syllable
**zgłoszenie** *n* announcement, declaration, report, presentation; ~ **się** *vr* appearance
**zgłupieć** *vi* become silly
**zgnić** *vi* rot, decay
**zgnieść** *vt* crush, squash
**zgnilizna** *f* putrefaction, corruption, decay; (*moralna*) depravity, moral debasement
**zgniły** *adj* rotten, putrid; (*moralnie*) depraved
**zgo|da** *f* consent (**na coś** to sth); (*zgodność*) harmony, concord; **w ~dzie** in agreement; **za ~dą** with the consent; **~da!** agreed!
**zgodnie** *adv* according (np. **z planem** to the plan), in conformity, in compliance (np. **z rozkazem** with the order); (*jednomyślnie*) unanimously
**zgodność** *f* conformity, compliance, (*jednomyślność*) unanimity
**zgodny** *adj* (*skłonny do zgody*) compliant; conformable (np. **z tekstem** to the text); (*jednomyślny*) unanimous
**zgon** *m* decease
**zgorszenie** *n* offence, scandal
**zgorszyć** *vt* offend, scandalize, give offence
**zgorzel** *f med.* gangrene
**zgorzkniały** *adj* sour, rancid; *przen.* embittered, sullen
**zgotować** *vt* (*przygotować*) prepare
**z góry** *adv* beforehand, in advance
**zgrabność** *f* dexterity, skill
**zgrabny** *adj* dexterous, skillful; (*dorodny*) well-shaped
**zgraja** *f* gang
**zgromadzenie** *n* gathering, assembly
**zgromadzić** *vt* gather, assemble; ~ **się** *vr* gather, assemble
**zgroza** *f* horror
**z grubsza** *adv* roughly, in the rough
**zgruchotać** *vt* smash
**zgryziony** *adj* grieved
**zgryzota** *f* grief
**zgryźć** *vt* gnaw through; (*moralnie*) grieve, worry
**zgryźliwy** *adj* sarcastic
**zgrzać się** *vr* grow warm, get heated
**zgrzebło** *n* horse-comb
**zgrzybiały** *adj* decrepit
**zgrzyt** *m* creak
**zgrzytać** *vi* creak, grate; (*zębami*) gnash
**zgub|a** *f* loss; (*klęska*) perdition; **doprowadzić do ~y** bring to ruin
**zgubić** *vt* lose; ruin; ~ **się** *vr* go ⟨get⟩ lost
**zgubny** *adj* pernicious, ruinous
**ziać** *vi* exhale
**ziarnisty** *adj* granular
**ziarnko** *n* grain, granule
**ziarno** *n* grain, corn; (*np. w owocu*) kernel
**ziele** *n* herb, weed
**zielenić się** *vr* grow green
**zieleniec** *m* grass-plot
**zieleń** *f* greenness, green colour, (*np. drzew*) verdure
**zielnik** *m* herbarium
**zielony** *adj* green
**ziemia** *f* (*kula ziemska*) earth; (*gleba*) soil; (*ląd*) land, ground
**ziemianin** *m* country gentleman
**ziemianka** *f* dug-out; (*kobieta*) lady of the manor
**ziemiaństwo** *n* landed gentry
**ziemiopłody** *s pl* agricultural products
**ziemniak** *m* potato
**ziemsk|i** *adj* earthy, terrestrial; **kula ~a** terrestial globe; **skorupa ~a** the crust of the earth; **właściciel ~i** landowner
**ziewać** *vi* yawn
**zięba** *f zool.* finch
**ziębić** *vt* make cold, refrigerate
**ziębnąć** *vt* become cold

**zięć** *m* son-in-law
**zima** *f* winter
**zimno** *adv* coldly; **jest ~** it is cold; **jest mi ~** I am cold; *s n* cold
**zimn|y** *adj* cold, frigid; **z ~ą krwią** in cold blood
**zimorodek** *m zool.* kingfisher
**zimować** *vi* pass the winter
**zioło** *n* herb
**ziomek** *m* fellow-countryman
**ziścić** *vt* fulfill
**zjadać** *vt* eat; *przen.* (*niszczyć*) ruin
**zjadliwy** *adj* sarcastic; *med.* virulent
**zjawa** *f* phantom, apparition
**zjawić się** *vr* appear
**zjawisko** *n* phenomenon, vision
**zjazd** *m* (*zebranie*) congress, meeting, (*zlot, zbiórka*) rally; (*w dół*) descent
**zjechać** *vi* go down, descend; **~ z drogi** make way; **~ się** *vr* come together, assemble, meet
**zjednać** *vt* gain; **~ sobie** win the favour (**kogoś** of sb)
**zjednoczenie** *n* unification, union
**zjednoczony** *adj* unified, joint, amalgamated; **Organizacja Narodów Zjednoczonych** United Nations Organization
**zjednoczyć** *vt* unify, unite
**zjełczały** *adj* rancid
**zjeść** *vt* eat up
**zjeżdżać** *zob.* **zjechać**
**zlatywać** *vi* fly down, rush down, come down; **~ się** *vr* fly together, assemble
**zlecać** *vt* commission, charge (**komuś coś** sb with sth)
**zlecenie** *n* commission, order; *handl.* **~ wypłaty** order of payment
**z lekka** *adv* lightly, softly
**zlepek** *m* conglomerate
**zlepiać** *vt*, **~ się** *vr* stick together
**zlew** *m* sink
**zlewać** *vt* pour off; mix; **~ się** *vr* flow together, join
**zlewisko** *n geogr.* watershed
**zlewka** *f chem.* beaker
**zlewki** *s pl* slops
**zliczyć** *vt* count, add up, compute
**zlodowaciały** *adj* glaciated
**zlodowacieć** *vi* turn into ice
**zlot** *m* rally; (*np. harcerski*) jamboree
**złagodnieć** *vi* soften, become mild
**złagodzenie** *n* softening, mitigation
**złamać** *vt* break; **~ się** *vr* break, be broken; *zob.* **łamać**
**złamanie** *n* (*kości*) fracture; (*zobowiązania*) breach
**złazić** *vi* come ⟨climb⟩ down
**złącze** *n techn.* joint, connector
**złączenie** *n* junction, unification
**złączyć** *vt* join, unite, connect; **~ się** *vr* join (**z kimś** sb); unite
**złe** *n* evil; **brać za ~** take amiss; **nic ~go** no harm
**zło** *n* evil
**złocić** *vt* gild
**złoczyńca** *m* malefactor, evil-doer
**złodziej** *m* thief, (*kieszonkowy*) pick-pocket
**złodziejstwo** *n* larceny, theft
**złom** *m* scrap-iron, waste stuff
**złorzeczenie** *n* malediction, curse
**złorzeczyć** *vi* curse (**komuś** sb)
**złościć** *vt* irritate, make angry; **~ się** *vr* be angry (**na kogoś** with sb, **na coś** at sth), be irritated ⟨vexed⟩ (**na kogoś, coś** at ⟨with⟩ sb, sth)
**złość** *f* spite, anger; **na ~** just to spite (**komuś** sb)
**złośliwość** *f* malice
**złośliw|y** *adj* malicious, spiteful; *med.* **~a anemia** pernicious anaemia; **nowotwór ~y** malignant tumour
**złośnik** *m* irritable person
**złotnik** *m* goldsmith
**złoto** *n* gold
**złoty** 1. *adj* gold, *przen.* golden; **~ wiek** golden age
**złoty** 2. *m* (*jednostka monetarna*) zloty
**złowieszczy** *adj* ominous, sinister
**złowrogi** *adj* ill-omened
**złoże** *n* stratum; *geol.* bed
**złożenie** *n* deposition; (*przysięgi*) taking

**złożony** *adj* folded; (*skomplikowany*) complicated, complex, compound; ~ **chorobą** bedridden
**złożyć** *vt* fold; (*np. pieniądze*) deposit; (*przysięgę*) take; (*z urzędu*) dismiss; (*urząd*) resign; (*wizytę*) pay; *zob.* **składać**
**złuda** *f* illusion
**złudny** *adj* illusory, deceptive
**złudzenie** *n* illusion
**zły** *adj* evil, bad, ill, wicked; (*zagniewany*) angry (**na kogoś** with sb); **złe czasy** hard times
**zmagać się** *vr* struggle
**zmaganie** *n* struggle
**zmaleć** *vi* grow smaller, diminish, decrease
**zmanierowany** *adj* mannered, affected
**zmarły** *adj i sm* deceased
**zmarnować** *vt* waste; ~ **się** *vr* get wasted
**zmarszczka** *f* wrinkle, crease
**zmarszczyć** *vt*, ~ **się** *vr* wrinkle (up), crease
**zmartwić** *vt* worry, grieve, afflict; ~ **się** *vr* become grieved (**czymś** at sth)
**zmartwienie** *n* worry, grief, affliction
**zmartwychwstać** *vi* rise from the dead
**zmartwychwstanie** *n* Resurrection
**zmarznąć** [-r-z-] *vi* be frozen
**zmawiać się** *vr* collude, conspire
**zmaza** *f* blemish, stain
**zmazać** *vt* efface
**zmądrzeć** *vi* become wise
**zmęczenie** *n* weariness, fatigue
**zmęczony** *adj* tired, weary
**zmęczyć** *vt* tire, fatigue; ~ **się** *vr* be ⟨get⟩ tired
**zmian|a** *f* change, alteration; (*kolejność pracy*) shift, turn; **na ~ę** in turn, alternately, for a change
**zmiatać** *vt* sweep
**zmiażdżyć** *vt* crush
**zmieniać** *vt* change, alter; ~ **się** *vr* change
**zmienna** *f mat.* variable; ~ **niezależna** ⟨**zależna**⟩ independent ⟨dependent⟩ variable
**zmienność** *f* mutability, changeability
**zmienny** *adj* mutable, changeable, variable
**zmierzać** *vi* aim, drive (**do czegoś** at sth)
**zmierzyć** *vt* measure
**zmierzch** *m* dusk, twilight
**zmierzchać się** *vr* grow dusky
**zmieszać** *vt* mix up; (*skonfundować*) confound, perplex, disconcert; ~ **się** *vr* become mixed up; (*speszyć się*) become confused, be disconcerted, be put out of countenance
**zmieszanie** *n* mixing up; (*speszenie*) confusion
**zmieścić** *vt* put, accomodate, place; ~ **się** *vr* find room enough
**zmiękczyć** *vt* soften, mollify
**zmięknąć** *vi* soften, become soft
**zmiłować się** *vr* have mercy, take pity (**nad kimś** on sb)
**zmniejszenie** *n* diminution, decrease, reduction
**zmniejszyć** *vt* diminish, reduce; ~ **się** *vr* diminish, decrease, dwindle
**zmoczyć** *vt* moisten, wet, soak
**zmoknąć** *vi* get wet, be soaked, *pot.* get a soaking
**zmora** *f* nightmare
**zmordować** *vt* tire out; ~ **się** *vr* become tired out
**zmorzy|ć** *vt*, **sen mnie ~ł** I was overcome with sleep
**zmotoryzowany** *adj* motorized
**zmowa** *f* collusion, conspiracy
**zmóc** *vt* overcome, overpower
**zmówić** *vt* (*modlitwę*) say; ~ **się** *vr zob.* **zmawiać się**
**zmrok** *m* dusk, twilight
**zmurszały** *adj* mouldy
**zmurszeć** *vi* moulder
**zmuszać** *vt* force, compel
**zmykać** *vi* bolt, scamper off
**zmylić** *vt* mislead, hoodwink
**zmysł** *m* sense; **być przy zdrowych ~ach** be in one's right senses
**zmysłowość** *f* sensuality

**zmysłowy** *adj* sensual
**zmyślać** *vt* invent
**zmyślenie** *n* invention, fiction
**zmyślony** *adj* fictitious, invented
**znachor** *m* medicine-man
**znaczący** *adj* significant
**znaczek** *m* sign, mark; (*pocztowy*) (postage-)stamp
**znaczenie** *n* significance, meaning, importance
**znacznie** *adv* considerably, far
**znaczny** *adj* considerable, notable
**znaczony** *adj* labelled, marked
**znaczyć** *vt vi* mark; mean, signify; be of importance
**znać** *vt* know; **~ kogoś z nazwiska** ⟨**z widzenia**⟩ know sb by name ⟨by sight⟩; **dać komuś ~** let sb know; **nie chcę go ~** I want to have nothing to do with him; **nie dać o sobie ~** send no news; **~ się** *vr* be acquainted (**z kimś** with sb); be familiar (**na czymś** with sth), *pot.* be well up (**na czymś** in sth); **nie ~ się** be ignorant (**na czymś** of sth)
**znajd|ować** *vt* find; **~ować się** *vr* be (found); **gdzie on się ~uje?** where is he?; where can he be found?
**znajomość** *f* acquaintance; **zawrzeć ~** make acquaintance
**znajomy** *m* acquaintance; *adj* known
**znak** *m* sign, mark, token; signal; **~ fabryczny** trade mark; **~i drogowe** road signs; **~ tożsamości** earmark; **~ wodny** watermark; **~ zapytania** interrogation ⟨question⟩ mark, query; **zły ~** ill omen; **na ~** in token (**czegoś** of sth)
**znakomitość** *f* excellence, celebrity
**znakomity** *adj* excellent, exquisite
**znalazca** *m* finder
**znalezienie** *n* finding, discovery
**znaleźć** *vt* find, (*odkryć*) discover; **~ się** *vr* be found, find oneself; know how to behave
**znaleźne** *n* finder's reward
**znamienny** *adj* characteristic
**znamię** *n* sign, stigma; *przen.* (*piętno*) impress
**znamionować** *vt* characterize
**znany** *adj* known; celebrated
**znarowić** *vt* spoil; (*konia*) make restive
**znarowiony** *adj* spoilt, (*o koniu*) restive
**znawca** *m* expert (**czegoś** in sth)
**znawstwo** *n* thorough knowledge
**znęcać się** *vr* torment, harass (**nad kimś** sb)
**znękany** *adj* depressed, worn out
**zniechęcać** *vt* discourage; **~ się** *vr* be discouraged
**zniechęcenie** *n* discouragement
**zniecierpliwić** *vt* put out of patience; **~ się** *vr* lose patience; grow impatient
**zniecierpliwienie** *n* impatience
**znieczulający** *adj*, **środek ~** anaesthetic
**znieczulenie** *n* insensibility, *med.* anaesthesia
**znieczulić** *vt* make insensible, *med.* anaesthetize
**zniedołężnieć** *vi* become decrepit
**zniekształcić** *vt* disfigure, deform
**znienacka** *adv* all of a sudden
**znienawidzić** *vt* come to hate
**znienawidzony** *adj* hated, odious
**znieprawić** *vt* deprave, pervert
**zniesieni|e** *n* (*usunięcie*) abolition; (*unieważnienie*) annulment; **nie do ~a** intolerable, unbearable
**zniesławić** *vt* defame
**zniesławienie** *n* defamation
**znieść** *vt zob.* **znosić**
**zniewaga** *f* insult
**znieważać** *vt* insult
**zniewieściałość** *f* effeminacy
**zniewieściały** *adj* effeminate, womanish
**zniewolenie** *n* constraint; violation; (*kobiety*) rape
**zniewolić** *vt* constrain; violate
**znikać** *vi* vanish, disappear
**znikąd** *adv* from nowhere
**znikomy** *adj* transient; (*nieznaczny*) inconspicuous

**zniszczeć** *vi* decay, be ruined
**zniszczenie** *n* destruction, ruin
**zniszczyć** *vt* destroy, ruin
**zniweczyć** *vt* annihilate, destroy, thwart
**zniżać** *vt* lower, (*cenę*) reduce; ~ **się** *vr* go down, lower, be lowered
**zniżka** *f* reduction; (*giełdowa*) slump
**zniżony** *adj*, **po ~ch cenach** at reduced prices
**znojony** *adj* toilsome
**znosić** *vt* carry down; bring together, (*usuwać*) abolish; (*odzież, buty*) wear; (*unieważniać*) annul, abolish; (*ścierpieć*) suffer, endure, stand; (*jaja*) lay; ~ **się** *vr* (*o ubraniu, obuwiu*) wear; be worn out; (*utrzymywać stosunki*) have intercourse ⟨contacts⟩
**znośny** *adj* tolerable
**znowu** *adv* again
**znój** *m* toil
**znudzenie** *n* boredom
**znudzi|ć** *vt* bore, weary; **~ć się** *vr* become bored, be fed up (**czymś** with sth); **to mi się ~ło** I am fed up with it
**znużenie** *n* weariness
**znużyć** *vt* fatigue, weary; ~ **się** *vr* grow weary, become tired
**zobaczeni|e** *n* seeing; **do ~a!** good-bye!
**zobaczyć** *vt* catch sight (**coś** of sth), see; ~ **się** *vr* see (**z kimś** sb)
**zobojętnić** *vt* neutralize
**zobojętnieć** *vi* become indifferent
**zobowiązanie** *n* obligation, pledge; **podjąć** ~ enter into an obligation; **wziąć na siebie** ~ undertake an obligation
**zobowiązywać** *vt* oblige, bind; ~ **się** *vr* bind ⟨pledge⟩ oneself
**zodiak** *m*, **znaki ~u** zodiac signs
**zoolog** *m* zoologist
**zoologia** *f* zoology
**zoologiczny** *adj* zoological
**zorza** *f* aurora, morning-dawn, morning star; ~ **północna** ⟨**polarna**⟩ aurora borealis
**z osobna** *adv* separately; **wszyscy razem i każdy** ~ jointly and severally
**zosta|ć** *vi* remain; (*stać się*) become; **dom ~ł zburzony** the house was destroyed
**zostawiać** *vt* leave
**zrastać się** *vr* grow together, coalesce
**zrazić** *vt zob.* **zrażać**
**zrazu** *adv* at first
**zrażać** *vt* discourage; ~ **się** *vr* become discouraged; become prejudiced (**do kogoś** against sb)
**zrąb** *m* frame
**zresztą** *adv* besides, else, moreover, after all
**zręczność** *f* dexterity, skill
**zręczny** *adj* dexterous, skilful
**zrobi|ć** *vt* make, do, perform; **~ć się** *vr* become, grow, get; **~ło mi się niedobrze** I felt sick; **~ło się zimno** it grew cold; **~ła się wiosna** spring came
**zrosnąć się** *vr zob.* **zrastać się**
**zrozpaczony** *adj* desperate
**zrozumiały** *adj* comprehensible, intelligible
**zrozumieć** *vt* understand, comprehend
**zrozumienie** *n* understanding, comprehension
**zrównać** *vt* even, level, equalize
**zrównanie** *n* levelling, equalization
**zrównoważyć** *vt* balance
**zrywać** *vt* tear off; (*np. kwiaty*) pick, pluck; (*stosunki*) break off; *vi* break (**z kimś** with sb); ~ **się** *vr* start up; (*ze snu*) get up with a start; (*o wietrze*) rise
**zrządzi|ć** *vt* cause, ordain; **los ~ł** the fate has ordained
**zrzeczenie się** *n* renunciation, resignation
**zrzekać się** *vr* renounce, resign (**czegoś** sth)
**zrzeszać** *vt*, ~ **się** *vr* associate, combine
**zrzeszenie** *n* association, combination
**zrzęda** *m, f pot.* grumbler

**zrzędzić** *vi* grumble (na **coś** at sth)
**zrzucać** *vt* throw off ⟨down⟩, drop
**zrzut** *m* drop(ping)
**zsiadać** *vi* dismount, descend; ~ **się** *vr* (*o mleku*) curdle
**zsiadły** *adj* (*o mleku*) curdled
**zstępować** *vi* descend
**zszyć** *vt* sew together
**zszywka** *f* (*do papieru*) (paper-) fastener
**zubożały** *adj* impoverished
**zubożeć** *vi* become poor
**zuch** *m* brave fellow, *pot.* dare--devil; (*w harcerstwie*) wolf-cub
**zuchwalstwo** *n* arrogance; (*śmiałość*) audacity
**zuchwały** *adj* arrogant, overbearing
**zupa** *f* soup
**zupełny** *adj* complete, entire
**zużycie** *n* (*spożycie*) consumption; (*zniszczenie*) waste, wear
**zużyć** *vt* consume; use (up); ~ **się** *vr* be used up, be worn out
**zużytkować** *vt* utilize
**zużyty** *adj* used up, worn out, (*o maszynie*) broken-down
**zwa|ć** *vt* call; **~ć się** *vr* be called; **tak ~ny** so-called
**zwada** *f* squabble
**zwalczyć** *vt* combat, overpower, overcome
**zwalić** *vt* throw down; (*np. dom*) pull down; ~ **winę na kogoś** put all the blame on sb; ~ **się** *vr* tumble down, collapse
**zwalniać** *zob.* **zwolnić**
**zwapnienie** *n* calcification
**zwariować** *vi* go mad
**zwariowany** *adj* mad, crazy (**na punkcie czegoś** about sth)
**zwarty** *adj* close, compact
**zwarzyć** *vt* boil; damage, nip (by frost); (*o mleku*) curdle, turn; ~ **się** *vr* (*o mleku*) curdle, turn
**zważać** *vi* mind (**na coś** sth), (*uwzględniać*) pay attention (**na coś** to sth)
**zważyć** *vt* weigh; *przen.* (*rozważyć*) consider
**zwątpić** *vi* doubt, feel a doubt (**w coś** about sth)
**zwątpienie** *n* doubt, uncertainty
**zwędzić** *vt pot.* (*ukraść*) snaffle, pinch
**zwęglić** *vt* char; *chem.* carbonize; ~ **się** *vr* char, become carbonized
**zwęzić** *vt* narrow
**zwiać** *vr zob.* **zwiewać**
**zwiady** *s pl* reconnaissance
**zwiastować** *vt* announce
**zwiastun** *m* harbinger
**związać** *zob.* **zawiązać**
**związ|ek** *m* union, bond, alliance, conjunction, connection; *chem.* compound; **~ek zawodowy** trade union; **w ~ku z...** in connection with...
**związkow|y** *adj* allied; Union *attr*; **republika ~a** Union republic
**zwichnąć** *vt* sprain, dislocate
**zwichnięcie** *n* sprain, dislocation
**zwiedzać** *vt* see, visit, frequent
**zwierciadło** *n* looking-glass, mirror
**zwierzać się** *vr* open one's heart (**komuś** to sb)
**zwierzchni** *adj* upper, superior
**zwierzchnictwo** *n* superiority, supremacy
**zwierzchnik** *m* superior, principal, *pot.* boss
**zwierzenie** *n* confidence
**zwierzę** *n* animal, (*dzikie*) beast; (*domowe*) domestic animal
**zwierzęcy** *adj* animal; brutal; **świat ~** animal kingdom
**zwierzyna** *f zbior.* game
**zwierzyniec** *m* zoo
**zwietrzały** *adj* decomposed, (*o skałach*) weathered
**zwietrzeć** *vi* decompose, evaporate, (*o skałach*) weather
**zwiewać** *vi pot.* (*uciekać*) cut and run
**zwiędły** *adj* faded
**zwiędnąć** *vi* fade away
**zwiększyć** *vt* magnify, increase; ~ **się** *vr* increase, augment
**zwięzłość** *f* conciseness
**zwięzły** *adj* concise
**zwijać** *vt* roll, wind, (*żagle*) furl; (*interes*) wind up; ~ **się** *vr* roll

⟨curl up⟩ oneself; (*krzątać się*) bustle (**koło czegoś** about sth)
**zwilżyć** *vt* moisten
**zwinąć** *vt zob.* **zwijać**
**zwinny** *adj* nimble, quick
**zwitek** *m* scroll, roll
**zwlekać** *vt vi* delay, protract; (*odkładać*) put off
**zwłaszcza** *adv* particularly; ~ **że...** all the more since..., more particularly as...
**zwłok|a** *f* delay; (*odroczenie terminu*) respite; **uzyskać ~ę** obtain a respite; **bez ~i** without delay
**zwłoki** *s pl* corpse, mortal remains *pl*
**zwodniczy** *adj* seductive, delusive
**zwodz|ić** *vt* delude, deceive; **most ~ony** drawbridge
**zwolennik** *m* follower, adherent
**z wolna** *adv* slowly
**zwolnić** *vt vi* (*uwolnić*) free, set free, give leave; (*tempo*) slacken; (*odprężyć*) relax; (*pracownika*) dismiss
**zwolnienie** *n* (*uwolnienie*) release, (*o tempie*) slackening; (*odprężenie*) relaxation; (*z pracy*) dismissal; (*lekarskie*) medical officer's certificate
**zwoływać** *vt* call together
**zwozić** *vt* carry, bring in ⟨together⟩, get in
**zwój** *m* roll, scroll
**zwracać** *vt* give back, return; ~ **uwagę** pay attention (**na coś** to sth); call attention (**komuś na coś** sb's to sth); **on zwrócił mi na to uwagę** he called my attention to it; ~ **się** *vr* apply (**do kogoś o coś** to sb for sth), address (**do kogoś** sb)
**zwrot** *m* return; (*obrót*) turn; (*wyrażenie*) phrase
**zwrotka** *f* stanza
**zwrotnica** *f* switch
**zwrotnik** *m* tropic
**zwrotnikowy** *adj* tropical
**zwrotn|y** *adj* returnable; (*o pieniądzach*) repayable; *gram.* reflexive; **cło ~e** drawback; **punkt ~y** turning-point
**zwrócić** *zob.* **zwracać**
**zwycięski** *adj* victorious; (*w zawodach itp.*) champion *attr*
**zwycięstwo** *n* victory
**zwycięzca** *m* victor, coqueror; (*w zawodach*) winner, champion
**zwyciężać** *vt vi* conquer, be victorious
**zwyczaj** *m* custom, habit; **mieć ~** have the habit (**czegoś** of sth); be wont; **wejść w ~** grow into the habit, become a custom, become customary; **starym ~em** according to the old custom
**zwyczajny** *adj* usual, common; ordinary
**zwyczajow|y** *adj* customary; **prawo ~e** common law
**zwykle** *adv usually;* **jak ~** as usual
**zwykły** *adj* common
**zwyrodniały** *adj* degenerate
**zwyrodnienie** *n* degeneration
**zwyżka** *f* rise, augmentation
**zwyżkować** *vi* rise
**zwyżkow|y** *adj,* **tendencja ~a** upward tendency
**zygzak** *m* zigzag
**zysk** *m* gain, profit; **czysty ~** net profit
**zyskać** *vt* profit (**na czymś** by sth), gain
**zyskowny** *adj* profitable
**zza** *praep* from behind, from beyond
**zziajać się** *vr* be out of breath
**zziębnąć** *vi* become chilled
**zziębnięty** *adj* chilled
**zżyć się** *vr* become familiar
**zżymać się** *vr* fret and fume; *pot.* be cross (**na kogoś** with sb)

# Ź

**źdźbło** *n* stalk, halm, (*trawy*) blade
**źle** *adv* badly, ill
**źrebak, źrebię** *n* foal
**źrenic|a** *f* pupil, *przen.* apple of the eye; **strzec jak ~y oka** cherish like the apple of one's eye
**źródlany** *adj* spring (water)
**źródł|o** *n* source, spring, well; *przen.* source; authority; **gorące ~a** hot springs, thermae; *przen.* **~o zła** origin ⟨root⟩ of an evil; **mieć swoje ~o w czymś** to rise ⟨to spring⟩ from sth; **~o dochodu** source of income
**źródłosłów** *m gram.* etymology
**źródłowy** *adj* spring (water); (*oparty na źródłach*) first-hand, original

# Ż

**żaba** *f* frog
**żaden** *pron* no, none; **~ z dwóch** neither
**żag|iel** *m* sail; **rozwinąć ⟨zwinąć⟩ ~le** unfurl ⟨furl⟩ the sails
**żagiew** *f* firebrand, torch
**żaglowiec** *m* sailing-boat
**żaglow|y** *adj*, **płótno ~e** canvas, sail-cloth
**żak** *m hist.* school-boy
**żakiet** *m* jacket
**żal** *m* regret, grief, pity; **~ mi** (*przykro mi*) I am sorry; (*żałuję*) I regret; **~ mi go** I pity him; **czuję ⟨mam⟩ do niego ~** I bear him a grudge
**żalić się** *vr* complain (**na coś** of sth)
**żaluzja** *f* blind
**żałoba** *f* mourning; (*odzież*) mourning-dress; (*żałobny strój kobiecy*) weeds *pl*
**żałobny** *adj* mourning, mournful; (*orszak, marsz*) funeral *attr*
**żałosny** *adj* lamentable, deplorable
**żałować** *vt* regret; grudge (**komuś czegoś** sb sth)
**żandarm** *m* gendarme
**żar** *m* glow, red-heat; (*zapał*) ardour
**żarliwość** *f* ardour
**żarliwy** *adj* ardent
**żarłoczność** *f* gluttony
**żarłoczny** *adj* greedy, gluttonous
**żarłok** *m* glutton
**żarna** *s pl* handmill
**żarówka** *f* bulb
**żart** *n* joke, jest; **~em** in jest
**żartobliwy** *adj* facetious, jocose
**żartować** *vi* jest, joke
**żartowniś** *m* joker
**żarzyć się** *vr* glow
**żąć** *vt* mow, cut
**żądać** *vt* demand, require
**żądanie** *n* demand, request; **na ~** at request
**żądło** *n* sting
**żądny** *adj* desirous (**czegoś** of sth), eager (**czegoś** for sth); **~ sławy** anxious for fame
**żądza** *f* eagerness, desire
**że** *conj* that; *part* then; **przyjdźże!** come then!; do come!
**żebrać** *vi* ask alms, beg
**żebrak** *m* beggar
**żebro** *n* rib
**żeby** *conj* that, in order that ⟨to⟩

**żeglarski** *adj* nautical
**żeglarstwo** *n* sailing (profession), navigation
**żeglarz** *m* seaman, sailor, navigator
**żeglować** *vi* sail, navigate
**żegluga** *f* navigation; ~ **powietrzna** aviation
**żegna|ć** *vt* bid farewell; ~**j!** farewell!; ~**ć się** *vr* take leave (**z kimś** of sb); *rel.* cross oneself; *zob.* **pożegnać**
**żelatyna** *f* gelatine, jelly
**żelazisty** *adj* ferruginous
**żelaziwo** *n* ironware; (*złom*) scrap-iron
**żelazko** *n* (flat-)iron
**żelazn|y** *adj* iron; **kolej** ~**a** railway, *am.* railroad; **list** ~**y** safe-conduct
**żelazo** *n* iron; ~ **kute** wrought-iron; ~ **lane** cast-iron; ~ **surowe** pig-iron
**żelazobeton, żelbeton** *m* ferro-concrete, reinforced concrete
**żeliwo** *n* cast-iron
**żeniaczka** *f pot.* marriage
**żenić** *vt* marry (**z kimś** to sb), give in marriage; ~ **się** *vr* marry (**z kimś** sb), take a wife
**żenować się** *vr* feel embarrassed (**czymś** at sth)
**żeński** *adj* female, woman's, women's; feminine
**żer** *m* pasture, feed
**żerdź** *f* pole, rod; (*dla kur*) roost
**żeton** *m* counter, fish
**żgać** *vt* stab
**żłobek** *m* crib; (*dla dzieci*) crèche; *techn.* groove
**żłobić** *vt* groove
**żłopać** *vt pot.* gulp
**żłób** *m* crib, manger
**żmija** *f* adder, viper
**żniwiarka** *f* (*maszyna*) reaping machine; (*kobieta*) reaper
**żniwiarz** *m* reaper
**żniwo** *n* harvest
**żołądek** *m* stomach
**żołądkowy** *adj* stomach, gastric
**żołądź** *f* acorn; (*w kartach*) club (*zw. pl* clubs)
**żoł|d** *m* (soldier's) pay; **na** ~**dzie** in the pay
**żołdak** *m pog.* mercenary, hireling
**żołnierski** *adj* soldier's, military
**żołnierz** *m* soldier
**żona** *f* wife
**żonaty** *adj* married (**z kimś** to sb)
**żółcić** *vt* dye ⟨make⟩ yellow
**żółciowy** *adj* biliary, bilious; *med.* **kamień** ~ gall-stone
**żółć** *f* bile
**żółknąć** *vi* turn yellow
**żółtaczka** *f med.* jaundice
**żółtawy** *adj* yellowish
**żółtko** *n* yolk
**żółtodziób** *m pog.* greenhorn
**żółty** *adj* yellow
**żółw** *m* tortoise, (*morski*) turtle
**żółwi** *adj*, ~**m krokiem** at a snail's pace
**żrący** *adj* corrosive, caustic
**żreć** *vt pot.* eat greedily; *chem.* corrode
**żubr** *m zool.* aurochs
**żuchwa** *f* jaw-bone
**żuć** *vt* chew
**żuk** *m* scarab, beetle
**żuławy** *s pl* marsh-lands *pl*
**żupa** *f* salt-works *pl*
**żur** *m* sour soup
**żuraw** *m* crane; (*studzienny*) draw-well
**żurnal** *m* fashion-journal, ladies' magazine
**żużel** *m* slag; ~ **wielkopiecowy** furnace slag
**żwawy** *adj* brisk, quick
**żwir** *m* gravel
**życie** *n* life; (*utrzymanie*) livelihood, living, subsistence; **zarabiać na** ~ earn one's livelihood ⟨one's living⟩
**życiorys** *m* life, biography
**życiow|y** *adj* vital; **mądrość** ~**a** worldly wisdom, sagacity
**życzenie** *n* wish, desire
**życzliwość** *f* benevolence, good-will
**życzliwy** *adj* well-wishing, favourable, friendly, favourably disposed (**dla kogoś** towards sb)

**życzyć** *vt* wish; ~ **sobie** wish, desire
**żyć** *vi* live, be alive
**Żyd** *m* Jew
**żydowski** *adj* Jewish
**Żydówka** *f* Jewess
**żyjątko** *n* little creature, animalcule
**żylak** *m* varix
**żylasty** *adj* varicose, veinous, (*o mięsie*) tough
**żyletka** *f* safety-razor; (*ostrze*) razor-blade
**żyła** *f* vein; (*minerału*) seam
**żyrafa** *f* giraffe
**żyrandol** *m* chandelier
**żyrant** *m handl.* endorser
**żyro** *n handl.* endorsement
**żyrować** *vt handl.* endorse
**żyto** *n* rye
**żywcem** *adv* alive
**żywica** *f* resin
**żywiciel** *m* bread-winner
**żywiczny** *adj* resinous
**żywić** *vt* nourish, feed; (*np. rodzinę*) maintain; (*nadzieję*) entertain; ~ **się** *vr* feed, live (**czymś** on sth)
**żywienie** *n* feeding
**żywioł** *m* element
**żywiołowy** *adj* elemental
**żywnościow|y** *adj* alimentary; **artykuły** ~**e** victuals, provisions, articles of food
**żywo** *adv* quickly, briskly; † **jako** ~ forsooth, in truth
**żywopłot** *m* hedge
**żywot** *m* life; (*życiorys*) biography
**żywotność** *f* vitality
**żywotny** *adj* vital
**żyw|y** *adj* living, alive; (*ruchliwy*) lively, brisk, quick, *pot.* snappy; ~**e srebro** quick-silver, mercury; **kłamać w** ~**e oczy** lie with impudence; **nie widzę** ~**ej duszy** I see no living creature; **do** ~**ego** to the quick; **ledwie** ~**y** half--dead
**żyzność** *f* fertility
**żyzny** *adj* fertile

# APPENDIX
# DODATEK

## GEOGRAPHICAL NAMES*

## NAZWY GEOGRAFICZNE

**Adriatyk, Morze Adriatyckie** Adriatic, Adriatic Sea
**Afganistan** Afghanistan
**Afryka** Africa
**Alabama** Alabama
**Alaska** Alaska
**Albania** Albania; **Ludowa Socjalistyczna Republika Albanii** People's Socialist Republic of Albania
**Alberta** Alberta
**Aleksandria** Alexandria
**Algier** Algiers
**Algieria** Algeria
**Alpy** Alps
**Amazonka** Amazon
**Ameryka** America; ~ **Północna ⟨Południowa⟩** North ⟨South⟩ America
**Amsterdam** Amsterdam
**Andora** Andorra
**Andy** Andes
**Anglia** England
**Ankara** Ankara
**Antarktyda** Antarctic; Antarctic Continent
**Antyle** Antilles
**Apeniny** Appenines
**Arabia Saudyjska** Saudi Arabia
**Argentyna** Argentina
**Arizona** Arizona
**Arkansas** Arkansas
**Arktyka** Arctic
**Ateny** Athens
**Atlantyk, Ocean Atlantycki** Atlantic, Atlantic Ocean
**Atlas** Atlas Mts
**Auckland** Auckland
**Australia** Australia; **Związek Australijski** Commonwealth of Australia
**Austria** Austria
**Azja** Asia; ~ **Mniejsza** Asia Minor
**Azory** Azores
**Bagdad** Bag(h)dad
**Bahama** the Bahamas
**Bajkał** Baikal
**Bałkany** Balkans; **Półwysep Bałkański** Balkan Peninsula
**Bałtyk, Morze Bałtyckie** Baltic, Baltic Sea
**Bangladesz** Bangladesh
**Bejrut** Beirut, Beyrouth
**Belfast** Belfast
**Belgia** Belgium
**Belgrad** Belgrade
**Berlin** Berlin; ~ **Zachodni** West Berlin
**Bermudy** the Bermudas
**Berno** Bern(e)
**Beskidy** Beskid Mts
**Białoruś** Byelorussia; **Białoruska SRR** Byelorussian SSR
**Birma** Burma
**Birmingham** Birmingham
**Boliwia** Bolivia
**Bonn** Bonn
**Boston** Boston
**Brasilia** Brasilia (*stolica*)
**Brazylia** Brazil (*państwo*)
**Bruksela** Brussels
**Brytania** Britain; **Wielka** ~ Great Britain
**Budapeszt** Budapest

* *Skróty:* Ils *i* Mts *odpowiadają wyrazom* Islands *i* Mountains

**Buenos Aires** Buenos Aires
**Bukareszt** Bucharest
**Bułgaria** Bulgaria; **Ludowa Republika Bułgarii** People's Republic of Bulgaria
**Cambridge** Cambridge
**Canberra** Canberra
**Cejlon** Ceylon, *zob.* **Sri Lanka**
**Chicago** Chicago
**Chile** Chile
**Chiny** China; **Chińska Republika Ludowa** Chinese People's Republic
**Cieśnina Beringa** Bering Strait
**Cieśnina Kaletańska** Strait of Dover
**Cieśnina Magellana** Strait of Magellan
**Connecticut** Connecticut
**Cypr** Cyprus
**Czechosłowacja** Czechoslovakia; **Czechosłowacka Republika Socjalistyczna** Socialist Republic of Czechoslovakia
**Dakota Południowa** South Dakota
**Dakota Północna** North Dakota
**Damaszek** Damascus
**Dania** Denmark
**Dardanele** Dardanelles
**Delaware** Delaware
**Delhi** Delhi
**Detroit** Detroit
**Djakarta** Djakarta
**Dover** Dover
**Dublin** Dublin
**Dunaj** Danube
**Edynburg** Edinburgh
**Egipt** Egypt
**Ekwador** Ecuador
**Etiopia** Ethiopia
**Europa** Europe
**Filadelfia** Philadelphia
**Filipiny** Philippines, Philippine Ils
**Finlandia** Finland
**Floryda** Florida
**Francja** France
**Gdańsk** Gdansk
**Gdynia** Gdynia
**Genewa** Geneva
**Georgia** Georgia
**Ghana** Ghana
**Gibraltar** Gibraltar
**Glasgow** Glasgow
**Góry Skaliste** Rockies, Rocky Mts
**Grecja** Greece
**Greenwich** Greenwich
**Grenlandia** Greenland
**Gwatemala** Guatemala
**Gwinea** Guinea
**Haga** the Hague
**Haiti** Haiti
**Hawaje, Wyspy Hawajskie** Hawaii, Hawaiian Ils
**Hawana** Havana
**Hebrydy** Hebrides
**Hel** Hel Peninsula
**Helsinki** Helsinki
**Himalaje** Himalaya
**Hiszpania** Spain
**Holandia** Holland, the Netherlands
**Idaho** Idaho
**Illinois** Illinois
**Indiana** Indiana
**Indie** India
**Indonezja** Indonesia
**Indus** Indus
**Iowa** Iowa
**Irak** Irak, Iraq
**Iran** Iran
**Irlandia** Ireland, (*Republika Irlandzka*) Eire
**Islandia** Iceland
**Izrael** Israel
**Jamajka** Jamaica
**Jangcy-Ciang, Jangcy** Yangtse-Kiang
**Japonia** Japan
**Jawa** Java
**Jemen** Yemen
**Jerozolima** Jerusalem
**Jordania** Jordan
**Jugosławia** Yugoslavia, Jugoslavia; **Socjalistyczna Federacyjna Republika Jugosławii** Socialist Federative Republic of Yugoslavia
**Kair** Cairo
**Kalifornia** California
**Kambodża** Cambodia
**Kanada** Canada
**Kanał La Manche** English Channel
**Kanał Panamski** Panama Canal

**Kanał Sueski** Suez Canal
**Kansas** Kansas
**Karolina Południowa** South Carolina
**Karolina Północna** North Carolina
**Karpaty** Carpathians, Carpathian Mts
**Katowice** Katowice
**Kaukaz** Caucasus
**Kenia** Kenya
**Kentucky** Kentucky
**Kolorado** Colorado
**Kolumbia** Columbia; (*państwo*) Colombia
**Kolumbii Dystrykt** District of Columbia
**Kongo** Congo
**Kopenhaga** Copenhagen
**Kordyliery** Cordilleras
**Korea** Korea; **Koreańska Republika Ludowo-Demokratyczna** Democratic People's Republic of Korea; ~ **Południowa** South Korea
**Kornwalia** Cornwall
**Korsyka** Corsica
**Kostaryka** Costa Rica
**Kraków** Cracow
**Kreta** Crete
**Krym** Crimea
**Kuba** Cuba; **Socjalistyczna Republika Kuby** Socialist Republic of Cuba
**Kuwejt** Kuwait, Kuweit
**Labrador** Labrador
**La Manche** = **Kanał La Manche**
**Laos** Laos
**Leningrad** Leningrad
**Liban** Lebanon
**Liberia** Liberia
**Libia** Lybia, Libia
**Lichtenstein** Lichtenstein
**Liverpool** Liverpool
**Lizbona** Lisbon
**Londyn** London
**Los Angeles** Los Angeles
**Luizjana** Louisiana
**Luksemburg** Luxemburg
**Łódź** Lodz
**Madagaskar** Madagascar
**Madryt** Madrid
**Maine** Maine
**Malaje** Malaya
**Malajski Archipelag** Malay Archipelago
**Malajski Półwysep** Malay Peninsula
**Malezja** Malaysia
**Malta** Malta
**Manchester** Manchester
**Manitoba** Manitoba
**Maroko** Morocco
**Martynika** Martinique
**Maryland** Maryland
**Meksyk** Mexico
**Melanezja** Melanesia
**Melbourne** Melbourne
**Massachusetts** Massachusetts
**Michigan** Michigan
**Minnesota** Minnesota
**Missisipi** Mississippi
**Missouri** Missouri
**Monachium** Munich
**Monako** Monaco
**Mongolia** Mongolia; **Mongolska Republika Ludowa** Mongolian People's Republic
**Montana** Montana
**Montreal** Montreal
**Morze Arabskie** Arabian Sea
**Morze Bałtyckie** Baltic Sea
**Morze Czarne** Black Sea
**Morze Czerwone** Red Sea
**Morze Egejskie** Aegean Sea
**Morze Jońskie** Ionian Sea
**Morze Karaibskie** Caribbean Sea
**Morze Kaspijskie** Caspian Sea
**Morze Marmara** Marmara, Sea of Marmara
**Morze Martwe** Dead Sea
**Morze Północne** North Sea
**Morze Śródziemne** Mediterranean Sea
**Morze Tyrreńskie** Tyrrhenian Sea
**Morze Żółte** Yellow Sea
**Moskwa** Moscow
**Nebraska** Nebraska
**Nepal** Nepal
**Nevada** Nevada
**New Hampshire** New Hampshire
**New Jersey** New Jersey
**Niagara, Wodospad Niagara** Niagara Falls

**Niemiecka Republika Demokratyczna** German Democratic Republic
**Niger** Niger
**Nigeria** Nigeria
**Nil** Nile
**Norwegia** Norway
**Nowa Fundlandia** Newfoundland
**Nowa Gwinea** New Guinea
**Nowa Południowa Walia** New South Wales
**Nowa Szkocja** Nova Scotia
**Nowa Zelandia** New Zealand
**Nowe Delhi** New Delhi
**Nowy Jork** New York
**Nowy Meksyk** New Mexico
**Nowy Orlean** New Orleans
**Nysa** Nysa
**Ocean Atlantycki = Atlantyk**
**Ocean Indyjski** Indian Ocean
**Ocean Lodowaty Północny** Arctic Ocean
**Ocean Spokojny = Pacyfik**
**Odra** Odra
**Ohio** Ohio
**Oklahoma** Oklahoma
**Oksford, Oxford** Oxford
**Ontario** Ontario
**Oregon** Oregon
**Oslo** Oslo
**Ottawa** Ottawa
**Pacyfik, Ocean Spokojny** Pacific Ocean
**Pakistan** Pakistan
**Panama** Panama
**Paragwaj** Paraguay
**Paryż** Paris
**Pekin** Peking
**Pensylwania** Pennsylvania
**Peru** Peru
**Phenian** Pyongyang
**Pireneje** Pyrenees
**Polinezja** Polynesia
**Polska** Poland; **Polska Rzeczpospolita Ludowa** Polish People's Republic
**Portugalia** Portugal
**Poznań** Poznan
**Praga** Prague
**Quebec** Quebec
**Queensland** Queensland
**Ren** Rhine
**Republika Federalna Niemiec** Federal Republic of Germany
**Republika Południowej Afryki** Republic of South Africa
**Reykjawik** Reykjavik
**Rhode Island** Rhode Island
**Rodezja** Rhodesia
**Rosja** Russia; **Rosyjska Federacyjna Socjalistyczna Republika Radziecka** Russian Soviet Federative Socialist Republic
**Rumunia** R(o)umania; **Socjalistyczna Republika Rumunii** Rumanian Socialist Republic
**Rzym** Rome
**Sahara** Sahara
**San Francisco** San Francisco
**San Marino** San Marino
**Sardynia** Sardinia
**Sekwana** Seine
**Senegal** Senegal
**Singapur** Singapore
**Skandynawia** Scandinavia
**Sofia** Sofia
**Somalia** Somalia
**Sri Lanka** Sri Lanka
**Stany Zjednoczone Ameryki** United States of America
**Sudan** Sudan
**Suez** Suez
**Sumatra** Sumatra
**Sycylia** Sicily
**Sydney** Sydney
**Syjam** *hist.* Thailand; *zob.* **Tajlandia**
**Syria** Syria
**Szczecin** Szczecin
**Szkocja** Scotland
**Sztokholm** Stockholm
**Szwajcaria** Switzerland
**Szwecja** Sweden
**Śląsk** Silesia
**Taiwan** Taiwan
**Tajlandia** Thailand
**Tamiza** Thames
**Tasmania** Tasmania
**Tatry** Tatra Mts
**Teheran** Teheran
**Tel Awiw** Tel Aviv
**Tirana** Tirana
**Teksas** Texas
**Tennessee** Tennessee

**Terytoria Północno-Zachodnie** North-West Territories
**Terytorium Północne** Northern Territory
**Tokio** Tokyo
**Toronto** Toronto
**Tunezja** Tunisia
**Tunis** Tunis
**Turcja** Turkey
**Tybet** Tibet
**Uganda** Uganda
**Ulster** Ulster
**Ułan Bator** Ulhan Bator
**Ural** Ural
**Urugwaj** Uruguay
**Utah** Utah
**Vermont** Vermont
**Walia** Wales
**Warszawa** Warsaw
**Waszyngton** Washington
**Watykan** Vatican City
**Wellington** Wellington
**Wenecja** Venice
**Wenezuela** Venezuela
**Węgry** Hungary; **Węgierska Republika Ludowa** Hungarian People's Republic
**Wiedeń** Vienna
**Wielka Brytania** Great Britain
**Wietnam** Vietnam; **Socjalistyczna Republika Wietnamu** Socialist Republic of Vietnam
**Wiktoria** Victoria
**Wirginia** Virginia; **~ Zachodnia** West Virginia
**Wisconsin** Wisconsin
**Wisła** Vistula
**Włochy** Italy
**Wołga** Volga
**Wrocław** Wroclaw
**Wyoming** Wyoming
**Wyspy Brytyjskie** British Ils
**Wyspy Kanaryjskie** Canary Ils
**Wyspy Normandzkie** Channel Ils
**Zair** Zaire
**Zambia** Zambia
**Zatoka Adeńska** Gulf of Aden
**Zatoka Baskijska** Biscay, Bay of Biscay
**Zatoka Botnicka** Bothnia, Gulf of Bothnia
**Zatoka Gdańska** Gulf of Gdansk
**Zatoka Gwinejska** Gulf of Guinea
**Zatoka Meksykańska** Gulf of Mexico
**Zatoka Perska** Persian Gulf
**Zatoka Św. Wawrzyńca** Gulf of St Lawrence
**Zjednoczona Republika Arabska** *hist.* United Arab Republic
**Zjednoczone Królestwo Wielkiej Brytanii i Północnej Irlandii** United Kingdom of Great Britain and Northern Ireland
**Związek Australijski** Commonwealth of Australia
**Związek Radziecki** Soviet Union; **Związek Socjalistycznych Republik Radzieckich** Union of Soviet Socialist Republics

## A LIST OF PROPER NAMES
## SPIS IMION WŁASNYCH

**Adam** Adam
**Agnieszka** Agnes
**Albert** Albert
**Aleksander** Alexander
**Alicja** Alice
**Ambroży** Ambrose
**Amelia** Amelia
**Andrzej** Andrew, *zdrob.* Andy
**Anna** Ann, Anna, *zdrob.* Nan, Nancy
**Antoni** Anthony, *zdrob.* Tony
**Antonina** Antonia
**Artur** Arthur
**August** Augustus
**Barbara** Barbara
**Bartłomiej** Bartholomew
**Benedykt** Benedict
**Bernard** Bernard
**Błażej** Blase
**Cecylia** Cecilia, Cecily
**Cyryl** Cyril
**Daniel** Daniel
**Diana** Diana
**Dionizy** Dionysius
**Dominik** Dominic
**Dorota** Dorothy
**Edmund** Edmund
**Edward** Edward, *zdrob.* Ted
**Edyta** Edith
**Eleonora** Eleanor, *zdrob.* Nell, Nelly
**Elżbieta** Elisabeth, Elizabeth, *zdrob.* Bess, Betsy
**Emilia** Emily
**Ernest** Ernest
**Eugeniusz** Eugene, Gene
**Ewa** Eve, Eva
**Feliks** Felix
**Filip** Philip
**Franciszek** Francis
**Franciszka** Frances
**Fryderyk** Frederic(k)
**Gabriel** Gabriel
**Grzegorz** Gregory
**Gustaw** Gustavus
**Helena** Helen, Helena, *zdrob.* Nell, Nelly
**Henryk** Henry, Harry
**Henryka** Harriet, Harriot
**Horacy** Horace, Horatio
**Hugo** Hugh
**Ignacy** Ignatius
**Irena** Irene
**Izabela** Isabel
**Jakub** Jacob, James, *zdrob.* Jim
**Jan** John, *zdrob.* Jack
**Janina** Jane, Jean
**Jerzy** George
**Joanna** Joan, Joanna
**Józef** Joseph
**Józefa** Josephine
**Judyta** Judith
**Julia** Julia, Juliet
**Julian** Julian
**Juliusz** Julius
**Justyna** Justine
**Karol** Charles
**Katarzyna** Catherine, Katherine, *zdrob.* Kathleen, Kitty, Kate
**Klara** Clara, Clare
**Klaudiusz** Claudius
**Konstancja** Constance
**Konstanty** Constantine
**Krystyn** Christian
**Krystyna** Christina
**Krzysztof** Christopher, *zdrob.* Kit
**Ksawery** Xavier
**Leon** Leo
**Leonard** Leonard
**Leopold** Leopold

**Ludwik** Lewis, Louis
**Łucja** Lucy
**Łukasz** Lucas, Luke
**Magdalena** Magdalene, *zdrob.* Maud
**Małgorzata** Margaret, *zdrob.* Marjory, Peggy
**Marcin** Martin
**Maria** Mary, *zdrob.* Molly
**Mateusz** Matthew
**Michał** Michael, *zdrob.* Micky, Mike
**Mikołaj** Nicholas, *zdrob.* Nick
**Oskar** Oscar
**Patrycy** Patrick, *zdrob.* Pat
**Paweł** Paul
**Piotr** Peter
**Rajmund** Raymond
**Robert** Robert, *zdrob.* Rob, Bob
**Róża** Rose
**Ryszard** Richard, *zdrob.* Dick
**Stanisław** Stanisla(u)s
**Stefan** Stephen
**Sylwester** Silvester
**Szymon** Simon
**Tadeusz** Thadd(a)eus
**Teodor** Theodore, *zdrob.* Theo
**Teresa** Theresa
**Tobiasz** Tobias, *zdrob.* Toby
**Tomasz** Thomas, *zdrob.* Tom, Tommy
**Urszula** Ursula
**Walenty** Valentine
**Wawrzyniec** Laurence, Lawrence
**Wiktor** Victor
**Wiktoria** Victoria, *zdrob.* Vic
**Wincenty** Vincent
**Wojciech** Adalbert
**Zenon** Zeno
**Zofia** Sophie, Sophia
**Zuzanna** Susan
**Zygmunt** Sigismund

# A LIST OF ABBREVIATIONS IN COMMON USE

## SPIS NAJCZĘŚCIEJ UŻYWANYCH SKRÓTÓW

| | |
|---|---|
| **a.** | **albo** or |
| **adm.** | **admirał** admiral |
| **adw.** | **adwokat** lawyer, barrister |
| **afr., afryk.** | **afrykański** African |
| **ag.** | **agencja** agency |
| **AK** | **Armia Krajowa** *hist.* Home Army |
| **AL** | **Armia Ludowa** *hist.* People's Army |
| **am.** | **amerykański** American |
| **AM** | **Akademia Medyczna** Medical Academy |
| **Am. Płd., Amer. Płd.** | **Ameryka Południowa** South America |
| **Am. Płn., Amer. Płn.** | **Ameryka Północna** North America |
| **ang.** | **angielski** English |
| **AR** | **Agencja Robotnicza** Workers' Press Agency |
| **art.** | **artykuł** article; **artysta** artist; **~ mal.** (= **artysta malarz**) painter; **~ rzeźb.** (= **artysta rzeźbiarz**) sculptor |
| **ASP** | **Akademia Sztuk Pięknych** Academy of Fine Arts |
| **asyst.** | **asystent** assistant |
| **austral.** | **australijski** Australian |
| **AWF** | **Akademia Wychowania Fizycznego** Academy of Physical Education |
| **AZS** | **Akademicki Związek Sportowy** University Sports Association (of Poland) |
| **BCh** | **Bataliony Chłopskie** *hist.* Peasants' Battalions |
| **bhp, BHP** | **bezpieczeństwo i higiena pracy** safety and hygiene of work |
| **bm.** | **bieżącego miesiąca** the current month |
| **BN** | **Biblioteka Narodowa** National Library |
| **BOT** | **Biuro Obsługi Turystycznej** Tourist Service Agency |
| **bp** | **biskup** bishop |
| **BPK** | **Bułgarska Partia Komunistyczna** Bulgarian Communist Party |
| **br.** | **bieżącego roku** this year, the current year |
| **bryt.** | **brytyjski** British |
| **BTZ** | **Biuro Turystyki Zagranicznej** Foreign Tourist Service Office |
| **BU** | **Biblioteka Uniwersytecka** University Library |
| **BWKZ** | **Biuro Współpracy Kulturalnej z Zagranicą** Office for Cultural Relations with Foreign Countries |

| | |
|---|---|
| **C, C°** | **stopień Celsjusza** degree centigrade |
| **CAF** | **Centralna Agencja Fotograficzna** Central Press Photo Agency |
| **cd.** | **ciąg dalszy** continued |
| **cdn.** | **ciąg dalszy nastąpi** to be continued |
| **CDT** | **Centralny Dom Towarowy** Central Department Store |
| **Cepelia** | *zob.* **CPLiA** |
| **CH** | **Centrala Handlowa** Commercial Centre |
| **ChRL** | **Chińska Republika Ludowa** Chinese People's Republic |
| **CHZ** | **Centrala Handlu Zagranicznego** Commercial Centre for Foreign Trade |
| **CK** | **Centralny Komitet** Central Committee |
| **cm** | **centymetr** centimetre |
| **cm²** | **centymetr kwadratowy** square centimetre |
| **cm³** | **centymetr sześcienny** cubic centimetre |
| **CO, C.O., c.o.** | **centralne ogrzewanie** central heating |
| **CPLiA** | **Centrala Przemysłu Ludowego i Artystycznego** Union of Co-operative Folk and Artistic Industry |
| **CPN** | **Centrala Produktów Naftowych** Commercial Centre for Oil Industry |
| **CRZZ** | **Centralna Rada Związków Zawodowych** Central Council of the Trade Unions |
| **CSH** | **Centralna Składnica Harcerska** Scouts' Central Stores |
| **CSRS** | **Czechosłowacka Republika Socjalistyczna** Socialist Republic of Czechoslovakia |
| **CWF** | **Centrala Wynajmu Filmów** Film Distribution Office |
| **cz.** | **część** part |
| **CZ** | **Centralny Zarząd** Headquarters |
| **czł.** | **członek** member |
| | |
| **dag** | **dekagram** decagram |
| **dca, d-ca** | **dowódca** commander |
| **Desa** | **Dzieła Sztuki i Antyki** Works of Art and Antiques |
| **dkg** | (*do 1965 r.* **dekagram**) *zob.* **dag** |
| **dł.** | **długość** length |
| **dn.** | **dnia** this ... day of ... |
| **doc.** | **docent** docent |
| **dol.** | **dolar** dollar |
| **dosł.** | **dosłownie** literally |
| **dot.** | **dotyczy** refers; **dotyczący** concerning |
| **dr** | **doktor** doctor |
| **ds., d/s** | **do spraw** for ... affairs ⟨matters⟩ |
| **DS** | **Dom Studencki** Students' Home ⟨Hostel⟩ |
| **DW** | **Dom Wypoczynkowy** rest-home |
| **dyr.** | **dyrektor** director |
| | |
| **EKG, ekg** | **elektrokardiogram** electrocardiogram |
| **etc.** | *łac.* **et cetera = i tak dalej** et cetera |
| **ew.** | **ewentualnie** possibly; otherwise |
| **EWG** | **Europejska Wspólnota Gospodarcza** European Economic Community |

| | |
|---|---|
| **Fiat** | **Włoska Fabryka Samochodów w Turynie** Italian Automobile Factory Turin |
| **FJN** | **Front Jedności Narodu** National Unity Front |
| **FN** | **Filharmonia Narodowa** National Philharmonic Society |
| **fot.** | **fotografował** photographed by; **fotograf** photographer |
| **FP** | **Film Polski** Polish Cinema ⟨Film⟩ |
| **FPK** | **Francuska Partia Komunistyczna** French Communist Party |
| **FSO** | **Fabryka Samochodów Osobowych** Motor-Car Factory |
| **FSZMP** | **Federacja Socjalistycznych Związków Młodzieży Polskiej** Federation of Socialist Unions of Polish Youth |
| **f.szt.** | **funt szterling** pound sterling |
| **FWP** | **Fundusz Wczasów Pracowniczych** Workers' Holiday Fund |
| | |
| **g** | **gram** gram(me) |
| **g.** | **godzina** hour |
| **gat.** | **gatunek** sort |
| **gen.** | **generał** General |
| **GKKFiT** | **Główny Komitet Kultury Fizycznej i Turystyki** Central Committee of Physical Culture and Tourism |
| **GL** | **Gwardia Ludowa** *hist.* People's Guard |
| **gm.** | **gmina** commune |
| **GOPR** | **Górskie Ochotnicze Pogotowie Ratunkowe** Volunteer Mountain Rescue Service |
| **gosp.** | **gospodarka** economy; **gospodarczy** economic |
| **górn.** | **górnictwo; górniczy** mining |
| **gr** | **grosz** grosh |
| **GS** | **Gminna Spółdzielnia** Village Co-operative |
| **GUS** | **Główny Urząd Statystyczny** Chief Statistical Office |
| | |
| **ha** | **hektar** hectare |
| **h.c.** | **honoris causa** *łac.* **(= dla zaszczytu)** honoris causa |
| | |
| **ib., ibid.** | **ibidem** *łac.* **(= ten sam) ibidem,** there, in the same place |
| **i.e.** | **id est** *łac.* **(= to jest) i.e.,** that is |
| **il.** | **ilustracja** figure, illustration; **ilustrował** illustrated by |
| **im.** | **imienia** memorial |
| **in.** | **inny** other; **inaczej** or, otherwise |
| **inż.** | **inżynier** engineer |
| **it** | **informacja turystyczna** tourist information |
| **itd.** | **i tak dalej** and so on |
| **itp.** | **i tym podobne** and the like |
| | |
| **jedn.** | **jednostka** unit |
| **jęz.** | **język** language |
| **jw.** | **jak wyżej** as above |
| | |
| **k.** | **koło** near |
| **KC** | **Komitet Centralny** Central Committee |

| | |
|---|---|
| **KC PZPR** | **Komitet Centralny Polskiej Zjednoczonej Partii Robotniczej** Central Committee of the Polish United Workers' Party |
| **kg** | **kilogram** kilogram |
| **kier., Kier.** | **kierownik** head, manager |
| **k.k., kk** | **kodeks karny** Penal Code |
| **kl.** | **klasa** class |
| **km** | **kilometr** kilometre; **karabin maszynowy** machine gun |
| **km²** | **kilometr kwadratowy** square kilometre |
| **KM** | **koń mechaniczny** horse-power (h.p.) |
| **km/g** | **kilometry na godzinę** kilometres per hour |
| **KP** | **Komunistyczna Partia** Communist Party |
| **KPA** | **Komunistyczna Partia Australii** Communist Party of Australia |
| **KPCh** | **Komunistyczna Partia Chin** Chinese Communist Party |
| **KPCz** | **Komunistyczna Partia Czechosłowacji** Communist Party of Czechoslovakia |
| **KPK** | **Komunistyczna Partia Kanady** Communist Party of Canada |
| **KPNZ** | **Komunistyczna Partia Nowej Zelandii** Communist Party of New Zealand |
| **KPP** | **Komunistyczna Partia Polski** *hist.* Communist Party of Poland |
| **KPSZ** | **Komunistyczna Partia Stanów Zjednoczonych** Communist Party of the United States |
| **kpt.** | **kapitan** captain |
| **KPWB** | **Komunistyczna Partia Wielkiej Brytanii** Communist Party of Great Britain |
| **KPZR** | **Komunistyczna Partia Związku Radzieckiego** Communist Party of the Soviet Union |
| **KRL-D** | **Koreańska Republika Ludowo-Demokratyczna** The Democratic People's Republic of Korea |
| **KRN** | **Krajowa Rada Narodowa** *hist.* National People's Council |
| **ks.** | **ksiądz** Reverend; **książę** Duke |
| **kw.** | **kwadratowy** square; **kwartał** three months |
| | |
| **l** | **litr** litre |
| **la, LA** | **lekka atletyka** athletics |
| **lek.** | **lekarz** physician |
| **LK** | **Liga Kobiet** Women's League |
| **LOK** | **Liga Obrony Kraju** National Defence League |
| **Lot** | *zob.* **PLL „Lot"** |
| **LPA** | **Liga Państw Arabskich** League of Arab States |
| **LRB** | **Ludowa Republika Bułgarii** People's Republic of Bulgaria |
| **LSRA** | **Ludowa Socjalistyczna Republika Albanii** Socialist People's Republic of Albania |
| **LWP** | **Ludowe Wojsko Polskie** Polish People's Army |
| | |
| **łac.** | **łaciński** Latin |

| | |
|---|---|
| **m** | **metr** metre |
| **m.** | **miasto** town, city; **miesiąc** month |
| **MCK** | **Międzynarodowy Czerwony Krzyż** International Red Cross |
| **MFBRO** | **Międzynarodowa Federacja Bojowników Ruchu Oporu** International Federation of the Fighters of the Resistance Movement |
| **MFSM** | **Międzynarodowa Federacja Schronisk Młodzieżowych** International Youth Hostels Federation |
| **mgr** | **magister** Master of Arts (M.A.) |
| **MHD** | **Miejski Handel Detaliczny** Municipal Retail Trade |
| **MHW** | **Ministerstwo Handlu Wewnętrznego** Ministry of Internal Trade |
| **MHZ** | **Ministerstwo Handlu Zagranicznego** Ministry of Foreign Trade |
| **mies.** | **miesiąc** month; **miesięcznie** monthly |
| **mieszk.** | **mieszkaniec, mieszkańców** inhabitant(s) |
| **Min.** | **Ministerstwo** Ministry |
| **min** | **minuta** minute |
| **min.** | **minister** Minister |
| **m.in.** | **między innymi** among others |
| **mjr** | **major** major |
| **MKiS** | **Ministerstwo Kultury i Sztuki** Ministry of Culture and Art |
| **MKNiK** | **Międzynarodowa Komisja Nadzoru i Kontroli** International Commission of Supervision and Control |
| **MKOl** | **Międzynarodowy Komitet Olimpijski** International Olympic Committee |
| **m kw.** | **metr kwadratowy** square metre |
| **mld** | **miliard** milliard, *am.* billion |
| **mln** | **milion** million |
| **mm** | **milimetr** millimetre |
| **mm²** | **milimetr kwadratowy** square millimetre |
| **MO** | **Milicja Obywatelska** Civic Militia |
| **MOP** | **Międzynarodowa Organizacja Pracy** International Labour Organization |
| **MOŚ** | **Ministerstwo Ochrony Środowiska** Ministry of the Environment |
| **MPiK** | **Klub Międzynarodowej Prasy i Książki** International Press and Book Club |
| **MPK** | **Miejskie Przedsiębiorstwo Komunikacyjne** Municipal Transport Enterprise |
| **MPR-L** | **Mongolska Partia Ludowo-Rewolucyjna** Mongolian People's Revolutionary Party |
| **MRL** | **Mongolska Republika Ludowa** Mongolian People's Republic |
| **m/s, M/s** | **statek motorowy** motorship |
| **m.st.** | **miasto stołeczne** capital city |
| **MSW** | **Ministerstwo Spraw Wewnętrznych** Ministry of Internal Affairs, *am.* Ministry of the Interior |
| **MSZ** | **Ministerstwo Spraw Zagranicznych** Ministry of Foreign Affairs |

**MTK** Międzynarodowe Targi Książki International Book Fair
**MTP** Międzynarodowe Targi Poznańskie Poznan International Fair
**MZS** Międzynarodowy Związek Studentów International Union of Students

**n.** nad on
**nad.** nadawca sender
**NASA** Narodowa Agencja do Spraw Aeronautyki i Przestrzeni Kosmicznej *am.* National Aeronautics and Space Administration
**NATO** Organizacja Paktu Północnego Atlantyku North Atlantic Treaty Organization
**nb.** nota bene *łac.* nota bene
**NBP** Narodowy Bank Polski National Bank of Poland
**n.e.** naszej (nowej) ery Anno Domini (A.D.)
**NK** Naczelny Komitet Chief Committee
**NOT** Naczelna Organizacja Techniczna Chief Technical Organization
**np.** na przykład for instance
**nr** numer number
**NRD** Niemiecka Republika Demokratyczna German Democratic Republic
**NSPJ** Niemiecka Socjalistyczna Partia Jedności (SED) Socialist Unity Party of Germany
**NZ** Narody Zjednoczone United Nations

**ob., Ob.** obywatel, obywatelka citizen
**OHP** Ochotniczy Hufiec Pracy Voluntary Labour Corps
**OIT** Ośrodek Informacji Turystycznej Tourist Information Centre
**OJA** Organizacja Jedności Afrykańskiej Organization of African Unity
**OKP** Ogólnopolski Komitet Pokoju All-Poland Peace Committee
**ONZ** Organizacja Narodów Zjednoczonych United Nations Organization, UNO
**OPA** Organizacja Państw Amerykańskich Organization of American States
**ORMO** Ochotnicza Rezerwa Milicji Obywatelskiej Volunteer Reserve of the Civic Militia
**ORP** Okręt Rzeczypospolitej Polskiej Polish Navy Ship
**ORT** Obsługa Ruchu Turystycznego Tourist Traffic Service

**p., P.** pan, pani, panna Mr, Mrs, Miss
**p.** patrz see; piętro floor
**PAGART, Pagart** Polska Agencja Artystyczna Polish Artistic Agency
**PAN** Polska Akademia Nauk Polish Academy of Sciences
**PAP** Polska Agencja Prasowa Polish Press Agency
**par.** paragraf paragraph

| | |
|---|---|
| **PBP „Orbis"** | **Polskie Biuro Podróży „Orbis"** Polish Travel Office 'Orbis' |
| **PCK** | **Polski Czerwony Krzyż** Polish Red Cross |
| **PCW** | **polichlorek winylu** (*tworzywo sztuczne*) polyvinyl |
| **PDT** | **Powszechny Dom Towarowy** Universal Department Store |
| **PGR** | **Państwowe Gospodarstwo Rolne** State Farm |
| **PHZ** | **Przedsiębiorstwo Handlu Zagranicznego** Foreign Trade Enterprise |
| **PISM** | **Polski Instytut Spraw Międzynarodowych** Polish Institute of International Affairs |
| **PKF** | **Polska Kronika Filmowa** Polish News-Reel |
| **PKiN** | **Pałac Kultury i Nauki** Palace of Culture and Science |
| **PKO** | **Powszechna Kasa Oszczędności** National Savings Bank |
| **PKO, Pekao** | **Polska Kasa Opieki** Polish Guardian Bank, Ltd |
| **PKOl** | **Polski Komitet Olimpijski** Polish Committee for Olympic Games |
| **PKOP** | **Polski Komitet Obrońców Pokoju** Polish Committee of Partisans of Peace |
| **PKP** | **Polskie Koleje Państwowe** Polish State Railways |
| **PKS, Pekaes** | **Państwowa Komunikacja Samochodowa** Polish Motor Communications |
| **pkt** | **punkt** point; station |
| **PKWN** | **Polski Komitet Wyzwolenia Narodowego** *hist.* Polish Committee of National Liberation |
| **PLL „Lot"** | **Polskie Linie Lotnicze „Lot"** Polish Airlines 'Lot' |
| **PLO** | **Polskie Linie Oceaniczne** Polish Ocean Lines |
| **płd.** | **południe** south; **południowy** South; southern |
| **płd.-wsch.** | **południowo-wschodni** south-east |
| **płd.-zach.** | **południowo-zachodni** south-west |
| **płk** | **pułkownik** colonel |
| **płn.** | **północ** north; **północny** North; northern |
| **płn.-wsch.** | **północno-wschodni** north-east |
| **płn.-zach.** | **północno-zachodni** north-west |
| **PMH** | **Polska Marynarka Handlowa** Polish Merchant Marine |
| **PMW** | **Polska Marynarka Wojenna** Polish Navy |
| **p.n.e.** | **przed naszą ⟨nową⟩ erą** before Christ (B.C.) |
| **POP** | **Podstawowa Organizacja Partyjna (PZPR)** Basic Party Organization (of the Polish United Workers' Party) |
| **por.** | **porównaj** compare; **porucznik** lieutenant |
| **poz.** | **pozycja** item |
| **pp., PP.** | **panowie, panie, państwo** Messrs, Mesdames, Mr and Mrs |
| **ppłk** | **podpułkownik** lieutenant-colonel |
| **ppor.** | **podporucznik** second lieutenant |
| **PPR** | **Polska Partia Robotnicza** *hist.* Polish Workers' Party |
| **PPS** | **Polska Partia Socjalistyczna** *hist.* Polish Socialist Party |
| **PR** | **Polskie Radio** Polish Radio |
| **PRiTV** | **Polskie Radio i Telewizja** Polish Radio and Television |
| **PRL** | **Polska Rzeczpospolita Ludowa** Polish People's Republic |
| **proc.** | **procent** per cent |

| | |
|---|---|
| **prof.** | **profesor** professor |
| **PS** | **postscriptum** postscript |
| **P.T.** | **pleno titulo** *łac.* (= **pełnym tytułem**) full-titled |
| **pt.** | **pod tytułem** under the title |
| **p-ta** | **poczta** post office |
| **PTTK** | **Polskie Towarzystwo Turystyczno-Krajoznawcze** Polish Tourist Country-Lovers' Society |
| **PW** | **Państwowe Wydawnictwo** State Publishing House |
| **PZLA** | **Polski Związek Lekkiej Atletyki** Polish Athletic Union |
| **PZMot, PZM** | **Polski Związek Motorowy** Polish Automobile and Motor-Cycle Federation |
| **PZPN** | **Polski Związek Piłki Nożnej** Polish Football Union |
| **PZPR** | **Polska Zjednoczona Partia Robotnicza** Polish United Workers' Party |
| **PZU** | **Państwowy Zakład Ubezpieczeń** Polish National Insurance |
| **PŻM** | **Polska Żegluga Morska** Polish Steamship Co. |
| **r.** | **rok(u)** year |
| **red.** | **redaktor** editor |
| **RFN** | **Republika Federalna Niemiec** Federal Republic of Germany |
| **RM** | **Rada Ministrów** The Cabinet |
| **RN** | **Rada Narodowa** People's Council |
| **RP** | **Rada Państwa** State Council; **Rzeczpospolita Polska** Polish Republic |
| **RPK** | **Rumuńska Partia Komunistyczna** Rumanian Communist Party |
| **RWPG** | **Rada Wzajemnej Pomocy Gospodarczej** Council for Mutual Economic Aid |
| **RZ** | **Rada Zakładowa** Works Committee |
| **s.** | **strona** page |
| **SA, S.A.** | **spółka akcyjna** Joint Stock Company, *am.* Incorporated Company |
| **SAM, sam** | **sklep samoobsługowy** self-service shop |
| **SD** | **Stronnictwo Demokratyczne** Democratic Party |
| **sek.** | **sekunda** second |
| **SFRJ** | **Socjalistyczna Federacyjna Republika Jugosławii** Socialist Federative Republic of Yugoslavia |
| **sierż.** | **sierżant** sergeant |
| **SPATiF** | **Stowarzyszenie Polskich Artystów Teatru i Filmu** Association of Polish Theatre and Film Artists |
| **SRR** | **Socjalistyczna Republika Rumunii** Socialist Republic of Rumania |
| **SRW** | **Socjalistyczna Republika Wietnamu** Socialist Republic of Vietnam |
| **st.** | **starszy** older; senior; **stopień, stopnie** degree(s) |
| **str.** | **strona** page |
| **St. Zjedn.** | **Stany Zjednoczone** United States |
| **szkoc.** | **szkocki** Scotch; Scottish |
| **SZMW** | **Socjalistyczny Związek Młodzieży Wojskowej** Socialist Union of Military Youth |

| | |
|---|---|
| **SZSP** | **Socjalistyczny Związek Studentów Polskich** Socialist Union of Polish Students |
| **ŚFMD** | **Światowa Federacja Młodzieży Demokratycznej** World Federation of Democratic Youth |
| **ŚFZZ** | **Światowa Federacja Związków Zawodowych** World Federation of Trade Unions |
| **ŚKOP** | **Światowy Komitet Obrońców Pokoju** World Committee of Partisans of Peace |
| **ŚOZ** | **Światowa Organizacja Zdrowia** World Health Organization |
| **śp.** | **świętej pamięci** the late |
| **ŚRP** | **Światowa Rada Pokoju** World Council of Peace |
| **św.** | **święty** Saint; **świadek** witness |
| **t** | **tona** ton |
| **t.** | **tom** volume |
| **tab.** | **tabela** table |
| **tabl.** | **tablica** figure |
| **tel.** | **telefon** telephone |
| **Telex** | **Telegraph Exchange** *bryt.* dalekopis |
| **tj.** | **to jest** that is (i.e.) |
| **TKKF** | **Towarzystwo Krzewienia Kultury Fizycznej** Society for the Propagation of Physical Culture |
| **TKKŚ** | **Towarzystwo Krzewienia Kultury Świeckiej** Society for the Propagation of Lay Culture |
| **TOS** | **Techniczna Obsługa Samochodów** Automobile Technical Service |
| **tow.** | **towarzysz(ka)** comrade; **towarzystwo** society |
| **TOZ** | **Towarzystwo Opieki nad Zwierzętami** Society for the Protection of Animals |
| **TPD** | **Towarzystwo Przyjaciół Dzieci** Society of the Friends of Children |
| **TV** | **telewizja** television |
| **tys.** | **tysiąc** thousand |
| **tzn.** | **to znaczy** that is to say, namely |
| **tzw.** | **tak zwany** the so-called |
| **ub.** | **ubiegły** last (month, year etc.) |
| **UJ** | **Uniwersytet Jagielloński** Jagiellonian University |
| **UKF** | **fale ultrakrótkie (o dużych częstościach drgań)** ultra-short waves |
| **ul.** | **ulica** street |
| **UNESCO** | **Organizacja Narodów Zjednoczonych do spraw Oświaty, Nauki i Kultury** United Nations Educational, Scientific and Cultural Organization |
| **UNICEF** | **Fundusz Narodów Zjednoczonych Pomocy Dzieciom** United Nations Children's Fund |
| **UP-T** | **Urząd Pocztowo-Telekomunikacyjny** Post and Telecommunication Office |
| **ur.** | **urodzony** born |
| **URM** | **Urząd Rady Ministrów** Bureau of the Cabinet |
| **USC** | **Urząd Stanu Cywilnego** Registry |
| **UW** | **Uniwersytet Warszawski** University of Warsaw; **Układ Warszawski** Warsaw Treaty |

| | |
|---|---|
| **w.** | **wiek** century |
| **W. Bryt.** | **Wielka Brytania** Great Britain |
| **wg** | **według** according to |
| **WłPK** | **Włoska Partia Komunistyczna** Communist Party of Italy |
| **w m.** | **w miejscu** local |
| **WP** | **Wojsko Polskie** Polish Army |
| **WRL** | **Węgierska Republika Ludowa** Hungarian People's Republic |
| **wsch.** | **wschód** east; **wschodni** East; eastern |
| **WSPR** | **Węgierska Socjalistyczna Partia Robotnicza** Hungarian Socialist Workers' Party |
| **ww.** | **wyżej wymieniony** above mentioned |
| **W-Z** | **(trasa) Wschód-Zachód** East-West (thoroughfare) |
| **zach.** | **zachód** west; **zachodni** West; western |
| **ZAIKS** | **Stowarzyszenie Autorów ZAIKS** Authors' Association ZAIKS |
| **zał.** | **załącznik** enclosure; **założony; założył** founded |
| **ZBoWiD** | **Związek Bojowników o Wolność i Demokrację** Association of Fighters for Liberty and Democracy |
| **zca, z-ca** | **zastępca** deputy |
| **z d.** | **z domu** maiden name |
| **ZG** | **Zarząd Główny** Board (of Administration, of Directors), headquarters, governing body |
| **ZHP** | **Związek Harcerstwa Polskiego** Polish Scouting Union |
| **ZKJ** | **Związek Komunistów Jugosławii** League of Communists of Yugoslavia |
| **ZKPI** | **Zjednoczona Komunistyczna Partia Irlandii** United Communist Party of Ireland |
| **ZLP** | **Związek Literatów Polskich** Union of Polish Writers |
| **zł** | **złoty** zloty |
| **zm.** | **zmarł(a)** died |
| **ZMS** | **Związek Młodzieży Socjalistycznej** Socialist Youth Union |
| **ZNP** | **Związek Nauczycielstwa Polskiego** Polish Teachers' Association |
| **zob.** | **zobacz** see |
| **ZSL** | **Zjednoczone Stronnictwo Ludowe** United Peasants' Party |
| **ZSMP** | **Związek Socjalistycznej Młodzieży Polskiej** Union of Polish Socialist Youth |
| **ZSRR** | **Związek Socjalistycznych Republik Radzieckich** Union of Soviet Socialist Republics |
| **ZURiT, ZURT** | **Zakład Usług Radiotechnicznych i Telewizyjnych** Radio and Television Engineering Service Station |
| **ZUS** | **Zakład Ubezpieczeń Społecznych** Social Insurance Institution |
| **zw.** | **związek** union, association |
| **Zw. Radz.** | **Związek Radziecki** Soviet Union |
| **Zw. Zaw., ZZ** | **Związki Zawodowe** Trade Unions |
| **ŻP** | **Żegluga Polska** Polish Shipping |

# A LIST OF IRREGULAR VERBS

# CZASOWNIKI Z ODMIANĄ TZW. NIEREGULARNĄ

**bać się:** boję, boisz, boi ... boją się; bój się; bojąc się; bał(a, -o, -y), *pl m* bali się; bano się

**boleć** *v imp*: boli, bolą; bolący; bolał(a, -o, -y); bolenie

**bóść:** bodę, bodziesz, bodzie ... bodą; bódź; bodąc(y); bódł, bodła, -ło,-ły, *pl m* -li; bodzony, *pl m* -dzeni; bodzenie

**brać:** biorę, bierzesz, bierze ... biorą; bierz; biorąc; brał(a, -o, -y), *pl m* -li; po-, za/-brawszy; po-, za/brany; brano; branie

**być** *praes*: jestem, jesteś, jest(eśmy, -eście), są; *fut* będę, będziesz, będzie ... będą; bądź; będąc(y); byłem, był(a, -o, -y), *pl m* -li; bycie

**chcieć:** chcę, chcesz, chce ... chcą; chciej; chcąc(y); chciał(a, -o, -y), *pl m* chcieli; zachciawszy; chciano

**ciąć:** tnę, tniesz, tnie ... tną; tnij; tnąc(y); ciął, cięła, -ło, -ły, *pl m* -li; pociąwszy; cięty, *pl m* cięci; cięto; cięcie

**ciec:** ciekę, cieczesz, ciecze ... cieką; cieknij, ciecknąc; cieknął, ciekněła, -ło, -ły, *pl m* -li; cieknięty, *pl m* -nięci; cieknięcie

**czcić:** czczę, czcisz, czci .. czczą; czcij; czcząc(y); czcił(a, -o, -y), *pl m* -li; uczciwszy; czczony, *pl m* czczeni; czczono; uczczenie

**czyścić:** czyszczę, czyścisz, czyści ... czyszczą; czyść; czyszcząc(y); czyścił(a, -o, -y), *pl m* -li; czyściwszy; oczyszczony; czyszczono; czyszczenie

**dostać:** dostanę, dostaniesz, dostanie ... dostaną; dostań; dostając; dostał(a, -o, -y), *pl m* -li; dostawszy; dostano; dostanie

**drzeć:** drę, drzesz, drze ... drą; drzyj; drąc(y); darł(a, -o, -y), *pl m* -li; zdarłszy; zdarty, *pl m* zdarci; darto; darcie

**gnieść:** gniotę, gnieciesz, gniecie ... gniotą; gnieć; gniotąc(y); gniótł, gniotła, -ło, -ły, *pl m* gnietli; przygniótłszy; gnieciony, *pl m* gnieceni; gnieciono; gniecenie

**gryźć:** gryzę, gryziesz, gryzie ... gryzą; gryź; gryząc(y); gryzł(a, -o, -y), *pl m* -li; ugryzłszy; ugryziony, *pl m* -zieni; gryziono; gryzienie

**grząźć:** grzęznę, grzęźniesz, grzęźnie ... grzęzną; grzęźnij; grzęznąc(y); grzązł(a, -o, -y), *pl m* grzęźli/grzęznął, -nęła, -neło, -nęły, *pl m* -nęli; ugrzęzłszy/-znąwszy; ugrzęźnięty, *pl m* -nięci; grzęźnięto; ugrzęźnięcie

**iść:** idę, idziesz, idzie ... idą; idź; idąc(y); szedł, szła, szło, szły, *pl m* szli; szedłszy

**jechać:** jadę, jedziesz, jedzie ... jadą; jedź; jadąc(y); jechał(a, -o, -y), *pl m* -li; jechawszy; przejechany; jechano; jechanie

**jeść:** jem, jesz, je ... jedzą; jedz; jedząc(y); jadł(a, -o, -y), *pl m* jedli; jadłszy; zjedzony, *pl m* -dzeni; jedzono; jedzenie

**-jść:** pójdę, pójdziesz, pójdzie ... pójdą; pójdź; *p see* iść: poszedł *etc.*

**kłaść:** kładę, kładziesz, kładzie ... kładą; kładź; kładąc; kładł(a, -o, -y), *pl m* -li; kładłszy; kładziony, *pl m* -dzeni; kładziono; kładzenie

**kraść:** kradnę, kradniesz, kradnie ... kradną; kradnij; kradnąc(y); kradł(a, -o, -y), *pl m* -li; ukradłszy; skradziony, *pl m* -dzeni; kradziono; kradzenie/kradnięcie

**lec, legnąć:** legnę, legniesz, legnie ... legną; legnij; legł(a, -o, -y), *pl m* -li; ległszy; legnięcie

**leźć:** lezę, leziesz, lezie ... lezą; leź; leząc(y); lazł(a, -o, -y), *pl m* leźli; leziono; lezienie

**łgać:** łżę, łżesz, łże ... łżą; łżyj; łżąc(y); łgał(a, -o, -y), *pl m* -li; wyłgany; łgano; łganie

**mieć:** mam, masz, ma ... mają; miej; mając(y); miał(a, -o, -y), *pl m* mieli; miany; miano

**mieść:** miotę, mieciesz, miecie ... miotą; mieć; miotąc(y); miótł, miotła, -ło, -ły, *pl m* mietli; wymiótłszy; mieciony, *pl m* -ceni; mieciono; miecenie

**mleć:** mielę, mielesz, miele ... mielą; miel; mieląc(y); mełł(a, -o, -y), *pl m* mełli; mielony; mielono; mielenie

**móc:** mogę, możesz, może ... mogą; wzmóż; mogąc(y); mógł, mogła, -ło, -ły, *pl m* mogli; (w)zmożony, *pl m* zmożeni; wzmożono; wzmożenie

**mrzeć:** mrę, mrzesz, mrze ... mrą; mrzyj; mrąc(y); marł(a, -o, -y), *pl m* -li; zmarły, *pl m* -li; marcie

**mścić:** mszczę, mścisz, mści ... mszczą; mścij; mszcząc(y); mścił(a, -o, -y), *pl m* -li; pomściwszy; pomszczony, *pl m* -szczeni; mszczono; mszczenie

**-naleźć:** znaleźć, znajdę, znajdziesz, znajdzie ... znajdą; znajdź; znalazł(a, -o, -y), *pl m* -leźli; znalazłszy; znaleziony, *pl m* -zieni; znaleziono; znalezienie

**nieść:** niosę, niesiesz, niesie ... niosą; nieś; niosąc(y); niósł, niosła, -ło, -ły, *pl m* nieśli; niósłszy; niesiony, *pl m* -sieni; niesiono; niesienie

**oblec:** oblokę, obleczesz, oblecze ... obleką; oblecz; oblókł, oblokła, -ło, -ły, *pl m* oblekli; oblókłszy; obleczony/obłóczony, *pl m* obleczeni; obleczono; obleczenie

**orać:** orzę, orzesz, orze ... orzą; orz; orząc(y); orał(a, -o, -y), *pl m* -li; zaorawszy; orany; orano; oranie

**paść**[1] (*fall down*): padnę, padniesz, padnie ... padną; padnij; padł(a, -o, -y), *pl m* padli; padłszy; padły, *pl m* -li; padnięcie

**paść**[2] (*pasture*): pasę, pasiesz, pasie ... pasą; paś; pasąc(y); pasł(a, -o, -y), *pl m* paśli; pasiony, *pl m* -sieni; pasiono; pasienie

**piec:** piekę, pieczesz, piecze ... pieką; piecz; piekąc(y); piekł(a, -o, -y), *pl m* -li; pieczony, *pl m* -czeni; pieczono; pieczenie

**pleć:** pielę, pielesz, piele ... pielą; piel *etc. see* mleć

**pleść:** plotę, pleciesz, plecie ... plotą; pleć; plotąc(y); plótł, plotła, -ło, -ły, *pl m* pletli; plótłszy; pleciony, *pl m* -ceni; pleciono; plecenie

**prać:** *see* brać

**-prząc:** zaprzęgę, zaprzężesz, zaprzęże ... zaprzęża; zaprząż/zaprzęż; zaprzągł, zaprzęgła, -ło, -ły, *pl m* -li; zaprzągłszy; zaprzężony, *pl m* -żeni; zaprzężono; zaprzężenie

**prząść:** przędę, przędziesz, przędzie ... przędą; przędź/prządź; przędąc(y); prządł, przędła, -ło, -ły, *pl m* -li; uprządłszy; przędziony; przędziono; przędzenie

**przeć:** *see* drzeć

**rosnąć, róść:** rosnę, rośniesz, rośnie ... rosną; rośnij; rosnąc(y); rósł, rosła, -ło, -ły, *pl m* rośli; wyrósłszy; rośnięcie

**rozpostrzeć:** *see* drzeć

**rozumieć:** rozumiem, rozumiesz, rozumie ... rozumieją; rozum(iej); rozumiejąc(y); rozumiał(a, -o, -y), *pl m* rozumieli; zrozumiawszy; zrozumiany, *pl m* -mieni; rozumienie

**rwać:** rwę, rwiesz, rwie ... rwą; rwij; rwąc(y); rwał(a, -o, -y), *pl m* rwali; wyrwawszy; rwany; rwano; rwanie

**rzec:** rzeknę, rzekniesz, rzeknie († rzecze) ... rzekną; rzeknij; rzekł(a, -o, -y), *pl m* -li; rzekłszy; rzeczony; rzeczono; wyrzeczenie

**-siąc:** przysięgnę, przysięgniesz, przysięgnie ... przysięgną; przysięgnij; przysięgając(y); przysiągł, -sięgła, -ło, -ły, *pl m* -li; przysiągłszy; przysięgły, *pl m* -li; przysięgnięcie

**siąść:** siądę, siądziesz, siądzie ... siądą; siądź; siadł(a, -o, -y), *pl m* siedli; siadłszy; osiadły, *pl m* osiedli

**siec:** *see* piec

**słać**[1]: ślę, ślesz, śle ... ślą; ślij; śląc(y); słał(a, -o, -y), *pl m* słali; posławszy; posłany; słano; słanie

**słać**[2]: ścielę, ścielesz, ściele ... ścielą; ściel; ścieląc(y); *see* słać[1]

**spać:** śpię, śpisz, śpi ... śpią; śpij; śpiąc(y); spał(a, -o, -y), *pl m* -li; wyspawszy się; wyspany; spano; spanie

**spiąć:** *praes* zepnę, zepniesz, zepnie ... zepną; zepnij; spiął, spięła, spięły, *pl m* -li

**ssać:** ssę, ssiesz, ssie ... ssą; ssij; ssąc(y); ssał(a, -o, -y), *pl m* -li; ssawszy; wyssany; ssano; ssanie

**stać¹:** stoję, stoisz, stoi ... stoją; stój; stojąc(y); stał(a, -o, -y), *pl m* stali; stawszy; wystany; stano; stanie

**stać²:** staje, stało

**stać³ się:** stanę, staniesz, stanie ... staną się; stań się; stał(a, -o, -y), *pl m* -li się; stawszy się; stanie się

**strzec:** strzegę, strzeżesz, strzeże ... strzegą; strzeż; strzegąc(y); strzegł(a, -o, -y), *pl m* -li; dostrzegłszy; strzeżony, *pl m* -żeni; strzeżono; strzeżenie

**strzyc:** *see* strzec

**śmieć:** *see* umieć

**tłuc:** tłukę, tłuczesz, tłucze ... tłuką; tłucz; tłucząc(y); tłukł(a, -o, -y), *pl m* -li; stłukłszy; tłuczony, *pl m* -czeni; tłuczono; tłuczenie

**trząść:** trzęsę, trzęsiesz, trzęsie ... trzęsą; trząś; trzęsąc(y); trząsł, trzęsła, -ło, -ły, *pl m* -li; zatrząsłszy; trzęsiony, *pl m* -sieni; trzęsiono; trzęsienie

**trzeć:** *see* drzeć

**umieć:** umiem, umiesz, umie ... umieją; umiej; umiejąc(y); umiał(a, -o, -y), *pl m* umieli; umiawszy; umiany; umiano; umienie

**wiedzieć:** wiem, wiesz, wie ... wiedzą; wiedz; wiedząc(y); wiedział(a, -o, -y), *pl m* wiedzieli; dowiedziawszy się; wiedziany; wiedziano; dowiedzenie się

**wieść:** wiodę, wiedziesz, wiedzie ... wiodą; wiedź; wiodąc(y); wiódł, wiodła, -ło, -ły, *pl m* wiedli; wiódłszy; wiedziony, *pl m* -dzeni; wiedziono

**wieźć:** wiozę, wieziesz, wiezie ... wiozą; wieź; wioząc(y); wiózł, wiozła, -ło, -ły, *pl m* wieźli; wiózłszy; wieziony, *pl m* -zieni; wieziono; wiezienie

**wlec:** wlokę, wleczesz, wlecze ... wloką; wlecz; wlokąc(y); wlókł, wlokła, -ło, -ły, *pl m* wlekli; wlókłszy; wleczony, *pl m* -czeni; wleczono; wleczenie

**wrzeć:** wrę, wresz/(wy-, za-, ze)wrzesz, wre/(wy-, za-, ze)wrze, wrzemy, wrzecie, wrzą/(wy-, za-, ze)wrą; wrzyj; wrąc/wrząc(y); wrzał(a, -o, -y), *pl m* -li, *but*: wy-, za-, z/-warł(a, -o, -y), *pl m* -li; wy-, za-, z/warłszy; wy-, za-, z/warty, *pl m* -rci; zawarto; wrzenie (wy-, za-, z/warcie)

**wściec się:** *see* rzec; wściekły, *pl m* -kli; wściekano się; wścieknięcie

**wyląc:** wylęg(n)ę, wylęgniesz/wylężesz, wylęgnie/wylęże ... wylęgną; wylęgnij; wylągł, wylęgła, -ło, -ły, *pl m* -li; wylęgłszy; wylęgły, *pl m* -li; wylęgniecie się

**wziąć:** wezmę, weźmiesz, weźmie ... wezmą; weź; wziął, wzięła, -ło, -ły, *pl m* -li; wziąwszy; wzięty, *pl m* wzięci; wzięto; wzięcie

**zawrzeć, zewrzeć:** *see* wrzeć

**ząc się, zlęknąć się:** zlęknę, zlękniesz, zlęknie ... zlękną się; zlęknij się; zląkł, zlękła, -ło, -ły, *pl m* -li się; zląkłszy się; zlęknięty, *pl m* -ęci; zlęknięcie się

**zwać:** *see* rwać; *a.* zowię, zowiesz, zowie, zowią

**żreć:** *see* drzeć

*Note*: With verbs marked *pf.*, which are inflected by means of prefixes, the insertion of -e- is necessary in case of two or more consonants.

rozebrać (*but*: rozbiorę), odeprzeć (*but*: odparł), podejść, podeszła (*but*: podszedł), rozciąć (*but*: rozetnę) *etc.*

NOTES

## NOTES

# NOTES

# NOTES

NOTES

## NOTES

# NOTES

# NOTES